KB175094

Catholic Medical Center

의약품집

Catholic Medical Center

의약품집 14th ed.

14판 1쇄 인쇄 2016년 11월 14일
14판 1쇄 발행 2016년 11월 25일

지 은 이 가톨릭대학교 서울성모병원 약제부
발 행 인 장주연
출 판 기 획 김재한
편집디자인 조원배
표지디자인 김재욱
발 행 처 군자출판사
등록 제 4-139호(1991. 6. 24)
본사 (10881) 경기도 파주시 회동길 338(서패동 474-1)
전화 (031) 943-1888 팩스 (031) 955-9545
홈페이지 | www.koonja.co.kr

ISBN 979-11-5955-103-1
정가 35,000원

발 간 사

나날이 급변하는 의 · 약학 분야에서 의약품사용 지침서 역할을 수행해 온 'CMC 의약품집' 이 2013년 이후 의약품의 주요 변동사항 등에 대한 개정과 신규 보강작업을 마치고 이번으로 제 14개정판을 발간하게 되었습니다. 이를 위하여 끊임없이 노력하여 주신 서울성모병원 약제부 약사들과 관계자 여러분들께 깊은 감사의 말씀을 드립니다.

우리 CMC(Catholic Medical Center)의 영성은 치유자로서의 예수 그리스도를 우리 안에 체현하여 질병으로 고통 받는 사람들을 보살피는데 있습니다. 이를 위하여 가톨릭대학교 의과대학, 약학대학, 간호대학 및 서울성모병원을 비롯한 8개 부속병원의 전 CMC 구성원이 노력하고 있습니다. CMC 전 병원과 의과대학의 AAHRPP(The Association For The Accreditation Of Human Research Protection Program) 인증 획득, 서울성모병원의 JCI(Joint Commission International) 전 부문 인증 획득 등을 통해 국제 수준의 최고 의료기관으로서 의료 경쟁력을 인정받았으며, 새로이 시작한 약학대학의 발전과 함께 신뢰받는 최고의 의료기관으로 확고히 자리매김하고자 노력하고 있습니다.

의료계는 여러 가지 의료 정책 및 제도 등에 있어 큰 변화를 맞고 있습니다. 또한 변화 속에서도 국내 제약산업은 발전을 거듭하여 세계적인 신약을 개발하고 있으며, 국내 뿐 아니라 전 세계적으로 생명공학 연구가 발전하여 난치병 치료를 향해 한걸음씩 다가가고 있습니다. 이러한 의료 환경 속에서 의료기관은 환자의 치료를 위해 더욱 노력하고 있습니다. 환자의 치료에서 약물요법은 커다란 비중을 차지합니다. 예로부터 의사가 약을 잘 쓰면 명의가 되고, 아무리 좋은 약이라도 잘못 쓰면 독약이 된다는 말이 있듯이 약의 적응증, 투여법, 부작용, 금기사항 등을 잘 알고 처방할 때 그 약이 지니고 있는 본래의 효능을 최대한 발휘하여 환자들의 소중한 생명을 구할 수 있을 것입니다. 이러한 의미에서 1985년 초판이 발행된 이래 14번째 개정판을 발간하게 된 'CMC 의약품집' 은 인간 생명 존중의 최일선에서 환자를 돌보는 의료진들에게 소중한 지침서가 될 것이며, 진정으로 환자에게 사랑을 실천하는 명의로 거듭날 수 있는 도구로 쓰여질 것을 믿어 의심치 않습니다.

이 책이 고통 받는 환자 진료에 효율적으로 사용되어 소중한 지침서로서의 역할을 다할 수 있기를 기원합니다.

2016년 10월

가톨릭대학교 가톨릭중앙의료원

의무부총장 겸 의료원장 강 무 일

발 간 사

서울성모병원은 세계수준의 의료진과 최첨단 의료장비를 갖춘 가톨릭중앙의료원의 대표병원으로서, '여러분의 희망이 되어드리겠습니다' 라는 슬로건 아래 육체적 질병으로 고통 받는 환자의 마음을 영성으로 치유하는 희망의 병원이 되어 왔습니다.

의료기관에서의 의약품의 사용은 환자 치료에 있어 필수적인 요소입니다. 최근에는 약물요법과 정보시스템의 발달로 의약품에 대한 많은 정보를 접할 수 있으나 이러한 정보가 실제 업무에 활용되기 위해서는 정보를 수집하여 다듬는 과정이 필요합니다. 'CMC 의약품집' 은 의약품에 대한 기본 정보를 쉽고 빠르게 접근할 수 있는 형태로 담고 있으며, 1985년 원내 의사, 약사, 간호사가 활용할 수 있도록 처음 발간한 이후 원내 뿐 아니라 지역 병원 및 약국의 실무참고자료와 교육 자료로 활용되어 왔습니다.

이번 14차 개정판을 발간하며, 본 책자가 실무에 더욱 유용하게 활용될 수 있도록 하기 위해 새로운 기준의 의약품 분류를 추가하여 의약품의 분류 및 각 장의 구성을 개정하였으며, 더 쉽고 빠르게 정보에 접근할 수 있도록 각 의약품의 한글 상품명을 추가하였습니다. 의약품에 대한 정보는 계속 변화하기 때문에 책자 형태의 개정 발간이 한계점도 있으나, 이를 보완하고자 본 개정 시 한 눈에 들어오는 의약품 분류체계와 동효제제 비교에 중점을 두어 정확한 정보 활용에 도움이 되고자 하였습니다.

의약품의 안전한 사용은 환자 안전에 있어 매우 중요한 부분입니다. 안전한 의약품의 사용을 위해서는 의약품의 구매 · 선정, 입고 · 보관에서부터 처방, 조제, 투약, 모니터링까지 모든 의약품 사용 단계에 대한 지속적인 관리가 필요합니다. 또 효율적인 관리를 위해서는 정확한 정보의 활용이 반드시 필요합니다. 'CMC 의약품집' 이 담고 있는 정보가 의약품의 안전한 사용을 위해 유용하게 사용될 수 있기를 기대합니다. 감사합니다.

2016년 10월

가톨릭대학교 서울성모병원장

승 기 배

일러두기

1. 이 책은 가톨릭대학교 가톨릭중앙의료원 산하 각 부속병원에서 사용하고 있는 모든 의약품(2016. 1. 1 기준)을 체계적으로 수록하여 해설한 것입니다.
2. 본문 중 약제의 제형 및 단위는 약어를 사용하였습니다.
   제형 - 정제 : tab, 캡슐제 : cap, 액제 : soln, 주사 : inj, 연고 : oint, 좌제: supp
   단위 - 정제 : T, 캡슐제 : C, 병 : BT, 포 : P, 앰플 : A, 바이알 : V, 시린지 : syr
3. 본문에 수록된 각 약제의 용법은 제품 설명서를 기준으로 하였습니다.
4. 본문에 수록된 부작용은 지면상 발현빈도가 높은 부작용을 우선적으로 선별하여 수록하였으므로, 기재되지 않은 부작용도 발현될 수 있습니다.
5. 본문 중 우리말 번역이 어색한 것은 이해를 돕기 위하여 원어를 그대로 사용하였으며, 약자는 흔히 사용되는 병명 및 의학용어이며, 모든 약자는 글자 뒤에 마침표를 생략하였습니다.
   (예 I.V.: IV, b.i.d.: bid)
6. 임신 시 안전성은 미국 FDA분류를 우선적으로 기재하였습니다.
7. 부록에는 일반수액제 일람표, 아미노산 수액제 제제 일람표, 완제품 TPN(Total Parenteral Nutrition) 일람표, 항암제 안정성 정보, 항암제 사용시 취급상의 주의점, 항균제 투여법 및 안정성 정보, 스테로이드 외용제 일람표, 임신 시 약물 복용의 안전성, 소독제를 마련하였습니다.
8. 찾아보기에는 의약품의 성분명, 상품명 별로 alphabet 순으로 정리하였으며, 해당 약물의 내용이 시작되는 페이지를 기록하였습니다.
9. 본 책자에 수록된 상품명은 각 제품의 일시적 공급 중지 또는 생산 중지 등의 특정 사유로 현재 사용하고 있는 약품의 상품명과 차이가 있을 수 있습니다.
10. 본 책자는 아래의 제품 설명서 및 아래의 참고문헌의 정보를 활용하였습니다.
    AHFS Drug Information 2013, American Society of Hospital Pharmacists 발행
    Drug-dex, Micromedex(R) Solutions, Truven Health Analytics
    Drug Information Handbook 24th ed. American pharmacists Association, Lexi-Comp Inc. 발행
    Drug Facts & Comparisons 2013, Facts and Comparisons, Wolters Kluwer Health 발행
    Martindale(The Extra Pharmacopoeia) 37th Ed. The Pharmaceutical Press, London 발행
    Drug Interaction Facts 2013, Facts and Comparisons, Wolters Kluwer Health 발행
    Handbook on Injectable Drugs 17th ed. American Society of Hospital Pharmacists 발행
    Physicians' Desk Reference 67th ed. PDR Network 발행
11. 이 책에 대한 문의 또는 약품정보에 관한 사항은 서울성모병원 약제부 의약정보실(☎ 02-2258-2527, 2523)로 하시기 바랍니다.

Contents

4장. 내분비계 및 대사 (Endocrine system & Metabolism)

5장. 소화기계(Gastrointestinal system)

6장. 비뇨기계(Urinary system)

7장. 조혈기계(Blood & Blood forming organs)

8장. 생물학적 제제(Serums & Vaccines)

9장. 항종양제(Antineoplastic agents)

10장. 면역 조절제(Immunomodulation agents)

11장. 감염증치료제(Anti-infective agents)

12장. 피부과용제(Dermatologics)

13장. 외용제(External preparations)

14장. 마약 및 길항제 (Narcotics & Narcotic antagonists)

15장. 해독제(Antidotes)

16장. 진단시약(Diagnostic agents) ···897

17장. 조영제 및 보조제(Contrast Media)

18장. 수액류(Fluids)

부록 ········931

Index ········963

1 장. 신경계(Nervous system)

1. Analgesics
   (1) Analgesics
      1) Non-salicylates
         (ㄱ) Paracetamol
         (ㄴ) Others
      2) Salicylates
   (2) Anti-inflammatory agents
      1) Enzymes
      2) Nonsteroidal anti-inflammatory agents
         (ㄱ) Cyclooxygenase-2 inhibitors (coxib)
         (ㄴ) Fenamates
         (ㄷ) Indene acetic acid derivatives
         (ㄹ) Oxicams
         (ㅁ) Phenylacetic acid derivatives
         (ㅂ) Propionic acid derivatives
         (ㅅ) Others
      3) Antirheumatic agents
   (3) Antigout preparations
   (4) Antimigraine preparations

2. Anesthetics
   (1) General anesthetics
      1) Inhalation anesthetics
      2) Injection anesthetics
   (2) Local anesthetics
   (3) Neuroleptanesthetics and neuroleptanalgesics

3. Anorexiants

4. Antiepileptics
   (1) Barbiturates
   (2) Benzodiazepine derivatives
   (3) Hydantion derivatives
   (4) Others

5. Anti-parkinson agents
   (1) Adamantane derivatives
   (2) Anticholinergic agents
   (3) Catechol-O-methyltransferase(COMT) inhibitors
   (4) Dopamine agonists
   (5) Levodopa
   (6) Monoamine oxidase B inhibitors

6. Muscle-related agents
   (1) Cholinesterase inhibitors (agents for Myasthenia gravis)
   (2) Neuromuscular blocking agents
      1) Neuromuscular blocking agents, Depolarizing
      2) Neuromuscular blocking Agents, Nondepolarizing
   (3) Skelectal Muscle Relaxants
   (4) Others

7. Psycholeptics
   (1) Antipsychotics
   (2) Anxiolytics
   (3) Hypnotics and sedatives

8. Psychoanaleptics
   (1) Anti-dementia drugs
   (2) Antidepressants
      1) Antimanics
      2) Monoamine oxidase inhibitors
      3) Selective serotonin reuptake inhibitors
      4) Serotonin and norepinephrine reuptake inhibitors
      5) Tricyclic antidepressants
      6) Others
   (3) Psychostimulants (agents for ADHD)
   (4) Psychostimulants (nootropics)

9. Other nervous system drugs

약품명 및 함량	용법	약리작용 및 효능	부작용	주의 및 금기
Acetaminophen Acetaminophen tab 아세트아미노펜정 …300mg/T Setopain suspension 세토펜현탁액 …32mg/ml	(경구제) 1) 성인 : 0.3~1.0g tid~qid (Max. 4g/D) 2) 소아 : 다음 1회 용량을 1일 3~4회 투여 ① 3개월~1세 : 30~60mg ② 1~2세 : 60~120mg ③ 3~6세 : 100~200mg ④ 7~10세 : 150~300mg ⑤ 11~14세 : 200~400mg * 신기능에 따른 용량 조절 참고 1) 성인 CrCl 10~50ml/min : q 6hrs로 투여 CrCl <10ml/min : q 8hrs로 투여 2) 소아 CrCl <10ml/min : q 8hrs로 투여	1) 동통역치 상승에 의한 진통작용 2) 해열작용 : 시상하부의 heat regulating center에 작용, 말초혈관 확장 및 혈류량 증가 작용 3) Aspirin 금기 환자에게 유효한 해열진통제 4) 소염, 뇨산배설, 항류마티스 효과는 없음. 5) 감기로 인한 발열 및 동통, 두통, 신경통, 근육통, 월경통, 염좌통의 치료에 사용 6) 간손상 가능한 독성농도 : - >200mcg/ml(4시간 후) - >50mcg/ml(12시간 후) 7) Onset : <1hr (경구제) Tmax : 10~60mins (경구제) 지속시간 : 4~6hrs (경구제) 치료농도 : 10~30mcg/ml 대사 : 간(90~95%) $T\frac{1}{2}$: 1~3hrs(성인), 2~5hrs(신생아) 배설 : 신장	(빈도 미확립) - 발진 - 혈중 염소, 뇨산, 혈당 증가 - 혈중 나트륨, 중탄산염, 칼슘 감소 - 빈혈, 혈액질환 - 빌리루빈 증가, Alk-P 증가 - 뇨중 암모니아 증가, 장기간 과량 투여로 신독성, 신장병증 - 드물게 과민반응	〈금기〉 1) 중증 혈액이상 환자 2) 중증 간장애 환자 3) 중증 신장애 환자 〈주의〉 1) 임신부 : Category C 2) 과량투여시 처치 : 10~12시간 이내에 N-acetylcysteine IV, 간독성은 1일(또는 3~5일) 후에 나타날 수 있으므로 충분히 관찰함 3) 동통에 10일 이상(소아 : 5일), 발열에 3일 이상 투여하지 말 것 〈상호작용〉 1) Barbital류, TCAs, alcohol과 병용시 간독성 증가
Acetaminophen Tylenol-ER tab 타이레놀이알서방정 …650mg/T	1) 12세 이상 소아 및 성인 : 2Ⓣ tid (Max. 6Ⓣ/D)	1) 동통역치 상승에 의한 진통작용 2) 해열작용 : 시상하부의 heat regulating center에 작용, 말초혈관 확장 및 혈류량 증가 작용 3) Aspirin 금기 환자에게 유효한 해열진통제 4) 소염, 뇨산배설, 항류마티스 효과는 없음. 5) 해열 및 감기에 의한 동통과 두통, 치통, 근육통, 허리동통, 생리통, 관절통의 완화에 사용함. 6) 서방형 정제로 8시간 동안 약효가 지속됨(조제시 분할 불가)	(빈도 미확립) - 발진 - 혈중 염소, 뇨산, 혈당 증가 - 혈중 나트륨, 중탄산염, 칼슘 감소 - 빈혈, 혈액질환 - 빌리루빈 증가, Alk-P 증가 - 뇨중 암모니아증가, 장기간 과량투여로 신독성, 신장병증 - 드물게 과민반응	〈금기〉 1) 중증 혈액이상 환자 2) 중증 간장애 환자 3) 중증 신장애 환자 〈주의〉 1) 임신부 : Category C 2) 과량투여시 처치 : 10~12시간 이내에 N-acetylcysteine IV, 간독성은 1일(또는 3~5일) 후에 나타날 수 있으므로 충분히 관찰함. 3) 동통에 10일 이상(소아 : 5일), 발열에 3일 이상 투여하지 말 것 4) 이 약은 서방형 제제이므로 분할불가 〈상호작용〉 1) Barbital류, TCAs, alcohol과 병용시 간독성 증가

약품명 및 함량	용법	약리작용 및 효능	부작용	주의 및 금기
Buprenorphine Norspan patch 노스판패취 …5mg/EA (5mcg/hr) …10mg/EA (10mcg/hr) …20mg/EA (20mcg/hr)	1) 초기 용량 5mcg/hr, 7일마다 부착. 환자의 진통반응에 따라 증량 2) 기존 사용 마약을 이 약제로 바꿀 경우 : 최저 용량 5mcg/hr로 시작한 후 환자의 진통반응에 따라 증량 3) 상완 바깥쪽, 상흉부, 상배부, 흉부 측면의 자극 및 손상되지 않은 피부에 부착 4) 1개를 7일 동안 사용하며 동일 부위에는 3~4주 지난 후 다시 붙일 수 있음.	1) 패취형 μ부분 효능, δ효능, κ길항 opioid receptor 진통제 2) 적응증 : 비마약성 진통제에 반응하지 않는 중등도 및 중증의 만성 통증 완화 3) 본제 제거 후 24시간 이내 마약성 진통제 연속 투여 금기 4) Onset : 48hrs Tmax : 26hrs $T_{\frac{1}{2}}$: 패취 제거 후 12hrs Duration : 168hrs (7일)	1) >10% - 현기, 기면 - 변비, 구갈, 오심, 구토 - 가려움, 부착 부위의 가려움 - 두통 2) 1~10% - 불안, 혼란, 우울, 불면증, 신경과민, 감각이상 - 부종, 말초부종 - 혈관확장 - 호흡곤란 - 식욕부진, 설사, 소화불량 - 부착부위 반응, 발진, 발한, 부착 부위의 발진 및 홍반 - 복통, 무기력, 흉통, 통증	〈금기〉 1) 중증 호흡기능 장애 환자, 호흡억제상태 2) MAO 저해제를 복용중이거나 지난 2주 이내에 복용한 적이 있는 환자 3) 급성 통증, 수술 후 통증 4) 임신부 : Category C(국내허가금기) 〈주의〉 1) 수유부 : 모유로 이행 2) 소아 : 안전성 미확립 3) 경련성 장애, 두부손상, 쇽, 의식 저하, 뇌압 상승 환자 4) 중증의 간장애 환자 5) 담도질환 환자 6) 마약류, 약물의존 병력 있는 환자(∵다행감 유발작용) 7) 중추신경억제제나 근육이완제를 복용 중인 환자 8) 부착 부위를 직접적인 외부의 열에 노출시키지 않도록 주의(∵약물 용출이 온도 의존적) 〈상호작용〉 1) 진정제, 수면제, 전신마취제, 기타 마약성 진통제, 페노치아진계, 중추작용 항구토제, 벤조디아제핀계 및 알코올 : 호흡저하, 저혈압, 혼수 등
Dehydrated Ethanol Dehydrated Alcohol inj 무수에탄올주 …10ml/V	1) 신경 및 신경절 차단용 삼차신경통 : 1회 0.05~0.5ml 2) 망막하주사 : 1회 0.5~1ml(Max. 1.5ml) 3) 45% 알코올(희석하여 제조) - 운동신경 주입 : 2ml - 소아의 경련성 중추 마비 : 1.5~4ml 경막외 주사 4) 50% 알코올(희석하여 제조)	1) Nerve block을 통해 통증의 신경 전달을 방해함으로써 진통 효과를 나타냄. 2) 적응증 ① 신경 및 신경절의 치료적 신경박리, 난치성 통증, 설인 신경통, 협심증, 말초혈관부전에 의한 중증 파행, 수술 불가능한 상복부암의 통증 경감 등 ② 40~50% 알코올(적절히 희석하여 제조) : - 경막외 또는 운동신경 주입 : 중추성 마비와 경련성 마비 조절	- 주사후 신경염 : 지속적 통증, 지각 과민증, 감각이상 - 망막박리술과 요추 교감신경 장애에 의한 운동마비, 방광 및 직장실금, 발기부전	〈금기〉 1) 망막하주사 주입시 항응고제투여 환자(출혈위험성) 〈주의〉 1) 임부, 수유부, 소아 : 안전성 미확립 〈취급상 주의〉 1) 인화성 물질이므로 열로부터 멀리하여 냉소 보관(냉장보관) 2) 사용후 잔액을 폐기할 것

약품명 및 함량	용법	약리작용 및 효능	부작용	주의 및 금기
	– 복강망상조직 폐쇄 : 50ml 5) 연속적인 간격이나 다른 부위 주사 시 투여 부위마다 별도 주사침 사용	– 복강망상 조직 장애에 주입 : 상복부암 통증 경감 – 피내, 피하주사 : 난치성 항문소양증	– 복강 신경절 주입시 중증 저혈압 – 갓세르 신경절 주사에 의해 각막 무감각, 뇌막염, 뇌신경 마비	
Nalbuphine HCl Nalbuphine inj 염산날부핀주 …10mg/1ml/A	1) 성인(70kg 기준): 1회 10mg q 3~6hrs SC, IM 또는 IV(Max. 20mg/dose, 160mg/D) 2) 마취보조 – 유도용량 : 0.3~3.0mg/kg 10~15분간 IV – 유지용량 : 필요시 1회 0.25~0.5mg/kg IV	1) 구조상 naloxone, 약리상 pentazocine과 유사한 agonist-antagonist 합성진통제임. 2) 진통효과 : 10mg ≒ morphine 10mg, pentazocine의 3~4배 3) 마약길항작용(SC시) : Naloxone의 1/4, pentazocine의 10배 4) 중등도 및 중증 동통, 수술전후 마취보조제 및 분만시 동통에 사용됨. 5) Onset(peak) : 1~3mins(IV), 30mins(IM) 지속시간 : 3~6hrs(IV, IM, SC) 대사 : 간 $T\frac{1}{2}$: 3.5~5hrs	1) ＞10% – 피로감, 졸음 – 히스타민 유리 2) 1~10% – 저혈압 – 두통, 악몽, 현기증 – 식욕감퇴, 오심, 구토, 구갈 – 주사부위 통증 – 허약감	〈주의〉 1) 약물의존의 병력 또는 정신적 불안 환자, 운전이나 기계를 작동하는 환자, 응급처치시, 분만과 산출시, 두개내압상승, 두부손상시, 다른 중추신경 억제제와 복합투여시, 호흡억제, 요독증, 기관지천식, 청색증 또는 호흡기폐색 환자, 신 및 간장애, 구역, 구토가 있는 심근경색 환자, 담관 수술 전 환자의 경우 신중 투여 2) 18세 이하 소아 3) 임신부 : Category B 4) 수유부 : 위험 최소 5) Pentazocine 보다 심한 금단 증상(감량, 중지함) 6) 과량으로 호흡억제, 심혈관계 증상, CNS 효과가 나타나면 즉시 naloxone을 IV함. 필요시 O_2공급, 수액을 IV, vasopressor등으로 처치함
Tramadol HCl Tridol cap 트리돌캅셀 …50mg/C Tridol inj 트리돌주 …50mg/1ml/A …100mg/2ml/A	1) 경구(캡슐) – 성인 및 14세 이상 : 1회 1Ⓒ, 30~60분 후에도 진통이 약한 경우 1Ⓒ을 추가 복용함(Max. 400mg/D) 2) 주사 – 1회 50~100mg IV, IM – 필요에 따라 4~5시간마다 반복주사(Max. 400mg/D)	1) 각종 질환에 기인한 중증 및 중등도의 급만성 동통, 진단 및 수술 후 동통에 사용 ① 진통작용 : 이 약 100mg ≒ Pethidine 35mg ≒ Pentazocine 15mg ② 의존성 : 동물실험에서 신체적 의존성 및 정신적 의존성 나타남. 2) Barbiturate 유도체의 최면시간 연장 및 경도의 마약길항 작용이 있으며, 항경련작용 및 근이완작용은 없음.	1) ＞10% – 현기증, 두통, 졸음, 현훈 – 변비, 오심 2) 1~10% – 혈관확장, 초조, 불안, 착란, 조정능력 이상, 환각, 수면장애, 진전 – 소양, 발진 – 폐경 증상	〈금기〉 1) 급성 알코올중독 환자 2) CNS 작용약물 중독 환자(수면제, 진통제, 아편, 향정신성 약물 등) 3) 심한 호흡억제 환자 4) 두부손상, 뇌 병변 및 의식 혼탁 위험이 있는 환자 5) MAO 저해제 투여 중 또는 최근 14일 이내에 투약 경험이 있는 환자 6) 수유부, 소아 : 안전성 미확립

약품명 및 함량	용법	약리작용 및 효능	부작용	주의 및 금기
	* 신기능에 따른 용량조절 참고 (경구제(속효성)) – CrCl <30ml/min : 50~100mg q 12hrs (Max. 200mg/D)	3) 경도의 이뇨작용, 호흡억제 및 혈압에 대한 영향은 pethidine보다 적음. 4) 장관운동 억제작용이 pethidine보다 약함.	– 복통, 식욕감퇴, 설사, 구갈, 소화 불량, 고창, 구토 – 빈뇨, 뇨저류 – 긴장항진, 강직, 허약 – 시각장애 – 발한	7) 이 약 및 아편에 대해 과민증 및 그의 병력이 있는 환자 8) 적절한 치료를 받지 않고 있는 간질 환자 9) 마약 금단증상 치료 목적의 사용 〈주의〉 1) Morphine 병용 또는 반복 투여 환자(morphine 길항 및 금단증상), 담도질환자(다량 투여시 oddi 괄약근 수축시킴), 간장애 환자, 음주 환자, 신장애 환자(CrCl≤30ml/min), CNS억제작용 약물을 투여중인 환자, 경련의 병력이 있는 환자의 경우 신중 투여 2) 운전 및 기계조작 피할 것 3) 임신부 : Category C 〈상호작용〉 1) CNS 작용약물(수면제, 진통제, 아편, 향정신성 약물 등)과 병용시 진정작용 증가 2) Carbamazepine과 병용시 이 약의 대사 증가 3) Digoxin, warfarin의 작용 증강 4) Quinidine과 병용시 상호 부작용 증가 5) Amphetamine, SSRI, TCA, MAOI, linezolid와 병용시 경련 위험 증가 〈취급상 주의–주사제〉 1) Diclofenac, diazepam, midazolam, nitroglycerin, barbiturate와 배합 금기
Codeine phosphate + Ibuprofen + Paracetamol (Acetaminophen) **Mypol cap** 마이폴캅셀 …10+200+250ml/C	1) 1~2Ⓒ q 4hrs (Max. 12Ⓒ/D) 2) 소아 : 치료기간 3일까지로 제한 (단, 모르핀 독성이 없다면 최단기간 내 사용가능)	1) 마약성 복합 진통제 2) 아세트아미노펜이나 이부프로펜과 같은 진통제로 경감되지 않은 염증에 의한 급성 중등도 통증치료	– Ibuprofen : 소화성 궤양 및 출혈, 위장관 장애 등 – Acetaminophen : 발진 또는 혈액학적 부작용, 과량 사용시 간손상	〈금기〉 1) 12세 미만 소아 : 안전성 미확립 2) CYP2D6 초고속 대사자 3) 편도 또는 아데노이드절제술 받은 18세 미만 환자 (∵호흡억제 증가 가능성) 4) 임신말기 3개월 기간의 임부 5) 고용량 메토트렉세이트 복용자

약품명 및 함량	용법	약리작용 및 효능	부작용	주의 및 금기
			- Codeine : 오심, 구토, 변비, 발한, 졸음, 구갈, CNS억제작용 등	〈주의〉 1) 간 · 신장애, 소화성 궤양, 심혈관계 질환을 앓고 있거나 기왕력자 2) 호흡부전(특히 청색증, 기관지 분비물 과다), 담도수술후, 급성 알코올 중독, 수술이나 외상으로 두개내압이 상승된 상태 등 3) MAO 저해제 투여중이거나 투약 중단 후 14일 이내의 환자 4) Warfarin 투여 환자
Tramadol HCl + Acetaminophen **Paramacet semi tab** 파라마셋세미정 …18.75+162.5mg/T **Paramacet tab** 파라마셋정 …37.5+325mg/T	1) 파라마셋정 - 12세 이상 소아 및 성인 : 2정씩 최소 6시간 이상 간격으로 복용 (Max. 8Ⓣ/D) 2) 파라마셋세미정(파라마셋정의 1/2 함량) - 파라마셋정 용량에 준하여 투여 * 신기능에 따른 용량조절 참고 - 중등도(CrCl 10~30ml/min) : 12시간 간격으로 투여 - 중증(CrCl 〈10ml/min) : 투여 비권장	1) Opioid 및 nonopioid 작용기전을 가진 tramadol과 동통역치를 높이는 해열진통제인 acetaminophen의 복합제 2) 적응증 : 중등도~중증의 급 · 만성 통증 3) Onset : 30~60mins	1) 2~10% - 기면(6%), 현기증(3%), 불면(2%) - 변비(6%), 설사, 식욕부진, 오심(3%), 구갈(2%) - 전립선 이상(2%) - 발한(4%), 소양증(2%) 2) 1~2% - 피로, 두통, 진전, 흥분, 혼돈, 다행감, 신경과민 - 복통, 변비, 소화불량, 고창, 구토 - 발진, 안면홍조	〈금기〉 1) CNS 작용 약물 중독, 심한 호흡억제, 아스피린 천식 환자 2) 두부손상, 뇌의 병변이 있는 경우로 의식혼탁의 우려가 있는 환자, 약물로 조절되지 않는 간질 환자 3) MAO 억제제 투여 환자 또는 투여 중단 후 2주 이내의 환자 4) 소화성궤양, 심한 혈액이상 환자 5) 심한 간, 신, 심기능 부전 환자 6) 12세 미만 소아, 수유부 : 안전성 미확립 〈주의〉 1) Morphine 병용 또는 반복 투여 환자 (금단증상 유발 가능) 2) CNS 억제제 복용 환자 3) 담도질환 환자(동물실험에서 대량투여시 오디괄약근 수축) 4) 간, 신장애, 음주 환자, 아편 과민증 환자, 간질 또는 발작 가능성 있는 환자, 쇽 또는 의식변화 상태 환자 5) 임신부 : Category C 〈상호작용〉 1) Amphetamine, SSRI, TCA, MAOI, linezolid와 병용시 경련 위험 증가 2) Cimetidine과 병용시 이 약의 반감기 증가

약품명 및 함량	용법	약리작용 및 효능	부작용	주의 및 금기
				3) Naloxone과 이 약 과용량 병용시 또는 아편계 약물과 이 약 병용시 경련 위험 증가 및 CNS 억제 작용 증가 4) Quinidine은 이 약의 혈중농도를 증가시킴. 5) Chlorpromazine, delavirdine, miconazole, fluoxetine, paroxetine, quinidine, ritonavir, ropinirole은 이 약의 혈중농도를 감소시킴. 6) Carbamazepine은 이 약의 진통효과를 감소시키고, 경련 위험 증가 시킴.

약품명 및 함량	용법	약리작용 및 효능	부작용	주의 및 금기
Acetylsalicylic acid lysin Arthalgyl inj 알타질주 …900mg/V (Acetylsalicylic acid 로서 500mg)	1) 1일 1~4Ⓥ을 분할 IV 2) 심한 동통 : 1회 2Ⓥ 용해시킨 후 2시간 이내에 IV	1) 진통효과는 경구용 ASA보다 강력하고 신속(10~15분후 효과발현, 6~12시간 지속) 2) Aspirin 900mg ≒ Morphine 10mg ≒ Pentazocine 10~20mg ≒ Pethidine 50mg과 유사한 진통 효과 3) 적응증 : 암성 동통, 수술후 동통에만 사용함. 경구투여가 불충분한 경우 또는 효과가 불충분한 경우에만 사용하고, 경구투여가 가능해진 경우에는 신속히 바꿈	– 발진, 부종, 두드러기 – 빈혈, 응고장애, 혈소판감소, 백혈구감소 – 오심, 구토, 식욕부진, 위통, 소화성궤양, 장출혈 – 이명, 현기증, 두통 – 간장애, 신장애 – 혈관통, 발한, 열감, 과호흡, 대사성 산증 * 출혈 부작용은 용량, 병용약물, 개인에 따라 다르며 주로 용량 의존적임. 기타 중대한 부작용은 특이적으로 발생함.	〈금기〉 1) 이 약 또는 다른 살리실산 제제에 과민증의 병력이 있는 환자 2) 소화성궤양 환자 3) 아스피린 천식(NSAIDs에 의한 천식발작) 또는 그 병력이 있는 환자 4) 혈우병 환자 5) 임신부 : Category D (출혈경향 있음) 〈주의〉 1) 신장애, 기관지천식, 출혈 경향이 있는 환자 2) 수술전 투여는 출혈경향 증가 3) 수두 및 influenza 환아 (Reye's syndrome의 위험) 4) 14세 이하 소아 및 수유부 〈상호작용〉 1) Warfarin, 당뇨병 치료제의 작용 증강시킴. 2) Probenecid, hydrochlorothiazide의 작용 감소시킴. 3) Methotrexate의 혈액학적 독성 증가시킴. 4) Lithium 독성 증가시킴.

약품명 및 함량	용법	약리작용 및 효능	부작용	주의 및 금기
Acetylsalicylic acid Aspirin protect tab 아스피린프로텍트정 …100mg/T	1) 불안정형 협심증 환자의 비치명적 심근경색 위험 감소 : 75~300 mg/D 2) 일과성 허혈 발작의 위험 감소 : 30~300mg/D 3) 최초 심근경색 후 재경색 예방 : 300mg/D 4) 혈전, 색전 억제 ① 뇌경색 : 100mg/D(Max. 300mg/D) ② CABG, PTCA : 100mg/D (Max. 300mg/D) PTCA 초기에는 수배 용량 사용 5) 심혈관 질환 위험군의 관상동맥혈전증 예방 : 100mg/D	1) Salicylate계 해열소염진통제 2) Prostaglandin 합성 억제작용에 의한 진통, 소염 효과 및 위산분비 촉진 효과 3) 말초혈관확장과 발한촉진작용에 의한 해열 효과 4) Prothrombin 합성 및 혈소판 응집 억제 작용 5) 장용정으로 아스피린으로 인한 위장장애 감소시킴. 6) 혈소판 응집 억제 작용에 의한 불안정형 협심증 환자에 있어서 비치명적 심근경색 위험 감소 및 일과성 허혈발작 위험 감소, 최초 심근경색 후 재경색 예방에 사용함. 7) 흡수 : 신속 Tmax : 〈1~2hrs 지속시간 : 4~6hrs $T_{\frac{1}{2}}$: 3hrs(300~600mg), 5~6hrs(1g), 10hrs〉1g)	– 저혈압, 빈맥, 부종 – 발진, 혈관부종, 두드러기 – 전해질 이상, 산증, 탈수, 혈당이상 – 오심, 구토, 소화불량, 상부위장관 불편감, 작열감, 위통, 위궤양(6~31%), 십이지장궤양 – 빈혈, 응고장애, 혈소판감소증, 출혈 – 간독성, 간효소 수치 상승, 간염(가역적) – 청력감퇴, 이명 – 간질성 신염, 단백뇨, 신부전 – 천식, 기관지수축, 과호흡, 호흡성 알칼리증, 비심인성 폐부종 * 출혈 부작용은 용량, 병용약물, 개인에 따라 다르며 주로 용량 의존적임. 기타 중대한 부작용은 특이적으로 발생함.	〈금기〉 1) 이 약 또는 다른 살리실산제제에 과민증의 병력이 있는 환자 2) 소화성궤양 환자 3) 아스피린 천식(NSAIDs에 의한 천식발작) 또는 그 병력이 있는 환자 4) 혈우병 환자 5) 임신부 : Category D(출혈경향 있음) 〈주의〉 1) 신장애, 기관지천식, 출혈 경향이 있는 환자 2) 수술전 투여는 출혈경향 증가 3) 수두 및 influenza 환아(Reye's syndrome의 위험) 4) 14세 이하 소아 〈상호작용〉 1) Warfarin, 당뇨병 치료제의 작용 증강시킴. 2) Probenecid, hydrochlorothiazide의 작용 감소시킴. 3) Methotrexate의 혈액학적 독성 증가시킴. 4) Lithium 독성 증가시킴.
Acetylsalicylic acid Rhonal tab 로날정 …100mg/T …500mg/T	1) 성인 : 0.5~1.5g bid~tid 2) 소아 ① 1~2세 : 100~150mg bid~tid ② 3~6세 : 150~250mg bid~tid ③ 7~10세 : 300~400mg bid~tid ④ 11~14세 : 400~500mg bid~tid	1)~4) Aspirin protect®와 동일 5) Ethylcellulose로 피막된 미립자에 aspirin이 함유되어 있어 위장에서 서서히 방출 흡수되므로 위장장해가 적고 지속작용을 나타냄. 6) 감기로 인한 발열 및 통증, 두통, 치통, 월경통, 신경통, 요통, 관절통, 근육통, 류마티즘, 골관절염, 강직성 척추염에 사용함.	– 저혈압, 빈맥, 부종 – 발진, 혈관부종, 두드러기 – 전해질 이상, 산증, 탈수, 혈당이상	〈금기〉 1) 이 약 또는 다른 살리실산제제에 과민증의 병력이 있는 환자 2) 소화성궤양 환자 3) 아스피린 천식(NSAIDs에 의한 천식발작) 또는 그 병력이 있는 환자 4) 혈우병 환자

약품명 및 함량	용법	약리작용 및 효능	부작용	주의 및 금기
	* 신기능에 따른 용량조절 참고 – CrCl 〈10ml/min : 금기	7) Visceral pain에는 무효함. 8) Bartter's syndrome에 유효함. 9) 흡수 : 신속 Tmax : 〈 1~2hrs 지속시간 : 4~6hrs $T_{1/2}$: 3hrs(300~600mg), 5~6hrs(1g), 10hrs〉1g) 배설 : 신장	– 오심, 구토, 소화불량, 상부위장관 불편감, 작열감, 위통, 위궤양(6~31%), 십이지장궤양 – 빈혈, 응고장애, 혈소판감소증, 출혈 – 간독성, 간효소 수치 상승, 간염(가역적) – 청력감퇴, 이명 – 간질성 신염, 단백뇨, 신부전 – 천식, 기관지수축, 과호흡, 호흡성 알칼리증, 비심인성 폐부종 * 출혈 부작용은 용량, 병용약물, 개인에 따라 다르며 주로 용량 의존적임. 기타 중대한 부작용은 특이적으로 발생함.	5) 임신부 : Category D(출혈경향 있음) 〈주의〉 1) 신장애, 기관지천식, 출혈 경향이 있는 환자 2) 수술전 투여는 출혈경향 증가 3) 수두 및 influenza 환아(Reye's syndrome의 위험) 4) 14세 이하 소아 〈상호작용〉 1) Warfarin, 당뇨병 치료제의 작용 증강시킴. 2) Probenecid, hydrochlorothiazide의 작용 감소시킴. 3) Methotrexate의 혈액학적 독성 증가시킴. 4) Lithium 독성 증가시킴.
Salsalate (Salicylsalicylic acid) Disal tab 디살정 …500mg/T	1) 3,000mg/D #2~3 * 신기능에 따른 용량조절 참고 – 혈액투석시 : 투석 치료 중 750mg bid, 투석 치료 후 500mg 추가 투여	1) 소장 및 간에서 2분자의 salicylic acid로 가수 분해되어 소염진통작용을 나타냄. 2) Aspirin과 달리 혈소판 응집 억제 작용은 없으며, 해열작용에 대한 자료는 불충분함. 3) 위장관 부작용은 aspirin보다 개선됨. 4) 류마티양 관절염, 골관절염(퇴행성 관절질환)에 사용함 5) Onset : 지속투여 3~4일 후 흡수 : 소장에서 완전히 흡수 단백결합률 : 80~90% $T_{1/2}$: 7~8hrs	1) 〉10% – 오심, 가슴앓이, 위통 2) 1~10% – 졸음, 발진, 위장관 궤양, 용혈성 빈혈, 허약감, 호흡곤란, 아나필락틱 쇽	〈금기〉 1) 살리실산 제제에 과민한 환자 2) 소아 : 안전성 미확립 3) 임신부 : Category C(출혈경향 있음) 〈주의〉 1) 신장애 환자 2) 만성 신부전 환자 3) 소화성 궤양 환자 4) 수두, 인플루엔자, Flu-like syndrome 〈상호작용〉 1) Warfarin, 당뇨병 치료제의 작용 증강시킴.

약품명 및 함량	용법	약리작용 및 효능	부작용	주의 및 금기
		배설 : 신장	3) < 1% - 기관지수축, 간독성, 신기능부전, 철결핍성 빈혈, 백혈구감소증, 혈소판감소증	2) Probenecid, hydrochlorothiazide의 작용 감소시킴. 3) 단백결합하는 약제와 경쟁적으로 결합하므로 타약제의 혈중농도를 상승시킬 수 있음(예 : warfarin, phenytoin, methotrexate 등). 4) Aspirin 또는 살리실산제제와 병용투여시 독성 증가

약품명 및 함량	용법	약리작용 및 효능	부작용	주의 및 금기
Bromelain Brodase tab 브로다제장용정 …100mg/T	1) 1Ⓣ bid 2) 식전 30분 복용을 권장하나, 음식과의 상호작용 없어 식후 복용 가능함.	1) Ananas comosus(pineapple plant)에서 추출한 단백분해효소 복합체 2) 불활성 단백분해 효소인 plasminogen을 plasmin으로 활성화하여 섬유침전물(fibrin) 및 혈액응괴(clot)를 용해하여 염증 및 부종 증상 완화에 사용함. 3) 적응증 : 부종을 동반하는 염증, 외상 또는 수술 후 부종	- 과민증, 홍반, 소양증 - 고용량시 심박동 증가 - 위통, 설사	〈금기〉 1) 중증의 혈액응고관련 질환자(혈우병 등) 2) 중증의 간, 신 질환자 3) 12세 미만의 소아 4) 임신부, 수유부 : 안전성 미확립 5) 항응고제, 항혈소판제 복용 환자 〈상호작용〉 1) 다른 항혈액응고제나 혈소판 응집 억제제의 작용 증가 2) TC계 등의 항생제와 병용시 항생제 작용 증가 〈취급상 주의〉 1) 분할, 분쇄 불가(장용정)
Hyaluronidase Hirax inj 액상하이랙스주 …750IU/0.5ml/V H-Lase inj 에취라제주사 …1500IU/A	1) SC 주입시 피하 이완 : 1,500IU을 주입 시작 전 해당 부위에 주사 또는 주입 시작시 주입용 바늘에서 2cm 가량 위쪽 튜브에 주사(수액 500~1,000ml당 이 약 1,500IU 이 적당) 2) SC 또는 IM시 : 1,500IU을 투여할 주사액에 직접 녹여 사용	1) Hyaluronic acid를 가수분해함으로 써 결합조직의 투과성을 조절하는 확산물질 2) 주입한 약제의 조직으로의 흡수, 확산을 증진시키고, 조직손상이나 질환에 따른 조직 중의 침출액이 혈액으로 흡수되는 것을 촉진시킴. 3) 적응증 - 피하주사나 근육주사, 국소마취제 및 피하주입시 침투력 증가	(빈도 미확립) - 국소부종, 혈관부종, 국소자극감, 감염, 출혈, 멍, 두드러기, 알러지반응, 아나필락시스 쇽 - 빈맥, 심실세동 - 대설증	〈금기〉 1) 이 약 또는 소 단백성분에 과민한 환자 2) 물리거나 쏘여서 생성된 부종, 감염이나 암이 있는 부위, 원인불명의 조기분만 시 마취 3) 각막 또는 관절내에 직접투여 및 정맥주사 금함. 4) Dopamine 또는 α-agonist의 흡수 촉진 목적으로 사용 금함. 5) 선천성 심장결손환자, 정맥 울혈환자 6) 혈청단백수치: 5.5g/dl 이하인 환자

약품명 및 함량	용법	약리작용 및 효능	부작용	주의 및 금기
	3) 국소마취제 투여시 : 1,500IU을 투여할 국소마취제에 녹여서 사용 (안과: 15IU/ml 농도 권장) 4) 혈관외 유출, 혈종 : 1,500IU(1ml)을 병변에 침윤시킴. * 참고 - 1,500IU/V : 동결건조분말, (사용 시 주사용수 또는 NS 1ml에 녹여서 사용) - 750IU/0.5ml/V : 액상	- 조직내에 과다하게 존재하는 체액 및 혈액의 재흡수 촉진 4) 항암제 혈관외 인출(extravasation)로 인한 혈관 및 피부손상시 응급치료, 미용성형 및 성형재건 수술시 멍과 붓기를 사전에 예방하기 위해 사용하기도 함.	- 결막하 주사시 결막염, 반상 부종, 일시적 근시 - 독성 반응 증상 : 현기증, 발열	〈주의〉 1) 임신부 : Category C 2) 수유부 〈상호작용〉 1) 국소 마취제: 마취 발현 촉진 및 국소 침윤으로 인한 부종 감소하지만 국소마취제 흡수 증가되어 작용시간 단축 및 전신 작용 발생 증가 〈취급상 주의〉 1) 1,500IU (DHL1500J) : 25℃ 이하 실온보관 2) 750IU (DHL750J) : 냉장보관(2~8℃) 3) 배합가능 : morphine, hydromorphone, diamorphine, chlorpromazine, metoclopramide, promazine, dexamethasone, epinephrine , 국소마취제 주사 4) 배합금기 : heparin, furosemide, benzodiazepines, phenytoin 주사(epinephrine 과의 배합은 물리적으로 부적절하나, 저농도의 epinephrine과 혼합은 문제 없음)
Streptokinase+ Streptodornase **Varidase tab** 바리다제정 …10,000+2,500IU/T	1) 1~2Ⓣ qid	1) Streptokinase는 plasminogen proactivator를 활성화하여 fibrin을 용해함. 2) Streptodornase는 deoxyribonuclease로 농의 성분인 DNA를 분해시킴. 3) 수술 및 외상후의 종창의 완화, 객담배출곤란, 부비강염, 혈전성 정맥염의 치료에 사용함.	- 과민증 : 발진, 발적 - 설사, 식욕부진, 위부불쾌감, 구역, 구토 - 혈액응고시간 연장, 출혈경향	〈금기〉 1) 혈액응고 이상 또는 혈소판 감소증 환자 2) 항응고제 투여중인 환자 〈주의〉 1) 연용에 의한 항체가 생성되어 효과감소 및 알러지 반응이 일어날 수 있음 2) 임신부 : Category C(Streptokinase) 〈상호작용〉 1) 항생제 및 NSAIDs와 병용시 쇼크(불쾌감, 구내이상감, 거친숨소리, 현기증, 변의, 이명, 발한) 또는 간질성폐렴, PIE증후군(발열, 기침, 호흡곤란, 흉부X선이상, 호산구증가)등의 부작용이 일어날 수 있음

약품명 및 함량	용법	약리작용 및 효능	부작용	주의 및 금기
Celecoxib Celebrex cap 쎄레브렉스캅셀 …200mg/C	1) 골관절염 : 200mg qd 또는 100mg bid 2) 류마티스성 관절염 : 100mg~200mg bid 3) 강직성 척추염 : 200mg qd 또는 100mg bid 6주후 효과없으면 Max. 400mg/D 투여 4) 급성통증 및 원발성 월경곤란증 – 초기 400mg/D, 필요시 200mg 추가 투여 – 둘째날부터 200mg bid 5) 간기능부전(Child-Pugh class Ⅱ) : 1일 권장량에서 50% 감량투여	1) COX-2의 선택적 억제를 통한 PG합성 억제로 소염, 진통, 해열작용을 나타내는 NSAID 2) 주로 cytochrome P450 2C9에 의해 간대사 3) 적응증 : 골관절염, 류마티스관절염, 강직척추염, 급성통증, 원발월경통 4) Onset : 35mins 단백결합율 : 97% Tmax : 3hrs T½ : 11hrs 배설 : 대변(57%), 신장(27%)	1) > 10% – 두통 2) 2~10% – 말초혈관 부종 – 불면, 현기증 – 발진 – 소화불량, 설사, 복부통증, 오심, 고창 – 저배통 – 상기도감염, 부비동염, 인두염, 비염	〈금기〉 1) Sulfonamide에 대해 알러지 있는 환자 2) Aspirin이나 다른 NSAIDs에 대해 천식, 두드러기, 알러지 반응의 병력이 있는 환자 3) 심한 간 · 신 · 심혈관계 질환자 4) 임신부 : Category C/D 임신말기 투여시 태아의 동맥관이 조기 폐쇄될 수 있으므로 금기 5) 수유부 6) 18세 이하 소아 : 안전성 미확립 〈상호작용〉 1) ACEI의 작용 감소 2) Furosemide, hydrochlorothiazide의 이뇨작용 감소 3) Fluconazole 병용시 이 약의 혈중농도가 2배 증가하므로 최저량 투여 4) Lithium의 혈중농도 증가 5) 저용량의 aspirin과 병용투여 할 수 있으나 단독 투여시 보다 위 궤양이나 다른 질환 발생율 증가 6) 고지방식이와 함께 복용시 최고 혈장농도 지연, AUC 증가

약품명 및 함량	용법	약리작용 및 효능	부작용	주의 및 금기
Mefenamic acid Pontal cap 폰탈캅셀 …250mg/C	1) 초회량 : 500mg, 필요시 6시간마다 250mg씩 투여 2) 최단기간, 최소 유효용량으로 투여함 (보통 7일 이내로 사용, 생리통인 경우 필요시 2~3일간 복용)	1) PG 합성 억제에 의한 진통, 항염 작용 2) 해열작용 : 정확한 기전은 알려져 있지 않으나 시상하부의 PG합성 저해에 의한 것으로 추정됨. 3) 월경통에 대한 효과 : 자궁 수축에 관여하는 PG의 합성 및 활성 억제에 의한 것으로 봄. 4) Onset(peak) : 2~4hrs 지속시간 : ≤6hrs	1) 1~10% – 두통, 초조, 현기증 – 가려움증, 발진 – 체액저류	〈금기〉 1) 소화성 궤양 2) 중증 혈액이상 3) 중증 간 · 신장애 4) 중증 고혈압, 심부전 5) 아스피린 천식 또는 그 병력자 6) 이 약에 의해 설사를 일으킨 환자 7) 임신부 : Category C(임신 말기 복용시 위험성 증가)

약품명 및 함량	용법	약리작용 및 효능	부작용	주의 및 금기
	3) 만성질환에 장기간 사용하는 경우 정기적으로 임상검사(CBC, 뇨검사, 간기능 검사 등)를 실시하고 이상이 있는 경우 휴약 또는 감량하도록 함. * 신장애시 사용을 권장하지 않음.	$T\frac{1}{2}$: 3.5hrs	- 복부경련, 흉부작열감, 소화불량, 오심, 구토, 설사, 변비, 고창, 궤양, 출혈, 위염 - 간효소수치 상승 - 이명	〈주의〉 1) SLE 환자, 식도통과장애환자에게 신중투여 2) 수유부 : 복용 가능 3) 소아 : 최소량으로 신중투여하고 이상반응 주의 〈상호작용〉 1) Warfarin과 병용시 출혈경향 증가 2) Lithium과 병용시 lithium 혈중농도 상승 3) Hydrochlorothiazide의 작용 저하

약품명 및 함량	용법	약리작용 및 효능	부작용	주의 및 금기
Etodolac micronized Lodine SR tab 로딘서방정 ···600mg/T	1) 1Ⓣ qd * 신기능에 따른 용량조절 참고 - mild~moderate renal impairment : 용량조절 필요 없음 - severe renal impairment : 사용이 권장되지 않음	1) PG합성을 억제함. 2) 진통효과 : 이 약 200mg ≒ Aspirin 650mg ≒ Codeine 60mg 3) 소염효과 : 이 약 50~200mg/일 ≒ Aspirin 3.8g/일(RA군) ≒ Aspirin 4.2g/일(OA군) 4) 류마치양 관절염, 골관절염, 강직성 척추염, 수술 · 외상 · 발치후 동통에 사용함.	1) 1~10% - 두통, 초조 - 가려움증, 발진 - 체액저류 - 복부경련, 흉부작열감, 소화불량, 오심, 구토, 위염, 위장관 출혈, 궤양 - 이명	〈금기〉 1) 타 NSAIDs에 의해 천식, 비염, 담마진, 위장관 출혈을 나타낸 환자 2) 소화성궤양 환자 3) 임신부 : Category C(특히 임신말기) 〈주의〉 1) 진행성 신질환, 간기능부전, 저혈압, 심부전, 심혈관계 질환자, 체액저류 환자 에게 신중투여 2) 수유부, 소아 : 안전성 미확립 〈상호작용〉 1) Aspirin과 병용시 부작용 증가 2) Warfarin과 병용시 출혈경향 증가 3) CsA, digoxin, lithium, methotrexate와 병용시 이들 약물의 혈중농도 상승으로 인한 독성 증가 4) Phenylbutazone은 이 약의 유리형 약물을 80% 증가시킴

약품명 및 함량	용법	약리작용 및 효능	부작용	주의 및 금기
Indomethacin Indometha cap 인도메타캡슐 …25mg/C	1) 류마티스성 관절염, 골관절염, 강직성 척추염, 수술 또는 외상 후 동통 : 성인 25mg bid~tid 음식과 함께 복용 (Max. 200mg/D) 2) 급성 통풍성 관절염 : 50mg tid 음식과 함께 복용. 증세 호전시 빨리 감량	1) Prostaglandin 합성 저해에 의한 항염증작용 : hydrocortisone의 2.5배, aspirin의 30배 2) Bradykinin 생성 억제에 의한 진통작용 : aminopyrine의 10배 3) 말초혈관확장 및 발한촉진에 의한 해열작용 : aspirin의 20배 4) 다른 약제에 반응하지 않는 류마티스성 관절염, 골관절염, 강직성척추염, 수술 또는 외상 후 동통에 적합하며, 급성 통풍성 관절염에도 사용함. 5) 심한 류마티스성 관절염에 steroid의 용량을 감소시키는 효과 있음. 6) 작용발현 : 2~4hrs Tmax : 2hrs 대사 : 간 $T_{\frac{1}{2}}$: 4.5hrs 배설 : 신장(60%), 대변(33%)	1) > 10% - 두통(12%) 2) 1~10% - 현기증, 우울, 피로, 권태감, 졸림 - 소화불량, 상복부 통증, heartburn, 복통/위장관경련, 변비, 설사, 구토 - 이명	〈금기〉 1) 심장동맥우회술(CABG)에 따른 통증 조절 2) 출혈, 감염, 괴사성 장염, 중증 신부전, 혈소판감소증, 혈액응고질환이 있는 신생아 3) 천식, 두드러기, 아스피린이나 NSAIDs 과민반응 기왕력자 4) 임신부 : Category C (호주) 임신 3기 투여 피함(동맥관조기 폐쇄 가능) 〈주의〉 1) 심각한 심장혈관성 혈전사고, 심근경색, 뇌졸중 위험 증가 (특히, 심혈관계 질환 환자에 장기간 사용시) 2) 심각한 위장관 부작용(출혈, 궤양, 천공) 위험 증가 (특히, 고령자 및 쇠약 환자 주의) 3) 천식, 간질, 파킨슨증, 우울증, 정신과 질환, 고혈압, 체액저류, 울혈성 심부전, 빈혈 환자 주의 4) 동맥관개존증에 투여시 소변 배출량 0.6ml/kg/hr 미만시 투여 중단. 신기능 정상 으로 회복 후 재투여 가능 5) 수유부 〈상호작용〉 1) Ketorolac과 병용 시 위장관 부작용(출혈, 궤양, 천공) 증가되므로 병용 금함.
Sulindac Cridol tab 크리돌정 …100mg/T	1) 1~2Ⓣ bid(Max. 400mg/D) 2) 급성 통풍성 관절염, 관절주위염 : 7~10일간 투여	1) PG 합성저해에 의한 항염증작용 2) 진통, 해열작용 3) 골관절증, 급성 통풍성관절염 등에 사용 4) 활성 대사체가 신독성 적어 신장애가 적음. 5) Onset : ~1hr 지속시간 : 12~24hrs $T_{\frac{1}{2}}$: 7hrs, 18hrs(대사체)	1) 1~10% - 부종 - 현기증, 두통, 초조 - 소양증, 발진 - 위장관 통증, 흉부작열감, 오심, 구토, 설사, 변비, 고창, 식욕감퇴, 복부경련 - 이명	〈금기〉 1) 소화성 궤양 또는 위장출혈 환자 2) 중증 혈액이상 3) 중증 간 · 신장애 4) 아스피린 천식 또는 그 병력자 5) CABG 후 통증치료 6) 임신부 : Category C(국내허가금기) 7) 수유부 및 소아 : 안전성 미확립 〈주의〉 1) 심부전, 고혈압, 체액저류, 당뇨병 환자

약품명 및 함량	용법	약리작용 및 효능	부작용	주의 및 금기
				〈상호작용〉 1) Warfarin, sulfonylurea계 혈당강하제 등의 혈중 단백결합약물과 병용시 이 제제들의 효과 증가 2) DMSO와 병용시 말초신경병 발생 3) Aspirin에 의해 작용 저하 4) CsA, methotrexate와 병용시 이들 약물의 독성 증가 5) Diflunisal에 의해 이 약의 대사체 농도 저하 6) Probenecid에 의해 부작용 증가

약품명 및 함량	용법	약리작용 및 효능	부작용	주의 및 금기
Lornoxicam Xefo tab 제포정 …4mg/T …8mg/T	1) 류마티스 관절염, 골관절염 : 12mg/D #2~3 2) 요통, 발치후 동통 : 8~16mg/D #2~3(Max. 16mg/D)	1) Oxicam 계열의 NSAIDs 2) Cyclooxygenase를 저해하여 prostaglandin 합성을 억제하고, iNOS(inducible nitric oxide synthase)의 활성 저해로 NO의 생성을 억제함으로써 부종과 통증을 경감시킴. 3) 적응증 : 류마티스 관절염, 골관절염, 요통, 발치 후 동통 4) Onset : 1hr Tmax : 2.5hrs $T_{\frac{1}{2}}$: 4hrs	- 위통증, 소화불량, 설사, 구토, 오심, 복통 - 심계항진, 흉통 - 두통, 졸음, 우울증, 불면, 불안 - 눈의 결막염 - 발진	〈금기〉 1) Aspirin이나 다른 항염증제, 진통제에 과민한 환자 2) 위장출혈, 위궤양, 소장 궤양, 뇌출혈 환자 3) 중증 혈소판결핍 환자 4) 출혈의 가능성이 높은 경우 5) 중증 심부전 환자, 간기능, 신기능 장애 환자 6) 임신부 및 수유부 7) 18세 이하 〈주의〉 1) 간질환, 신질환자 2) SLE 환자 3) 만성 호흡기감염증 환자, 기관지 천식, 비점막 팽창, 건초열 환자 4) 이 약 복용시 운전, 기계 조작시 주의함. 〈상호작용〉 1) Warfarin, 항응고제 병용시 출혈 위험 증가 2) Methotrexate, digoxin 독성 증가 3) CsA의 신독성 증가 4) ACEI, β-blocker, 이뇨제의 작용 및 혈압 강하 작용 저하

약품명 및 함량	용법	약리작용 및 효능	부작용	주의 및 금기
				5) Sulfonylurea계 혈당강하제 등의 혈중단백결합약물과 병용시 이 제제들의 효과 증가 6) Lithium과 병용시 lithium 혈중농도 상승 7) Cimetidine과 병용시 혈중농도 증가
Meloxicam Mobic cap 모빅캅셀 …7.5mg/C …15mg/C	1) 골관절염의 급성악화시 : 7.5~15mg qd 2) 류마티스관절염, 강직성척추염 : 15mg qd(Max. 15mg/D) 3) 투석환자 : Max. 7.5mg/D	1) Enolic acid계 NSAID로 COX-1보다 COX-2에 대한 억제작용이 더 큼.(1.3~77배) 2) 통증과 운동 실조를 수반하는 골관절염의 급성 악화시 단기 치료, 류마티스 관절염 장기 치료, 강직성 척추염에 사용 3) Onset : 89mins 단백결합 : 99.4% Tmax : 5~10hrs 대사 : 간(~99%) $T\frac{1}{2}$: 15~20hrs 배설 : 신장(50%), 대변(50%)	1) 1~10% - 부종 - 두통, 현기증 - 발진 - 설사, 소화불량, 오심, 고창, 복통 - 상기도감염, 인두염 - 감기양 증후군	〈금기〉 1) 소화성궤양, 위장관 출혈, 뇌혈관 출혈 또는 확인된 전신출혈장애를 가진 환자 2) Aspirin, 타 NSAIDs에 의해 천식, 비염, 혈관부종 또는 두드러기를 나타낸 환자 3) 중증 간, 신장애 (혈액투석을 하지 않는 환자) 4) CABG 후 통증치료 5) 15세이하 소아 및 수유부 : 안전성 미확립 6) 임신부 : Category C(국내허가금기) 〈주의〉 1) 궤양 병력, 위장출혈, 피부 점막의 부작용이 있는 환자 2) 65세 이상 고령자 3) 운전자 및 기계 작동자 〈상호작용〉 1) CsA의 신독성 증가 2) Warfarin, heparin의 출혈위험 증가 3) 다른 NSAIDs와 병용시 위장관계 부작용 증가 4) 이뇨제의 작용 저하 5) Lithium과 병용시 lithium 혈중농도 상승 6) Methotrexate의 독성 증가 7) Cholestyramine과 병용시 흡착에 의해 이 약의 효과 감소

약품명 및 함량	용법	약리작용 및 효능	부작용	주의 및 금기
Aceclofenac Aclofen tab 아크로펜정 …100mg/T	1) 1Ⓣ bid	1) Phenylacetic acid계의 NSAID로 만성 염증증가로 관절조직을 파괴하는 ILK-1 생성을 차단함. 2) Diclofenac 경구 투여시보다 위장 장애가 적음. 3) 류마티스 관절염, 골관절염, 강직성 척추염, 외상, 수술, 분만후 통증에 사용함. 4) Aceclofenac 1일 200mg ≒ Diclofenac(경구) 1일 150mg 5) 지속시간 : 12hrs	- 경미한 위복부통, 구토, 오심, 위부포만감 - 발진, 발적, 담마진, 야뇨 - 두통, 현기증, 졸음, 피로	〈금기〉 1) 타 NSAIDs에 대해 천식, 급성비염, 담마진, 위장관 출혈을 나타낸 환자 2) 소화성궤양 환자 3) CABG후에 발생하는 통증 4) 임신, 수유부, 6세이하 소아 : 안전성 미확립 〈주의〉 1) 간, 신장, 심장애 환자 2) 이뇨제 복용 환자 : 이뇨효과와 항고혈압효과 저하 3) 외과처치후 회복기 환자 4) 고령자 〈상호작용〉 1) 이뇨제 : aceclofenac으로 인해 PGs 생성 차단되고 Cl^- 수송변화로 이뇨 효과가 감소됨 2) 항응고제 : 출혈위험 증가 3) Lithium의 혈중농도 증가로 lithium 독성 발현 4) Methotrexate와 병용시 혈액학적 독성 증가
Diclofenac sodium Valentac inj 바렌탁주 …75mg/2ml/A	1) 상용량 : 1일 1Ⓐ IM 2) 중증 : 1Ⓐ bid IM	1) Phenylacetic acid계 NSAIDs 2) Propionic acid 유도체와 유사한 약리작용 및 용도를 가짐 3) 급 · 만성 통증을 수반하는 여러 질환에 대한 진통효과 4) Tmax : 10~20mins(IM) 대사 : 간 배설 : 신장(65%), 담즙(35%)	1) 1~10% - 두통, 현기증 - 소양증, 발진 - 체액저류 - 복부경련, 복통, 변비, 설사, 고창, 소화불량, 오심, 소화성궤양, 출혈 - 간기능효소수치 상승 - 이명	〈금기〉 1) 소화성 궤양 2) 중증 혈액이상 3) 중증 간장애, 신장애 4) 중증 고혈압, 심부전, 허혈성심장질환 5) 말초동맥질환자 및 뇌혈관질환자 6) 아스피린 천식 또는 그 병력자 〈주의〉 1) 다른 NSAIDs와의 병용 피함 2) 임신부 : Category C/D(3rd trimester) 〈상호작용〉 1) Warfarin과 병용시 출혈경향 증가 2) Aspirin과 병용시 NSAIDs의 작용 저하 3) Methotrexate와 병용시 혈액학적 독성 증가 4) Furosemide와 병용시 이뇨 작용 저하

약품명 및 함량	용법	약리작용 및 효능	부작용	주의 및 금기
				5) Lithium과 병용시 lithium 혈중농도 상승 및 독성 발현 6) 부신피질호르몬제와 병용시 상호 부작용 증가

약품명 및 함량	용법	약리작용 및 효능	부작용	주의 및 금기
Dexibuprofen Maxibufen syrup 맥시부펜시럽 ···12mg/ml	1) 6개월 이상 소아 - 5~7mg(0.4~0.6ml)/kg tid~qid - Max. 28mg(2.3ml)/kg/D 단, 30kg이하는 25ml/D 2) 체중에 따라 다음의 1회 용량을 1일 3~4회 투여 (단위 : kg) ① 8≤BW〈10 : 3~6ml ② 10≤BW〈12 : 4~7ml ③ 12≤BW〈16 : 5~9ml ④ 16≤BW〈21 : 7~12ml ⑤ 21≤BW〈30 : 9~17ml ⑥ 30≤BW〈38 : 12.5~22ml ⑦ 38≤BW〈43 : 16~25ml ⑧ 43≤BW : 18~25ml	1) NSAIDs인 ibuprofen 중 활성 작용이 있는 S(+) isomer 제제 2) Dexibuprofen은 S(+)형만 포함하는 제제로 Racemic ibuprofen(S(+), R(-)형)에 비해 작용 발현이 빠름(20분). 3) 약리작용 및 효능 : ibuprofen과 같음 (Prostaglandin 합성저해에 따른 소염, 해열, 진통 작용) 4) Onset : 20mins Duration : 4~5hrs Tmax : 1.4hrs $T_{\frac{1}{2}}$: 1.5~1.7hrs	- 쇽 - 혈액독성 - 소화성 궤양, 위장출혈, 식욕부진, 구역, 구토, 복통, 소화불량, 설사, 위부 불쾌감, 구갈, 구내염, 변비, 복부팽만감 - Steven Johnson syndrome - 황달, AST, ALT, ALP 상승 - 과민증(두드러기, 습진, 자반, 발진, 가려움증) - 난청, 이명, 미각 이상 - 무균성 수막염(두통, 구역, 구토, 불면, 목이 뻣뻣함, 발열, 의식장애 등의 증상) - 혈압저하, 혈압상승, 심계항진 - 급성 신부전(핍뇨, 혈뇨 등의 증상)	〈금기〉 1) 소화성궤양 환자 2) 심한 혈액이상, 고혈압 환자 3) 심한 신, 간, 심기능 부전환자 4) 기관지 천식, 아스피린 천식 또는 그 병력이 있는 환자 5) 임신부 : 동물실험에서 태자독성 (고용량) 보고 〈주의〉 1) 소화성 궤양 병력 환자 2) 혈액이상 또는 병력 환자 3) 출혈경향이 있는 환자 4) 간, 신장애, 심부전, 고혈압, SLE, 혼합결합조직 질환, 궤양성 대장염, 크론병, 위암 5) 수유부 : 모유 이행 6) 6개월 미만의 유아 : 안전성 미확립 〈상호작용〉 1) Warfarin 병용시 출혈경향 증가 2) Aspirin 병용시 NSAIDs의 작용 저하 3) CsA, digoxin, lithium, methotrexate의 혈중농도 증가(독성 가능) 4) Furosemide와 병용시 이뇨 작용 저하 5) 다른 NSAIDs와 병용시 위장관 출혈 위험이 있음 6) Sulfonylurea계 약제의 혈당강하작용 증가 가능

약품명 및 함량	용법	약리작용 및 효능	부작용	주의 및 금기
Ibuprofen Brufen tab 부루펜정 …200mg/T Brufen syrup 부루펜시럽 …20mg/ml Ivduo syrup 이브듀오시럽 …40mg/ml	1) 성인 ① 류마티양 관절염, 골관절염, 강직성 척추염, 연조직 손상, 비관절 류마티스 질환, 급성 통풍, 건선성 관절염 : 200~600mg tid~qid(Max. 3.2g/D) ② 연소성 류마티양 관절염 : 30~40 mg/kg/D #3~4 ③ 경증 및 중등도의 동통, 감기 : 200~400mg tid~qid 2) 소아 : 다음의 1회 용량을 1일 3~4회 복용 ① 1~2세 : 50~100mg ② 3~6세 : 100~150mg ③ 7~10세 : 150~200mg ④ 11~14세 : 200~250mg(Max. 30kg 미만인 경우 500mg/D)	1) Prostaglandin 합성저해에 의한 소염, 해열, 진통 작용을 나타냄. 2) 근육 및 관절부위의 염증과 통증 해소 및 연조직 손상에 의한 동통 제거에 사용함. 3) 해열작용 : aspirin의 20배 진통작용 : aspirin의 30배 소염작용 : aspirin의 5~10배 4) 관절낭액에 고농도로 유지됨. 5) Onset : 30~60mins(진통), 약 7days(소염) Peak effect : 1~2wks Tmax : 약 1~2hrs (속효성) $T_{\frac{1}{2}}$: 2~4hrs 지속시간 : 4~6hrs	1) 1~10% – 두통, 초조, 현기증 – 가려움증, 발진 – 체액저류 – 복부경련, 흉부작열감, 소화불량, 오심, 구토 – 이명	〈금기〉 1) 소화성궤양 2) 혈액이상 3) 심한 신 · 간장애 환자 4) 6개월 미만 소아 : 안전성 미확립 5) 임신부 : Category C/D(3rd trimester) 〈주의〉 1) SLE 및 혼합 결합조직 질환 환자 2) 궤양성 대장염, 크론병, 간장애, 신장애, 심기능부전, 고혈압 환자 3) 수유부 : 복용 가능 4) 고령자 : 신중투여 〈상호작용〉 1) Warfarin과 병용시 출혈경향 증가 2) Aspirin과 병용시 NSAIDs의 작용 저하 3) Methotrexate와 병용시 혈액학적 독성 증가 4) Furosemide와 병용시 이뇨작용 저하 5) Lithium과 병용시 lithium 혈중농도 상승 및 독성 발현
Ketorolac tromethamine Ketorac inj 케토락주 …30mg/1ml/A	1) 성인 ① 초회량 : 10mg IV, IM ② 유지량 : 10~30mg q 4~6hrs IV, IM(Max. 90mg/D 단, 고령자, 신질환자, 체중 50kg 이하는 Max. 60mg/D) 2) 2세 이상 소아 ① 초회량 : 0.5~1.0mg/kg IV ② 유지량 : 0.5mg/kg IV(q 6hrs) 3) 투여기간은 2일을 초과하지 말 것 4) 경막외 및 척수투여 금지 * 신기능에 따른 용량 조절 참고 ① Scr 상승 (moderately-elevated) : 상용량의 50%(Max. 60mg/D)	1) Cyclized propionic acid계 NSAID로서 prostaglandin 합성을 저해하여 진통, 소염, 해열 작용 2) 중등도 및 중증의 통증에 대한 단기요법, 일반외과 · 정형외과 · 부인과 · 치과수술 후의 통증에 적용 3) 통증에 대한 효능 비교 이 약 30mg IM ≥ Pethidine 50~100mg IM ≒ Morphine 6.6~13.3mg IM ≒ Diclofenac 75mg IM 4) Onset : 〈 10mins(IM) 최대효과 : 75~150mins 지속시간 : 6~8hrs Tmax : 45~50mins(IM) 단백결합 : 〉99% $T_{\frac{1}{2}}$: 6~7hrs	1) 〉10% – 두통(17%) – 위장관 통증(13%), 소화불량, 오심(12%) 2) 1~10% – 부종(4%), 고혈압 – 현기증(7%), 졸음(6%) – 소양증, 홍반, 발진 – 설사(7%), 변비, 고창, 구토, 구내염 – 주사부위 통증(2%) – 발한	〈금기〉 1) CABG(Coronary artery bypass graft) 시행 환자 2) Asprin이나 다른 NSAIDs에 과민반응 기왕력자(치명적인 아나필락시스 유사 반응이 보고되어 있음) 3) 위장관 출혈, 궤양, 천공 기왕력자 4) 뇌혈관 및 기타 출혈 환자 5) 중증 신 · 심부전 환자 6) 기관지 천식 환자 7) 다른 NSAIDs 복용 환자 8) 수유부, 2세 미만 소아 : 안전성 미확립 9) 임신부 : Category C/D(3rd trimester) 〈주의〉 1) 심각한 심혈관계 혈전성 사고, MI, shock 위험 증가(사용기간에 따라, 심혈관계 질환 환자일수록 위험 증가)

	약품명 및 함량	용법	약리작용 및 효능	부작용	주의 및 금기
		② Scr〉1.6mg/dl : 투여 금기	배설 : 신장(≥90%)		2) 심각한 위장관 부작용(출혈, 궤양, 위장관 천공)이 갑작스럽게 발생할 수 있음 3) 천식, 탈수, 고혈압, CHF, 빈혈 환자, 노인 〈상호작용〉 1) Warfarin의 단백결합률 감소로 출혈 위험 증가 2) Furosemide의 이뇨작용 감소(20%) 3) Lithium의 혈중농도 증가 4) Methotrexate의 독성 증가 5) 근육이완제의 효과 증강 6) ACEI와 병용시 신독성 위험 증가 〈취급상 주의〉 1) Morphine, pethidine 등과 주사기 내에서 혼합시 침전 형성
21	**Naproxen** Naxen-F tab 낙센에프정 …500mg/T	1) 성인 ① 류마티양, 골관절염, 강직성 척추염 : 250~500mg bid (Max. 1,500mg/D) ② 급성통풍 : 초회 750mg, 이후 250mg q 8hrs ③ 골격근장애, 수술 - 발치후 동통, 월경곤란증, 건염, 활액낭염 : 초회 500mg, 이후 250mg q 6~8hrs(Max. 1,250mg/D) ④ 편두통 : 초회 750mg, 필요시 250~500mg 추가(Max. 1,250 mg/D) 2) 2세 이상 소아 : Max. 10mg/kg/D	1) Ibuprofen과 유사한 약리작용 2) 강직성 척추염에 효과적임. 3) 흡수 : 용이(PO) Onset : 1hr(진통), ~2wks(소염) Peak effect : 2~4wks(소염) 지속시간 : ≤7hrs(진통), ≤12hrs(소염) 단백결합률 : >90% $T\frac{1}{2}$: 12~15hrs Tmax : 1~2hrs	1) 1~10% - 두통, 초조, 권태, 졸음 - 가려움증, 소양증, 발진, 반상 출혈 - 체액저류 - 소화불량, 오심, 흉부 작열감, 변비, 위장관 출혈, 궤양, 설사, 구내염 - 용혈 - 이명 - 호흡곤란	〈금기〉 1) 소화성 궤양 2) 중증 혈액이상 3) 중증 간장애, 신장애 4) 중증 고혈압, 심부전 5) 아스피린 천식 또는 그 병력자 6) CABG 이후 발생하는 통증치료 〈주의〉 1) SLE 및 혼합결합조직질환 환자는 신중투여 2) 임신부 : Category C 3) 수유부 : 복용 가능 4) 고령자 : 신중투여 5) 2세 이하 소아 : 안전성 미확립 〈상호작용〉 1) 항전간제, 항응고약, 설파제, 혈당 강하제와 병용시 이들의 약효가 증강됨. 2) Methotrexate와 병용시 혈액학적 독성 증가 3) Furosemide와 병용시 이뇨작용 저하

약품명 및 함량	용법	약리작용 및 효능	부작용	주의 및 금기
				4) Probenecid와 병용시 이 약의 혈중농도 상승 5) 베타차단제와 병용시 항고혈압 효과 감소
Zaltoprofen Soleton tab 솔레톤정 …80mg/T	1) 1Ⓣ tid 2) 단회 투여시 1~2Ⓣ	1) Propionic acid 계열 NSAIDs 2) 염증성 세포 및 염증 부위의 prostaglandin을 선택적으로 억제하여 약리작용 나타냄. 3) 류마티스 관절염, 골관절염, 요통, 견관절주위염, 경견완증후군, 수술 후, 외상후 및 발치 후의 소염진통	- 위부 불쾌감, 위통, 구토, 오심, 설사, 식욕부진 - 두통, 졸음 - 과민증 - 적혈구 및 Hb 감소, 호산구 증가 - 간효소 수치 증가 - BUN, 혈중 크레아티닌 상승	〈금기〉 1) 소화성 궤양 환자 2) 중증의 간 및 신, 심장 장애 환자 3) Aspirin, 타 NSAIDs에 천식, 알레르기 기왕력자 4) CABG 후 발생하는 통증 치료 5) 수유부 6) 임신말기 임부 〈주의〉 1) 혈액장애 환자 2) 고령자 3) 소아 : 안전성 미확립
Naproxen+ Esomeprazole **Vimovo tab** 비모보정 …500+20mg/T	1) 성인 : 1Ⓣ bid 2) 식전 최소 30분전 복용을 권장하며, 약을 쪼거개나 씹거나 부수지 않음 * 신기능에 따른 용량조절 참고 - CrCl(ml/min)〈30 : 투여금기	1) NSAIDs와 PPI(proton pump inhibitor) 복합제 2) Naproxen은 비선택성 COX저해제로 소염진통 작용 나타내며, Esomeprazole은 위산분비 억제작용을 나타냄. 3) 적응증: 비스테로이드성 소염진통제(나프록센 등)와 관련한 위궤양 및/또는 십이지장궤양의 발생 위험이 있으면서 저용량 나프록센 또는 다른 비스테로이드성 소염진통제에 의해 충분하지 않은 환자에서의 골관절염, 류마티스성 관절염, 강직성척추염의 증상 치료 4) 내부핵과 외부핵으로 구성된 필름코팅정 ① 내부핵: naproxen 함유한 장용코팅층으로 소장에서 유리 ② 외부핵: esomeprazole의 속방 필름코팅층으로 위에서 유리 5) BA : 95%(Naproxen), 64%(Esomeprazole) $T\frac{1}{2}$: 15hrs(Naproxen), 1.2~1.5hrs(Esomeprazole) 대사 : 간 배설 : 신장(Naproxen 95%, Esomeprazole 80%)	1) 〉10% - 소화불량 2) 1~10% - 어지럼증, 두통, 미각장애 - 고혈압 - 복통, 변비, 설사, 식도염, 고창, 위/십이지장 궤양, 위염, 구역, 구토 - 피부발진 - 관절통 - 부종	〈금기〉 1) 아스피린 및 NSAIDs 복용 후 천식, 두드러기, 알러지반응 병력이 있는 자 2) 활동성 소화성 궤양 환자 3) 위장관, 뇌혈관 및 기타 출혈, 중증 혈액이상 환자 4) 중증 고혈압, 심부전 5) 중증 간장애(Child-Pugh Class C), 신장애(CrCl 〈30ml/min) 환자 6) 관상동맥 우회로술(CABG) 전후의 통증 치료 7) 임신 말기 3개월에 해당하는 임부 8) Atazanavir, Nelfinavir 투여환자 〈주의〉 1) 임신부 : Category C 2) 고령자 : 신중투여 3) 소화성궤양, 혈액이상, 출혈경향환자 4) 간장애, 신장애, 심기능장애 환자 5) 고혈압환자 6) 기관지천식환자 7) SLE, 혼합결합조직질환 및 유도성 포르피린증환자

약품명 및 함량	용법	약리작용 및 효능	부작용	주의 및 금기
				8) 수유부 : 모유로 이행됨 9) 18세 이하 소아 : 안전성 미확립 〈취급상 주의〉 1) 분할 및 분쇄 금지

약품명 및 함량	용법	약리작용 및 효능	부작용	주의 및 금기
Nimesulide Mesulid tab 메수리드정 …100mg/T	1) 0.5~1Ⓣ bid 2) 가능한 최단 기간 동안 최소 유효용량 사용(최대 15일 초과하지 않음)	1) PG 합성 저해에 의한 진통작용 2) 위장점막에 관여하는 PG 생성은 억제하지 않아 위장관 부작용을 줄였음. 3) 체내에서 arachidonic acid 대사 과정에서 생성되는 활성 산소 유리기를 포함하여 항염 작용 나타냄. 4) 급성 통증(수술 후 통증, 치통, 두통, 요통), 원발성 월경통에 사용하되 2차 치료목적으로만 사용하도록 함. 5) Onset : 1~2hrs(해열), 2~4days(소염) 지속시간 : 6hrs Tmax : 1.2~3.3hrs 대사 : 간 $T\frac{1}{2}$: 1.8~5.25hrs 배설 : 신장(50.5~62.5%), 대변(17.9~30.2%)	- 가슴쓰림, 구역, 복통, 소화성궤양, 위장출혈, 천공, 혈변 - 피부반점, 스티븐존슨 증후군, 삼출성 다형성홍반 - 졸음, 어지러움	〈금기〉 1) 소화성궤양 2) 이 제제 및 aspirin, 타 NSAIDs에 과민한 환자 3) 위장출혈 4) 임신부, 수유부, 소아 〈주의〉 1) 고령자 및 쇠약자에 신중 투여 2) 출혈성 질환, 상부위장관 질환이 있는 환자 및 항응고제 또는 혈소판 응집억제제로 치료중인 환자 3) 시각장애가 나타날 경우에는 투여중지 후 안과검사 실시 〈상호작용〉 1) CYP2C9에 의해 대사되는 약물의 농도를 상승시킬 수 있음. 2) ACEI, ARB, K^+ sparing 이뇨제와 병용시 고칼륨혈증 발생가능 3) Furosemide와 병용시 이뇨 효과 감소 4) CsA와 병용시 신독성 증가 5) 베타차단제와 병용시 혈압 강하 효과 감소 6) 항응고제 병용시 출혈위험 증가
Talniflumate Somalgen tab 소말겐정 …370mg/T	1) 1Ⓣ tid 2) 중증시 2Ⓣ tid	1) Niflumic acid계 NSAIDs 2) PG 합성 차단에 의한 소염작용 3) 류마티스양 관절염, 골관절염, 좌골 신경통, 외상 후 동통, 수술 후 염증 및 동통, 인두염, 편도염 등에 사용함.	- 과민증, 구역, 구토 - 장기투여시 위장 출혈, 소화성궤양 및 천공	〈금기〉 1) 소화성 궤양 환자 2) 임신부 및 수유부, 12세이하 소아 : 안전성 미확립 〈주의〉 1) 간 및 신장애 환자

약품명 및 함량	용법	약리작용 및 효능	부작용	주의 및 금기
		4) Tmax : 2~3hrs		〈상호작용〉 1) Warfarin과 병용시 출혈위험 증가
Clematis mandshurica + Trichosanthes kirilowii + Prunella vulgaris Extract **Joins tab** 조인스정 …20mg/T	1) 1Ⓣ tid	1) 소염진통 작용과 말초 혈행 개선, 관절조직 파괴 억제 작용을 가지는 3가지 생약 성분(위령선, 괄루근, 하고초)의 제제 2) 골관절염(퇴행성 관절질환) 및 RA 증상완화에 사용함.	1) >10% - 소화불량증 2) 1~10% - 속쓰림, 위장장애, 안면부종	〈주의〉 1) 감염상태, 감염의 원인이 있는 환자는 감염에 대한 자체 저항력이 감소될 수 있음. 2) 임신부 : 안전성 미확립

약품명 및 함량	용법	약리작용 및 효능	부작용	주의 및 금기
Auranofin Ridaura tab 리도라정 …3mg/T	1) 1Ⓣ bid 또는 2Ⓣ qd	1) 거식세포에 흡수되어 탐식작용의 억제, lysosome 효소의 활성도 억제, 면역반응의 억제작용을 나타냄. 2) Rheumatoid factor와 면역글로블린의 농도를 감소시킴으로써 류마티스양 관절염, 재발성 류마티즘에 사용함. 3) 부작용 치료는 glucocorticoid로 함.	1) > 10% - 가려움증, 발진 - 구내염 - 결막염 - 단백뇨 2) 1~10% - 두드러기, 탈모 - 설염 - 호산구 증가증, 백혈구 감소증, 혈소판 감소증 - 혈뇨	〈금기〉 1) 금 또는 다른 중금속에 과민한 환자 2) 혈액장애 환자 3) 간, 신장애 환자 4) 심한 설사, 소화성궤양 환자 5) SLE 환자 6) 괴사성 장결장염 환자 7) 아토피성 및 박탈성 피부염 환자 8) 폐섬유증 환자 9) 소아 : 안전성 미확립 〈주의〉 1) 만성발진 환자에 신중투여 2) 임신부 : Category C 3) 수유부 : 모유 이행 〈상호작용〉 1) 금주사제, levamisole, hydroxychloroquine, 대량의 부신피질호르몬 등과 병용금지

약품명 및 함량	용법	약리작용 및 효능	부작용	주의 및 금기
				2) 혈액장애 유발약물(예: 항말라리아제, 면역억제제 등) 및 킬레이트 화합물(예: D-penicillamine)과 병용금지
Bucillamine Rimatil tab 리마틸정 …100mg/T	1) 1Ⓣ tid(Max. 300mg/D)	1) Disease Modifying Antirheumatic Drug (DMARD) 2) B-cell 활성 및 과다 상승된 Tcell의 기능을 억제하고, 저하되어 있는 supressor T-cell의 기능을 항진시키며 면역기능 조절함. 3) 염증반응인자인 collagenase 저해, macrophage 유주(migration)저해	- 피부발진, 가려움, - 두통, 졸음, 권태감 - 미각이상, 시각 장애, 수지 마비감 - 변비, 구역, 구토, 설사 - 간질성 폐렴, 폐섬유증 - 범혈구감소, 혈소판감소, 무과립구증, 빈혈 - 중증 근무력증, 근력저하, 다발성 근염 - 스티븐존슨 증후군, 탈모 - 황달, 간기능이상 - 급성신부전, 신증후군, 단백뇨, 신기능이상	〈금기〉 1) 혈액장애, 골수기능 저하 환자 2) 신장애 환자 3) 성장기 소아로서 결합조직의 대사장애 환자 4) 임신부, 소아 : 안전성 미확립 〈주의〉 1) 수술직후 환자, 전신상태 악화 환자 2) 혈액 · 신 · 간장애 과거력 환자 3) 지효성 제제이므로 효과 발현시까지 소염진통제 계속복용 4) 인두통, 발열, 자반증상시 의사에게 연락하도록 복약 상담 5) 월 1회 정기적인 혈액 및 뇨검사 - WBC : 3,000/㎣ 미만 - Platelet : 100,000/㎣ 미만 - 뇨단백 : 지속적 or 증가경향 나타나면 투여중지 6) 수유부
D-Penicillamine Artamine cap 알타민캡슐 …250mg/C	1) RA 등의 collagen Dz. ① 1~4주 : 150mg qd(Max. 250mg) ② 5~8주 : 250mg qd(Max. 450mg) ③ 9~12주 : 150mg bid (Max. 600mg) ④ 13주 이후 : 4~12주 간격으로 1일 50~150mg씩 증량하여 750mg까지 복용(Max. 1g/D) ⑤ 유지용량 : 300~450mg/D	1) Chelating agent로 cystine과 수용성 disulfide 화합물을 만들어, cystine stone의 감소 및 형성 억제 2) Collagen 형성 억제 및 IgM rheumatic factor 감소 등에 의해서 중증의 RA에 금제제 대체약제로 사용함. 3) Tmax : 1~4hrs 대사 : 간 $T\frac{1}{2}$: 1~7.5hrs	1) 〉10% - 발진, 두드러기, 소양감 - 미각감퇴 - 근육통 2) 1~10% - 안면, 사지 부종 - 발열, 오한감 - 체중증가, 인후 통증	〈금기〉 1) 혈액장애 환자 2) 신장애 환자 3) 임신부 : Category D 4) 수유부 : 안전성 미확립 〈주의〉 1) 반드시 공복(식전 1시간 혹은 식후 2시간)에 복용하며, 다른 약물이나 음식과는 적어도 1시간의 간격을 두고 복용함(∵흡수감소)

약품명 및 함량	용법	약리작용 및 효능	부작용	주의 및 금기
	2) 소아 RA ① 5~10mg/kg/D로 시작, 15~20mg/kg/D까지 증량 ② 유지용량 : 10~15mg/kg/D * 신기능에 따른 용량조절 참고 1) CrCl <50ml/min : 사용 권장되지 않음. 2) 류마티스관절염 치료에서 혈액투석시 : 250mg/D → 250mg씩 주3회로 감량		- 뇨혼탁 - 재생불량성 및 용혈성 빈혈, 백혈구 감소증(2%), 혈소판 감소증(4%) - 입술 및 구강에 흰색 반점 3) <1% - 알러지 반응, 식욕부진, 담즙울체성 황달, 간염, 림프선 증후군 등	

약품명 및 함량	용법	약리작용 및 효능	부작용	주의 및 금기
Allopurinol Zyloric tab 자이로릭정 …100mg/T	1) 재발성 칼슘 신결석 : 성인 200~300mg/D #1~3 (Max. 800mg/D) 2) 통풍 - 초기: 100mg qd, 주 단위로 100mg씩 증량 가능 - 유지: 경증 100~300mg/D, 중증도 300~600mg/D, 중증 600~800mg/D, #1~3 (Max. 800mg/D) 3) 고뇨산혈증(Tumor lysis syndrom) 예방 : 600~800mg/D #2~3, 항암화학요법 1~2일 전에 시작하여 2~3일간 지속 4) 암환자의 고뇨산혈증 : 용량 미확립 5) 300mg/dose 초과시 분할하여 복용	1) Purine을 uric acid로 전환시키는 xanthine oxidase를 억제하여 혈청과 뇨중의 uric acid 농도를 감소시킴. 2) 적응증 : 통풍, 고뇨산혈증, 요산신장병증 3) Tmax : 90mins 대사 : 간(70%) 배설 : 신장(80%)	1) >10% - 반점상 구진, 피부 발진 2) 1~10% - 오심, 구토 - 신부전 3) <1% - 급성 신세뇨관 괴사, 무과립 세포증, 혈관부종, 재생불량성 빈혈 등	〈금기〉 1) 특발성 혈색소증 환자 2) 소아(항암치료에 따른 고뇨산혈증, 효소결함 제외) 3) 수유부 〈주의〉 1) 간질환, 신기능부전 환자 2) 혈중뇨산치의 급격한 저하는 급성 통풍발작을 유도할 수 있으므로 적은 용량(100mg/D)으로 시작하여 매주 100mg씩 증량함 3) 이 약을 복용하는 동안 수분 섭취량을 많이 하여 1일 소변배출량을 2L이상 되게 함. 4) 임신부 : Category C 〈상호작용〉 1) 6-Mercaptopurine, azathioprine의 분해 억제함 2) Warfarin의 반감기 연장 3) 철분제제 병용시 철분축적가능

약품명 및 함량	용법	약리작용 및 효능	부작용	주의 및 금기
	*신기능에 따른 용량조절 참고 – CrCl(ml/min) 10~20 : 100~200 mg/D – CrCl(ml/min) 〈10 : 100mg이하/D 1~3회 분할 투여			4) Cyclophosphamide와 병용시 골수억제 5) Phenytoin의 간대사 억제
Benzbromarone Urinon tab 유리논정 …50mg/T	1) 고뇨산혈증, 통풍 – 초기량 : 0.5~1Ⓣ qd – 유지량 : 1Ⓣ qd~tid 2) 고뇨산혈증 수반한 고혈압 : 1Ⓣ qd~tid, 증감	1) Benzofuran계 뇨산 배설 촉진제 2) 근위세뇨관에서 뇨산 재흡수 억제, 뇨산의 장내 배설 촉진 3) 혈압강하제, 이뇨제와 병용 가능하며 고혈압이나 당뇨병이 합병된 고뇨산혈증 환자에 사용함. 4) Onset : 1~2hrs 최대효과 : 8~12hrs Tmax : 2~3hrs 대사 : 간 $T\frac{1}{2}$: 2~4hrs 배설 : 신장(18%), 대변(50~82%)	– 두드러기, 발진, 안면발적, 홍반, 소양감 – 간기능장애, 황달, 심한 간염 – 위통, 복통, 위부불쾌감, 흉통, 구역, 설사, 연변 – 부종, 심외불쾌감, 두통, 결막염, 요도염, 일시적 발기부전	〈금기〉 1) 이 약 또는 브롬화물에 과민한 환자 2) 신장애 3) 신장 결석의 병적 소인을 가진 환자 4) 임신부 : 동물에서 최기성 보고 〈주의〉 1) 급성통풍발작 진정후 투여 2) 투여 초기 통풍 발작 유발가능 : 투여 첫날 colchicine 또는 항염증성 약물과 병용 투여 3) 뇨량 증가 및 뇨의 알카리화 4) 장기투여시 간기능 검사 실시 〈상호작용〉 1) Allopurinol과 병용시 본제 감량 2) Ethacrynic acid, salicylic acid, sulphinpyrazone과 병용시 요산배설 작용 감소
Colchicine Colchine tab 콜킨정 …0.6mg/T	1) 통풍 발작 치료 – 성인 : 1.2mg 복용 1시간 후 0.6mg 복용 2) 통풍 발작 예방 – 성인 : 0.6mg qd~bid (Max. 1.2mg/D) *신기능에 따른 용량 조절 참고 1) 통풍 발작 치료 – CrCl 30~80ml/min : 용량조절 필요없음 – CrCl 〈30ml/min : 2주 1회이상 치료를 반복하지 않도록 함	1) 정확한 기전은 알려져 있지 않으나 통증을 유발하는 염증의 원인을 제거함. 2) 거식세포의 운동성 억제로 뇨산 침식을 억제함. 3) 거식세포의 젖산 생성을 억제함으로써 뇨산 침착을 방해함. 4) 급성통풍 발작에 사용함. 5) Onset : 12~24hrs 최대효과 : 48~72hrs Tmax : 0.5~2hrs $T\frac{1}{2}$: 4.4hrs 배설 : 신장(10~20%), 대변(extensive)	1) 〉10% – 오심, 구토, 설사, 복통 2) 1~10% – 탈모 – 식욕감퇴	〈금기〉 1) 만성 통풍 2) 임신부 : Category C(국내허가금기) 3) 수유부 〈주의〉 1) 노인 및 허약자 2) 신장애, 심장애, 소화기장애 환자 〈상호작용〉 1) $VitB_{12}$의 흡수를 저해함. 2) CNS 억제제 및 교감신경흥분제에 대한 반응을 증가시킴 3) Clarithromycin, erythromycin과 병용시 colchicine의 혈중농도 상승

약품명 및 함량	용법	약리작용 및 효능	부작용	주의 및 금기
	2) 통풍 발작 예방 – CrCl 30~80ml/min: 용량조절 필요없음 – CrCl <30ml/min: 0.3mg qd로 투여시작하여 모니터링하며 증량함			
Febuxostat Feburic tab 페브릭정 …40mg/T …80mg/T	1) 18세 이상 성인: 40mg 또는 80mg qd (Max. 80mg) 2) 신, 간장애 환자 용량 – 경증 및 중등도 용량조절 불필요 – CrCl < 30ml/min 미만, 간기능 Child Pugh등급 C에서 자료 없음	1) Non-purine, selective xanthine oxidase inhibitor로 purine의 최종 대사산물인 요산 생성을 억제하고 치료농도에서 purine, pyrimidine 대사에 영향 없음 2) 적응증: 통풍환자에서의 만성적 고요산혈증 치료 3) Tmax : 1-1.5hrs $T_{\frac{1}{2}}$: 5-8hrs 배설: 신장(49%), 대변(45%)	1) 1~10% – 발진, 간기능 이상, 관절통 2) <1% – 홍분, 불안, 무력감, 피로, 우울증, 체중 감소/증가 – 오심, 소화불량, 탈수, 췌장염, 위궤양 – 진전, 홍조, 멍, 흐린 시야, – 저/고칼륨혈증, 저/고혈압, 고지혈증, 신부전 – 호흡기감염, 스티븐존슨 증후군	〈금기〉 1) Mercaptoprine, azathioprin을 병용투여하고 있는 환자(∵이들 약물 혈중농도 증가) 2) 증상이 없는 요산혈증(혈중 요산 < 9.0 mg/dl) 환자 3) 장기 이식 수령자 4) 요산 생성 속도가 높은 환자 5) 유당을 함유하므로 유당 관련 대사장애 환자 〈주의〉 1) 간질환 환자 2) 갑상선 기능에 변화가 있는 환자 3) 허혈성 심질환/울혈성 심부전 환자 4) 임신부 category C 5) 수유부 및 소아: 안전성 미확립 〈상호작용〉 1) Theophylline의 배설(대사체) 증가

1장. 신경계……………………1. Analgesics …………………(4) Antimigraine preparations

약품명 및 함량	용법	약리작용 및 효능	부작용	주의 및 금기
Almotriptan Almogran tab 알모그란정 …12.5mg/T	1) 성인 : 1Ⓣ qd , 재발시 최소 2시간 간격을 두고 1Ⓣ 재투여 (Max. 25mg/D) 2) 15세 이상 청소년 : 1Ⓣ qd 3) 식사와 관계없이 복용가능 * 신장애에 따른 용량조절 참고 ① 경증 : 용량조절 불필요	1) 선택적 $5-HT_{1B/1D}$ receptor agonist로 뇌혈관을 수축시킴 2) 성인 및 15세 이상 청소년의 편두통의 급성 치료 (예방목적으로 사용하지 않음) 3) BA : 70% Onset : 1~2hrs	1) 1~10% – 졸음, 현기증, 두통 – 오심, 구토, 구강건조증	〈금기〉 1) 허혈성 심질환자 2) 뇌혈관 및 말초혈관 질환 3) 조절되지 않은 고혈압 환자 4) 24시간 내에 5-HT receptor agonist나 ergot 제제 복용한 환자 5) 중증 간장애 환자 6) 편마비성, 기저성 편두통 환자

약품명 및 함량	용법	약리작용 및 효능	부작용	주의 및 금기
	② 중등도~중증 : (Max. 12.5mg/D)	대사 : 간(60%, MAO-A oxidation: 27%, CYP3A4/2D6: 12%) T$\frac{1}{2}$: 3~4hrs 배설 : 신장(75%), 대변(13%)		〈주의〉 1) Sulfonamide 과민증 환자 2) Ergotamine 투여 시 이 약 투여 후 6시간 이상 경과해야 함 3) 임신부: Category C 4) 15세 미만 소아: 안전성 미확립 〈상호작용〉 1) Ergot 제제, serotonin modulator의 효과 상승 2) CYP3A4 저해제(ketoconazole 등), ergot 제제, MAO 저해제, sibutramine : Almotriptan 농도 상승 3) Peginterferon α-2b : Almotriptan 농도 감소
Flunarizine Sibelium cap 씨베리움캡슐 …5mg/C	1) 중증 난치성 편두통 ① 초회량: 10mg qd(저녁) ② 유지량: 2일마다 10mg qd 또는 5일간 복용후 2일 휴약 ③ 초회투약 6개월 이후에는 복용 중지하고 재발시에는 초회량부터 재투약 ④ 65세 이상 : 5mg qd(저녁), 방법은 동일 2) 어지러움증 : 2개월이상 복용하지 않음(만성 어지러움증은 1개월)	1) Cinnarizine의 difluorinated 유도체 2) 여러조직에의 Ca유입을 억제함으로써 혈관평활근 수축억제, 과잉의 Ca에 의한 상피세포 손상과 적혈구의 운동성 장애 등을 방지하고, 특히 뇌세포를 저산소증으로부터 보호 3) 항히스타민작용 및 CNS억제작용도 있으나 주로 중추 및 말초혈관 수축 억제제로 사용함. 4) 치매에는 무효함. 5) 난치성 편두통, 전정계 기능성장애로 인한 어지러움증에 사용함. 6) 지속시간 : 〉 24hrs 대사 : 간 T$\frac{1}{2}$: 18~23days	- 우울증 - 경련, 운동기능 감소, 추체외로증상 - 간기능효소 수치 상승 - 발진 - 구갈, 위부불쾌감, 변비, 구역, 식욕부진, 설사 - 졸음, 피로, 무력감, 권태감, 두통, 어지러움, 비틀거림, 불면, 안면홍조, 체중증가, 부종, 요폐, 유즙분비과다	〈금기〉 1) 두개내 출혈후 완전히 지혈되지 않은 환자 2) 급성심근경색 환자 3) 파킨슨병 환자 4) 우울증 5) 임신부 및 가임부 〈주의〉 1) 간장애 및 고령자 신중투여 2) 추체외로증상 부작용은 투여 중지후 수개월간 지속될 수 있음 3) 운전자 및 기계조작자 4) 수유부 : 수유중단 5) 소아 : 안전성 미확립 〈상호작용〉 1) 고혈압 치료제와 병용시 고혈압 치료제의 감량이 요구됨. 2) 알코올, 신경안정제, 수면제 복용시 약효가 증강될 수 있음.

약품명 및 함량	용법	약리작용 및 효능	부작용	주의 및 금기
Frovatriptan Migard tab 미가드정 …2.5mg/T	1) 18~65세 성인 : 1회 2.5mg, 재발 시 최소 2시간 간격을 두고 2.5mg 재투여(Max. 5mg/D) 2) 신장애, 경증~중등도 간장애 환자 : 용량조절 불필요	1) 5-HT$_{1B/1D}$ receptor agonist, 편두통치료제 2) 적응증: 전조증상을 수반하거나 수반하지 않는 편두통의 급성 치료 3) 기존 triptan제제와 비교 시 반감기가 김 4) Onset : ~2hrs Tmax : 2~4hrs T½ : 25hrs 대사 : 간대사(CYP1A2) 배설 : 대변(62%), 신장(10~32%)	1) 1~10% - 홍조, 가슴통증, 심계항진 - 어지러움, 피로, 두통, 지각이상, 졸림, 불안, 불면, 통증 - 발한 - 구강건조, 오심, 소화불량, 복통, 설사, 구토 - 근골격계 통증 - 시각장애 - 이명 - 비염, 부비동염	〈금기〉 1) 허혈성 심질환, 말초혈관질환 환자 2) 조절되지 않은 고혈압 환자 3) 뇌졸중, 일시적 허혈성 발작이 있었던 환자 4) 중증 간장애 환자(Child-pugh C) 5) 24시간 내 다른 5-HT receptor agonist나 ergot 제제를 복용한 환자 6) 편마비성, 안근마비성 편두통 환자 7) 유당 불내성 환자 〈주의〉 1) 심혈관계 위험 요소를 가진 40대 이상 남성 및 폐경 후 여성 2) 임신부 : Category C 3) 수유부 : 동물에서 모유로 분비 4) 어린이 및 청소년 : 안전성 미확립 5) 65세 이상 고령자 : 안전성 미확립 〈상호작용〉 1) Ergot제제, 5-HT receptor agonist : 고혈압 및 관상동맥 협착 위험 증가 2) MAO inhibitor, SSRI(Citalopram, fluoxetine, paroxetine, sertraline 등), SNRI(Venlafaxine, duloxetine), St. John's wort: 세로토닌 증후군 발생 위험 3) 경구용 피임약 : 이 약의 혈중 농도 증가
Naratriptan HCl Naramig tab 나라믹정 …2.5mg/T	1) 성인(18~65세) : 2.5mg 1회 투여 재발시 최소 4시간 간격을 두고 2.5mg 재투여 (Max. 5mg/D) 2) 신장애, 간장애 환자 : Max. 2.5mg/D *신기능에 따른 용량조절 참고 ① 경증~중등도 신장애: 초회용량 1mg, Max. 2.5mg/D	1) 5-HT$_{1B/D}$ receptor agonist로서 뇌혈관을 선택적으로 수축시켜 편두통 증상을 치료 2) 적응증 : 전조증이 수반되거나 수반되지 않는 편두통의 조속한 완화 3) 기존 동일계열 약제에 비해 생체이용률이 높고, 작용지속시간이 길며, 부작용이 적으나, 최고혈중농도에 도달하는 시간은 느림.	1) 1~10% - 현기증, 졸음, 권태감, 피로 - 오심, 구토 - 감각이상 - 인후와 목의 통증	〈금기〉 1) 뇌혈관증후군, 허혈성 심장질환(협심증 등), 말초혈관질환, 중증 간 및 신장애, 조절되지 않는 고혈압 환자 2) 편마비 편두통, 기저 편두통 환자 3) 24시간 내에 타 5-HT$_1$ 효능제나 ergot 제제를 복용한 환자 4) 18세 미만 소아 : 안전성, 유효성 미확립

약품명 및 함량	용법	약리작용 및 효능	부작용	주의 및 금기
	② 중증 신장애(CrCl <15 mL/min) : 투여금기	4) Onset : 0.5~1hr Tmax : 2~3hrs 지속시간 : 24hrs (single dose) BA : 70% $T\frac{1}{2}$: 5~6hrs		〈주의〉 1) Sulfonamide에 과민한 환자(교차내성 있음) 2) 이전에 편두통 환자로 진단된 적이 없거나 이형성 증상을 보이는 편두통 환자는 치료 전에 다른 중증 신경학적 질환 여부를 확인해야 함. 3) 경~중등도 간 및 신장애 환자 4) 비만, 당뇨, 흡연, 고콜레스테롤, 가족력이 있는 허혈성 질환 고위험 환자 5) 졸음이 발생할 수 있으므로 위험한 기계조작 및 운전 금함. 6) 임신부 : Category C 7) 수유부 : 안전성 미확립
Propranolol HCl Indenol tab 인데놀정 …10mg/T …40mg/T	1) 편두통 예방 – 초기: 80mg/D #3~4 – 3~4주마다 20~40mg/dose씩 증량 가능(Max. 160~240 mg/D) – 치료 시작 6주 안에 만족스러운 반응을 얻지 못하는 경우 몇 주에 걸쳐 감량하여 중단	1) 비선택적 β-adrenergic 차단제 2) 과잉의 교감신경계 활동만 정상화시키며, 말초 교감 신경의 고도한 흥분도 억제시킴으로써 불안 및 본태성 진전 치료 3) 편두통 예방목적으로 사용하며, 급성 편두통 발작에는 무효함 4) Tmax : 일반제형 2hrs $T\frac{1}{2}$: 2~3hrs(cirrhosis시 연장) 대사 : 간 배설 : 신장(<1%) 〈상호작용〉 1) Negative inotropic chromotropic, dromotropic 작용 약물 효과 강화. 2) 혈당강하제의 약효증강 3) Clonidine과 병용중 clonidine을 중단하면 혈압이 상승됨. 4) Cimetidine에 의해 대사가 억제되고 제거율이 감소됨.	– 서맥, 울혈성심부전, 흉통, 저혈압, 말초순환부전, 심근수축부전, 레이노현상 – 현기, 환각, 불면, 피로, 기면, 실신, 과수면 – 발진, 탈모, 박탈성 피부염, 건선성/습진성 발진, 과각질화, 손톱변화, 소양증, 접촉성 피부염 – 혈당이상, 고지혈증, 고칼륨혈증 – 설사, 오심, 구토, 위부불쾌감, 변비, 식욕감퇴 – 발기부전, 단백뇨, 핍뇨, 간질성신염 – 무과립구증, 혈소판감소, 혈소판 감소성 자반증	〈금기〉 1) 기관지천식, 기관지경련 환자 2) 당뇨병 케톤산증, 대사성 산증 환자 3) 서맥, 방실블록, 동방블록 환자 4) 심인성 쇽 환자 5) 심부전, 동기능부전 환자 6) 저혈압 환자 7) 중증 말초순환장애 환자 8) 장기간 절식상태의 환자 9) 소아 10) α-차단제로 치료되지 않는 크롬친화세포종 11) 이형 협심증 12) 임신부 : Category C(태반관류저하, 태아의 서맥 발생가능) 13) 수유부 : 모유이행 〈주의〉 1) 신중투여 : 갑상선 중독증, 중증 간 · 신장애 환자 2) 서맥 발현시 투약중지함. 3) 갑작스런 투여중지는 심박동수 · 맥박 증가, 진전, 발한, unstable angina, 심실성 빈맥, fatal MI, sudden death 초래(1~2주에 걸쳐 서서히 감량해야 함)

약품명 및 함량	용법	약리작용 및 효능	부작용	주의 및 금기
			- 허약감, 마비감 - 천명, 인두염, 기관지경축, 폐부종 - 각막충혈, 눈물생성 감소, 산동 - 루푸스양 증후군	4) COPD환자의 호흡기능을 악화시킴. 5) 당뇨환자의 저혈당 증상, 특히 빈맥을 은폐시킴. 6) Hyperthyroidism 증상을 은폐시킴. 7) 사지냉감, Raynaud 증상을 악화시키고 간헐적 claudication을 악화시킴. 〈약리작용 및 효능〉란에 계속
Sumatriptan succinate Imigran tab 이미그란정 …50mg/T	1) 초기 50mg, 필요시 2시간이상 지난 후 추가 투여 (Max. 300mg/D)	1) 선택적 5-HT_1 agonist 2) 관상혈관 및 말초혈관, 기타 5-HT_2, 5-HT_3 수용체에는 영향을 미치지 않으면서 뇌혈관에 대한 수축 작용이 있어 급성 편두통 치료제로 사용함. 3) 예방적으로는 사용되지 않으며 편두통 발작에 사용함. 4) Onset : 1~2hrs Tmax : 2hrs 지속시간: 4hrs 5) 치료율 : Cafergot®(48%), Sumatriptan(66%) 〈상호작용〉 1) Cafergot®와 24시간 간격을 두고 복용(∵혈관수축 시간 연장) 2) Fluoxetine, paroxetine, venlafaxine : weakness, hyperreflexia 3) MAOI와 최소 2주 간격을 두고 복용	1) 1~10% - 흉통, 흉부압박감, 중압감 - 현기증, 졸음, 권태, 피로 ,두통, 통증, 현훈, 편두통 - 오심, 구토, 타액분비 감소 - 목, 식도, 턱의 통증, 압박감, 지각마비	〈금기〉 1) 허혈성 심질환자 2) 심근경색증 병력자 3) Prinzmetal 협심증, 관상혈관경련 환자 4) 조절되지 않는 고혈압 환자 5) Ergotamine 또는 그 유도체를 복용중인 환자 6) MAO 저해제, 선택성 5-HT 재흡수 저해제, clomipramine, lithium 복용중인 환자 (MAO 저해제 중단 후 2주 이내 투약 금기) 7) 편측마비, 경련, 눈근육경련, 시각장애를 동반한 편두통 환자 8) Sulfonamide에 과민한 환자 9) 중증 간장애 환자 10) CVA, 일시적 허혈성 발작 병력자, 말초혈관 질환자 11) 18세 이하 소아 및 수유부 12) 임신부 : Category C(국내허가금기) 〈주의〉 1) 심혈관계질환(고지혈증, 비만, 흡연, 당뇨병) 〈약리작용 및 효능〉란에 계속
Acetaminophen + Dichloralphenazone + Isometheptene mucate	1) 편두통 : 초회 2Ⓒ 투여후 증상이 개선될 때까지 1Ⓒ q 1hr (Max. 5Ⓒ/12hrs) 2) 긴장성 두통 : 1~2Ⓒ tid, 4시간 간격이상	1) Acetaminophen은 해열 · 진통작용, DCP는 최면 진정작용, isometheptene은 교감신경작용 약물로서 혈관수축작용 있음. 2) 긴장성 두통 및 혈관성 두통(편두통)에 사용함. 3) 자궁을 수축시키지 않으므로 임신부에도 사용 가능함.	- 일시적인 현기, 피부발진 등의 과민증(감량)	〈금기〉 1) 녹내장 환자 2) 중증 신장애 환자 3) 고혈압 환자 4) 기질성 심장애 환자 5) 간장애 환자 6) MAO 저해제 복용중인 환자

약품명 및 함량	용법	약리작용 및 효능	부작용	주의 및 금기
Mydrin cap 마이드린캅셀 …325+100+65mg/C				7) 감기약, 해열진통제에 의한 천식 기왕력자 〈주의〉 1) 말초혈관장애, 최근 심혈관성 발작을 일으킨 환자는 신중투여
Cinnarizine+ Dimenhydrinate **Arlevert tab** 알레버트정 …20+40mg/T	1) 성인 및 12세 이상의 소아: 1Ⓣ tid (Max. 5Ⓣ/D)	1) Cinnarizine(항히스타민 작용을 하는 항수축제, 칼슘길항제)과 dimenhydrinate(항히스타민, 항무스카린)의 복합제 2) Cinnarizine : 전정기관의 청각세포에서 말초신경의 자극 감지능력을 조절함 Dimenhydrinate : 구토 중추 및 내이의 신체 평형을 담당하는 미로기능을 억제하여 중추신경 이상 흥분을 진정시킴 3) 메니에르 질환, 척추기저 부전에 의한 어지러움을 포함한 중추성/말초성 원인의 어지러움에 유효 4) Onset : Cinnarizine(3~6hrs) Dimenhydrinate (15~30mins) 대사 : 간장	- 졸음(5%이상) - 두통, 발한, 추체외로 증상, 빈맥, 구갈, 소화불량, 변비, 체중증가, 가슴조임, 시야장애, 협우각 녹내장, 광과민성	〈금기〉 1) 협우각 녹내장 환자 2) 경련 환자 3) 뇌내압 증가 환자 4) 뇨저류환자 및 알코올 남용환자 5) 임신부 : Category B(국내허가금기) 6) 수유부 및 12세 미만 소아 〈주의〉 1) 저혈압 환자 2) 전립선비대, 갑상선기능항진, 고혈압, 중증 관상동맥질환, 안압 상승, 유문십이지장 폐색 환자와 같이 항콜린성 치료에 의해 증상 악화될 우려가 있는 환자 3) 파킨슨씨병 환자 4) 신부전, 간부전 환자 〈상호작용〉 1) Barbital 유도체, 마취제등의 중추신경억제제 또는 음주 : 상호간의 작용 증강 2) MAO 저해제 : 본 약제 작용 강화 3) Atropine계 약물 : 뇨저류, 변비, 구갈 등 부작용 증가 4) Aminoglycoside계 항생제 : 이독성 및 알레르기 피부시험에 대한 반응 은폐

약품명 및 함량	용법	약리작용 및 효능	부작용	주의 및 금기
Desflurane Suprane soln 슈프레인액 …240ml/BT	1) 마취유도 : 아편양제제로 마취전 투약한 경우 3% 농도로 시작하여 2~3 호흡마다 0.5~1%씩 증가 2) 마취유지 : 아산화질소 병용 및 비병용시 각각 다음과 같음. – 성인(2.5~8.5%), 소아(5.2~10%)	1) 액체 상태의 흡입 마취제 2) Blood : Gas 분배계수 = Halothane(2.3) 〉Enflurane(1.8) 〉Isoflurane(1.4) 〉Desflurane(0.45) 3) 혈액/조직에의 용해도가 낮아 마취유도가 빠름. 4) 다른 흡입마취제에 비하여 뇨중 대사물로의 배설율이 낮아 신독성이 적음. 5) 호흡기계, 심혈관계, ECG에 미치는 영향은 isoflurane과 유사 6) Onset : 2~2.6mins 지속시간 : 5~16mins $T\frac{1}{2}$: 2.5mins	– 기침, 무호흡, 호흡성 경련, 후두 경련, 인두염 – 오심, 구토 – 서맥, 고혈압, 부정맥, 빈맥 – 두통, 현기증 – 타액분비 증가, CarboxyHb 상승 – 결막염	〈금기〉 1) 이 약 또는 할로겐화 마취제에 과민한 환자 2) 악성고열에 대해 유전적 감수성 있거나 의심되는 환자 3) 임신부 : Category B(국내허가금기) 4) 수유부 : 안전성 미확립 〈주의〉 1) 끓는점이 낮아(22.8℃) desflurane 용으로 특수하게 제작된 기화기를 사용하여 투약 2) 소아 : 자극적 냄새로 소아의 마취유도에 부적합 〈상호작용〉 1) 비탈분극성 근이완제와 상가작용
Isoflurane Forane soln 포란액 …250ml/BT	1) 유도 : 1.5~3% 흡입으로 7~10분간 외과마취(최초 0.5%에서 시작) 2) 유지 : 산소, 아산화질소와 병용시 1~2.5%(산소만 병용시 0.5~1%가 더 요구됨)	1) 전신 흡입마취제로서 체내대사율이 0.17%로 halothane(20%), enflurane(2.4%)보다 적어 간 등에 대한 부작용이 적음. 2) Blood : Gas 분배계수 = Halothane(2.3) 〉Enflurane(1.8) 〉Isoflurane(1.4) 〉Desflurane(0.45) 3) Halothane과 유사한 약리작용을 가졌으나 심장억제 작용이 약하며, 향이 자극적임. 4) 마취유도와 회복시간이 halothane 및 enflurane 보다는 빠른 편임.	– 호흡억제, 고혈압, 부정맥 – 수술후 진전, 구역, 구토, 장폐색증 – 백혈구수의 일시적 상승	〈금기〉 1) 이 약 또는 다른 할로겐화 마취제에 과민한 환자 〈주의〉 1) 간, 담도질환, 신기능장애, 고령자, suxamethonium 투여로 인하여 근강직이 있었던 환자, 심혈관계 기능부전 및 관상동맥질환자, 간경변, 바이러스성 간염 등의 간장애 병력, 산과 마취시 2) 마취가 깊어짐에 따라 저혈압, 호흡억제가 증가될 수 있음. 3) 심마취단계에서 대뇌혈류를 현저하게 증가시키고, 뇌척수액압도 일시적 증가 가능 4) 임신부 : Category C 5) 수유부 : 안전성 미확립 〈상호작용〉 1) 비탈분극 근이완제와 상가작용 2) N_2O 병용시 최소폐포농도 감소

약품명 및 함량	용법	약리작용 및 효능	부작용	주의 및 금기
Sevoflurane Sevorane soln 세보프란흡입액 …250ml/BT	(성인) 1) 유도 : 본 약물과 산소 또는 산소와 아산화질소의 혼합가스로서 흡입, 보통 0.5~5% 농도로 사용 2) 유지 : 환자의 임상상태를 관찰하면서 산소와 아산화질소를 병용하여 사용, 보통 4.0%이하로 유지	1) Methylisopropyl ether의 불소 화합 유도체로 흡입 마취제 2) 혈액/가스 분배계수가 0.63~0.69(37℃)로 낮은 혈액용해도를 나타내며, 조직/혈액 분배 계수가 낮아 마취유도가 빠르고 마취조절이 용이함. 3) 신속한 배설로 마취상태에서 회복이 빠름. 4) 심근 수축력 억제가 적으며, 심박수에 영향 없음. 5) Onset : 1~2mins 지속시간 : 4~14mins 대사 : 간	1) > 10% - 오심(25%), 구토(18%), 기침증가, 저혈압 2) 1~10% - 서맥, 고혈압, 빈맥 - 짜증, 기면, 발열, 두통, 저체온증 - 타액분비 증가 - 기도폐색, 무호흡, 호흡정지, 후두 경련 - 오한	〈금기〉 1) 이 약 또는 기타 할로겐 마취제에 과민한 환자 2) 이전에 할로겐화 마취제를 투여하여 황달 또는 원인 불명의 발열이 있었던 환자 3) 악성 고열 또는 그 병력이나 가족력이 있었던 환자 〈주의〉 1) 간, 담도, 신장애, 고령자 및 담도 질환 환자 2) suxamethonium의 투여로 근강직이 있었던 환자 3) 임신부 : Category B 4) 수유부 : 안전성 미확립 5) 산과 마취시 〈상호작용〉 1) 이 약에 의한 마취중에 epinephrine, norepinephrine을 투여하면 부정맥 발현의 우려 있음. 2) 본 약물은 비탈분극성 근이완제의 작용을 증강시킬 수 있음. 3) 비선택적 MAO저해제와 병용시 심장작용이 증강될 수 있으므로 수술 15일전에 투약을 중단하도록 함.

약품명 및 함량	용법	약리작용 및 효능	부작용	주의 및 금기
Dexmedetomidine HCl Precedex inj 프리세덱스주 …200mcg/2ml/V	1) 집중치료 관리하 진정 - 부하 : 10~20분간 1mcg/kg - 유지 : 0.2~0.7mcg/kg/h 2) 의식하 진정 - 부하 : 10분간 1mcg/kg(침습성이 적은 수술 시 : 0.5mcg/kg) - 유지 : 0.6mcg/kg/h 개시 0.2~1 mcg/kg/h 적정 (광섬유삽관 : 0.7mcg/kg/h)	1) Selective α_2-adrenergic agonist 2) 작용기전 : 뇌간에 있는 α_2-adrenoceptors에 의한 G-단백의 활성화로 NE 방출을 억제함으로써 마취와 진정작용을 나타냄 3) 적응증 ① 집중치료 관리하의 진정(삽관환자) ② 수술 및 시술 시 비삽관 환자의 의식하 진정 - 감시 하 마취 관리(Monitored Anesthesia Care, MAC)	1) >10% - 저혈압(25~54%), 서맥(5~14%) - 호흡감소(37%) 2) 1~10% - 심방세동(4~5%), 저혈량증(3%) - 구역(3~9%) - 저칼슘혈증(1%)	〈주의〉 1) 심혈관 질환 환자 2) 심장기능, 순환혈류량이 저하된 환자 3) 간, 신장애 환자 4) 고령자(65세 이상) 5) 혈액정화를 받고 있는 환자 6) 약물의존 및 약물과민증이 있는 환자 7) 임신부 : Category C 8) 18세이하 소아 : 안전성 미확립

약품명 및 함량	용법	약리작용 및 효능	부작용	주의 및 금기
	3) 65세 이상, 간장애, 신장애환자 : 용량 감량 4) 투여방법 : IV infusion	- 의식 하 광섬유 삽관(Awake Fiberoptic Intubation, AFI) 4) Onset : 5~10mins(IV) Tmax : 1hr 지속시간 : 60~120mins(dose dependent) 대사 : 간(N-glucuronidation, Nmethylation, CYP2A6) $T\frac{1}{2}$: 6hrs(Terminal: 2hrs) 배설 : 신장(95%), 대변(4%)	- 구내건조증(3~4%) - 배뇨저하(1%), 흉막삼출(2%)	9) 수유부 : 안전성 미확립(랫트에서 모유 이행) 〈상호작용〉 1) 마취제, 진정제, 수면제, 마약류 : CNS 및 호흡억제 증가 〈취급상 주의〉 1) 안정성 : 희석 후 48시간 2) Amphotericin B, diazepam : 혼합시 침전물 생성
Etomidate Etomidate-Lipuro inj 에토미데이트리푸로주 …20mg/10ml/A	1) 성인 : etomidate로서 0.15~0.3 mg/kg(Etomidate-lipuro로 0.075~ 0.15ml/kg) 2) 2~15세 이하 소아 및 노인환자 : etomidate로서 0.15~0.2mg/kg (Etomidate-lipuro로서 0.075~ 0.1ml/kg) 3) 1회 투여시간 30초간 서서히 정맥 주사	1) 초속효성 전신 마취 유도제로 주성분을 lipid emulsion type으로 제조하여 주사시 통증 및 정맥 관련 합병증을 개선시킨 제제 2) 심혈관계, 호흡기계에 대한 영향 최소화로 심혈관 질환, 호흡기 질환, 수술시 호흡곤란증 유발가능 환자, 뇌혈관 질환 및 뇌질환, 간질 등 병력자의 전신마취 유도에 사용 3) 간대성 근경련을 예방하기 위해 전처치로 benzodiazepine계 등의 약물을 본 약제투여 1시간 전 IM 또는 투여 10분전 IV 4) Onset : 30~60secs Peak effect : 1min 지속시간 : 3~5mins $T\frac{1}{2}$(terminal) : 2.6hrs	1) 〉10% - 오심, 구토 - 주사 부위 통증(30~80%) - 간대성 근경련(33%) - 일시적 근육운동, 안운동 조절이상 2) 1~10% - 딸꾹질 3) 1% 미만 - 무호흡, 부정맥, 맥박, 혈압, 호흡이상, cortisol 합성저하, 후두경련	〈금기〉 1) 이 약의 성분 및 지질유제에 과민한 환자 2) 신생아와 2세 미만의 영유아 3) Heme 합성에 장애가 있는 환자 4) 임신부 : Category C(국내허가금기) 〈주의〉 1) 수유부 : 모유로 분비되므로 수유기간 동안 사용해야 할 경우에는 수유를 중단하고 이 약 투여 24시간 이내에는 수유하지 말 것 〈상호작용〉 1) 근이완제, 마약성진통제, 안정제, 알코올 등에 의해 최면효과 상승 2) Fentanyl에 의해 배설 억제 3) Verapamil에 의해 마취 및 호흡억제 효과상승 〈취급상 주의〉 1) 보존제가 포함되어 있지 않은 지방유제이므로 개봉 후 무균상태에서 주사하고 남은 약제는 폐기할 것 2) 안정성이 확립되지 않은 타 주사제와의 혼합 주사를 피할 것

약품명 및 함량	용법	약리작용 및 효능	부작용	주의 및 금기
Ketamine HCl Ketamine HCl inj 케타민염산염주사 …250mg/5ml/A	(성인) 1) IV : 1~2mg/kg/dose(1분이상), 필요시 1/2~1배의 용량을 추가 투여 2) IM : 5~10mg/kg/dose, 필요시 동량 또는 그 이하의 용량을 추가 투여	1) 속효성, 해리성 정맥마취제로 마취도달 농도 이전에도 강력한 진통작용을 가짐. 2) 단독요법으로 사용 가능한 해리성 마취제로서 골격근 이완을 필요로 하지 않는 외과적 수술시와 진단시 사용함. 3) 신경안정제와의 병용으로 정서적 부작용을 감소시킴. 4) 수술, 검사 및 외과적 처치시의 전신마취, 흡입마취의 유도, 기타 마취제의 사용시의 보조에 사용함. 5) Onset : 1~2mins(IV, 전신마취 및 진정), 3~8mins(IM) 지속시간 : 5~15mins(IV), 12~25mins(IM) $T\frac{1}{2}$: 11~17mins	1) 〉10% - 고혈압, 심박출량 증가, 심근억제, 빈맥 - 뇌내압 증가, 환각, 선명한 꿈 - tonic-clonic movement, 진전 - 각성반응, vocalization 2) 1~10% - 서맥, 저혈압 - 주사부위 통증, 피부발진 - 식욕감퇴, 오심, 구토 - 복시, 안구진탕 - 호흡억제	〈금기〉 1) 뇌혈관장애, 고혈압(systolic≥160mmHg, diastolic ≥100mmHg), 뇌내압 항진증 및 중증의 심부전 환자 2) 간질 등의 경련성 질환 또는 그 병력자 3) 치료가 불충분한 갑상선 기능 항진증 환자 4) 녹내장 등 안압항진 환자 5) 심한 심장 대상부전 환자 6) 적당한 근이완제를 사용하지 않은 채 인두, 후두 및 기관지 나무를 수술하는 경우 〈주의〉 1) 알코올 중독자, 베타차단제 복용중인 환자, 최근 6개월 이내에 불안정형 협심증 또는 MI 병력자, 호흡곤란, 천공 등의 안외상 환자, 상기도감염 환자, 마취 전 뇌척수액 압력 상승 환자 2) 임신부 : Category A(호주) 3) 수유부 : 수유 가능 〈상호작용〉 1) 중추신경억제제(barbiturates, 항정신병약, 마약성 진통제 등)과 병용시 이 약의 작용증강 2) 비탈분극성 근이완제와 병용시 병용약의 작용시간 연장 3) 갑상선호르몬 및 교감신경 흥분제와 병용시 고혈압과 빈맥 발생 우려 〈취급상 주의〉 1) Diazepam 또는 barbiturates와 본제를 같은 주사기에 혼합하지 말 것 2) 차광, 냉소보관(15℃ 이하) 빛에 노출시 변색될 수 있으나 사용 가능하며 침전 발생시는 사용 금지
Midazolam Midazolam inj 미다졸람주사 …5mg/5ml/A …15mg/3ml/A	1) IM시 : 0.07~0.08mg/kg을 수술 1시간전에 투여 2) IV시 ① 진정 : 2~2.5mg을 2~3분 동안 투여 ② 마취유도	1) 1,4-Benzodiazepine계로 수용성이며 마취전 전처치제, 마취유도 목적으로 사용함. 2) Sedative potency는 diazepam의 3~4배임. 3) 마취유도시간 : thiopental(0.5~1 분)〈midazolam(IV : 1~2분, IM : 15분)〈diazepam	1) 〉10% - tidal volume 감소, 호흡수 감소, 무호흡	〈금기〉 1) 이 약 및 타 benzodiazepine계 약물에 과민한 환자 2) 급성 협우각 녹내장 환자 3) 쇽 또는 혼수상태의 환자 4) 급성 알코올 중독 환자

약품명 및 함량	용법	약리작용 및 효능	부작용	주의 및 금기
	- 전투약 미실시 : 0.3~0.35mg/kg을 20~30초간 투여 - 전투약 실시 : 0.15~0.35mg/kg 투여(Max. 0.6mg/kg/dose) * 일반적으로 소아가 성인에 비해 체중당 투여요구량이 많음 * 신기능에 따른 용량 조절 참고 - 경증~중등도 : 용량조절 불필요 - 중증(CrCl 〈10ml/min) : 50% 감량	4) Onset(peak) : 30~60mins $T_{\frac{1}{2}}$: 1~4hrs(비만, CHF, 노인에서 연장됨) 대사 : 간 배설 : 신장	2) 1~10% - 저혈압 - 졸음, 과도한 진정, 두통, 경련증세 - 오심, 구토 - 주사 부위의 통증 및 국소반응 - 안구진탕 - 기침 - 장기간 사용시 심신의존, 딸꾹질	5) 수면 무호흡 증후군 환자 6) 알코올 또는 약물 의존성 환자 7) 급성 호흡부전 환자 8) 임신부 : Category D 〈주의〉 1) 호흡기능 저하, 심장애, 중증 근무력증 환자, 고령자, 쇠약 환자, 뇌의 기질적 장애 환자, 만성 신부전 환자, 비대상성의 급성질환자, 수면제, 진통제, 항정신 병약, 항우울약, 리튬으로 인한 급성 중독 환자, 척추성 또는 소뇌성 운동실조 환자에게 신중 투여 2) 55세 이상 또는 중증의 전신질환, 또는 쇠약 환자 : 저용량 투여 3) 수유부, 소아 : 안전성 미확립 〈상호작용〉 1) CYP450 3A 저해제(cimetidine, erythromycin, itraconazole, verapamil, diltiazem 등)에 의해 이 약의 작용 증강 2) Barbiturates, CNS억제제에 의해 호흡저하, 무호흡 발생 우려 3) 마약성 진통제와 병용시 진정 작용이 증강됨. 〈취급상 주의〉 1) 알칼리성 수액제와 배합금기(침전 우려)
Propofol Anefol inj 아네폴주사 …120mg/12ml/A Fresofol MCT 1% inj 프레조폴엠시티1%주 …150mg/15ml/A …200mg/20ml/A Provive 1% inj	1) 전신마취유도 ① 성인 : 작용발현까지 10초마다 40mg(1.5~2.5mg/kg) - 55세 이상 환자 : 감량투여 - 55세 미만 환자: 1.5~2.5mg/kg - ASA 3, 4등급 환자 : 감량투여(10초마다 20mg) ② 3세 이상 소아 : 2.5~3.5mg/kg 2) 전신마취의 유지 ① 성인(고령자포함) - 지속적 점적 : 4~12mg/kg/hr	1) 단시간형 마취제 2) 전신마취의 유도 및 유지, 인공호흡중인 중환자의 진정에 사용하며, 특히, 30분~2시간 이내의 수술에 사용함. 3) Onset : 30secs $T_{\frac{1}{2}}$: 40mins(initial), 4~7hrs(terminal) 지속시간 : 3~10mins	1) 〉10% - 저혈압 - 불수의운동 - 주사부위 통증 - 30~60초간 지속되는 무호흡 2) 3~10% - 고혈압 - 소양증, 발진 - 고지혈증 - 호흡성 산증	〈금기〉 1) 이 약의 성분(대두유 포함)에 과민한 환자 2) 수유부 : 안전성 미확립 3) 임신부 : Category B 4) 3세 미만 소아의 전신마취 5) 19세 미만 소아 중환자의 진정 〈주의〉 1) 간질 환자(경련유발 위험성증가), 심장, 신장, 호흡기, 간손상 환자, 혈액량 감소증 환자, 고령 또는 쇠약 환자, 지방대사 이상 환자(∵본제에 부형제로 지질(0.1g/ml) 포함되어 있음), 두개내압이 높고 동맥압이 낮은 환자

약품명 및 함량	용법	약리작용 및 효능	부작용	주의 및 금기
프로바이브주 1% …100mg/10ml/V …200mg/20ml/V Fresofol 1% inj 프레조폴1%주 …500mg/50ml/V Fresofol 2% inj 프레조폴2%주 …1000mg/50ml/V	- 반복적 정주 : 필요에 따라 25~50mg을 증량 가능 ② 3세 이상 소아 : 9~15mg/kg/hr 3) 인공호흡중인 중환자의 진정 ① 성인(고령자 포함) - 3일 이내 한하여 사용 - 지속적 점적 주사로 투여 : 0.3~4.0 mg/kg/hr(5DW에 희석 가능) 4) 수술 및 진단시 의식하 진정 (1% 제제에 한함) ① 성인(고령자 포함) - 초기용량 : 0.5~1mg/kg 1~5분에 걸쳐 - 유지용량 : 1.5~4.5mg/kg/hr - ASA 3, 4등급 환자, 55세 이상인 환자 : 감량 필요		3) 1~3% - 부정맥, 서맥, 빈맥, 심박출량 감소	2) 마취시 환자 기도유지장치, O_2공급시설이 준비된 곳에서 실시함(∵일시적인 무호흡 빈도 높음). 3) 서맥발생의 우려가 있으므로 서맥발생의 우려가 있는 제제와 병용시 항콜린 제제의 사용을 고려함. 4) 중환자실 성인 및 소아 환자의 진정마취시 propofol 정맥주입증후군(대사성 교란 및 장기 부전, 사망) 발생할 수 있으므로 48시간 초과하여 고용량 또는 단기간 고용량 투여시 주의 5) 고령자 : 55세 이상에서 마취용량 약 20% 감소 〈상호작용〉 1) Narcotics 및 benzodiazepine, barbitals 등의 진정제와 병용시 작용 증강 〈취급상 주의〉 1) 사용전 잘 흔들어 사용 2) 배 합 가 능 주 사 액 : 5DW, lidocaine 주사 3) 개봉 후 12시간 이내 주입완료
Thiopental sodium Pentothal sodium inj 펜토탈소디움주 …500mg/V	(정맥주사) 1) 용액의 농도 : 2.5% 수용액 2) 투여량 - 전신마취 유도 : 50~100mg 주입 후 환자 상태에 따라 추가 투여 - 단시간 마취 : 50~75mg 주입 후 환자상태에 따라 추가 투여 - 병용사용 : 50~100mg 간헐적 투여 - 정신신경과에서의 전격요법시의 마취 : 300mg을 25~35초에 걸쳐 투여 - 경련 : 50~200mg을 경련이 멈출 때까지 천천히 투여 - 정신신경과에서의 진단 : 75~100mg, 1ml/min의 속도로 투여, 추가 투여 가능	1) 초단시간형 정맥마취제 2) 단시간(15분) 마취시 단독으로 쓰임. 3) 두개내압이 상승된 신경외과 수술에 사용함. 4) 전신마취, 국소마취제 및 흡입마취제와의 병용, 정신신경과에서의 전격요법시의 마취, 국소마취제의 중독, 파상풍, 자간 등에 수반되는 경련, 정신신경과에서의 진단에 사용함. 5) Onset : 〈1min(IV), 8~10mins(직장내 투여) 지속시간 : 10~30mins(단회투여) 대사 : 간(주요 부위), 신장, 뇌(소량) $T\frac{1}{2}$: 3~18hrs	- 서맥, 저혈압, 실신 - 졸음, 기면, CNS 흥분 또는 억제,착란, 운동항진,두통 - 발진, 박탈성 피부염, 스티븐존슨 증후군 - 오심, 구토, 변비 - 무과립구증, 혈소판 감소증, 거대적 아구성 빈혈 - 주사부위의 통증, 혈전성정맥염 - 핍뇨증 - 후두경련, 호흡억제, 무호흡(빠른 IV시)	〈금기〉 1) 중증의 간장애 및 신장애 환자 2) 쇽 또는 대출혈로 인한 순환부전 환자 3) 중증의 심부전 환자 4) 잠복성 또는 급성 간헐성 포르피린증 5) 부신기능부전 환자 6) 중증의 천식 및 천식양 상태의 환자 7) Barbiturate에 과민한 환자 8) 알코올, 수면진정제, 진통제, 항정신병약 중독 환자 9) 악성고열 환자 〈주의〉 1) 중증의 당뇨병, 혈압이상, 빈혈 환자, 저단백혈증, 심근장애, 동맥경화증, 뇌내압항진, 중증의 근무력증, 근위축증, 호흡곤란 및 기도 폐색 환자, 전해질 불균형(특히 K^+), 약물과민증, 화상, 탈수, 악액질, 혈뇨 환자, 대사장애, 혈액량 감소 환자, 1세 이하의

약품명 및 함량	용법	약리작용 및 효능	부작용	주의 및 금기
	(직장내 주입) 1) 용액의 농도: 10%수용액 2) 20~40mg/kg * 신기능에 따른 용량조절 참고 – GFR(ml/min)<10 : 상용량의 75%			영아, 위내용물이 남 아있는 경우 신중투여 2) 임신부 : Category C 3) 수유부 : 사용가능 〈상호작용〉 1) 중추신경억제제, 혈압강하제, MAO저해제, TCA, 항파킨슨제, sulfonylurea계와 병용시 이 약의 작용이 증강될 수 있음.

1장. 신경계……………………2. Anesthetics ………………(2) Local anethetics

약품명 및 함량	용법	약리작용 및 효능	부작용	주의 및 금기
Benoxinate HCl (Oxybuprocaine HCl) Benocaine soln 베노카인액 …3mg/ml	1) 성인 : 12~30mg(본제4~10ml)을 인두강에 약 5분간 머금은 후 삼킴.	1) Procaine의 benzoic acid ester 유도체로서 점막표면마취제임. 2) 구강, 인후두, 식도, 위에 대한 검사, 수술 및 처치시의 표면 마취 3) 마취작용 발현시간이 빠름(5~10분) 4) 마취강도 : cocaine의 15배 lidocaine의 50배	– 혈압강하, 안면창백, 맥박이상, 호흡억제 – 경련, 진전 – 과민증 –두드러기, 부종	〈금기〉 1) 본제 혹은 안식향산에스테르계(코카인 제외) 마취제에 대해 과민증 기왕력이 있는 환자 〈취급상 주의〉 1) 안과용으로 사용금지 2) 차광보관
Bupivacaine Pucaine 0.5% inj 푸카인주사 0.5% …100mg/20ml/V	(성인) 1) Max. 2mg/kg/dose 2) 전달마취 – 액와부 상완신경총 차단 : 50~100 mg – 늑간신경 차단 : 25mg 이하 3) 경막외마취 – 경막외마취 : 75~100mg – 지속 경막외마취: 50mg 투여 후 15-25-40mg을 4~6시간 간격으로 투여 – 선골마취 : 75~100mg 마취목적, 부위 및 방법에 따라 사용 농도와 용량이 다름.	1) Amide계 마취제 2) 신경세포막에 작용하여 탈분극 속도를 감소시킴으로써 전도속도 감소, 따라서 신경충동의 발생과 전도를 차단함 3) Onset : 4~10mins (투여경로에 따라 다름) 지속시간 : 1.5~8.5hrs 대사 : 간 $T\frac{1}{2}$: 8.1hrs(신생아), 1.5~5.5hrs(성인) 배설 : 신장(~6%)	1) 1~10% – 심정지, 저혈압, 서맥, 심계항진 – 발작, 초조, 불안, 현기증 – 오심, 구토 – 허약감 – 시야몽롱 – 이명 – 무호흡	〈금기〉 1) 이 약 또는 기타 amide형 국소마취제에 과민한 환자 2) 경막외마취의 경우 중증출혈 또는 쇽 상태 환자, 주사부위 또는 그 주위에 염증 환자, 패혈증 환자 〈주의〉 1) 경막외마취의 경우 CNS 질환, 고령자, 혈액질환 또는 항응고제 투여중인 환자와 일반적으로 중증 고혈압, 척추에 현저한 변형이 있는 환자에는 신중투여함 2) 임신부 : Category C 3) 수유부 : 수유 가능 〈상호작용〉 1) Digoxin : 이 약의 부작용 증강 2) 혈관수축제 : 병용중인 타 약제 및 기저질환을 고려하여 신중투여

약품명 및 함량	용법	약리작용 및 효능	부작용	주의 및 금기
Bupivacaine HCl Macaine heavy inj 마케인헤비주사 …20mg/4ml/A	1) 2~4ml(bupivacaine으로 10~20mg)를 지망막하에 주사	1) Amide계 단시간형 마취제로 방부제 함유되어 있지 않음. 2) 수술시 척수 마취, 예로 2~3시간 소요되는 요로기계 수술 및 하지 수술, 45~60분 소요되는 복부수술에 사용함. 3) dextrose 함유, 고비중 점조형 마취제 (이 약 1A(4ml) 당 dextrose monohydrate 320mg 함유) 4) 환자의 체위에 따라 약의 확산부위가 달라짐.	1) 1~10% – 심장마비, 저혈압, 서맥, 심계항진 – 발작, 불안, 짜증, 어지러움 – 오심, 구토 – 허약감 – 시야몽롱 – 이명 – 호흡곤란	〈금기〉 1) 이 약 또는 amide계 마취제에 과민한 환자 2) 쇽 상태 환자 3) 중추신경계 질환자(수막염, 회백척수염 등) 4) 주사부위 또는 그 주위에 염증 환자 5) 응고 장애 또는 항응고제를 투여중인 환자 〈주의〉 1) 간장애 환자 2) 구급처치 기기 갖출 것 3) 임신부 : Category C 4) 18세 미만 : 척수 마취로 사용하지 말 것 5) 12세 미만 : 유효성 및 안전성 미확립 〈상호작용〉 1) 부정맥 치료제와 병용시 이 약의 부작용 증가 2) Cimetidine에 의해 약효 및 독성 증가 〈취급상 주의〉 1) 방부제가 함유되어 있지 않으므로 개봉 후 즉시 사용
Lidocaine HCl Lidocaine HCl jelly 염산리도카인젤리2% …2.4g/120g/EA	1) 요도마취 ① 남성 : 20ml 주입 ② 여성 : 5~10ml 주입 2) 내시경 검사시 : 10~20ml 윤활목적일 경우 소량을 기구에 적용. 3) 기관지 삽관시의 윤활 : 튜브 표면에 약 5ml를 적용	1) 국소 마취용 jelly 2) 용도 : 방광경 검사, 카테터 삽입, 소식자법, 기타 요도내 수술시, 내시경 검사시, 삽관시 표면 마취와 윤활 목적, 방광염 및 요도염의 통증 경감, 치질, 경증의 화상, 외상, 자상 등 국소 질환의 통증 제거 3) 청구 약품	– 쇽: 혈압저하, 안면창백, 맥박 이상, 호흡 억제 – 진전, 경련, 졸음, 불안, 흥분, 무시, 어지러움, 구역, 구토, 경미한 두통 – 서맥, 저혈압, 순환허탈 – 피부조직장애, 두드러기, 부종, 아나필락시양 반응 등	〈금기〉 1) 이 약 또는 amide계 국소마취제에 과민한 환자 〈주의〉 1) 적용부위 점막 외상 2) 간질 환자 3) 심전도 이상, 서맥, 간기능 손상, 중증 shock 환자 4) 임신부 : Category B 5) 수유부 : 안전 6) 기관내 삽관시 튜브 내부로 들어가지 않도록 할 것 (튜브 협소화)
Lidocaine HCl Lidocain viscous 리도카인비스코스2%액 …300mg/15ml/P	(성인) 1) 1회 5~15ml(Max. 4.5mg/kg/1회, 총 300mg/1회) 2) 구강 : 양치하고 뱉음.	1) Amide계 점막 표면 마취제 2) 구강, 인두 점막의 자극, 염증시의국소마취 및 X-ray 촬영 또는 dental impression시 구역억제 목적으로 사용함.	– 쇽: 혈압저하, 안면창백, 맥박 이상, 호흡 억제	〈금기〉 1) 이 약 또는 amide형의 국소마취제에 과민한 환자

약품명 및 함량	용법	약리작용 및 효능	부작용	주의 및 금기
	3) 인후 : 양치하고 삼켜도 됨.		- 진전, 경련, 졸음, 불안, 흥분, 무시, 어지러움, 구역, 구토, 경미한 두통 - 서맥, 저혈압, 순환허탈 - 피부조직장애, 두드러기, 부종, 아나필락시양 반응 등	〈주의〉 1) 적용부위 점막의 외상 환자에 신중투여 2) 사용전 잘 흔듦 3) 국소마취작용으로 연하, 흡기에 장애가 생기므로 적용 후 60분 동안 음식물 섭취 삼가 4) 수유부 : 안전성 미확립
Lidocaine HCl Lidocaine HCl 4% soln 염산리도카인외용액 4% …40mg/ml	1) 성인 용량: 이 약으로서 1~7.5ml (염산리도카인으로 40~300mg) (Max. 이 약 7.5ml) 2) 국소 표면마취시 공동(cavity)내로 점적주입 또는 분무기, 네블라이저로 분무하거나 솜에 묻혀 적용 3) 연령, 마취영역, 부위, 조직, 증상, 체질, 전신상태에 따라 적절히 증감	1) 구강 · 인두, 기관 및 기관지 영역 점막의 마취(기관지조영술, 기관지경검사법, 후두경검사법, 식도경검사법, 기관내 삽관법 등) 및 치과학 영역의 국소마취시 사용	- 쇽: 혈압저하, 안면창백, 맥박 이상, 호흡 억제 - 진전, 경련, 졸음, 불안, 흥분, 무시, 어지러움, 구역, 구토, 경미한 두통 - 서맥, 저혈압, 순환허탈 - 피부조직장애, 두드러기, 부종, 아나필락시양 반응 등	〈금기〉 1) 이 약 또는 amide형의 국소마취제에 과민한 환자 〈주의〉 1) 임신부: Category B 2) 수유부: 안전성 미확립 3) 적용부위에 점막의 외상 환자, 패혈증 환자 신중투여 4) 구인두에 적용시 연하 장애 있으므로 투여후 60분 동안 음식물 섭취 삼가 5) 고혈중농도 유발할 수 있어 간질환, 심부전, 서맥, 간기능손상 환자 주의 〈상호작용〉 1) 부정맥약과 병용시 부작용 증가할 수 있음. 〈취급상 주의〉 1) 잘 흔들어 사용
Lidocaine Veracaine spray 베라카인스프레이 …5g/50ml/BT (10mg/dose, 800dose/EA)	1) 치과 영역 : 1~5회 분무, 1~2분 후 작용발현 2) 이비인후과 영역 : 3회 분무, 2~3분 후 작용발현 3) 호흡기 및 소화기관에 기구 및 카테터 삽입시 : 20회까지 분무 4) 산부인과 영역 : 20회까지 분무	1) 점막부위에 분무하는 스프레이형 국소 마취제 2) 치과 영역 : 주사전, 인상, X-ray 촬영, 치석제거 등 3) 이비인후과 영역 : 상악동 천자, 비강, 인두 및 상인두시술, 천개술 4) 호흡기 및 소화기관에 기구 및 카테터 삽입시 5) 산부인과 영역에서의 분만 : 분만 최종단계, 회음측 절개술 및 회음봉합술전 진통 목적	- 과민 반응 (심하면 아나필락시스 쇼크)	〈금기〉 1) 이 약 또는 amide계 국소마취제에 과민한 환자 〈주의〉 1) 상온 보관 2) 잔류용액을 사용할 목적으로 병을 열지 말 것

약품명 및 함량	용법	약리작용 및 효능	부작용	주의 및 금기
Lidocaine HCl Lidocain HCl inj 리도카인염산염수화물 주사 …200mg/20ml/V (1%) …400mg/20ml/V (2%) …800mg/20ml/V (4%)	1) 용량은 마취부위 및 방법, 개인의 수용능력에 따라 다름. 2) 경막외마취, 전달마취, 침윤마취 : 0.5~2% 농도로 40~200mg(Max. 200mg/dose) 3) 표면마취 : 적당량을 도포 또는 분무 (Max. 300mg/총투여량)	1) Amide계 마취제로 혈장 esterase에 의해 분해되지 않고, 간에서만 대사됨. 2) 신경세포막에 작용하여 탈분극 속도를 감소시킴으로써 전도속도 감소, 따라서 신경충동의 발생과 전도를 차단함. 3) Epinephrine 혹은 다른 혈관수축 약제의 첨가로 흡수가 지연되어 약효가 연장됨. 4) Procaine에 과민한 환자에 사용 가능함. 5) Nerve block, infiltration inj, caudal or other epidural block에 의한 국소마취에 사용함. 6) 4% lidocaine 주사제는 표면마취에만 사용함. 7) Onset : 신속 지속시간 : 10~20mins	- 서맥, 저혈압, 심정지, 부정맥 - 졸음, 현기증, 이명, 시야몽롱, 구토, 진전, 혼수, 발작, 불안, 환각 - 가려움증, 발진, 피부부종, 접촉성 피부염 - 오심, 구토, 미각 변화 - 혈전성 정맥염 - 일과성 척수근신경통 - 시야몽롱, 복시 - 호흡곤란, 기관지수축 - 과민반응, 두드러기, 아나필락시스 반응	〈금기〉 1) 이 약 또는 amide형 국소마취제에 과민한 환자 2) 경막외 마취 금기 ① 심각한 출혈 또는 쇽 상태의 환자 ② 주사부위 또는 그 주위에 염증 환자 ③ 패혈증 환자 〈주의〉 1) 임신부 : Category B 2) 경막외 투여시 : 중추신경계 질환(수막염, 회백척수염), 고령자, 중증의 고혈압 환자, 현저한 척추 변형 환자에 신중투여 〈상호작용〉 1) 혈관수축제와 병용시 고혈압, 동맥경화성 심질환, 심장 억제, 뇌혈관 부전증, 당뇨환자에 주의할 것 2) Amiodarone 같은 항부정맥제와 병용시 심기능 억제작용 증가 3) CYP저해제와 병용시 독성 증가 〈취급상 주의〉 1) 4%액을 경막외 마취 등에 사용할 경우 0.5~2%로 희석하여 사용함.
Mepivacaine HCl Emcain 2% inj 엠카인 2%주 …400mg/20ml/V	1) 경막외마취 : 200~400mg (Max. 500mg/회) 2) 전달마취 : 40~400mg (Max. 500mg/회) 손가락, 발 신경차단 : 80~160mg 3) 침윤마취 : 40~400mg (Max. 500mg/회) 4) 성인 : Max. 1g/D 3세 이하 : Max. 5~6mg/kg	1) 신경막의 안정화와 신경자극의 개시와 전달을 방해하는 국소마취제 2) 지각신경차단 : 3~20분내 일어남. 3) 2~2.5시간의 수술에 이용 4) Onset : 7~15mins(경막외마취) 지속시간 : 2~2.5hrs $T_{\frac{1}{2}}$: 1.9hrs	- 서맥, 심정지, 부종, 저혈압, 심근 억제, 심실성 부정맥 - 고용량시 불안, 초조, 착란, 현기증, 발작 - 두드러기 - 오심, 구토 - 주사부위의 통증 - 시야몽롱 - 이명 - 호흡정지 - 아나필락시스 반응	〈금기〉 1) 경막외마취시 금기 : 중증의 출혈 및 쇽상태, 주사부위 또는 그 주위의 염증, 패혈증 2) 본제 또는 amide계 국소마취제에 대한 과민증의 기왕력자 〈주의〉 1) 중추신경계 수막염, 회백척수염, 임신부(앙와성 저혈압) 및 경막외마취시 고령자, 혈액질환 및 항응고제 치료 중 척수 변형, 중증 고혈압 환자에 신중투여 2) 임신부 : Category C

약품명 및 함량	용법	약리작용 및 효능	부작용	주의 및 금기
Ropivacaine HCl Naropin inj 나로핀주사 …150mg/20ml/EA	1) 수술시 마취(0.75%) ① 요부경막외주사(수술) : 113~188mg ② 요부경막외 주사(제왕절개) : 113~150mg ③ 흉부경막외 주사(수술후 통증전처치) : 38~113mg ④ 전달마취, 침윤마취 : 7.5~225mg 2) 급성 통증의 조절 ① 요부경막외 주사 - 단발주사 : 20~40mg(0.2%) - 간헐주사(출산통증 조절등) : 20~30 mg(0.2%) ② 요부경막외 주사 : 12~28mg/hr IV inf.(0.2%) ③ 흉부경막외 주사 : 8~16mg/hr IV inf.(0.2%) ④ 전달마취 · 침윤마취 : 2~200mg (0.2%) ⑤ 관절내주사 : 150mg (0.75%) ⑥ 말초신경마취(대퇴부, 사각근간) - 수술후 통증조절 : 10~20mg/hr	1) Amide계 지속성 국소 마취제 2) 적응증 ① 수술시 마취 : 제왕절개를 포함한 수술시의 경막외마취, 전달마취, 침윤마취 ② 급성통증 조절 : 수술후 통증 및 출산 통증시 연속적인 경막외 점적 주사 또는 간헐적 단발 투여, 전달마취, 침윤마취, 수술후 통증시 말초신경 마취를 위한 연속적인 점적주사 또는 간헐적 정맥주사 3) 0.5% Bupivacaine과 비교시 효과 유사, 심장독성 및 CNS부작용 감소, 작용지속시간 짧아짐. 4) Onset : 2.7~25mins(제왕절개시) 10~15mins(급성통증, 1회 주사시) Duration : 2.4~6.5hrs(제왕절개시) 0.5~1.5hrs(급성통증, 1회 주사시)	1) >5% - 저혈압, 오심, 구토, 서맥, 발열, 통증, 수술후 합병증, 빈혈, 지각 이상, 두통, 가려움증 2) 1~5% - 뇨저류, 현기증, 경직, 고혈압, 빈맥, 불안, 핍뇨증, 감각저하, 흉통, 경련, 호흡곤란, 요로 감염, 체온 상승, 오한, 요통	〈금기〉 1) 이 약 또는 amide계 국소마취제에 과민한 환자 2) 산모의 자궁목결 조직마취, 척수마취등 〈주의〉 1) 심전도 차단, 중증 신 · 간장애, 고령자, CNS질환, 혈전장애 환자, 항응고제 복용환자, 명백한 척수결함을 가진 환자, 복부비만 환자, 심각한 고혈압, 심혈관계 기능부전 환자, 전신상태가 좋지 않은 환자, 전도에 장애가 있는 환자, 과거 중증 근무력증 있었던 환자, 급성 포르피린증 환자 2) 천천히 또는 점차 속도를 증가시켜 25~50mg/min으로 주사하고, 약물을 다 투여할 때까지 aspiration 반복 3) 경막외 마취시 저혈압, 서맥 유발가능, 저혈압 발생시 ephedrine 5~10mg 즉시 IV 4) 임신부 : Category B 5) 수유부, 소아 : 안전성 미확립 〈상호작용〉 1) 타 국소마취제 및 amide계와 구조적으로 유사한 제제와 병용시 독성 증가 2) CYP1A 억제제와 병용시 이 약의 혈중 농도 상승 〈취급상 주의〉 1) 보존제가 함유되어 있지 않으므로 개봉한 앰플은 폐기 2) 배합금기 : pH6.0 이상의 알칼리 용액에서 침전
Tetracaine HCl Pantocain Sterile inj 판토카인스테릴주 …20mg/V	1) 척수마취 : 6~15mg 2) 경막외마취 : 0.15~0.2%로 30~60mg 3) 전달마취 : 0.2%로 10~75mg 4) 침윤마취 : 0.1%로 20~30mg	1) p-Aminobenzoic acid(PABA)의 ester형 국소 마취제로 혈장 esterase에 의해 분해되고 간에서 대사됨 2) 신경세포막에 작용하여 탈분극 속도를 감소시킴으로써 전도속도 감소, 따라서 신경충동의 발생과 전도를 차단함 3) 표면마취 및 척수마취, 경막외마취, 전달마취, 침윤마취에 사용 4) Lidocaine보다 작용발현이 늦고(15분), 지속성임.	- 흥분, 우울, 신경질, 시야몽롱, 현훈, 진전 - 저혈압, 심근억제, 서맥 - 접촉성 피부염, 작열감, 자통, 혈관 부종, 두드러기 등 - 요도염	〈금기〉 1) 이 약이나 유사약제(ester type 국소마취제)에 과민한 환자 2) 중증의 출혈, 쇽상태의 환자, 주사부위 또는 그 주변에 염증이 있는 환자, 패혈증 환자, 중추신경계 질환자에 척추 · 경막외 마취금기 〈주의〉 1) 고령자 및 소아

약품명 및 함량	용법	약리작용 및 효능	부작용	주의 및 금기
	5) 표면마취 : 0.25~2%로 5~80mg	5) Onset: 15mins 지속시간: 2hrs	– 영아에게 메트헤모글로빈혈증 – 대량에 의해서 호흡마비로 사망	2) 혈액질환 또는 항응고제 투여 환자 3) 중증의 고혈압 환자 4) 현저한 척추변형 환자 5) 갑상선기능항진 환자 6) 임신부: Category C 〈상호작용〉 1) sulfonamide의 항균작용을 저하시킴
45 1ml 중 Lidocaine HCl 20.9mg, Chlorhexidine digluconate 2.6mg **Instillagel** 인스틸라젤겔 …6ml/syr …11ml/syr	1) 성인 – 일반적으로 6ml 또는 11ml 적용, 필요시 추가 적용가능(Max. 40ml/회, Lidocaine HCl로 600mg/12hrs 이내) – 국소마취 및 소독효과 : 5~10분 후 나타남. 2) 소아(허가 외 문헌참고) – 0~2세 : 1~2ml – 2~5세 : 2~4ml – 5~10세 : 4~6ml – 10세 이상 : 6ml	1) 국소마취, 살균, 윤활 작용이 있는 1회용 겔제 (프리필드 시린지형태) 2) 다음 시술시 표면마취, 소독, 윤활작용 : 카테터 삽입, 부지법, 요도(남성 · 여성)내 수술, 각종 내시경 검사, 삽관, 시술로 인한 직장과 결장에서의 손상 예방 3) 국소마취 효과 Onset : 3mins(최고효과 10분 후) 지속시간 : 30mins	(빈도 미확립) – Shock – 진전, 경련, 졸음, 불안, 흥분, 무시, 어지러움, 신경과민, 의식소실, 불쾌감, 식은땀, 답답함, 피로, 방향 감각상실, 안장애, 언어장애, 이명, 감각이상, 다행감, 환각, 우울, 혼수, 호흡저하, 하품, 병적다변증, 두통, 반응느림 – 저혈압, 심근억제, 서맥, 심정지, 부정맥, 방실블록, 심실세동, 빈맥, 고혈압, 기능 저하지속 – 빠른 호흡 및 호흡곤란 – 구역 · 구토 – 요도손상 – 접촉부위의 알레르기 습진	〈금기〉 1) 손상된 피부, 눈 및 눈 주위 2) 뇌, 척수, 귀(청각신경 또는 중추신경에 직접 사용할 경우 난청, 신경장애 발생 가능) 3) 포르피린증 4) 조절되지 않는 간질 5) 중증의 심장전도 이상 〈주의〉 1) 적용 부위 점막 외상, 패혈증 환자 2) 간질 환자 3) 심장 전도 이상, 서맥, 간기능 손상, 중증 Shock 환자 4) 천식 등 알레르기 질환 병력 5) 임신부 : Category B 6) 수유부 : 모유로 이행, 투여 후 12시간내 수유하지 말 것 〈상호작용〉 1) 부정맥용제(Tocainide 등) 병용시 부작용 증가 주의 2) Pethidine(동 물 실 험 결 과) : lidocaine 독성 증가 3) Chlorhexidine은 양이온성 살균제이므로 음이온성 물질(비누)과 함께 사용하지 말 것 〈취급상 주의〉 1) 25℃ 이하 보관 2) 1회 사용 후 폐기

약품명 및 함량	용법	약리작용 및 효능	부작용	주의 및 금기
Lidocaine HCl+ Epinephrine **2% Lidocaine** **Epinephrine inj** 2%염산리도카인:에피네프린주사 … 36mg+18mcg/1.8ml/A(1:10만) … 36mg+22.5mcg/1.8ml/A(1:8만)	1) 전달 또는 침윤마취 : Lidocaine HCl로서 6~40mg(0.3~2ml) 사용 2) 구강외과영역 마취 : Lidocaine HCl로서 60~100mg (3~5ml) 사용	1) Amide계 마취제로 혈장 esterase에 의해 분해되지 않고, 간에서만 대사됨. 2) 신경세포막에 작용하여 탈분극 속도를 감소시킴으로써 전도속도 감소, 따라서 신경충동의 발생과 전도를 차단함. 3) Epinephrine 첨가로 국소마취부위의 혈관수축에 의하여 마취작용의 강도와 지속시간을 증가시키며, 전신적 부작용을 감소시킴. 4) 치과영역에 대한 전달마취, 침윤마취시 사용함. 5) 첨가제(보존제)로 p-Oxymethylbenzoate 포함 (두가지 용량 모두 1.8mg/A)	- 서맥, 저혈압, 심정지, 부정맥 - 졸음, 현기증, 이명, 시야몽롱, 구토, 진전, 혼수, 발작, 불안, 환각 - 가려움증, 발진, 피부부종, 접촉성 피부염 - 오심, 구토, 미각변화 - 혈전성 정맥염 - 일과성 척수근신경통 - 시야몽롱, 복시 - 호흡곤란, 기관지수축 - 과민반응, 두드러기, 아나필락시스 반응	〈금기〉 1) 혈관수축제에 과민한 환자 2) 고혈압, 동맥경화, 심부전, 갑상선 기능항진, 당뇨병 환자 3) Amide type의 국소마취제에 과민한 환자 〈주의〉 1) 할로겐 함유 흡입마취제를 사용시, TCA, MAO저해제 투여중인 경우(심혈관 작용의 증강) 신중투여 2) 임신부 : Category B(lidocaine)/ Category C(epinephrine) 〈취급상 주의〉 1) 본제는 금속 부식성이 있으므로 장시간 금속기구의 접촉을 피함. 2) 치과용 카트리지 적용상 주의 : 강압을 주지 않고 가능한 천천히 주사할 것(∵조직의 손상, 유리튜브의 파손)
1g 중 Lidocaine 25mg, Prilocaine 25mg **EMLA 5% cream** 엠라 5% 크림 …5g/EA	(성인) 1) 피부 ① 주사바늘 삽입시 - 용량 : 2g - 적용시간 : 최소 1시간 ② 표재성 외과적 수술시 - 용량 : 1.5~2g/10㎠ - 적용시간 : 소수술은 1시간, 파열된 피부 이식과 같은 대수술은 2시간(Max. 5시간) 2) 생식기 점막 - 용량 : 콘딜롬 제거시 치료부위에 10g - 적용시간 : 5~10분 3) 다리궤양 - 용량 : 1~2g/10㎠ (Max.10g/1회)	1) Lidocaine과 prilocaine이 1:1로 혼합된 국소마취제 2) 주사바늘 삽입 및 표재성 외과적 처치에 따른 피부 및 다리궤양의 표면 마취, 생식기 점막의 마취에 사용 3) O/W형으로 정상피부의 표면마취에 사용함. 4) Onset : 1hr Peak effect : 2~3hrs 지속시간 : 제거후 1~2hrs	- 저혈압, 혈관부종 - 쇽 - 과색소침착, 홍반, 가려움증, 발진, 작열감, 두드러기 - 기관지수축 - 온도감각 이상, 과민반응	〈금기〉 1) 이 약 또는 Amide형 국소마취제에 과민한 환자 2) 상처가 있는 부위, 점막, 접촉성 피부염 또는 아토피 피부염 환자 3) 3개월 이하의 영아 4) 메트헤모글로빈혈증 유발 약물을 투여하는 12개월 이하의 영아 〈주의〉 1) 빈혈, 메트헤모글로빈혈증 또는 이러한 증상을 유발할 수 있는 약물을 투여중이거나 쇠약자, 고령자, 급성질환 환자, 중증의 간질환 환자에 신중투여 2) 전신적으로 흡수되는 속도가 느리므로 독성증후가 나타난 환자들은 증상 치료 후에도 수시간 계속 관찰함.

약품명 및 함량	용법	약리작용 및 효능	부작용	주의 및 금기
	- 적용시간 : 30~60분 (3~12개월 영아) - 총량은 2g, 적용부위는 16㎠를 초과하면 안됨.			3) 유즙으로 분비되나 치료용량에서 유아에 미치는 영향은 미약함. 4) 임신부 : Category B

약품명 및 함량	용법	약리작용 및 효능	부작용	주의 및 금기
Fentanyl Citrate Fentanyl citrate inj 구연산펜타닐주 …0.1mg/2ml/P …0.5mg/10ml/P …1mg/20ml/P	1) 전신마취 보조시 : 수술 종류 및 시간에 따라 용량을 달리하여 투여 ① 저용량 : 2mcg/kg IV ② 중등용량 : 2~20mcg/kg IV 필요시 25~100 mcg/kg IV 또는 IM ③ 고용량 : 20~50mcg/kg 필요시 25mcg 또는 초회량의 1/2 IV 2) 수술 30분전 : 50~100mcg IM 3) 2~12세 전신마취 유도 및 유지시 : 2~3mcg/kg IV * 신기능에 따른 용량 조절 참고 - GFR 10~50ml/min : 상용량의 75% 투여 - GFR<10ml/min : 상용량의 50% 투여	1) Phenylpiperidine 유도체인 합성 마약성 진통제 2) Morphine이나 pethidine보다 ① 최면작용이 약하고 히스타민을 적게 유리시킴. ② 속효성이며 단시간형임, IV시 수분후 발현, 30~60분 지속, IM시 7~15분 후 발현, 1~2시간 지속 ③ Fentanyl 0.1mg의 진통효과 ≒ Morphine 10mg ≒ Pethidine 75mg 3) 수술 전후의 진통 및 마취보조제로 사용 4) Droperidol, nitrous oxide 등과 병용하여 neuroleptanalgesia를 유지함. 5) 오심, 구토 등 부작용은 타 마약성 진통제보다 적지만 기관지경축, 무호흡 후두경축 등의 호흡기계 부작용이 큼.	1) > 10% - 서맥, 저혈압, 말초혈관확장 - 졸음, 진정, 뇌내압 상승 - 오심, 구토 - 항이뇨호르몬 분비 - 흉벽 강직 2) 1~10% - 부정맥, 기립성 저혈압 - 착란, CNS 억제 - 변비 - 시야몽롱 - 무호흡, 수술후 호흡억제	〈금기〉 1) 근이완제의 사용이 금기인 환자 2) 두부외상, 뇌종양 등으로 인한 혼수상태 유사 호흡억제를 일으키기 쉬운 환자 3) 경련발작의 기왕력 환자 4) 외래 환자 5) 2세 미만의 영아 6) 천식 환자 〈주의〉 1) 중증 환기 기능장애 환자, MAO 저해제 복용중인 환자, 간, 신장애, 부정맥 환자, 고령자에게 신중투여 2) 임신부 : Category C(고용량, 지속적 사용 금기) 3) 수유부 : 사용 가능 〈상호작용〉 1) 타 CNS 억제제와 병용시 작용 증강 〈취급상 주의〉 1) 차광보관(플라스틱 제형은 차광된 겉포장을 사용직전 개봉할 것)
Remifentanil HCl Ultian inj 울티안주 …1mg/V …2mg/V …5mg/V	1) 마취유도 - 마취제와 병용하여 0.5~1mcg/kg/min의 속도로 IV inf. (bolus 투여가 필요한 경우 1mcg/kg를 30초 이상에 걸쳐 투여) 2) 마취유지	1) 비특이적 esterase에 의해 대사되는 μ-opioid receptor agonist로 마취 유도 및 마취 유지시 진통 목적으로 사용	1) >10% - 오심, 구토 2) 1~10% - 저혈압/서맥(용량의존적), 빈맥, 고혈압	〈금기〉 1) Fentanyl 유도체에 과민한 환자 2) 경막외(epidural), 경막내(intrathecal) 투여 금함. (이 약에 함유된 글리신에 의해 신경독성 유발 위험)

약품명 및 함량	용법	약리작용 및 효능	부작용	주의 및 금기
	- 마취 방법에 따라 0.05~2mcg/kg/min의 속도로 감소시켜 IV inf. 3) 최종 희석 농도 : 20~250mcg/ml (권장농도 : 성인 50mcg/ml , 1세 이상 소아 20~25mcg/ml)	2) 작용 소실이 빨라 회복기 연장 위험이 적으며 기존 제제(간대사)와 달리 조직과 혈액을 통해 전신으로 대사되어 뇨로 배설되므로, 간, 신기능 저하 환자에게 용량 조절 불필요 3) 병용하는 마취제(Thiopental, Propofol, Isoflurane, Midazolam)의 용량을 최대 75%까지 감소시킬 수 있음. 4) Onset : 1~3mins 지속시간 : 3~10mins $T\frac{1}{2}$: 3~10mins	- 현기증, 두통, 불안, 발열 - 소양증 - 근육 강직(용량의존적) - 시야혼란 - 호흡억제, 무호흡, 저산소증 - 전율, 수술후 통증	〈주의〉 1) 서맥성 부정맥, 두부 손상, 비만, 호흡부전 환자 2) 근강직의 발현은 투여량 및 투여속도와 관련이 있으므로, IV bolus 투여시 30초 이상에 걸쳐 투여하도록 함. 3) 호흡억제 발현시 투여속도 50% 감소 또는 일시 중단 필요 4) 임신부 : Category C 5) 수유부 : 안전성 미확립 〈취급상 주의〉 1) 바이알 : 실온보관 2) 용해 : 주사용 증류수, 5DW, NS, 5DS 3) 희석가능수액 : 5DW, NS, 5DS 4) 희석 후 실온 24시간 안정

약품명 및 함량	용법	약리작용 및 효능	부작용	주의 및 금기
Lorcaserin HCl Belviq tab 벨빅정 …10mg/T	1) 10mg bid, 식사와 관계없이 복용 2) 치료개시 12주 후 복용 시점 대비 5% 미만 체중 감량 시 복용 중단 3) 중증 신장애 및 간장애: 투여 비권장	1) selective serotonin 2C(5-HT_{2C}) receptor agonist (식욕억제제) 2) 시상하부의 식욕억제뉴런 serotonin 2C receptor에 선택적으로 작용하여 포만감을 증가시키고 음식섭취를 감소시킴 3) 적응증: BMI가 30kg/m^2 이상, 또는 다른 위험인자(고혈압, 당뇨, 고지혈증)가 있는 BMI 27kg/m^2 이상인 과체중 환자의 체중조절을 위한 식이 및 운동요법의 보조요법 4) Tmax: 1.5~2hrs $T_{\frac{1}{2}}$: ~11hrs 대사: 간 배설: 신장(92%), 대변(2%)	1) >10% - 두통 (15~17%) - 저혈당증(당뇨 환자: 29%) - 림프구 감소(12%) - 요통(6~12%) - 상기도감염(14%), 비인두염(11~13%) 2) 1~10% - 말초부종(5%), 고혈압(5%) - 어지러움(7~9%), 피로(7%), 불안(4%), 불면(4%) - 발진(2%) - 당뇨 악화(3%) - 오심(8~9%), 구토(4%), 설사(7%), 변비(6%)	〈금기〉 1) 다른 체중조절약을 복용하는 환자 2) 약물 남용의 병력이 있는 환자 3) 임신부: Category X 4) 수유부 〈주의〉 1) 심장질환 또는 기왕력 환자 2) 당뇨병 환자 (∵저혈당) 3) 겸상적혈구빈혈, 다발성 골수종, 백혈병 환자 4) 음경의 해부학적 변형, 페이로니병, 4시간 이상 지속된 발기 기왕력 환자 (∵지속발기증 유발 가능) 5) PDE5 inhibitor 복용 환자 6) 중등증 이상 신장애 환자 7) 중증 간장애 환자 8) 고프로락틴혈증 환자 (∵ 프로락틴 수치 증가) 9) 소아: 안전성 및 유효성 미확립 〈상호작용〉 1) SNRI, SSRI, TCA, bupropion, MAO inhibitor, 항도파민 약물, 항정신병 약물: 세로토닌성 신경전달 경로에 대한 영향 증가 (예. 세로토닌 증후군 발생 위험) 2) CYP2D6 효소 기질 약물: 이 약물의 노출 증가
Phentermine HCl Panbesy SR cap 판베시서방캡슐 …30mg/C	1) 성인 : 1Ⓒ qd (아침 식전 또는 아침 식후 2시간) *불면을 유발할 가능성이 있으므로 늦은 밤에는 복용을 피함. 2) 이 약은 단기간(4주 이내) 투여. *4주 이내에 만족할만한 체중감량이 된 경우에만 지속 가능(추가)	1) Amphetamine 계열의 교감신경 흥분성 아민으로서 식욕억제제 2) 작용기전: NE과 dopamine의 대사에 작용하여 대뇌 시상하부의 포만중추를 자극함으로써 식욕을 감소시킴. 3) 적응증: BMI가 30kg/m^2 이상, 또는 다른 위험인자(고혈압, 당뇨, 고지혈증)가 있는 27kg/m^2 이상인 외인성 비만환자에서 체중감량요법의 단기간 보조요법	(빈도 미확립) - 원발성 폐동맥 고혈압, 역류성 심장판막질환, 심계항진, 빈맥, 혈압상승 - 과자극작용, 불안감, 현기증, 불면증, 불쾌감, 도취감, 진전, 두통, 정신질환적 발작	〈금기〉 1) 진전된 동맥경화증, 중등도~중증의 고혈압 등의 심혈관계 질환 환자 2) 갑상선 기능 항진 환자 3) 교감신경 흥분성 아민류에 특이체질인 환자 4) 녹내장 환자 5) 정신적으로 불안한 환자 6) 14일 이내에 MAO 억제제를 투여한 환자(혈압상승 위험 유발) 7) 다른 식욕억제제를 복용하고 있는 환자

약품명 및 함량	용법	약리작용 및 효능	부작용	주의 및 금기
		4) Onset: 2hrs Tmax: 6~8hrs Duration: 〉10hrs $T_{\frac{1}{2}}$: 23.3hrs	- 설사, 변비, 불쾌한 맛, 구갈 - 불면, 경면, 성욕감퇴, 우울증 - 상기도 감염 - 두드러기 - 발기부전, 성욕변화 - 무력, 피로, 발한증가 - 요통	8) 16세 이하의 소아 9) 임신부 : Category X 〈주의〉 1) 경증의 고혈압 환자 2) 당뇨병환자에게 식이요법과 병행하여 투여할 경우 인슐린 투여량을 조절하여야 함. 3) 수유부 : 모유이행 〈상호작용〉 1) Guanethidine의 혈압강하 효과를 저하시킬 수 있음 2) 알코올과 병용 투여시 유해한 약물 상호작용 나타날수 있음

약품명 및 함량	용법	약리작용 및 효능	부작용	주의 및 금기
Pentobarbital sodium Entobar inj 엔토발주 …100mg/2ml/A	1) 초회 100mg IV, 효과 불충분시 50mg 추가투여(Max. 500mg) 2) IM: Max. 250mg/D 3) 소아 및 쇠약자는 상기 용량의 1/2 사용	1) Barbiturates의 최면진정제로서 혈중농도에 따라 진정정도가 다름 ① 1~5mcg/ml : 진정효과 ② 5~15mcg/ml : 수면상태 ③ 〉10mcg/ml : 혼수상태 ④ 〉30mcg/ml : 치명적임 2) 단시간형으로 약리작용은 phenobarbital과 유사함. 3) 불면증, 전신마취전, 경련상태의 억제, 불안 및 긴장상태의 진정에 사용 4) Onset: 1min(IV), 10~25mins(IM) 지속시간: 15mins(IV) $T_{\frac{1}{2}}$: 15~50hrs	- 서맥, 저혈압, 실신 - 졸음, 기면, 판단력 이상, 두통, 불면, 악몽, 착란, 운동실조, 불안 - 발진, 피부염, 스티븐스존슨증후군 - 오심, 구토, 변비 - 무과립구증, 혈소판감소증 - 주사부위 통증, 정맥염 - 핍뇨 - 후두경축, 호흡곤란, 무호흡	〈금기〉 1) 이 약 또는 barbitals에 과민한 환자 2) 임신부: Category D 〈주의〉 1) 심 · 간 · 신장애 환자 2) 호흡부전 환자 3) 급성 간헐성 포르피린증 환자 4) 약물과민증 환자 5) 유소아, 고령자, 허약자 6) 뇌의 기질적 장애 환자 〈상호작용〉 1) 중추신경억제제 및 알코올과 병용시 작용 증강 2) Warfarin의 대사율을 증가시킴
Phenobarbital Phenobarbital tab 페노바르비탈정 …30mg/T Phenobarbital inj 페노바르비탈주사액 …100mg/1ml/A	1) 경구 ① 성인 - 불면: 30~200mg hs - 진정, 간질: 30~200mg #1~4 ② 소아 - 간질: 3~6mg/kg 2) 주사 ① 성인 - 진정, 간질: 50~200mg #1~2 SC, IM - 간질중첩: 200~600mg IV *신기능에 따른 용량조절 참고 - Clcr(ml/min) 〈10 : 투여간격 q 12~16hrs	1) 장시간형 barbiturates 2) 뇌간 망상체에 작용하여 경련역치를 상승시킴 - 대발작이나 partial(forcal motor or sensory) 발작에 사용함 - 특히 소아 발작 예방 및 1차 치료제, phenytoin과 병용치료에 사용 - Barbital류 및 알코올 금단증상성 발작에도 사용함 3) 혈중 빌리루빈 농도를 감소시키므로 신생아 황달이나 Gilbert's syn.같은 과빌리루빈혈증에도 사용함. 4) 단시간형 barbiturate 중독에 사용(pentobarbital, secobarbital 100mg에 30mg 투여후 10% Q24H 감량) 5) 간장의 cytochrome P450의 대표적인 촉진제로서, steroid Hr, cholesterol, Vit-K, 담즙산 및 Vit-D 대사도 촉진하며, phenobarbital의 자체대사도 증가됨 (pharmacokinetic tolerance 또는 cross tolerance 유발함).	- 서맥, 저혈압, 실신 - 졸음, 기면, 판단력 이상, 두통, 불면, 악몽, 착란, 운동실조, 불안 - 발진, 피부염, 스티븐스존슨증후군 - 오심, 구토, 변비 - 무과립구증, 혈소판감소증 - 주사부위 통증, 정맥염(inj) - 핍뇨 - 후두경축, 호흡곤란, 무호흡	〈금기〉 1) 중증 간 · 신부전 2) 호흡장애 환자 3) 급성 간헐성 포르피린증 환자 4) 이 약 또는 바르비탈에 과민한 환자 5) 수유부 6) 아나필락시스성 쇽 환자 7) 중추신경억제제 또는 알코올을 복용중인 환자 8) 동맥주사(inj.) 9) 억제되지 않는 통증 상태 환자(inj.) 10) 습관성 중독자(inj.) 11) 임신부 : Category D 12) 신생아, 미숙아 (벤질 알코올 함유) 〈주의〉 1) 고령자, 쇠약자 2) 두부외상후유증 및 진행성 동맥경화증 등의 기질적 장애 환자

약품명 및 함량	용법	약리작용 및 효능	부작용	주의 및 금기
		6) Onset : PO 〉 1hr IM 20~60mins, IV 5mins 지속시간 : 10~12hrs Tmax : IM 0.9hr, IV 15mins 대사 : 간 $T\frac{1}{2}$: 1.5~4.9days 배설 : 신장(21%) 7) TDM 대상 약물		3) 약물과민증 환자 4) 약물의존성 환자 5) 중증 신경증 환자 6) 갑상선질환, 발열, 당뇨병, 심한 빈혈, 울혈성 심부전증 환자에게 신중투여 7) 뇨독증 환자 8) 심장애 환자 〈상호작용〉 1) 중추신경억제제 및 알코올과 병용시 작용 증강 2) Warfarin의 대사율을 증가

약품명 및 함량	용법	약리작용 및 효능	부작용	주의 및 금기
Clonazepam Rivotril tab 리보트릴정 ···0.5mg/T	(간질) 1) 10세 이하 - 초회량 : 0.01~0.03mg/kg/D #2~3 - 증량 : 3일간격으로 0.25~0.5mg씩 증량 - 유지량: 0.1mg/kg/D (Max. 0.2mg/kg/D) 2) 10~16세 - 초회량 : 1~1.5mg #2~3 - 증량 : 3일간격으로 0.25~0.5mg씩 증량 - 유지량 : 3~6mg/D 3) 성인 - 초회량 : 최대 1.5mg #3 - 증량 : 3일간격으로 0.5mg씩 증량 - 유지량 : 3~6mg qd * 서서히 용량을 증가시켜 2~4주 내에 유지용량에 도달시킴.	1) 1, 4-benzodiazepine계 약물로 diazepam과 유사하나 antiepileptic 성질이 뛰어남. 2) 모든 형태의 간질과 발작, 야간근육경축 (absence, myclonic seizure에 유효), 공황장애에 사용 3) CNS의 limbic, subcortical level에 작용함. 4) $T\frac{1}{2}$: 18~50hrs	1) 〉 10% - 빈맥, 가슴통증 - 졸림, 피로, 운동실조, 기억감퇴, 불면, 불안, 우울, 두통 - 발진 - 성욕감퇴 - 구강건조, 변비, 설사, 오심, 식욕증가/감소, 구토, 타액감소 - 구음장애 - 시야몽롱 - 발한 2) 1~10% - 실신, 저혈압 - 혼돈, 신경질, 현기증, 정좌불능	〈금기〉 1) 급성 협우각형 녹내장 2) 중증 근무력증 3) 약물 의존성 환자 4) 알코올 또는 약물 남용 환자 5) 이 약 또는 벤조디아제핀계에 과민한 환자 6) 중증 간장애 7) 중증 호흡부전 8) 임신부 : Category D 〈주의〉 1) 심 · 신장애, 뇌의 기질적장애, 척수성 또는 소뇌성 운동실조, 고령자, 쇠약자, 호흡기능저하, 수면무호흡증 환자에게 신중투여 2) 수유부 : 모유 이행 3) 타액과 기관지 분비물의 과도한 분비로 소아에서 호흡 및 연하곤란 유발 가능 〈상호작용〉 1) 약물효소유도제(phenobarbital, phenytoin) 또는 저해제와 병용시 약효 증감

약품명 및 함량	용법	약리작용 및 효능	부작용	주의 및 금기
	(공황발작) 1) 성인 - 초회량 : 0.5mg/D #2 - 유지 : 1mg/D(Max. 4mg/D) * 치료종료시 매 3일마다 0.25mg씩 감량		- 피부염 - 체중증가/감소, 경축, 진전, 근경련 - 이명 - 비충혈, 과도호흡	2) Digoxin의 신배설 감소시킴. 3) Phenytoin, primidone과 병용시 혈중농도 상승시킴. 4) Valproic acid와 병용시 간질중첩 발생
Diazepam Diazepam inj 디아제팜주 …10mg/2ml/A	(간질) 1) 성인 : 5~10mg IV, 10~15분 간격으로 최대 30mg까지 반복주사 2) 소아 : 다음 용량을 2~5분 간격으로 IV - 1개월~5세 : 0.2~0.5mg (Max. 5mg) - 5세 이상 : 1mg (Max. 10mg)	1) GABA성 neuron을 항진시켜 항경련효과를 나타냄. 2) 지속적인 tonic-clonic status epilepticus에 생명을 구할 수 있음. 3) 발작의 초기 제어에 선택약제임. 경련발작, 간질중첩상태의 치료보조에 사용 4) Eclampsia에 Mg. sulfate와 함께 또는 교대로 쓰임. 5) Onset : 2~3min(IV)	- 저혈압 - 졸음, 운동실조, 건망증, 피로, 불면, 두통, 불안, 현훈, 착란 - 발진 - 성욕변화 - 타액분비 변화, 변비, 오심 - 뇨실금, 뇨저류 - 황달 - 정맥염, 주사부위의 통증 - 구음장애, 진전 - 시야몽롱, 복시 - 호흡수 감소, 무호흡	〈금기〉 1) 급성 협우각형 녹내장 2) 중증 근무력증 3) 이 약 또는 벤조디아제핀에 과민한 환자 4) 중증 호흡부전 5) 수면무호흡증후군 6) 알코올 또는 약물의존성 환자 7) 임신부 : Category D 8) 수유부 : 모유이행 9) 4주 미만 신생아, 미숙아 (벤질알코올 함유) 〈주의〉 1) 심 · 간 · 신장애 환자 2) 뇌의 기질적 장애 환자 3) 척추성 또는 소뇌성 운동 실조 환자 4) 약물에 의한 급성 중독 환자 5) 영 · 유아, 고령자, 쇠약자 〈상호작용〉 1) Phenothiazine, barbital, 항우울제, 최면진정제, 마약성진통제, 마취제, 항히스타민제와 병용시 중추신경 억제작용 증강 2) 약물대사효소저해제와 병용시 작용 증강 3) Digoxin과 병용시 digoxin 신배설 감소 4) Phenytoin의 대사를 저해

약품명 및 함량	용법	약리작용 및 효능	부작용	주의 및 금기
Diphenylhydantoin Hydantoin tab 히단토인정 ···100mg/T Phenytoin sodium inj 페니토인나트륨주사 ···100mg/2ml/A	1) 경구 ① 성인 – 초회량 : 100mg tid – 유지량 : 300~400mg #3 (Max. 600mg/D) ② 소아 – 초회량 : 5mg/kg #2~3 – 유지량 : 4~8mg/kg #3~4 (Max. 300mg/D) 2) 주사 ① 간질중첩상태 – 150~250mg 천천히 IV (<50mg/min) – 필요시 30분 후 100~150mg 추가 투여 ② 디기탈리스 중독으로 인한 부정맥 – 3.5~5mg/kg 천천히 IV (<50mg/min) – 필요시 1회반복	1) Na^+ pump의 효율성 증가, Na^+ 이온의 passive influx 감소, PTP 감소로서 발작의 전파를 억제함. 2) 대발작의 tonic phase의 원인이 되는 뇌간중추의 최대 활동성을 감소시킴. 3) 대발작, 전신운동성 발작의 1차 치료제로 주로 사용함. 4) 중추진정효과가 없는 대표적인 항간질약 5) 뇌수술시 발작 예방 목적	1) > 10% – 정신과적 변화, 말느림, 현기증, 졸림 – 변비, 오심, 구토, 치육증식 – 진전 2) 1~10% – 두통, 불면 – 발진 – 식욕부진, 체중감소 – 백혈구감소 – 간염 – 혈중크레아티닌 증가	〈금기〉 1) 중증 혈액 및 골수장애 환자 2) 방실블록(2, 3도) 환자 3) 심근경색(3개월이내) 환자 4) 애덤스-스톡스증후군(주사제) 5) 동서맥, 동방블록(주사제) 6) 임신부 : Category D 〈주의〉 1) 간장애, 약물과민, 갑상선 기능저하증, 폐부전, 서맥, 저혈압, 당뇨병, 중증 심부전 환자 2) 수유부 : 모유 이행 3) TDM 대상 약물 〈취급상 주의 – 주사제〉 1) 주사액은 강알칼리성이므로 반드시 IV할 것 2) 급속투여에 의해 저혈압이 발생하므로 50mg/min 이하 속도로 주입 3) 희석 가능 수액 : NS
Fosphenytoin sodium Cerebyx inj 쎄레빅스주사 ···150mg/2ml/A ···750mg/10ml/A	* Fosphenytoin(FosPHT) 용량은 phenytoin sodium당량(PE)로 표시함 (FosPHT 1.5mg = 1mg PE) 1) 강직간대발작성 간질중첩증 조절 ① 초회용량: 15mg PE/kg (100~150 mg PE/min으로 IV) ② 유지용량: 4~5mg PE/kg/day # 1~2 (50~100mg PE/min으로 IV) 2) 발작의 예방 또는 치료: IM 또는 IV(50~100mg PE/min으로 투여) ① 초회용량: 10~15mg PE/kg ② 유지용량: 4~5mg PE/kg/day # 1~2 3) 경구용 페니토인의 일시적 대체	1) 항전간제, phenytoin prodrug 2) 체내에서 가수분해되어 phenytoin으로 전환되어 항경련작용을 나타냄, 세포막 Na^+ efflux를 증가시키고 influx 감소시킴 3) 적응증 – 강직간대발작성 간질중첩증 조절 – 신경외과 수술 중 발작의 치료와 예방 – 경구용 페니토인 대체 4) Tmax: (IM) fosphenytion 30mins phenytion 1.5~3hrs (IV) fosphenytion immediate phenytion 34~42mins $T_{1/2}$: fosphenytion 15mins, phenytoin 12~29hrs 대사: phenytoin 간(CYP2C9, CYP2C19)	1) >10% – 감각이상(4~64%), 안진(nystagmus) (44%), 어지러움 (31%), 졸림(20%), 운동실조(11%) – 가려움증(49~64%) 2) 1~10% – 저혈압, 혈관확장, 빈맥 – 혼미, 추체외로증상, 불안, 진전, 뇌부종, 두통, 지각감퇴, 현기증	〈금기〉 1) 동서맥, 동방블록, 방실 블록(2, 3도), 애덤스-스톡스 증후군 환자 2) 심근경색(3개월 이내) 환자 3) 중증의 혈액 및 골수장애 환자 4) 급성 간헐성 포르피린증 환자 5) 임신부: Category D 〈주의〉 1) 저혈압, 심각한 심근 기능부전 환자, 서맥환자(50회/min 미만) 2) 혈액장애 환자 3) 폐부전 환자 4) 갑상선기능저하증 환자 5) 신질환, 간질환, 저알부민혈증 환자

약품명 및 함량	용법	약리작용 및 효능	부작용	주의 및 금기
	: IM 또는 IV(50~100mg PE/min으로 투여), 경구제와 동일 용량 및 빈도로 투여	배설: 신장	- 오심, 구강건조, 미각이상, 구토 - 골반통, 등통증, 구음장애 - 복시, 약시 - 이명	6) 당뇨 환자 7) 알코올 섭취 환자 8) 수유부, 소아 : 안전성 미확립 9) TDM 대상 약물 〈상호작용〉 1) Fosphenytion이 phenytion으로 전환되는데 영향을 주는 약물은 없음 (phenytion과 상호작용을 나타내는 약물 주의) 〈취급상 주의〉 1) 냉장보관(2~8℃) 2) 희석 전 실온 24시간 안정 3) 정맥주사 시 1.5~25mg PE/ml 농도로 희석하여 사용(5DW, NS 이외 배합금기)

약품명 및 함량	용법	약리작용 및 효능	부작용	주의 및 금기
Carbamazepine Carmazepine CR tab 카마제핀씨알정 …200mg/T …300mg/T Tegretol tab 테그레톨정 …200mg/T	1) 간질 - 성인 : 200~400mg #1~2 (Max. 1,200mg/D) - 소아 : 100~600mg/D 2) 3차 신경통 - 성인 : 200~400mg/D (Max. 800mg/D) 3) 조병, 조울병의 조증상태, 정신분열증의 흥분상태 - 성인 : 200~400mg #1~2 (Max. 1,200mg/D)	1) Imipramine과 유사한 삼환계 화합물로서 항경련작용 및 psychotropic activity가 있음. 2) 과도흥분한 신경막을 안정시키고, 흥분성 충격의 시냅스 전달을 감소시키며, Na channel을 차단시킴. 3) 간질(partial seizures with complex symptomatology, 대발작 등)에 primidone보다 효과적임. 4) 진성 3차 신경통 및 설인신경통에도 유효함. 5) 리튬에 효과가 없는 manic episode에 유효함. 6) CR tab은 서방형으로 fluctuation이 적음. 7) Tmax : 12hrs(일반정), 24hrs(서방정) BA : 서방정이 일반정보다 15% 떨어짐. 8) TDM 대상 약물	1) > 10% - 진정, 현기증, 피로, 운동실조, 혼돈 - 오심, 구토 - 시야몽롱, 안구진탕 2) 1~10% - 스티븐스존슨증후군, 표피괴사 - 저나트륨혈증, SIADH - 설사 - 발한	〈금기〉 1) 이 약 또는 TCA에 과민한 환자 2) 중증 혈액장애, 부정맥, 골수억제 및 간헐성포르피린증 환자 3) MAO억제제 투여중인 환자 4) 임신부 : Category D 〈주의〉 1) 고령자, 간, 신장애, 심부전, 심근경색, 배뇨곤란, 안압항진, 갑상선기능저하 환자 2) 혈액검사를 처음 3개월 동안은 주 1회, 2~3년 동안은 월 1회 실시하여 골수억제가 나타나면 중단 3) 초기 중독증상이나 혈액이상증상이 나타나면 투약을 중지할 것 4) 중지할 경우 서서히 감량 5) 정신분열증의 흥분상태에 사용할 때는 항정신병약으로 효과가 없을 때만 사용

약품명 및 함량	용법	약리작용 및 효능	부작용	주의 및 금기
				〈상호작용〉 1) 음주, MAO억제제와 병용시 작용이 증강 2) Phenytoin, warfarin, doxycycline, theophylline의 반감기를 감소시킴. 3) Phenobarbital, phenytoin, primidone과 병용시 이 약의 혈중농도 감소 4) Erythromycin, isoniazid, verapamil, diltiazem, cimetidine, metoclopramide, danazol과 병용시 이 약의 혈중농도 상승 〈취급상 주의〉 1) 서방정은 씹지말고 그대로 복용
Divalproex sodium (Valproic acid로서) Depakote tab 데파코트정 …250mg/T …500mg/T	1) 발작 ① 초기 권장량 : valproic acid로 서 10~15mg/kg/D 1주간격으로 5~10mg/kg/일까지 증량함. (Max. 60mg/kg/일) ② 1일 총 투여량이 250mg을 초과할 경우 분할하여 투여함. 2) 편두통의 예방 : 500~1,000mg/D #2 3) 조증의 치료 : 750mg/D 분할투여, 이후 증량 가능 (Max. 60mg/kg/D)	1) Valproic acid와 sod. valproate의 1:1 혼합물로 중추에서 gamma butyric acid의 농도를 증가시킴으로써 약리작용을 나타냄. 2) 복용 후 위장관에서 valproic acid의 형태로 흡수됨. 3) Onset(peak) : 2wks(PO) 유효혈중농도 : 50~100mcg/ml Tmax : 3.3~4.8hrs T½ : 6~17hrs 대사 : 간 배설 : 신장(70~80%), 담즙(7%), 폐(2~18%)	1) > 10% - 졸음(18~30%), 현기증(13~18%), 불면(9~15%), 신경과민(7~11%) - 탈모(13~24%) - 오심(26~34%), 설사(19~23%), 구토(15~23%), 복부통증(9~12%), 연하곤란(10~11%), 식욕부진(4~11%) - 혈소판 감소증(1~24%) - 진전(19~57%), 허약감(10~21%) - 기도감염(13~20%) 2) 1~10% - 인두염(2~8%), 호흡곤란(1~5%) - 고혈압, 심계항진, 말초부종(3~8%), 빈맥, 흉통	〈금기〉 1) 급성 및 만성 간염 환자 2) 심한 간염(특히 약물에 의한)의 병력 또는 가족력이 있는 환자 3) 이 약에 과민증이 있는 환자 4) Carbapenem계 항균제를 투여받고 있는 환자 5) 임신부 : Category D 〈주의〉 1) 3세 미만 소아 : 치료상 유익성이 손상에 대한 위험성을 상회할 경우에만 투여함. 2) 수유부 : 안전성 미확립 〈상호작용〉 1) 본 약물의 혈중농도 저하 : carbapenem계 항균제, 간효소 유도제(phenobarbital, phenytoin, carbamazepine), mefloquine 2) 본 약물의 혈중농도 상승 : aspirin, cimetidine, erythromycin 3) 본 약물의 약리 작용 강화 : benzodiazepines, barbiturates, alcohol 4) 본 약물에 의해 혈중 농도 상승 : phenobarbital, primidone

약품명 및 함량	용법	약리작용 및 효능	부작용	주의 및 금기
Divalproex sodium (Valproic acid로서) Depakote ER tab 데파코트서방정 …250mg/T …500mg/T	1) 1일 1회 복용하는 서방형 제제 2) Valproic acid로서 - 간질 : 10~15mg/kg qd → 1주마다 증량 (Max. 60mg/kg/D) - 편두통 예방 : 500~1,000mg qd - 조증 : 25mg/kg qd → 빠르게 증량 (Max. 60mg/kg/D)	1)~2) Depakote sprinkle cap과 동일 3) 적응증 ① 복합 부분발작, 단순 및 혼합 결신성 발작, 여러 형태의 발작의 보조요법 (10세 이상) ② 편두통 예방 (성인) ③ 조증의 치료 4) Tmax : 4~17hrs $T_{\frac{1}{2}}$: 9~16hrs	1) > 10% - 졸음(18~30%), 현기증(13~18%), 불면(9~15%), 신경과민(7~11%) - 탈모(13~24%) - 오심(26~34%), 설사(19~23%), 구토(15~23%), 복부통증(9~12%), 연하곤란(10~11%), 식욕부진(4~11%) - 혈소판 감소증(1~24%) - 진전(19~57%), 허약감(10~21%) - 기도감염(13~20%) 2) 1~10% - 인두염(2~8%), 호흡곤란(1~5%) - 고혈압, 심계항진, 말초부종(3~8%), 빈맥, 흉통	〈금기〉 1) 급성 및 만성 간염 환자 2) 심한 간염(특히 약물에 의한)의 병력 또는 가족력이 있는 환자 3) 이 약에 과민증이 있는 환자 4) Carbapenem계 항균제를 투여받고 있는 환자 5) 임신부 : Category D 〈주의〉 1) 3세 미만 소아 : 치료상 유익성이 간손상에 대한 위험성을 상회할 경우에만 투여함. 2) 수유부 : 안전성 미확립 〈상호작용〉 1) 본 약물의 혈중농도 저하 : carbapenem계 항균제, 간효소 유도제(phenobarbital, phenytoin, carbamazepine), mefloquine 2) 본 약물의 혈중농도 상승 : aspirin, cimetidine, erythromycin 3) 본 약물의 약리 작용 강화 : benzodiazepines, barbiturates, alcohol 4) 본 약물에 의해 혈중 농도 상승 : phenobarbital, primidone
Divalproex sodium (Valproic acid로서) Depakote sprinkle cap 데파코트스프링클캡셀 …125mg/C	1) 초기 권장량 : Valproic acid로서 15mg/kg/D로 시작, 1주 간격으로 5~10mg/kg/D까지 증량함. 2) Max. 60mg/kg/D 3) 캅셀제를 그대로 혹은 개봉하여 적은 양의 음식과 혼합하여 복용할 수 있음. 4) 음식물과 혼합한 경우에는 즉시 복용하도록 하며, 남은 경우에는 폐기하도록 함.	1) Valproic acid와 sod. valproate의 1:1 혼합물로 중추에서 gamma butyric acid의 농도를 증가시킴으로써 약리작용을 나타냄. 2) 복용 후 위장관에서 valproic acid의 형태로 흡수됨. 3) Onset(peak) : 2wks(PO) 유효혈중농도 : 50~100mcg/ml Tmax : 3.3~4.8hrs $T_{\frac{1}{2}}$: 6~17hrs 대사 : 간 배설 : 신장(70~80%), 담즙(7%), 폐(2~18%)	1) > 10% - 졸음(18~30%), 현기증(13~18%), 불면(9~15%), 신경과민(7~11%) - 탈모(13~24%) - 오심(26~34%), 설사(19~23%), 구토(15~23%), 복부통증(9~12%), 연하곤란(10~11%),	〈금기〉 1) 급성 및 만성 간염 환자 2) 심한 간염(특히 약물에 의한)의 병력 또는 가족력이 있는 환자 3) 이 약에 과민증이 있는 환자 4) Carbapenem계 항균제를 투여받고 있는 환자 5) 임신부 : Category D 〈주의〉 1) 3세 미만 소아 : 치료상 유익성이 간손상에 대한 위험성을 상회할 경우에만 투여함. 2) 수유부 : 안전성 미확립

약품명 및 함량	용법	약리작용 및 효능	부작용	주의 및 금기
			식욕부진(4~11%) - 혈소판 감소증 (1~24%) - 진전(19~57%), 허약감(10~21%) - 기도감염(13~20%) 2) 1~10% - 인두염(2~8%), 호흡곤란(1~5%) - 고혈압, 심계항진, 말초부종(3~8%), 빈맥, 흉통	〈상호작용〉 1) 본 약물의 혈중농도 저하 : carbapenem계 항균제, 간효소 유도제(phenobarbital, phenytoin, carbamazepine), mefloquine 2) 본 약물의 혈중농도 상승 : aspirin, cimetidine, erythromycin 3) 본 약물의 약리 작용 강화 : benzodiazepines, barbiturates, alcohol 4) 본 약물에 의해 혈중 농도 상승 : phenobarbital, primidone
Ethosuximide Zarontin cap 자론티연질캡슐 …250mg/C	1) 성인 : 500~1000mg/D #2~3 2) 소아 - 250~500mg/D #1~2 - 적정용량 : 20mg/kg/D 3) 용량은 소량씩 증량, 4~7일마다 1일 용량 250mg씩 증량 4) Max. 1,500mg/D	1) 소발작에 있어서 의식소실과 관련된 paroximal 3cycle/sec. spike와 wave activity를 감소시킴. 2) Motor cortex를 억제하고, CNS의 경련자극역치를 상승시켜 발작의 빈도를 감소시킴. 3) 소발작(absence seizures)의 선택치료제 4) 간대성, 무통성 발작에도 유효 5) Tmax : 60hrs(성인), 30hrs(소아) $T_{\frac{1}{2}}$: 4hrs	(빈도 미확립) - 식욕부진, 오심,구토 - 피로, 기면, 두통, 보행실조 - 담마진, 딸꾹질, 재생불량성빈혈, 무과립구증, 백혈구감소 - 스티븐스존슨 증후군	〈금기〉 1) 중증 혈액장애 2) 포르피린증 환자 3) 임신부 : Category D(호주) 〈주의〉 1) 간, 신장애, 약물과민증 환자에게 신중투여 2) 정신질환 병력자 3) 3세 미만 소아 : 안전성 미확립 〈상호작용〉 1) Phenytoin의 작용 증강시킴. 2) Carbamazepine에 의해 효과 감소됨. 3) Phenobarbital, valproic acid는 이 약의 효과를 증가시킬 수 있음.
Gabapentin Neurontin cap 뉴론틴캡슐 …100mg/C …300mg/C …400mg/C Neurontin tab 뉴론틴정	* 캡슐제와 정제의 제형 차이는 없음 (치료효과 동등) - 1일 : 300mg qd 또는 100mg tid - 2일 : 300mg bid 또는 200mg tid - 3일 : 300mg tid - 900~1,800mg/D - Max. 2,400mg/D (간질) - Max. 3,600mg/D (신경병성 통증)	1) 억제성 신경전달 물질인 GABA의 유도체로서 전간, 부분 발작시 보조요법제(이차적인 전신증상이 수반되거나 수반되지 않을 경우 포함) 2) 신경병성 통증에도 사용함. 3) $T_{\frac{1}{2}}$: 5~7hrs 배설 : 신장(76~81%), 대변(10~23%)	1) 〉10% - 경련, 현기증, 운동실조, 피로 2) 1~10% - 말초부종 - 신경질, 건망증, 우울, 불안 - 소양증	〈금기〉 1) 급성췌장염 환자 2) 전신 소발작(absence seizure) 환자 3) 갈락토오스혈증 환자 〈주의〉 1) 자살충동과 자살행동을 보이는 위험성 증가시킬 수 있음.

약품명 및 함량	용법	약리작용 및 효능	부작용	주의 및 금기
…600mg/T	* 신기능에 따른 용량조절 참고 1) CrCl(ml/min) : 1일 투여량 - ≥80 : 900~2400mg #3 - 50~79 : 600~1800mg #3 - 30~49 : 300~900mg #3 - 15~29 :150~600mg - <15 : 150~300mg (1일 150mg 투여시 2일마다 3×100mg으로 투여함) 2) 혈액투석 환자 - 초회량 : 300~400mg - 유지용량 : 혈액투석 4시간 후 200~ 300mg 투여, 혈액투석을 시행하지 않는날은 투여하지 않음.		- 소화불량, 구강건조, 오심, 변비, 체중증가 - 발기부전 - 백혈구감소 - 요통, 근육통, 구음장애, 진전 - 복시, 시야몽롱, 안구진탕 - 비염, 기관지염 - 딸꾹질	2) 갑작스럽게 약물복용 중단시 발작과 지속적 간질상태 일으킬 수 있음. 3) 신장애시 감량 필요 4) Morphine 병용시 이 약의 농도 증가될 수 있으므로 졸음과 같은 중추신경계 억제 증상 주의 깊게 관찰 5) 임신부 : Category C 6) 3세 미만 : 안전성 미확립 7) 12세 미만 : 단독요법의 경험 불충분 〈상호작용〉 1) 제산제에 의해 생체이용률 20% 감소(제산제와 2시간 간격을 두고 복용)
Lacosamide Vimpat tab 빔팻정 …50mg/T …100mg/T	1) 초회 50mg bid (복용 첫 1주일간), 이후 100mg bid로 유지 2) 매주, 1회 50mg씩 증량가능 (Max. 400mg/D) - 경증~중등증 간장애시 Max. 300mg/D 3) 투여 중단 시 서서히 감량 * 신기능에 따른 용량 조절 참고 - CrCl ≤ 30ml/min or ESRD: Max. 300mg/D	1) Sodium channel modulator, 항전간제 2) Voltage-gated Na channel의 느린 불활성화 (slow inactivation)를 촉진하여 과흥분성 뉴런 멤브레인을 안정화시킴 - 신경계에 발현된 collapsin response mediator protein-2 (CRMP-2) 에 결합하여 발작을 조절 3) 적응증: 16세 이상 간질 환자에서 2차성 전신발작을 동반하거나 동반하지 않는 부분발작 치료의 부가요법 4) Tmax: 1~4hrs $T_{1/2}$: 모체 12~13hrs, 대사체: 15~23hrs 대사: 간(CYP3A4, 2C9, 2C19) 배설: 신장(95%), 대변(<0.5%)	1) >10% - 어지러움, 피로, 운동실조, 두통 - 오심, 구토 - 진전 - 복시, 시야흐림 2) 1~10% - 실신 - 졸음, 기억이상, 평형장애, 현훈, 이상보행, 우울증 - 가려움증 - 설사 - 멍 - ALT 상승 - 주사부위 통증, 국소 자극 - 허약감 - 안구진탕 - 열상	〈주의〉 1) 중증 심장질환자, 신장애 환자 2) 우울증, 자살충동과 자살행동 위험을 증가시킬 수 있음. 3) 어지러움, 졸음, 시야흐림 발생할 수 있으니 운전, 기계조작 시 주의 4) 혈액투석 직후 1회 투여량의 최대 50%까지 추가용량 투여 권장 5) 임부 : Category C 6) 수유부 : 안전성 미확립 7) 16세 미만: 안전성 미확립 8) 중증 간장애 환자 〈상호작용〉 1) PR연장 약제(carbamazepine, lamotrigine, pregabalin) 및 Class Ⅰ 항부정맥약: 병용 시 주의

약품명 및 함량	용법	약리작용 및 효능	부작용	주의 및 금기
Lamotrigine Lamictal chewable tab 라믹탈츄어블정 …5mg/T Lamotrigine chewable tab 라모트리진츄어블정 …25mg/T …50mg/T …100mg/T Lamictal tab 라믹탈정 …25mg/T …50mg/T …100mg/T	1. 간질 (추가요법) 1) 성인 및 12세 이상 소아 ① Valproic acid 미복용 환자 - 첫 2주간 50mg qd - 다음 2주간 50mg bid - 유지량 : 100~200mg bid ② Valproic acid 복용 환자 - 첫 2주간 25mg EOD - 다음 2주간 25mg qd - 유지량 : 50~100mg bid 2) 2~12세 소아 : 제품설명서 참조 (단독요법) 1) 성인 및 13세 이상 소아 - 첫 2주간 25mg qd - 다음 2주간 50mg qd - 1~2주마다 최대 50~100mg씩 증량 - 유지량 : 100~200mg/D #1~2 (Max. 500mg/D) 2. 양극성 장애: 병용약제에 따라 용량 조절	1) Presynaptic membrane의 voltage dependent sodium channel에 작용, 세포막을 안정화시키며 흥분성 전달 물질인 glutamate의 과도한 방출을 억제함. 2) 다른 항전간제로 만족스럽게 조절되지 않은 simple & complex partial seizure와 2차성 tonic-clonic seizure, 레녹스-가스토증후군에 의한 발작의 치료, 양극성 장애 I형 환자에서 우울증의 재발 예방에 사용함. 3) 혈중농도 의존해서 치료하지 않으므로 혈중농도 모니터링은 불필요함. 4) Tmax : 2.5hrs Cmax : 1.5mcg/ml 혈장단백결합률 : 55% $T_{\frac{1}{2}}$: 29hrs(단일 투여시) 배설 : 신장(94%), 대변(2%)	1) 1~10% - 현기증, 진정, 운동실조 - 과민반응, 발진, 스티븐스존슨증후군, 혈관부종 - 안구진탕, 복시 - 혈뇨	〈주의〉 1) 본제는 dihydrofolate 환원효소의 약한 억제제이므로 장기투여시 엽산대사 저해 가능성이 있음. 2) 갑작스런 투약중단시 반동성 경련 초래하므로 2주에 걸쳐 단계적으로 감량함. 3) 임신부 : Category C 4) 수유부, 고령자 : 안전성 미확립 5) 간 · 신장애 환자 〈상호작용〉 1) Phenytoin, carbamazepine, phenobarbital, primidone은 본제의 대사를 촉진함. 2) Valproic acid는 본제 대사를 억제함. 3) 호르몬성 피임제 : 본제의 혈중농도 감소시킴.
Levetiracetam Keppra tab 케프라정 …250mg/T …500mg/T …1000mg/T Keppra oral soln 케프라액 …100mg/ml (150ml/BT)	1) 경구제와 주사제간 전환시 동일 용량과 투여계획으로 전환 가능(1일 총투여량 및 투여횟수 동일하게 유지해야 함) 2) 단독요법 : 초회량 250mg bid, 2주후 500mg bid 증량 가능 (Max. 3,000mg/D) 3) 부가요법 ① 부분발작 : 초회량 500mg bid, 2~4주마다 500mg bid씩 증량 or 감량 가능 (Max. 3,000mg/D) ② 소아 근간대성 발작 : 초회량 500mg bid, 2주마다 500mg bid씩	1) 항전간제 2) 정확한 작용기전은 밝혀지지 않았으나, 시냅스 소포단백(SV2A)과 결합하여 항전간, 항불안 및 인지기능 개선 작용이 있는 것으로 알려짐. 3) 적응증 ① 단독요법 : 처음 간질로 진단된 2차성 전신발작을 동반 or 동반하지 않는 부분발작의 치료(16세 이상) ② 부가요법 - 기존 1차약 투여로 조절되지 않는 2차성 전신발작을 동반하거나 동반하지 않는 부분발작의 치료 (정제 : 4세 이상, 액제 : 1개월 이상) - 소아 간대성 근경련 간질(Juvenile Myoclonic Epilepsy) 환자의 근간대성 발작의 치료 (12세 이상)	1) >10% - 무력증, 졸림, 현기증, 두통, 적개심 - 구토, 식욕감퇴 - 비염, 기침, 감염 2) 1~10% - 성격장애, 신경증, 통증, 감정적 불안, 우울, 흥분 - 설사, 변비, 위장염 - 복시, 알부민뇨증, 인두염	〈주의〉 1) 정신 및 행동이상 부작용은 소아에서 발병빈도가 높음. 2) 이 약 투여 중단시에는 서서히 감량하도록 함. 3) 신기능장애 환자(용량조절 필요) 4) 쇠약, 현기증, 기면 등의 신경정신과적 증상은 투여 후 첫 4주 이내에 가장 빈번히 발생함. 5) 이 약 복용중 운전이나 위험한 기계조작 금함. 6) 임신부 : Category C 7) 수유부 : 안전성 미확립 8) 4세 이하 소아(정제), 1개월 미만 영아(액제) : 안전성 및 유효성 미확립

	약품명 및 함량	용법	약리작용 및 효능	부작용	주의 및 금기
		증량하여 1일 3,000 mg까지 증량 ③ 1차성 전신 강직-간대 발작 : ②와 동일 * 신기능에 따른 용량조절 참고 - 성인 기준 CrCl(ml/min)에 따른 용량 ① >80(정상) : 500~1,500mg bid ② 50~80 : 500~1,000mg bid ③ 30~50 : 250~750mg bid ④ <30 : 250~500mg bid ⑤ 말기신질환투석환자 : 500~1,000 mg qd, 투석 후 250~500mg 추가용량 투여 권장	- 특발성 전신성 간질 환자의 1차성 전신 강직-간대 발작의 치료(12세 이상) 4) Onset : 1hr 생체이용률 : 100% 단백결합 : <10% $T\frac{1}{2}$: 6~8hrs 배설 : 신장		〈상호작용〉 1) 은행잎 추출물과 병용시 항전간효과 감소 〈취급상 주의-액제〉 1) 첨부된 계량용기 사용 가능 2) 개봉 후 4개월 내 복용(실온보관)
61	**Levetiracetam** Keppra inj 케프라주사 …500mg/5ml/V	1) 경구제와 주사제간 전환시 동일 용량과 투여계획으로 전환 가능(1일 총투여량 및 투여횟수 동일하게 유지해야 함) 2) 단독요법 : 초회량 250mg bid, 2주후 500mg bid 증량 가능 (Max. 3,000mg/D) 3) 부가요법 ① 부분발작 : 초회량 500mg bid, 2~4주마다 500mg bid 증량 or 감량 가능 (Max. 3,000mg/D) ② 소아 근간대성 발작 : 초회량 500mg bid, 2주마다 500mg bid씩 증량하여 1일 3,000 mg까지 증량 ③ 1차성 전신 강직-간대 발작 : ②와 동일 4) 투여방법 : 투여 용량에 관계 없이 100ml(NS,	1) 항전간제 2) 정확한 작용기전은 밝혀지지 않았으나, 시냅스 소포단백(SV2A)과 결합하여 항전간, 항불안 및 인지기능 개선 작용이 있는 것으로 알려짐. 3) 경구투여가 일시적으로 불가능한 환자에게 투여 (Max. 4일) 4) 적응증 ① 단독요법 : 처음 간질로 진단된 2차성 전신발작을 동반 or 동반하지 않는 부분발작의 치료(16세 이상) ② 부가요법(16세 이상) - 기존 1차 약제 투여로 조절되지 않는 2차성 전신발작을 동반 or 동반하지 않는 부분발작의 치료 - 소아 간대성 근경련 간질 환자의 근간대성 발작의 치료 - 특발성 전신성 간질 환자의 1차성 전신 강직-간대 발작의 치료 5) BA : 100% 단백결합 : <10% $T\frac{1}{2}$: 6~8hrs	1) >10% - 무력증, 졸림, 현기증, 두통, 적개심 - 구토, 식욕감퇴 - 비염, 기침, 감염 2) 1~10% - 성격장애, 신경증, 통증, 감정적 불안, 우울, 흥분 - 설사, 변비, 위장염 - 복시, 알부민뇨증, 인두염	〈금기〉 1) 16세 미만 소아 : 안전성 및 유효성 미확립 〈주의〉 1) 신장애 및 중증 간장애 환자 용량조절 필요(설명서 참조) 2) 저염 식이요법중인 환자 (∵바이알 당 Na 0.313mmol (7.196mg) 함유) 3) 무력증, 졸음, 어지러움은이 약 투여 후 첫 4주동안 발생하므로, 운전 및 기계 조작 주의 4) 우울증의 징후 및 증상의 발현 또는 악화, 비정상적 기분과 행동의 변화, 자살충동 등의 위험 증가 가능 5) 임신부 : Category C 6) 수유부 : 모유이행 〈취급상 주의〉 1) 실온보관(1~30℃) 2) 바이알 중 사용하고 남은액은 폐기(∵보존제 불포함) 3) 반드시 희석하여 정맥투여 4) 희석액(NS, 5DW, HS) 및 다른 항간질약(lorazepam,

약품명 및 함량	용법	약리작용 및 효능	부작용	주의 및 금기
	5DW, HS)에 희석하여 15분간 IV inf. * 신기능에 따른 용량조절 참고 – 성인 기준 CrCl(ml/min)에 따른 용량 ① 〉80(정상) : 500~1,500mg bid ② 50~80 : 500~1,000mg bid ③ 30~50 : 250~750mg bid ④ 〈30 : 250~500mg bid ⑤ 말기신질환투석환자 : 500~1,000 mg qd, 투석 후 250~500mg 추가 용량 투여 권장	배설 : 신장		diazepam, valproate sod.)과 배합 가능하며, 배합시 상온(15~25℃) PVC bag 보관시 최소 24hrs 안정
Oxcarbazepine Trileptal tab 트리렙탈필림코팅정 …150mg/T …300mg/T …600mg/T Trileptal oral susp 6% 트리렙탈현탁액 …60mg/ml (100ml/BT)	1) 단독요법 (4세 이상) – 초기 8~10mg/kg/D #2, 점차 증량 – Max. 소아 46mg/kg/D, 성인 2,400mg/D 2) 부가요법 (2세 이상) – 초기 8~10mg/kg/D #2, 점차 증량 – Max. 소아 60mg/kg/D, 성인 2,400mg/D * 신기능에 따른 용량 조절 참고 CrCl 〈30ml/min : 상용량의 50%(300mg/day), 일주일 간격으로 증량	1) Carbamazepine 유도체 2) 기전은 확실치 않으나 대뇌 Na channel 길항에 의해 항경련효과 3) 부분발작, 전신 강직 대발작에 모두 유효 4) Carbamazepine의 부작용(allergy, CNS)을 감소시켰으나 hyponatremia는 더 심함. 5) 이 약 300~400mg≒Carbamazepine 200mg 6) 흡수 : 신속 대사체 : 10-hydroxycarbamazepine Tmax : 모체 1hr, 대사체 5~8hrs $T_{\frac{1}{2}}$: 모체 1~2.5hrs, 대사체 8~11hrs	1) 〉 10% – 현기증, 졸음, 두통, 운동실조, 피로, 현훈 – 구토, 오심, 복통 – 이상보행, 진전 – 복시, 안구진탕, 시각이상 2) 1~10% – 저혈압 – 신경질, 건망증, 격앙 – 발진 – 저나트륨혈증 – 설사, 위염 – 허약감, 저배통 – 상기도감염	〈금기〉 1) 이 약, carbamazepine, TCAs에 과민한 환자 2) 방실차단 환자 3) 골수억제 환자 4) MAOIs 복용중인 환자 (wash-out : 최소 15일) 〈주의〉 1) Carbamazepine과 교차 알러지 반응 2) 혈중 Na이 낮은 환자 3) 신 · 심 · 간부전 환자 4) 고령자 5) 임신부 : Category C 6) 수유부 : 모유 이행 〈상호작용〉 1) 경구용 피임제와 병용시 갑작스런 출혈이나 피임효과 감소 2) Felodipine의 효과 감소시킴. 3) Carbamazepine과 교체 투여 후 병용되는 valproic acid, phenytoin의 혈중농도 상승 〈취급상 주의〉 1) 시럽제 : 개봉 후 7주 이내 사용 (실온보관)

약품명 및 함량	용법	약리작용 및 효능	부작용	주의 및 금기
Pregabalin Lyrica cap 리리카캡슐 …75mg/C …150mg/C …300mg/C	1) 초기 : 150mg #2 2) 반응 및 내약성에 따라 3~7일 후에 300mg #2로 증량 가능(Max. 600mg/D) * 신기능에 따른 용량조절 참고 CrCl(ml/min) : 시작용량~최대용량(mg/D) 및 용법 ① ≥60 : 150~600 #2~3 ② 30~60 : 75~300 #2~3 ③ 15~30 : (25~50) ~150 #1~2 ④ <15 : 25~75 #1 ⑤ 혈액투석 후 추가용량 : 25~75mg 단회투여	1) GABA 유도체로서 말초 및 중추신경병증성 통증 및 간질(부분발작) 치료제 2) 중추신경계의 voltage-gated Ca^{2+} channel의 보조적 아단위(α_2-δ protein)에 결합하여 [^{3}H]-gabapentin을 치환하여 흥분성 신경전달물질(Glutamate, NE, substance P)의 과도한 유리를 억제함으로써 항경련 및 진통효과를 나타냄. 3) 신경병증성 통증에 사용시 - 효과 : Pregabalin ≒ Gabapentin ≤ TCAs or opioids - 내약성 : Pregabalin ≒ Gabapentin 〉 TCAs or opioids 4) 단백결합 : 결합하지 않음 $T_{\frac{1}{2}}$: 5~6.5hrs 대사 : 간(최소) 배설 : 신장(90~99%)	1) 〉10% - 말초부종(2~16%) - 현기증(8~38%), 기면(4~28%), 조화운동불능(1~20%) - 구강건조(1~15%) - 진전(1~11%) - 시야혼미(1~12%), 복시(~12%)	〈주의〉 1) CHF 환자 (말초부종 위험증가) 2) 이 약은 시력 변화를 초래할 수 있으므로 주의 3) 잠재적 발암성 있으므로 주의 4) 복용 중단시에는 1주일 이상에 걸쳐 서서히 감량하도록 함. 5) 현기증 및 졸음을 유발할 수 있으므로 운전 및 위험한 기계 조작 금함. 6) 고령자, 당뇨 환자 7) 임신부 : Category C 8) 수유부 : 안전성 미확립 9) 18세 미만 소아 : 유효성, 안전성 미확립 〈상호작용〉 1) Thiazolidinedione계 당뇨약과 병용시 체중증가 및 말초부종 부작용 증가 2) 알콜 및 CNS 억제제와 병용시 이 약에 의한 진정(sedation) 부작용 증가
Rufinamide Inovelon tab 이노베론필름코팅정 …200mg/T …400mg/T	1) 1일 2회, 식사와 함께 복용 2) 4세 이상, 30kg 미만 - Valproic acid 미복용 환자 : 100mg bid로 시작, 이틀 단위로 200mg/D씩 증량 (Max. 1g/D) - Valproic acid 복용 환자 : 100mg bid로 시작, 최소 이틀 단위로 200mg/D씩 증량 (Max. 600mg/D) 3) 4세 이상, 30kg 이상 - 200mg bid로 시작, 이틀 단위로 400mg/D씩 증량 - 최대용량 ① 30~50kg : 1,800mg/D ② 50~70kg : 2,400mg/D ③ 70kg이상 : 3,200mg/D	1) 항전간제 2) Na Channel의 비활성화 상태를 연장시키고 Na 의존적인 활동전위가 지속되는 것을 제한(정확한 작용기전은 알려지지 않음) 3) 적응증 : 4세 이상의 환자에서 레녹스-가스토 증후군과 관련된 간질치료시 부가요법 4) BA : 85% Tmax : 4~6hrs $T_{\frac{1}{2}}$: 6~10hrs 단백결합 : 34% 대사 : 간 배설 : 신장(85%)	1) 〉10% - QT 간격 단축, 졸음, 구토, 두통, 어지러움, 구역, 피로 2) 1~10% - 간질지속증, 식욕부진, 불안, 불면, 정신운동 과다, 눈떨림, 발진, 여드름, 월경이상, 복통, 소화불량, 설사 3) 자살충동 및 자살행동 증가	〈금기〉 1) 선천성 QT 간격 단축 증후군 또는 가족력 있는 환자 2) 선천성 갈락토오스 불내성, 유당분해효소 결핍증 또는 포도당-갈락토오스 흡수장애 환자(유당 함유) 〈주의〉 1) 투여 중단시 서서히 감량 2) 어지러움, 졸림 등 중추신경계 부작용에 의한 낙상사고 발생 증가, 운전이나 기계조작 주의 3) 임신부 : Category C 4) 수유부 : 안전성 미확립 〈상호작용〉 1) Carbamazepine, phenobarbital, phenytoin, vigabatrin, primidone과 병용시 rufinamide의 혈중농도 저하 2) Valproic acid와 병용시 rufinamide의 혈중농도 증가 (특히 체중 30kg 미만에서 현저)

약품명 및 함량	용법	약리작용 및 효능	부작용	주의 및 금기
				3) Rufinamide에 의해 phenytoin 혈중 농도 증가, 복합 경구 피임제의 혈중농도 감소
Sodium valproate Depakine chrono tab 데파킨크로노정 …300mg/T …500mg/T	1) 간질 ① 성인 및 25kg 이상 소아 : 20~30 mg/kg/D #1~2 ② 추가요법 : 2주에 걸쳐 천천히 증량 ③ 단독요법 : 1주에 2~3일 간격으로 증량 2) 양극성 장애 ① 초기량: 20mg/kg/D #1~2 ② 유지량: 1~2g/D (Max. 3g/D)	1) 작용기전은 확실치 않으나, 뇌속의 GABA 농도를 상승시키고, gilia 세포가 신경말단에서 GABA의 재흡착저지로 항전간작용을 나타냄. 2) 단순소발작 및 혼합발작에 가장 유효함. 3) Myoclonic seizure의 어린이에게 선택약제임. 4) 유아발작에는 benzodiazepine보다 덜 효과적임. 5) 대발작에는 타 제제와의 병용도 효과가 없음(약 30%에서). 6) 소아의 febrile convulsion에는 phenobarbital과 비슷한 효과를 나타냄. 7) 간질과 그에 뒤따르는 성격 및 행동장애의 예방 및 치료, 양극성 장애와 관련된 조증의 치료에 사용. 8) 유효혈중농도: 40~100mg/L 단백결합률: 80~90% $T_{\frac{1}{2}}$: 9~16hrs (성인), 7~13hrs (2개월이상 소아) 신생아 및 간장애시 증가	1) > 10% - 졸음, 현기증, 불면, 신경질 - 탈모 - 오심, 설사, 구토, 복통, 소화불량, 식욕감퇴 - 혈소판감소 - 진전, 허약감 - 호흡기 감염, 인두염, 호흡곤란 2) 1~10% - 고혈압, 심계항진, 말초부종, 빈맥, 흉통 - 건망증, 수면장애, 불안, 착란, 우울, 권태 - 반흔, 피부건조, 소양증, 발진 - 무월경, 월경곤란 - 빈뇨, 배뇨장애, 질염 - 간효소 수치상승 - 이상보행, 관절통, 근긴장, 다리경련 - 시각불선명, 안구진탕	〈금기〉 1) 간염 환자 또는 병력, 가족력이 있는 환자 2) 이 약에 과민한 환자 3) 중증 간장애 환자 4) Cabarpenem계 항생제를 투여중인 환자 5) 포르피린증 환자 6) 임신부: Category D 〈주의〉 1) 간독성이 때로는 치명적이므로 투약전 및 투약중 특히, 6개월간 간기능검사를 자주 할 것. 2) 췌장장애 또는 선천성 효소결핍 환자 3) 골수손상 병력자 4) 약물과민증 환자 5) 신부전 환자 6) 혈액응고장애 환자 7) TDM 대상 약물 8) 수유부: 모유 이행 9) 3세 미만 소아: 안전성 미확립 〈상호작용〉 1) 타 항경련제와 병용시 효소유도 및 억제약물에 대한 충분한 사전 검토 필요 2) Cabarpenem계 항생제에 의해 이 약의 혈중농도 저하 3) Imipramine과 병용시 발작 증가 4) Mefloquine에 의해 이 약의 대사 증가 5) 단백결합률이 높은 약물(aspirin)과 병용시 유리형 valproic acid 증가 6) 유리형 warfarin을 32.6%까지 증가시켜 출혈 위험

약품명 및 함량	용법	약리작용 및 효능	부작용	주의 및 금기
Sodium valproate Orfil SR tab 오르필서방정 …150mg/T …300mg/T Orfil syrup 오르필시럽 …60mg/ml Orfil inj 오르필주사액 …150mg/A …300mg/A Epilam inj 에필람주사 …400mg/V	(경구) 1) 간질 - 성인 ① 초회량 : 5~10mg/kg/D 4~7일 간격으로 5mg씩 증량함 ② 유지량 : 20mg/kg/D (Max. 60mg/kg/D) - 소아 ① 유지량 : 20~30mg/kg/D 2) 양극성 장애와 관련된 조증 치료 : 20mg/kg/D (Max. 60mg/kg/D) (주사) 1) 성인 : 1회 400~800mg (Max. 10mg/kg) 3~5분간 천천히 IV (Max. 2,500mg/D) 2) 소아 : 20~30mg/kg/D (Max. 40mg/kg/D)	1) 작용기전은 확실치 않으나, 뇌속의 GABA 농도를 상승시키고, gilia 세포가 신경말단에서 GABA의 재흡착저지로 항전간작용을 나타냄. 2) 단순소발작 및 혼합발작에 가장 유효함. 3) Myoclonic seizure의 어린이에게 선택약제임. 4) 유아발작에는 benzodiazepine보다 덜 효과적임. 5) 대발작에는 타 제제와의 병용도 효과가 없음(약 30%에서). 6) 소아의 febrile convulsion에는 phenobarbital과 비슷한 효과를 나타냄. 7) 간질과 그에 뒤따르는 성격 및 행동장애의 예방 및 치료, 양극성 장애와 관련된 조증의 치료에 사용 8) 유효혈중농도 : 40~100mg/l 단백결합률 : 80~90% $T\frac{1}{2}$: 9~16hrs (성인), 7~13hrs(2개월이상 소아) 신생아 및 간장애시 증가	1) > 10% - 졸음, 현기증, 불면, 신경질 - 탈모 - 오심, 설사, 구토, 복통, 소화불량, 식욕감퇴 - 혈소판감소 - 진전, 허약감 - 호흡기 감염, 인두염, 호흡곤란 2) 1~10% - 고혈압, 심계항진, 말초부종, 빈맥, 흉통 - 건망증, 수면장애, 불안, 착란, 우울, 권태 - 반흔, 피부건조, 소양증, 발진 - 무월경, 월경곤란 - 빈뇨, 배뇨장애, 질염 - 간효소 수치상승 - 이상보행, 관절통, 근긴장, 다리경련, 시각불선명, 안구진탕	〈금기〉 1) 간염 환자 또는 병력, 가족력이 있는 환자 2) 중증 간장애 환자 3) Carbarpenem계 항생제를 투여중인 환자 4) 포르피린증 환자 5) 임신부 : Category D 〈주의〉 1) 간독성이 때로는 치명적이므로 투약전 및 투약중 특히, 6개월간 간기능검사를 자주 할 것 2) 췌장장애 또는 선천성 효소결핍 환자 3) 골수손상 병력자 4) 약물과민증 환자 5) 신부전 환자 6) 수유부 : 모유 이행 7) 3세 미만 소아 : 치료상 유익성이 간독성 위험을 초과하는 경우에만 사용 8) 혈액응고장애 환자 9) TDM 대상 약물 〈상호작용〉 1) 타 항경련제와 병용시 효소유도 및 억제약물에 대한 충분한 사전 검토 필요 2) Carbarpenem계 항생제에 의해 이 약의 혈중농도 저하 3) Imipramine과 병용시 발작 증가 4) Mefloquine에 의해 이 약의 대사 증가 5) 단백결합률이 높은 약물(aspirin)과 병용시 유리형 valproic acid 증가 6) 유리형 warfarin을 32.6%까지 증가시켜 출혈 위험
Topiramate Topamax sprinkle cap 토파맥스스프링클캅셀 …25mg/C …50mg/C	1. 간질 1) 단독요법 ① 17세 이상 - 25mg qd로 처음 1주간 투여 후, 1~2주 간격으로 25~50mg/D 씩 증량	1) Na^+ channel blocker로 GABA agonist이며, glutamate의 흥분성을 억제함. 2) 적응증 ① 간질 - 단독 요법 : 6세 이상의 소아 및 성인에서의 부분발작의 치료	1) > 10% - 현기증, 운동실조, 졸음, 신경질, 기억력 장애, 언어장애, 피로 - 마비감, 진전	〈금기〉 1) 임신부 : Category D 〈주의〉 1) 투약 중단시 점진적인 감량 요법 실시 2) 운전이나 기계 조작에 주의(∵진정작용) 3) 간 · 신장애 환자

약품명 및 함량	용법	약리작용 및 효능	부작용	주의 및 금기
Topamax tab 토파맥스정 …25mg/T …100mg/T	- 유지량 : 100~200mg/D #2 (Max. 500mg/D) ② 6~16세 - 0.5~1mg/kg qd로 처음 1주간 투여후, 1~2주 간격으로 0.5~1mg/kg/D씩 증량 - 유지량 : 3~6mg/kg/D #2 2) 부가요법 ① 17세 이상 - 25~50mg qd로 처음 1주간 투여 후, 1~2 주 간격으로 25~50mg/D씩 증량 - 유지량 : 200~400mg/D #2 (Max. 800mg/D) ② 2~16세 - 25mg (또는 그 이하, 1~3mg/kg) qd로 처음 1주간 투여 후, 1~2주 간격으로 1~3mg/kg/D씩 증량 - 유지량 : 5~9mg/kg/D #2 2. 편두통 예방(성인) - 25mg qd로 시작, 이후 1주일 간격으로 25mg/D씩 증량 - 유지량 : 100mg/D #2(Max. 200mg/D) 3. 스크링클캅셀은 통째로 또는 캅셀을 열고 내용물 전체를 소량의 부드러운 음식 위에 뿌려서 복용하며, 씹지 않고 삼키도록 함. * 신기능에 따른 용량조절 참고 - CrCl <70ml/min : 상용량의 50%	- 부가 요법 : 1차 약제 투여로 적절하게 조절되지 않는 2세 이상 소아및 성인의 다음 질환 : 부분 발작, 레녹스-가스토 증후군, 1차성 강직성/간대성 전신발작 ② 편두통의 예방 3) BA : 80%(음식 영향 없음) Tmax : 2~3hrs $T\frac{1}{2}$: 20~30hrs 배설 : 신장(약 70%, 미변화체)	- 안구 진탕, 복시, 시각 이상 - 상기도 감염 2) 1~10% - 흉통, 부종 - 착란, 우울, 집중력 장애, 지각 감퇴 - 열감 - 소화불량, 복통, 식욕감퇴, 변비, 구강건조, 치주염, 체중감소 - 근육통, 허약감, 등 및 다리의 통증, 강직 - 청력감퇴 - 신결석 - 인두염, 부비강염, 비출혈 - 감기양 증상	4) 신결석을 예방하기 위해 충분한 수분 공급 필요 5) 투여 시작 1개월 내에 급작스러운 시력감퇴나 안통시 투여 중단 (∵이차성 협우각 녹내장과 관련된 급성 근시 증후군) 6) 혈액 투석에 의해 제거되므로 투석 후 보충이 필요함. 7) 수유부 및 2세 미만 소아 : 안전성 미확립 〈상호작용〉 1) Phenytoin, carbamazepine, valproic acid에 의해 이 약의 혈중 농도 감소 2) Phenytoin의 혈중 농도 상승 3) Digoxin의 흡수 감소 4) Estrogen의 제거율을 증가 시킴. 5) Acetazolamide와 병용시 신결석 증가

약품명 및 함량	용법	약리작용 및 효능	부작용	주의 및 금기
Vigabatrin Sabril tab 사브릴정 …500mg/T	1) 성인 – 초기량 : 1g #1~2 – 유지량 : 2~3g/D 2) 소아 – 초기량 : 40mg/kg/D – 체중 : 유지량 ① 10~15kg : 0.5~1g/D ② 15~30kg : 1~1.5g/D ③ 30~50kg : 1.5~3g/D ④ >50kg : 2~3g/D 3) 영아연축 – 초기량 : 50mg/kg/D – 1주일 간격으로 최대 150mg/kg/D까지 증량 가능 * 신기능에 따른 용량조절 참고 CrCl(ml/min) : 용량 ① 50~80 : 25% 감량 ② 30~50 : 50% 감량 ③ 10~30 : 75% 감량	1) GABA-transaminase의 선택적, 비가역적 억제로 GABA의 뇌내 농도를 높임. 2) 다른 간질치료제로 조절되지 않는 간질 특히, partial seizure의 치료에 사용	– 졸음, 피로, 어지러움, 신경과민, 자극과민, 초조, 두통, 안구진탕, 운동실조, 진전, 마비, 주의력 및 집중력 감소, 지각이상, 자살시도 – 시야장애(33%), 망막질환, 시신경염, 시신경위축 – 부종, 체중증가, 위장관장애, 탈모, 발진, 두드러기	〈주의〉 1) 고령자 2) 신장애 환자 3) 정신병 및 우울, 행동장애의 병력이 있는 환자 4) 내분비장애 환자 5) 임상적으로 중요한 시야장애의 병력이 있는 환자 6) 갑자기 투약을 중지하면 반동성 발작을 초래하므로 투여 중지시에는 2~4주동안 서서히 감량 7) 이상 행동의 병력이 있는 환자에서 이 약의 투여 개시시 행동 장애가 나타남. 8) 임신부 : Category C 9) 수유부 : 모유 이행
Zonisamide Excegran tab 엑세그란정 …100mg/T	1) 성인 ① 초회량: 100~200mg #1~3 ② 유지량: 1~2주마다 증량하여 200~400mg #1~3 (Max. 600mg/D) 2) 소아 ① 초회량: 2~4mg/kg/D #1~3 ② 유지량: 1~2주마다 증량하여 4~8mg/kg/D #1~3 (Max. 12mg/kg/D)	1) 항전간제 2) 적응증 ① 부분발작: 단순 및 복합 부분발작, 이차성 전신강직간대발작 ② 전신발작: 강직간대발작, 강직발작, 비정형결신발작(비정형소발작) ③ 혼합발작 3) Tmax : 2hrs	1) > 10% – 졸음, 현기증 – 식욕감퇴 2) 1~10% – 두통, 격앙, 피로, 운동실조, 착란, 집중력저하, 기억력장애, 우울, 불면, 언어장애, 불안, 간질중첩, 진전 – 발진, 반흔, 소양증 – 오심, 복통, 설사,	〈금기〉 1) 1세 이하 영아: 안전성 미확립 〈주의〉 1) 중증 간장애 또는 병력자 2) 투여를 중지하는 경우에는 서서히 감량(급격한 감량 내지 투여중지에 의해서 간질중첩상태 발생 가능) 3) 연용중 정기적으로 간 · 신기능, 혈액검사 실시 4) 땀 배출 감소하거나 체온 상승할 수 있으므로 여름에 체온 상승하지 않도록 주의(특히 소아) 5) 임신부: Category C 6) 수유부: 모유 이행

약품명 및 함량	용법	약리작용 및 효능	부작용	주의 및 금기
			소화불량, 체중감소, 변비, – 마비감, 허약감, 이상보행 – 복시, 안구진탕, 시력불선명 – 이명	<상호작용> 1) 타 항경련제와 병용, 중단 시 충분한 사전검토 필요

약품명 및 함량	용법	약리작용 및 효능	부작용	주의 및 금기
Amantadine sulfate PK merz tab 피케이멜즈정 … 100mg/T	1) 파킨슨증후군 – 초회량 : 100mg qd – 100mg bid (Max. 400mg/D) – 고령자 : 100mg qd 2) 인플루엔자 – 200mg #1~2 – 고령자 : 100mg qd – 소아(1~9세) : 4~8mg/kg/D 분할 투여 * 신기능에 따른 용량조절 참고 – CrCl 30~50ml/min : 첫째날 200mg, 다음날부터 100mg/D – CrCl 15~29ml/min : 첫째날 200mg, 다음날부터 100mg EOD – CrCl <15ml/min : 200mg 7일마다 투여	1) 항바이러스(influenza A형) 제제임. 2) Levodopa보다 덜 효과적이며 지속성이 없으나, 부작용이 적고 효과가 빨리 나타남(2~5일). 3) 항콜린제나 levodopa와 병용시 더 효과적임. 4) Tremor가 주증상이 아닌 초기단계나 levodopa의 부작용을 감당하지 못하는 경우에 유효함. 5) 적응증 : – 파킨슨증후군 – 인플루엔자 A형 바이러스에 의한 호흡기감염증의 예방 및 치료	1) 1~10% – 기립성저혈압, 말초부종 – 불면, 우울, 불안, 현기, 환각, 운동실조, 두통, 졸음, 신경질, 격앙, 피로, 착란 – 망상피반 – 오심, 식욕감퇴, 변비, 설사, 구강 건조 – 비강건조	〈금기〉 1) 중증 심부전과 심근증, 심근염, 서맥, 선천성 QT 증후군, 심실성 부정맥 경력자, 중증 신장애(CrCl<10ml/min), 경련성 질환 환자, 위궤양 및 병력자 2) 수유부 : 모유 이행 3) 임신부 : Category C(국내허가금기) 〈주의〉 1) 전립선 비대, 협우각형 녹내장, 신부전, 초조 또는 착란 상태, 간질발작, 심혈관 질환, 말초성 부종, 간장애, 저혈압, 정신질환 환자 등 신중투여 〈상호작용〉 1) 일부 항부정맥제제, 항정신병제, TCA 약물 등 QT 간격 연장시키는 약물과 병용시 주의 2) 타 항파킨슨제, CNS 흥분제와 병용시 수면장애 등의 부작용 증가 3) 항콜린제와 병용시 혼돈, 환각 발생 가능 4) Hydrochlorothiazide와 병용시 이 약의 신배설 감소
Amantadine sulfate PK-Merz infusion 피케이멜즈인퓨전주 …200mg/500ml/BT	1) 성인 – 200mg(1BT) qd~bid 3시간동안 IV inf. (Max. 55 drops/min) 2) 신장애 환자 – CrCl에 따른 용량 조절 필요	1) Dopamine 분비 증가 작용으로 파킨슨 단기치료에 사용 2) 파킨슨 질환에서의 정확한 작용 기전은 밝혀지지 않았으나 흑질 선조체의 도파민성 터미널에서의 도파민 분비를 증가시키는 것으로 추정 3) 적응증 : 파킨슨 증후군의 급성 악화시 무운동성 발작의 초기 및 단기 치료 4) 생체이용률 : 86~90% $T_{\frac{1}{2}}$: 9~31hrs, 7~10days(ESRD) 배설 : 신장(80~90%)	1) 1~10% – 기립성저혈압, 말초부종 – 불면, 우울, 불안, 현기, 환각, 운동실조, 두통, 졸음, 신경질, 격앙, 피로, 착란 – 망상피반 – 오심, 식욕감퇴, 변비, 설사, 구강건조 – 비강건조	〈금기〉 1) 중증 심부전과 심근증, 심근염, 서맥, 선천성 QT 증후군, 심실성 부정맥 경력자, 중증 신장애(CrCl<10ml/min), 경련성 질환 환자, 위궤양 및 병력자 2) 임신부 : Category C(국내허가금기) 3) 수유부 : 모유 이행 〈주의〉 1) 전립선 비대, 협우각형 녹내장, 신부전, 초조 또는 착란 상태, 간질발작, 심혈관 질환, 말초성 부종, 간장애, 저혈압, 정신질환 환자 등 신중투여 〈상호작용〉 1) 일부 항부정맥제제, 항정신병제, TCA 약물 등 QT 간격 연장시키는 약물과 병용시 주의

약품명 및 함량	용법	약리작용 및 효능	부작용	주의 및 금기
				2) 타 항파킨슨제, CNS 흥분제와 병용시 수면장애 등의 부작용 증가 3) 항콜린제와 병용시 혼돈, 환각 발생 가능 4) Hydrochlorothiazide와 병용 시 이 약의 신배설 저하 〈취급상 주의-주사제〉 1) 사용 후 잔액 폐기(보존제 불포함)

약품명 및 함량	용법	약리작용 및 효능	부작용	주의 및 금기
Benztropine mesylate Benztropine tab 벤즈트로핀정 …1mg/T …2mg/T	- 초회량 0.5~1mg/D, 5~6일 간격으로 0.5mg/D씩 증량 (Max. 6mg/D)	1) 화학적으로 atropine과 diphenhydramine을 결합시킨 제제로, 항콜린작용과 항히스타민작용을 가지며, trihexyphenidyl HCl보다 효과적임. 2) 모든 형태의 parkinsonism 및 neuroleptic drugs(phenothiazines)에 의한 추체외로 이상 증상 치료에 있어서 보조제로 사용 (tardive dyskinesia 제외) 3) 항히스타민제의 부작용인 진정효과는 levodopa나 항콜린약물에 의한 불면증에 유효함.	- 빈맥 - 착란, 방향상실, 기억장애, 환각 - 발진 - 이상고열 - 구강건조, 오심, 구토, 변비, 장폐색 - 뇨저류, 배뇨곤란 - 시야몽롱, 산동	〈금기〉 1) 녹내장 환자 2) 중증 근무력증 환자 3) 3세 미만 소아 〈주의〉 1) 전립선비대, 요로폐쇄성 질환 2) 부정맥, 빈맥 3) 간 · 신장애 4) 고령자, 3세 이상의 유소아 5) 임신부: Category B2(호주) 6) 수유부 : 안전성 미확립 〈상호작용〉 1) Phenothiazines, TCAs, MAOIs, reserpine 유도체와 병용시 이 약의 작용 증강 2) 항콜린성 약물과 병용시 장관마비, 마비성 장폐색 위험 증가
Procyclidine HCl Proimer tab 프로이머정 …5mg/T	1) 초회량 2.5mg tid 2) 5mg tid로 증량 가능	1) Anticholinergic agent로 파킨슨증후군과 기타 추체외로 증상 치료제 2) M_1수용체에 대한 선택성이 있으므로 anticholinergic 부작용이 적음. 3) Tmax : 1.1~2hrs $T\frac{1}{2}$: 11.5~12.6hrs	- 빈맥, 심계항진 - 착란, 졸음, 두통, 기억력 감퇴, 피로, 운동실조 - 피부건조, 광과민, 발진	〈금기〉 1) 우각폐색성 녹내장 환자 〈주의〉 1) 빈맥, 뇨저류와 같은 부교감신경계 저해 증상 주의 2) 저혈압 환자 3) 노인의 경우 정신착란, 방향감 상실, 환각 등

약품명 및 함량	용법	약리작용 및 효능	부작용	주의 및 금기
			- 변비, 구강건조, 오심, 구토 - 배뇨곤란 - 허약감 - 안내압 항진, 시야몽롱, 산동	4) 임신부: Category C 5) 소아 : 안전성 미확립
Trihexyphenidyl HCl Trihexin tab 트리헥신정 …2mg/T	1) 파킨슨증 - 1일 1mg/D - 2일 2mg/D - 이후 2mg/D씩 증량하여 6~10mg/D #3~4 2) 항정신병약 투여에 의한 파킨슨증, 운동장애, 정좌불능증 - 2~10mg/D #3~4	1) 항콜린약물로 부교감신경계에 대한 직접적인 억제작용 및 평활근의 이완 작용이 있음. 2) 모든 형태의 parkinsonism에 보조치료제로 쓰이며, 항정신병약 투여에 의한 파킨슨증, 운동장애, 정좌불능증에 사용(tardive dyskinesia 제외)	- 빈맥 - 착란, 쾌감, 격앙, 졸음, 두통, 현기, 초조, 환각 - 피부건조, 광과민, 발진 - 변비, 구강건조, 장폐색, 오심, 구토 - 뇨저류 - 허약감 - 시야몽롱, 산동, 안내압 항진, 녹내장 - 발한	〈금기〉 1) 녹내장 환자 2) 중증 근무력증 환자 〈주의〉 1) 전립선 비대, 요로 폐쇄성 질환 2) 부정맥, 빈맥 3) 간 · 신장애 4) 고령자 5) 고혈압 6) 위장관 폐쇄성질환 7) 동맥경화성 파킨슨증 8) 임신부: Category C 9) 수유부: 안전성 미확립 〈상호작용〉 1) Phenothiazines, TCAs, MAOIs, reserpine 유도체와 병용시 이 약의 작용 증강 2) 항콜린성 약물과 병용시 장관마비, 마비성 장폐색 위험 증가

1장. 신경계……………………5. Anti-parkinson agents……………………(3) Catechol-O-methyltransferase(COMT) inhibitors

약품명 및 함량	용법	약리작용 및 효능	부작용	주의 및 금기
Entacapone Comtan tab 콤탄정 …200mg/T	1) 200mg을 각 levodopa/dopa-decarboxylase inhibitor와 함께 투여 (Max. 200mg/dose로 1일 10회까지 투여)	1) COMT(catechol-O-methyltransferase)의 선택적, 가역적 억제제 2) 말초조직(위장관, 간, 신장)에서 높은 활성을 나타내는 효소 COMT에 의해 levodopa가 불활성화되는 것을 억제함.	1) >10% - 오심(14%), 운동이상증(25%) 2) 1~10%	〈금기〉 1) 간장애 환자, 크롬친화성세포종 환자 2) 선택적,비선택적 MAO-A(B) inhibitor 와 병용투여 금기 (selegiline과 병용시 selegiline은 10mg/D를 초과하지 않도록 함)

약품명 및 함량	용법	약리작용 및 효능	부작용	주의 및 금기
	2) 투여 초기 1일~1주일 이내에 levodopa의 용량 조절이 필요할 수 있음. (10~30% 감량 가능)	3) COMT 억제제 병용은 직접적인 levodopa의 생체 이용율 증가와 levodopa의 BBB 통과량 증가 효과를 가져옴. 4) 효능 효과: levodopa / dopa-decarboxylase inhibitor 표준요법으로 증상이 개선되지 않는 파킨슨 증후군 환자에 대하여 levodopa / dopa-decarboxylase inhibitor의 보조 치료 5) Onset: rapid BA: 35% Tmax: 1hr $T_{\frac{1}{2}}$: 0.4~0.7hr (B phase) 2.4hrs (Y phase) 배설: 대변(90%), 신장(10%)	- 기립성 저혈압(4.3%), 실신, 현기증 (8%), 피로감(6%), 환각(4%), 불안, 졸림, 흥분, - 설사(10%), 복통(8%), 변비, 구토, 구갈, 소화불량, 미각이상, - 황갈색뇨(10%), 과운동증(10%), 저운동증(9%), 저배통, 무력감, 호흡곤란, 발한, 균감염	3) 임신부: Category C 4) 수유부: 동물시험에서 모유로 이행됨 5) 18세 이하: 안전성 미확립 〈주의〉 1) 체위성 저혈압 환자에게 levodopa와 병용시 현훈 및 기립성 증후를 유발할 수 있으므로 운전 및 위험한 기계 조작시 주의 2) 도파민 효능약(bromocriptine), selegiline, amantadine과 병용 투여시 초기 용량 조절해야함. 〈상호작용〉 1) 철분제제가 이 약의 흡수를 방해(chelate 형성) 하므로 2~3시간의 간격을 두고 복용 2) COMT 에 의해 대사되는 약물 (rimiterole, isoprenaline, adrenaline, noradrenaline, dopamine, dobutamine, apomorphine, alpha-methyldopa)의 작용을 증강시킴.

약품명 및 함량	용법	약리작용 및 효능	부작용	주의 및 금기
Bromocriptine mesylate Parlodel tab 팔로델정 …2.5mg/T	1) 식사직후 투여 - 1일 1.25mg hs - 2~3일 1.25mg bid - 이후 2.5mg bid 2) 적응증에 따른 유지량 - 파킨슨병: 10~15mg/D - 성기능 부전증, 유루증, 불임증: 7.5mg/D - 주기적 양성 유방질환, 주기적 유선통, 월경시의 제증상: 5mg/D #2 - 선단비대증: 20mg/D #4 - 유즙분비 예방 및 억제: 2.5mg bid	1) Dopamine receptor에 직접 작용하는 dopamine agonist로 ergot alkaloids 제제임. 2) Idiopathic or postencephalitic parkinsonism에 levodopa에 내성이 생겼거나 "end-off-dose" akinesia 동통성 근육경축이 나타난 경우에 사용함. 항콜린제나 amantadine보다 효과적임. 3) 뇌하수체 전엽에 직접 작용하며 prolactin의 분비를 억제함으로써 galactorrhea, amenorrhea를 치유함. 4) Hyperprolactinemia에 의한 여성불임 및 남성불임에 사용함. 5) Growth Hr. 분비 억제작용으로 말단비대증 등에 사용함.	1) > 10% - 두통, 현기 - 오심 2) 1~10% - 기립성 저혈압 - 피로, 졸음 - 식욕감퇴, 구토, 복부경련, 변비 - 비충혈	〈금기〉 1) Ergot alkaloid에 과민한 환자 2) 관상동맥질환자 3) 조절되지 않는 고혈압, 산욕기 고혈압 환자 4) 임신중독증 환자 〈주의〉 1) 현저한 시력장애, 간 · 신장애, 소화성궤양, 레이노병, 정신병, 중증 심혈관질환, 타 고혈압치료제를 투여중인 환자는 신중투여 2) 임신부: Category B 3) 15세 이하 소아: 안전성 미확립 〈상호작용〉 1) 혈압강하제와 병용시 강압작용 증강

약품명 및 함량	용법	약리작용 및 효능	부작용	주의 및 금기
				2) 알코올에 의해 작용 증강 3) Macrolide계 항생제에 의해 혈중농도 상승 4) Dopamine효능제와 병용시 약효 감약 5) CsA의 혈중농도 상승시킴
Pramipexole HCl Mirapex tab 미라펙스정 …0.125mg/T …0.25mg/T …0.5mg/T …1mg/T	1) 초회량 : 0.125mg tid 2) 증량: 매 5~7일 마다 0.125mg/회씩 점차적으로 증량 3) 상용량 : 0.5~1.5mg tid 4) 신장애 환자: 신기능에 따라 투여 간격, 투여용량 조절 *신기능에 따른 용량조절 참고 Clcr(ml/min) : 용량 – 20~50 : 0.125mg bid (Max. 2.25mg/D) – 〈20 : 0.125mg qd (Max. 1.5mg/D)	1) Nonergot dopamine receptor agonist로서 D_2, D_3 receptor에 선택적으로 작용함 2) Ergot dopamine receptor agonist (bromocriptine)에 비해 dopamine receptor(D_2)에 대한 선택성이 높음 3) 특발성 파킨슨증(초기 파킨슨병 환자의 치료에 단독요법, 레보도파와 병용한 진행된 파킨슨병 환자의 병용요법), 중등증 및 중증의 특발성 하지 불안증후군 환자의 증상 치료 4) Tmax: 2hrs 이내 $T_{\frac{1}{2}}$: 8hrs (고령자: 12~14hrs) 배설: 신장(미대사체로서 90%)	1) > 10% – 체위성 저혈압 – 무기력, 현기증, 환각, 불면, 졸림 2) 1~10% – 부종, 흉통, 실신, 빈맥 – 정좌불능, 건망증, 혼돈, 근긴장 – 식욕감퇴, 체중감소, 구내 건조증 – 성욕감소, 발기불능, 빈뇨 – 관절염, 점액낭염, 다리경련 – 시야 이상, 호흡곤란, 비염	〈주의〉 1) 임신부: Category C 2) 신중투여: 신기능장애 환자 3) 기립성 저혈압 (특히 용량 증량시) 4) 일상활동 중 갑작스런 수면이 발생할 수 있음 5) 소아: 안전성 미확립 〈상호작용〉 1) Cimetidine에 의해 AUC 및 $T_{\frac{1}{2}}$증가 (각각 50%, 40%) 2) 양이온 수송 체계에 의해 분비되는 약물(diltiazem, cimetidine, ranitidine, triamterene, verapamil, quinidine, quinine)에 의해 청소율이 약 20% 감소됨 3) Dopamine antagonist(항정신병약, metoclopramide 등)에 의한 효과 감소
Ropinirole HCl Requip tab 리큅정 …0.25mg/T …1mg/T …2mg/T …5mg/T	1) 특발성 파킨슨씨병 – 초기: 0.25㎎ tid – 환자의 반응에 따라 증량함. ① 1주째: 0.25mg tid ② 2주째: 0.5mg tid ③ 3주째: 0.75mg tid ④ 4주째: 1mg tid ⑤ 5주 이후: 필요시 1주 간격으로 1.5mg/D씩 증량하여 9mg까지 증량. 더욱 증량이 필요한 경우 1주 간격으로 3mg/D씩 증량하여 24mg까지 증량함.	1) Nonergot dopamine agonist로 D_2 수용체에 직접 작용하며 중추와 말초 모두에서 효과를 나타냄. 2) 파킨슨씨병에 초기 투여시 L-dopa의 투약 시점을 늦추고, L-dopa와 병용시 on-off 현상을 억제하고 L-dopa의 1일 투여량을 줄여줌. 3) 적응증: 특발성 파킨슨씨병의 치료에 단독 또는 레보도파와 병용 투여, 중등증에서 중증의 원발성 하지불안증후군 4) 흡수: 음식 영향 없음. BA: 55%	1) >10% – 현기증, 졸음, 두통 – 오심 – 운동이상 2) 1~10% – 실신, 저혈압 – 환각, 혼란, 통증, 흥분, 비정상 꿈, 불면, 기억상실, 마비 – 복통, 구토, 변비, 설사, 소화불량, 고창, 침분비 증가,	〈금기〉 1) 임신부 : Category C 2) 수유부 : 안전성 미확립 〈주의〉 1) 심혈관계 질환 환자 2) 정신 질환 환자 3) 중증 신기능저하(Clcr 〈30ml/min) 4) 간기능저하 환자 5) 저혈압, 서맥, 부정맥을 유발할 가능성이 있음. 6) 졸음이나 어지러움 가능성이 있으므로, 운전 또는 기계 조작시 주의 7) 18세 미만 소아: 안전성 미확립

약품명 및 함량	용법	약리작용 및 효능	부작용	주의 및 금기
	- Max: 1회량 8mg, 1일 24mg 2) 원발성 하지불안증후군 - 초기: 0.25mg qd 2일간, 3일부터 7일째까지 0.5mg/D로 증량 가능 - 유지: 1주마다 1회 용량 0.5mg씩 증량하여 4mg/D까지 증량 가능	분포(Vd): 525L 대사: CYP1A2를 통해 불활성 대사체로 광범위하게 대사됨. $T_{\frac{1}{2}}$: 약 6hrs	구강건조증, 체중 감소 - 요로 감염 - 빈혈 - 관절통, 진전, 관절염, 감각 이상, 운동 저하 - 상기도 감염, 호흡 곤란 - 발한증가, 바이러스 감염	8) 투여 중지시 1주일에 걸쳐 서서히 감량함(∵갑작스런 감량이나 단약으로 이상고열과 혼란 증상이 생길 수 있음). 〈상호작용〉 1) 이 약의 효과 증가 ① CYP1A2 inhibitor: cimetidine, ciprofloxacin, erythromycin, isoniazid, ritonavir ② Estrogens 2) 이 약의 효과 감소: Antipsychotics, 효소 유도제(phenobarbital, carbamazepine, phenytoin, rifampin), 흡연, metoclopramide 3) 알코올: CNS 억제작용 증강
Ropinirole Requip PD tab 리큅피디정 …2mg/T …4mg/T …8mg/T	1) 초기 : 2mg qd 1주간 복용 후 4mg qd로 증량 2) 유지 : 증상이 조절되는 최소 용량 유지하며, 4mg/D로 증상 조절이 불충분할 경우 1주 또는 그 이상의 간격으로 2mg씩 단계적 증량(Max. 24mg/D) 3) 레보도파와 병용시 레보도파 서서히 감량 가능 4) 리큅 일반정에서 PD(서방정)로의 전환: 1일 총용량에 근거하여 선택(설명서 참조)	1) Nonergot dopamine agonist로 D_2 수용체에 직접 작용하며 중추와 말초 모두에서 효과를 나타냄. 2) 파킨슨씨병에 초기 투여시 L-dopa의 투약 시점을 늦추고, L-dopa와 병용시 on-off 현상을 억제하고 L-dopa의 1일 투여량을 줄여줌. 3) Three-layer system의 Geomatrix 형태의 서방정으로서 1일 1회 복용 4) 적응증: 특발성 파킨슨씨병의 치료에 단독 또는 레보도파와 병용 5) 흡수: 음식 영향 없음. BA: 55% (일반정, 서방정 동일) Tmax : 1~2hrs(일반정), 6~10hrs(서방정) 지속시간: 16hrs(일반정), 24hrs(서방정) 대사: 간(CYP1A2에 의해 광범위하게 대사됨)	1) 〉10% - 현기증, 졸음, 두통 - 오심 - 운동이상 2) 1~10% - 실신, 저혈압 - 환각, 혼란, 통증, 흥분, 비정상 꿈, 불면, 기억상실, 마비 - 복통, 구토, 변비, 설사, 소화불량, 고창, 침분비 증가, 구강건조증, 체중 감소 - 요로 감염 - 빈혈 - 관절통, 진전, 관절염, 감각 이상, 운동 저하 - 상기도 감염, 호흡 곤란	〈금기〉 1) 이 약 성분에 과민한 환자 2) 중증 신기능저하(CrCl 〈30ml/min) 3) 간기능저하 환자 4) 수유부 : 안전성 미확립 5) 임신부 : Category C 〈주의〉 1) 심혈관계 질환 환자 2) 정신 질환 환자 3) 저혈압, 서맥, 부정맥을 유발할 가능성이 있음. 4) 졸음이나 어지러움 가능성이 있으므로, 운전 또는 기계 조작시 주의 5) 투여 중지시 1주일에 걸쳐 서서히 감량함(∵갑작스런 감량이나 단약으로 이상고열과 혼란 증상이 생길 수 있음). 6) 18세미만 소아 : 안전성 미확립 〈상호작용〉 1) 이 약의 효과 증가 ① CYP1A2 inhibitor: cimetidine, ciprofloxacin, erythromycin, isoniazid, ritonavir ② Estrogens

약품명 및 함량	용법	약리작용 및 효능	부작용	주의 및 금기
			- 발한증가, 바이러스 감염	2) 이 약의 효과 감소: Antipsychotics, 효소 유도제 (phenobarbital, carbamazepine, phenytoin, rifampin), 흡연, metoclopramide 3) 알코올: CNS 억제작용 증강 〈취급상 주의〉 1) 서방정이므로 분할, 분쇄 불가
Rotigotine Neupro patch 뉴프로패취 …2mg/24h/EA …4mg/24h/EA …6mg/24h/EA …8mg/24h/EA	1) 용법 : 1일 1회, 매일 동일한 시간에 다른 부위에 부착 2) 용량 ① 파킨슨병 - 초기 파킨슨병: 1일 1회 2mg/24h로 시작, 매주 2mg/24h씩 증량 (Max. 8mg/24h/D) - 진행성 파킨슨병: 1일 1회 4mg/24h로 시작, 매주 2mg/24h씩 증량 (Max. 16mg/24h/D) - 투여 중단시, 격일로 2mg/24h씩 서서히 감량 권장 ② 하지불안 증후군 (2mg/24h만 해당) - 초기 1일 1회 1mg/24h로 시작, 매주 1mg/24h 씩 증량 (Max. 3mg/24h/D) - 투여 중단시, 격일로 1mg/24h씩 서서히 감량 권장	1) 파킨슨병 치료제 (Non-ergot dopamine agonist) 2) 적응증 - 특발성 파킨슨병의 치료 - 중등증 및 중증의 특발성 하지불안증후군 환자의 증상의 치료 (2mg/24h만 해당) 3) Onset: 1week (initial response) Tmax (plasma): 15~18hrs $T_{\frac{1}{2}}$: 패취 제거 후 5~7hrs 대사: 간 배설: 신장(71%), 대변(23%)	1) >10% - 말초부종(2-14%) - 졸음(5-32%), 어지러움(5-23%), 두통(8-18%), 피로(6-18%), 기립성저혈압(1-18%), 수면 장애(2-14%), 환각(7-14%), 불면(5-11%) - 부착부위 피부반응(27-46%), 다한증(1-11%) - 구역(15-48%), 구토(2-20%) - 운동 이상(14-17%), 관절통(8-11%)	〈금기〉 1) 자기공명영상(MRI) 또는 심율동 전환술 (Cardioversion)시행 전, 이 약을 제거.(이 약 지지층에 포함된 알루미늄으로 인한 피부 화상을 막기 위함) 〈주의〉 1) 운전, 기계조작시 주의(전조증상 없는 갑작스런 졸음, 수면 유발가능) 2) 기립성저혈압, 실신 유발 가능함 3) 충동조절 장애, 비정상적 사고 및 행동 징후, 섬유성 합병증, 흑색종, 시력 등에 대한 모니터링 필요 4) 아황산에 과민한 자(∵이 약에 함유된 metabisulfite에 의한 아나필락시스 유발 가능) 5) 임신부: Category C 6) 수유부 및 소아: 안전성 미확립 〈상호작용〉 1) Dopamine antagonist (metoclopramide 등)에 의해 이 약 효과 감소 2) 알코올 또는 중추신경 억제제 (Benzodiazepines, 항정신병제, 항우울제 등) 병용 시 주의 〈취급상 주의〉 1) 복부, 대퇴부, 엉덩이, 옆구리, 어깨 또는 상완의 피부(깨끗하고 건조하며, 체모, 상처가 없는 부위)에 부착하고, 20-30초간 확실히 눌러줌. 2) 부착 부위는 돌아가면서 적용하고, 동일부위에 14일 이내 재부착 금지 3) 부착부위에 열을 가하면 안됨.(열 찜질팩, 전기 담요, 사우나 및 열탕, 직사광선을 피할 것)

약품명 및 함량	용법	약리작용 및 효능	부작용	주의 및 금기
				4) 패취를 제 시간에 교체하는 것을 잊거나 패취가 탈락된 경우, 새로운 패취로 즉시 교체하여 다음 번 패취 교체 시간까지 남은 시간동안 부착함. 5) 개봉직후 사용, 잘라서 사용 불가함.

약품명 및 함량	용법	약리작용 및 효능	부작용	주의 및 금기
Levodopa+ Benserazide HCl **Madopar HBS cap** 마도파에취비에스캡슐 …100+25mg/C	1) 처음 1~2일은 투여중이던 Madopar tab의 용량·용법대로 동일하게 투여함. 2) 생체이용률이 낮으므로 (Madopar tab의 60%) 2~3일후에는 1일 용량을 50%까지 증량해야 하며, Levodopa로서 1500mg(15ⓒ)으로도 효과가 없으면 다시 Madopar tab 치료법으로 전환함. 3) Madopar tab와 병용투여시 유효혈중농도에 더 빨리 도달함. 4) 식사 중 또는 충분한 음식이나 음료와 같이 캡슐 째로 복용함. (캡슐을 부수어 복용하면 안 됨)	1) Levodopa: brain의 dopamine수치를 증가시켜 cholinergic & dopaminergic activity의 균형을 개선함 2) Benserazide: decarboxylase 억제제로 말초에서 levodopa의 탈탄산을 억제하여 BBB를 통과하는 levodopa를 증가시킴 3) Amantadine, bromocriptine, 항콜린제와의 병용도 가능함. 4) 항콜린제나 amantadine에 효과가 없는 진전된 상태에 효과적임. 5) 마도파 정제로 치료도중 on-off 현상이 나타날 경우 1회 투여량을 감량하고 자주 투여할 것을 권장함. 또는 서방형 HBS 캅셀 투여 권장. 6) 과잉치료 반응 시 1회 용량을 감소시키기 보다는 투여간격을 넓힘. 7) HBS (Hydrodynamically-Balanced System) 캡슐: 젤라틴 캡슐이 수화되어 점막덩어리가 되고, 용해와 확산을 통해 레보도파가 6~8시간 걸쳐 서서히 방출됨. 8) Onset : 3hrs 지속시간: 약 6~8hrs	- 기립성 저혈압, 부정맥, 흉통, 고혈압, 실신, 심계항진, 정맥염 - 현기, 불안, 착란, 악몽, 두통, 환각, on-off 현상, 기억장애, 격앙, 졸음, 불면, 보행이상, 운동실조, 신경증, 말초신경병증, 발작 - 발진, 탈모, 악성흑색종, 과민반응 - 성욕증가 - 식욕감퇴, 오심, 구토, 변비, 위장관 출혈, 십이지장궤양, 설사, 소화불량 - 요색변화, 빈뇨 - 용혈성 빈혈, 무과립구증, 혈소판 감소, 백혈구 감소, Hgb/Hct 감소 - 마비감, 골의 통증, 근경련, 허약감	〈금기〉 1) 중증 내분비장애 2) 간·신장애 3) 중증 심질환 4) 정신질환 5) 25세미만의 환자(골격발달이 완전해야 함) 6) 악성흑색종 7) 폐쇄각 녹내장 8) 비선택성 MAOIs 투여중인 환자(MAO-A,B 선택적 저해제는 이 중 한종류씩 사용 가능) 9) 임신부: Categoy C(국내허가금기) 〈주의〉 1) 개방각 녹내장, MI, 관동맥부전, 부정맥, 골연화증, 소화성궤양, 당뇨 환자는 신중투여 2) 응급 수술시 cyclopropane이나 halothane으로 마취해서는 안됨. 〈상호작용〉 1) 고단백식이는 흡수에 영향 (아미노산과 dopamine이 상경적으로 흡수됨). 2) 교감신경흥분약, 혈압강하제와 병용 시 이들 약의 작용 증강 3) 신경이완제, 마약류, 항고혈압약물은 이 약의 작용을 저해 4) 타 항파킨슨제 (benztropine, amatadine, bromocriptine)와 병용 시 CNS 부작용 증가

약품명 및 함량	용법	약리작용 및 효능	부작용	주의 및 금기
			- 안검연축, 안구운동 발증 - 배뇨곤란 - 호흡곤란, 기침 - 딸꾹질, 땀의 색 변화, 발한	5) 제산제, 황산 제1철과 병용 시 levodopa의 흡수율 유의하게 감소 6) Metoclopramide는 levodopa의 흡수율을 증가시켜 EPS발생 증가시킴.
Levodopa+ Benserazide HCl **Madopar tab** 마도파정 …100+25mg/T …200+50mg/T	(다음은 levodopa에 해당하는 용량임) - 초회량: 50~100mg tid~qid - 유지량: 400~800mg/D 분할투여	1) Levodopa: brain의 dopamine수치를 증가시켜 cholinergic & dopaminergic activity의 균형을 개선함 2) Benserazide: decarboxylase 억제제로 말초에서 levodopa의 탈탄산을 억제하여 BBB를 통과하는 levodopa를 증가시킴 3) Amantadine, bromocriptine, 항콜린제와의 병용도 가능함. 4) 항콜린제나 amantadine에 효과가 없는 진전된 상태에 효과적임. 5) 치료도중 on-off현상이 나타날 경우 1회 투여량을 감량하고 자주 투여할 것을 권장함. 또는 서방형 HBS 캅셀 투여 권장 6) Tmax: 1hr $T\frac{1}{2}$: 15~17hrs(metabolite)	- 기립성 저혈압, 부정맥, 흉통, 고혈압, 실신, 심계항진, 정맥염 - 현기, 불안, 착란, 악몽, 두통, 환각, on-off 현상, 기억장애, 격앙, 졸음, 불면, 보행이상, 운동실조, 신경증, 말초신경병증, 발작 - 발진, 탈모, 악성흑색종, 과민반응 - 성욕증가 - 식욕감퇴, 오심, 구토, 변비, 위장관 출혈, 십이지장궤양, 설사, 소화불량 - 요색변화, 빈뇨 - 용혈성 빈혈, 무과립구증, 혈소판 감소, 백혈구 감소, Hgb/Hct 감소 - 마비감, 골의 통증, 근경련, 허약감 - 안검연축, 안구운동 발증	〈금기〉 1) 중증 내분비장애 2) 간 · 신장애 3) 중증 심질환 4) 정신질환 5) 25세미만의 환자 : 골격발달이 완전해야 함 6) 악성흑색종 7) 폐쇄각 녹내장 8) 이 약의 성분에 과민한 환자 9) 비선택성 MAOIs 투여중인 환자(MAO-A,B 선택적 저해제는 이 중 한종류씩 사용 가능) 10) 임신부: Categoy C(국내허가금기) 〈주의〉 1) 개방각 녹내장, MI, 관동맥부전, 부정맥, 골연화증, 소화성궤양, 당뇨 환자는 신중투여 2) 응급수술시 cyclopropane이나 halothane으로 마취해서는 안됨. 〈상호작용〉 1) 고단백식이는 흡수에 영향 (아미노산과 dopamin이 상경적으로 흡수됨) 2) Reserpine, phenothiazine, butyrophenone, phenytoin, papaverine과 병용시 이 약의 작용 감약됨 3) 혈압강하제와 병용시 이들 약물의 작용 증강시킴 4) 타 항파킨슨제(benztropine, amantadine, bromocriptine)와 병용시 CNS 부작용 증가 5) TCAs와 병용시 고혈압 및 운동이상 발생

약품명 및 함량	용법	약리작용 및 효능	부작용	주의 및 금기
			- 배뇨곤란 - 호흡곤란, 기침 - 딸꾹질, 땀의 색 변화, 발한	6) Metoclopramide는 levodopa의 흡수율을 증가시켜 EPS 발생 증가시킴.
Levodopa+ Benserazide HCl **Madopar dispersible tab** 마도파확산정 …100+25mg/T	(다음은 levodopa에 해당하는 용량임) - 초회량: 50~100mg tid ~qid - 유지량: 400~800mg/D 분할투여 - 물 1/4컵(25~50ml)에 용해하여 30분 이내에 복용 (과일쥬스, 우유, 뜨거운 물은 안됨)	1) Levodopa: brain의 dopamine수치를 증가시켜 cholinergic & dopaminergic activity의 균형을 개선함 2) Benserazide: decarboxylase 억제제로 말초에서 levodopa의 탈탄산을 억제하여 BBB를 통과하는 levodopa를 증가시킴 3) Amantadine, bromocriptine, 항콜린제와의 병용도 가능함. 4) 항콜린제나 amantadine에 효과가 없는 진전된 상태에 효과적임. 5) 확산정: 물에 확산시켜 액상으로 복용하는 제형으로서, 연하곤란이 있거나 빠른 작용발현을 요하는 환자에게 투여함. 6) Tmax: 약 30min Onset: 약 30min	- 기립성 저혈압, 부정맥, 흉통, 고혈압, 실신, 심계항진, 정맥염 - 현기, 불안, 착란, 악몽, 두통, 환각, on-off 현상, 기억장애, 격앙, 졸음, 불면, 보행이상, 운동실조, 신경증, 말초신경병증, 발작 - 발진, 탈모, 악성흑색종, 과민반응 - 성욕증가 - 식욕감퇴, 오심, 구토, 변비, 위장관 출혈, 십이지장궤양, 설사, 소화불량 - 요색변화, 빈뇨 - 용혈성 빈혈, 무과립구증, 혈소판 감소, 백혈구 감소, Hgb/Hct 감소 - 마비감, 골의 통증, 근경련, 허약감 - 안검연축, 안구운동발증 - 배뇨곤란 - 호흡곤란, 기침 - 딸꾹질, 땀의 색 변화, 발한	〈금기〉 1) 중증 내분비장애 2) 간 · 신장애 3) 중증 심질환 4) 정신질환 5) 25세미만의 환자(골격발달이 완전해야 함) 6) 악성흑색종 7) 폐쇄각 녹내장 8) 비선택성 MAOIs 투여중인 환자(MAO-A,B 선택적 저해제는 이 중 한종류씩 사용 가능) 9) 임신부: Categoy C(국내허가금기) 〈주의〉 1) 개방각 녹내장, MI, 관동맥부전, 부정맥, 골연화증, 소화성궤양, 당뇨 환자는 신중투여 2) 응급 수술시 cyclopropane이나 halothane으로 마취해서는 안됨. 〈상호작용〉 1) 고단백식이는 흡수에 영향 (아미노산과 dopamine이 상경적으로 흡수됨) 2) 교감신경흥분약, 혈압강하제와 병용 시 이들 약의 작용 증강 3) 신경이완제, 마약류, 항고혈압약물은 이 약의 작용을 저해 4) 타 항파킨슨제 (benztropine, amatadine, bromocriptine)와 병용 시 CNS 부작용 증가 5) 제산제, 황산 제1철과 병용 시 levodopa의 흡수율 유의하게 감소 6) Metoclopramide는 levosopa의 흡수율을 증가시켜 EPS발생 증가시킴.

약품명 및 함량	용법	약리작용 및 효능	부작용	주의 및 금기
Levodopa+ Carbidopa **Perkin tab** 퍼킨정 …100+25mg/T …250+25mg/T **Sinimet CR tab** 시네메트씨알정 …200+50mg/T	(일반 제형) (다음은 levodopa에 해당하는 용량임) 1) 초회량: 100~300mg/D – 매일 또는 격일로 100~125mg/D씩 증량 2) 유지량: 200~250mg tid (Max. 1.5g/D) (서방정제) 1) 일반정제를 복용중인 환자 – 초회량: levodopa로서 10% 증량투여, 30%까지 증량 가능, 2~3회 분복 2) Levodopa제제를 투여하지 않은 환자 – 1Ⓣ bid (경증~중등도) 3) 일반적으로 levodopa로서 400~1600mg/D을 수면시간을 제외하고 4~8시간마다 분복 4) 중증 파킨슨병에 속효성이 필요한 경우 일반정제와 병용함	1) Levodopa: brain의 dopamine수치를 증가시켜 cholinergic & dopaminergic activity의 균형을 개선함 2) Carbidopa: decarboxylase 억제제로 말초에서 levodopa의 탈탄산을 억제하여 BBB를 통과하는 levodopa를 증가시킴 3) Amantadine, bromocriptine, 항콜린제와의 병용도 가능함. 4) 항콜린제나 amantadine에 효과가 없는 진전된 상태에 효과적임. 5) 250+25mg/T는 다량의 levodopa가 필요할 때 사용하며,CR tab은 일반정제보다 onset이 1시간 지연될 수 있음.	– 기립성 저혈압, 부정맥, 흉통, 고혈압, 실신, 심계항진, 정맥염 – 현기, 불안, 착란, 악몽, 두통, 환각, on-off 현상, 기억장애, 격앙, 졸음, 불면, 보행이상, 운동실조, 신경증, 말초신경병증, 발작 – 발진, 탈모, 악성흑색종, 과민반응 – 성욕증가 – 식욕감퇴, 오심, 구토, 변비, 위장관출혈, 십이지장궤양, 설사, 소화불량 – 요색변화, 빈뇨 – 용혈성 빈혈, 무과립구증, 혈소판 감소, 백혈구 감소, Hgb/Hct 감소 – 마비감, 골의 통증, 근경련, 허약감 – 안검연축, 안구운동발증 – 배뇨곤란 – 호흡곤란, 기침 – 딸꾹질, 땀의 색 변화, 발한	〈금기〉 1) 악성흑색종 2) 폐쇄각 녹내장 3) 비선택성 MAOIs 투여중인 환자(MAO-A,B 선택적 저해제는 이 중 한종류씩 사용 가능) 〈주의〉 1) 중증 내분비장애 2) 간 · 신장애 3) 중증 심질환 4) 개방각 녹내장, MI, 관동맥부전, 부정맥, 골연화증, 소화성궤양, 당뇨 환자는 신중투여 5) 응급수술시 cyclopropane이나 halothane으로 마취해서는 안됨. 6) 임신부: Categoy C 〈상호작용〉 1) 고단백식이는 흡수에 영향 (아미노산과 dopamine이 상경적으로 흡수됨). 2) Reserpine, phenothiazine, butyrophenone, phenytoin, papaverine과 병용시 이 약의 작용 감약됨 3) 혈압강하제와 병용시 이들 약물의 작용 증강시킴 4) 타 항파킨슨제(benztropine, amantadine, bromocriptine)와 병용시 CNS 부작용 증가 5) TCAs와 병용시 고혈압 및 운동이상 발생 6) Metoclopramide는 levodopa의 흡수율을 증가시켜 EPS 발생 증가시킴. 〈취급상 주의〉 1) CR정 : 분할, 분쇄 불가

약품명 및 함량	용법	약리작용 및 효능	부작용	주의 및 금기
Levodopa + Carbidopa + Entacapone **Stalevo tab** 스타레보필름코팅정 …50+12.5+200mg/T …75+18.75+200mg/T …100+25+200mg/T …125+31.25+200mg/T …150+37.5+200mg/T …200+50+200mg/T	1) 1회 1정씩 음식물과 함께 또는 단독으로 복용. (Max. 50, 75, 100, 125, 150 tab의 경우 1정씩 10회/day, 200 tab의 경우 1정씩 7회/day)	1) Dopamine prodrug + Dopa decarboxylase inhibitor + COMT inhibitor 복합제 (항파킨슨제) 2) 적응증: 레보도파/도파탈탄산효소 억제제 표준치료제로 개선되지 않는 파킨슨씨병 환자의 운동동요증상(end-of-dose motor fluctuation) 치료 3) 기타 내용은 levodopa/carbidopa, entacapone 참조	* Levodopa/carbidopa, entacapone 참조	* Levodopa/carbidopa, entacapone 참조

1장. 신경계 ……………… 5. Anti-parkinson agents ……………… (6) Monoamine oxidase B inhibitors

약품명 및 함량	용법	약리작용 및 효능	부작용	주의 및 금기
Rasagiline mesylate Azilect tab 아질렉트정 …1mg/T	1) 1mg qd, 식사와 관계없이 복용 (Max: 1mg/D) 2) 단독요법 또는 레보도파의 보조요법으로 투여	1) Selective MAO-B(monoamine oxidase type B) inhibitor 2) MAO-B에 의한 도파민 대사를 억제하여 뇌 선조체의 도파민의 농도를 증가시킴 3) 적응증: 특발성 파킨슨병의 치료(단독요법, 레보도파의 보조요법) 4) Tmax: 1hr 지속시간: 1wk(irreversible inhibition), 6wks(multiple dose) $T_{1/2}$: ~3hrs 대사: 간(CYP1A2) 배설: 신장(62%), 대변(7%)	1) >10% - 저혈압, 기립성저혈압(보조요법 3~13%) - 두통(14%, 보조요법 6~11%) - 오심(보조요법 6~12%) - 이상운동증(보조요법 18%) 2) 1~10% - 말초부종(7%), 혈압상승, 흉통 - 어지러움(7%), 졸림, 운동실조, 우울, 불면증, 환각, 불안 - 발진, 점상출혈, 발한, 탈모 - 체중감소, 성욕감소	〈금기〉 1) 다른 MAO 억제제(St. John's Wort 포함) 투여 중이거나 투여중단 2주 이내의 환자 2) Pethidine(meperidine)을 투여 중이거나 투여중단 후 2주 이내의 환자 3) Tramadol 투여 중인 환자 4) Dextromethorphan 투여 중인 환자 5) 중등증 및 중증의 간장애 환자 〈주의〉 1) 임신부: Category C 2) 수유부, 18세 이하 소아: 안전성 미확립 〈상호작용〉 1) 교감신경흥분제(비강, 경구 및 안과용 충혈제거제, 감기약)와 병용 시 혈압 상승 발생 2) SSRIs, SNRIs, TCAs와 병용 시 세로토닌증후군 발생 가능성 있음 3) Ciprofloxacin(CYP1A2 저해제) 병용 시 이 약의 AUC 83% 증가

약품명 및 함량	용법	약리작용 및 효능	부작용	주의 및 금기
			- 변비, 소화불량, 설사, 구토, 구강건조 - 혈뇨, 요실금 - 출혈, 백혈구감소증 - 간 수치 증가	4) 흡연(CYP1A2 유도) 시 이 약의 혈중 농도 감소 위험 있음 5) 권장용량 투여 시 Tyramine 제한 식이 불필요함 (but 과량의 tyramine(〉150mg) 함유 음식은 고혈압반응 유발할 수 있음)
Selegiline HCl Mao-B tab 마오비정 …5mg/T	1) 5~10mg #2 (아침, 점심) (Max.10mg/D) 2) Levodopa와 병용시 초기 levodopa 감량 가능	1) MAO-B 비가역적 저해제로 흑질선조체에서의 도파민 분해를 억제하고 절전 synapse에서의 dopamine reuptake를 저해함. 2) 초기 파킨슨 증후군의 단독요법제(레보도파의 치료 시기 연장) 또는 레보도파와 병용시 레보도파의 용량을 20~30% 감소시키면서 효과를 일정하게 유지 개선함. 3) 상용량에서 cheese effect가 없음	- 기립성 저혈압, 고혈압, 부정맥, 심계항진, 협심증, 빈맥, 말초부종, 서맥, 실신 - 환각, 현기, 착란, 불안, 우울, 졸음, 행동/기분변화, 악몽, 피로 - 발진, 광과민 - 구강건조, 오심, 구토, 변비, 체중감소, 식욕감퇴, 설사, 흉부작열감 - 야뇨, 전립선비대, 뇨저류, 성기능이상 - 진전, 무도병, 균형감각소실, 초조 - 안검연축, 시야몽롱 - 발한	〈금기〉 1) Dopamine 결핍과 관계없는 추체외로 증후군(본태성 진전, 헌팅턴 무도병 등) 2) 이 약에 과민한 환자 〈주의〉 1) 고용량 투여시(20mg/D) MAO-B 선택성의 소실로 tyramine-rich food로 인한 고혈압 발생 2) 위, 십이지장궤양, 불안정고혈압, 부정맥, 중증의 협심증, 정신병 환자 3) Levodopa와 병용시 levodopa 부작용 발현 여부를 최소 3개월마다 검사 4) 임신부 : Category C 〈상호작용〉 1) 간접적 교감신경흥분제와 병용시 고혈압, 빈맥 유발 2) MAO-A저해제와 병용시 혈압을 심각하게 저하시킴 3) SSRIs, TCAs와 병용금지 : 고혈압, 초조, 운동 실조, 조병유발 (fluoxetine 중단 후 5주간 휴약, selegiline 중단 후 2주간 휴약) 4) Pethidine과 병용금지

약품명 및 함량	용법	약리작용 및 효능	부작용	주의 및 금기
Neostigmine methylsulfate Neostigmine inj 메칠황산네오스티그민주 …0.5mg/1ml/A	1) 성인 : 0.25~0.5mg qd~tid IM, SC(Max. 5mg/D) *신기능에 따른 용량조절 참고 CrCl(mL/min) : 용량 ① 50~10 : 상용량의 50% ② <10 : 상용량의 25%	1) Cholinesterase inhibitor로 acetylcholine의 가수분해를 억제함. 2) 신경근 접합부를 통한 신경자극 전달을 쉽게함. 3) 골격근, 자율신경절 세포 및 CNS 뉴론에 직접적인 콜린성 효과를 나타냄. 4) 중증 근무력증, 수술후의 장관마비, 각종 운동장애, 뇨관수축, 비탈분극성 근이완제의 해독제로 사용함.	- 부정맥(특히 서맥), 저혈압, 빈맥, 방실차단, EKG변화, 실신, 홍조 - 발작, 구음장애, 현기, 졸음, 두통 - 발진, 정맥염(IV), 두드러기 - 연동항진, 오심, 구토, 타액분비, 설사 - 절박뇨 - 허약감, 근경련, 경축, 관절통 - 기관지 분비 증가, 호흡곤란, 기도경축 - 발한, 과민반응	〈금기〉 1) 소화기 또는 요로의 기질적 폐색 환자 2) 미주신경 긴장증 환자 3) 탈분극성이완제 투여중인 환자 〈주의〉 1) 기관지 천식, 갑상선 기능항진증, 관상동맥폐색, 서맥, 소화성 궤양, 간질, 파킨슨증후군 환자에게 신중투여 2) 임신부: Category C 〈상호작용〉 1) 탈분극성이완제(succinylcholine)와 병용시 콜린효능성 반응 증강 2) 부교감신경억제제는 콜린성 발증의 초기증상을 은폐시켜 이 약의 과잉투여를 초래할 수 있음
Pyridostigmine bromide Mestinon tab 메스티논정 …60mg/T Pyrinol inj 피리놀주 …5mg/1ml/A	1) 경구제 : 60~180mg #3 2) 주사제 ① 비탈분극성 근이완제의 역전제 또는 길항제: 10~20mg IV (0.1~0.25 mg/kg) ② 중증근무력증 - 수술전후, 분만시, 분만후 근무력증 위기시: 2~6mg IM, IV - 근무력증 증상의 모친으로부터 태어난 신생아의 호흡곤란, 연하운동곤란시: 0.05~0.15mg/kg IM ③ 분만시 임부의 근긴장도 유지: 분만 제2기 1시간 전에 주사	1) Cholinesterase inhibitor로 acetylcholine의 가수분해를 억제함. 2) 신경근 접합부를 통한 신경자극 전달을 쉽게함. 3) 골격근, 자율신경절세포 및 CNS 뉴론에 직접적인 콜린성 효과를 나타냄. 4) Neostigmine보다 지속적이고 장관에 대한 부작용이 적음. 5) 적응증 - 중증근무력증 - 비탈분극성 근이완제의 역전제 또는 길항제(주사제만)	- 부정맥(특히 서맥), 저혈압, 빈맥, 방실차단, EKG변화, 실신, 홍조 - 발작, 구음장애, 현기, 졸음, 두통 - 발진, 정맥염(IV), 두드러기 - 연동항진, 오심, 구토, 타액분비, 설사 - 요의절박 - 허약감, 근경련, 경축, 관절통 - 기관지분비 증가, 호흡곤란, 기도경축 - 발한, 과민반응	〈금기〉 1) 장 및 요로폐색, 협착, 경련 환자 2) 기관지 천식, 경련성 기관지염 환자 3) 홍채염 환자 4) 갑상선기능 항진증 환자 5) 파킨슨 증후군 환자 6) 수술후 쇽 또는 심혈관계 발증 환자 7) 탈분극성 이완제 투여중인 환자 〈주의〉 1) 신장애, 소화성궤양, 위장관 수술, 당뇨병, 간손상, 심부전, 최근의 MI, 부정맥, 서맥, 저혈압 환자에게 신중투여 2) 임신부: Category C (호주) 〈상호작용〉 1) 탈분극성이완제(succinylcholine)와 병용시 콜린효능성 반응 증강 2) 부교감신경 억제제는 콜린성 발증의 초기증상을 은폐시켜 이 약의 과잉투여를 초래할 수 있음

약품명 및 함량	용법	약리작용 및 효능	부작용	주의 및 금기
Succinylcholine chloride Succicholine inj 석시콜린주 …100mg/2ml/A	1) 간헐투여: 1회 10~60mg IV 2) 지속투여: 5DW 또는 NS에 희석하여 0.1~0.2%로 함, 2.5mg/min IV 3) 유 · 소아: 1mg/kg IV, 2~3mg/kg IM	1) 운동신경종판의 choline 수용체와 결합하여 Ach와 같이 탈분극을 일으킨 후 계속 탈분극상태를 유지함으로써 횡문근의 섬유성 연축 후 이완 및 마비가 이루어짐. 2) 초단시간형으로 1분이내에 근육이완, 2분에 최고, 5분후 작용이 끝남. 3) 단시간의 근육이완 목적으로 후두경, 위경 및 기관지경 등의 삽입시 사용. 4) 긴 수술에서 횡문근의 이완을 마음대로 조절하고자 할 때 사용함.	1) > 10% - 안내압 항진 - 수술후 경직 2) 1~10% - 서맥, 저혈압, 부정맥, 빈맥 - 위내압 상승, 타액분비	〈금기〉 1) 골격근병증, 근위축증, 선천성 근긴장성 질환 환자 〈주의〉 1) 중증의 열상, 광범위 좌멸성외상, 요독증, 사지마비 환자에게 신중투여 2) Digoxin 중독경험이 있는 환자 또는 최근 복용환자 3) 녹내장 환자 4) Cholinesterase 저해제를 복용중인 환자 5) 임신부: Category C 〈상호작용〉 1) Cholinesterase 저해제(neostigmine, pyridostigmine)에 의해 분해 저해됨 2) 비탈분극성 이완제와 병용시 주의 〈취급상 주의〉 1) 냉장보관

약품명 및 함량	용법	약리작용 및 효능	부작용	주의 및 금기
Atracurium besylate Acrium inj 아크리움주사 …25mg/2.5ml/A	1) 성인 ① 근이완작용: 0.3~ 0.6mg/kg IV (15~35분 지속됨) ② 기관내 삽관 시행: 0.5~0.6mg/kg IV(90초 이내에 시행) ③ 신경근 차단 효과 연장: 0.1~0.2mg/kg IV를 추가 투여. ④ 장시간 수술시 신경근 차단효과 유지: - 초회: 0.3~0.6mg/kg - 유지: 0.3~0.6mg/kg/hr IV inf.	1) 비탈분극성 근신경근 차단제로서 골격근 이완작용을 나타냄. 2) 마취시 근이완, 기관내 삽관시 근이완 유지, 기계적 조절호흡, 수술시 근이완에 사용 3) Onset : 2~2.5mins Tmax : 3~5mins 지속시간 : 15~25mins 단백 결합율 : 82% $T_{\frac{1}{2}}$: 20mins 대사 : 혈액 배설 : 투여후 5시간이내 담즙(47%), 신장(18%)	1) 1~10% 서맥, 피부홍조, 저혈압, 빈맥 2)< 1% 기관지 분비, 홍반, 가려움, 담마진, 천명	〈주의〉 1) 중증의 근무력증, 근무력 증후군 및 기타 신경근 질환 환자 2) 중증의 산-염기 또는 전해질 대사 이상 환자 3) Pheochromocytoma 4) 저인산염 혈증 환자 5) 기관지 천식 환자 6) 화상 환자 7) 심혈관계 질환 환자 8) 1개월 이하 신생아: 안전성, 유효성 미확립 9) 임신부: Category C

약품명 및 함량	용법	약리작용 및 효능	부작용	주의 및 금기
	⑤ 심폐회로 수술: 0.3~0.6mg/kg/hr IV infusion 2) 소아 1개월 이상의 소아용량(mg/kg)은 성인에 준함. 3) 중증의 심혈관 질환 환자: 초회량은 60초 이상에 걸쳐 투여.			〈상호작용〉 1) 이 약의 효과 증강: 흡입마취제, 항생물질, 부정맥용제, 칼슘차단제, 이뇨제, 신경절 차단제 2) 이 약의 효과 감소: 항전간제, 스테로이드제, 교감신경 흥분제, aminophylline 〈취급상 주의〉 1) 냉장 보관
Cisatracurium besylate Nimbex inj 님벡스주 …5mg/2.5ml/A …20mg/10ml/A	1) 성인 ① 기관내 삽관: 0.15mg/kg IV (2분 후 기관내 삽관 시행 가능) ② 신경근 차단효과 연장: 0.03mg/kg IV(약 20분간 연장) ③ 신경근 차단상태 유지 - 초회: 3mcg/kg/min - 유지: 1~2mcg/kg/min IV inf. ④ 중환자: 3mcg/kg/min IV inf. 2) 소아 ① 기관내 삽관 시행(1개월~12세): 0.15mg/kg를 5~10초간 IV (2분 후 기관내 삽관 시행 가능) ② 삽관 불필요(2~12세): 0.08~0.1 mg/kg를 5~10초간 IV ③ 신경근 차단효과 연장: 0.02 mg/kg IV(약 9분간 연장) ④ 신경근 차단상태 유지 - 초회: 3mcg/kg/min - 유지: 1~2mcg/kg/min IV inf.	1) 비탈분극성 근신경근 차단제 2) Atracurium의 이성질체로 아세틸콜린이 운동신경말단 수용체 결합하는 것을 방해하여 탈분극 저해함으로써 골격근 이완작용을 나타냄 3) 적응증: 전신마취 시 또는 중환자의 진정 시 골격근 이완, 기관내 삽관 및 기계적 환기를 용이하게 하기 위한 보조제 4) Onset: 2~3mins Peak: 3~5mins 지속시간: 25~93mins $T_{\frac{1}{2}}$: 22~29mins 대사: 혈류 배설: 신장(95%), 대변(4%)	1) 〈1% - 서맥, 기관지 경련 - 홍조, 저혈압, 두드러기, 발진	〈금기〉 1) Atracurium, benzene sulfonate에 과민한 환자 2) 임신부: Category B 3) 1개월 미만 신생아: 안전성, 유효성 미확립 〈주의〉 1) 다른 신경근 차단제에 과민반응 보인 환자(∵ 교차 과민반응) 2) 중증 근무력증 및 신경근질환 환자 3) 중증 산-염기 및 전해질 이상 환자 4) 중증 심혈관계 질환자 5) 수유부: 안전성 미확립 6) 화상 환자 〈상호작용〉 1) 흡입마취제, ketamine, 비탈분극성 신경근 차단제, 부정맥치료제, 이뇨제, 마그네슘염, 리튬염, 신경절 차단제, suxamethonium: 이 약의 효과 상승 2) Acetylchloine esterase inhibitors, phenytoin, carbamazepine: 이 약의 효과 감소 〈취급상 주의〉 1) 차광, 냉장보관 (2~8℃) 2) 희석 후 즉시 사용(희석 후 5~25℃에서 24시간 안정) 3) 희석액: NS, 5DW 4) 배합금기: ketolorac, propofol, thiopental sodium 5) 수혈관 통해 투여 금지(∵ 저장성)

약품명 및 함량	용법	약리작용 및 효능	부작용	주의 및 금기
Vecuronium bromide Vecaron inj 베카론주 …4mg/V …10mg/V	1) 성인 및 소아 - 삽관용량: 0.08~0.1mg/kg - 삽관후 수술과정중의 투여량: 0.03~0.05mg/kg - 유지량: 0.02~0.03mg/kg 2) 신생아 및 1세 이하 영아 - 초회량: 0.01~0.02mg/kg - 90~95%로 연축반응이 억제될 때까지 증량	1) 비탈분극성 신경근 차단제 2) Pancuronium과 구조적으로 유사하나 효력은 1.5배 크고, 작용 발현 및 지속시간은 1/2~1/3배로 짧음. 3) 마취보조제로 endotracheal intubation을 용이하게 하고 근육 특히, 복벽근의 이완을 요하는 수술에 사용함. 4) Onset: 2.5~3mins $T\frac{1}{2}$: 30~80mins 지속시간: 25~30mins 회복시간: 25~40mins(25%) 45~60mins(95%)	- 쇽 - 과민증: 발적, 발진 - 서맥, 빈맥, 저혈압 - 딸꾹질, 기관지경련, 지속성호흡억제 - 히스타민성 반응: 주사부위의 가려움, 홍반성 반응, 기관지 연축, 심혈관계 변화 - 근육통, 무력감, CPK 상승, 횡문근융해증	〈금기〉 1) 이 약 또는 Br에 과민한 환자 〈주의〉 1) 호흡곤란 및 기도폐색, 기관지천식, 전해질 이상, 고혈압 환자에게 신중투여 2) 신장, 담도질환자 3) 순환시간 연장 환자(약효발현 지연) 4) 신경근 질환, 저체온증 5) 간장애 환자(회복시간 지연) 6) 호흡근을 이완시키므로 자발적 호흡이 회복될 때까지 기계적 환기를 유지함. 7) 임신부: Category C 8) 수유부 : 안전성 미확립 〈상호작용〉 1) 마취제, 비탈분극성 신경근 차단제, AGs계 항생제, 이뇨제, MAOIs, quinidine 등과 병용시 근이완 작용 증강 2) Neostigmine, pyridostigmine, 부신피질 호르몬, 항전간제, norepinephrine, azathioprine, theophylline 등과 병용시 근이완 작용 감소 〈취급상 주의〉 1) 재구성 후 안정성: 실온 24hrs 2) 희석 후 안정성: 실온 12hrs

약품명 및 함량	용법	약리작용 및 효능	부작용	주의 및 금기
Afloqualone Arobest tab 아로베스트정 …20mg/T	1) 20mg tid	1) Quinazolinone 유도체로 근이완제임. 2) 근육경련에 사용함. 3) Tmax: 1hr $T\frac{1}{2}$: 3.3hrs	- 현훈, 두통, 두중감 - 오심, 구토, 식욕부진, 복통, 하리 - 발진 - 탈력감, 권태, 이명, 빈뇨	〈주의〉 1) 소아, 임신부, 수유부: 안전성 미확립

약품명 및 함량	용법	약리작용 및 효능	부작용	주의 및 금기
Baclofen Baclofen tab 바클로펜정 …10mg/T	1) 성인 - 초회량: 5mg tid - 유지량: 30~80mg/D 2) 소아 - 12~24개월: 10~20mg/D - 2~10세: 30~60mg/D - 10세이상 입원환자: Max. 2.5mg/kg/D	1) GABA 동족체인 중추성근이완제로 spinal cord level에서 단일 시냅스와 다발성 시냅스에서의 신경전달을 억제하며 CNS도 억제함. 2) Cerebral성보다 spinal성 spasticity에 더 효과적임. 3) 다발성 경화증에 기인된 장애에 이 약 60mg은 diazepam 30mg과 효과는 비슷하나 diazepam보다 진정작용이 적음. 4) 말초 근육이완작용은 없음. 5) 다발성 경화증으로 인한 골격근 경련과 척수질환의 경련상태에 사용함. 6) Parkinsonism이나 Huntington's chorea, cerebral palsy, RA에는 별로 효과가 없음. 7) $T\frac{1}{2}$: 3~4hrs	1)〉 10% - 졸음, 현훈, 현기, 정신장애, 불면, 언어장애, 운동실조, 긴장저하 - 허약감 2) 1~10% - 저혈압 - 피로, 착란, 두통, 불면 - 발진 - 오심, 변비 - 다뇨	〈주의〉 1) 정신질환, 정신분열증, 조울성장애, 정신혼란, 파킨슨병 환자 2) 간질 병력자 3) 소화성궤양, 심혈관, 호흡기계, 심 · 신 · 간부전 환자 4) 임신부: Category C 5) 수유부: 주의하여 투여 가능 6) 투약중지시 서서히 감량 (환각, 발작 유발) 〈상호작용〉 1) CNS 억제제, 알콜과의 병용시 진정작용 증강 2) TCAs와 병용시 근이완작용 증강 3) 항고혈압제와 병용시 혈압강하 작용 증강 4) Levodopa를 투여받는 파킨슨병 환자에게 부작용 증가
Chlorphenesin carbamate Rinlaxer tab 린락사정 …125mg/T	1) 250mg tid	1) 화학적으로 TCA와 유사한 mephenesin 동족체로서 spinal polysynaptic reflex를 억제함. 2) Muscle stretch 반사와 각성유지에 영향을 미치는 neuron을 억제함으로써 중추성 근육이완 효과와 진정효과를 나타냄. 3) 진정효과 〉 근이완효과. 4) CNS에서 비롯되는 선천성 혹은 후천성 경련 및 운동장애(eg. RA)에는 무효함. 5) $T\frac{1}{2}$: 3.5(2.3~5.1)hrs	- 과민증(발진, 부종) - 졸음, 어지러움, 두통, 두중감, 무력, 권태 - 구역, 구기, 위통, 위부 불쾌감, 위정체감, 식욕부진, 구갈 - 백혈구감소, 혈소판감소	〈금기〉 1) 간장애 〈주의〉 1) 간장애 병력자 2) 신장애 환자 3) 임신부, 수유부: 안전성 미확립 〈상호작용〉 1) Phenothiazine, CNS 억제제와의 병용, MAOIs, 알코올과 병용시 작용 증강
Dantrolene sodium Anorex cap 아노렉스캅셀 …25mg/C	1) 성인 - 초기량: 25mg qd - 증가량: 25~100mg bid~qid (Max. 200mg qid) 2) 소아(6세 이상) - 초기량: 1mg/kg qd - 증가량: 0.5~3.0mg/kg bid~qid (Max. 50mg qid)	1) 골격근에 대한 직접 작용이 있는 말초성 근이완제로 근소포체에서의 Ca 유리를 차단함으로써 직접적 근이완 작용을 나타냄. 2) 근이완 작용 및 협조 운동 실조 작용이 diazepam, tubocurarine 등에 비해 선택적임 3) 척추 손상, 발작, 대뇌마비, 다발성 경화증 등 심한 만성 질환으로 인한 제병변 증상 치료 (단, 류마티스 질환에는 사용안함.)	1) 〉 10% - 졸음, 현기, 피로 - 발진 - 설사(경증), 구토 - 허약감 2) 1~10% - 심막염을 동반한 흉막유출	〈금기〉 1) 급성 간 질환자 : 급성 간염, 간경변 2) 보행시 평형이나 수직자세 유지위해 근강직 이용환자, 기능 항진을 유지하게 위해 근강직 이용환자 〈주의〉 1) 간질환 유발가능 2) 폐기능 질환자 3) 심근증으로 인한 심한 심장 기능 질환자

약품명 및 함량	용법	약리작용 및 효능	부작용	주의 및 금기
	3) 최대 효과를 나타내는 최소용량으로 치료 4) 투약 후 45일 이내 치료효과가 나타나지 않으면 투약중지 (간손상 가능성)	4) Tmax: 4~8hrs 지속시간 : 6~18hrs $T_{\frac{1}{2}}$: 6hrs(25mg)	- 오한, 발열, 두통, 불면, 신경질, 우울 - 설사(중증), 변비, 식욕감퇴, 위경련 - 시야몽롱 - 호흡부전	4) Tranquilizer 병용시 5) 장폐색 환자 6) 자동차 운전이나 위험한 직업 종사자 7) 임신부 : Category C 8) 수유부 및 5세 이하의 소아 : 안전성 미확립 〈상호작용〉 1) Estrogen 병용 투여하는 여성 환자에서 빈번히 간독성 나타남 2) Verapamil과 병용시 hyperkalemia, cardiac depression이 일어날 수 있음
Dantrolene Dantrolene inj 단트롤렌주 …20mg/V	1) 수술전후 악성고열증 위기 예방 및 follow-up - 수술전: 2.5mg/kg 마취전 약 1.25시간 전에 약 1시간 동안 주입 - 수술후: 최소 1mg/kg으로 시작해서 5~10분마다 IV. 증상 소멸시까지 반복 투여 가능 (축적용량 Max. 10mg/kg) 2) 악성증후군 - 초회량: 40mg IV - 증상 개선 없을 시 20mg씩 증량. 7일 이내 투약 (Max. 200mg/D) 3) 용액의 조제 - 60ml의 주사용 증류수에 흔들어 용해 후, 차광 실온 보관(15~30℃)하고, 되도록 즉시 사용하며, 최대 6시간 이내 사용함. - 용기는 반드시 플라스틱 백 사용(유리병 사용시 침전 생성 가능)	1) 골격근에 대한 직접 작용이 있는 말초성 근이완제 2) 근육세포질 세망(sarcoplasmic reticulum)으로부터의 Ca 방출을 감소시켜 활동전위에 대한 근육 반응과 근 수축을 감소시킴. 3) 적응증: 악성 고열증, 악성 증후군 4) BA: 70% 지속시간: 6~18hrs $T_{\frac{1}{2}}$: 8.7hrs 대사: 간 배설: 신장(20%) 5) 희귀의약품센터 공급 약제	1) > 10% - 어지러움, 졸음, 현기증, 피로 - 발진 - 설사(mild), 구토 - 근무력증 2) 1~10% - 심낭염, 흉막 삼출 - 오한, 발열, 두통, 불면증, 신경과민, mental decrease - 설사(severe), 변비, 식욕부진, 위경련 - 시야혼미 - 호흡억제	〈주의〉 1) 간질환 환자 2) 폐기능, 심기능 부전 환자 3) 근무력증 환자 4) 장폐색 환자 5) 임신부: Category C 〈상호작용〉 1) 칼슘길항제: 심실세동, 순환 허탈 위험증가 2) 중추신경 억제제 : 중추 억제작용 증가 3) Vecuronium: 신경근 차단작용 증가 4) Estrogens: 간독성 위험 증가 〈취급상 주의〉 1) 차광, 실온보관(15~25℃) 2) 용해액: 차광, 실온보관(15~30℃)시 6시간 안정 3) 단독투여

약품명 및 함량	용법	약리작용 및 효능	부작용	주의 및 금기
Eperisone HCl Myonal tab 미오날정 …50mg/T	1) 50mg tid	1) 중추성 근이완제 2) 근긴장 완화, 혈관확장 작용 3) 경견완 증후군, 견관절 주위염, 요통, 신경계 질환에 의한 경직성 마비에 사용	- 쇽 - 간효소 상승 - BUN 상승, 단백뇨 - 빈혈 - 발진, 가려움 - 불면, 졸음, 두통, 사지마비, 사지떨림 - 구역, 구토, 식욕부진, 구갈, 변비, 설사, 복통 - 뇨폐, 뇨실금, 잔뇨감 - 무력감, 전신권태감, 근긴장 저하 - 안면홍조, 발한, 부종	〈금기〉 1) 중증 근무력증 〈주의〉 1) 간장애, 약물과민증 기왕력자 2) 탈력감, 휘청거림, 졸음 등이 발견되면 감량 또는 휴약 3) 위험수반하는 기계조작 금지 4) 임신부: 안전성 미확립
Gallamine triethiodide Gallamint inj 갈라민트주 …10mg/2ml/A	1) 10~20mg q 8~12hrs IM/IV	1) 비탈분극성 신경근 차단제로 Ach과 상경적으로 길항하여 근육으로의 신경전달을 차단하는 말초성 근이완제 2) Cardiac vagus 차단효과가 있으므로 심박수 증가의 우려가 있는 환자는 주의 요함 3) 신장으로 대사없이 거의 배설되므로 신기능 손상 환자는 타제제 사용을 권장함 4) 적응증 : 근골격계 질환에 수반하는 동통성 또는 신경계 질환에 의한 근육연축 5) Onset: 1~2mins 지속시간: 20~30mins	- 고혈압, 심박동 증가 - 빈맥(미주신경 억제) - 아나필락시성 반응 - 호흡곤란, 지속적 호흡억제	〈금기〉 1) 중증 근무력증 2) 쇽 3) 신장애 4) 청각과민 5) 이 약, iodide 또는 sulfite에 과민한 환자 6) 심부전, 고혈압 〈주의〉 1) 폐기능 부전, 호흡곤란 및 기도폐색 환자에게 신중투여 2) 임신부: Category C(호주) 3) 수유부: 안전성 미확립 〈상호작용〉 1) Cholinesterase 억제제, MAOIs, cholinergic agent와 병용금기 2) Aminoglycoside계 항생제, 마취제와 병용시 근이완작용 증강

약품명 및 함량	용법	약리작용 및 효능	부작용	주의 및 금기
Tizanidine HCl Sirdalud tab 실다루드정 …1mg/T	1) 근긴장상태 개선: 1~2mg tid 2) 경성마비 – 초회량: 1~2mg tid – 유지량: 2~3mg tid	1) 중추성 근이완제로 척수 및 척수상위의 중추에 작용하는 α〈2〉–adrenergic agonist 2) α, γ–경축완화, 척수후근자극에 따른 polysynaptic reflex 전위억제 (monosynaptic reflex 전위억제는 미약), γ–운동뉴런 억제 작용을 함. 3) 골격근을 이완시키고 근경축으로 인한 동통을 완화함. 4) 근긴장상태의 개선, 여러 질환으로 인한 경성마비에 사용함.	1) 〉10% – 저혈압 – 진정, 낮시간의 졸림, 졸음 – 구강건조 2) 1~10% – 서맥, 실신 – 피로, 현기, 불안, 신경질, 불면 – 소양, 발진 – 오심, 구토, 소화불량, 변비, 설사 – 간효소 상승 – 허약감, 진전	〈금기〉 1) 중증의 간기능 손상 환자 2) 소아 : 안전성 미확립 〈주의〉 1) 신 · 간장애, 중증의 근무력증 환자 2) 반사운동 능력저하 및 졸음이 올 수 있으므로 투약 중 위험한 기계조작하지 말 것. 3) 동물실험에서 정신의존성, 혈압저하 나타남. 4) 임신부 : Category C 5) 수유부 : 모유이행 〈상호작용〉 1) 혈압 이뇨제와 병용시 저혈압 및 서맥 야기할 수 있음. 2) Fluvoxamine, ciprofloxacin과 병용금기
Thiocolchicoside+ Aescin **Thiosina tab** 치오시나정 …4+20mg	1) 2Ⓣ bid~tid 2) 최대연속투여일 : 7일	1) GABA–mimetic & glycinergic 작용을 가진 근이완제임. 2) Spinal level에서 GABA 수용체에 대한 직접적인 활성 작용으로 근이완작용을 나타내며, 동물실험에서 진통 및 소염효과도 있음이 보고된 바 있음. 3) Baclofen이나 diazepam처럼 spasticity 해소와 동통성 근육경련과 관련된 골격근 질환에 보조요법제로 사용함. 4) 외상성 또는 염증성 부종이 있을 경우에 유효함. 5) (Thiocolchicoside) Tmax : 0.7hrs 대사 : 혈중 $T\frac{1}{2}$: 2.5~5hrs 배설 : 신장(20%), 대변(75~81%)	– 구역, 구토, 복통, 설사 – 고용량 투여시 혈뇨, 핍뇨 등의 신장애	〈금기〉 1) 이완성마비, 근육이완 환자 2) 신부전 환자 3) 임신부 또는 가임부 4) 16세미만 소아 〈주의〉 1) 심질환 환자

약품명 및 함량	용법	약리작용 및 효능	부작용	주의 및 금기
Sugammadex sodium Bridion inj 브리디온주 …200mg/2ml/V …500mg/5ml/V	1) 성인 : (Max. 96mg/kg/회) ① 일반적인 역전 - 강직 후 연축반응수 (PTC: Post-Tetanic Counts)가 1~2회 나타날 때: 4mg/kg IV - T2(2nd twitch)가 다시 나타나는 자발적 회복에 접어들었을 때: 1회 2 mg/kg IV ② Rocuronium 투여 후 신속한 역전: 1회 16mg/kg IV 2) 1회 투여량을 IV bolus로 신속히 (10초 미만) 주입 * 신기능에 따른 용량 조절 참고 - CrCl < 30ml/min: 투여 비권장	1) 선택적 근이완제 결합제(selective relaxant binding agent, SRBA) 2) 사이클로덱스트린 유도체로서 rocuronium 또는 vecuronium과 같은 근신경 억제 약물을 포접(encapsulation)하여, 신경근 접합부의 니코틴 수용체에 작용하는 근신경 억제약물의 수를 줄임. 3) 적응증: Rocuronium 또는 vecuronium에 의해 유도된 신경근 차단의 역전 4) Onset : 3mins 이내 $T_{\frac{1}{2}}$: 2.5hrs 배설 : 신장(96%)	1) > 10% - 부종 - 복통, 오심, 구토 - 고혈압 - 경마취 - 처치 후 통증 2) 1~10% - 마취합병증 - 설사 - 저혈압	〈주의〉 1) 간장애 및 신장애 환자 2) 심박출량이 저하된 환자, 부종 환자, 알레르기 병력 및 호흡기질환 병력이 있는 환자, 혈액응고장애 환자, 부정맥 환자 3) 18세 미만 소아: 안전성, 유효성 미확립 4) 임신부 및 수유부: 안전성 미확립 〈상호작용〉 1) Toremifene: 신경근 차단 상태에서 회복 지연 또는 신경근 차단 재발 2) Fusidic acid: T4/T1비가 0.9까지 회복되는 시간 지연 3) 호르몬성 피임제: 피임제 약효 감소 〈취급상 주의〉 1) 차광보관 (차광하지 않은 상태로 최대 5일까지 보관 가능) 2) NS(0.45%, 0.9%) 또는 DW(2.5%, 5%), 유산화링거액, 링거액, NS와 5DW 혼합 용액에만 혼합가능 3) 다른 약물과 동일한 IV라인 사용시, 투여 전 NS로 적절히 세척할 것 4) 개봉 후 즉시사용 권장, 2~8℃에서 24시간이내 사용

약품명 및 함량	용법	약리작용 및 효능	부작용	주의 및 금기
Amisulpride Solian tab 솔리안정 …100mg/T …200mg/T …400mg/T	1) 양성증상과 음성증상이 혼합된 경우 : 400mg qd or bid 2) 음성증상이 우세한 경우 : 50~300mg qd 3) Max. 1,200mg/D * 신기능에 따른 용량조절 참고 – CrCl 30~60ml/min : 1/2로 감량 투여 – CrCl 10~30ml/min : 1/3로 감량 투여 – CrCl 〈10ml/min : 금기	1) Benzamide계의 비전형 항정신병 약물 2) 저용량에서는 시냅스전 D_3/D_2도파민 수용체를 차단하여 도파민의 유리를 증가시킴으로 음성증상을 개선하며, 고용량(〉600mg/D)에서는 시냅스전 · 후 D_3/D_2 도파민 수용체를 차단하여 도파민의 전도를 차단함으로 양성증상을 개선함. 3) 선조체보다 변연계의 D_3/D_2도파민 수용체를 선택적으로 차단하므로 추체외로의 부작용이 낮음. 4) 적응증 : 양성증상 또는 음성증상이 주로 나타나는 급.만성 정신분열증 및 기타 정신질환상태 5) BA : 43~48% 단백결합률 : 16% $T_{\frac{1}{2}}$: 12~17hrs 대사 : 간대사 매우 제한적 배설 : 신장(23~47%), 대변(51~71%)	– Prolactin 수치 증가 : 유즙과다분비, 무월경, 여성형 유방 – 체중 증가 – 추체외로증상 – 졸음 – 변비, 오심, 구토, 구갈 등 위장관계 이상	〈금기〉 1) 크롬친화성 세포종 환자(∵ 중증의 고혈압 발생) 2) Prolactinoma, breast cancer 3) 임신부, 수유부, 15세미만 소아 : 안전성 미확립 4) 신부전 환자(CrCl 〈10ml/min) 5) Levodopa와의 병용투여 6) Torsades de points 유발 약물과의 병용 투여 〈주의〉 1) 경련성 발작 2) 타 benzamide계열의 약물에 과민한 환자 3) 노인 : 부작용 증가의 위험성 4) 타 중추신경 억제제 또는 알코올과의 병용투여시 주의
Aripiprazole Abilify tab 아빌리파이정 …2mg/T …5mg/T …10mg/T …15mg/T	1) 정신분열병(성인) – 초회량 : 10~15mg qd – 유지량 : 10~30mg qd 2) 양극성 장애(성인) – 초회량 : 15mg qd – 유지량 : 15~30mg qd 3) 주요 우울장애 치료의 부가요법제(성인) – 초회량 : 2~5mg qd – 유지량 : 2~15mg qd 4) CYP3A4억제제 (ketoconazole), CYP2D6 억제제(quinidine, fluoxetine, paroxetine)와 병용투여시 용량을 반으로 감소	1) Atypical antipsychotics 2) Mesolimbic계에서의 도파민 과다 분비를 억제하여 양성증상을 개선하고, mesocortical계에서의 partial agonist로서 도파민을 적정 수준으로 유지시켜 프로락틴 상승 유발을 억제하고 음성증상 및 인지기능을 개선함.(Dopamine System Stabilizer : DSS) 3) D_2, $5\text{-}HT_{1A}$ partial agonist로 작용하며 $5\text{-}HT_{2A}$ receptor 에는 antagonist로 작용함. 4) 적응증 : 정신분열병, 양극성 장애와 관련된 급성 조증 및 혼재삽화의 치료, 주요우울장애 치료의 부가요법제, 자폐장애 관련 과민증, 뚜렛장애 5) Onset : 1~3wks (초회 투여) Tmax : 3~5hrs BA : 87%	1) 〉10% – 두통, 불안, 불면증, 체중증가, 오심, 구토, 어지러움, 졸림, 변비, 추체외로 2) 1~10% – 무력증, 발열, 진전, 비염, 기침, 발진, 시야혼미	〈금기〉 1) 수유부 : 안전성 미확립 〈주의〉 1) 기립성 저혈압 환자 2) 발작의 기왕력자 혹은 알쯔하이머 치매 환자 (발작 역치를 낮춰줌) 3) 심부 체온이 증가할 수 있는 격렬한 운동, 과도한 열노출, 항콜린 작용이 있는 병용 약제 복용 또는 탈수 되기 쉬운 환자 4) 흡인성 폐렴 위험 환자 5) 자살 기도 고위험 환자 6) 치매와 관련된 정신병 환자 7) 인지, 사고 능력이 저하될 수 있으므로 위험한 기계 조작, 운전시 주의

약품명 및 함량	용법	약리작용 및 효능	부작용	주의 및 금기
	5) CYP3A4 유도제(carbamazepine)와 병용 투여시 용량을 2배(20~30mg)로 증가 6) 소아용량은 제품설명서 참조	$T\frac{1}{2}$: 72hrs 단백결합 : 99% 이상 대사 : 간		8) 이 약 복용시에는 금주할 것 9) 임신부 : Category C 10) 소아 : 안전성 미확립
Blonanserin Lonasen tab 로나센정 …2mg/T …4mg/T …8mg/T	1) 4mg bid로 시작하여 천천히 증량 2) 유지용량 : 8~16mg/D #2 식후복용 (Max. 24mg/D) 3) 음식에 의해 흡수 증가되므로 식후 복용함	1) Atypical antipsychotics 2) D_2, $5HT_2$ 수용체를 차단하여 정신분열병 양성 및 음성 증상, 인지기능개선 효과를 나타냄. 3) 적응증 : 정신분열증 4) 흡수 : 음식에 의해 증가 Tmax : 2hrs 이내 단백결합률 : 99.7% 이상 $T\frac{1}{2}$: 8.3~19hrs 대사 : 주로 CYP3A4에 의해 대사 배설 : 신장(59%), 대변(30%)	1) 〉5% - EPS, 불면증, 불안, 졸음, 어지러움, 두통 - 변비, 식욕저하, 구역 - 혈당 영향, 프로락틴 상승 - 전신권태, 목마름, 허약한 느낌 2) 〈5% - 발진, 습진, 가려움증 - 기립성 저혈압, 빈맥, QT 간격 증가 - 간효소 수치 상승 - 구토, 식욕증가(체중증가), 설사, 복부통증, 위장장애, 복부팽만, 구순염 - 월경 이상, 유즙분비장애, 사정장애 - 배뇨 곤란, 요정체, 요실금, 빈뇨증 - 백혈구 증가, 호중구 증가, 백혈구 감소, 림프구 감소, 적혈구 증가, 빈혈, 적혈구 감소,	〈금기〉 1) 혼수상태의 환자 2) 바르비탈산 같은 중추신경계 억제제의 강한 영향하에 있는 환자 〈주의〉 1) 심혈관계 질환, 저혈압 또는 이런 증상이 의심되는 환자 : 일시적 혈압하강 2) 파킨슨병 환자 : 추체외로 증상 악화 우려 3) 간질 등의 경련성 질환 : 경련의 역치 저하 우려 4) 자살시도 또는 자살 관념화 환자 : 증상 악화 우려 5) 간장애 환자 : 약물의 혈중 농도 증가 6) 당뇨병 및 당뇨병의 위험 인자를 가진 환자 : 혈당 수치 증가 7) 탈수증 또는 영양결핍으로 인한 신체적 피로상태의 환자 : 신경이완악성증후군 발생 가능성 8) 고령자 : 신중투여 9) 소아 및 임신부 : 안전성 미확립 10) 수유부 : 모유이행 〈상호작용〉 1) 병용투여 금기 - Adrenalin(심각한 혈압강하), CYP3A4 강력한 억제제 (azole계 항진균제, ketoconazole, itraconazole등), protease inhibitor(ritonavir 등) 2) 병용투여 주의 - Alcohol : 두 약물의 작용 모두 증대 - 도파민성 제제(levodopa, bromocriptine등), CYP3A4 유도제 (phenytoin, carbamazepine, barbiturates, rifampicin등) : 이 약의 작용 감소 - 혈압강하제 : 혈압강하작용 증대

약품명 및 함량	용법	약리작용 및 효능	부작용	주의 및 금기
			헤모글로빈 감소, 헤마토크릿 감소, 혈소판 증가, 혈소판 감소, 무정형 림프구	- Erythromycin, 자몽쥬스, CYP3A4 억제제(clarithromycin, cyclosporine, diltiazem 등) : 이 약의 혈중농도 상승 또는 작용 증강
Chlorpromazine HCl Chlorpromazine tab 염산클로르프로마진정 …50mg/T Neomazine tab 네오마찐정 …100mg/T	1) 성인 : 30~100mg/D, 정신과 영역에서는 50~450mg/D (Max. 1g/D) 2) 소아 : 0.5mg/kg/D #3~4	1) Aliphatic phenothiazine 화합물 2) Postsynaptic dopamine 수용체 길항제로 뇌의 mesolimbic & mesocortical계로 작용하여 psychosis증상을 개선함. 3) 항히스타민 및 항콜린효과와 α-antiadrenergic 작용도 있음. 4) 연수의 chemoreceptor trigger zone에 작용하여 진토작용을 나타냄. 5) Schizophrenia, 급성 정신신경질환, 약물중독성 정신신경질환, 중증의 급성조증, ballism, Tourette's Syn. Huntington's disease의 무도병, 딸꾹질, 구토증에 사용함. 6) Phenothiazine계열 중 진정작용이 가장 강하며, 역가는 비교적 낮음. 7) 호전적이고 과도한 흥분을 나타내는 저능아의 이상행동 치료에 사용함. 8) Tmax : 2.8hrs $T_{\frac{1}{2}}$: 6hrs 대사 : 간 배설 : 신장(23%)	- 기립성 저혈압, 빈맥, 현기증 - 졸음, 근긴장 이상, 정좌불능, 만발성 이상운동증, 발작 - 광과민성, 피부염, 색소침착 - 유즙분비, 유방확대, 여성형 유방, 무월경, 고혈당, 저혈당 - 구강건조, 변비, 오심 - 뇨저류, 사정장애, 발기부전 - 무과립구증, 호산구 증가, 백혈구 감소, 용혈성 빈혈, 재생불량성 빈혈, 혈소판 감소성 자반증 - 황달 - 시야몽롱, 각막 및 수정체의 변화	〈금기〉 1) 혼수 또는 순환허탈상태 2) CNS 억제 상태인 환자 3) 급성 알콜중독 환자 4) 이 약 또는 phenothiazine계에 과민한 환자 5) 1세 미만 영아(추체외로계 증상-운동장애) 6) 라이증후군 환자 7) Epinephrine 투여중인 환자 8) 수유부 : 모유 이행 〈주의〉 1) 피질하부의 뇌장애가 의심되는 환자에게 신중투여 2) 간 · 신 · 혈액장애, 크롬친화세포종, 동맥경화증, 심혈관질환(혈압변화), 피부 질환, 중증 호흡기 질환, 급성 호흡기 감염증(호흡 억제 유발), 경련성 환자, 파킨슨병, 협우각형 녹내장, 프롤락틴 의존성 종양, 우울증, 탈수, 영양불량상태의 환자에게 신중투여 3) 임신부 : Category C 〈상호작용〉 1) 중추신경억제제, 혈압강하제, 항콜린제와 병용시 약효 증강 2) Lithium : 부작용 증가 3) Levodopa의 항파킨슨 효과 저하시킴. 4) Propranolol과 병용시 상호 혈중농도를 증가시킴.
Clozapine Clozaril tab 클로자릴정 …25mg/T …100mg/T	1) 초회량 - 1일 : 12.5mg qd~bid - 2일 : 25mg qd~bid	1) Dibenzodiazepine 유도체의 antipsychotic agent 2) 상대적으로 약한 dopamine 차단 작용으로 추체외로 부작용이 적으며, α-adrenergic 차단, antimuscarin, antiserotonin, antihistamine, sedative 작용이 있음.	1) 〉10% - 빈맥, 기립성 저혈압 - 졸음, 현기증	〈금기〉 1) 중독성 또는 특이체질에 의한 과립구 감소증, 무과립구증의 기왕력자 2) 골수기능 손상 환자 3) 알코올 및 다른 중독성 정신질환, 약물중독, 혼수상태

약품명 및 함량	용법	약리작용 및 효능	부작용	주의 및 금기
	- 내약성이 좋은 경우 매일 25~50mg씩 증량하여 2~3주째에 300mg/D까지 투여 가능. 필요시 주1~2회 50~100mg 증량 가능 2) 치료량 : 200~450mg #2~4 (Max. 900mg/D) 3) 유지량 : 150~300mg을 최소 6개월간 지속(200mg/D 이하이면 저녁에 1회 투여) 4) 종료시 1~2주 동안 점진적으로 감량	3) 치료저항성 정신분열증에 사용함. 4) Tmax : 2.3~3hrs $T_{\frac{1}{2}}$: 8hrs 배설 : 신장(50%), 대변(30%)	- 변비, 체중증가, 설사, 타액분비 - 배뇨곤란 2) 1~10% - EKG 변화, 고혈압, 저혈압, 실신 - 정좌불능, 운동불능, 발작, 두통, 악몽, 착란, 불면, 피로 - 발진 - 복부불쾌감, 흉부작열감, 구강건조, 오심, 구토 - 호산구증가, 백혈구감소 - 진전 - 발한, 발열	4) 모든 형태의 순환성부전 및 중추신경 억제 환자 5) 심한 간 · 신 · 심장질환자 6) 진행성 간질환, 간기능부전 7) 수유부 : 모유 이행 〈주의〉 1) 기립성 저혈압, 실신가능, 심박동 정지, 호흡정지 2) 진정작용과 발작역치 낮추므로 운전, 기계조작 피함 3) 경련 기왕력자, 간 · 신 · 심장장애 기왕력자에게는 소량씩 투여 4) 초기 3주동안 일시적인 체온 상승 : 원인 규명 필요 5) 항콜린작용으로 전립선비대, 협우각 녹내장, 마비성 장폐색 존재시 위험 6) 간질환시 정기적 간기능검사 필요함. 7) 임신부 : Category B 8) 소아 : 안전성, 유효성 미확립 9) 이 약 투여중 정기적인 백혈구수, ANC 모니터링 필요 〈상호작용〉 1) 골수기능 저하 약물과 병용하지 말 것 2) CNS 억제제의 효과 증강 3) 다른 항정신병약물과 병용시 순환 부전, 호흡억제, 호흡정지의 위험이 증가함. 4) 항콜린성, 저혈압성, 호흡억제성 약물과 병용시 상승작용 나타냄. 5) 높은 혈장단백결합률로 인해 타단백결합약물(예 : warfarin)의 혈중농도를 증가 6) Lithium, 다른 CNS 활성약물과 병용시 신경이완성 악성증상 증가함. 7) Adrenaline과 그 유도체의 혈압 상승 효과 역전
Haloperidol Peridol tab 페리돌정 …1.5mg/T …5mg/T	1) 경구(14세 이상) - 초회량 : 1~15mg #2~3 - 유지량 : 2~8mg/D (Max. 100mg/D) 2) 주사 : 6~15mg 분할 IM	1) Butyrophenone계 약물로 그 작용은 phenothiazine계 약물과 거의 유사함. 2) Phenothiazine계 약물로 효과가 없거나 과민성인 경우 유효함. 3) 진정작용은 약하나 강한 진토작용이 있음.	- 저혈압, 고혈압, 빈맥, 부정맥	〈금기〉 1) 이 약 또는 butyrophenone계에 과민한 환자 2) 혼수상태, 알코올중독, CNS 억제 상태인 환자 3) 중증 심부전 4) 파킨슨병

약품명 및 함량	용법	약리작용 및 효능	부작용	주의 및 금기
…10mg/T Haloperidol inj 할로페리돌주 …5mg/1ml/A		4) Tourette's 증후군에 선택적 치료제 5) 전투적이며 과도한 흥분반응을 나타내는 저능아의 이상행동치료에 사용 6) 충동적이며 주의력이 산만하고 공격적이며 기분파이고 쉽게 좌절하는 어린이의 단기치료에 사용함. 7) Ballismus에 1일 3~12mg씩 3~6개월, 정신분열증에 4~6개월 투약으로 효과가 나타남. 8) 딸꾹질에도 유효 9) Tmax : 2~6hrs(PO), 20mins(IM) $T\frac{1}{2}$: 21hrs 배설 : 신장(33~40%), 대변(15%) Onset (Sedation) : 〉1hr(PO), 1hr(IM)	- 초조, 불안, 추체외로증상, 근긴장 이상, 신경이완제 악성증후군, 불면, 졸음, 우울, 기면, 두통, 착란, 현훈, 발작 - 과색소침착, 소양증, 발진, 접촉성 피부염, 탈모 - 무월경, 유즙분비, 여성형유방, 성기능 이상, 고혈당, 저혈당, 저나트륨혈증 - 오심, 구토, 식욕 감퇴, 변비, 설사, 타액분비 과다, 소화불량, 구강건조 - 뇨저류 - 담즙정체성황달, 폐색성황달 - 시야몽롱 - 후두경축, 기관지경축	5) 기관지폐렴 6) 뇌저신경절손상 7) Epinephrine 투여중인 환자 8) 소아(주사제) 9) 수유부 : 모유 이행 〈주의〉 1) 간 · 신장애, 크롬친화세포종, 심혈관 질환, 저혈압, 경련성 질환, 갑상선 질환, 우울증, 협우각형 녹내장, 프로락틴 의존성 종양, 중증근무력증, 전립선 비대, 항응고제 투여, 탈수, 영양불량상태인 환자에게 신중 투여 2) QT증후군, 저칼륨혈증, QT연장을 일으키는 약물을 투여중인 경우 3) 임신부 : Category C 4) 소아 : 추체외로증상이 나타나기 쉬움. 〈상호작용〉 1) Barbital, 혈압강하제(clonidine 등), 항콜린제와 병용시 약효 증강 2) 효소유도 약물과 병용시 이 약 혈중농도 감소 3) Lithium과 병용시 부작용 증가 4) Levodopa의 항파킨슨 효과 저하시킴.
Olanzapine Zyprexa intramuscular inj 자이프렉사주 …10mg/V	1) 초회 10mg IM (증상에 따라 조절) 2) 환자 상태에 따라, 초회 주사 2시간 후 5~10mg을 두번째로 주사할 수 있고, 두번째 주사 4시간 후 10mg까지 투여 가능 (Max. 20mg/D) 3) 60세 이상 고령자 : 초회투여량 2.5~5mg, 상태에 따라 초회 주사 2시간 후 2.5~5mg을 두번째 주사 가능	1) Thienobenzodiazepine계 항정신병약 2) 작용기전 : Dopamine receptor antagonist로 항콜린작용, 5-HT_2 차단작용을 가짐. 3) 적응증 : 경구치료제의 투여가 적합하지 않은 정신분열병 또는 양극성 장애의 조증 삽화가 있는 환자의 흥분 및 행동장애의 급성 치료 4) Tmax : 15~45mins $T\frac{1}{2}$: 21~54hrs	1) 〉10% - 두통, 경련, 불면, 격앙, 초조, 적의, 현기증, 추체외로증상 2) 1~10% - 근긴장이상, 파킨슨증상, 불안 - 구강건조, 변비, 복통, 체중증가	〈금기〉 1) 협우각 녹내장 환자 〈주의〉 1) 당뇨, 고혈당 환자 2) 치매 및 치매와 관련된 정신질환을 가진 노인 환자 3) 유방암, Neuroleptic malignant syndrome 과거력 있는 환자 4) 자살충동 위험 환자 5) 폐렴, 무력장폐색증, 폐쇄성 녹내장, 전립선 비대증 환자

약품명 및 함량	용법	약리작용 및 효능	부작용	주의 및 금기
	4) 성인 및 고령자 모두 24시간이내 3회 초과 금지 최대 3일 까지만 투여 가능 〈조제법〉 - 1바이알을 2.1ml의 주사용수에 녹인 후 2ml를 취함.		- 관절통 - 약시 - 비염, 기침, 인두염	6) Tardive dyskinesia 환자 7) 간질환, 심혈관계, 뇌혈관계 질환 환자 8) 임신부 : Category C 9) 수유부 : 모유 이행 10) 18세 이하 : 안전성 미확립 〈취급상 주의〉 1) 실온보관(25℃ 이하) 2) 용해 조제 1시간 이내 사용(25℃ 이하에서 보관, 냉동보관 금지)
Olanzapine Zyprexa tab 자이프렉사정 …2.5mg/T …5mg/T …10mg/T Zyprexa Zydis tab 자이프렉사자이디스확산정 …5mg/T …10mg/T	1) 초회량 - 조증의 병용요법, 정신분열병 : 10mg qd - 조증의 단독요법 : 15mg qd - 고령환자, 신 · 간장애 환자 : 5mg qd 2) 유지량 : 5~20mg/D	1) Thienobenzodiazepine계 항정신병약 2) D_4, D_2, D_1-수용체 antagonist로 항콜린작용, 5-HT_2 차단작용을 가짐. 3) 정신분열증의 양성증상(착란, 환각, 사고장해, 적개심, 불신 등) 및 음성증상(감정의 단순화, 정서적 사회적 위축, 언어결핍), 양극성 장애에서의 중등도~중증의 조증 치료에 유효함. 4) 기타 정신질환의 급성치료 및 유지치료, 정신분열증의 2차적 증상 경감에도 사용함. 5) Onset : 1wk(정신분열증) Tmax : 6hrs $T_{\frac{1}{2}}$: 21~54hrs 대사 : 간(extensive) 배설 : 신장(57%), 대변(30%) 6) 자이디스 확산정 : 구강 붕해정으로 입안에서 빠르게 용해되어 물 없이도 복용 가능함.	1) 〉10% - 두통, 경련, 불면, 격앙, 초조, 적의, 현기증, 추체외로증상 2) 1~10% - 근긴장이상, 파킨슨 증상, 불안 - 구강건조, 변비, 복통, 체중증가 - 관절통 - 약시 - 비염, 기침, 인두염	〈금기〉 1) 폐쇄각 녹내장 환자 2) Epinephrine 투여중인 환자 〈주의〉 1) 간효소수치 상승 2) 다른 항정신병제제에 발작의 기왕력이 있는 환자 3) 백혈구, 호중구 수치가 낮은 환자 4) 골수감소 유발제제 투여 환자 5) 장기 투여시 만발성 운동 장애 6) 임신부 : Category C 7) 수유부 : 모유이행 8) 18세 이하 : 안전성 미확립 〈상호작용〉 1) CYP1A2 효소유도제 및 저해제에 의해 혈중농도 변화
Paliperidone palmitate Invega sustenna inj 인베가서스티나주사 …50mg/0.5ml/syr …75mg/0.75ml/syr …100mg/1ml/syr …150mg/1.5ml/syr	1) Paliperidone 또는 risperidone 경구제로 내약성 확립된 환자에게 권장 - 투여 개시 첫날 : 150mg, 삼각근에 IM - 일주일 후 100mg, 삼각근 또는 둔부근에 IM - 유지용량 : 이후 4주마다 75mg IM(25~150mg 내에서 조절 가능)	1) Atypical antipsychotics 2) Risperidone의 주요 활성대사체로 지방산인 palmitic acid를 도입하여 반감기를 연장시킨 장기지속형 주사제 (4주마다 투여) 3) 정신분열증의 급성치료 및 유지 요법제 4) Tmax : 13days $T_{\frac{1}{2}}$: 25~49days 대사 : 간(CYP2D6, 3A4)	1) 〉10% - 빈맥 - 두통, 졸림 2) 1~10% - 체중 증가, 타액 과다분비, 복통 - 편두통	〈금기〉 1) Risperidone, paliperidone에 과민증이 있는 환자 2) 수유부 : 안전성 미확립 〈주의〉 1) 심혈관, 뇌혈관 질환, 저혈압을 일으킬 수 있는 상태(탈수, 혈액량 감소, 항고혈압제 투여 등) 환자 2) 간질 환자 3) 신장애 환자, 중증 간장애 환자

약품명 및 함량	용법	약리작용 및 효능	부작용	주의 및 금기
	2) 두번째 투여는 첫번째 투여의 7±2일 이내 투여, 세번째 이후 투여는 매달 투여 시점 ±7일 이내 투여 가능 3) 기타 투여관련 정보 설명서 참조 * 신기능에 따른 용량조절 참고 ① CrCl 50~80ml/min : 첫째날 100mg, 1주일 후 75mg, 이후 매달 50mg IM ② CrCl <50ml/min : 투여 비권장	배설 : 신장(80%), 대변(11%)	- 기립성 저혈압, 부정맥, 각차단, 방실차단 - 정좌불능증, EPS, 파킨슨병, 어지러움, 근긴장 항진, 피로 - 운동 과다증, 운동장애, 진전	4) 체온이 상승될 수 있는 상태를 경험할 환자(과격한 운동, 과다한 열에 노출, 항콜린성 약물과 병용, 탈수 등) 5) 파킨슨증, Lewy Body 치매 환자 6) 임신부 : Category C 7) 소아 : 안전성 및 유효성 미확립 〈상호작용〉 1) 이 약은 levodopa, dopamine agonist의 작용을 길항 2) CNS 억제제의 효과 증가 가능 〈취급상 주의〉 1) 일회용으로 사용, 근육주사로 투여 2) 사용전 10초 이상 흔들어 균질한 탁액이 되도록 함 3) 주사침 선택 ① 삼각근 주사시 - 90kg 이상 : 1½인치, 22게이지 - 90kg 미만 : 1인치, 23게이지 ② 둔부근 주사시 - 1½인치, 22게이지
Paliperidone Invega ER tab 인베가서방정 …3mg/T …6mg/T …9mg/T	1) 6mg qd 아침(식후 혹은 공복 일관되게 투여) 2) 3~12mg qd로 용량 조정 가능하나, 임상 재평가 후에 실시해야 함. 3) 액체와 함께 삼킴(씹거나 자르거나 분쇄하지 않음 : OROS 제형) * 신기능에 따른 용량조절 참고 ① 경증 신장애 환자(CrCl 50~80 ml/min) : 3mg qd, 임상 재평가 후 6mg qd까지 증량 가능 ② 중등증 또는 중증 신장애 환자(CrCl 10~50ml/min) : 1.5mg qd, 임상 재평가 후 3mg qd까지 증량 가능	1) Benzisoxazole 계열의 atypical antipsychotics 2) Risperidone의 major active metabolite로 5-HT_{2A}, D_2 수용체 antagonist 3) 적응증 : 정신분열증, 정신분열정동장애의 급성치료 4) Tmax : 24hrs $T_{1/2}$: 23hrs 대사 : 간(제한적) 배설 : 신장(59%)	1) >10% - 빈맥 - 두통, 졸림 2) 1~10% - 체중 증가, 타액 과다분비, 복통 - 편두통 - 기립성 저혈압, 부정맥, 각차단, 방실차단 - 정좌불능증, EPS, 파킨슨병, 어지러움, 근긴장 항진, 피로 - 운동 과다증, 운동장애, 진전	〈금기〉 1) Risperidone에 과민한 환자 2) 중증의 소화기관 협착 환자, 연하곤란이 있는 환자 3) 수유부 : 모유 이행 4) 유당 함유하고 있으므로 갈락토스 불내성, Lapp 락타아제 결핍증, 글루코스갈락토스 흡수장애(인베가서방정 3mg만 해당) 〈주의〉 1) 심혈관 질환, 뇌혈관 질환, 저혈압 환자 2) 간질, 신장애, 중증 간장애, 당뇨병 환자 3) 체온 상승 상태 4) 파킨슨씨병, lewy bodies 치매 5) 흡인 폐렴의 위험 있는 환자 6) 노인성 치매

약품명 및 함량	용법	약리작용 및 효능	부작용	주의 및 금기
				7) 임신부 : Category C 〈상호작용〉 1) Alcohol, CNS depressant의 혈중 농도 증가 2) Acetylcholinesterase inhibitor, itraconazole, lithium 등에 의해 paliperidone 독성 증가 3) Amphetamine, 항파킨슨 약물의 혈중농도 감소 〈취급상 주의〉 1) 분할, 분쇄 불가(∵OROS 제형)
Pimozide Pimozide tab 피모짓정 …1mg/T	1) 초기량 : 1~3mg qd, 4~6mg으로 점차 증량함, 필요시 2~3회 분할투여 2) 유지량 : 6mg/D 이하 (Max. 9mg/D)	1) Diphenylbutylpiperidine 유도체인 antipsychotic 제제임. 2) 선택성 D_2 수용체 길항제로서 haloperidol처럼 postsynaptic 수용체를 차단함. 3) 뇌 dopamine의 생합성과 교체율을 증가시킴. 4) Haloperiodol과 비슷한 효력을 가지며 chlorpromazine 보다는 더 강함. 5) Haloperidol로 효과가 없는 Tourette's 증후군에 사용함. 6) 만성 schizophrenic 증상 완화에 phenothiazine계나 butyrophenone계 약물과 같은 정도의 효과를 나타냄(단, excitement, agitation, hyperactivity를 나타내는 만성환자에게는 금기) 7) 적응증 : 정신분열증 8) 최대효과 : 1wk(정신분열증) Tmax : 6~8hrs 지속시간(정신분열증) : 24~48hrs $T_{\frac{1}{2}}$: 53~55hrs 대사 : 간(extensive) 배설 : 신장(38~45%)	– 안면부종, 빈맥, 기립성 저혈압, 흉통, 고혈압, 심계항진, 심실성부정맥, QT 연장 – 추체외로증상, 졸음, 신경이완제 악성증후군, 두통, 현기증, 흥분 – 발진, 변비, 구강 건조, 체중변화, 오심, 타액분비, 구토, 식욕감퇴 – 발기부전 – 혈액이혼화증 – 황달 – 허약감, 진전 – 시력장애 – 발한	〈금기〉 1) 선천성 QT간격 연장 환자 2) 내인성 우울증 환자 3) 파킨슨증후군 또는 간질 환자 4) 중증 CNS 억제 환자 5) 이 약 또는 diphenylbutylpiperidine에 과민한 환자 6) Macrolide계 항생제 투여 환자(∵이 약의 대사를 저해) 〈주의〉 1) 간 · 신장애, 심질환, QT간격을 연장시키는 약물, 크롬친화세포종, 갑상선중독증, 간질, EEG 이상 환자, 고령자에게 신중투여 2) 임신부 : Category C 3) 추체외로증상이 benztropine이나 trihexyphenidyl로 소실되지 않으면 투약을 중단해야 함. 4) Neuroleptic malignant syndrome(NMS)이 나타나면 즉시 투약을 중지해야 함. 〈상호작용〉 1) CNS 억제제(마약, 진통제, barbiturates 등), 알코올 등 과 상승효과를 나타내므로 병용시 이들을 감량해야 함. 2) Levodopa의 항파킨슨작용 저하시킴.

약품명 및 함량	용법	약리작용 및 효능	부작용	주의 및 금기
Quetiapine fumarate Seroquel tab 쎄로켈정 …25mg/T …100mg/T	1) 정신분열증의 치료 ① 초기용량 - 1일 : 25mg bid - 2일 : 50mg bid - 3일 : 100mg bid - 4일 : 150mg bid ② 유지량 300~400mg/D (Max. 800mg/D) 2) 양극성 장애와 관련된 조증의 치료 ① 초기용량 - 1일 : 50mg bid - 2일 : 100mg bid - 3일 : 150mg bid - 4일 : 200mg bid ② 유지량 400~800mg/D 3) 양극성 장애와 관련된 우울증의 치료 ① 초기용량 - 정신분열증 치료 용량과 같은 용량으로 1~4일까지 증량(1일 1회 취침 전 복용) 4) 고령자, 간 · 신기능 장애 환자 : 용량 조절 필요 5) 소아 : 제품설명서 침조	1) Dibenzothiazepine계 항정신병약 2) 5-HT_2 및 D_2 수용체 길항작용(affinity: 5-HT_2 > D_2) 3) D_1, 5-HT_{1A}, H_1, adrenergic α-1, 2 수용체 길항작용 있음 4) 정신분열증 및 양극성 장애의 치료 5) Tmax : 1.5hrs $T_{\frac{1}{2}}$: 6hrs	1) > 10% - 두통, 졸림 - 체중증가 2) 1~10% - 현기증, 저혈압 - 복통, 식욕감퇴, 변비, 소화불량 - 심계항진, 기립성 저혈압, 빈맥 - 기침, 호흡곤란, 인두염, 비염 - 발진, 저배통, 허약감, 발한	〈금기〉 1) 혼수상태의 환자 (상태 악화 가능) 2) 당뇨병 또는 당뇨병 병력이 있는 환자 3) Epinephrine 투여중인 환자 〈주의〉 1) 항우울 목적으로 사용시 자살성향 증가 주의 2) 심한 고혈당 발현 주의 3) 복용초기에 기립성 저혈압 발생 가능하므로 심혈관계, 뇌혈관 질환 및 다른 저혈압 요인 있는 환자 4) 뇌혈관질환 및 정맥혈전증 보고된 바 있음. 5) 임신부 : Category C 6) 수유부 : 안전성 미확립 7) 18세 미만 : 안전성 미확립 〈상호작용〉 1) CYP3A4 억제제에 의해 이 약의 약물농도 상승 2) CYP3A4 효소유도제에 의해 이 약의 약물농도 감소
Quetiapine fumarate Seroquel XR tab 쎄로켈서방정 …50mg/T …200mg/T …300mg/T …400mg/T	1) 복용 방법 : 1일 1회 저녁에 복용하며, 식사와 함께 복용하지 않음 (단, 저지방 식이 (300kcal)와는 가능) 2) 용법-용량 ① 정신분열병 초기 : 300mg qd 유지 : 400~800mg/D ② 양극성 장애 - I형과 관련된 조증 또는 혼재삽화 급성 치료 : 1일째 : 300mg qd 2일째 : 600mg qd	1) Dibenzothiazepine계 atypical antipsychotics 2) 5-HT_2 및 D_2 수용체 길항작용(affinity : 5-HT_2 > D_2) 3) D_1, 5-HT_{1A}, H_1, adrenergic α1, 2 수용체 길항작용 있음. 4) 제형상 특징 : 바깥층인 gel layer와 주성분을 함유한 안쪽의 hard core 층으로 이루어져 바깥층이 물에 용해되면 hard core 부분에서 약 성분이 서서히 용출되는 제형(분할, 분쇄 불가) 5) 흡수 : 고지방식이 또는 고열량식이와 함께 복용시 Cmax(44~52%), AUC(20~22%) 증가	1) > 10% - 두통, 졸림 - 체중증가 2) 1~10% - 현기증, 저혈압 - 복통, 식욕감퇴, 변비, 소화불량 - 심계항진, 기립성 저혈압, 빈맥 - 기침, 호흡곤란, 인두염, 비염	〈금기〉 1) 혼수상태의 환자 (상태 악화 가능) 2) 당뇨병 또는 당뇨병 병력이 있는 환자 3) Epinephrine 투여중인 환자 〈주의〉 1) 항우울 목적으로 사용시 자살성향 증가 주의 2) 심한 고혈당 발현 주의 3) 복용초기에 기립성 저혈압 발생 가능하므로 심혈관계, 뇌혈관 질환 및 다른 저혈압 요인 있는 환자 주의 4) 뇌혈관질환 및 정맥혈전증 보고된 바 있음.

약품명 및 함량	용법	약리작용 및 효능	부작용	주의 및 금기
	3일째 : 400~800mg/D – 양극성 장애와 관련된 우울증의 급성 치료 : 1일째 : 50mg qd 2일째 : 100mg qd 3일째 : 200mg qd 4일째 : 300mg qd ③ 주요우울장애 치료의 부가요법 : 1일째 50mg으로 투여 시작하여 3일 째 150mg으로 증량 가능 (유지량 150~300mg/D) ④ 속방정에서의 전환 : 동일한 1일 용량으로 #1 복용 3) 간장애 환자, 고령자 : 초기 50mg/D로 시작	Tmax : 6hrs $T_{\frac{1}{2}}$: 7hrs	– 발진, 저배통, 허약감, 발한	5) 임신부 : Category C 6) 수유부 : 안전성 미확립 7) 18세 미만 : 안전성 미확립 〈상호작용〉 1) CYP3A4 억제제에 의해 이 약의 약물농도 상승 2) CYP3A4 효소유도제에 의해 이 약의 약물농도 감소
Risperidone Rispenl OD tab 리스펜오디정 …1mg/T …2mg/T	1) 급만성 정신 분열 및 기타 정신 질환의 치료 : 2mg으로 시작하여 2~6mg #2(Max. 16mg/D) 2) 양극성 조증 부가요법 : 2mg qd로 시작하여 2~6mg/D 3) 노인, 간, 신질환 환자 : 초기량 0.5mg bid, 1~2mg bid까지 증량 4) 치매 환자의 행동장애 : 초기량 0.25mg bid, 0.5~1mg bid까지 증량 5) 행실장애와 기타 파탄적 행동장애 ① 체중 ≥ 50mg : 0.5mg qd, 1~1.5mg qd까지 증량 ② 체중 〈 50mg : 0.25mg qd, 0.5~0.75mg qd까지 증량 * 신기능에 따른 용량 조절 참고 – CrCl 〈 30ml/min 초기용량 0.5mg bid 환자상태에 따라 0.5mg씩 증량(Max. 1~2mg bid)	1) Benzisoxazole계 항정신병 치료제 2) 5-HT_2 수용체와 dopamine D_2 수용체에 강한 친화성을 보이는 선택적인 monoaminergic antagonist로 α_1, α_2, H_1수용체에도 친화성을 가지나 cholinergic, muscarinic, β_1, β_2 수용체에는 친화성 없음. 3) 양성증상(환각, 망상, 적개심, 사고장애, 의심) 또는 음성증상(둔마된 정동, 감정적, 사회적 위축, 대화감퇴)이 주로 나타나는 급만성 정신분열 및 기타 정신질환 상태의 치료, 정신분열증과 연관된 정동장애(우울증, 죄책감, 불안)의 완화에 사용 4) 타 신경이완제에 비해 추체외로 장애 발현빈도, 심한 정도가 낮음. 5) 민트향의 구강 붕해정으로 입안에서 빠르게 용해되어 물 없이도 복용 가능함.	1) 〉 10% – 졸림, 파킨슨증상, 근육 긴장, 불안 – 비염 2) 1~10% – 현기증, 정좌불능, 진전 – 기침, 상기도 감염 – 빈맥, 흉통, 기립성 저혈압 – 변비, 오심, 소화 불량	〈금기〉 1) 알코올 또는 약물로 인해 중추신경이 억제된 환자 2) 수유부 : 안전성 미확립 〈주의〉 1) 심혈관 질환 : α-수용체 차단으로 초기 고용량 조절 단계에서 기립성저혈압 유발가능 2) 간질, 간 · 신장애, 파킨슨 증후군 환자에게 신중투여 3) 임신부 : Category C 4) 소아 〈상호작용〉 1) Levodopa의 작용 저하시킴 2) Carbamazepine 및 효소유도약물과 병용시 이 약의 혈중농도 감소 3) 항고혈압제와 병용시 저혈압 발생 4) QT 간격 연장하는 약물과 병용시 유의

약품명 및 함량	용법	약리작용 및 효능	부작용	주의 및 금기
Risperidone Rispenl tab 리스펜정 …1mg/T …2mg/T …3mg/T Risperdal soln 리스페달액 …1mg/ml/P …2mg/2ml/P	1) 급만성 정신 분열 및 기타 정신 질환의 치료 : 2mg으로 시작하여 2~6mg #2 (Max. 16mg/D) 2) 양극성 조증 부가 요법 : 2mg qd로 시작하여 2~6mg /D 3) 노인, 간, 신질환 환자 : 초기량 0.5mg bid, 1~2mg bid까지 증량 4) 치매 환자의 행동장애 : 초기량 0.25mg bid, 0.5~1mg bid까지 증량 5) 행실장애와 기타 파탄적 행동장애 ① 체중 ≥ 50mg : 0.5mg qd, 1~1.5mg qd까지 증량 ② 체중 〈 50mg : 0.25mg qd, 0.5~0.75 mg qd까지 증량 * 신기능에 따른 용량 조절 참고 - CrCl 〈 30ml/min : 초기용량 0.5mg bid 환자상태에 따라 0.5mg씩 증량(Max. 1~2mg bid)	1) Benzisoxazole계 항정신병 치료제 2) 5-HT_2 수용체와 dopamine D_2 수용체에 강한 친화성을 보이는 선택적인 monoaminergic antagonist로 α_1, α_2, H_1수용체에도 친화성 가지나 cholinergic, muscarinic, β_1, β_2 수용체에는 친화성 없음. 3) 양성증상(환각, 망상, 적개심, 사고장애, 의심) 또는 음성증상(둔마된 정동, 감정적, 사회적 위축, 대화감퇴)이 주로 나타나는 급만성 정신분열 및 기타 정신질환 상태의 치료, 정신분열증과 연관된 정동장애(우울증, 죄책감, 불안)의 완화에 사용 4) 타 신경이완제에 비해 추체외로 장애 발현빈도, 심한 정도가 낮음. 5) Tmax : 1~2hrs $T_{\frac{1}{2}}$: 24hrs	1) 〉 10% - 졸림, 파킨슨증상, 근육 긴장, 불안 - 비염 2) 1~10% - 현기증, 정좌불능, 진전 - 기침, 상기도 감염 - 빈맥, 흉통, 기립성 저혈압 - 변비, 오심, 소화불량	〈금기〉 1) 알코올 또는 약물로 인해 중추신경이 억제된 환자 2) 수유부 : 안전성 미확립 〈주의〉 1) 심혈관 질환 : α-수용체 차단으로 초기 고용량 조절 단계에서 기립성저혈압 유발가능 2) 간질, 간 · 신장애, 파킨슨 증후군 환자에게 신중투여 3) 임신부 : Category C 4) 소아 〈상호작용〉 1) Levodopa의 작용 저하시킴 2) Carbamazepine 및 효소유도약물과 병용시 이 약의 혈중농도 감소 3) 항고혈압제와 병용시 저혈압 발생 4) QT 간격 연장하는 약물과 병용시 유의
Ziprasidone HCl Zeldox cap 젤독스캅셀 …20mg/C …40mg/C …60mg/C …80mg/C	1) 정신분열병 ① 급성치료 : 40mg bid (Max. 160mg/D) ② 유지요법 : 20mg bid 2) 양극성 장애와 관련된 급성 조증, 혼재 삽화 : 40mg bid. (Max. 160mg bid) * 음식물과 함께 복용시 흡수 증대됨(특히, 고지방식이)	1) Benzisothiazoyl piperazine 유도체로서 atypical antipsychotics 2) 정확한 작용 기전은 알려져 있지않으나, 주로 5-HT_{2A} 및 dopamine D_2 수용체에 대한 antagonist로서 작용하여, 정신분열증의 양성, 음성 증상을 개선함. 3) Tmax : 4~5hrs 생체이용률 : 60% 단백결합 : 〉 99% $T_{\frac{1}{2}}$: 7hrs 대사 : 간(CYP3A4) 배설 : 신장(〈1%)	1) 〉 10% - 추체외로(2~31%), 졸음(8~31%), 두통(3~18%), 현기증(3~16%) - 오심(4~12%) 2) 1~10% - 흉통, 체위성저혈압, 고혈압, 서맥, 빈맥, 혈관확장 - 정좌불능, 불안, 불면, 초조, 언어장애 - 월경통 - 체중증가, 변비,	〈금기〉 1) 최근 급성 MI 병력자, 비보상성 CHF 환자, QT 간격 연장의 소인이 있는 환자 2) 수유부 : 안전성 미확립 〈주의〉 1) 발작 기왕력자, 자살 고위험군, 심질환, 당뇨, 중추신경저하, 파킨슨, 흡인성폐렴 위험 환자, 프로락틴 의존성 종양, 신 · 간부전 환자 2) 지속적으로 QT 간격이 500msec 이상이면 투여 중지하도록 하며, 현기증, 빈맥, 실신 증상이 있는 환자는 심장기능검사 필요 3) 임신부 : Category C 4) 소아

약품명 및 함량	용법	약리작용 및 효능	부작용	주의 및 금기
			소화불량, 설사, 구토, 침분비 증가, 구강건조, 복통, 식욕부진, 연하곤란 - 지속발기증 - 근육통, 감각이상, 저배통, 근육과다긴장증 - 시야이상, 복시 3) < 1% (치명적) - QT 간격 증가	〈상호작용〉 1) Ketoconazole에 의해 이 약의 혈중농도 증가 2) Carbamazepine에 의해 이약의 혈중농도 감소 3) 도파민수용체에 작용하는 CNS 작용 약물과 병용시 본제에 의해 도파민수용체에 대한 작용 길항 4) Class IA, III 항부정맥제, erythromycin, chloral hydrate, hydroxychloroquine, probucol, phenothiazine, TCAs, vasopressin, co-trimoxazole, mefloquine, fluoxetine등과 병용시 심독성 증가 위험

약품명 및 함량	용법	약리작용 및 효능	부작용	주의 및 금기
Alprazolam Zanapam tab 자나팜정 …0.25mg/T …0.5mg/T …1mg/T	1) 0.25~0.5mg tid (Max. 4mg/D) 2) 고령자, 간장애: 0.25mg bid~tid 3) 정신신체장애: 0.4mg tid (Max. 2.4mg/D) 고령자는 0.4mg qd~bid (Max. 1.2mg/D) 4) 공황장애 - 초회 0.5mg, 3~4일 간격 천천히 증량 - 유지 5~6mg/D #3~4, 중지시 천천히 감량	1) 1,4-Benzodiazepine계 약물로 antianxiety 작용 및 sedative-hypnotic 작용을 나타냄. 2) 불안장애 증상의 단기완화, 우울증에 수반하는 불안, 정신신체장애에서의 불안 · 긴장 · 우울 · 수면장애, 공황장애에 사용함. 3) Tmax : 0.8~2hrs $T_{\frac{1}{2}}$: 12.1(11.1~19)hrs 대사 : 간 배설 : 신장(80%), 대변(7%)	1) > 10% - 졸음, 피로, 운동실조, 현기증, 기억장애, 구음장애 - 발진 - 성욕감퇴, 월경이상 - 구강건조, 타액분비 감소, 식욕변화, 체중변화 - 배뇨곤란 2) 1~10% - 저혈압 - 착란, 성욕증가 - 피부염 - 타액분비 증가 - 강직, 진전, 근육경련 - 이명 - 비충혈	〈금기〉 1) 이 약 또는 benzodiazepines에 과민한 환자 2) 급성 협우각형 녹내장 3) 중증 근무력증 4) 중증 호흡부전 5) 중증 간부전 6) 정신병적 특징이 있는 우울증, 양극성장애 또는 내인성 우울증 7) 수면무호흡 증후군 8) 알코올 또는 약물의존성 환자 9) ketoconazole, itraconazole을 투여받고 있는 환자 10) 임신부: Category D 〈주의〉 1) 신장애, 간장애, 심장애 2) 뇌의 기질적 장애 환자 3) 고령자 또는 쇠약 환자 4) 척추성 또는 소뇌성 운동실조 환자 5) 약물에 의한 급성 중독 환자 6) 수유부 : 모유 이행

약품명 및 함량	용법	약리작용 및 효능	부작용	주의 및 금기
				7) 18세 이하 소아: 안전성, 유효성 미확립 〈상호작용〉 1) Phenothiazine, barbital, 항우울제, 최면진정제, 마약성진통제, 마취제, 항히스타민제와 병용시 중추신경 억제작용 증강 2) Carbamazepine에 의해 작용 감소 3) CYP3A에 의해 대사되는 약물과 병용시 작용 증강
Bromazepam Bromazepam tab 브로마제팜정 …3mg/T	1) 1.5~3mg tid 2) 중증 : 6~12mg bid~tid	1) 1,4-Benzodiazepine계 약물로 항불안 작용을 나타냄. 2) Tmax: 1~4hrs(PO) $T_{\frac{1}{2}}$: 11.9(7.9~19.3)hrs 대사 : 간 배설 : 신장(70%), 대변(2~6%)	- 졸음, 휘청거림, 현훈, 흥분, 기분고양, 보행실조, 불면, 두통, 진전, 시야몽롱, 구음장애 - 백혈구 감소 - 혈압저하 - 구갈, 식욕부진, 변비, 구역, 위부불쾌감 - 발진, 가려움증 - 배뇨곤란 - 피로, 탈력감	〈금기〉 1) 급성 협우각형 녹내장 2) 중증 근무력증 3) 이 약 또는 benzodiazepines에 과민한 환자 4) 급성 폐부전 5) 중증 호흡부전 6) 수유부: 안전성 미확립 7) 유 · 소아 8) 임신부: Category D 〈주의〉 1) 심 · 간 · 신장애 환자 2) 뇌의 기질적 장애 환자 3) 고령자, 쇠약자 〈상호작용〉 1) Phenothiazine, barbital 등의 중추신경억제제, MAO 저해제, 알코올과 병용시 이 약의 작용 증강됨 2) Digoxin과 병용시 digoxin 신배설 감소
Buspirone HCl Buspar tab 부스파정 …5mg/T …10mg/T …15mg/T	1) 초기량 5mg tid, 2~3일 간격으로 5mg/D씩 증량하여 20~30mg/D 유지(Max. 60mg/D)	1) Serotonergic(5-HT_1) agonist, dopaminergic effect로 항불안작용을 나타냄 2) 약물 남용이나 의존성을 유발하지 않음 3) Benzodiazepine과 비교시 진정작용 및 psychomotor, psychologic 작용이 적고, 중추신경계억제제, ethanol과 상호작용 없음 4) 불안치료 및 불안증상의 단기완화에 사용 5) Onset : 1wk	1) > 10% - 현기증 2) 1~10% - 졸음, EPS, 세로토닌증후군, 착란, 초조, 흥분, 두통 - 발진 - 설사, 오심	〈금기〉 1) 중증 간 · 신장애 2) 간질 환자 3) 급성 협우각 녹내장 환자 4) 중증 근무력증 환자 5) MAO 저해제 투여중인 환자 〈주의〉 1) 임신부: Category B

약품명 및 함량	용법	약리작용 및 효능	부작용	주의 및 금기
		Tmax : 40~90mins $T_{1/2}$: 2.4~2.7hrs 대사 : 간 배설 : 신장(29~63%), 대변(18~38%)	- 근무력증, 마비감, 지각이상, 조정능력 이상, 진전 - 시야몽롱, 시각장애 - 발한, 알러지반응	2) 18세 이하 : 안전성 미확립 〈상호작용〉 1) 상호작용은 없으나 알코올 섭취금지 2) MAOIs 병용시 혈압상승 가능
Clobazam Centil tab 센틸정 …5mg/T	1) 초회량 10mg bid, 필요시 30mg/D, 유지량 10~20mg/D 2) 수면장애: 20mg hs 3) 간질의 보조치료 : 초회량 20~30 mg/D, 필요시 60mg/D 4) 3세이상 소아, 고령자, 쇠약자: 성인용량의 1/2	1) 1,5-Benzodiazepine계 약물 2) 치료용량에서 반응성, 집중력, 운동조화 등에 장애를 덜 일으키며, 낮동안에 진정 현상이 없음. 3) 정신신체장애, 자율신경장애, 수면장애, 기질성 장애에서의 불안, 긴장 및 간질의 보조치료에 사용함 4) Tmax : 1~3hrs $T_{1/2}$: 11~77hrs 대사 : 간 배설 : 신장(81~97%) 〈상호작용〉 1) 타 중추신경억제제, 알코올과 병용시 작용 증강 2) 타 항경련제와 병용시 혈중농도 상승 3) 약물대사효소 저해제에 의해 이 약의 작용이 증강 4) 근이완제, 진통제와 병용시 작용 증강	- 피로(투여초기, 고용량시), 졸음, 구갈, 변비, 식욕감퇴, 구역, 어지러움, 손가락의 미세한 진전 - 초조, 신경과민, 급성 정신장애상태, 불안, 자살경향, 빈번한 근육경련, 수면유도 및 수면유지 장애 - 반응시간 지연, 운동실조, 착란, 두통, 근무력, 무기력, 혼수 - 발진, 두드러기 - 호흡기능장애	〈금기〉 1) 알코올 또는 약물의존성 환자 2) 수면무호흡증후군 3) 이 약 또는 benzodiazepines에 과민한 환자 4) 임신부(특히 초기 3개월) 5) 수유부 〈주의〉 1) 척추성 또는 소뇌성 운동실조 환자 2) 알코올, 수면제, 진통제, 항정신병약, 항우울약, 리튬에 의한 급성 중독 환자 3) 중증 근무력증 4) 급성 호흡부전 5) 중증 간장애 6) 신장애 7) 소아: 3세 이상 간질 치료 목적으로 사용 가능 〈약리작용 및 효능〉란에 계속
Diazepam Diazepam inj 디아제팜주 …10mg/2ml/A	1) 성인 ① 불안, 긴장: 중증 5~10mg, 경증~중등도 2~5mg IV, IM, 필요시 3~4시간 간격으로 반복투여(Max. 30mg/8hrs) ② 골격근 경련의 완화보조시: 5~10 mg IV, IM, 필요시 3~4시간 간격으로 반복투여 ③ 경련발작, 간질중첩상태의 치료보조시: 5~10mg IV, 10~15분 간격으로 최대 30mg까지 반복주사	1) Benzodiazepine계의 대표적 약물로, 변연계, 시상, 시상하부에 작용하여 진정, 수면, 항불안, 골격근 이완, 항경련 작용을 나타냄. 2) 내성과 신체적 의존성이 약하고 안전역이 넓음. 3) 정신적 불안, 골격근경련의 완화보조제, 마취전, 알코올중독의 금단증상, 소발작의 완화, 내시경 검사, 심율동 전환 등에 사용함. 4) 대사산물도 약리적 활성을 가지고 있음. 5) Onset: 30mins 지속시간: 6~12hrs $T_{1/2}$: 20~50hrs	- 저혈압 - 졸음, 운동실조, 건망증, 피로, 불면, 두통, 불안, 현훈, 착란 - 발진 - 성욕변화 - 타액분비 변화, 변비, 오심 - 뇨실금, 뇨저류 - 황달	〈금기〉 1) 급성 협우각형 녹내장 2) 중증 근무력증 3) 이 약 또는 benzodiazepines에 과민한 환자 4) 중증 호흡부전 5) 수면무호흡 증후군 6) 알코올 또는 약물의존성 환자 7) 쇽, 혼수상태의 중증 급성 알코올 중독 환자 8) 4주 미만 신생아, 미숙아 (벤질알코올 함유) 9) 중증 간부전 환자 10) 임신부: Category D

약품명 및 함량	용법	약리작용 및 효능	부작용	주의 및 금기
	2) 소아 ① 불안, 긴장: 0.04~0.2mg/kg IV, 필요시 2~4시간 간격으로 반복투여 (Max. 0.6mg/kg/8hrs) ② 경련발작, 간질중첩상태의 치료보조시 다음 용량을 2~5분 간격으로 IV - 1개월~5세미만: 0.2~0.5mg (Max. 5mg) - 5세 이상: 1mg (Max. 10mg)		- 정맥염, 주사부위의 통증 - 구음장애, 진전 - 시야몽롱, 복시 - 호흡수 감소, 무호흡	11) 수유부: 모유이행 〈주의〉 1) 심 · 간 · 신장애 환자 2) 뇌의 기질적 장애 환자 3) 척추성 또는 소뇌성 운동실조 환자 4) 약물에 의한 급성 중독 환자 5) 고령자, 쇠약자 6) 우울증 환자 〈상호작용〉 1) Phenothiazine, barbital, 항우울제, 최면진정제, 마약성진통제, 마취제, 항히스타민제와 병용시 중추신경 억제작용 증강 2) 약물대사효소 저해제와 병용시 작용 증강 3) Digoxin과 병용시 digoxin 신배설 감소 4) Phenytoin의 대사를 저해
Diazepam Diazepam tab 디아제팜정 …2mg/T …5mg/T	1) 성인 ① 2~10mg bid~qid (골격근경련의 경우 tid~qid) ② 마취전: 5~10mg을 취침전 또는 수술전 투여 ③ 알코올금단증상: 초기 10mg tid~qid, 이후 5mg tid~qid 투여 ④ 고령자 및 쇠약자: 2~2.5mg qd~bid 2) 6개월 이상 소아 : 1~2.5mg tid~qid (0.1~0.3mg/kg/D #3~4)	1) Benzodiazepine계의 대표적 약물로, 변연계, 시상, 시상하부에 작용하여 진정, 수면, 항불안, 골격근 이완, 항경련 작용을 나타냄. 2) 내성과 신체적 의존성이 약하고 안전역이 넓음. 3) 정신적 불안, 골격근경련의 완화보조제, 마취전, 알콜중독의 금단증상, 소발작의 완화 등에 사용함. 4) 대사산물도 약리적 활성을 가지고 있음. 5) Onset: 30min 지속시간: 6~12hrs $T_{\frac{1}{2}}$: 20~50hrs 대사 : 간 배설 : 신장(75%)	- 저혈압 - 졸음, 운동실조, 건망증, 피로, 불면, 두통, 불안, 현훈, 착란 - 발진 - 성욕변화 - 타액분비 변화, 변비, 오심 - 뇨실금, 뇨저류 - 황달 - 정맥염, 주사부위의 통증 - 구음장애, 진전 - 시야몽롱, 복시 - 호흡수 감소, 무호흡	〈금기〉 1) 급성 협우각형 녹내장 2) 중증 근무력증 3) 이 약 또는 benzodiazepines에 과민한 환자 4) 중증 호흡부전 5) 6개월 이하 영아 6) 수면무호흡증후군 7) 알코올 또는 약물의존성 환자 8) 임신부: Category D 9) 수유부: 모유이행 〈주의〉 1) 심 · 간 · 신장애 환자 2) 뇌의 기질적 장애 환자 3) 척추성 또는 소뇌성 운동실조 환자 4) 약물에 의한 급성 중독 환자 5) 소아, 고령자, 쇠약자 6) 우울증 환자

약품명 및 함량	용법	약리작용 및 효능	부작용	주의 및 금기
				〈상호작용〉 1) Phenothiazine, barbital, 항우울제, 최면진정제, 마약성진통제, 마취제, 항히스타민제와 병용시 중추신경 억제작용 증강 2) 약물대사효소 저해제와 병용시 작용 증강 3) Digoxin과 병용시 digoxin 신배설 감소 4) Phenytoin의 대사를 저해
Hydroxyzine HCl Ucerax tab 유시락스정 …10mg/T Ucerax syrup 유시락스시럽 …2mg/ml	1) 정신과 : 75~150mg을 3~4회 분할 투여 2) 피부과 : 30~60mg을 2~3회 분할 투여 *신기능에 따른 용량조절 참고 ① 중등증 신장애 : 50% 감량 ② 중증 신장애 : 75% 감량	1) Piperazine 유도체로 CNS 피질 하부의 특정부위를 억제하여 골격근 이완, 기관지 확장작용과 항히스타민작용 및 진토효과를 나타냄. 2) 만성 담마진에 선택약제임. 3) Sedation 효과가 큼(마취전에 사용). 4) 수술전후 및 신경증에서의 불안, 긴장, 초조, 두드러기, 피부질환에 수반되는 소양증에 사용함. 5) Onset : 15~30mins 이내 Tmax : 2hrs 지속시간 : 4~6hrs $T\frac{1}{2}$: 3~20hrs 대사 : 간장	- 현기증, 두통, 피로, 긴장감, 나른함 - 구갈 - 진전, 감각이상, 발작 - 시야몽롱 - 기관지 점액 분비 증가	〈금기〉 1) 급성 폐쇄각 녹내장 환자 2) 수유부 : 안전성 미확립 3) 임신부 : Category C 4) cetirizine, piperazine유도체, aminophylline, ethylendiamines에 대하여 과민증의 병력이 있는 환자 5) 포르피린증 환자 〈주의〉 1) MAO 억제제를 투여중인 환자 2) 간질 등의 경련성 질환 또는 그 병력이 있는 환자 3) 알코올 또는 수면제 중독 환자 〈상호작용〉 1) 알코올이나 바르비탈계 약물, 마취제, 마약성 진통제 등의 중추신경 억제제 : 상호 작용이 증강될 수 있으므로 감량하는 등 신중히 투여

약품명 및 함량	용법	약리작용 및 효능	부작용	주의 및 금기
Chloral Hydrate Pocral syrup 포크랄시럽 …100mg/ml	1) 불면증 및 수술전 진정 ① 성인 0.5~1g ② 소아 50mg/kg 2) 수술후 동통경감 ① 성인 250mg tid (Max. 2g/D) ② 소아 8.3mg/kg tid (Max. 1g/D)	1) Non-barbiturates로 일반적으로 안전하고, 효과가 빨리 나타나며, 대사산물인 trichloroethanol이 효과를 나타냄. 2) 최면용량에서 중추억제작용과 깊은 잠을 유도함. 3) BP와 호흡반사를 거의 억제하지 않아 hypnotic 및 진정제로서 유효함.	- 운동실조, 방향상실, 진정, 흥분, 현기증, 발열, 두통, 착란, 악몽, 환각, 졸음 - 발진, 두드러기	〈금기〉 1) 간 · 신장애 2) 중증 심질환 환자 3) 위염 환자 4) 급성 간헐성 포르피린증 환자 5) Warfarin 투여중인 환자

약품명 및 함량	용법	약리작용 및 효능	부작용	주의 및 금기
	※ 이 약은 물 또는 과즙 반컵에 희석하여 투여함 3) 원내 사용 기준 ① 소아 진정요법 25~100mg/kg ② 영아(24개월이하) Max. 1g/D ③ 소아(25개월~13세) Max. 2g/D *신기능에 따른 용량조절 참고 - GFR ≥50ml/min: 용량조절 필요 없음 - GFR 〈50ml/min: 금기	4) T½: 4~9.5hrs 대사 : 간	- 위장자극, 오심, 구토, 설사, 고창 - 백혈구감소, 호산구 증가 - 장기간 고용량 연용에 따른 신체적, 정신적 의존	6) 임신부: Category C 7) 수유부 〈주의〉 1) 호흡기능저하 환자 2) 고령자 및 쇠약자 〈상호작용〉 1) Warfarin의 대사율을 증가시킴 2) Furosemide와 병용시 혈압변화 3) 중추신경계억제제, 알코올과 병용시 작용 증강
Etizolam Depas tab 데파스정 …0.25mg/T …0.5mg/T …1mg/T	1) 신경증, 우울증: 1mg tid 2) 정신신체장애, 경추증, 요통, 근수축성 두통: 0.5mg tid 3) 수면장애 : 1~3mg hs 4) 고령자 : Max. 1.5mg/D	1) Thienodiazepine 계열의 항불안 & 진정제 2) CNS에서 GABA 억제효과 촉진 3) Benzodiazepine의 benzo기 대신 thieno기가 치환된 구조로서, benzodiazepine 계열 약제보다 작용시간이 짧음 4) Tmax: 0.5~2hrs T½: 3.4~6.2hrs 대사: 간	〈빈도 미확립〉 - 기립성 저혈압, 빈맥 - 피부 발진, 중심 원심성 윤상 홍반 (Erythema annulare centrifugum) - 오심, 구갈 - 현기, 낮시간의 진정, 피로, 불면, 환각, 안절부절, 진전 - 약물 의존성, 금단 증상	〈금기〉 1) 급성 폐쇄각 녹내장 환자 2) 중증의 근무력증 환자 3) 이 약 또는 benzodiazepines 약물에 과민한 환자 4) 중증의 호흡부전 환자 5) 중증의 간장애 환자 6) 수면무호흡증후군 환자 7) 알코올 또는 약물 의존성 환자 〈주의〉 1) 심장애 환자(혈압저하가 일어나 심장애 악화 가능) 2) 간 · 신장애 환자 3) 뇌의 기질적 장애 환자 4) 중등도 호흡장애 또는 중증의 호흡장애(호흡부전) 환자 5) 고령자, 쇠약자 6) 우울증 환자 7) 유 · 소아 8) 척추성 또는 소뇌성 운동실조 환자 9) 알코올, 수면제, 진통제, 정신병 치료제, 항우울약, 리튬에 의한 급성 중독 환자

약품명 및 함량	용법	약리작용 및 효능	부작용	주의 및 금기
Flurazepam HCl Dalmadorm tab 달마돔정 …15mg/T	1) 15~30mg hs	1) 대뇌 변연계의 수면계만을 외부자극으로부터 차단함. 2) REM 수면은 감소되어 수면시간이 연장되며, 복용 중단시 REM rebound 수면장애는 없음. 3) 수면유도시간이 짧음 : 20~45mins 4) 탐닉성이 barbiturate보다 약함. 5) 경구 항혈액응고제 및 3환계 항우울제의 대사를 촉진하지 않음. 6) 야간에 자주 깨거나 깊이 잠들지 못하는 불면치료에 유효함. 7) Onset : 수면 15~30mins Tmax : 30~60mins 대사 : 간 $T\frac{1}{2}$: - 성인 (single dose):74~90hrs (multiple dose):111~113hrs - 61~85세 노인 (single dose):120~160hrs (multiple dose):126~158hrs 배설 : 신장	- 심계항진, 흉통 - 졸음, 운동실조, 현기증, 건망증, 우울, 두통, 착란, 초조, 환각, 수다 - 발진, 소양증 - 구강건조, 변비, 타액분비 변화, 흉부작열감, 오심, 구토, 설사, 식욕변화, 쓴맛, 체중변화 - 과립구감소증 - 간효소수치 상승, 담즙 울체성 황달 - 구음장애, 허약감, 반사지연 - 시야몽롱, 시각장애 - 이명 - 무호흡, 호흡곤란 - 발한, 의존성	〈금기〉 1) 급성 협우각형 녹내장 2) 중증 근무력증 3) 이 약 또는 benzodiazepines에 과민한 환자 4) 급성 호흡부전 5) 15세 이하 소아 6) 수면무호흡증후군 7) 알코올 또는 약물의존성 환자 8) 수유부: 모유이행 9) 임신부 : Category X 〈주의〉 1) 폐질환, 호흡부전 환자 2) 심 · 간 · 신장애 환자 3) 뇌의 기질적 장애 환자 4) 척추성 또는 소뇌성 운동실조 환자 5) 약물에 의한 급성 중독 환자 6) 고령자, 쇠약자 〈상호작용〉 1) 중추신경억제제, MAO 억제제와 병용시 이 약의 작용 증강 2) 약물대사효소저해제와 병용시 이 약의 작용 증강 3) Digoxin과 병용시 digoxin 신배설 감소
Lorazepam Ativan tab 아티반정 …0.5mg/T …1mg/T	1) 1~4mg/D #2~3 (Max. 10mg/D)	1) CNS에 작용하여 정온작용을 나타내며 불안증상, 수면장애, 마취전, 정신신체장애에서의 불안해소에 주로 사용함. 2) 호흡기, 심혈관계에는 영향을 미치지 않음. 3) 위장관계 이상으로 인한 불안증 해소에는 도움이 안됨. 4) Onset: 수면유도 20~60mins 지속시간: 수면유도 6~8hrs 대사: 간(75%) $T\frac{1}{2}$: 12hrs(모체) 배설: 신장(88%), 대변(7%) 혈액투석시 제거됨.	1) 〉10% - 진정 - 호흡억제 2) 1~10% - 저혈압 - 착란, 현기증, 정좌불능, 두통, 우울, 건망증 - 피부염, 발진 - 체중변화, 오심, 식욕변화 - 허약감	〈금기〉 1) 중증 근무력증 환자 2) 급성 협우각녹내장 환자 3) 이 약 또는 benzodiazepines에 과민한 환자 4) 중증 호흡부전 환자 5) 수면 무호흡 증후군 환자 6) 알코올 또는 약물의존성 환자 7) 임신부: Category D 8) 12세 이하 소아: 안전성 미확립 〈주의〉 1) 심 · 간 · 신장애 환자 2) 뇌의 기질적 장애 환자

약품명 및 함량	용법	약리작용 및 효능	부작용	주의 및 금기
			– 비충혈, 과호흡, 무호흡	3) 척추성 또는 소뇌성 운동실조 환자 4) 약물에 의한 급성 중독 환자 5) 고령자, 쇠약자, 우울증 환자 6) 황색4호(타르트리진)에 과민한 환자 7) 수유부: 모유이행 〈상호작용〉 1) Phenothiazine, barbital, 항우울제, 최면진정제, 마약성진통제, 마취제, 항히스타민제와 병용시 중추신경 억제작용 증강 2) 약물대사효소 저해제와 병용시 이 약의 작용 증강 3) Digoxin과 병용시 digoxin 신배설 감소 4) Dantrolene과 병용시 근이완 작용 증가 5) Clozapine과 병용시 부작용 증가
Lorazepam Ativan inj 아티반주 …2mg/0.5ml/A …4mg/1ml/A	1) 마취전 투약 – 0.05mg/kg IM, IV – IM: 수술 60~90분전 – IV: 수술 30~45분전 2) 급성 불안 – 0.025~0.03mg/kg q 6hrs IM,IV	1) CNS에 작용하여 정온작용을 나타내며 불안증상, 수면장애, 마취전, 정신신체장애에서의 불안해소에 주로 사용함. 2) 호흡기, 심혈관계에는 영향을 미치지 않음. 3) 위장관계 이상으로 인한 불안증 해소에는 도움이 안됨. 4) Tmax : IM 1~3hrs 〈상호작용〉 1) Phenothiazine, barbital, 항우울제, 최면진정제, 마약성진통제, 마취제, 항히스타민제와 병용시 중추신경 억제작용 증강 2) 약물대사효소저해제와 병용시 이 약의 작용 증강 3) Digoxin과 병용시 digoxin 신배설 감소 4) Dantrolene과 병용시 근이완 작용 증가 5) Clozapine과 병용시 부작용 증가	1) 〉10% – 진정 – 호흡억제 2) 1~10% – 저혈압 – 착란, 현기증, 정좌불능, 두통, 우울, 건망증 – 피부염, 발진 – 체중변화, 오심, 식욕변화 – 허약감 – 비충혈, 과호흡, 무호흡	〈금기〉 1) 중증 근무력증 환자 2) 급성 협우각녹내장 환자 3) 이 약 또는 benzodiazepines에 과민한 환자 4) 중증 호흡부전 환자 5) 수면무호흡증후군 환자 6) 알코올 또는 약물의존성 환자 7) 4주 미만 신생아, 미숙아 (벤질알코올 함유) 8) 임신부: Category D 〈주의〉 1) 심 · 간 · 신장애 환자 2) 뇌의 기질적 장애 환자 3) 척추성 또는 소뇌성 운동실조 환자 4) 약물에 의한 급성 중독 환자 5) 고령자, 쇠약자, 우울증 환자 6) 수유부: 모유이행 7) 18세이하: 안전성 미확립 〈약리작용 및 효능〉란에 계속

약품명 및 함량	용법	약리작용 및 효능	부작용	주의 및 금기
Melatonin Circadin PR tab 서카딘서방정 …2mg/T	1) 1Ⓣ qd, 취침 1~2시간 전 복용 2) 13주까지 투여 가능	1) Neurohormone 2) 외인성 melatonin으로 일주기 리듬(circardian rhythm)을 정상화 시키고 수면을 유도함 3) 적응증: 수면의 질이 저하된 55세 이상 불면증 환자의 단기 치료 4) BA: 15% Onset: 1-2hrs(수면 유도), 3wks(수면패턴 변화) Tmax: 3hrs T½: 3.5~4hrs 대사: 간(CYP1A1, 1A2, 2C19) 배설: 신장(~85%)	(0.1~1%) - 신경과민, 불안, 비정상적인 꿈, 불면 - 두통, 어지러움, 졸림 - 고혈압 - 복통, 입마름, 오심, 소화불량 - 고빌리루빈혈증 - 피부염, 피부건조, 발진 - 사지통증 - 당뇨, 단백뇨 - 무력증 - 간기능 검사 이상, 체중 증가	〈금기〉 1) 유당 관련 대사장애 환자(∵유당함유) 2) 수유부 〈주의〉 1) 신장애, 간장애, 자가면역질환 환자 2) 임신부: 권장안함(∵안전성 미확립) 3) 소아: 안전성, 유효성 미확립 4) 졸음을 유발할 수 있으므로 운전, 위험한 기계 조작 금함. 〈상호작용〉 1) Estrogen, cimetidine, CYP1A2저해제(Quinolones): 혈중 melatonin농도 증가 2) 흡연, CYP1A2유도제(carbamazepine, rifampicin): 혈중 melatonin농도 감소 3) Benzodiazepine, non-benzodiazepine계 수면제: 진정작용 증강 4) Alcohol: 이 약의 수면 효과 감소. 〈취급상 주의〉 1) 차광, 실온(25℃이하) 보관
Pentobarbital sodium Entobar inj 엔토발주 …100mg/2ml/A	1) 초회 100mg IV, 효과 불충분시 50mg 추가투여(Max. 500mg) 2) IM: Max. 250mg/D 3) 소아 및 쇠약자는 상기 용량의 1/2 사용	1) Barbiturates의 최면진정제로서 혈중농도에 따라 진정정도가 다름 ① 1~5mcg/ml : 진정효과 ② 5~15mcg/ml : 수면상태 ③ 〉10mcg/ml : 혼수상태 ④ 〉30mcg/ml : 치명적임 2) 단시간형으로 약리작용은 phenobarbital과 유사함. 3) 불면증, 전신마취전, 경련상태의 억제, 불안 및 긴장상태의 진정에 사용 4) Onset: 1min(IV), 10~25mins(IM) 지속시간: 15mins(IV) T½: 15~50hrs	- 서맥, 저혈압, 실신 - 졸음, 기면, 판단력 이상, 두통, 불면, 악몽, 착란, 운동실조, 불안 - 발진, 피부염, 스티븐스존슨증후군 - 오심, 구토, 변비 - 무과립구증, 혈소판감소증 - 주사부위 통증, 정맥염 - 핍뇨 - 후두경축, 호흡곤란, 무호흡	〈금기〉 1) 이 약 또는 barbitals에 과민한 환자 2) 급성 간헐성 포르피린증 환자 3) 임신부: Category D 〈주의〉 1) 심 · 간 · 신장애 환자 2) 호흡부전 환자 3) 약물과민증 환자 4) 유소아, 고령자, 허약자 5) 뇌의 기질적 장애 환자 〈상호작용〉 1) 중추신경억제제 및 알코올과 병용시 작용 증강 2) Warfarin의 대사율을 증가시킴

약품명 및 함량	용법	약리작용 및 효능	부작용	주의 및 금기
Phenobarbital Phenobarbital tab 페노바르비탈정 …30mg/T Phenobarbital inj 페노바르비탈주사액 …100mg/1ml/A	1) 경구 ①성인 - 불면: 30~200mg hs - 진정, 간질: 30~200mg #1~4 ②소아 - 간질: 3~6mg/kg 2) 주사 ①성인 - 진정, 간질: 50~200mg #1~2 SC, IM - 간질중첩: 200~600mg IV *신기능에 따른 용량조절 참고 CrCl(ml/min) 〈10 : 투여간격 q 12~16hrs	1) 장시간형 barbiturates 2) 뇌간 망상체에 작용하여 경련역치를 상승시킴 - 대발작이나 partial(forcal motor or sensory) 발작에 사용함 - 특히 소아 발작 예방 및 1차 치료제, phenytoin과 병용치료에 사용 - Barbital류 및 알코올 금단증상성 발작에도 사용함 3) 혈중 빌리루빈 농도를 감소시키므로 신생아 황달이나 Gilbert's syn.같은 과빌리루빈혈증에도 사용함. 4) 단시간형 barbiturate 중독에 사용(pentobarbital, secobarbital 100mg에 30mg 투여후 10% q24hr 감량) 5) 간장의 cytochrome P450의 대표적인 촉진제로서, steroid Hr, cholesterol, Vit-K, 담즙산 및 Vit-D 대사도 촉진하며, phenobarbital의 자체대사도 증가됨 (pharmacokinetic tolerance 또는 cross tolerance 유발함). 6) Onset : 〉 1hr(PO), 20~60mins(IM), 5mins(IV) 지속시간 : 10~12hrs Tmax : IM 0.9hr, IV 15mins $T_{\frac{1}{2}}$: 1.5~4.9days 대사 : 간 배설 : 신장(21%) 7) TDM 대상 약물	- 서맥, 저혈압, 실신 - 졸음, 기면, 판단력 이상, 두통, 불면, 악몽, 착란, 운동실조, 불안 - 발진, 피부염, 스티븐스존슨증후군 - 오심, 구토, 변비 - 무과립구증, 혈소판감소증 - 주사부위 통증, 정맥염(inj) - 핍뇨 - 후두경축, 호흡곤란, 무호흡	〈금기〉 1) 중증 간·신부전 2) 호흡장애 환자 3) 급성 간헐성 포르피린증 환자 4) 이 약 또는 barbitals에 과민한 환자 5) 수유부 6) 아나필락시스성 쇽 환자 7) 중추신경억제제 또는 알코올을 복용중인 환자 8) 동맥주사(주사제) 9) 억제되지 않는 통증 상태 환자(주사제) 10) 습관성 중독자(주사제) 11) 임신부 : Category D 12) 신생아, 미숙아 (벤질 알코올 함유) 〈주의〉 1) 고령자, 쇠약자 2) 두부외상후유증 및 진행성 동맥경화증 등의 기질적 장애 환자 3) 약물과민증 환자 4) 약물의존성 환자 5) 중증 신경증 환자 6) 갑상선질환, 발열, 당뇨병, 심한 빈혈, 울혈성 심부전증 환자에게 신중투여 7) 뇨독증 환자 8) 심장애 환자 〈상호작용〉 1) 중추신경억제제 및 알코올과 병용시 작용 증강 2) Warfarin의 대사율을 증가
Triazolam Zolmin tab 졸민정 …0.125mg/T …0.25mg/T	1) 0.125~0.25mg hs 2) 고령자,쇠약자 : 초회량 0.125mg (Max. 0.25mg/D) 3) 치료기간은 최대 2~3주	1) 1,4-Benzodiazepine계 약물로 diazepam과 유사함. 2) 수면유도시간이 짧으며, 수면중 깨는 횟수가 감소되고, REM rebound가 없는 장점이 있음. 3) 일과성 불면증에 주간의 진정작용 및 항불안작용이 필요없는 장·단기 수면증에의 간헐적 투여에 유효함. 4) 이 약 0.5mg≒Flurazepam 30mg	1) 〉 10% - 졸음, 건망증 2) 1~10% - 두통, 현기증, 초조, 운동실조 - 오심, 구토	〈금기〉 1) 중증 근무력증 환자 2) 급성 폐쇄각 녹내장 환자 3) 이 약 또는 benzodiazepines에 과민한 환자 4) 급성 호흡부전 환자 5) 수면무호흡증후군 환자 6) 알코올 또는 약물의존성 환자

약품명 및 함량	용법	약리작용 및 효능	부작용	주의 및 금기
		5) Onset : 15~30mins 지속시간 : 6~7hrs Tmax : 0.7~2hrs $T\frac{1}{2}$: 2.6(1.7~5.2)hrs 대사 : 간 배설 : 신장(80%), 대변(9%) 〈상호작용〉 1) 중추신경억제제 또는 알코올에 의해 작용 증강 2) 약물대사효소억제제와 병용시 작용 증강 3) CYP3A에 의해 대사되는 약물과 병용시 작용 증강		7) 임신부: Category X 8) 수유부: 모유이행 9) Miconazole, itraconazole, ketoconazole, erythromycin, josamycin을 투여중인 환자 〈주의〉 1) 심 · 간 · 신장애 환자 2) 뇌의 기질적 장애 환자 3) 척추성 또는 소뇌성 운동실조 환자 4) 약물 급성 중독 환자 5) 고령자, 쇠약자, 만성 폐부전 환자 6) 18세이하: 안전성 미확립 〈약리작용 및 효능〉란에 계속
Zolpidem Stilnox tab 스틸녹스정 …10mg/T	1) 성인: 10mg hs (최초 투여량 5mg/D 권장, 이후 환자 상태에 따라 10mg/D로 증량 가능) 2) 65세 이상 및 간부전 환자: 5mg hs (Max. 10mg/D) 3) 치료기간은 최대 4주	1) Imidazopyridine계 진정, 수면제 2) 항경련효과가 약한 단시간형 수면제로 불면 반동이나 낮시간의 졸림, 현기증 등의 부작용 적음 3) Onset: 수면 7~27mins 지속시간 : 6~8hrs Tmax : 1.6~2hrs 대사 : 간 $T\frac{1}{2}$: 2~2.6hrs(간경화시 9.9hrs) 배설 : 신장(〈1%), 대변, 담즙	1) 〉10% - 현기증, 두통, 졸음 2) 1~10% - 심계항진 - 기면, 우울, 건망증, 환각 - 피곤, 체온 상승 - 발진 - 오심, 설사, 구강 건조, 변비 - 부비강염, 인두염	〈금기〉 1) 18세 미만 소아 2) 수면무호흡증후군 환자 3) 근무력증 환자 4) 중증 간부전 환자 5) 급성 호흡부전 환자 6) 알코올 또는 약물의존성 환자 7) 정신병 환자 〈주의〉 1) 호흡기능저하 환자 2) 간 · 신장애 환자 3) 임신부: Category C 4) 수유부: 복용 가능 〈상호작용〉 1) 중추신경억제제 또는 알코올과 병용시 작용 증강 2) 약물대사효소억제제와 병용시 작용 증강
Zolpidem tartrate Stilnox CR tab 스틸녹스CR정 …6.25mg/T …12.5mg/T	1) 성인 : 12.5mg hs (최초 투여량 6.25mg/D 권장, 이후 환자 상태에 따라 12.5mg/D로 증량 가능) 2) 65세 이상 및 간부전 환자 : 6.25mg hs (Max. 12.5mg/D)	1) Imidazopyridine계 진정, 수면제 2) 항경련효과가 약한 단시간형 수면제로 불면 반동이나 낮시간의 졸림, 현기증 등의 부작용 적음	1) 〉10% - 현기증, 두통, 졸음 2) 1~10% - 심계항진	〈금기〉 1) 18세 미만 소아 2) 수면무호흡증후군 환자 3) 근무력증 환자 4) 중증 간부전 환자

약품명 및 함량	용법	약리작용 및 효능	부작용	주의 및 금기
		3) dual-layer 구조로서 first layer에서 60%의 약물이 신속히 방출되어 수면을 유도한 후 second layer에서 40%의 약물이 서서히 방출되어 수면을 유지시킴 4) Onset : 수면 7~27mins 지속시간 : 6~8hrs Tmax : 1.6~2hrs 대사 : 간 $T_{\frac{1}{2}}$: 2.8hrs (간경화시 9.9hrs) 배설 : 신장(<1%), 대변, 담즙	- 기면, 우울, 건망증, 환각 - 피곤, 체온 상승 - 발진 - 오심, 설사, 구강 건조, 변비 - 부비강염, 인두염	5) 급성 호흡부전 환자 6) 알코올 또는 약물의존성 환자 7) 정신병 환자 〈주의〉 1) 호흡기능저하 환자 2) 간 · 신장애 환자 3) 임신부: Category C 4) 수유부: 모유 이행 〈상호작용〉 1) 중추신경억제제 또는 알코올과 병용시 작용 증강 2) 약물대사효소억제제와 병용시 작용 증강

약품명 및 함량	용법	약리작용 및 효능	부작용	주의 및 금기
Donepezil HCl Aricept Evess tab 아리셉트에비스정 …5mg/T …10mg/T Aricept tab 아리셉트정 …23mg/T	1) 5mg qd hs 투여 - 4~6주간 투여 후 10mg으로 증량 가능 - 10mg qd로 최소 3개월 복용 후 23mg qd로 증량 가능 2) 아리셉트 에비스정 5,10mg/T: 구강붕해정으로 혀 위에 놓고 녹여서 물과 함께 복용하거나 물 없이 복용 3) 아리셉트정 23mg/T: 서방정으로 물과 함께 통째로 삼킴(분할, 분쇄 불가) 4) 불면 등 발생시 복용시간 변경 가능	1) Piperidine 유도체로 acetylcholinesterase만을 선택적, 가역적으로 억제하여 대뇌피질의 acetylcholine 수치 상승 2) 적응증 ① 5mg, 10mg/T (구강붕해정) - 알츠하이머형 치매증상의 치료 - 혈관성 치매(뇌혈관 질환을 동반한 치매) 증상의 개선 ② 23mg/T (서방정) - 중등도~중증의 알츠하이머형 치매증상의 치료 3) Tmax: 3~4hrs(구강붕해정), 5~6hrs(서방정) BA: 100% Duration: 2wks $T_{\frac{1}{2}}$: 70hrs	1) > 10% - 불면증(5~14%) - 오심(5~19%), 설사(8~15%) - 감염(11%) 2) 1~10% - 고혈압, 흉통, 출혈, 실신, 저혈압 - 두통, 동통, 피로, 현기증, 우울, 졸음 - 멍, 습진 - 식욕감퇴, 구토, 체중감소, 복통, 변비 - 빈뇨, 뇨실금 - 근육경련, 요통, 관절염	〈금기〉 1) 이 약 성분 또는 piperidine 유도체에 과민한 환자 2) 임신부: Category C(국내허가금기) 〈주의〉 1) 마취시: succinylcholine형 근이완제의 작용을 극대화시키는 경향 2) 심혈관계 질환자(심장질환, 전해질 이상을 가진 환자 특별히 주의) 3) 소화성궤양, NSAIDs 복용중인 환자 4) 천식이나 기관지 질환 5) 수유부 및 소아: 안전성 미확립 〈상호작용〉 1) CYP450, CYP2D6 저해제에 의해 약효 증가 2) CYP450, CYP2D6 유도제에 의해 약효 감소 3) 타 신경근육 차단제, choline 효능제 또는 acetylcholinesterase 저해제와 병용시 상승작용 4) 베타차단제 병용 투여로 상승작용 5) NSAIDs와 병용시 소화성궤양 증가
Galantamine HBr Reminyl PR Cap 레미닐피알서방캡슐 (Galantamine으로서) …8mg/C …16mg/C …24mg/C	1) 성인 - 초기용량: 8mg qd - 유지용량: 16mg qd(Max. 24mg/D) 2) 신, 간장애 환자: Max. 16mg/D	1) 가역적 acetylcholinesterase 저해제 2) Prolonged Release Capsule(PRC)로서 1일 1회 복용하며, capsule 내의 각각의 과립을 서방코팅한 형태이므로, capsule을 풀어서 복용은 가능하나, 분쇄는 불가함. 3) 경등도 및 중등도의 알쯔하이머형 치매 증상의 치료 4) Tmax : 4~5hrs $T_{\frac{1}{2}}$: 6.9~8.1hrs	1) > 10% - 오심, 구토, 설사 2) 1~10% - 서맥, 실신, 흉통 - 현기, 두통, 우울, 피로, 불면, 졸음, 진전 - 식욕감퇴, 체중감소, 복통, 소화불량, 고창 - 요도감염, 혈뇨, 배뇨곤란 - 빈혈 - 비염	〈금기〉 1) 중증 간,신장애 〈주의〉 1) 임신부: Category B 2) 수유부 및 소아: 안전성 미확립 〈상호작용〉 1) Paroxetine(CYP2D6저해제)과 병용시 40%, ketoconazole, erythromycin(CYP3A4 저해제)과 병용시 30%, 12%씩 이 약의 혈중농도 증가함, 용량 조절 필요.

약품명 및 함량	용법	약리작용 및 효능	부작용	주의 및 금기
Memantine HCl Ebixa tab 에빅사정 …10mg/T Ebixa oral drops 에빅사액 …500mg/50ml/BT	1) 3주간에 걸쳐 유지용량에 도달 – 첫주 5mg qd (시럽: 0.5ml qd) – 둘째주 5mg bid (0.5ml bid) – 셋째주 15mg/D (아침 10mg(1ml), 저녁 5mg(0.5ml)) – 넷째주부터 10mg bid (1ml bid) 2) Max: 20mg/D 3) 시럽 1회 펌프량 = 0.5ml = 이 약 5mg 해당 *신기능에 따른 용량조절 참고 – CrCl(mL/min) : 용량 ① 50~80 : 용량조절 불필요 ② 30~50 : 10mg/D (투여 최소 7일 후 내약성 좋으면 20mg/D 까지 증량가능) ③ 5~30 : 10mg/D ④ <5 : 투여 금기	1) NMDA(N-methyl-D-aspartate) 수용체의 비경쟁적 길항제 2) 시냅스 내 상승된 glutamate에 의해 병리적으로 활성화되는 NMDA수용체를 길항하여 학습 및 기억능력 등과 관련된 생리활성을 유지시킴. 3) 적응증: 중등도에서 중증의 알쯔하이머병	– 우울, 불면, 운동장애, 정좌불능, 흥분, 현기증, 졸음, 두통, 불안, 환각, 섬망, 정신병 – 체중 증가, 체중 감소, 발한 – 오심, 구토, 설사, 변비, 침분비 증가, 식욕부진, 구갈 – 요실금, 비뇨기계 감염 – 시야혼미 – 기침(4%), 호흡곤란(2%), 기관지염, 상기도 감염 – 저배통(3%), 걸음이상, 관절통	〈금기〉 1) 중증의 간, 신장애 환자 〈주의〉 1) 간질 환자 2) 뇨 pH 증가 요인이 있는 환자, Proteus bacteria에 의한 심한 요로감염 환자, 알칼리성 음료의 대량 섭취, 육식에서 채식으로 식이 변경 환자: 뇨의 알칼리화 주의 3) 임신부: Category B 4) 수유부 : 모유 이행 가능성 있음 5) 위험한 운전이나 기계 조작시 주의 〈상호작용〉 1) Levodopa, dopamine agonists, anticholinergics: Levodopa 등의 효능과 부작용 증가 2) Barbiturates, antipsychotics: 이 약에 의해 효능 감소 3) Dantrolene, baclofen의 효능에 영향 (용량조절 필요) 4) Amantadine, ketamine, dextromethorphan: CNS 부작용 유발 5) Cimetidine, ranitidine, quinidine, nicotine, procainamide, quinine: 이 약의 혈중 농도 증가 6) Hydrochlorothiazide의 배설 감소 〈취급상 주의-시럽제〉 1) 개봉 후 3개월 이내에 사용 * 펌프 사용법 1) 시계 반대 방향(열림상태), 시계방향(잠김상태) –약은 열림 상태에서만 나옴 2) 펌프 상부의 화살표 방향(시계 반대 방향)으로 돌린 후 상단을 완전히 누르면 정확한 양이 분배됨 3) 처음 사용시 펌프를 5회 완전히 눌러 사용 준비를 해야함. 이 때 펌프된 용액은 버리고 그 다음 번에 완전히 누르면 정량 분배됨 4) 펌프 한번 장착한 후 절대 열어서는 안됨 5) 사용 후 반드시 잠김 상태로 돌려 보관

약품명 및 함량	용법	약리작용 및 효능	부작용	주의 및 금기
Rivastigmine tartrate Exelon cap 엑셀론캡슐 …1.5mg/C …3mg/C …4.5mg/C …6mg/C	1) 알츠하이머형 치매 - 초기용량: 1.5mg bid (식사와 함께 복용), 2주 간격으로 증량 권장 - 유지용량: 6~12mg #2 2) 파킨슨병과 관련된 치매 - 초기용량: 1.5mg bid 4주 간격으로 증량 권장 - 유지용량: 3~12mg #2	1) Acetylcholinesterase inhibitor로 중추에 선택적으로 작용하여 치매의 증상을 개선 2) 적응증: 경미 내지 완화한 알츠하이머형 치매 또는 파킨슨병과 관련된 치매의 대증적 치료 3) Onset: 12wks Tmax: 1hr BA: 36%(3mg), 71.7%(6mg) $T_{\frac{1}{2}}$: 1.4~1.7hrs 대사: 간 배설: 신장(97%), 대변(0.4%)	1) 〉10% - 현기증, 두통 - 오심, 구토, 설사, 식욕부진, 복통 2) 1~10% - 실신, 고혈압 - 피로, 불면, 착란, 우울, 불안, 권태감, 기면, 환각, 공격성, 파킨슨 증상 악화, 어지러움 - 소화불량, 변비, 고창, 체중감소, 트림, 탈수 - 요로감염 - 허약, 진전(특히, 파킨슨 병 환자) - 비염 - 발한, flu-like syndrome	〈금기〉 1) 이 약 성분, 다른 Carbamate유도체에 과민한 환자 2) 중증의 간기능 손상 환자 〈주의〉 1) 동기능부전증후군(sick sinus syndrome)환자, 다른 심전도 장애환자(동방블록, 방실블록), 중증의 부정맥 환자 2) 요폐쇄와 간질발작 상태에 놓이기 쉬운 환자 3) 호흡기질환 환자 및 병력자 4) 소화성궤양 환자, NSAIDs 복용 환자 5) 투여 중단 이후 재개 시 최소한의 용량으로 재개 (1.5mg bid, 3mg/D) 6) 임신부: Category B 7) 수유부: 안전성 미확립 8) 소아: 안전성 미확립 〈상호작용〉 1) 콜린작용성 제제들과 병용투여 금지 2) Succinylcholine type 근이완제의 효과 증강
Rivastigmine Wondron patch 원드론패취 …9mg/EA(5cm²) …18mg/EA(10cm²) …27mg/EA(15cm²)	1) 방출량: - 패취 5: 4.6mg/24hrs - 패취 10: 9.5mg/24hrs 2) 초기 : 1일 1회 패취 5로 시작 3) 유지 - 최소 4주 후 내약성 좋은 경우 1일 1회 패취 10으로 증량 가능 (Max. 1일 1회 패취 10) 4) 경구제에서 전환 ① 6mg/D 미만 복용: 1일 1회 패취 5 ② 6~12mg/D 복용: 1일 1회 패취 10	1) Acetylcholinesterase inhibitor로 중추에 선택적으로 작용하여 치매의 증상을 개선 2) 적응증: 경~중등도의 알츠하이머형 치매 또는 파킨슨병과 관련된 치매의 대증적 치료 3) Tmax: 8~16hrs $T_{\frac{1}{2}}$: 패취 제거 후 3hrs 대사: 간, 뇌 배설: 신장(≥90%), 대변(〈1%)	* 엑셀론캡슐과 유사하나 오심, 구토 부작용이 10% 미만으로 적음.	* 엑셀론캡슐 참조

약품명 및 함량	용법	약리작용 및 효능	부작용	주의 및 금기
Lithium carbonate Lithan tab 리단정 …300mg/T	1) 200~600mg tid * 신기능에 따른 용량 조절 참고 ① CrCl 10~50ml/min : 상용량의 50~75% 투여 ② CrCl 〈10ml/min : 상용량의 25~50% 투여	1) 신경과 근세포내에서 Na을 변화시켜 신장내의 catecholamine 대사를 변화시킴. 2) 작용발현은 7일로 늦으며, 안전역이 좁음. 3) 조울증의 조증 예방 및 치료제 4) Onset : 조증 7~14days Tmax : 0.5~2hrs $T_{\frac{1}{2}}$: 14~24hrs 배설 : 신장(89~98%)	- 부정맥, 저혈압, 부종 - 현기증, 현훈, 언어장애, 발작, 진정, 초조, 착란, 혼수, 근긴장이상, 피로, 기면, 두통 - 모발건조, 가늘어짐, 탈모, 건선 악화, 발진 - 갑상선기능이상, 고혈당, 요붕증 - 식욕감퇴, 오심, 구토, 설사, 구강 건조, 금속성의 맛, 체중증가 - 배뇨곤란, 다뇨, 단백뇨 - 백혈구증가 - 진전, 운동실조 - 안구진탕, 시야몽롱	〈금기〉 1) 기질성 뇌장애 또는 뇌파 이상 환자 2) 심혈관 질환 3) 리튬의 체내저류를 일으키기 쉬운 환자 4) 애디슨병 환자 5) 임신부 : Category D 6) 수유부 : 안전성 미확립 〈주의〉 1) 고령자, 간장애, 갑상선질환 환자에게 신중투여 2) 리튬에 비정상적으로 감수성을 나타내는 환자(치료 영역 이하에서도 독성을 나타낼 수 있음) 3) TDM 대상 약물 ① 0.9~1.5mEq/L : 안전치료 농도 ② 〉 2.0mEq/L : 초기중독증상(졸림, 구토, 무력감, 보행곤란, 구갈, 복통, 현기증, 느려진 말씨) 발현으로 감량 또는 휴약해야 함 ③ 〉 2.5mEq/L : 전신적 경련, 핍뇨, 사망 4) 소아 : 안전성 미확립 〈상호작용〉 1) Hydrochlorothiazide, ACE 저해제, NSAIDs에 의해 이 약의 혈중농도 상승 2) Carbamazepine과 병용시 CNS 증상 증가 3) Haloperidol, 향정신성약물과 병용 시 주의 4) SSRI, SNRI, triptan류와 병용시 세로토닌 증후군 발생

약품명 및 함량	용법	약리작용 및 효능	부작용	주의 및 금기
Moclobemide Aurorix tab 오로릭스정 …150mg/T	1) 우울증 : 300mg #2~3, 중증에는 600mg까지 증량가능 2) 사회공포증 : 600mg #2~3 (최소 8주간 투여)	1) 가역적인 MAO-A(Monoamine oxidase A type) 억제제로 NE, serotonin 대사를 감소시켜 항우울 작용을 나타냄.	- 신경과민, 수면장애, 어지러움, 격앙, 불안, 흥분, 시야몽롱, 구갈, 구역, 포만감,	〈금기〉 1) 급성 착란상태 환자 2) Pethidine, MAO억제제, SSRI, dextromethorphan 투여중인 환자

약품명 및 함량	용법	약리작용 및 효능	부작용	주의 및 금기
	3) 간질환, 간대사 기능 저하된 환자 : 1일 용량의 1/2~1/3까지 감량	2) Anticholinergic effect 혹은 심장혈관계의 부작용이 TCA보다 적게 나타남. 3) 우울증, 사회공포증의 치료에 사용	가슴쓰림, 설사, 변비, 두통, 말초운동 및 지각신경병증 - 착란, 간효소치의 상승, 간염 - 아나필락시양 반응, 두드러기, 혈관부종, 천식, 저 혈압	〈주의〉 1) 갑상선중독증, 크롬친화세포종 환자에게 신중투여 2) 정신분열증 또는 분열정동정신병 수반 우울증 환자 치료시 정신분열 증상이 악화될 수 있음. 3) 고혈압 환자는 tyramine이 다량 함유된 음식은 제한함. 4) 임신부 : Category B3 (호주) 5) 수유부 : 모유 이행 6) 소아 : 안전성 미확립 〈상호작용〉 1) Ibuprofen, morphine의 효과를 증강시킴. 2) Selegiline, sumatriptan, dextromethorphan과 병용금기 3) Cimetidine에 의해 대사가 억제되므로 본제의 용량을 1/2로 감량 4) 교감신경흥분제의 작용 증강

약품명 및 함량	용법	약리작용 및 효능	부작용	주의 및 금기
Fluoxetine HCl Foxetin cap 폭세틴캅셀 …10mg/C Prozac cap 푸로작캡슐 …20mg/C Prozac dispersible tab 푸로작확산정 …20mg/T	1) 우울증: 초회량 20mg qd 2) 신경성 식욕과항진증: 60mg/D 분할투여 3) 강박 반응성 질환: 20~60mg/D 4) 월경전 불쾌장애: 20mg/D 5) Max: 80mg/D 6) 신장 또는 간손상 환자 및 고령자 등은 감량 또는 투여간격 조절 7) 오전 복용 권장 8) MAO억제제에서 본 약제로 변경 시: 2주 이상, 본 약제에서 MAO억제제로 변경 시: 5주 이상 간격 필요	1) Phenylpropanolamine 유도체인 2환계 항우울제 2) 신경말단에서 특이적으로 serotonin reuptake 차단, 수용체에서 활성 serotonin량을 증가시키는 SSRI(Selective Serotonin Reuptake Inhibitor) 제제 3) 타 항우울제보다 anticholinergic, α-adrenergic blocking, antihistamine activity가 적음. 4) 3환계 항우울제에 비해 심장에 대한 부작용이 적음. 5) Dispersible tab: 물에 녹여 복용할 수 있는 확산정으로 환자의 편리에 따라 분할이 가능하며 음료에 타서 복용 가능함.	1) > 10% - 두통, 초조, 불면, 불안, 졸음 - 오심, 설사, 구강건조, 식욕감퇴 - 허약감, 진전 2) 1~10% - 혈관확장, 심계항진, 고혈압 - 건망증, 착란, 수면장애, 현기증, 하품	〈금기〉 1) 중증 신부전 환자 2) MAO억제제, linezolid 투여중인 환자 〈주의〉 1) 간질발작 병력자 2) 전신적인 병발질환(대사 또는 혈액 역학에 영향을 주는 질환) 3) 최근의 심근경색 또는 불안정한 심질환 4) 간경변 5) 당뇨병 6) MAO 억제제 투여시작 전 5주 휴약기간 필요 7) 긴 반감기로 치료용량 결정 및 치료 종료시 유의. 8) 자살의 소인이 있는 환자

약품명 및 함량	용법	약리작용 및 효능	부작용	주의 및 금기
	(상기 간격 이내 투여 금기)	6) Tmax : 6~8hrs $T_{\frac{1}{2}}$: Fluoxetine 1~3days(acute), 4~6days(chronic), 7.6days(cirrhosis) Norfluoxetine(활성형) 9.3days(4~16days), 12days(cirrhosis)	- 발진(사망에 이르는 전신 혈관염 동반한 보고 있음), 소양증 - SIADH, 저혈당, 저나트륨혈증 - 소화불량, 식욕증가, 변비, 구토, 고창, 복통 - 성기능장애, 빈뇨 - 시각이상 - 인두염 - 발한, 발열, 감기증상, 감염	9) 임신부: Category C 10) 수유부: 모유 이행 11) 소아: 안전성 미확립 12) 출혈 경향이 있거나 경구용 항응고제를 복용하는 환자 〈상호작용〉 1) 리튬의 혈중농도 증가 2) 혈장단백결합율이 높은 약물과 병용시 주의 3) CYP2D6에 의해 대사되는 약물과 병용시 주의
Paroxetine HCl Seroxat tab 세로자트정 …10mg/T …20mg/T	1) 우울성 질환 : 20mg/D(Max. 50mg/D) 2) 강박장애 : 초회량 20mg/D, 권장량 40mg/D (Max. 60mg/D) 3) 공황장애 : 초회량 10mg/D, 권장량 40mg/D (Max. 50mg/D) 4) 사회불안장애/사회공포증, 외상후 스트레스 장애(PTSD) : 20mg/D (Max. 50mg/D) 5) 고령자 : 20mg/D(Max. 40mg/D) 6) 중증간장애 : 초기 10mg/D, 필요시 일주일 간격으로 10mg/D씩 증량(Max. 40mg/D) 7) 범불안장애(GAD) : 20mg/D (Max. 50mg/D) *신기능에 따른 용량조절 참고 - CrCl<30ml/min : 초기 10mg/D, 필요시 일주일 간격으로 10mg/D씩 증량(Max. 40mg/D)	1) Serotonin의 presynaptic reuptake를 선택적으로 차단(fluoxetine의 약 22배, sertraline의 약 7배, imipramine, amitriptyline의 약 80~100배의 선택성을 가짐). 2) 불안을 수반하는 우울증, 모든 형태의 우울성 질환, 강박장애, 공황장애, 사회불안장애/사회공포증 등에 사용 3) 다른 SSRI제제보다 anticholinergic effect 강함. 4) Onset : 2wks Tmax : 3~8hrs $T_{\frac{1}{2}}$: 15~22hrs 대사 : 간 배설 : 신장(65~67%), 대변(36~37%)	1) > 10% - 두통, 졸음, 현기증, 불면 - 오심, 구강건조, 변비, 설사 - 사정장애, 허약감, 발한 2) 1~10% - 심계항진, 혈관확장, 기립성 저혈압 - 초조, 불안, 하품, 신경과민 - 발진 - 성욕감퇴, 월경장애 - 식욕감퇴, 고창, 소화불량, 구토, 미각도착증 - 빈뇨, 발기부전 - 진전, 지각마비, 근육병증, 근육통	〈금기〉 1) 이 약에 과민한 환자 2) MAO억제제 , pimozide, thioridazine 복용중인 환자 3) 소아 : 안전성 미확립 4) 임신부 : Category D 〈주의〉 1) 조증의 기왕력자 2) 소아 및 청소년에게 투여시 초기 수개월간 자살 시도 증가 및 우울증 악화 보고됨. 3) 출혈성 질환의 병력이 있거나 출혈 위험성을 높일 수 있는 약물을 병용투여 받는 환자 4) 간질, 심질환, 당뇨, 협우각녹내장, 저나트륨혈증 환자 5) 복용중단시 서서히 감량하면서 금단증상 유무 관찰 필요 6) 신경이완제 복용 환자 7) 간 · 신장애 환자

약품명 및 함량	용법	약리작용 및 효능	부작용	주의 및 금기
			- 시야혼미, 비염	〈상호작용〉 1) MAO억제제, tryptophan, 기타 SSRI와 병용시 serotonin syndrome 유발 가능 2) Lithium, procyclidine의 혈중농도 증가 3) TCA계 항우울제의 혈중농도 증가, 독성 증가 4) Phenytoin과 병용시 두 약 모두 혈중농도 감소 5) 경구용 항응고제와 병용시 출혈위험 증가 6) CYP2D6에 의해 대사되는 약물과 병용시 주의
Paroxetine HCl Eixat CR tab 에이자트씨알정 …12.5mg/T …25mg/T	1) 우울증 - 초기용량 : 25mg qd (식사와 관계없이 주로 오전 복용) - 증상 개선 없으면 최소 1주 이상 간격 두고 12.5mg씩 증량 (Max. 62.5mg/D) 2) 공황장애 - 초기용량 : 12.5mg qd 매주 12.5mg씩 증량 (Max. 75mg/D) 3) 노약자, 중증 신/간장애 환자 - 초기용량 : 12.5mg, 필요시 증량 (Max. 50mg/D) 4) 사회불안장애/사회 공포증 - 초기용량 : 12.5mg qd, 매주 12.5mg씩 증량 (Max. 37.5mg/D) 5) 월경 전 불쾌장애 - 12.5~25mg/D	1) SSRI(Selective Serotonin Reuptake Inhibitor) 제제 2) Serotonin의 presynaptic reuptake를 선택적으로 차단(fluoxetine의약 22배, sertraline의 약 7배, imipramine, amitriptyline의 약 80~100배의 선택성을 가짐) 3) 장용 코팅된 서방형 정제로서, 기존 제제에 비해 위장관 부작용이 감소되고 fluctuation이 적게 나타남. 4) Tmax : 6~10hrs $T\frac{1}{2}$: 15~20hrs Tss : 1~4wks 단백 결합율 : 93~95% 대사 : 간 배설 : 신장(65~67%), 대변(36~37%)	1) 〉10% - 두통, 졸음, 현기증, 불면 - 오심, 구강건조, 변비, 설사 - 사정장애, 허약감, 발한 2) 1~10% - 심계항진, 혈관확장, 기립성 저혈압 - 초조, 불안, 하품, 신경과민 - 발진 - 성욕감퇴, 월경장애 - 식욕감퇴, 고창, 소화불량, 구토, 미각도착증 - 빈뇨, 발기부전 - 진전, 지각마비, 근육병증, 근육통 - 시야혼미, 비염	〈금기〉 1) MAO억제제, pimozide, thioridazine 복용중인 환자 2) 소아 : 안전성 미확립 3) 임신부 : Category D 〈주의〉 1) 조증의 기왕력자 2) 소아 및 청소년에게 투여시 초기 수개월간 자살 시도 증가 및 우울증 악화 보고됨. 3) 출혈성 질환의 병력이 있거나 출혈 위험성을 높일 수 있는 약물을 병용투여 받는 환자 4) 간질, 심질환, 당뇨, 협우각 녹내장, 저나트륨혈증 환자 5) 복용중단시 서서히 감량하면서 금단증상 유무 관찰 필요 6) 신경이완제 복용 환자 7) 간 · 신장애 환자 〈상호작용〉 1) MAO억제제, tryptophan, 기타 SSRI와 병용시 serotonin syndrome 유발 가능 2) Lithium, procyclidine의 혈중농도 증가 3) TCA계 항우울제의 혈중농도 증가, 독성 증가 4) Phenytoin과 병용시 두 약 모두 혈중농도 감소 5) 경구용 항응고제와 병용시 출혈위험 증가 6) CYP2D6에 의해 대사되는 약물과 병용시 주의

약품명 및 함량	용법	약리작용 및 효능	부작용	주의 및 금기
				〈취급상 주의〉 1) 분할 및 분쇄 금함(∵서방성 및 장용성 상실).
Sertraline HCl Zoloft tab 졸로푸트정 …50mg/T …100mg/T	1) 성인 ① 우울증, 강박장애 – 초회 : 50mg qd – 유지 : 50~100mg qd ② 공황장애, 외상후 스트레스 장애 및 사회불안장애 – 초기: 25mg qd(일주일간), 유지: 50~200mg qd(Max. 200mg/D) ③ 월경전 불쾌장애 – 월경주기동안 계속 복용시 50mg qd(Max. 150mg/D) – 월경주기중 황체기에만 복용시 50mg qd(Max. 100mg/D) : – 이 경우 황체기 시작 1~3일째 50mg qd, 4일째부터 월경 시작일까지 100mg qd 2) 소아 (6~17세) ① 강박장애 – 6~12세 : 25mg qd – 13~17세 : 50mg qd(Max. 200mg/D) * 용량조절시 최소 1주일 이상 간격 필요 3) MAO억제제와 본 약제간 상호약제 변경시: 2주 이상 간격필요 (상기 간격이내 투여 금기)	1) SSRI (selective serotonin reuptake inhibitor) 제제 2) 선택적으로 presynaptic serotonin reuptake를 차단하며, norepinephrine과 dopamine의 reuptake에는 영향을 거의 미치지 않음. 3) 적응증 : 우울증, 강박장애, 공황장애, 외상후 스트레스 장애, 사회불안장애, 월경전 불쾌장애 4) Onset : 2wks Tmax : 4~8hrs $T_{\frac{1}{2}}$: 24hrs 대사 : 간 배설 : 신장(40~45%), 대변(40~45%)	1) > 10% – 불면, 기면, 현기증, 두통, 피로 – 구강건조, 설사, 오심 – 사정장애 2) 1~10% – 빈맥 – 격앙, 불안, 신경과민 – 발진 – 성욕감소 – 변비, 식욕감소, 소화불량, 고창, 구토, 체중증가 – 배뇨장애 – 진전, 이상감각 – 시각장애, 이명 – 발한증가	〈금기〉 1) 간부전, 신부전 환자 2) MAO억제제, pimozide, linezolid투여 중인 환자 3) 6세 미만 : 안전성 미확립 〈주의〉 1) 간질 환자 2) 중등도~중증 간기능 장애 환자 3) 임신부 : Category C 4) 수유부 : 모유이행 〈상호작용〉 1) MAO억제제 : 정신상태 변화 초래 가능 2) Serotonin receptor agonist(tryptophan, sumatriptan, fenfluramine) : serotonin syndrome 발현 가능 3) Lithium : 5-HT관련 부작용 증가 4) Warfarin : PT 증가 5) Cimetidine : 이 약의 농도 증가 6) TCAs : TCAs의 혈중 농도 증가, serotonin syndrome 7) Pimozide : pimozide 혈중 농도 증가

약품명 및 함량	용법	약리작용 및 효능	부작용	주의 및 금기
Duloxetine HCl Cymbalta cap	1) 60mg qd (Max. 120mg/D, 60mg 이상 용량에서의 추가적 유익성 근거 없음)	1) SNRI(serotonin and norepinephrine reuptake inhibitor)로 기분증상(우울증, 범불안장애)과 신체적 통증 증상(당뇨병성 말초신경병성 통증, 섬유근	1) >10% – 피로, 졸림, 어지러움, 두통, 불면증	〈금기〉 1) 간질환 환자 2) 중증의 신장애 환자

약품명 및 함량	용법	약리작용 및 효능	부작용	주의 및 금기
심발타캡슐 …30mg/C …60mg/C	2) 경, 중등증의 신기능장애 환자에서 용량 조절 불필요 3) 투여 중단 시 점진적으로 감량해야 함. 4) MAO억제제에서 본 약제로 변경 시: 2주 이상, 본 약제에서 MAO억제제로 변경 시: 5일 이상 간격 필요 (상기 간격 이내 투여 금기) *신기능에 따른 용량조절 참고 – Clcr 〈30ml/min, ESRD: 금기	육통)을 동시에 치료 가능 2) 적응증: 우울증(MDD), 범불안장애(GAD), 당뇨병성 말초 신경병증성 통증(DPNP), 섬유근육통의 치료 3) Onset : 2wks(MDD, GAD), 1wk(DPNP) Tmax : 6hrs (음식 섭취시 10hrs) $T_{\frac{1}{2}}$: 12hrs(8~17hrs) 대사 : 간 (CYP1A2, CYP2D6) 배설 : 신장(70%) 〈상호작용〉 1) Sibutramine, MAOI, CYP1A2 inhibitors에 의해 duloxetine의 혈중농도 증가 2) Iomeprol, thioridazine, alcohol, serotonergic drug, aspirin, TCA, NSAID, CNS depressant, α, β-agonist의 혈중농도 증가 3) St. Johns wort와 병용시 CNS depression 증가	– 구역, 구강건조, 설사, 변비, 식욕 감소 2) 1~10% – 심폐항진증 – 불안, 수면장애, 비정상적인 꿈, 발열 – 피부발진, 소양감, 다한증 – 홍조, 성욕 감소 – 구토, 소화불량, 식욕부진, 입맛 변화, 체중 감소/증가 – 사정장애 – 떨림, 경련, 근육통 – 흐린 시력 – 비인두염 – 발한, 계절성알레르기	3) 조절되지 않는 좁은 앞방각녹내장 환자 4) 조절되지 않는 고혈압 환자 5) MAO억제제, linezolid 투여중인 환자 〈주의〉 1) 임신부 : Category C 2) 조증과 간질 3) 심장 질환을 가진 환자 4) 자살의 소인이 있는 환자 5) 소아 및 18세 미만 청소년 6) 출혈경향 있거나 경구용 항응고제, 와파린 복용 환자 7) 노인, 이뇨제 복용 환자–저나트륨혈증 8) 치료 중단 시 금단증상 나타남 〈취급상 주의〉 1) 장용성 과립이 충진된 캡슐로서, 풀어서 복용은 가능하나 분쇄는 불가 〈약리작용 및 효능〉란에 계속
Milnacipran Ixel cap 익셀캅셀 …12.5mg/C …25mg/C …50mg/C	1) 우울증 – 초기용량: 50mg qd – 50mg bid로 증량 2) 섬유근육통 – 초기용량: 12.5mg qd – 2~3일: 12.5mg bid – 4~7일: 25mg bid – 7일 이후: 50mg bid (Max. 100mg bid) 3) 고령자 우울증: 25mg#2~3 (Max. 60mg/D) 4) 투여 중단시 1~2주 이상에 걸쳐 점진적으로 감량 * 신장애시 용량조절 참고 ① CrCl≥60ml/min: 50mg bid ② 30≤CrCl〈60ml/min: 25mg bid ③ 10≤CrCl〈30ml/min: 25mg qd	1) SSRI와 TCA의 효과를 함께 지닌 SNRI (Serotonin norepinephrine reuptake inhibitor) 2) 적응증: 우울증 치료, 섬유근육통 치료 3) Tmax: 2~4hrs 단백결합율: 13% BA : 85~90% $T_{\frac{1}{2}}$: 6~8hrs 배설: 신장(50~60%) 〈상호작용〉 1) Epinephrine, norepinephrine 등 교감신경흥분제와 병용시 심혈관계작용이 증강됨. 2) Lithum: 세로토닌 증후군 발생할 수 있음.	– 두통, 현기증, 불면증, 다한증, 불안, 얼굴 상기, 배뇨곤란 – 오심, 구토, 구강건조, 변비, 경련, 심계항진, 혈압상승, 홍분 – 두드러기, 발진, 홍반	〈금기〉 1) 비선택성 MAO 억제제, selegiline, digoxin, sumatriptan과 병용하지 않음. 2) 전립선 비대, 비뇨생식기계 질환자 3) 조절되지 않는 폐쇄각녹내장 환자 4) 조절되지 않는 고혈압 환자 5) 18세 미만 6) 수유부 7) 임신부 Category C(국내허가금기) 〈주의〉 1) 신기능부전 환자 2) 고혈압, 심장질환자 3) 폐쇄각 녹내장 환자 4) 간질 환자 5) 출혈 경향이 있거나 경구용 항응고제 복용 환자 6) 이뇨제, 저나트륨혈증 유발 약물 복용환자(저나트륨혈증 위험 증가) 〈약리작용 및 효능〉란에 계속

약품명 및 함량	용법	약리작용 및 효능	부작용	주의 및 금기
Venlafaxine HCl Benexa XR cap 베넥사엑스알서방캡슐 …37.5mg/C …75mg/C	1) 초기용량 ① 우울증, 범불안장애, 사회공포증 - 추천용량 : 75mg qd - 적응이 필요한 환자의 경우 4~7일간 37.5mg qd (Max. 225mg/D) ② 공황장애 - 추천용량 : 37.5mg qd (Max. 225mg/D) ③ 중등도 간장애 환자 : 50% 감량 ④ 신장애 환자 - 신장애(GFR=10~70ml/min) : 25~50% 감량 - 혈액투석시 : 1일 용량의 50% 감소 2) 1일 1회 일정한 시간에 음식물과 함께 복용(서방형 제제이므로 분할, 분쇄 금지) 3) MAO억제제에서 본 약제로 변경 시 2주 이상, 본 약제에서 MAO 억제제로 변경 시 1주 이상 간격필요 (상기 간격이내 투여 금기)	1) SSRI와 TCA의 효과를 함께 지닌 SNRI (Serotonin Norepinephrine reuptake inhibitor) 2) Histamine, acetylcholine, α- adrenaline 수용체에 영향을 미치지 않음. 3) 서방형 과립이 충진되어 있는 제제로 1일 1회 복용이 가능 4) 적응증 : 우울증, 사회공포증	1) > 10% - 두통, 졸음, 현기증, 불면, 초조 - 오심, 구강건조, 변비, 식욕감퇴 - 성기능장애 - 허약감 - 졸음 2) 1~10% - 혈관확장, 고혈압, 빈맥, 흉통, 기립성 저혈압 - 불안, 수면장애, 하품, 착란, 우울 - 발진, 소양증 - 성욕감퇴 - 설사, 구토, 소화 불량, 고창, 체중 감소 - 발기불능, 빈뇨, 배뇨곤란, 뇨저류 - 진전, 긴장항진, 지각마비 - 시야몽롱, 산동 - 이명 - 감염, 오한, 외상	〈금기〉 1) MAO 억제제, linezolid 투여중인 환자 2) 수유부 및 18세 미만 소아 : 안전성 미확립 3) 임신부 : Category C(국내허가금기) 〈주의〉 1) 다른 질병을 수반한 환자 2) 심근경색 또는 심질환 3) 식욕과 체중변화 4) 불안과 불면 5) 저나트륨혈증 6) 인식력과 운동수행장애 7) 간질 환자 8) 신 · 간장애 환자 〈상호작용〉 1) 약물대사효소 유도제/저해제와 병용시 주의 2) CYP2D6에 의해 대사되는 약물과 병용시 주의 3) Haloperidol의 작용증가 4) Warfarin 병용시 PT/PTT, INR 증가

약품명 및 함량	용법	약리작용 및 효능	부작용	주의 및 금기
Amitriptyline HCl Amitriptyline tab 아미트리프틸린정 …10mg/T	1) 30~75mg #2~3 (Max. 300mg/D) 2) 야뇨증 : 10~30mg hs	1) 3급아민 TCA 약물로, 신경말단에서 NE 재흡수를 차단하여 adrenergic synapse를 활성화함. 2) 기분 상승, 육체적 · 정신적 활동의 증가, 식욕 촉진, 병적인 집념억제효과	- 항콜린성부작용이 현저함 - 기립성 저혈압, 빈맥, 비특이적 EKG 변화, AV 전도변화	〈금기〉 1) 이 약 또는 TCA에 과민한 환자 2) 심근경색 회복 초기 환자 3) 녹내장 환자 4) 중추신경억제제 또는 알코올 급성 중독 환자

약품명 및 함량	용법	약리작용 및 효능	부작용	주의 및 금기
Etravil tab 에트라빌정 …25mg/T		3) Major depression, mixed & depressed bipolar disorder, dysthymia, atypical depression, enuresis에 유효함. 4) 식욕촉진 환자의 식생활 습관을 변화키는 데도 유효함. 5) 진통제로 효과가 없는 muscle contraction 두통에도 유효함. 6) 항콜린작용이 큼. (Amitriptyline 〉 Imipramine 〉 Nortriptylline) 7) 항히스타민작용에 의한 진정효과가 있음. 8) T½ : 15.1(10.3~25.3)hrs 〈상호작용〉 1) Epinephrine, norepinephrine과 병용시 심혈관계작용 증강 2) 혈압강하제의 작용 저하 3) Quinidine, amiodarone에 의해 혈중농도 증가 4) Co-trimoxazole에 의해 이 약의 작용 저하	- 초조, 현기증, 불면, 진정, 피로, 불안, 발작, 추체외로증상 - 과민성 발진, 두드러기, 광과민성 - 체중증가, 구강건조, 변비 - 뇨저류 - 시야몽롱, 산동 - 발한	5) 급성 섬망 환자 6) 전립선비대 등 배뇨장애 환자 7) 부정맥 환자 8) 대뇌손상, 무과립구증 환자 9) MAO억제제 투여중인 환자 10) Pimozide 투여 환자 〈주의〉 1) 심질환, 갑상선기능항진증, 경련성질환, 조울증, 배뇨곤란, 안압항진, 유문협착, 간장애 환자 신중투여 2) 뇌의 기질적 장애 또는 정신분열증의 소인이 있는 환자 3) 고령자 4) 임신부: Category C (호주) 5) 수유부: 모유이행 6) 야뇨증 환자를 제외한 소아: 안전성, 유효성 미확립 〈약리작용 및 효능〉란에 계속
Clomipramine HCl Gromin cap 그로민캅셀 …10mg/C …25mg/C	1) 초회량 : 10mg hs 2) 유지량 : 30~50mg hs 또는 분할투여 (Max. 150mg/D) 3) 노인 : 10mg hs, 유지량 30~50mg	1) 3급아민 TCA로 amitriptyline과 작용, 용도가 유사함. 2) 진정이 요구되는 우울증상, 강박상태, 공포상태, 수면발작과 관련된 급발작에 사용함. 3) Onset : 2wks(우울증) 4~10wks(강박장애) Tmax : 2~6hrs T½ : 19~37hrs 대사 : 간 배설 : 신장(51~60%), 대변(24~32%) 〈상호작용〉 1) Epinephrine, norepinephrine과 병용시 심혈관계작용 증강 2) 혈압강하제의 작용 저하	1) 〉 10% - 현기증, 졸음, 두통, 불면, 초조 - 성욕변화 - 구강건조, 변비, 식욕증가/감소, 오심, 체중증가, 소화불량, 복통 - 피로, 진전, 간대성근경련 - 발한 2) 1~10% - 저혈압, 심계항진, 빈맥	〈금기〉 1) 이 약 또는 TCA에 과민한 환자 2) 이 약 투여 전후 14일 이내에 MAO 억제제, SSRI, SNRI 투여하는 환자 3) 최근의 심근경색 환자 4) 녹내장 환자 〈주의〉 1) 심질환, 갑상선기능항진증, 부신수질종양, 경련성 질환, 정신병, 조울증, 배뇨곤란, 안압항진, 간·신장애, 만성변비 환자에게 신중투여 2) 뇌의 기질적 장애 또는 정신분열증의 소인이 있는 환자 3) 임신부: Category C 4) 고령자 5) 수유부: 모유 이행 6) 소아: 안전성 미확립 〈약리작용 및 효능〉란에 계속

약품명 및 함량	용법	약리작용 및 효능	부작용	주의 및 금기
		3) Cimetidine, methylphenidate, estrogen, quinidine, fluoxetine 등에 의해 혈중농도 증가, 부작용 증가	- 착란, 수면장애, 하품, 언어장애, 마비감, 기억력장애, 불안, 편두통 - 발진, 소양증, 피부염 - 설사, 구토 - 배뇨곤란 - 시야몽롱, 눈의 통증	
Dothiepin HCl Prothiaden cap 푸로치아덴캡슐 …25mg/C	1) 성인 : 75mg/D 분할 또는 저녁에 1회 투여, 150mg까지 증량 (Max. 225mg/D) (예; 25~50mg bid~tid 또는 75~150mg qd(저녁)) 2) 고령자 : 초기 50~75mg/D 분할투여(성인 용량의 1/2 사용)	1) 3환계 항우울제로 작용 및 용도가 amitriptyline과 유사함. 2) 위장 통과시간을 연장시킴. 3) 항무스카린작용은 amitriptyline보다 약함. 4) Onset : 1wk(우울증) 최대효과 : 2wks Tmax : 2~4hrs $T\frac{1}{2}$: 23~46hrs 대사 : 간 배설 : 신장(56%), 대변(15%)	- 신경이완제 악성증후군 - SIADH - 혈압강하, 심계항진, 빈맥, 심전도이상 - 경련, 졸음, 어지러움, 비틀거림, 수면장애, 두통, 두중, 진전 - 발진 - 골수기능억제, 무과립구증, 백혈구감소 - 간기능효소수치상승, 담즙울체성 황달 - 식욕부진, 구역, 구토, 설사, 위부불쾌감 - 항콜린작용 - 장기투여로 인한 입 주위의 불수의 운동 - 성기능장애, 권태감	〈금기〉 1) 최근의 심근경색, 심차단, 부정맥 환자 2) 조증 환자 3) 중증 간질환 4) 녹내장 환자 5) 이 약 또는 TCA에 과민한 환자 6) MAO억제제 투여중인 환자 7) 전립선비대 환자 〈주의〉 1) 심질환, 갑상선기능항진증, 경련성질환, 조울증, 배뇨곤란, 안압항진, 유문협착, 간장애 환자에게 신중 투여 2) 뇌의 기질적 장애 또는 정신분열증의 소인이 있는 환자 3) 고령자 4) 임신부: Category C (호주) 5) 수유부: 모유 이행 6) 소아: 안전성 미확립 〈상호작용〉 1) 중추신경억제제 또는 알코올과 병용시 작용 증강 2) 혈압강하제의 작용 저하 3) Methylphenidate에 의해 혈중농도 상승

약품명 및 함량	용법	약리작용 및 효능	부작용	주의 및 금기
Imipramine HCl Imipramine tab 이미프라민정 …25mg/T	1) 우울증(성인) : 25~75mg/D 분할투여, 200mg까지 증량 (Max. 300mg/D) 2) 유뇨증 ① 소아: 25-50mg/D 분할투여 ② 유아: 25mg qd	1) Dibenzazepine 3급아민 TCA로, 신경말단에서 NE 재흡수를 차단하여 adrenergic synapse를 활성화함. 2) 기분 상승, 육체적 · 정신적 활동의 증가, 식욕 촉진, 병적인 집념억제효과 3) Major depression, mixed & depressed bipolar disorder, dysthymia, atypical depression, enuresis에 유효함. 4) 식욕촉진 환자의 식생활 습관을 변화키는 데도 유효함. 5) 진통제로 효과가 없는 muscle contraction 두통에도 유효함. 6) Amitriptyline보다 sedation이 적음 7) $T_{\frac{1}{2}}$: 7.6(4~17.6)hrs 〈상호작용〉 1) 중추신경억제제 또는 알코올과 병용시 작용 증강 2) 혈압강하제의 작용 저하시킴 3) 간효소 유도약물과 병용에 의해 작용 감소 4) Phenytoin, carbamazepine과 병용시 이들의 혈중농도 상승 5) 인슐린, sulfonylurea 혈당강하제와 병용시 저혈당 발생 6) Co-trimoxazole과 병용시 우울증 악화 7) Warfarin과 병용시 출혈위험 증가	- 기립성저혈압, 부정맥, 빈맥, 고혈압, 심계항진, 심근경색, 심차단, EKG 변화, 뇌졸중 - 현기증, 졸음, 두통, 불면, 악몽, 신경증, 피로, 착란, 환각, 불안, 초조, 발작 - 여성형유방, 유즙분비, SIADH - 오심, 구강건조, 체중변화, 변비, 구내염, 복부경련, 구토, 식욕감퇴, 설사 - 뇨저류, 발기부전 - 허약감, 마비감, 지각이상, 조정능력이상, 진전, 말초신경병증, 추체외로증상 - 시야몽롱, 산동 - 이명 - 발한	〈금기〉 1) 녹내장 환자 2) 이 약 또는 TCA에 과민한 환자 3) 심근경색 회복 초기 환자 4) 전립선비대 등 요폐 환자 5) MAO억제제 투여중인 환자 6) 조증 환자 7) 부정맥 환자 8) 급성 섬망 환자 9) 유문협착 환자 10) 마비성 장폐색 환자 11) Pimozide 투여 환자 〈주의〉 1) 심질환, 갑상선기능항진증, 부신수질종양, 경련성 질환, 조울증, 배뇨곤란, 안압항진, 간, 신장애, 만성변비, 저혈압 환자에게 신중투여 2) 뇌의 기질적 장애 또는 정신분열증의 소인이 있는 환자 3) 임신부: Category C (호주) 4) 수유부: 모유이행 〈약리작용 및 효능〉란에 계속
Nortriptyline HCl Sensival tab 센시발정 …10mg/T …25mg/T	1) 초기량 10~25mg tid (Max. 150mg/D)	1) 3급아민 TCA 약물로 amitriptyline의 N-demethyl화된 대사산물 2) 신경말단에서 NE 재흡수를 차단하여 adrenergic synapse를 활성화함. 3) 기분 상승, 육체적 · 정신적 활동의 증가, 식욕 촉진, 병적인 집념 억제효과 4) Major depression, mixed & depressed bipolar disorder, dysthymia, atypical depression에 유효함.	- 기립성 저혈압, 부정맥, 빈맥, 고혈압, 심계항진, 심근경색, 심차단 - 불면, 악몽, 신경증, 착란, 환각, 불안, 초조, 발작, 추체외로증상	〈금기〉 1) 이 약 또는 TCA에 과민한 환자 2) 녹내장 환자 3) TCA 또는 MAO억제제 투여중인 환자 4) 최근 심근경색의 병력자 5) 중증 전도장애 환자 6) 요폐(전립선질환 등) 환자 7) 중추신경억제제 또는 알코올 급성 중독 환자 8) 급성 섬망 환자

약품명 및 함량	용법	약리작용 및 효능	부작용	주의 및 금기
		5) Onset : 2wks(우울증) Tmax : 1hr 대사 : 간 $T_{\frac{1}{2}}$: 26.6(12.8~48.2)hrs 배설 : 신장(2%), 담즙	– 탈모, 광과민성, 발진, 두드러기, 가려움증 – 여성형유방, 유즙분비, SIADH, 성기능이상 – 오심, 구강건조, 체중변화, 변비, 복부경련, 구토, 식욕감퇴, 설사, 미각변화 – 뇨저류, 발기부전, 고환부종 – 무과립구증, 호산구증가, 혈소판감소 – 간효소수치 증가, 담즙정체성 황달 – 진전, 지각이상, 마비감, 말초신경병증 – 시야몽롱, 산동 – 이명 – 발한	9) 유문협착 환자 10) 마비성 장폐색 환자 11) 중증 간장애 환자 12) 조증 환자 13) 수유부 및 18세이하 소아 : 안전성 미확립 14) Pimozide 투여 환자 〈주의〉 1) 갑상선기능 항진증, 경련성질환, 조울증, 안압항진 환자에게 신중투여 2) 뇌의 기질적 장애 또는 정신분열증의 소인이 있는 환자 3) 고령자 4) 임신부: Category C (호주) 〈상호작용〉 1) Epinephrine, norepinephrine과 병용시 심혈관계 작용 증강 2) 혈압강하제의 작용 저하 3) Cimetidine, quinidine에 의해 혈중농도 증가

약품명 및 함량	용법	약리작용 및 효능	부작용	주의 및 금기
Bupropion HCl Wellbutrin SR tab 웰부트린서방정 ···150mg/T Wellbutrin XL tab 웰부트린엑스엘정 ···300mg/T	1) 우울증 ① SR정 : 150mg bid (Max. 400mg/D) ② XL정 – 초기 : 150mg qd (최소 4일간)→ 300mg qd – SR정에서 XL정으로 전환시 1일 용량이 동일한 경우에만 가능	1) NDRI (Norepinephrine & Dopamine Reuptake Inhibitor) 2) 항우울작용: NE과 serotonin에 대한 영향 없이 dopamine uptake를 차단함. 3) 금연보조작용(SR정 해당) : nicotine 의존을 치료하기 위한 단기간 보조요법에 사용하며 noradrenergic 또는 dopaminergic 경로를 통해 작용함.	1) 〉10% – 빈맥 – 두통, 불면, 현기증 – 구강건조, 체중 감소, 오심 – 인두염 2) 1~10%	〈금기〉 1) 발작 이상 또는 발작 병력이 있는 환자 2) 중추신경계 종양이 있는 환자 3) 알콜 또는 진정약물(Benzodiazepine계 포함)을 갑자기 중단한 환자 4) 대식증, 신경성 식욕부진 환자 5) MAO 억제제 투여 환자

약품명 및 함량	용법	약리작용 및 효능	부작용	주의 및 금기
	2) 금연시 단기간 보조요법 : 150mg qd씩 6일간 투여 후 150mg bid로 증량함. (Max. 150mg/회, 300mg/D) 3) 간장애 환자 : 1일 100mg 또는 2일 150mg을 초과하지 않음. 4) 신장애 환자 : 투여횟수, 용량 감소	4) 제형상 특징 ① SR정 : matrix 제형 ② XL정 : 코팅층이 서방형인 제제 (약모양이 그대로 유지되어 배설됨.) 5) Tmax : ~3hrs $T_{\frac{1}{2}}$: 14hrs 대사 : 간 배설 : 신장(87%), 대변(10%)	- 심계항진, 부정맥, 흉통, 고혈압, 저혈압, 홍조 - 초조, 혼돈, 불안, 감각이상, 졸음, 발열, 기억력 감퇴 - 발진, 소양증, 두드러기 - 성욕감소 - 변비, 설사, 고창, 구토 - 진전, 근육통, 무력증 - 이명 - 기침증가, 상기도 감염	〈주의〉 1) 임신부 : Category C 2) 니코틴 패치와 병용시 혈압상승이 나타날 수 있으므로 주의 3) 이 약 사용시 무력감이 있을 수 있으므로 운전, 기계 조작시 주의 4) 발작의 위험이 있는 환자 5) 신 · 간장애 · 심질환 환자 6) 18세 미만 7) 수유부 : 모유이행 〈상호작용〉 1) CYP2D6에 의해 대사되는 약물과 병용시 이 약의 효과 감소 2) Cimetidine과 병용시 이 약의 대사 저해 3) Levodopa와 병용시 이 약의 독성 증가 4) 항경련제(carbamazepine, phenytoin, phenobarbital), ritonavir와 병용시 이 약의 효과 감소 〈취급상 주의〉 1) 분할 및 분쇄 불가
Mirtazapine Mirtax tab 미르탁스정 …15mg/T	1) 초기량: 15mg/D 2) 유지량: 15~45mg/D 3) MAO억제제와 본 약제 간 상호 약제 변경 시: 2주 이상 간격 필요 (상기 간격 이내 투여 금기) *신기능에 따른 용량조절 참고 - CrCl 〈40ml/min: 감량 필요 (용량조절 정보 없음) ① CrCl 10~40ml/min: mirtazapine clearance 30% 감소 ② CrCl 〈10ml/min: mirtazapine clearance 50% 감소	1) 구조적으로 mianserin의 tetracyclic piperazinoazepine analogue인 NaSSA (Noradrenergic and Specific Serotonergic Antidepressant) 2) α_2-receptor 차단에 의한 noradrenergic and serotonergic transmission(5-HT_1)의 활성화 작용으로 우울증에 사용함. 3) 5-HT_2, 5-HT_3 수용체에 대한 길항작용으로 인해, 성기능 장애, 불면, 불안, 소화기장애 등 serotonergic side effect가 SSRI에 비해 감소됨. 4) Onset: 1wk Tmax : 2hrs $T_{\frac{1}{2}}$: 20~40hrs 대사 : 간	1) 〉10% - 졸음 - 혈중 콜레스테롤 상승 - 변비, 구강건조, 식욕증가, 체중증가 2) 1~10% - 고혈압, 혈관확장, 말초부종, 부종 - 현기증, 수면장애, 사고이상, 착란, 권태 - 혈중 지질 상승 - 구토, 식욕감퇴, 복통	〈금기〉 1) 소아: 안전성, 유효성 미확립 2) MAO억제제, linezolid투여중인 환자 〈주의〉 1) 다른 항우울제에 과민한 환자 2) Mania/Hypomania 3) 간부전 4) 간질 환자 5) 심혈관질환 6) 임신부: Category C 7) 이 약 복용 중 운전, 기계조작금지 〈상호작용〉 1) 약물대사효소 유도제/저해제와 병용시 주의 2) CYP2D6에 의해 대사되는 약물과 병용시 주의

약품명 및 함량	용법	약리작용 및 효능	부작용	주의 및 금기
		배설 : 신장(75%)	- 빈뇨 - 근육통, 저배통, 관절통, 진전, 허약감 - 호흡곤란 - 감기양 증상	3) MAO억제제와 병용시 경련 유발 가능.
Mirtazapine Mirtax ODT tab 미르탁스오디티정 …15mg/T …30mg/T	1) 초기량: 15mg/D 2) 유지량: 15~45mg/D 3) 복용법: 약을 혀 위에 놓고 수 초 이내에 붕해되면 물 없이 삼키거나 물과 함께 삼킴. 4) MAO억제제와 본 약제 간 상호 약제 변경 시: 2주 이상 간격 필요 (상기 간격 이내 투여 금기) *신기능에 따른 용량조절 참고 CrCl(ml/min) ① 11~39 : mirtazapine clearance 30% 감소 ② 〈10 : mirtazapine clearance 50% 감소	1)~3) Mirtax tab과 동일 4) Mirtax tab(일반 필름코팅정)과 동일 성분, 함량의 구강붕해정(오렌지맛)으로 입안에서 빠르게 용해되어 물 없이도 복용 가능함. 5) Onset: 1wk Tmax : 2hrs $T_{\frac{1}{2}}$: 20~40hrs 대사 : 간 배설 : 신장(75%)	1) 〉10% - 졸음 - 혈중 콜레스테롤 상승 - 변비, 구강건조, 식욕증가, 체중증가 2) 1~10% - 고혈압, 혈관확장, 말초부종, 부종 - 현기증, 수면장애, 사고이상, 착란, 권태 - 혈중 지질 상승 - 구토, 식욕감퇴, 복통 - 빈뇨 - 근육통, 저배통, 관절통, 진전, 허약감 - 호흡곤란 - 감기양 증상	〈금기〉 1) 소아: 안전성, 유효성 미확립 2) MAO억제제, linezolid투여중인 환자 〈주의〉 1) 다른 항우울제에 과민한 환자 2) Mania/Hypomania 3) 간부전 4) 간질 환자 5) 심혈관질환 6) 임신부: Category C 7) 이 약 복용 중 운전, 기계조작금지 〈상호작용〉 1) 약물대사효소 유도제/저해제와 병용시 주의 2) CYP2D6에 의해 대사되는 약물과 병용시 주의 3) MAO억제제와 병용시 경련 유발 가능.
Tianeptine sodium Stablon tab 스타브론정 …12.5mg/T	1) 15세 이상 성인 : 1Ⓣ tid 2) 70세 이상 또는 신장애 환자 : 1Ⓣ bid	1) Dibenzothiazepine계 TCA 2) 정확한 기전은 알려져 있지 않으나 뇌내에서 선택적으로 serotonin reuptake를 촉진함으로써 항우울 작용을 나타냄. 3) Tmax : 0.94hr $T_{\frac{1}{2}}$: 2.5hrs 대사 : 간 배설 : 신장(65%)	- 불면증, 졸음, 악몽, 무력증, 현기증, 두통, 실신, 진전 - 위부 불쾌감, 복부통증, 구갈, 식욕부진, 오심, 구토, 변비, 방귀 - 빈맥, 기외수축 - 호흡곤란 - 근육통 - 안면홍조	〈금기〉 1) 15세 미만의 청소년 2) MAO 억제제 투여중인 환자 〈주의〉 1) 마취시 미리 알림 2) 중단시 서서히 감량 3) 임신부 : 안전성 미확립 4) 수유부 : 모유이행

약품명 및 함량	용법	약리작용 및 효능	부작용	주의 및 금기
Trazodone HCl Trazodone cap 트라조돈캅셀 …25mg/C	1) 초회 150mg #2~3 또는 hs. 이후 3~4일에 50mg씩 증량 2) Max. 400mg/D(외래) 또는 600mg/D(입원)	1) Triazolopyridine의 phenyl piperazine propyl 유도체인 4급아민 제제 2) MAO 억제작용이나 amphetamine 유사작용이 없음. 3) 치료용량에서 serotonin의 재흡수를 억제함(소량은 길항작용). 4) 불면 및 불안과 관련된 우울증, 불안정한 상태, 정신장애에 사용함. 5) Schizophrenia의 psychotic 증상을 악화시키지 않음. 6) Onset : 3~7days 최적효과 : 2~6wks $T\frac{1}{2}$: 3.9~6.3hrs	1) > 10% - 현기증, 두통, 진정 - 오심, 구강건조 2) 1~10% - 실신, 고혈압, 저혈압, 부종 - 착란, 집중력감소, 피로, 조정능력이상 - 설사, 변비, 체중 증가/감소 - 진전, 근육통 - 시야몽롱 - 비충혈	〈금기〉 1) MAO억제제 투여중인 환자 2) 18세 이하 : 안전성 미확립 3) 급성 심근경색 환자 4) 알코올 또는 수면제 중독환자 〈주의〉 1) 심질환, 심근경색 환자에게 신중투여 2) 열, 인후통 등이 나타나면 백혈구수 검사 3) 임신부 : Category C 4) 녹내장, 배뇨곤란, 안내압 항진, 경련성 질환, 조울증 환자 5) 뇌의 기질적 장애 또는 정신분열증의 소인이 있는 환자 6) 수유부 : 모유이행 〈상호작용〉 1) Digoxin, phenytoin과 병용시 이들 약물의 혈중농도를 상승시킴. 2) MAO억제제와 병용시 이 약의 작용 증가 3) 알코올, 중추신경 억제제와 병용시 이 약의 작용 증가 4) 혈압 강하제, phenothiazine계 약물과 병용시 혈압 저하 5) Warfarin과 병용시 PT 감소 혹은 연장

약품명 및 함량	용법	약리작용 및 효능	부작용	주의 및 금기
Atomoxetine HCl Strattera cap 스트라테라캡슐 …10mg/C …18mg/C …25mg/C …40mg/C …60mg/C	1) ≤70 kg 소아 - 초기 : 0.5mg/kg/D (최소 7일간) - 유지 : 1.2mg/kg/D (Max. 1.4 mg/kg/D, 100mg/D) 2) >70 kg 소아 및 성인 - 초기용량 : 40mg/D (최소 7일간) #1~2 - 유지용량 : 80mg/D #1~2 (Max. 100mg/D)	1) 선택적인 Norepinephrine Reuptake Inhibitor로 non-stimulant ADHD (Attention deficit hyperactivity disorder) 치료제 2) Presynaptic norepinephrine 수송체를 선택적으로 저해함으로써 noradrenergic 효과를 향상시킴. 3) Strarium에서 dopamine의 농도를 증가시키지 않으므로 tic과 같은 운동 장애에 대한 영향 적음. 4) Stimulant에 반응하지 않거나 부작용(식욕 감퇴, 수면 장애, 감정 장애 등), tic과 같은 동반질환이 있을 경우 atomoxetine 투여가 2차 약물로 고려됨.	1) > 10%: - 두통(17~27%), 불면(16%) - 구강건조(4~21%), 복통(20%), 구토(11~15%), 식욕 감소(10~14%), 오심(12%) - 기침(11%) 2) 1~10%	〈금기〉 1) MAO 억제제 복용 환자 (두 약의 투여간격 최소 2주) 2) 협우각 녹내장 3) 6세 미만 소아 : 안전성 미확립 〈주의〉 1) 자살 충동이나 임상 증상 악화 (특히, 소아와 청소년의 약 복용 초기) 2) 공격성이나 적대감이 나타날 수 있음. 3) 심혈관질환, 뇌혈관질환, 고혈압, 빈맥 환자

약품명 및 함량	용법	약리작용 및 효능	부작용	주의 및 금기
	3) 1일 1회 오전 투여 또는 오전과 늦은 오후(저녁)에 분할 투여 4) 간기능 장애 환자 Child-Pugh Class B : 50% 감량 Child-Pugh Class C : 75% 감량	5) 적응증 : 종합적 치료 프로그램의 일부로서, 6세 이상의 소아 및 청소년의 주의력 결핍/과잉행동 장애(ADHD)의 치료제 6) 흡수 : 신속 BA : 63%(extensive metabolizers), 94%(poor metabolizers) Tmax : 1~2 hrs 대사 : 간, CYP2C19 (minor), CYP2D6 (major) 배설 : 신장(80%), 대변(17%)	- 심계항진, 이완기혈압 증가, 수축기 혈압 증가, 기립성 저혈압, 빈맥 - 피로감, 불안, 졸음, 현기증 - 월경통, 활력 감소, 월경 이상 - 소화불량, 설사, 고창, 변비, 체중 감소, 식욕부진 - 요저류, 발기장애	4) 황달, 간질환 환자 5) 기립성 저혈압 6) 정신질환 환자 7) 심장에 구조적 이상이 있는 환자(심근병증, 관상 동맥 질환 등) 8) 임신부 : Category C 9) 수유부 〈취급상 주의〉 1) 캅셀 개봉 불가(안자극성 있음)
Clonidine HCl Kapvay ER tab 켑베이서방정 …0.1mg/T	1) 초기: 1Ⓣ hs 2) 일주일 간격으로 0.1mg씩 증량하여 bid(아침, 취침전)으로 복용 (Max. 4Ⓣ/D)	1) Central α-2 adrenergic agonists 2) 중추신경계에서 NE의 turnover(대사율)을 감소시켜 NE기능 조절에 관여함으로서 prefrontal cortex의 억제성 조절기능을 복원 3) 적응증: 6~17세 소아 및 청소년의 주의력결핍과잉행동장애(ADHD) 치료 4) BA: ~89% Onset: 1주(단독요법시), 2주(추가요법시) Tmax: 6.5hrs $T\frac{1}{2}$: 12.5~16hrs (신기능 장애시: ~41hrs) 대사: 간 배설: 소변(40~60%)	1) > 10% - 졸음, 두통, 피로, 어지러움 - 구강건조, 변비 2) 1~10% - 서맥, 심계항진, 빈맥 - 진정, 불면, 기면, 긴장, 우울감 - 부종, 반구진 - 성기능 장애, 여성형 유방 - 식욕부진, 미각 도착 - 발기부전, 야뇨증 - 쇠약, 관절통, 근육통 - 금단 증상	〈금기〉 1) 갈락토오스 불내성, Lapp 유당분해효소 결핍증 등의 유전적 문제 있는 환자 (∵유당 함유) 〈주의〉 1) 수유부: 모유 이행 2) 저혈압, 심차단, 서맥 또는 심혈관 질환 병력이 있는 환자 3) 혈관 질환, 심전도 질환 또는 신부전 환자 4) 실신, 기립성 저혈압, 탈수 등 실신을 발생시키기 쉬운 환자 5) 탈수 또는 과열되는 것을 피함. 6) 투여 중지 시 용량을 점진적으로 감량해야 함. (∵ 금단 증상) 7) 임신부: Category C 8) 6세 미만의 소아: 연구자료 없음. 〈상호작용〉 1) 고혈압 치료제: 저혈압, 실신 우려 2) 동방결정 및 방실결절 전도에 영향을 미치는 약물(예: digitalis, 칼슘채널차단제, 베타차단제): 서맥, 방실차단 가능성 3) CNS 억제제(barbiturates, benzodiazepines 등): CNS 억제효과 증가

약품명 및 함량	용법	약리작용 및 효능	부작용	주의 및 금기
Methylphenidate HCl Metadate CD ER cap 메타데이트CD서방캡슐 …10mg/C …20mg/C …30mg/C	1) 6세 이상 : 20mg qd 아침 식전 복용 2) 내약성과 효능에 따라 증감 가능 (Max. 60mg/D) 3) 음료수와 함께 그대로 복용 또는 캡슐을 열어 내용물을 소량의 연식 위에 뿌려 즉시 삼킨 후 물 복용 * 캡슐 내용물을 씹지 않도록 함.	1) 완화한 CNS stimulants로서 ADHD(Attention deficit hyperactivity disorder : 주의력 결핍 과다행동장애) 치료제(향정신성 의약품) 2) 뇌의 전부위에 걸쳐 각성을 시키는 dopamine 수용체를 통한 활성을 나타냄. 3) Controlled delivery 제제로 속방형30%와 서방형 70%로 구성되어, 현재 사용중인 Oros 제형(12hrs)에 비해 작용 지속시간이 약간 짧아(6~8hrs) 야간 불면 부작용 적음. 4) Tmax : 1.5hrs(1st), 4.5hrs(2nd) 지속시간 : 6~8hrs 배설 : 신장(90%)	1) 〉10% - 빈맥 - 신경질, 불면 - 식욕부진 2) 1~10% - 현기증, 졸림 - 복통 - 과민반응	〈금기〉 1) 현저한 불안, 긴장, 흥분을 나타내는 환자 2) 이 약의 성분에 과민한 환자 3) 녹내장 환자 4) 뚜렛 증후군으로 진단 받은 환자 5) MAO 저해제를 투여중이거나 투여중지 후 최소 14일이 경과하지 않은 환자(고혈압 위험 증가) 6) 6세미만 소아 및 수유부 : 안전성 미확립 7) 중증 고혈압이나 협심증, 심부정맥, 심부전, 심근경색증, 갑상선 기능 항진증 앓는 환자 〈주의〉 1) 임신부 : Category C 2) 발작 병력이 있는 환자 3) 고혈압 환자 4) 약물의존 또는 알코올중독의 병력이 있는 환자 〈상호작용〉 1) 이 약은 warfarin, phenobarbital, phenytoin, TCAs, SSRI의 작용을 증가시킴(대사 저해)
Methylphenidate HCl Penid tab 페니드정 …5mg/T …10mg/T	1) 수면발작(성인) - 20~60mg #1~2 2) ADHD (6세이상 소아) - 초기 5mg bid(아침, 점심)로 시작하여, 1주간격으로 5~10mg씩 증량(Max. 60mg/D)	1) 완화한 CNS 흥분제로 brain stem arousal system과 cortex를 활성화 시킴. 2) Attention deficit hyperactivity disorder (ADHD; hyper kinetic childsyndrome, minimal brain damage, minimal cerebral dysfunction)에 사용함. 3) Narcolepsy에도 사용함. 4) 소아의 주의집중력 결핍장애의 1차 선택약(1달 이상 투여해도 진전없으면 중단) 5) Tmax : 1~3hrs 대사 : 간 $T\frac{1}{2}$: 2~7hrs	1) 〉10% - 빈맥 - 신경질, 불면 - 식욕부진 2) 1~10% - 현기증, 졸림 - 복통 - 과민반응	〈금기〉 1) 중증 불안, 긴장, 흥분 2) 녹내장 3) 갑상선 기능 항진증 4) 부정빈맥, 협심증 5) 이 약에 과민한 환자 6) 운동성 틱증후군 7) 중증의 고혈압, 협심증, 심부정맥, 심부전, 심근경색 환자 8) 6세 미만 소아 : 안전성 미확립 〈주의〉 1) 간질 병력자, 고혈압 환자 2) 임신부 : Category C 3) 수유부 : 모유 이행 〈상호작용〉

약품명 및 함량	용법	약리작용 및 효능	부작용	주의 및 금기
				1) 혈압상승제, MAO억제제, perphenazine, TCAs, 항경련제의 작용 증강 2) Guanethidine의 혈압강하작용 저하 3) 알코올과 병용시 CNS 억제작용 증가
Methylphenidate HCl Concerta OROS tab 콘서타OROS서방정 …18mg/T …27mg/T	1) 6~17세 ① 18mg qd 오전에 투여함. ② 1주 간격으로 18mg씩 증량 2) 성인(18~65세) ① 18mg qd 혹은 36mgqd 3) 최대용량 6~12세 : 54mg/D 13세 이상 : 72mg/D	1) 완화한 CNS 흥분제로 brain stem arousal system과 cortex를 활성화시킴. 2) Oros 제형(삼투 펌프 원리에 따라 서서히 약제가 방출됨)으로 12시간 약효가 지속되므로 1일 1회 투여 가능함. 3) 적응증 : ADHD의 치료 4) Tmax : 6~8hrs Onset : 1~2hrs 지속시간 : 12hrs	1) 〉10% - 빈맥 - 신경질, 불면 - 식욕부진 2) 1~10% - 현기증, 졸림 - 복통 - 과민반응	〈금기〉 1) 녹내장 환자 2) 중증 불안, 긴장, 흥분 환자 3) Tourette's 증후군, 운동성 틱장애 환자 4) MAO 억제제 투여 환자 5) 수유부, 5세 이하 : 안전성 미확립 〈주의〉 1) 임신부 : Category C 2) 음료와 함께 복용하며 분할, 분쇄해서는 안됨. 3) 변에서 약껍질이 원형대로 발견될 수 있음. 〈상호작용〉 1) Warfarin, phenobarbital, phenytoin, TCAs, SSRI의 작용을 증가시킴.

약품명 및 함량	용법	약리작용 및 효능	부작용	주의 및 금기
Acetyl-L-Carnitine Carnitil tab 카니틸정 …500mg/T Carnitil powder 카니틸산 …500mg/P	1) 500mg bid~tid	1) Ach 생성을 촉진시켜 손상된 신경세포기능을 개선시키며 Acetyl CoA의 생성을 촉진하여 ATP 생성 증강, 손상된 뇌신경세포를 부활시킴. 2) 뇌혈관질환에 의한 1차적 또는 2차적 퇴행성 질환에 사용함.	- 오심, 구토, 초조, 흥분, 정신장애 (우울감, 흥분, 발작)	〈주의〉 1) 임신부, 수유부: 안전성 미확립

약품명 및 함량	용법	약리작용 및 효능	부작용	주의 및 금기
Cerebrolysin conc. Cerebrolysin conc. inj 세레브로리진주 …215.2mg/5ml/A	1) Alzheimer's dz. 뇌졸중 후 뇌기능 장애: 5~20ml/D 2) 두개골 외상: 10~50ml/D 3) 소아: 1~2ml/D 4) 투여기간: 10~20일 이상, 필요에 따라 매일 → 주2~3회로 변경 가능 5) 투여방법 – ≤5ml: IM – ≤10ml: IV bolus – ≤30ml: NS, 5DW, 링겔액, dextran 40에 희석하여 60분간 IV inf.	1) 돼지의 뇌에서 추출한 뇌 가수분해물로서, peptide 15%와 amino acid 85%로 구성되어 있음. 2) Brain hydrolase와 거의 유사하여 뇌대사 및 신경기능장애 개선에 사용함.	(빈도 미확립) – 오한, 과민반응, 쇼크, 호흡곤란 – 두통, 저배통 – 식욕감퇴, 소화불량, 설사, 변비, 구역, 구토 – 주사부위 발적, 가려움, 작열감 – 빠르게 투여시 발열, 어지러움, 심계항진, 부정맥	〈금기〉 1) 이 약 성분에 과민한 환자 2) 간질, 대발작 환자 3) 중증 신부전 환자 4) 중증 혈액응고장애 또는 항응고제 복용 환자에게 이 약 IM 금지 〈상호작용〉 1) 항우울제, MAOI의 부작용 초래 가능하므로 항우울제, MAOI 감량 필요 〈취급상 주의〉 1) 차광보관 2) 배합금기: 심혈관계 약물, 비타민, pH를 변화시키는 약물(pH 5~8) 및 지질 함유 약물 3) 아미노산 수액제와 동시투여 하지 않음.
Choline alfoscerate Gliatilin soft cap 글리아티린연질캅셀 …400mg/C Gliatilin inj 글리아티린주사액 …1g/4ml/A	1) 경구제: 1ⓒ bid or tid (필요한 경우 의사 지시하에 증량 가능) 2) 주사제: 1Ⓐ qd IM, IV	1) Acetylcholine의 전구체 2) BBB 통과율이 45%로 뇌부위에 고농도로 분포하며 choline과 신경세포막 전구물질이라는 직접적인 2중 작용으로 혈관성 병변시 인지기능을 개선함. 3) Choline: ACh을 공급하여 신경전달체계 조절. Alfoscerate(=glycerophosphate): 세포막 인지질의 전구체로 손상된 세포막 복구 작용. 4) 적응증 : 뇌혈관 결손에 의한 2차 증상 및 변성 또는 퇴행성 뇌기질성 정신증후군 (노인성인식장애, 감정 및 행동변화, 노인성 가성우울증)	– 구역 (2차적인 도파민 작용에 기인하는 것으로 추정) – 변비 – 불안	〈취급상 주의〉 1) 실온보관 2) 연질캅셀의 경우 30℃ 이상의 온도에서 캅셀의 변형이 일어날 수 있으므로 서늘한 곳에 보관.
Citicoline Somazina tab 소마지나정 …500mg/T	1) 뇌졸중 증상 발현 후 24시간 이내에 1~4Ⓣ/D #1~2 (증상에 따라 용량 조절)	1) Cytidine과 choline의 유도체로서, 뇌인지질(lecithin)의 생합성에 참여하여 뇌에서의 혈류량 및 산소소비량을 증가시켜 신경전달기능을 강화함. 2) 적응증: 중등도~중증의 급성 허혈성 뇌졸중 3) 생체이용률: 92% Tmax : 1hr, 24hrs (two peaks)	– 쇽, 혈압강하, 흉부압박감, 호흡곤란 – 발진 – 불면, 두통, 어지러움, 흥분, 경련, 마비감 – 구역, 식욕부진 – 간효소 수치 상승	〈주의〉 1) 임신부: 안전성 미확립 〈상호작용〉 1) L-dopa와의 병용시 근강직 악화 〈취급상 주의〉 1) 분쇄후 최대 2일까지만 보관가능(흡습성)

약품명 및 함량	용법	약리작용 및 효능	부작용	주의 및 금기
		대사: 간 배설: 폐(12%), 신장(2~3%), 대변(1%)	– 열감, 일시적 혈압 변동, 권태감	
Citicoline Alphacoline inj 알파콜린주 …500mg/2ml/A	1) 두부외상 및 뇌수술에 의한 의식장애시 : 100~500mg qd~bid IM, IV inf. 2) 파킨슨병에 항콜린제와 병용시: 500mg qd 3~4주간 IV 3) 뇌졸중후의 편마비 : 1,000mg qd 4주간 IV, 혹은 250mg qd 4주간 IV 4) 췌장염 : 단백분해효소저해제와 병용하여 1,000mg qd 2주간 IV	1) Cytidine과 choline의 유도체로서, 뇌인지질(lecithin)의 생합성에 참여하여 뇌에서의 혈류량 및 산소소비량을 증가시켜 신경전달기능을 강화함. 2) 두부외상, 뇌수술 후의 의식장애 및 Parkinson's Dz의 강한 진전증상에 L-dopa 투여가 불가능할 때 항콜린제와 병용하여 사용함. 3) 급성췌염,수술후 급성췌장염 : 단백분해 효소저해제와 병용요법 가능.	– 쇽, 혈압강하, 흉부압박감, 호흡곤란 – 발진 – 불면, 두통, 어지러움, 흥분, 경련, 마비감 – 구역, 식욕부진 – 간효소 수치 상승 – 열감, 일시적 혈압 변동, 권태감	〈주의〉 1) 임신부: 안전성 미확립 〈상호작용〉 1) L-dopa와의 병용시 근강직 악화 〈취급상 주의〉 1) IM은 부득이한 경우에 하되, 최소량을 신경주행부위를 피하여 할 것 2) IV시 가능한 천천히 투여할 것
Modafinil Provigil tab 프로비질정 …200mg/T	1) 200㎎ qd (아침에 복용) 2) 중증 간장애 환자 : 100mg qd * 신기능에 따른 용량 조절 참고 – 신장애시 100~200mg/D로 투여시작후 내약성에 따라 용량 조절	1) 중추신경 흥분제(CNS stimulants)로 기면증과 관련된 과다한 주간 졸음 개선제 2) 뇌의 시상하부에서 wake promoter부위인 tuberomammillary nucleus(TMN)의 활성은 증가시키고 sleep promoter인 ventrolateral preoptic area(VLPO)의 활성은 감소시킴. 3) 정상적인 sleep/wake 주기를 조절하는 시상하부에 선택적으로 작용하며 dopamine수용체를 통하지 않기 때문에 정신신경계 부작용, 행동장애, 심혈관계 부작용, 의존성 등이 거의 없으며, 야간수면 패턴에 영향을 주지 않음. 4) 적응증 : 기면증, 폐쇄수면무호흡증/저호흡증의 보조요법, 교대 근무 수면장애와 관련한 과다졸음 환자의 각성 개선 5) Tmax : 2~4hrs $T\frac{1}{2}$: 15hrs 배설 : 신장	1) 〉 10% – 두통(50%), 비염(11%), 오심(11%) 2) 1~10% – 초조(8%), 현기증, 우울(4%), 불면증(3%) – 설사(8%), 구강건조(5%), 식욕부진(5%) – 인두염(6%) – 저혈압, 고혈압, 호산구증가증, 약시, 시력이상(2%)	〈금기〉 1) 중증의 고혈압, 부정맥 2) 수유부 : 안전성 미확립 3) 16세 미만 소아 : 안전성 미확립 〈주의〉 1) 심근경색, 불안정 협심증, 고혈압의 최근 기왕력자 2) 위험한 운전이나 기계조작 시 주의하도록 함. 3) 이전에 정신과적 장애가 있던 환자는 증상 악화 또는 재발에 대해 모니터링 필요하며, 정신과적 증상 발생시 투여 중단 4) 임신부 : Category C 〈상호작용〉 1) Diazepam, phenytoin, propranolol, warfarin, TCAs, SSRI : 이 약에 의해 혈중 농도 증가 2) 경구피임제, CsA : 이 약에 의해 혈중농도 감소 3) Phenobarbital, carbamazepine, rifampin : 이 약의 혈중농도 감소

약품명 및 함량	용법	약리작용 및 효능	부작용	주의 및 금기
Oxiracetam Neuromed tab 뉴로메드정 …800mg/T	1) 800mg bid	1) 뇌인지질의 생합성 촉진으로 신경세포의 구조 및 기능 안정화. 2) 대뇌 피질과 해마의 콜린성 섬유활성화 3) 뇌허혈시 뇌내 ATP 및 glucose 함량증가 4) 뇌기능 부전에 의한 기억력 감퇴, 주의력감소, 의욕결핍, 언어 및 행동장애, 의식장애치료, 알쯔하이머형 치매, 다발 경색성 치매에 사용.	- 흥분, 수면장애, 무력감, 두통, 불안, 초조 - 구토, 구갈, 위통 - 혈압상승, 시야흐림, 청각장애	〈금기〉 1) 중증 신부전 환자 2) 임신부, 수유부: 안전성 미확립 〈주의〉 1) 신부전 환자

약품명 및 함량	용법	약리작용 및 효능	부작용	주의 및 금기
Acamprosate calcium Acamprosate tab 아캄프로세이트정 …333mg/T	1) 60kg 이상 : 2Ⓣ tid 2) 60kg 미만 : 아침 2Ⓣ, 점심, 저녁 1Ⓣ씩 * 신기능에 따른 용량 조절 참고 – CrCl 30~50ml/min : 초기용량 1Ⓣ tid – CrCl <30ml/min : 금기	1) 억제성 신경전달 물질인 GABA의 작용 촉진, glutamate와 같은 흥분성 아미노산에 길항하여 알코올 금단 증상을 조절 2) 의존성을 유발하지 않아 남용의 우려가 없음. 3) 적응증 : 심리적 상담과 병행하여 알코올 의존성 환자의 해독 이후 금주 유지 요법 4) 위장관 흡수가 10% 미만으로 장용성 필름 코팅정 5) Tmax : 4hrs $T\frac{1}{2}$: 3.2~13hrs 대사되지 않음. 배설 : 신장(6.5%), 대변(대부분)	– 소화기계 : 설사, 오심, 구토, 복통 – 피부 : 소양증, 반점상 구진성 발진 – 중추 신경계 : 드물게 착란, 수면장애 – 비뇨 생식기계 : 성기능 감소(만성 알코올 중독에 의해서도 나타날 수 있음)	〈금기〉 1) 알코올 해독기간 중 사용 2) 중증의 신부전 환자 3) 심한 간장애 환자 4) 수유부, 소아 : 안전성 미확립 5) 고령자 6) 임신부 : Category C 〈주의〉 1) 신결석 병력이 있는 환자(칼슘침착 견고) 〈취급상 주의〉 1) 분쇄 불가
Betahistine mesylate Meniace tab 메니스정 …6mg/T	1) 6~12mg tid	1) Histamine analogue로 Menier's Dz., vertigo, cerebrovascular Dz.의 치료제 2) 말초혈관 개선 : 모세혈관의 혈류량 증대 3) 조직대사의 항진 4) 적응증: 메니에르병에 의한 어지러움	– 경도의 담마진 – 심계항진 – 홍분감, 식욕부진	〈금기〉 1) 부신종양 환자 2) 크롬친화세포종 환자 〈주의〉 1) 소화성궤양, 기관지천식 2) 임신부: Category B2 (호주) 〈상호작용〉 1) 히스타민 유사작용이 있으므로 항히스타민제와 병용에 의해 효과 감소됨
Clostridium botulinum toxin type A Botox inj 보톡스주 …50 IU/V …100 IU/V	1) 사시 ① 20 프리즘 diopter보다 적은 경우 : 어느 근육에나 1.25~2.5U ② 20~50 프리즘 diopter: 어느 근육에나 2.5~5.0U ③ 한달 이상 지속적인 제6신경 마비: 내직근에 1.25~2.5U (Max. 25U/dose) ④ 주사 7~14일 후 환자 상태를 검사하여 투여량 효과 추정 ⑤ 효과는 1~2일후 시작, 그후 1주일간 최대 4~12주간 효과 지속	1) Clostridium botulinum에서 분비되는 7종의 독소 중 A형 독소를 정제한 것. 2) 근신경말단에서 Ach 유리 억제하여 과도한 근수축, 근육경련, 근육강직, 과잉전률을 치료. 3) 허가사항 -(12세 이상) 양성 본태성 안검경련이나 제7신경 장애를 포함한 근긴장 이상과 관련된 사시 및 안검경련 -(2세 이상) 소아뇌성마비 환자의 강직에 의한 첨족기형 -경부근긴장이상의 징후와 증상	– 피부발진, 자극감 – 유루 – 국소적 안검 부종, 수직편차, 안근후부 출혈, 이중시야, 출혈, 공막천공, 안검외반, 안검내반, 각막염, 복시.	〈금기〉 1) 수유부, 12세 이하 소아: 안전성, 유효성 미확립 2) 임신부: Category C 〈상호작용〉 1) 신경근전달 방해하는 AGs 항균제 등에 의해 이 약의 효력이 증강됨 〈취급상 주의〉 1) −5℃이하 냉동보관 또는 2~8℃ 냉장보관 2) 0.9% NaCl 용액으로 용해, 용해 후 2~8℃에서 24시간 안정

약품명 및 함량	용법	약리작용 및 효능	부작용	주의 및 금기
	2) 안검경련 ① 초회량: 각부위에 1.25~2.5U (Max. 5U/부위별) ② 초회효과는 3일내, 최고효과는 1~2주에 나타나며, 3개월간 효과 지속됨. 3) 기타 용법 설명서 참조	-(18세 이상) 국소치료 저항성인 지속적인 중등도 원발성 겨드랑이 다한증 -(18세 이상) 뇌졸중과 관련된 국소 근육 강직 -(18~65세) 눈썹주름근, 눈살근 활동 관련 중등도 이상 심한 미간 주름의 일시적 개선 -성인 만성 편두통 환자에서의 두통 완화(하루 4시간 이상 지속되는 두통이 한달에 15일 이상 지속되는 경우) 4) 항체 생성에 의해 효과 감소현상이 나타나므로 1달 동안 사용량이 200U를 초과하면 안됨		
Clostridium botulinum type A toxin haemaglutinin complex Dysport inj 디스포트주 …500U /V	1) 안검경련 - 초회량: 한쪽 눈당 120U - 매 8주마다 또는 필요시 투여 반복 (각안구당 60~80U으로 감량 가능) 2) 반측 안면경련 : 단측성 안검경련 치료에 준함. 3) 경성사경 - 초기용량: 500U - 증상이 가장 심한 2~3개의 근육에 분할투여 - 매 8~12주 또는 필요시 용량 조절	1) Clostridium botulinum type A toxin과 혈구 응집소의 복합체. 2) 근신경 말단에서 ACh 유리 억제하여 과도한 근수축, 근육경련, 근육강직, 과잉 전율을 치료. 3) 적응증 - 성인: 안검경련, 반측 안면경련, 경성사경, 뇌졸중 발생에 따른 팔경직, 성인(18~65세)에서 중등도 내지 중증 미간주름의 일시적개선 - 소아: 2세이상의 보행가능한 소아 뇌성마비 환자의 강직에 의한 첨족기형 4) 이 약 3U ≒ Botox 1U	- 안검하수, 연하곤란 - 복시, 주사부위 주변 근육의 일시적 마비, 각막염, 안구건조, 완화한 멍울, 안검부종, 작열감, 발진 - 감기양 증상	〈주의〉 1) 임신부: Category C 2) 수유부 및 소아 : 안전성 미확립 〈취급상 주의〉 1) 냉장보관(2~8℃) 2) 조제한 용액은 냉장 8시간까지 안정
Pilocarpine HCl Salagen tab 살라겐정 …5mg/T	1) 두부암 및 경부암 - 초기용량 : 1Ⓣ tid (최소 12주 복용) - 상용량 : 1~2Ⓣ tid 2) 쇼그렌 증후군 - 1Ⓣ qid 6주간 투여	1) 강한 muscarin 작용과 약한 nicotin 작용을 가지고 있는 choline성 부교감신경 흥분제 2) 외분비선(한선, 타액선, 소화선)의 분비를 촉진하여, 타액이나 누액 분비 감소에 따른 구강 건조증상, 안구 건조증상, 충치 및 여러 잇몸 질환 치료효과 3) 적응증 ① 두부암 또는 경부암에 대한 방사선 요법시 타액선의 기능저하로 인한 구강건조증의 치료 ② 쇼그렌증후군 환자의 구강 및 안구 건조증 치료 4) Onset : 20mins $T\frac{1}{2}$: 0.76~1.35hrs	1) 〉10% - 발한 2) 1~10% - 부종, 고혈압, 빈맥, 근무력감, 두통, 진전, 오한, 오심, 구토, 흉부작열감, 연하곤란, 다뇨, 약시, 코피, 비염, 음성변화	〈금기〉 1) 천식 2) 급성 홍채염, 협우각 녹내장(∵ 축동) 〈주의〉 1) 임신부 : Category C 2) 수유부, 소아 : 안전성 미확립 〈상호작용〉 1) β-blocker : 심장 전도장애 2) 부교감신경 흥분제 : 상가 작용 3) Anticholinergic drug (atropine, ipratropium) : 길항 작용

약품명 및 함량	용법	약리작용 및 효능	부작용	주의 및 금기
Riluzole Rilutek tab 리루텍정 …50mg/T	1) 50mg bid 2) 식전 1시간 또는 식후 2시간 이후에 복용(∵ 음식물에 의해 흡수 감소)	1) Benzothiazole계로 신경말단에서 glutamic acid 방출억제 및 전압 의존성 Na(+) channel 활성억제로 근위축성 축삭경화증(ALS) 치료에 사용함.	1) 〉10% - 오심 - 허약감 - 폐기능 부전 2) 1~10% - 고혈압, 빈맥, 기립성 저혈압, 부종 - 두통, 현기증, 졸음, 불면, 권태, 우울, 현훈, 격앙, 진전, 입주위의 마비감 - 소양증, 습진, 탈모 - 복통, 설사, 식욕감퇴, 소화불량, 구토, 구내염 - 관절통, 저배통 - 비염, 기침증가	〈금기〉 1) 수유부, 소아: 안전성 미확립 2) 중증 간장애 환자 〈주의〉 1) 신부전 2) 간부전 또는 기왕력자 3) 발열증상이 있을 경우 의사와 상의(호중구감소) 4) 임신부: Category C 〈상호작용〉 1) 간독성 약물과 병용시 신중투여 2) CYP1A2 유도제(rifampin, omeprazole) 및 억제제(caffeine, theophylline, amitriptyline)와 병용 시 혈중농도 변화 〈취급상 주의〉 1) 차광보관
Teriflunomide Aubagio tab 오바지오필름코팅정 …14mg/T	1) 14mg qd (식사와 관계없이 투여)	1) 면역조절제, pyrimidine 합성 억제제 2) 약리작용 - De novo pyrimidine synthesis에 요구되는 미토콘드리아 효소 DHO-DH(dihydroorotate dehydrogenase)를 선택적으로 저해하여 pyrimidine 합성을 억제함 - 림프구의 신속한 분열에 관여하는 pyrimidine의 신생합성을 저해하여 CNS내 활성 림프구를 감소시키고 항염증작용을 나타냄 3) 적응증: 재발형 다발성 경화증의 재발 빈도 감소 및 장애 지연 4) Tmax: 1~4hrs $T_{\frac{1}{2}}$: 18~19days 배설: 대변(~38%), 신장(~23%)	1) 〉10% - 두통(16-22%) - 탈모(10-13%) - 저인산혈증(4-18%) - 설사(13-18%), 오심(8-14%) - 호중구감소증(2-16%), 림프구감소증(7-12%) - ALT증가(6-15%) - 인플루엔자 감염(12%) 2) 1-10% - 고혈압, 심계항진 - 이상감각, 불안, 좌골신경통, 작열감	〈금기〉 1) 중증 간장애(Child-Pugh class C) 2) 임신부: Category X 3) 수유부 4) 중증 면역결핍상태, 유의한 골수기능 저하자, 중증 활성 감염 환자, 중증의 저단백혈증 5) 투석을 실시하는 중증 신장애 환자 6) 유당을 함유하므로 유당 관련 대사장애 환자 7) 18세 미만 소아: 안전성, 유효성 미확립 〈주의〉 1) 독성, 심각한 이상반응, 임신예정 등 체내에서 이 약을 제거해야 하는 경우, 가속소실 과정(cholestyramine, 활성탄 가루 11일간 투여)에 따름 2) 혈압, ALT, 전혈구수, 백혈구 및 혈소판 수에 대한 치료 중 모니터링 필요

약품명 및 함량	용법	약리작용 및 효능	부작용	주의 및 금기
			- 가려움, 여드름 - GGT상승, 체중감소, 복부팽만 - 방광염 - 혈소판 감소, 백혈구감소증 - AST증가 - 계절성 알레르기 - 단순헤르페스 감염, 중증 감염 - 관절통, 근골격계 통증, 근육통, 팔목터널증후군, 말초신경염 - 시력이상, 결막염 - 신부전 - 상기도감염, 기관지염, 부비동염	〈상호작용〉 1) Leflunomide: 병용 금기 2) 생백신: 병용 금기(∵감염위험 증가) 3) CYP inducers(Rifampicin, carbamazepine, phenobarbital, phenytoin, St John's Wort): Teriflunomide의 노출 감소, 병용주의 4) Rosuvastatin의 용량감량(50%) 고려 5) Warfarin: INR 모니터링(INR 감소될 수 있음) 6) CYP2C8 기질(repaglinide, paclitaxel, pioglitazone): 병용약물의 효과 증가 주의 7) CYP1A2 기질(caffeine, duloxetine, theophylline 등): 병용 약물의 효과 감소 주의 8) OAT3기질(cefaclor, ciprofloxacin, furosemide, cimetidine, methotrexate, zidobudine): 병용약물의 효과 증가 주의
Tetrabenazine Xenazine tab 세나진정 …25mg/T	1) 초기: 25mg tid 2) 3~4일에 25mg씩 용량증가 (Max. 200mg/D) 3) 지연운동이상증: 12.5mg/D로 시작하여, 반응도에 따라 용량 조절 (효과 불분명, 이상반응 조절 안되는 경우 투여중단)	1) Dyskinetic disorder에 사용되는 benzoquinolizine 유도체 2) Dopamine, NE, Serotonin을 고갈시키며, dopamine receptor antagonist activity를 가짐. 3) Reserpine과 작용기전이 유사하나 reserpine보다 작용시간이 짧고 가역적임. 4) 적응증: 헌팅톤무도병, 노인성무도병, 지연운동이상증, 반무도병 등 불수의적이고 불규칙적이며 조절되지 않는 움직임을 유발하는 질병 치료 및 다른 치료법에 듣지 않는 지연운동이상증(tardive dyskinesia) 5) 보험인정기준: 헌팅톤무도병 6) 한국희귀의약품센터 공급 약품	- 저혈압, 흉통 - 발진 - 오심, 구토, 상복부통증, 연하곤란, 침흘림증 - 근육통 - 파킨슨유사증후군 (정좌불능, 편집증, 환각) - 성욕감퇴, 발기부전	〈금기〉 1) Reserpine 함유 약물을 복용중인 환자 2) 최근 우울증 치료를 받은 환자 3) Levodopa 함유 약물을 복용중인 환자 〈주의〉 1) 임신부: Category C 2) 소아, 수유부: 안전성 미확립

약품명 및 함량	용법	약리작용 및 효능	부작용	주의 및 금기
Varenicline tartrate Champix tab 챔픽스정 …0.5mg/T …1mg/T	1) 목표 금연시작일 1주전부터 약 복용을 시작 2) 0.5mg qd (1~3일)→ 0.5mg bid(4~7일)→ 1mg bid(8일~12주) 3) 첫 12주 복용으로 금연에 성공한 경우, 장기간 금연 가능성 높이기 위해 추가 12주 투여 권장 *신기능에 따른 용량조절 참고 - CrCl 〈30ml/min : 0.5mg qd (Max. 0.5mg bid)	1) $\alpha_4\ \beta_2$nicotinic receptor partial agonist 2) Nicotine 중독의 방지 및 금단 증상 경감 3) 적응증 : 금연치료의 보조요법 4) Tmax : 3~4hrs $T\frac{1}{2}$: 24hrs 대사 : 간(minimal) 배설 : 신장(92%)	1) 〉10% - 불면증, 두통, 이상한 꿈 - 오심(용량의존적) 2) 1~10% - 수면장애, 기면, 악몽, 졸음증, 권태감 - 발진 - 고창, 복통, 변비, 미각이상, 구강건조증, 소화불량, 구토, 식욕증가, 식욕부진, 위·식도역류 - 호흡곤란, 콧물	〈주의〉 1) 임신부 : Category C 2) 만 18세 미만 소아 : 안전성 미확립 3) 수유부 : 안전성 미확립 4) 중대한 신경정신과 증상(행동변화, 초조, 우울증,자살생각, 자살행동 등) 발현 가능하므로 모니터링 필요함. 5) 생생하거나 이상한 꿈 경험이 가능함을 환자에게 경고할 것
Cyproheptadine Orotate + dl-Carnitine HCl + l-Lysine HCl + Cyanocobalamine **Trestan cap** 트레스탄캅셀 …1.5+150+150+1mg/C	1) 성인 : 1Ⓒ bid ac 8일간, 그후부터는 2Ⓒ bid 2) 7~12세 : 1Ⓒ 저녁 ac 8일간, 그후부터는 1Ⓒ bid 3) 3~6세 : 1/2Ⓒ 저녁 ac 8일간, 그 후 부터는 1/2Ⓒ bid	1) Cyproheptadine : 포만중추 억제하여 식욕증진, 신체방어력 증진 2) dl-Carnitine,l-Lysine :핵산의 합성에 관여하고 아미노산 대사의 보효소로 작용하는 Cyanocobalamine과 소화관의 소화액분비를 촉진하고 연동운동을 높이며 혈당치, 혈중 콜레스테롤치를 정상화시킴. 3) 식욕감퇴로 인한 구역질, 악성빈혈 등에 사용	- 졸음, 구갈, 현훈, 오심, 발진, 권태감, 정신적 혼란, 두통, 식욕부진 - 대량 투여시에는 운동실조, 다혈구혈증, 혈장칼륨농도저하, 담마진, 여드름	〈주의〉 1) 중추신경억제제와 병용금지 2) 녹내장질환자 3) 뇨폐환자 4) 임신부 : Category B

2장. 호흡기계(Respiratory system)

1. Antiasthma agents
    (1) Adrenergics
    (2) Leukotriene antagonists
    (3) Xanthines

2. Antihistamines
    (1) Sedating antihistamines
    (2) Non-sedating antihistamines

3. Antitussives and mucolytics
    (1) Antitussives
    (2) Mucolytics

4. Inhalants
    (1) Adrenergics
    (2) Adrenergics and anticholinergics, combinations
    (3) Adrenergics and corticosteroids, combinations
    (4) Anticholinergics
    (5) Corticosteroids

5. Other Respiratory system drugs

약품명 및 함량	용법	약리작용 및 효능	부작용	주의 및 금기
Bambuterol HCl Bambec tab 밤벡정 …10mg/T	1) 1Ⓣ hs 2) 1~2주 후 2Ⓣ로 증량 가능 * 신기능에 따른 용량 조절 참고 – GFR≤50ml/min : 초회량 5mg	1) β_2-agonist인 terbutaline의 prodrug로 terbutaline보다 작용 발현이 느리고, 작용 시간도 연장됨. 2) 기관지 천식, 기관지 경련을 수반하는 만성 기관지염, 폐기종 및 기타 폐 질환에 사용 3) Tmax : 1.4~1.8hrs $T\frac{1}{2}$: 16hrs	– 심계항진 – 두통, 진전, 불안, 현기증, 졸음 – 두드러기, 발진 – 미각이상	〈금기〉 1) Terbutaline에 과민한 환자 2) 최근에 심장발작을 일으킨 환자 3) 판막하부 대동맥 협착증 환자 4) 부정맥을 동반하거나 동반하지 않는 빈맥 환자 5) 2세 미만 소아 6) 비대심장근육병 환자 〈주의〉 1) 중증의 순환기 질환 2) 갑상선기능항진증 3) 저칼륨혈증 4) 중증 간장애 5) 중등도-중증 신장애(GFR≤50ml/min) 6) 당뇨병 7) 크롬친화세포종 8) 임신부 : Category B (활성대사체) 9) 수유부 : 안전성 미확립
Ephedrine HCl Ephedrine inj 에페드린주사액 …40mg/1ml/A	1) 성인 : 1회 25~40mg qd or bid SC, IM 2) 소아 : 3mg/kg/D #4~6회 SC, IM	1) Nonselective adrenergic agonists로 작용은 epinephrine과 유사하지만 bronchodilation 효과는 epinephrine 보다 약하고 지속적임. 2) Mild한 acute asthma와 장기간의 치료를 요하는 chronic case에 사용 3) β_2-agonist보다는 덜 유효하고 지속시간도 짧음 4) Tachyphylaxis가 빨리 진행됨. 5) 적응증 – 다음 질환에서의 기침 : 기관지천식, 감기, 급·만성기관지염, 상기도염 – 비점막의 충혈·종창 6) 지속시간 : 2~4hrs $T\frac{1}{2}$: 3~6hrs	– 고혈압, 빈맥, 심계항진, 혈압 이상, 창백, 흉통, 부정맥 – 중추신경흥분, 긴장감, 불안, 염려, 공포, 긴장, 초조, 불면, 현기증, 두통 – 구갈, 오심, 식욕부진, 구토 – 배뇨통 – 진전, 허약감 – 호흡곤란 – 발한	〈금기〉 1) 고혈압 환자 2) 갑상선기능항진증 환자 3) 녹내장 환자 4) 당뇨병 환자 5) 전립선비대증 환자 6) 크롬친화세포종 환자 7) MAO저해제를 투여중이거나 투여를 중지한지 2주 이내인 환자 8) 허혈심장병 환자 9) 수유부 : 영아과민성 및 수면형태 장애 보고됨) 〈주의〉 1) Digitalis 제제 투여 중인 환자나 심질환 환자 2) 소아 : 신중투여 3) 임신부 : Category C

약품명 및 함량	용법	약리작용 및 효능	부작용	주의 및 금기
				〈상호작용〉 1) 갑상선제제 : 이 약의 작용 증강 2) 할로겐화 마취제 : 심실성부정맥 유발가능 3) Catecholamine류 : 부정맥 또는 심정지 유발가능
Epinephrine Bosmin soln 보스민액 …1mg/ml, 50ml/BT	1) 기관지 천식 ① 0.1% 용액을 5~10배 희석하여 흡입(1회 투여량 0.3mg 이내) ② 2~15분 지나도 효과 불충분시 한 번 더 반복, 연용시 4~6시간 간격 필요 2) 국소 출혈 : 0.1% 용액을 5~10배로 희석하여 직접 도포하거나 분무	1) 교감신경 자극으로 피부 및 내장기관 수축, 기관지근 이완 2) 관상혈관에 대해서는 확장작용을 나타내 심한 출혈을 억제하여 지혈작용을 나타냄. 3) 적응증 : 국소 부위의 출혈(외상, 코, 입, 인후두 점막의 출혈) 및 기관지 천식 발작의 완화	- 두통, 수지진전, 졸음 - 인두염, 비충혈 - 심계항진, 맥박증가, 혈압변동 - 식욕부진, 소화불량, 구역, 구토 - 과민반응	〈금기〉 1) 폐쇄각 또는 전방이 얇아서 안압상승의 요인이 있는 환자 〈주의〉 1) 과도하게 사용을 계속할 경우 부정맥, 심정지 우려 있음. 2) 고용량의 다른 교감신경 효능약을 투여받는 환자 3) 치명적일 수 있는 기이성 기관지 경련 유발 가능 4) 변색에 의한 효력 감퇴는 없으나 혼탁시 사용 금지 5) 임신부 : Category C(태아의 산소결핍 우려있으므로 가급적 투여 안함)
Epinephrine Epinephrine inj 에피네프린주사액 …1mg/ml/A	1) IM, SC : 0.2~1ml 2) IV : 0.25ml를 넘지 않는 범위내에서 NS 등에 희석하여 주사 3) 국소마취제와의 병용 : 국소마취제 10ml에 1~2적 비율로 사용	1) Endogenic catecholamine으로 adrenergic bronchodilator의 원형이며, β_1, β_2 및 α-adrenergic 작용을 가짐. 2) 혈관 수축작용으로 혈압 상승 3) 천식치료는 주로 기관지 확장작용에 의하여 혈관 수축작용과 기관지 부종 제거작용에도 도움이 됨. 4) 심정지시 심장리듬을 정상화함 5) 급성천식발작, 쇼크를 포함한 anaphylactic 반응에 선택약제로 사용함. 6) SC 후 효과가 즉시 나타나나 지속시간이 짧음. 7) 국소적인 지혈, 국소마취의 효과 증강 및 독성 감소 목적으로 국소마취제에 첨가해서 사용함. 8) 적응증: 기관지 천식 발작의 완화, 혈청병 두드러기, 맥관신경성 부종의 증상 완화, 약물에 의한 쇽 심정지의 보조치료, 국소마취제 효력의 지속	- 빈맥, 안면 홍조, 고혈압, 창백, 흉통, 심근의 산소요구량 증가, 부정맥, 급사, 협심증, 혈관수축 - 긴장감, 불안, 두통, 현기증, 불면 - 오심, 구토, 구갈, 인후건조 - 쇠약감, 떨림 - 폐쇄각 녹내장, 일시적인 작열감, 안구 통증 - 신장과 내장의 혈류 감소 - 천명, 호흡곤란 - 발한	〈금기〉 1) 동맥경화증(뇌동맥포함), 기질성 심질환, 심확장, 고혈압 환자 2) 중증 신기능 장애 환자 3) 기질성 뇌손상, 정신신경증, 만성 코카인 중독 환자 4) 갑상선기능항진증, 당뇨, 폐쇄각 녹내장 환자 5) 폐렴, 객혈 위험, 폐성심 환자 6) 분만 중인 환자, 심인성, 외상성, 출혈성 쇽, 크롬친화세포종, 전립선 선종, 손/발가락, 코, 음경 마취 환자 〈주의〉 1) 신중투여 : 교감신경 효능약 과민 환자, 중증 부정맥, 만성 기관지 천식, 관상동맥 기능부전, 허혈성 심질환, 폐부종, MAOIs 투여, 척추마취 환자, 소아, 고령자 2) 임신부 : Category C 3) 수유부 : 모유 이행 4) 아황산수소나트륨 함유

약품명 및 함량	용법	약리작용 및 효능	부작용	주의 및 금기
				〈상호작용〉 1) 타 sympathomimetic 약제 : 상승 효과와 독성 증가 2) α, β-adrenergic 차단제 : 고혈압, 서맥 3) 전신 마취제 : 부정맥 4) Digoxin : 심부정맥 유발 5) TCA, 갑상선 호르몬 : 고혈압, 부정맥, 빈맥 6) Guanethidine : 동맥압 상승 7) MAO억제제 : 혈압상승
Fenoterol HBr Berotec tab 베로텍정 …2.5mg/T	1) 성인 : 1~2Ⓣ tid 2) 소아(6~14세) : 1Ⓣ tid	1) 구조상 metaproterenol과 관련된 β_2-adrenergic agonist임. 2) Albuterol과 효과나 지속시간이 비슷함. 3) 적응증 : 기관지천식, 만성기관지염, 폐기종, 진폐증에 의한 호흡곤란 등 여러 증상의 완화 4) 지속시간 : 4~6hrs $T\frac{1}{2}$: 7hrs	- 두통, 손떨림, 졸음, 어지러움, 신경과민, 불면 - 식욕부진, 소화불량, 구역, 구토, 구갈, 복통, 위부불쾌감, 변비 - 심계항진, 빈맥, 혈압변동, 부정맥, 고혈압, 안면홍조, 흉통 - 기침, 기관지염, 천명, 두염, 비충혈 - 피부발진, 혈관부종, 두드러기, 기관지경련, 구강인두부종, 저혈압, 허탈 - 구내염, 권태감, 수지종창감	〈금기〉 1) 교감신경 흥분성 아민류에 과민증 병력이 있는 환자 2) 비후성 폐쇄성 심근병증 환자 3) 갑상선기능항진증 환자 4) 부정빈맥 〈주의〉 1) 고혈압 ,관상동맥질환, CHF, 갑상선기능항진증, DM환자는 신중투여 2) 임신부 : Category A(호주) 3) 수유부 : 모유이행 〈상호작용〉 1) 타 adrenergics : 부정맥 또는 심정지 유발가능 2) MAO저해제, 삼환계 항우울제 : 이 약의 혈관계에 대한 작용 증강
Formoterol fumarate Atock tab 아토크정 …20mcg/T …40mcg/T	1) 성인 : 80mcg bid 2) 소아 : 4mcg/kg #2~3 3) 건조시럽의 경우, 시럽으로 조제시 1주일내에 복용해야 하므로 물에 녹이지 않고 칭량하여 조제하도록 권장함.	1) 장시간 지속형 β_2-agonist로 기관지 확장제 2) 기관지 확장작용 및 항알러지 작용이 albuterol보다 강함. 3) 적응증 : 기관지천식, 급만성기관지염, 폐기종, 천식성기관지염에 의한 호흡곤란 등 여러 증상의 완화	1) >10% - 바이러스 감염 2) 1~10% - 흉통 - 진전, 현기증, 불면 - 발진	〈금기〉 1) 비후성 심근병증 환자 〈주의〉 1) 갑상선기능항진증 환자 2) 고혈압 환자 3) 심부전증, 부정맥 등 심질환 환자

약품명 및 함량	용법	약리작용 및 효능	부작용	주의 및 금기
Atock dry syrup 아토크건조시럽 …40mcg/g		4) Onset : 20mins Tmax : 2~4hrs 지속시간 : 5~8hrs	- 기관지염, 호흡기감염, 호흡곤란, 편도선염	4) 당뇨병 환자 5) 비선택적 베타차단제와 병용하지 않음. 6) 임신부 : Category C 7) 수유부 : 안전성 미확립 〈상호작용〉 1) Catecholamine류 : 부정맥또는 심정지 유발 가능 2) MAO저해제나 TCA 항우울제 : 이 약의 혈관계에 대한 작용증강 3) Xanthines, corticosteroids 및 이뇨제의 병용에 의하여 혈청 칼륨치의 저하가 일어날 수 있음(중증 천식 환자의 경우 특히 주의)
Isoproterenol HCl Isuprel inj 이수푸렐주 …0.2mg/1ml/A	1) IV Inf. : 5DW 500ml에 1~2mg을 희석하여 0.5~5mcg/min으로 심박수 또는 심전도를 모니터하면서 주입 2) IV Bolus : 0.2mg을 5DW 또는 NS 10ml에 희석하여 주사 3) IM, SC : 희석되지 않은 1 : 5,000 용액 0.2mg 주사 4) 심장내 주사 : 긴급시 희석되지 않은 1 : 5,000 용액 0.02mg 주사	1) β_1, β_2-adrenergic agonist이며, α-adrenergic 수용체에 대한 작용은 약함. 2) Bronchoconstriction을 예방하고 해소시킴. 3) 혈관 평활근을 이완시키고 심수축력과 박동률을 증가시킴. 4) 급성 천식발작에 쓰이나 주사보다는 흡입제가 선호됨. 5) 적응증 - Adams-Stokes 증후군의 발작 시(고도의 서맥, 심박동정지 포함) - 심근경색이나 세균 내 독소 등에 의한 급성 심부전, 수술 후의 저심박출량 증후군 6) $T\frac{1}{2}$(모체): 3~7hrs	- 서맥, 고혈압, 저혈압, 흉통, 심계항진, 빈맥, 부정맥, 심근경색 - 두통, 긴장감 - 오심, 구토 - 호흡곤란	〈금기〉 1) 중증 고혈압 환자 2) 중증 신질환 환자 3) 갑상선 기능항진증 환자 4) 빈맥성 부정맥 또는 그 병력이 있는 환자 5) 비후성 심근병증, 협심증 환자 6) 디기탈리스중독에 의한 빈맥 또는 심차단 환자 〈주의〉 1) 다른 교감신경흥분약에 과민증이 있거나 투여받고 있는 환자 2) 당뇨병 환자 3) 관상동맥질환, 울혈성 심부전 환자 4) 아황산수소나트륨 함유 5) 6세 이하의 영 · 유아 6) 탄산수소나트륨과 같은 알칼리성 약물과 혼합하면 홍색~갈색으로 변색되고 역가감소 7) 임신부 : Category C 8) 수유부 : 안전성 미확립 〈상호작용〉 1) Catecholamine류 : 부정맥 또는 심정지 유발가능 2) MAO저해제나 TCA 항우울제 : 이 약의 혈관에 대한 작용 증강

약품명 및 함량	용법	약리작용 및 효능	부작용	주의 및 금기
				3) Xanthines, corticosteroids 및 이뇨제의 병용에 의하여 혈청 칼륨치의 저하가 일어날 수 있음(중증 천식 환자 주의) 〈취급상 주의〉 1) 차광하여 실온(1-30℃) 보관
Pseudoephedrine HCl Sudafed tab 슈다페드정 …60mg/T	1) 성인 : 30~60mg tid or qid (Max. 240mg/D) 2) 6~11세의 소아 : 30mg tid or qid (Max. 120mg/D) 3) 2~5세의 소아: 15mg tid or qid (Max. 60mg/D)	1) 호흡기 점막의 α 수용체에 대한 직접적인 흥분작용으로 혈관수축을 일으킴 2) β 수용체를 직접 자극하여 기관지 이완작용, 심박동수 증가, 심근수축력증가 효과 3) NE 유리작용이 있음. 4) Ephedrine보다 혈압상승, CNS 흥분작용이 약함. 5) 비충혈 또는 기관지충혈 제거에 사용되며 기관지 확장작용은 없음. 6) 적응증 : 감기, 부비동염, 상기도 알레르기에 의한 비충혈 완화 7) Onset : 15~30mins Tmax : 30~60mins 지속시간 : 4~6hrs $T\frac{1}{2}$: 9~16hrs	- 빈맥, 심계항진, 부정맥 - 긴장감, 일시적인 중추신경 흥분, 불면, 현기증, 나른함, 발작, 환각, 두통 - 오심, 구토 - 핍뇨 - 쇠약감, 진전 - 호흡곤란 - 발한	〈금기〉 1) Sympathomimetic amine류에 과민증 또는 특이 체질환자 2) 심한 관상동맥질환 환자 3) 당뇨병 환자 4) 심한 고혈압 환자 5) 갑상선 기능항진 환자 6) MAO저해제를 투여중이거나 투여를 중지한 지 2주 이내인 환자 7) 수유부 : 모유 이행 〈주의〉 1) 전립선 비대증, 안내압 상승 환자 2) 고혈압, 심혈관 질환자 3) Digitalis 제제를 투여중인 환자 4) 심한 간 · 신부전 환자 5) 임신부 : Category B(호주) 〈상호작용〉 1) MAO저해제, 교감신경 차단제 : 이 약의 작용 증가 2) Chloroform, cyclopropane, halothane 등의 마취제 : 심실부정맥 유발가능 3) 고혈압약, TCA 항우울약 : 혈압을 관찰하면서 신중투여
Tulobuterol Hokunalin patch 호쿠날린패취 …0.5mg/EA …1mg/EA	1) 1일 1회 부착 - 부착 가능 부위 : 가슴, 등, 상완부에 부착 2) 1회 부착용량 - 6개월~3세 미만 : 0.5mg - 3~9세 미만 : 1mg	1) 경피 흡수용 장시간형 β_2-agonist 제제 2) 기관지 평활근의 β_2 receptor에 선택적으로 작용하여 기도 평활근을 이완시켜 기관지 확장효과를 나타냄. 3) Patch제제로 경구제에 비해 혈중농도가 일정하게 유지되어 야간 천식 발작증상을 예방할 수 있음.	- 진전, 두통, 불면, 권태, 어지러움 - 심계항진, 부정맥, 안면홍조 - 부착부위 소양감, 발적, 접촉성 피부염	〈금기〉 1) Catecholamine제제(epinephrine, isoproterenol) 투여 받는 환자 2) 이 약 성분에 과민한 환자 〈주의〉 1) 갑상선기능항진증 환자

1장 2장 3장 4장 5장 6장 7장 8장 9장 10장 11장 12장 13장 14장 15장 16장 17장 18장 부록 Index

약품명 및 함량	용법	약리작용 및 효능	부작용	주의 및 금기
…2mg/EA	- 9세 이상 : 2mg	4) 기관지천식, 급(만)성 기관지염, 폐기종에서 기도 폐쇄성 장애에 의한 호흡곤란 등 여러 증상 완화에 사용 5) 지속시간 : 〉24hrs $T_{\frac{1}{2}}$: 5.9hrs	- CPK 상승, 혈중 칼륨농도 저하 - 오심, 구토, 식욕부진, 위부 불쾌감, 설사 - 아나필락시스	2) 고혈압, 심질환 환자 3) 당뇨병 환자 4) 아토피성 피부염 환자 5) 임신부, 6개월 미만 소아 : 안전성 미확립 6) 수유부 : 동물실험에서 모유이행 7) 고령자 〈상호작용〉 1) Catecholamine류 : 부정맥, 심정지 유발 위험 2) Xanthine계 : 저칼륨혈증으로 인한 부정맥 유발 위험 3) Corticosteroids, furosemide, acetazolamide : 저칼륨혈증으로 인한 부정맥 유발 위험 〈취급상 주의〉 1) 부착 부위를 매일 바꿔서 사용 2) 1~2주 사용해도 효과 없을 경우 사용 중지

약품명 및 함량	용법	약리작용 및 효능	부작용	주의 및 금기
Montelukast Singulair chew tab 싱귤레어츄정 …4mg/T …5mg/T Singulair tab 싱귤레어정 …10mg/T Singulair oral granule	* 저작정 및 정제 1) 저작정: 씹어서 저녁 식전 1시간 또는 식후 2시간에 복용 - 2~5세 : 4mg qd - 6~14세 : 5mg qd 2) 정제(15세 이상) : 10mg qd, 저녁에 복용 * 과립 1) 천식 - 12개월~5세 : 4mg qd, 저녁에 복용 2) 통년성 알러지성 비염	1) Leukotriene receptor antagonist : 염증의 주요 매개체인 Cysteinyl Leukotriene(LT)이 수용체에 결합하는 것을 선택적으로 길항 작용함으로 LT의 주요 증상인 기관지 수축, 점액 분비, 호산구 유입 억제 2) 말초 혈액 호산구수 감소(13~15%) 3) 적응증 : 천식, 알레르기 비염 4) Tmax : 2hrs $T_{\frac{1}{2}}$: 1.4~1.8hrs 단백결합율 : 99% 대사 : P450에 의해 간대사 배설 : 신장, 담즙	1) 〉10% - 두통(18%) 2) 1~10% - 어지러움, 피로감, 발열(2%) - 발진(2%) - 식욕부진, 치통, 위장염(2%), 복부 통증(3%) - 허약감(2%) - 기침(3%), 비충혈(2%)	〈주의〉 1) 전신성 호산구 증가 2) 4mg, 5mg 츄정에는 페닐알라닌이 함유되어 있으므로 페닐케톤뇨증 환자 주의 3) Churg-straus syndrome 4) Chronic asthma 치료로 사용, acute asthma attack 에 사용안함 5) 임신부 : Category B 6) 2세 미만 소아 : 안전성, 유효성 미확립 7) 수유부 : 안전성 미확립

약품명 및 함량	용법	약리작용 및 효능	부작용	주의 및 금기
싱귤레어세립 …4mg/P	- 6개월~5세 : 4mg qd 3) 계절성 알러지성 비염 - 2~5세 : 4mg qd 4) 복용방법 - 실온 이하인 소량의(약 5ml) 이유식, 모유 또는 죽과 같은 유동식(soft food)에 섞어서 복용가능 - 개봉 후 15분 내에 복용		- 감기유사 증후군(4%)	〈상호작용〉 1) Phenobarbital : 대사유도 작용으로 Montelukast의 AUC를 40%로 감소
Pranlukast hydrate Onon cap 오논캅셀 …112.5mg/C Citus dry syrup 씨투스 건조시럽 …100mg/g …0.5g/P …0.7g/P	* 캡슐 1) 성인 2Ⓒ bid * 건조시럽 1) 1세 이상 소아 : 7mg/kg/D #2 (Max.10mg/kg/D, 450mg/D) 2) 1일 kg당 표준투여량(Pranlukast 수화물로서) - 12~18kg미만 : 50mg bid - 18~25kg미만 : 70mg bid - 25~35kg 미만 : 100mg bid - 35~45kg 미만 : 140mg bid 3) 사용시 현탁하여 복용	1) Leukotriene(LT) receptor antagonist로서 LTC_4, LTD_4, LTE_4에결합하여 그 작용을 저해함으로써, 기도수축, 기도과민반응 억제, 기도혈관 투과성 및 점막부종 억제 작용을 나타냄. 2) 기관지 천식, 통년성 알레르기비염 3) 이미 발생한 천식 발작에는 무효함. 4) Onset : 1hr(급성증상완화), 1~2wks(만성증상완화) 지속시간 : 8~10hrs $T_{\frac{1}{2}}$(모체) : 1.7~9hrs	1) 〉10% - 두통 2) 1~10% - 현기증 - 발진 - 발열 - 소화불량 - 치통 - AST/ALT 상승 - 피로, 무력증 - 기침 - 비충혈, 코막힘	〈주의〉 1) 이 제제 투여 중 발작 시는 기관지 확장제 또는 스테로이드제를 투여 2) 호산구 증가, 혈관염 증상 발생에 주의 3) 1세 미만 소아 및 임신부, 수유부 : 안전성 미확립 4) 페닐케톤뇨증 환자(∵ 이 약에 포함된 인공감미제 아스파탐이 페닐알라닌으로 대사) 〈상호작용〉 1) CYP3A4에 의해 대사되는 약물의 혈중농도 상승 가능 2) CYP3A4를 저해하는 약물 병용시 이 약의 혈중농도 증가 가능 〈취급상 주의〉 1) 건조시럽제로 사용시 현탁 복용(가루로 복용가능)

약품명 및 함량	용법	약리작용 및 효능	부작용	주의 및 금기
Aminophylline Aminophylline inj 아미노필린주사액 …250mg/10ml/A	1) 성인 : 1Ⓐ qd or bid, NS 또는 DW에 희석하여 5~10분 동안 천천히 IV or IV inf.(Max. 12mg/kg/D) 2) 투여 간격 : 8시간 이상	1) 공기중에 노출시 ethylenediamine을 잃고 CO_2를 흡수하여 free theophylline을 유리시킴. 2) Xanthine 유도체로서 phosphodiesterase를 억제함으로써 c-AMP의 세포내 농도를 증가시킴.	1) Theophylline의 혈중 농도에 따라 가. 〈 20mcg/ml ① 1-10%	〈금기〉 1) Xanthine 유도체 과민성 환자 2) 위 · 십이지장 궤양 환자

약품명 및 함량	용법	약리작용 및 효능	부작용	주의 및 금기
		3) Bronchial airway와 pulmonary blood vessel에 직접 작용하는 smooth muscle relaxant로 bronchodilating 작용 외에 positive cardiac inotropic vasodilating, diuretic 작용도 가짐. 4) 천식의 악화, 발작 예방 및 remission 유지요법에 사용함. 5) 적응증 - 기관지천식, 천식기관지염, 폐기종, 만성기관지염의 기도폐쇄성장애에 의한 호흡곤란 등 여러 증상의 완화 - 울혈심부전, 심장천식(발작예방), 체인-스토크스호흡 6) 주사제 : pH 3.5~8.6에서 48시간 안정	-빈맥 -신경 과민, 초조 -오심, 구토 ② 〈 1% 알러지 반응, 위장관 불쾌감, 불면, 발진, 발작, 진전 나. 15~25mcg/ml - 위부불쾌감, 설사, 오심, 구토, 복통, 초조, 두통, 불면, 현기증, 근육 경련, 진전 다. 25~35mcg/ml - 빈맥, 드물게 PVC 라. 〉 35mcg/ml - 심실성 빈맥, 경련, PVC 2) 쇽(주사제)	〈주의〉 1) 간질, 갑상선 기능항진증, 급성 신염, 간장애, 심질환(고혈압, MI, CHF) 환자 2) 소아, 고령자 3) Theophylline 혈중농도 20mcg/ml 이하 유지 4) 임신부 : Category C 5) 수유부 : 모유 이행 〈상호작용〉 1) 타 Xanthines, 중추신경 흥분약 : 과도한 중추신경 흥분유발 2) Clarithromycin, roxithromycin, triamcinolone, quinolones, verapamil, interferon, cimetidine, ticlopidine, allopurinol, diltiazem, amiodarone, CsA, 경구용 피임약 등 : 이 약의 혈중농도 상승 3) Phenobarbital, rifampin, lansoprazole : 이 약의 혈중농도 감소 4) Phenytoin, carbamazepine : 서로의 혈중농도 저하 5) β-agonist : 부작용 증가 6) 이 약은 propranolol 효과 저해 7) β효능약, Steroids, 이뇨제 병용 : 저산소혈증으로 인한 혈청 칼륨치 저하작용 악화 (중증 천식환자 주의)
Doxofylline Asima tab 액시마정 …400mg/T	1) 성인: 1Ⓣ bid~tid 2) 심혈관, 간, 신장, 위장관 질환을 동반하는 고령자 : 0.5Ⓣ bid로 감량, 신중 투여	1) Methylxanthine계 약물로서 phosphodiesterase를 저해하여 c-AMP의 농도를 상승시키고, 기관지 확장 작용을 나타냄. 2) Adenosine 수용체에 대한 친화성이 같은 계열인 theophylline에 비해 10~20배 적어 이와 관련된 부작용(위장관계, 심혈관계, 중추 신경계)이 적게 보고됨. 3) 적응증 : 기관지 천식, 만성기관지염 4) 혈중농도와 부작용 발현간의 상관관계가 적어 혈중 약물농도 모니터링(TDM)을 실시하지 않음. 5) BA: 62.6% Tmax: 1.19hrs	(빈도 미확립) - 심계항진, 빈맥, 기외수축, 빈호흡 - 진전, 불면, 두통, 자극과민증 - 오심, 구토, 소화불량, Gastric burning - 고혈당, 단백뇨 - 홍조, 열감(고용량 투여시 중독증상) - 심각한 부정맥, 발작	〈금기〉 1) Xanthine 유도체 과민성 환자 2) 급성심근경색 환자 3) 저혈압 4) 수유부: 안전성 미확립 〈주의〉 1) 간질환, 신질환, 위궤양 병력자, 경련성 질환, 알코올 남용자, 노인, COPD, 감염증 환자 2) 고혈압, 심질환, 저산소혈증, 갑상선기능항진증, 만성 우심실부전, 울혈성심부전 3) 임신부 : 동물실험에서 최기형성 없음. 인체에 대한 자료 부족

약품명 및 함량	용법	약리작용 및 효능	부작용	주의 및 금기
		$T_{\frac{1}{2}}$: 7~10hrs 대사: 간(〉90%)		〈상호작용〉 1) 카페인 함유 음식, 약물 등 다른 Xanthine 유도체 : 독성 증가 2) Ephedrine 등 교감신경흥분제 : 독성 증가 3) Erythromycin, lincomycin, clindamycin, allopurinol, cimetidine, propranolol, 인플루엔자 백신, troleandomycin : 이 약의 혈중 농도 상승
Theophylline Theoclear cap 데오크레캅셀 …130mg/C Theolan B cap 테올란비서방캡슐 …100mg/C …200mg/C Theoclear 20% dry syr 데오크레건조시럽 …200mg/g	* 캡슐 1) 성인 - (데오크레캡슐) 260mg bid - (테올란비서방캡슐) 200mg bid * 건조시럽 1) 소아 : 4~8mg/kg(건조시럽 20~40mg/kg) bid - 6개월~1세 미만 : 3mg/kg bid - 1~15세 미만 : 4~5mg/kg bid 2) 미리 물에 희석할경우 서방형의 특성이 소실되고 쓴 맛이 증가할 수 있으므로 복용 직전 적당량의 물에 희석하거나 분말 자체로 복용함.	1) Xanthine 유도체로서 phosphodiesterase를 억제함으로써 c-AMP의 세포내 농도를 증가시켜 기관지 확장작용을 나타냄. 2) 서방형으로 aminophylline의 부작용을 감소시켰음. 3) 적응증 - (건조시럽) 기관지천식, 천식기관지염 - (캡슐) 기관지천식, 천식성 기관지염, 만성 기관지염, 폐기종 4) Onset : 15~30mins 단백결합율 : 40% 배설 : 신장 10~13%(성인), 50%(0~3개월 영아) $T_{\frac{1}{2}}$: 54~76hrs(미숙아) 1.2~7hrs(소아) 6~12hrs(성인)	1) Theophylline의 혈중 농도에 따라 가. 〈 20mcg/ml ① 1~10% - 빈맥 - 신경 과민, 초조 - 오심, 구토 ② 〈 1% - 알러지 반응, 위장관 불쾌감, 불면, 발진, 발작, 진전 나. 15~25mcg/ml - 위부불쾌감, 설사, 오심, 구토, 복통, 초조, 두통, 불면, 현기증, 근육 경련, 진전 다. 25~35mcg/ml - 빈맥, 드물게 PVC 라. 〉 35mcg/ml - 심실성 빈맥, 경련, PVC 2) 쇽(주사제)	〈금기〉 1) Xanthine 유도체 과민성 환자 2) 위. 십이지장 궤양 환자 〈주의〉 1) 간질, 갑상선기능항진증, 급성 신염, 간장애, 심질환(고혈압, MI, CHF) 환자 2) 소아, 고령자 3) Theophylline 혈중농도 20mcg/ml 이하 유지 4) 임신부 : Category C 5) 수유부 : 모유 이행 〈상호작용〉 1) 타 Xanthines, 중추신경 흥분약 : 과도한 중추신경 흥분유발 2) Clarithromycin, roxithromycin, triamcinolone, quinolones, verapamil, interferon, cimetidine, ticlopidine, allopurinol, diltiazem, amiodarone, CsA, 경구용 피임약 등 : 이 약의 혈중농도 상승 3) Phenobarbital, rifampin, lansoprazole : 이 약의 혈중농도 감소 4) Phenytoin, carbamazepine : 상호 혈중농도 저하 5) β-agonist : 부작용 증가 6) 이 약은 propranolol 효과 저해 7) β 효능약, Steroids, 이뇨제 병용 : 저산소혈증으로 인한 혈청 칼륨치 저하작용 악화(중증 천식환자 주의)

약품명 및 함량	용법	약리작용 및 효능	부작용	주의 및 금기
Chlorpheniramine maleate Peniramin inj 페니라민주사 …4mg/2ml/A	1) 성인 : 5~10mg qd~bid IM, SC, IV(Max. 40mg/D)	1) Propylamine계 항히스타민으로서 고초열, 두드러기, 소양성 피부질환, 알러지성 비염, 혈관운동성 비염에 유효 2) Onset : 30mins Tmax : 1~2hrs 대사 : 간 $T_{\frac{1}{2}}$: 20hrs 배설 : 신장	– 쇽, 청색증, 호흡곤란, 흉부불쾌감 – 경련, 착란 – 재생불량성빈혈, 무과립구증 – 진정, 졸음, 신경과민, 두통, 초조감, 복시, 불면, 어지러움, 이명, 전정장애, 진전, 신경염, 감각이상, 무시, 집중력 감소, 권태감 – 구갈, 가슴쓰림, 식욕부진, 소화불량, 구역, 구토, 복통, 변비, 설사 – 빈뇨, 배뇨곤란, 뇨폐, 뇨저류 – 저혈압, 심계항진, 빈맥, 부정맥, 기외수축, 간염, 황달 – 비강건조, 기관분비액의 점성화, 천명, 코막힘 – 용혈성 빈혈, 혈소판감소 – 주사부위의 일시적인 자극, 작열감 – 오한, 발한이상, 흉통, 피로감, 월경이상	〈금기〉 1) 녹내장 환자 2) 전립선비대 등 하부요로폐색성 질환 환자 3) 미숙아, 신생아 4) MAO저해제 투여 환자 〈주의〉 1) 갑상선기능항진증 환자 2) 협착성 소화성 궤양 또는 십이지장폐색 환자 3) 순환기계 질환 환자 4) 고혈압 등 심혈관계 질환환자 5) 간질 환자 6) 기관지염, 기관지확장증, 천식 환자 7) 간질환 환자 8) 임신부 : Category C 9) 수유부 : 모유로 이행
Hydroxyzine HCl Ucerax tab	(성인) 1) 정신과 : 75~150mg #3~4 2) 피부과 : 30~60mg #2~3	1) Piperazine유도체로 CNS의 피질하부의 특정부위를 억제하여 골격근 이완, 기관지 확장작용과 항히스타민작용 및 진토효과를 나타냄.	– 현기증, 두통, 피로, 긴장감, 나른함 – 구갈	〈금기〉 1) 급성 폐쇄각 녹내장 환자 2) 수유부 : 안전성 미확립

약품명 및 함량	용법	약리작용 및 효능	부작용	주의 및 금기
유시락스정 …10mg/T Ucerax syrup 유시락스시럽 …2mg/ml	* 신기능에 따른 용량조절 참고 ① 중등도 신장애 : 50% 감량 ② 중증 신장애 : 75% 감량	2) 만성 담마진에 선택약제임. 3) Sedation 효과가 큼(마취전에 사용). 4) 적응증 – 수술 전 · 후, 신경증에서의 불안, 긴장, 초조 – 두드러기, 피부질환에 수반하는 가려움 5) Tmax : 2hrs 대사 : 간 $T\frac{1}{2}$: 3~20hrs	– 진전, 감각이상, 발작 – 시야몽롱 – 기관지 점액 분비 증가	3) 임신부 : Category C 〈주의〉 1) MAO억제제를 투여중인 환자 2) 간질 등의 경련성 질환 또는 그 병력이 있는 환자 3) 알코올 또는 수면제 중독환자 〈상호작용〉 1) 알코올이나 barbital계 약물, 마취제, 마약성 진통제등의 중추신경 억제제 : 두 약 모두 작용이 증강될수 있으므로 감량하는 등 신중 투여
Ketotifen fumarate Zaditen syrup 자디텐시럽 …0.2mg/ml	1) 성인 및 3세 이상 소아 : 5~10ml bid 2) 6개월~3세 미만의 소아 : 2.5ml bid	1) H_1-receptor 차단작용이 있는 항알러지 및 천식예방제(기왕에 발생된 급성 천식발작을 신속하게 억제시키지는 못하며, 기관지 과민반응을 낮춤) 2) Mast cell을 안정화시켜 histamine, SRS-A(Slow Releasing Substance of Anaphylaxis) 등의 화학매개물질의 유리를 억제하여 기관지수축에 길항함. 3) PAF(Platelet Activating Factor : 혈소판 활성화인자)에 의한 기관지 수축 및 과민반응을 억제함. 4) 적응증 – 기관지천식, 알레르기 기관지염과 관련된 천식 증상의 예방 – 알레르기 비염, 알레르기 피부질환, 전신다발성 알레르기 질환의 예방 및 치료 5) Tmax : 2~4hrs 대사 : 간 $T\frac{1}{2}$: 21hrs	1) 1~10% – 알러지반응, 작열감, 각막염, 눈의 분비물, 안구건조, 안구통증, 눈꺼풀이상, 가려움, 결막염, 유루이상, 산동증, 광공포증, 발진 – 인두염 – 감기 유사증상	〈금기〉 1) 수유부 : 안전성 미확립 2) 경구용 혈당강하제를 투여받고 있는 환자(혈소판수 감소) 〈주의〉 1) 간질 등의 경련성 질환 또는 그 병력이 있는 환자 2) 천식 예방 및 치료 목적으로 이미 다른 천식치료제를 투여받고 있는 중 이 약으로 장기간 치료를 시작한 환자 3) 임신부 : Category C
Piprinhydrinate Plokon tab 푸라콩정 …3mg/T	1) 성인 : 1Ⓣ tid	1) Sedating antihistamines 2) 소양성 피부질환, 두드러기, 알러지성 비염, 감기로 인한 재채기, 콧물, 기침에 사용	– 과민증, 현기증, 경도의 다행감, 불면, 권태감, 졸음 – 구갈, 구토, 복통	〈금기〉 1) 전립선 비대환자 2) 녹내장 환자 3) 뇨폐환자 〈주의〉 1)임신부 : 안정성 미확립

약품명 및 함량	용법	약리작용 및 효능	부작용	주의 및 금기
1ml 중 Chlorpheniramine maleate 0.4mg, Phenylephrine HCl 1mg **Comy syrup** 코미시럽	1) 만 12세 이상 성인 : 10ml q 4hrs (Max. 60ml/D) 2) 소아 – Chlorpheniramine maleate로서 0.35mg/kg/D #3~4 – 다음과 같이 복용 ① 만 6~12세 : 5ml q 4hrs (Max. 30ml/D) ② 만 2~6세 : 2.5ml q 4~6hrs	1) 항히스타민제와 비충혈제거제 복합성분의 시럽제 (딸기향) 2) Chlorpheniramine : alkylamine계 항히스타민제 3) Phenylephrine : α–agonist로서 비충혈 제거제 4) 적응증 : 감기, 알러지성 및 혈관운동성비염, 부비동염	1) Phenylephrine – 공포, 불안, 긴장, 진전, 쇠약, 창백, 호흡곤란, 배뇨곤란, 불면, 환각, 경련, 중추신경억제, 부정맥, 어지러움, 저혈압을 동반한 심혈관 허탈 – 과민반응 : 빈맥, 동계, 두통, 오심,어지러움 등의 에페드린양 반응 2) Chlorpheniramine – 진정, 구갈, 어지러움, 쇠약, 두통, 신경과민, 졸음, 흥분 (특히 소아인 경우) – 식욕부진, 오심, 구토 – 복시, 다뇨증, 가슴앓이, 배뇨곤란, 피부염	〈금기〉 1) Amine계 교감신경항진제, 항히스타민제 과민성 환자 2) 특이체질 환자 3) 수유부 4) 중증의 고혈압, 중증의 관상동맥질환 환자, MAO 저해제 치료를 받고 있는 환자 5) 협우각성 녹내장, 뇨저류,소화성궤양, 천식, 폐기종, 만성폐질환, 숨이 차거나 호흡곤란이 있는 환자 6) 진정제, 신경안정제를 투여받고 있는 환자 〈주의〉 1) 만성 기관지염 등의 호흡곤란, 심질환, 고혈압, 갑상선기능질환, 당뇨병, 녹내장, 전립선비대로 인한 배뇨곤란을 가진 환자 2) 졸음이 나타날 수 있으므로 복용중 운전, 기계조작 피함. 3) 2세 미만 소아 4) 임신부 : Category C
Triprolidine HCl+ Pseudoephedrine HCl **Actifed tab** 액티피드정 …2.5+60mg/T	1) 성인 : 1Ⓣ tid 2) 소아(8~14세) : 0.5Ⓣ tid	1) 항히스타민제와 비충혈제거제의 복합제 2) 비강충혈의 제거와 기관지 확장으로알러지성 비염에 유효함. – Triprolidine : propylamine계의 항히스타민제로 지속시간 4~25hrs – Pseudoephedrine : 말초혈관 수축작용 3) 적응증 : 코감기, 알레르기성 및 혈관운동성 비염에 의한 재채기, 콧물, 코막힘, 눈물 증상의 완화	– 진정, 졸음, 중추신경쇠약, 중추흥분, 불안, 발한, 경미한 혈압강하, 시력장애, 산동, 헛소리, 환각, 흥분(소아에서 특히 많이 발생), 근육경련, 경직, 아테토시드, 간대성 및 강직성 경련, 고열, 호흡마비, 혼수, 순환기마비	〈금기〉 1) 중증 간 및 신기능 장애환자 2) 중증 관상동맥 및 심질환 환자 3) 잔뇨 형성을 수반하는 배뇨장애 환자 4) 고혈압 환자 5) MAO저해제를 투여중인 환자 6) 파라옥시안식향산메칠에 과민증 환자 7) 수유부 : 안전성 미확립 8) 임신부 : Category C(국내허가금기) 〈주의〉 1) 천식환자 2) 녹내장 환자 3) 고혈압 및 관상동맥질환 환자

약품명 및 함량	용법	약리작용 및 효능	부작용	주의 및 금기
			- 피부 반응, 일시적인 자극통, 작열감 - 구갈, 구역, 구토 - 배뇨곤란	4) 심질환 및 부정맥 환자 5) 당뇨병, 갑상선기능항진증 환자 6) 전립선비대로 인한 배뇨곤란 환자 7) 7세 이하의 소아

약품명 및 함량	용법	약리작용 및 효능	부작용	주의 및 금기
Azelastine HCl Azeptin tab 아젭틴정 …1mg/T	1) 기관지 천식 : 2Ⓣ bid 2) 기타 : 1Ⓣ bid	1) Phthalazinone계 항히스타민제 2) Histamine 유리억제, leukotriene 생산 및 유리 억제와 길항작용 나타냄. 3) 적응증 : 기관지천식, 알레르기성 비염, 두드러기, 습진, 피부염, 아토피성 피부염, 피부소양증, 가려움 4) Sedation이 적음. 5) Onset : 4hrs 대사 : 간 $T\frac{1}{2}$: 22~25hrs 배설 : 신장	- 졸음, 권태감, 수족마비, 비틀거림 - 구갈, 기침, 식욕부진, 복부통, 변비, 구역, 구토 - 안면홍조, 숨가쁨 - 비강건조 - transaminase의 활성 상승 - 발진 - 배뇨곤란, 혈뇨, 빈뇨 - 드물게 백혈구수 증가 - 부종, 월경이상	〈금기〉 1) 6세 이하의 소아 〈주의〉 1) 위험을 수반하는 기계조작은 하지 말 것 2) 이미 일어난 천식발작은 빠르게 경감시키지 못함. 3) 장기 스테로이드 요법을 받고 있는 환자에서 이 약 투여에 의해 스테로이드를 감량하고자 하는 경우에는 충분한 관리 하에 천천히 시행 4) 계절성 환자는 호발 계절을 고려하여 그 전에 투여를 시작하고 그 계절이 끝날 때까지 계속 투여함. 5) 임신부 : Category C 6) 수유부 : 모유 이행 〈상호작용〉 1) 알코올의 섭취, cimetidine과 병용 시 진정작용 증가
Bepotastine besilate Talion tab 타리온정 …10mg/T	1) 성인 : 1Ⓣ bid	1) Piperidine계열 항히스타민제(2세대) 2) 적응증 : 다년성 알레르기성 비염, 만성 두드러기, 피부질환에 수반된 소양증(습진, 피부염, 피부소양증, 양진) 3) Tmax : 1hr $T\frac{1}{2}$: 3.87hrs	- 졸음(5.7%), 권태감, 두통, 현기증 - 구갈, 설염, 오심,구토, 위통, 위부불쾌감, 설사 - 백혈구수 변동,호산구 과다증 - AST, ALT, r-GTP, LDH, 총빌리루빈 상승	〈주의〉 1) 신기능 장애 환자 2) 간기능 장애 환자 3) 고령자 4) 임신부 : Category C 5) 소아 : 안전성 미확립 6) 수유부 : 모유로 이행 〈상호작용〉 1) 과량의 알코올과 병용금기

약품명 및 함량	용법	약리작용 및 효능	부작용	주의 및 금기
			- 뇨단백, 뇨당, 뇨잠혈 - 발진, 종창	
Cetirizine HCl Zyrtec syrup 지르텍액 …1mg/ml	1) 12세 이상 소아 및 성인 : 10ml qd 2) 2세 이상 12세 미만 소아 ① 30kg 미만 : 5ml qd ② 30kg 이상 : 10ml qd 3) 부작용에 민감한 환자의 경우는 아침, 저녁으로 나누어 투약 * 신기능에 따른 용량조절 참고 ① CrCl ≥50ml/min : 10ml qd ② CrCl 30~49ml/min : 5ml qd ③ CrCl <30ml/min : 5ml EOD ④ CrCl <10ml/min : 금기	1) Piperazine계 항히스타민제로 hydroxyzine의 주대사산물 2) Anticholinergic, cardiovascular effect없으며, BBB를 거의 통과하지 않음. 3) 적응증 : 계절성 및 다년성 알레르기성 비염, 알레르기성 결막염, 만성 특발성 두드러기, 피부소양증 4) Tmax : 1hr $T_{\frac{1}{2}}$: 7~10hrs 5) 지르텍액 10mg(10ml) ≒ Hydroxyzine 25mg ≒ Diphenhydramine 50mg ≒ Terfenadine 180mg	1) >10% - 두통, 나른함 2) 1~10% - 졸음, 피로, 현기증 - 구갈	〈금기〉 1) Hydroxyzine 또는 piperazine 유도체 과민성 환자 2) 수유부 및 2세 미만 영아 : 안전성 미확립 3) 임신부 : Category B(국내허가금기) 〈주의〉 1) 신장애 환자 2) 간장애 환자 3) 고령자 4) 간질환자 및 발작위험성환자 5) 소변고임의 위험을 증가시킬 수 있으므로 척수병변, 전립선 비대증 환자에 사용시 주의 〈상호작용〉 1) Theophylline, ritonavir : 이 약의 청소율 감소
Desloratadine Aeriuse tab 에리우스정 …5mg/T	1) 성인 및 12세 이상 소아 : 1Ⓣ qd	1) Piperidine계 non-sedative antihistamine, Loratadine의 활성 대사체 2) 적응증 : 알레르기성 비염, 만성 특발성 두드러기 3) Onset : 1hr 지속시간 : 24hrs 대사 : 간 Tmax: 3hrs $T_{\frac{1}{2}}$: 27hrs	1) >10% - 두통, 설사, 상기도감염, 기침, 발열 2) 1~10% - 졸림, 피로, 긴장감, 권태감, 불면증 - 구강건조, 복통, 구내염 - 발진 - 운동항진증 - 바이러스감염	〈금기〉 1) 12세 미만의 소아 2) 유당불내성환자 〈주의〉 1) 간장애 또는 신장애 환자 2) 고령자 3) 임신부 : Category C 4) 수유부 : 모유이행
Ebastine Ebastel tab 에바스텔정 …10mg/T	1) 성인 및 12세 이상 소아 : 1Ⓣ qd 2) 6~11세 소아 : 0.5Ⓣ qd	1) 2세대 H_1- receptor antagonist로 1세대 항히스타민제에 비해 수기유발이 적은 piperidine계 항히스타민제 2) 수기유발정도 Levocetirizine ≥ Ebastine ≒ Loratadine ≒ Azelastine	- 심계항진 - 졸음, 신경과민, 마비감, 무력증, 권태감, 홍분, 두통 - 구역, 구토, 복통, 구갈, 위부불쾌감,	〈금기〉 1) 중증의 간장애 환자 〈주의〉 1) 간장애 환자 2) 주의력 집중이 필요한 작업시 주의 요함.

약품명 및 함량	용법	약리작용 및 효능	부작용	주의 및 금기
		3) 적응증 : 알레르기성 비염, 결막염, 피부염, 만성두드러기 4) Onset : 1~4 hrs Tmax : 3~6 hrs 지속시간 : 24hrs $T_{\frac{1}{2}}$: 10~16hrs	설염, 설사, 변비 – 간효소 수치 상승 – 발진, 부종 – 경미한 체중증가, 호산구 증가증, 흉부 압박감, BUN상승, 당뇨	3) 약물 효과가 투여 후 1~4시간 후 발현되므로 응급 알러지 반응 처치용으로는 적합하지 않음. 4) 장기 스테로이드 요법을 받고 있는 환자에서 이 약 투여에 의해 스테로이드를 감량하고자 하는 경우에는 충분한 관리 하에 천천히 시행함. 5) 계절성 환자는 호발계절을 고려하여 그 전에 투여를 시작하고 그 계절이 끝날 때까지 계속 투여함. 6) 임신부, 수유부 및 6세 미만 소아 : 안전성 미확립 〈상호작용〉 1) Erythromycin : 대사 억제에 의해 이 약의 혈중농도 2배 상승 2) Ketoconazol, erythromycin : QT간격 연장
Fexofenadine Allegra tab 알레그라정 …30mg/T …120mg/T …180mg/T	1) 성인 – 알러지성 비염 : 120mg qd – 알러지성 피부염 : 180mg qd 2) 소아(6~11세) : 30mg bid * 신기능에 따른 용량조절 참고 – CrCl〈80ml/min ① 성인 : 60mg qd ② 소아 : 30mg qd	1) H_1 receptor antagonist로 terfenadine의 활성 대사체임. 2) 항히스타민 작용으로 알러지의 초기 증상을 완화하고, 항알러지 작용으로 알러지의 후기 반응에도 유효함. 3) BBB를 통과하지 않으므로 졸음을 유발하지 않음. 4) 2세대 항히스타민의 최종 대사체로 간에서 대사되지 않으므로 체내에서 축적되지 않음. 5) 모체 화합물인 terfenadine과 달리 부정맥의 부작용이 나타나지 않음. 6) 적응증 – (30mg) : 소아(6~11세)의 계절성 알레르기성 비염 및 알레르기성 피부질환(만성 특발성 두드러기)과 관련된 증상의 완화 – (120mg) : 알러지성 비염 증상 완화 – (180mg) : 알러지성 피부질환(만성 특발성 두드러기)과 관련된 증상 완화 7) Onset : 1~3hrs 지속시간 : 12~24hrs $T_{\frac{1}{2}}$(모체) : 14~18hrs 배설 : 신장(11%), 대변(80%)	1) 〉10% – 두통 2) 1~10% – 발열, 현기증, 통증, 나른함, 피로 – 월경불순 – 오심, 소화불량 – 저배통 – 중이염 – 기침, 상기도 감염, 부비동염 – 바이러스감염 3) 〈1% – 과민반응, 불면, 긴장감, 수면장애	〈주의〉 1) 임신부 : Category C 2) 수유부 : 모유 이행 〈상호작용〉 1) Erythromycin : 이 약의 대사가 저해되어 혈중농도 상승 2) Al, Mg oxide를 함유한 제산제 투여 시 2시간 정도의 간격을 두고 투여

약품명 및 함량	용법	약리작용 및 효능	부작용	주의 및 금기
Levocetirizine HCl Xyzal tab 씨잘정 …5mg/T Xyzal soln 씨잘액 …0.5mg/ml	* 정제 1) 6세 이상 소아 및 성인 : 1Ⓣ qd * 시럽제 1) 6세 이상 소아 및성인 : 10ml qd 2) 2세 이상 6세 미만소아 : 2.5ml bid 3) 1세 이상 2세 미만 소아 : 2.5ml qd * 신기능에 따른 용량 조절 참고(성인) ① 30≤CrCl(ml/min)〈50 : 5mg EOD ② 10≤CrCl(ml/min)〈30 : 5mg q3days ③ CrCl(ml/min)〈10 : 금기	1) Piperazine계 항히스타민제 2) 기존의 Cetirizine은 R, S-enantiomer racemic 화합물이나, Levocetirizine은 R-enantiomer만으로 이루어진 제제임. 3) R, S-enantiomer cetrizine에 비하여 potency가 약 2배이며, 작용지속시간이 긴 특징이 있음. 4) 적응증 : 계절성/다년성 알레르기성 비염, 만성 특발성 두드러기, 가려움증을 동반한 피부염 및 습진 (성인 및 6세 이상 소아에 한함) 5) Onset : 〈1hr 지속시간 : ~32hrs Tmax : 0.5~1.5hrs $T_{\frac{1}{2}}$: 7hrs 배설 : 신장(80%), 대변(13%)	- 두통, 피로 - 발진	〈금기〉 1) Piperazine 유도체 과민성 환자 2) Cetrizine, Hydroxyzine 성분에 과민한 환자 3) 신부전(CrCl〈10ml/min), 혈액투석 환자 4) 수유부 : 모유이행 5) 1세 미만의 소아 6) 정제 : 유당불내성환자 7) 임신부 : Category B (국내허가금기) 〈주의〉 1) 신장애, 간장애 환자 2) CNS depressant 복용 중인 환자 3) 고령자
Ebastine + Pseudoephedrine HCl **Rino-Ebastel cap** 리노에바스텔캅셀 …10+120mg/C	1) 12~17세 청소년 : 1Ⓒ qd 2) 성인 - 1Ⓒ qd - 증상이 심한 경우 1Ⓒ bid 3) 의사의 지시 없이는 10일 이상 지속하지 않아야 함	1) Non-sedating 항히스타민제와 비충혈제거제의 복합제로서, 혈관운동성, 알러지성 비염 및 감기에 관련된 비염 증상 치료에 사용함. 2) Ebastine 속방형 미세과립과 Pseudoephedrine 서방형 미세과립을 충진시킨 캡슐 제형임. (두 제형이 한 캡슐 안에 충진되어 있으므로 분할하여 투여 불가)	1) Ebastine - 심계항진 - 졸음, 신경과민, 마비감, 무력증, 권태감, 홍분, 두통 - 구역, 구토, 복통, 구갈, 위부불쾌감, 설염, 설사, 변비 - 간효소 수치 상승 - 발진, 부종 - 경미한 체중증가, 호산구 증가증, 흉부압박감, BUN 상승, 당뇨 2) Pseudoephedrine - 빈맥, 심계항진, 부정맥 - 긴장감, 일시적인 중추신경 흥분, 불면, 현기증, 나른함,	〈금기〉 1) 협우각성 녹내장, 뇨 저류, 중증 고혈압, 관상부전, 갑상선기능항진증, MAO 저해제(MAOI)로 치료 받고 있는 환자 또는 2주간 치료를 받은 환자 2) 중증의 간장애 환자 3) 12세 미만의 소아 4) 임신부 및 수유부 〈주의〉 1) 녹내장, 고혈압, 심질환, 전립선 비대증 환자 2) 당뇨병 환자 (백당 102.56mg함유) 3) 간장애 또는 병력자 4) QT 연장을 일으키기 쉬운 환자 5) 60세 이상의 고령자 〈상호작용〉 1) Erythromycin과 병용시 이 약제의 대사 억제에 의해 ebastine의 혈중농도가 2배 상승 2) Ketoconazole, erythromycin : QT 간격상승

약품명 및 함량	용법	약리작용 및 효능	부작용	주의 및 금기
			발작, 환각, 두통 – 오심, 구토 – 핍뇨, 쇠약감, 진전 – 호흡곤란, 발한	

약품명 및 함량	용법	약리작용 및 효능	부작용	주의 및 금기
Benproperine phosphate Cofrel tab 코프렐정 …20mg/T	1) 성인 : 1~2Ⓣ tid	1) Piperidine 유도체로서 비마약성 진해제임. 2) 폐 및 흉막에 있는 수용체로부터의 구심성 지각신경 자극을 차단하는 말초작용과 기침중추를 직접 억제하는 작용을 가짐. 3) 호흡억제, 항히스타민작용 및 항콜린 작용이 없음. 4) Non-productive cough에 사용함. 5) 적응증 : 감기, 급만성 기관지염, 상기도염(인후두염), 폐결핵에서의 기침	- 졸음, 어지러움, 피로, 불쾌감 - 식욕부진, 복통, 위부 불쾌감, 가슴쓰림, 구갈 - 발진	〈주의〉 1) 깨뜨리면 약한 구강마취효과가 있으므로 그대로 삼킬것 2) 임신부 : 안전성 미확립
Codeine phosphate Codeine phosphate tab 인산코데인정 …20mg/T	1) 성인 - 20mg tid - 최소 q6hrs, 4회까지 가능(Max. 240mg/D) 2) 12세 이상~18세 미만 소아 - 0.5~1mg/kg q 6hrs (Max. 240 mg/D) - 최대 3일까지 투여가능(단, 모르핀 독성이 없다면 최단기간 내 사용 가능) * 신기능에 따른 용량조절 참고 - CrCl 10~50ml/min : 상용량의 75%로 감량 - CrCl 〈10ml/min : 상용량의 50%로 감량	1) 마약성 진해제로 기침 중추를 억제하는 중추성 진해제임. 2) 기도점막을 마르게 하고 기관지 분비물의 점도를 증가시킴. 3) Non-productive cough에 사용함. 4) 적응증 - 기관지염, 폐렴, 인두염, 후두염, 기관지천식, 기타 호흡기 질환에 동반되는 기침의 안정 - 아세트아미노펜이나 이부프로펜과 같은 다른 진통제로 경감되지 않은 급성 중등도 통증의 치료 5) Onset : 1~2hrs Tmax : 1~2hrs 지속시간 : 4~8hrs $T\frac{1}{2}$: 2.5~3.5hrs	1) 〉10% - 어지러움 - 변비 2) 1~10% - 빈맥, 서맥, 저혈압 - 현기증, 권태감, 두통, 혼동, 중추신경 흥분 - 발진, 두드러기 - 구갈, 식욕부진, 오심, 구토 - 간효소수치 상승 - 소변량 감소, 뇨관 경련 - 히스타민 유리, 정신적, 육체적인 의존 - 쇠약감 - 시야몽롱 - 호흡곤란	〈금기〉 1) 중증 호흡억제, 기관지 천식 발작 중인 환자, 경련 상태, 급성 알코올 중독, 아편 알칼로이드 과민성 환자 2) 중증 간장애, 만성 폐질환에 속발하는 심부전 환자 3) 출혈성 대장염 환자 4) 12세 미만의 소아, 수유부 : 안전성 미확립 5) 편도 또는 아데노이드절제술 받은 18세 미만 환자 (∵ 호흡억제 증가 가능성) 6) CYP2D6 초고속 대사자 〈주의〉 1) 뇌에 기질적 장애가 있는 환자 2) 쇽 상태, 대사성 아시도시스 3) 갑상선 기능저하증, 부신피질 저하증 환자 4) 약물 의존 기왕력이 있는 환자 5) 유아, 고령자, 쇠약자 6) 연용으로 의존성 유발 가능 7) Thoracotomy 등 수술 후 투약시 기관지 분비물이 축적됨 8) 임신부 : Category C 9) 기계, 운전 조작에 주의 10) 이 약은 유당을 함유함.

약품명 및 함량	용법	약리작용 및 효능	부작용	주의 및 금기
			– 쇠약감 – 시야몽롱 – 호흡곤란	〈상호작용〉 1) 중추신경억제제(Phenothiazine 유도체, barbital 유도체), 흡입마취제, MAO저해제, 삼환계 항우울약, 베타 차단제, 쿠마린계 항응혈약 : 이 약의 작용 증강
Levodropropizine Levotuss tab 레보투스 정 …60mg/T Levotuss syrup 레보투스시럽 …6mg/ml	* 정제 1) 성인: 1Ⓣ tid * 시럽제 (정제 1Ⓣ = 시럽 10ml) 1) 성인: 10ml tid 2) 소아 ① 10~20kg: 3ml tid ② 20~30kg: 5ml tid	1) 비마약성 진해제 2) 기침 반사에 관여하는 말초신경인 C-fiber를 억제하여 C-fiber 말단에서의 신경펩타이드에 의해 유발되는 염증반응, 기관지 경축, 기도과민성, 점액과다분비, 혈관투과성 등을 억제 3) Codeine과 유사한 진해작용을 나타내며, 말초에 작용하므로 졸음 등의 중추 부작용이 없음. 4) 흡연 등에 의한 기도과민성 기침이나 바이러스성 기침에도 효과적임. 5) 적응증 : 급 · 만성기관지염에서의 기침 6) Onset : 1hr 지속시간 : 6 hrs $T_{\frac{1}{2}}$: 2hrs 배설 : 신장(35%)	– 구역, 탄산증, 소화불량, 설사, 구토 – 피로, 기능쇠약, 반수, 혼수, 두통, 현기증 – 심장 두근거림 – 드물게 알러지 반응	〈금기〉 1) 기관지 점액 분비증가 환자 2) 점액섬모기능이상(카르타게터 증후군, 섬모이상운동증) 환자 3) 임신부, 수유부 4) 중증 간장애 환자 〈주의〉 1) 24개월 미만 유아 2) 심각한 심부전 및 신부전 환자
Theobromine Anycough cap 애니코프캡슐 …300mg/C	1) 성인 : 1Ⓒ bid	1) Methylxanthine계 비마약성 진해제 2) TRPV1(Transient receptor potential vanilloid 1) antagonist & PDEs(Phosphodiesterase) inhibitor로서, 기존의 xanthine 계열 약제보다 기관지 확장 효과는 낮고 기침 억제 작용은 큼. 3) 적응증 : 비염, 부비동염 또는 비인후염에 의한 후비루, 급 · 만성 기관지염에서의 기침 완화(nonproductive cough) 4) Tmax : 2hrs $T_{\frac{1}{2}}$: 6hrs 대사 : 간 배설 : 신장	1) >10% – 두통 2) 1~10% – 어지러움, 구역 3) <1% – 가려움, 발진 – 졸음, 근육통, 불면 – 복부팽만, 식욕부진, 변비, 설사, 구갈 – 고뇨산혈증 , ALT, AST 상승 – 부종, 안면부종, 심계항진, 인후염, 발열, 발한	〈금기〉 1) Xanthine계 과민한 환자 〈주의〉 1) 소화성 궤양의 병력이 있는 환자 2) 경련증상이 있는 환자 3) 심각한 급성 감염성 폐질환, 결핵 4) 간장애, 급성 신염, 울혈성 심부전, 알코올 중독, 저산소혈증, 고혈압, 비후성 심근병증, 빈맥성 부정맥, 심근경색, 저혈압 환자 5) 임신부, 수유부 : 안전성 미확립 6) 18세 미만 소아, 70세 초과 고령자 : 안전성 미확립 〈상호작용〉 1) Caffeine 함유 제제, xanthine계 약물, 중추신경흥분제, β-효능약 : 효능 증대

약품명 및 함량	용법	약리작용 및 효능	부작용	주의 및 금기
				2) Mexiletin, norfloxacin, interferon, triamcinolone, cimetidine, ciprofloxacin, propranolol, 경구용피임약, amiodarone : 이 약의 청소율 감소 3) 흡연 및 알코올 섭취, barbital계, rifampicin : 이 약의 청소율 증가 4) Carbamazepine : 상호 혈중농도 저하 가능
1ml 중 Dextromethorphan HBr 0.75mg, dl-Methylephedrine HCl 1.3125mg, Chlorpheniramine maleate 0.15mg, Ammonium Cl 10mg **Cough syrup-S** 코푸시럽에스	1) 성인 : 20ml tid~qid 2) 소아 : 다음 1회 복용량 tid~qid - 11~15세 미만 : 13ml - 8~11세 미만 : 10ml - 5~8세 미만 : 7ml - 3~5세 미만 : 5ml - 2~3세 미만 : 4ml - 만 2세 미만 : 의사 지시대로 복용	1) 진해거담제 2) Dextromethorphan은 medulla에 있는 cough center에 작용하는 중추성 진해제 3) dl-Methylephedrine은 β-adrenergic agonist로 기관지 확장작용이 있음. 4) Chlorpheniramine은 항히스타민제임. 5) Ammonium chloride는 기관지 점막에 대한 자극작용으로 거담효과가 있음. 6) 구성성분의 복합작용에 의해 productive cough에 사용함. 7) 적응증 : 기침, 가래	- 발진, 발적 - 구역, 구토, 변비, 식욕부진 - 현기증, 졸음	〈금기〉 1) MAO억제제를 복용하고 있거나 복용 중단후 2주이내의 환자 2) 3개월미만 영아 〈주의〉 1) 지금까지 약에 의해 알러지 증상을 일으킨 전력이 있는 환자 2) 간장, 신장, 갑상선 질환, 당뇨병 환자 3) 몸이 약한 사람, 고열 환자 4) 심장애, 고혈압 환자 5) 임신부 및 수유부 : 안전성 미확립 6) 70세 초과 고령자
1ml 중 Dihydrocodeine tartrate 0.5mg, dl-Methylephedrine HCl 1.31mg, Chlorpheniramine maleate 0.15mg, Ammonium Cl 10mg **Cough syrup** 코푸시럽	1) 성인 및 15세 이상 청소년 : 20ml tid~qid 2) 소아 : 다음 1회 복용량 tid~qid - 11~15세 미만 : 13ml - 8~11세 미만 : 10ml - 5~8세 미만 : 7ml - 3~5세 미만 : 5ml - 1~3세 미만 : 4ml - 3개월~1세 미만 : 2ml	1) 진해거담제 2) Dihydrocodeine은 중추성 진해제로서 Codeine의 2~3배 potency를 가짐. 3) Methylephedrine은 β-adrenergic agonist로 기관지 확장작용이 있음. 4) Chlorpheniramine은 항히스타민제임. 5) Ammonium chloride는 기관지 점막에 대한 자극작용으로 거담효과가 있음. 6) 구성성분의 복합작용에 의해 productive cough에 사용함. 7) 적응증 : 기침, 가래	- 발진, 발적 - 구역, 구토, 변비, 식욕부진 - 현기증, 졸음	〈금기〉 1) MAO억제제를 복용하고 있거나 복용 중단후 2주이내의 환자 2) 녹내장 환자 3) 하부요로폐색성 질환(전립선비대 등) 환자 4) 수유부 : 안전성 미확립 〈주의〉 1) 지금까지 약에 의해 알러지 증상을 일으킨 전력이 있는 환자 2) 간장, 신장, 갑상선 질환, 당뇨병 환자 3) 몸이 약한 사람, 고열환자 4) 심장에 장애가 있는 환자, 혈압이 높은 환자 5) 임신부 6) 고령자

약품명 및 함량	용법	약리작용 및 효능	부작용	주의 및 금기
Acebrophylline Surfolase cap 설포라제캅셀 …100mg/C	1) 성인: 1Ⓒ bid	1) Ambroxol 유도체로서 기관지 폐포의 phospholipase 활성 억제, 계면활성 작용으로 강력한 진해 거담 작용을 나타냄. 2) 기관지 질환을 원인적으로 치료 : LTs, PGs 생성을 억제하여 항염작용을 나타냄. 3) 기도 과민성 억제시켜 경축된 기관지를 정상화시킴. 4) 적응증 : 기도폐쇄 장애 및 점액분비 장애로 인한 급·만성기관지염, 기관지천식, 부비동염, 건성비염	- 위통, 복통, 설사, 변비, 구역, 식욕부진 - 백혈구 증가를 수반하는 화농성 비염 - 과민증 - 드물게 구내 마비감, 팔의 마비감	〈금기〉 1) Xanthine계 약물 과민성 환자 2) Ambroxol 과민성 환자 3) 급성 심근경색 환자 4) 저혈압 환자 5) 중증 간장애, 신장애 환자 6) 수유부 : 안정성 미확립 〈주의〉 1) 심장병, 관상순환부전, 울혈심부전, 고혈압 환자 2) 비만환자 3) 간질의 병력이 있는 환자 4) 위·십이지장궤양, 갑상선 기능항진증 환자 5) 중증 저산소혈증, 만성폐쇄폐질환 환자 6) 임신부 7) 고령자 8) 소아
Ambroxol HBr Roxol tab 록솔정 …30mg/T Ambroxol inj 암브록솔주사액 …15mg/2ml/A	* 경구제 1) 성인 : 30mg tid (장기 투여 시 30mg bid) * 주사제 1) 성인 : 15mg bid~tid, IM, SC, IV(천천히), IV inf.(심한경우 1회 30mg) 2) 소아 : 1.2~1.6mg/kg #1~3 IV, IM 3) 신생아(호흡곤란증후군) : 10~30 mg/kg #4 IV(천천히)	1) Bromhexine의 활성대사산물임. 2) Surfactant 생산 및 분비증가 3) 적응증 - (경구) 점액 분비 장애로 인한 급·만성 호흡기질환(기관지염, 천식성 기관지염) - (주사) 점액 분비 장애로 인한 급·만성 호흡기질환(기관지염, 천식성 기관지염, 기관지 천식의 급성발작), 호흡곤란증후군이 있는 신생의 폐표면활성제 생성증진, 만성폐쇄성폐질환이 있는 중증환자의 수술전후 폐합병증 예방	- 위부 불쾌감, 위, 복부팽만감, 복통, 설사, 변비, 구역, 구토, 가슴쓰림, 식욕부진 - 발진, 두드러기, 홍반, 가려움, 안면종창, 호흡곤란 - 백혈구 증가를 동반하는 화농성 비염 - 구내마비감, 팔의 마비감	〈주의〉 1) 수유부 : 모유 이행 2) 임신부 : 안전성 미확립 〈상호작용〉 1) Erythromycin, cefuroxime, amoxicillin, dioxycycline, oxytetracycline : 폐조직에서의 항생물질 작용증가
Bromhexine HCl Bisolvon tab 비졸본정 …8mg/T	* 경구제 1) 성인 : 1~2Ⓣ tid 2) 소아 - 6~14세 : 0.5~1Ⓣ bid~tid	1) 용담·거담제로서, 기도점액선의 분비물 증가를 촉진시킴. 2) 점액성 객담의 섬유질 결합을 파괴, 점도를 저하시킴.	- 구역, 식욕부진, 위부불쾌감, 복통 - 두통	〈금기〉 1) 수유부 : 모유 이행 〈주의〉 1) 위궤양 환자

약품명 및 함량	용법	약리작용 및 효능	부작용	주의 및 금기
Bromhexine inj 브롬헥신주 …4mg/2ml/A	- 6세 미만 : 1/2Ⓣ qd~bid * 주사제 1) 성인 : 1~2Ⓐ bid IM, IV	3) 적응증 - (경구) 급 · 만성기관지염에서 객담 배출 곤란 - (주사) 폐결핵, 진폐증, 수술 후 기관지확장증 등에 의한 객담배출곤란, 기관지 조영 후 조영제의 배출 촉진 4) Tmax : 1hr $T\frac{1}{2}$(모체) : 6.5hrs	- 발진, 호흡곤란, 일시적 오한, 기관지 경련, 혈관부종, 아나필락시스	2) 중증 신장애 환자 3) 임신부 : Category A(호주) <상호작용> 1) Erythromycin, amoxicillin, cefuroxime : 폐조직에서의 항생물질의 작용증가
Erdosteine Erdos cap 엘도스캅셀 …300mg/C	1) 성인 : 1Ⓒ bid~tid 2) 급성 호흡기 질환에는 10일 이상 투여하지 않음.	1) 점액 용해 및 거담제 2) 점액 생성을 증가시키고, 담의 점도를 낮추며 α-antitrypsin의 산화를 막아 폐포의 파괴를 억제함. 3) 호흡기의 IgA를 증가시키며 항생제와 병용시 상승작용 4) 적응증 : 급 · 만성 호흡기질환에서의 점액용해 및 거담 5) Tmax : 0.9~1.6hrs $T\frac{1}{2}$(모체) : 0.82~1.76hrs	- 과용량시 발한, 현훈, 조홍	<금기> 1) 간경변 환자와 cystathionine synthase 결핍 환자 2) 소화성 궤양 환자 3) 중증 신장애(CrCl <25ml/min) <주의> 1) 이 약은 황색5호(sunset yellow FCF)를 함유함. 2) 임신부 및 수유부 : 안전성 미확립
Hederae helicis folia 30% EtOH dried ext. Hebron F tab 헤브론에프정 …25mg/T (Hedera coside C로서 2.5mg/T)	1) 15세 이상의 소아 및 성인 : 1Ⓣ tid 또는 2Ⓣ bid	1) Ivy(Hederae helicis folium) 성분의 진해거담제 2) 점액의 점도를 낮추며 섬모의 운동성을 증가시켜 점액배출을 용이하게 하며 진해, 항염 작용을 함. 3) 적응증 : 만성 염증성 기관지 질환의 증상 개선, 기침을 동반한 호흡기의 급성 염증 완화	- 기도 및 흉부 압박감, 호흡장애 - 흉통 - 발진, 가려움, 부종	<금기> 1) 임신부 및 수유부 : 안전성 미확립 <주의> 1) 위염 또는 위궤양 환자 2) 2세 미만의 영 · 유아
Myrtol Gelomyrtol forte cap 게로미르톨포르테연질캅셀 …300mg/C (주성분 : Cineole 75mg, Limonene 75mg, α-Pinene 20mg)	1) 성인 ① 초기용량 : 1Ⓒ tid~qid ② 유지용량 : 1Ⓒ bid 2) 식전 30분에 냉수와 함께 복용하거나, 취침전 복용	1) Mythus communis L.(Myrtaceae)의 신선한 가지를 166~180℃에서 분획 증류하여 얻은 정유 2) 부비강염과 기관지염으로 발생하는 점액질 분비물에 침투하여 점액질망의 세포조직을 분해, 염증을 해소하여 기침 감소, 기관지 확장 시킴. 3) 항박테리아 및 항진균 효과 4) 적응증 : 급 · 만성 기관지염 및 부비강염에서의 객담배출 곤란	1) 과용량 복용시 : 휘발성 오일에 의한 독성 반응인 오심, 구토, 경련, 심할 경우 혼수상태, 호흡곤란 발생 2) 과다 복용시 처치법 :	<주의> 1) 신결석이나 담석증 환자 2) 임신부, 가임기 여성에게 신중 투여

약품명 및 함량	용법	약리작용 및 효능	부작용	주의 및 금기
			유동파라핀(3ml/kg)을 마시게 하고 5% Sodium bicarbonate 용액으로 위장 세척하고 산소투여	
N-Acetylcysteine Muteran cap 뮤테란캅셀 …200mg/C Muteran granule 뮤테란과립 …200mg/1g Mucomyst 뮤코미스트액 …800mg/V Mucosten inj 10% 뮤코스텐주10% …300mg/3ml/A Muteran inj 뮤테란주 …600mg/6ml/A	* 경구제 1) 성인 – 급성 : 200mg tid – 만성 : 200mg bid 2) 소아 ① 급성 – 6~14세 : 200mg bid – 2~5세 : 100mg tid(과립만 해당) ② 만성 – 6~14세 : 100mg tid ③ 낭성섬유증 – 6세 이상 : 200mg tid – 2~5세 : 100mg qid(과립만 해당) * 분무제 ① 분무요법 : 3~5ml tid~qid ② 주입요법 : 1~5ml q 1~4hrs ③ 진단용 기관지조영 : 시술전 1~2ml bid~tid 분무 or 주입 〈약리작용 및 효능〉란에 계속	1) 점액의 disulfide 결합을 파괴함으로써 점도를 감소시키며, 점액분해는 pH7~9에서 가장 현저함. 2) 호흡기계 여러질환의 거담에 사용 3) 간독성을 나타내는 AAP의 대사물과 conjugation 하는 glutathione의 농도를 증가시킴으로써 AAP 중독시 해독제로 사용함. 4) 기관지 조영, 기관지경 검사, 기관절개술 시행 전 후의 처치 5) Tmax : 1~2hrs 지속시간 : 100mins $T_{\frac{1}{2}}$: 2.27hrs 〈용법 및 용량 이어서〉 * 주사제 1) 점액 용해 ① IV : NS 또는 5DW로 1:1 희석 후 IV – 성인 : 600~900mg bid~tid – 소아 : 300~450mg bid~tid ② IM – 성인 : 300mg qd~bid – 소아 : 150mg qd~bid 2) Acetaminophen 중독 해독 – 150mg/kg을 5DW 200ml에 희석하여 15분간 inf. 후, 50mg/kg을 5DW 500ml에 희석하여 4시간동안 inf. – 마지막으로 100mg/kg을 5DW 1,000ml에 희석하여 16시간동안 inf.(총 주입량 300 mg/kg, 투여시간 20시간 15분, 1회 요법으로 충분)	① 경구제, 주사제 1) 1~10% – 발열, 나른함, 현기증 – 오심, 구토 2) 〈1% – 과민반응, 기관지 경련성 알러지반응, EKG의 일시적인 변화 ② 흡입제 1) 〉10% – 흡입 후 얼굴의 끈적거림, 흡입시 불쾌한 냄새 2) 1~10% – 나른함, 발열, 오한 – 오심, 구토, 위염 – 자극감 – 기관지 경련, 비루, 객혈	〈금기〉 1) 위 · 십이지장궤양 환자(경구) 2) 신생아 3) 2세미만 영아 〈주의〉 1) 천식 및 호흡부전 환자 2) 액화된 기관지 분비물 증가를 주의깊게 관찰 3) 주사 : 근육주사시 깊숙히 주사 4) 분무제(뮤코미스트액) : 주사제로 투여하지 않음. 5) 해독제로 투여시 중독 후 10시간 이내에 투여 6) 분무제와 항생물질 혼합시 불활성화되므로 병용이 필요한 경우 각각 흡입하거나 또는 항생물질을 주사 또는 경구투여 7) 분무장치가 착색할 수 있으나 안정성 및 약효와는 무관함 8) 분무장치로 사용된 철, 동, 고무는 사용 후 충분히 수세(∵ 잔사가 구멍을 막거나 금속부식) 9) 임신부 : Category B 10) 수유부 : 안전성 미확립

약품명 및 함량	용법	약리작용 및 효능	부작용	주의 및 금기
1ml 중 Ivy leaf 30% EtOH extract 2.625mg, Coptis rhizoma extract 0.875mg **Synatura syrup** 시네츄라시럽 …10ml/PK …15ml/PK	1) 15세 이상 성인 : 15ml tid 2) 7~14세 : 10ml tid 3) 2~6세 : 5ml tid	1) 아이비엽(Hederae Helicis folium)과 황련(Coptis chinensis)성분의 진해거담제 2) ① 아이비엽(Hederae Helicis folium) : 점액의 점도 감소, 섬모 운동성 증가로 점액배출, 진해, 항염작용 ② 황련(Coptis chinensis) 성분인 berberine : PDE4억제, 항염증효과 3) 적응증 : 급성 상기도 감염, 만성 염증성 기관지염으로 인한 기침, 가래	- 설사, 소화불량, 상복부 통증, 구역, 구토 - 어지러움, 두통, 인두신경증 - 인후통, 상기도통증, 발성변화 - 발열, 근육통, 가려움, 두드러기	〈금기〉 1) 이 약 성분에 과민한 환자 2) 과당 불내성 환자(∵sorbitol함유) 〈주의〉 1) 위염, 위궤양 2) 중증 호흡기질환, 중증 대사성질환, 중증 심질환, 중증 간장애, 중증 신장애, 발열을 수반하는 설사환자 3) 2세 미만 영아, 임신부, 수유부 : 안전성 미확립
1ml 중 S-Carboxymethylcysteine 50mg, Sobrerol 8mg **Mephirol syrup** 메피롤시럽	1) 성인 및 10세 이상의 소아 : 7.5ml tid 2) 5~10세 미만 : 7.5ml bid 3) 2~5세 미만 : 3.75ml bid	1) S-Carboxymethylcysteine은 호흡기계 점막의 분비물과 점액 용해작용을 함. 2) Sobrerol은 점막 섬모 이동을 정상화하며 면역방어기능과 기관지 상피 통합성을 재확립함. 3) 기관지염, 기관지 확장증, 기관지 폐렴, 비인두염, 후두기관염, 폐결핵, 진폐증 등에 의한 점액, 점액농분비물의 용해, 배출 목적으로 사용함. 4) 수술시 호흡기 합병증의 예방과 치료에도 사용함.	- 구역, 식욕부진 복부팽만감, 설사, 구갈, 위통, 위장관출혈, 가슴쓰림 - 과민증(발진, 홍반) - 가려움, 심계항진, 전신 압박감	〈금기〉 1) 위 · 십이지장궤양 환자 2) 임신부 및 수유부 : 안전성 미확립 〈주의〉 1) 심장애 및 간장애 환자 2) 2세 미만 영유아, 고령자 3) 보존제로 methyl-p-benzoic acid 포함

약품명 및 함량	용법	약리작용 및 효능	부작용	주의 및 금기
Indacaterol maleate Onbrez breezhaler 온브리즈흡입용캡슐 ···150mcg/C, 30C/pk ···300mcg/C, 30C/pk	1) 18세 이상 성인 : 1일 1회 일정 시간에 150mcg(중증: 300mcg) 1Ⓒ을 브리즈헬러에 장착하여 흡입 (Max. 300mcg/D)	1) Long acting β_2 – agonist 로서 기관지 확장 작용을 가짐. 2) 적응증 : 만성폐쇄성 폐질환(COPD)의 유지요법제 3) DPI(Dry Powder Inhaler) 제형인 브리즈헬러 흡입기에 흡입용 건조분말 캡슐을 장착하여 흡입하는 약제임. 4) Onset : 5mins 지속시간 : 24hrs $T\frac{1}{2}$: 40~56hrs 배설 : 대변 (90% 이상)	1) 〉10% – 기침 (6–24%) 2) 1~10% – 두통 – 구역 – 비인두염, 구강인두통증 – 콧물 – 근육연축 – 흉통, 말초부종 등	〈금기〉 1) 유당 관련 대사장애 환자 2) 천식 환자, 18세 미만 ; 안전성, 유효성 미확립 〈주의〉 1) 기관지 급성 경련 시 1차 치료약(응급약)으로 사용하지 않음. 2) 타 흡입제와 병용 투여 시 기이성기관지연축 (paradoxic bronchospasm) 일어날 수 있음. 3) 심혈관성 질환, 경련성 장애, 갑상선 중독증, 저칼륨혈증, 당뇨병 환자 4) 임신부 : Category C 5) 수유부 : 안전성 미확립(동물시험에서 모유 이행) 〈상호작용〉 1) Quinidine, terfenadine, mizolastine, phenothiazine, erythromycin, TCAs제제 : QTc간격 연장 위험증가 2) MAOIs, TCAs : 이 약의 심혈관계 작용 증강 3) 교감신경작용약물, corticosteroid(systemic), loop, thiazide diuretics : 이상반응 증가 4) β–blocker(점안제 포함) : 약효 감소
Salbutamol sulfate Ventolin respiratory solution 벤토린흡입액 ···5mg/ml, 20ml/BT Ventolin Nebules 벤토린네뷸 ···1mg/ml, 2.5ml/EA	* 흡입액 1) 간헐투여법 : 1일 4회, 흡입기나 네뷸라이저를 사용하여 투여 ① 성인(Max. 10mg/D) – 0.5~1ml를 NS로 희석(총 2~4ml), 약 10분간 흡입 – 2ml를 희석하지 않고 3~5분간 흡입 ② 12세 이하 소아 – 0.5ml를 NS로 희석(총 2~4ml), 투여 2) 연속투여법 : 1~2ml를 NS로 희석(총 100ml), 1~2mg/hr의 속도로 흡입	1) β_2–agonist 2) 흡입시 네블라이저(쉽게 흡입할 수 있도록 약물 용액을 미세한 안개형태로 만드는 기구)를 사용함. 3) 중증의 급성천식(천식 지속상태), 만성 기관지경련에 사용함. 4) Tmax : 3~4hrs 지속시간 : 4~6hrs $T\frac{1}{2}$(모체) : 3~6.5hrs	– 협심증, 심방세동, 흉부불쾌감, 기외수축, 안면홍조, 고혈압, 심계항진, 빈맥 – 중추신경흥분, 현기증, 나른함, 두통, 불면, 편두통, 신경과민, 악몽, 진전 – 혈관부종, 발진, 스티븐스존슨 증후군, 두드러기, 홍반 – 저칼륨증	〈금기〉 1) 교감신경 흥분성 아민류에 과민증의 병력이 있는 환자 2) 비후성 심근병증 환자 〈주의〉 1) 갑상선 기능 항진증 환자 2) 고혈압 환자 3) 심부전증, 부정맥 등 심질환 환자 4) 당뇨병 환자 5) 임신부 : Category C 6) 수유부 : 모유 이행 7) 18개월 미만의 영아 : 유효성 미확립

약품명 및 함량	용법	약리작용 및 효능	부작용	주의 및 금기
	* 분무용 현탁액 1) 성인 : 5mg q 4~6hr 필요 시 흡입 (Max. 10mg/D) 2) 4~12세 소아 : 2.5mg q4~6hr 필요 시 흡입(Max. 5mg/D)		- 설사, 구갈, 위장관염, 오심, 입맛변화, 구토, 치아착색 - 배뇨곤란 - 기관지 경련, 쇠약감 - 중이염 - 천식악화, 기관지 경련, 기침, 비출혈, 구인두건조, 구인두부종 - 알러지 반응, 림프종	〈상호작용〉 1) Catecholamine류 : 부정맥, 심정지 유발가능 2) MAO저해제나 TCA 항우울약 : 이 약의 혈관계에 대한 작용증강 3) Xanthine 유도체, Steroids, 이뇨제 병용 : 저산소혈증으로 인한 혈청 칼륨치 저하작용 악화(중증 천식환자 주의) 〈취급상 주의〉 1) 벤토린흡입액은 병을 개봉한 후 한달 이내 사용할 것 2) 벤토린 네뷸 : 투여 후 잔류용액 폐기
Salbutamol sulfate Ventolin evohaler 벤토린에보할러 …100mcg/dose, 200dose/EA	1) 급성 천식증상 : 1~2puff 2) 알러지원 또는 운동 유발성 천식 예방 : 노출 전 10~15분 전에 분무 - 성인 : 2puff - 소아 : 1~2puff 3) 만성적 사용 : 1회 2puff(Max. 4회(8puff)/D)	1) 단시간형 β_2- agonist로 기관지 확장제 2) 적응증 : 기관지 천식, 만성 기관지염, 폐기종의 기도 폐쇄성 장애에 의한 호흡곤란 증상 완화 3) 에보할러 제제로서 기존 충진제인 프레온 가스의 환경 오염 문제를 해결한 norflurane을 충진제로 사용 4) Onset : 5~15mins Tmax : 0.5~2hrs 지속시간 : 3~4hrs 대사 : 간(불활성의 sulfate로 대사됨) $T\frac{1}{2}$: 3.8hrs 배설 : 신장(미변화체, 30%)	- 협심증, 심방세동, 흉부불쾌감, 기외수축, 안면홍조, 고혈압, 심계항진, 빈맥 - 중추신경흥분, 현기증, 나른함, 두통, 불면, 편두통, 신경과민, 악몽, 진전 - 혈관부종, 발진, 스티븐스존슨 증후군, 두드러기, 홍반 - 저칼륨증 - 설사, 구갈, 위장관염, 오심, 입맛변화, 구토, 치아착색 - 배뇨곤란 - 기관지 경련, 쇠약감 - 중이염 - 천식악화, 기관지 경련, 기침, 비출혈, 구인두건조, 구인두부종 - 알러지 반응, 림프종	〈금기〉 1) 교감신경 흥분성 아민류 과민성 환자 2) 비후성 심근병증 환자 〈주의〉 1) 갑상선 기능 항진증 환자 2) 고혈압 환자 3) 심부전증, 부정맥 등 심질환 환자 4) 당뇨병 환자 5) 임신부 : Category C 6) 수유부 : 모유 이행 7) 18개월 미만의 영아 : 유효성 미확립 〈상호작용〉 1) Catecholamine류 : 부정맥, 심정지 유발가능 2) MAO저해제나 TCA 항우울약 : 이 약의 심혈관계 작용 증강 3) Xanthine 유도체, Steroids, 이뇨제 병용 : 저산소혈증으로 인한 혈청 칼륨치 저하작용 악화 (중증 천식환자 주의)

약품명 및 함량	용법	약리작용 및 효능	부작용	주의 및 금기
1dose 중 Umeclidinium 62.5mcg, Vilanterol 25mcg **Anoro 62.5 Ellipta** 아노로62.5엘립타 …30dose/EA	1) 18세 이상 성인 : 1 puff qd	1) Long acting anticholinergic agent인 umeclidinium(U)과 long acting β_2 agonist인 vilanterol(V)의 복합 흡입제로 기관지 확장 작용을 나타냄. 2) 적응증 : 기관지확장제로서 성인의 만성폐쇄성폐질환의 증상 완화를 위한 유지요법제 3) Onset : 27mins Tmax : 5~15mins $T_{\frac{1}{2}}$: 11hrs 대사 : 간(CYP2D6(U), CYP3A(V)) 배설 : 대변(92%(U),30%(V)), 신장(<1% (U), 70%(V))	1) 1~10% - 흉통(1%) - 두통(≥1%), 현기증(≥1%) - 당뇨(≥1%) - 설사(2%), 복통(≥1%), 오심(≥1%), 치통(≥1%), 변비(1%) - 요로감염(≥1%) - 사지통증(2%), 관절통(≥1%), 요통(≥1%), 근육경련(1%), 경부통(1%) - 인두염(2%), 기침(≥1%), 하기도감염(≥1%), 늑막성흉통(≥1%), 부비강염(≥1%)	〈금기〉 1) 유당 관련 대사장애 환자 2) 중증의 우유단백질 알레르기가 있는 자 3) 천식 환자 〈주의〉 1) 기관지 급성 경련 시 1차 치료약(응급약)으로 사용하지 않음. 2) 임신부 : Category C 3) 심혈관계 질환자, 경련성 장애환자, 갑상선 중독증, 저칼륨혈증, 당뇨환자 4) 협우각 녹내장, 뇨정체 : 증상악화 모니터링 필요(∵항콜린성 작용) 5) 수유부 : 안전성 미확립 〈상호작용〉 1) 강력한 CYP3A4억제제(ketoconazole, ritonavir 등) : Vilanterol 노출증가로 QT간격 연장 등 위험 증가 2) 비선택성 β-차단제 투여 금지 3) MAO저해제, TCA 항우울약 : 이 약의 심혈관계 작용 증강 4) 비-칼륨보존성 이뇨제(loop 또는 thiazide이뇨제) : 저칼륨혈증 주의 〈취급상 주의〉 1) 기밀용기, 실온보관(1~30℃) 2) 겉포장 제거 후 6주까지 사용 가능

약품명 및 함량	용법	약리작용 및 효능	부작용	주의 및 금기
1dose 중 Beclomethasone 100mcg, Formoterol 6mcg	1) 천식 ① 18세 이상 성인 - 유지요법 : 1~2puff bid (Max. 4puff/D)	1) Corticosteroid인 beclomethasone과 long acting β_2-agonist인 formoterol의 복합성분 흡입제	1) 1~10% - 인두염 2) <1%	〈주의〉 1) 전신스테로이드 요법으로 부신기능이 손상된 환자 2) 심혈관계 질환 환자 3) QTc 간격이 연장된 환자

약품명 및 함량	용법	약리작용 및 효능	부작용	주의 및 금기
Foster 100/6 HFA 포스터100/6HFA …120dose/EA	- 증상완화요법을 포함한 유지요법 : 1puff bid (Max. 8puff/D) 2) 만성폐쇄성폐질환(COPD) ① 성인 : 2puff bid	2) 적응증 - 지속성 기관지 확장제와 흡입용 코르티코스테로이드의 병용요법이 적절하다고 판단된 천식의 치료 - 정기적인 지속성 기관지 확장제 치료에도 불구하고 반복적 악화 이력이 있는 중증 만성폐쇄성폐질환 환자의 증상 치료 3) Onset : 1~3 mins 지속시간 : 12hrs Tmax : 15mins(B), 15mins(F) T½ : 3.74hrs(B), 7.9hrs(F)	- 인플루엔자, 구강진균감염, 식도, 질 칸디다증, 위장관염, 부비동염 - 과립백혈구감소증 - 두통 - 발성장애 - 알러지성 피부염 - 저칼륨혈증, 고혈당증 - 안절부절, 진전, 어지러움	4) 갑상선중독증, 당뇨, 폐결핵 환자 5) 치료되지 않은 저칼륨증 환자 6) 크롬친화성세포종 환자 7) 임신부 : category C 8) 수유부 : 안전성 미확립 9) 18세 미만 소아 〈취급상 주의〉 1) 매 흡입 후 양치 또는 물로 구강 세척(구강인두칸디다 방지) 2) 냉장보관, 개봉 후에는 25℃이하에서 5개월 사용 가능
1dose 중 Budesonide 160mcg Formoterol fumarate 4.5mcg **Symbicort turbuhaler** 심비코트터부헬러 160/4.5mcg …60dose/EA …120dose/EA	1) 천식 ① 증상완화를 포함한 유지요법 - 12세 이상 및 성인 : 2puff qd 또는 1~2puff bid (Max. 6puff/회, 12puff/D) ② 유지요법 - 18세 이상 성인 : 1~2puff qd~bid (Max. 4puff bid) - 12~17세 : 1~2puff qd(저녁)~bid - 6~12세 : 1puff bid (Max. 2puff/D) 2) 만성폐쇄성폐질환(COPD) ① 성인 : 2puff bid	1) 기관지 확장 작용이 있는 장시간형 β_2-agonist와 항염증 작용이 있는 corticosteroids의 복합제제로 천식 및 중증의 만성 폐쇄성폐질환 치료에 사용 2) Onset : 15mins 지속시간 : 12hrs Tmax : 10mins(F), 21mins(B) T½ : 4.7hrs(B), 7.9hrs(F)	- 두통, 동요, 불안, 신경질, 오심, 진정, 수면장애 - 동계, 빈맥 - 진전, 근경련 - 구강인두의 칸디다 감염, 인후 자극, 기침, 쉰 목소리, 기관지경련 - 피진, 두드러기, 소양증, 발진	〈금기〉 1) 흡입 유당 과민성 환자 2) 6세 미만의 소아 〈주의〉 1) 임신부 : Category C 2) 중증의 심혈관계 질환, 당뇨병, 칼륨혈증, 갑상선 중독증 환자 3) 수유부 : 모유이행(budesonide) 〈상호작용〉 1) 베타차단제에 의한 기관지 확장 효과 약화 또는 저해 2) 베타효능제에 의한 상승작용 3) CYP3A4 저해제에 의한 budesonide의 혈중농도 상승
1dose 중 Budesonide 320mcg, Formoterol fumarate 9mcg	1) 천식 ① 유지요법 - 18세 이상 성인 : 1puff bid (Max. 2puff bid/D) - 12~17세의 청소년 : 1puff bid	1) 기관지 확장 작용이 있는 장시간형 β_2-agonist와 항염증 작용이 있는 corticosteroids의 복합제제로 천식 및 중증의 만성 폐쇄성폐질환 치료에 사용 2) Onset : 15mins 지속시간 : 12hrs	- 두통, 동요, 불안, 신경질, 오심, 진정, 수면장애 - 동계, 빈맥 - 진전, 근경련	〈금기〉 1) 흡입 유당 과민성 환자 2) 6세 미만의 소아 〈주의〉 1) 임신부 : Category C

약품명 및 함량	용법	약리작용 및 효능	부작용	주의 및 금기
Symbicort turbuhaler 심비코트터부헬러 320/9mcg …60dose/EA	2) 만성폐쇄성폐질환(COPD) ① 성인 : 1puff bid	Tmax : 10mins(F), 21mins(B) $T\frac{1}{2}$: 4.7hrs(B), 7.9hrs(F)	- 구강인두의 칸디다 감염, 인후 자극, 기침, 쉰 목소리, 기관지경련 - 피진, 두드러기, 소양증, 발진	2) 중증의 심혈관계 질환, 당뇨병, 칼륨혈증, 갑상선 중독증 환자 3) 수유부 : 모유이행(budesonide) 〈상호작용〉 1) 베타차단제에 의한 기관지 확장 효과 약화 또는 저해 2) 베타효능제에 의한 상승작용 3) CYP3A4 저해제에 의한 budesonide의 혈중농도 상승
1dose 중 Fluticasone propionate, Salmeterol xinafoate **Seretide 100 diskus** 세레타이드100디스커스 …100+50mcg/dose, 60dose/EA **Seretide 250 diskus** 세레타이드250디스커스 …250+50mcg/dose, 60dose/EA **Seretide 500 diskus** 세레타이드500디스커스 …500+50mcg/dose, 60dose/EA	1) 천식 ① 12세 이상 성인 : 1puff bid, 질환의 심각도에 따라 용량 선택 - 경증 : 100diskus 1puff bid - 중등증 : 250diskus 1puff bid - 중증 : 500diskus 1puff bid ② 4~11세 소아 : 100diskus 1puff bid 2) 만성폐쇄성폐질환 (COPD) ① 성인 : 250diskus 1puff bid	1) Long acting β_2-agonist인 salmeterol과 corticosteroid인 fluticasone의 복합제제 2) 적응증 - 기관지확장제와 흡입용 corticosteroid의 병용투여가 적절하다고 판단된 천식의 치료 - 만성기관지염과 관련된 만성폐쇄성폐질환 환자의 기도 폐쇄 치료를 위한 유지요법(250diskus만 해당) 3) 기관지 확장 효과 발현 : 10~20mins	- 흡입 직후 천명 증가를 수반한 역리성 기관지 경련 - 중증 혈당변화, 저칼륨혈증 - 바이러스성 위장염, 구역, 구토, 설사, 복통 - 진전, 심계항진, 두통 - 심부정맥, 비특이성 흉통 - 기관지염 - 관절통, 배통, 근경련, 근육통, 근육쑤심 - 월경불순 - 발적, 발진, 두드러기, 부종, 혈관부종, 자극감 - 치통, 비염, 후두염 - 쉰 목소리, 발음장애, 인후자극, 두통, 구강 및 인후의 칸디다증	〈금기〉 1) 심장 부정빈맥 환자 2) 호흡기계에 치료되지 않은 진균, 세균, 결핵감염이 있는 환자 3) 중등도~중증 기관지 확장증 4) 천식 발작 상태 또는 천식의 위급 상황에 대한 1차 치료 목적으로 이 약을 투여하지 말 것 5) 유당, 우유 과민성 환자 〈주의〉 1) 매 흡입 후 물로 구강 세척(구강, 인후의 칸디다 방지) 2) 심혈관 질환, 간장애 환자 3) 교감신경 흥분제 특이반응 환자 4) 당뇨병, 갑상선항진증 환자 5) 폐결핵, 감염 관련 만성폐쇄성폐질환 환자 6) 치료 안된 저칼륨혈증 환자 7) 전신성 스테로이드를 이 약으로 전환할 경우(특히 기존의 전신성 스테로이드 투여로 인한 부신기능 손상이 의심되는 경우) 8) 임신부 : Category C 9) 수유부 및 4세 이하 소아 : 안전성 미확립 〈상호작용〉 1) 비선택성 β-차단제 투여 금지 2) MAO저해제, TCA 항우울약 : 이 약의 심혈관계 작용 증강

약품명 및 함량	용법	약리작용 및 효능	부작용	주의 및 금기
Aclidinium bromide Eklira genuair 에클리라제뉴에어 …400mcg/dose, 60doses/EA	1) 18세 이상 성인 : 1 puff bid	1) 장시간형 항콜린성 기관지확장제 2) 기관지 평활근의 M_3 수용체를 억제하여 기관지를 확장시킴 3) 적응증 : 만성 폐쇄성 폐질환(COPD)의 유지요법제(흡입제) 4) BA : ~6% Tmax : 10mins 이내(신장애 : 4.8mins) $T\frac{1}{2}$: 5~8hrs(신장애 : 2.07~4.18hrs) 배설 : 신장(0.09%)	1) 1~10% - 두통(7%), 낙상(1%) - 설사(3%), 치통(1%), 구토(1%) - 비인두염(6%), 기침(3%), 비염(2%), 부비동염(2%)	〈금기〉 1) Atropine 및 유도체(ipratropium, oxitropium, tiotropium) 과민 환자 2) 유당 관련 대사 장애 환자 〈주의〉 1) 임신부 : Category C 2) 수유부 : 동물실험 시 모유로 이행 3) 18세 미만 소아 : 안전성 미확립 4) 기관지 급성 경련 시 응급약으로 사용하지 않도록 함 5) 기이성기관지연축 증상 발생 시 즉시 투여 중단 6) 협우각 녹내장, 전립선비대, 방광경부폐쇄, 심근경색, 불안정 협심증, 부정맥, 중증 심부전(NYHA 3/4) 환자(∵ 항콜린성 작용)
Ipratropium bromide Atrovent UDV sol 아트로벤트흡입액유디비 …500mcg/2ml/A	* 네뷸라이저용 1) 성인 : 0.4~2ml (100~500mcg) qid 2) 소아(3~14세) : 0.4~2ml (100~500mcg) tid 3) 적당한 Nebulizer 또는 Intermittent positive pressure를 이용하여 투여	1) 4급암모늄 anticholinergic bronchodilator 2) 미주신경지배 Ach receptor를 차단, 기관지 평활근 수축을 억제함. 3) 적응증 : 기관지천식, 만성 기관지염, 폐기종의 기도폐쇄 장애에 의한 호흡곤란 등 여러 증상의 완화 4) Onset : 3~30mins 지속시간 : 4~8hrs $T\frac{1}{2}$: 2~3.8hrs	1) 1~10% - 심계항진 - 긴장감, 현기증, 피로, 두통 - 발진 - 오심, 구강건조증, 위부불쾌감 - 비출혈, 호흡곤란, 객담증가, 기관지 경련, 인두염, 비염, 부비강염 - 감기유사증상	〈금기〉 1) Atropine 과민증 2) 녹내장, 전립선 비대증 〈주의〉 1) 산동작용이 있으므로 눈을 향해 분사하지 않도록 함. 2) 방광경 폐쇄 소인이 있는 환자 3) 낭성 섬유증 환자에게 위장관 운동장애 유발가능 4) 임신부 : Category B 5) 수유부 및 12세 이하의 소아 : 안전성 미확립
Tiotropium bromide Spiriva Handihaler 스피리바핸디헬러 …18mcg/C, 30C/PK	1) 18세 이상 성인 : 1일 1회 일정 시간에 흡입(1일 1회를 초과하여 사용하지 않도록 함) ① 스피리바 핸디핼러 : 1Ⓒ을 핸디헬러에 장착하여 흡입	1) 장시간형 항콜린성 기관지확장제 2) Acetylcholine이 기관지 평활근의 M_3 수용체에 결합하는 것을 차단하여 기관지를 확장시킴.	1) 〉10% - 구강건조(16%), 상기도 감염(3~41%) 2) 1~10% - 흉통, 부종	〈금기〉 1) Atropine 및 유도체(ipratropium, oxitropium) 과민성 환자 2) 이 약의 첨가제(유당)에 과민한 환자 : 흡입용 캡슐

약품명 및 함량	용법	약리작용 및 효능	부작용	주의 및 금기
Spiriva Respimat 스피리바레스피맷 …2.5mcg/dose, 60dose/EA	② 스피리바 레스피맷 : 1회 2puff (=5mcg) 흡입(Max. 1회(2puff)/D)	3) 핸디헬러(1EA 당 흡입기+30Ⓒ) : DPI(Dry Powder Inhaler)제형으로, 흡입기에 흡입용 건조 분말 캡슐을 장착하여 흡입 4) 레스피맷(60dose/4.5ml/EA) : 카트리지(4.5ml)를 레스피맷 흡입기에 끼운 뒤 사용 시 반바퀴씩 돌려서 흡입 5) 적응증 - 기관지확장제로 만성폐쇄성 폐질환의 유지요법 - 흡입용 코르티코스테로이드 및 지속성 베타-2 작용제의 병용 유지요법에도 불구하고 중증 악화 경험이 있는 천식 환자의 병용 유지요법(레스피맷만 해당) 6) 지속시간 : 〉24hrs $T_{\frac{1}{2}}$: 5~6days	- 목소리 이상, 이상감각 - 고콜레스테롤혈증 - 소화불량, 복통, 변비, 구토 - 비뇨기계 감염, 모닐리아증 - 인두염, 비염, 코피, 백내장 - 발진, 근육통	〈주의〉 1) 임신부 : Category C 2) 18세 미만 소아, 수유부 : 안전성 미확립 3) 이 약은 1일 1회 사용하는 유지요법제이므로 응급약으로 사용하지 않음. 4) 협우각 녹내장, 전립선비대, 방광경부 폐쇄 환자 : 항콜린성 작용 5) 신부전 환자(CrCl ≤50ml/min) 〈취급상 주의〉 1) 사용법 준수 (설명서 참조) 2) 레스피맷 : 카트리지를 흡입기에 장착한 뒤 3개월까지 보관 가능 3) 기밀용기, 실온 보관

약품명 및 함량	용법	약리작용 및 효능	부작용	주의 및 금기
Budesonide Budecort liquid 부데코트흡입액 …0.5mg/2ml/EA Pulmicort Turbuhaler 풀미코트터부헬러 …200mcg/dose, 100dose/EA	* 분무용 현탁액 1) 기관지 천식 ① 투여 시작, 심한 천식기간의 치료 시, 경구 스테로이드를 감량 또는 중단 시 - 성인 : 1~2mg bid - 소아 : 0.5~1mg bid ② 유지용량 - 성인 : 0.5~1mg bid - 소아 : 0.25~0.5mg bid 2) 급성 후두 기관 기관지염 - 유소아 : 2mg qd * 흡입제 1) 12세 이상 성인 : 1~8puff/D #2~4 - 경증 : 1~4puff/D	1) Corticosteroid 흡입제 2) Beclomethasone보다 topical/systemic potency가 크며, 1일 2회 요법의 장점이 있으나 그 외는 유사 (Budesonide 200~800mcg/D ≒ Beclomethasone 400~800mcg/D) 3) 부데코트흡입액 : Nebulizer(분무기)를 사용하는 corticosteroid 분무용 현탁액으로, 계량식 흡입제의 사용이 힘든 중증 및 소아의 기관지천식에서 사용이 편리함. 4) 풀미코트터부헬러 : 분사제 및 부형제가 없음. 5) 적응증 - 기관지 천식 - 유·소아 급성 후두 기관 기관지염(부데코트흡입액만 해당)	1) 〉10% - 호흡기계 감염, 비염 2) 1~10% - 실신, 부종, 고혈압 - 흉통, 발성장애, 감정불안정, 피로, 발열, 불면, 편두통, 긴장감, 현기증 - 타박상, 접촉성 피부염, 습진, 소양증, 발진 - 저칼륨 혈증 - 복통, 식욕부진, 설사, 구갈, 소화불량, 위장관염, 구강 칸디다증, 입맛변화, 구토,	〈주의〉 1) 폐결핵, 진균, 바이러스 감염 환자 2) 천식의 급성악화시 경구 스테로이드 사용 3) 경구제로부터 전환할 때 비염, 습진, 관절통 등이 생기면 경구스테로이드의 용량을 증량함. 4) 매 흡입후 물로 입을 세척 (구강, 인두의 칸디다 방지) 5) 임신부 : Category C 6) 수유부 : 유즙 분비 7) 부데코트흡입액 - 침전물이 생성되어 흔들었을때 재현탁되지 않으면 폐기 - 알루미늄 호일 개봉한 후에는 3개월 이내에 사용함.

약품명 및 함량	용법	약리작용 및 효능	부작용	주의 및 금기
	- 중증 : 4~8puff/D - 유지용량이 4puff/D인 경우 qd 투여 가능 2) 5~12세 소아 : 1~4puff/D #2~4 - 중증 : 4puff/D - 유지용량이 2puff/D인 경우 qd 투여 가능		체중증가, 고창 - 경부림프선종, 자반증, 백혈구증가 - 관절통, 골절, 운동항진증, 근육통, 목통증, 쇠약감, 감각이상, 저배통 - 각막염, 안구감염 - 이통, 귀감염 - 기관지염, 기관지경련, 비출혈, 코 자극감, 인두염, 부비강염, 천명 - 알레르기반응, 감기유사증상, 헤르페스감염, 칸디다증, 바이러스감염, 목소리 변화	
Ciclesonide Alvesco inhaler 알베스코흡입제 …80mcg/dose, 60dose/EA …160mcg/dose, 60dose/EA	1) 12세 이상 성인 ① 경~중등도 : 160~320mcg qd ② 중증 : 320mcg bid ③ 일부는 80mcg qd로 조절 가능 ④ 경구용 스테로이드 장기 복용 환자 - 경구용 Prednisolone 의존성 중증 환자 : 320~640mcg bid - 경구제에서 전환 시, 10일간 이 약을 고용량으로 병용투여 후, 경구제 점차 감량 2) 6세~12세 미만 소아 : 80~160mcg qd	1) 기관지 천식에 사용하는 MDI(Metered Dose Inhaler) 형태의 흡입용 Corticosteroid 제제 2) Ciclesonide는 glucocorticoid prodrug이며 활성 대사체인 desciclesonide가 glucocorticoid receptor에 작용하여 약리효과를 나타냄. 3) Onset : 2~4wks Tmax : 1hr 생체이용률(BA) : 22% 단백결합 : 〉99% $T_{\frac{1}{2}}$: 6~7hrs(대사체) 대사 : 간, 폐 배설 : 신장(〈20%), 대변(66%)	1) 1~10% - 두통(≤7%) - 구강칸디다증(1%) - 귀 통증(2%) - 비인두염(≤7%), 코피(5%), 인후통(≤3%), 역설적 기관지수축(2%), 발성장애(1%), 쉰 목소리(1%)	〈주의〉 1) 활동성, 잠재성 폐결핵, 진균, 세균, 바이러스에 의한 호흡기 감염 환자 2) 골밀도를 감소시킬 수 있으므로 골다공증 가족력 환자 주의 3) 백내장, 녹내장 환자 4) 수두, 홍역 또는 기타 감염성 질환에 걸릴 경우 이 약으로 인해 악화될 수 있으므로, 예방접종을 받지 않은 환자는 주의 5) 임신부 : Category C 6) 수유부 : 안전성 미확립 7) 50℃ 이상 온도에 노출되지 않도록 주의
Fluticasone propionate	1) 성인 및 16세 초과 청소년 : 100~1,000mcg bid - 경증 : 100~250mcg bid	1) 합성 trifluorinated corticosteroid로서 기관지 천식의 예방 및 치료에 사용 2) 기관지 점막에서 침투력이 증가된 강력한 국소제제	1) 〉10% - 피로, 허약, 두통 - 구강칸디다	〈금기〉 1) 천식 지속상태, 급성 천식 증상에 사용하지 않음 2) 중등도~중증 기관지확장증

약품명 및 함량	용법	약리작용 및 효능	부작용	주의 및 금기
Flixotide junior evohaler 후릭소타이드주니어에보할러 …50mcg/dose, 120dose/EA Flixotide Diskus 후릭소타이드디스커스 …250mcg/dose, 60dose/EA	- 중등증 : 250~500mcg bid - 중증 : 500~1,000mcg bid 2) 4~16세 소아 : 50~100mcg bid 3) 1세이상 소아(에보힐러) : 50~100 mcg bid - 에보할러 : 8세 미만 소아에게 스페이서(보조흡입기) 사용 권장	3) 디스커스 : 약물이 포낭에 낱개 포장되어 있는 건조분말 흡입제형임 4) 에보할러 : 기존 흡입제의 충진제로 사용되던 프레온 가스의 환경오염 문제를 해결한 norflurane을 충진제로 사용한 MDI(Metered dose inhaler) 제제 5) Onset : 24hrs	- 관절통, 관절염, 근골격계 통증 - 부비동 감염, 부비동염, 상기도감염, 인후자극, 비충혈, 비인두염, 비염, 기관지염	〈주의〉 1) 스테로이드 투여 중 본 약제로 변경 후에도 부신손상 위험이 남아 있으므로 이와 관련하여 전문의 조언 필요 2) 활동성, 잠재성 폐결핵, 폐진초증 환자 3) 매 흡입 후 물로 입 세척(∵ 구강, 인두의 칸디다 방지) 4) 임신부 : Category C 5) 수유부 : 안전성 미확립

약품명 및 함량	용법	약리작용 및 효능	부작용	주의 및 금기
Allergen extract (Purified House Dust Mite) Lais tab(초기요법) 라이스정(초기요법) …300AU/T Lais tab(유지요법) 라이스정(유지요법) …1,000AU/T (일반형/주문형)	1) 1일1회, 식전 동일시간에 설하 투여 완전히 녹을때까지 약 2분간 삼키지 말고 유지시킴. 2) 개시요법 (1Ⓣ=300AU) - 1일째 : 1Ⓣ qd - 2일째 : 2Ⓣ qd - 3일째 : 3Ⓣ qd - 4일째 : 4Ⓣ qd 3) 유지요법 : 1Ⓣ(=1,000AU), 주 2회 복용 권장 4) 치료기간 : 3년 이상 고려 가능	1) 집먼지진드기정제추출물로서 IgE매개 알러젠에 대한 특이면역 작용 유도함. 2) 적응증 : 집먼지진드기에 의한 알레르기성 비염, 결막염, 천식의 치료	- 경증의 천식, 급성 호흡곤란, 재채기, 코가려움증, 비충혈 - 두드러기, 혈관부종, 비루, 눈의 소양증, 혀·입술·구강의 수양증, 안검부종, 인두부 불편감 - 위장관계이상반응	〈금기〉 1) 심각한 전신 질환자 2) 중증정신질환 3) 면역 손상 환자 4) 중증의 동맥성 고혈압 등의 베타차단제 또는 아드레날린제, ACE 억제제 투여환자 5) 중증의 호흡기 질환자 6) 유당 관련 대사장애 환자 7) 임신부 및 수유부 투여금기 〈주의〉 1) 6세 미만의 소아 2) 아토피성 피부질환자 3) 기도 또는 구강감염 및 발치의 경우 〈상호작용〉 1) 알레르기증상의 대증적치료제(항히스타민제, corticosteroid제 등)의 경우, 치료 효과가 차폐되거나 내성 수준에 영향을 미칠수 있음.
Allergen extract (Purified House Dust Mite) Staloral300 스타로랄300설하액 …초기 3V/set (10ml(10IR/ml) 1V+ 10ml (300IR/ml) 2V) …유지 3V/set (10ml(300IR/ml) 3V)	1) 만 4세 이상의 소아 및 성인 : 1일 1회, 식전 설하투여 (최소 2분간 머금고 있다가 삼킴.) 2) 권장용량 ① 초기단계 - 1~6일 : 10IR 1, 2, 4, 6, 8, 10 방울 - 7~11일 : 300IR 1, 2, 4, 6, 8 방울 ② 유지단계 - 12일 이후 : 매일 300IR 4방울 또는 주 3회 300IR 8방울 점적 3) 동봉된 펌프를 장착하여 사용, 최초 사용시 펌프를 5번 눌러 점적 되는 액을 버림	1) 설하용 알레르기 면역치료 요법제 2) 기존 설하 면역치료제 슬릿원과 비교시 고농도, 고용량 제품으로 초기 치료시 용량조절이 가능한 제품 3) 적응증 : IgE를 매개로한 알러젠에 대한 특이면역요법 (집먼지진드기에 의한 알레르기성 비염, 결막염, 천식의 치료)	(빈도 미확립) - 천식, 급성 호흡곤란, 재채기 - 코가려움증, 비충혈, 비루, 비염, 인두부 불편함 - 눈의 소양증, 안검부종 - 혀, 입술, 구강의 소양증 - 두드러기 - 혈관부종 - 소화불량, 설사 - 두통 - 피로	〈금기〉 1) 중증 면역질환자, 악성종양환자, 중증만성염증성질환, 활동성 결핵, 중증정신질환, 열성감염 및 비가역적 기도손상, 자가면역질환 다발적 경화증, 면역억제 치료 등의 면역손상환자, 중증의 장기손상환자, 관상동맥심질환 또는 중증의 동맥성 고혈압 등의 베타차단제 또는 아드레날린제 투여환자, ACE 억제제 투여환자, 호흡이 불안정한 천식 환자 2) 임신부 : 안전성 미확립 〈주의〉 1) 6세 미만의 소아 2) 아토피성 피부질환자 3) 기도 또는 구강감염, 발치의 경우 4) 백신을 투여한 경우, 최소 7일동안 본 제품의 투여중지를 권함.

약품명 및 함량	용법	약리작용 및 효능	부작용	주의 및 금기
				5) 설하정, 구강세척액 등 적용시 본제와 30분 이상 간격으로 적용 〈취급상 주의〉 1) 차광, 냉장(2~8℃)보관 2) 개봉 후 냉장 4개월 이내 사용, 보라색바이알(300IR)에 한하여 개봉후 15~25℃에서 1개월 이내 사용 가능
Allergen extract (pollen, 화분 항원 24종) Staloral(pollen) 스타로랄(화분)설하액 …초기 3V/set …유지 3V/set (1V=10ml) *IR (18종) 초기 : 10ml(10IR/ml) 1V+ 10ml(300IR/ml) 2V 유지 : 10ml(300IR/ml) 3V *IC (6종) 초기 : 10ml(10IC/ml) 1V+ 10ml(100IC/ml) 2V 유지 : 10ml(100IC/ml) 3V	1) 6세 이상 소아 및 성인 : 1일 1회, 식전 설하 투여(최소 2분간 머금고 있다가 삼킴) 2) 권장용량 (1) IR 제품 ① 초기단계 - 1~6일 : 10IR 1, 2, 4, 6, 8, 10방울 - 7~11일 : 300IR 1, 2, 4, 6, 8방울 ② 유지단계 - 12일 이후 : 매일 300IR 4~8방울 또는 주3회 300IR 8방울 점적 (2) IC 제품 ① 초기단계 -1~5일 : 10IC 1, 2, 4, 6, 8방울 -6~11일 : 100IC 1, 2, 4, 6, 8, 10방울 ② 유지단계 -12일 이후 : 매일 또는 주3회 100IC 10방울 ※ 1방울 : 펌프를 꾹 누를 때 한번에 떨어지는 약액	1) 설하용 알레르기 면역치료 요법제(주문형) 2) 적응증 : IgE를 매개로한 알러젠에 의한 알레르기성 비염/결막염의 치료 3) 주문형으로, 24종의 항원 중 환자별로 선택하여 처방함. (약제 처방 후 주문하여 2달 뒤 배송됨) 4) IR : 화분 18종, IC : 화분 6종이 사용됨 - IR : 사용량 많아 생산 공정 및 함량 등이 표준화된 제품 - IC : 사용량 적어 생산 공정 및 함량 등이 표준화되지 않은 제품	1) 1~10% - 구강가려움증, 구강 또는 혀 부종, 입인두 불편, 침샘 질환, 오심, 복통, 구토, 설사 2) 0.1~1% - 결막염, 비염, 천식 3) ~0.1% - 림프절병증, 혈청병양반응, 두통, 습진, 관절통, 근육통, 무력증, 발열, 혈관부종, 아나필락시스성 쇼크, 후두 또는 입인두 부종, 두드러기	〈금기〉 1) 중증 면역질환자, 악성종양환자, 중증만성염증성질환, 뇌경련, 전신 혈관염, 결절성동맥주위염, 활동성 결핵, 중증정신질환, 열성감염 및 비가역적 기도손상, 자가면역질환 다발적 경화증, 면역억제 치료 등의 면역손상환자, 중증 장기손상환자, 관상동맥심질환 또는 중증의 동맥성 고혈압 등의 베타차단제 또는 아드레날린제 투여환자, ACE 억제제 투여환자, 호흡이 불안정한 천식 환자, 만성 구강질환자, 불가역적 폐 질환자 2) 임신부 : 안전성 미확립 〈주의〉 1) 6세 미만의 소아 2) 아토피성 피부질환자 3) 기도 또는 구강감염, 발치의 경우 4) 백신을 투여한 경우, 최소 7일동안 본 제품의 투여 중지를 권함. 5) 설하정, 구강세척액 등 적용 시 본제와 30분 이상 간격으로 적용 〈취급상 주의〉 1) 차광, 냉장(2~8℃)보관 2) 개봉 후 냉장 4개월 이내 사용, 보라색 바이알(300IR)에 한하여 개봉 후 15~25℃에서 1개월 이내 사용 가능

약품명 및 함량	용법	약리작용 및 효능	부작용	주의 및 금기
Allergen extract Tyrosine-S inj 티로신에스주사 …5ml×2V/set (1차, 트리트먼트코스) …7ml×1V/set (2차, 컨티뉴에이션코스) (일반형/트리트먼트코스B, 일반형/컨티뉴에이션코스B, 맞춤형/트리트먼트코스B, 맞춤형/컨티뉴에이션코스B) * 트리트먼트 코스는 No.1, No.2로 구성, 매우 민감하거나 소아의 경우 No.0 vial 추가 가능	1) 투여용량 ① 성인 : 먼저 No.1 Vial을 투여한 후, No.2 Vial까지 다음 순서대로 투여(총 12회) - No.1 Vial(초록색 라벨) : 0.1, 0.2, 0.3, 0.5, 0.7, 1ml - No.2 Vial(붉은색 라벨) : 0.1, 0.2, 0.3, 0.5, 0.7, 1ml ② 민감성 환자, 15세 미만 소아 : 먼저 No.0 Vial을 투여한 후, No.1 Vial로 순서대로 투여(총 10회) - No.0 Vial(검은색 라벨) : 0.1, 0.2, 0.4, 0.8ml - No.1 Vial(초록색 라벨) : 0.1, 0.2, 0.3, 0.5, 0.7, 1ml 2) 7~14일 간격으로 천천히 SC(IV, IM 금기) 3) 첫 번째 주사 후 2주 후 다음 주사, 그 후로는 2~4주로 주사 간격 늘릴 수 있음. (자세한 용량, 용법은 설명서 참조)	1) 주사용 알레르기 면역치료 요법제, 탈감작 요법제 2) 가장 발생빈도가 높은 allergen 2종(유럽 집먼지진드기, 아메리카 집먼지진드기)을 포함하며 트리트먼트/컨티뉴에이션 코오스로 구성됨. 3) 적응증 : IgE-mediated 알레르기에 기인한 알레르기성 건초열, 결막염, 기관지 천식 등 알레르기성 질환 치료 4) 맞춤형은 환자 병력 및 38종 allergen에 대한 skin test 후 개별 처방함.	- 주사부위 가려움 및 발적(일시적임) - 눈주위 가려움, 두드러기, 가슴조임.	〈금기〉 1) 티로신혈증, 알캅토뇨증, 급성천식, 만성감염, 복합폐질환, 자가면역질환, 결핵성 알레르기 안질환, 면역결핍증, 베타차단제 투여, ACE 억제제 투여 〈주의〉 1) 의사 지시 하에 투여, 투여 후 적어도 20분간 모니터링 2) 투여 시, 아드레날린(1:1,000) 주사를 함께 준비 3) 주사 부위 반복 피함 4) 투여 당일에는 음주, 과식, 격렬한 물리적 활동 피함 〈취급상 주의〉 1) 냉장보관(동결금지)
Caffeine citrate NeoCaf inj 네오카프주 …20mg/1ml/V NeoCaf soln 네오카프액 …20mg/1ml/EA (1ml 중 Caffeine anhydrous 10mg,	1) 초기용량 - 1ml/kg(caffeine cit. 20mg/kg) 30분 이상 IV(주사제) - 1회만 투여 2) 유지용량 - 0.25ml/kg(caffeine cit. 5mg/kg) qd, 10분 이상 IV(주사제) 또는 PO(경구제) - 초기 투여 후 매 24시간마다 투여 - 유지용량은 환자의 반응 및 카페인 혈중농도에 따라 조절	1) Adenosine 수용체(A1,A2) 길항작용으로 기관지 평활근 이완, 중추신경 촉진, 심근촉진, 이뇨작용을 나타냄. 2) 적응증 : 미숙아의 무호흡증 치료 3) $T_{\frac{1}{2}}$: (신생아) 72~96hrs(range : 40~230hrs) Tmax : (경구) 30mins~2hrs	(빈도 미확립) - 중추신경계 흥분 (민감, 불안, 신경과민) - 빈맥, 좌심실 박출량 증가, 심박출량 증가 - 위 흡인 (gastricaspiration) 증가, 위장관 불내성 - 저혈당, 고혈당	〈주의〉 1) 이전에 theopylline을 투여한 적이 있는 신생아 또는 카페인을 섭취한 산모에서 태어난 신생아는 이약 투여 전에 혈중 카페인 농도를 측정, 50mg/L를 넘지 않도록 주기적으로 모니터링 2) 괴사성 장결장염 발생 주의 3) 발작성 장애, 심혈관계 질환, 간장애, 신장애 환자 〈상호작용〉 1) Caffeine은 주로 CYP1A2로 대사됨. 2) Theophylline과 상호 전환되므로, 동시에 사용 권장되지 않음. 〈취급상 주의〉 1) 15~30℃ 보관

약품명 및 함량	용법	약리작용 및 효능	부작용	주의 및 금기
Citric acid hydrate 5mg, Sodium citrate hydrate 8.3mg)	3) 3일 이내 theophylline을 투여한 적이 있는 신생아는 용량조절 고려(full dose 또는 50~75%)		– 뇨속(urine flow rate)증가, 크레아티닌 클리어런스 증가, 나트륨과 칼슘의 배설 증가	2) 1회 사용 후 폐기(보존제 미함유) 3) 주사제, 경구제 모양 유사하므로 투여 전 확인
Epinephrine Jext inj(소아용) 젝스트(소아용) …0.15mg/0.15ml/kit Jext inj(성인용) 젝스트(성인용) …0.3mg/0.3ml/kit	1) 다음 1회 용량을 대퇴부 전방 바깥쪽에 IM – 성인 : 0.3mg(0.23~0.37ml) – 30kg 미만 소아 : 0.01mg/kg 2) 자가주입기기를 허벅지에서 오른쪽 방향으로 쥐어야 함. 3) 처방의는 이 약 처방시, 환자와 보호자가 이 약의 적응증과 사용방법을 충분히 이해하도록 설명함(항상 휴대)	1) α, β-receptor에 작용하는 sympathomimetic drug 2) 적응증 : 알러지 반응(아나필락시스)의 응급처치 – 곤충의 침 또는 물림, 음식, 약물과 다른 항원 및 특발성 또는 운동유도 아나필락시스 – 아나필락틱 반응 경험이 있는 사람에게 즉시 자가투여 목적 3) 한국희귀의약품센터 공급 약품	– 빈맥, 안면홍조, 고혈압, 창백, 흉통, 심근의 산소요구량 증가, 부정맥, 급사, 협심증, 혈관수축 – 긴장감, 불안, 두통, 현기증, 불면 – 오심, 구토, 구갈, 인후건조 – 쇠약감, 떨림 – 폐쇄각 녹내장, 일시적인 작열감, 안구 통증	<금기> 1) 생명이 위급한 상황에서 사용 시 금기사항 없음 <주의> 1) 갑상선 기능 항진증 2) 심혈관계 질환, 고혈압 환자 3) 당뇨병 환자 4) 중장년층 5) 임신부 : Category C 6) 수유부 : 안전성 미확립 7) 체중 15kg 이하의 소아(소아용 해당) 8) digitalis, 수은 이뇨제, quinidine와 병용 금기 <취급상 주의> 1) 차광, 실온보관(냉장보관 불가) 2) 빛에 직접 노출 금함.
Lung surfactant (Poractant alfa) Curosurf inj 큐로서프주 …120mg/1.5ml/V	1) 치료 – 진단 직후 : 100~200mg(1.25~2.5ml)/kg 기관지나 기관내로 투여 – 추가투여 : 필요시 12시 간 간격으로 100mg/kg 2) 예방 – 100~200mg (1.25~2.5ml)/kg을 가능한 빨리(출생 후 15분 이내) 투여 – 추가투여 : 6~12시간에 100mg/kg, 이후 필요시 12시간 간격 투여 3) 최대 총 투여량 : 300~400mg/kg 4) 투여방법 : 하기도에 직접 주입 또는 반씩 분할하여 기관내 삽입관을 통해 기관지 튜브로 직접 주입	1) 신생아 RDS(호흡곤란증후군) 치료 및 예방 2) 돼지의 폐 추출물로 폐포의 표면장력을 감소시키고 안정성을 유지시켜 가스교환이 잘 되도록 함. 3) 적응증 : 신생아 호흡곤란증후군의 치료 및 호흡곤란증후군 발생 위험이 있는 미숙아에 대한 예방	(빈도미확립) – 서맥, 저혈압 – 기관내관 폐쇄, 산소불포화 – 폐출혈 (본제에 의한 위험성 증가는 입증되지 않음)	<주의> 1) 이 약은 인공호흡 장치를 사용하여 폐에 골고루 분포되도록 하며 약물 적용시 산증, 저혈압, 빈혈, 저혈당증, 저온증에 대한 조절이 필요함. <취급상 주의> 1) 냉장, 차광 보관 2) 투여전 냉장 상태에서 상온으로 가온 후 균일한 현탁액이 되도록 흔들어서 사용 3) 개봉 후 즉시 사용(∵ 보존제 불포함)

약품명 및 함량	용법	약리작용 및 효능	부작용	주의 및 금기
Lung surfactant (DPPC : Dipalmitoyl phosphatidylcholine) Surfacten inj 서팩텐주 …120mg/V	1) 120mg/kg, 기관내 주입 2) 최초 투여 시기 : 출생 8시간 이내 권장 3) 폐에 골고루 분포되도록 4~5회 나누어 주입 4) 매회 주입시마다 체위를 변화시키고, 100% O_2로 bagging하면서 경피 O_2분압이 80mmHg이상인 것을 확인함. 5) 추가 투여 용량 : 60~120mg/kg	1) 건강한 소의 폐 surfactant 제제 (폐포표면 활성물질) 2) 신생아의 RDS(Respiratory Distress Syndrome)에 사용함. 3) 폐포의 표면장력을 감소시키고, 폐포의 안정성을 유지시켜 가스 교환이 잘되게 함.		〈주의〉 1) 부모, 형제 등이 알러지 증상의 기왕력이 있는 환자 2) 기도내의 양수, 점액 등을 흡인 제거 후 투여 3) 주사금지 〈취급상 주의〉 1) 냉장보관 2) 조제방법 – 재구성액 : NS – 농도 : 120mg/4ml 3) 조제한 액은 26G 주사기로 흡입하여 3-4Fr의 멸균세관에 연결하고 기관내 삽입튜브를 연결하여 기관에 주입 4) 현탁시 기포가 생기지 않게주의(균일하게 되지 않을 경우에는 40℃로 가온 후 흔들어 현탁) 5) 현탁액을 체온정도로 가온 후 사용하며, 현탁후에는 신속히 사용(보존제 없음)
Omalizumab Xolair inj 졸레어주사 …150mg/V	1) 치료 시작 전 측정하는 면역글로불린E 기저치(IU/mL)와 체중(kg)에 의해 용량 결정 2) 면역글로불린 E수치 측정에 근거하여 매 2, 4주마다 이 약 75~375 mg을 1~3회에 나누어 주사 3) 권장 최고용량 : 매 2주마다 375mg SC(자세한 투여용량 설명서 참고) 4) 용법 : SC(IV, IM 금기) 5) 주사부위 : 팔의 삼각근 부위(삼각근 부위 투여 불가시 허벅지에 주사)	1) IgE에 대한 recombinant humanized monoclonal antibody 2) High-affinity IgE 수용체에 결합하여 allergy cascade 반응을 저해하여 free IgE 농도 저하, 알레르기 초기 및 후기반응도 억제함. 3) 다음 증상을 동반하는 성인 및 청소년(12세 이상) 알레르기성 천식 환자에 있어서 천식조절을 개선하기 위한 추가 요법제 ① 통년성 대기 알러젠에 대하여 invitro 반응 또는 피부반응 양성을 보이며 ② 빈번한 주간 증상이나 야간에 깨어나는 증상이 나타날 뿐만 아니라 폐기능이 저하되어 있고 (FEV1〈80%) ③ 고용량의 흡입용 코르티코스테로이드 및 장기지속형 흡입용 β_2 작용제의 투여에도 불구하고 중증 천식증상의 악화가 여러번 기록된 중증의 지속성 알레르기성 천식	1) 1~10% – 두통, 통증, 홍반, 소양증, 부종과 같은 주사부위 반응 2) 〈1% – 현기증, 기면, 감각이상, 실신, 체위성 저혈압, 홍조, 인두염, 기침, 알레르기성 기관지 경련, 오심, 설사, 소화불량의 징후 및 증상, 두드러기, 발진, 소양증, 광과민증, 체중증가, 피로, 팔의 부종, 인플루엔자양 병증	〈주의〉 1) 임신부 : Category B 2) 급성 천식의 악화 및 급성기관지 경련 또는 천식 지속상의 치료에는 사용되지않음. 3) 자가면역질환, 면역복합체 매개 증상을 가진 환자 또는 신기능이나 간기능 부전을 가진 환자 4) 이 약으로 치료 개시 후 갑자기 전신용 혹은 흡입용 코르티코스테로이드를 중단하는 것은 권장되지 않음. 5) 만 12세 미만 소아, 수유부 : 안전성 미확립 〈취급상 주의〉 1) 냉장보관(2~8℃) 2) 첨부용제에 용해하며, 조제 후 즉시 사용 3) 단회 투여용으로, 남은 액은 폐기함(보존제 미함유). 4) 첨부용 주사용수 이외의 약물과 혼합 금지

약품명 및 함량	용법	약리작용 및 효능	부작용	주의 및 금기
		* 이 약의 투여는 면역글로불린E 매개 천식 환자에게만 고려되어야 함. 4) 흡수 : SC 후 서서히 흡수 생체이용률 : 62% Tmax : 7~8days $T\frac{1}{2}$: 26days 분포(Vd) : 78 ± 32ml/kg 대사 : 간장	3) 기생충 감염, 과민반응, 다른 중증의 알레르기성 상태, 후두 부종, 혈관 부종	
Pirfenidone Pirespa tab 피레스파정 …200mg/T	1) 18세 이상 성인 – 200mg tid – 2주 단위로 200mg씩 증량가능 (Max. 1800mg/D) 2) 중증 간장애 환자 : 투여금기 * 신기능에 따른 용량조절 참고 – CrCl〈30ml/min : 금기	1) 각종 cytokine 및 섬유화 형성에 관여하는 증식인자에 대한 생산조절작용, 섬유아세포 증식억제작용과 콜라겐 생산억제작용 등 항섬유화 작용 2) 적응증 : 특발성 폐섬유증 치료제	1) 〉10% – 식욕부진(23%), 위불쾌감(14%), 구역(12.1%), 설사 – 광과민증(51.7%,), 발진 – 간효소 수치 상승 – 근육통, 관절통, 피로 2) 1~10% – 졸음, 현기증, 두통, 미각이상 – 변비, 역류성 식도염, 구내염, 복통 – 백혈구증가, 호산구증가 – LDH 상승, 빌리루빈 상승 – 가려움증, 홍반, 피부건조 – 호흡곤란, 기침	〈금기〉 1) 중증 간장애 환자 2) 중증 신장애 환자(CrCl〈 30ml/min) 3) Fluvoxamine 병용 환자(∵ CYP1A2저해제로 본 약제 혈중농도 증가) 4) 유당 관련 대사장애 환자 〈주의〉 1) 광과민증 환자(투여기간 중 직사광선 노출을 피하거나 최소화함) 2) 임신부 : Category C 3) 수유부 및 소아 : 안전성 미확립 〈상호작용〉 1) CYP1A2 유도제/저해제(흡연, 자몽주스 포함) : 이 약의 혈중농도 변화 2) CYP2C9, CYP2C19, CYP2D6 저해제(amiodarone, fluconazol, fluoxetine, fluvoxamine 등) : 이 약의 혈중농도 증가 3) 강력한 CYP450 유도제(rifampicin) : 이 약의 혈중농도 감소
Roflumilast Daxas tab 닥사스정 …0.5mg/T	1) 18세 이상 성인 : 1Ⓣ qd	1) 선택적 Phosphodiesterase 4(PDE4) 저해제 2) 폐 세포내 cAMP의 주요 대사 효소인 PDE4를 저해하여 항염증작용과 기관지 확장 작용을 나타냄. 3) 적응증 : 기관지 확장제의 부가요법제로서, 증상악화 병력이 있고, 만성기관지염을 수반한 중증의	1) 1~10% – 체중감소, 식욕감소 – 불면 – 두통 – 설사, 구역, 복통	〈금기〉 1) 중등도 이상 간장애 환자 2) HIV, 다발성경화증, 전신성 홍반성 루프스, 결핵, HVB, Herpes, 대상포진 감염환자 3) 암, 면역억제제 투여 환자

약품명 및 함량	용법	약리작용 및 효능	부작용	주의 및 금기
		COPD(기관지확장제 투여 후 예상 FEV1 50% 이하)의 유지요법제 4) BA : 80% $T_{\frac{1}{2}}$: 17hrs 배설 : 신장(70%), 투석으로 인한 영향 없음		4) 울혈성 심부전 환자(NYHA Ⅲ, Ⅳ) 5) 자살 관련 우울증 병력 6) 갈락토오스 불내성, Lapp 유당분해효소 결핍증, 포도당-갈락토오스 흡수장애 환자 〈주의〉 1) 경증 간장애 환자 2) 저체중 환자 3) 임신부 : Category C 4) 소아 : 안전성 미확립 5) 수유부 금기 : 대사체 유즙 분비 〈상호작용〉 1) Erythromycin, ketoconazole, cimetidine, theophylline, 경구 피임약 : 치료 활성 증가 2) CYP450 유도제 : 치료 활성 감소
Sivelestat sodium hydrate Elaspol 100 inj 엘라스폴주 …100mg/V	1) 4.8mg/kg, 24시간 동안 IV inf.(투여속도 : 0.2mg/kg/hr) 2) 폐손상 증상 발생 후 72시간 이내 투여 시작 권장 3) 투여기간 : 14일 이내	1) Neutrophil elastase(=NE) inhibitor로서, neutrophil로부터 방출된 단백분해효소인 elastase가 폐혈관의 내피를 손상시키는 것을 억제하여 염증반응을 저해함. 2) 적응증 : 전신성 염증반응 증후군에 수반하는 급성 폐손상의 개선 ① 전신성 염증반응 증후군은 다음 중 2개 이상 해당해야 함. - 체온 〉38℃ 또는 〈36℃ - 심박수 〉90회/min - 호흡수 〉20회/min 또는 $PaCO_2$〈32mmHg - 백혈구수 〉12,000/mcl, 〈4,000/mcl 또는 간상호중구 〉10% ② 급성폐손상은 다음 전 항목에 해당해야 함. - 폐기능 저하 (기계적 인공호흡관리하 PaO_2/FIO_2 300mmHg 이하) - 흉부X선 소견상 양측성 침윤음영 - 폐동맥 쐐기압≤18mmHg	- 호흡곤란 - 백혈구감소, 혈소판감소, 호산구증가, 빈혈, 출혈경향, 총단백 감소 - BUN 상승, 다뇨, 뇨단백 증가 - 간기능 장애 및 황달 - 발진	〈주의〉 1) 일반적인 급성 폐손상의 치료법을 대체하는 것이 아니기에 원질환을 적절히 치료해야 함. 2) 장기 4개 이상의 다장기 손상을 합병하는 환자 : 유효성 미확립 3) 열상 및 외상을 수반하는 급성 폐손상 환자 및 고도의 만성호흡기질환을 합병하는 환자 : 유효성 미확립 〈취급상 주의〉 1) 차광, 실온보관 2) 조제 방법 : NS에 재구성 후, 250~500ml의 수액(NS, 5DW)으로 희석 3) 재구성 및 희석 후 실온, 냉장 24시간 이내 사용 4) 아미노산 수액 배합금기 5) 칼슘을 함유하는 수액과 배합시 2mg/ml 이상에서 침전 형성될 수 있으므로 1mg/ml 농도 이하로 배합하도록 함. 6) 수액으로 희석 시 pH 6.0 이하가 되면 침전 형성될 수 있으므로 주의

약품명 및 함량	용법	약리작용 및 효능	부작용	주의 및 금기
Tranilast Rizaben cap 리자벤캅셀 …100mg/C	1) 성인 : 1Ⓒ tid	1) Mast cell stabilizer 2) 염증세포에서의 화학 전달물질(histamine, SRS-A), TGF-b , 활성산소의 생성 억제 3) 켈로이드 및 비후성 반흔에서 유래된 섬유 아세포의 collagen 합성 억제 4) 적응증 : 기관지 천식 예방, 알레르기성 비염, 아토피성 피부염, 켈로이드 및 비후성 반흔	- 식욕부진, 오심,구토, 복통, 설사, 위부 불쾌감 - 빈뇨, 배뇨통, 혈뇨, 잔뇨감, BUN 상승 - LFT 상승, 황달 - 빈혈, 백혈구 감소, 호산구 증가 - 두통, 졸음, 불면, 두중감, 어지러움, 전신권태감 - 발진, 가려움, 두드러기, 홍반, 습진 - 월경 이상, 심계항진, 부종, 안면홍조, 구내염, 발열	〈금기〉 1) 임신부(특히 3개월이내) : 동물실험에서 최기성 〈주의〉 1) 간장애 환자 또는 병력자 2) 수유부 : 모유 이행(렛트)

3장. 순환기계(Cardiovascular system)

약품명 및 함량	용법	약리작용 및 효능	부작용	주의 및 금기
Amosulalol HCl Lowgan tab 라우간정 …10mg/T …20mg/T	1) 성인 : 20mg/D #2 (Max. 60mg/D)	1) α〈1〉, β-blocker이며, α수용체와 β수용체를 동등한 정도로 차단함. 2) 본태성 고혈압 치료 3) Onset : 1~2hrs 지속시간 : 12hrs Tmax : 2~4hrs $T_{\frac{1}{2}}$: 6hrs 배설 : 신장 〈상호작용〉 1) 교감 신경계에 대하여 억제적으로 작용하는 약물과 병용시 과도한 억제 작용 2) 혈당강하제와 병용시 혈당강하작용 증대 3) 칼슘길항제와 병용시 상호 작용 증대 4) Procainamide, disopyramide, ajmaline 병용시 과도한 심기능 억제	– 발적, 발진 – 두통, 두중감, 졸리움, 불면, 이명, 현기증 – 기립성 저혈압, 흉부 불쾌감, CHF, 서맥, 심계항진, 부종 – 오심, 구토, 식욕부진, 상복부 통증 – 누액분비 감소, 빈뇨 – 천식, 코막힘 – 간효소 수치 상승	〈금기〉 1) 심인성 쇼크가 있는 환자 2) 울혈성 심부전 3) 고도의 서맥, 방실차단, 동방차단 환자 4) 폐고혈압에 의한 우심부전 환자 5) 당뇨병성, 대사성 ketoacidosis 환자 6) 임신부 : 동물에게서 태자독성이 보고된 바 있으므로 투여금지 〈주의〉 1) 신중투여 : 기관지천식, 간기능 장애 환자 2) 소아 : 안전성 미확립 3) 수유부 : 동물실험시 유즙이행 보고 4) 고령자 5) 휴약시 서서히 감량하며 수술전 24시간 이내에는 투여하지 않음. 〈약리작용 및 효능〉란에 계속
Carvedilol Dilatren tab 딜라트렌정 …3.125mg/T …6.25mg/T …12.5mg/T …25mg/T Dilatren SR cap 딜라트렌에스알캡슐 …32mg/C	〈일반정제〉 1) 본태고혈압 – 초회량 : 12.5mg qd 2일간 투여 – 25mg qd (Max. 50mg/D) 2) 만성 안정협심증 – 초회량 : 12.5mg bid 2일간 투여 – 25mg bid (Max. 100mg/D) 3) 울혈심부전 – 초회량 : 3.125mg bid 2주간 투여 – 2주마다 점진적으로 증량하여 25mg bid로 유지 – 최대용량 ① 85kg 이하인 환자 : 25mg bid ② 85kg 이상인 환자 : 50mg bid	1) α, β-blocker 2) 고용량에서 Ca^{2+} channel blocking 작용이 있음. 3) 적응증: 본태고혈압, 만성 안정협심증, 울혈심부전(이뇨제, 디기탈리스제제, ACE억제제, 기타 혈관확장제 투여시 보조치료) 4) 효과 비교 : Carvedilol ≒ Atenolol Exercise HR : Propranolol〉Carvedilol Resting exercise SBP : Carvedilol〉Propranolol 5) 서방캡슐 제형상의 특징 : 속방형 펠릿(위장에서 속방출)과 서방형 펠릿(위장관 전반에서 서방출)이 1:3으로 충진된 캡슐로 sustained-release됨. 6) 대응용량 : 일반정제 12.5mg bid=서방캡슐 32mg qd	1) 10% 이상 – 현기, 피로 – 고혈당, 체중증가 – 설사 – 허약감 – 상기도감염 2) 1~10% – 서맥, 저혈압, 고혈압, AV 차단, 협심증, 기립성 저혈압, 실신, 심계항진, 부종 – 통증, 두통, 발열, 마비감, 졸음, 불면, 권태, 현훈	〈금기〉 1) NYHA class Ⅳ의 심기능 대상부전 환자 2) 천식, COPD 등 기관지경련의 호흡기 질환자 3) 이차성 고혈압 환자 4) Prinzmetal's 협심증 환자 5) 급성 폐동맥색전증 환자 6) 방실차단(2, 3도), 동기능부전증후군, 동방차단 환자 7) 현저한 서맥 환자 8) 갈색세포종 환자 9) 대사성 산증 환자 10) MAOIs 복용중인 환자 (MAO-B 억제제 제외) 11) 심인성 쇽 환자 12) 중증 저혈압 환자 13) 폐심증이 있는 환자

약품명 및 함량	용법	약리작용 및 효능	부작용	주의 및 금기
	〈서방캡슐〉 1) 본태고혈압 – 성인 : 초회 16mg qd(2일) → 32mg qd (Max.64mg/D) – 고령자 : 16mg qd 2) 만성 안정협심증 – 초회 32mg qd(2일) → 64mg qd (Max. 128mg/D) 3) 울혈심부전 – 초회 8mg qd (2주간) – 2주마다 점진적으로 증량하여 64mg qd로 유지(최소 유효 용량 : 16mg/D) – 최대용량 ① ≤ 85kg : 64mg qd ② ≥ 85kg : 128mg qd	7) (일반정제) BA : 25~35% Tmax : 1hrs $T\frac{1}{2}$: 7~10hrs (서방캡슐) BA : 21~30% Tmax : 4.7~7.3hrs $T\frac{1}{2}$: 5.1~13.7hrs 〈취급상 주의–서방캡슐에 한함〉 1) 차광, 실온(1–30℃) 보관 2) 개봉 후 실내광 하에서 3개월간 보관가능 3) 분할 및 분쇄 불가	– 통풍, 고지혈증, 탈수, 고칼륨혈증, 고뇨산혈증, 저혈당, 저나트륨 혈증 – 오심, 구토, 혈변, 치주염 – 요로감염, 혈뇨, 발기부전 – 혈소판감소 – 간기능효소 증가 – 저배통, 관절통, 근육통, 근경련 – 시야 몽롱 – 신기능 저하 – 부비강염, 기관지염, 인두염, 비염	14) 중증 간기능손상 환자 15) 발병 4주이내의 급성 심근경색 환자 16) 임신부 : Category C(허가사항 금기) 17) 수유부 : 모유 이행 〈주의〉 1) 신중투여 : 당뇨병, 베타차단제에 의한 건선, 허혈성심질환, 범발성혈관 질환, 신부전 환자, 18세 미만(안전성 미확립) 〈상호작용〉 1) Digoxin의 혈중농도 상승 2) 인슐린 또는 혈당강하제의 작용 증강 3) ASA, corticosteroids 병용시 효과 감소 4) 경구 CsA 혈장 농도 상승 5) 마취제, 마약 병용시 서로의 효과 상승 가능성 〈약리작용 및 효능〉란에 계속
Labetalol HCl Labesin inj 라베신주사 …20mg/4ml/A Betasine inj 베타신주사 …100mg/20ml/A	1) 고혈압 – IV bolus : 1회 50mg를 1분이상 투여, 필요시 5분마다 반복투여 (Max. 200mg) – 점적정주 : 1mg/ml의 농도가 되도록 혼합 사용 2) 임신성 고혈압 – 초회량 : 20mg/hr – 필요시 160mg/hr까지 30분마다 2배씩 증량 3) 급성 심근경색증에 의한 고혈압 – 초회량 : 15mg/hr (Max. 120mg/hr) 4) 기타원인 고혈압 – 혈압 조절 될 때까지 2mg/min으로 주입 5) 마취시 혈압강하 – 초회량 : 10–20mg – 필요시 5분후 5–10mg씩 증량	1) α, β–blocker로 α, β에 동시에 작용하므로 심장에 대한 보호효과 있음. 2) 적응증 : 임신성 고혈압을 포함한 응급성고혈압, 급성심근경색에 의한 고혈압, 마취시 혈압강하 3) Onset : 5~10mins 지속시간 : 3~6hrs $T\frac{1}{2}$: 5.5hrs 〈상호작용〉 1) 혈당강하제의 작용 증강시킴 2) 부정맥용제(class I), Verapamil과 병용시 상호작용 증가 3) TCAs와 병용시 진전 증가 〈취급상 주의〉 1) 중탄산나트륨 주사액(4.2%)과 혼합 사용금지 2) 혼합 가능 수액 : 5DW, 0.18% NaCl 및 4% DW 혼합액 등	1) 10% 이상 – 현기증 – 오심 2) 1~10% – 부종, 저혈압(IV : ~58%) – 피로, 마비감, 두통, 현훈, 허약 – 발진, 두피자극 – 구토, 소화불량 – 사정장애, 발기부전 – 간기능효소 증가 – 비충혈, 호흡곤란 – 미각이상, 시야이상	〈금기〉 1) 현저한 서맥, 방실블록(2, 3도), 심인성 쇽, 폐고혈압에 의한 우심부전, 심부전 환자 2) 장기간 중증 저혈압 환자 3) 당뇨병성 케톤산증, 대사성산증 환자 4) 급성 심근경색에 따르는 고혈압 중 말초혈관수축으로 심박출량이 감소한 환자 5) 폐쇄성 기도질환의 병력 또는 기관지천식 환자 〈주의〉 1) 신중투여 : 기관지천식, 기관지경련, CHF, 저혈당증, 조절이 불가능한 당뇨병, 장기간 절식상태, 중증 간 · 신장애, 크롬친화세포종 환자, 소아, 고령자 2) IV후 3시간 이내에 일어서면 심한 기립성 저혈압 발생하므로 주의 3) 임신부 : Category C 4) 수유부 : 모유로 소량 이행, 투여시 수유 중단 〈약리작용 및 효능〉란에 계속

약품명 및 함량	용법	약리작용 및 효능	부작용	주의 및 금기
Doxazosin mesylate Cadil tab 카딜정 …1mg/T …2mg/T Cadura XL tab 카두라엑스엘서방정 …4mg/T	〈일반정제〉 1) 고혈압 – 초회량 : 1mg qd – 1~2주 간격으로 서서히 증량 – Max. 16mg/D 2) 양성전립선 비대증 – 초회량 : 1mg qd – 1~2주 간격으로 서서히 증량 – Max. 8mg/D 〈서방정〉 1) 4mg qd 2) 4주 후 8mg qd까지 증량 가능	1) Quinazoline 유도체로서 선택적으로 α〈1〉-adrenergic receptor를 차단하여 동맥, 정맥을 확장시켜 혈압을 하강시킴. 2) Step 2 또는 Step 3 치료제로서 고혈압과 CHF가 공존할 때에도 사용함. 3) 적응증 : 고혈압, 양성전립선 비대에 의한 뇨폐색 및 배뇨장애 4) 서방정 제형상 특징 : 삼투압 펌프 원리에 의해 물을 정제 안으로 끌어들여 약액이 현탁액 상태로 서서히 방출, 위장관에서 일정 비율로 약물 전달됨. 5) Onset : 2wks Onset(peak) : 4~6wks 대사 : 간(35%) $T\frac{1}{2}$: 8.8~22hrs 배설 : 대변(63~65%)	1) 10% 이상 – 현기증, 두통 2) 1~10% – 기립성 저혈압, 부종, 저혈압, 심계항진, 흉통, 부정맥, 실신, 홍조 – 피로, 졸음, 초조, 현훈, 불면, 불안, 마비감, 운동실조, 근긴장, 우울, 허약 – 발진, 소양 – 성기능 장애 – 복통, 설사, 식욕 부진, 오심, 구강 건조, 변비, 고창 – UTI, 발기부전, 다뇨 – 저배통, 관절염, 허약감, 근경련 – 시각장애, 결막염 – 비염, 호흡곤란, 호흡기질환, 비출혈	〈금기〉 1) 이 약 또는 Quinazoline에 과민한 환자 2) 백혈구, 호중구 감소증 3) 저혈압 또는 기립성 저혈압 환자 4) 12세 이하 소아 5) 수유부 : 모유 중 이행 〈주의〉 1) 신중투여 : 간장애 환자 2) 기립성 저혈압에 의한 실신을 유발할 수 있음 3) 음경지속발기증 유발 가능 4) 임신부 : Category C 〈상호작용〉 1) 고혈압 치료제, 이뇨제와 병용시 상호 작용증강 가능 2) PDE-5 저하제와 병용시 증후성 저혈압 유발 가능
Phenoxybenzamine Dibenyline cap 디베닐린캡슐 …10mg/C	1) 초기 : 10mg bid 2) 혈압조절 정도에 따라 2일마다 10mg씩 증량하여 최적용량까지 도달함. 3) 상용량 : 20~40mg bid~tid	1) 비가역적인 장시간형 α-blocking agent 2) Cardiac output 증가, 점막 및 복부 내장으로의 혈류 증가, 말초혈관저항 감소 작용이 있고, NE의 turnover를 증가시키며, adrenergic 신경 말단으로의 catecholamine uptake를 저해함. 3) 적응증 : 크롬친화세포종 (pheochromocytoma)의 고혈압과 발한을 조절. 빈맥이 과도할 경우, 베타차단제와 병용 필요 4) 한국희귀의약품센터 공급 약품	(빈도 미확립) – 반사성 빈맥, 체위성 저혈압 – 저나트륨혈증 – 위장관 자극, 구강건조 – 현기증, 진정, 졸음, 피로 – 운동 흥분성 증가, 경련	〈금기〉 1) 혈압저하가 바람직하지 않은 환자 〈주의〉 1) 뇌 또는 관상혈관 동맥경화증, CHF, 신장애, 호흡기 감염 환자 〈상호작용〉 1) α, β수용체 효능제와 병용시 저혈압, 빈맥을 악화시킬 수 있음. 〈취급상 주의〉 1) 열과 직사광선을 피하여 실온보관

약품명 및 함량	용법	약리작용 및 효능	부작용	주의 및 금기
			- 축동, 비충혈 - 뇨실금, 사정장애	
Terazosin HCl Hytrin tab 하이트린정 …1mg/T …2mg/T …5mg/T	1) 고혈압 - 초기용량 : 1mg qd 취침전 복용 - 유지용량 : 2~10mg qd (Max. 20mg/D) 2) 양성전립선비대증 - 초기용량 : 1mg qd - 증상이 개선될 때까지 서서히 증량하여 5~10mg qd	1) α⟨1⟩-adrenoreceptor blocking agent로 말초혈관저항을 감소시킴. 2) 방광경부 및 전립선 요도 주위의 α⟨1⟩-수용체를 차단하여 전립선의 평활근 긴장도 완화, 전립선 요도의 폐쇄압을 감소시켜 전립선 비대 환자의 배뇨장애 개선 3) 적응증 : 양성전립선비대에 의한 배뇨장애, 고혈압(경증-중등도) 4) Onset : 전립선비대 4~6wks Tmax : 1~2hrs $T\frac{1}{2}$: 9~12hrs 배설 : 신장(10%), 대변(55~60%)	1) >10% - 현기증, 두통, 근무력감 2) 1~10% - 부종, 심계항진, 흉통, 말초 부종, 기립성 저혈압, 빈맥 - 피로감, 신경과민, 어지러움 - 구강건조 - 빈뇨 - 시야 장애 - 호흡곤란, 비충혈	〈금기〉 1) α-길항제에 과민한 환자 2) 12세 이하 소아 : 안전성 미확립 〈주의〉 1) 임신부 : Category C 2) 수유부 : 동물 실험시 유즙이행 보고 3) 초회투여 후 12시간동안 또는 용량 증량기에는 위험한 기계조작을 피함(현기증, 두중감, 기면상태 발생 가능)

약품명 및 함량	용법	약리작용 및 효능	부작용	주의 및 금기
Arotinolol HCl Almarl tab 알말정 …5mg/T …10mg/T	1) 본태성 진전 : 10mg qd~bid (Max. 30mg/D) 2) 본태성 고혈압, 협심증, 빈맥성 부정맥 : 10mg bid (Max. 30mg/D)	1) 비선택성 β-blocker로 부분적으로 α_1-수용체 길항 작용 있음. 2) 골격근의 β 수용체 차단으로 진전 억제 3) 내인성 교감신경 자극 작용(ISA)이나 혈압 및 심박수에 대한 영향 없음. 4) 적응증 : 본태성 진전, 본태성고혈압(경증-중등도), 협심증, 빈맥성 부정맥 〈상호작용〉 1) 교감신경 억제제, 혈당강하제 : 각 약제의 약리 작용 강화 2) Ca 길항제 : 상호작용 강화	- 서맥, 흉부 불쾌감, 현훈, 어지러움, 세동 - 권태감, 두통, 우울, 졸음, 불면 등 - 연변, 설사, 복부 불쾌감, 구역, 구토, 변비 - 간효소 수치 상승 - 해소 - 과민증	〈금기〉 1) 고도의 서맥, 방실 block 환자 2) 기관지 천식, 경련이 우려되는 환자 3) 심인성 shock 환자 4) 울혈성 심부전 환자 5) 임신부 〈주의〉 1) 신중투여 : 울혈성 심부전, 특발성 저혈당증, 중증의 간 · 신장애, 말초순환장애, 고령자 2) 정기적인 심기능 검사 필요 3) 수술전 48시간은 투여하지 않도록 함. 4) 수유부 : 동물 실험시 모유이행 보고 5) 소아 : 안전성 미확립 〈약리작용 효능〉란에 계속

약품명 및 함량	용법	약리작용 및 효능	부작용	주의 및 금기
Propranolol HCl Indenol tab 인데놀정 …10mg/T …40mg/T	1) 부정맥 : 10~30mg tid~qid 식전 및 취침시 복용 2) 협심증 : 80~240mg/D #2~4 3) 고혈압 - 초회량 : 40mg bid - 유지량 : 120~240mg/D (Max. 640mg/D) 4) 비후성대동맥판하협착증 : 20~40mg tid~qid 5) 크롬친화세포종 : 수술 전 3일간 60mg/D 분할 투여, 유지량 30mg/D (α-blocker와 병용) 6) 갑상샘중독증 보조요법 : 10~40 mg tid~qid	1) 비선택성 β-adrenergic 차단제, 심장의 β_1-수용체 차단으로 심박동수와 심근수축력의 감소 및 동맥압을 감소시켜 심근의 산소요구량을 감소시키고, A-V 전도시간과 불응기를 연장시킴. 2) Nitrate와 마찬가지로 angina of effort에 standard 치료제임.(α-수용체는 차단하지 못하므로 관상경축에 기인된 변형적 협심증에는 무효일 뿐 아니라 악화시킬 수도 있음) 3) 유기질산염(nitroglycerin, isosorbide)과 병용시 효력 증대, 부작용은 상쇄되므로 중증에도 효과적 (nitrate에 의한 reflex tachycardia가감소되고 β-blocker에 의한 심장비대, 심실수축연장, 관상혈관 저항증가가 감소됨). 4) 장기간 사용하여 급성 MI 발작 후의 급사율 및 재발작율이 감소되었음. 5) Catecholamine성 부정맥, 심방세동 및 조동, A-V nodal reentrant 빈맥, W-P-W증후군, 승모판 pro-lapse 증상과 관련된 부정맥, 심실부정맥 6) W-P-W증후군을 악화시키는 심방세동 및 조동에는 bypass 전도를 연장시키는 약제(eg.procainamide)와 병용함. 7) Digoxin으로 조절되지 않는 만성심방세동 및 조동에 digoxin과 병용함. 8) Step 1, 2 고혈압 치료 9) 편두통 예방 목적으로 투여하며, 진행된 편두통 발작에는 무효함. 10) 갑상선중독증의 보조요법 11) $T_{\frac{1}{2}}$: 2~3hrs (간경변시 연장)	- 서맥, 울혈성 심부전, 흉통, 저혈압, 말초순환부전, 심근수축부전, 레이노현상 - 현기, 건망증, 착란, 환각, 불면, 피로, 선명한 꿈, 기면, 현훈, 실신, 과수면 - 발진, 탈모, 박탈성 피부염, 건선성/습진성 발진, 과각질화, 손톱변화, 소양증, 두드러기, 접촉성 피부염 - 혈당이상, 고지혈증, 고칼륨혈증 - 설사, 오심, 구토, 위부 불쾌감, 변비, 식욕감퇴 - 발기부전, 단백뇨, 핍뇨, 간질성신염 - 무과립구증, 혈소판감소, 혈소판감소성 자반증 - 허약감, 팔목터널증후군, 마비감 - 천명, 인두염, 기관지경축, 폐부종 - 각막충혈, 눈물생성감소, 산동 - 루푸스양 증후군	〈금기〉 1) 기관지천식, 기관지경련 환자 2) 당뇨병성 케톤산증, 대사성 산증 환자 3) 심인성 쇽 환자 4) 폐고혈압에 의한 우심부전, 울혈성 심부전, 저혈압 환자 5) 중증 말초순환장애 환자 6) 동기능부전증후군 환자 7) 장기간 절식상태의 환자 8) α-차단제로 치료되지 않는 크롬친화세포종 9) 이형 협심증 10) 임신부 : Category C(허가사항 금기) 11) 수유부 : 모유 이행 12) 소아 : 안전성 미확립 〈주의〉 1) 신중투여 : 갑상선중독증, 중증 간 · 신장애 환자 2) 서맥 발현시 투약 중지 3) 갑작스런 투여중지는 심박동수 · 맥박 증가, 진전, 발한, unstable angina, 심실성 빈맥, fatal MI, sudden death 초래(1~2주에 걸쳐 서서히 감량해야 함) 4) 심부전증을 악화시킴. 5) 천식이나 만성기관지염환자 : 천식발작유발(발작시 β_2-agonist와 aminophylline을 투여함) 6) COPD 환자의 호흡기능을 악화시킴. 7) 당뇨환자의 저혈당 증상, 특히 빈맥을 은폐시킴. 8) Hyperthyroidism 증상을 은폐시킴. 9) 사지냉감, Raynaud 증상을 악화시키고 간헐적 claudi-cation을 악화시킴.
Sotalol HCl Sotalon tab	1) 초회량 : 40~80mg qd~bid 2) 유지량 : 160~320mg #2~3 (Max. 320mg/D)	1) Non-cardioselective β-blocker 2) Class III 항부정맥 작용 3) 내인성 sympathomimetic과 막안정화 작용이 적음.	1) 10% 이상 - 서맥, 흉통, 심계항진 - 피로, 현기증	〈금기〉 1) 기관지천식 환자 2) 서맥, 방실블록(2,3도), 동방결절블록 환자

약품명 및 함량	용법	약리작용 및 효능	부작용	주의 및 금기
소타론정 …40mg/T	*신기능에 따른 용량조절 참고 Crcl(ml/min) : 용량 – 10~30 : 50% 감량 – 〈10 : 75% 감량	4) 적응증 : 증후성상실성부정빈맥(방실결절빈맥, WPW증후군 또는 발작성심방세동을 수반하는 상실성빈맥), 중증의 심실성 빈맥 부정맥의 치료 및 예방 〈상호작용〉 1) 항부정맥제(I a, Ⅲ)와 병용시 심장불응기 연장 2) Digoxin과 병용시 전부정맥 발생 3) 베타차단제, 칼슘길항제와 병용시 상가작용 4) 인슐린, 경구용 혈당강하제와 병용시 고혈압 또는 masking effect 일어날 수 있음 5) Clonidine과 병용시 clonidine 중지 후 반동성 고혈압 발생 6) Nifedipine과 병용시 현저한 혈압 강하 7) MAOIs, norepinephrine과 병용시 혈압반동	– 허약감 – 호흡곤란 2) 1~10% – 울혈성심부전, 말초혈관질환, 부종, EKG 이상, 저혈압, 부정맥, 실신 – 정신착란, 불안, 두통, 수면장애, 우울 – 가려움, 발진 – 성기능저하 – 설사, 오심, 구토, 위부불편감, 고창 – 발기부전 – 출혈 – 마비감, 사지통증, 저배통 – 시야이상 – 상기도질환, 천식	3) QT 연장 증후군 환자 4) 심인성 쇽, 비조절 CHF환자 5) 이 약 또는 설파제에 과민한 환자 6) 동기능부전증후군 환자 7) 저혈압 환자 8) 말초순환장애 병력자 9) 대사성 산증 및 당뇨병성 케톤산증 환자 10) Ca 길항제 투여중인 환자 〈주의〉 1) 신장애 환자, 건선 환자 2) 콘택트렌즈 착용시 눈물이 감소할 수 있음 3) 자동차 운전 또는 기계조작 능력 저하 가능 4) 크롬친화세포종에 투여시 α–차단제와 병용투여할 것 5) 임신부 : Category B 6) 수유부 : 모유 이행 7) 소아 : 안전성 미확립 〈약리작용 및 효능〉란에 계속

약품명 및 함량	용법	약리작용 및 효능	부작용	주의 및 금기
Atenolol Tenormin tab 테놀민정 …25mg/T …50mg/T	1) 고혈압 : 50mg qd, 필요시 100mg로 증량 2) 협심증 : 100mg #1~2 (Max. 100mg/D) * 신기능에 따른 용량 조절 참고 – CrCl 15~35ml/min : 50mg qd	1) 장시간형 심장선택성 β_1–adrenergic 차단제로 심박동수와 심근수축력의 감소 및 동맥압을 감소시켜 심근의 산소요구량을 감소시키고, A–V전도시간과 불응기를 연장시킴. 2) Nitrate와 마찬가지로 angina of effort에 standard 치료제임.(α–수용체는 차단하지 못하므로 관상경축에 기인된 변형적 협심증에는 무효일 뿐 아니라 악화시킬 수도 있음).	1) 1~10% – 지속적 서맥, 저혈압, 흉통, 부종, 심부전, 방실차단, 레이노증후군 – 현기, 피로, 불면, 기면, 착란, 우울, 두통, 악몽 – 변비, 설사, 오심	〈금기〉 1) 중증 기관지천식, COPD 2) 당뇨병 케톤산증, 대사성 산증 환자 3) 서맥, 방실블록, 동방블록 환자 4) 심인성 쇽 환자 5) 폐고혈압에 의한 우심부전 환자 6) 울혈성 심부전 환자 7) 중증 저혈압 환자 8) 중증 말초순환장애 환자

약품명 및 함량	용법	약리작용 및 효능	부작용	주의 및 금기
	- CrCl 〈15ml/min : 25mg qd 또는 50mg EOD	3) 유기질산염(nitroglycerin, isosorbide)과 병용시 효력 증대, 부작용은 상쇄되므로 중증에도 효과적 (nitrate에 의한 reflex tachycardia가 감소되고 β-blocker에 의한 심장비대, 심실 수축연장, 관상혈관 저항증가가 감소됨). 4) MI에의 사용은 비선택성 β-adrenergic 차단제가 더 효과적임 5) 천식, 당뇨병환자, 말초혈관장애 환자에게 사용시 비선택성 차단제보다 더 안전함. 6) 적응증 : 고혈압, 협심증 7) $T\frac{1}{2}$: 6~7hrs (uremia시 연장) 배설 : 신장 85% (미대사물)	- 발기부전 - 수족냉증	9) 동기능부전증후군 환자 10) 이 약에 의해 갑상선중독이 우려되는 환자 11) 임신부 : Category D 〈주의〉 1) 신중투여 : 중증 간 · 신장애, 크롬친화성세포종 환자 2) 협심증 환자 : 서서히 중단 3) 수유부 : 모유 이행 4) 소아 : 안전성 미확립 〈상호작용〉 1) 제산제에 의해 흡수감소 (1~2hrs의 투여간격 필요) 2) Verapamil, diltiazem 등과 병용시 심근수축작용 증가 (심부전 발현 악화 가능) 3) NSAIDs, salicylate류와 병용시 효과 감소 4) Anticholinergics, ampicillin과 병용시 효과 감소 5) Cimetidine과 병용시 혈중농도 증가
Betaxolol HCl Kerlone tab 켈론정 …10mg/T …20mg/T	1) 성인 : 10mg qd (Max. 20mg/D) * 신기능에 따른 용량 조절 참고 - 중증 신장애 환자 : 초회용량 5mg/D, 2주간격으로 5mg씩 증량 (Max. 20mg/D)	1) 심장선택성 β_1차단제 (당질대사, 기관지 및 말초혈관에 영향 미치지 않음). 2) ISA 및 MSA를 나타내지 않음. 3) 적응증 : 본태고혈압, 협심증 4) $T\frac{1}{2}$: 15hrs 〈상호작용〉 1) Clonidine과 병용시 clonidine 중지 후 반동성 고혈압 발생 2) Nifedipine과 병용시 현저한 혈압 강하 3) 제산제에 의해 흡수 감소 4) Verapamil, diltiazem 등과 병용시 심근수축작용 증가(심부전 발현 악화 가능)	1) 10% 이상 - 졸음, 불면 - 성욕감퇴 2) 1~10% - 서맥, 심계항진, 부종, CHF, 말초 순환부전 - 우울 - 설사, 변비, 오심, 구토, 위부불쾌감 - 기관지경축 - 수족냉증	〈금기〉 1) 서맥, 방실블록, 동방블록, 심인성 쇽, 폐고혈압에 의한 우심부전, CHF 환자 2) 당뇨병성 산증, 대사성 산증 환자 3) 중증 이형 협심증 환자 4) 중증 저혈압 환자 5) 동기능부전증후군 환자 〈주의〉 1) 신중투여 : 폐쇄성 기도질환, 말초순환장애, 크롬친화세포종, 관동맥질환, 특발성 저혈당증, 조절이 불충분한 당뇨병, 장기간 절식 상태, 갑상선기능항진, 중증 간 · 신장애, 건선, 심근병증, 심근비대증 환자 또는 가족력자 2) 협심증 환자 : 서서히 중단 3) 임신부 : Category C 4) 수유부 : 모유 이행 5) 소아 : 안전성 미확립 〈약리작용 및 효능〉란에 계속

약품명 및 함량	용법	약리작용 및 효능	부작용	주의 및 금기
Bisoprolol fumarate Concor tab 콩코르정 …2.5mg/T …5mg/T	1) 고혈압, 협심증 : 5~10mg qd (Max.20mg/D) 2) 심부전 : 복용 첫 주 1.25mg qd에서 점차 증량하여 유지요법으로 10mg 투여(2주 이상 간격) 3) 간, 신장애 환자 : 2.5mg qd (Max. 10mg/D) * 신기능에 따른 용량 조절 참고 - CrCl 〈40ml/min : 초회용량 2.5mg/D, 주의하여 증량함	1) β_1-selective adrenergic blocker 2) ISA effect 없음 3) 적응증 : 고혈압, 협심증, 좌심실 수축기능이 저하된 만성 심부전의 치료 4) Tmax : 3~4hrs 흡수 : 음식물에 의한 영향 없음 지속시간 : 1회 투여시 24hrs 대사 : 간(50%) $T\frac{1}{2}$: 10~12hrs 배설 : 신장(50~60%), 대변(〈2%) 복막, 혈액 투석시 제거 안됨. 〈상호작용〉 1) 병용금기 : Ca 길항제, 중추에 작용하는 혈압저하약물(Clonidine 등), Class-I 항부정맥 약물(심부전 치료시), MAO 저해제(MAO-B 저해제 제외)	1) 〉10% - 어지러움, 불면 - 성기능 감퇴 2) 1~10% - 서맥, 심계항진, 부종, CHF, 말초 순환 장애 - 우울 - 설사, 변비, 오심, 구토, 위부 불쾌감 - 안구 불쾌감, 광과민증, 눈물, 각막염 - 기관지 경축 - 사지 냉감 3) 〈1% 부정맥, 섬망, 호흡곤란, 백혈구 감소, 기립성 저혈압 등	〈금기〉 1) 당뇨병성 케톤산증, 대사성산증 2) 서맥 3) 심인성 쇽 환자 4) 중증의 저혈압 환자 5) 심기능 이상 환자 6) 중증 기관지 질환 환자 7) 임신부 : Category C (2, 3기에 사용시 D) 〈주의〉 1) 금단증상 2) 저혈당 증상 은폐 3) 수술전 48시간에는 투여금기 4) 갑상선기능항진증 증상 은폐 5) 장기 투여시 정기적 심장검사 실시 6) 건선 환자 7) 수유부 : 동물실험에서 모유 이행 보고 8) 소아 : 안전성 미확립 〈약리작용 및 효능〉란에 계속
Esmolol HCl Brevibloc inj 브레비블록주 …100mg/10ml/V	1) 부하량 : 처음 1분간 500mcg/kg/min IV 2) 유지량 : 다음 4분간 50mcg/kg/min IV 3) 5분내에 효과없으면 다시 부하용량을 1분간, 다음 유지용량으로 4분간 투여 4) 유지용량은 50mcg/kg/min씩 증가시킴. 5) 상태가 안정되면 부하용량 투여는 생략하고 유지용량의 증가용량을 50mcg/kg/min에서 5mcg/kg/min 이하로 감소	1) 초단시간형 β_1-blocker 2) 적응증 : 수술전, 수술후 기타 긴급상황에서 심방세동 및 심방조동 환자에 대한 심실율의 신속한 조절, 비대상성동빈맥에서 빠른 심박수의 조절 3) 심실성 빈맥 환자의 심박수 조절 후에는 propranolol, digoxin, verapamil, quinidine으로 대체 투여 ① Propranolol : 10~20mg q 4~6hrs(경구) ② Digoxin : 0.125~0.5mg q 6hrs(경구 또는 주사) ③ Verapamil : 80mg q 6hrs(경구) ④ Quinidine : 200mg q 2hrs(경구) 4) $T\frac{1}{2}$: 9mins	1) 〉10% - 저혈압 - 발한 2) 1~10% - 말초허혈 - 현기, 졸음, 착란, 두통, 격앙, 피로 - 오심, 구토 - 주사부위 통증	〈금기〉 1) 동서맥 환자 2) 1도 이상의 심차단 3) 심인성 쇽, 확증된 심부전 환자 〈주의〉 1) 신중투여 : 저혈압, 심부전, 기관지경련, 당뇨병 및 저혈당, 간 · 신장애 환자 2) 신배설되므로 신기능 저하 환자는 주의 3) 임신부 : Category C 4) 소아 및 수유부 : 안전성 미확립 〈상호작용〉 1) Catecholamine 고갈제와 병용시 본제의 효과 상승 2) Digoxin의 혈중농도 상승시킴. 3) Morphine은 본제의 혈중농도 증가시킴. 〈취급상 주의〉 1) $NaHCO_3$와 혼합하지 말것

약품명 및 함량	용법	약리작용 및 효능	부작용	주의 및 금기
Nebivolol HCl Nebistol tab 네비스톨정 …2.5mg/T Nebilet tab 네비레트정 …5mg/T	1) 본태성 고혈압 ① 성인 5mg qd ② 신부전 및 65세 이상 고령자 - 초회량 2.5mg qd - 필요시 5mg qd로 증량 2) 만성 심부전 ① 70세 이상 노인 : 초회량 1.25mg qd로 시작하여 2.5mg씩 증량 가능 (Max. 10mg/D) ② 신부전 환자 - 경증~중등증 : 용량조절 불필요 - 중증 : 권장하지 않음.	1) 심장 β_1 수용체에 높은 선택성을 가진 장시간형 β blocker로서의 작용과 질소산화물 대사에 영향을 주어 산화질소(NO) 유리를 증가시켜 말초 혈관저항을 감소시키는 두 가지 작용을 함. 2) 적응증 ① 본태성 고혈압 ② 만성 심부전 (경증~중등증의 만성 안정형 심부전이 있는 70세이상 노인환자에서 표준치료시 보조치료) 3) Tmax : 1.5~4hrs 지속시간 : 24hrs 대사 : 간, extensive metabolizer(EM)와 poor metabolizer(PM)가 있어 각각 hydroxilation 정도가 다름 배설 : (EM) 신장(38%), 대변(44%) (PM) 신장(67%), 대변(13%) $T\frac{1}{2}$: 17~18hrs	1) 1~10% - 오심(1~3%) - 현기증(2~4%), 두통(6~9%) 2) 빈도미확립 - 발진, 시력손상, 서맥, AV차단, 저혈압, 우울, 설사, 변비, 호흡곤란, 기관지경련, 가려움증, 부종, 피로감, 발기부전	〈금기〉 1) 기관지 경련, 기관지 천식의 병력을 가진 환자 2) 대사성 산증 환자 3) 서맥, 방실블록 환자 4) 대상부전성 심부전 환자 5) 저혈압, 중증의 말초순환장애, 동기능부전증후군 환자 6) 치료되지 않는 크롬친화세포종 7) 간부전, 간기능 손상 8) 중증의 신부전(Scr ≥ 250㎛ol/L) 9) 유당과 관련된 유전적 문제가 있는 자 10) 임신부 : Category C(허가사항 금기) 11) 수유부 : 동물실험에서 모유 이행 보고 〈주의〉 1) 허혈성 심질환 환자는 약물 중단시 1~2주 간격을 두고 서서히 중단 2) 18세 이하 소아 : 안전성 미확립 〈상호작용〉 1) 이 약은 CYP2D6를 통해 대사되는 약물 paroxetin, fluoxetin, thioridazine, qunidine과 병용시 혈중농도 증가하여 서맥이 나타날 수 있음. 2) 이 약과 verapamil inj 병용시 심각한 저혈압, 방실차단 일어날 수 있으므로 병용하지 않음. 3) 이 약은 음식물의 영향을 받지 않음

작용기전에 따라 다음과 같이 분류함.

Class Ⅰ : 국소마취 작용, Na^+에 의한 탈분극 전류의 빠른 유입 방지

IA : 무반응성 연장, 전도속도 감소, 심방 및 심실 근육에 모두 영향 미침 - quinidine, disopyramide, procainamide

IB : 무반응기 짧게 지속, 전도속도에는 영향 없음. 심실부정맥에 유용 - lidocaine, diphenylhydantoin, mexiletine

IC : 무반응성에 대한 영향 적음. 전도속도 현저히 감소 - propafenone, flecainide

Class Ⅱ : β-adrenergic blocker - propranolol 등

Class Ⅲ : 무반응성 연장 - amiodarone, sotalol

Class Ⅳ : Ca^{2+} channel blocker - verapamil, diltiazem

약품명 및 함량	용법	약리작용 및 효능	부작용	주의 및 금기
Adenosine Adenocor inj 아데노코주사 …6mg/2ml/V Denosine inj 데노신주사 …90mg/30ml/V	〈아데노코주〉 1) WPW 증후군 - 1차용량 : 3mg IV (2초 이상) - 2차용량 : 6mg IV - 3차용량 : 12mg IV(상심실성 빈맥이 1~2분 내에 소실되지 않으면 단계적으로 증량) - Max. 12mg/dose, 21mg/D 2) 심전도로 진단되지 않는 복합형 상심실성 빈맥의 진단 : 1)의 용법, 용량에 따라 투여 3) IV bolus로만 투여 (2, 4, 8ml) 〈데노신주〉 1) 심근, 신티그래피 동안에 관상동맥혈관의 이완을 목적으로 사용시 - 140mcg/kg/min 6분간 IV inf(bolus 금기) - 3분후 방사성 약물을 투여(다른 부위)	1) 방실결절 전도시간 연장(아데노신 수용체에 대한 직접작용), 동결절 작용억제 효과 2) 적응증 ① 아데노코주 : W-P-W 증후군을 포함하는 발작성 상심실성 빈맥 치료, 심전도로 진단되지 않는 복합형 상심실성 빈맥의 진단 ② 데노신주 : 신티그래피 동안에 관상동 맥혈관의 이완을 목적으로 사용함 3) 과량 투여시의 처치 : theophylline, caffeine 등의 methylxanthine 약제를 사용함 4) Onset : 10~40secs(IV) $T_{\frac{1}{2}}$: 10secs	1) 10% 이상 - 안면부종, 심계항진, 흉통, 저혈압 - 두통 - 호흡곤란 - 발한 2) 1~10% - 현기증 - 오심 - 마비감, 지각마비 - 흉부압박감	〈금기〉 1) 방실블록(2,3도), 동기능부전증후군, QT연장 환자 2) 천식, COPD, 폐질환 환자 3) 중증 저혈압 환자 4) 약물치료로 안정되지 않는 불안정형 협심증 환자 5) 보상작용이 상실된 심기능부전 6) 관상동맥혈관의 이완을 목적으로 사용시 dipyridamole과 병용금기 〈주의〉 1) 심방세동, 심방조동, 부전도를 가진 환자는 비정상적인 자극전도가 증대될 수 있음. 2) 임신부 : Category C 3) 수유부, 소아 : 안전성 미확립 〈상호작용〉 1) Theophylline, caffeine 등의 methylxanthine계에 의해 길항됨 (adenosine 투여 24시간 전 중지, 음식은 12시간 전) 2) Dipyridamole과 병용시 작용 상승 (adenosine 투여 24시간 전 중지 또는 감량) 3) Carbamazepine에 의한 심차단정도가 증가

약품명 및 함량	용법	약리작용 및 효능	부작용	주의 및 금기
	- adenosine 투여 반대쪽 팔에서 혈압 측정 2) 인퓨전펌프 이용하여 정맥내로 서서히 주입(10, 30ml)			〈취급상 주의〉 1) 냉장시 결정형성의 우려가 있으므로 냉장하지 말것
Amiodarone HCl Cordarone tab 코다론정 …200mg/T (75mg의 Iodine 함유) Cordarone inj 코다론주사 …150mg/3ml/A	1) 경구 ① 성인 - 초회량 : 600mg/D, 8~10일간 - 유지량 : 200~400mg/D, 1주에 5일간 (Max. 1,000mg/D) 2) 주사 - 포화요법 : 5mg/kg 20분~2시간 점적 정주, 1일 2~3회 반복 투여 - 유지요법 : 10~20mg/kg, 2~3일간 (600~800mg/D,Max. 1,200mg/D)	1) 요오드를 포함하는 benzofuran 유도체로서 구조상 thyroxine과 관련되며, anti-adrenergic 성질을 가짐. 2) ClassⅢ 항부정맥제제로 심방, 방실결절, 심실, His-Purkinje계의 불응기를 연장시킴. Class I 작용인 막안정화작용도 있음 3) Sinus node의 자율성도 억제하며, 심방, A-V node, His-Purkinje계, 심실의 전도속도도 감소시킴. 4) 적응증 ① 심방성부정맥, 심실성부정맥, 재발성 중증부정맥 ② 협심증등을 수반하는 부정맥(경구제) 5) Onset : 3days~3wks Tmax : 3~7hrs $T\frac{1}{2}$: 13~107days 〈상호작용〉 1) Torsades de pointes 유발 약제와 병용금기 : quinidine, procainamide, flecainide, disopyramide, mexiletine, sotalol 2) 베타차단제, 칼슘길항제와 병용시 자동능 저해 및 전도장애 위험 3) 저칼륨혈증 유발 약제 : 이뇨제, 부신피질호르몬, amphotericin 4) Warfarin과 병용시 출혈 위험 5) Digoxin, phenytoin, CsA, theophylline의 혈중농도 상승 6) 전신마취제, 산소요법시 서맥, 저혈압, 자극전도이상, 심박출량 감소, 중증 호흡기 합병증 발생	1) 10% 이상 - 저혈압(IV) - CNS 부작용 - 오심, 구토 2) 1~10% - 울혈성심부전, 부정맥, 홍조, 심부전, 부종, IV시 무수축, 심정지, 심실성빈맥 등 추가 부작용 발생 - 발열, 피로, 불수의적 운동, 권태, 수면장애, 운동실조, 현기, 두통 - 광과민 - 갑상선기능이상, 성욕감퇴 - 변비, 식욕감퇴, 복통, 타액분비 이상, 미각이상(PO) - 비감염성 부고환염 - 혈액응고 이상 - 간기능검사 이상 - 정맥염(〉3mg/ml IV시) - 마비감, 진전, 허약감, 말초신경병증 - 시야이상, 각막미세침착 - 폐독성 - 후각이상(PO)	〈금기〉 1) 이 약 및 요오드에 과민한 환자 2) 동서맥, 동방블록 환자 3) 전도장애(2도이상) 환자 4) 동기능부전증후군 환자 5) 순환성 쇽, 중증 저혈압 환자 6) 울혈성 심부전 환자(IV bolus) 7) 갑상선기능부전 환자 8) 임신부 : Category D 9) 신생아, 미숙아(벤질알콜 함유(주사)) 10) 수유부 : 모유 이행(소아의 정상적인 체중증가 감소) 〈주의〉 1) 신중투여 : 저혈압, 중증 호흡기부전, 비대상성 심근병증, 중증 심부전 환자 2) 중증 폐독성(폐침윤, 폐섬유증), 역설적 심실성빈맥, CHF 증상과 간효소 농도가 증가되면 투약을 중지해야 함. 3) 정기적 간기능 검사 4) 복용중 햇빛에의 노출을 피해야 함 5) 소아 : 안전성, 유효성 미확립 〈취급상 주의〉 1) NS와 mix시 침전형성의 우려 있으므로 5DW에 희석할 것 〈약리작용 및 효능〉란에 계속

약품명 및 함량	용법	약리작용 및 효능	부작용	주의 및 금기
Diphenylhydantoin (phenytoin) Hydantoin tab 히단토인정 …100mg/T Pheniton inj 페니톤주 …100mg/2ml/A	* Digoxin에 의한 부정맥 치료 1) 경구 ① 성인 - 1일 1,000mg - 2일 500mg - 유지량 100mg tid~qid 2) 주사 ① 성인 : 5분마다 100mg IV (Max. 1g/D)	1) Lidocaine과 같은 Class IB 부정맥 치료제임(세포 내 Na-K 농도비 정상 회복). 2) Digitalis에 의한 부정맥(특히 심실성 빈맥)에 주로 사용하나, lidocaine이 선택 약제임. 3) $T_{\frac{1}{2}}$: 8~60hrs 혈중제거율 : 0.3ml/min/kg 치료혈중농도 : 10~18mcg/ml 〈취급상 주의 : 주사제〉 1) 주사액은 강알칼리성이므로 반드시 IV할 것 2) 급속투여에 의해 저혈압 발생하므로 천천히 주입할 것(50mg/min 이하)	1) 10% 이상 - 정신과적 변화, 말느림, 현기증, 졸림 - 변비, 오심, 구토, 치육증식 - 진전 2) 1~10% - 두통, 불면 - 발진 - 식욕부진, 체중감소 - 백혈구감소 - 간염 - 혈중 크레아티닌 증가	〈금기〉 1) 중증 혈액 및 골수장애 환자 2) 방실블록(2, 3도) 환자 3) 심근경색(3개월이내) 환자 4) 애덤스-스톡스증후군(inj) 5) 동서맥, 동방블록(inj) 6) 임신부 : Category D 〈주의〉 1) 간장애, 약물과민, 갑상선 기능저하증, 폐부전, 서맥, 저혈압, 당뇨병, 중증 심부전 환자에게 신중투여 2) TDM 대상 약물 〈약리작용 및 효능〉란에 계속
Dronedarone HCl Multaq tab 멀택정 …400mg/T	1) 성인 : 1Ⓣ bid, 식사와 함께 복용 (음식과 함께 복용 시 흡수 증가)	1) Class Ⅲ 부정맥 치료제 2) Amiodarone의 Iodine radical을 제거하고 methane sulfonyl radical을 추가한 구조로 이로 인해 갑상선 관련 부작용을 줄이고, 지용성을 제거하여 체내 축적률을 낮춤 3) 적응증 : 발작성 또는 지속성 심방세동 병력을 가진 현재 정상 동율동(sinus rhythm)인 심방세동 환자에서 심방세동으로 인한 입원 위험성 감소 4) Tmax : 3~6hr BA : 고지방식이 시 15% $T_{\frac{1}{2}}$: 13~19hr 대사 : 간, 주로 CYP3A 배설 : 대변(84%), 신장(6%) 〈상호작용〉 1) 강력한 CYP3A 억제제(ketoconazole, itraconazole, voriconazole, cyclosporine, clarithromycin, ritonavir), 자몽쥬스; 병용금기(이 약의 노출량 증가)	1) 〉10% - 치료 시작 5일 후에 혈청 크레아티닌 수치가 10%이상 증가(51%), QTc Bazett 간격연장됨 (남성 : 〉450ms, 여성 : 〉470ms, 28%) 2) 1~10% - 설사, 구역, 무기력 상태, 피부발진, 가려움증, 습진 및 피부염, 복통, 서맥, 구토, 소화불량의 징후 및 증상 등 3) 빈도 미확립 - 울혈성 심부전, 1:1 방실전도 양상의 심방조동	〈금기〉 1) 영구적 심방세동 환자, 심부전 기왕력 혹은 현재 심부전이 있는 환자 또는 좌심실 수축기능부전 환자, 분당 50회 미만의 서맥 환자, 2도 또는 3도 방실 차단, 동기능 부전 증후군 환자, QTc Bazett 간격이 500ms 이상 또는 PR 간격이 280ms 초과인 환자, 불안정한 혈역학적 상태의 환자 2) 이전 Amiodarone 사용과 관련된 간 및 폐 독성이 있는 환자 3) 중증 간장애 환자 4) 임신부 : Categoy X 5) 수유부 : 안전성 미확립 〈주의〉 1) 만 19세 미만의 소아 : 안정성 및 유효성 미확립 2) Warfarin 복용 환자 : INR 증가될 수 있어 INR 모니터링 필요 3) 가임 여성 : 피임법 사용 〈약리작용 및 효능〉란에 계속

약품명 및 함량	용법	약리작용 및 효능	부작용	주의 및 금기
		2) QT간격을 연장시키고 다형성 심실빈맥(Torsade de pointes)발생 위험을 높이는 약물 (phenothiazine, antipsychotics, 삼환계 항우울제, 일부 경구용 macrolide항생제, Class I과 III 항부정맥제), 생약제제 : 병용 금기 3) Vitamin K 길항제 (Warfarin) : Vitamin K 길항제 혈중 농도 증가	- 간 효소 수치 증가, 간세포성 간손상 - 혈관염 - 폐렴 및 간질성 폐질환 - 혈관부종을 포함하는 아나필락시스 반응	
Flecainide acetate Tambocor tab 탬보코정 …50mg/T	1) 12세 이상 소아 및 성인 - 초회량 : 50~100mg bid (Max. 400mg/D) - 3~5일간 투여 후 단계적으로 감량 * 신기능에 따른 용량 조절 참고 - CrCl <35ml/min : Max. 100mg/D	1) Class IC 항부정맥 약제로 His속전도에 영향주어 심방자극 전도 연장 2) 전행성 특히 역행성 accessory pathway refractoriness를 선택적으로 증가 3) ECG상 PR간격의 연장과 QRS complex를 확대시켜 주며 ST간격에는 영향주지 않음. 4) 적응증 : 심실성 부정빈맥, 심실성 기외수축, 발작성 심실성 빈맥, WPW 증후군, 발작성 심방세동, 다른 수단에 의해 회복된 정상리듬의 유지에 사용함.	1) 10% 이상 - 현기증, 시야이상, 호흡곤란 2) 1~10% - 심계항진, 흉통, 부종, 빈맥, 부정맥 - 두통, 피로, 초조, 발열, 권태, 지각감퇴, 전마비, 운동실조, 현훈, 실신, 졸음, 이명, 불안, 불면, 우울 - 발진 - 오심, 변비, 복통, 식욕감퇴, 설사 - 진전, 허약감, 마비감 - 복시, 시야몽롱	〈금기〉 1) 심부전, 동기능부전증후군, 중증자극전도장애, 중증서맥, 심근경색후 무증후성 심실성 기외수축, 비지속성 심실빈맥 환자 2) 임신부 : Category C(허가사항 금기) 〈주의〉 1) 기초 심질환자, 고령자, 자극전도장애, 서맥, 간장애, 심부전 기왕력자, 중증 신장애, 저칼륨혈증 환자 2) 수유부 : 모유 이행 3) 소아 : 안정성 미확립
Pilsicainide HCl Sunrythm cap 썬리듬캡슐 …25mg/C …50mg/C	1) 성인 : 50mg tid (Max. 75mg tid/D) 2) 신부전 환자 : 투여량 감량 또는 투여 간격 조절 (신장투석 환자의 경우, 25mg/D로 투여 시작하여 조절) 3) 고령자 : 감량 고려	1) 부정맥 치료제(Na channel blocker, Class Ⅰc) 2) 적응증 : 다른 부정맥 치료제를 사용할 수 없거나, 효과가 없는 빈맥성 부정맥 3) Tmax : 1.06hr $T\frac{1}{2}$: 4.9hrs 배설 : 신장	1) 0.1~5% - 방실차단, QRS폭증대, QT연장, 서맥, 두근거림, 흉부불쾌감 - 위통증, 식욕부진, 오심, 구토 - 현기증, 두통, 졸림 - 발진	〈금기〉 1) 울혈성 심부전 2) 고도의 방실차단, 동방차단 환자 3) 유당 대사에 유전적인 문제가 있는 환자 〈주의〉 1) 심질환자(심근경색, 판막증등), 심부전 기왕력자, 자극전도장애, 현저한 동성서맥 환자 2) 신부전 환자, 중증 간부전 환자

약품명 및 함량	용법	약리작용 및 효능	부작용	주의 및 금기
			- 호산구증가 - ALT, AST, LDH 상승 2) 〈 0.1% - 심방세동, 심방조동, 압저하, 기외수축증가 - 설사, 변비, 복부 불쾌감 - 불면, 마비감 - 혈소판수 감소, 림프구 감소 - 두드러기, 가려움증 - 배뇨곤란	3) 혈중 칼륨 농도 저하된 환자 4) 임신부, 수유부, 소아 : 안전성 미확립 〈상호작용〉 1) Rifampicin : CYP450 유도로 이 약 대사 촉진되어 혈중농도 저하 가능 2) Ca blocker, β-blocker, digitalis, nitrates : 이 약 의작용 증가 가능 3) Cetirizine : 병용시 두 약제의 혈중농도 상승 보고됨.
Propafenone HCl Rytmonorm tab 리트모놈정 …150mg/T …300mg/T	1) 70kg 성인 기준 : 450~600mg #2~3(Max. 900mg/D) 2) 체중에 따라 용량 조절	1) 국소 마취효과와 직접 심막을 안정시키는 작용을 지닌 Class IC 부정맥 치료제로서 약한 negative inotropic 작용과 β 및 Ca^{2+} 차단 작용을 나타냄. 2) 100% 흡수되나 광범위한 초회 통과 효과를 받아 bioavailability는 20% 이하임. 3) 적응증 ① 증후성상실성부정빈맥(WPW 증후군, 발작성심박세동을 수반한 상실성빈맥, 방실접합부빈맥) ② 생명을 위협하거나 의사판단에 의해 치료가 필요한 심한 증후성심실성부정빈맥 4) 쓴맛과 표면마취작용 있음(식사후 소량의 음료와 복용) 5) Tmax : 2~3hrs 지속시간 : 8hrs	1) 1~10% - 부정맥, 협심증, 울혈성심부전, 심계항진, 실신, 서맥, 부종, 저혈압 - 현기, 피로, 두통, 허약, 운동실조, 불면, 불안, 졸음 - 발진 - 오심, 구토, 미각이상, 변비, 소화불량, 설사, 구강건조, 식욕감퇴, 복통, 고창 - 진전, 관절통 - 시야몽롱 - 호흡곤란 - 발한	〈금기〉 1) 조절되지 않는 CHF 환자 2) 심인성 쇽 환자 3) 현저한 서맥 환자 4) 3개월 이내의 MI 환자 5) 심박출손상 환자 6) 중증 자극전도장애 환자 7) 동기능부전증후군 환자 8) 중증 저혈압 환자 9) 명백한 전해질평형실조 환자 10) 중증 폐쇄성 폐질환 환자 11) 중증 근무력증 환자 〈주의〉 1) 신중투여 : 기초심질환, 경증의 자극전도장애, 현저한 동서맥, 간 · 신장애 환자, 고령자 2) 임신부 : Category C 3) 수유부 : 모유 이행 4) 소아 : 안전성 미확립

약품명 및 함량	용법	약리작용 및 효능	부작용	주의 및 금기
				〈상호작용〉 1) Propranolol, CsA, theophylline, warfarin, digoxin의 혈중농도를 상승시킴. 2) Verapamil은 심장에 대한 작용을 증강시킴. 3) Cimetidine, quinidine에 의해 혈중 농도 상승

고지혈증과 그 형태에 따른 치료						
Hyperlipidemia type	I	IIa	IIb	III	IV	V
Lipids						
Cholesterol	N-↑	↑↑	↑↑	N-↑↑	N-↑	N-↑↑
Triglycerides	↑↑	N	↑↑	N-↑↑	↑↑	↑↑
Lipoproteins						
Chylomicrons	↑↑	N	N	N	N	↑↑
VLDL (pre-β)	N-↑	N-↓↓	↑↑	N-↑	↑↑	↑↑
ILDL (broad-β) [2]				↑↑		
LDL (β)	↓↓	↑↑	↑↑	↑↑	N-↓	↓↓
HDL (α)	↓↓	N	N	N	N-↓	↓↓
Treatment	Diet	Diet HMG-CoA reductase inhibitor : atorvastatin, fluvastatin, lovastatin, pitavastatin, pravastatin, rosuvastatin, simvastatin Ezetimibe Bile acid sequestrants : cholestyraimine Nicotinic acid : acipimox, nicotinic acid	Diet HMG-CoA reductase inhibitor : atorvastatin, fluvastatin, lovastatin, pitavastatin, pravastatin, rosuvastatin, simvastatin Ezetimibe Bile acid sequestrants [3] : cholestyraimine Fibric acid derivatives [4] : bezafibrate, gemfibrozil, fenofibrate Nicotinic acid : acipimox, nicotinic acid	Diet Nicotinic acid : acipimox, nicotinic acid Fibric acid derivatives : bezafibrate, gemfibrozil, fenofibrate Ezetimibe	Diet Nicotinic acid : acipimox, nicotinic acid Fibric acid derivatives : bezafibrate, gemfibrozil, fenofibrate Ezetimibe	Diet Nicotinic acid : acipimox, nicotinic acid Fibric acid derivatives : bezafibrate, gemfibrozil, fenofibrate Ezetimibe

[1] N=normal ↑↑=increase ↓↓=decrease ↑=slight increase ↓=slight decrease
[2] An abnormal lipoprotein
[3] Particularly useful if hypercholesterolemia predominates
[4] In patients with inadequate response to weight loss, bile acid sequestrants, nicotinic acid.

	고지혈증 약물의 효과			
Drug	Total Cholesterol (%)	LDLC (%)	HDLC (%)	TG (%)
Bile-acid resins	↓20-25	↓15-30	→	↑5-20
Fibric acid derivatives	↓10	↓10(↑)	↑10-20	↓40-55
HMG-CoA RI (statins)	↓15-60	↓20-40	↑5-10	↓10-33
Nicotinic acid	↓25	↓10-25	↑15-35	↓25-30
Probucol	↓10-15	↓<10	↓30	→
Ezetimibe	↓12-13	↓16-18	↑1-4	↓5-6

약품명 및 함량	용법	약리작용 및 효능	부작용	주의 및 금기
Fenofibrate Lipidil supra tab 리피딜슈프라정 …160mg/T	1) 성인 : 1Ⓣ qd 식후 복용 *신기능에 따른 용량조절 참고 - CrCl 20~100 ml/min : 100mg/D	1) Fibric acid 유도체로 체내에서 활성형인 fenofibric acid로 전환되어 고지혈증치료 효과를 보임. 2) 정확한 기전은 알수 없으나 체내에서 lipid의 대사에 관여하는 효소인 lipoprotein lipase를 증가시켜, HDL 수치 증가, LDL, VLDL 수치 저하 효과 있음. 3) 기존의 미세화제제(Micronized) 캅셀보다 마이크로코팅공정(Micronized, Micro-coated, suspended)을 이용하여 흡수율을 향상시켜 기존 제제에 비해 10분이내 용해도를 40% 증가시키고 생체 이용율을 25% 높인 정제 4) 효능, 효과 : 원발성 고지혈증 (Type IIa, IIb, III, IV, V)	1) 1~10% - 복부통증(5%), 변비(2%) - 간기능 검사 수치 이상(7%), CPK, ALT/AST 상승(3%) - 저배통(3%) - 기관지 장애(6%), 비염(2%) 2) 기타 - 알레르기, 탈모, 협심증, 불안감, 부정맥, 심방세동, 천식, 담낭염, 담석증, 신기능장애, 우울증 등	〈금기〉 1) 중증 간장애, 담낭질환 환자 2) 중증 신장애 환자 3) 소아 4) 임신부 : Cateory C(허가사항 금기) 5) 수유부 : 안전성 미확립 〈주의〉 1) 신기능장애 환자 : 급격한 신기능 악화를 수반한 횡문근융해증이 나타날 수 있으므로 신기능 검사하여 투여 여부 결정, 감량 또는 투여 간격 연장함. 2) 투여전 식이요법 실시하고, 운동요법이나 허혈성 심장병에 대한 위험인자 경감 등도 충분히 고려해야 함. 3) 간기능 장애 환자 〈상호작용〉 1) 다른 fibric acid(gemfibrozil) 및 HMG-CoA환원효소저해제와의 병용투여에 의해 횡문근 융해증 유발 가능함. 2) 항혈액응고제 : 병용시 항혈액응고작용을 증가시키므로 필요시 항혈액응고제 감량 3) 요산치료제와 병용시 요산 감소시키므로 감량투여함. 4) 경구용 피임제가 혈중 지질 농도를 증가시킬 수 있으므로 주의 〈취급상 주의〉 1) 분할 및 분쇄 금함(약효소실).
Gemfibrozil Lopid cap 로피드캅셀 …300mg/C	1) 성인 2Ⓒ bid ac (900mg~1.5g/D까지 증감 가능)	1) Fibric acid 유도체 2) HDL의 농도를 증가시키고 LDL 및 VLDL의 농도를 감소시킴. 3) TG를 낮추는 것은 bezafibrate보다 효과적임. 4) Gallbladder와 hepatic bile의 cholesterol 포화를 증가시킴. 5) 혈소판의 응집력을 감소시키거나 지혈시간에는 영향을 미치지 않으며, 혈중 heparin neutralizing capacity를 감소시킴.	1) >10% - 소화불량(20%) 2) 1~10% - 피로(4%), 현기(2%), 두통(1%) - 습진, 발진(2%) - 복통(10%), 설사(7%), 오심/구토(3%), 변비(1%)	〈금기〉 1) 간기능 장애자 2) 중증의 신기능 장애환자 3) 담낭 질환 환자 4) 임신부 : Category C 5) 수유부 : 안전성 미확립 〈주의〉 1) 투여 중 혈중 지질 농도를 정기적으로 검사

약품명 및 함량	용법	약리작용 및 효능	부작용	주의 및 금기
		6) 적응증 : 원발성 고지혈증(IIb, IV,V형), 고지혈증에 의한 관동맥 심질환의 발병 위험 감소 7) Onset(최대효과) : 3~4wks $T\frac{1}{2}$(배설) : 1.5hrs 배설 : 신장(70%)	3) ⟨1% – 탈모, 아나필락시스, 혈관 부종, 골수감소, 백내장, 우울증 등	2) 신기능 장애 환자의 경우 급격한 신기능 악화를 수반하는 횡문근 융해를 나태낼 수 있으므로 주의 3) 신부정맥 등을 유발할 가능성이 있으므로 주의 4) 소아 : 안전성 미확립 ⟨상호작용⟩ 1) 항응고제와 병용시 그 효과를 증가시킴. 2) HMG CoA 환원효소 저해제와 병용시 근육병증, 횡문근융해증, 급성 신부전 위험이 있으므로 주의 3) 경구용 혈당강하제 및 인슐린의 작용을 증강시킬 수 있음. 4) 간독성의 위험이 있는 약제와의 병용 피하도록 함. 5) Repaglinide : 병용금기(repaglinide 혈중농도 증가)

약품명 및 함량	용법	약리작용 및 효능	부작용	주의 및 금기
Atorvastatin Ca Lipitor tab 리피토정 …10mg/T …20mg/T …40mg/T	1) 고지혈증 – 초기용량 : 10mg qd – Max. 80mg/D – 투여시작/용량적정 후 2-4주 안에 지질수치 분석 후 용량 조정 2) 이형접합 가족형 고콜레스테롤 혈증 소아환자(10-17세) – 초기용량 : 10mg qd – Max. 20mg/D – 4주 이상 간격을 두고 용량조절	1) HMG-CoA reductase inhibitor 2) 총 cholesterol, LDL, apolipoprotein B, TG를 감소시키고 HDL, apolipoprotein A-1을 증가시킴 3) 적응증 ① 관상동맥 심질환의 위험요소가 있는 환자의 심장혈관 질환에 대한 위험 감소 ② 고지혈증 ③ 이형접합 가족형 고콜레스테롤혈증을 가진 10-17세 소아환자의 식이요법 보조제 4) $T\frac{1}{2}$: 14hrs Tmax : 1~2hrs 단백결합 : 98% 이상 배설 : 신장(2%) 대부분 담즙 배설	1) 〉10% – 두통(3~17%) 2) 2~10% – 흉통, 말초부종, 쇠약(0~4%), 불면, 현기, 발진(1~4%), 복통(0~4%), 변비(0~3%), 설사(0~4%), 소화불량, 고창, 오심, UTI, 관절통, 근육통, 저배통, 부비동염, 인후염, 기관지염, 비염, 감염(2~10%), flu-like syndrome, 알러지반응(0~3%)	⟨금기⟩ 1) 임신부 : Category X 2) 수유부 : 안전성 미확립 3) 근질환 환자 4) 활동성 간질환 환자 5) 10세 미만 소아 6) 유당관련 유전적 문제가 있는 환자 ⟨주의⟩ 1) 만성 알콜성 간질환 환자의 경우 약물의 혈장농도 현저히 증가 ⟨상호작용⟩ 1) Cyclosporin, fibric acid 유도체, erythromycin, azole계 항진균제, niacin : 근질환의 위험성 증가 2) 혈장 digoxin의 농도 20% 정도 증가(모니터링 필요) 3) 경구피임제의 농도 상승(용량선택시 고려 필요) 4) 제산제 병용시 혈장농도 35% 감소

약품명 및 함량	용법	약리작용 및 효능	부작용	주의 및 금기
Fluvastatin Lescol cap 레스콜캅셀 …40mg/C Lescol XL tab 레스콜엑스엘서방정 …80mg/T	1) 초기용량 : 20~40mg 저녁식후 qd 2) 유지용량 : 20~80mg 저녁식후 qd * 신기능에 따른 용량 조절 참고 ① CrCl(ml/min)≥30 : 용량조절 불필요 ② CrCl(ml/min)〈30 : 투여금기	1) HMG-CoA reductase inhibitor 2) 80mg/T은 Gel matrix형의 서방형 제제로 일정 시간동안 약물이 방출도록 고안된 제제(분할, 분쇄 시 서방 효과 소실) 3) 적응증 ① 관상 동맥 경화증의 진행지연, 경피적 관상동맥 삽관술 후 심장사고의 재발(2차적) 예방 ② 고지혈증 ③ 이형접합 가족형 고콜레스테롤혈증을 나타내는 소아 및 청소년의 식이요법 보조제 4) Tmax : 0.5~1hr $T_{\frac{1}{2}}$: 3hrs 생체이용률 : 20~30% 단백 결합률 : 98% 배설 : 담즙(95%), 신장(5%)	- 소화불량, 오심, 구토, 변비, 설사, 복통, 식욕부진 - 두통 , 현기증, 불면증 등 - 요통, 근육통, 관절통, 동맥염, myopathy : CPK 상승 - 췌장염, 간경화, 만성 활동성 간염, 간암, 담즙 분비 정체성 황달, aminotransferase 치 증가 - 망막 변화, 각막변화, 시력저하, 백내장 진행 - 과민반응 : 아나필락시스, 혈관부종 - 기타 : 상기도 증상, 피부 발진	〈금기〉 1) 임신부 : Category X(태아의 콜레스테롤 생합성 감소) 2) 수유부 3) 중증 신장애 환자 4) 활동성 간질환자, 간장애, 원인불명으로 지속적으로 혈청 aminotransferase치 증가하는 환자 〈상호작용〉 1) Fibric acid 유도체, niacin : 횡문근 변성을 포함하는 myopathy 발생 가능 2) Cimetidine, ranitidine, omeprazole : 본제의 혈중농도 증가 3) Rifampin : 본제의 혈중농도 감소
Lovastatin Lovalord tab 로바로드정 …20mg/T	1) 초회 : 1Ⓣ qd 저녁식후 복용 2) 유지 : 1일 1~4Ⓣ #1~2(Max. 4Ⓣ/D) 3) 면역억제제 투여환자 : 초회 0.5Ⓣ/D(Max. 1Ⓣ/D) * 신기능에 따른 용량조절 참고 - CrCl(ml/min)〈30 : 20mg/D 이상 투여할 경우 투여 여부 및 용량을 신중히 고려	1) Cholesterol 합성의 초기단계인 HMG-CoA가 mevalonate로 전환 되는 데 관여하는 HMG-CoA reductase inhibitor임. 2) 총 cholesterol 및 LDL, VLDL, triglyceride농도를 감소시킴. 3) Type IIa, IIb, 고지혈증, 관동맥 심질환 발병위험 감소 4) Tmax : 2~4hrs 단백결합율 : 92% $T_{\frac{1}{2}}$: 1.1~1.7hrs 배설 : 대변(80~85%), 신장(10%)	1) 〉10% - CPK 상승(11%) 2) 1~10% - 두통(2~3%), 어지러움(0.5~1%) - 발진(0.8~1%) - 복통(2~3%), 변비(2~4%), 설사(2~3%), 식욕부진(1~2%), 고창(4~5%), 오심(2~3%)	〈금기〉 1) 활동성 간질환 2) 혈청 aminotransferase 농도가 계속 상승 중인 환자 3) 임신부 : Category X (태아의 콜레스테롤의 생합성을 감소시킴.) 4) 수유부 및 소아 : 안전성 및 유효성 미확립 〈주의〉 1) 혈청 cholesterol과 triglyceride농도를 계속 확인해야 함. 2) LFT를 실시

약품명 및 함량	용법	약리작용 및 효능	부작용	주의 및 금기
			– 근육통(2~3%), 허약감(1~2%), 근육경련(0.6~1%) – 시야몽롱(0.8~1%) 3) <1% – 탈모, 근육통, 흉통, 안구자극감, 불면, 말초 장애, 구강건조 등	〈상호작용〉 1) 면역억제제(Cyclosporin), erythromycin, fibrate계 약제, niacin과의 병용으로 myopathy, rhabdomyolysis 유발 2) 쿠마린계 항응고제와 병용시 출혈 경향 증가
Pitavastatin calcium Livalo tab 리바로정 …2mg/T …4mg/T	1) 1~2mg qd (Max. 4mg/D)	1) HMG-CoA reductase inhibitor 계열의 고지혈증 치료제 2) 동효제제 중 생체이용률이 높으며(BA : 80%), rosuvastatin 및 pravastatin과 마찬가지로 CYP 효소에 대한 작용이 적어 약물상호작용이 적음. 3) 적응증 : 원발성 고콜레스테롤혈증 및 혼합형 이상지질혈증 4) $T_{\frac{1}{2}}$: 10~11hrs Onset : 2~4wks 대사 : 간(최소, CYP2C9) 배설 : 신장(2%), 담즙(대부분)	– 복통, 변비(<5%) – ALT 상승(2%), AST 상승(4%) – CK 상승(5%) – 발진 – 두통, 홍분	〈금기〉 1) 활동성 간질환 환자 2) 근병증 환자 3) 임신부 : Category X 4) 수유부, 소아 : 안전성 미확립 〈주의〉 1) 장기이식으로 면역억제제를 투여중인 환자, 신장애 환자, fibrate계 약물을 투여 중인 환자(횡문근융해증의 위험 증가) 2) 간장애 환자 〈상호작용〉 1) CsA과 병용시 본제의 혈중농도 상승 (Cmax 6.6배, AUC 4.6배 증가)
Pravastatin sodium Mevalotin tab 메바로친정 …5mg/T …10mg/T …20mg/T …40mg/T	1) 상용량 10~40mg qd 2) 심근경색 또는 불안정성 협심증의 병력이 있는 환자에서 심근경색, 심혈관 재관류술의 필요성, 허혈성 뇌졸중, 일과성 허혈발작 질환의 위험성 감소 : 40mg #1 3) 면역억제제 투여환자 – 초회용량 : 5~10mg – Max. 20mg/D(증량시 주의) – 신이식 환자 : Max. 10mg/D	1) HMG CoA reductase inhibitor 2) 총 cholesterol, LDL, TG의 농도를 감소시키고 HDL을 증가시킴. 3) 간세포 표면에서 LDL receptor의 합성을 촉진시킴. 4) LDL receptor를 통하여 혈중 LDL이 간세포내로 유입, 대사가 촉진되어 cholesterol치가 감소함. 5) 수용성으로 BBB를 통과하지 않아 CNS 부작용이 적음. * 두통발현 : Lovastatin(9.3%) > simvastatin(6.4%) > pravastatin(1.7%)	1) 1~10% – 흉통(4%) – 두통(2~6%), 피로(4%), 어지러움(1~3%) – 발진(4%) – 오심/구토(7%), 설사(6%), 흉부 작열감(3%) – Transaminase 수치 상승(1%)	〈금기〉 1) 활동성 간질환 또는 혈청transaminase가 지속적으로 상승한 환자 2) 임신부 : Category X 3) 수유부 : 유즙으로 분비되므로 수유중 투여 금기 4) 소아 : 안전성 미확립 〈주의〉 1) 중증의 간장애 환자(LFT실시) 〈상호작용〉 1) 타 HMG CoA reductase inhibitor 참조

약품명 및 함량	용법	약리작용 및 효능	부작용	주의 및 금기
		6) 적응증 ① 원발성 고지혈증 ② 고콜레스테롤혈증, 복합성고콜레스테롤 환자 중 고위험군에서 심근경색의 초발, 관상동맥심질환성 사망의 위험감소 ③ 심근경색, 불안정성 협심증 병력있는 환자에서 심근경색, 심혈관재관류술 필요성, 허혈성 뇌졸중 일과성 허혈발작 위험성 감소. 7) Tmax : 1~1.5hrs 단백결합율 : 50% 배설 : 대변(70%), 신장(20%)	– 근육통(2%) – 기침(3%) – 인플루엔자(2%) 2) <1% – 신경통, 태선상피진	
Rosuvastatin calcium Crestor tab 크레스토정 …5mg/T …10mg/T …20mg/T	1) 초회량 : 5mg qd 2) 유지용량 : 10mg qd 3) 4주 이상 간격으로 20mg qd까지 증량 가능 4) 식사와 무관하게 매일 일정한 시간에 투여 가능 * 신기능에 따른 용량 조절 참고 CrCl(ml/min)<30 : 초회량 5mg qd (Max. 10mg qd)	1) HMG-CoA reductase inhibitor로서, 총 cholesterol, TG, LDL 농도를 감소시키고 HDL 농도는 증가시킴. 2) 기존 statins에 비해 친수성(hydrophilicity)이 커서 간세포로 유입되는 선택성이 증가되었으며, 반감기가 길고 간대사를 적게 받음. 3) 적응증 ① 원발성 고지혈증 : IIa형, IIb형, III형 ② 동형접합 가족성 고콜레스테롤혈증 ③ 고콜레스테롤혈증 환자의 죽상동맥경화증 진행지연 ④ 원발성 이상베타리포프로테인혈증(III형) ⑤ 심혈관 질환에 대한 위험성 감소 4) Onset : 2주 내 Tmax : 3~5hrs $T\frac{1}{2}$: 19hrs 단백결합 : 88% 대사 : 대부분 미변화체 배설 : 신장(10%), 대변(90%)	1) 2~10% – 흉통, 고혈압, 말초부종 – 두통(6%), 우울, 현기증, 불면 – 발진, 기관지염, 기침, 인두염(9%) – 소화불량(3.4%), 변비(2%) – 근육통(2.8~5%), 신경통(2.7%) 2) 1~2% – 빈혈, 협심증, 구토	〈금기〉 1) 원인불명의 혈장 transaminase상승 또는 정상 상한치의 3배를 초과하는 혈장 transaminase 상승을 포함하는 활동성 간질환 환자 2) 근질환 환자 및 근질환 위험군 3) Cyclosporin 투여 환자 4) 수유부 : 안전성 미확립 5) 임신부 : Category X 〈주의〉 1) 알콜 과다섭취 또는 간질환 병력자에게 투여시 간기능검사 실시 2) 고용량(40mg) 복용시 단백뇨 초래 가능 3) 임상시험 및 시판중 횡문근융해증, 혈뇨, 단백뇨 등의 발생률이 동일계열 타약제에 비해 높게 나타나 사용시 주의 필요 〈상호작용〉 1) CsA와 병용시 본제의 혈장농도 7배 증가 2) 경구피임제의 농도상승(용량 선택시 고려 필요) 3) Warfarin과 병용시 INR 증가 위험 4) Gemfibrozil과 병용시 이 약의 혈중농도 2배 증가 5) 제산제와 병용시 이 약의 혈중농도 50% 감소 6) Erythromycin과 병용시 이 약의 혈중농도 감소

약품명 및 함량	용법	약리작용 및 효능	부작용	주의 및 금기
Simvastatin Simvalord tab 심바로드정 …20mg/T …40mg/T	1) 5-40mg qd 저녁식후(Max. 80 mg/D) 2) 관상동맥 사고의 위험성이 높은 환자 : 40mg qd 저녁식후 3) 노인 : 20mg/D 4) 이형 가족형 고콜레스테롤혈증 소아 (만 10세 이상) : 10mg qd 저녁(Max. 40 mg/D) 4) 심한 신부전 환자 : 5mg/D 5) 면역억제제 투여시 개시용량 : 5mg/D * 신기능에 따른 용량 조절 참고 CrCl(ml/min)〈10 : 초회용량 5mg qd	1) Lovastatin와 구조적으로 유사한 HMG-CoA reductase inhibitor 2) 적응증 ① 관상동맥 사고 위험성이 높은 환자의 심혈관 질환에 대한 위험성 감소 ② 고지혈증 ③ 이형접합 가족형 고콜레스테롤혈증의 소아환자 (10-17세) 3) 흡수율 : 61~85% 단백결합 : 95% 지속시간 : 12~16hrs 대사 : 간(활성 대사체로 변환) $T_{\frac{1}{2}}$: 2hrs 배설 : 대변(60%), 신장(13%)	1) 1~10% - 변비(2%), 식욕 부진(1%), 고창(2%) - CPK 상승(5%) 2) 〈1% - 우울증, 광과민성, 혈소판 감소증, 상기도 감염	〈금기〉 1) 지속성 간질환 또는 혈청 transaminase가 지속적으로 높은 환자 2) 임신부 : Category X 3) 수유부 〈주의〉 1) 간기능 이상자 2) 골격근 이상자 〈상호작용〉 1) Fibrate계 약물과의 병용투여는 금기이나, 부득이하게 병용시 본제는 10mg/D를 초과하지 않아야 함. 2) 타 HMG-CoA reductase inhibitor 참조

약품명 및 함량	용법	약리작용 및 효능	부작용	주의 및 금기
Acipimox Olbetam cap 올베탐캅셀 …250mg/C	1) 성인 : 1Ⓒ bid or tid (Max 1,200 mg/D) * 신기능에 따른 용량 조절 참고 ① 40≤CrCl(ml/min)〈80 : 1Ⓒ qd ② 20≤CrCl(ml/min)〈40 : 1Ⓒ EOD	1) 2세대 nicotinic acid유도체로 niacin의 20배 효력, 긴 작용지속시간, 높은 활성을 나타내며 혈중 산반동을 덜 일으킴. 2) 지방조직에서 lipolysis를 감소시키고 lipoprotein lipase를 자극하여 VLDL 이화작용을 촉진하여 유리지방산과 TG의 혈중농도를 감소시킴. 3) HDL을 증가시키고 LDL을 감소 4) 적응증 : 원발성 고지혈증(IIa, IIb, III, IV, V) 5) Tmax : 2hrs $T_{\frac{1}{2}}$: 2hrs 대사 : 대사받지 않음 배설 : 신장(86~90%)	- 치료초기 : 피부 혈관 확장작용으로 열과민, 안면 홍조, 소양감 유발 - 위장장애, 두통, 권태감 - 국소적, 전신적 면역 알레르기 반응(담마진, 안검이나 입술부종, 피진, 호흡곤란, 저혈압)시 투여 중단	〈금기〉 1) 소화성 궤양환자 2) 임신부 및 수유부 : 안전성 미확립 3) 급성 심근 경색 환자 〈주의〉 1) 장기 치료의 경우 혈중지질, 지단백 농도, 간 · 신기능 검사를 정기적으로 시행함이 바람직함.

약품명 및 함량	용법	약리작용 및 효능	부작용	주의 및 금기
Cholestyramine resin Questran powder 퀘스트란현탁용산 …4g/Pk	1) 성인 : 1회 1Ⓟ 1일 1~6회, 160~180ml의 물 또는 비탄산 음료에 현탁시켜 식전 1시간 또는 식후 4~6시간에 복용	1) 소장내의 담즙산과 결합, 분변으로 배설→장간순환을 통한 담즙산 회수량감소→LDL-콜레스테롤 수용체활성화→혈액내 LDL 콜레스테롤치 감소 2) 체내 흡수되지 않고 전량 분변으로 배설됨. 3) 혈중 LDL을 낮추어 type II에 사용(VLDL 상승작용으로 IIb에서는 고용량 사용 제한) 4) 식이요법 병행 필요 5) 적응증 ① 원발성고지혈증(IIa, IIb) ② 부분적 담도폐쇄에 의한 가려움증 ③ 고콜레스테롤에 의한 관동맥심질환의 발병 위험성 감소	1) >10% - 복부불쾌감, 오심, 구토, 속쓰림, 소화불량, 변비 2) 1~10% - 두통 - 설사, 고창 3) <1% - 담석, 췌장염, 위장관 출혈 등	〈금기〉 1) 담즙이 장관내로 분비되지 않는 담낭폐쇄 환자 〈주의〉 1) 투여전 혈중 콜레스테롤치를 증가시키는 질환에 대해 우선 치료 2) 투여 후 1개월이 지나도 콜레스테롤이 감소되지 않으면 투여중단 3) 장기투여시 Vit. K, 엽산 결핍 야기되므로 공급 필요 4) 장기투여시 고염화물성 산성혈증 유발 5) 심한 변비, 관상동맥질환 환자 6) 임신부 : Category C 〈상호작용〉 1) 다른 약물의 흡수 감소시킴.(anticoagulants, digoxin, hydrochlorothiazide, piroxicam, phenobarbital, tetracycline, bezafibrate, metronidazole, penicillin G 등) 2) 병용투여하는 약물과 결합가능 : 이 약 투여 1시간 전 또는 4-6시간 후에 다른 약물 투여
Ezetimibe Ezetrol tab 이지트롤정 …10mg/T	1) 1Ⓣ qd 식사와 관계없이 복용 가능	1) 콜레스테롤 흡수 억제제 2) 소장의 brush border에 집중적으로 분포하여 선택적으로 식이 및 담즙 콜레스테롤의 흡수를 억제(지용성 비타민 등 기타 영양소의 흡수에 미치는 영향은 적음) 3) 간에서 콜레스테롤 생합성을 억제하는 HMG CoA reductase inhibitor와 병용투여시 치료 상가효과 있음 4) 적응증 ① 원발성 고콜레스테롤혈증(이형접합 가족형 및 비가족형) ② 동형접합 가족형 고콜레스테롤혈증 ③ 동형접합 시토스테롤혈증(식물스테롤혈증) 5) Onset : 1주 이내 Tmax : 1~12hrs $T_{\frac{1}{2}}$: 19~30hrs(모체), 13~20hrs(대사체)	1) 1~10% - 흉통(3%), 현기증(3%), 피로(2%) - 두통(8%) - 설사(3~4%), 복통(3%) - 관절통(4%) - 부비동염(4~5%), 인두염(2~3%)	〈금기〉 1) 활성 간질환 환자 혹은 혈청트랜스아미나제치 증가가 지속되는 환자 (HMG-CoA reductase inhibitor 병용하는 경우) 〈주의〉 1) 중등도~중증 간장애 환자 2) 임신부 : Category C 3) 수유부 : 안전성 미확립 4) 10세 미만 소아 : 안전성 미확립, 투여 비권장 〈상호작용〉 1) Cholestyramine : 본제의 평균 AUC가 약 55% 감소하므로 cholestyramine 복용 2시간 전 또는 복용 4시간 이후에 본제 복용 2) CsA과 병용시 두 약제 모두 AUC 상승 3) Warfarin : INR 증가 가능 4) Fenofibrate, gemfibrozil : 본제 농도 증가

약품명 및 함량	용법	약리작용 및 효능	부작용	주의 및 금기
		대사 : 장, 간 배설 : 대변(78%), 신장(11%)		
Omega-3-acid ethyl esters 90 Omacor soft cap 오마코연질캡슐 …1,000mg/C	1) 심근경색 후 이차 발생 예방 : 1Ⓒ qd 2) 고트리글리세라이드혈증 : 통상 초회 용량 1일 2Ⓒ, 필요 시 1일 4Ⓒ #1~2 3) 위장장애를 피하기 위해서는 식사와 함께 복용	1) EPA (=eicosapentaenoic acid)와 DHA (=docosahexaenoic acid)의 고순도 농축물(1g중 EPA 460mg, DHA 380mg)로서, 고지혈증 치료 보조제 2) Triacylglycerol과 diacylglycerol의 에스테르화를 억제하고 TG 합성경로에서 마지막 효소인 acylcoenzyme A(1,2-diacylglycerol acyltransferase)를 저해함으로써 TG 생성을 감소시킴. 3) 적응증 : 심근경색 후 이차발생 예방의 보조요법, 고트리글리세라이드혈증	- 감염, 감기증상, 요통, 통증 - 협심증 - 트림, 소화불량 - 발진 - 미각이상	〈금기〉 1) 18세 미만의 소아 : 안전성 미확립 〈주의〉 1) 심한 외상 및 수술 등 출혈의 고위험 상태에 있는 환자 2) 간기능장애 환자 3) 생선에 과민성 또는 알러지가 있는 환자 4) 임신부 : Category C 5) 수유부 : 안전성 미확립 〈상호작용〉 1) 항응고제 병용시 출혈시간 연장가능 〈취급상의 주의〉 1) 25℃ 이하 실온보관, 얼리지 말것

약품명 및 함량	용법	약리작용 및 효능	부작용	주의 및 금기
Ezetimibe+ Simvastatin **Vytorin tab** 바이토린정 …10mg+10mg/T …10mg+20mg/T	1) 초기 권장량 : 10/20mg qd 저녁 2) 유지 용량 : 10/10~10/40mg/D (Max. 10/80mg/D)	1) 콜레스테롤 흡수 억제제인 Ezetimibe와 콜레스테롤 합성 억제제인 Simvastatin의 복합제 2) ① Ezetimibe(E) : 소장의 brush border에 집중적으로 분포하여 음식 및 담즙내의 콜레스테롤이 소장으로 흡수되는 것을 억제 (지용성 비타민 등 기타 영양소의 흡수에 미치는 영향은 최소) ② Simvastatin(S) : HMG-CoA reductase를 경쟁적으로 저해하여 체내 콜레스테롤 합성 억제 3) 적응증 : 원발성 고콜레스테롤혈증(이형접합 가족형 및 비가족형), 혼합형 고지혈증, 동형접합 가족형 고콜레스테롤혈증(HoFH) 4) Onset : 2wks Tmax : 1~12hrs(E), 4hrs(S)	- 습진, 가려움, 발진 - 복통, 설사, 변비, 소화불량, 고장, 오심 - 간독성 - Anaphylaxis, 혈관부종, 면역과민 반응 - 근병증, 관절통, 요통, 중증근무력증, 횡문근융해증 - 무력증, 피로, 두통 - 상기도 감염, 기침, 인두염, 부비동염, 바이러스 감염	〈금기〉 1) 활성 간질환 환자 혹은 혈청 트랜스아미나제치 증가가 지속되는 환자 2) 임신부 : Category X 3) 수유부 〈주의〉 1) 소아 : 안전성 미확립 〈상호작용〉 1) CYP3A4 억제제(itraconazole, ketoconazole, erythromycin, clarithromycin, telithromycin, HIV protease inhibitor, nefazodone, CsA, 자몽주스 등) : simvastatin 배설 감소시켜 근증의 위험성 증가

약품명 및 함량	용법	약리작용 및 효능	부작용	주의 및 금기
		대사 : 간(S, E), 소장(E) 배설 : 신장(11% E, 13% S), 대변(78% E, 60% S)		2) Niacin, fibrate 유도체, amiodarone, verapamil, danazol, diltiazem : 근증/횡문근변성의 위험성 증가 3) Cholestyramine : ezetimibe의 평균 AUC 약 55% 감소하므로 cholestyramine 복용 2시간 전 또는 복용 4시간 이후에 본제 복용 권장 4) Warfarin 항응고작용 증가 5) Fenofibrate, gemfibrozil : 본제의 농도 증가
Irbesartan+ Atorvastatin Ca **Rovelito tab** 로벨리토정 …150mg+10mg/T …150mg+20mg/T …300mg+10mg/T …300mg+20mg/T	1) Irbesartan : 150-300mg qd Atorvastatin : 10-80mg qd (식사와 관계없이 투여) 2) 혈액투석 환자, 75세 이상 : (irbesartan) 초회량 75mg qd	1) Angiotensin II Rc antagonist(고혈압 치료제) + HMG-CoA reductase inhibitor(고지혈증 치료제) 복합제 2) 적응증 : Irbesartan과 Atorvastatin을 동시에 투여하여야 하는 환자	(빈도 미확립) - 심계항진 - 설사, 소화불량, 구토, 위장관장애, 위장염, 치통 - 어지러움, 두통 - 요통, 근육통 - 호흡곤란, 비출혈, 비루 - 눈장애, 황반변성 - 흉통, 피로, 부종, 무력증, 가슴불쾌감 - 비인두염, 상기도감염, 염좌, 저나트륨혈증, 혈중 CPK 상승, 혈중 TG 상승, 혈뇨, γ-GTP 상승	〈금기〉 1) 활동성 간질환 환자, 중증 간장애환자 2) 근질환 환자 3) 유전성 혈관부종 환자 4) 임신부 : Category D (irbesartan), Category X (atorvastatin) 5) 수유부 및 10세 미만 소아 : 안전성 및 유효성 미확립 6) 당뇨병이나 중등도~중증 신장애 환자에서 aliskiren과 병용 〈주의〉 1) 경증~중등도 간장애 환자 2) 횡문근융해 소인 있는 환자 3) 고칼륨혈증 환자, 혈류량 손실이 있는 환자 4) 신혈관성 고혈압 환자 5) 신장애 환자 6) 대동맥 및 승모판 협착, 폐색 7) 허혈성심장혈관 질환, 뇌혈관질환환자 〈상호작용〉 1) 각 성분의 상호작용 참조

약품명 및 함량	용법	약리작용 및 효능	부작용	주의 및 금기
Amlodipine orotate Orodipine tab 오로디핀정 …5mg/T	1) 5mg qd (Max. 10mg/D) 2) 간장애환자, 고령자 : (고혈압) 2.5mg/D, (협심증) 5mg/D	1) Dihydropyridine계 Ca^{2+} 길항제로 Nifedipine과 유사하며 작용시간이 김. 2) 고혈압, 협심증에 의한 심근성 허혈증에 사용함. 3) Onset(peak) : 6~12hrs $T\frac{1}{2}$: 30~50hrs	1) > 10% - 말초부종 2) 1~10% - 홍조, 심계항진 - 두통 - 발진, 소양증 - 성기능이상(남성) - 오심, 복통, 소화불량, 치육증식 - 근경련, 허약감 - 호흡곤란, 폐부종	〈금기〉 1) 중증 간기능장애 2) 중증 대동맥판 협착증 환자 3) 쇽 환자 4) 중증저혈압, 불안정협심증, MI발생 1년이내 5) 임신부 : Category C 6) 수유부 : 안전성 미확립 〈주의〉 1) 신중투여 : 투석중인 신부전 환자, 고령자 2) 소아 : 안전성 미확립 〈상호작용〉 1) 타 혈압강하제와 병용시 작용 증강 2) 질산염제제와 병용시 혈압 및 심박수에 대한 작용 증강 3) 베타차단제와 병용시 심부전 악화
Cilnidipine Cinalong tab 시나롱정 … 5mg/T …10mg/T	1) 상용량 : 5~10mg qd (Max. 20mg/D) 2) 중증 고혈압 : 10~20mg qd	1) Dihydropyridine calcium channel antagonist 2) 다른 calcium channel blocker에 비해 작용 발현이 느리고 지속시간이 김. 3) 적응증 : 본태고혈압 4) 지속시간 : 24hrs	- 간효소 수치 상승 - 크레아티닌, BUN 상승 - 두통, 두중감, 기립성 현기증, 어깨 결림, 진전 등 - 심전도 이상, 동계, 안면홍조, 열감 등 - 위부 불쾌감, 변비, 구역, 구토 - 발진, 소양증 - 혈중 콜레스테롤 상승	〈금기〉 1) 임신부, 수유부 및 소아 : 안전성 미확립 〈주의〉 1) 중증 간장애 환자 2) 칼슘 길항제로 인한 중증 부작용 발현 경험이 있는 환자 3) 갑작스런 복용 중단은 증세가 악화될 수 있으므로 서서히 감량하도록 함. 4) 혈압 강하작용에 의한 현기증이 유발될 수 있음. 〈상호작용〉 1) 타 혈압강하제, cimetidine에 의해 작용 증강 2) Rifampin에 의해 약효 감소 3) 자몽쥬스에 의해 혈중농도 상승
Diltiazem HCl Cardiazem tab 카디아젬정	(경구제) 1) 30mg/T(일반정) : 30~60mg tid 2) 90mg/T(서방정) : 90mg bid(필요시 1회 90~180mg까지 증량 가능)	1) 심혈관계에 대한 효과가 verapamil과 비슷한 Ca-antagonist로 SA 또는 A-V node의 전도속도를 연장시킴. 2) 관상동맥 및 말초동맥의 평활근에로의 Ca^{2+}유입을	1) > 10% - 치육증식 2) 1~10% - 동서맥, 방실차단,	〈금기〉 1) 중증 울혈성 심부전 환자 2) 동기능부전증후군, 동방블록, 방실블록(2,3도) 3) 저혈압 또는 쇽 환자

약품명 및 함량	용법	약리작용 및 효능	부작용	주의 및 금기
…30mg/T Herben SR tab 헤르벤서방정 …90mg/T Herben SR cap 헤르벤서방캡셀 …180mg/C Herben inj 헤르벤주 …50mg/V	3) 180mg/C(서방캡슐) ① 180mg qd(필요시 1회 360mg까지 증량가능) ② 노인 및 간, 신장애 환자 : 90~120 mg qd (주사제) 1) 빈맥성 부정맥 : 1회 10mg을 3분간에 걸쳐 서서히 IV 2) 수술시 구급처치 : 1회 10mg을 1분간에 걸쳐 IV 또는 5~15mcg/kg을 1분간에 걸쳐 점적정주 3) 응급성 고혈압 : 5~15mcg/kg을 1분에 걸쳐 점적정주 4) 불안정 협심증 : 1~5mcg/kg을 1분에 걸쳐 점적정주	억제하여 관상 동맥경련을 해소시킴으로써 심근에의 산소공급을 증가시키고, 심박동수와 after load를 감소시킴으로써 심근의 산소요구량을 감소시킴. 3) Coronary vasospasm에 의한 협심증에 더 유효하며, 발작빈도 및 Nitroglycerin 사용량을 감소시키고, exercise tolerance를 개선시킴. 4) Nitrates나 β-blocker가 금기이거나 효과가 적은 경우(eg.기관지경련성 질환, 말초혈관성 질환)에 사용됨. 5) Stable angina of effort나 unstable angina에는 propranolol과 비슷한 효력을 가짐. 6) 말초동맥 및 세동맥 확장작용으로 혈압을 강하시키므로 경증–중등도의 고혈압에 쓰임. 7) 효과는 thiazide계 이뇨제나 β-adrenergic 차단제와 비슷하며, 이뇨제와 병용시 더 효과적임. 8) 적응증 ① 경구제 : 협심증, 본태성고혈압(경증–중등도) ② 주사제 : 빈맥성부정맥(상실성), 수술시 이상 고혈압의 구급처치, 응급성 고혈압, 불안정 협심증 9) Tmax : 2~4hrs(일반정), 11~18hrs(서방정), 10~14hrs(서방캡슐) $T\frac{1}{2}$: 3~5hrs(일반정), 6~9hrs(서방정), 5~10hrs(서방캡슐), ~3.4hrs(IV), 4~5hrs (IV inf.) BA : 40%	EKG이상, 말초 부종, 홍조, 저혈압, 심계항진 – 현기, 두통, 졸음, 불면 – 오심, 변비, 소화 불량 – 허약감 – 다뇨	4) 급성 심근경색 및 폐울혈 환자 5) 임신부 : Category C (허가사항 금기) 〈주의〉 1) 신중투여 : CHF, 중증 간·신부전, 방실블록(1도) 환자 2) 수유부 : 모유 이행 3) 소아 : 안전성 미확립 〈상호작용〉 1) 타 항부정맥약과 병용시 심실성 부정맥 유발 2) Dantrolene과 병용시 심실 세동 3) 혈압강하제, 질산염제제와 병용시 작용 증강 4) 베타차단제와 병용시 서맥 발생 5) Digoxin, CsA, phenytoin, theophylline, cimetidine, carbamazepine, tacrolimus, triazolam의 혈중 농도 상승시킴. 〈취급상 주의〉 1) 주사제 : 타제제와의 배합으로 pH8초과시 결정 석출 가능 2) 경구제 ① 90mg, 180mg 서방형 제제는 분할, 분쇄 불가 ② 30mg 일반정은 분할, 분쇄 가능
Efonidipine HCl Finte tab 핀테정 …20mg/T …40mg/T	1) 본태성 고혈압증, 신실질성 고혈압증 : 20~40mg/D # 1~2 (Max. 60mg/D) 2) 협심증 : 40mg qd	1) Dihydropyridine계 calcium channel blocker 2) L-type과 T-type channel에 작용하여 신장 사구체 수입 및 수출 세동맥 확장, 사구체압 감소, 단백뇨 감소시킴. 3) 적응증 : 본태고혈압, 협심증, 신실질성 고혈압 4) Tmax : 4.2hrs 배설 : 담즙(60%) $T\frac{1}{2}$: 1.7~2.4hrs	– AST, ALT, LDH, ALP 상승 – BUN, Scr 상승 – 호산구 증가, 헤모글로빈 감소 – 얼굴 화끈거림, 안면홍조, 심계항진, 열감, 서맥, 흉통	〈금기〉 1) 임신부, 수유부 : 안전성 미확립 〈주의〉 1) 중증 간기능 장애 환자 2) 고령자 3) 중증의 저혈압 환자 4) 동기능부전이 있는 환자 5) 투약 중단시 서서히 감량

약품명 및 함량	용법	약리작용 및 효능	부작용	주의 및 금기
			- 두통, 현기증 - 오심, 구토, 복통, 변비 - 발진, 가려움증 - 빈뇨, 부종	6) 소아 : 안전성 미확립 〈상호작용〉 * 타 dihydropyridine계 칼슘길항제 참조
Lacidipine Vaxar tab 박사르정 …2mg/T …4mg/T …6mg/T	1) 초기 : 2mg qd 2) 3~4주 간격으로 4mg qd → 6mg qd로 증량 가능	1) Dihydropyridine calcium channel blocker로 세동맥 평활근 이완을 통해 혈압을 강하시키고, 말초혈관 저항을 저하시킴. 2) 단독투여 또는 타 항고혈압제와 병용 투여하여 고혈압의 치료에 사용함. 3) Tmax : 1hr $T\frac{1}{2}$: 13~19hrs Onset : 1hr 지속시간 : 24hrs 단백 결합율 : 95% 대사 : 간(100%) 배설 : 대변(70%), 신장(30%)	- 말초부종(7~12%) - 심계항진(3~5%) - 심근 경색(2%) - 심근 허혈(0.3%) - 두통(7~18%) - 현기증(4~5%) - 피로, 무기력(1~4%) - 지각 · 감각이상(<1%) - 위장관 장애, 복통(4%) - 다뇨(<2%) - 홍조(10%) - 발진(3%) - 근육경련(<1%) - 치은 과형성	〈금기〉 1) 대동맥 협착증 환자 2) 심근경색 발작 후 1달 이내 투여 금지 3) 불안정 협심증 환자 4) 임부 및 수유부 : 안전성 미확립 〈주의〉 1) 치료 초기와 약용량 증량, β-blocker 단약 중에 angina 악화 주의 2) 만성 신부전 환자 3) 좌심실 부전이 있는 경우 β-blocker와 병용에 주의 4) 심부전 환자 5) 초기 치료와 β-blocker 병용시 저혈압에 주의 6) 다형 홍반 또는 박탈성 피부염 등 피부 반응이 지속적으로 나타날 경우 투여 중단 7) 소아 : 안전성 미확립 〈상호작용〉 1) 이 약의 효과 증가 : 타 항고혈압제, cimetidine
Lercanidipine Zanadipin tab 자나디핀정 …10mg/T	1) 5-10mg qd (Max. 20mg/D)	1) Dihydropyridine calcium channel blocker로 세동맥 평활근 이완을 통해 혈압을 강하시키고, 말초혈관 저항을 저하시킴. 2) 적응증 : 경증-중등도 본태고혈압 3) Tmax : 1.5~3hrs $T\frac{1}{2}$: 2~5hrs Onset : 4~8hrs 지속시간 : 24hrs 단백 결합율 : 98% 대사 : 혈액 배설 : 분변(49~51%), 신장(43~45%)	- 심계항진(10%), 말초부종(2%), 기립성 저혈압(1%) - 두통(5%) - 이뇨작용 증가(2%) - 피부홍조(6%), 발진(1%)	〈금기〉 1) 급성 심근경색(1개월 이내) 환자 2) 불안정 협심증 환자 3) 중증 간장애, 신장애 환자 4) 임부 및 수유부, 18세 이하 소아 및 청소년 : 안전성 미확립 〈주의〉 1) 동기능부전증후군 2) 좌심실 기능장애, 허혈성 심질환 환자 〈상호작용〉 1) 이 약의 효과 증가 : β-차단제, cimetidine, 알콜, 자몽주스 2) 디곡신과 병용 투여시 디곡신의 혈중농도 상승

약품명 및 함량	용법	약리작용 및 효능	부작용	주의 및 금기
Nicardipine HCl Perdipine inj 페르디핀주사액 …10mg/A Nicardipine inj 니카르디핀주 …20mg/A	1) 경구제 : 10~20mg tid 2) 주사제 ① 수술 · 응급성 고혈압 : NS나 5DW에 0.1~0.2mg/ml 용액으로 희석하여 점적정주, 이후 혈압을 모니터하면서 속도 조절 ② 급속히 혈압을 내릴 필요가 있는 경우에는 주의하여 10~30mcg/kg IV bolus	1) Dihydropyridine 유도체로 nifedipine과 작용 및 용도가 유사함. 2) 본태성 고혈압, 뇌혈류 장애 개선에 사용함. 3) 적응증(주사제) : 수술시 이상 고혈압의 구급처치, 응급성 고혈압증 4) Onset : (경구) 0.5~2hrs, (주사) 10mins 지속시간 : (경구) 3hrs, (주사) 3hrs Tmax : 일반정제 30mins~2hrs $T_{\frac{1}{2}}$: (경구) 8.6hrs, (주사) 14.4hrs 대사 : 간(~100%) 배설 : 신장(60%), 대변(35%)	1) 1~10% - 홍조, 심계항진, 빈맥, 말초부종, 협심증 - 두통, 현기, 졸음, 마비감 - 발진 - 오심, 구갈 - 허약감, 근육통	〈금기〉 1) Dihydropyridine계 약물에 과민증이 있는 환자 2) 발병 직후에 상태가 안정되어 있지 않은 중증의 급성심근경색환자 3) 대동맥판협착증 환자 〈주의〉 1) 신중투여 : 뇌출혈 급성기 환자, 간 · 신장애, 급성심부전(중증부정맥, 저혈압) 2) 임신부 : Category C 3) 수유부 : 동물실험시 모유 이행 보고 4) 소아 : 안전성 미확립 〈상호작용〉 1) 다른 혈압강하제와 병용시 상승 작용 2) Digoxin, CsA의 혈중농도 상승 3) Rifampin에 의해 작용 감소 4) 자몽쥬스와 복용시 이 약의 혈중농도 상승 5) Cimetidine에 의해 혈중농도 상승 〈취급상 주의〉 1) 점적 정주시 배합수액의 pH가 높을 경우 결정석출 우려있음. 2) 차광보관
Nifedipine Adalat soft cap 아달라트연질캅셀 …5mg/C Adalat oros tab 아달라트오로스정 …30mg/T …60mg/T Niferon CR 40 tab 니페론씨알40서방정 …40mg/T	(서방형 제제) 1) 30, 60mg : 30~60mg qd (Max. 120mg/D) 2) 40mg : 40mg qd (필요시 80mg #1-2 증량가능) (속방형 제제) 1) 관동맥 심질환 - 15~30mg/D, 60mg/D까지 증량 가능 - 관동맥 경련시 80~120mg/D 2) 고혈압 - 10mg tid (Max. 20mg tid)	1) Dihydropyridine 유도체로 강력한 말초동맥 확장 작용을 가지며, SA or A-V node의 기능에 대한 직접적인 억제작용이 거의 없는 Ca-antagonist 2) 관상동맥 및 말초동맥의 평활근으로의 Ca2+유입을 억제하여 관상동맥경련을 해소시킴으로써 심근에의 산소공급을 증가시키고, 심박동수와 after load를 감소시킴으로써 심근의 산소요구량을 감소시킴. 3) Coronary vasospasm에 의한 협심증에 더 유효하며, 발작빈도 및 nitroglycerin 사용량을 감소시키고, exercise tolerance를 개선시킴. 4) Nitrates나 β-blocker가 금기이거나 효과가 적은 경우(eg.기관지 경련성 질환, 말초혈관성 질환)에 사용됨.	1) > 10% - 홍조, 말초부종 - 현기, 두통 - 오심, 흉부 작열감 - 허약감 2) 1~10% - 심계항진, 간헐적 저혈압, 울혈성 심부전 - 신경질, 동요, 수면장애, 균형소실, 발열, 오한	〈금기〉 1) 수유부 : 모유 이행 2) 심인성 쇽 환자 3) 불안정형 협심증 환자 4) 저혈압 환자 5) 중증 대동맥판협착증 환자 6) Rifampicin 복용중인 환자 7) 급성 심근경색(8일이내) 환자 8) 임신부 : Category C 〈주의〉 1) 신중투여 : 대동맥판협착증, 승모판협착증, HD중인 순환 혈액량 감소를 동반한 고혈압 환자, 폐고혈압, 중증간 · 신장애, CHF, 당뇨병 환자

약품명 및 함량	용법	약리작용 및 효능	부작용	주의 및 금기
	- 응급성 고혈압시 10~30mg/dose 3) 협심증 발작 예방 시 : 캅셀을 씹어서 설하작용을 유도함. * 속방형 제제를 일상적으로 복용하거나 설하 투여하는 것을 금함 (뇌혈관허혈, 실신, 심정지 등 위험 증가)	5) Variant angina 및 angina of effort에 isosorbide나 verapamil과 비슷한 효력을 나타내며 특히, variant angina에서는 nitroglycerin의 효과를 증강시킴. 6) β-blocker투여중이나 좌심실장애가 있을때 diltiazem이나 verapamil보다 안전하게 사용할 수 있음. 7) Sinus bradycardia 또는 A-V 전도장애가 있는 경우에도 사용 가능함. 8) 중증의 무반응성 고혈압의 장기치료에 유효하며, Ca-channel blocker중 가장 많이 쓰임. 9) 적응증 - 30, 60mg/T : 관동맥심질환(만성안정성협심증), 고혈압 - 40mg/T : 관상동맥성 심장질환의 초기 및 장기치료, 본태성 및 이차성 고혈압, 레이노 증후군 - 속방형 제제 : 관동맥심질환, 고혈압, 레이노병 및 레이노증후군 10) Onset : ~20mins(속방형), 30mins(서방형) 1~5mins(설하 투여) Tmax : 20~45mins(속방형), 6hrs(서방형) 60mins(설하 투여) 대사 : 간 $T\frac{1}{2}$: 2~2.5hrs 배설 : 신장(70~80%)	- 피부염, 소양, 두드러기 - 성기능이상 - 설사, 변비, 경련, 고창, 치육증식 - 근경련, 진전, 허약감, 관절마비 - 시야몽롱 - 기침, 천명, 비충혈, 호흡곤란 - 발한	2) 초기투여후 또는 증량후 30분 이내에 허혈성 흉통이 나타나는 경우 투약중지 〈상호작용〉 1) Digoxin, theophylline, phenytoin의 혈중농도를 증가시킴. 2) Quinidine의 혈중농도 감소시킴. 3) Cimetidine, ranitidine, diltiazem, itraconazole은 이 약의 제거율을 감소시킴. 4) 자몽쥬스와 병용시 혈중농도 상승 〈취급상 주의〉 1) 서방정은 분할, 분쇄 불가
Nimodipine Nimodipine tab 니모디핀정 …30mg/T Nimodipine inj 니모디핀주 …10mg/50ml/V	1) 경구제 ① 뇌혈관 경련에 의한 허혈성 신경장애 : 5~14일 IV후 7일간 2Ⓣ q 4hrs PO ② 뇌기능장애 : 1Ⓣ tid 2) 주사제 ① IV inf : 0.5~1mg/hr (15mcg/kg/hr)으로 2시간 이상 투여	1) Dihydropyridine 계열의 Ca^{2+} channel blocker로서 뇌혈관을 선택적으로 확장시킴. 2) 적응증 ① 지주막하출혈 후의 뇌혈관경련에 의한 허혈성 신경장애(주사제, 경구제) ② 뇌혈관에 기인한 뇌기능 장애 증상개선 (경구제) 3) 경구제와 주사제는 병용하지 않으며 총 투여기간은 21일을 넘지 않음.	1) 1~10% - 전신혈압 감소 - 두통 - 발진 - 설사, 복부불쾌감 2) 1% 미만 - 빈혈, CHF, 심재성 정맥혈전, 우울, 호흡곤란 EKG 이상,	〈금기〉 1) 중증 간장애 환자(PO) 2) 임신부 : Category C 3) 수유부 : 모유 이행 〈주의〉 1) 신중투여 : 뇌부종, 두개내압 상승 환자, 간·신장애, 저혈압 환자 2) 소아 : 안전성 미확립 〈상호작용〉

약품명 및 함량	용법	약리작용 및 효능	부작용	주의 및 금기
	후 2mg/hr (30mcg/kg/hr)로 증량 가능 ② 지주막하내 주입(수술시) : 이 약 1ml + 링겔액 19ml 희석 후 37℃ 정도로 점적 정주(폴리에틸렌 라인 사용)		위장관 출혈, 간염, 황달, 혈소판 감소, 구토	1) 혈압강하제와 병용시 작용이 증강됨. 2) Cimetidine, valproic acid에 의해 혈중농도 상승 3) Rifampin, phenobarbital, phenytoin, carbamazepine과 병용시 혈중농도 저하 4) 자몽쥬스와 병용시 혈중농도 상승 〈주사제 -취급상 주의〉 1) PVC에 약이 흡착되므로 폴리에틸렌 튜브를 사용하여 주입함. 2) 차광상태로 투여하며 빛에 노출시 10시간까지 안정함.
Nisoldipine Syscor ER tab 씨스코이알서방정 …10mg/T …20mg/T	1) 고혈압, 협심증 : 10mg qd로 시작 (Max. 40mg qd) 2) 증량시 적어도 1주 이상의 간격을 두고 증량 3) 고지방식이와 함께 복용시 최고혈중농도 상승, 누적혈중 농도 25% 감소되므로 공복(아침 식전)에 24시간마다 복용 4) 고령자 : 10mg qd로 시작	1) Dihydropyridine계 calcium channel blocker 2) 외피와 내피로 구성된 Coat-Core 형태의 서방정 - 외피(Coat) : 서방형, 주성분의 80% 함유, 24시간 동안 지속적으로 작용 - 내피(Core) : 속방형, 주성분의 20% 함유, 24시간 지난 후부터 빠르게 방출되어, 아침에 갑자기 상승하는 혈압(early morning BP surge)을 조절 3) 적응증 : 본태고혈압 4) Tmax : 4~14hrs $T_{\frac{1}{2}}$: 9~18hrs 지속시간 : 24hrs 배설 : 신장(60~80%), 대변(6~12%)	1) >10% - 말초부종 (7 ~29%, 용량의존) - 두통(22%) 2) 1~10% - 혈관확장(4%), 심계항진(3%), 흉통(2%) - 현기증(3~10%) - 발진(2%) - 오심(2%) - 기침(5%), 인두염(5%), 부비동염(3%), 호흡곤란(3%)	〈금기〉 1) 심인성 쇼크 환자, 불안정형 협심증 또는 심근경색 후 1개월 이내인 환자 2) 중증 대동맥판 협착 환자 3) 중증 간기능 손상 환자 4) 심근경색의 2차 예방목적이나 급성 협심증 발작의 치료목적 사용 금함. 5) 임신부 : Category C 6) 수유부, 소아 : 안전성 미확립 〈주의〉 1) 증상성 심부전, 저혈압 환자 〈상호작용〉 1) Rifampicin, phenytoin, carbamazepine에 의해 이약의 효과 감소 2) Digoxin과 병용시 digoxin 혈중농도 상승 위험 3) Diltiazem, HIV protease 억제제, azole계 항진균제에 의해 이 약의 독성 증가 4) 자몽쥬스와 병용시 혈중농도 상승, 함께 복용 금함. 〈취급상 주의〉 1) 서방정이므로 분할, 분쇄 불가

약품명 및 함량	용법	약리작용 및 효능	부작용	주의 및 금기
Verapamil HCl Isoptin tab 이솝틴정 …40mg/T …80mg/T Isoptin SR tab 이솝틴서방정 …180mg/T …240mg/T Isoptin inj 이솝틴주 …5mg/2ml/A	1) 일반제형 : 40~80mg tid 2) 서방형 : 180~240mg qd (Max. 480mg #1~2) 3) 주사제 : 1회 5~10mg 천천히 IV	1) Papaverine의 합성유도체로 d, l-isomer의 혼합형으로 시판되며, l-isomer가 A-V node에 대한 negative dromotropic 작용을 가짐. 2) 관상동맥 및 말초동맥의 평활근으로의 Ca^{2+}유입을 억제하여 관상동맥 경련을 해소시킴으로써 심근에의 산소공급을 증가시키고, 심박동수와 after load를 감소시킴으로써 심근의 산소요구량을 감소시킴. 3) Coronary vasospasm에 의한 협심증에 더 유효하며, 발작빈도 및 nitroglycerin 사용량을 감소시키고, exercise tolerance를 개선시킴. 4) Nitrates나 β-blocker가 금기이거나 효과가 적은 경우(eg.기관지 경련성 질환, 말초혈관성 질환)에 사용됨. 5) Variant angina 및 angina of effort에 isosorbide나 verapamil과 비슷한 효력을 나타내며 특히 variant angina에서는 nitroglycerin의 효과를 증강시킴. 6) MI 발작전 협심증에 더 유효하며, 발작후 증상은 개선시키지 못함. 7) Nifedipine과 달리 reflex tachycardia를 초래하지 않음. 8) 급성 A-V nodal reentrant 빈맥 발작에 아주 효과적임(IV투여) 9) 재발성 심방세동 및 조동 예방목적으로 digoxin 또는 quinidine과 병용시 효과적 10) 말초저항을 감소시켜 혈압을 강하시키므로 경증 및 중등도의 고혈압에도 사용하며, 그 효과는 β-adrenergic blocker와 비슷하며 상호 교체 사용이 가능함. 〈주의 및 금기〉란에 계속	1) > 10% - 치육증식, 변비 2) 1~10% - 서맥, 방실차단, 울혈성 심부전, 저혈압, 말초부종, 저혈압, 중증빈맥 - 현기, 피로, 두통 - 발진 - 오심 - 호흡곤란	〈금기〉 1) 중증 울혈성 심부전 환자 2) 동기능부전증후군, 동방블록, 방실블록(2~3도) 3) 저혈압, 심인성 쇽 환자 4) W-P-W 증후군을 동반하는 심방세동/조동 환자 5) 급성 심근경색 환자 6) 임신부 : Category C 〈주의〉 1) 신중투여 : 서맥, 방실블록 (1도), 간·신장애, 신경근 전달이 약화된 환자 2) 중증 간장애시 복용량을 30% 감량해야 함. 3) 수유부 : 모유 이행 〈상호작용〉 1) Digoxin의 혈중농도를 증가시킴. 2) 경구 quinidine과 verapamil IV는 저혈압 초래 3) Rifampin은 이 약의 생체 이용률을 감소시킴. 4) Cimetidine은 이 약의 제거율을 감소시킴. 5) Ca^{2+}투여는 이 약의 독성치료에 유효함. 6) 리튬과 병용시 신경독성 〈약리작용 및 효능〉 11) 적응증 ① 경구제 : 협심증, 관경화증, 부정맥, 본태성고혈압(경증-중등도), 신성고혈압 ② 주사제 : 협심증, 부정맥 12) Onset : 2~3mins $T\frac{1}{2}$: 6~12hrs (간경변시 4배 연장) BA : 20~35% (PO) 치료혈중농도 : 100ng/ml(부정맥)

약품명 및 함량	용법	약리작용 및 효능	부작용	주의 및 금기
Amlodipine besylate +Olmesartan medoxomil **Sevikar tab** 세비카정 ···5mg+20mg/T ···5mg+40mg/T ···10mg+40mg/T	1) 1Ⓣ qd, 식사와 관계없이 복용 (Max. 10+40mg/D) 2) 간장애환자 : olmesartan medoxomil 10mg qd (Max. 20mg/D) 3) 최대 혈압강하 효과는 용량 조절 후 2주이내에 나타남. * 신기능에 따른 용량 조절 참고 (olmesartan medoxomil) -경~중등증 신장애환자(CrCl 20~60ml/min) : Max. 20mg/D -중등~중증 신장애환자(CrCl < 20ml/min) 및 투석환자; 투여권장되지 않음.	1) Dihydropyridine계 Ca^{2+} channel blocker인 amlodipine과 Angiotensin II receptor type1(AT1) antagonist인 olmesartan의 복합제 2) 적응증 : amlodipine 또는 olmesartan medoxomil 단독요법으로는 조절되지 않는 본태성 고혈압	1) > 10% - 말초 부종(18~26%) 2) 빈도 미확립 - 아낙필락시스, 저혈압, 야간뇨, 기립성 저혈압, 심계항진, 소양증, 발진, 빈뇨	〈금기〉 1) 임신부 Category : D(기형아 유발) 2) 수유부 : 안전성 미확립 3) 중증의 간장애 환자, 신장투석 환자 4) 중증의 대동맥판협착증 환자 5) 쇽 환자 6) 당뇨 환자에게 aliskiren과 병용투여 금기 〈주의〉 1) 과도한 저혈압(체액, 염류고갈) 2) 중증의 폐쇄성 관상동맥환자 3) 울혈성 심부전환자 4) 간, 신장애 환자 5) Aliskiren과 Olmesartna 병용 시 저혈압, 고칼륨혈증, 신기능 변화 위험 증가 가능, 당뇨병 또는 신장애 환자 (CrCl<60ml/min)에서 병용 금기 6) 소아 : 안전성 미확립 〈상호작용〉 1) 각 성분의 상호작용 참조
Amlodipine besylate +Telmisartan **Twynsta tab** 트윈스타정 ···5mg+40mg/T ···5mg+80mg/T ···10mg+40mg/T	1) 1Ⓣ qd, 식사와 관계없이 복용 2) 간장애환자 : telmisartan은 40mg/D를 초과하지 않음	1) Angiotensin Ⅱ Rc antagonist인 telmisartan과 Calcium channel blocker인 amlodipine 복합제 2) 적응증 : Telmisartan 또는 amlodipine 단독요법으로 혈압이 적절하게 조절되지 않는 본태성 고혈압	1) 1~10% - 말초부종(5%), 어지러움(3%), 기립성 저혈압(6%), 요통(2%)	〈금기〉 1) 담도 폐쇄 환자, 중증 간장애 환자 2) 중증의 대동맥판협착증 환자 3) 임신부 : Category D (telmisartan) 4) 수유부 : 안전성 미확립 5) 유당 불내성 환자 〈주의〉 1) 간장애 환자 2) 신혈관 고혈압 환자, 투석을 해야하는 신부전 환자 3) 동맥판, 승모판 협착증 환자, 폐쇄성 비후성 심근증 환자 4) 중증의 저혈압 환자 5) 활동성 위, 십이지장궤양, 위장관 질환 환자 6) 원발성 알도스테론증 환자

약품명 및 함량	용법	약리작용 및 효능	부작용	주의 및 금기
				7) 18세 미만 소아: 안전성 미확립 〈상호작용〉 1) 각 성분의 상호작용 참조 〈취급상 주의〉 1) 인습성이 있으므로 복용시 개봉
Amlodipine besylate +Valsartan **Orosartan tab** 오로살탄정 …5mg+80mg/T …5mg+160mg/T …10mg+160mg/T	1) 1Ⓣ qd, 식사와 관계없이 복용 2) 간장애환자 – 경도~중등도 : valsartan으로서 80mg/D 초과하지 않음. – 중증 : 투여하지 않음 * 신기능에 따른 용량 조절 참고 – CrCl ≥10ml/min : 용량조절 필요 없음 – CrCl 〈10ml/min : 투여하지 않음	1) Angiotensin Ⅱ receptor antagonist인 valsartan과 Calcium channel blocker인 amlodipine의 복합제 2) 적응증 : valsartan 또는 amlodipine 단독요법으로 혈압이 적절하게 조절되지 않는 본태성 고혈압	1) 〉10% – 두통 2) 1~10% – 말초 부종 – 불안, 기면, 현기증 – 고칼륨혈증 – 상복부 통증, 설사, 오심 – BUN 상승 – 비인두염, 상기도감염, 기침 – 인플루엔자 3) 〈1% – 발진, 과민반응, 저혈압, 기립성 저혈압, 체위 현기증, 실신, 이명, 시력장애	〈금기〉 1) 중증의 신손상자(CrCl 〈10ml/min) 및 투석환자 (사용경험이 없음) 2) 중증의 간손상자, 간경변 또는 담도폐색 환자 3) 임신부 : Category D (valsartan) 〈주의〉 1) 나트륨 또는 체액 부족 환자 2) 고칼륨혈증 환자 3) 신동맥협착 환자 4) 신장이식환자, 신손상 환자 5) 간손상자, 심부전 환자 6) 대동맥판막 및 승모판막협착증, 폐쇄성 비대심장근육병증 환자 7) 65세 이상의 고령자 : 용량 증량시 주의 8) 수유부, 18세 이하 소아 : 안전성 미확립 〈상호작용〉 1) 각 성분의 상호작용 부분 참조
Amlodipine besylate +Olmesartan medoxomil Hydrochlorothiazide **Sevikar HCT tab** 세비카에이치씨티정 …5+20+12.5mg/T …5+40+12.5mg/T …10+40+12.5mg/T	1) 1Ⓣ qd, 식사와 관계없이 복용 (Max. 10+40+25mg/D) 2) 최대 혈압강하 효과는 용량 조절 후 2주 이내에 나타남 3) 간장애 환자 ① 중등증 간장애 : Max. 5/20/12.5 mg/D ② 중증 간장애 : 투여금기 * 신기능에 따른 용량 조절 참고	1) Calcium channel blocker인 amlodipine, Angiotensin II Rc antagonist인 omesatan, Thiazide이뇨제인 hydrochlorothiazide의 3제 복합제 2) 적응증 : Amlodipine과 olmesartan 복합요법으로 혈압이 적절하게 조절되지 않는 본태성 고혈압	1) 1~10% – 상기도 감염, 비인두염, 요로 감염 – 현기증, 두통 – 심계항진 – 저혈압 – 설사, 구역, 변비 – 근육 연축, 관절 부종 – 빈뇨 – 무력증, 말초 부종, 피로	〈금기〉 1) 임신부 : Category D (olmesartan) 2) 수유부 3) 중증 저혈압 환자 4) 중증 대동맥판협착증 환자 5) 급성심근경색 후 혈역학적으로 불안정한 심부전 환자 6) 중증의 간, 신장애 환자 7) 담도폐쇄환자, 담즙성 간경변, 담즙분비정지 환자 8) 저나트륨혈증, 저칼륨혈증, 고칼슘혈증, 증상성 고요산혈증을 치료중인 환자

약품명 및 함량	용법	약리작용 및 효능	부작용	주의 및 금기
	① 30≤CrCl<60ml/min : Max. 5/20/12.5mg/D ② CrCl<30ml/min : 투여 금기		- 혈중 크레아티닌/요소/요산 상승 2) < 1% - 고칼륨혈증, 저칼륨혈증 - 기립 현기증, 전실신, 현훈 - 빈맥, 홍조 - 기침, 입안 건조 - 근육 약화 - 발기부전 - 혈중 칼륨 감소 - GGT, ALT, AST 상승	9) 애디슨병 환자 〈주의〉 1) 혈액량이나 염이 감소된 환자 2) 심부전환자 3) 간, 신장애 환자 4) 신혈관성 고혈압환자 5) 대동맥 및 승모판 협착, 폐색 · 비후성 심근 질환자 6) 18세미만 소아 : 안전성 미확립 〈상호작용〉 1) Lithium 독성 위험 증가 2) 각 성분의 상호작용 참조
Felodipine + Ramipril **Triapin tab** 트리아핀정 …2.5mg+2.5mg/T …5mg+5mg/T	1) 성인 및 노인 : 1Ⓣ qd (Max. 5+5mg/D)	1) Dihydropyridine계 Calcium channel blocker인 Felodipine과 ACE inhibitor인 Ramipril의 복합제 2) 적응증 : 본태성 고혈압 〈상호작용〉 1) K 제제, K 보존 이뇨제와 병용시 혈청 칼륨농도 증가될 수 있으므로 병용금기 2) 리튬 독성 증가 가능 3) 항고혈압제, 혈압강하효과 기대되는 제제와 병용시 효과 상승 4) Allopurinol, 면역억제제, 부신피질호르몬, procainamide, 세포증식억제제와 병용시 혈액학적 부작용 증가 위험 5) CYP450 효소 저해제(ketoconazole, 자몽주스)나 유도제(rifampin)와 병용시 felodipine 혈장농도 변화 6) NSAIDs와 병용시 ramipril 효과 저해 및 신기능 악화, 혈청 K 상승	〈Felodipine〉 1) >10% - 두통 2) 2~10% - 말초부종, 빈맥, 홍조 〈Ramipril〉 1) >10% - 기침 2) 1~10% - 저혈압, 협심증, 체위성 저혈압, 실신 - 오심, 구토 - 고칼륨혈증 - 두통, 졸음, 피로, 현기증 - BUN, 혈청 크레아티닌 상승 - 흉통	〈금기〉 1) 이 약 성분 및 다른 ACE 저해제에 과민한 환자 2) 혈관 신경성 부종의 병력자 3) 혈행역학이 불안정한 환자 (순환성쇽, acute MI, stroke등) 4) 2도, 3도 방실블록, 중증 간기능 장애, CrCl <20ml/min, 투석 환자 5) 임신부 : Category D (Ramipril) 6) 수유부, 소아 : 안전성 미확립 〈주의〉 1) ACE 저해제 투여동안 혈관 신경성 부종 발생하면, 즉시 투여중단 2) ACE 저해제 투여 초기 몇주간 신기능 모니터링 필요 3) 경~중등도 신장애, 간장애 환자(용량조절 필요) 4) 고용량의 루프이뇨제 병용하는 심부전 환자, 저나트륨혈증, 신혈관성 고혈압/신동맥 협착증 환자 5) 서방형제제로 분쇄, 분할 불가능 〈약리작용 및 효능〉란에 계속

약품명 및 함량	용법	약리작용 및 효능	부작용	주의 및 금기
100ml중 Glycerin 10g Fructose 5g NaCl 0.9g **Glyfurol** 글리푸롤 …200ml/BT …500ml/BT	1) 성인 : 200~1000ml/D #1~2, 500ml 당 2~3hrs로 IV inf. 투여기간은 통상 1~2주 2) 뇌용적 축소 : 1회 500ml 30분간 IV inf. 3) 안내압하강 및 안용적 축소 : 300~500ml 45~90분간 IV inf.	1) Glycerin 고장액으로 혈액의 삼투압을 증가시키는 삼투압성 이뇨제임. 2) 뇌부종의 소실 및 뇌압강하작용 3) 뇌세포에의 영양공급으로 뇌대사촉진 및 뇌혈류를 증가시킴. 4) 체내에서 신속히 대사되므로 rebound 현상이 거의 없음. 5) 전해질의 불균형이나 신기능 장애의 위험이 없어 장기연용이 가능함. 6) 적응증 : 두개내압 항진, 뇌부종, 두부외상, 뇌수술 및 뇌용적 축소, 안압하강, 안용적 축소	- 뇨잠혈반응, 혈색소뇨증, 혈뇨, 두통, 권태감, 과혈당, 젖산 acidosis	〈금기〉 1) 선천성 글리세린, 과당 대사이상증 환자 〈주의〉 1) 급성 두개내 혈종(확인치 않고 투여시 뇌압에 의해 일시적으로 지혈되고 있던 것이 두개내압의 감소에 따라 다시 출혈할 수 있음). 2) 신장애 환자 3) 요붕증 환자 (비케톤성 고삼투성 혼수) 4) 식염섭취 제한환자 5) 대량 급속 투여시 유산산증 발생 주의

Preload 감소, 좌심실 용적과 wall tension 감소, 심근의 산소요구량 감소로 정상리듬의 중등도 CHF에 초기 단일치료제로 사용됨.

3장. 순환기계 ················5. Diuretics ························ (1) Loop diuretics

약품명 및 함량	용법	약리작용 및 효능	부작용	주의 및 금기
Furosemide Lasix tab 라식스정 ···40mg/T Lasix inj 라식스주사 ···20mg/2ml/A	1) 경구 ① 성인 : 20~80mg qd~EOD (Max. 600mg/D) - 효과없을시, 2시간마다 20-40mg씩 증량 - 고혈압 : 40mg bid ② 소아 : 2mg/kg - 효과 없을 시, 6-8시간마다 1-2mg/kg씩 증량 2) 주사 ① 성인 : 20~40mg IV, IM - 효과 없을 시, 2시간마다 20mg씩 증량 ② 소아 : 1mg/kg - 효과 없을 시, 2시간마다 1mg/kg씩 증량	1) Henle's loop의 수질과 피질 상행각에서의 Na^+, Cl^- 재흡수를 억제하는 loop diuretics 2) 적응증 - 고혈압(본태성, 신성 등), 심성부종(울혈성심부전), 신성부종, 간성부종(복수) (경구제, 주사제) - 말초혈관성부종 (경구제) - 급성폐부종 (주사제) 3) 정맥주사는 위독한 경우에 사용하며, 경구투여는 신기능 장애시 (CrCl 〈30ml/min)에 사용(∵속효성, 단시간형) 4) Onset(peak) : 1~2hrs(경구), 30mins(주사) 지속시간 : 6~8hrs(경구), 2hrs(주사) 〈부작용 계속〉 - 방광 수축, 빈뇨 - 재생불량성빈혈, 혈소판감소, 무과립구증, 용혈성빈혈, 백혈구감소 - 근경축, 허약 - 청력이상, 이명 - 혈관염, 알러지성 간질성 신염, 당뇨, 사구체여과율 및 신혈류량 감소, BUN 일시적 상승	- 기립성저혈압, 괴사성혈관염, 정맥염, 만성대동맥염, 급성저혈압, 심정지에 의한 급사 (IV, IM) - 마비감, 현훈, 현기, 두통, 시야몽롱, 황시증, 발열, 초조 - 박탈성피부염, 다형홍반, 자반, 광과민, 두드러기, 발진, 소양, 피부 혈관염 - 고혈당, 고뇨산혈증, 저칼륨혈증, 저염소혈증, 대사성알칼리증, 저칼슘혈증, 저마그네슘혈증, 통풍, 고나트륨혈증 - 오심, 구토, 식욕 감퇴, 구강 및 위부 자극, 경련, 설사, 변비, 췌장염, 담즙정체성황달, 허혈성간염 〈약리작용 및 효능〉란에 계속	〈금기〉 1) 무뇨 환자 2) 저나트륨 · 저칼륨혈증 환자 3) 중증 간장애 환자 4) 설폰아미드계 약물에 과민한 환자 5) 신 · 간독성 물질 중독 결과에 의한 신부전 환자 6) 혈액량 저하로 인한 저혈압 환자 7) Terfenadine 또는 astemizole을 투여중인 환자 8) 수유부 : 모유 생성 억제 및 모유 이행 9) 임신부 : Category C 〈주의〉 1) 신중투여 : 진행성 간경변, 중증 관동맥경화증 · 뇌동맥경화증, 중증 신장애, 간질환, 간장애, 미숙아, 영아, 전립선비대 또는 배뇨장애, 통풍 또는 당뇨병의 가족력이 있는 환자, digoxin, 당질부신피질호르몬 또는 ACTH를 투여중인 환자, 설사, 구토, 염제한요법 환자, 고령자 〈상호작용〉 1) 리튬의 배설 감소시켜 독성 증가 2) NSAIDs와 병용시 이뇨작용 감소 3) Metformin과 병용시 젖산 혈증 증가하므로, Scr〉1.5mg/dℓ(남), 1.2mg/dℓ(여)인 경우 병용금지 4) AG항생제와 병용시 청각 장애 및 신독성 증가 5) Cephalosporins과 병용시 신독성 증가 6) 당질부신피질호르몬 또는 ACTH, amphotericin, 하제와 병용시 칼륨방출 증가 7) 경구혈당강하제의 효과감소 8) Digoxin의 작용증강

약품명 및 함량	용법	약리작용 및 효능	부작용	주의 및 금기
Torasemide Torsemid tab 토르세미드정 …2.5mg/T …5mg/T …10mg/T	1) 본태성 고혈압 : 2.5mg qd (Max. 5mg/D) 2) 울혈성 심부전에 의한 부종 : 5mg qd (Max. 20mg/D) 3) 간경변에 의한 부종 : 5mg qd (Max. 40mg/D) 4) 신질환에 의한 부종 : 20mg qd (Max. 100mg/D)	1) Loop 이뇨제 2) 적응증 : 본태성 고혈압(2.5mg만 해당), 부종(울혈 심부전, 간경변, 신질환) 3) Furosemide보다 반감기가 길어 1일 1회 요법이 가능함. 4) Potency 비교 Torsemide 10mg ≒ Furosemide 40mg ≒ Piretanide 12mg 5) Onset(peak) : 1~2hrs 지속시간 : 8~12hrs $T\frac{1}{2}$: 3~6hrs	1) 1~10% - 부종, EKG 변화, 흉통 - 두통, 현기, 불면, 초조 - 고혈당, 고뇨산혈증, 저칼륨혈증 - 설사, 변비, 오심, 소화불량 - 빈뇨 - 허약, 관절통, 근육통 - 비염, 기침	〈금기〉 1) 12세 이하 소아 2) 이 약 또는 sulfonylurea에 과민한 환자 3) 저혈압 환자 4) 무뇨증이 있는 신부전 환자 5) 의식 혼미 상태의 중증 간기능 저하 환자 6) 혈액량 감소증, 저나트륨혈증, 저칼륨혈증 환자 7) 중증 배뇨장애 환자 8) 수유부 : 동물실험시 유즙이행 보고 9) 임신부 : Category B 〈주의〉 1) 신중투여 : 통풍, 부정맥, 산-염기 불균형, 리튬, AGs계 항생제를 투여중인 환자, 신독성 약물에 의한 신기능저하, 혈액수치 변화 환자 〈상호작용〉 1) Digoxin 부작용 증가 2) 혈당강하제의 작용 감소 3) Probenecid, NSAIDs에 의해 이뇨 및 항고혈압 효과 감소 4) AGs계 항생제, cisplatin과 병용시 신독성, 이독성 증가 5) 당질부신피질호르몬 또는 ACTH, 하제와 병용시 칼륨방출 증가 6) 리튬의 혈중 농도 증가

약품명 및 함량	용법	약리작용 및 효능	부작용	주의 및 금기
D-mannitol Mannitol inj 디-만니톨주사액 …(15%)150mg/ml (250ml/BT)	1) D-mannitol로서 통상 1회 1~3 g/kg을 15%, 20%, 25%액으로 점적정주 (Max. 200g/D) 2) 투여속도 : 100ml/3-10mins	1) Mannitol 고장액으로 삼투성 이뇨제 2) 뇌용적 축소 및 뇌압강하작용 3) 생체내에 흡수되지 않고 신장에서 용이하게 배설되며 세포외액에만 분포하므로 rebound 현상이 거의 없음.	- 흉부압박감, 두통, 구역, 구토, 현기증, 오한, 구갈, 경련, 전해질 실조의 탈수증상	〈금기〉 1) 급성 두개내의 혈압이 높은 환자 2) 심한 울혈성 심부전이 있는 환자 3) 심한 탈수상태의 환자 〈주의〉 1) 신기능 환자

약품명 및 함량	용법	약리작용 및 효능	부작용	주의 및 금기
…(20%)200mg/ml (100,250ml/BT) …(25%)250mg/ml (100,250, 500ml/BT)		4) 적응증 : 수술중/후, 외상 후의 급성신부전 예방 및 치료, 약물중독시 배설촉진, 뇌압강하/뇌용적 축소, 안내압강하		2) 두개 손상 환자 3) 임신부 : Category C 4) 12세 이하 소아
Isosorbide 70% (Isosorbide 700mg/ml) Isobide soln 이소바이드액 …500ml/BT	1) 뇌압강하 – 성인 70~140ml/D#2~3, 경구투여 2) 메니에르병 – 표준용량 : 1.5~2ml/kg/D – 성인 90~120ml/D#3 – 필요에 따라 냉수로 2배 희석하여 경구투여	1) 삼투성 이뇨제 2) 내이의 혈관조 주변 세포내의 삼투압 증가 → 내림프와의 삼투압 차이에 의해 내림프액을 흡수 → 메니에르병의 병태인 내림프수종 (endolymphatic hydrops)을 경감 3) 적응증 : 뇌종양시의 뇌압저하, 두부외상에 기인하는 뇌압항진시 뇌압강하, 메니에르병 4) 흡수 : 음식물의 영향은 받지 않음 $T_{\frac{1}{2}}$: 6.8hrs 대사 : 거의 대사되지 않음 배설 : 주로 신장(투여 24시간 후, 80%)	1) 0.1~5% – 구역, 오심, 설사, 구토, 식욕부진, 불면, 두통 2) 빈도 미확립 – 발진, 홍반 – 장기투여시 전해질 이상	〈금기〉 1) 급성 두개강내 혈종이 있는 환자 2) 무뇨증 환자 3) 중증 탈수상태 환자 4) 급성 폐부종 환자 5) 중증 심장 대상부전 환자 〈주의〉 1) 탈수상태 환자, 요로 및 신장기능 장애 환자(이뇨작용에 의해 증상 악화 가능) 2) 울혈성 심부전 환자(순환 혈액량 증대로 심장에 부담을 줄 수 있음) 3) 임신부, 소아 : 안전성 미확립 〈취급상 주의〉 1) 실온보관 2) 보관조건에 따라 약액의 색이 변할 수 있으나 효과에는 영향이 없음 3) 차게하여 복용시 쓴맛을 감소시킬 수 있음.

약품명 및 함량	용법	약리작용 및 효능	부작용	주의 및 금기
Amiloride HCl Amilo tab 아미로정 …5mg/T	1) 울혈성심부전 : 5~10mg/D 2) 고혈압 : 5~10mg/D를 혈압 강하제와 병용투여 3) 복수를 수반한 간경변 : 5mg/D를 타 이뇨제와 병용 투여	1) 원위 신세뇨관에서의 Na^+ 재흡수를 억제함으로써 K^+ 배설을 억제하는 K^+ 저류성 이뇨제임. 2) 이 약은 세뇨관에 직접 작용하며, spironolactone은 aldosterone에 길항제임. 3) 혈압강하작용은 약하여 단독으로보다는 Thiazide 또는 Loop 이뇨제 사용시 저칼륨혈증의 예방목적으로 병용함.	1) 1~10% – 두통, 피로, 현기 – 고칼륨혈증, 고염소성 대사성산증, 탈수, 저나트륨혈증, 여성형유방 – 오심, 설사, 구토,	〈금기〉 1) 고칼륨혈증 환자 2) 타 칼륨저류성 약물 또는 칼륨을 투여중인 환자 3) 무뇨 환자 4) 급, 만성 신부전 환자 5) 중증 진행성 신질환 환자 6) 당뇨병성 신증 환자

약품명 및 함량	용법	약리작용 및 효능	부작용	주의 및 금기
	* 신기능에 따른 용량조절 참고 - CrCl 10~50ml/min : 50% 감량 - CrCl 〈10ml/min : 금기	4) 적응증 : 울혈성심부전, 신장기능이 정상인 고혈압, 복수를 수반한 간경변 〈상호작용〉 1) 리튬의 배설 감소시켜 독성 증가 2) ACEIs, K^+ 함유식품과 병용시 혈중 K^+농도 상승 3) NSAIDs와 병용시 이뇨작용 감소 4) Metformin과 병용시 젖산혈증 증가하므로, Scr〉1.5mg/dℓ(남), 1.2mg/dℓ(여)인 경우 병용금지	복통, 식욕변화, 변비 - 발기부전 - 근경련, 허약 - 기침, 호흡곤란	7) 소아 : 안전성 및 유효성 미확립 〈주의〉 1) 신중투여 : 당뇨병, 대사성 · 호흡성 산증, 전해질 불균형, 가역적 혈뇨의 증가, 간경변, 신장애 환자 2) 임신부 : Category B 3) 수유부 : 동물실험시 모유이행 보고 〈약리작용 및 효능〉란에 계속
Spironolactone Aldactone tab 알닥톤 필름코팅정 …25mg/T	1) 성인 - 50~100mg 분할투여 - 중단시 : 2~3일간 서서히 감량, 중단 * 신기능에 따른 용량 조절 참고 1) CrCl(ml/min) : 투여간격 ① 〉50 : 6~12 시간 ② 50~10 : 12~24시간 ③ 〈10 : 투여금기 2) CrCl(ml/min) : 용량용법(심부전에 사용시) ① 31~50 : 12.5mg qd로 시작 ② 〈30 : 투여금기	1) 원위 신세뇨관에서의 Na^+ 재흡수를 억제함으로써 K^+ 배설을 억제하는 K^+ 저류성 이뇨제임. 2) 이 약은 aldosterone에 길항제이며, amiloride는 세뇨관에 직접 작용함. 3) 혈압강하작용은 약하여 단독으로보다는 Thiazide 또는 Loop 이뇨제 사용시 저칼륨혈증의 예방목적으로 병용함. 4) 적응증 : 고혈압(본태성, 신성 등), 원발성 알도스테론증, 저칼륨혈증, 심성부종(울혈성 심부전), 신성부종, 간성부종, 특발성 부종	- 부종 - 졸음, 기면, 두통, 착란, 발열, 운동 실조, 피로 - 반점구진, 홍반성 발진, 두드러기, 다모, 호산구증가 - 여성형 유방, 유방통, 중증 고칼륨혈증, 저나트륨혈증, 탈수, 고염소혈증성 대사성 산증, 발기부전, 월경주기 이상, 무월경, 월경 후 출혈 - 식욕감퇴, 오심, 경련, 위출혈, 궤양, 위염, 구토 - 무과립구증 - 담즙정체성/간세포 독성 - BUN 상승 - 음성변화, 아나필락시 반응, 유방암	〈금기〉 1) 무뇨 환자 2) 급성 신부전, 중증 신장애 환자 3) 중증 간부전 환자 4) 고칼륨혈증 환자 5) 애디슨병 환자 〈주의〉 1) 신중투여 : 중증 관동맥경화증 · 뇌동맥경화증, 간 · 신장애, 염제한요법 환자, 영아 2) 임신부 : Category C 3) 수유부 : 모유 이행 〈상호작용〉 1) Digoxin의 작용 증강 2) Amiloride 상호작용 참조

약품명 및 함량	용법	약리작용 및 효능	부작용	주의 및 금기
Chlorthalidone Hygroton tab 하이그로톤정 …25mg/T	1) 고혈압 : 25mg/D (필요시 50mg/D로 증량가능) 2) 만성 안정형 심부전 : 25~50mg/D (중증인 경우 100~200mg/D로 증량 가능) 3) 특정질환으로 인한 부종 : 최소 유효량 투여 (Max. 50mg/D) 4) 소아 : 0.5~1mg/kg/48hrs (Max.1.7mg/kg/48hrs) 5) 노인, 신부전 : 최소 유효량 사용 (CrCl 30ml/min 이하이면 이뇨효과 상실)	1) Thiazide 이뇨제와 유사한 benzene sulphonamide 구조의 이뇨제 2) 작용기전 : 세뇨관에서 Na, Cl 재흡수 억제에 의한 이뇨작용 3) 적응증 : 본태성고혈압, 신성고혈압, 수축성고혈압, 경증~중증도의 만성 안정형 심부전, 특정질환으로 인한 부종(관찰 하에 있는 안정된 상태의 환자의 간경변으로 인한 복수, 신증후군으로 인한 부종) 4) Hydrochlorothiazide(12~16hrs)에 비해 작용지속시간(24~72hrs)이 길고, hypokalemia 부작용 비율이 높음. 5) 대응량 : Chlorthalidone 25mg ≒ Hydrochlorothiazide 50mg 6) Onset : 2~3hrs Tmax : 2~6hrs Duration : 24~72hrs 배설 : 신장(50~74%)	1) 〉10% – 주로 고용량에서 저칼륨혈증, 고뇨산혈증, 지질 증가 2) 1~10% – 저나트륨혈증, 저마그네슘혈증, 고혈당증 – 두드러기, 피부발적 – 기립성 저혈압, 어지러움 – 식욕부진, 경미한 위장관계 불쾌감 – 발기부전 3) 기타(중대한 이상반응) – 재생불량성 빈혈, 괴사성 혈관염, 폐수종, 췌장염, 무과립구증, 급성 신부전	〈금기〉 1) 중증의 간부전, 신부전 환자 (CrCl 〈30ml/min) 2) 무뇨증 환자 3) 이 약, Thiazide, Sulphonamide계 유도체에 과민한 환자 4) 리튬요법을 받고 있는 환자(리튬 혈중농도 상승으로 독성 발현 가능) 5) 임신부 : Category B (임신부의 이뇨제 사용은 저혈량증, 혈액점도증가, 태반환류를 감소시킬 수 있으므로 주의) 6) 수유부 : 모유이행 〈주의〉 1) 간, 신 질환자 2) 당뇨, SLE 환자 3) 전해질 불균형(저칼슘혈증, 저나트륨혈증, 고칼슘혈증, 통풍, 요산결석증, 고뇨산혈증) 4) 소아 : 영아는 전해질 평형이 깨지기 쉬우므로 주의
Hydrochlorothiazide Dichlozid tab 다이크로진정 …25mg/T	(성인) 1) 부종 : 1~4Ⓣ qd~bid 2) 고혈압 : 1~2Ⓣ #1~2 3) 월경전 긴장증: 1~2Ⓣ qd~bid * 신기능에 따른 용량 조절 참고 – CrCl 〈10ml/min : 사용을 피함 – GFR 〈30ml/min : 효과 없음 (신부전인 경우 보통 HCTZ에 불응성 나타냄)	1) Thiazide(benzothiadiazine)계 이뇨제로 nephron의 cortical dilating segment에 작용하여 Na^+, Cl^-, H_2O, K^+의 배설을 촉진함. 2) Mg^{2+}, phosphate, Br^-, I^-의 배설도 증가되며, Ca^{2+}, Li^+, 뇨산의 배설은 감소됨. 3) ECF 및 혈류량과 심박출량 감소로 혈압강하작용을 나타냄. 4) 혈류량 변화로 인한 혈중 renin작용의 증가로 aldosterone의 분비가 증가됨(저칼륨혈증 초래). 5) 뇨붕증 환자의 뇨배설량을 감소시킴. 6) 여러 원인에 의한 부종, 고혈압의 2~3단계 치료에 사용함.	1) 1~10% – 기립성 저혈압, 저혈압 – 광과민성 – 저칼륨혈증 – 식욕감퇴, 상복부 불쾌감	〈금기〉 1) 중증 간장애 환자 2) 무뇨 환자 3) 급성 또는 중증의 신부전 환자 4) 저나트륨 · 저칼륨혈증 환자 5) Thiazide계 또는 설폰아미드계에 과민한 환자 6) 애디슨병 환자 7) 고칼슘혈증 환자 〈주의〉 1) 신중투여 : 이 약을 연용하는 환자, digoxin, 당질부신피질호르몬 또는 ACTH를 투여중인 환자, 간질환, 간장애, 진행성 간경변, 중증 관동맥경화증

약품명 및 함량	용법	약리작용 및 효능	부작용	주의 및 금기
		7) 신성 및 vasopressin 불응성 뇨붕증에도 사용함. 8) Hypercalciuria와 관련된 신결석 예방 목적으로도 사용됨. 9) 최적 이뇨효과 : 25~100mg/D 10) 적응증 : 고혈압(본태성, 신성), 악성고혈압, 심성부종(울혈성심부전), 신성부종, 간성부종, 월경전긴장증에 의한 부종, 부신피질호르몬, 페닐부타존, 에스트로겐에 의한 부종 11) Onset : 2hrs Cmax : 3~6hrs 지속시간 : 6~12hrs $T\frac{1}{2}$: 5.6~14.8hrs		· 뇌동맥 경화증, 부갑상선기능항진증, 염제한요법 환자, 교감신경 절제후의 환자, 설사, 구토, 고령자, 영아, 통풍 또는 당뇨병의 가족력이 있는 환자 2) 임신부 : Category B (신생아 또는 영아에 고빌리루빈혈증, 혈소판감소증 발생가능, 임부의 혈장량 감소, 혈액농축, 자궁/태반혈류량 위험으로 임신 후기 주의) 3) 수유부 : 모유 이행, 모유생성 억제 〈상호작용〉 1) 리튬의 배설 감소시켜 독성 증가 2) NSAIDs와 병용시 이뇨작용 감소 3) Metformin과 병용시 젖산혈증 증가하므로, Scr〉1.5mg/dℓ(남), 1.2mg/dℓ(여)인 경우 병용금지 4) 당질부신피질호르몬 또는 ACTH, 하제와 병용시 칼륨방출 증가 5) Digoxin의 작용증강
Indapamide Natrix tab 나트릭스정 …2.5mg/T	1) 고혈압 : 2~2.5mg qd 2) 울혈성심부전으로 한 부종 : 2.5mg qd(심한 경우, 1주일 후 5mg qd까지 증량)	1) Thiazide계와 관련된 이뇨제 2) 심장에 대한 inotropic, chronotropic 효과나 CO에 영향을 거의 미치지 않으며 PR을 감소시킴. 3) 신장애시 이뇨효과는 감소되나 강압 효과에는 영향이 없음. 4) 적응증 : 본태성고혈압, 울혈성심부전에 의한 부종 5) Indapamide 2.5mg ≒ Hydrochlorothiazide 50mg 6) 흡수율 : 93% Onset : 1~2hrs Tmax : 〈2hrs 〈상호작용〉 1) 당질부신피질호르몬 또는 ACTH, 하제와 병용시 칼륨방출 증가 2) Digoxin의 작용증강 3) 당뇨약의 효과 감소	1) 1~10% – 기립성 저혈압, 심계항진, 홍조 – 현기, 현훈, 두통, 허약, 초조, 졸음, 피로, 기면, 권태, 불안, 격앙, 우울, 초조 – 식욕감퇴, 위장자극, 오심, 구토, 복통, 경련, 팽만감, 설사, 변비, 구강건조, 체중감소 – 야뇨, 빈뇨, 다뇨 – 근경련, 수축 – 시야몽롱 – 비염	〈금기〉 1) 무뇨 환자 2) 급성 신부전 환자, 중증신장애, 중증간장애 3) 저칼륨 · 저나트륨혈증 환자 4) Thiazide계 또는 설폰아미드계에 과민한 환자 5) 고칼슘혈증 환자 6) 애디슨병 환자 〈주의〉 1) 신중투여 : 진행성 간경화증, 중증 관동맥경화증 · 뇌동맥경화증, 간장애, 통풍 또는 당뇨병의 가족력이 있는 환자, 설사, 구토, 부갑상선기능항진증, digoxin, 당질부신피질호르몬 또는 ACTH를 투여중인 환자, 염제한요법 환자, 교감신경 절제후의 환자, 고령자, 영아 2) 임신부 : Category B (신생아 또는 영아에 고빌리루빈혈증, 혈소판감소 등을 일으킬 수 있어 임신후기 주의) 3) 수유부 : 모유 이행

약품명 및 함량	용법	약리작용 및 효능	부작용	주의 및 금기
Metolazone Zaroxolyn tab 자록소린정 …5mg/T …10mg/T	1) 고혈압 : 2.5~5mg qd 2) 울혈성 심부전에 따른 부종 : 5~10 mg qd 3) 신장질환에 따른 부종 : 5~20mg qd 4) 신장애시 용량조절 불필요	1) Quinazoline계 이뇨제로 원위 및 근위 세뇨관에서 Na+ 재흡수를 차단함. 2) 작용 기전상 thiazide계 이뇨제와 유사하나, 작용 발현이 빠르고 지속시간이 길며, 신기능이 저하된 환자(GFR 20ml/min 이하) 에서도 이뇨효과 나타냄. 3) 적응증 : CHF 및 신장질환시의 부종, 경증~중등도 본태성 고혈압 4) Onset : ~1hr Duration : 12~24hrs $T\frac{1}{2}$: 14hrs 배설 : 신장(56.1%)	1) 〉10% – 현기증 2) 1~10% – 기립성 저혈압, 심계항진, 흉통, 사지냉증, 부종, 정맥혈전증, 실신 – 두통, 피로, 기면, 불쾌, 권태, 흥분, 우울, 신경과민, 오한 – 발진, 소양증, 피부건조 – 저칼륨혈증, 발기부전, 성욕감퇴, 체액감소, 혈액농축, 급성 통풍 발작 – 오심, 구토, 복통, 복부팽만, 위장관경련, 설사, 변비, 구강건조 – 야간뇨 – 근경련, 경축, 근쇠약 – 눈 소양증, 이명, 기침, 비출혈, 부비강울혈, 인후통	〈금기〉 1) 이 약 또는 thiazide와 sulfonamide 유도체에 과민한 환자 2) 간성 혼수, 무뇨증 〈주의〉 1) 신질환, 간질환, 통풍, 홍반성 루푸스, 당뇨 2) 중증의 저나트륨혈증 또는 저칼륨혈증이 발현된 경우 투여 중지 3) 중증의 신기능손상 환자에게 투여시 주의 4) 소아 : 유효성, 안전성 미확립 5) 수유부 : 모유 이행 6) 임신부 : Category B (FDA), Category C (호주) 〈상호작용〉 1) Furosemide와 병용시 이뇨작용은 증강되나, 과다한 혈액량 감소와 전해질 결핍 발생 주의 2) Digoxin, 리튬의 독성 증가 3) CsA과 병용시 통풍, 신독성 증가 4) Cholestyramine, NSAIDs와 병용시 이 약의 효과 감소 5) ACE inhibitors와 병용시 기립성 저혈압 주의

약품명 및 함량	용법	약리작용 및 효능	부작용	주의 및 금기
Acetazolamide Acetazol tab 아세타졸정 …250mg/T	(경구제) 1) 녹내장 : 250~1,000 mg/D 분할투여 2) 간질 : 125~1,000 mg/D 분할투여 3) 폐기종에서의 호흡성 산증 : 250~500mg #1~2	1) Carbonic anhydrase inhibitor 2) Aq.humor의 분비억제로 안압을 강하시킴. 3) HCO_3^-부족으로 인한 Na^+, H_2O, K^+배설촉진으로 이뇨효과가 있음. 4) 혈관확장작용에 의해 중뇌로의 혈류량 증가로 뇌혈	1) 10% 이상 – 권태, 졸음, 허약 – 식욕감퇴, 체중감소, 설사, 금속성 맛, 오심, 구토	〈금기〉 1) 고염소혈증성 산증, 저나트륨 · 저칼륨혈증 환자 2) 부신기능부전, 애디슨병 환자 3) 무뇨 환자 4) 중증 간 · 신질환 또는 장애 환자

약품명 및 함량	용법	약리작용 및 효능	부작용	주의 및 금기
Zoladin inj 졸라딘주사 …500mg/V	4) 울혈성 심부전에 의한 부종 : 250~375mg qd * 신기능에 따른 용량조절 참고 - CrCl 10~50ml/min : q 12hrs로 투여 - CrCl 〈10ml/min : 금기(ineffective) (주사제) 1) 울혈성심부전에 의한 부종 - 초회량 : 250~375mg (5mg/kg) qd IV 2) 녹내장 : 250mg qd~qid IV 3) 전간 : 8~30mg/kg/D 분할투여 IV 4) 폐기종에서의 호흡성 산증 : 250~500mg qd IV 5) Max. 1g/D	류량의 정도를 확인하여 수술여부 결정시 사용함. 5) 경구, 주사제 공통 적응증 : 울혈성심부전에 의한 부종, 녹내장의 완화, 전간, 폐기종에서의 호흡성 산증 개선	- 다뇨 - 사지, 입, 혀, 입술, 항문의 마비, 저림, 작열감 2) 1~10% - 우울 - 신결석	5) 설폰아미드계에 과민한 환자 6) 만성 울혈성 협우각형 녹내장 환자에게 장기투여 금기 〈주의〉 1) 신중투여 : 진행성 간경변, 중증 관동맥경화증 · 뇌동맥경화증, 중증 고탄산가스 혈증, digoxin, 당질부신피질호르몬 또는 ACTH를 투여중인 환자, 염제한 요법 환자, 고령자, 영아, 통풍 환자 2) 임신부 : Category C 3) 수유부 : 모유생성억제, 모유이행 〈상호작용〉 1) Phenobarbital, phenytoin과 병용시 구루병, 골연화증 발생 2) Digoxin의 심장 작용 증강 3) 당질부신피질호르몬 또는 ACTH와 병용시 칼륨방출 증가 4) 대량의 Vit.C와 병용시 신 · 요로결석 발생 증가 5) Aspirin과 병용시 부작용 증가 6) 엽산길항제, 혈당강하제, warfarin의 작용 증강 〈취급상 주의〉 1) 주사제는 용해 후 냉장보관시 3일, 실온에서 12시간 안정함.
Methazolamide Mezomin tab 메조민정 …50mg/T	1~2Ⓣ bid~tid	1) Carbonic anhydrase inhibitor 2) Aq.humor의 분비억제로 안압을 강하시킴. 3) HCO^{3-}부족으로 인한 Na^{+},H_2O, K^{+} 배설촉진으로 이뇨효과가 있음. 4) 이뇨작용과 전해질 배설작용은 일시적이고 약함. 5) 적응증 : 만성개방각 녹내장, 속발성 녹내장, 급성 폐쇄성 녹내장, 수술전 안압 강하	- 권태, 두통 - 두드러기, 소양, 스티븐스존슨 증후군 - 금속성 맛, 식욕부진, 오심, 구토, 설사 - 다뇨, 신결석, 발기부전 - 골수억제, 범혈구 감소 - 간부전 - 허약, 운동실조, 마비감	〈금기〉 1) 부신기능부전(에디슨병) 환자 2) 간 · 신부전 환자 3) 고염소혈증성 산증, 저나트륨 · 칼륨성혈증 4) 간경변 환자 〈주의〉 1) 폐폐색, 폐기종 환자 2) 당뇨병 환자 3) 임신부 : Category C 4) 소아 및 수유부 : 안전성 미확립 〈상호작용〉 1) 당질부신피질호르몬 또는 ACTH와 병용시 칼륨방출

약품명 및 함량	용법	약리작용 및 효능	부작용	주의 및 금기
			- 과민반응 : 발열, 광과민	증가 2) 대량의 Vit.C와 병용시 신 · 요로결석 발생 증가
Tolvaptan Samsca tab 삼스카정 …15mg/T …30mg/T	1) 성인 - 초기: 15mg qd - 최소 24시간 간격을 두고 30mg qd로 증량 (Max. 60mg/D) - 식사와 관계없이 복용 *신장애시 용량조절 - CrCl ≥ 10ml/min : 용량조절 불필요 - CrCl 〈 10ml/min : 투여 비권장	1) Vasopressin V_2 Receptor Antagonist 2) 신장집합관에 위치한 V_2 receptor에 바소프레신 결합을 차단하여 수분 재흡수를 억제하여 뇨 중 전해질 배설 증가 없이 수분만 선택적으로 배설함 (Aquaresis) 3) 적응증 : 심부전, 항이뇨 호르몬 분비 이상 증후군(SIADH) 환자 등에서 임상적으로 유의한 고혈량성 또는 정상혈량성 저나트륨혈증(혈청 중 나트륨 농도가 125mEq/L 미만 또는 증상이 있으며 수분제한에 의한 보정을 할 수 없는 저나트륨혈증)의 치료(30일 이내 사용 권장) 4) Tmax : 1~4hrs $T\frac{1}{2}$: 2.8~12hrs 대사 : 간(CYP3A) 〈상호작용〉 1) 강력한 CYP3A 억제제(Ketoconazole, Itraconazole, Clarithromycin, Ritovir 등); 이 약의 혈중 농도 증가, 병용금기 2) 중등도의 CYP 3A 억제제(Erythromycin, Fluconazole, Aprepitant, Diltiazem, Verapamil), 자몽 주스, P-gp 억제제(Cyclosporin) : 이 약의 혈중농도 증가 3) CYP 3A 유도제(Rifampicin, barbiturates, phenytoin, carbamazepine, St. John 's Wort) : 이 약의 혈중농도 감소	1) 〉 10% - 구역(21%), 입마름(7-13%) - 빈뇨(4~11%), 다뇨(4~11%) - 갈증(12~16%) 2) 2~10% - 피로(4%) - 고혈당(6%), 고나트륨혈증(〈2%) - 위장관출혈(간경화 시 10%), 변비(7%), 식욕부진(4%), 간독성(≤ 4%) - 무력감 (9%)	〈금기〉 1) 혈청 나트륨 농도를 긴급히 올릴 필요가 있는 환자 2) 갈증을 느끼지 못하거나 적절히 반응할 수 없는 환자 3) 저혈량성 저나트륨혈증 환자 4) 무뇨증 환자, 고나트륨혈증 환자, 체액 고갈 환자 5) 임신부 : Category C 6) 수유부 : 안전성 미확립 7) 갈락토오스 불내성, Lapp 유당분해효소 결핍증 또는 포도당-갈락토오스 흡수장애 등의 유전적인 문제가 있는 환자 〈주의〉 1) 간경화 환자 2) 탈수 및 혈량저하증 환자 3) 당뇨 환자, 심각한 관상 동맥 질환이나 뇌혈관 질환이 있는 환자 또는 고령자 4) 고칼륨혈증 또는 혈청 중 칼륨 농도를 증가시키는 약물을 복용하는 환자 5) 뇨 배출 폐쇄 환자, 신장애 환자 6) 18세 미만 소아 및 청소년 : 안전성, 유효성 미확립 〈약리작용 및 효능〉란에 계속

약품명 및 함량	용법	약리작용 및 효능	부작용	주의 및 금기
1bag(500ml)중 Hydroxyethyl starch 30g, $CaCl_2$ 185mg, Dextrose 450mg, $MgCl_2$ hexahydrate 45mg, KCl 110mg, NaCl 3,360mg, Sodium lactate(60%) 2,641.5mg **Hextend inj** 헥스텐드주 …500ml/Bag	1) 500~1000ml IV inf. 2) 투여속도와 투여량은 환자의 연령, 체중, 임상 상태, 혈액 혈장 손실량, 그에 따른 혈액 농축 정도에 따라 결정	1) Hydroxyethylstarch(HES) 성분의 혈장증량제 2) 타 제제에 비하여 분자량이 크고 치환도가 높아 혈장 증량효과(약 1.6배)가 크고 지속시간이 김. 3) 변형된 고분자량의 HES이며 Ca^{2+}을 함유하여 고분자량 HES의 혈액응고 부작용을 줄임. 4) 적응증 : 혈장량 증가가 요구되는 hypovolemia 치료(혈액 또는 혈장대체제는 아님) 5) 성분구성 (mEq단위) Na^+ : 71.5, Cl^- : 62, Ca^{2+} : 2.5, K^+ : 1.5, Mg^{2+} : 0.45, lactate : 14, Glucose : 2.75 6) Onset : 30분 이내 지속시간 : 24~36hrs 대사 : 세망내피계에 의한 분해 배설 : 신장(~40%)	– 순환 overload, 심부전, 말초부종 – 오한, 발열, 두통, 두개내 출혈 – 가려움, 발진 – Amylase 수치 상승, 이하샘 비대, indirect bilirubin 증가, 대사성 산증 – 구토 – 출혈, factor VIII : C plasma level 감소, 혈액 응고 약화, von Willebrand factor 감소, 희석성 응고 병증, PT, PTT, clotting time 지연, 혈소판 감소증, 빈혈, 파종성 혈관내 응고증, 용혈 – 근육통 – 아나필락시스양 반응, 과민반응, flu-like syndrome	〈금기〉 1) HES 제제에 과민한 환자 2) 출혈 이상 환자 3) volume overlord로 인한 울혈성심부전 환자 4) 빈뇨증 혹은 무뇨증이 있는 신부전 환자 5) 유산산증 〈주의〉 1) 혈액량의 25% 초과 투여 시 응고 이상 가능 2) alkalosis 3) 옥수수 allergy 4) 간질환 5) 신기능 이상 6) 폐부종이나 심질환의 위험이 있는 환자 7) 임부, 수유부 : 안전성 미확립 8) 소아 : 안전성 미확립
1bag(500ml)중 Hydroxyethyl starch 30g, $CaCl_2$ dihydrate 185mg, $MgCl_2$ hexahydrate 100mg, Malic acid 335mg,	1) 처음 10~20ml는 천천히 주입 (아나필락시양 반응 여부 관찰) 2) 투여량과 투여속도는 환자의 혈액 손실량, 혈액역학적 유지 또는 복구, 혈액 희석에 따라 결정하며, 수일간 반복 투여가능 (Max. 50ml/kg/D)	1) 혈장증량제 2) 혈장 전해질과 비슷한 양이온 분포를 가지는 balanced HES soln으로 타제제와 비교시 Cl^- 농도를 최소화하여 hyperchloremic acidosis 위험성 감소시킴 3) 성분구성 (mEq단위) Na^+ : 70mEq, K^+ : 2mEq, Ca^{2+} : 2.5mEq Mg^{2+} : 1mEq, Cl^- : 59mEq,	(빈도 미확립) – 아나필락시양 반응(과민증, flu-like syndrome, 서맥, 빈맥, 기관지경축, 비심장성 폐부종), 발진, 가려움 – 혈액응고장애	〈금기〉 1) 폐부종을 포함한 체액 과부하상태 환자 2) 핍뇨 혹은 무뇨를 수반한 신부전 환자, 중증신부전, 투석치료중인 환자 3) 울혈성심부전 또는 중증 심부전 환자 4) 중증 혈액응고장애 환자 5) 두개내 출혈 환자

약품명 및 함량	용법	약리작용 및 효능	부작용	주의 및 금기
KCl 150mg, NaCl 3,125mg, Na acetate trihydrate 1,635mg **Tetraspan inj 6%** 테트라스판주 6% …500ml/Bag		Acetate : 12mEq, Malate : 5mEq 4) 적응증 ① 혈액량 감소의 치료 및 예방 ② 신속한 동량 혈액희석요법 (ANH: Acute Normovolemic hemodilution) 5) 삼투압 : 296mOsm/L 분자량 : 130kDa 지속시간 : 3~4 hrs	– 구토, 오한, 발열	6) Hyperkalemia, 중증hypernatremia, 중증 hyperchloremia 환자 7) 패혈증, 중증 간질환 환자 〈주의〉 1) 신기능 장애 2) 혈액응고장애 3) 중증 탈수 환자 4) 임부, 수유부 : 안전성 미확립 〈취급상 주의〉 1) 실온 보관 2) 개봉 후 즉시 사용, 남은 액 폐기
1bag(500ml)중 Hydroxyethyl starch 30g, $MgCl_2$ hexahydrate 150mg, KCl 150mg, NaCl 3,010mg, Na acetate trihydrate 2,315mg **Volulyte inj 6%** 볼루라이트주 6% …500ml/Bag	1) 처음 10~20ml는 천천히 주입(아나필락시스양 반응 여부 관찰) 2) 1일 투여량과 속도는 환자의 혈액 손실량, 혈액역학적 검사치의 유지 또는 복구, 혈액 희석에 따라 결정하며, 수일간 반복 투여 가능(Max. 50ml/kg/D)	1) 천연 옥수수에서 추출한 전분인 Hydroxyethylstarch(HES)성분 혈장증량제 2) NaCl, KCl, $MgCl_2$, acetate를 함유한 균형적 전해질 함유(balanced HES soln) 제제 3) 적응증 : ① 혈액량 감소의 치료 및 예방 ② 신속한 동량 혈액희석요법 (ANH : Acute Normovolemic Hemodilution)에 사용 ** total electrolytes (mmol/L) 1) Na^+ 137 2) K^+ 4 3) Mg^{2+} 1.5 4) Cl^- 110 5) acetate 34	(빈도 미확립) – 아나필락시스양 반응(과민증, flu-like syndrome, 서맥, 빈맥, 기관지연축, 비심장성 폐부종), 발진, 가려움 – 혈액응고장애 – 심방세동 – 대사성 산증 – 구토, 오한, 발열, 두통, 혈청 아밀라아제 농도 증가	〈금기〉 1) 패혈증, 중증 간질환 환자 2) 폐부종을 포함한 체액 과부하상태 환자 3) 핍뇨 혹은 무뇨를 수반한 신부전 환자 4) 울혈성심부전, 중증 심부전 환자 5) 중증 혈액응고장애, 두개내 출혈, 전해질 이상, 투석 치료중인 환자 〈주의〉 1) 임신부, 수유부, 소아 : 안전성 미확립 2) 중증탈수, 심 · 신부전, 간질환 병력, 혈액응고장애 환자 3) 옥수수 알레르기 환자 〈취급상 주의〉 1) 다른 약물과의 혼합을 피함. (∵배합적합성 자료 없음) 2) 개봉 후 즉시 사용, 남은 액은 폐기

약품명 및 함량	용법	약리작용 및 효능	부작용	주의 및 금기
Dopamine HCl Dopramine inj	NS, 5DW, 5DS 등의 수액 250~500 ml에 희석하여 사용 – 상용량 : 2~5mcg/kg/min IV	1) Catecholamine으로 심근의 β_1–수용체에 대한 직접 작용과 norepinephrine을 유리시키는 간접작용 2) 심박동수나 혈압의 변화없이 심박출량을 증가시킴.	– 기외수축, 빈맥, 협심통, 심계항진, 저혈압, 혈관 수축	〈금기〉 1) 크롬친화세포종 환자 2) 빈맥성 부정맥 환자

약품명 및 함량	용법	약리작용 및 효능	부작용	주의 및 금기
도푸라민주 …200mg/5ml/A	- 중증 : 5~10mcg/kg/min IV (Max. 20~50mcg/kg/min)	3) 신장 및 장간막에서 혈관을 확장하여 사구체 여과율, 신혈류량, Na+ 배설을 증가시킴. 4) 적응증 : 심근경색, 외상, 내독소패혈증, 수술후/신장애/만성심대상부전증(울혈성심부전)으로 인한 쇽, 핍뇨, 무뇨증, 심박출량 감소로 인한 저혈압 5) Onset : 5mins 지속시간 : 〈10mins $T\frac{1}{2}$: 2mins 〈취급상 주의〉 1) IV시 침윤에 의한 괴사 위험, 조직 침윤시 교감신경차단제(phentolamine) 5~10mg을 포함한 NS 10~15ml를 투여함 2) 알칼리액에 의해 불활성화됨 3) 희석용액은 실온 24시간 안정	- 두통 - 오심, 구토 - 호흡곤란	3) 심실세동 환자 4) 갑상선중독증 환자 5) 폐쇄우각형녹내장 환자 〈주의〉 1) 신중투여 : 말초혈관장애 환자 2) 아황산나트륨이 함유되어 있으므로 아나필락시스 반응 주의 3) 임신부 : Category C 4) 수유부, 소아 : 안전성 미확립 〈상호작용〉 1) Halothane 마취제와 병용 시 심장자극 2) MAOIs와 병용시 상가작용 3) Phenothiazine계, butyrophenone계와 병용시 신동맥 혈류증가 등의 반응 감소 4) TCAs, 교감신경효능약, 갑상선호르몬, 항히스타민제와 병용시 교감신경흥분작용 증강 〈약리작용 및 효능〉란에 계속
Epinephrine HCl Epinephrine inj 에피네프린주사액 …1mg/1ml/A	1) IM, SC : 0.2~1ml 2) IV(심정지 등 긴급시) : 0.25ml를 넘지 않는 범위내에서 NS 등에 희석하여 주사 3) 국소마취제와 병용 : 국소마취제 10ml에 1~2 방울의 비율로 사용	1) Endogenic catecholamine으로 adrenergic bronchodilator의 원형이며, β_1-, β_2- 및 α-adrenergic 작용을 가짐. 2) 혈관 수축작용으로 혈압 상승 3) 천식치료는 주로 기관지 확장작용에 의하며 혈관수축작용과 기관지 부종 제거작용에도 도움이 됨. 4) 심정지 시 심장리듬을 정상화함 5) 급성천식발작, 쇼크를 포함한 anaphylactic 반응에 선택약제로 SC 6) SC후 효과가 즉시 나타나나 지속시간이 짧음. 7) 국소적인 지혈목적으로, 국소마취의 효과 증강 및 독성 감소 목적으로 국소마취제에 첨가해서 사용함. 8) 적응증 : 기관지천식발작의 완화, 혈청병/두드러기/맥관신경성 부종의 증상완화, 약물에 의한 쇽/심정지의 보조치료, 국소마취에 효력의 지속	- 빈맥, 안면 홍조, 고혈압, 창백, 흉통, 심근의 산소 요구량 증가, 부정맥, 급사, 협심증, 혈관수축 - 긴장감, 불안, 두통, 현기증, 불면 - 오심, 구토, 구갈, 인후건조 - 쇠약감, 떨림 - 폐쇄각 녹내장,일시적인 작열감, 안구통증 - 신장과 내장의 혈류 감소 - 천명, 호흡곤란 - 발한	〈금기〉 1) 동맥경화증(뇌동맥 포함) 환자 2) 기질성 심질환 환자 3) 심확장 환자 4) 고혈압 환자 5) 기질성 뇌손상 환자 6) 만성 코카인 중독 환자 7) 정신신경증환자 8) 갑상선기능항진증환자 9) 당뇨병 환자 10) 폐쇄각 녹내장 환자 11) 폐렴환자나 객혈의 위험이 있는 환자 12) 분만중인 환자 13) 심인성, 외상성, 출혈성쇽 환자 14) 크롬 친화 세포종 환자 15) 중증 신기능 장애 환자 16) 잔뇨 형성이 수반되는 전립선 선종 환자 17) 폐성심 환자

약품명 및 함량	용법	약리작용 및 효능	부작용	주의 및 금기
		〈상호작용〉 1) 다른 sympathomimetic 약제와의병용 : 상승효과와 독성증가 2) $\alpha\beta$-adrenergic 차단제(propranolol, phentolamine, ergot alkaloid) : 고혈압, 서맥 3) 흡입형 전신 마취제 : 부정맥 4) Digoxin : 심부정맥 유발 5) TCA, 갑상선Hr. : 고혈압, 부정맥, 빈맥 6) Guanetidine과의 병용(항고혈압작용에 길항) : Guanetidine 효과감소 7) MAO억제제와의 병용 : 혈압상승		18) 손가락, 발가락, 코, 음경부위 마취 환자 〈주의〉 1) 신중투여 : 이 약 및 교감신경 효능약에 과민증이 있는 환자, 중증 부정맥, 만성 기관지 천식, 관상동맥 기능부전, 허혈성 심질환, 폐부종, MAOIs 투여중, 척추마취 환자, 임신부, 소아, 고령자 2) 임신부 : Category C 3) 수유부 : 안전성 미확립 4) 아황산염에 과민한 환자 (아황산수소나트륨 함유) 〈약리작용 및 효능〉란에 계속
Isoproterenol HCl Isuprel inj 이수푸렐주 …0.2mg/1ml/A	1) IV Inf : 5DW5에 1~2mg을 희석하여 0.5~5mcg/min으로 심박수 또는 심전도를 모니터하면서 주입 2) IV Bolus : 0.2mg을 5DW 또는 NS 10ml에 희석하여 주사 3) IM, SC : 희석되지 않은 1 : 5000 용액 0.2mg(1ml) 주사 4) 심장내 주사 : 긴급시 희석되지 않은 1:5000 용액 0.02mg(0.1ml) 주사	1) 합성 catecholamine으로 심장, 기관지등의 $\beta 1$, $\beta 2$-수용체에 작용함 2) 심박동수, 심근수축력, 자율성 및 전도속도 증가 및 기관지근 확장 작용을 나타냄. 3) 2~3도의 A-V block에 인공 심박동기를 삽입하기 전 사용함. 4) α-수용체에 대한 작용이 약하여 혈압상승효과는 없음. 5) 적응증 : Adams-stokes 증후군 발작, 심근경색이나 세균 내 독소 등에 의한 급성 심부전, 수술후의 저심박출량 증후군	- 부정맥, 서맥, 고혈압, 저혈압, 흉통, 심계항진, 빈맥 - 두통, 초조 - 오심, 구토 - 호흡곤란	〈금기〉 1) 중증 고혈압, 신질환, 갑상선기능항진증 환자 2) 빈맥성 부정맥 또는 그 병력자 3) 비후성 심근병증 환자 4) Digoxin 중독에 의한 빈맥, 심차단 환자 5) 협심증 환자 〈주의〉 1) 신중투여 : 타 교감신경흥 분약에 과민한 환자 또는 투여중인 환자, 당뇨병, 관동맥질환, CHF, 고혈압 환자, 아황산수소나트륨에 과민한 환자 2) 임신부 : Category C 3) 6세 이하의 소아 〈상호작용〉 1) Epinephrine 등과 병용시 부정맥 또는 심정지 발생, 병용금지 2) MAOIs, TCAs와 병용시 작용 증강 〈취급상 주의〉 1) 알칼리성 약과 혼합시 홍갈색으로 변색하며 역가감소 2) 차광하여 실온(1-30℃) 보관

약품명 및 함량	용법	약리작용 및 효능	부작용	주의 및 금기
Norepinephrine bitartrate Norpin inj 노르핀주 …4mg/4ml/A …10mg/10ml/A …20mg/20ml/A	1) 급성 저혈압, 쇼크 – 1회 Norepinephrine으로서 4mg을 5DW10, 5DS10 1000ml에 희석하여 2~3ml/min로 점적정주 – 유지량 : 0.5~1ml/min 2) 심정지시 : 심장 소생수술중 다른 방법에 의한 유효 심박동과 환기를 확보 후 1)의 방법으로 투여	1) α–adreno receptor에 직접 작용하는 sympathomimetic agent 2) 강한 혈관수축작용과 hemodynamic 작용을 가짐. 3) Noradrenaline bitartrate 2mg = Noradrenaline 1mg 4) Onset : 1~2mins	– 서맥, 부정맥, 말초성 허혈 – 두통, 불안 – 피부괴사 – 호흡곤란	〈금기〉 1) 혈액량 부족으로 인한 저혈압 2) 고혈압 환자 3) 중증 부정맥 환자 4) 임신부 : Category C (자궁혈관 수축으로 인한 태아의 가사상태 유도) 〈주의〉 1) 코카인 중독, 심실성 빈맥 환자에게는 투여하지 않는 것이 원칙이나 부득이 투여시는 신중투여함 2) 신중투여 : 고혈압, 동맥경화증, 갑상선기능항진증, 심질환, 서맥 환자, 고령자 3) 수유부 : 안전성 미확립 〈상호작용〉 1) 할로겐 마취제(빈맥, 심실세동), catecholamine(부정맥, 심정지)과 병용금기 2) MAOIs, TCAs, 분만촉진제, 항히스타민제와 병용시 작용증강, 혈압상승 3) 갑상선제제와 병용시 관부전 발작 위험 〈취급상 주의〉 1) 대량의 주사액이 혈관밖으로 누출 시 국소허혈성 괴사 누출시 phentolamine 투여
Phenylephrine HCl Phenylephrine inj 페닐레프린염산염1% 주사 …10mg/1ml/V	1) 저혈압, 쇽 ① 소아 – SC, IM : 0.1mg/kg q 1~2hrs (Max. 총 5mg) – IV bolus : 1~10mcg/kg q 10~15분 – IV inf : 0.1~0.5mcg/kg/min ② 성인 – IM, SC : 2~5mg q 1~2hrs (상용량 2–5mg) – IV bolus : 0.1~0.5mg q 10~15mins (상용량 0.2mg) – IV inf : 10mg in 500ml 5DW 또는 NS	1) Epinephrine에서 –OH기가 제거된 교감신경흥분제로 절후섬유의 α–수용체에 강력하게 작용하며 β–수용체에는 거의 작용이 없음. 2) 혈관수축작용으로 말초저항을 높임. 3) 반사성 서맥이 나타나므로 발작성 심실성 빈맥에 사용함. 4) 적응증 : 마취중의 혈압조절과 척수마취, 흡입마취중의 적정 수준의 혈압유지와 쇼크, 쇼크양 상태, 약물원성 저혈압 또는 과민반응시의 혈관실초의 치료, 발작성 상심실성 빈맥, 척수마취 시간의 연장을 위한 부분마취시의 혈관수축제	– 반사성 서맥, 홍분, 초조, 부정맥, 창백, 고혈압, 중증 혈관수축, 심박출량 감소 – 두통, 불안, 허약, 현기, 진전, 마비감, 초조 – 대사성 산증 – 주사시 약물 유출에 의한 조직, 피부 괴사 – 신기능 저하 – 호흡부전, 허약감	〈금기〉 1) 심각한 고혈압, 심실성 빈맥 환자 〈주의〉 1) 아황산염에 과민한 환자 (아황산수소나트륨 함유) 2) 고령자, 갑상선기능항진자 3) 서맥, 부분적 심차단, 심근성 질환, 죽상동맥경화증 환자 4) 임신부 : Category C 5) 수유부 : 안전성 미확립 〈상호작용〉 1) 교감신경흥분제 : 빈맥 또는 부정맥 유발 2) MAO저해제, TCA 제제, Oxytocic drugs : 이 약의 작용 증가

약품명 및 함량	용법	약리작용 및 효능	부작용	주의 및 금기
	* 주입속도 – 초기 100 ~180mcg/min – 유지 40~60mcg/min 2) 발작성 심실성 빈맥 20~30초에 걸쳐 IV ① 소아 : 5~10mcg/kg ② 성인 : 0.25~0.5mg			3) Midodrine : 승압 작용 증가

약품명 및 함량	용법	약리작용 및 효능	부작용	주의 및 금기
Amezinium methylsulfate Risumic tab 리스믹정 …10mg/T	1) 본태성 · 기립성 저혈압 : 1Ⓣ bid 2) 투석 시행시의 혈압저하 : 투석 개시시 1Ⓣ	1) Indirect, primary α– sympathomimetic agent로 내인성 norepinephrine의 작용을 증강시켜 혈압의 상승을 유발 2) 적응증 : 본태성 저혈압, 기립성 저혈압, 투석 시행시 혈압저하 개선	– 발진, 습진, 담마진 – 동계, 빈맥, 부정맥, 조홍, 혈압변동, 호흡곤란, 부종 – 현기, 두통, 전신 권태감, 불면, 졸음, 정신혼몽, 이명 – 오심, 구토, 속쓰림, 식욕부진, 복부팽만, 설사, 변비, 구갈 – 간기능 이상 – 백혈구 감소, 발열, 전신열감, 경부통, 하지통, 배뇨장애, 시력장애, 보행장애	〈금기〉 1) 고혈압 환자 2) 갑상선기능항진증 환자 3) 갈색 세포종 환자 4) 협우각녹내장 환자 5) 잔뇨를 수반한 전립선비대증 환자 〈주의〉 1) 신중투여 : 중증 심장애 2) 임신부 및 소아 : 안전성 미확립 3) 수유부 : 동물실험시 모유이행
Midodrin HCl Midron tab 미드론정 …2.5mg/T	1) 2.5mg bid~tid * 신기능에 따른 용량 조절 참고 – 초기 2.5mg/dose로 투여 시작 – 기립성저혈압 : 2.5mg tid로 시작, 내약성에 따라 용량조절	1) 장시간형 α–receptor agonist 2) 말초 혈관에만 선택적으로 작용하여 기립성 순환장애에 의한 저혈압 조절 3) 기립성, 본태성, 증후성 저혈압 조절에 사용함. 4) Onset : 45~90mins Peak effect : 1hr	1) 10% 이상 – 입모, 소양증 – 긴박뇨, 저류, 다뇨, 배뇨곤란 – 마비감 2) 1~10%	〈금기〉 1) 고혈압 환자 2) 중증 심질환 환자 3) 급성 신장염 환자 4) 갑상선기능항진증 환자 5) 크롬친화세포종 환자

약품명 및 함량	용법	약리작용 및 효능	부작용	주의 및 금기
		Tmax : 30mins (대사체 1~2hrs) 지속시간 : 2~6hrs $T_{\frac{1}{2}}$: 25mins (대사체 3~4hrs) 〈상호작용〉 1) MAOIs와 병용시 교감신경흥분작용 증강 2) Digoxin과 병용시 반사성 서맥 발생	- 앙와위 고혈압, 안면홍조 - 착란, 불안, 현기, 오한 - 발진, 피부건조 - 구강건조, 오심, 복통 - 근육통	6) 폐쇄우각형녹내장 환자 7) 혈관경련, 혈관폐색 환자 8) 배뇨장애 환자(전립선증) 9) 빈맥성 부정맥 환자 〈주의〉 1) 신중투여 : 중증 심장애, 부정맥 환자 2) 당뇨병 환자는 혈당조절 후 투여 3) 임신부 : Category C 4) 수유부 : 안전성 미확립

심근추축력을 증가시킴

약품명 및 함량	용법	약리작용 및 효능	부작용	주의 및 금기
Denopamine Cardopamin tab 카도파민정 …5mg/T	1) 5~10mg tid	1) Phenylethanolamine 유도체로 선택적 β⟨1⟩-receptor agonist 2) 심수축력 증강, 말초혈관 혈류량 증가 작용 3) 상용량에서 심박수, 혈압에는 영향이 적고 부정맥 유발 가능성 적음. 4) 디기탈리스, 이뇨제, 혈관확장제 등과 병용 바람직 5) 적응증 : 만성 심부전 6) $T\frac{1}{2}$: 4hrs	- 빈맥, 심실성 기외수축, 심실빈맥, 부정맥, 심계항진, 혈압상승, 흉통, 전흉부 불쾌감 - 두통 - 오심, 구토, 식욕 부진, 복통 - ALT, AST 상승 - 발진, 소양	⟨금기⟩ 1) 급성 심근경색 환자 2) 부정맥 환자 ⟨주의⟩ 1) 투여중 정기적 심전도 검사 실시 2) 심실성 기외수축, 심실 빈맥 등이 나타나면 감량 또는 휴약 3) 임신부 및 소아 : 안전성 미확립 4) 수유부 : 모유 이행
Digoxin Digoxin tab 디고신정 …0.25mg/T Digoxin inj 디곡신주 …0.25mg/1ml/A	* 허가사항 기준 1) PO (성인) - 초회량 : 0.5~1mg, 이후 6~8시간마다 0.5mg (포화량 1~4mg) - 유지량 : 0.25~0.5mg/D 2) PO (소아) - 초회량 ① 2세 미만 : 0.06~0.08mg/kg/D #3~4 ② 2세 이상 : 0.04~0.06mg/kg/D #3~4 - 유지량 : 상기 포화량의 1/5~1/3을 투여 3) Inj. (성인) - 급속포화요법(포화량 1~2mg) : 1회 0.25~0.5mg씩 2~4 시간마다 IV - 유지요법 : 0.25mg/D 4) Inj. (소아)	1) Digitalis lanata 잎에서 추출하여 정제한 digitalis 제제로 Na, KATPase와 가역적으로 결합함. 2) 직접적인 (+)inotropic 작용으로 심박출량 증가, 정맥압 감소, 심비대 감소, 대상성 reflex 빈맥을 감소시킴. 3) 신장의 혈액동력학의 개선으로 이뇨작용도 나타냄. 4) 미주신경 흥분에 의한 antiandrogenic 작용으로 vagal tone을 증가시켜 A-V node 전도시간과 불응기를 연장시킴. 5) 허혈성, 고혈압성, 판막성, 선천성 심질환 또는 심장비대성 CHF에 가장 유효함. 6) 심방세동 또는 조동 특히, stable chronic 심방세동에도 유효함. 7) A-V nodal re-entrant 빈맥에 다른 항부정맥제가 효과없을 때 유용함. 8) 작용발현이 빠르고 지속시간이 짧아 독성발현시 치료가 쉬우므로 digitoxin보다 선호됨. 9) Onset : 5~30mins(IV), 1~2hrs(PO)	- 심차단, 부전수축, 빈맥, 심실세동, 부정맥 - 시야이상, 두통, 정신이상, 불안, 우울, 환각 - 반상 구진성 발진, 홍반, 발진, 두드러기, 소양, 안면부종, 후두부종, 탈모 - 오심, 구토, 설사, 복통	⟨금기⟩ 1) 방실블록(특히 애덤스-스토크스증후군), 동방블록, 경동맥동 증후군 2) 디기탈리스 중독, 폐쇄성 심근병증 3) 심실빈맥 4) W-P-W 증후군 ⟨주의⟩ 1) 급성 심근경색, 심실성 기외수축, 심내막염, 폐성심, 갑상선 기능장애, 신장애 환자 2) 혈액투석 환자 3) 전해질 평형실조 4) 동기능 부전 증후군 5) 중증 호흡기 질환 6) 임신부 : Category C 7) 수유부 : 모유 이행 8) TDM 대상 약물 ⟨상호작용⟩ 1) Digoxin 중독 위험상승 : 칼륨배설성 이뇨제, amiloride, spironolactone,

약품명 및 함량	용법	약리작용 및 효능	부작용	주의 및 금기
	- 급속포화요법 ① 신생아, 미숙아 : 0.03~0.05mg/kg/D #3~4 IV, IM ② 2세미만 : 0.04~0.06mg/kg/D #3~4 IV, IM ③ 2세이상 : 0.02~0.04mg/kg/D #3~4 IV, IM - 유지요법 : 포화량의 1/15~1/10을 IV, IM * 실제 임상사용 용법 및 용량은 허가사항과 상이할 수 있으므로 TDM 자문을 받도록 함.	Tmax : 1~4hrs(IV), 2~6hrs(PO) $T\frac{1}{2}$: 1.5~2days 치료혈중농도 : 0.8~2.0ng/ml 생체이용률 : 60~80%(PO) * 신기능에 따른 용량조절 참고 1) loading dose - ESRD : 50%로 감량 2) 유지용량 - CrCl 10~50ml/min : 25~75%로 감량 or 36hrs마다 투여 - CrCl <10ml/min : 10~25%로 감량 or 48hrs마다 투여		Ca제제, reserpine, atropine, 베타차단제, 교감신경 효능약, 갑상선제제, quinidine, 칼슘길항제, itraconazole, indomethacin, propafenone, captopril, flecainide, tetracycline, erythromycin, 리튬, 부신피질호르몬 2) Digoxin 흡수 지연 또는 감소 : cholestyramine, 제산제, sulfasalazine, neomycin, metoclopramide, rifampin, phenytoin, D-penicillamine 〈취급상 주의〉 1) 빠른 IV는 혈관수축으로 고혈압, 관상혈류감소를 일으킬 수 있음.
Dobutamine HCl Doburan inj 도부란주 …250mg/5ml/A	1) 심박출 증가를 위해 필요한 주입속도 : 2.5~10mcg/kg/min 2) 만족할 만한 효과를 얻기 위해 : 40mcg/kg/min로 투여할 수 있음	1) 합성 catecholamine으로 구조 및 약리작용이 dopamine과 유사한 β_1-selective adrenergic agonist 2) 신장과 장간막 혈관총에 있는 dopamine 수용체와 혈관에 있는 α-receptor에 대한 작용이 dopamine보다 약하며 조직에서의 NE 유리를 자극하지도 않음. 3) 심근에 대한 (+)inotropic 작용으로 심근수축력을 증가시키며, dopamine과는 달리 심박동수를 거의 증가시키지 않고, 말초저항을 감소시킴으로써 심박출량 증가를 촉진함. 4) 중증 만성 심부전증에 특히, 저혈압이 아닌 경우에 심박출량을 증가시키기 위한 단기간 요법제로 사용함. 5) Sod.nitroprusside와 병용하면 심박출량이 더 증가하며 wedge압 감소, 전신 및 폐혈관 저항을 감소시킬 수 있어서 더 효과적임. 6) Nitroglycerin과 병용하면 심장기능을 더 강화시킬 수 있음.	- 심박수 증가, 혈압상승, 저혈압, 협심통, 심계항진, 심실기외성수축 - 발열, 두통, 마비감 - 혈중 칼륨저하 - 오심 - 혈소판 감소 - 정맥염, 침윤에 의한 염증, 통증, 표피괴사 - 경증 다리경련 - 호흡곤란	〈금기〉 1) 특발성 비후성 대동맥판하 협착증 환자 2) 교착성 심낭염, 심막압전 환자 〈주의〉 1) 신중투여 : 심박동수 또는 혈압증가, 중증 관동맥질환, 심방세동, 운동변위, 심인성 쇽에 수반되는 중증 저혈압 2) 투여전 hypovolemia를 교정해야 함 3) 72시간 이상 투여로 내성이 나타나 증량이 필요할 수 있음 4) 임신부 : Category B 5) 수유부 및 소아 : 안전성 미확립 〈상호작용〉 1) MAOIs와 병용금기 2) ACEIs와 병용시 심박출량 증가 3) 베타차단제와 병용시 약효 감소 〈취급상 주의〉 1) 점적 정주로만 사용 2) 혈관외 주사시 발적, 종창, 괴사 발생 3) Sod.bicarbonate 및 강알칼리성 약제와 배합금기

약품명 및 함량	용법	약리작용 및 효능	부작용	주의 및 금기
		7) 심장수술시 심근수축력 증가 목적으로도 사용되며, isoproterenol보다 빈맥이나 부정맥의 발현이 적으므로 isoproterenol보다 선호됨. 8) Onset : 〈1~2mins Tmax : 10~20mins $T\frac{1}{2}$: 2mins		4) 황산나트륨, 에탄올을 포함하는 약제와 희석금기 5) 희석용액은 24hr 이내 사용(분홍색으로 변색, 농도가 진해질 수 있으나 역가의 손실은 없음).
Dobutamine HCl Dobutamine HCl premix 도부타민프리믹스 …500mg/250ml/bag (수액 : 5DW)	1) 성인 : Dobutamine으로 2.5~10 mcg/kg/min IV (Max. 40mcg/kg/min)	1) 합성 catecholamine인 dobutamine을 dextrose 수액에 mix한 형태의 제제로 희석 필요없음. 2) β_1-selective adrenergic agonist로 구조 및 약리작용이 dopamine과 유사하나 신장과 장간막 혈관총의 dopamine수용체와 혈관의 α- receptor에 대한 작용이 doopamine보다 약하며 내인성 NE유리 작용 없음. 3) 심근에 대한 (+)inotropic 작용으로 심근수축 증가, 말초저항 감소에 의해 심박출량 증가 작용 4) Onset : 〈 1~2mins Tmax : 10~20mins $T\frac{1}{2}$: 2mins 5) 기타 정보는 Doburan inj 참조	- 심박수 증가, 혈압상승, 저혈압, 협심통, 심계항진, 심실기외성수축 - 발열, 두통, 마비감 - 혈중 칼륨저하 - 오심 - 혈소판 감소 - 정맥염, 침윤에 의한 염증, 통증,표피괴사 - 경증 다리경련 - 호흡곤란	〈금기〉 1) 비후성 대동맥판하 협착증, 교착성 심낭염, 심막압전 등의 환자 2) 옥수수나 옥수수제품에 알러지가 있는 환자 〈주의〉 1) 임신부 : Category B 2) 수유부 및 소아 : 안전성 미확립 〈취급상 주의〉 1) 알칼리성에서 불활화되므로 5% 탄산나트륨 및 다른 알칼리 액에 희석금함. 2) 황산 나트륨이나 에탄올을 포함하는 다른 약제와 혼합하지 않음. 3) 일광에 의해 변색될 수 있으므로 사용전 개봉하지 않도록 함.
Milrinone Primacor inj 프리마코주 …10mg/10ml/A	(성인) 1) 부하량 : 50mcg/kg 10분 이상 IV 2) 유지량 : 0.375~0.75mcg/kg/min IV inf. (Max.1.13mg/kg/D) (13세 미만 소아) 1) 부하량 : 50~75mcg/kg 30~60분간 IV 2) 유지량 : 0.25~0.75mcg/kg/min 최대 35시간 동안 IV * 신기능에 따른 용량조절은 설명서 참조(신장애시 투여속도를 줄임.)	1) 심장 및 혈관근육의 phosphodiesterase III를 선택적으로 억제함으로써 직접적인 (+) inotropic action과 혈관확장 효과를 나타냄. 2) 타약제에 반응하지 않는 중증의 울혈성심부전의 단기치료 및 심장수술 후 저심박출량을 포함한 급성 심부전 3) 13세 미만의 소아는 35시간까지 투여만 허가받음. 4) (+)inotropic effect Milrinone 〉 Amrinone 5) Amrinone 0.75mg/kg ≒ Milrinone 25mcg/kg	1) 1~10% - 부정맥, 저혈압 - 두통 2) 〈 1% - 심방세동, 흉통, 저칼륨혈증, 심근경색, 혈소판감소, 심실세동	〈금기〉 1) 중증 폐색성 심질환 및 판막질환 2) 이 약에 과민한 환자 3) 급성 심근경색 환자 〈주의〉 1) 중증 신부전(CrCl〈30ml/min) 환자는 감량 필요 2) 임신부 : Category C 3) 수유부 : 동물실험시 유즙이행 보고 4) 소아 : 안전성 미확립 〈취급상 주의〉 1) Furosemide와 배합금기(침전 형성) 2) 중탄산나트륨과 배합금기 3) 희석가능 수액 : 0.45NS, NS, 5DW

약품명 및 함량	용법	약리작용 및 효능	부작용	주의 및 금기
Alprostadil Eglandin inj 에글란딘주 …5mcg/1ml/A …10mcg/2ml/A	1) 만성동맥폐색증, 진행성 전신성 경화증, SLE, 진동병, 당뇨병성 피부궤양 : 성인 1~2ml(5~10mcg) 서서히 IV 또는 점적정주 2) 동맥관의존성 선천성 심질환 : 수액에 혼합 5ng/kg/min으로 지속 정주하고 이후 증감 3) 혈행 재건술후의 혈류유지 : 성인 2ml(10mcg) 점적정주 4) 경 상장간막동맥성 문맥조영에서 조영능 개선 : 성인 1ml (5mcg)를 NS 10ml에 희석하여, 조영제 주입 30초 전에 경 카테터로 상장 간막 동맥내 투여	1) 미세한 지방 입자속에 PGE1을 용해시킨 lipo-PGE1 제제로 주입부 위의 자극을 감소시킴. 2) 말초혈관 확장, 혈소판 응집억제, 적혈구 변형능 증가, 동맥관 확장 작용 3) 적응증 - 만성동맥폐쇄증의 사지궤양, 통증개선 - 진행성전신성경화증, 전신성홍반성낭창의 피부궤양 개선 - 진동병의 말초혈행장해에 수반하는 자각증상개선, 말초순환, 신경, 운동기능장해의 회복 - 동맥관 의존성 선천성 심질환의 동맥관 개존 - 당뇨병의 피부궤양 개선 - 경 상장간막동맥성 문맥조영에서의 조영능 개선 - 혈행 재건술 후의 혈류 유지	1) 10% 이상 - 홍조 - 발열 - 음경통증 - 무호흡 2) 1~10% - 서맥, 저혈압, 고혈압, 빈맥, 심정지, 부종 - 발작, 두통, 현기증 - 저칼륨혈증 - 설사 - 지속발기, 음경섬유증, 발진, 부종 - 파종성 혈관내응고 - 주사부위의 혈종, 멍 - 저배통 - 상기도감염, 독감증후군, 부비강염, 비충혈, 기침 - 패혈증, 주사부위 이외의 국소통증	〈금기〉 1) 중증 심부전 환자 2) 출혈 환자 3) 임신부 : Category X/C (자궁수축 가능성 있으므 로 사용하지 않음) 〈주의〉 1) 신중투여 : 심부전, 녹내장, 안압항진 환자, 위궤양 또는 기왕력자, 간질성 폐렴, 신부전, 출혈경향 환자, 항응고제 또는 혈소판응집 억제제, 혈전용해제를 투여 중인 환자, 경 상장간막동맥성 문맥조영에 사용할 경우 중등도의 식도정맥류가 있는 환자 2) 대증요법제이므로 투여중지 후 증상이 재발할 수 있음. 3) 소아 : 동맥관의존성 선천성심질환 이외는 안전성 미확립 〈상호작용〉 1) 혈소판응집억제작용 있어 항응고제, 항혈소판제, 혈전용해제와 병용시 출혈경향 상승 〈취급상 주의〉 1) 수액 이외의 다른 약제와 혼합금지, 단독라인으로 투여할 것 2) 혈장증량제와의 혼합금지 3) 수액에 혼합 후 24시간 안정 4) PVC 수액세트 피할 것 5) 차광, 냉장보관 6) 동결된 것은 사용금지
Alprostadil-α-Cyclodextrin Prostandin inj 푸로스탄딘주 …666.7mcg/A (Alprostadil로서 20mcg)	1) 동맥내 투여 : PGE1으로 10~15 mcg을 NS 5ml에 용해후 약 0.1~0.15ng/kg/min의 속도로 주입(펌프 사용) 2) 정맥내 투여 : 40~60mcg을 NS 500ml에 용해 2시간 동안 점적주입(5~10ng/kg/min) 투여속도는 2시간에 1.2mcg/kg을 초과하지 말 것	1) Prostaglandin E_1(PGE_1 : Alprostadil)을 안정화시킨 제제 2) 혈관, 평활근 이완작용 및 혈소판 응집 억제작용이 있음(혈류량증가). 3) 적응증 - 진동병의 말초혈행장해에 수반하는 자각증상개선, 말초순환, 신경, 운동기능장해의 회복(정맥주사) - 혈행 재건술 후의 혈류순환유지에 사용(정맥내 주사)	1) 10% 이상 - 홍조 - 발열 - 음경통증 - 무호흡 2) 1~10% - 서맥, 저혈압, 고혈압, 빈맥, 심정지, 부종	〈금기〉 1) 중증 심부전, 폐부종 환자 2) 임신부 : Category X/C (자궁수축 가능성 있으므로 사용하지 않음) 〈주의〉 1) 신중투여 : 심부전, 녹내장, 안압항진 환자, 위궤양 또는 기왕력자 2) 대증요법제이므로 투여중지 후 증상이 재발할 수 있음.

약품명 및 함량	용법	약리작용 및 효능	부작용	주의 및 금기
		- 만성 동맥폐색증(Buerger's Dz, 폐색성 동맥경화증)의 동통 개선	- 발작, 두통, 현기증 - 저칼륨혈증 - 설사 - 지속발기, 음경섬유증, 발진, 부종 - 파종성 혈관내응고 - 주사부위의 혈종, 멍 - 저배통 - 상기도감염, 독감증후군, 부비강염, 비충혈, 기침 - 패혈증, 주사부위 이외의 국소통증	3) 소아 : 동맥관의존성 선천성심질환 이외는 안전성 미확립 〈상호작용〉 1) 혈소판응집억제작용 있어 항응고제, 항혈소판제, 혈전용해제와 병용시 출혈경향 상승 〈취급상 주의〉 1) 주입펌프 사용시 기포가 섞이지 않게 해야함. 2) 차광, 실온보관
Beraprost sodium Berasil tab 베라실정 …20mcg/T	1) 만성 동맥 폐색증에 동반한 궤양, 동통 및 냉감의 개선 : 2Ⓣ tid 2) 원발성 폐고혈압증 : 1Ⓣ tid (Max. 9Ⓣ/D #3~4)	1) Prostacyclin(PGI2) 유도체로서 혈소판 및 혈관 평활근의 prosta-cyclin 수용체와 결합하여 세포내 c-AMP 농도 상승 및 Ca^{2+} 유입 억제 작용 2) 항 혈소판 작용과 혈관 이완을 통한 혈류증가 효과가 있음. 3) 적응증 ① 만성 동맥 폐색증(버거씨병, 폐색성 동맥경화증, 당뇨병성 말초혈 관병증 등)에 동반한 궤양, 동통 및 냉감의 개선 ② 원발성 폐고혈압증	- 쇼크 - 과민증 : 발진,습진, 가려움증 - 두통 - 구역, 구토, 설사, 위장장애, 복통, 식욕부진, 구갈, 가슴쓰림 - AST, ALT, 총 빌리루빈 상승 - 저혈압, 안면홍조, 열감, 상기, 동계 - 부종, 동통, 흉통,관절통, 호흡곤란, 권태감, TG 상승	〈금기〉 1) 출혈이 있는 환자 2) 임신부 : 안전성 미확립 〈주의〉 1) 신중투여 : 항응혈약, 혈소판 응집저해제 투여, 월경기간 환자, 출혈경향의 환자 2) 수유부, 소아 : 안전성 미확립 〈상호작용〉 1) 항응고제, 항혈소판제, 혈전용해제 : 출혈경향 증가 2) PGI2, bosentan : 혈압저하 발생 가능
Limaprost alfadex Opalmon tab 오팔몬정 …5mcg/T	1) 폐색성 혈전 혈관염 : 2Ⓣ tid 2) 후천성 요부척추관 협착증 : 1Ⓣ tid	1) Prostaglandin E1 유도체 2) c-AMP 증가 작용 및 thromboxane A2 생성 억제작용이 있음. 3) 혈소판 점착억제, 항혈전, 혈류증가, 피부온도 상승, 적혈구 변형능 개선, 활성산소 생성 억제작용이 있음.	- 과민증 : 발진(투여중지) - 출혈 - 설사, 구역, 복부 불쾌감, 복통, 식욕부진, 가슴쓰림, 구토,	〈금기〉 1) 임신부 : 동물실험시 자궁수축작용 2) 유당과 관련된 유전적인 문제가 있는 환자 〈주의〉 1) 신중투여 : 출혈경향이 있는 환자, 항혈소판제, 혈전 용해제, 항응혈제를 투여중인 환자

약품명 및 함량	용법	약리작용 및 효능	부작용	주의 및 금기
		4) 적응증 ① 폐색성 혈전 혈관염(TAO : Buerger's disease)에 동반하는 궤양, 동통 및 냉감 등의 허혈성 제증상의 개선에 사용함. ② 후천성 요부척추관 협착증에 의한 자각증상(하지 동통, 하지저림) 및 보행능력의 개선	복부팽만감 - 간기능 이상 - 심계항진, 사지청색증, 저혈압 - 두통, 안면홍조, 어지러움, 열감, 전신권태감, 부종, 유선종창, 몸떨림, 하지다모, 빈혈	2) 건강한 성인에게 1회 30~40mcg 투여시 일시적인 혈압강하가 나타날 수 있음. 3) 소아 : 안전성 미확립

약품명 및 함량	용법	약리작용 및 효능	부작용	주의 및 금기
Ginkgo biloba ext. Ginexin-F tab 기넥신에프정 …40mg/T …80mg/T	1) 말초동맥순환장애, 어지러움, 이명 : 40mg tid 또는 80mg bid 2) 기질성 뇌기능장애(치매) : 40~80 mg tid 또는 120mg bid	1) 은행엽(Ginkgo biloba)의 추출엑스제 2) PAF 길항과 유리기 제거 작용이 있으며 허혈상태에서의 당의 이용률 높임. 3) 체내 catecholamine 유리를 자극하고 분해를 억제하여 혈관 긴장도를 유지, 동맥혈관 이완 작용 4) 적응증 : 말초 동맥 순환장애(간헐성 파행증)의 치료, 어지러움, 혈관성 및 퇴행성 이명, 기질성 뇌기능 장애(이명, 두통, 기억력 감퇴, 집중력 장애, 우울감, 어지러움 등의 치매성 증상 수반)	- 위장관 불쾌감, 두통, 알레르기성 피부반응	〈주의〉 1) 고혈압 치료제가 아니므로 특별한 치료를 요하는 고혈압 환자에게는 단독 투여하지 말것 2) 임신부, 12세 이하 소아 : 안전성 미확립
Ginkgo biloba ext. Tanamin inj 타나민주 …17.5mg/5ml/A	1) 5~10ml/D IM, IV 또는 15ml EOD IV 2) 급성치료 : 25ml/D IV, IV inf 3) 중증치료 : 25~50ml/D IV, IV inf	1) 은행엽의 추출엑스제 2) 세포막의 안정화, free radical에 의한 독성 및 지질과산화 억제, PG합성 촉진 3) 뇌혈액순환장애 및 뇌영양장애 (뇌혈관부전), 뇌기능장애, 말초 동맥순환장애	- 위장장애, 불면, 알러지피부증상, 말단부위통증, 위장장애, 발열, 오한	〈금기〉 1) 임신부
Ibudilast Ketas cap 케타스캅셀 …10mg/C	1) 성인 : (뇌혈관장애) 10mg tid, 증상에 따라 증감.	1) PDE(Phosphodiesterase) inhibitor 및 leukotriene, platelet-activating factor에 대한 antagonist로서, 뇌내의 phosphodiesterase의 작용을 억제하여 혈관 확장 작용 및 혈소판 응집억제 작용을 나타냄. 2) 적응증 : 뇌순환 장애로 인한 어지럼증 개선.	(빈도 미확립) - 발진, 소양감 - 현훈, 두통, 열감, 진전, 불면증, 졸음, 무감동	〈금기〉 1) 두개내 출혈시 지혈이 완료되지 않은 환자 〈주의〉 1) 뇌경색 급성기, 간기능장애 환자 2) 임신부 : 안전성 미확립 3) 수유부 : 동물실험시 모유 분비 보고

약품명 및 함량	용법	약리작용 및 효능	부작용	주의 및 금기
		3) 서방형 과립과 장용 서방형 과립 두가지가 한 캅셀 안에 1:3의 비율로 충진되어 있으므로 풀어서 한꺼번에 복용은 가능하나, 분할 및 분쇄는 불가함. 4) (회사제공자료) 단백결합률 : 97% Tmax : 5hrs 대사 : 간 T½ : 〉 8hrs 배설 : 신장	- 식욕부진, 구역, 구토, 복통, 소화불량, 복부팽만, 설사, 위궤양 - 심계항진, 기립성저혈압, 홍조 - 혈소판감소증, 빈혈, 백혈구감소증 - ALT, AST, ALP, r-GTP 상승, 간기능장애, 황달 - 권태감, 이명, 안면부종, 부유감, 미각이상	4) 소아 : 안전성 미확립
Nicergoline Sermion tab 사미온정 …5mg/T …10mg/T …30mg/T	1) 치매치료 : 30mg qd~bid 2) 기타 증상 : 5~10mg bid~tid	1) Ergot 유도체로 α-adrenergic 차단 효과가 있음. 2) 저하된 뇌의 glucose 이용률 증가 및 뇌 mitochondria 기능장애 개선 3) 중뇌의 dopamine turn over 촉진 및 뇌 acetylcholine esterase 활성 저해 4) 선택적인 뇌혈관확장 5) Phospholipase A2 저해로 혈소판 응집억제 6) 적응증 ① 5/10mg : 뇌경색 후유증, 사지의 폐색성 동맥질환, 레이노병 및 레이노증후군, 기타 말초순환장애, 노인성 동맥경화성 두통, 고혈압의 보조요법 ② 30mg : 치매증후군(기억력손상, 집중력장애, 판단력장애, 적극성부족, 정서장애)의 일차적 치료 7) Tmax : 1~1.5hrs T½ : 2.5hrs 배설 : 신장(66~80%), 대변(10~20%)	- 식욕부진, 설사, 변비, 상복부통, 경련 - 간효소 수치 상승 - 어지러움, 기립성 조절장애, 졸음, 권태감, 두통 - 발진, 두드러기, 가려움, 홍조	〈금기〉 1) 급성 심근경색, 현저한 서맥 환자 2) 급성 출혈 환자 3) 교감신경 효능약 투여 중인 환자 〈주의〉 1) 혈압강하제(특히 propranolol)의 효과를 상승시킴. 2) 임신부 : 안전성 미확립 3) 수유부 : 동물실험시 유즙 분비 보고 4 소아 : 안전성 미확립
Papaverine HCl Papaverine inj 파파베린주사 …30mg/1ml/A	(성인) 1) 평활근 진경 : 1회 30~50mg, 1일 100~200mg SC 2) 급성동맥색전 : 1회 50mg IA(동맥내 주사)	1) Benzyl isoquinoline 계열의 alkaloid로 opium의 성분 중 하나이나 화학적, 약리학적으로 기타 opium alkaloid와 달리 CNS에 대한 작용과 진통작용은 거의 없음.		〈금기〉 1) 완전 방실블록 환자 〈주의〉 1) 신중투여 : 녹내장 환자 (∵안압상승 우려)

약품명 및 함량	용법	약리작용 및 효능	부작용	주의 및 금기
	3) 급성폐색전 : 1회 50mg IV (소아) 6mg/kg/D #4 IM, SC	2) 각종 평활근에 직접 작용하여 평활근의 이상긴장 및 경련을 억제하고, 특히 혈관을 확장시킴. 3) 적응증 : 내장평활근의 경련, 말초순환장애, 뇌동맥경화증 수반증상, 급성동맥색전, 급성폐색전		2) 임신부 : Category C 3) 수유부, 소아 : 안전성 미확립 4) 음경 지속 발기가 보고된 바 있으므로 발기 불능에 사용 금기 〈상호작용〉 1) 레보도파와 병용시 레보도파의 작용을 저하할 수 있음. 〈취급상 주의〉 1) IV시 심부정맥, 호흡억제 유발 가능하므로 천천히 주사 2) 침전을 생성하므로 젖산링 겔액(HS)에 혼합금기 3) 갈변한 약제는 사용금지
Pentoxifylline Perental tab 페렌탈정 …400mg/T	1) 1Ⓣ bid~tid * 신기능에 따른 용량 조절 참고 CrCl(ml/min) : 용량 ① 20~60 : 400mg bid ② 〈20 : 400mg qd ③ 감량이 더 필요한 경우 400mg EOD	1) Hemorrheologic agent로서 적혈구의 유인성을 증가시키고, 혈소판의 응집을 억제함으로써 혈액의 점도를 감소시켜 허혈조직에의 산소공급을 증가시킴. 2) 만성, 폐색성 말초동맥질환과 연관된 간헐적 claudication에 사용함. 3) Rest pain, 허혈성 피부궤양 또는 괴저로 나타나는 중증 동맥폐색성 질환에는 사용하지 않음. 4) 적응증 : 뇌순환장애, 눈의 혈류순환장애, 말초동맥순환장애 4) $T\frac{1}{2}$: 0.4~0.8hr	1) 1~10% - 현기증, 두통 - 흉부작열감, 오심, 구토 2) 1% 미만 - 혈관부종, 부정맥, 흉통, 담낭염, 울혈, 호흡곤란, 환각, 간염, 황달, 발진, 진전	〈금기〉 1) 두개내 출혈 후 완전히 지혈되지 않은 환자 2) 급성 심근경색 환자 3) 이 약 또는 xanthine계에 과민한 환자 4) Ketorolac을 투여 받고 있는 환자 〈주의〉 1) 신중투여 : 중증 간 · 신장애, 저혈압, 관동맥질환자 2) 혈중 fibrinogen농도를 감소 시킬 수 있음 3) 임신부 : Category C 4) 수유부 : 모유 이행 5) 소아 : 안전성 미확립 〈상호작용〉 1) 항응고제, 혈소판응집억제제와 병용시 작용 증강 2) 혈압강하제 복용중의 환자는 혈압을 정기적으로 측정하여 용량을 조절해야 함.
Vitis vinifera ext. Entelon tab 엔테론정 …50mg/T …150mg/T	1) 정맥질환 및 림프 부종 : 150mg bid 2) 안과질환 : 매일 100~150mg/D #2	1) Flavonoid로 구성된 procyanidolic oligomer(OPC)로 혈관벽에 있는 collagen, elastin을 선택적으로 보호해 모세혈관의 과투과성을 감소시키고 모세혈관 저항을 증가 시킴. 2) 적응증 ① 정맥, 림프기능부전과 관련된 증상의 개선(하지둔중감, 통증, 하지 불온증상)	- 구역, 복통, 두통, 피부 알러지	〈주의〉 1) 임신부, 수유부 : 안전성 미확립

약품명 및 함량	용법	약리작용 및 효능	부작용	주의 및 금기
		② 유방암 치료로 인한 림프부종(특히 피부긴장의 자각증상)의 보조요법 ③ 순환과 관련된 안과질환 (50mg에 한함)		
Flavonoid purifiee micronise (Diosmin 450mg, Hesperidin 50mg) **Venitol tab** 베니톨정 …500mg/T	1) 급성치질 - 처음 4일 : 3Ⓣ bid - 이후 3일 : 2Ⓣ bid 2) 정맥질환 : 1Ⓣ bid	1) 귤에서 분리한 천연 flavonoid를 반합성한 purified & micronized flavonoidic fraction 제제 2) PGE2, PGF2α, thromboxane B2의 합성과 유리를 억제하여 항염, 미세순환 촉진작용을 나타내며, 정맥벽의 norepinephrine을 활성화하여 혈액과 림프액 순환을 촉진함. 3) 모세혈관 투과성 감소 및 저항성 증가 작용 강화 4) 최대한 빠른 효과를 보일 수 있도록 약효 성분을 직경 2mcg의 미세 분말화한 미세 정제임. 5) 적응증 : 치질, 정맥림프부전(하지부종, 통증, 초기 욕창)의 치료	-소화장애, 자율신경장애	〈주의〉 1) 임신부, 수유부 : 안전성 미확립
1Ⓐ(2ml)중 Coumarin 3mg, Proxyphylline 240mg **Theo-esberiven F inj** 데오에스베리벤에프주 …2ml/A	1) 1~2Ⓐ tid IM 또는 slow IV	1) 콩과 식물인 Melilotus 추출물과 xanthine 유도체인 proxyphylline의 복합제 2) 림프관 확장 및 림프 환류량 증가로 항부종 효과 3) Macrophage 기능 개선으로 단백 분해 촉진 작용에 의한 소염작용 4) 모세혈관 투과성 저하로 말초 혈관 순환 개선 및 뇌혈류 증가 5) 뇌혈관 및 말초순환장애, 외상(염좌, 골절, 타박, 좌상 등), 수술후의 연부종창으로 인한 염증의 완화에 사용	- 구역, 구토, 설사 - 심계항진, 열감, 빈맥 - 발진 발생시 투여중지 - 불안, 수면장애, 두통, 근진전	〈금기〉 1) 2세 이하의 영아 〈주의〉 1) 간질 환자 2) 갑상선기능항진증 환자 3) 급성 신염 환자 4) 급성 심근경색, 중증 심근장애 환자 5) 중증의 고혈압 환자 6) 위, 십이지장궤양 환자 7) 빈맥성 부정맥 환자 〈상호작용〉 1) Erythromycin, cimetidine, allopurinol, furosemide, ciprofloxacin, enoxacin, 경구용 피임약, barbiturates, rifampin, isoniazid, phenytoin, sulfinpyrazone, carbamazepine : 이 약 성분 중 proxyphylline의 혈중농도 상승 2) Ephedrine과 병용시 교감 신경흥분작용이 증가 3) 리튬의 작용 저하 〈취급상 주의〉 1) IV시 서서히 주사함(∵velocity shock)

약품명 및 함량	용법	약리작용 및 효능	부작용	주의 및 금기
Captopril Capril tab 카프릴정 …12.5mg/T …25mg/T …50mg/T	1) 고혈압 - 초회량 : 25mg bid or 50mg qd - 2~4주후 100mg/D까지 증량 가능 - Max. 450mg/D 2) 울혈성심부전 - 초회량 : 25mg tid - 유지량 : 50mg tid 3) 당뇨병성 신증 : 25mg tid 4) 심근경색 후 좌심실 기능 부전 : 3일후부터 6.25mg 1회 투여 후, 12.5mg tid로 개시 → 점차 증량하여 수주 후 50mg tid 유지 * 신기능에 따른 용량 조절 참고 - CrCl 10~50ml/min : 상용량의 75%로 감량 또는 q12~18hrs로 투여간격 연장 - CrCl 〈10ml/min : 상용량의 50%로 감량 또는 q24hrs로 투여간격 연장	1) Angiotensin I의 II로의 전환을 억제함으로써 순환 ANG-II 농도 및 aldosterone 농도를 감소시킴. 2) 총 말초저항을 감소시키며, 정맥의 긴장도도 저하시킴으로써 혈압강하작용을 나타냄. 3) 2 또는 3단계 치료제로서 이뇨제나 β-blocker와 병용함. 4) 혈중 renin치가 낮을 때보다 정상이거나 높은 고혈압증에 더 유효함. 5) 고혈압과 CHF가 공존할 때 선호됨. 6) 강심배당체와 이뇨제의 병용으로도 치료되지 않는 심부전증에 추가약제로 사용함. 7) 적응증 : 고혈압, 울혈성심부전, 당뇨병성 신증, 심근경색 후 좌심실 기능부전 8) Onset : 1~1.5hrs Tmax : 1~2hrs $T\frac{1}{2}$: 1.9hrs 배설 : 신장(95%)	1) 1~10% - 저혈압, 빈맥, 흉통, 심계항진 - 발진, 소양증 - 고칼륨혈증 - 단백뇨, 혈중크레아티닌 상승, 신기능 악화 - 기침 - 과민반응, 미각 및 지각 이상	〈금기〉 1) 아크릴로니트릴설폰산나트륨 막을 이용한 혈액투석을 시행중인 환자 2) 혈관부종 및 병력자 3) LDL분리반출법치료를 받고 있는 환자 4) 원발성 고알도스테론혈증 환자 5) 대동맥판협착증 또는 폐쇄성 박출장애 환자 6) 신장이식 후 환자 7) 임신부 : Category D 8) 수유부 : 모유이행 9) 소아 : 안전성 미확립 〈주의〉 1) 신중투여 : 중증 신장애, 신혈관성 고혈압, 조혈장애, SLE 등의 면역반응이상, 간장애, 소화성궤양, 뇌혈관장애, 광과민증, 단백뇨, 중증 고혈압, 중증 전해질 장애, 중증 심부전 환자, 고령자 〈상호작용〉 1) 혈중 칼륨 상승 약제와 병용시 고칼륨혈증 2) 리튬의 독성 증가 3) 인슐린, 혈당강하제와 병용시 혈당강하작용 증강 4) 제산제는 이 약의 흡수속도 및 정도를 저해함. 5) Probenecid는 이 약의 혈중농도를 증가시킴 6) Cimetidine과 병용시 neuropathy 7) NSAIDs는 이 약의 혈압강하작용을 약화시킴.
Enalapril maleate Enaprin tab 에나프린정 …5mg/T …10mg/T	1) 고혈압 ① 단독투여시 - 초회량 : 5mg qd - 유지량 : 10~40mg #1~2 ② 이뇨제와 병용시 - 2.5mg qd 2) 심부전 - 초회량 : 2.5mg qd~bid	1) ACE inhibitor로서 간에서 활성형인 enalaprilat으로 가수분해됨. 2) 구조, 약리학적으로 captopril과 유사하나 sulfhydryl기가 없어 발진, 미각장애, 단백뇨 등의 부작용의 위험이 적음. 3) 적응증: 고혈압, 심부전(이뇨제 및 디기탈리스 투여시의 보조치료) 4) $T\frac{1}{2}$: 1hr (활성대사물 : 1hr) 단백결합율 : 60% 배설 : 신장(60%)	1) 1~10% - 저혈압, 흉통, 실신, 기립성 저혈압 - 두통, 현기, 피로, 허약 - 발진 - 미각이상, 복통, 구토, 오심, 설사,	〈금기〉 1) 아크릴로니트릴설폰산나트륨 막을 이용한 혈액투석을 시행중인 환자 2) 혈관부종 및 병력자 3) LDL분리반출법치료를 받고 있는 환자 4) 원발성 고알도스테론혈증 환자 5) 대동맥판협착증 또는 폐쇄성 박출장애 환자 6) 원발성 간질환 및 간장애

약품명 및 함량	용법	약리작용 및 효능	부작용	주의 및 금기
	- 유지량 : 2.5~10mg bid (Max. 40mg/D) * 신기능에 따른 용량 조절 참고 - CrCl 〈30ml/min) : 초회량 2.5mg qd (Max. 40mg/D)	〈상호작용〉 1) 혈중칼륨 상승 약제와 병용시 고칼륨혈증 2) 리튬의 독성 증가 3) 인슐린, 혈당강하제와 병용시 혈당강하작용 증강	식욕감퇴, 변비 - 허약감 - 신기능 장애 악화 - 기관지염, 기침, 호흡곤란	7) 신장이식 후 환자 8) 소아 9) 임신부 : Category D 10) 수유부 : 모유 이행 〈주의〉 1) 신중투여 : 중증 신장애, 신혈관성 고혈압, 뇌혈관장애, 단백뇨, 중증 고혈압, 중증 전해질장애, 면역반응이상 및 교원병 환자, 고령자
Imidapril HCl Tanatril tab 타나트릴정 …5mg/T …10mg/T	- 5~10mg qd - 중증 고혈압, 신장애를 동반한 고혈압 등에는 2.5mg qd로 시작함.	1) Long acting, non-sulfhydryl ACE inhibitor로서 간에서 활성형인 imidaprilat으로 대사됨. 2) 고혈압, 신실질성 고혈압증에 사용 3) Onset : 5~6hrs Tmax : 1~2hrs(활성대사체 3~10hrs) 지속시간 : 10~24hrs $T_{\frac{1}{2}}$: 1.1~2.5hrs(활성대사체 10~19hrs) 배설 : 신장(6~18%)	- 적혈구감소, Hgb감소, Hct감소, 혈소판감소, 호산구 증가 - 단백뇨, BUN 및 혈중크레아티닌 상승 - 두통, 현기증, 비틀거림 - 오심, 구토, 위부 불쾌감, 복통 - 간기능효소 수치 상승 - 과민증 : 발진, 궤양(투여중지) - 기침, 인두부 위화감, 불쾌감, 권태감, 안면홍조	〈금기〉 1) 다른 ACE 저해제에 의해 혈관 신경성 부종의 병력이 있는 환자 2) AN69을 이용한 혈액 투석 중인 환자 : 아나필락스양 반응 3) 임신부 : 안전성 미확립 4) 신부전환자 (CrCl ≤10ml/min) 〈주의〉 1) 신중투여 : 중증 신장애, 양측성 신동맥 협착증 환자 2) 수유부 : 동물실험시 유즙 이행 보고 3) 소아 : 안전성 미확립 〈상호작용〉 1) 혈중칼륨 상승 약제와 병용시 고칼륨혈증 2) 리튬의 독성 증가
Lisinopril Zestril tab 제스트릴정 …10mg/T	1) 고혈압 ① 단독투여시 - 초회량 : 10mg qd - 유지량 : 20~40mg qd ② 이뇨제와 병용시 - 5mg qd 2) 심부전 - 초회량 : 2.5mg qd - 유지량 : 5~20mg qd	1) ACE inhibitor로 prodrug이 아니므로 간대사를 거의 받지 않음. 2) 분자구조내에 sulfhydryl(-SH)기가 없어서 미각이상과 같은 부작용이 적음. 3) 심부전 환자에서 ejection fraction, exercise capacity 등을 개선시킴. 4) 당대사 개선효과가 있음. 5) ACE inhibitor중 insulin sensitivity가 가장 큼.	1) 1~10% - 기립성 조절장애, 저혈압 - 두통, 현기, 피로, 허약 - 발진 - 고칼륨혈증 - 설사, 오심, 구토, 복통	〈금기〉 1) 아크릴로니트릴설폰산나트륨 막을 이용한 혈액투석을 시행중인 환자 2) 혈관부종 및 병력자 3) LDL분리반출법치료를 받고 있는 환자 4) 원발성 고알도스테론혈증 5) 대동맥판협착증 또는 폐쇄성 박출장애 환자 6) 혈관확장제 투여후 중증의 혈액동력학적 악화의 위험이 있는 급성 심근경색

약품명 및 함량	용법	약리작용 및 효능	부작용	주의 및 금기
	3) 당뇨병 신장합병증: 초기 2.5mg qd * 신기능에 따른 용량 조절 참고 – 고혈압 (Max. 40mg/D) ① CrCl >30ml/min : 10mg/D ② 10≤CrCl≤30ml/min: 5mg/D ③ CrCl <10ml/min :2.5mg/D – 심부전 : CrCl <30ml/min : 2.5mg/D	6) 적응증 : 고혈압, 울혈성 심부전, 당뇨병 환자의 신장합병증 7) 흡수율 : 25% Onset : 1hr Tmax : 6~8hrs 지속시간 : 24hrs $T_{\frac{1}{2}}$: 12hrs 배설 : 신장(30%), 대변(70%)	– 발기부전 – Hgb 감소 – 흉통 – 신기능 장애	7) 신장애, 단백뇨 환자 8) 신장이식 후 환자 9) 소아, 수유부 : 안전성 미확립 10) 임신부 : Category D 〈주의〉 1) 신중투여 : 중증 신장애, 신혈관성 고혈압, 허혈성 심질환 및 뇌혈관장애, 중증 심부전, 단백뇨, 중증 고혈압, 중증전해질장애, 면역반응이상 및 교원병 환자, 고령자 〈상호작용〉 1) 혈중칼륨 상승 약제와 병용시 고칼륨혈증 2) 리튬의 독성 증가 3) 인슐린, 혈당강하제와 병용시 혈당강하작용 증강 4) NSAIDs에 의해 혈압강하작용이 약화됨.
Moexipril HCl Univasc tab 유니바스크정 …7.5mg/T …15mg/T	1) 단독 투여시 ① 초회량 : 7.5mg qd ② 유지량 : 7.5~30mg/D 2) 이뇨제와 병용시 : 2~3일전 이뇨제를 중단하거나 중단할 수 없을 경우에는 3.75mg qd 3) CrCl 40ml/min 이하 신장애 환자 :3.75mg qd 4) 식사 1시간 전 복용 * 신기능에 따른 용량 조절 참고 – CrCl(ml/min)≤40 : 초회량으로 3.75mg qd 투여 후 점차 증량 (Max. 15mg/D)	1) ACE 저해제로 간에서 활성형인 moexiprilat으로 대사됨. 2) 고혈압 치료제 3) 주로 대변으로 배설되므로 신기능 저하 환자에게 유용 4) $T_{\frac{1}{2}}$: 3~6hrs Onset : 1hr 지속시간 : 24hrs 배설 : 신장 (13%), 대변 (53% 이상) 〈상호작용〉 1) 칼륨을 상승시키는 약물과 병용 시 고칼륨혈증 2) 리튬과 병용시 리튬 농도 증가 3) NSAIDs : 항고혈압효과 감소 4) Alcohol : alcohol 작용 상승 5) 정신병치료제 : 기립성 저혈압 위험성 증가 6) 인슐린 또는 경구 혈당 강하제 : 혈당강하작용 증가 7) 수면제, 마취제 : 혈압의 현저한 하강	1) 1~10% – 저혈압, 말초부종 – 두통, 현기, 피로 – 발진, 탈모, 홍조 – 고칼륨혈증, 저나트륨혈증 – 설사, 오심, 흉부작열감 – 다뇨 – 근육통 – 신기능 수치 상승 – 기침, 인두염, 상기도감염	〈금기〉 1) 아크릴로니트릴설폰산나트륨막을 이용한 혈액투석을 시행중인 환자 2) 혈관부종 3) 덱스트란 황산 셀룰로오스를 이용한 LDL 분리 반출법을 시행중인 환자 4) 원발성 고알도스테론혈증 5) 대동맥판 협착증 또는 폐색성 박출장애 환자 6) 원발성 간질환 및 간기능 장애자 7) 신이식 환자 8) 소아 : 안전성 미확립 9) 수유부 : 모유 이행 10) 임신부 : Category D 〈주의〉 1) 중증 신기능장애 환자 2) 신혈관성 고혈압 3) 뇌혈관장애 환자 4) 단백뇨(1일 1g이상) 5) 중증 고혈압 환자 6) 중증 전해질장애 환자

약품명 및 함량	용법	약리작용 및 효능	부작용	주의 및 금기
				7) 면역반응이상, 교원병 환자 8) 고령자 9) 심부전 환자 〈약리작용 및 효능〉란에 계속
Ramipril Tritace tab 트리테이스정 …2.5mg/T …5mg/T Tritace Protect tab 트리테이스프로텍트정 …10mg/T	1) 고혈압 ① 단독 투여시 - 초회량 : 2.5mg qd - 유지량 : 2.5~5mg qd ② 이뇨제 병용시 - 2~3일 전 중단 - 1.25mg qd 2) 심근경색 후 심부전 - 초회량 : 2.5mg bid - 유지량 : 5mg bid 3) Max. 10mg/D 4) 심근경색, 뇌졸중, 심혈관질환 사망 위험성 감소 - 초회량 : 2.5mg qd - 유지량 : 10mg qd * 신기능에 따른 용량조절 참고 CrCl(ml/min) : 초기용량 및 용법 1) 고혈압 ① 50~20 : 1.25mg qd (Max. 5mg/D) ② <20 : 1.25mg EOD (Max. 2.5mg/D) 2) 심근경색 후 심부전 : 1.25mg qd (Max. 5mg/D) 3) 심혈관 관련 질환 위험성 감소 : 1.25mg qd ① 30~10 : Max. 5mg/D ② ≤10 : Max. 2.5mg/D 4) 신증 : 1.25mg qd(Max. 5mg/D)	1) ACE 저해제 2) 심장, 혈관, 신장 등의 장기 조직 내의 renin-angiotensin계에 작용하여 심비대의 감소, 혈관비후의 억제, 단백뇨 감소 등의 장기보호 역할을 함. 3) 고혈압, 심근경색 후 심부전, 심혈관 질환, 뇌졸중 또는 말초혈관성 질환자의 사망위험성 또는 혈관재생술 필요성 감소, 알부민뇨증, 단백뇨증 4) Tmax : 1hr Onset : 1~2hrs $T\frac{1}{2}$: 13~17hrs 지속시간 : 24hrs 대사 : 간(ramiprilat로 대사) 배설 : 신장(60%), 대변(40%)	1) 10% 이상 - 기침 2) 1~10% - 저혈압, 협심증, 체위성 저혈압, 실신 - 오심, 구토 - 고칼륨혈증 - 두통, 졸음, 피곤, 현기증 - BUN, 혈청 크레아티닌 상승 - 흉통	〈금기〉 1) 다른 ACE 저해제에 과민한 환자 2) 임신부 : Category D 3) 수유부, 소아 : 안전성 미확립 〈주의〉 1) 간기능, 신기능 장애 환자 2) 저혈압 3) 울혈성 심부전 : 과도한 저혈압 주의 〈상호작용〉 1) 리튬과 병용시 리튬의 혈중농도 상승 2) Insulin 또는 Sulfonylurea계 당뇨약과 병용시 혈당 강하작용 증가

약품명 및 함량	용법	약리작용 및 효능	부작용	주의 및 금기
Zofenopril calcium Zofenil tab 조페닐정 …7.5mg/T …15mg/T …30mg/T	1) 고혈압 ① 초회량 : 15mg qd – 유지 권장량 : 30mg qd (Max. 60mg/D) – 4주 간격으로 증량 ② 체액 또는 염류 부족이 의심되는 경우, 감량투여 2) 급성 심근경색 ① 증상 발생 24시간 내 투여 시작 – 1~2일 : 7.5mg bid – 3~4일 : 15mg bid – 5일 이후 : 30mg bid ② 6주간 투여 후 환자상태 재평가하여, 투여지속여부 결정 *신기능에 따른 용량 조절 참고 1) 고혈압 (권장 초회량) ① CrCl < 45ml/min : 7.5mg qd ② 투석환자 : 3.75mg qd 2) 급성 심근경색 – 신부전, 투석환자 : 투여 비권장	1) Long acting ACE inhibitor로, 간에서 활성형인 Zofenopilat으로 대사됨. 2) Angiotensin I의 II로의 전환을 억제하여, 총 말초 저항, 순환 angiotensin Ⅱ농도 및 aldosterone농도 등을 감소시켜 혈압 강하작용을 나타냄. 3) 적응증 ① 경도~중등도 본태성 고혈압 ② 급성 심근경색(혈액동력학적으로 안정하고 혈전용해 치료를 받지 않은 환자) 4) T1/2 : 5hrs 대사 : 간(26%), zofenoprilat으로 대사 배설 : 신장(69%) 〈상호작용〉 1) 칼륨 상승시키는 약물 : 고칼륨혈증 유발 2) Lithium의 독성 증가(∵배설감소) 3) 이뇨제, 마취제, cimetidine, alcohol, 마약성/향정신병약, 항고혈압제 : 저혈압 위험증가 4) NSAIDs, 교감신경흥분제 : 혈압강하작용 감소 5) 인슐린 또는 경구용혈당강하제 : 저혈당 위험 증가 6) Cyclosporine : 신부전 위험증가 7) Allopurinol : 과민반응 위험 증가	(빈도 미확립) – 저혈압 – 기침 – 피로, 허약, 근육 경련 – 어지러움, 두통 – 광과민 – 여성유방증, 고칼륨혈증, 지질 이상 – 구역, 구토, 장내 혈관부종 – 간독성 – 과민반응 – 성기능 부전 – 두경부 혈관부종	〈금기〉 1) 다른 ACE 저해제에 과민한 자 2) 혈관신경성 부종환자 또는 병력자 3) 대동막판협착증, 비후성심근병증, 폐쇄성 박출장애 4) 아크릴로니트릴설폰산나트륨막을 이용한 혈액투석, 덱스트란 황산 셀룰로오스를 이용한 LDL 분리 반출법 시행 환자 (∵심각한 아나필락시양 과민반응 유발가능) 5) 원발성 고알도스테론혈증 6) 양측성, 단일 신장 편측성 신동맥 협착이 있는 환자 7) 중증 간부전 동반한 고혈압환자 8) 혈액투석 중이거나 신부전, 간부전 동반한 급성심근경색 환자 9) 신이식 환자 10) 레닌억제제(aliskiren) 복용 중인 당뇨병, 중등도~중증 신장애 환자 11) 유당 관련 대사장애 환자 12) 임신부 및 수유부, 소아: 안전성 미확립 〈주의〉 1) 저혈압, 급성심근경색시의 저혈압, 신부전, 고칼륨혈증, 단백뇨, 건선 환자, 면역억제제 요법 받는 환자 〈약리작용 및 효능〉란에 계속

약품명 및 함량	용법	약리작용 및 효능	부작용	주의 및 금기
Felodipine + Ramipril **Triapin tab** 트리아핀정 …2.5mg+2.5mg/T …5mg+5mg/T	1) 성인 및 노인 : 1Ⓣ qd (Max. 5+5mg/D)	1) Dihydropyridine계 Calcium channel blocker인 Felodipine과 ACE inhibitor인 Ramipril의 복합제 2) 적응증 : 본태성 고혈압 〈상호작용〉 1) K 제제, K 보존 이뇨제와 병용시 혈청 칼륨농도 증가될 수 있으므로 병용금기	〈Felodipine〉 1) >10% – 두통 2) 2~10% – 말초부종, 빈맥, 홍조 〈Ramipril〉 1) >10%	〈금기〉 1) 이 약 성분 및 다른 ACE 저해제에 과민한 환자 2) 혈관 신경성 부종의 병력자 3) 혈행역학이 불안정한 환자 (순환성쇽, acute MI, stroke등)

약품명 및 함량	용법	약리작용 및 효능	부작용	주의 및 금기
		2) 리튬 독성 증가 가능 3) 항고혈압제, 혈압강하효과 기대되는 제제와 병용시 효과 상승 4) Allopurinol, 면역억제제, 부신피질호르몬, procainamide, 세포증식억제제와 병용시 혈액학적 부작용 증가 위험 5) CYP450 효소 저해제(ketoconazole, 자몽주스)나 유도제(rifampin)와 병용시 felodipine 혈장농도 변화 6) NSAIDs와 병용시 ramipril 효과 저해 및 신기능 악화, 혈청 K 상승	- 기침 2) 1~10% - 저혈압, 협심증, 체위성 저혈압, 실신 - 오심, 구토 - 고칼륨혈증 - 두통, 졸음, 피로, 현기증 - BUN, 혈청 크레아티닌 상승 - 흉통	4) 2도, 3도 방실블록, 중증 간기능 장애, CrCl 〈20ml/min, 투석 환자 5) 소아 : 안전성 미확립 6) 임신부 : Category D (Ramipril) 7) 수유부 : 모유이행 (Felodipine) 〈주의〉 1) ACE 저해제 투여동안 혈관 신경성 부종 발생하면, 즉시 투여중단 2) ACE 저해제 투여 초기 몇주간 신기능 모니터링 필요 3) 경~중등도 신장애, 간장애 환자(용량조절 필요) 4) 고용량의 루프이뇨제 병용하는 심부전 환자, 저나트륨혈증, 신혈관성 고혈압/신동맥 협착증 환자 5) 서방형제제로 분쇄, 분할 불가능 〈약리작용 및 효능〉란에 계속

약품명 및 함량	용법	약리작용 및 효능	부작용	주의 및 금기
Candesartan cilexetil Atacand tab 아타칸정 …8mg/T …16mg/T …32mg/T	1) 본태성 고혈압 - 초회량 : 8~16mg qd (Max. 32mg qd) - 4주 후 필요시 증량 - 혈관내 유효혈액량 감소 환자, 신기능손상 환자 : 초기용량 4mg qd - 간기능손상 환자 : 초기용량 2mg qd 2) 심부전 - 초기용량 : 4mg qd (Max. 32mg qd) - 2주 후 필요시 증량	1) Prodrug으로 장관막에서 candesartan(active)으로 대사되는 nonpeptide angiotensin II receptor type 1(AT1) antagonist 2) Mild-moderate 고혈압에 단독 또는 이뇨제와 병용투여 3) BA : 15% Onset : 2~4hrs 지속시간 : 24hrs $T_{\frac{1}{2}}$: 5.1~10.5hrs 배설 : 신장(33%), 대변(67%)	- 홍조, 흉통, 말초부종, 빈맥, 심계항진, 협심증, 심근경색 - 현기, 졸음, 피로, 두통, 현훈, 불안, 발열 - 혈관부종, 발진 - 고혈당, 고지혈증 - 오심, 설사, 구토, 소화불량, 위장관염증 - 고뇨산혈증, 혈뇨 - 저배통, 관절통, 마비감, CPK 상승, 근육통, 허약감	〈금기〉 1) 수유부 : 안전성 미확립 2) 임신부 : Category D 3) 중증 간장애, 담즙정체 환자 4) 원발고알도스테론혈증 환자 〈주의〉 1) 신중투여 : 신동맥협착증, 중증 혈관용적 고갈, 중증신장애, 경증–중등도 간장애 환자, 신장이식환자 2) 소아 : 안전성 미확립 〈상호작용〉 1) 칼륨저류성 이뇨제와 병용 시 혈중 칼륨농도 상승

약품명 및 함량	용법	약리작용 및 효능	부작용	주의 및 금기
			- 상기도감염, 인두염, 비염, 기침, 부비강염, 비출혈, 호흡곤란 - 발한	
Fimasartan potassium Kanarb tab 카나브정 …30mg/T …60mg/T …120mg/T	1) 30~60mg qd, 식사와 관계없이 복용(Max. 120mg/D) 2) 간장애 환자 - 경증 : 용량 조절 필요 없음 - 중등증-중증 : 투여 금기 3) 혈관내 유효량이 감소된 환자(고용량 이뇨제 복용 환자 등) : 초회 용량 30mg qd * 신기능에 따른 용량 조절 참고 ① 30≤CrCl≤80ml/min: 용량조절 필요 없음 ② CrCl 〈30ml/min : 30mg qd (Max. 60mg/D)	1) Angiotensin II receptor type 1(AT1) antagonist 2) Angiotensin II에 의한 혈관 수축 억제와 aldosterone 분비 억제에 의한 수분 재흡수 억제로 강압 효과 3) 적응증 : 본태성 고혈압 4) BA : 30~40% Tmax : 0.5~3hrs $T\frac{1}{2}$: 7~10hrs 대사 : 간 배설 : 주로 대변	1) 1~10% - 두통, 어지러움 2) 〈1% - 실신, 진정, 편두통 - 소화불량, 구토, 구역, 상복부 통증 - 무력증, 이물감 - 간효소수치(ALT, AST) 상승, 혈소판 수 감소, 혈청 크레아틴인산활성 효소 증가 - 기침 - 근육수축, 근육골격 경직 - 가려움증, 국소두드러기 - 얼굴 홍조 - 발기기능 장애	〈금기〉 1) 신장투석 환자, 신장애 환자, 간장애 환자(사용경험 없음) 2) 담도폐쇄 환자 3) 유당 투여 금기인 환자 4) 수유부 : 안전성 미확립 5) 임신부 : 투여금기(임신 2,3기 ARB 투여시 약물관련 태아 부작용 보고됨) 〈주의〉 1) 혈액량이나 염이 감소된 환자 2) 신기능 손상자 3) 신혈관성 고혈압 환자 4) 대동맥 및 승모판 협착, 폐색・비후성 심근 질환자 5) 원발성 알도스테론증 환자 6) 18세 이하 소아 : 안전성 미확립 〈상호작용〉 1) 칼륨 수치를 상승시킬 수 있는 약물과 병용 투여시 혈청 칼륨치상승 가능 2) 리튬 독성 증가 가능 3) NSAIDs와 병용시 혈압강하 효과 감소할 수 있으며 신기능손상 가능 3) Ketoconazole, rifampicin과 병용시 이 약의 AUC 증가 4) 이 약은 atorvastatin, digoxin의 농도를 증가시킬 수 있음. 〈취급상 주의〉 1) 차광

약품명 및 함량	용법	약리작용 및 효능	부작용	주의 및 금기
Irbesartan Aprovel tab 아프로벨정 …150mg/T …300mg/T	1) 150~300mg qd 2) 혈액투석 환자, 75세 이상 : 초회량 75mg qd	1) Nonpeptide angiotensin II receptor type 1(AT1) antagonist 2) Angiotensin II에 의한 혈관수축 억제와 aldosterone 분비 억제에 의한 수분 재흡수 억제로 강압효과 3) Mild-moderate 고혈압에 단독 또는 이뇨제와 병용 투여 4) 혈압강하효과 Irbesartan 150mg ≒ Losartan 100mg 5) Onset(peak) : 투여 후 3~6hrs Tmax : 1.5~2hrs 지속시간 : 24hrs $T_{\frac{1}{2}}$: 11~15hrs 배설 : 신장(22%), 대변(78%)	1) 1~10% - 피로 - 설사, 소화불량 - 상기도감염, 기침	〈금기〉 1) 임신부 : Category D 2) 수유부 : 동물실험시 유즙이행 보고 〈주의〉 1) 신중투여 : 혈류량 손실 환자, 신혈관성 고혈압, 신기능 이상 및 신이식 환자, 과칼륨혈증, 대동맥 및 승모판협착, 폐색 · 비후성 심근증, 원발성 알도스테론증환자 2) 소아 : 안전성 및 유효성 미확립 〈상호작용〉 1) K 보급제 또는 K 저류성 이뇨제와 병용시 혈중 칼륨농도 상승 2) 리튬의 독성 증가
Olmesartan medoxomil Olmetec tab 올메텍정 …10mg/T …20mg/T …40mg/T	1) 성인 : 10~20mg qd 식사와 관계없이 복용 (Max. 40mg/D) 2) 중등도 간장애 환자 : 초회용량 10mg qd (Max. 20mg/D) * 신기능에 따른 용량 조절 참고 - CrCl (20~60ml/min) : Max. 20mg qd	1) Angiotensin Ⅱ receptor type1(AT1) antagonists 2) Angiotensin receptor 중 AT1을 선택적으로 차단함으로써 angiotensin Ⅱ에 의한 혈관수축을 억제하고 aldosterone의 분비를 억제하여 수분의 재흡수를 억제 3) 적응증 : 본태성 고혈압의 치료 4) Tmax : 1~2hrs $T_{\frac{1}{2}}$: 13hrs BA : 26% 대사 : 장관 막(100%) 배설 : 신장(35~50%), 대변(50~65%)	1) 1~10% - 현기증(3%), 두통 - 고혈당, 고중성지방혈증 - 설사 - 저배통, CPK 상승 - 혈뇨 - 기관지염, 인두염, 비염, 부비강염 - 독감유사증상	〈금기〉 1) 수유부 : 안전성 미확립 2) 임신부 : Category D 〈주의〉 1) 혈관부종 환자 및 기왕력자 2) 과도한 저혈압(체액 고갈), 고칼륨혈증, 신동맥협착증, 심한 CHF 환자 3) 소아 : 안전성 미확립 〈상호작용〉 1) 칼륨 보급제 및 칼륨 보존 이뇨제, cotrimazole과 병용 시 혈청칼륨치 상승 가능 2) 리튬 독성 증가 가능 3) 당뇨병 또는 신장애 환자(CrCl〈60ml/min)에서 aliskiren 병용 금기 : 저혈압, 고칼륨혈증, 신기능 변화 위험 증가 가능
Telmisartan Pritor tab 프리토정	1) 본태성 고혈압 : 40mg qd (Max. 80mg/D) 2) 심혈관 질환의 위험성 감소 : 80mg qd	1) Angiotensin Ⅱ receptor antagonist 2) 동일계열 약제중 반감기가 길고, 신배설율이 낮음. 3) 적응증 : 본태성 고혈압 치료 및 심혈관 질환의 위험성 감소	1) 1~10% - 상기도감염(7%), 부비강염(3%), 기침(2%), 인두염(1%),	〈금기〉 1) 담도 폐쇄 환자 2) 중증 간, 신부전 환자 3) 수유부 : 안전성 미확립

약품명 및 함량	용법	약리작용 및 효능	부작용	주의 및 금기
…40mg/T …80mg/T		4) Onset : 1~2hrs 지속시간 : ~24hrs BA : 42~ 58% T½ : 24hrs 배설 : 대변(97%), 신장(0.49%)	flu-like syndrome (1%) - 설사(3%), 소화불량(1%), 오심(1%), 복통(1%) - 저배통(3%), 근육통(1%) - 두통(1%), 현기증(1%), 통증(1%), 피로(1%) - 고혈압(1%), 흉통(1%), 말초부종(1%) - 비뇨기계 감염(1%)	4) 임신부 : Category D → 임부투여시 태아, 신생아의 손상 관련성 보고. 임신진단시 가능한 빨리 투여 중단 요구됨. 〈주의〉 1) 신성 고혈압, 신부전, 신이식 환자 2) 혈액량 감소, 원발성 알도스테론증 환자 3) 동맥판, 승모판 협착증 환자, 폐쇄성 비후성 심근증 환자 4) 고칼륨혈증, 간부전 환자 5) 활동성 위, 십이지장궤양, 위장관 질환 환자 6) 졸음, 어지러움을 유발할 수 있으므로 운전 및 기계 조작 주의 7) 인습성 있으므로 복용시 개봉 〈상호작용〉 1) K+ sparing 이뇨제, 칼륨보충제, ACE inhibitor, cotrimazole(고용량), 칼륨함유 염류제 : hyperkalemia 위험 증가 2) Digoxin : digoxin의 혈중농도 증가 3) Warfarin : warfarin의 trough 농도 감소 (INR은 변화없음.) 4) 리튬 : 리튬의 혈중농도 증가
Valsartan Diovan tab 디오반필름코팅정 …80mg/T …160mg/T	1) 본태성 고혈압 : 80mg qd (Max. 160~320mg/D) 2) 심부전 : 40mg bid (Max. 320mg/D) 3) 심근경색 후 사망 위험 감소 : 20mg bid, 160mg bid까지 증량 가능 * 신기능에 따른 용량 조절 참고 1) 본태성 고혈압 CrCl(ml/min) : 용량 ① 10~20 : 40mg qd ② 〈10 : 투여금기	1) Angiotensin Ⅱ receptor type1(AT1) antagonist 이며 고혈압에 단독 또는 이뇨제와 병용 투여함. 2) 적응증 : 본태고혈압, 심부전, 심근경색 후의 사망 위험성 감소 3) Onset : 1hr Tmax : 4~6hrs 지속시간 : 6~8hrs(단회투여시), 24hr(반복투여시) T½ : 9hrs 배설 : 대변 83%	1) 1% 이상 - 저혈압 - 현기증, 운동실조, 피로감 - 혈청 칼륨수치 상승 - 복통, 미각장애 - 호중구감소 - 간기능검사치 상승 - 기침 - 감염 2) 1% 미만 - 알러지, 탈모증, 혈관부종, 우울,	〈금기〉 1) 중증 신부전 환자(CrCl 〈10ml/min) 2) 임신부 : Category D 3) 수유부 : 안전성 미확립 〈주의〉 1) 나트륨, 체액부족자 2) 신동맥협착증 3) 간부전 환자 : 최대 80mg 4) 소아 : 안전성 미확립 〈상호작용〉 1) K+ sparing 이뇨제, 칼륨보충제, 칼륨함유 염류제와 병용시 주의 (∵hyperkalemia)

약품명 및 함량	용법	약리작용 및 효능	부작용	주의 및 금기
	2) 기타 적응증 ① CrCl(ml/min)≥10 : 용량조절 필요없음. ② CrCl(ml/min)<10 : 투여금기		호흡곤란, 발기부전, 감각이상, 발진, 기면, 실신, 현훈	

약품명 및 함량	용법	약리작용 및 효능	부작용	주의 및 금기
Amlodipine besylate+ Olmesartan medoxomil **Sevikar tab** 세비카정 …5mg+20mg/T …5mg+40mg/T …10mg+40mg/T	1) 1Ⓣ qd, 식사와 관계없이 복용 (Max. 10/40mg/T) 2) 간장애환자, 고령자 : Olmesartan으로써 10mg/D(Max. 20mg/D) 3) 최대 혈압강하 효과는 용량 조절 후 2주이내에 나타남. * 신기능에 따른 용량조절 참고 -olmesartan medoxomil; ① 경~중등증 신장애환자(CrCl 20~60ml/min): Max. 20mg/D ② 중등~중증 신장애환자(CrCl < 20ml/min) 및 투석환자; 투여권장되지 않음.	1) Dihydropyridine계 Ca^{2+} channel blocker인 amlodipine과 Angiotensin II receptor type1(AT1) antagonist인 olmesartan의 복합제 2) 적응증 : amlodipine 또는 olmesartan medoxomil 단독요법으로는 조절되지 않는 본태성 고혈압	1) > 10% - 말초 부종(18~26%) 2) 빈도 미확립 - 아낙필락시스, 저혈압, 야간뇨, 기립성 저혈압, 심계항진, 소양증, 발진, 빈뇨	〈금기〉 1) 임신부 : Category D (기형아 유발) 2) 수유부 : 안전성 미확립 3) 중증의 간장애 환자, 신장투석 환자 4) 중증의 대동맥판협착증 환자 5) 쇽 환자 6) 당뇨병 또는 신장애 환자(CrCl<60ml/min)에서 aliskiren 병용 금기 : 저혈압, 고칼륨혈증, 신기능 변화 위험 증가 가능 〈주의〉 1) 과도한 저혈압(체액, 염류고갈) 2) 중증의 폐쇄성 관상동맥환자 3) 울혈성 심부전환자 4) 간, 신장애 환자 5) 소아 : 안전성 미확립
Amlodipine besylate +Telmisartan **Twynsta tab** 트윈스타정 …5mg+40mg/T …5mg+80mg/T …10mg+40mg/T	1) 1Ⓣ qd, 식사와 관계없이 복용	1) Angiotensin Ⅱ Rc antagonist인 telmisartan과 Calcium channel blocker인 amlodipine 복합제 2) 적응증 : Telmisartan 또는 amlodipine 단독요법으로 혈압이 적절하게 조절되지 않는 본태성 고혈압	1) 1~10% - 말초부종(5%), 어지러움(3%), 기립성 저혈압(6%), 요통(2%)	〈금기〉 1) 담도 폐쇄 환자, 중증 간장애 환자 2) 중증의 대동맥판협착증 환자 3) 임신부 : Category D (telmisartan) 4) 수유부 : 안전성 미확립 5) 유당 불내성 환자 〈주의〉 1) 간장애 환자

약품명 및 함량	용법	약리작용 및 효능	부작용	주의 및 금기
				2) 신혈관 고혈압 환자, 투석을 해야하는 신부전 환자 3) 동맥판, 승모판 협착증 환자, 폐쇄성 비후성 심근증 환자 4) 중증의 저혈압 환자 5) 활동성 위, 십이지장궤양, 위장관 질환 환자 6) 원발성 알도스테론증 환자 7) 18세 미만 소아 : 안전성 미확립 〈상호작용〉 1) 각 성분의 상호작용 참조 〈취급상 주의〉 1) 인습성이 있으므로 복용시 개봉
261 Amlodipine besylate +Valsartan **Exforge tab** 엑스포지정 …5mg+80mg/T …5mg+160mg/T …10mg+160mg/T	1) 1Ⓣ qd, 식사와 관계없이 복용 2) 간장애시 – 경도~중등도 : valsartan으로서 80mg/D 초과하지 않음. – 중증 : 투여하지 않음 * 신기능에 따른 용량조절 참고 – CrCl ≥10ml/min : 용량조절 필요 없음 – CrCl 〈10ml/min :투여하지 않음.	1) Angiotensin Ⅱ receptor antagonist인 valsartan과 Calcium channel blocker인 amlodipine의 복합제 2) 적응증 : valsartan 또는 amlodipine 단독요법으로 혈압이 적절하게 조절되지 않는 본태성 고혈압	1) 〉10% – 두통 2) 1~10% – 말초 부종 – 불안, 기면, 현기증 – 고칼륨혈증 – 상복부 통증, 설사, 오심 – BUN 상승 – 비인두염, 상기도감염, 기침 – 인플루엔자 3) 〈1% – 발진, 과민반응, 저혈압, 기립성 저혈압, 체위 현기증, 실신, 이명, 시력장애	〈금기〉 1) 중증의 신손상자(CrCl 〈10ml/min) 및 투석환자(사용경험이 없음) 2) 중증의 간손상자, 간경변 또는 담도폐색 환자 3) 임신부 : Category D(valsartan) 4) 수유부 : 안전성 미확립 〈주의〉 1) 나트륨 또는 체액 부족 환자 2) 고칼륨혈증 환자 3) 신동맥협착 환자 4) 신장이식환자, 신손상 환자 5) 간손상자, 심부전 환자 6) 대동맥판막 및 승모판막협착증, 폐쇄성 비대심장근육병증 환자 7) 65세 이상의 고령자 : 용량 증량시 주의 8) 18세 이하 소아 : 안전성 미확립 〈상호작용〉 1) 각 성분의 상호작용 부분 참조

약품명 및 함량	용법	약리작용 및 효능	부작용	주의 및 금기
Amlodipine besylate +Olmesartan medoxomil +Hydrochlorothiazide **Sevikar HCT tab** 세비카에이치씨티정 …5+20+12.5mg/T …5+40+12.5mg/T …10+40+12.5mg/T	1) 1Ⓣ qd, 식사와 관계없이 복용 (Max. 10+40+25mg/D) 2) 최대 혈압강하 효과는 용량 조절 후 2주 이내에 나타남 3) 간장애 환자 ① 중등증 간장애 : Max. 5+20+12.5 mg/D ② 중증 간장애 : 투여금기 * 신기능에 따른 용량조절 참고 ① 30≤CrCl〈60ml/min : Max. 5+20+12.5mg/D ② CrCl〈30ml/min : 투여 금기	1) Calcium channel blocker인 amlodipine, Angiotensin II Rc antagonist인 omesatan, Thiazide이뇨제인 hydrochlorothiazide의 3제 복합제 2) 적응증 : Amlodipine과 olmesartan 복합요법으로 혈압이 적절하게 조절되지 않는 본태성 고혈압	1) 1~10% - 상기도 감염, 비인두염, 요로 감염 - 현기증, 두통 - 심계항진 - 저혈압 - 설사, 구역, 변비 - 근육 연축, 관절 부종 - 빈뇨 - 무력증, 말초 부종, 피로 - 혈중 크레아티닌/요소/요산 상승 2) 〈 1% - 고칼륨혈증, 저칼륨혈증 - 기립 현기증, 전실신, 현훈 - 빈맥, 홍조 - 기침, 입안 건조 - 근육 약화 - 발기부전 - 혈중 칼륨 감소 - GGT, ALT, AST 상승	〈금기〉 1) 임신부: Category D (olmesartan) 2) 수유부 3) 중증 저혈압 환자 4) 중증 대동맥판협착증 환자 5) 급성심근경색 후 혈역학적으로 불안정한 심부전 환자 6) 중증의 간, 신장애 환자 7) 담도폐쇄환자, 담즙성 간경변, 담즙분비정지 환자 8) 저나트륨혈증, 저칼륨혈증, 고칼슘혈증, 증상성 고요산혈증을 치료중인 환자 9) 애디슨병 환자 〈주의〉 1) 혈액량이나 염이 감소된 환자 2) 심부전환자 3) 간, 신장애 환자 4) 신혈관성 고혈압환자 5) 대동맥 및 승모판 협착, 폐색・비후성 심근 질환자 6) 18세미만 소아 : 안전성 미확립 〈상호작용〉 1) Lithium 독성 위험 증가 2) 각 성분의 상호작용 참조
Eprosartan mesylate+ Hydrochlorothiazide **Teveten plus tab** 테베텐플러스정 …600+12.5mg/T	1) 1Ⓣ qd	1) Angiotensin II receptor type 1 antagonist인 Eprosartan과 Thiazide 이뇨제인 Hydrochlorothiazide(HCTZ)의 복합제 2) Eprosartan 단독요법으로 치료가 잘 되지 않는 본태성 고혈압의치료 3) 생체이용률 : Eprosartan 13%, HCTZ 70% Tmax : 〈 2hrs	1) 1~10% - 피로, 우울증 - 기립성 저혈압, 저혈압 - 광과민증 - 고중성지방혈증, 저칼륨혈증	〈금기〉 1) 수유부 : 모유 이행(HCTZ) 2) 임신부 : Category D 3) 중증 간기능, 신기능장애(CrCl〈30ml/min) 환자 〈주의〉 1) 신혈관 고혈압 환자 2) 신기능장애 및 신장 이식 환자

약품명 및 함량	용법	약리작용 및 효능	부작용	주의 및 금기
…600+12.5mg/T		$T\frac{1}{2}$: Eprosartan 5~9hrs, HCTZ 10~12hrs 대사(Eprosartan) : 간(20%) 배설(Eprosartan) : 신장(7%), 대변(90%)	- 복통, 식욕감퇴, 상복부 불쾌감 - 요로감염 - 상기도감염, 비염, 인두염, 기침, 바이러스 감염	3) 간기능장애 환자 4) 당뇨환자 : HCTZ에 의해 내당력 손상 5) 전해질 불균형, 저혈압 환자 6) 소아 : 안전성 미확립 〈상호작용〉 1) Eprosartan - 칼륨, 칼륨보존이뇨제 또는 헤파린과 같은 혈청 칼륨농도를 높이는 약과 병용시 고칼륨혈증 가능 2) Hydrochlorothiazide - 다이크로진정 상호작용 참조
Fimasartan potassium+ Hydrochlorothiazide **Lacor tab** 라코르정 …60+12.5mg/T …120+12.5mg/T	1) 1Ⓣ qd, 식사와 관계없이 복용 2) 간장애 환자 ① 경증 간장애 : 용량조절 불필요 ② 중등증~중증 간장애 : 투여금기 * 신기능에 따른 용량조절 참고 ① 30≤CrCl〈80ml/min : 용량조절 불필요 ② CrCl〈30ml/min : 투여 금기	1) Angiotensin Ⅱ Rc antagonist 인 fimasartan과 Thiazide 이뇨제 hydrochlorothiazide 복합제 2) 적응증 : Fimasartan 단독요법으로 혈압이 적절하게 조절되지 않는 본태성 고혈압	1) 1~10% - 두통, 어지러움, 체위성 어지러움 - ALT 상승 2) 〈 1% - 졸음 - AST 상승, 혈중 중성지방/칼륨 상승, 혈중 염소/나트륨 감소 - 골격근의 경직 - 흉부 불편감, 무력증 - 가려움증 - 홍조 - 발기기능 장애	〈금기〉 1) 임신부 : 투여금기(임신 2,3기 ARB 투여 시 약물관련 태아 부작용 보고됨) 2) 수유부 3) 급성 또는 중증의 신부전환자, 신장투석환자, 무뇨환자 4) 중등증~중증의 간장애 환자 5) 담도폐쇄환자 6) 저나트륨혈증, 저칼륨혈증, 고칼슘혈증 환자 7) 애디슨병 환자 8) 유당 불내성 환자 〈주의〉 1) 혈액량이나 염이 감소된 환자 2) 신기능 손상자 3) 신혈관성 고혈압 환자 4) 대동맥 및 승모판 협착, 폐색·비후성 심근 질환자 5) 18세미만 소아 : 안전성 미확립 〈상호작용〉 1) 각 성분의 상호작용 참조 〈취급상 주의〉 1) 차광

약품명 및 함량	용법	약리작용 및 효능	부작용	주의 및 금기
Irbesartan+ Atorvastatin calcium **Rovelito tab** 로벨리토정 …150+10mg/T …150+20mg/T …300+10mg/T …300+20mg/T	1) Irbesartan : 150-300mg qd Atorvastatin : 10-80mg qd (식사와 관계없이 투여) 2) 혈액투석 환자, 75세 이상 : (irbesartan) 초회량 75mg qd	1) Angiotensin II Rc antagonist(고혈압 치료제) + HMG-CoA reductase inhibitor(고지혈증 치료제) 복합제 2) 적응증 : Irbesartan과 Atorvastatin을 동시에 투여하여야 하는 환자	(빈도 미확립) - 심계항진 - 설사, 소화불량, 구토, 위장관장애, 위장염, 치통 - 어지러움, 두통 - 요통, 근육통 - 호흡곤란, 비출혈, 비루 - 눈장애, 황반변성 - 흉통, 피로, 부종, 무력증, 가슴불쾌감 - 비인두염, 상기도감염, 염좌, 저나트륨혈증, 혈중 CPK 상승, 혈중 TG 상승, 혈뇨, γ-GTP 상승	〈금기〉 1) 활동성 간질환 환자, 중증 간장애환자 2) 근질환 환자 3) 유전성 혈관 4) 임신부: Category D(irbesartan), Category X(atorvastatin) 5) 수유부 및 10세 미만 소아: 안전성 및 유효성 미확립부종 환자 6) 당뇨병이나 중등도~중증 신장애 환자에서 aliskiren과 병용 〈주의〉 1) 경증~중등도 간장애 환자 2) 횡문근융해 소인 있는 환자 3) 고칼륨혈증 환자, 혈류량 손실이 있는 환자 4) 신혈관성 고혈압 환자 5) 신장애 환자 6) 대동맥 및 승모판 협착, 폐색 7) 허혈성심장혈과 질환, 뇌혈관질환환자 〈상호작용〉 1) 각 성분의 상호작용 참조
Olmesartan medoxomil+ Hydrochlorothiazide **Olmetec plus tab** 올메텍플러스정 …20+12.5mg/T	1) 1Ⓣ qd	1) Angiotensin II receptor type 1 antagonist인 Olmesartan과 Thiazide 이뇨제인 Hydrochlorothiazide(HCTZ)의 복합제 2) Olmesartan 이나 HCTZ 단독요법으로 치료가 잘 되지 않는 본태성 고혈압의 치료 3) BA : Olmesartan 26%, HCTZ 70% Tmax : 〈 2hrs $T_{\frac{1}{2}}$: Olmesartan 13hrs, HCTZ 10~12hrs 배설 : Olmesartan 신장(35~50%), 대변(50~65%)	- 가슴통증, 말초부종, 현기증, 어지러움 - 발진 - 고요산혈증, 고혈당, 고지질혈증 - 오심, 복통, 소화불량, 설사 - 혈뇨 - Transaminases 증가 - 등 통증, 관절통, 근육통 - 상기도감염, 기침 - CPK 상승	〈금기〉 1) 수유부 : 모유 이행(HCTZ) 2) 임신부 : Category D 3) 설폰아미드계열 약물에 과민증이 있는 환자 4) 중증의 신장애, 간장애 환자 5) 유당불내성 환자 6) 애디슨병 환자 〈주의〉 1) 신혈관 고혈압 환자 2) 신기능장애 및 신장 이식 환자 3) 간기능장애 환자 4) 당뇨환자 : HCTZ에 의해 내당력 손상 5) 전해질 불균형, 저혈압 환자 6) 소아 : 안전성 미확립 〈상호작용〉 1) 각 성분의 상호작용 참조

전신 동맥 저항 감소와 정맥 수요 등을 증가시킴

약품명 및 함량	용법	약리작용 및 효능	부작용	주의 및 금기
Isosorbide dinitrate Isoket Spray 이소켓스프레이 …375mg/EA (1.25mg× 300dose/15ml/EA)	1) 성인 : 발작초기나 발작이 예상될 때 1~3회 구강내 분무(1회 분무량 : 1.25mg) 2) 2회 이상 분무시 30초 간격으로 분무 3) 분무시에는 호흡을 멈춘 상태로 구강내 분무하며, 흡입하지 않음	1) Organic nitrate vasodilator 2) 펌프 스프레이 제제로 일정량이 분사될 수 있도록 고안된 에어로졸 제제 3) 약효발현이 신속하며, 협심증, 좌심부전을 수반하는 급성 심근경색, 폐부종의 치료에 사용함. 4) Onset : 1min 지속시간 : 울혈성심부전에 1회 분무시 15mins	- 저혈압, 기립성저혈압, 협심증, 반동성 고혈압, 창백, 심혈관 허탈, 빈맥, 쇽, 홍조, 말초부종 - 두통, 현기, 실신, 초조 - 오심, 구토, 복부 불편, 구강건조 - 배뇨곤란 - 메트헤모글로빈혈증 - 허약감 - 시야몽롱 - 식은땀	〈금기〉 1) 급성 순환기능부전 환자 2) 중증 저혈압 환자 3) 폐쇄 우각형 녹내장 환자 4) 질산염 제제에 과민한 환자 5) 심근의 비대 폐색, 심근장애 환자 6) 급성 심근경색, 좌심실 기능 손상 환자 7) 빈혈, 뇌출혈 환자 8) 보상되지 않는 심장성 쇼크 환자 9) Sildenafil 복용중인 환자 〈주의〉 1) 신중투여 : 저혈압, 원발성 폐고혈압, 대동맥판 협착증, 승모판 협착증, 기립성 조절장애, 두개내압 상승, 긴축성 심낭염, 심낭 탐폰 환자 2) 임신부 : Category C 3) 수유부 : 안전성 미확립 〈상호작용〉 1) QT연장, 심실성 부정맥을 유발하는 약제와 병용 금지 2) 타 혈관확장제, 칼슘길항제, 혈압 강하제, TCAs, 알코올과 병용시 혈압강하 증강
Isosorbide dinitrate Carsodil tab 카소딜정 …10mg/T	1) 10mg/T : 5~10mg tid~qid (경구 또는 설하투여) 2) 40mg/T : 40mg #1~2, 필요시 40mg bid 3) 120mg/C : 120mg qd 4) 주사	1) 장시간형 nitrate제제로 관상 혈관 평활근에 대한 선택적 이완작용을 나타냄. 2) 혈관 평활근에서 nitric oxide(NO)로 대사되어 혈관을 확장시킴. 3) 급성 발작에는 사용되지 않으며, 예방치료로 사용하며, β-차단제와 병용시 효과적임.	- 저혈압, 기립성저혈압, 협심증, 반동성 고혈압, 창백, 심혈관 허탈, 빈맥, 쇽, 홍조, 말초부종 - 두통, 현기, 실신,	〈금기〉 1) 급성순환기능부전 환자 2) 중증 저혈압 환자 3) 녹내장 환자 4) 질산염 제제에 과민한 환자 5) 심근의 비대 폐색, 심근장애 환자

약품명 및 함량	용법	약리작용 및 효능	부작용	주의 및 금기
Angibid SR tab 앤지비드서방정 …40mg/T Isoket SR cap 이소켓서방캡슐 …120mg/C Isoket 0.1% inj 이소켓0.1%주사 …50mg/50ml/V	① 2~7mg/hr (Max. 10mg/hr) ② DW, 증류수 등으로 희석하여 100~200mcg/ml로 투여	4) 40mg/T와 120mg/C은 서방형 제제임. 5) 적응증 ① 경구제 - 협심증, 심근경색, 관경화증 - 울혈성심부전의 보조요법(강심배당체 또는 이뇨제와 병용) ② 주사제 - 급성심부전 - 중증 또는 불안정협심증 6) 대사 : 간에서 광범위하게 대사됨. $T_{\frac{1}{2}}$: (모체) 1~4hrs, (대사체(5-mononitrate)) 4hrs 배설 : 신장, 대변 Onset : 1hr (일반제형 정제) 지속시간 : 5~6hrs (일반제형 정제)	조조 - 오심, 구토, 복부불편, 구강건조 - 배뇨곤란 - 메트헤모글로빈혈증 - 허약감 - 시야몽롱 - 식은땀	6) 급성심근경색, 좌심실 기능 손상 환자 7) 보상되지 않는 심장성 쇼크 환자 8) Sildenafil 복용중인 환자 〈주의〉 1) 신중투여 : 저혈압, 원발성 폐고혈압, 대동맥판 협착증, 승모판 협착증, 기립성 조절장애, 두개내압 상승, 제한성 심근병증, 비후성 심근병증, 심낭 탐폰 환자 2) 임신부 : Category C 3) 수유부 : 안전성 미확립 〈상호작용〉 1) QT연장, 심실성 부정맥을 유발하는 약제와 병용 금지(terfenadine etc.) 2) 타 혈관확장제, 칼슘길항제, 혈압강하제, TCAs, 알코올과 병용시 혈압강하 증강 3) Sildenafil citrate : 혈관확장효과 증가로 실신, 심근경색 부작용 가능성
Isosorbide-5-mononitrate Isobid tab 이소비드정 …20mg/T Isotril-CR tab 이소트릴지속정 …60mg/T	1) 20mg/T : 20mg bid~tid 2) 60mg/T ① 초회량: 30mg qd ② 유지량 : 60~120mg qd	1) Isosorbide dinitrate의 생체내 주대사산물로 간에서의 1차 대사를 받지 않음. 2) 적응증 ① 일반정제(20mg/T) : 관동맥심질환, 울혈성심부전의 보조요법 ② 지속정(60mg/T) : 관상동맥 심질환, 협심증, 심근경색, 만성심근기능부전 3) 60mg/T는 서방형제제이므로 씹지말고 음료와 함께 삼킬 것 4) Onset : 30mins $T_{\frac{1}{2}}$: 4.4±0.5hrs(지속성) 지속시간 : 4~8hrs	1) 〉 10% - 두통 2) 1~10% - 현기 - 오심, 구토 3) 〈 1% - 협심통, 부정맥, 발기부전, 메트헤모글로빈 혈증, 소양, 발진, 실신	〈금기〉 1) 녹내장 환자 2) 질산염 제제에 과민한 환자 3) 중증 저혈압, 심인성 쇽 환자 4) 중증 빈혈 환자 5) 두부외상 또는 뇌출혈 환자 6) 좌심실 충만압이 낮은 급성 심근경색 환자 7) 비후성 폐쇄성 심근병증 환자 8) 교착성 심낭염 환자 〈주의〉 1) 신중투여 : 저혈압, 원발성 폐고혈압, 고령자, 기립성 조절장애, 대동맥판협착증, 승모판협착증 환자 2) 임신부 : Category C 3) 수유부 : 동물실험시 모유 이행 보고 4) 소아 : 안전성 미확립 〈상호작용〉 1) QT연장, 심실성부정맥을 유발하는 약제와 병용 금지 2) 타 혈관확장제, 칼슘길항제, 혈압 강하제, TCAs, 알코올과 병용시 혈압강하 증강

약품명 및 함량	용법	약리작용 및 효능	부작용	주의 및 금기
Molsidomine Molsiton tab 몰시톤정 …2mg/T …4mg/T	1) 1~2mg bid~tid로 시작, 필요시 4mg tid로 증량 가능 2) 중증 협심증 : 4mg bid~tid	1) Nitrovasodilator로 간에서 linsidomine과 다른 morpholine유도체로 대사됨. 2) Linsidomine은 심근세포에 nitric oxide를 직접 공급하므로 다른 유기질 제제(nitroglycerin, isosorbide 등)와는 달리 내성을 유발하지 않음. 3) MI 후의 치사율 개선에는 영향을 미치지 않음. 4) 협심증의 예방 및 유지에 사용함. 5) 간장애(특히 간경화)시 $T\frac{1}{2}$ 연장됨	- 두통 - 위장관 부작용 - 기립성 저혈압 - 과민반응	〈금기〉 1) 급성 심근경색 환자 2) 쇽을 유발하는 저혈압 (2mg) 3) 저혈압(4mg) 4) 수유부 5) Sildenafil 복용중인 환자 〈주의〉 1) 임신부 : 안전성 미확립 2) 간 · 신장애(용량조절) 〈취급상 주의〉 1) 차광보존 (빛에 의해 morpholine으로 분해, 이는 동물실험에서 발암성이 있음이 보고된 바 있음)
Nitroglycerin Nitrolingual inj 니트로링구알주사 …10mg/10ml/A …50mg/50ml/V	보통 권장량은 10~200mcg/min이며, 필요에 따라 400mcg/min까지 투여함. 1) 수술 전후의 혈압 조절 ① 수술중 고혈압의 처치 및 저혈압 유도 : 초회 25mcg/min 투여 후 5분마다 초회량 반복 투여 ② 심근허혈 : 초회 15~20mcg/min 투여 후 10~15mcg/min 반복 투여 2) 울혈성 심부전 ① 초회 20~25mcg/min 투여 후 10mcg/min 또는 20~25mcg/min을 15~30분 마다 반복 투여 3) 협심증 : 초회 10mcg/min 투여 후 30분마다 초회량 반복 투여 4) 투여량에 따른 점적 속도는 설명서 참조	1) 유기질산염으로 direct acting vasodilator임. 2) Preload와 afterload를 감소시킴으로써 심근의 산소요구량을 감소시킴. 3) 심근의 혈류량을 증가시켜 심근에의 산소공급을 증가시킴. 4) Effort, variant angina의 발작예방 및 치료에 사용함. 5) β-차단제와 병용하면 효력도 증대되며 서로의 부작용도 상쇄됨. (propranolol 참조) 6) 수술 전후의 고혈압 조절, 급성 MI에 수반되는 울혈성심부전, nitroglycerin 설하정이나 β-blocker에 반응하지 않는 협심증, 수술중 저혈압을 유지하기 위하여 사용함. 7) Onset : 1~2mins 지속시간 : 3~5mins $T\frac{1}{2}$: 1~4mins	- 저혈압, 기립성저혈압, 협심증, 반동성 고혈압, 창백, 심혈관허탈, 빈맥, 쇽, 홍조, 말초부종 - 두통, 현기, 실신, 초조 - 오심, 구토, 복부 불편, 구강건조 - 배뇨곤란 - 메트헤모글로빈혈증 - 허약감 - 시야몽롱 - 식은땀	〈금기〉 1) 질산염 제제에 과민한 환자 2) 중증 저혈압, 난치성 혈액량 감소증, 중증 빈혈 환자 3) 두부외상 또는 뇌출혈 환자 4) 녹내장 또는 폐쇄우각형 녹내장 환자 5) 제한성 심근증, 협착성 심근염, 심막압전 환자 6) 쇽 환자 〈주의〉 1) 신중투여 : 간장애, 중증 신장애, 갑상선 기능저하증, 저체온증, 영양실조, 메트헤모글로빈혈증, 충만압이 낮은 급성 심근경색, 기립성 조절장애 환자, 70세 이상 고령자 2) 임신부 : Category C 3) 수유부 및 소아 : 안전성, 유효성 미확립 4) 과량 투여시 methoxamine, phenylephrine으로 해독 〈취급상 주의〉 1) Nitroglycerin은 플라스틱 및 수액용 PVC튜브에 흡착되므로 사용하지 않으며, 유리 제품이나 polyethylene으로된 용구 사용 (Nitroglycerin는 휘발성 액체로 공기, 습기 등에 의해 불활성화되며, 플라스틱용기에서 2시간내에 50%감소) 2) pH10 이상의 알칼리성 용액 또는 환원물질을 함유

약품명 및 함량	용법	약리작용 및 효능	부작용	주의 및 금기
				하는 용액으로 희석시 nitroglycerin의 손실이 급속히 진행됨. 3) 희석액은 실온에서 24시간 안정하나 일단 개봉된 주사액은 즉시 사용하고 남은 약은 폐기함. 4) 피부에 노출 시 심계항진, 두통발생 가능(즉시 물로 세척) 〈상호작용〉 1) 근이완제(pancuronium)과 병용시 신경근차단효과 연장 2) 타 혈관확장제, 칼슘길항제, 혈압강하제, TCAs, 알코올과 병용시 혈압강하 증강
Nitroglycerin Nitrolingual spray 니트로링구알스프레이 …12.2ml/EA (0.4mg×200dose/EA)	1) 발작시 1~2회 혀 밑 혹은 혀 위에 분사(주성분 0.4mg/puff) 2) 3~5분 간격을 두고 사용 3) 15분 안에 3회(1.2mg) 이상 투여하지 않음. 4) 협심증이 예상되는 운동 개시 5~10분 전에 예방적으로 투여	1) 유기질산염으로 direct acting vasodilator 2) Preload와 afterload를 감소시킴으로써 심근의 산소요구량을 감소시킴. 3) 심근의 혈류량을 증가시켜 심근에의 산소공급을 증가시킴. 4) 적응증 : 관상동맥질환으로 인한 협심증 발작시 응급치료 및 협심증 발작 예방 5) Onset : 30초 이내 $T\frac{1}{2}$: 2~6mins	1) > 10% - 두통 2) 1~10% - 저혈압, 협심증 증가 - 현기, 실신	〈금기〉 1) 질산염 제제에 과민한 환자 2) 두부외상 또는 뇌출혈 환자 3) 중증 빈혈 환자 4) 급성 심근경색 환자 5) 녹내장 환자 6) 급성 순환기 장애 7) 중증 심질환 8) 폐동맥 고혈압 〈주의〉 1) 신중투여 : 저혈압, 기립성 조절장애, 대동맥, 승모판 협착 환자 2) 흡입하지 말 것 3) 기립성 저혈압이 발생할 수 있으므로 앉은 상태에서 사용 4) 임신부 : Category C 5) 수유부, 소아 : 안전성 미확립 〈상호작용〉 1) 저혈압 발생 위험 있으므로 sildenafil과 병용금지 〈취급상 주의〉 1) 거품이 생길 수 있으므로 사용 전 흔들지 않도록 함.

약품명 및 함량	용법	약리작용 및 효능	부작용	주의 및 금기
Nitroglycerin (glyceryl trinitrate) Nitroglycerin tab 니트로글리세린설하정 …0.6mg/T	1) 5분마다 1회 0.5 또는 1Ⓣ씩 반복 투여함 (설하 또는 구강 내에 녹여 복용) 2) 15분간 3회 복용후 통증이 지속되면 의사에게 알림 3) 협심증이 예상되는 운동 개시 5~10분 전에 예방적으로 투여	1) 유기질산염으로 direct acting vasodilator 2) Preload와 afterload를 감소시킴으로써 심근의 산소요구량을 감소시킴. 3) 심근의 혈류량을 증가시켜 심근에의 산소공급을 증가시킴. 4) 경구용은 설하정으로 협심증의 급성 발작에 선택 약제임. 5) Effort, variant angina의 발작예방 및 치료에 사용함. 6) β-차단제와 병용하면 효력도 증대되며 서로의 부작용도 상쇄됨. (propranolol 참조) 7) Onset : 2~3mins 지속시간 : 30mins	- 저혈압, 기립성저혈압, 협심증, 반동성 고혈압, 창백, 심혈관 허탈, 빈맥, 쇼, 홍조, 말초부종 - 두통, 현기, 실신, 초조 - 오심, 구토, 복부불편, 구강건조 - 배뇨곤란 - 메트헤모글로빈혈증 - 허약감 - 시야몽롱 - 식은땀	〈금기〉 1) 질산염 제제에 과민한 환자 2) 두부외상 또는 뇌출혈 환자 3) 중증 빈혈 환자 4) 급성 심근경색 환자 5) 녹내장 환자 〈주의〉 1) 신중투여 : 저혈압 환자 2) 임신부 : Category C 3) 수유부, 소아 : 안전성 미확립 〈상호작용〉 1) 타 혈관확장제, 칼슘길항제, 혈압강하제, TCAs, 알코올과 병용시 혈압강하 증강 〈취급상 주의〉 1) 개봉 후 안정성 : 실온에서 5개월
Nitroglycerin Angiderm Patch 앤지덤패취0.2mg …22.4mg/P (0.2mg/hr)	1) 1일 1회 1Ⓟ 사용하며 매일 10~12시간 휴약함. 2) 털이 없는 피부(흉부, 상복부, 배부, 상완부, 대퇴부 등)에 사용하며 인체의 말초부위나 사지등 과도하게 움직이는 곳에는 부착하지 않음	1) Matrix type의 nitroglycerin patch 2) 1회 부착시 24시간 동안 지속적으로 약물을 방출하고 일정한 약물 혈중 농도를 유지하여 협심증 발작을 예방 및 치료 3) Guanylate cyclase와 반응하여 c-GMP의 농도를 증가시켜 혈관평활근을 이완, 정맥혈관을 확장시킴 4) 적응증 : 협심증	1) 〉10% - 두통 2) 1~10% - 저혈압, 협심증 증가 - 현기, 실신	〈금기〉 1) 질산염 제제에 과민한 환자 2) 중증 빈혈 환자 3) 두부외상 또는 뇌출혈 환자 4) 폐쇄우각형 녹내장 환자 5) 중증 저혈압, 심인성 쇼 환자 〈주의〉 1) 갑자기 투여를 중지할 경우 증상악화 우려가 있으므로 4~6주에 걸쳐 점차 감량함. 2) 기립성 저혈압 발생 우려 있음. 3) 임신부 : Category C 4) 수유부, 소아 : 안전성 미확립 5) 부착에 의한 피부증상 발현 우려가 있으므로 부착부위 변경함.

약품명 및 함량	용법	약리작용 및 효능	부작용	주의 및 금기
Hydralazine HCl Hydralazine tab 히드랄라진염산염정 …25mg/T Hydralazine inj 히드랄라진염산염주 …20mg/1ml/A	1) 경구 – 초회량 : 10mg tid~ qid – 유지량 : 1회 20~50mg, 1일 30~200mg 2) 주사 – 20mg IM, IV, 필요시 반복 – 소아 : 1회 0.1~0.2mg/kg * 신기능에 따른 용량 조절 참고 – CrCl(ml/min) : 투여간격 ① 10~50 : 8시간마다 ② 〈10 : 8~16시간마다(fast acetylator), 12~24시간(slow acetylator)	1) 직접적인 동맥평활근 확장작용 2) 심박동수 및 심박출량을 증가시키나 baroreceptor 반사가 덜 민감한 노인에서는 진정작용 같은 CNS 효과가 없으므로 소량을 2단계 치료제로 사용함. 3) 만성고혈압에 3단계 치료제로 경구 투여함. 4) IV시 15분후에 작용발현, 3~4시간 지속되므로, AGN 또는 자간 환자의 고혈압위기에 사용하나 Sod.nitroprusside 같이 더 속효성이고 지속적인 약제가 선호됨. 5) 적응증 ① 경구제 : 본태성 고혈압, 임신중독증에 의한 고혈압 ② 주사제 : 중증의 본태성 고혈압(경구투여 불가, 응급성고혈압)	– 빈맥, 협심증, 기립성 저혈압, 현기증, 말초부종, 홍조 – 뇌내압 상승 (IV), 발열, 오한 – 발진, 두드러기, 소양증 – 식욕감퇴, 오심, 구토, 설사, 변비 – 배뇨곤란, 발기부전 – 용혈성 빈혈, 호중구증가, Hgb감소, J128적혈구감소, 백혈구감소, 무과립구증, 혈소판감소 – 류마티스성 관절염, 근경련, 허약, 진전, 말초신경증 – 유루, 결막염 – 비충혈, 호흡곤란.	〈금기〉 1) 관동맥질환자 2) 허혈성 심질환, 심부전 환자 3) 두개내 급성 출혈 환자 4) SLE 및 관련 질환자 5) 기계적 폐쇄에 의한 심근 부전 환자 6) 중증 빈맥 환자 7) 해리성 동맥류 환자 〈주의〉 1) 신중투여 : 대뇌혈관 질환, 신질환, 허혈성 심질환 및 CHF의 병력자 2) 임신부 : Category C 3) 수유부 : 모유이행 〈상호작용〉 1) 타혈압강하제나 이뇨제와 병용시 혈압강하작용이 강해짐. 2) MAOIs에 의해 작용 증강 〈취급상 주의 : 주사제〉 1) 금속기구와의 접촉을 피함. 2) DW와 혼합하지 않음. 3) NS에 용해시 용해시간이 다소 필요함.
Minoxidil Minoxidil tab 미녹시딜정 …5mg/T	1) 12세이상 – 초회량 : 5mg qd – 유지량 : 10~40mg/D #1~4 (Max. 100mg/D) 2) 12세이하 – 초회량 : 0.2mg/kg qd – 유지량 : 0.25~1.0mg/kg/D (Max. 50mg/D) * 신기능에 따른 용량 조절 참고 – 신부전환자, 투석환자 : 감량 필요	1) 말초 혈관에 직접 작용하여 말초 저항을 감소시킴으로써 수축기압 및 이완기압을 감소시킴. 2) Vasomotor 반사와 무관하므로 기립성 저혈압이 일어나지 않음. 3) 심한 부작용 때문에 다른 강하제와 이뇨제의 병용으로도 조절되지 않는 고혈압에 한하여 사용함. 4) 간에서 minoxidil sulfate로 대사되어야 효과 나타남. 5) Onset : 30mins 지속시간 : 75hrs	1) 〉10% – CHF, 부종, EKG 변화, 빈맥 – 다모증(치료시작 1~2개월 이내) 2) 1~10% – 체액 및 전해질 불균형	〈금기〉 1) 크롬친화세포종 환자 2) 승모판협착에 의한 폐고혈압 환자 3) 급성 심근경색 환자 〈주의〉 1) 신중투여 : 만성 CHF, 중증 신부전, 협심증 환자 2) 수분 및 염분저류로 CHF가 초래되므로 이뇨제(Loop)와 병용할 것 3) 심박동수 증가로 빈맥이 초래되므로 β-차단제나 다른 교감신경억제제와 병용할 것 4) 신장기능이 약화된 환자 (약 3%에서 심장부위의

약품명 및 함량	용법	약리작용 및 효능	부작용	주의 및 금기
	(용량조절 가이드라인 없음) – 투석 환자의 경우, 추가복용 필요 없음.			effusion 및 tamponade가 나타남) 5) 임신부 : Category C 6) 수유부 : 안전성 미확립 7) 소아, 신생아 : 안전성 미확립 〈상호작용〉 1) 항우울제 및 정신병치료제는 기립성 저혈압을 증가시킴 2) Indomethacin과 병용시 혈압강하작용 감소
Sodium nitroprusside Nitropress inj 나이트로프레스주 …50mg/2ml/A	1) 초회량 : 0.3mcg/kg/min 2) 투여용량범위 : 0.5~10mcg/kg/min 3) 평균 : 3mcg/kg/min 4) Max. 10mcg/kg/min 5) 투여직전에 50mg을 반드시 5DW 2~3ml에 용해시키고 다시 250~1,000ml의 5DW에 희석시킨 즉시 알루미늄 호일 등으로 차광해야 함)	1) 동맥과 정맥에 직접 작용하여 혈관을 확장시킴. 2) 정맥주입시 즉시 혈압이 하강하며 주입 중지로 효과도 없어짐. 3) 고혈압 위기(급성 MI발작, 좌심실부전을 포함한 모든 종류의 고혈압)에 가장 강력하고 효과적인 선택약제로 심근의 혈류장애를 일으키지 않음. 4) 뇌출혈이나 지주막하출혈시 혈압조절이 가능함. 5) 혈압강하효과는 신경절 차단제나 휘발성 마취제에 의해 강화됨. 6) 적응증 : 응급성고혈압, 외과수술시 출혈 감소를 위한 마취시 혈압강하	1) 1~10% – 과도한 저혈압, 심계항진 – 방향상실, 정신병, 두통, 초조 – 갑상선기능저하 – 오심, 구토 – 허약감, 근경축 – 이명 – 저산소증 – 발한, 치오시안 독성	〈금기〉 1) 빈사상태 환자의 응급수술시 2) 뇌순환장애 환자 3) 중증 간장애, Vit. B12 결핍 환자 4) 니코틴으로 인한 약시 환자 5) 대사성 산증 환자 6) 저혈량증 환자 7) 말초혈관 저항성이 감소된 급성 CHF 환자 8) 갑상선기능저하증 환자 〈주의〉 1) 신중투여 : 간부전, 중증 신장애, 허혈성 심질환, 두개내압상승, 메트헤모글로빈혈증, 폐기능장애 환자, 고령자 2) 과량사용시 cyanide toxicity 나타남 3) 임신부 : Category C 4) 수유부 : 안전성 미확립 〈취급상 주의〉 1) 용해후 24시간 이내 사용

약품명 및 함량	용법	약리작용 및 효능	부작용	주의 및 금기
Ambrisentan Volibris tab 볼리브리스정 …5mg/T …10mg/T	1) 성인 : 5mg qd, 내약성 있는 경우 10mg qd 증량 고려 2) 식사와 관계없이 투여 3) 투여 시작 전과 투여 중 간기능 검사 실시함. * 신장애시 용량조절 참고 ① 경증~중등증 신장애시 : 용량조절 불필요 ② 중증 신장애시 : 자료 없음.	1) 선택적 Endothelin A형(ETA) 수용체 길항제 2) 혈관 평활근 수축과 ETA 수용체 증식을 억제하여 폐동맥 고혈압 치료 3) 적응증 : WHO 기능분류 II, III 단계에 해당하는 폐동맥 고혈압 (WHO Group Ⅰ) 환자에서 운동 능력개선 및 임상적 악화의 지연 4) 대사 : 간 $T_{\frac{1}{2}}$: 9~15hrs 배설 : 주로 비 신장 경로	1) >10% - 말초 부종(17%) - 두통(15%) 2) 1~10% - 심계항진(5%), 홍조(4%) - 변비(4%), 복통(3%) - Hb 감소(7~10%) - 간 효소 수치 상승(1~3%) - 비충혈(6%), 호흡곤란(4%), 비인두염(3%), 부비동염(3%)	〈금기〉 1) 임신부 : Category X 2) 수유부 : 안전성 미확립 3) 중증 간장애 환자 4) AST/ALT가 정상치 3배 초과 환자 〈주의〉 1) 간장애 환자 2) 헤모글로빈 수치 감소할 수 있으므로 주기적 측정 권장 3) 18세 미만 : 안전성, 유효성 미확립 〈상호작용〉 1) CYP3A4 억제제(ketoconazole, clarithromycin 등), CYP2C19 억제제(omeprazole), CYP3A, 2C19 유도제(rifampicin) 병용시 주의 2) Cyclosporin(P-gp 저해제)와 병용시 이 약의 농도 증가 〈취급상 주의〉 1) 분할, 분쇄 불가 (∵최기형성)
Bosentan hydrate Tracleer tab 트라클리어정 …62.5mg/T	1) 초기 : 1Ⓣ bid 4주간 2) 유지 : 2Ⓣ bid (Max. 250mg/D) 3) 간효소수치의 변동에 따라 용량조절 필요	1) 폐동맥 고혈압의 증상 개선제 2) Endothelin 수용체 ETA, ETB에 대한 경쟁적 길항제로서 endothelin에 의한 혈관 수축, 섬유화, 혈관 증식, 염증 등을 차단함. 3) 적응증 : ① WHO 기능분류 단계 III, IV에 해당하는 폐동맥고혈압(WHO group I) 환자의 운동능력 및 증상 개선 ② 기능 분류 클래스 II에 해당하는 폐동맥고혈압 환자의 임상적 악화의 지연 ③ 전신경화증에 기인한 수지/족지 궤양증 발생 감소 4) Tmax : 3.5hrs $T_{\frac{1}{2}}$: 5.4hrs 생체이용률 : 50%	1) >10% - 두통 - Hb 수치 감소 - AST, ALT 등의 상승을 동반한 중독성 간기능 장애 - 비인두염 2) 1~10% - 화끈거림, 부종, 저혈압, 심계항진	〈금기〉 1) 투여시작 전 임신검사에서 양성인 경우 (임신부 Category X) 2) 중등도~중증의 간장애 환자 3) CsA 또는 tacrolimus 투여 중인 환자 (본제의 혈중농도 증가 및 위 두 약제의 혈중농도 저하) 4) Glibenclamide를 투여중인 환자 (간효소수치 상승 위험 증가) 〈주의〉 1) 투여 시작 전과 투여 중 1개월에 1회 이상 AST, ALT 수치 측정 2) 수유부 : 안전성 미확립 〈상호작용〉 1) Warfarin, statin계 고지혈증 치료제의 혈중농도

약품명 및 함량	용법	약리작용 및 효능	부작용	주의 및 금기
		단백결합 : 98% 대사 : 간 배설 : 담즙(대부분), 신장(<6%)		저하 2) Fluconazole과 병용시 본제의 혈중농도 상승 3) Prostaglandin계 약물과 병용시 약리학적 상승작용으로 혈압저하 유발 〈취급상 주의〉 1) 분할 및 분쇄 금함(∵최기형성)
Iloprost Ventavis RES inhalation 벤타비스흡입액 …0.02mg/2ml/EA	1) 성인 : 2.5~5mcg씩 1일 6~9회 네뷸라이저로 흡입. 2) 소아 및 청소년 : 사용경험 적음. 3) 간장애 : 2.5mcg씩 1일 최대 6회까지만 흡입 가능. 4) 신장애 : CrCl 30ml/min 이상인 경우는 용량조절 불필요하며, 그 미만은 사용경험 없음.	1) Prostacyclin(PGI_2) 성분의 흡입액으로서, 폐동맥 및 주위 병변지역에 분포되어 강력한 혈관확장, 혈소판 응집저해, 조직 보호 작용을 함. 2) 적응증 : NYHA III, IV에 해당하는 폐동맥고혈압(WHO Group I) 환자의 운동능력 및 증상개선 목적으로 사용 3) Tmax : 30mins 이내 지속시간 : ~2hrs $T\frac{1}{2}$: 20~30mins	1) >10% – 혈관확장, 기침증가, 흉통, 불쾌감, 인후통, 인후자극, 구역 2) 1~10% – 두통, 저혈압, 개구장애	〈금기〉 1) 신장애 환자(CrCl ≤ 30ml/min) 2) 수유부 : 안전성 미확립 3) 임신부 : Category C 〈주의〉 1) 중증 천식, COPD, 급성 폐감염증(유효성 미확립) 2) 경구 복용 금하며, 피부와 눈에 접촉하지 않도록 함. 3) 수축기혈압이 85mmHg 미만인 경우는 치료를 시작하지 않도록 함(실신 위험). 4) 18세 이하 소아 : 안전성 미확립
Sildenafil citrate Padenafil tab 파데나필정 …20mg/T	1) 성인: 1Ⓣ tid 2) 식사와 관계없이 4~6시간의 간격을 두고 복용 *신장애시 용량조절 불필요 (내약성이 좋지 않은 경우 환자 상태에 따라 용법조절, 예; 1Ⓣ bid)	1) cGMP selective phosphodiesterase-5(PDE5) inhibitor로 폐동맥고혈압 치료제 2) 폐맥관의 평활근에서 cGMP를 분해시키는 PDE5를 억제하며, 이때 증가된 cGMP가 폐혈관을 확장시킴. 3) 적응증 : WHO 기능분류단계 Ⅱ, Ⅲ에 해당하는 폐동맥고혈압(WHO Group Ⅰ) 환자의 운동능력 개선 (bosentan을 투여중인 환자에 대한 이 약의 유효성은 평가되지 않음) 4) Onset : ~60mins Tmax : 30mins~2hrs 대사 : 간 –CYP3A4(major), CYP2C9(minor) $T\frac{1}{2}$: 4hrs 배설 : 신장(13%), 대변(80%)	1) >10% – 두통(16~46%) – 소화불량(7–17%) 2) 2~10% – 홍조(10%) – 불면, 발열, 어지러움 – 홍반, 발진 – 설사(3~9%), 위염 – 요로감염, – LFTs 상승 – 근육통, – 근육통, 감각이상 – 색깔변화, 시야흐림 – 비출혈, 호흡곤란 악화, 비충혈, 비염	〈금기〉 1) 질산염(nitrate)제제 복용자 2) 중증 간부전, 저혈압 또는 조절되지 않는 고혈압 환자 3) 6개월 이내 심근경색, 뇌졸중, 부정맥 등이 있었던 환자 4) 색소성 망막염, 비동맥전방허혈성시신경증으로 시력이 손실된 환자 〈주의〉 1) 불안정형 협심증을 유발하는 관상동맥 질환자 2) 출혈 이상, 활동성 위궤양 환자 3) 중증의 신부전(CrCl <30ml/min), 간부전, 당뇨병성 망막증, 다발성 전신 위축증 환자 4) 소아 : 장기투여 시험에서 투여량 증가에 따른 사망률의 증가 관찰. 특히 장기간사용의 경우 소아에게서 권장되지 않음 5) 임신부 : Category B

약품명 및 함량	용법	약리작용 및 효능	부작용	주의 및 금기
				6) 수유부 : 안전성 미확립 7) 갑작스런 시력 감퇴나 손실, 청력 감퇴 및 난청 발생 〈상호작용〉 1) 강력한 CYP3A4 억제제(Ketoconazole, ritonavir 등): 이 약의 혈중농도 증가, 병용시 주의 2) 자몽주스 : 이 약의 혈중 농도 증가 3) CYP3A4 유도제(Rifampicin등) : 이 약의 혈중 농도 감소
Treprostinil Remodulin inj 레모둘린주사 …20mg/20ml/V …50mg/20ml/V …100mg/20ml/V	1) 반드시 전용펌프를 이용하여 지속적인 피하주입 또는 중심정맥으로 주입 – 피하주입 선호(∵중심 정맥 카테터 장기간 삽입시 중증 혈류감염 위험성 증가) 2) 용량 – 초회 : 1.25ng/kg/min (내약성 좋지 않은 경우 0.625ng/kg/min로 감속) – 증량 : 첫 4주간은 매주 1.25ng/kg/min 이내, 이후 매주 2.5ng/kg/min이내 – 경증~중증도 간장애 : 초회 0.625ng/kg/min 3) 투여방법 – 피하주입 : 희석 불필요 – 정맥주입 : 멸균 주사용수 혹은 NS로 희석	1) Prostacyclin(PGI2) 유도체 2) 폐와 전신 동맥혈관상(arterial vascular beds)의 직접적인 혈관 확장작용 및 혈소판 응집을 억제하는 강력한 내인성 혈관확장제 3) 적응증 : NYHA 분류단계 II–IV에 해당하는 폐동맥고혈압 환자의 운동 능력 및 증상개선 4) Tmax : 36.39hrs(IV), 50.27hrs(SC) $T_{\frac{1}{2}}$: 4hrs 대사 : 간(CYP2C8) 배설 : 신장(79%), 대변(13%)	1) 〉10% – 홍조(11~15%) – 두통(27~63%) – 피부 발진(14%) – 설사(25~30%), 구역(19~30%) – 주사부위 통증(85%), 주사부위 반응(83%) – 턱 통증(11~13%) 2) 1~10% – 부종(9%), 저혈압(4%) – 어지러움(9%) – 두드러기(8%)	〈주의〉 1) 간장애 및 신장애 환자 2) 임신부 : Category B (사람 대상 시험자료 없음) 3) 수유부, 소아 : 안전성 미확립 〈상호작용〉 1) 항응고제 병용 시 출혈 위험 증가 2) CYP2C8 저해제(gemfibrozil 등) : 이 약의 노출 증가 3) CYP2C8 유도제(rifampin 등) : 이 약의 노출 감소 〈취급상 주의〉 1) 실온(15~30℃) 보관, 개봉 후 30일 이내 사용 2) 주입펌프의 저장 장치내 안정성 – 희석 안한 경우 : 37℃에서 72hrs, – 희석(≤0.004mg/ml) 후 : 37℃에서 48hrs이내 투여 완료.
Trimetazidine HCl Trizine tab 트리진정 …20mg/T	1) 1Ⓣ tid (Max. 60mg/D) * 신기능에 따른 용량조절 참고 ① 30≤CrCl〈60ml/min : 1Ⓣ bid ② CrCl〈30ml/min : 투여 금기	1) β–blocker, nitrates, Ca antagonist와는 화학적, 약리학적으로 다른 기전의 antianginal, antiischemic agents 2) 허혈 세포내의 ATP 농도 개선을 통해 이온 펌프기능 정상화 및 허혈 상태에서 생산되는 산소 유리기의 독성을 감소시켜 세포막 보호 작용.	– 발진, 구역, 위부불쾌감, 식욕부진 – 두통, 권태감 – 간효소 수치 상승	〈금기〉 1) 파킨슨병, 하지불안증후군 및 관련된 운동장애 환자 2) 중증 신장애 환자(CrCl〈30ml/min) 〈주의〉 1) 생리기능이 저하되어 있는 고령자

약품명 및 함량	용법	약리작용 및 효능	부작용	주의 및 금기
		3) 적응증: 1차 항협심증치료제도 적절히 조절되지 않거나, 내약성이 없는 안정형 협심증환자의 증상적 치료를 위한 병용요법		2) 황색 5호 함유 3) 임신부 및 수유부 : 안전성 미확립 4) 소아 : 안전성 미확립
Nicorandil Sigmart tab 시그마트정 …5mg/T Sigmart inj 시그마트주 …48mg/V	1) 경구제 : 1Ⓣ tid 2) 주사제 : 2mg/hr을 점적주사로 투여 (Max. 6mg/hr)	1) Nicotinamide 유도체로서 관상혈관을 선택적으로 확장시킴(K^+ channel opener). 2) Nitrate-like action : 유리된 NO에 의해 guanylate cyclase가 활성화 되어 cyclic GMP의 생산이 증가되어 굵은 관상동맥이 확장됨 3) K^+ channel opening action : 굵은관동맥과 미세관동맥을 확장시키고 심장보호작용을 나타냄 4) 심박수, 자극전도계, 심근수축력에 대해 거의 영향을 미치지 않음. 5) 불안정 협심증 치료, 고령자, 심부전 환자, 방실 block이 있는 환자의 협심증에도 유용함. 6) Tmax : 3~4hrs 지속시간 : 8hrs $T\frac{1}{2}$: 40~80mins 단백결합률 : 19~24%	- 심계항진, 안면홍조, 전신권태감, 불쾌감, 흉통, 하지부종, 흥분 - 두통, 어지러움, 이명, 불면, 졸음, 혀의 마비, 어깨 결림 - 발진(투여중지) - 구내염, 구역, 구토, 식욕부진, 설사, 변비, 위체, 위부 불쾌감, 위통, 복통, 복부팽만감, 구각염, 구갈 - 간효소 수치 상승 - 혈소판 감소 - 경부통, 복시	〈금기〉 1) 중증 간 · 신장애 환자 2) 중증 뇌기능 장애 환자 3) 중증 저혈압 또는 심인성 쇽 환자 4) Einsenmenger 증후군 또는 원발성 폐고혈압 환자 5) 우심실경색 환자 6) 탈수증상 환자 7) 신경순환무력증 환자 8) 협우각 녹내장 환자 9) 질산염 제제에 과민한 환자 10) Sildenafil를 복용중인 환자 〈주의〉 1) 신중투여 : 고령자, 저혈압, 간, 신장애, 급성 폐부종 환자 2) 임신부 : Category C 3) 수유부 및 소아 : 안전성 미확립 〈상호작용〉 1) 타 혈관확장제, TCAs, 알코올과 병용시 혈압강하작용 증강 2) Sildenafil과 복용시 저혈압 효과 상승 〈취급상 주의 : 주사제〉 1) 10℃ 이하 냉장보관 2) NS 또 는 5DW에 용해하여 0.01~0.03%용액으로 만들어 투여 (희석액은 24시간 안정)

약품명 및 함량	용법	약리작용 및 효능	부작용	주의 및 금기
Ibuprofen Pedea inj 페데아주 …10mg/2ml/A	1) 총 3회, q 24hrs 투여 - 초회 : 10mg/kg, - 2, 3회 : 5mg/kg - 초회 주입은 생후 6시간이후에 실시 2) 투여 방법 - 가급적 희석하지 않은 상태로 15분간 IV inf. only. - 필요시 NS, 5DW로 주입용량 조절 가능, 총 주입량은 총 1일 투여 수액량을 고려 3) 최종 주입 후 48시간 이후 2차로 3회 투여 가능, 2차 치료 효과 없을 시 수술 고려	1) 동맥관 개존증(patent ductus arteriosus, PDA) 치료제 2) 태아기 동안 동맥관 개존의 유지에 중요한 역할을 하는 prostaglandin E2 (PGE2)의 합성을 억제하여 동맥관을 폐쇄시킴. 3) 적응증 : 임신기간이 34주 미만인 조산아에서 혈역학적으로 유의한 동맥관 개존증의 치료 4) Tmax : 〈15mins $T_{\frac{1}{2}}$: 약 30hrs (신생아에서) 대사 : 간	1) 〉10% - 저혈소판증, 호중성 백혈구감소증 - 기관지폐형성이상 - 혈중 Cr 증가, 혈중 Na 감소 2) 1~10% - 뇌실내출혈, 뇌실주위 백질연하증 - 폐출혈 - 괴사소성대장염, 장천공 - 소변감소증, 체액저류, 혈뇨	〈금기〉 1) 생명을 위협하는 감염 2) 활동성 출혈 (특히 두개내, 위장관 출혈), 저혈소판혈증, 응고결함 3) 유의한 신기능 장애 4) 폐동맥판폐쇄증, 중증 팔로증후군(TOF), 중증 대동맥협착증 5) 괴사소장대장염 6) 예방적 사용 〈주의〉 1) 조산아에서 빌리루빈뇌병증의 위험 증가 2) 신기능 모니터링; 무뇨 또는 소변감소 증상 발현시, 투약 보류 3) 출혈, 위장관계 기능 모니터링 〈적용상 주의〉 1) 산성용액(이뇨제, 항생제 등)과의 접촉을 피할 것 : 이 약의 주입 전 후, NS 또는 5DW 1.5~2ml로 infusion line 세척 〈상호작용〉 1) 이뇨제 : 이뇨제 효과 감소, 탈수 환자에서 NSAIDs의 신독성 증가 2) 항응고제, 산화질소 : 출혈위험 증가 3) Corticosteroids : GI 출혈 위험증가 4) Aminoglycosides 배설 감소로 인한 독성 증가(신독성, 내이독성)
Ivabradine HCl Procoralan tab 프로코라란정 …5mg/T …7.5mg/T	1) 성인 : 5mg bid, 식후 즉시 복용 2) 75세 이상 고령자: 초기 2.5mg bid 3) 치료 효과 및 증상에 따라 2.5mg~7.5mg bid, 점진적으로 조절 가능 3) 분당 심박수 50회 미만 혹은 서맥	1) Sinus node pacemaker inhibitor (If current inhibitor) 2) 심장 동결절세포(Sinus node cell)의 If 통로를 선택적으로 억제하여 다음 action potential이 오는 것을 지연시킴으로써 심박수를 감소시킴 3) 적응증 ① 만성 안정형 협심증 : 정상 동리듬을 가진 다음의	1) 〉10% - 안내 섬광 2) 1~10% - 서맥성 부정맥, 1도 방실 차단, 혈압 상승, 심실 조기 박동 - 현기증, 두통	〈금기〉 1) 임신부 : 최기형성 (동물 시험) 2) 수유부 : 유즙 분비 (동물 시험) 3) 투여 전 안정시 심박수가 분당 60회 미만인 환자 4) 심인성 쇼크 환자 5) 중증 저혈압(90/50mmHg 미만) 6) 중증의 간장애 환자

약품명 및 함량	용법	약리작용 및 효능	부작용	주의 및 금기
	증상 지속 시 투여 중단 * 신기능에 따른 용량 조절 – CrCl ≥ 15ml/min : 용량 조절 불필요 – CrCl 〈 15min/ml : 투여 권장 안함.	환자에서 증상적 치료 – 베타차단제를 투여할 수 없거나, 내약성이 좋지 않은 환자 – 베타차단제로 적절히 조절되지 않으며 심박수가 분당 60회 초과하는 환자에서 베타차단제와 병용 투여 하는 환자 ② 만성 심부전 (NYHA Class Ⅱ–Ⅳ) : 심박수가 분당 75회 이상이며 동리듬을 가진 다음의 환자에서 심혈관 질환으로 인한 사망, 만성심부전 악화로 인한 입원 위험성 감소 – 베타차단제를 투여할 수 없거나, 내약성이 좋지 않은 환자 – 표준요법(베타차단제 포함)과 병용 투여하는 환자 4) Tmax : 약 1hrs (fast condition) $T_{\frac{1}{2}}$: 2hrs (혈중), 11hrs (효과) 배설 : 소변, 대변 (비율 유사)	– 시야 흐림	7) 동기능 부전 증후군, 동방 차단, 3도 방실 차단 환자 8) 불안정형 또는 급성 심부전, 불안정형 협심증 환자, 급성 심근경색 9) 심장박동조절장치 의존 환자 10) 유전적 유당 불내성 환자 〈주의〉 1) 중등증 간장애 환자 2) NYHA Class Ⅳ 심부전 환자 3) 경증, 중등증 저혈압 환자 4) 망막색소변성 환자 : 망막기능에 영향을 미침(시각기능 저하 발생 시 투여 중단 고려) 〈상호작용〉 1) 강력한 CYP3A4 억제제(itraconazole, clarithromycin, ritonavir등) : 병용금기 2) QT연장약물 (amiodarone, sotalol, mefloquine 등) : 심박수 감소로 인한 QT연장 악화, 병용 투여 권장안함(투여 시 심장 모니터링). 3) 심박수를 감소시키는 Ca channel blocker (verapamil, diltiazem 등) : 병용 투여 권장안함. 4) 칼륨고갈성 (thiazide계 및 loop계) 이뇨제 : 부정맥 위험 증가 5) CYP3A4 억제제, 자몽쥬스 : 이 약의 혈중농도 증가 6) CYP3A4 유도제: 이 약의 혈중 농도 감소
L–Carnitine L–Carn tab 엘칸정 …330mg/T L–Carn chew tab 엘칸츄정 …1g/T L–Carn solution 엘칸액 …300mg/ml	1) 2~3g #2~3	1) Methionine과 lysine에서 합성된 AAs 유도체의 심장, 근육대사 생리활성체. 2) 지방산 대사를 활성화, ATP 이용을 촉진시켜 심근기능강화, 원활한 심근내로의 혈액공급, 산소요구량 감소, 원활한 당대사작용. 3) 선천성 2차성 carnitine 결핍에 의한 독성(고암모니아혈증 등) 제거. 4) 1, 2차성 카르니틴 결핍증, 허혈성 심질환에 의한 심근대사 장애(협심증, 급성심근경색)에 사용함	일시적인 오심, 구토, 복통, 설사	〈주의〉 1) 수유부 : 안전성 미확립 2) 임신부 : Category B 〈취급상 주의〉 1) 액제는 희석하여 복용 2) 정제는 인습성이 강하므로 복용시 개봉할 것

약품명 및 함량	용법	약리작용 및 효능	부작용	주의 및 금기
Sodium tetradecyl sulfate Trombobject inj 1% 트롬보젝주1% …20mg/2ml/V	1) 적용부위와 정맥의 크기에 따라 - 소정맥 : 10mg/ml 농도로 0.5~2ml IV - 중/대정맥 : 30mg/ml 농도로 0.5~2ml IV 2) 가능한 적은 양의 약액을 천천히 IV 3) 1개 정맥류 부위에 2ml 이상 투여하지 않으며 통상 최대 용량 1ml 추천 4) 주사 부위들 간에 적어도 5cm 간격두어야 함. 5) 다음 시술까지 간격은 5~7일 6) 10mg/ml 농도의 약액 0.3ml를 정맥류 부위에 1차 투여하고 경과 관찰 후 그 이상의 용량을 투여 권장	1) 적응증 : 압박경화요법에 의한 하지의 정맥류 처치 2) 음이온성 계면활성제로 정맥 내막의 내피를 자극함으로써 작용을 나타냄. 3) 농도 비례적으로 혈관내피세포 간 지질구조를 와해하고 세포결합을 떨어뜨려 내피세포의 박리를 일으킴. 4) 박리부위에는 상처반응에 의한 콜라겐 섬유의 응집 반응으로 혈관이 경화되고 협착되어 결국 폐쇄됨.	- 주사 부위의 동통, 두드러기, 궤양 형성 - 경화 정맥의 영구적 변색 - 혈관외 주사시 주사 부위 괴사 - 치명적 폐색전증 - 아나필락시스성 쇼크, 알러지성 반응 - 사망 case(폐색전증, 아나필락시스성 쇼크, 배란 억제제 복용 여성)	〈금기〉 1) 최근 6개월에서 2년간의 표제 혹은 심부정맥의 혈전성 정맥염 기왕력 환자 2) 복부 혹은 골반의 종양에 의한 정맥류 3) 심각한 동맥질환 기왕력이 있는 환자 4) 정맥울혈과 확장을 수반하는 심,신기능부전 환자 5) 협심증 6) 국소 또는 전신적 감염증상이 있는 환자 7) 갑상선 비대증 8) 고질성 당뇨병 9) 3세 미만의 영/유아 〈주의〉 1) 심재 정맥 판막기능이 현저히 감소된 환자의 경우, 투여 전 혈관촬영술, Perthes시험(심재 정맥의 개존성 위험) 또는 Trandelberg시험 (정맥판막의 부전여부 확인시험) 반드시 행함. 2) 아나필락시스 반응 처치 위한 적절한 준비. 특히, 1:1000 epinephirine 0.25ml와 항히스타민제 구비 3) 임신부 : Category C 4) 수유부 : 안전성 미확립 〈상호작용〉 1) 경구용 피임제 복용 중 환자 : 투여전에 복용 중지 〈취급상 주의〉 1) 정맥으로만 투여 2) Heparin과 배합금기
Ubidecarenone (Coenzyme Q10) Nobramin cap 노브라민캡슐 …5mg/C	1) 2Ⓒ tid	1) 심근 mitochondria의 전자전달계에서 효소생산에 주요역할을 하는 보효소로서 심근대사에 관여함. 2) 허혈로 인한 심근장애를 개선함. 3) CHF에 유효함. 4) 보효소 결핍증에도 사용함.	- 변비, 복부팽만감, 가슴쓰림, 오심 - 간기능 이상 - 가려움증, 발진 - 두중, 전신권태감, 동계	〈금기〉 1) 이 약에 과민한 환자

약품명 및 함량	용법	약리작용 및 효능	부작용	주의 및 금기
Ulinastatin Ulistin inj 우리스틴주 …50,000U/1ml/A …100,000U/2ml/A	1) 급성순환부전 : 1회 100,000단위를 500ml 수액에 녹여 1회당 1~2시간에 걸쳐 1일 1~3회 점적주사하거나 1회 100,000단위를 1일 1~3회 서서히 정주함. 2) 급성췌장염, 만성 재발성 췌장염의 급성 악화기 : 1회 25,000~50,000단위를 500ml의 수액에 녹여 1회당 1~2시간에 걸쳐 1일 1~3회 점적 정주함.	1) 사람의 뇨에서 유래한 glycoprotein으로 proteolytic enzyme(trypsin, α-chymotrypsin, hyaluronidase, plasmin) inhibitor. 2) 약리작용 ① 항 shock 작용 : 순환장애 개선, 대사이상 개선, 내인성 shock 인자의 억제, 내인성 항 shock 인자의 작용 증강. ② 항췌장염작용 : trypsin 저해, 췌장 기인성 단백분해 효소 저해 3) 적응증 ① 급성 순환부전(shock) ② 급성 췌장염, 만성 재발성 췌장염의 급성 악화기 치료	- 쇽, 과민증 - 오심, 구토, 설사 - AST, ALT 상승 - 백혈구 감소, 호산구 증가 - 혈관통, 발적, 소양감	〈주의〉 1) 일반적인 쇽의 치료법(수액요법, 산소흡입, 외과적 처치 등)에 대체되는 것은 아님. 2) 임신부, 수유부, 소아 : 안전성 미확립 〈상호작용〉 1) Gabexate나 globulin제제와 혼주하지 않음
자가 골수유래 중간엽 줄기세포 Hearticellgram-AMI 하티셀그램-에이엠아이 …5×10⁷/10ml/syr …7×10⁷/14ml/syr …9×10⁷/18ml/syr	1) 용량 : 골수 채취시점의 환자의 체중(kg)에 따라 배양된 세포를 관상동맥 내로 투여 ① ≤ 60kg : 5×10^7개/10ml ② 61~80kg : 7×10^7개/14ml ③ ≥ 81kg : 9×10^7개/18ml 2) 용법 ① 프리필드시린지 내 주사액이 균등하게 혼합되도록 조심스럽게 재현탁함. (거품이 생기지 않아야함) ② 관상동맥조영술 시행 후 풍선확장술을 시행하면서 관상동맥내로 3~4회 분할 투여 -자세한 투여방법은 허가사항 용법, 용량 참조	1) 환자 본인의 골수세포를 채취하여 일정기간(24~28일) 배양한 자가골수유래 중간엽 줄기세포(mesenchymal stem cell) 2) 약리기전 ① 중간엽 줄기세포가 갖는 다분화능을 이용하여 근육세포나 심근세포로 분화가 유도되어 심근기능을 개선함으로서 손상조직의 재생 및 자연적 치유를 도움. ② 중간엽 줄기세포가 분비하는 다양한 생리활성 인자들이 손상된 심근조직 환경에 변화를 주어 심근보호, 혈관신생, 심장 재형성, 심장 재생 등에 관여함. 3) 적응증 : 흉통 발현 후 72시간 이내에 관상동맥성형술을 시행하여 재관류된 급성 심근경색 환자에서의 좌심실구혈률의 개선	1) 〈5% - 구역 - 가슴불편, 흉통 - 어지럼증 - 호흡곤란 - 방실 차단 - 만성간염	〈금기〉 1) 환자 자신 이외에 사용 금기 2) 겐타마이신에 아나필락시스를 보인 병력이 있는 환자. 3) 심도자법(cardiac catheterization)을 실시할 수 없는 환자 4) 투약 전 선행혈류의 혈류장애가 관찰된 환자 〈주의〉 1) 악성 혈액질환을 진단받고 관해되지 않거나 고형암을 진단 후 현재 항암 치료중인 환자, 중증 재생불량성 빈혈 환자 2) 간기능 손상과 관련한 혈청 SGOT/SGPT 수치가 정상의 3배 이상이거나 Creatinine 수치가 정상의 1.5배 이상인 환자 3) 관상동맥 우회술(CABG)력이 있거나 심인성 쇽 혹은 심각한 혈역학적 이상이 지속되는 환자, 만성심부전 환자(급성 심근경색 발병 3개월 이전에 심부전의 병력이 있는 환자) 4) 뇌졸중, 일과성 허혈성 발작이 최근 6개월 이내에 있었거나 중추신경계의 구조적 이상의 기왕력이 있는 환자 또는 최근 1개월 동안 지속적으로 고용량의

약품명 및 함량	용법	약리작용 및 효능	부작용	주의 및 금기
				스테로이드나 항생제 등을 복용하고 있는 환자 5) 임신부, 수유부, 소아, 70세 초과 고령자 : 안전성 미확립 <취급상 주의사항> 1) 용기 내부에 세포가 붙어 용량이 달라질 수 있으므로 보관 시 주의 2) 제조일시로부터 18시간 이내에 투여해야하며 투여 전까지 무균상태 유지해야함. 3) 20~25℃보관(전용 용기에 배송되며, 시술 전까지 전용 용기 개봉금지)

4장. 내분비계 및 대사(Endocrine system & Metabolism)

약품명 및 함량	용법	약리작용 및 효능	부작용	주의 및 금기
Potassium Citrate Urocitra-K 10mEq SR tab 유로시트라케이10mEq 서방정 …1,080mg/T (K^+로서 10mEq)	1) 중증 저구연산염뇨증 : 20mEq tid or 15mEq qid 2) 경증 또는 중증도의 저구연산염 뇨증 : 10mEq tid	1) 경구용 알칼리 보급제 2) 뇨의 알카리화 작용이 있으며 Na을 함유하지 않으므로 Na염이 금기인 고혈압 환자 등에도 사용 가능함. 3) 적응증 : 요산 결석증(칼슘석, 요산석), 칼슘석이 있는 신세뇨관 산증	- 고칼륨혈증 - 다량 투여시 오심, 구토, 설사	〈금기〉 1) 고칼륨혈증환자 또는 이의 소인이 있는 환자(K^+ 배설장애 환자, K^+ 보존형 이뇨제 투여 환자 등) 2) 중증의 신부전 환자 3) Addison's disease 환자 4) 유전성 발작성 근무력증 환자 5) 급성탈수환자 6) 열성 경련 7) 심한 심근 손상 환자 8) 소화성 궤양 환자 〈주의〉 1) 신장애 환자에서 과용량은 고칼륨 혈증을 유발 가능 2) 신질환 환자에서는 혈중 전해질을 모니터링함. 3) 뇨량이 감소된 환자(특히 저칼슘 혈증을 동반한 경우) 4) K^+ 함유한 약물과 병용 투여에 주의 5) 변에서 이 약이 원형대로 발견될 수 있음. (∵Wax matrix 코팅이 잘 녹지 않은 경우) 6) 소아 : 안전성 미확립 7) 임신부 : Category C 〈취급상 주의〉 1) 분할, 분쇄 불가
Sodium bicarbonate Sodium Bicarbonate inj 탄산수소나트륨주8.4% …1.68g(20mEq)/20ml/A	1) 비응급성 대사성 산혈증 조절 : 2~5mEq/kg, 4~8시간에 걸쳐 inf. 2) 신생아 : 고농도 투여시 두개내 출혈의 위험이 있으므로 2% 이하의 농도로 희석하여, 1mEq/min 이하의 속도로 투여함.	1) 대사성 산혈증(구토, 출혈, 탈수증)의 선택적인 치료제임. 2) 증상이 미약할 때는 2~5% 용액의 경구 투여가 더 바람직함. 3) 중증일때는 IV가 더 효과적이며 고장액이므로 희석하여 주사해야 함. 4) 습진, 담마진, 인슐린쇼크의 완화, 차멀미, 임신구토, 설파제 중독 및 메칠알코올 중독에도 사용함. 5) Aspirin이나 phenobarbital의 배설을 촉진함.	- 과량 투여로 대사성 알카리혈증, 고나트륨혈증, 저칼륨혈증 - 혈액응고시간 연장 - 근육 경련 - 입술마비, 지각이상 - 혈관 밖 누출 시 조직 염증, 괴사, 혈관통	〈금기〉 1) Metabolic or respiratory alkalosis 환자 2) Hypocalcemia 환자 3) 구토, 위세척 또는 이뇨제 사용으로 hypochloremic alkalosis 상태의 환자 〈주의〉 1) CHF 환자, 고혈압 환자 2) 부종 또는 Na저류 환자 3) 핍뇨 또는 무뇨증 환자

약품명 및 함량	용법	약리작용 및 효능	부작용	주의 및 금기
			- 발열, 전신냉감, 빈혈 등	4) Corticosteroids 투여 환자 5) 임신부 : Category C 〈취급상 주의〉 1) 칼슘이온과 침전을 형성하므로 칼슘 함유제제와 혼합하지 않음. 2) 한랭시 결정이 석출될 수 있으나 따뜻하게 하여 결정을 용해시킨 후 사용함. 3) 사용 후 잔액은 폐기함.
Sodium bicarbonate Tasna tab 타스나정 …500mg/T	1) 1회 0.5~1g씩 3~5g/D 분복	1) Alkalinizing agent, 제산제 2) HCO_3^- 이온을 해리하여, 수소 이온을 중화하고 혈액과 뇨중의 pH를 상승시킴. 3) 1정당 Na^+, HCO_3^- 각 6mEq 포함 4) Onset : rapid Duration : 8~10mins 흡수 : well 배설 : 신장(〈1%)	- 뇌출혈, CHF, 부종 - 강직 - 트림, 고창, 위팽만 - 고나트륨혈증, 저칼슘혈증, 저칼륨혈증, 고삼투압몰 농도, 두개내 산증, 대사성 알칼리혈증, milk-alkali syndrome (특히, 신기능 저하 환자) - 폐부종	〈금기〉 1) 호흡성 알칼리혈증 2) 고나트륨혈증 3) 저칼슘혈증 4) 저염소혈증 5) 중증의 폐부종 환자 〈주의〉 1) 나트륨 저류 위험 있음 2) 심부전, 신부전, 부종, 간경화증, 고혈압 3) 임신부 : Category C 〈상호작용〉 1) 다음 약물의 혈중 농도를 증가시킴 : amphetamine, ephedrine, pseudoephedrine, flecainide, quinidine, quinine 2) 다음 약물의 혈중 농도를 감소시킴 : lithium, salicylate, methotrexate, tetracyclines 3) 철분제제와 동시 복용시 철분 흡수 감소 가능(1~2시간 간격 두고 복용)
Potassium citrate +Citric acid **Urocitra-C powder** 유로시트라씨산 …3.3+1,002g/5g/PK	1) 성인 : 1Ⓟ qid, 1Ⓟ을 최소 180ml의 물 또는 쥬스에 타서 복용	1) 경구용 알칼리 보급제 2) 뇨의 알카리화 작용이 있으며 Na을 함유하지 않으므로 Na염이 금기인 고혈압 환자 등에도 사용 가능 3) 뇨알카리화, 통풍 치료시 uricosuric agent의 보조요법, 신세뇨관 이상으로 인한 산성증의 치료 4) 적응증 : 요산 결석증(칼슘석, 요산석), 칼슘석이 있는 신세뇨관 산증	- 과칼륨혈증 - 설사, 다량 투여시 오심, 구토	〈금기〉 1) Oliguria, Azotemia, 중증 신장애 2) Addison's disease 3) 근무력증 유전 인자를 가진 자 4) 심한 복통, 무뇨증, 심근손상 환자 5) 고칼륨혈증 환자

약품명 및 함량	용법	약리작용 및 효능	부작용	주의 및 금기
				〈주의〉 1) 신장애 환자에서 과용량은 고칼륨혈증 유발 가능 2) 인공감미제인 아스파탐이 함유되어 있으므로 페닐케톤뇨증 환자는 투여하지 않음.

약품명 및 함량	용법	약리작용 및 효능	부작용	주의 및 금기
Calcium acetate Phosbine tab 포스바인정 …710mg/T (Ca으로 177.5mg/T)	1) 말기 신부전 환자의 고인산혈증 초기 : 매 식사중 2Ⓣ tid 유지 : 혈중 인산농도가 6mg/dl 이하가 될 때까지 용량 증가 (식사 중 3~4Ⓣ tid)	1) Phosphate binder로서 식이성 인산과 결합하여 인산의 체내 흡수 저해 2) Phosphate binding capacity가 calcium carbonate의 2배이며 pH5이상에서도 인산과 결합력 유지 3) 적응증 : 말기 신부전 환자의 고인산혈증 치료	– 고칼슘혈증 : 식욕부진, 오심, 구토 – 착란, 혼수상태(중증시 혈액투석 실시)	〈금기〉 1) 고칼슘혈증 환자 〈주의〉 1) 임신부 : Category C 2) 소아 : 안전성 미확립 〈상호작용〉 1) Digitalis와 병용금지 (∵심부정맥) 2) 제산제 : 이 제제의 효과 감소
Calcium polystyrene sulfonate Argamate jelly 아가메이트젤리 …5g/25g/EA	1) 3~6EA #2~3, 식후 즉시 복용	1) 양이온 교환수지 2) 약제의 Ca^{2+} 이온과 장관내(특히 결장 부근)의 K^{+} 이온이 교환되어 소화 흡수되지 않고 Potassium polystyrene sulfonate로 배설됨. 2) 급성 및 만성 신부전증에 수반되는 고칼륨 혈증 치료 3) Onset : 2~24hrs 지속시간 : 4~6hrs 흡수 : 위장관에서 흡수되지 않음. 배설 : 대변(100%)	– 변비, 때때로 구역, 구토, 식욕부진, 위부불쾌감 – 저칼슘혈증 – 고칼슘혈증 (칼슘수지를 투여중인 투석환자, 만성신부전 환자)	〈금기〉 1) 고칼슘혈증 환자 2) 부갑상선기능항진증 환자 3) 다발성골수종 환자 4) Sarcoma 또는 전이성 암종 환자 5) 폐색성 장질환 환자 6) 1개월 미만의 신생아 〈주의〉 1) 임신부 : Na염으로서 Category C 〈상호작용〉 1) Digitalis : 이 약에 의한 혈청 칼륨 저하로 digitalis의 작용 증강 2) Al^{3+}, Mg^{2+}, Ca^{2+} 등 양이온 공여 물질 : 비선택적으로 이 약과 교환되어 이 약의 효과가 감소할 수 있음.

약품명 및 함량	용법	약리작용 및 효능	부작용	주의 및 금기
Calcium polystyrene sulfonate Kalimate powder 카리메트산 …5g/PK	1) 경구(성인) : 1일 15~30g #2~3, 1회량을 30~50ml의 물에 타서 복용함. 2) 직장(성인) : 1회 30g을 물 또는 2% methylcellulose 용액 또는 5DW 100ml에 현탁하여 관장, 30~60분간 정체시킴. 3) 소아 ① 초기 : 1g/kg/D 분할 투여 ② 유지 : 0.5g/kg/D	1) 양이온 교환수지 2) 약제의 Ca^{2+}이온과 장관내(특히 결장 부근)의 K^{+}이온이 교환되어 소화흡수되지 않고 Potassium polystyrene sulfonate로 배설됨. 3) 급성 및 만성 신부전증에 수반되는 고칼륨 혈증에 사용함. 4) 경구투여가 불가능한 경우 직장으로도 투여함. 5) 15~25g당 K^{+} 1mEq/L 감소효과 있음. 6) Onset : 2~24hrs 지속시간 : 4~6hrs 흡수 : 위장관에서 흡수되지 않음. 배설 : 대변(100%)	- 변비, 때때로 구역, 구토, 식욕부진, 위부불쾌감 - 저칼슘혈증 - 고칼슘혈증 (칼슘수지를 투여중인 투석환자, 만성신부전 환자)	〈금기〉 1) 고칼슘혈증 환자 2) 부갑상선기능항진증 환자 3) 다발성골수종 환자 4) Sarcoma 또는 전이성 암종 환자 5) 폐색성 장질환 환자 6) 1개월 미만의 신생아 〈주의〉 1) 혈장 K농도를 측정하여 4~5mmol/L 이하가 되면 투약을 중지할 것 2) 직장투여시 현탁액으로 sorbitol을 사용할 경우는 장관벽 괴사의 위험이 있으므로 현탁액으로 sorbitol을 사용하면 안됨. 3) 임신부 : Category C 〈상호작용〉 1) Digoxin과 병용시 칼륨수치 저하로 인한 digitalis 중독작용 증강 2) Ag^{3+}, Mg^{2+}, Ca^{2+} 함유 제산제 또는 완하제 병용시 효과 감소, 전신성 알칼리증 유발 위험
Calcium polystyrene sulfonate Kashut suspension 카슈트현탁액 …5g/20ml/PK	1) 3~6포/D #2~3 2) 연령, 증상에 따라 적절히 증감	1) 양이온 교환수지 2) 약제의 Ca^{2+} 이온과 장관내(특히 결장 부근)의 K^{+} 이온이 교환되어 소화 흡수되지 않고 Potassium polystyrene sulfonate로 배설됨. 3) 급성 및 만성 신부전증에 수반되는 고칼륨 혈증 치료 4) Onset : 2~24hrs 지속시간 : 4~6hrs 흡수 : 위장관에서 흡수되지 않음. 배설 : 대변(100%)	- 변비, 때때로 구역, 구토, 식욕부진, 위부불쾌감 - 저칼슘혈증 - 고칼슘혈증 (칼슘수지를 투여중인 투석환자, 만성신부전 환자)	〈금기〉 1) 고칼슘혈증 환자 2) 부갑상선기능항진증 환자 3) 다발성골수종 환자 4) 사르코이드종 또는 전이성 암종 환자 5) 폐색성 장질환 환자 6) 1개월 미만의 신생아 〈주의〉 1) 임신부 : Category C 2) 혈청칼륨치 5mmol/L 이하 시 투여중지 〈상호작용〉 1) Digoxin과 병용시 칼륨수치 저하로 인한 digitalis 중독작용 증강 2) Ag^{3+}, Mg^{2+}, Ca^{2+} 함유 제산제 또는 완하제 병용시 효과 감소, 전신성 알칼리증 유발 위험

약품명 및 함량	용법	약리작용 및 효능	부작용	주의 및 금기
Lanthanum carbonate Fosrenol tab 포스레놀정 …500mg/T …750mg/T	1) 초회용량 : 혈중 인수치에 따라 결정(P : mg/dl) - 5.6<P≤7.4 : 250mg tid - 7.4<P≤9.0 : 500mg tid - 9.0<P : 750mg tid 2) 2~3주 간격으로 혈청 인산농도를 모니터링 하면서 적정 혈청 인산농도에 도달할 때까지 투여량 조절 3) 유지량 : 500mg~1g tid 4) 매 식사도중이나 식사 직후 씹어서 복용	1) 비흡수성 인산 결합제 2) 탄산란탄은 위장관내에서 란탄이온(+)을 유리하고 음식의 인산이온과 결합하여 불용성 복합체를 형성, 인산의 흡수를 억제하고 체외로 배출시킴. 3) 분자 내 Ca, Al 이온이 포함되어 있지 않아 혈중 Ca, Al 축적으로 인한 합병증의 우려 적음. 4) 적응증 : 혈액투석, 복막투석을 받는 만성 신부전 환자의 고인산혈증 치료 5) 흡수 : 경구로 거의 흡수되지 않음(0.002% 미만). $T_{\frac{1}{2}}$: 53hrs 배설 : 대변	- 설사(13%), 구토(9~18%), 복통(5%), 오심(11~16%) - 투석환자의 이식혈관 폐색(vasculargraft occlusion)(8%)	〈금기〉 1) 저인산혈증 환자 2) 소아 : 안전성 미확립 〈주의〉 1) 신장애환자 : 저칼슘혈증이 나타날 수 있음. 2) 급성 소화성 궤양, 궤양성 대장염, 크론씨병, 장폐색환자 3) 임신부 : Category C 〈상호작용〉 1) 이 약은 위장관의 pH를 증가 시킬 수 있으므로 제산제와 상호작용이 있는 약물(chlorquine, hydroxychlorquine, ketoconazole 등)은 이 약 투여 2시간 이내 에는 복용하지 않음.
Sevelamer carbonate Renvela tab 렌벨라정 …800mg/T Renvela powder 렌벨라산 …0.8g/PK	1) 초회용량 : 혈중 인수치에 따라 결정(P :mg/dl) - 5.5<P<7.5 : 800mg tid - 7.5≤P : 1,600mg tid - 이후 2주 간격으로 1회 800mg씩 증량 또는 감량가능 2) 식사와 함께 복용 3) 산제 : 1포당 최소 30mL의 물로 완전히 혼합 후(현탁상태) 30분 이내에 복용 4) Sevelamer HCl에서 대체 투여하는 경우 : 동일 용량 투여	1) 비흡수성 중합체 성분의 인산 결합제 2) 분자 구조내에 (+)하전된 amine기들이 다량 함유되어 장내 인산이온과 결합하여 인산의 흡수를 억제하고 체외로 배설시킴 3) 분자내 Ca, Al 이온이 포함되어 있지 않아 혈중 Ca, Al 축적으로 인한 합병증의 우려 없음 4) 적응증 : 투석을 받고 있는 만성 신장질환 환자의 혈청 인 조절 5) 흡수 : 경구로 흡수되지 않음 Onset : 2wks (ESRD) 배설 : 대변(100%)	1) >10% - 대사성산증(소아 : 34%) - 구토(22%), 오심(20%), 설사(19%), 소화불량(16%) 2) 1~10% - 고칼슘혈증(5~7%) - 복통(9%), 변비(8%), 고창(8%), 복막염(복막투석 : 8%)	〈금기〉 1) 장폐색 환자 2) 저인산혈증 〈주의〉 1) 임신부 : Category C 2) 수유부, 18세 미만 소아 : 안전성 미확립 3) 장관협착 또는 변비 환자 4) 연하장애, 중증 소화기관 운동 장애, 염증성 장질환을 포함한 소화기관 질환자 5) 칼슘, 중탄산, 염소, 지용성 비타민, 엽산 수치 모니터링 〈상호작용〉 1) Ciprofloxacin의 BA 감소 2) Cyclosporine, mycophenolate mofetil, tacrolimus의 약효 감소 3) Levothyroxine의 흡수가 감소되어 갑상선기능저하증 발생 위험 4) 상호작용이 있는 약제와 병용투여 : 이 약 투여 1시간 전 또는 투여 3시간 후에 복용함 〈취급상 주의〉 1) 산제 : 습기를 피해 보관 2) 정제 : 분쇄 및 분할불가(∵인습성)

약품명 및 함량	용법	약리작용 및 효능	부작용	주의 및 금기
Calcium carbonate Cicibon tab 씨씨본정 ···500mg/T (Ca^{2+}으로 200.4mg)	1) 위 · 십이지장궤양, 위염, 위산과다 : 탄산칼슘으로서 1~5g/D, #3~4 2) 칼슘 보급 : 1.5~3g/D, #1~2 3) Max. 7.5g/D	1) 강력하고 신속한 중화작용으로 제산효과 있으며, 가벼운 수렴작용 및 완화작용도 나타냄. 2) 경구로 2~4g 투여시 pH 5.5로 유지됨. 3) 제산작용 및 소화성 궤양의 증상 개선, 칼슘 보급	1) 1~10% - 두통 - 저인산혈증, 고칼슘혈증 - 변비, 사하작용, 산반동, 오심, 구토, 식욕부진, 구강건조 - 우유 알칼리 증후군	〈금기〉 1) 중증 고칼슘혈증환자 2) 부갑상선기능항진증 또는 갑상선기능저하증 환자 3) 중증 신부전 환자 4) 무산증 또는 위산결핍 환자 〈주의〉 1) 심기능 장애, 폐기능 장애 환자 2) 신장애 환자 3) 임신부 : Category C 〈상호작용〉 1) 다량의 우유와 병용시 우유 알칼리증후군(고칼슘혈증, 고질소혈증 등)이 초래됨. 2) Tetracycline과 병용시 킬레이트 형성으로 tetracycline의 흡수감소 (1~2시간 간격 두고 투여)
Calcium chloride Ca Chrolide 3% inj 염카루주3% ···600mg/20ml/A (Ca^{2+}으로 162mg, 8.16mEq)	1) 성인 : 0.4~1g/D 2) 천천히 IV : 100mg/min 이하 속도로 투여 3) 간헐적 IV inf. : 수액에 희석하여 1시간에 걸쳐 주입 (0.6~1.2mEq/kg/hr 이하로 투여)	1) Ca는 골격 및 치아의 주 구성성분이며, 혈장 또는 세포외액의 구성성분으로 혈액의 응고인자로도 작용함. 2) K^+에 길항하며 불수의근의 수축을 촉진, 신경의 흥분성을 억제하여 골격근의 정상활동을 유지시킴. 3) Mg의 신경근 마비작용에 길항함. 4) 적응증 : 저칼슘혈증에 의한 테타니, 마그네슘중독	- 오심, 위장관 자극, 변비 - 장기간 사용시 특히 Vit. D 복약환자에게서 과칼슘 혈증이 일어날 수 있음.	〈금기〉 1) 강심배당체 투여 환자 2) 고칼슘혈증 환자 3) 신결석 환자 또는 중증 신부전 환자 〈주의〉 1) IV로만 투여하고 투여시 혈관밖으로 주사액이 누출되지 않도록 해야 함. 2) 급속히 IV 투여시 심계항진, 홍조, 발한, 빈맥, 심부정맥 등 유발(서서히 주사) 3) 혈청칼슘농도는 12mg/dl를 넘지 말아야 함. 4) Renal, cardiac disease, respiratory acidosis 환자 5) 임신부 : Category C 〈취급상 주의〉 1) Ethanol에 의해 침전되므로 ethanol 소독 주사제 사용은 피할 것 2) 결정 석출 제품은 사용하지 말 것

약품명 및 함량	용법	약리작용 및 효능	부작용	주의 및 금기
Calcium gluconate Ca gluconate inj 글루콘산칼슘주 …2g/20ml/A (Ca^{2+}으로 186mg, 9.3mEq)	1) 성인 : 1일 0.4~2g, 1.5ml/min 이하 속도로 IV 또는 NS나 5DW에 희석하여 점적 주입 2) 소아 : 60~500mg/kg #2~3 IV (Max. 2g/dose) 3) 천천히 IV : 200mg/min 이하 속도로 투여 4) Mild hypocalcemia투여 예시 : 1~2g을 희석하여 2시간에 걸쳐 IV inf.	1) Ca는 골격 및 치아의 주 구성성분임. 혈장 또는 세포외액의 구성성분으로 혈액의 응고인자로도 작용함. 2) K에 길항하며 불수의근의 수축을 촉진, 신경의 흥분성을 억제하여 골격근의 정상활동을 유지시킴. 3) Mg의 신경근 마비작용에 길항함. 4) 알러지상태의 모세혈관 투과성을 교정하므로 급성 피부염에도 사용함. 5) $CaCl_2$보다 주사부위에 자극성이 적음. 6) 적응증 : 저칼슘혈증에 의한 테타니, 두드러기, 고칼륨혈증, 마그네슘 중독	– 오심, 위장관 자극, 변비 – 장기간 사용시 특히 Vit. D 복약환자에게서 과칼슘 혈증이 일어날 수 있음.	〈금기〉 1) 강심배당체 투여 환자 2) 고칼슘혈증 환자 3) 신결석 환자 또는 중증 신부전 환자 〈주의〉 1) IV로만 투여하고 투여시 혈관밖으로 주사액이 누출되지 않도록 해야 함. 2) 급속히 IV 투여시 심계항진, 홍조, 발한, 빈맥, 심부정맥 등 유발(서서히 주사) 3) 혈청칼슘농도는 12mg/dl를 넘지 말아야함. 4) Renal, cardiac disease, respiratory acidosis 환자 5) 임신부 : Category C 〈취급상 주의〉 1) Ethanol에 의해 침전되므로 ethanol 소독 주사제 사용은 피할 것 2) 결정 석출 제품은 사용하지 말 것
Ossopan substance Carebone tab 케어본정 …830mg/T (Ca : 177.6mg, P : 82.2mg, collagen : 224.1mg, 기타단백 : 66.4mg, 잔류무기염류 : 24.9mg, 미량원소(F, Mg, Fe, Zn, Cu, Ni))	1) 골다공증 치료 : 2~4Ⓣ bid 2) 가골형성지연, 골절치료 및 골다공증예방 : 2Ⓣ bid 3) 임신, 수유기, 성장기, 충치의 예방 : 1~2Ⓣ qd	1) 인체의 뼈와 분자구조 및 무기질비율이 비슷한 생리학적인 천연칼슘제 2) Ca, Mg, P, Zn, F, collagen 등 미량 원소와 골대사를 촉진시키는 여러 활성 인자가 함유되어 손실된 골밀도를 회복시키며 골다공증의 위험을 감소시킴. 3) 골다공증, 골절, 가골 형성 지연, 임신, 수유기, 성장기의 무기질 결핍시, 충치의 예방	– 변비, 구역, 구토	〈금기〉 1) 고칼슘혈증 환자 2) 고칼슘뇨증 환자 3) 신결석 환자, 중증 신부전 환자 4) 12개월 미만 영아 〈주의〉 1) NaF(불화나트륨), tetracycline계 항생제와 동시 복용을 피함. 2) 인산염, 칼슘염, 제산제와 복용 피함.
Calcium carbonate+ Cholecalciferol **Cavid chew tab** 카비드츄어블정	1) 입안에서 녹이거나 씹어서 복용 ① 성인 및 12세이상 소아 : 1~2Ⓣ qd ② 3~12세 : 0.5~1Ⓣ qd	1) Ca. carbonate와 칼슘 대사 조절에 관여하는 Vitamin D의 복합제제 2) Cholecalciferol(=Vitamin D3) : 체내에서 활성형 비타민 D(Calcitriol)로 전환되어 장에서 칼슘과 인의 흡수를 촉진하고 뼈로부터 칼슘 재흡수를 촉진하며, 신장에서 칼슘과 인의 배설을 감소시킴.	(빈도 미확립) – 구역, 구토, 설사, 변비, 저혈압, 얼굴 달아오름, 심박동불규칙, 피부발진	〈금기〉 1) 페닐케톤뇨증(∵아스파탐함유) 2) 과칼슘혈증 3) 신질환, 신결석, 중증의 신부전 환자 4) 3세 미만 유 · 소아

약품명 및 함량	용법	약리작용 및 효능	부작용	주의 및 금기
…1,250mg+400IU/T		3) 적응증 – 칼슘결핍 및 기타 칼슘의 보급 – Vit D의 보급:임신, 수유, 발육, 노년기 – 효능,효과 : 뼈, 이의 발육불량, 구루병 예방	– 장기투여에 의해 고칼슘혈증 및 결석증	〈주의〉 1) 임신부 : Category C (Calcium 기준) 2) 수유부 : 모유이행 (신생아에게 과칼슘혈증 유발가능) 〈상호작용〉 1) 인산염, 칼슘염, tetracycline, 제산제 병용 금기 2) 탄닌을 함유한 차와는 복용 전후로 시간 간격을 두고 복용.
Calcium carbonate + Cholecalciferol **Dicamax D tab** 디카맥스디정 …250mg+1,000IU/T **DicaMax 1000 tab** 디카맥스 1000정 …1,250mg+1,000IU/T	1) 성인 및 12세 이상 소아 : 1Ⓣ qd	1) 칼슘 보급제로서 Ca. carbonate와 Vit. D의 복합제제 – 디카맥스 1000 : Ca으로 500mg/T – 디카맥스 D : Ca으로 100mg/T 2) Cholecalciferol(=Vitamin D3) : 체내에서 활성형 비타민 D(Calcitriol)로 전환되어 장에서 칼슘과 인의 흡수를 촉진하고, 뼈로 부터 칼슘 재흡수를 촉진하며, 신장에서 칼슘과 인의 배설을 감소시킴. 3) 적응증 : 칼슘결핍 및 기타 칼슘 보급, 비타민 D의 보급(임신–수유부, 발육기, 노년기/ 뼈, 이의 발육불량, 구루병의 예방)	1) 1~10% – 두통 – 저인산혈증, 고칼슘혈증 – 변비, 사하작용, 산반동, 오심, 구토, 식욕부진, 구강건조 – 우유 알칼리 증후군	〈금기〉 1) 과칼슘혈증, 신질환(신결석, 중증 신부전) 환자 2) 12개월 미만의 영아 〈주의〉 1) 임신부 : Category C (Calcium 기준) 2) 수유부 : 모유이행 (신생아에게 과칼슘혈증 유발가능) 〈상호작용〉 1) 인산염, 칼슘염, 제산제 : 이 약의 흡수 감소 2) Tetracyclines, quinolones항균제의 효과 감소 3) 탄닌을 함유한 차(녹차, 홍차)는 칼슘제의 흡수를 감소시키므로 이 약 복용 중 또는 복용 전후에 피하도록 함.
Calcium carbonate + Cholecalciferol **Hadcal chewable tab** 하드칼츄어블정 …1,500mg+400IU/	1) 입안에서 녹이거나 씹어서 복용 ① 성인 및 12세이상 소아 : 1~2Ⓣ qd ② 3~12세 : 0.5~1Ⓣ qd	1) Ca. carbonate와 칼슘 대사 조절에 관여하는 Vitamin D의 복합제제(Ca으로서 600mg/T) 2) Cholecalciferol(=Vitamin D3) : 체내에서 활성형 비타민 D(Calcitriol)로 전환되어 장에서 칼슘과 인의 흡수를 촉진하고, 뼈로 부터 칼슘 재흡수를 촉진하며, 신장에서 칼슘과 인의 배설을 감소시킴. 3) 적응증 : 칼슘 결핍 및 기타 칼슘 보급을 필요로 하는 경우	1) 1~10% – 두통 – 저인산혈증, 고칼슘혈증 – 변비, 사하작용, 산반동, 오심, 구토, 식욕부진, 구강건조 – 우유 알칼리 증후군	〈금기〉 1) 페닐케톤뇨증(∵아스파탐함유) 2) 과칼슘혈증 3) 3세 미만 유 · 소아 〈주의〉 1) 심질환, 신장애 환자 2) 임신부 : Category C (Calcium 기준) 3) 수유부 : 모유이행(신생아에게 과칼슘혈증 유발가능) 〈상호작용〉 1) 인산염, 칼슘염, tetracycline, 제산제 병용 금기 2) 탄닌 함유 제제나 음료와는 간격을 두고 복용

약품명 및 함량	용법	약리작용 및 효능	부작용	주의 및 금기
1Ⓣ 중 Calcium latate 271.8mg, Calcium gluconate 240mg, Calcium carbonate 240mg, (총 Ca로 152.88mg) 건조 Ergocalciferol 0.118mg(100IU) (건조 ergocalciferol 1mg =ergocalciferol 850IU) **Adcal tab** 애드칼정	1) 취침시 2Ⓣ (부족시 오전, 오후 1Ⓣ, 취침시 2Ⓣ)	1) 3가지 칼슘염과 칼슘의 장관 흡수를 촉진하는 Vit D2가 배합되어 있는 칼슘 보급제 2) 칼슘 결핍 및 칼슘 보급을 필요로 하는 경우에 사용	- 식욕부진, 구역, 구토, 변비, 위통 - 권태, 고칼슘혈증, 신결석	〈금기〉 1) 고칼슘혈증 환자 2) 신결석이 있는 환자 3) 중증 신부전 환자 4) 14개월 미만의 영아 〈주의〉 1) 활성형 Vit.D 제제를 복용하고 있는 경우 2) 강심배당체 투여중인 환자 3) 장기투여시 혈중과 뇨중의 칼슘치를 검사하여 고칼슘혈증일 경우 투여 중지 〈상호작용〉 1) Tetracycline계 항생제의 흡수 억제 가능성이 있음.

약품명 및 함량	용법	약리작용 및 효능	부작용	주의 및 금기
Potassium chloride(KCl) K-contin tab 케이콘틴서방정 …600mg/T KCl-20 inj 염화칼륨-20 …1.5g/A(K^+로 20mEq) KCl-40 inj 염화칼륨-40 …3g/A(K^+로 40mEq)	1) 경구 - 1일 2~5Ⓣ #1~5 - 신생아 1~2mEq/kg/D 2) 주사 ① 혈청 K농도가 2.5mEq/L 보다 클때 : 40mEq/L 희석시켜 10~15mEq/hr로 주입 (Max. 200mEq/D) ② 혈청 K농도가 2mEq/L보다 작을 때 : 60mEq/L로 희석하여 40mEq/hr의 속도로 주입 (Max. 400mEq/D) ③ 10mEq/hr 이하 속도로 투여, ≥ 10mEq/hr 속도 투여시 ECG 모니터링 권장	1) Hypochloremic alkalosis가 수반되는 저칼륨혈증 치료의 선택약제 2) Hydrochlorothiazide, furosemide 같은 이뇨제 투여 후 저칼륨혈증이 우려되는 환자(디기탈리스 투약 환자 및 간경변증 환자)에게 사용함. 3) K^+결핍을 초래하는 여러 질환 및 K^+결핍성 마비의 치료에도 사용함. 4) KCl 1g = K^+ 13.4mEq ∴ KCl tab(600mg) = K^+ 8mEq KCl inj(1.5g) = K^+ 20mEq	1) >10% - 설사, 오심, 구토, 위통, 고창(경구 투여시) 2) 1~10% - 서맥 - 고칼륨혈증 - 정맥외 누출시 조직괴사, 주사 부위 통증 - 허약감 - 호흡곤란 3) <1%	〈금기〉 1) 핍뇨, 무뇨, 고질소혈증환자 2) 만성 부신기능 부전환자 3) 급성 탈수환자 4) 소화관 통과 장애 환자 〈주의〉 1) 심부전 환자 2) Potassium sparing drug복용 환자 3) 신부전환자에게 사용시 혈청 K 농도 검사 4) 급성탈수증, 소화기장애자 5) IV시 흉부압박과 호흡곤란방지를 위해 서서히 infusion함.

약품명 및 함량	용법	약리작용 및 효능	부작용	주의 및 금기
			- 복통, 알칼리혈증, 부정맥, 흉통	6) 식도에 정체시 식도궤양 유발하므로 충분한 양의 물과 함께 복용함. 7) 임신부 : Category C 8) 소아 : 안전성 미확립
Sodium chloride(NaCl) NaCl-40 inj 염화나트륨-40주사액 …2.34g/A (NaCl 11.7%, Na로 40mEq)	1) 1일 1~수회, 체내 수분과 전해질 부족 정도에 따라 전해질 보액에 첨가하여 사용함. 2) 반드시 희석하여 IV infusion	1) Na^+은 체액 삼투압 및 수분 조절에 관여함. 2) 체액감소를 보충하고, Na^+를 공급하기 위하여 사용함. 3) 대량 복용시에는 간장, 신장장애로 중독을 일으키나 소량 복용시는 갈증 및 식욕을 증진시키고 위액의 분비를 증가시키고 체중을 증가시킴. 4) 질산은 중독시 해독제로도 사용함.	- 과량투여로 고나트륨혈증(기면, 근무력, 진전, 발작, 혼수), 폐부종, 말초부종	〈금기〉 1) 고나트륨혈증, 수분 과다 상태 환자 〈주의〉 1) 순환기계 기능장애 환자 2) 신장애 또는 저단백혈증 환자 3) 간경변 환자 4) 다른 전해질 보충액 등에 희석하여 사용하고 단독으로 사용하지 않도록 함. 5) 임신부 : Category C 〈취급상 주의〉 1) Ag, Pb, 제1수은 등의 염에 의해 침전형성

약품명 및 함량	용법	약리작용 및 효능	부작용	주의 및 금기
Magnesium Sulfate Magnesium sulfate inj 황산마그네슘주사액 10% …2g/20ml/A (Mg로 16mEq)	1) 1~5g IV, IM 2) 전해질 보급을 위해 1일 2~4g 매우 천천히 IV 또는 IM (수회 분할 투여) 3) Max. infusion rate : 150mg/min 이하 (저혈압을 피하기 위해서 2g/hr이하로 투여, 자간경련 등 응급상황에서 4g/hr까지 투여)	1) 많은 효소계(alkaline phosphatase, enolase, leucine aminopeptidase)의 활성화제임. 2) 산화성 phosphorylation, 체온조절, 근육수축, 신경흥분성 유리에 보조인자로 작용함. 3) 저마그네슘혈증(신경흥분성 및 신경근 전달의 증가, 진전, 발작)의 치료 및 TPN 투여시 Mg결핍예방에 사용함. 4) 경련 특히 자간에 CNS억제제로 사용(심한 자간, 자간전증의 예방 및 치료) 5) 경구투여시 염기성 하제로 작용함. 6) 적응증 : 경련, 자간, 전해질보급(저마그네슘혈증), 자궁경직(분만촉진) 7) Duration : 30mins(IV시)	- 고마그네슘혈증 - 조홍, 발한, 저혈압, 반사억제, 갈증, 마비, 저온증, CNS억제	〈금기〉 1) 신기능장애 환자 2) 혼수 환자 3) 고마그네슘혈증 환자 4) 방실차단 환자 5) 근무력 환자 〈주의〉 1) 심질환 환자 2) 해독제로 정맥주사용 칼슘 제제를 사용함(5~10mEq의 Ca 보급). 3) 임신부 : Category A 4) 장내 기생충 질환의 소아 〈상호작용〉 1) Barbiturates, succinylcholine 같은 신경근 차단제와 병용시 중추신경 억제효과 증강시킬 수 있음.

약품명 및 함량	용법	약리작용 및 효능	부작용	주의 및 금기
				2) Iron, tetracycline 등의 병용은 염이나 복합체 형성으로 이들 약물의 흡수가 감소됨 〈취급상 주의〉 1) 희석가능액 : 5DW, NS 2) 배합불가 : 10% fat emulsion
Potassium phosphate monobasic(KH_2PO_4) Phosten inj 포스텐주 …2.722g/20ml/A	* P은 mEq 단위로 표기하지 않음. 본 약제는 1ml 당 인(P) 1mmol과 칼륨(K) 1mmol을 함유함. 1) 시간당 최대 20mmol (칼륨) 속도로 주입 2) 개개인에 따라 투여량 결정, 일반적으로 무증상성 저인산혈증 (P〈1mg/dl) : 0.08mmol/kg를 수액 500ml에 mix 하여 6시간 동안 inf.	1) 체내조직의 대사과정과 효소반응이 반드시 필요로 되는 칼륨과 인산의 공급원 2) 인산은 체내 칼슘농도의 평형에 영향을 주며, 산-염기 평형에 완충작용을 하며 신장을 통한 수소 이온배설에 중요한 역할을 함. 3) 칼륨은 세포내의 주된 양이온으로 포도당의 세포 내 수송을 도우며 정상인 신기능 발현에 관여 4) 칼륨 결핍을 수반하는 저인산혈증의 조절에 사용	1) 〉10% - 설사, 오심, 위통, 고창, 구토 2) 1~10% - 서맥 - 고칼륨혈증 - 허약감 - 호흡곤란 3) 〈1% - 급성 신부전, 부정맥, 흉통, 뇨량감소, 부종, 착란, 마비감, 정맥염, 테타니(인 고용량시)	〈금기〉 1) 고칼륨혈증이 자주 나타나는 다음 질환자 : 탈수, 제한적 신기능, 애디슨병, Gamstrop syn. 2) 고인산혈증, 고칼륨혈증, 저칼슘혈증 환자 3) 핍뇨증, 무뇨증 〈주의〉 1) 신부전, 부신부전 등 신질환자 2) 칼륨 저류 환자 3) 심부전 등 심질환 환자 4) 겸상적혈구 빈혈 환자 5) 임신부 : Category C 〈취급상 주의〉 1) 반드시 희석해서 사용해야 하며, 칼륨 및 인중독을 피하기 위해 천천히 투여 2) 칼슘과 침전형성
1Ⓣ 중 Magnesium lactate 470mg (Mg로 48mg), Pyridoxine HCl 5mg **Magnes tab** 마그네스정	1) Mg 결핍 : 2Ⓣ tid 2) 불안에 의한 경련 증상 : 2Ⓣ bid 3) 다량의 물과 함께 복용	1) Mg 보급제 2) Mg의 신경계 흥분억제작용과 GABA 합성에 필수적인 pyridoxine의 신경계 흥분 억제작용의 상승작용 3) Mg 결핍증상, 특히 신독성 유발하는 항암제(cisplatin 등)의 투여에 의한 저마그네슘혈증의 제 증상을 개선함. 4) Mg 결핍에 의한 경련, 근무력증, 하지 이상 감각증, 불안에 의한 경련증상에 사용함.	- 복통, 설사 - 대량 투여시 구역, 구토 등의 위장증상, 고나트륨혈증, 울혈성 심부전, 부종, 무뇨 등 발생 가능	〈금기〉 1) 12개월 미만 영아 2) 중증 신부전 환자 3) Quinidine 복용 환자 〈주의〉 1) 1개월 복용 후에도 증상개선 없으면 주치의와 상의 2) 임신부 : Category B (pyridoxine 기준) 〈상호작용〉 1) 다음 약제와 동시투여 금기 : 인산염, Ca염 2) Tetracycline의 흡수가 감소됨. 3) Levodopa : pyridoxine에 의해 대사촉진 4) 탄닌을 함유하는 음료수와 우유, 유제품과 병용을 피함.

약품명 및 함량	용법	약리작용 및 효능	부작용	주의 및 금기
1Ⓟ 중 Glucose 5g, Sodium chloride 410mg, Potassium citrate 432mg, Sodium citrate 172mg **Pedira powder** 페디라산 ···6.264g/PK	1포를 끓여서 식힌 물 200ml에 녹여 다음과 같이 복용함. 1) 성인 : 40ml/kg/D 2) 유아 및 소아 : 100~150ml/kg/D를 분복함.	1) Na^+, K^+, Cl^-, citrate 등의 전해질 및 포도당을 함유한 경구용 수액제 2) 수분과 전해질을 공급함으로써, 유 · 소아의 설사, 구토로 인한 탈수현상의 예방 및 치료에 사용함. 3) 과일 맛과 향을 첨가하여 나트륨 성분의 짠맛을 masking함. 4) 적응증 : 영유아 및 소아의 설사 시 수분과 전해질의 보급, 유지	- 과량 복용시 드물게 고나트륨혈증, 고칼륨혈증 발현 가능	〈금기〉 1) 장관폐색, 장천공 환자 2) 핍뇨, 빈뇨, 무뇨 등을 수반한 신부전 환자 3) 조절이 어려운 구토 환자 4) 페닐케톤뇨증 환자(∵아스파탐 함유) 5) 비경구투여가 필요한 중증 탈수 환자 〈주의〉 1) 신부전이 의심되는 고령자 2) 고나트륨혈증성 탈수 〈취급상 주의〉 1) 보존제를 함유하지 않으므로 개봉하여 사용 후 남은 것은 폐기함.

약품명 및 함량	용법	약리작용 및 효능	부작용	주의 및 금기
Zinc sulfate Zinc I syrup 징크아이시럽 ···5.522mg/ml (Zn로 2mg), 100ml/BT	1) 생후 6개월~5세 : Zn으로서 1일 20mg(=10ml) #3, 10~14일간 복용	1) 경구용 아연 보급제 2) 적응증 : 아연이 결핍된 급성 설사에 경구수액제와 병용	(빈도 미확립) - 어지러움, 두통 - 경련성 복통, 설사, 오심, 구토 - 대량 투여 시: 구역, 구토 등의 위장 증상, 고나트륨혈증, 울혈성 심부전, 부종 등	〈주의〉 1) 의사의 치료 받고 있는 환자 2) 심장, 순환기계 기능 장애 환자 3) 신장애, 저단백혈증 환자 〈상호작용〉 1) 항알도스테론제, 트리암테렌 : 고칼륨혈증 발생 주의 2) 인산염, 칼슘염, 경구용 테트라사이클린계 제제, 제산제 : 병용투여 금기 3) 녹차, 홍차 등 탄닌 함유 차는 복용 중 및 복용 전후에 피하도록 함. 〈취급상 주의〉 1) 개봉 및 소분 후 안정성 자료 없음 (소아 1일 상용량(10ml) 복용 시 1BT(=100ml)은 10일 분량임) 〈참고〉 1) 과량 투여 시 부식성이 있어 입과 위장 점막에 부식 및 염증유발, 위궤양은 천공 유발 가능함.

약품명 및 함량	용법	약리작용 및 효능	부작용	주의 및 금기
				위세척 및 구토는 피하고, 완화제(우유 등) 및 킬레이트화제(예; 칼슘에데트산 나트륨) 사용 가능
Zinc sulfate Zinctrace inj 징크트레이스주 …44mg/10ml/V (Zn로 10mg)	- 혈장내 미량 원소량을 확인 후 용량 조절함 - 대사적으로 안정한 TPN 환자 : 2.5~4mg/day	1) 아연 보급제 2) 적응증: 비경구영양요법(TPN)시 아연 보충		〈금기〉 1) 직접투여 금기, 희석해서 사용 〈주의〉 1) 임신부 : Category C 2) 수유부 : 모유 이행 3) 소장 및 신장 이상 : Zn축적 고려 〈취급상의 주의〉 1) 보존제 미함유로 개봉 후 즉시 사용
1ml 중 Se 20mcg, Zn 1mg, Cu 0.4mg, Mn 0.1mg, Cr 4mcg **Multiblue 5 inj** 멀티블루5주 …10ml/V	- 혈장내 미량 원소량을 확인 후 용량 조절함.	1) 성인용 미량원소 5종 보급제 (Se, Zn, Cu, Mn, Cr) 2) 적응증 : 경정맥 영양보급시 미량원소(아연, 구리, 망간, 셀레늄, 크롬)의 보급 3) 비경구 영양수액(아미노산/포도당액)에 전해질, 비타민과 함께 사용가능		〈금기〉 1) 신생아, 미숙아(∵benzyl alcohol 함유) 2) 저삼투 용액이므로 혼합주사에만 사용 〈주의〉 1) 신기능부전 : Zn 저류 2) 담도폐쇄 : Cu, Mn 저류 3) Cr이 당 항상성유지에 관여하므로 환자의 당뇨병 여부와 당뇨병 치료제 사용여부를 확인함. 〈취급상 주의〉 1) 개봉 후 안정성 : 실온에서 3일간 안정 (보존제로서 0.9% benzyl alcohol 함유)
1ml중 Zn 5mg, Cu 1mg, Mn 0.5mg, Cr 0.01mg **Furtman inj** 후루트만주 …2ml/V	- 혈장내 미량 원소량을 확인 후 용량 조절함.	1) 미량 원소 보급제 2) TPN 용액에 가하여 체내 Zn, Cu, Mn, Cr의 혈청치 유지, 체내 고갈 및 결핍증 막아주는 TPN용 미량원소 보급제		〈금기〉 1) 신생아, 미숙아(∵benzyl alcohol 함유) 2) 정맥염 유발 가능성이 있으므로 직접 원액을 주사하면 안됨. 3) 저삼투압용액이므로 혼합주사에만 사용 〈주의〉 1) 신기능부전 : Zn 저류 2) 담도폐쇄 : Cu, Mn 저류 3) Cr이 당 항상성유지에 관여하므로 당뇨 환자인지 확인함.

약품명 및 함량	용법	약리작용 및 효능	부작용	주의 및 금기
Oxymetholone Oxymetholone tab 옥시메톨론정 …50mg/T	1) 성인(빈혈치료) :1~5mg/kg/D #3(Max.100mg/D)반응이 지연될 수 있으므로 최소 3~6개월간 투여 2) 소아 : 1~5mg/kg/D 분할 투여	1) 강력한 anabolic, androgenic 제제 2) Bone marrow failure에 의한 빈혈에서 erythropoietin의 생성 및 뇨 중 분비를 증가시킴. 3) 적혈구 생성부전에 의한 빈혈에서 erythropoiesis를 자극함. 4) 적혈구 생성부전에 의한 빈혈, aplastic anemia, myelotoxic drug 사용에 의한 myelofibrosis와 hypoplastic anemia에 사용함.	- 오심, 구토, 설사 - 성욕의 증가 혹은 감소 - 습관성, 흥분, 불면, 두통 - 소아 : 골단의 조기 폐쇄, 성적조숙 - 여성의 남성화 - 열감, 부종	〈금기〉 1) 안드로겐 의존성 종양 2) 간장애 3) 임신부 : Category X 4) 신증 또는 신장염의 신성단계 환자 5) 고칼슘혈증의 여성유방암 〈주의〉 1) 신중투여 : 소아, 전립선비대, 심 · 신질환, 암의 골전이가 있는 환자, 당뇨병 환자, 고령자 2) 수유부 : 안전성 미확립 〈상호작용〉 1) Warfarin의 작용 증강 2) Adrenal steroid 혹은 ACTH와 병용시 내당능 저하

약품명 및 함량	용법	약리작용 및 효능	부작용	주의 및 금기
Glucagon Garcon inj 가르콘주 …1U(=1mg)/V	1) 저혈당 : 희석액에 녹인 후 0.5~1.0U SC, IV, IM 5~20분 후 반응 없으면 0.5~1U 추가 투여 가능하며 포도당 정맥주사 해야 함. 2) 20kg 미만 소아 : 0.5mg 또는 20~30mcg/kg를 20분 마다 SC, IV, IM (Max. 1mg/dose) 3) 진단목적: - 소화관 이완 목적 : 0.2~0.5U IV 또는 1~2U IM 대장의 경우 1~2U IM - 소화관 내시경 전처치 : 0.5~1U IV, IM	1) 췌장의 α-cell에서 생성되는 poly peptide hormone으로서 간에서의 glycogenolysis를 촉진함. 2) Epinephrine과 병용시 효과가 증가되고, 작용시간이 연장됨. 3) 적응증 : 심각한 저혈당에 빠진 당뇨 환자의 혈당 상승, 인슐린 쇼크, 진단목적(위, 십이지장, 소장의 방사선 조영시 장기의 이완, 소화관의 내시경 전처치시 소화관의 운동억제) 4) 약동학 자료 Onset : 저혈당인 경우 5~20mins $T\frac{1}{2}$: 3~10mins	- 오심, 구토(용량 의존적) - 발적	〈주의〉 1) Insulinoma(insulin분비증가로 저혈당 유발) 2) Pheochromocytoma 환자 (catecholamine 과다분비로 고혈압 유발) 3) 희석액 농도는 1mg/ml를 넘지 않도록 함. 4) 임신부 : Category B 〈취급상 주의〉 1) 차광, 냉장보관 2) 얼리지 말 것

약품명 및 함량	용법	약리작용 및 효능	부작용	주의 및 금기
Acarbose Glucobay tab 글루코바이정 …50mg/T …100mg/T	1) 초기 50mg tid 식전 2) 유지 100mg tid (Max. 600mg/D) *신기능에 따른 용량조절 참고 Clcr <25ml/min : 금기	1) α-glucosidase 저해제 2) α-glucosidase에 의한 탄수화물의 장내 흡수를 지연시킴으로써 혈당치 상승을 저해함. 3) NIDDM(인슐린비의존성당뇨병) 에 의한 혈당개선 (식사요법으로 혈당조절 안되는 경우의 추가요법에 한함)에 사용함. 4) 적응증 : 당뇨병의 식후 고혈당 5) 대사 : 위장관 배설 : 신장 〈상호작용〉 1) 다른 당뇨병약과 병용시 상승효과 발현. 2) Lactulose 와 병용시 소화기계 부작용 증가	1) > 10% - 복통(21%), 설사(33%), 고창(77%) - Transaminase 상승	〈금기〉 1) 중증 케톤뇨증, 당뇨병성 수면 환자 2) 중증 감염증, 수술전후, 중증 외상 환자 3) 탄수화물 소화효소제(디아스타제)를 투여중인 환자 4) 고령자 및 소아 : 안전성 미확립 5) 수유부 : 안전성 미확립 〈주의〉 1) 위장장애가 있는 환자 2) 중증 간 · 신기능 장애자 3) 장내 가스 발생 증가에 의해 증상이 악화되는 환자 4) 임신부 : Category B 5) 식사요법, 운동요법을 적어도 1개월 실시해도 식사 2시간후 혈당이 200mg/dl 이상인 경우에 한해 투여함. 공복시 혈당이 160mg/dl 이상에선 본제 외에 경구혈당강하제, 인슐린을 고려함. 6) 2~3개월간 투여해도 효과가 불충분한 경우(공복시 120~140mg/dl, 식사 2시간후 160~200mg/dl의 범위로 조절이 불가능)에는 다른 방법으로 전환함. 〈약리작용 및 효능〉란에 계속
Voglibose Basen tab 베이슨정 …0.2mg/T …0.3mg/T	1) 0.2mg tid 식전 2) 1회 용량을 0.3mg까지 증량 가능	1) α-glucosidase에 의한 탄수화물의 장내 흡수를 억제함으로써 혈당치 상승을 저해함. 2) NIDDM(인슐린비의존성당뇨병)에 의한 혈당개선 (식사요법으로 혈당조절이 안되는 경우의 추가요법에 한함.) 3) 적응증 : 당뇨병의 식후 고혈당	- 복부팽만, 방귀, 설사, 묽은 변, 복명, 복통, 변비, 식욕부진, 오심, 구토, 고칼륨혈증, 혈청아밀라제 상승, HDL 콜레스테롤 저하 - 발진, 가려움증, 두통	〈금기〉 1) 중증 케톤뇨증, 당뇨병성 혼수 환자 2) 중증 감염증, 수술전후, 중증 외상 환자 3) 탄수화물 소화효소제(디아스타제)를 투여중인 환자 4) 소아 : 안전성 미확립 〈주의〉 1) 위장장애 환자 2) 중증 간 · 신기능 장애자 3) 장내 가스 발생 증가에 의해 증상이 악화되는 환자 4) 고령자 〈상호작용〉 1) 다른 당뇨병약과 병용시 상승효과 발현 2) Lactulose와 병용시 소화기계 부작용 증가

약품명 및 함량	용법	약리작용 및 효능	부작용	주의 및 금기
Metformin HCl Diabex tab 다이아벡스정 …250mg/T …500mg/T …1,000mg/T Glupa tab 글루파정 …850mg/T	1) 500mg bid~tid 식사직후 복용 (∵오심, 설사의 부작용) (Max. 2,500mg/D) * 850mg/T의 경우 1) 초기량 : 850mg qd 2) 유지량 : 850mg bid (Max. 2,550mg/D) *신기능에 따른 용량조절 참고 - 신장애시 또는 Scr(mg/dL) ≥ 1.5(males), ≥1.4(females) : 투여금기	1) Biguanide계 혈당강하제 2) 간의 glucose 신생 및 장의 glucose흡수를 저해하고, glucolysis를 촉진 3) 인슐린 비의존형 당뇨병에 사용하며, 저혈당을 일으키는 빈도가 낮고 지질대사로 체중감량이 나타남. 4) 적응증 : 제2형 당뇨병(성인, 10세이상의 소아 및 성장기 청소년) 5) T½: 1.5~3hrs 배설 : 신장(100%)	1) >10% - 오심/구토(6~25%), 설사(10~53%), 고창(12%) - 허약감(9%) 2) 1~10% - 흉부불쾌감, 홍조, 심계항진 - 두통, 오한, 어지러움 - 발진 - 저혈당 - 소화불량(7%), 복부불쾌감(6%), 복부팽만, 변비, 식욕감퇴, 미각이상 - 근육통 - 상기도감염, 호흡곤란 - Vit.B〈12〉 수치 감소, 복시 증가, 독감유사 증후군, 손톱이상 3) <1% - 산혈증	〈금기〉 1) 제1형 당뇨병 2) 중증의 불안정성 당뇨 3) Acidosis, ketosis, 당뇨병성 혼수, 발열, 대수술, 중증감염, 심한 화상, 외상 등의 합병증이 있는 당뇨병 4) 심부전, 신부전, 탈수, 급만성 alcoholism 환자 5) 방사선 요오드 조영제 투여 검사(∵유산산증 위험증가) 〈주의〉 1) 알코올(공복, 영양실조, 간기능 저하시): 유산산증의 위험성 증가 2) 임신부 : Category B
Metformin HCl Diabex XR tab 다이아벡스엑스알서방정 …500mg/T …1,000mg/T	1) 단독투여 - 초기 500mg qd(저녁식사와 함께) - 1주일마다 500mg씩 용량 증가 가능. (Max. 2,000mg/D #1~2) - 일반제형에서 이 약으로 전환시에는 기존 1일 총 용량과 동일하게 투여함. 2) 병용투여	1) Biguanide계 경구용 당뇨약 2) 간의 glucose 신생 및 장의 glucose흡수를 저해하고, glucolysis를 촉진 3) 인슐린 비의존형 당뇨병에 사용하며, 저혈당을 일으키는 빈도가 낮고 지질대사로 체중감량이 나타남. 4) 적응증 : 제2형 당뇨병(성인, 10세이상의 소아 및 성장기 청소년)	1) >10% - 오심/구토(6~25%), 설사(10~53%), 고창(12%) - 허약감(9%) 2) 1~10% - 흉부불쾌감, 홍조, 심계항진	〈금기〉 1) 제1형 당뇨병 2) 중증의 불안정성 당뇨 3) Acidosis, ketosis, 당뇨병성 혼수, 발열, 대수술, 중증감염, 심한 화상, 외상 등의 합병증이 있는 당뇨병 4) 심부전, 신부전, 탈수, 급만성 alcoholism 환자 5) 방사선 요오드 조영제 투여 검사(∵유산산증 위험증가)

약품명 및 함량	용법	약리작용 및 효능	부작용	주의 및 금기
	- 각각의 약물의 용량 조절하여 혈당 조절 *신기능에 따른 용량조절 참고 - 신장애시 또는 Scr(mg/dL) ≥ 1.5(males), ≥1.4(females) : 투여 금기	5) 이중구조 polymer matrix의 내층에 약물이 함유되어 있어 위장관에서 체류하면서 서서히 약물을 방출하는 서방정 6) 서방정은 일반정제에 비하여 ① 최고혈중농도에 도달하는 시간이 느리고, ② 최고혈중농도는 높으며, ③ 총 농도(AUC)는 유사함. 7) Tmax : 7hrs (일반정제 : 1~3hrs) $T\frac{1}{2}$: 5.2hrs (일반정제 : 5.1hrs)	-두통, 오한, 어지러움 -발진 -저혈당 -소화불량(7%), 복부불쾌감(6%), 복부팽만, 변비, 식욕감퇴, 미각이상 -근육통 -상기도 감염, 호흡곤란 -Vit.B_{12} 수치 감소, 복시 증가, 독감유사 증후군, 손톱이상 3) 〈1% - 산혈증	〈주의〉 1) 알코올(공복, 영양실조, 간기능 저하시) : 유산산증의 위험성 증가 2) 임신부 : Category B 〈취급상 주의〉 1) 분쇄, 분할 금함 (∵서방정)

약품명 및 함량	용법	약리작용 및 효능	부작용	주의 및 금기
Alogliptin benzoate Nesina tab 네시나정 ···12.5mg/T ···25mg/T	1) 25mg qd, 식사와 관계없이 복용 2) 신장애 환자 ① CrCl≥50mL/min : 용량조절 불필요 ② 30≤CrCl〈50ml/min : 12.5mg qd ③ CrCl〈30ml/min or 혈액투석이 필요한 ESRD : 6.25mg qd	1) Dipeptidyl Peptidase Ⅳ Inhibitor, incretin hr.(혈당감소작용)을 급격히 불활화시키는 DPP-Ⅳ enzyme을 억제함 2) β세포에서 포도당 의존성 인슐린 분비능 향상시키고 α세포에서 부적절한 글루카곤 분비를 감소시킴 3) 적응증 : 제 2형 당뇨병 환자의 혈당조절 향상을 위한 식사요법 및 운동요법의 보조제 - 단독요법 - 메트포르민 또는 설포닐우레아 또는 치아졸리딘디온과 이 약 병용투여 - 치아졸리딘디온 및 메트포르민 병용요법에 이 약을 병용투여 - 인슐린(인슐린 단독 또는 메트포르민 병용)요법에 이 약을 병용투여	1) 1~10% - 비인두염, 상기도감염(4%) - 두통(4%) - ALT 상승(1%) 2) 〈 1% - 아나필락시스, 혈관부종, 간부전, 과민반응, 간효소 수치상승, 췌장염, 혈청병, 발진, 두드러기, 스티븐스존슨 증후군	〈금기〉 1) 제1형 당뇨병 또는 당뇨병성 케톤산증 환자 2) 중증감염증, 수술전후, 중등도 외상환자 〈주의〉 1) 중등도 이상의 신장애 환자 2) 심부전 환자 3) 임산부 : Category B 4) 수유부 및 소아 : 안전성 미확립

약품명 및 함량	용법	약리작용 및 효능	부작용	주의 및 금기
		4) Tmax : 1~2hrs 단백결합 : 20% $T\frac{1}{2}$: 21hrs 대사: 간(〈7%, CYP2D6/3A4로 대사) 배설 : 신장(76%), 대변(13%)		
Gemigliptin tartrate Zemiglo tab 제미글로정 …50mg/T	1) 50mg qd, 식사와 관계없이 복용 (Max. 50mg/D)	1) Dipeptidyl Peptidase Ⅳ Inhibitor, incretin hr.(혈당감소작용)을 급격히 불활화시키는 DPP-Ⅳ enzyme을 억제함 2) β세포에서 포도당 의존성 인슐린 분비능 향상시키고 α세포에서 부적절한 글루카곤 분비를 감소시켜 HbA1c 저하시킴 3) 적응증: 제2형 당뇨병 환자의 혈당조절을 위해 식사요법 및 운동요법의 보조제, 단독 투여 또는 메트포르민 단독요법으로 불충분한 경우 병용 투여 4) Tmax: 1.8hrs T1/2: 17~21hrs 대사: 간대사(CYP3A4) 배설: 뇨(63%), 변(27%)	1) 1~10% - 관절통 - 상기도 감염, 코인두염, 세균뇨 - 저혈당	〈금기〉 1) 제 1형 당뇨병 또는 당뇨병성 케톤산증 환자 2) 임산부, 수유부, 18세 미만 소아 : 안전성 미확립 〈주의〉 1) 신장애, 간장애 환자 2) 심부전 환자 〈상호작용〉 1) 강력한 CYP3A4 유도제(예: Rifampicin, Dexamethasone, Phenytoin, Carbamazepine, Rifabutin, Phenobarbital) : 이 약의 약효 감소 2) Ketoconazole : 이 약의 약리활성체가 약 1.9배 증가
Linagliptin Trajenta tab 트라젠타정 …5mg/T	1) 5mg qd 식사와 관계없이 복용	1) Dipeptidyl Peptidase Ⅳ Inhibitor, incretin hr.(혈당감소작용)을 급격히 불활화시키는 DPP-Ⅳ enzyme을 억제함 2) β세포에서 포도당 의존성 인슐린 분비능 향상시키고 α세포에서 부적절한 글루카곤 분비를 감소시켜 HbA1c 저하시킴 3) 적응증 : 제2형 당뇨병 환자의 혈당조절을 위해 식사요법 및 운동요법의 보조제, 단독 투여 또는 메트포르민, 설포닐우레아, 인슐린 단독요법으로 불충분한 경우 병용투여 4) Tmax : 1.5hrs BA : 30% 단백결합 : 70~80%(농도의존적) $T\frac{1}{2}$: ~12hrs(DPP-4 receptor 포화 전) 〉100hrs(DPP-4 receptor 포화 후)	1) 〉10% - 저혈당(metformin/sulfonylurea와 병용시) 2) 1~10% - 두통, 고요산혈증, 지질증가, TG증가, 체중증가 - 관절통, 요통 - 비인두염, 기침	〈금기〉 1) 제1형 당뇨병 또는 당뇨병성케톤산증 환자 2) 수유부, 소아: 안전성 미확립 〈주의〉 1) 저혈당을 일으킬 수 있는 약과 병용투여시 주의 2) 심부전 환자 3) 임신부 : category B 〈상호작용〉 1) Sulfonylurea 계열 등의 인슐린 분비촉진제 : 저혈당 위험 증가

약품명 및 함량	용법	약리작용 및 효능	부작용	주의 및 금기
		대사 : 간(90% 가까이 대사 안 됨) 배설 : 대변(80%, 미변환체), 신장(5%, 미변환체)		
Saxagliptin Onglyza tab 온글라이자정 …2.5mg/T …5mg/T	1) 2.5mg 또는 5mg qd 2) 강력한 CYP3A4/5 저해제와 병용 시 2.5mg qd 3) 신기능저하 CrCl 〈 50ml/min 또는 ESRD : 2.5mg qd 4) 혈액투석 이후 투여	1) Dipeptidyl Peptidase Ⅳ Inhibitor, incretin hr.(혈당감소작용)을 급격히 불활화시키는 DPP-Ⅳ enzyme을 억제함 2) β세포에서 포도당 의존성 인슐린 분비능 향상시키고 α세포에서 부적절한 글루카곤 분비를 감소시켜 HbA1c 저하시킴 3) 적응증 : 제2형 당뇨병 환자의 혈당조절을 위해 식사요법 및 운동요법의 보조제, 단독 투여 또는 메트포르민, 설포닐우레아, 인슐린 단독요법으로 불충분한 경우 병용투여 4) Tmax : 2hrs $T_{\frac{1}{2}}$: 2~2.8hrs 대사 : 간대사 (CYP450 3A4/5) 배설 : 뇨(75%), 변(22%)	1) 1%~10%: – 말초부종 (≤4%) – 두통 (7%) – 저혈당 (≤6%) – 복통 (2%), 장염 (2%), 구토 (2%) – 비뇨기계 감염 (7%) – 림프구 감소증 (≤2%; dose related) – 부비동염 (3%) – 과민반응 (2%)	〈금기〉 1) 제1형 당뇨병 또는 당뇨병성 케톤산증 환자 2) 유당을 함유하므로 갈락토오스-내당성, Lapp 락타아제 결핍, 포도당-갈락토오스 흡수장애를 가진 환자 3) 수유부: 동물 유즙으로 이행, 분비 4) 소아: 안정성 미확립 〈주의〉 1) 심부전 환자 2) 임신부: Category B 〈상호작용〉 1) 강력한 CYP3A4/5 저해제 (예 : ketoconazole, itraconazole, atazanavir, indinavir, nelfinavir, ritonavir, telithromycin, clarithromycin 등) : 약효 증가 2) Sulfonylurea 계열 등의 인슐린 분비촉진제 : 저혈당 위험 증가
Sitagliptin phosphate Januvia tab 자누비아정 …100mg/T	1) 성인 : 100mg qd 식사와 관계없이 복용(Max. 100mg/D) 2) 신장애 환자 ① 30≤CrCl〈50ml/min : 50mg qd ② CrCl〈30 or ESRD : 25mg qd *신기능에 따른 용량조절 참고 CrCl(ml/min) : 용량 ① 49~30 : 50mg qd ② 〈30, 투석이 필요한 ESRD환자 : 25mg qd	1) Dipeptidyl Peptidase Ⅳ Inhibitor, incretin Hr.(혈당감소작용)을 급격히 불활화시키는 DPP-Ⅳ enzyme을 억제하여 active incretin의 유지 시간을 연장시킴. 2) Incretin Hr.: GLP-1(=glucagon-like peptide-1), GIP(=glucose-dependent insulinotropic polypeptide)가 있으며 음식에 의해 소장에서 분비되어 포도당 의존적으로 작용하여 인슐린 합성과 방출을 증가시키고 글루카곤 분비를 감소시킴. 3) 적응증 : 제2형 당뇨병 환자의 혈당조절을 위해 식사요법 및 운동요법의 보조제, 단독 투여 또는 메트포르민, 설포닐우레아, 치아졸리딘디온, 인슐린 단독요법으로 불충분한 경우 병용투여	1) 1~10% – 두통(5%) – 설사(3%) – 상기도감염증(6%), 비인두염(5%) 2) 시판 후 보고된 부작용 – 아나필락시스, 혈관부종, 탈락피부염, 과민반응, 저혈당증 (sulfonylurea계와 병용시 위험도 증가), 스티븐스존슨증후군	〈금기〉 1) 제1형 당뇨병 또는 당뇨병성 케톤증 환자 2) 수유부, 18세 미만 : 안전성 미확립 〈주의〉 1) 신장애 환자 2) 저혈당증 일으키는 것으로 알려진 약과의 병용투여 시 주의 3) 임신부 : Category B 〈상호작용〉 1) Digoxin의 농도 증가시킬 수 있으므로 주의

약품명 및 함량	용법	약리작용 및 효능	부작용	주의 및 금기
		5) Tmax : 1~4hrs Duration : 24hrs BA : 약 87% 단백결합 : 38% 대사 : 간 배설 : 신장(87%) T½ : 12.4hrs		
Vildagliptin Galvus tab 가브스정 …50mg/T	1) 단독요법 또는 메트포르민과 병용 시 : 50mg qd~bid 2) 병용투여 ① 메트폴민 또는 치아졸리딘디온과 병용투여 : 50mg bid ② 설포닐우레아와 병용 투여 : 50mg qd ③ 설포닐우레아 및 메트포르민과 병용 투여 : 50mg bid ④ 인슐린 요법과 병용 투여 : 50mg bid ⑤ 식사와 관계없이 복용(Max. 100mg/D) 2) 신장애 환자 ① CrCl≥50mL/min : 용량조절 불필요 ② CrCl<50mL/min 또는 ESRD : 50mg qd 3) 간장애 환자(ALT 또는 AST가 정상 상한치의 2.5배 초과) : 비권장	1) Dipeptidyl Peptidase Ⅳ Inhibitor, incretin Hr.(혈당감소작용)을 급격히 불활화시키는 DPP-Ⅳ enzyme을 억제하여 active incretin의 유지 시간을 연장시킴 2) β세포에서 포도당 의존성 인슐린 분비능을 향상시키고 α세포에서 부적절한 글루카곤 분비를 감소시켜 HbA1c 저하시킴 3) 적응증 : 제 2형 당뇨병 환자의 식사요법 및 운동요법의 보조제로서 - 단독요법 - 메트포르민 또는 설포닐우레아 또는 치아졸리딘디온과 이 약 병용투여 - 설포닐우레아 및 메트포르민 병용요법에 이 약과 병용투여 - 인슐린(인슐린 단독 또는 메트포르민 병용) 요법에 이 약과 병용투여 4) Tmax : 1.1hrs 대사 : 간(비활성체로 대사) 배설 : 신장(85%), 대변(15%) T½ : 2~3hrs	1) 1~10% - 저혈압, 말초부종 - 저혈당 - 현기증, 두통 - 비인두염, 상기도 감염	〈금기〉 1) 제 1형 당뇨병 또는 당뇨병성 케톤산증 환자 2) 유당을 함유하므로 갈락토오스-내당성, Lapp 락타아제 결핍, 포도당-갈락토오스 흡수장애를 가진 환자 〈주의〉 1) 임신부, 수유부, 18세 미만 소아 및 청소년 : 안전성 미확립 2) 인슐린 투여가 필요한 환자에서 인슐린을 대체하지 않음. 3) 신장애, 간장애 환자 4) 심부전 환자 5) 피부이상 〈상호작용〉 1) CYP450의 기질이 아니므로 이 효소의 저해제 또는 유도제와 상호작용이 없음. 2) 치아짓, 코르티코스테로이드, 갑상선 약물 및 교감신경작용약물에 의해서 혈당강하 작용이 감소될 수 있음.

약품명 및 함량	용법	약리작용 및 효능	부작용	주의 및 금기
Exenatide Byetta pen inj 바이에타펜주 …0.3mg/1.2ml/pen (5mcg×60dose) …0.6mg/2.4ml/pen (10mcg×60dose)	1) 초기 : 5mcg씩 1일 2회 SC 2) 1개월 이후 10mcg씩 1일 2회까지 증량 가능 (Max. 10mcg bid) 3) 투여시간 : 아침, 저녁 식전 (식전 1시간 이내 어느때라도 가능) 4) 병용요법 ① Metformin과 병용시 : metformin 용량 유지 ② Sulfonylurea와 병용시 : sulfonylurea 용량 감량	1) GLP-1(glucagone-like peptide-1) analogue로서, 주사용 혈당 강하제 2) 혈당 의존적으로 작용하며 insulin의 분비와 B-cell의 성장 및 복제를 증가시키고, 위 배출 속도를 늦춰주어 음식섭취를 줄임. 3) Sulfonylureas, metformin 또는 thiazolidinediones과 병용 투여 시 HbA1c를 약 0.5~1% 추가적으로 낮추는 효과 있음. 4) 적응증 : 제 2형 당뇨병 환자의 식사요법 및 운동요법의 보조제로서 - 단독요법 - 메트포르민 또는 설포닐우레아 또는 치아졸리딘디온과 이 약 병용투여 - 메트포르민과 설포닐우레아, 메트포르민과 치아졸리딘디온 병용요법에 이 약과 병용투여 - 기저인슐린(인슐린 단독 또는 메트포르민 병용) 요법에 이 약과 병용투여 5) Duration : ~5hrs Tmax : 2.1hrs 대사 : 혈장/조직 배설 : 신장 $T\frac{1}{2}$: 2.4hrs	1) >10% - 저혈당 - 오심, 구토, 설사 - anti-exenatide antibodies 2) 1~10% - 현기증, 두통 - 식욕감소, 소화불량, 역류성 식도염, 허약, 신경과민, 다한	〈금기〉 1) 소아, 수유부 : 안전성 미확립 〈주의〉 1) 당뇨병성 케톤산증, 중증 신부전, 간장애, 중증 위장관 질환, 급성 췌장염, 제 1형 당뇨병 환자 2) 본제는 인슐린 치료를 대체할 수 없음. 3) 본제에 대한 항체 형성 주의 4) 임신부: Category C 〈상호작용〉 1) 본제는 위 배출 속도를 감소시키므로 경구 약제의 흡수율 감소 가능 (치료역 좁은 약제 주의 필요) 2) Proton pump inhibitors는 이 약 투여 1시간 전 또는 4시간 지난 후 투여 〈취급상 주의〉 1) 냉장보관(2~8℃) 2) 개봉 후 25℃ 이하에서 보관하고, 1개월 이내 사용 3) 냉동하지 않는다.
Lixisenatide Lyxumia pen inj 릭수미아펜주 …0.15mg/3ml/pen (10mcg×14dose) …0.3mg/3ml/pen (20mcg×14dose)	1) 초기(14일간) : 10mcg qd, SC 2) 이후 유지용량 : 20mcg qd, SC (Max. 20mcg/D) 3) 투여시간 : 매일 일정한 식사 전 1시간 이내 투여 - 투여를 잊은 경우 다음 식사 전 1시간 이내 투여 4) 병용요법 ① Metformin과 병용시 : metformin 용량 유지	1) GLP-1(glucagon-like peptide-1) receptor agonists, 주사용 혈당 강하제 2) 혈당 의존적으로 작용하여 insulin분비를 증가시키고, glucagon분비를 감소시켜 식후 혈당 상승을 억제함. 또한, 위 배출 속도를 늦추어 음식섭취를 줄임. 3) 적응증 : 성인 제 2형 당뇨병 환자의 혈당조절 향상을 위해 식사요법 및 운동요법의 보조제로 다음과 같이 병용함. - 메트포르민 또는 설포닐우레아 또는 피오글리타존에 이 약을 병용투여	1) ≥10% - 두통 - 저혈당(22-47%, 설포닐우레아, 기저인슐린 ±메트포르민 병용시) - 오심(15~25%), 구토(11%), 설사 2) 1~10% - 심계항진(2%)	〈금기〉 1) 제1형 당뇨병 또는 당뇨병성 케톤산증 환자 2) 임신부, 수유부, 중증 신장애 환자, 18세 미만 : 안전성 미확립 〈주의〉 1) 급성 췌장염, 중증 위장관계 질환 및 심부전 환자 2) 중증도 신장애 환자 3) 위장관계 이상반응과 관련된 탈수

약품명 및 함량	용법	약리작용 및 효능	부작용	주의 및 금기
	② Sulfonylurea와 병용시 : sulfonylurea 용량 감량	- 메트포르민과 설포닐우레아 병용요법에 이 약을 병용투여 - 메트포르민과 피오글리타존 병용요법에 이 약을 병용투여 - 기저 인슐린(인슐린 단독 또는 메트포르민 병용)요법에 이 약을 병용투여 4) Tmax : 1~3.5hrs T1/2 : 3hrs 배설 : 신장	- 어지러움, 졸음 - 저혈당(메트포르민과 병용시 7%, 단독요법 3~6%, 피오글리타존 ±메트포르민 병용시 3%) - 소화불량 - 방광염 - 항체 생성(45~70%) - 인플루엔자, 바이러스 감염 - 주사부위반응(4~5%, 특히 항체 양성 환자), 주사부위 가려움 - 허리 통증, 상기도 감염	〈상호작용〉 1) 위 배출 속도를 감소시키므로 경구 약제의 흡수율 감소 또는 지연시킴. - 치료역 좁은 약제와 병용시 주의 - 항생제 : 이 약 투여 4시간 후 또는 1시간 전에 투여 〈취급상 주의〉 1) 밀봉용기, 차광하여 냉장보관(2-8℃) 2) 개봉 후 : 30℃ 이하보관, 2주이내 사용 3) 냉동하지 않는다.

약품명 및 함량	용법	약리작용 및 효능	부작용	주의 및 금기
Insulin aspart NovoRapid Flexpen 노보래피드플렉스펜주 ···300IU/3ml/pen NovoRapid Vial 노보래피드주 ···1,000IU/10ml/V	1) 식전 15분 이내 또는 식사 직후에 SC(필요 시 의료인에 의한 정맥주사 가능) 2) 1일 용량 : 환자의 혈당 변화에 따라 결정 *신기능에 따른 용량조절 참고 - 용량조절 정보 없음 (Insulin Regular 참고시) ① CrCl 10~50mL/min : 상용량의 75% 투여	1) Insulin B chain의 28번 위치의 proline을 aspartic acid로 치환하여 인슐린 분자간 결합력을 감소시킴으로서, 분자간 해리가 용이하여 작용발현시간을 단축시킨 초속효성 인슐린 2) 펜 형태의 프리필드 제형의 최소조절단위 : 1단위 3) 적응증 : 인슐린요법이 요구되는 당뇨병 4) BA : 38% Tmax : 1~3hrs Onset : 10~20mins Duration : 3~5hrs	- 저혈당 : 탈력감, 공복감, 발진, 창백, 심계항진, 진전, 두통, 지각이상, 경련, 혼수, 사망 - 과민증 : 혈압강하, 혈관 신경성 부종, 두드러기, 아나필락시스성 쇼 - 신경 : 치료개시 초기에 신경통	〈금기〉 1) 저혈당 환자 〈주의〉 1) 심한 간 · 심 · 신기능장애환자 2) 심한 감염증의 환자 3) 심한 허약상태의 환자 4) 뇌하수체 기능부전, 부신기능 부전 환자 5) 인슐린 수요의 변동이 심한 환자(수술, 외상 등의 환자) 6) 임신부 : Category B 7) 피하주사시 복부, 상완, 둔부, 대퇴 등 광범위하게 순서대로 이동하고 단기간 내에 반복 주사하지 않음.

약품명 및 함량	용법	약리작용 및 효능	부작용	주의 및 금기
	② CrCl〈10mL/min : 상용량의 25~50% 투여 ③ HD, PD 시행시 인슐린 제거 안되므로 추가용량 불필요		– 주사부위 : 발적, 종창, 경결, 소양증, 동일부위 반복주사는 피하지방의 위축 또는 비후 유발 – 기타 : 일과성의 전신부종, 눈의 굴절 이상	〈상호작용〉 1) Insulin의 효과 증가 : alcohol, MAOI, salicylates, α-blocker, β-blocker, tetracycline, anabolic steroids 2) Insulin의 효과 감소 : 부신피질 호르몬제, diltiazem, dobutamine, epinephrine, niacin, 경구용 피임제, thiazide 이뇨제, 갑상선 호르몬, 흡연 〈취급상 주의〉 1) 냉장보관, 직사광선을 피함. 2) 개봉 후 : 30℃ 이하보관
Insulin glulisine Apidra inj solostar 애피드라주솔로스타 …300IU/3ml/pen Apidra optiset Vial 애피드라주바이알 …1,000IU/10ml/V	1) 식전 15분 이내 또는 식사 직후에 SC(필요 시 의료인에 의한 정맥주사 가능) 2) 1일 용량 : 환자의 혈당 변화에 따라 결정 *신기능에 따른 용량조절 참고 – 용량조절 정보 없음 (Insulin Regular 참고시) ① CrCl 10~50mL/min : 상용량의 75% 투여 ② CrCl〈10mL/min : 상용량의 25~50% 투여 ③ HD, PD 시행시 인슐린 제거 안되므로 추가용량 불필요	1) Insulin B chain의 3번 Asparagine을 Lysine으로, 29번 Lysine을 Glutamic acid로 치환하여 인슐린 분자간 결합력을 감소시킴으로써, 분자간 해리가 용이하여 작용발현시간을 단축시킨 초속효성 인슐린 2) 펜 형태의 프리필드 제형의 최소조절단위 : 2단위 3) 적응증 : 4세 이상의 어린이와 청소년, 성인의 당뇨병 4) BA : ~70% Tmax : 55mins Onset : 10~20mins Duration : ~6hrs	– 저혈당 : 탈력감, 공복감, 발진, 창백, 심계항진, 진전, 두통, 지각이상, 경련, 혼수, 사망 – 과민증 : 혈압강하, 혈관 신경성 부종, 두드러기, 아나필락시스성 쇽 – 신경 : 치료개시 초기에 신경통 – 주사부위 : 발적, 종창, 경결, 소양증, 동일부위 반복주사는 피하지방의 위축 또는 비후 유발 – 기타 : 일과성의 전신부종, 눈의 굴절 이상	〈금기〉 1) 저혈당 환자 〈주의〉 1) 심한 간 · 심 · 신기능장애환자 2) 심한 감염증의 환자 3) 심한 허약상태의 환자 4) 뇌하수체 기능부전, 부신기능부전 환자 5) 인슐린 수요의 변동이 심한 환자(수술, 외상, 임신부, 감염 등의 환자) 6) 임신부 : Category C 7) 피하주사시 복부, 상완, 둔부, 대퇴 등 광범위하게 순서대로 이동하고 단기간내에 반복 주사하지 않음. 〈상호작용〉 1) Insulin의 효과 증가 :Alcohol, MAOI, salicylates, α-blocker, β-blocker, tetracycline, anabolic steroids 2) Insulin의 효과 감소 : 부신피질 호르몬제, diltiazem,dobutamine, epinephrine,niacin, 경구용 피임제, thiazide 이뇨제, 갑상선 호르몬, 흡연 〈취급상 주의〉 1) 냉장보관, 직사광선을 피함. 2) 개봉 후 : 25℃ 이하보관, 최대 4주까지 사용 가능

약품명 및 함량	용법	약리작용 및 효능	부작용	주의 및 금기
Insulin lispro Humalog quick pen 휴마로그 퀵 펜 …300IU/3ml/pen Humalog inj 휴마로그주 …1,000IU/10ml/V	1) 1일 1~2회 식전 15분 또는 식사직전 SC *신기능에 따른 용량조절 참고 - 용량조절 정보 없음 (Insulin Regular 참고시) ① CrCl 10~50mL/min : 상용량의 75% 투여 ② CrCl〈10mL/min : 상용량의 25~50% 투여 ③ HD, PD 시행시 인슐린 제거 안되므로 추가용량 불필요	1) E.coli를 이용하여 유전자 재조합 기술로 human insulin의 구조 중 proline과 lysine을 서로 치환시켜 만든 속효성 insulin제제. 2) Regular insulin과 동일 용량에서 동일한 혈당 저하 효과를 나타내지만, 약효발현이 빠르고 지속시간은 짧음. 3) IDDM(인슐린의존성당뇨병)과 당뇨병의 초기 안정화를 위해 사용함. 4) 적응증 : 인슐린요법이 요구되는 당뇨병 5) Onset : 5~15mins Tmax : 30~90mins Duration : 2~5hrs	(빈도 미확립) - 저혈당 : 탈력감, 공복감, 발진, 창백, 심계항진, 진전, 두통, 지각이상, 경련, 혼수, 사망 - 과민증 : 혈압강하, 혈관 신경성 부종, 두드러기, 아나필락시스성 쇽 - 신경 : 치료개시 초기에 신경통 - 주사부위 : 발적, 종창, 경결, 소양증, 동일부위 반복주사는 피하지방의 위축 또는 비후유발 - 기타 : 일과성의 전신부종, 눈의 굴절이상	〈금기〉 1) 저혈당 환자 〈주의〉 1) 심한 간 · 심 · 신기능장애환자 2) 심한 감염증의 환자 3) 심한 허약상태의 환자 4) 뇌하수체 기능부전, 부신기능 부전 환자 5) 인슐린 수요의 변동이 심한 환자(수술, 외상 등의 환자) 6) 임신부 : Category B 7) 피하주사시 복부, 상완, 둔부, 대퇴 등 광범위하게 순서대로 이동하고 단기간 내에 반복 주사하지 않음. 〈상호작용〉 1) Insulin의 효과 증가: Alcohol, MAOI, salicylates, α-blocker, β-blocker, tetracycline, anabolic steroids 2) Insulin의 효과 감소 : 부신피질 호르몬제, diltiazem, dobutamine, epinephrine, niacin, 경구용 피임제, thiazide 이뇨제, 갑상선 호르몬, 흡연 〈취급상 주의〉 1) 냉장보관, 직사광선을 피함. 2) 개봉 후 : 30℃ 이하보관, 최대 4주까지 사용 가능
Human insulin Humulin R inj 휴물린알주 …1,000IU/10ml/V	1)) R형 초기 : 4~20IU tid SC, 식전30분이내 유지 : 1일 4~100 IU 2) 필요에 따라 정맥주사 가능 *신기능에 따른 용량조절 참고 Insulin Regular ① CrCl 10~50mL/min : 상용량의 75% 투여 ② CrCl〈10mL/min : 상용량의 25~50% 투여	1) Recombinant DNA technology를 이용해 E.coli에서 얻은 human insulin 2) 적응증 : 인슐린요법이 요구되는 당뇨병 3) Humulin R : 속효성 Onset : 0.5~1hr Tmax : 2~4hrs Duration : 5~7hrs	- 저혈당 : 탈력감, 공복감, 발진, 창백, 심계항진, 진전, 두통, 지각이상, 경련, 혼수, 사망 - 과민증 : 혈압강하, 혈관 신경성 부종, 두드러기, 아나필락시스성 쇽 - 신경 : 치료개시 초기에 신경통	〈금기〉 1) 저혈당 환자 〈주의〉 1) 심한 간 · 심 · 신기능장애환자 2) 심한 감염증의 환자 3) 심한 허약상태의 환자 4) 뇌하수체 기능부전, 부신기능 부전 환자 5) 인슐린 수요의 변동이 심한 환자(수술, 외상 등의 환자) 6) 임신부 : Category B

약품명 및 함량	용법	약리작용 및 효능	부작용	주의 및 금기
	③ HD, PD 시행시 인슐린 제거 안되므로 추가용량 불필요		- 주사부위 : 발적, 종창, 경결, 소양증, 동일부위 반복주사는 피하지방의 위축 또는 비후 유발 - 일과성의 전신부종, 눈의 굴절 이상	7) 피하주사시 복부, 상완, 둔부, 대퇴 등 광범위하게 순서대로 이동하고 단기간 내에 반복 주사하지 않음. 〈상호작용〉 1) Insulin의 효과 증가: Alcohol, MAOI, salicylates, α-blocker, β-blocker, tetracycline, anabolic steroids 2) Insulin의 효과 감소 : 부신피질 호르몬제, diltiazem, dobutamine, epinephrine, niacin, 경구용 피임제, thiazide 이뇨제, 갑상선 호르몬, 흡연 〈취급상 주의〉 1) 냉장보관, 직사광선을 피함.

약품명 및 함량	용법	약리작용 및 효능	부작용	주의 및 금기
Human insulin Humulin N qucik pen 휴물린N퀵펜 …300IU/3ml/pen Humulin N inj 휴물린엔주 …1,000IU/10ml/V	1) N형 초기 : 4~20IU qd SC, 식전30분이내 유지 : 1일 4~100 IU *신기능에 따른 용량조절 참고 - 용량조절 정보 없음 (Insulin Regular 참고시) ① CrCl 10~50mL/min : 상용량의 75% 투여 ② CrCl〈10mL/min : 상용량의 25~50% 투여 ③ HD, PD 시행시 인슐린 제거 안되므로 추가용량 불필요	1) Recombinant DNA technology를 이용해 E.coli에서 얻은 human insulin 2) Humulin N : 중시간형 Onset : 1~2hrs Tmax : 6~12hrs Duration : 18~20hrs		〈금기〉 1) 저혈당 환자 〈주의〉 1) 심한 간 · 심 · 신기능장애환자 2) 심한 감염증의 환자 3) 심한 허약상태의 환자 4) 뇌하수체 기능부전, 부신기능 부전 환자 5) 인슐린 수요의 변동이 심한 환자(수술, 외상 등의 환자) 6) 임신부 : Category B 7) 피하주사시 복부, 상완, 둔부, 대퇴 등 광범위하게 순서대로 이동하고 단기간 내에 반복 주사하지 않음. 〈상호작용〉 1) Insulin의 효과 증가: Alcohol, MAOI, salicylates, α-blocker, β-blocker, tetracycline, anabolic steroids

약품명 및 함량	용법	약리작용 및 효능	부작용	주의 및 금기
				2) Insulin의 효과 감소: 부신피질 호르몬제, diltiazem, dobutamine, epinephrine, niacin, 경구용 피임제, thiazide 이뇨제, 갑상선 호르몬, 흡연 <취급상 주의> 1) 냉장보관, 직사광선을 피함.
Human insulin Insulatard HM inj 인슈라타드HM주 …1000IU/10ml/V	1) N형 초기 : 4~20IU qd SC, 식전 30분이내 유지 : 1일 4~100 IU *신기능에 따른 용량조절 참고 - 용량조절 정보 없음 (Insulin Regular 참고시) ① CrCl 10~50mL/min : 상용량의 75% 투여 ② CrCl<10mL/min : 상용량의 25~50% 투여 ③ HD, PD 시행시 인슐린 제거 안되므로 추가용량 불필요	1) Yeast를 이용하여 recombinant DNA technology로 제조한 고순도 monocomponent human insulin 2) N : 중시간형 Onset : 1.5hrs Tmax : 4~12hrs Duration : 20hrs	- 저혈당 : 탈력감, 공복감, 발진, 창백, 심계항진, 진전, 두통, 지각이상, 경련, 혼수, 사망 - 과민증 : 혈압강하, 혈관 신경성 부종, 두드러기, 아나필락시스성 쇽 - 신경 : 치료개시 초기에 신경통 - 주사부위 : 발적, 종창, 경결, 소양증, 동일부위 반복주사는 피하지방의 위축 또는 비후 유발 - 기타 : 일과성의 전신부종, 눈의 굴절이상	<금기> 1) 저혈당 환자 <주의> 1) 심한 간 · 심 · 신기능장애환자 2) 심한 감염증의 환자 3) 심한 허약상태의 환자 4) 뇌하수체 기능부전, 부신기능 부전 환자 5) 인슐린 수요의 변동이 심한 환자(수술, 외상 등의 환자) 6) 임신부 : Category B 7) 피하주사시 복부, 상완, 둔부, 대퇴 등 광범위하게 순서대로 이동하고 단기간 내에 반복 주사하지 않음. <상호작용> 1) Insulin의 효과 증가 : alcohol, MAOI, salicylates, α-blocker, β-blocker, tetracycline, anabolic steroids 2) Insulin의 효과 감소 : 부신피질 호르몬제, diltiazem, dobutamine, epinephrine, niacin, 경구용 피임제, thiazide 이뇨제, 갑상선 호르몬, 흡연 <취급상 주의> 1) 냉장보관, 직사광선을 피함.

약품명 및 함량	용법	약리작용 및 효능	부작용	주의 및 금기
Insulin detemir Levemir flexpen	1) 1일 1회 또는 2회 SC - 시작용량 : 10U 또는 0.1~0.2U/kg - 1일 용량 : 환자 상태에 따라 결정됨.	1) 지속형 기저 인슐린 제제 2) Insulin B-chain의 29번 위치에 fatty acid를 추가하여 insulin-albumin의 결합력을 증진하고,	- 저혈당 : 탈력감, 공복감, 발진, 창백, 심계항진, 진전, 두통,	<주의> 1) 심한 간 · 심 · 신기능장애환자 2) 심한 감염증의 환자

약품명 및 함량	용법	약리작용 및 효능	부작용	주의 및 금기
레버미어플렉스펜주 …300IU/3ml/pen	*신기능에 따른 용량조절 참고 – 용량조절 정보 없음 (Insulin Regular 참고시) ① CrCl 10~50mL/min : 상용량의 75% 투여 ② CrCl〈10mL/min : 상용량의 25~50% 투여 ③ HD, PD 시행시 인슐린 제거 안되므로 추가용량 불필요	주사부위 내에서 안정한 hexamer를 이뤄 insulin의 혈중 흡수 속도를 지연시킴으로써 지속적으로 작용함. 3) 적응증 : 2세이상의 소아와 청소년 및 성인에서의 인슐린요법을 필요로하는 당뇨병 4) Onset : 3~4hrs Tmax : 6~8hrs Duration : 6~23hrs(dose dependent) $T\frac{1}{2}$: 5~7hrs(dose dependent) BA : 60%	지각이상, 경련, 혼수, 사망 – 과민증 : 혈압강하, 혈관 신경성 부종, 두드러기, 아나필락시스성 쇽. – 신경 : 치료개시 초기에 신경통 – 주사부위 : 발적, 종창, 경결, 소양증, 동일부위 반복주사는 피하지방의 위축 또는 비후 유발 – 기타 : 일과성의 전신부종, 눈의 굴절 이상	3) 심한 허약상태의 환자 4) 뇌하수체 기능부전, 부신기능 부전 환자 5) 인슐린 수요의 변동이 심한 환자(수술, 외상 등의 환자) 6) 임신부 : Category B 7) 피하주사시 복부, 상완, 둔부, 대퇴 등 광범위하게 순서대로 이동하고 단기간 내에 반복 주사하지 않음. 〈상호작용〉 1) Insulin의 효과 증가: Alcohol, MAOI, salicylates, α-blocker, β-blocker, tetracycline, anabolic steroids 2) Insulin의 효과 감소 : 부신피질 호르몬제, diltiazem, dobutamine, epinephrine, niacin, 경구용 피임제, thiazide 이뇨제, 갑상선 호르몬, 흡연 〈취급상 주의〉 1) 냉장보관, 직사광선을 피함. 2) 개봉 후 : 30℃ 이하보관
Insulin glargine Lantus inj solostar 란투스주솔로스타 …300IU/3ml/pen Lantus inj vial 란투스주바이알 …1,000IU/10ml/V	1) 1일 1회 일정한 시간에 SC – 1일 용량 : 환자 상태에 따라 결정됨. – 필요시 2IU씩 증량 가능 (Max. 40IU/회) *신기능에 따른 용량조절 참고 – 용량조절 정보 없음 (Insulin Regular 참고시) ① CrCl 10~50mL/min : 상용량의 75% 투여 ② CrCl〈10mL/min : 상용량의 25~50% 투여 ③ HD, PD 시행시 인슐린 제거 안되므로 추가용량 불필요	1) 지속형 기저 인슐린 제제 (Long-acting & constant insulin analogue) 2) pH 4.0의 약산성 용액으로서 SC 투여 후 중성의 생리액에서 미세한 침전물을 생성, 서서히 유리되어 24시간동안 지속적으로 작용하며, peak가 없는 혈중농도를 유지함. 4) 적응증 : 2세이상의 소아와 청소년 및 성인에서의 인슐린요법을 필요로하는 당뇨병 5) Onset : 4hrs Tmax : peak가 없음. Duration : 24hrs	– 저혈당 : 탈력감, 공복감, 발진, 창백, 심계항진, 진전, 두통, 지각이상, 경련, 혼수, 사망 – 과민증 : 혈압강하, 혈관 신경성 부종, 두드러기, 아나필락시스성 쇽 – 신경 : 치료개시 초기에 신경통 – 주사부위 : 발적, 종창, 경결, 소양증, 동일부위 반복주사는 피하지방의 위축 또는 비후 유발	〈주의〉 1) 심한 간 · 심 · 신기능장애환자 2) 심한 감염증의 환자 3) 심한 허약상태의 환자 4) 뇌하수체 기능부전, 부신기능 부전 환자 5) 인슐린 수요의 변동이 심한 환자(수술, 외상 등의 환자) 6) 임신부 : Category B 7) 피하주사시 복부, 상완, 둔부, 대퇴 등 광범위하게 순서대로 이동하고 단기간 내에 반복 주사하지 않음. 〈상호작용〉 1) Insulin의 효과 증가 : alcohol, MAOI, salicylates, α-blocker, β-blocker, tetracycline, anabolic steroids

약품명 및 함량	용법	약리작용 및 효능	부작용	주의 및 금기
			- 일과성의 전신부종, 눈의 굴절 이상	2) Insulin의 효과 감소: 부신피질 호르몬제, diltiazem, dobutamine, epinephrine, niacin, 경구용 피임제, thiazide 이뇨제, 갑상선 호르몬, 흡연 〈취급상 주의〉 1) 냉장보관, 직사광선 피함 2) 개봉 후 : 30℃ 이하보관

약품명 및 함량	용법	약리작용 및 효능	부작용	주의 및 금기
Human insulin (속효성:중간형 = 3:7) Humulin 70/30 quick pen 휴물린70/30퀵펜 ···300IU/3ml/pen Humulin 70/30 inj 휴물린70/30주 ···1,000IU/10ml/V	1) 아침 식전 30분에 4~20IU SC 2) 1일 4~100IU 까지 투여가능 *신기능에 따른 용량조절 참고 - 용량조절 정보 없음 (Insulin Regular 참고시) ① CrCl 10~50mL/min : 상용량의 75% 투여 ② CrCl〈10mL/min : 상용량의 25~50% 투여 ③ HD, PD 시행시 인슐린 제거 안되므로 추가용량 불필요	1) Recombinant DNA technology를 이용해 E.coli에서 생합성된 human insulin 2) Regular insulin과 isophane을 3 : 7의 비율로 혼합 제조한 현탁액 3) Tmax : 1~5hrs Onset : 30mins Duration : 10~20hrs	- 저혈당 : 탈력감, 공복감, 발진, 창백, 심계항진, 진전, 두통, 지각이상, 경련, 혼수, 사망 - 과민증 : 혈압강하, 혈관 신경성 부종, 두드러기, 아나필락시스성 쇽 - 신경 : 치료개시 초기에 신경통 - 주사부위 : 발적, 종창, 경결, 소양증, 동일부위 반복주사는 피하지방의 위축 또는 비후 유발 - 일과성의 전신부종, 눈의 굴절 이상	〈금기〉 1) 저혈당 환자 〈주의〉 1) 심한 간 · 심 · 신기능장애환자 2) 심한 감염증의 환자 3) 심한 허약상태의 환자 4) 뇌하수체 기능부전, 부신기능 부전 환자 5) 인슐린 수요의 변동이 심한 환자(수술, 외상 등의 환자) 6) 임신부 : Category B 7) 피하주사시 복부, 상완, 둔부, 대퇴 등 광범위하게 순서대로 이동하고 단기간 내에 반복 주사하지 않음. 〈상호작용〉 1) Insulin의 효과 증가: Alcohol, MAOI, salicylates, α-blocker, β-blocker, tetracycline, anabolic steroids 2) Insulin의 효과 감소 : 부신피질 호르몬제, diltiazem, dobutamine, epinephrine, niacin, 경구용 피임제, thiazide 이뇨제, 갑상선 호르몬, 흡연 〈취급상 주의〉 1) 냉장보관, 직사광선을 피함. 2) 개봉 후 : 30℃ 이하보관

약품명 및 함량	용법	약리작용 및 효능	부작용	주의 및 금기
Human Insulin (속효성 : 중간형= 3:7) Mixtard 30HM inj 믹스타드30HM주 …1,000IU/10ml/V	1) 초회량 : 1회 4~20IU를 아침식사 전 30분 이내에 SC 2) 유지량 : 1일 4~100IU *신기능에 따른 용량조절 참고 – 용량조절 정보 없음 (Insulin Regular 참고시) ① CrCl 10~50mL/min : 상용량의 75% 투여 ② CrCl<10mL/min : 상용량의 25~50% 투여 ③ HD, PD 시행시 인슐린 제거 안되므로 추가용량 불필요	1) Recombinant DNA technology를 이용하여 효모로부터 제조한 human- monocomponent insulin 2) Regular insulin과 isophane을 3 : 7의 비율로 혼합 제조한 현탁액 3) Onset : 30mins Tmax : 2~8hrs Duration : 16~20hrs	– 저혈당 : 탈력감, 공복감, 발진, 창백, 심계항진, 진전, 두통, 지각이상, 경련, 혼수, 사망 – 과민증 : 혈압강하, 혈관 신경성 부종, 두드러기, 아나필락시스성 쇽 – 신경 : 치료개시 초기에 신경통 – 주사부위 : 발적, 종창, 경결, 소양증, 동일부위 반복주사는 피하지방의 위축 또는 비후 유발 – 기타 : 일과성의 전신부종, 눈의 굴절 이상	〈금기〉 1) 저혈당 환자 〈주의〉 1) 심한 간 · 심 · 신기능장애환자 2) 심한 감염증의 환자 3) 심한 허약상태의 환자 4) 뇌하수체 기능부전, 부신기능 부전 환자 5) 인슐린 수요의 변동이 심한 환자(수술, 외상 등의 환자) 6) 임신부 : Category B 7) 피하주사시 복부, 상완, 둔부, 대퇴 등 광범위하게 순서대로 이동하고 단기간 내에 반복 주사하지 않음. 〈상호작용〉 1) Insulin의 효과 증가 : alcohol, MAOI, salicylates, α-blocker, β-blocker, tetracycline, anabolic steroids 2) Insulin의 효과 감소 : 부신피질 호르몬제, diltiazem, dobutamine, epinephrine, niacin, 경구용 피임제, thiazide 이뇨제, 갑상선 호르몬, 흡연 〈취급상 주의〉 1) 냉장보관, 직사광선을 피함. 2) 개봉 후 : 30℃ 이하보관
Insulin aspart : Insulin aspart protamine (3:7) NovoMix 30 flexpen 노보믹스30플렉스펜주 …300IU/3ml/pen	1) 일반적인 인슐린 요구량 : 0.5~1.0 IU/kg SC 2) 식사직전 또는 식사와 동시에 투여 가능, 필요시 식사 직후 투여 가능 *신기능에 따른 용량조절 참고 – 용량조절 정보 없음 (Insulin Regular 참고시) ① CrCl 10~50mL/min : 상용량의 75% 투여 ② CrCl<10mL/min : 상용량의 25~50% 투여	1) Recombinant insulin analogue인 insulin aspart(초속효성)와 insulin aspart-protamine의 결합체(중간형)가 3 : 7의 비율로 혼합된 제제 ① Insulin aspart : insulin의 28번 위치의 proline을 aspartic acid로 치환하여 인슐린 분자간 결합력을 감소시킴으로서, 분자간 해리가 용이하여 작용발현시간이 단축된 제제로서 human regular insulin보다 흡수, 작용발현이 빠름. (Onset : 15mins, Duration : 3~5hrs) ② Protamine sulfate : peptide로서 인슐린과 염을 형성하여 작용시간을 연장시키는 결합제로서, Insulin aspart와 결합하여 중간형 insulin이 됨.	(빈도 미확립) – 저혈당 : 탈력감, 공복감, 발진, 창백, 심계항진, 진전, 두통, 지각이상, 경련, 혼수, 사망 – 과민증 : 혈압강하, 혈관 신경성 부종, 두드러기, 아나필락시스성 쇽 – 신경 : 치료개시 초기에 신경통	〈금기〉 1) 저혈당 환자 〈주의〉 1) 심한 간 · 심 · 신기능장애환자 2) 심한 감염증의 환자 3) 심한 허약상태의 환자 4) 뇌하수체 기능부전, 부신기능 부전 환자 5) 인슐린 수요의 변동이 심한 환자(수술, 외상 등의 환자) 6) 임신부 : Category B 7) 피하주사시 복부, 상완, 둔부, 대퇴 등 광범위하게 순서대로 이동하고 단기간 내에 반복 주사하지 않음.

약품명 및 함량	용법	약리작용 및 효능	부작용	주의 및 금기
	③ HD, PD 시행시 인슐린 제거 안되므로 추가용량 불필요	2) Pen type prefilled 제형 3) Onset : 10~20mins Tmax : 1~4hrs Duration : 12~16hrs	- 주사부위 : 발적, 종창, 경결, 소양증, 동일부위 반복주사는 피하지방의 위축 또는 비후 유발 - 기타 : 일과성의 전신부종, 눈의 굴절 이상	〈상호작용〉 1) Insulin의 효과 증가 : alcohol, MAOI, salicylates, α-blocker, β-blocker, tetracycline, anabolic steroids 2) Insulin의 효과 감소 : 부신피질 호르몬제, diltiazem, dobutamine, epinephrine, niacin, 경구용 피임제, thiazide 이뇨제, 갑상선 호르몬, 흡연 〈취급상 주의〉 1) 냉장보관, 직사광선 피함 2) 개봉 후 : 30℃ 이하보관
Insulin aspart : Insulin aspart protamine (1:1) Novomix50 flexpen 노보믹스50플렉스펜주 …300IU/3ml/pen	1) 일반적인 인슐린 요구량 : 0.5~1.0 IU/kg SC 2) 식사직전 또는 식사와 동시에 투여 가능, 필요시 식사 직후 투여 가능 *신기능에 따른 용량조절 참고 - 용량조절 정보 없음 (Insulin Regular 참고시) ① CrCl 10~50mL/min : 상용량의 75% 투여 ② CrCl〈10mL/min : 상용량의 25~50% 투여 ③ HD, PD 시행시 인슐린 제거 안되므로 추가용량 불필요	1) 초속효성 인슐린과 중간형 인슐린이 1:1로 혼합된 인슐린 2) 30:70 mixture와 비교시 ① Onset, Tmax, Duration 유사하며 최고혈중농도는 50:50 mixture가 더 높음. ② 처음 360분 이내 AUC 수치가 더 높고, late activity는 빨리 감소 3) Onset : 10~15mins Duration : 12~16hrs Tmax : 1~2hrs(초속효) / 4~8hrs(중간형)	(빈도 미확립) - 저혈당 : 탈력감, 공복감, 발진, 창백, 심계항진, 진전, 두통, 지각이상, 경련, 혼수, 사망 - 과민증 : 혈압강하, 혈관 신경성 부종, 두드러기, 아나필락시스성 쇽 - 신경 : 치료개시 초기에 신경통 - 주사부위 : 발적, 종창, 경결, 소양증, 동일부위 반복주사는 피하지방의 위축 또는 비후 유발 - 기타 : 일과성의 전신부종, 눈의 굴절 이상	〈금기〉 1) 저혈당 환자 〈주의〉 1) 심한 간 · 심 · 신기능장애환자 2) 심한 감염증의 환자 3) 심한 허약상태의 환자 4) 뇌하수체 기능부전, 부신기능 부전 환자 5) 인슐린 수요의 변동이 심한 환자(수술, 외상 등의 환자) 6) 임신부 : Category B 7) 피하주사시 복부, 상완, 둔부, 대퇴 등 광범위하게 순서대로 이동하고 단기간 내에 반복 주사하지 않음. 〈상호작용〉 1) Insulin의 효과 증가: Alcohol, MAOI, salicylates, α-blocker, β-blocker, tetracycline, anabolic steroids 2) Insulin의 효과 감소 : 부신피질 호르몬, diltiazem, dobutamine, epinephrine, niacin, 경구용 피임제, thiazide 이뇨제, 갑상선 호르몬, 흡연 〈취급상 주의〉 1) 냉장보관, 빛을 피해서 보관 2) 개봉 후 : 30℃ 이하보관

약품명 및 함량	용법	약리작용 및 효능	부작용	주의 및 금기
Insulin lispro : **Insulin lispro** **protamine (25:75)** Humalog mix 25 pen quick pen 휴마로그믹스25퀵펜주 …300IU/3ml/pen	1) 식전 15분 또는 식사 직전 SC 2) 1일 용량 : 환자의 혈당 변화에 따라 결정 *신기능에 따른 용량조절 참고 - 용량조절 정보 없음 (Insulin Regular 참고시) ① CrCl 10~50mL/min : 상용량의 75% 투여 ② CrCl〈10mL/min : 상용량의 25~50% 투여 ③ HD, PD 시행시 인슐린 제거 안되므로 추가용량 불필요	1) 초속효성 인슐린인 Insulin lispro와 중간형 인슐린인 Insulin lispro protamine(=NPL)이 25% : 75%로 혼합된 biphasic insulin 2) ① Insulin lispro : insulin B-chain의 28번 lysine과 29번 proline을 상호 치환시켜, 작용발현이 빠르고 지속시간이 짧은 초속효성 인슐린 ② Protamine : insulin lispro에 결합하여 작용 시간을 연장시키는 결합제 3) Onset : 5~15mins Tmax : 30~90mins, 4~10hrs Duration : 12~18hrs	(빈도 미확립) - 저혈당 : 탈력감, 공복감, 발진, 창백, 심계항진, 진전, 두통, 지각이상, 경련, 혼수, 사망 - 과민증 : 혈압강하, 혈관 신경성 부종, 두드러기, 아나필락시스성 쇽 - 신경 : 치료개시 초기에 신경통 - 주사부위 : 발적, 종창, 경결, 소양증, 동일부위 반복주사는 피하지방의 위축 또는 비후 유발 - 기타 : 일과성의 전신부종, 눈의 굴절 이상	〈금기〉 1) 저혈당 환자 〈주의〉 1) 심한 간 · 심 · 신기능장애환자 2) 심한 감염증의 환자 3) 심한 허약상태의 환자 4) 뇌하수체 기능부전, 부신기능 부전 환자 5) 인슐린 수요의 변동이 심한 환자(수술, 외상 등의 환자) 6) 임신부 : Category B 7) 피하주사시 복부, 상완, 둔부, 대퇴 등 광범위하게 순서대로 이동하고 단기간 내에 반복 주사하지 않음. 〈상호작용〉 1) Insulin의 효과 증가: Alcohol, MAOI, salicylates, α-blocker, β-blocker, tetracycline, anabolic steroids 2) Insulin의 효과 감소 : 부신피질 호르몬제, diltiazem, dobutamine, epinephrine, niacin, 경구용 피임제, thiazide 이뇨제, 갑상선 호르몬, 흡연 〈취급상 주의〉 1) 냉장보관, 빛을 피해서 보관 2) 개봉 후 : 30℃ 이하보관
Insulin lispro : **Insulin lispro** **protamine(50:50)** Humalog Mix 50 quick pen 휴마로그믹스50퀵펜주 …300IU/3ml/pen	1) 식사 직전 또는 식전 15분이내 SC (IV 금지), 필요시 식후 즉시 투여 가능 *신기능에 따른 용량조절 참고 - 용량조절 정보 없음 (Insulin Regular 참고시) ① CrCl 10~50mL/min : 상용량의 75% 투여 ② CrCl〈10mL/min : 상용량의 25~50% 투여	1) 초속효성 인슐린 Insulin lispro과 중간형 인슐린 Insulin lispro protamine(=NPL)이 1:1로 혼합된 인슐린 2) ① Insulin lispro : insulin B-chain의 28번 lysine과 29번 proline을 상호 치환시켜, 작용발현이 빠르고 지속시간이 짧은 초속효성 인슐린 ② Protamine : insulin lispro에 결합하여 작용 시간을 연장시키는 결합제 3) Onset : 5~15mins Tmax : 0.5~1.5hrs, 4~10hrs, Duration : 12~18hrs	- 저혈당 : 탈력감, 공복감, 발진, 창백, 심계항진, 진전, 두통, 지각이상, 경련, 혼수, 사망 - 과민증 : 혈압강하, 혈관 신경성 부종, 두드러기, 아나필락시스성 쇽 - 치료개시 초기에 신경통	〈금기〉 1) 저혈당 환자 〈주의〉 1) 심한 간 · 심 · 신기능장애환자 2) 심한 감염증의 환자 3) 심한 허약상태의 환자 4) 뇌하수체 기능부전, 부신기능 부전 환자 5) 인슐린 수요의 변동이 심한 환자(수술, 외상 등의 환자) 6) 임신부 : Category B

약품명 및 함량	용법	약리작용 및 효능	부작용	주의 및 금기
	③ HD, PD 시행시 인슐린 제거 안되므로 추가용량 불필요		- 주사부위 발적, 종창, 경결, 소양증, 동일부위 반복주사는 피하지방의 위축 또는 비후유발 - 일과성의 전신부종, 눈의 굴절 이상	7) 피하주사시 복부, 상완, 둔부, 대퇴 등 광범위하게 순서대로 이동하고 단기간 내에 반복 주사하지 않음. 〈상호작용〉 1) Insulin의 효과 증가: Alcohol, MAOI, salicylates, α-blocker, β-blocker, tetracycline, anabolic steroids, 2) Insulin의 효과 감소 : 부신피질 호르몬제, diltiazem, dobutamine, epinephrine, niacin, 경구용 피임제, thiazide 이뇨제, 갑상선 호르몬, 흡연 〈취급상 주의〉 1) 사용 직전 손에서 굴려 재현탁하여 사용 2) 냉장보관, 직사광선 피함. 3) 개봉 후 : 30℃ 이하보관

약품명 및 함량	용법	약리작용 및 효능	부작용	주의 및 금기
Mitiglinide calcium Glufast tab 글루패스트정 …10mg/T	1) 1Ⓣ tid 식사 직전 투여	1) Meglitinide 계열의 혈당강하제 2) 췌장 베타세포의 ATP sensitive K^+ 채널을 선택적으로 차단해 세포막의 탈분극 유도, Ca^{2+} 유입, insulin 분비 촉진 3) 적응증 : 인슐린 비의존성(제 2형) 당뇨병에 대한 식후혈당 추이의 개선 4) Onset : 〈15mins Tmax : 0.23~0.28hr Duration : 4hrs $T_{\frac{1}{2}}$: 1.19~1.24hrs	- 저혈당(5.6%) - 심근경색(0.1%) - 복부팽만(1.4%), 변비(1.1%), 설사(1.1%), 공복감(1.1%) - 두통(1.1%)	〈금기〉 1) 중증 케토시스, 당뇨병성 혼수 또는 전 혼수 2) 인슐린의존형(제1형) 당뇨병 환자 3) 중증감염증, 수술전후 중증 화상 환자 4) 임신부 〈주의〉 1) 간기능 부전 2) 신기능 부전 3) 허혈성 심질환 4) 뇌하수체 기능 부전, 부신 기능 부전 5) 설사, 구토 등의 위장장애 환자 6) 영양 불량 상태, 기아 상태, 식사 섭취량의 부족, 쇠약상태 7) 격렬한 근육 연동 8) 과도한 알코올 섭취자 9) 고령자

약품명 및 함량	용법	약리작용 및 효능	부작용	주의 및 금기
Nateglinide Fastic tab 파스틱정 …30mg/T …90mg/T …120mg/T	1) 90mg tid (효과가 불충분한 경우 120 mg까지 증량 가능함.) 2) 식사 직전에 복용	1) Phenylalanine 유도체의 meglitinide계열 경구용 혈당강하제로서, Insulin 분비를 자극하여 혈당을 낮춤. 2) 인슐린 비의존형 당뇨병에 의한 식후 혈당의 개선에 2차 약제로 사용(운동 · 식사 요법으로 효과가 없거나 α-glucosidase 저해제 또는 metformin 병용으로 충분한 효과를 얻지 못하는 경우) 3) BA : 73% Onset : 20mins Tmax : 1hr Duration : 4hrs 단백 결합율 : 98% 대사 : 간(CYP2C9 70%, CYP3A4 30%) $T\frac{1}{2}$: 1.5hrs 배설 : 대부분 신장, 대변(10%)	1) 1~10% - 어지러움 - 저혈당, 뇨산 증가 - 체중 증가 - 관절병증 - 상기도 감염 - 감기 유사 증상	〈금기〉 1) 중증 ketosis, 당뇨병성 혼수 환자 2) 소아, 수유부: 안전성 미확립 〈주의〉 1) 간 · 신장애 환자 2) 허혈성 심질환이 있는 환자 3) Sulfonylureas와 병용하지 않음 (상승 · 상가의 효과 및 안전성이 확인되지 않음). 4) 임신부: Category C
Repaglinide Repanorm tab 레파놈정 …0.5mg/T Novonorm tab 노보놈정 …1mg/T …2mg/T	1) 다음 용량을 식전 10~15분에 초회량으로 복용(Max. 16mg/D) ① 기존에 경구용 혈당강하제를 복용하지 않은 환자 : 0.5mg ② 기존에 타 경구용 혈당강하제 복용 환자 : 1mg *신기능에 따른 용량조절 참고 ① CrCl 40~20ml/min : 초회 0.5mg, 음식과 함께 복용 ② CrCl 〈20ml/min 및 HD : 용량 조절 정보없음	1) Meglitide계열의 경구용 혈당 강하제로 췌장 β-cell의 ATP-감응성 K^+ channel 차단에 의해 인슐린 분비를 증가시킴. 2) 식간이나 야간의 인슐린 분비는 유도하지 않으며, 식사에 맞춰 복용함으로써 식사후 혈당조절(prandial glucose regulation:PGR)에 효과적임. 3) Onset : 〈15~60mins Tmax : 〈1hr 대사 : 간 $T\frac{1}{2}$: 〈1hr 배설 : 대변(~90%)	1) 〉10% -두통(9~11%) -저혈당(16~31%) 2) 1-10% -흉통(2~3%) -변비(2~3%), 설사(4~5%), 흉부 작열감(2~4%), 오심(3~5%), 구토(2~3%) -요로감염(2~3%) -근육통(3~6%), 저배통(5~6%), 마비(2~3%) -알레르기(1~2%) -상기도감염(10~16%), 부비동염(3~6%), 비염(3~7%), 기관지염(2~6%)	〈금기〉 1) 제1형 당뇨병 환자, C-peptide 음성 환자 2) 당뇨병성 케톤산증 환자 3) 수유부 및 12세 미만 소아 : 안전성 미확립 4) 중증의 신장애 또는 간장애 환자 5) CYP3A4 유도제나 저해제인 약물과의 병용 치료 〈주의〉 1) 임신부 : Category C 〈상호작용〉 1) 본 약물의 혈당강하 작용 증가 : MAOI, NSAIDs, ACEI, β-blocker, salicylates, octreotide, alcohol, 동화 스테로이드제 2) 본 약물의 혈당강하 작용 감소 : 경구용 피임제, thiazide계 이뇨제, danazol, corticosteroids, 갑상선 호르몬제, 교감신경 흥분제

약품명 및 함량	용법	약리작용 및 효능	부작용	주의 및 금기
Dapagliflozin Forxiga tab 포시가정 …10mg/T	1) 10mg qd, 식사와 관계없이 복용 2) 신장애 환자 ① CrCl≥60mL/min : 용량조절 불필요 ② 30≤CrCl<60ml/min : 사용이 권장되지 않음 ③ CrCl<30ml/min, ESRD : 투여금기 3) 고령자(≥75세) : 투여 권장되지 않음.	1) SGLT2(Sodium-glucose co-transporter) inhibitor, 경구용 혈당강하제 2) SGLT2를 억제하여, 신장에서 선택적으로 포도당 재흡수를 감소시켜 소변으로 배설을 촉진하여 혈당을 낮춤.(1일 포도당 약 70g 배출), 체중감소 및 약간의 이뇨작용 (SBP감소) 발생함. * SGLT(나트륨-포도당 공수송체)2 : 막단백질의 일종으로, 신장에서 선택적으로 발현되어 사구체 여과액으로부터 포도당재흡수를 담당함. 3) 적응증 : 제 2형 당뇨병 환자의 혈당조절에 식사요법 및 운동요법의 보조제 ① 단독요법 ② 병용요법 - metformin 또는 sulfonylurea단독요법으로 충분한 혈당조절을 할 수 없는 경우 - 인슐린(단독 혹은 metformin병용)요법으로 충분한 혈당조절을 할 수 없는 경우 - DPP-4 inhibitor인 sitagliptin(단독 혹은 metformin 병용)요법으로 충분한 혈당조절을 할 수 없는 경우 4) Tmax : 2hrs $T\frac{1}{2}$: 12.9hrs 대사 : 간(UGT1A9) 배설 : 신장(75%), 대변(21%)	1) 1~10% - 경미한 저혈당(인슐린 또는 다른 경구용혈당강하제 병용요법; 40~43%), 이상지질혈증(2~3%), 체액량감소(탈수, 저혈량증, 기립성저혈압, 저혈압 포함; 1%) - 오심(3%), 변비(2%) - 외음부 질염(7~8%), 남성 생식기 감염(3%), 요로감염(4~6%), 소변량증가(3~4%), 배뇨통(2%) - 헤마토크릿 상승(1%) - 인플루엔자(2~3%) - 등 통증(3~4%), 팔다리 통증(2%) - 비인두염(6~7%)	〈금기〉 1) 제 1형 당뇨병 또는 당뇨병성 케톤산증 환자 2) 유당 불내성 환자 3) 임부 : category C 〈주의〉 1) 수유부 및 소아 : 안전성 미확립 2) 신장애 환자 3) 심부전 〈상호작용〉 1) 이뇨제(thiazide, loop제) : 이뇨작용 증가 2) 인슐린 및 인슐린분비촉진제 : 저혈당 위험 증가

약품명 및 함량	용법	약리작용 및 효능	부작용	주의 및 금기
Gliclazide Diamicron tab 디아미크롱정	* 일반정제(80mg/T) 1) 40~80mg #1~2로 시작 (Max. 320mg #2)	1) Sulfonylurea 유도체 2) β-cell에 작용하여 인슐린 분비를 증가시킴. 3) 말초조직의 insulin에 대한 감수성증가. 4) Non-insulin 의존성, 비 keton성 당뇨증에 사용함.	- 과량투여시 저혈당 - 용량 의존적으로 오심, 구토, 속쓰림,	〈금기〉 1) 제1형 당뇨병환자 2) 중증의 불안정성 당뇨 3) Acidosis, ketosis, 당뇨병성 혼수, 발열, 대수술,

약품명 및 함량	용법	약리작용 및 효능	부작용	주의 및 금기
…80mg/T Diamicron MR tab 디아미크롱서방정 …30mg/T …60mg/T	* MR정(30mg, 60mg/T) 1) 초기 용량 : 30mg qd 2) 혈당 조절이 안되는 경우 1개월 간격으로 60~120mg qd 로 증량함. (Max. 120mg/D) * 대응 용량 1) 일반정제 80mg ≒ MR정(서방정) 30mg	5) $T_{\frac{1}{2}}$: 10~12hrs Duration : 24hrs(MR정) 대사 : 간 배설 : 신장 6) MR정 : 고분자 섬유소 내에 약성분이 충진되어 있는 형태로 체내에서 겔상으로 변화하여 서서히 약효 성분을 방출하도록 고안된 서방형 제제(지속시간 : 24hrs)	식욕부진, 변비, 설사, 금속성맛, 두통, 어지러움, 피곤함, 이명 등 – 알러지 반응으로 피부발진, 백혈구 감소증, 담즙정체성 황달, 재생불량성 빈혈, 무과립구증 등 – 급성 porphyria는 악화됨. – SIADH 유발가능(수분저류, 저나트륨혈증, 혼돈, 오심, 어지러움 등)	중증 감염, 심한 화상, 외상 등의 합병증이 있는 당뇨병 4) 심한 간장, 신장, 갑상선, 부신 기능 장애환자 〈주의〉 1) 소아 : 안전성 미확립 2) 알콜과 식사감량은 저혈당 →ketosis→혼수→사망 3) 임신부 : Category C(호주) 〈상호작용〉 1) NSAIDs류 및 aspirin류, coumarin계, probenecid는 저혈당 작용을 강화시킴. 2) Rifampin 및 thiazide류는 저혈당 작용을 약화시킴. 3) Phenobarbital류 약리작용이 연장됨. 4) β-blocker는 저혈당 증세를 masking함. 5) 경구피임제, steroid에 의해 효과가 감소됨. 〈취급상 주의〉 1) MR정 : 분할, 분쇄 금함(서방성 상실).
Glimepiride Glimel tab 글리멜정 …1mg/T …2mg/T …4mg/T Diaryl tab 디아릴정 …3mg/T	1) 초기 : 1회 1mg qd 2) 1~2주 간격으로 용량 증량하여 8mg 까지 증량 가능(식전에 씹지 않고 삼킴.) *신기능에 따른 용량조절 참고 – 신기능 장애시 초기용량 1mg qd 투여, 이후 혈당에 따라 용량 조절	1) Sulfonylurea계 경구용 혈당강하제 2) 췌장 β-cell에서 insulin 유리를 촉진시켜 혈당강하작용을 나타냄. 3) 적응증 : 제 2형 당뇨병 환자의 혈당조절을 향상시키기 위해 식사요법 및 운동요법의 보조제 4) Tmax : 2~3hrs	1) 1~10% – 두통, 어지러움 – 오심	〈금기〉 1) 제1형 당뇨병환자 2) 이 제제 또는 sulfonylurea계에 과민한 환자 3) 중증 간장애 환자 또는 혈액 투석 환자에게 사용 경험 없음. 〈주의〉 1) 저혈당의 위험성이 높은 환자 2) 수유부 : 안전성 미확립 3) 임신부 : Category C 〈상호작용〉 1) 병용시 혈당강하 작용 증가 : 경구용 혈당강하제, ACE inhibitor, allopurinol, steroids 2) 병용시 혈당강하작용 감소 : acetazolamide, barbiturates, 이뇨제 3) β차단제 : 내당능 저하 4) Alcohol, warfarin : 이 제제의 약효 증가 또는 감소

약품명 및 함량	용법	약리작용 및 효능	부작용	주의 및 금기
Gliquidone Glurenorm tab 글루레노름정 …30mg/T	1) 초기치료 : 아침식사시 15mg 복용함. 2) 상용량 : 45~60mg을 2~3회로 나누어 식사시 복용함. (Max. 60mg/dose, 120mg/D)	1) Sulfonylurea 유도체 2) β-cell에 작용하여 인슐린 분비를 증가시킴. 3) 적응증 : 제 2형 당뇨병 4) Onset : 1hr Tmax : 2~3hrs Duration : 5~7hrs 대사 : 간 배설 : 신장(5%) $T\frac{1}{2}$: 1.3~1.5hrs 5) 신기능 저하시나 노인 환자에게도 사용가능 6) 이 약 30mg ≒ tolbutamide 1,000mg	- 과량투여시 저혈당증 - 용량 의존적으로 오심, 구토, 속쓰림, 식욕부진, 변비, 설사, 금속성맛, 두통, 어지러움, 피곤함, 이명 등 - 알러지 반응으로 피부발진, 백혈구 감소증, 담즙정체성 황달, 재생불량성 빈혈, 무과립구증 등 - 급성 porphyria는 악화됨. - SIADH 유발가능 (수분저류, 저나트륨혈증, 혼돈, 오심, 어지러움 등)	〈금기〉 1) 제1형 당뇨병환자 2) 중증의 불안정성 당뇨 3) Acidosis, ketosis, 당뇨병성 혼수, 발열, 대수술, 중증감염, 심한 화상, 외상 등의 합병증이 있는 당뇨병 4) 임신부 : 안전성 미확립 5) 수유부 : 안전성 미확립 6) 심한 간장, 신장, 갑상선, 부신기능장애 환자 〈주의〉 1) 저혈당의 위험성이 높은 환자 〈상호작용〉 1) NSAIDs류 및 aspirin류, coumarin계, probenecid는 저혈당 작용을 강화시킴. 2) Rifampin 및 thiazide류는 저혈당 작용을 약화시킴. 3) Phenobarbital류 약리작용이 연장됨. 4) β-blocker는 저혈당증세를 masking함. 5) 경구피임제, steroid에 의해 효과가 감소됨.

약품명 및 함량	용법	약리작용 및 효능	부작용	주의 및 금기
Lobeglitazone sulfate Duvie tab 듀비에정 …0.5mg/T	1) 단독요법 또는 metformin과 병용요법 : 0.5mg qd, 식사와 관계없이 투여	1) 인슐린 의존적인 thiazolidinedione계 2형 당뇨병 치료제 2) 말초와 간에서 인슐린 저항성을 개선하여 인슐린 의존성 혈당 배출이 증가하고 간에서 당 배출량이 감소됨 3) 제 2형 당뇨병 환자의 혈당 조절 4) Tmax : 1hrs $T\frac{1}{2}$: 7.8hrs 대사 : CYP3A4, 2C19, 2D6 배설 : 담즙 · 대변(major), 신장(소량)	1) 1% 이상 - 부종, 두통, 가슴통증, 체중 증가 - 치아질환, 변비, 설사, 가슴쓰림 - 감기, 상기도감염, 기침 - 고혈당증, 크레아틴인산활성효소증가, 갈증	〈금기〉 1) 중증의 심부전환자, 심부전 병력 환자(NYHA분류 3, 4) (∵체액 저류로 인한 심부전증 유발 및 악화) 2) 간장애 환자(활동성 간질환, AST · ALT 정상 상한치 2.5배 이상) 3) 중증 신장애 환자 4) 제1형 당뇨병 환자, 당뇨병성 케톤산증 환자, 당뇨병성 혼수 5) 수술 전후, 중증 감염, 중증 외상환자 6) 유당 관련 대사 장애 환자

약품명 및 함량	용법	약리작용 및 효능	부작용	주의 및 금기
			- 가려움증, 근육통, 관절통 - 혈뇨 - AST/ALT상승, 지방간 - 어지러움, 감각이상, 시각이상 - 고혈압, 빈혈	〈주의〉 1) 폐경 전 여성(∵배란 재개로 임신 위험 증가) 2) 부종, NYHA분류 1, 2 울혈성 심부전환자, 경증~중등도 신장애 환자 3) 임신부, 소아 : 안전성 미확립 4) 수유부 : 동물에서 유즙으로 분비 〈상호작용〉 1) Ketoconazole(CYP3A4 저해제)과 병용 : 이 약의 AUC를 33% 증가
Pioglitazone Glezone tab 글레존정 …15mg/T Actos tab 액토스정 …30mg/T	1) 15mg qd 2) 단독요법 : 1일 1회 15mg으로 시작하며 1일 30mg까지 증량함. 3) 병용요법 - sulfonylurea, metformin 병용 : 15mg qd - 인슐린 : 15mg qd	1) 인슐린에 의존적인 thiazolidinedione계 항당뇨병 약물 2) 말초와 간에서 인슐린 저항성을 저하시킴으로써 인슐린 의존성 혈당 배출이 증가하고 간에서 당 배출량이 감소됨. 3) 제 2형 당뇨병 환자의 혈당 조절 4) Tmax : 2hrs $T_{\frac{1}{2}}$: 16~24hrs 배설 : 대부분 담즙, 대변 배설, 신장(15~30%)	1) 〉10% - 부종 - 저혈당 - 상기도감염 2) 1~10% - 심부전 - 두통 - 골절, 근육통 - 부비동염, 인두염	〈금기〉 1) 중증의 심부전환자, 심부전 병력환자(NYHA분류 3, 4) (∵체액 저류로 인한 심부전증 유발 및 악화) 2) 활동성 방광암, 방광염 병력, 육안적 혈뇨 환자 3) 간, 신장애 환자 4) 제1형 당뇨병 환자나 당뇨병성 케톤증 환자 5) 수술 전후, 중증 감염, 중증 외상환자 6) 임신부 : Category C 〈주의〉 1) 저혈당증 위험 : 병용약물의 투여량 감량 필요. 2) 배란 재개로 임신 위험. 3) 혈당 조절과 치료 반응을 모니터하기 위해 정기적으로 FBG 및 HbA1c 측정. 4) 투약전에 간효소 모니터링이 권장되며, 그 후에는 정기적으로 혈당, 포도당, 헤모글로빈, 간기능 혈액검사 실시 5) 수유부 : 동물실험에서 유즙 분비 6) 18세 미만 소아 : 안전성 미확립 7) 폐경전 여성, 부종 있는 환자 8) 뇌하수체기능부전, 부신기능부전 9) 고령자 〈상호작용〉 1) 경구피임제 복용하는 환자들은 피임에 대한 추가적인 경계 필요

약품명 및 함량	용법	약리작용 및 효능	부작용	주의 및 금기
				2) CYP450의 isoform인 CYP3A4가 부분적으로 이 약의 대사를 초래함. 3) CYP2C8 저해제(gemfibrozil 등) : 이 약의 노출(AUC), 반감기 증가 4) CYP2C8 유도제(rifampin 등) : 이 약의 노출(AUC) 감소

약품명 및 함량	용법	약리작용 및 효능	부작용	주의 및 금기
Glibenclamide+ Metformin HCl **Glucovance tab** 글루코반스정 ···2.5+500mg/T ···5+500mg/T	1) 초기량: 500+2.5mg qd, 식사와 함께(식사 직후) 2) 유지, 전환용량 : 1,000+5mg/D 식사과 함께(식사 직후) (Max. 2,000+20mg/D) *신기능에 따른 용량조절 참고 〈Metformin〉 – 신장애시 또는 Scr(mg/dL) ≥ 1.5(males), ≥1.4(females) : 투여 금기	1) Biguanide계 혈당강하제인 metformin과 2세대 sulfonylurea계 혈당강하제인 glibenclamide의 복합제 2) Glibenclamide의 미세화된 입자가 metformin 매트릭스 내에 균일하게 분포된 형태의 필름코팅정 3) Metformin은 간의 glucose 신생 및 장의 glucose 흡수를 저해하고, glucolysis를 촉진시키며, glibenclamide는 췌장의 β-cell에 작용하여 인슐린 분비를 증가시키며 말초 조직의 인슐린에 대한 감수성을 증가시킴. 4) 적응증 : Type II DM – 식이요법, 운동요법, 이전의 metformin 또는 sulfonylurea 단독요법으로 효과가 불충분한 경우 2차 요법 – 혈당이 안정적이고 잘 조절된 환자에서 이전의 metformin과 sulfonylurea 병용요법 대체	1) 〉10% – 저혈당 – 설사 – 상기도 감염 2) 1~10% – 유산산증 – 오심, 구토 – 복통 – 두통, 어지러움	〈금기〉 1) 급성 또는 만성 대사성 산증, 당뇨병성 케톤산증, CHF 2) 신 질환자 (Scr 1.5 mg/dL 이상(male); 1.4mg/dL 이상(female)) 〈주의〉 1) 부신 또는 뇌하수체 기능부전, 노인, 허약자, 영양결핍자, 알콜 중독자 (∵hypoglycemia 위험) 2) Shock, 급성 CHF, 급성 심근경색으로 인한 저산소증, 폐질환, 말초혈관질환 (∵lactic acidosis 위험) 3) 간, 신질환 (∵hypoglycemia 또는 lactic acidosis 위험) 4) 감염, 발열, 외상, 수술 등으로 인한 스트레스 환자 (∵hypoglycemia 위험) 5) 임신부: Category B (glibenclamide, metformin)
Glimepiride+ Metformin HCl **Amaryl-M tab** 아마릴엠정 ···1+250mg/T	1) 식사 직전 또는 식사와 함께 1일 1~2회 복용 2) 통상 저용량으로 개시하여 혈당에 따라 점차 증량 3) 병용요법의 대체로 사용시 현재 복용중인 각각의 용법-용량에 근거하여 투여	1) 2세대 Sulfonylurea계 혈당강하제 glimepiride와 biguanide계 당뇨조절제 metformin의 복합제 2) 적응증 : Type 2 당뇨병 환자에서 식이요법 및 운동요법과 병행하여 – glimepiride 또는 metformin 단독으로 혈당조절 효과가 불충분한 경우	* Glimepiride 1) 1~10% – 현기증, 두통, 쇠약 – 저혈당 – 오심 * Metformin	〈금기〉 1) Type 1 당뇨병, 당뇨병성 케톤혈증, 당뇨병성 혼수, 대사성산증 환자 2) 중증 간기능, 신기능 환자 (사용경험 없음.) 3) 유산증 위험 큰 환자 4) 수유부 : 안전성 미확립 5) 방사선 요오드조영제 투여 검사(∵유산산증 위험 증가)

약품명 및 함량	용법	약리작용 및 효능	부작용	주의 및 금기
…1+500mg/T …2+500mg/T	4) Max. 8+2,000mg/D *신기능에 따른 용량조절 참고 〈Metformin〉 – 신장애시 또는 Scr(mg/dL) ≥ 1.5(males), ≥1.4(females) : 투여금기	– 위 두 약제의 병용요법의 대체	1) 〉10% – 설사, 오심/구토, 고창 – 쇠약 2) 1~10% – 흉부 불쾌감, 홍조, 심계항진 – 두통, 오한, 현기증, lightheadedness – 발진 – 저혈당 – 소화불량, 복부 불쾌감, 변의 이상, 변비, 맛감각 이상 – 근육통 – 상기도감염 – 비타민 B12 농도 감소, 발한 증가, 독감 유사증상, 손톱 이상	〈주의〉 1) 저혈당 주의깊게 모니터링 필요 4) 임신부 : Category B (Metformin) Category C (Glimepiride)
Sitagliptin phosphate+ Metformin HCl **Janumet tab** 자누메트정 …50+500mg/T …50+850mg/T …50+1,000mg/T	1) 초기 용량 : 50/500 bid(식사와 함께 복용) 2) Metformin 단독요법으로 혈당조절이 불충분한 경우 : sitagliptin 100mg/D + metformin 기존 용량 3) Sitagliptin 단독요법으로 혈당조절이 불충분한 경우 : 50/500mg bid 복용(50/1,000mg bid까지 증량 가능) 4) Max. 100mg+2g/D *신기능에 따른 용량조절 참고 〈Metformin〉 – 신장애시 또는 Scr(mg/dL) ≥ 1.5(males), ≥1.4(females) : 투여금기	1) Dipeptidyl Peptidase 4(DPP-4) inhibitor 계열 경구용 혈당강하제 Sitagliptin과 Biguanide 계열 약제인 Metformin의 복합제 2) 적응증 : 인슐린 비의존성(제2형) 당뇨 환자의 식사 및 운동요법의 보조제 ① 초기 요법 ② metformin, sitagliptin 단독요법으로 혈당조절 불충분, 병용요법 대체 ③ 이 약으로 혈당 조절 불충분시 sulfonylurea와 병용	1) 1~10% – 복통, 설사, 구역, 구토 – 무력증(〉5%) – 두통(〉5%) – 비인두염(〉5%) – 저혈당, 비타민 B12 감소 2) 빈도 미확립 – Stevens-Johnson syndrome, 박탈성 피부염 – 유산산증 – 아나필락시스, 과민반응	〈금기〉 1) 방사선 요오드 조영제 투여 검사(유산 산증 위험 증가) 2) 제1형 당뇨병, 당뇨병케톤산증, 대사성산증 3) 심근경색, 심혈관계 쇼크, 패혈증 등에 의한 신기능 이상을 포함하는 신장애 4) 수유부 : 안전성 미확립 5) 소아 : 안전성 미확립 〈주의〉 1) 췌장염, 울혈성심부전, 탈수, 패혈증 2) 부신, 뇌하수체기능부전 3) 알코올 섭취, 간질환 환자 4) 칼슘, 비타민 B12 결핍 5) 영양불량, 쇠약, 고령 환자, 저산소증,수술 6) 임신부 : Category B

약품명 및 함량	용법	약리작용 및 효능	부작용	주의 및 금기
			- 횡문근융해증 - 급성 신부전 - 혈관부종	〈상호작용〉 1) 혈당강하 작용 증강 : cimetidine, salicylic acid, β-blocker, MAO inhibitor, ACE inhibitor 등 2) 혈당강하 작용 감소 : 비충혈제거제, CCB, corticosteroid, estrogen, 이뇨제, 갑상선호르몬, isoniazid, phenothiazine, phenytoin 등 3) Quinolone계 항균제와 병용시 항당뇨약의 부작용 증가 4) 양이온성 약물(digoxin, vancomycin등)과 상호작용 있음(신세뇨관 이동에서 경쟁).
Vildagliptin+ Metformin HCl **Galvusmet tab** 가브스메트정 …50+850mg/T …50+1,000mg/T	1) 초기 용량 : 50+850mg or 50+1,000 mg bid 식사와 함께 또는 식후즉시 투여(Max. 100+2,000mg/D) 2) Metformin 단독요법으로 혈당조절이 불충분한 경우 : vildagliptin 100mg/D + metformin 기존용량 3) Vildagliptin과 metformin의 병용요법에서 이 약으로 전환하는 경우 : 두 성분의 기존 투여용량으로 시작 4) Sulfonylurea 또는 insulin 병용요법 : vildagliptin 50mg bid + metformin 기존용량과 유사하게 투여, sulfonylurea 병용시는 sulfonylurea의 용량 감소가 필요할 수도 있음 *신기능에 따른 용량조절 참고 〈Metformin〉 - 신장애시 또는 Scr(mg/dL) ≥ 1.5(males), ≥1.4(females) : 투여금기	1) DPP-4(Dipeptidyl peptidase-4) inhibitor와 biguanide계의 복합 당뇨약 2) 적응증: Type 2 당뇨환자의 혈당조절을 위해 식사요법 및 운동요법의 보조제로 투여 - 메트포르민 단독으로 충분한 혈당조절 할 수 없는 경우 - 빌다글립틴과 메트포르민의 병용요법의 대체 - 메트포르민 및 설포닐우레아의 병용요법으로 혈당조절 어려운 경우 설포닐우레아와 이 약의 병용투여 - 인슐린과 이 약의 병용투여	*Vildagliptin 1) 1~10% - 저혈압, 말초부종 - 저혈당 - 현기증, 두통 - 비인두염, 상기도감염 *Metformin 1) 〉10% - 설사, 오심/구토, 고창 - 쇠약 2) 1~10% - 흉부 불쾌감, 홍조, 심계항진 - 두통, 오한, 현기증, 어지러움 - 발진 - 저혈당 - 소화불량, 복부 불쾌감, 변의 이상, 변비, 미각 이상 - 근육통	〈금기〉 1) 울혈성 심부전 환자 2) 방사선 요오드 조영제 투여 검사(유산 산증 위험 증가) 3) 심근경색, 심혈관계 쇼크, 패혈증 등에 의한 신기능 이상을 포함하는 신장애 4) 제 1형 당뇨병, 당뇨병 케톤산증, 대사성 산증 환자 5) 중증 감염증, 중증 외상성 전신장애 6) 영양불량, 기아, 쇠약상태, 뇌하수체기능부전, 부신기능부전 환자 7) 간기능 장애, 폐경색, 중증의 폐기능장애 환자 및 저산소혈증을 수반하기 쉬운 상태, 과도한 알코올 섭취자, 위장장애 환자 8) 임신부, 수유부, 18세미만 소아: 안전성 미확립 〈주의〉 1) 불규칙한 식사, 식사 섭취량 부족 및 수술, 격렬한 근육운동시 유산산증 및 저혈당 가능성 있음. 2) 신기능이나 metformin의 분포에 영향을 미칠 수 있는 약물과 병용 3) 피부이상(수포 및 궤양 등의 피부병변) 관찰 4) 비타민 B12 결핍 〈상호작용〉 1) Vildagliptin : CYP450의 기질이 아니므로 이 효소의 저해 또는 유도제와 상호작용 없음.

약품명 및 함량	용법	약리작용 및 효능	부작용	주의 및 금기
			- 상기도감염 - 비타민 B12 농도감소, 발한 증가, 독감 유사증상, 손톱 이상	2) Metformin : 공복 또는 영양실조, 간기능 저하인 환경에서 급성 알코올 중독기, 요오드 표지 조영제 투여는 metformin의 유산산증 위험성 증가시킴.
Voglibose+ Metformin HCl **Vogmet tab** 보그메트정 …0.2mg+250mg/T …0.2mg+500mg/T	1) 초기 : 0.2mg/250mg tid, 식사직전 투여 2) 0.2mg/500mg tid로 증량 가능	1) α-glucosidase inhibitor(voglibose)와 biguanide계(metformin) 복합 당뇨약 2) Voglibose가 metformin(imediate release(IR))을 둘러싸고 있는 형태의 다층정 3) 적응증 : 이전 당뇨병 약물치료를 받은 경험이 없으며 단독요법으로 충분한 혈당조절이 어려운 제2형 당뇨병 4) $T_{\frac{1}{2}}$: 약 4.1hrs	1) > 10% - 비인두염 - 소화불량, 설사 2) 1~10% - 오심, 식욕감소, 변비, 상복부 통증 - 두통, 어지러움 - 저혈당	〈금기〉 1) 심혈관계 쇼크, 급성 심근경색, 패혈증 등으로부터 야기될 수 있는 신기능부전(남성 SCr 1.5mg/dL, 여성 1.4mg/dL 이상일 경우) 2) 울혈성 심부전 환자 3) 방사선 요오드 조영제 투여 검사 (metformin함유 : 유산산증 위험증가) 4) 제1형 당뇨병, 급만성 대사성산증, 케톤산증 병력이 있는 환자 5) 중증감염증 및 중증 외상성 전신장애 환자에서 일시 투여 중단 6) 영양불량, 기아, 쇠약 상태 및 뇌하수체기능부전, 부신기능부전, 간기능장애, 중증 폐기능장애, 과도한 알코올 섭취자, 탈수증, 위장장애 환자 7) 임신부, 가임기 여성 8) 수유부 : 동물실험에서 태아의 체중증가 억제 〈주의〉 1) 불규칙한 식사, 식사 섭취량 부족 2) 격렬한 근육운동 3) 소화 및 흡수 장애 수반한 만성 장질환 환자, 장내 가스의 발생 증가에 의해 증상 악화되는 환자(개복수술, 장폐색 병력, 로엠헬드증후군, 중증 헤르니아, 대장의 협착, 궤양 등) 4) 중증의 간, 신장애 환자 5) 고령자 : 신기능 모니터링 권고 6) 소아 : 안전성 미확립

약품명 및 함량	용법	약리작용 및 효능	부작용	주의 및 금기
Desmopressin acetate Minirin inj 미니린주사 …4mcg/1ml/A	1) 중추성요붕증 : 1일 2-4mcg를 2회 분할하여 IV 2) A형혈우병, 폰 빌레브란드병: 0.3-0.4mcg/kg를 NS로 희석하여 15-30분간 IV inf, 수술 개시 30분 전 투여 3) 신장 농축능력 측정: (성인) 4mcg, (1세이상 소아) 1-2mcg, (1세미만 영아) 0.4mcg를 SC, IM	1) 항이뇨호르몬인 vasopressin의 합성 유도체 2) Vasopressin-2 receptor에 대한 선택적 작용에 의한 항이뇨효과 3) Factor Ⅷ 유리시켜 지혈작용 4) 적응증 : 중추성 요붕증, A형혈우병, 폰 빌레브란드병(Type I)의 수술 전 출혈 예방제, 신장의 농축능력의 측정	- 혈압변화, 안면홍조, 두통 - 발진, 저나트륨혈증, 복통 - 주사부위 반응	〈금기〉 1) B형혈우병환자 2) 제8인자 응고활성도치가 5%이하인 A형 혈우병환자 3) 불안정한 협심증 환자, 대상기능장애성 심부전 환자 4) 신성요붕증 환자 5) 습관성 및 심리적 번갈 다음 환자 〈주의〉 1) 고혈압을 수반하는 순환기 질환, 중증 동맥경화증, 관상동맥 혈전증 환자 2) 임신중독증 3) 뇌하수체전엽부전 환자 4) 낭성섬유증과 같이 수분 및 전해질 불균형과 관련된 질환을 가진 환자(저나트륨혈증 위험) 5) 고령자 6) 만성 신질환자 7) 임신부 : Category B 8) 투여전 1시간, 투여후 8시간 수분섭취 제한 9) 체액과다에 대한 주의 필요
Desmopressin acetate Minirin nasal spray 미니린나잘스프레이 …10mcgx50dose/5ml/EA	1) 바소프레신 감수성 요붕증, 뇌하수체 절제술 후의 다뇨 및 다음, 중추성 요붕증의 진단 및 신장 농축 능력 측정 - 성인 : 10~20mcg씩 1일 1~2회 분무 - 소아 효과에 따라 감량	1) 항이뇨호르몬인 vasopressin의 합성 유도체 2) Vasopressin-2 receptor에 대한 선택적 작용에 의한 항이뇨효과 3) 적응증 : 바소프레신 감수성 요붕증, 뇌손상 및 뇌하수체 수술로 인한 일시적 다뇨, 번갈 다음, 중추성 요붕증의 감별진단 및 신장농축능력의 측정 4) BA : 3.3~4.1% Onset : 1hr 지속시간 : 5~24hrs	1) 1~10% - 안면홍조 - 두통, 현기 - 오심, 복부경련 - 외음부 통증 - 비충혈(비강분무액)	〈금기〉 1) 습관성 및 심리적 번갈 다음 환자 2) 대상기능장애성 심부전 환자 3) 이뇨제 복용중인 환자 4) 신성 요붕증 환자 5) 비정상 혈압 환자 6) 다발성 경화증을 수반하는 야간다뇨증 또는 일차성 야뇨증의 65세 이상 환자 7) 고혈압 또는 심혈관장애 환자 〈주의〉 1) 고혈압을 수반하는 순환기 질환, 중증 동맥경화증, 관상동맥 혈전증 환자 2) 임신중독증 3) 뇌하수체전엽부전 환자

약품명 및 함량	용법	약리작용 및 효능	부작용	주의 및 금기
				4) 낭성섬유증과 같이 수분 및 전해질 불균형과 관련된 질환을 가진 환자(저나트륨혈증 위험) 5) 소아, 고령자 6) 만성 신질환자 7) 알러지성 비염 병력자 8) 비질환이 있는 환자(흡수장애) 9) 임신부 : Category B
Desmopressin acetate Minirin tab 미니린정 …0.1mg/T …0.2mg/T	1) 5세이상 : 0.2mg hs (Max. 0.4mg/D) 치료지속은 투여 3개월 후 적어도 1주일 단약 후 결정 2) 성인 : 0.1mg hs 일주일 간격으로 0.2mg → 0.4mg/D 로 증량 가능	1) 항이뇨호르몬인 vasopressin의 합성 유도체 2) Vasopressin-2 receptor에 대한 선택적 작용에 의한 항이뇨효과 3) Factor Ⅷ 유리시켜 지혈작용 4) 적응증 : 일차성 야뇨증(5세이상), 야간다뇨와 관련 있는 야간뇨증상 치료(성인) 5) 항이뇨효과 이 약 10mcg≒Vasopressin 40IU 6) 생체이용률 : 0.1% $T\frac{1}{2}$: 1.5~2.5hrs	1) 1~10% - 안면홍조 - 두통, 현기 - 오심, 복부경련 - 외음부 통증	〈금기〉 1) 습관성 및 심리적 번갈 다음 환자 2) 대상기능장애성 심부전 환자 3) 이뇨제 복용중인 환자 4) 신성 요붕증 환자 5) 비정상 혈압 환자 〈주의〉 1) 고혈압을 수반하는 순환기 질환, 중증 동맥경화증, 관상동맥 혈전증 환자 2) 임신중독증 3) 뇌하수체전엽부전 환자 4) 낭성섬유증과 같이 수분 및 전해질 불균형과 관련된 질환을 가진 환자(저나트륨혈증 위험) 5) 소아, 고령자 6) 만성 신질환자 7) 임신부 : Category B 8) 투여전 1시간, 투여후 8시간 수분섭취 제한 9) 체액과다에 대한 주의 필요
Terlipressin acetate Teripin inj 테리핀주 …1mg/V (Terlipressin으로 0.86mg)	1) 식도정맥류 출혈 - 초기량 : 1~2mg IV - 유지량 : 1mg q 4~6hrs (Max. 120mcg/kg/D) - 최대 3일간 투여 2) 제1형 간신증후군 - 3~4mg/D #3~4 - 통상 10일간 투여	1) Lypressin의 prodrug으로, 혈관 평활근을 수축시켜 지혈작용을 나타냄. 2) Vasopressin 보다 항이뇨효과가 적고 관상동맥 수축 등의 심독성 없음. 3) Plasminogen 활성화를 유도하지 않아 혈전 형성 없음. 4) 식도 정맥류 출혈, 제1형 간신증후군에 사용 5) 지속시간 : 4~6hrs	- 두통, 혈관수축으로 인한 안면 및 신체 창백, 말단 청색증 - 장운동항진, 복부경련, 조절이 불가능한 변의 - 혈압상승(특히 고혈압 환자)	〈금기〉 1) 패혈증 쇽 환자 2) 임신부 : 임신 4개월 이전 낙태 유발, 자궁의 혈액공급장애로 인한 태아 손상 위험 3) 관상동맥부전 및 심근경색의 가능성이 있는 환자 4) 중증 동맥 고혈압 환자 〈주의〉 1) 뇌혈관 및 말초혈관부전, 기관지천식 및 호흡부전,

약품명 및 함량	용법	약리작용 및 효능	부작용	주의 및 금기
	- 투여시작 3일 후에도 Scr감소 없으면 투여 중단 권고	$T\frac{1}{2}$: 55mins	- 자궁내막의 현저한 혈액공급저하 및 자궁근육의 수축 - 과량투여시 또는 폐동맥내로 주사시 심박수 30% 감소 - 기관지 수축, 두통, 심근경색	70세이상, 신부전, 진행성 동맥경화증, 간질양 경련, 심박동장애 및 심부전 환자 2) 과량투여시 clonidine, nifedipine, α-차단제를 투여하며, 서맥이 나타나는 경우 atropine 투여 〈취급상 주의〉 1) 반드시 첨부용제 사용 2) 혼합 후 냉장보관 12시간 이내에 사용함
Vasopressin Vasopressin inj 바소프레신주 …20IU/1ml/A	1) 뇌하수체성 요붕증: 2~10IU를 필요시 1일 2~3회 SC, IM 2) 요붕증의 감별: 5~10IU SC, IM 또는 0.1IU IV 후 뇨량의 감소가 현저하고 뇨의 비중이 1.010 이상으로 상승되면 vasopressin 반응성 요붕증 3) 장내가스제거: 5~10IU SC, IM 4) 식도정맥류 긴급처치: 20IU를 5DW 100~200ml에 용해하여 0.1~0.4IU/min으로 IV inf.	1) Renal tubule에 의한 수분의 재흡수를 증가시킴으로써 항이뇨작용을 나타냄. 2) 위장관 평활근과 모든 부분의 혈관, 특히 모세혈관, 소동맥, 소정맥을 수축시키는 작용이 있음. 3) 수술 후의 복부팽만의 치료와 예방에 사용함(장관운동 촉진). 4) 복부 X선 촬영시(방해가스를 제거하기 위하여) 사용함. 5) Diabetes insipidus에 사용함. 6) Portal hypertension 환자의 식도류의 출혈방지 또는 이의 외과적 수술시 사용함. 7) 적응증: 뇌하수체성 요붕증, 뇌하수체성 또는 신성요붕증의 감별진단, 장내가스제거, 식도정맥류출혈	- 혈압 상승, 부정맥, 정맥혈전, 혈관수축(고용량), 흉통, 심근경색 - 두통, 발열, 현훈 - 두드러기, 입주위 창백 - 고창, 복부경련, 오심, 구토 - 자궁수축 - 진전 - 기관지 수축 - 발한	〈금기〉 1) 관상동맥경화증 환자 2) 신속한 세포외 수분의 증가 위험이 있는 환자 (심부전, 천식, 임신중독증, 편두통, 간질) 3) 혈중 질소저류가 있는 만성신염 환자 〈주의〉 1) 동맥경화성질환, 고혈압을 수반한 순환기질환, 동맥경화에 기인하지 않는 허혈성 심질환, 비염 환자, 고령자 2) Hyponatremia 및 water intoxication(전구증상 : 두통, 오심, 구토, 혼란, 피로감)이 나타나면 서서히 감량함 (갑자기 투여 중지시 Na 급속 상승으로 CNS 장애) 3) 임신부: Category C 〈상호작용〉 1) Clofibrate, carbamazepine, acetaminophen에 의해 항이뇨작용 증강 2) Cyclophosphamide에 의해 배설 촉진 〈취급상 주의〉 1) 냉소보관

Corticosteroids

- Glucocorticoid 작용 : (1) 탄수화물, 단백질, 지방대사 작용 (2) 항염 및 항면역 작용 (3) Corticotropin 억제작용
  (4) Ca^{2+}장내흡수↓, 신장배설↑ (5) 조골세포 활성↓, 파골세포 증식 및 활성화유도
- Mineralocorticoid 작용 : (1) 염분 및 수분저류 작용 (2) K^{+}배설작용

〈용 도〉 (1) 내분비계 질환
① 1차 Adrenocortical 부족증(Addison씨 병) ② Congenital Adrenal Hyperplasia Syndromes(CAH) ③ 급성 Adrenal 부족증
(2) 비 내분비계 질환 : Glucocorticoid 작용중 특히 항염 및 항면역 작용을 이용함.
① 알러지질환 ② 조혈계질환 ③ 뇌부종 ④ 교원병 ⑤ 피부질환 ⑥ 궤양성대장염 ⑦ 과칼슘혈증 ⑧ 아급성 간괴사의 초기치료 및 만성활동성 간염 등의 간질환
⑨ Idiopathic Nephrotic Syndrome(INS) ⑩ Respiratory Distress Syndrome(RDS) ⑪ 류마티즘 ⑫ Addisonian, Septic Shock

〈부작용〉 (1) Glucocorticoid :
① 위궤양의 악화(무통성 출혈 또는 천공) ② 골다공증 ③ 당뇨병의 악화 ④ Euphoria, 불면증, 식욕증가, 신경과민, 정신병증세 ⑤ 어린이의 성장억제
⑥ Myopathy ⑦ 피부가 얇고 투명해짐 ⑧ 안압상승 ⑨ 결핵의 활성화 ⑩ 숙주방어기능(특히 박테리아 및 진균류에 대한)의 약화 ⑪ 기타
(2) Mineralocorticoid : ① 부종 ② 저칼륨혈증 ③ 고혈압

〈금 기〉 (1) 전신성 진균 감염증 (2) 정신병, 결핵, 심장 및 조혈장애, 신부전, 당뇨병환자 (3) Virus 성 감염, 결막염 및 각막질환 (4) 녹내장, 고혈압
(5) 임신부(태아 및 신생아 손상, 사산, 구순열, 수두증, 위벽파열 등) (6) 수유부(모유 중 분비로 성장억제 등 부작용 초래)

〈경 고〉 (1) 감염징조의 차단 (2) 저항력 감퇴 및 감염의 국소화 억제

〈주 의〉 (1) 적응증에 대하여 가능한 저용량, 단기간 투약해야 함. (2) 투약 중단시는 Adrenal crisis를 피하기 위하여 서서히 감량해야 함.
(3) 어린이에게 투여시 수두나 홍역 등 Virus 감염으로 심각한 합병증 유발 가능하므로 주의할 것

〈약물상호작용〉 Rifampin, Phenobarbital에 의해 대사 촉진(∴ 약효감소)

	Approximate equivalent dose(mg)	Relative antiinflammatory potency	Relative mineralocorticoid potency	Effect			Half life	
				onset	peak	duration	plasma(mins)	biologic(hrs)
short-acting								
Hydrocortisone(주사)	20	1	2	rapid	1hr	Variable	80~118	8~12
Hydrocortisone(경구)	20	1	2				80~118	8~12
Fludrocortisone(경구)		10~15	200		1.7hrs		210	18~36
intermediate-acting								
Deflazacort(경구)	6	3.5	–	–	0.5~2hrs	–	90	–
Methylprednisolone(주사)	4	5	0	slow	4~8days	2~28days	78~188	18~36
Methylprednisolone sod. succinate(주사)	4	5	0	rapid			78~188	18~36
Prednisolone(경구)	5	4	1		1~2hrs	1.25~1.5days	115~212	18~36
Prednisolone(주사)	5	4	1	slow			155~212	18~36
Methylprednisolone(경구)	4	5	0		1~2hrs	1.25~1.5hrs	78~188	18~36
Triamcinolone(경구)	4	5	0		1~2hrs	2.25days	200	18~36
Triamcinolone(주사	4	5	0	slow		7~30days	78~188	18~36
long-acting								
Dexamethasone(경구)	0.75	20~30	0		1~2hrs	2.75days	110~210	36~54
Dexamethasone(주사)	0.75	20~30	0	rapid		3~21days	110~210	36~54
Betamethasone(주사)	0.6~0.75	20~30	0	rapid	10~36mins	–	300	36~54

약품명 및 함량	용법	약리작용 및 효능	부작용	주의 및 금기
Betamethasone sodium phosphate Tamezone inj 타메존주 …4mg/1ml/A	1) IV, IM: 2~8mg q 3~6hrs 2) IV inf.: 2~10mg 1~2회/D NS, DW에 희석하여 투여 3) 관절강, 연조직 내 주사: 0.1~4mg 4) 구결막하, 구후주사: 0.4~2mg 5) 척수강내, 흉강내 주입: 1~4mg 주 1~3회 6) 연조직내: 0.4~5mg 7) 난관내: 0.4~1mg	1) 합성 corticosteroid로서 소염, 항알러지 및 항류마티스 작용이 있음. 2) 항염효과 비교 Betamethasone 0.8mg ≒cortisone 25mg ≒hydrocortisone 20mg ≒prednisone 5mg ≒dexamethasone 0.8mg 3) $T_{\frac{1}{2}}$: 6.5hrs Tmax: 10~36mins (IV)	1) 10% 이상 - 불면, 초조 - 식욕증가, 소화불량 2) 1~10% - 현기증, 두통 - 다모증, 색소침착 - 당뇨병 - 관절통 - 백내장, 녹내장 - 비출혈 - 발한	〈금기〉 1) 관절강내, 점액낭내, 건초내, 건주위에 감염증이 있는 환자 2) 관절이 불안정한 환자 3) 생백신 투여 환자 4) 단순포진, 대상포진, 수두환자 5) 유효한 항균제가 없는 감염증, 전신 진균 감염증 환자 〈주의〉 1) 소화성궤양, 정신병, 결핵질환, 단순포진성 각막염, 후방 백내장, 녹내장, 고혈압, 전해질 이상, 혈전증, MI, 골다공증, 당뇨병, 감염증, 신부전, CHF, 갑상선기능저하, 지방간, 중증 근무력증 환자 등에 신중투여 2) 임신부 : Category C 3) 소아: 용량 관련 비가역적 성장지체, 장기투여시 두개내압 항진증상, 투여부위 조직 위축 〈상호작용〉 1) Warfarin과 병용시 출혈경향 증가 2) 이뇨제와 병용시 저칼륨혈증 위험 3) Digoxin과 병용시 부정맥 위험 4) 인슐린의 혈당강하효과 감소 5) Phenytoin, phenobarbital, rifampin과 병용시 대사증가로 인한 효과 감소 6) NSAIDs와 병용시 위장관 출혈 위험 증가 7) CsA와 병용 투여시 CsA의 혈중 농도 상승
Deflazacort Prandin tab 프란딘정 …6mg/T	1) 성인: 1일 6~90mg 2) 소아: 1일 5~10mg(질환, 연령, 증상에 따라 조절)	1) Prednisolone의 methyloxazolin 유도체 2) 항염작용 : 이 약 6mg = prednisolone 5mg 3) Tmax : 0.5~2hrs $T_{\frac{1}{2}}$: 1.5hrs 단백결합률 : 25%	- 소화불량, 소화성궤양, 급성췌장염 - 고혈압, 나트륨 및 수분 저류, 부종, 심부전, 저칼륨성 알칼리증 - 근무력증, 골다공증, 대퇴골 및 상완골	〈금기〉 1) 소화성궤양 환자 2) 적절한 약물로 치료 효과가 나타나지 않는 감염, 전신 진균 감염증 환자 3) 수두, 대상포진, 단순포진, 결핵 환자 4) 헤르페스균에 의한 안질환 환자 5) 생백신 투여 환자

약품명 및 함량	용법	약리작용 및 효능	부작용	주의 및 금기
			말단의 무균성 괴사, 병리적 골절, 척추압박골절 등 - 얇고 연약한 피부, 선조, 여드름, 창상치유 지연, 타박상, 모세혈관 확장증, 피부위축, 점상 출혈 및 반상 출혈 - 두통, 어지러움, 불면, 불안, 우울증, 정신적 의존 - 쿠싱증후군, 체중증가, 다모증, 월경이상 및 무월경, 당뇨병, HPA 억제, 소아의 성장장애 - 안압항진, 녹내장, 후낭하 백내장, 2차감염	〈주의〉 1) 당뇨병, 중증 근무력증, 위염, 식도염, 중증 골다공증, 정신병, 녹내장 환자 신중투여 2) 심질환 및 CHF, 고혈압, 혈전성 경색 환자, 궤양성 대장염, 감염증, 신부전, 갑상선기능저하, 간경변 환자 3) 임신부: 안전성 미확립 4) 수유부: 모유 이행 5) 소아: 용량 관련 비가역적 성장지체, 장기투여시 두개내압 항진증상 〈상호작용〉 1) Warfarin과 병용시 출혈경향 증가 2) 이뇨제와 병용시 저칼륨혈증 위험 3) Digoxin과 병용시 부정맥 위험 4) 인슐린의 혈당강하효과 감소 5) Phenytoin, phenobarbital, rifampin과 병용시 대사증가로 인한 효과감소 6) NSAIDs와 병용시 위장관 출혈 위험 증가
Dexamethasone Dexamethasone tab 덱사메타손정 …0.5mg/T **Dexamethasone disodium phosphate** Dexamethasone disodium phosphate inj 덱사메타손포스페이트이나트륨주사 …5mg/1ml/A	1) 경구 ① 성인 : 0.5~8mg/D #1~4 ② 소아 : 0.15~4mg/D #1~4 2) 주사 ① IM, IV : 2~8mg q 3~6hrs ② 점적주사 : 1회 2~10mg, 1일 1~2회 ③ 관절, 점액낭내 : 1회 0.8~5mg, 2주 이상 간격 ④ 연조직내: 1회 2~6mg, 2주 이상 간격 ⑤ 건초내: 1회 0.8~2.5mg, 2주 이상 간격 ⑥ 국소피내: 0.05~0.1mg씩 1mg까지 주1회 투여	1) Prednisolone의 불소화합물임. 2) Mineralocorticoid 작용이 거의 없음. 3) 염기로서 0.75mg은 hydrocortisone 20mg과 같은 항염효과를 나타냄. 4) 급성 질환이나 응급상태에 사용함. 5) 항암제 사용시 오심, 구토방지 보조요법으로 사용 6) 〈경구〉 Onset(peak): 1~2hrs 지속시간 : 2.75days 〈관절내 주사〉 지속시간 : 3~21days	1) 10% 이상 - 불면, 신경과민 - 식욕증진, 소화불량 2) 1-10% - 다모증 - 당뇨병 - 근육통 - 비출혈 3) 1% 미만 복부 팽만, 여드름, 월경불순, 골성장 지연, 멍듦, 색소침착, 쿠싱증후군, 두통 등	〈금기-주사제〉 1) 관절강내, 점액낭내, 건초내, 건주위에 감염증이 있는 환자 2) 관절이 불안정한 환자 3) 생백신 투여 환자 4) 단순포진, 대상포진, 수두환자 5) 유효한 항균제가 없는 감염증, 전신 진균 감염증 환자 〈주의〉 1) 소화성궤양, 정신병, 결핵질환, 단순포진성 각막염, 후방 백내장, 녹내장, 고혈압, 전해질 이상, 혈전증, MI, 골다공증, 당뇨병, 감염증, 신부전, CHF, 갑상선기능저하, 지방간, 중증 근무력증 환자 등에 신중 투여 2) 임신부 : Category C 3) 소아: 용량 관련 비가역적 성장지체, 장기투여시 두개내압 항진증상, 투여부위 조직 위축

약품명 및 함량	용법	약리작용 및 효능	부작용	주의 및 금기
	⑦ 결막하: 1회 0.4~2.5mg ⑧ 구후 주사: 1회 1~5mg			〈상호작용〉 1) Warfarin과 병용시 출혈경향 증가 2) 이뇨제와 병용시 저칼륨혈증 위험 3) Digoxin과 병용시 부정맥 위험 4) 인슐린의 혈당강하효과 감소 5) Phenytoin, phenobarbital, rifampin과 병용시 대사증가로 인한 효과감소 6) NSAIDs와 병용시 위장관 출혈 위험 증가 7) CsA와 병용 투여시 CsA의 혈중 농도 상승 〈취급상 주의-주사제〉 1) 실온, 차광보관
Fludrocortisone acetate Florinef tab 플로리네프정 …0.1mg/T	1) 환자의 상태에 따라 용량을 결정하되 일반적으로 0.1mg/D (Max. 0.2mg/D) 2) 고혈압 등 부작용 발생시 0.05mg/D로 감량 3) 염손실성 부신생식기 증후군 : 0.1~0.2mg/D 4) 부작용 발생을 최소화하기 위해 hydrocortisone과의 병용이 권장됨.(HC 병용량 : 10~30mg/D)	1) Hydrocortisone의 halogenated derivative로 강력한 mineralocorticoid activity 가짐. 2) Hydrocortisone에 비해 10~15배의 glucocorticoid activity와 100배의 mineralocorticoid activity를 가지며, mineralocorticoid effect만 치료 목적으로 사용됨. 3) 신장의 distal tubule에 작용하여 Na^+의 재흡수와 H^+, K^+의 뇨배설 증가작용 4) Na^+ 저류에 의한 2차적인 plasma volume 증가로 혈압 상승 유발 작용이 있어 기립성 저혈압에 유효함. 5) 적응증 : 염 손실성 부신 생식기 증후군, Primary adrenocorticoid insufficiency(Addison's dz.) 6) Tmax: 1.7hrs $T\frac{1}{2}$: 3.5hrs	1) 1~10% - 고혈압, 부종, 울혈성 심부전 - 경련, 두통, 현기증 - 여드름, 발진, 멍 - 저칼륨성 알칼리증, 성장억제, 고혈당, HPA 억제 - 소화성궤양 - 근육약화 - 백내장 - 발한, 과민반응	〈금기〉 1) 전신적 진균 감염자 2) 수유부 및 소아 : 안전성 미확립 〈주의〉 1) 현저한 나트륨 저류 유발이 가능하므로 적응증 이외에는 사용 금지 2) 칼륨배설을 증가시키므로 칼륨 보충이 필요할 수 있음 3) 본 제제 투여 중에는 예방접종을 피하도록 함. 4) 임신부 : Category C 〈상호작용〉 1) 항콜린성 약제 효과 감소 2) Phenytoin, phenobarbital, rifampin과 병용시 대사 증가로 인한 효과 감소 〈취급상 주의〉 1) 12개월 이상 장기간 보관시 냉장보관 필요
Hydrocortisone Hydrocortisone tab 히드로코르티손정 …10mg/T	1) 성인: 10~120mg/D # 1~4 2) Congenital adrenal hyperplasia (소아)	1) Glucocorticoid와 mineralocorticoid의 효과를 모두 가지고 있음. 2) 적응증 : Adrenocortical deficiency state에서 대체요법 및 Congenital adrenal hyperplasia에	1) 〉10% - 불면, 초조 - 식욕증가, 소화불량 2) 1~10%	〈금기〉 1) 전신적 진균, 바이러스 감염자 〈주의〉 1) 유효한 항균제가 존재하지 않는 감염증, 소화성궤양,

약품명 및 함량	용법	약리작용 및 효능	부작용	주의 및 금기
	- 초회량: 30~36mg/㎡/D (아침, 저녁 2:1로 분복) - 유지량: 20~25mg/㎡/D	사용하며, 그 외 항염 목적으로도 사용 3) 항염작용의 Potency: 이 약 20mg = prednisolone 5mg 〈상호작용〉 1) Warfarin과 병용시 출혈경향 증가 2) 이뇨제와 병용시 저칼륨혈증 위험 3) Digoxin과 병용시 부정맥 위험 4) 인슐린의 혈당강하효과 감소 5) Phenytoin, phenobarbital, rifampin과 병용시 대사증가로 인한 효과 감소 6) Alcohol과 병용시 위점막 자극 증가 7) 음식 중 칼슘 흡수 감소	- 현기증, 두통 - 다모증 - 당뇨병 - 관절통 - 백내장, 녹내장 - 비출혈 - 발한	정신병, 결핵질환, 단순포진성 각막염, 후방 백내장, 녹내장, 고혈압, 전해질 이상, 혈전증, MI, 당뇨병, 골다공증, 신부전, 갑상선 기능 저하, 간경변, 지방간, 중증 근무력자 등에 신중투여 2) 임신부: Category A(호주)
Hydrocortisone sodium succinate Cortisolu inj 코티소루주 …100mg/V	1) 성인 : 0.1~0.5g q 2~6hrs IM, IV (Max. 8g) 2) 소아 : 나이, 체중보다는 증상에 따라 용량을 선택하며 1일 25mg 이상이어야 함.	1) Glucocorticoid 및 mineralocorticoid작용을 가짐. 2) 만성 adrenocortical 부족증 및 congenital adrenal hyperplasia syn.에 사용함. 3) Addisonian crisis, 급성염증상태, steroid-dependent 환자의 수술전에 IM 혹은 IV 함. 4) Mineralocorticoid의 작용 때문에 염증상태에는 단기간만 사용 5) Shock 환자에게는 혈압이 안정될 때까지 IV함. 6) Onset(peak) : 1hr(IM)	1) > 10% - 불면, 초조 - 식욕증가, 소화불량 2) 1~10% - 현기증, 두통 - 다모증, 색소침착 - 당뇨병 - 관절통 - 백내장, 녹내장 - 비출혈 - 발한	〈금기〉 1) 유효한 항균제가 없는 감염증, 전신 진균 감염자 2) 단순포진, 대상포진, 수두 환자 3) 관절강내 또는 건주위에 감염증이 있는 환자 4) 관절강내가 불안정한 환자 5) 생백신 투여 환자 6) 신생아, 미숙아(벤질알콜 함유) 〈주의〉 1) 소화성궤양, 정신병, 결핵질환, 단순포진성 각막염, 후방 백내장, 녹내장, 고혈압, 전해질 이상, 혈전증, MI, 골다공증, 당뇨병, 감염증, 신부전, CHF, 갑상선기능저하, 지방간, 중증 근무력증 환자 등에 신중투여 2) 임신부 : Category A(호주) 3) 소아: 용량 관련 비가역적 성장지체, 장기투여시 두개내압 항진증상, 투여부위 조직 위축 〈상호작용〉 1) Warfarin과 병용시 출혈경향 증가 2) 이뇨제와 병용시 저칼륨혈증 위험 3) Digoxin과 병용시 부정맥 위험 4) 인슐린의 혈당강하효과 감소

약품명 및 함량	용법	약리작용 및 효능	부작용	주의 및 금기
				5) Phenytoin, phenobarbital, rifampin과 병용시 대사증가로 인한 효과감소 6) Alcohol과 병용시 위점막 자극 7) 음식 중 칼슘 흡수 감소 〈취급상 주의〉 1) 재구성 후 차광보관시 3일간 안정(실온 및 냉장 모두)
Methylprednisolone Methylon tab 메치론정 …4mg/T	1) 초회량: 특정 질병의 증상에 따라 4~48mg/D 2) 다발성 경화증: 1주일간 160mg/D, 이후 1달동안 격일로 64mg 투여	1) Prednisolone의 methyl 유도체로서, 중시간형 Corticosteroid 제제 2) Phosphodiesterase A_2를 억제하는 protein의 생성을 유도하고 cytokine의 유리 및 생성을 억제시켜 임파구의 면역반응을 변화시킴으로써 항염 및 면역억제 작용을 나타냄. 3) 항염효과 비교(대응량): Prednisolone 5mg ≒ 이 약 4mg (Mineralocorticoid 작용은 거의 없음) 4) 적응증 : 내분비 장애, 류마티스성 장애, 교원성질환, 피부질환, 알러지성질환, 안과질환, 위장관계질환, 호흡기계질환, 혈액질환, 악성종양성질환, 부종성질환, 신경계질환, 결핵성수막염, 선모충증 5) Tmax : 1~2hrs Duration : 30~36hrs $T\frac{1}{2}$: 3~3.5hrs	(빈도미확립) – 부종, 고혈압, 부정맥 – 불면, 신경과민, 피로, 경련, 두통, 감정변화, 현훈, 환각, 다행감, 가성뇌종양 – 다모증, 여드름, 피부위축, 멍, 색소침착 – 당뇨, 부신위축, 고지혈증, 쿠싱증후군, 뇌하수체-부신억제, 성장억제, 포도당 불내성, 저칼륨혈증, 알칼리혈증, 무월경, 수분 및 Na저류, 고혈당 – 식욕증가, 소화불량, 궤양, 오심, 구토, 복부팽만, 궤양성 식도염, 췌장염 – 일시적인 백혈구증가 – 관절통, 근무력감, 골다공증, 골절 – 녹내장, 백내장 – 감염, 과민증, 무혈관괴사, 이차적인 종양, 난치성 딸꾹질	〈금기〉 1) 유효한 항균제가 없는 감염증, 전신 감염증 환자 2) 단순포진, 대상포진, 수두환자 3) 생백신 투여 환자 〈주의〉 1) 소화성궤양, 정신병, 결핵질환, 단순포진성 각막염, 후방 백내장, 녹내장, 고혈압, 전해질 이상, 혈전증, MI, 골다공증, 당뇨병, 감염증, 신부전, CHF, 갑상선기능 저하, 지방간, 중증 근무력증 환자 등에 신중투여 2) 임신부 : Category C (FDA) Category A (호주) 3) 소아 : 용량 관련 비가역적 성장지체, 장기투여시 두개내압 항진증상 〈상호작용〉 1) Warfarin과 병용시 출혈경향 증가 2) 이뇨제와 병용시 저칼륨혈증 위험 3) Digoxin과 병용시 부정맥 위험 4) 인슐린의 혈당강하효과 감소 5) Phenytoin, phenobarbital, rifampin과 병용시 대사증가로 인한 효과감소 6) NSAIDs와 병용시 위장관 출혈 위험 증가 7) CsA와 병용 투여시 CsA의 혈중 농도 상승

약품명 및 함량	용법	약리작용 및 효능	부작용	주의 및 금기
Methylprednisolone sodium succinate Disolrin inj 디솔린주 …40mg/V Predisol inj 프레디솔주사 …125mg/V …500mg/V	1) shock시 보조요법: 30mg/kg을 최소 30분간 IV, 4~6시간마다 최대 48시간까지 투여 2) 급성 척추손상: 30mg/kg을 15분간 IV, 45분 뒤 5.4mg/kg for 23시간 IV 3) 다발성 경화증: 급성악화시 160mg/D for 1wk, 이후 한달간 64mg/D EOD 4) 소아: 나이, 체중보다 증세와 투약에 따른 반응에 근거하여 1일 0.5mg/kg 이상 투여	1) Prednisolone의 methyl 유도체임. 2) 항염작용의 potency 이 약 4mg = hydrocortisone sod. succinate 20mg 3) Mineralocorticoid의 작용이 없음. 4) Sodium succinate염은 수용성으로 작용 발현이 빠르므로 adrenocortical 부족증을 제외한 응급상태에 IV함. 5) IM시 Onset(peak): 4~8days 지속시간: 1~4wks $T_{\frac{1}{2}}$: 3~3.5hrs	- 부종, 고혈압, 부정맥 - 불면, 초조, 현훈, 발작, 신경증, 두통, 망상, 환각, 도취 - 다모증, 여드름, 피부위축, 멍, 색소침착 - 당뇨병, HPA 억제, 고지혈증, 쿠싱증후군, 성장억제, 당내성, 저칼륨혈증, 알칼리증, 무월경, 나트륨 및 수분저류 - 식욕증가, 소화불량, 소화성궤양, 오심, 구토, 궤양성식도염, 췌장염 - 일시적 백혈구증가증 - 관절통, 근육약화, 골다공증, 골절 - 백내장, 녹내장 - 감염, 과민반응, 무혈관성 괴사증, 이차성 악성종양	〈금기〉 1) 유효한 항균제가 없는 감염증, 전신 진균 감염증 환자 2) 생백신 또는 약독생백신을 투여중인 환자 3) 단순포진, 대상포진, 수두환자 4) 신생아, 미숙아(벤질알콜 함유) 〈주의〉 1) 소화성궤양, 정신병, 결핵질환, 단순포진성 각막염, 후방 백내장, 녹내장, 고혈압, 전해질 이상, 혈전증, MI, 골다공증, 당뇨병, 감염증, 신부전, CHF, 갑상선기능저하, 지방간, 중증 근무력증 환자 등에 신중투여 2) 임신부 : Category C 3) 소아: 용량 관련 비가역적 성장지체, 장기투여시 두개내압 항진증상, 투여부위 조직 위축 〈상호작용〉 1) Warfarin과 병용시 출혈경향 증가 2) 이뇨제와 병용시 저칼륨혈증 위험 3) Digoxin과 병용시 부정맥 위험 4) 인슐린의 혈당강하효과 감소 5) Phenytoin, phenobarbital, rifampin과 병용시 대사증가로 인한 효과 감소 6) NSAIDs와 병용시 위장관 출혈 위험 증가 7) CsA와 병용 투여시 CsA의 혈중 농도 상승 〈취급상 주의〉 1) 재구성: 첨부용제 또는 증류수 희석액: 5DW, NS, 5DS 2) 희석 후 48시간 이내에 사용
Prednisolone PRD syrup 피알디현탁시럽0.1% …1mg/ml	1) 성인 : 5-60mg/D #1~4 2) 소아: 0.1-2mg/kg/D #1~4	1) 합성 glucocorticoid로 약한 mineralocorticoid의 작용도 갖고 있음. 2) 염기로서 5mg은 hydrocortisone 20mg과 같은 항염작용을 나타냄. 3) PO시 Onset(peak) : 1~2hrs	1) 〉10% - 불면, 초조 - 식욕증가, 소화불량 2) 1~10% - 현기증, 두통 - 다모증, 색소침착	〈금기〉 1) 유효한 항균제가 없는 감염증, 전신 감염증 환자 2) 단순포진, 대상포진, 수두환자 3) 생백신 투여 환자 〈주의〉 1) 소화성궤양, 정신병, 결핵질환, 단순포진성 각막염,

약품명 및 함량	용법	약리작용 및 효능	부작용	주의 및 금기
Solondo tab 소론도정 …5mg/T		Duration : 1.25~1.5days	– 당뇨병 – 관절통 – 백내장, 녹내장 – 비출혈 – 발한	후방 백내장, 녹내장, 고혈압, 전해질 이상, 혈전증, MI, 골다공증, 당뇨병, 감염증, 신부전, CHF, 갑상선기능저하, 지방간, 중증 근무력증 환자 등에 신중투여 2) 임신부 : Category C (FDA) Category A(호주) 3) 소아: 용량 관련 비가역적 성장지체, 장기투여시 두개내압 항진증상 〈상호작용〉 1) Warfarin과 병용시 출혈경향 증가 2) 이뇨제와 병용시 저칼륨혈증 위험 3) Digoxin과 병용시 부정맥 위험 4) 인슐린의 혈당강하효과 감소 5) Phenytoin, phenobarbital, rifampin과 병용시 대사증가로 인한 효과감소 6) NSAIDs와 병용시 위장관 출혈 위험 증가 7) CsA와 병용 투여시 CsA의 혈중 농도 상승 〈취급상 주의〉 1) 시럽제의 경우 소분 후 6개월 안정(회사자료)
Triamcinolone Ledercort tab 레더코트정 …4mg/T **Triamcinolone acetonide** Triamcinolone inj 트리암시놀론주 …40mg/1ml/V …50mg/5ml/V	1) 경구 : 1일 8~16mg #3~4 2) 근육주사 ① 성인 및 12세 이상 소아 : 초회량 40mg, 1~2주 간격으로 20~80mg 투여 ② 6~12세 소아 : 초회량 40mg 3) 관절강, 점액낭, 건초내 주사 : 1회 2~40mg 2주 이상 간격으로 투여 4) 국소 피내주사 : 1회 0.2~1mg씩 10mg까지 주1회 투여(조직위축 주의)	1) Prednisolone의 불소화합물 2) 항염작용의 potency: 이 약 4mg ≒ hydrocortisone 20mg ≒ prednisolone 5mg 3) Prednisolone보다 약한 mineralocorticoid 작용을 가짐. 4) 수성현탁액은 경구투여가 곤란한 경우 IM 하거나, 관절내 연조직 등 국소 적용시 사용 5) 〈경구〉 Onset(peak) : 1~2hrs 지속시간: 8~12hrs $T_{\frac{1}{2}}$: 18~36hrs 〈근육주사〉 Tmax: 8~10hrs	1) 〉 10% – 불면, 초조 – 식욕증가, 소화불량 2) 1~10% – 현기증, 두통 – 다모증, 색소침착 – 당뇨병 – 관절통 – 백내장, 녹내장 – 비출혈 – 발한	〈금기〉 1) 유효한 항균제가 없는 감염증, 전신 진균 감염증 환자 2) 단순포진, 대상포진, 수두환자 3) 단순포진성 각막염 환자 〈주의〉 1) 소화성궤양, 정신병, 결핵질환, 단순포진성 각막염, 후방 백내장, 녹내장, 고혈압, 전해질 이상, 혈전증, MI, 골다공증, 당뇨병, 감염증, 신부전, CHF, 갑상선기능저하, 지방간, 중증 근무력증 환자 등에 신중투여 2) 임신부 : Category C 3) 소아: 용량 관련 비가역적 성장지체, 장기투여시 두개내압 항진증상, 투여부위 조직 위축 〈상호작용〉 1) Warfarin과 병용시 출혈경향 증가

약품명 및 함량	용법	약리작용 및 효능	부작용	주의 및 금기
				2) 이뇨제와 병용시 저칼륨혈증 위험 3) Digoxin과 병용시 부정맥 위험 4) 인슐린의 혈당강하효과 감소 5) Phenytoin, phenobarbital, rifampin과 병용시 대사증가로 인한 효과 감소 6) NSAIDs와 병용시 위장관 출혈 위험 증가 7) CsA와 병용 투여시 CsA의 혈중 농도 상승 〈취급상 주의-주사제〉 1) IV , 척수강내 주사 불가

약품명 및 함량	용법	약리작용 및 효능	부작용	주의 및 금기
Clomiphene citrate Clomiphen tab 클로미펜 시트르산염정 ···50mg/T	1) 월경주기 제 5일부터 1일 50mg씩 5일간 투약함. 2) 만일 배란이 안되면 1일 100mg까지 5일간 증량 투약함 (배란 여부는 BBT 측정, 뇨중 pregnandiol 검사, 자궁내막 검사 등으로 확인함).	1) Nonsteroidal agent로 ① Gonadotropin-releasing Hr(Gn RH)의 분비를 증가시키고, ② LH 및 FSH의 농도를 증가시킴으로써 배란을 유발함. 2) 간기능, estrogen 분비기능, 뇌하수체 기능이 정상인 무배란성 불임증에 사용함.	1) 〉 10% - 홍조, 난소증대 2) 1~10% - 혈전폐색 - 우울, 두통 - 유방확대(남성), 유방불편감(여성), 월경량이상, 난소낭증, 월경전증후군 - 복부팽만, 오심, 구토 - 간독성 - 시야몽롱, 복시	〈금기〉 1) 임신부: Category X 2) 이상 자궁출혈, 자궁내막종양 3) 간질환 〈주의〉 1) 투약전 검사를 철저히 할것. Pelvic exam, ovarian cyst, endometrial biopsy 2) 난소증대 3) 다태 임신가능 4) 시각장애
Human Chorionic Gonadotropin (HCG) IVF-C inj 아이브이에프씨주 ···5,000IU/1ml/A	1) 성선기능저하증(남성): 2,000IU씩 주2회 최소 4개월간(HMG 병용) 2) 무정자증: 500IU/D 또는 2,500IU 5일마다 3개월간(HMG 병용) 3) 정류교환: 500~1,000IU 격일로 수주간 4) 절박유산, 습관성 유산: 임신 8주 이내~14주까지 초회 10,000IU,	1) Human pregnancy urine으로부터 얻어지고 뇌하수체 LH와 같은 작용을 나타내며 약한 FSH 작용도 가짐. 2) 고환의 간질세포(Leydig cell)를 자극하여 androgen을 생성함 (남성의 2차 성징과 고환 하수를 자극함). 3) 난소의 황체를 자극하여 progesterone을 생성함 (난포의 성숙과 배란을 유발하고 임신을 유지시킴).	1) 2~10% - 난소낭증, 난소과자극 - 복통, 오심, 구토 - 주사부위통증, 멍, 염증 2) 2% 미만 - 복부팽만, 알부민뇨,	〈금기〉 1) Precocious puberty. 2) 전립선암 혹은 다른 androgen 의존성 악성종양 환자 3) 이 약에 과민한 환자 〈주의〉 1) 불임증에 HMG와 병용시 부작용(난소과잉자극,난소낭종파열, 다태 등)을 충분히 고려

약품명 및 함량	용법	약리작용 및 효능	부작용	주의 및 금기
	이후 주 2회 5,000IU씩 5) 무월경 및 무배란성 불임증: HMG로 적정치의 estrogen 농도를 유지한 후 최대 10,000IU IM하여 배란 6) 보조생식술: 10,000IU 7) 황체기능부전: 배란 후 5일째 및 9일째에 1,500~5,000IU	4) Prepubertal cryptorchidism, hypogonadotropic hypogonadism 및 2차적인 무배란의 치료에 LH 대신 사용함.	저배통, 유방통, 부정맥, 자궁경부암, 기침, 설사 등	2) Androgen 분비 유도로 인한 precocious puberty 유발 3) 심 · 신질환, 전간, 편두통, 천식 환자에 사용시 (체액저류). 〈취급상주의〉 1) IM만 가능함. 2) 용해후 신속히 사용 3) 차광, 냉소보관
Menotropin IVF-M inj 아이브이에프엠주 …75IU/V	1) 여성: 75IU을 7~12일간 IM. 그 다음날 HCG 5,000~10,000IU 투여함. 2) 남성: serum testosterone level이 정상으로 될 때까지 HCG 2,000~5,000IU를 주3회 단독으로 사용 후, 본제 75IU를 주 3회 IM. 그리고 HCG 2,000IU를 주 2회 투여함.	1) 폐경기 여성의 뇨로부터 얻어지며 FSH 작용과 LH 작용을 동시에 갖고 있는 혼합 성분 제제임. 2) 여성: primary ovarian failure가 없는 경우에 9~12일간 투여하면 난포가 생성, 성숙되며 또 HCG를 난포가 성숙된 후에 사용하여 배란을 가능하게 함. 3) 남성: 1차 혹은 2차 뇌하수체 기능 저하증인 경우 HCG를 투여하여 충분히 남성화시킨 후 HCG와 이 약을 함께 3개월 정도 투여하여 정자생성을 유도함.	(남성) 1) > 10% - 여성형 유방 2) 1~10% - 적혈구증가 (호흡곤란, 현기, 식욕감퇴, 실신, 비출혈) (여성) 1) 1~10% - 두통 - 유방통 - 복부경련, 복통, 설사, 오심, 구토 - 자궁외임신, 난소질환, 질출혈 - 주사부위 부종, 통증 - 감염	〈금기〉 1) 임신부(Category X), 수유부 2) 다낭성 난소 증후군에 기인하지 않은 난소낭종 환자 3) 진단되지 않은 비정상적인 생식기 출혈 4) 자궁, 난소, 유방 종양 5) 난소과자극증후군 6) 혈진색전증 및 그 병력자 7) 체외수정술을 하지 않을 경우 무배란 이외의 여성 불임증 환자 8) FSH 수치가 높은 환자(원발성 난소 부전) 9) 뇌하수체 또는 시상하부에 종양이 있는 환자 〈주의〉 1) 갑상선기능저하증, 부신피질부전증, 고프로락틴혈증, 뇌하수체 종양 환자의 경우 이들 질환에 대한 치료가 선행되어야 함 2) 혈전색전증 위험요소를 가지고 있는 여성 〈취급상 주의〉 1) 동봉된 첨부용제 사용할 것

약품명 및 함량	용법	약리작용 및 효능	부작용	주의 및 금기
Danazol Danazol cap	* 월경 중 투약을 시작 1) 자궁내막증(3~6개월 투여) - 중증: 400mg bid	1) Ethisterone에서 유도된 합성 androgen 2) 세포내 receptor에 agonist, antagonist로 작용하고 circulating sex Hr. binding globulin에 결합	- 양성 뇌내압 항진, 부종, 홍조, 고혈압 - 불안, 오한, 발작, 우울,	〈금기〉 1) 미진단 생식기 출혈 2) 중증 심 · 신 · 간기능 손상

약품명 및 함량	용법	약리작용 및 효능	부작용	주의 및 금기
다나졸캅셀 …200mg/C	- 경증: 100~200mg bid 2) 섬유낭성 유방질환 (4~6개월 투여): 50~200mg bid 3) 유전성 혈관성 부종: 200mg bid~tid, 임상적 반응에 따라 1~3개월에 50%씩 감량 4) 과다월경: 200mg/D 12주간 투여	하여 testosterone을 다량 유리시킴으로써 high-androgen low-estrogen 상태를 유도하여 FSH, LH 분비를 억제함. 3) 자궁내막증 치료에 pseudomeno- pausal state 유도 목적으로 사용함. 4) 적응증: 자궁내막증 및 자궁내막증에 의한 불임증, 섬유낭성 유방 질환, 유전성 혈관성 부종, 과다월경	현기, 발열, 두통, 초조, 수면장애, 진전 - 여드름, 탈모, 경증 다모증, 발진, 소양, 스티븐스존슨증후군, 광과민, 두드러기 - 무월경, 유방크기감소, 당내성, HDL감소, LDL증가, 정자생성 감소 - 식욕변화, 변비, 위장염, 오심, 췌장염, 구토, 체중증가 - 질 건조, 자극 - 호산구증가, 백혈구증가/감소, 혈소판증가/감소 - 담즙정체성 황달, 간기능이상 - CPK이상, 사지통, 관절통, 근경련, 마비감 - 백내장, 시야이상	3) 임신부: Category X 4) 임신 중 황달, 포진 또는 가려움증의 병력자 5) 두빈-존슨 증후군 또는 로터 증후군 환자 6) 고지단백혈증 7) 급 · 만성 간염 8) 동맥 또는 정맥 혈전증의 병력자 9) 포르피린증 10) 안드로겐 의존성 종양 〈주의〉 1) 간독성을 고려하여 가능한한 저용량, 단기간 사용함 2) 섬유성 유방질환 치료시작전 유방암을 제거 3) 수분저류 경향이 있으므로 간질, 편두통, 심장 또는 신기능 장애를 주의해야 함 4) 당뇨병, 동맥고혈압, 적혈구증가 환자에게 신중투여 5) 수유부: 모유 이행 〈상호작용〉 1) Warfarin과 병용시 출혈 위험 2) Carbamazepine의 농도 증가 3) 당뇨 환자에서 인슐린 요구량 증가
Dienogest Visanne tab 비잔정 …2mg/T	1) 1T qd, 식사와 관계없이 매일 같은 시간에 복용(자궁내막증 환자에서 최대 15개월까지 치료경험 있음) 2) 신장애환자 : 용량조절불필요	1) 19-norprogestin과 progesterone 유도체가 결합된 progestin 제제 2) 자궁내막에 대한 강력한 progesteron 작용을 나타내어 자궁내막증 병변을 감소시킴, anti-androgen 활성도를 보이고, estrogen 및 glucocorticoid 활성도는 거의 없음 3) 적응증: 자궁내막증 4) Tmax: 1.5hrs $T_{\frac{1}{2}}$: 8~10hrs	1) 1~10% - 두통, 편두통 - 유방 불편감, 안면홍조, 질출혈 - 우울한 기분, 수면장애, 신경과민, 리비도감소 - 여드름, 탈모 - 구역, 복통, 복부 팽만	〈금기〉 1) 임신부, 수유부, 소아(18세이하) : 안전성 미확립 2) 정맥혈전색전증 환자 3) 동맥성질환 또는 심혈관 질환 환자 4) 혈관 병변을 수반한 당뇨병 환자 5) 중증 간질환자 6) 성호르몬 의존성 악성 종양 환자 7) 진단되지 않은 질출혈 환자 8) 유당흡수장애가 있는 자(유당함유)

약품명 및 함량	용법	약리작용 및 효능	부작용	주의 및 금기
		대사: 간대사(CYP3A4) 배설: 신장(63%), 대변(23%)	– 등통증, 무력증	〈주의〉 1) 심각한 자궁 출혈 환자 2) 순환기 장애 환자 3) 암 환자 4) 골다공증 환자 5) 우울증 병력이 있는 환자 6) 당뇨 환자 〈상호작용〉 1) CYP3A4 유도제(예: Phenytoin, Barbital, Carbamazepine, Rifampicin) 이 약의 효과 감소 2) CYP3A4 저해제(예: Ketokonazole, Itraconazole, Cimetidine, Verapamil)이 약의 효과 증가
Testosterone Tostrex-gel 2% 토스트렉스겔 2% …60g/EA	1) 1일 1회 오전에 3g(테스토스테론으로 60mg) 복부, 허벅다리 번갈아가며 적용(Max. 4g/D) 2) 1회 펌프시 0.5g(테스토스테론으로 10mg) 분출 3) 겔이 건조될 때까지 한 손가락으로 부드럽게 문지른 뒤 도포부위를 헐거운 옷으로 덮음.	1) 경피로 적용하는 겔형 테스토스테론 제제 2) 적응증 : 임상증상과 실험실 분석에 의해 테스토스테론 결핍이 확인된 남성성선기능부전에 대한 호르몬 대체요법	– 경피제: 적용부위 소양감(37%), 화상유사 수포(12%), 적용부위 홍반(7%), 수포(6%), 알러지성 접촉 피부염(4%), 작열감(3%), 경화(3%)	〈금기〉 1) 여성 2) 유방암 환자, 전립선암이 있거나 의심되는 남성 환자 3) 신장증후군 환자 4) 고칼슘혈증 환자 5) 18세 이하 : 안전성 미확립 〈주의〉 1) 노인 환자에서 전립선 비대증 및 전립선암 발현 증가 2) 성선기능부전증 치료 시 여성형 유방 발현 및 지속 가능 3) 암의 골전이 환자는 고칼슘혈증 위험 4) 혈압 상승 가능하므로 고혈압 환자 신중 투여 5) 허혈성 심장질환, 간질, 편두통 환자 증상 악화 〈상호작용〉 1) 경구용 항응고제(warfarin)의 효과 증가 2) Oxyphenbutazone과 병용시 oxyphenbutazone 농도 증가 3) 당뇨병 환자에서 혈당 감소시켜 인슐린 요구량 감소 가능 4) 스테로이드와 병용시 체액저류 부작용 증가

약품명 및 함량	용법	약리작용 및 효능	부작용	주의 및 금기
				〈적용상의 주의〉 1) 음낭 도포 금지 2) 도포 후 바로 손을 비누와 물로 씻음.
Testosterone enanthate Jenasteron inj 예나스테론주 …250mg/A	- 남성: 1Ⓐ 2~3주마다 IM - 여성: 1Ⓐ 1~2주마다 IM	1) Long-acting androgen (enanthate 염) 2) 남성호르몬 결핍증(성선기능저하증), 여성의 폐경 후 전이성 유방암에 사용	- 홍조, 부종 - 흥분, 공격성, 불면, 불안, 우울, 두통 - 다모증, 여드름 - 월경이상, 남성화, 유방통, 여성형유방, 고칼슘혈증, 저혈당 - 오심, 구토, 위장자극 - 전립선비대, 전립선암, 발기부전, 고환위축, 부고환염, 지속발기, 방광자극 - 간부전, 담즙정체성간염, 간괴사 - 백혈구감소, 적혈구증가, 응고인자 억제 - 과민반응	〈금기〉 1) 안드로겐 의존성 종양 2) 임신부: Category X 3) 간종양 또는 병력자 4) 남성 유방암 환자 5) 칼슘치의 증가를 수반하는 악성종양 환자 6) 이 약에 과민한 환자 〈주의〉 1) 신중투여: 고혈압, 편두통, 간질, 당뇨병 환자, 부종에 대한 소인이 있는 환자 〈상호작용〉 1) 간효소 유도제에 의해 효과 감소 2) Warfarin의 작용 증강 〈취급상 주의-주사제〉 1) 실온보관 (1~25℃), 차광보관
Testosterone undecanoate Andriol testocaps soft cap 안드리올테스토캡스연질캡슐 …40mg/C	- 초회량: 60~80mg bid 2-3주간 투여 - 유지량: 40~120mg/D	1) Androgenic anabolic steroid로 남성의 성선기능부전, 조정기능장애에 의한 남성 불임증, 갱년기 장애에 사용 2) testosterone을 ester화하고 특수용매에 녹여 림프계를 통해 흡수되도록 한 제제임. 3) 간초회 통과효과 없음.	- 홍조, 부종 - 흥분, 공격성, 불면, 불안, 우울, 두통 - 다모증, 여드름 - 월경이상, 남성화, 유방통, 여성형유방, 고칼슘혈증, 저혈당 - 오심, 구토, 위장자극	〈금기〉 1) 안드로겐 의존성 종양 2) 전립선 비대증 3) 남성 유방암 4) 중증 간 · 심 · 신장애 5) 사춘기 이전의 남자 6) 임신부(Category X), 수유부 7) 고칼슘혈증을 동반한 악성종양 〈주의〉 1) 유 · 소아, 심,신질환, 암의 골전이 환자, 고령자

약품명 및 함량	용법	약리작용 및 효능	부작용	주의 및 금기
			- 전립선비대, 전립선암, 발기부전, 고환위축, 부고환염, 지속발기, 방광자극 - 간부전, 담즙정체성 간염, 간괴사 - 백혈구감소, 적혈구 증가, 응고인자 억제 - 과민반응	2) Cholestatic jaundice 발생시 투약중지 3) 고칼슘혈증 발생시(여성 유방암 환자 등) 투약중지 〈상호작용〉 1) Warfarin의 작용증강 2) 부신피질 Hr.과 병용시 내당능 저하 3) 인슐린 요구량 감소시킴 〈취급상 주의-주사제〉 1) 냉소보관
Testosterone undecanoate Nebido inj 네비도주 …1g/4ml/A	1) 10~14주마다 1Ⓐ IM (매우 천천히) 2) 치료 시작시에는 항정상태에 빨리 도달하기 위해 최소 6주까지 간격 줄여 투여할 수 있음.	1) Androgenic anabolic steroid 2) 약리작용 및 효능 : ① 근육 주사 후 depot에서 서서히 방출되고, 혈액의 serum esterase에 의해 testosterone과 undecanoic acid로 분해됨. ② 분해된 testosterone은 내인성 testosterone과 동일한 약동 및 약리작용을 나타냄. 3) 적응증 : 남성의 일차성 및 이차성 성선기능저하증에 testosterone 대체요법으로 사용 4) Duration : 10~14wks $T_{\frac{1}{2}}$: 83.3days	- 설사, 구역, 담즙울체성 황달 - 하지통, 관절통 - 어지럼증, 발한증가, 두통 - 호흡 장애 - 여드름, 유방통, 여성형유방증, 가려움, 피부자극 - 고환통 (전립선 장애), 핍정액증 및 사정량 감소, 지속성 발기증 - 고칼슘혈증(특히 전이성 유방암을 가진 환자), 나트륨 및 체액저류, 부종, 주사부위통증, 주사부위 피하 혈종	〈금기〉 1) 안드로젠-의존성 전립선암 또는 남성 유선암 환자 2) 악성 종양과 관련된 고칼슘혈증 환자 3) 중증의 간기능장애 환자 4) 여성, 임신부 : Category X 5) 중증의 심부전 및 신부전 환자 6) 사춘기 이전의 남성환자 (불가피한 경우 소아내분비학 전문가의 관리 하에 치료를 행하도록 함.) 7) 전립선비대증 환자 〈주의〉 1) 심장, 신장, 간질환 환자(나트륨과 체액의 저류에 의해 부종 발생 또는 악화 가능) 2) 암의 골전이 환자(고칼슘혈증 나타날 수 있음) 3) 고령자(전립선비대, 전립선암 위험 증가) 4) 만성 폐질환, 비만 환자(수면 무호흡증 위험 증가) 5) 지속적으로 고용량 사용시 담즙울체성 황달, 간암, 간자색반증 위험 증가 〈상호작용〉 1) 이 약은 인슐린의 혈당 감소 효과를 증가시킴. 2) 간효소 유도 약물 (rifampin, barbiturates, carbamaze-pine, phenytoin, dichloral-phenazone, phenylbutazone, primidone) :testosterone의 배설 증가 3) 이 약은 CsA, 경구용 항응고제의 대사를 감소시켜 효과를 증강시킬 수 있음.

약품명 및 함량	용법	약리작용 및 효능	부작용	주의 및 금기
				〈취급상 주의〉 1) 개봉 후 즉시 사용

약품명 및 함량	용법	약리작용 및 효능	부작용	주의 및 금기
Bazedoxifene acetate Viviant tab 비비안트정 …20mg/T	1) 1Ⓣ qd, 식사와 관계없이 복용	1) Selective estrogen receptor modulators (SERM) 2) 자궁과 유방조직에서는 estrogen receptor에 주로 길항작용을 나타내고, 골에서는 estrogen activity를 나타내어 골소실을 막고 골밀도 향상시켜 골절 위험을 감소시킴. 3) 적응증 : 폐경 후 여성의 골다공증 치료 및 예방	1) 〉10% – 안면홍조, 근육경련 2) 1~10% – 과민증, 졸음, 입마름, 두드러기, 말초부종, 혈중 중성지방 상승, ALT · AST 상승 3) 0.1~1% – 심부정맥혈전증, 표재성 혈전정맥염 4) 〈0.1% – 망막정맥혈전증	〈금기〉 1) 임부 및 임신 가능성이 있는 가임기 여성, 수유부, 소아 2) 정맥혈전색전증(심부정맥혈전증, 폐색전증, 망막정맥혈전증 등)이 있거나 그 병력이 있는 환자 3) 원인을 알 수 없는 자궁출혈 환자, 자궁내막암의 증상이나 징후가 있는 환자 〈주의〉 1) 고중성지방혈증 환자 2) 중증의 신장애, 간장애 환자
Conjugated estrogen Premina tab 프레미나정 …0.3mg/T …0.625mg/T	1) 성선기능저하증: 2.5~7.5mg/D 3주간 투여, 1주 휴약 2) 난소적출 및 난소기능부전: 1.25mg/D 3주간 투여, 1주 휴약 3) 위축성 질염, 외음위축증, 갱년기장애: 0.3~1.25mg 월경주기 제5일부터 3주간 투여, 1주 휴약 또는 비주기적 투여 4) 기능성 자궁출혈: 0.625~3.75 mg/D 출혈이 멈출 때까지 투여, 이후 20일간 동일용량 투여 5) 골다공증: 0.625~1.25mg 월경주기 제5일부터 3주간 투여, 1주 휴약 또는 비주기적 투여	1) 자궁내막 증식 작용, 질의 비후 및 증식, 유선 발육 작용을 나타냄. 2) 난소기능부전증, 노인성 질염, 여성 성기능 부전증, 기능성 자궁출혈, 갱년기장애, 골다공증, 폐경 후의 유방암, 수술불능인 진행성 전립선암 등에 사용 3) 흡수: 경구 흡수 잘됨. Tmax: 6.9hrs	– 부종, 고혈압, 정맥혈전색전증 – 현기, 두통, 우울, 편두통 – 기미, 다형홍반, 결절홍반, 출혈성 발진, 다모, 탈모 – 유방확대, 유방통증, 성욕변화, 갑상선결합단백질 및 T4 증가, 혈중중성지방 및 인지질 증가, 당내성 부전, 고칼슘혈증	〈금기〉 1) 임신부 : Category X 2) 수유부 : 안전성 미확립 3) 진단되지 않은 비정상적생식기 출혈, 에스트로겐 의존성 종양, 자궁내막증식증 환자 4) 혈전성 정맥염 또는 혈전색전증, 뇌혈관 또는 관상동맥질환 환자 5) 에스트로겐의 사용으로 인한 혈전성 정맥염 또는 혈전색전증 병력자 6) 중증 심 · 신질환, 급 · 만성간질환 7) 두빈–존슨 증후군 또는 로터 증후군 8) 눈의 혈관질환에 의한 시각상실 및 복시, 전형적 편두통, 뇌하수체 종양, 이경화증 환자 9) 포르피린증, 결합조직염 환자

약품명 및 함량	용법	약리작용 및 효능	부작용	주의 및 금기
	6) 폐경후의 유방암(경감용): 10mg tid 최소 3개월간 7) 수술불능의 진행성 전립선암(경감용): 1.25~2.5mg tid		- 복부경련, 팽만감, 담낭염, 담결석, 담낭질환, 오심, 췌장염, 구토,체중변화 - 월경주기이상, 자궁내막암, 질칸디다증, 질손상(질연고제) - 혈액응고경향 증가 : 혈소판 응집증가, 혈소판수 증가, 혈액응고인자 증가 - 담즙정체성 황달 - 폐혈전색전증	〈주의〉 1) 우울증, 정신장애, 자궁근종, 임신중 황달 병력자, 간장애, 고칼슘혈증으로 인한 대사성 골질환 또는 신장애 환자, 골격 성장중인 사춘기 이전 소아, 심·신 질환 및 그 병력자, 간질, 당뇨병, 고혈압 환자 2) 자궁이 있는 경우 계속적인 프로게스테론 요법을 보충해야 함. 3) 장기간 사용시 연 1회 이상 정기검진 실시
Estradiol hemihydrate Estreva gel 에스트레바겔 …50g/EA (Estradiol로서 1.0mg/g)	- 1회(pump) 누를 때 겔 0.5g(estadiol로서 0.5mg) 나옴. - 3pump(1.5g)/D (Estradiol로서 1.5mg) - 의복으로 가려지는 팔, 다리, 허벅지, 배 등의 넓은 부위에 펴바름.(자외선 노출시 약 H98성분 분해됨)	1) Ovarian Estrogen 제제 2) Gel type의 경피흡수 제제로 전신 흡수되어 일정한 혈중농도를 유지 3) 간초회효과를 피할 수 있어, 간대사체(Estron E1)에 의한 부작용(방광질환증가, 안티트롬빈III 농도의 감소, 혈전생성의 변화 등)을 감소시킴. 4) 적응증 : 1차적 또는 2차적, 선천적 또는 후천적 난소부전시의 에스트로겐 결핍 보충	- 부종, 고혈압, 정맥혈전색전증, 두통, 우울, 편두통 - 기미, 홍반, 다모, 탈모, 가려움 - 열감, 유방확대, 성욕변화, 고칼슘혈증 - 간기능장애,복부경련, 팽만감, 오심, 구토, 체중변화 - 혈액응고경향 증가	〈금기〉 1) 에스트로겐 의존성 종양, 치료되지 않은 자궁내막증, 원인불명의 이상 질출혈 2) 유방암, 중증간질환, 유즙분비과다, 신부전 3) 활동성 심재정맥 혈전증, 혈전색전증, 혈전성 정맥염, 폐색전증 및 그 병력자 4) 임신부(Category X), 수유부 〈주의〉 1) 자궁이 있는 경우 계속적인 프로게스테론 요법을 보충해야 함. 2) 심질환, 간부전, 심한 고혈압, 간질, 천식, SLE 환자 3) 장기간 사용시 연 1회 이상 정기검진 실시 4) 어린이에 노출시 조발 사춘기 증상 나타날 수 있으므로 약 도포 부위가 어린이나 남자의 피부에 닿지 않도록 함 〈상호작용〉 1) Barbitals,hydantoin,carbamazepine,rifampin : estrogen 작용약화시킴 2) 혈당강하제 : 혈당강하효과 감소

약품명 및 함량	용법	약리작용 및 효능	부작용	주의 및 금기
Estradiol valerate Progynova tab 프로기노바정 …1mg/T …2mg/T	1) 매일 1정씩 휴약기간 없이 복용	1) 내인성 호르몬인 estradiol의 ester 형 2) 난소에서 분비되는 estradiol과 동일한 경로로 대사되어 난소 기능 저하에 의한 에스트로겐 결핍증 치료에 사용함. 3) 갱년기 장애, 난소 적출 환자, 무월경, 월경 주기 이상 등	- 부종, 고혈압, 정맥혈전색전증 - 현기, 두통, 우울, 편두통 - 기미, 다형홍반, 결절홍반, 출혈성 발진, 다모, 탈모 - 유방확대, 유방통증, 성욕변화, 갑상선결합단백질 및 T4 증가, 혈중중성지방 및 인지질 증가, 당내성 부전, 고칼슘혈증 - 복부경련, 팽만감, 담낭염, 담결석, 담낭질환, 오심, 췌장염, 구토, 체중변화 - 월경주기이상, 자궁내막암, 질칸디다증, 질손상(질연고제) - 혈액응고경향 증가 : 혈소판 응집증가, 혈소판수 증가, 혈액응고인자 증가 - 담즙정체성 황달 - 폐혈전색전증	〈금기〉 1) 임신부 : Category X 2) 수유부 : 안전성 미확립 3) 진단되지 않은 비정상적생식기 출혈, 에스트로겐 의존성 종양, 자궁내막증식증 환자 4) 혈전성 정맥염 또는 혈전색전증, 뇌혈관 또는 관상동맥질환 환자 5) 에스트로겐의 사용으로 인한 혈전성 정맥염 또는 혈전색전증 병력자 6) 중증 심 · 신질환, 급 · 만성 간질환 7) 두빈-존슨 증후군 또는 로터 증후군 8) 눈의 혈관질환에 의한 시각상실 및 복시, 전형적 편두통, 뇌하수체 종양, 이경화증 환자 9) 포르피린증, 결합조직염 환자 〈주의〉 1) 우울증, 정신장애, 자궁근종, 임신중 황달 병력자, 간장애, 고칼슘혈증으로 인한 대사성 골질환 또는 신장애 환자, 골격 성장중인 사춘기 이전 소아, 심 · 신 질환 및 그 병력자, 간질,당뇨병, 고혈압 환자 2) 자궁이 있는 경우 계속적인 프로게스테론 요법을 보충해야 함. 3) 장기간 사용시 연 1회 이상 정기검진 실시
Raloxifene Evista tab 에비스타정 …60mg/T	1) 60mg qd	1) Tamoxifene의 유도체로 estrogen 수용체의 선택적 조절제로 작용 부위에 따라 다른 약리 작용을 나타냄. 2) 자궁내막, 유방 조직에 대해서는 길항작용이 있으며, 골이나 지방 대상에 대해서는 효능작용(골전해질 밀도 유지 및 혈중 지방 저하 효과)을 보임. 3) 적응증 : 폐경 후 여성의 골다공증 치료 및 예방	1) 〉10% - 홍조 - 근육통 - 부비동염 - 감기 유사 증후군, 감염 2) 1~10%	〈금기〉 1) 임신부 : Category X 2) 수유부 및 소아 : 안전성 미확립 3) 정맥 혈전 색전증의 병력이 있는 여성 〈주의〉 1) 폐경전 여성 2) 간기능 장애 여성

약품명 및 함량	용법	약리작용 및 효능	부작용	주의 및 금기
		4) 대사 : 간(초회통과효과에 영향을 크게 받음) 배설 : 신장(0.2%) 대변(주요 배설 부위)	- 흉통 - 발열, 편두통, 우울, 불면 - 발진, 발한 - 말초 부종 - 오심, 구토, 식욕부진, 고창, 체중증가 - 요로감염, 질염, 자궁 내막 이상 - 인후염, 기침, 폐렴	〈상호작용〉 1) Cholestyramin : 본 약제의 흡수 감소 2) Warfarin : PT 변화 유발
Tibolone Livial tab 리비알정 …2.5mg/T	1) 1Ⓣ qd, 최소 3개월 이상 복용	1) Estrogenic, progestogenic, 약한 androgenic activity가 있는 합성 스테로이드 제제 2) 적응증 ① 폐경 1년 후부터 HRT에 사용(휴약 기간 없이 적어도 3개월 사용) ② (다른 골다공증 예방약이 금기이거나 내약성이 없는 경우) 골절위험이 높은 폐경이후 여성의 골다공증 예방 3) 자궁내막을 심하게 자극하지 않아 progesterone 병용하지 않아도 됨. 4) 대사: 간 배설: 주로 신장 $T\frac{1}{2}$(대사체): 〈10hrs	- 두통, 위장관장애, 칸디다증, 우울, 혈전성 정맥염, 고혈압, 체중변화, 체액저류, 무월경, 갈색반, 유방변화	〈금기〉 1) 임신부, 가임부 : 최기형성 있음 2) 호르몬 의존성 종양 환자나기왕력자 3) 심혈관계 질환자나 기왕력자 4) 원인불명의 질출혈 환자 5) 간기능 장애 환자 〈주의〉 1) 간질, 편두통, 심기능 부전,고혈압 또는 기왕력자 2) 신기능 부전 환자 3) 고콜레스테롤혈증 환자 4) 탄수화물 대사장애 환자 5) 혈전색전증, 간기능이상, 담즙분비 정체성 황달이 나타나면 복용중지 6) 항혈액응고제에 대한 감수성 증가 7) 모유중 배설 8) 수술 등으로 인해 장기간 움직이지 않을 경우 적어도 4주전 복용 중지 9) 폐경 1년 이내 복용시 질출혈
1Ⓣ 중 이그나시아 D3 25mg, 승마 D2 25mg, 세피아 D2 25mg, 생귀나리아 D6 25mg	1) 1Ⓣ tid (식사와 30분이상 간격두고 복용) 2) 증상 개선 시 1일 복용 횟수 감소 가능 3) 입에서 녹여서 복용 가능	1) 이그나시아, 승마, 세피아, 생귀나리아의 분말정제 2) 여성 갱년기 장애로 인한 다음 증상의 개선 : 안면홍조, 발한, 동계, 불안, 우울, 흥분	- 과민반응 - 코피 - 월경 재발생	〈금기〉 1) 유당불내성, 포도당-갈락토즈 흡수불량, Lapp lactose deficiency의 유전적인 문제가 있는 환자 (∵희석제로서 유당 사용)

약품명 및 함량	용법	약리작용 및 효능	부작용	주의 및 금기
Klimaktoplan tab 클리마토플란정 *D2: 10^2배로 희석한 분말 D3: 10^3배로 희석한 분말 D6: 10^6배로 희석한 분말				〈주의〉 1) 만성 소화장애증이 있는 환자 2) 12주간 복용 후에도 증상의 개선이 없는 경우, 복용을 중단하고 의사 또는 약사의 상의할 것 3) 15~25℃ 보관, 직사일광 피해서 보관

약품명 및 함량	용법	약리작용 및 효능	부작용	주의 및 금기
Dydrogesterone Duphaston tab 듀파스톤정 …10mg/T	1) 자궁내막증: 주기 5일째~25일째 or 주기전체에 걸쳐 1~3Ⓣ/D 2) 절박유산: 4Ⓣ 1회 복용후 8시간마다 1Ⓣ복용 3) 습관성 유산: 임신 전(월경주기 11~25일)부터 임신 20주까지 1Ⓣ/D 투여 4) 월경곤란증: 주기의 5일~25일째 1~2Ⓣ/D 투여 5) 황체기능 부전에 의한 불임: 주기의 14일째~25일째 1Ⓣ/D 6) 월경주기 조절: 주기의 11일째~25일째 1Ⓣ/D 7) 갱년기장애(에스트로겐 병용) : 치료 주기 28일의 마지막 14일간 1Ⓣ qd~bid 8) 기능성 자궁 출혈(에스트로겐 병용) – 지혈 : 5~7일간 1Ⓣ bid	1) Dehydroprogesterone으로 estrogenic androgenic 작용이 없음. 2) 배란을 억제하거나 체온을 상승시키지 않음.	〈빈도미확립〉 – 파열출혈, 점상출혈, 무월경, 부종, 체중변화, 자궁경부 미란 및 경부 분비물 변화, 담즙분비 정체성 황달, 알러지성 발진, 우울증	〈금기〉 1) 중증 간장애, 간질환 병력자 2) 두빈-존슨 증후군, 로터 증후군 환자 3) 황달환자, 담즙울체성 황달, 임신포진, 포르피린증 4) 에스트로겐 의존성 종양 5) 계류유산, 불완전유산 6) 생식기 출혈 환자 7) 혈전성 정맥염, 혈전색전증 8) 18세 이하 소아 〈주의〉 1) 뇌졸중 및 병력자 2) 심 · 신장애 환자 3) 고콜레스테롤혈증 환자, 당뇨환자 4) 내인성 우울증 환자 〈상호작용〉 1) 간효소 유도제(항전간제 phenytoin, phenobarbital, carbamazepine 등, barbital계, rifampicin)와 병용시 이 약의 효능 감소

약품명 및 함량	용법	약리작용 및 효능	부작용	주의 및 금기
	- 예방 : 주기의 11일째~25일째 1Ⓣ/D 9) 속발성 무월경(에스트로겐 병용) : 주기의 11일째~25일째 1Ⓣ/D			2) 당뇨환자에게 투여시 탄수화물 대사에 영향을 줄 수 있으므로 주의
Hydroxyprogesterone caproate Progesterone-Depot Jenapharm inj 프로게스테론데포예나팜주 …250mg/1ml/A	1) 무월경, 기능성 자궁출혈, 황체기능부전에 의한 불임증: 65~125mg 주 1회 IM 2) 습관성 유산: 임신 초기부터 임신 5개월까지 250~500mg 주 1회 IM 3) 절박유산: 출혈을 멈추게 하기 위해 1일 250mg IM. 이후부터 250mg 주 2회 IM 4) 월경곤란증: 월경주기 제 16일에 250mg IM (증상 완화시까지)	1) 합성 프로게스테론 제제(Progestin) 2) 장시간 지속성 progestin으로서 증식성 자궁내막 상태를 분비성 자궁내막 상태로 변화시키고 수정된 난자의 착상이 잘 될 수 있는 환경 조성함. 3) 뇌하수체의 gonadotropin의 분비를 억제하여 난포의 성숙 및 배란 억제 4) 적응증: 무월경, 기능성 자궁출혈, 황체기능부전에 의한 불임증, 습관성 유산, 절박 유산, 월경곤란증 5) 작용시간: 주사 후 3~4주까지 혈중에서 측정됨. Tmax: 3~7days $T_{\frac{1}{2}}$: 7.8days	- 뇌부종, 뇌혈전증, 부종 - 우울, 발열, 불면, 졸음 - 여드름, 알러지성 발진(드물게), 탈모증, 다모증, 가려움, 발진, 두드러기 - 무월경, 이상 자궁출혈, 유방압통, 젖분비 과다, 월경 변화, 점적출혈 - 오심, 체중 증가/감소 - 자궁경부 미란 변화, 자궁 분비물 변화 - 담즙정체성 황달 - 주사부위 자극 및 통증, 발적 - 시각신경염, 망막혈전증 - 폐색전증, 아나필락시스	〈금기〉 1) 계류유산, 불완전유산 2) 유방암, 진단되지 않은 생식기 출혈, 생식기암 환자 3) 혈전성 정맥염, 혈전색전증, 뇌혈관성 질환 등을 앓았거나 앓고 있는 환자 4) 수유부: 안전성 미확립 〈주의〉 1) 천식, 편두통, 간질, 우울증 환자 2) 심 · 신장애 환자 3) 이 약 투여시 간기능 및 내분비 검사 결과가 변화될 수 있음. 4) 임신부: Category B(progesterone) Category D(호주)(hydroxyprogesterone) 〈취급상 주의〉 1) 직사광선을 피하여 실온보관
Levonorgestrel Mirena 미레나 …52mg/set (20mcg/day)	1) 월경 기간이나 월경 시작 7일 이내에 자궁 내에 삽입 2) 삽입 후 5년간 유효하며 새것으로 교체할 경우에는 월경이 시작될 때까지 기다릴 필요 없음.	1) 자궁내삽입장치(Intrauterine device : IUD) 2) Levonorgestrel : 피임목적으로 사용되는 progestogen으로, FSH 및 LH의 분비감소로 인한 배란 억제, progesterone 합성 감소 및 gonadotrophin의 난소자극 저해 3) Onset : 24hrs (피임효과)	(IUD) 1) >5% - 고혈압 - 두통, 우울, 초조 - 여드름 - 유방통, 월경곤란,	〈금기〉 1) 임신부: Category X 2) 생식기 감염증 3) 생식기 암, 이상출혈 4) 비정상적 자궁 구조 5) 활동성 간질환

약품명 및 함량	용법	약리작용 및 효능	부작용	주의 및 금기
			성욕감퇴, 무월경, Pap smear 이상, 난포 확대 - 복통, 오심, 체중증가 - 백대하, 질염 - 저배통 - 상기도감염, 부비강염 2) 〉3% - 탈모, 빈혈, 자궁경부염, 성교불쾌, 습진, 편두통, 패혈증, 구토	6) 치료가 요구되는 혈전증, 혈전 색전증 〈주의〉 1) 감염 2) 이 약의 이탈, 자궁천공, 자궁외 임신, 기절, 난포의 확장 등 가능 3) 삽입 후 3개월, 12개월, 그 후로는 연 1회씩 주기적으로 이탈 여부 검사 필요 〈상호작용〉 1) Phenobarbital, phenytoin 등 antiepileptics와 병용시 피임 효과 감소 가능
Medroxyprogesterone acetate Provera tab 프로베라정 …2.5mg/T …5mg/T …10mg/T	1) 무월경: 5~10mg/D 5~10일간 2) 자궁출혈: 월경주기 제16일 또는 제21일째부터 5~10mg/D 5~10일간 3) 경~중등도 자궁내막증: 월경주기 제1일부터 90일간 10mg tid 4) 호르몬 대체요법(에스트로겐 병용): 주기의 제1일 또는 16일부터 12~14일간 5~10mg/D	1) Progesterone유도체로 pituitary gonadotropin 분비를 억제하여 난포의 성숙과 배란을 억제함. 2) 저용량 제제는 2차성 무월경, 호르몬성 비정상적 자궁출혈, 호르몬 대체요법, 자궁내막증에 사용함.	- 부종, 색전증, 혈전 - 우울, 발열, 불면, 졸음, 두통, 현기 - 기미, 과민반응, 소양, 여드름, 다모, 혈관신경성 부종 - 출혈, 월경량 변화, 무월경, 유방통 - 체중변화, 식욕감퇴, 오심 - 담즙정체성 황달 - 주사부위 통증, 혈전성정맥염 - 허약 - 폐색전 - 아나필락시스	〈금기〉 1) 수술후 1주 이내의 환자 2) 뇌경색, 심근경색, 혈전성정맥염, 혈전색전증 및 그 병력자 3) 동맥경화증 4) 심질환 5) 호르몬제를 투여중인 환자 6) 계류유산 환자 7) 진단하지 않은 질출혈 8) 임신부: Category X 〈주의〉 1) Thrombotic disorder의 징후가 나타나면 투약을 중지함 2) 시각장애, 복시, 안구돌출 등이 갑자기 나타나면 반드시 검사 후 투약할 것. 3) 간기능장애 첫 징후를 잘 관찰할 것. 4) 체액저류시 간질, 천식, 신장 및 심장기능 장애 유발가능 5) 우울증 병력자 6) 파열출혈 7) 당뇨병 환자(당내성 감소)

약품명 및 함량	용법	약리작용 및 효능	부작용	주의 및 금기
Medroxyprogesterone acetate Sayana inj 사야나주 …104mg/0.65ml/syr	1) 매 12~14주(3개월)마다 104mg SC(앞쪽 넓적다리 또는 복부) – 투여 전 세게 흔들어서 균일한 현탁액으로 사용 2) 투여 시기 ① 1차 주사 – 월경이 규칙적인 여성 : 정상월경주기 첫 5일 이내 – 모유수유시: 분만 6주 이후 ② 2차 주사 및 그 이후 투여 – 매 12~14주(3개월) 간격 – 투여 간격 14주 초과 시 다음 주사 전까지 임신하지 않도록 주의 3) 피임용으로 투여 시 기존 피임제 활성성분의 마지막 사용일로부터 7일 이내 1차 주사 4) 자궁내막증에 2년 이상 사용 권장 안됨(∵골밀도 감소우려)	1) Progesterone 유도체로 2) Pituitary의 gonadotropin 분비를 억제하여 난포의 성숙과 배란을 억제하고, 자궁내막조직의 위축을 야기함. 3) 적응증 – 임신 가능성이 있는 여성에서의 피임 – 자궁내막증으로 인한 통증관리 4) Tmax: 8.8days $T\frac{1}{2}$: 43days 대사: 간(CYP450) 배설: 신장	1) 1~10% – 여드름, 주사부위 반응 – 체중증가 – 복통, 오심 – 어지러움, 두통, 불면 – 우울 – 무월경, 점상출혈 – 피로	〈금기〉 1) 진단되지 않은 질출혈 환자, 유방암 환자, 중대한 간질환 환자 2) 활동성 혈전정맥염, 혈전색전성질환의 기왕력, 뇌혈관질환자 3) 임신부: Category X 4) 초경 전 소아 〈주의〉 1) 청소년기~초기 성인기(∵골밀도 손실 우려가 특히 증가함) 2) 당뇨병 환자(당내성 감소), 우울증, 천식 악화 3) 시력 장애, 복시, 안구돌출, 편두통발현 시 투약중지 후 검사시행 4) 특정 내분비 및 간기능, 혈액성분에 영향을 줄 수 있음. 5) 수유부: 모유로 이행 〈취급상 주의〉 1) 실온보관 (냉장보관 하지 말 것)
progesterone, micronized Utrogestan soft cap 유트로게스탄연질캅셀 … 100mg/C	1) 2~3Ⓒ/D: 아침 1Ⓒ, 취침전 1~2Ⓒ (∵수기 유발) 2) Progesterone 결핍으로 인한 장애: 매 주기의 17일부터 26일까지 10일 동안 2~3Ⓒ/D 3) 폐경 후 estrogen 병용요법: 매 치료주기의 마지막 2주 동안 또는 매달 10~12일간 2Ⓒ/D	1) Natural oral progesterone 제제 2) Antiestrogen, anticoid 작용이 있고 androgenic effect는 없음. 3) Progesterone 결핍으로 인한 장애, 폐경기이후 estrogen 병용요법에 사용함. 4) Progesterone을 미분화한 후 유상에 현탁시킨 제제로 경구투여시 생체이용율을 증가시킴.	1) 〉10% – 현기증 – 유방통 2) 5–10% – 두통, 피로, 감정변화, 자극감 – 복부통증, 불편감 – 근육통 – 상기도감염 – 바이러스감염 3) 〈 5% – 협심증, 불안, 관절염, 기관지염, 흉통, 부종, 위장염, 직장출혈, 간염(가역적), 고혈압, 근강직,	〈금기〉 1) 계류유산, 불완전유산 2) 혈전성정맥염, 뇌졸중 3) 유방암 4) 원인불명의 생식기출혈 5) 심한 간장애 〈주의〉 1) 운전이나 주의를 요하는 기계조작을 피할 것. 2) 간 및 신장 질환자 3) 천식, 편두통, 우울증, 당뇨, 간질 환자 4) 수유부 5) 임신부: Category B 〈상호작용〉 1) Carbamazepine, phenobarbital, phenytoin, rifampin에 의해 혈중농도 감소 2) CsA의 대사억제로 혈중농도 증가

약품명 및 함량	용법	약리작용 및 효능	부작용	주의 및 금기
			저혈압, 백대하, 림프절종대, 폐렴, 졸음, 실신, 질건조, 질염, 구토	
Ulipristal acetate Inisia tab 이니시아정 …5mg/T	1) 1Ⓣ qd. (음식과 상관없이 복용) 2) 월경주기의 첫 주내에 복용 시작 3) 치료기간이 3개월을 초과하면 안 됨. 4) 반복치료시 최대 4회의 간헐적 투여 가능(휴약기 필요)	1) Selective progesterone receptor modulator (SPRM)계열 경구용 자궁근종 치료제 2) 작용 기전 ① 뇌하수체 프로게스테론 수용체에 결합하여 FSH, LH 분비 감소 → 배란억제 ② 자궁근종세포에 progesterone수용체에 선택적으로 작용하여 자궁출혈 억제 및 세포사멸을 유도하고 근종크기를 감소시킴 3) 적응증: 가임기 성인 여성에서 중등도-중증 증상을 가진 자궁근종 환자의 수술 전 치료 및 간헐적 치료 4) Tmax: 1hrs T½: 32± 6.3hrs (대사체: 27±6.9hr) 배설: 주로 대변, 신장(< 10%)	1) >10% - 두통(18-19%) - 예정일보다 7일이후에 월경발생(19%), 생리불순(7-13%) - 복통(8-15%), 구역(12-13%) 2) 1~10% - 피로(6%), 어지러움(5%) - 예정일보다 7일이상 먼저 월경 발생(7%) - 월경기간 사이에 출혈발생(9%)	〈금기〉 1) 자궁근종이 아닌 다른 원인 혹은 원인불명의 성기 출혈환자 2) 자궁암, 자궁경부암, 난소암, 유방암환자 3) 임신부: Category X 4) 수유부 5) 이 약 중단후 12일 이내에 progestagen함유제제 복용 금지 〈주의〉 1) 경구용 글루코코르티코이드로서 조절되지 않는 중증의 천식환자 〈상호작용〉 1) 프로게스타젠 함유 제제(예: 호르몬성 피임제): 이 약의 효과 감소 및 프로게스타젠 제제 효과 감소 2) 중등도 및 강력한 CYP3A4 억제제(erythromycin, ketoconazole, ritonavir): 이 약의 혈중농도 증가, 병용투여 비권장 3) 강력한 CYP3A4 유도제(rifampicin, carbamazepine, phenytoin, St.John's wort): 이 약의 혈중농도 감소 4) 이 약에 의해 P-gp기질제(dabigatran, digoxin)의 혈중농도를 증가, 병용투여 비권장

약품명 및 함량	용법	약리작용 및 효능	부작용	주의 및 금기
1Ⓣ 중 Estradiol hemihydrate 1.03mg, Drospirenone 2mg	1) 1Ⓣ qd 2) 휴지기 없이 매일 복용	1) HRT제제로서 17β-estradiol과 drospirenone의 복합제 ① Estradiol hemihydrate(17β-estradiol): 여성 체내에서 주로 순환되는 가장 생리적인 estrogen 성분,	1) 1~10% - 복통, 복부팽만, 무력증, 사지통 - 두통, 기분변동, 홍조,	〈금기〉 1) 진단되지 않은 생식기 출혈 2) 유방암이거나, 병력이 있거나 의심이 되는 경우 3) Estrogen 의존성 악성 종양이 있거나 의심되는 경우

약품명 및 함량	용법	약리작용 및 효능	부작용	주의 및 금기
Angeliq tab 안젤릭정 …28Ⓣ/PK		인체 난소호르몬 중 가장 활성을 띠는 물질 ② Drospirenone: spironolactone 유도체로 aldosterone receptor antagonism activity를 나타내고 RAAS(renin-angiotensin-aldosterone system)에 작용하여 Na+ 및 수분 저류를 방지하며 항고혈압 효과가 있음 2) 적응증 - 폐경 후 일년이 지난 폐경기 이후 여성의 에스트로겐 결핍증에 대한 호르몬 대체 요법 - 골다공증 예방으로 허가 받은 다른 약제에 불내성이거나 금기이고 골절 가능의 위험성이 증가된 폐경기 이후 여성의 골다공증 예방	신경과민 - 양성 유방 종양, 유방 확대 - 자궁 섬유종 확대, 자궁경부 종양, 백대하, 파탄출혈	(ex. 자궁내막암) 4) 치료되지 않은 자궁내막 증식증 5) 이전에 특발성으로 또는 현재 정맥 혈전색전증이 있는 경우(ex. 심부 정맥 혈전증, 폐색전증) 6) 활동성 또는 최근의 동맥 혈전색전성 질환(ex. 협심증, 심근경색증) 7) 급성 간질환, 간질환의 병력이 있고 간기능 검사 결과 정상으로 회복되지 않은 경우 8) 포르피린증 9) 중증의 신기능저하 또는 급성 신부전 10) 중증의 고중성지방혈증 11) 임신부, 수유부 12) 이 약 성분에 과민한 경우 〈주의〉 1) 평활근종(자궁 섬유종), 자궁내막증 2) 혈전색전성 질환의 병력 또는 위험인자 3) Estrogen 의존성 종양의 위험인자(ex. 유방암에 대한 직계유전) 4) 고혈압, 당뇨병, 담석증 5) 간질환(ex. 간 선종) 6) 편두통 또는 (중증의) 두통, SLE 7) 자궁내막 증식증의 병력 8) 간질, 천식, 이경화증, 양성유방질환, 소무도병 〈상호작용〉 1) 항전간제, 항생제/항바이러스제(rifampin, rifabutin, nelfinavir,efavirenz), St. John's wort : estrogen 대사 증가로 효과 감소시킴.
1Ⓣ 중 Estradiol hemihydrate 1.03mg, Dydrogesterone 5mg **Femoston conti tab** 페모스톤콘티정	1) conti tab(살색정) 폐경 후 12개월 이상 지난 후 복용 2) 1Ⓣ qd	1) 자궁을 가진 여성의 에스트로겐 결핍에 의한 폐경 후 증후군의 치료 및 골다공증의 예방 2) dydrogesterone : androgen 활성이 없는 경구용 progesterone 성분으로서, androgen 부작용 없이 자궁내막의 과다증식, 발암 위험성을 예방 3) Tmax : 5hrs(estradiol hemihydrate) 0.5~2.5hrs(dydrogesterone)	1) 1~10% - 구역, 복부경련, 복부팽만 - 두통, 편두통 - 유방 압통/확대 - 간헐적 출혈, 점적출혈, 골반통증	〈금기〉 1) 임신부 또는 임신이 의심되는 환자 2) 수유부 3) 유방암 또는 의심되는 환자 4) 에스트로겐에 반응하는 종양으로 진단 받았거나 의심되는 환자 5) 원인 불명의 질내 출혈

약품명 및 함량	용법	약리작용 및 효능	부작용	주의 및 금기
… 28Ⓣ/PK				6) 활동성 혈전성 정맥염, 혈전색전증 환자 7) 급성, 만성의 간기능 부전 환자 〈주의〉 1) 당뇨병 환자 : 이 약은 인슐린 감수성과 분비를 상승시킬 수 있음 2) 간질, 편두통, 심질환, 다발성 경화증, 고혈압, 혈색소병, 이경화증, 자궁의 평활근종 환자의 경우 투여기간 동안 악화될 수 있음 3) 심부전 환자 〈상호작용〉 1) 항전간제, 항생제/항바이러스제(rifampin, rifabutin, nelfinavir, efavirenz), St. John's wort: estrogen 대사 증가로 효과 감소시킴.
1Ⓣ 중 흰색정(14정) Estradiol hemihydrate 1.08mg 회색정(14정) Estradiol hemihydrate 1.08mg, Dydrogesterone 10mg **Femoston tab 1/10** 페모스톤정 1/10 … 28T/PK	1) 휴약기 없이 생리 주기에 맞추어 1Ⓣ qd(흰색정 → 회색정)	1) 자궁을 가진 여성의 에스트로겐 결핍에 의한 폐경 후 증후군의 치료 및 골다공증의 예방 2) Dydrogesterone : androgen 활성이 없는 경구용 progesterone 성분으로서, androgen 부작용 없이 자궁내막의 과다증식, 발암 위험성을 예방 3) Tmax : 5hrs(estradiol hemihydrate) 0.5~2.5hrs(dydrogesterone)	1) 1~10% - 구역, 복부경련, 복부팽만 - 두통, 편두통 - 유방 압통/확대 - 간헐적 출혈, 점적출혈, 골반통증	〈금기〉 1) 임신부 또는 임신이 의심되는 환자 2) 수유부 3) 유방암 또는 의심되는 환자 4) 에스트로겐에 반응하는 종양으로 진단 받았거나 의심되는 환자 5) 원인 불명의 질내 출혈 6) 활동성 혈전성 정맥염, 혈전색전증 환자 7) 급성, 만성의 간기능 부전 환자 〈주의〉 1) 당뇨병 환자 : 이 약은 인슐린 감수성과 분비를 상승시킬 수 있음 2) 간질, 편두통, 심질환, 다발성 경화증, 고혈압, 혈색소병, 이경화증, 자궁의 평활근종 환자의 경우 투여기간 동안 악화될 수 있음 3) 심부전 환자 〈상호작용〉 1) 항전간제, 항생제/항바이러스제(rifampin, rifabutin, nelfinavir, efavirenz), St. John's wort: estrogen 대사 증가로 효과 감소시킴.

약품명 및 함량	용법	약리작용 및 효능	부작용	주의 및 금기
1Ⓣ 중 분홍색정(14정) Estradiol hemihydrate 2.06mg 노란색정(14정) Estradiol hemihydrate 2.06mg, Dydrogesterone 10mg **Femoston tab 2/10** 페모스톤정 2/10 … 28Ⓣ/PK	1) 휴약기 없이 생리 주기에 맞추어 1Ⓣ qd(분홍색정 → 노란색정)	1) 자궁을 가진 여성의 에스트로겐 결핍에 의한 폐경 후 증후군의 치료 및 골다공증의 예방 2) Dydrogesterone : androgen 활성이 없는 경구용 progesterone 성분으로서, androgen 부작용 없이 자궁내막의 과다증식, 발암 위험성을 예방 3) Tmax : 5hrs(estradiol hemihydrate) 0.5~2.5hrs(dydrogesterone)	1) 1~10% - 구역, 복부경련, 복부팽만 - 두통, 편두통 - 유방 압통/확대 - 간헐적 출혈, 점적출혈, 골반통증	〈금기〉 1) 임신부 또는 임신이 의심되는 환자 2) 수유부 3) 유방암 또는 의심되는 환자 4) 에스트로겐에 반응하는 종양으로 진단 받았거나 의심되는 환자 5) 원인 불명의 질내 출혈 6) 활동성 혈전성 정맥염, 혈전색전증 환자 7) 급성, 만성의 간기능 부전 환자 〈주의〉 1) 당뇨병 환자 : 이 약은 인슐린 감수성과 분비를 상승시킬 수 있음 2) 간질, 편두통, 심질환, 다발성 경화증, 고혈압, 혈색소병, 이경화증, 자궁의 평활근종 환자의 경우 투여기간 동안 악화될 수 있음 3) 심부전 환자 〈상호작용〉 1) 항전간제, 항생제/항바이러스제(rifampin, rifabutin, nelfinavir, efavirenz), St. John's wort: estrogen 대사 증가로 효과 감소시킴.
1Ⓣ 중 Estradiol hemihydrate 2.06mg, Norethisterone acetate 1mg **Cliane tab** 크리안정 … 28Ⓣ/PK	1) 단약기 없이 1일 1정씩 투여	1) 난포 호르몬 및 황체 호르몬 복합제제 2) 효능: estrogen 결핍에 의한 갱년기 장애, 폐경후 여성의 골다공증의 예방 3) 이 약에 의한 치료는 폐경 1년 후에 시작하는 것이 바람직하며, 필요시 언제든지 치료를 시작할 수 있음.	- 치료초기 몇달 동안 불규칙한 출혈 - 유방확대, 유방 민감 - 구역, 구토, 위장장애 - 두통, 어지러움, 우울 - 탈모, 피부반응 - 급성 시각장애 - 혈전색전증, 동맥압 상승 - 담즙 울체성 황달, 간염 등	〈금기〉 1) 에스트로겐 의존성 종양 환자 2) 간, 신장애 환자 3) 혈전 질환, 뇌혈관장애 환자 4) 임신부: Category X 〈주의〉 1) 간질, 편두통, 천식 환자 2) 우울증 등 정신장애 환자 3) 심부전, 정맥류 환자 4) 다발성 경화증, 이(耳)경화증 환자 5) 자궁내막증 환자 6) 유선병증 환자

약품명 및 함량	용법	약리작용 및 효능	부작용	주의 및 금기
1Ⓣ 중 Estradiol hemihydrate 1.03mg, Norethisterone acetate 0.5mg **Esdiol half tab** 에스디올하프정 …28Ⓣ/PK	1) 자궁 적출술을 시행하지 않은 폐경 후 1년이 경과한 여성: 1Ⓣ qd 2) 휴지기 없이 연속 복용	1) Estrogen과 progesterone의 복합제. 2) 폐경 후 1년 이상된 여성의 에스트로겐 결핍증상에 대한 HRT 요법 및 폐경 후 여성의 골다공증 예방에 사용함.	- 치료초기 몇달 동안 불규칙한 출혈 - 유방팽만감 - 구역, 구토, 위장장애 - 두통, 어지러움, 우울 - 탈모, 피부반응 - 급성 시각장애 - 혈전색전증, 동맥압 상승 - 담즙 울체성 황달, 간염 등	〈금기〉 1) 에스트로겐 의존성 종양 환자 2) 유방암 환자 3) 진단되지 않은 생식기 출혈 환자 4) 활성 또는 최근 혈전 색전증 진행 환자 5) 임신부, 수유부 〈주의〉 1) 간질, 편두통, 천식 환자 2) 우울증 등 정신장애환자 3) 심부전, 정맥류 환자 4) 다발성 경화증, 이(耳)경화증 환자 5) 자궁내막증 환자 6) 유선병증 환자
1Ⓣ 중 백색정(16정) estradiol valerate 2mg 분홍색정(12정) estradiol valerate 2mg, cyproterone acetate 1mg **Climen tab** 크리멘28정 …28Ⓣ/PK	1) 1Ⓣ qd 2) 휴약기 없이 계속해서 복용	1) 에스트로겐 결핍증상에 사용 2) Cyproterone은 anti-androgen & progestogenic activity를 가진 19-OH progesterone 유도체로, estradiol 투여에 따른 자궁내막증 등의 부작용을 감소시킴. 3) 적응증 : 갱년기 증상 및 암이 아닌 질환으로 인한 난소절제 후 에스트로겐 결핍 증상의 치료.	- 질출혈 - 동통 - 오심, 복부경련, 황달 등 - 탈모증, 소양, 다모증, 발진 - 시각장애 - 두통	〈금기〉 1) 유방 또는 생식기암 환자 2) Estrogen과 관련된 종양 환자 3) 미진단 질출혈 환자 4) 혈전색전증, 혈전성 정맥염이 있는 중증의 심질환자 5) 임신부 : Category X 6) 수유부 〈주의〉 1) 유방암의 가족력이 있는 환자 2) 채액저류 유발(편두통, 천식, 간질, 심장 또는 신장 기능 장애자에게 신중투여) 3) 고혈압, 당뇨, 담낭질환자
1Ⓣ 중 황색정(2정) estradiol valerate 3mg 분홍색정(5정) estradiol valerate 2mg, dienogest 2mg	1) 표시된 순서대로 1Ⓣ qd (황색정→분홍색정→연황색정→갈색정→백색정 순) 2) 휴약기 없이 총 28일 복용	1) Estrogen과 Progesterone의 복합 여성호르몬제 ① Estradiol valerate: 경구용 합성 estrogen 유도체 ② Dienogest: 경구활성 합성 프로게스틴 2) 적응증 ① 경구피임 ② 기질적 원인이 없는 월경과다	1) 1~10% - 우울, 감정적 동요 - 성욕 감소 및 상실 - 편두통, 오심, 유방통 - 예정되지 않은 자궁출혈	〈금기〉 1) 정맥,동맥혈전/혈전색전성 질환자 2) 뇌혈관 질환/관상동맥질환자 3) 35세 이상의 흡연자 4) 췌장염이나 중증의 고트리글리세린혈증 관련환자 5) 혈관질환이 동반된 당뇨환자 6) 중증의 간장애 환자

약품명 및 함량	용법	약리작용 및 효능	부작용	주의 및 금기
연황색정(17정) estradiol valerate 2mg, dienogest 3mg 갈색정(2정) estradiol valerate 1mg 백색정(2정) 위약 **Qlaira tab** 클래라정 …28Ⓣ/PK			2) 〈1% – 정맥동맥혈전증 – 비뇨기 출혈	7) 유당을 함유하므로 유당 관련 대사장애 환자 8) 유방/생식기암 환자 9) 임신부: Category X 10) 수유부 및 소아 〈주의〉 1) 유방암 및 생식기관암의 가족력이 있는 환자 2) 고혈압 환자 및 당지질대사 이상자 3) 두통 환자, 우울증 〈상호작용〉 1) 간 마이크로좀 효소유도제 또는 일부 항생제: 파탄성 출혈 또는 피임 실패 발생가능 2) CYP3A4 억제제: 본 제제의 혈중농도 증가
1Ⓣ 중 Ethinyl estradiol 0.035mg, Cyproterone acetate 2mg **Diane 35 tab** 다이안느35정 …21Ⓣ/PK	1) 생리시작일로부터 1일 1정씩 21일간 복용 후 7일간 휴약 2) 복용기간: 일반적으로 수 개월동안 복용하며 증상 완화를 위해 최소 3개월 복용 필요	1) Estrogen과 Progesterone의 복합 여성호르몬제 2) Estrogen-progestin 경구 피임약 복용으로 LH 분비가 억제되고, 혈중 free androgen 농도가 감소되어 고안드로겐혈증(으로 인한 다모증, 여드름 등)을 치료. 3) Cyproterone: anti-androgenic, anti-gonadotropic, glucocorticoid, 활성 있음. 4) 적응증: 여성의 다음과 같은 안드로겐 의존성 질환의 치료 ① 경구용 항생제에 반응하지 않는 여드름 ② 안드로겐성 다모증 5) ① Onset – 여드름, 다모증: 6months – 월경통: 2months – Testosterone 감소: 14days ② Cyproterone의 경우 – 흡수: rapid, complete – Tmax: 3-4hrs – $T\frac{1}{2}$: 38hrs – 대사: 간 – 배설: 신장(35%), 대변	〈빈도 미확립〉 – 질출혈 – 동통 – 오심, 복부경련, 황달 – 탈모증, 소양, 다모증, 발진 – 시각장애 – 두통 – 혈전색전증	〈금기〉 1) 유방 또는 생식기암 환자 2) Estrogen과 관련된 종양 환자 3) 미진단 질출혈 환자 4) 혈전색전증, 혈전성 정맥염이 있는 중증의 심질환자 5) 다른 호르몬성피임제를 복용하는 환자 6) 임신부: Category X 7) 수유부 〈주의〉 1) 유방암의 가족력이 있는 환자 2) 체액저류 유발(편두통, 천식, 간질, 심장 또는 신장 기능 장애자에게 신중투여) 3) 고혈압, 당뇨, 담낭질환자

약품명 및 함량	용법	약리작용 및 효능	부작용	주의 및 금기
1Ⓣ 중 Ethinyl estradiol 0.02mg, Drospirenone 3mg **Yaz tab** 야즈정 …28Ⓣ/PK (활성약 24정(분홍), 위약 4정(흰색))	1) 월경 시작 1일 혹은 첫 일요일부터 24일간 연분홍색 활성정제 1일 1회 복용 후 4일간 흰색 위약 정제 1일 1회 복용 2) 월경 시작 1일 이후에 복용 시, 7일간 연속 복용 이후 피임효과 유효 3) 다른 경구 피임약에서 바꾸는 경우, 휴약기간 없이 복용.(기존 피임약이 위약 정제 함유하는 경우, 위약 모두 복용 후 다음날 복용 시작) 4) 비수유모에서 분만 4~6주 후 복용 시작 5) 여드름 치료로 사용 시에도 경구 피임약 복용법 따름 (초경 시작 전에 복용해서는 안됨)	1) Estrogen과 progesterone의 복합 여성호르몬제 ① Ethinyl estradiol: 경구용 합성 estrogen 유도체 ② Drospirenone: spironolactone 유도체로 합성 프로게스틴 2) Aldosterone receptor antagonism activity를 나타내어 Na 및 수분 저류 억제를 통해 복부팽만, 유방압통, 사지부종 등 월경 전 신체적 증상 완화 3) 불안, 우울, 짜증 등의 정서적 증상 개선에 효과 4) 항안드로겐성 활성으로 피부 및 모발 피지생성 억제하여 여드름 피부 개선 5) 적응증 - 피임 - 여성의 생리전 증후군과 월경 전 불쾌 장애 증상의 치료 - 14세 이상 초경 후 여성의 중증도 여드름 치료 6) 배설 : 신장, 대변 $T_{\frac{1}{2}}$: 30hrs(drospirenone) 24hrs(ethinyl estradiol)	1) >5% - 무월경, 불규칙 월경주기 - 각막곡률변화 - 복부팽만, 복부통증, 체중 변화, 오심 - 유방변화, 부종 2) 1~5% - 고혈압 - 편두통 - 질칸디다 - 구토	〈금기〉 1) 에스트로겐 의존성 종양 환자 2) 정맥 또는 동맥 혈전성/혈전색전성 질환 3) 뇌혈관, 관상동맥질환 환자 4) 중증 고혈압 환자 5) 중증 간기능, 중등증 및 중증 신기능 장애 환자 6) 간 종양 환자 7) 임신 담즙성 황달 또는 황달 8) 췌장염, 과트리글리세리드혈증 9) 질출혈 환자 10) 35세 이상 흡연자 11) 임신부 : Category X 〈주의〉 1) 흡연자, 고혈압, 비만, 40세이상 여성, 간질, 편두통, 동맥질환이나 정맥류 병력이 있는 환자, 전신성 홍반성 루푸스 환자, 유방암 가족력 환자, 우울증, 심·신부전, 과다증식된 유선병증, 유방 결절, 심장질환, 고지혈증, 담낭질환, 자궁내막증, 천식, 말초혈액 순환장애, 당뇨병, 두빈-존슨 증후군 및 로터 증후군, 황달, 간염, 겸상 적혈구 빈혈 환자 등에서 주의 〈상호작용〉 1) Barbitals, 항전간제, rifampicin, rifabutin, ampicillin, tetracycline, griseofulvin, minocycline과 병용시 월경주기 변화, 출혈, 피임효과 감소 2) Ritonavir, St. John's wort 와 병용시 피임효과 감소 3) Atorvastatin, ascorbic acid, acetaminophen과 병용시 여성호르몬제의 혈중 농도 증가
1Ⓣ 중 Ethinyl estradiol 0.03mg, Gestodene 0.075mg **Myvolar tab**	1) 생리시작일로부터 1일 1정씩 21일간 복용 후 7일간 휴약. 2) 처음 복용하는 경우: 월경시작 1일째부터 복용시작, 이후 복용 시작하는 경우에는 14일째까지 다른 비호르몬적 피임법 병행해야 함	1) 경구용 피임제 2) 난자의 성숙을 막고 경관부 점액이 점조해지며 수정란의 착상을 억제함.	- 질출혈 - 동통 - 오심, 복부경련, 황달 등 - 탈모증, 소양, 다모증, 발진	〈금기〉 1) 유방 또는 생식기암 환자 2) Estrogen과 관련된 종양 환자 3) 미진단 질출혈 환자 4) 혈전색전증, 혈전성 정맥염이 있는 중증의 심질환자

약품명 및 함량	용법	약리작용 및 효능	부작용	주의 및 금기
마이보라정 …21Ⓣ/PK	3) 계속 복용하는 경우: 7일간 휴약 후 월경 중이더라도 8일째부터 복용 시작, 이후 복용 시작하는 경우에는 7일째까지 다른 비호르몬적 피임법 병행해야 함	- 시각장애 - 두통		5) 임신부 : Category X 6) 수유부 〈주의〉 1) 유방암의 가족력이 있는 환자 2) 체액저류 유발(편두통, 천식, 간질, 심장 또는 신장 기능 장애자에게 신중투여) 3) 고혈압, 당뇨, 담낭질환자

약품명 및 함량	용법	약리작용 및 효능	부작용	주의 및 금기
Somatropin Eutropin inj 유트로핀주 …4 IU/V	1) 소아 성장호르몬 결핍증 : 1주일에 0.5~0.6IU/kg #3~7 SC 2) 터너 증후군 : 1주일에 1IU/kg #6~7 SC, IM 3) 만성 신부전으로 인한 성장부전 : 0.15IU/kg/D SC 4) 작게 태어난 저신장 소아 : 1주일에 0.48mg/kg #6~7 SC 5) 성인의 성장호르몬 결핍증 : 1주일에 0.125IU/kg #6~7 SC로 시작하여 점차 증량 가능 (Max. 0.25IU/kg/wk)	1) 인간성장호르몬과 유사한 aminoacid sequence를 가지는 biosynthetic polypeptide hormone 2) 뇌하수체 성장호르몬 분비장애로 인한 왜소증, 터너증후군, 만성신부전, 저신장 소아, 성인 성장호르몬 결핍증에 사용함.	- 발진, 발적, 소양감 등 - 갑상선 기능저하, 혈당상승 - 간효소치 상승 - 구토, 복통 - 근육통, 사지마비 등	〈금기〉 1) 당뇨병 환자 2) 악성종양 환자 3) 골단이 닫혀 있는 환자 4) 뇌하수체 기능 저하성 성장호르몬 분비감소를 유발하는 뇌종양에 의한 소인증 환자 5) 심질환, 신질환 환자 〈주의〉 1) 임신부 : Category C 2) 단기간내 동일부위에 반복 주사하지 않음. 〈취급상 주의〉 1) 냉장보관 2) 첨부용제와 혼합후 격렬하게 흔들지 않음.
Somatropin Eutropin plus inj 유트로핀플러스주 …24mg(72IU)/V	1) 주 1회 0.5mg/kg SC 2) 주사제의 점도가 높아 주사기 기벽에 남는 손실분 있음. * 손실분 고려한 실제 투약가능 용량 :24mg/V : 20mg	1) 유전자 재조합 인성장호르몬 2) Hyaluronic acid를 방출 조절제로 사용하여 제조한 서방형 제제 (주 1회 투여) 3) 적응증 : 소아의 뇌하수체 성장호르몬 분비장애로 인한 성장장애	- 발진, 발적, 소양감 등 - 갑상선 기능저하, 혈당상승 - 간효소치 상승 - 구토, 복통 - 근육통, 사지마비 등	〈금기〉 1) 당뇨병성 망막증, 악성종양 환자 2) 골단폐쇄 환자 3) 뇌종양에 의한 소인증 환자 4) 이 약으로 치료받은 만성 신질환 소아가 신장이식을 한 경우 5) 수술 및 사고성 외상에 수반하는 합병증에 의한 중대한 급성 질환 환자, 급성호흡부전증 환자 6) 수유부 : 안전성 미확립

약품명 및 함량	용법	약리작용 및 효능	부작용	주의 및 금기
				〈주의〉 1) 심질환, 신질환 환자 2) 당뇨병 및 그 가족력이 있는 환자 3) 성장호르몬 결핍증을 포함한 내분비 장애 환자 4) 임신부 : Category C 〈취급상 주의〉 1) 첨부된 시린지와 주사침은 제품 현탁시에만 사용할 것 2) 조제 전 : 밀봉, 냉장보관(2~8℃) 조제 후 : 냉장보관(2~8℃)시 최대 30일간 유효, 냉동 시키지 말 것
Somatropin Growtropin-2 inj 그로트로핀투주사액 …4IU/0.5ml/V …16IU/2ml/V	1) 뇌하수체 성장호르몬 분비부족으로 인한 소아 왜소증 : 1주일에 0.6IU(0.2mg)/kg 또는 14.4IU(4.8mg)/㎡ SC주 5~7회로 분할투여 (IM일 경우 2~4회 분할투여) 2) 소아의 특발성 저신장증(ISS) : 1주일에 1.11IU(0.37mg)/kg SC 6~7회 분할투여	1) DNA 재조합법에 의해 생산된 biosynthetic polypeptide hormone 2) Skeletal, visceral, general body growth 촉진 및 protein anabolism촉진, fat, mineral 대사에 영향 3) 적응증 : 뇌하수체 성장 호르몬분비 부족으로 인한 소아의 성장부전, 소아의 특발성 저신장증(ISS)	- 발진, 발적, 소양감 등 - 갑상선 기능저하, 혈당상승 - 간효소치 상승 - 구토, 복통 - 근육통, 사지마비등	〈금기〉 1) 당뇨 환자 2) 악성종양 환자 3) 골단이 닫혀있는 환자 4) 뇌종양에 의한 소인증 환자 〈주의〉 1) 갑상선 기능저하증은 이 약의 성장효과를 방해할 수 있음. 2) 심질환, 신질환자에게 신중 투여 3) 당뇨의 가족력이 있는 어린이 4) 임신부 : Category C 〈취급상 주의〉 1) 냉장보관 2) 용해 후 되도록 즉시 사용할 것을 권장하나 냉장보관시 14일간 안정
Somatropin Norditropin nordilet inj 노디트로핀 노디렛주 …10mg(30IU)/1.5ml/sy	1) 소아 성장호르몬 결핍증 : 0.07~0.1 IU/kg/D SC 2) 터너증후군 : 0.13~0.2IU/kg/D SC 3) 만성 신부전으로 인한 성장 부전 : 0.14IU/kg/D SC 4) 누난증후군으로 인한 성장장애 :~0.066mg/kg/D 5) SGA 저신장 소아의 성장장애 : 0.1IV/kg/D 또는 3IV/m²/D SC	1) 3세대 유전자재조합 성장호르몬 (생합성 hGH 제제) 2) 골단연골의 세포분열과 성장을 촉진하고 신체조직의 성장에 필요한 단백 합성을 증가시킴 3) 뇌하수체 성장호르몬 분비장애로 인한 왜소증, 터너증후군과 만성신부전 및 누난 증후군으로 인한 소아의 성장지연 SGA 저신장 소아의 성장장애에 사용함.	- 발진, 발적, 소양감 등 - 갑상선 기능저하, 혈당상승 - 효소치 상승 - 구토, 복통 - 근육통, 사지마비등	〈금기〉 1) 당뇨 환자 2) 악성종양 환자 3) 골단이 닫혀있는 환자 4) 뇌종양에 의한 소인증 환자 〈주의〉 1) 갑상선 기능저하증은 이 약의 성장효과를 방해할 수 있음.

약품명 및 함량	용법	약리작용 및 효능	부작용	주의 및 금기
	6) 성인 성장호르몬 결핍증 : 초기 0.45~0.9IU/D 후 1개월 간격으로 점차 증량	4) Two dynamic test에 의해 확진된 성인의 성장 호르몬 결핍증에 사용함.		2) 심질환, 신질환자에게 신중 투여 3) 당뇨의 가족력이 있는 어린이 4) 임신부 : Category C 〈취급상 주의〉 1) 차광, 냉장보관
Somatropin Saizen liquid cartridge inj 싸이젠리퀴드카트리지주…6mg(18IU)/1.03ml/V	1) 소아 성장 호르몬 결핍증 : 0.025~0.035mg/kg/D SC 2) 터너 증후군 : 0.045~0.050 mg/kg/D SC 3) 만성 신부전으로 인한 소아의 성장부전 : 0.045~0.050mg/kg/D SC 4) 작게 태어난 저신장 소아 : 0.035~0.067mg/kg/D SC 5) 성인 성장호르몬 결핍증 : 0.15~0.3 mg/kg/DSC로 시작하여 적정 투여용량 설정 (Max. 1mg/D)	1) 유전자 재조합 인성장호르몬(생합성 hGH 제제) 2) 바늘이 없는 zet injector인 Coolclick 또는 auto injector인 One-click 2종류의 전용 자가투약기를 이용하여 투여함	– 발진, 발적, 소양감 등 – 갑상선 기능저하, 혈당상승 – 간효소치 상승 – 구토, 복통 – 근육통, 사지마비 등	〈금기〉 1) 당뇨병성 망막증, 악성종양환자 2) 골단폐쇄 환자 3) 뇌종양에 의한 소인증 환자 4) 이 약으로 치료받은 만성 신질환 소아가 신장이식을 한 경우 5) 수술 및 사고성 외상에 수반하는 합병증에 의한 중대한 급성 질환 환자, 급성 호흡부전증 환자 6) 수유부 : 안전성 미확립 〈주의〉 1) 심질환, 신질환 환자 2) 당뇨병 및 그 가족력이 있는 환자 3) 성장호르몬 결핍증을 포함한 내분비 장애 환자 4) 임신부 : Category C 〈취급상 주의〉 1) 냉장보관 (2~8℃) 2) 안정성 – 첫 주사 후 냉장보관, 28일 이내 사용 – 사용하지 않은 양은 폐기함.

4장. 내분비계 및 대사 ………2. Hormones ………………… (7) Somatropin Agonists & Antagonists ……………………2) Somatostatin

약품명 및 함량	용법	약리작용 및 효능	부작용	주의 및 금기
Lanreotide acetate Somatuline autogel prefilled syr 소마툴린오토젤주사	1) 말단비대증 ① 초회 투여 : 60mg 4주마다 둔부에 SC. 반응상태에 따라 용량 조절 2) 카르시노이드 종양 : 60~120mg 4주 마다 둔부에 SC	1) Somatostatin analogue로 다양한 endocrine, neuroendocrine, exo-crine, paracrine 기능의 억제제	1) ≥ 10% – 설사, 복통, 오심 2) 5~10% – 변비, 담석증, 담낭침전, 복부팽만감	〈금기〉 1) 이 약 또는 이와 유사한 펩타이드에 과민한 환자 〈주의〉 1) 일시적으로 insulin 및 glucagon 분비를 억제하므로 당뇨약 복용여부 결정하기 위해서는 혈당 체크 필요

약품명 및 함량	용법	약리작용 및 효능	부작용	주의 및 금기
…60mg/syr …90mg/syr …120mg/sy	3) 국소진행성 또는 전이성 위,장, 췌장계 내분비종양: 120mg 4주마다 둔부에 SC	2) Motilin, gastric inhibitory peptide, pancreatic polypeptide의 분비를 억제하며 장간막 동맥 혈류 및 간정맥 혈류를 강하게 억제함. 3) 적응증 : 수술 및 또는 방사선 치료 등으로 성장 호르몬 분비가 정상화되지 못한 말단 비대증 치료, 카르시노이드 종양과 관련하여 일어나는 임상증상의 치료 4) 반고형 제형으로서 유효 성분이 28일간 서서히 방출되도록 고안한 장시간형 제제 5) 약동학 자료 Tmax : 6hrs $T_{\frac{1}{2}}$: 33±14days BA : 63±10(%)	3) 1~5% – 무력증, 피로, 빌리루빈치 상승	2) 갑상선 기능이 감소될 수 있으므로 갑상선 기능 검사 실시 3) 담낭 운동성이 저하될 수 있으므로 담낭 echography 시행해야 함. 4) 심한 신/간손상 환자 5) 수유부, 소아 : 안전성 미확립 6) 임신부 : Category C 〈상호작용〉 1) 위장관에 대한 영향으로 동시 복용한 약물의 장관 내 흡수 저하 2) CsA와 병용 주사시 CsA의 혈중 농도 저하시킬 수 있음(혈중 농도 모니터링 필요). 〈취급상 주의〉 1) 냉장 보관 2) 주사하기 30분 전에 냉장고에서 꺼냄. 3) 개봉 후 즉시 사용 4) 얼리지 말 것
Octreotide acetate Sandostatin inj 산도스타틴주 …0.1mg/1ml/A	1) 말단비대증 – 초기용량 :0.05~0.1mg q 8hrs 혹은 q 12hrs SC, 매 달 투여량 재조절 – 유지용량 :0.2~0.3mg/D (Max. 1.5mg/D) 2) 위 · 장 · 췌장계 · 내분비성 종양 – 초기용량 :0.05mg qd~bid SC – 0.2mg tid까지 점진적으로 증량 3) 췌장수술 후 합병증 예방 – 0.1mg tid 7일간 SC 4) 위 · 식도 정맥류 출혈 – 0.025mg/hr 점적투여, 최장 5일간 * 신기능에 따른 용량 조절 참고 ① 투석하지 않는 신장애 환자 : 용량 조절 필요없음	1) Somatostatin의 octapeptide 유도체로서, somatostatin과 같은 작용을 나타내나 작용시간이 somatostatin보다 길고 octreotide로서는 속효성임. 2) 위, 장, 췌장에서 생성되는 gastrin, glucagon, insulin 등의 분비와 뇌하수체에서 분비되는 성장 Hr, TSH의 분비를 억제함. 3) 적응증 : 말단비대증, 내분비 검사상 확진된 뇌 · 위장 · 췌장계의 내분비성 종양, 췌장 수술 후 합병증 예방, 이차적 위 · 식도 정맥류 출혈 4) 대사 : 간 $T_{\frac{1}{2}}$: 2hrs 배설 : 신장(32%)	1) >10% – 서맥(19~25%) – 고혈당 – 말단비대환자에서 설사(35~58%), 복통(30~44%), 고창(13~26%), 변비(9~19%), 오심(10~30%) 2) 1~10% – 홍조, 부종, 심전도 이상(9~10%), 부정맥(3~9%) – 피로감, 두통, 어지러움, 시야몽롱, 식욕부진, 우울	〈주의〉 1) 종양팽대의 징후가 나타나면 다른 치료법을 고려함. 2) 담석생성 가능하므로 6개월 간격으로 초음파검사 3) 내분비성 종양치료시 심한 증상 재발가능 4) 저혈당증 확대 가능 5) 임신부 : Category B 6) 수유부 : 안전성 미확립 7) 짧은 간격으로 동일 부위에 반복 주사하지 말 것 〈취급상 주의〉 1) 냉장보관 2) 국소불쾌감의 감소 위해 주사시 실온으로 함(실온에서 2주까지 보관 가능)

약품명 및 함량	용법	약리작용 및 효능	부작용	주의 및 금기
	② 투석 중인 신부전환자 : 감량 고려		- 저혈당(2%), 유루, 갑상선 기능 저하 - 황달, 간염, 담즙울체 - 주사부위의 통증, 발적, 종창	
Octreotide acetate Sandostatin LAR inj 산도스타틴라르주사 …10mg/V …20mg/V …30mg/V	1) 초회량 : 20mg 매4주마다 3개월간 둔부에 IM (그 이후에는 환자의 반응정도에 따라 가감량) * 신기능에 따른 용량 조절 참고 ① 투석하지 않는 신장애 환자 : 용량 조절 필요없음 ② 투석 중인 신장애 환자 : (Depot 주사) 초회10mg IM 4주마다, 이후 반응에 따라 용량 조절	1) 천연의 somatostatin의 합성 8개peptide 유도체로 작용시간이 연장된 long-acting 제제 2) 속효성 octreotide와 달리 주사부위에서 장시간에 걸쳐 서서히 유리되도록 고안된 당중합체의 미세입자 현탁액제 3) 단회 투여시 Tmax(initial) : < 1hr Tmax : 2~3wks 생체이용률 : 60~63% (Sandostatin inj) Steady-state 도달 : 3차 투여부터 대사 : 간 배설 : 신장	1) >10% - 서맥 - 고혈당증 - 설사, 복통, 고창, 변비, 오심 2) 1~10% - 홍조, 부종, 심전도 이상, 부정맥 - 피로, 두통, 어지러움, 현기증, 식욕부진, 우울증 - 저혈당증, 고혈당증, 갑상선기능저하증, 유루증 - 오심, 구토, 설사, 변비, 복통, 복부 경련, 위장관 불편, 지방 흡수저하, 연변, 고창, 이급후중 - 황달, 간염, 간수치 상승, 담석증, 담낭 기능저하 - 주사부위 통증 - 쇠약감	〈주의〉 1) GH-분비성 뇌하수체종양 환자 2) 치료시작 전과 치료하는 동안 6~12개월 간격으로 담낭 초음파 실행권장 (담석 형성) 3) 임신부 : Category B 4) 수유부 및 소아 : 안전성 미확립 〈취급상 주의〉 1) 장기보존시 차광하여 냉장 보관 2) 미개봉 바이알은 주사전약 24시간동안 실온 보관 가능, 주사액은 조제후 즉시 사용 〈상호작용〉 1) CsA의 장내 흡수 감소 2) Cimetidine의 장내 흡수 지연 3) Bromocriptine의 생체내 이용율 증가
Somatostatin acetate Somatosan inj 소마토산주	1) 250mcg/hr 속도로 IV inf. 통상 2~10일간 (췌장루 및 장루의 경우 21일까지)	1) 성장호르몬 유리 억제 호르몬 (GH-RIH의 합성 polypeptide) 2) 작용 : octreotide와 동일 3) 작용지속시간이 짧은 속효성제제로 응급환자에 적당	- 초기에 혈당강하	〈금기〉 1) 임신부, 분만 전후 수유부 2) 내시경 확인된 중증 동맥 출혈 : 수술로 처치

약품명 및 함량	용법	약리작용 및 효능	부작용	주의 및 금기
…3.5mg/A (Somatostatin으로 3mg)		4) 위십이지장 궤양으로 인한 심한 급성출혈, 급성 미란성 위염 또는 출혈성 위염에서의 심한 출혈, 수술 후 췌장루 및 십이지장루 분비 감소를 위한 유지 요법시 사용		〈주의〉 1) 반복투여 금함. 2) Glucose나 fructose 용액과 혼합하지 말아야 하며 사용 직전에 조제

약품명 및 함량	용법	약리작용 및 효능	부작용	주의 및 금기
Carbimazole Camen tab 카멘정 …5mg/T …10mg/T	1) 성인 - 초기: 20~60mg/day #2~3 (갑상선 기능이 정상이 될 때까지) - 유지: 용량을 점차 감량하여 최종 용량 5~15mg/day #1 (6~18개월간 지속) - 치환 차단요법: 20~60mg/day와 함께 요오드티록신을 50~150mcg/day (6~18개월간 지속) 2) 소아 - 초기: 통상 15mg/day	1) Methimazole(MZ)의 prodrug으로서 갑상선기능항진증 치료제 2) 복용시 혈중에서 빠르게 활성형인 methimazole로 전환되어 작용하므로, 체내동태가 methimazole과 거의 유사함. 3) Initial response : 1~3months Tmax : 0.5~3hrs 흡수: 거의 완전히 흡수됨 대사: CYP2D6 억제 배설: 신장(85%), 대변(<1%) $T\frac{1}{2}$: 3~13hrs	- 반구진성 혹은 두드러기성 피부발진, 소양증, 알러지성 피부염, 탈모 - 갑상선기능저하증 - 오심, 복부 불편감 - 무과립구증 (0.3~1%), 백혈구감소증, 담즙정체성 간염, 괴사성 간염 - 관절통, 근육통, 관절부종 - 현기증, 감각이상, 두통 (드물지만 치명적인 부작용) - Toxic epidermal necrolysis	〈금기〉 1) 임신부: Category D(methimazole 기준), Category C (호주) 〈주의〉 1) 무과립구증, 간질환, 근육통 있는 환자 2) Propylthiouracil에 과민한 환자 (∵교차과민성 발현 가능) 3) 갑상선 크기 증가시 용량 감량 필요 4) 수유부: 복용 가능하나, 신생아 및 유아의 갑상선기능검사를 2~4주마다 실시할 것을 권장함. 〈상호작용〉 1) Warfarin의 항응고효과 감소 2) Bupropion: 간독성 증가
Methimazole Methimazole tab 메티마졸정 …5mg/T	1) 성인 - 초회량 경증: 15mg #3 중등도:30~40mg #3 중증: 60mg #3 - 유지량: 5~15mg #1~2 2) 소아 - 초회량: 0.4mg/kg/D #3	1) 갑상선 호르몬 합성저해 2) Propylthiouracil과 동일하나 propylthiouracil의 10배 효력을 가짐. 3) Propylthiouracil에 비해 무과립세포증은 덜 나타나나 일반적인 부작용의 빈도는 더 높음. 4) 갑상선기능항진증, 아전갑상선 절제술과 방사선요오드요법을 시행하려고 하는 갑상선기능항진증 5) $T\frac{1}{2}$: 6~9hrs	- 부종 - 두통, 현기, 졸음, CNS 자극, 우울 - 발진, 두드러기, 소양, 피부 색소침착, 탈모 - 갑상선종 - 오심, 구토, 위통,	〈금기〉 1) 무과립구증, 백혈구감소증, 혈소판감소증 환자 2) 임신부: Category D (태아에 갑상선종, 갑상선기능억제) 〈주의〉 1) 신중투여: 간장애, 기타의 혈액장애 환자 2) 수유부: 복용 가능하나. 신생아 및 유아의 갑상선기능검사를 2~4주마다 실시할 것을 권장함.

약품명 및 함량	용법	약리작용 및 효능	부작용	주의 및 금기
	- 유지량: 초기량의 1/2	지속시간 : 36~72hrs BA : 80~95% 배설 : 신장(80%)	미각이상, 변비, 체중증가, 침샘부종 - 백혈구감소, 무과립구증, 과립구감소, 혈소판감소, 재생불량성빈혈 - 담즙정체성 황달, 황달, 간염 - 관절통, 마비감 - 신증후군 - SLE양 증후군	
Propylthiouracil Antiroid tab 안티로이드정 …50mg/T	- 초회량 투여후 갑상선기능 항진증이 소실되면 1~4주간 점진적으로 감량한 후 유지량 투여 1) 성인 - 초회량: 100~300mg/D #3~4, 중증시 400~600mg/D - 유지량: 25~100mg/D #1~2 2) 소아 - 초회량: ① 5~9세: 100~200mg/D #2~4 ② 10~14세: 200~300mg/D #2~4 - 유지량: 50~100mg/D #1~2 3) 임신부 - 초회량: 150~300mg/D #3~4 - 유지량: 50~100mg/D #1~2	1) 갑상선 호르몬 합성저해 2) $T_4 \rightarrow T_3$ 과정도 차단하므로 노인이나 심장질환, thyrotoxic crisis 환자에게 methimazole보다 많이 쓰임. 3) 갑상선기능 항진증, 갑상선 제거수술이나 방사능 요오드 치료시 사용 4) $T_{\frac{1}{2}}$: 1hr Protein binding: 75~80% BA: 80~95% 배설: 신장(35%)	- 부종, 혈관염 - 발열, 졸음, 현훈, 두통, 현기, 신경염 - 피부발진, 두드러기, 소양, 피부염, 탈모 - 갑상선종, 체중증가, 침샘부종 - 오심, 구토, 미각이상, 위통, 변비 - 백혈구감소, 무과립구증, 혈소판감소, 출혈, 재생불량성빈혈 - 담즙정체성 황달, 간염 - 관절통, 마비감 - 신염, 사구체신염, 급성 신부전 - 간질성폐렴, 폐포출혈	〈금기〉 1) 이 약 사용후 간기능이 악화된 환자(연속 투여후 중증 간염 발생 위험) 2) 중독성 갑상선종 환자 3) 중증 혈액장애 환자 4) 임신부: Category D (태아에 갑상선종, 갑상선 기능 억제) 〈주의〉 1) 신중투여: 간장애, 중등도 이상의 백혈구 감소 또는 기타 혈액장애 환자, 간효소 또는 담즙울체 유도효소 수치가 높은 환자 2) 수유부: 수유 가능 3) 무과립 세포증 전구증상(발열, 인후통)이 나타나면 즉시 보고하도록 지도해야 함

약품명 및 함량	용법	약리작용 및 효능	부작용	주의 및 금기
1ml 중 Iodine 50mg, potassium iodide 100mg **Gemstain solution** 젬스테인용액 …10ml/V	1) 24개월 이상 소아 및 성인: 0.1~0.3ml tid 6일간 2) 복용방법: 물이나 우유 적량(대략 200ml/회)에 희석하여 복용	1) 요오드 보급제 (5% Lugol's solution) 2) Iodine 함유량: 이 약 1ml 당 126.4mg 3) 적응증: 갑상선 기능 항진증에 대한 수술 전 처치	(빈도 미확립) - 불규칙한 심장박동 - 혼란, 피로, 발열 - 피부 발진 - 통풍, 타액선 부종 및 통증, 갑상선선종, 목/인후부종, 점액부종, 림프절 부종, 갑상선기능항진증/저하증 - 설사, 위장관출혈, 금속성 맛, 오심, 구토, 위통, 소화불량 - 무감각, 저림, 쇠약, 관절통 - 만성 요오드 중독(장기간/고용량 복용 시)	〈금기〉 1) 임신부: Category D (태반-통과) 2) 가임기 여성 3) 수유부: 유즙 분비 〈주의〉 1) 소아: 신중 투여 2) 장기간 복용하지 말 것 3) 과량투여 시 급성독성 증상, 사망 등 심각한 이상반응 발생 가능 〈상호작용〉 1) 갑상선 기능검사: 이 약 투여 시 결과에 영향을 줄 수 있음

약품명 및 함량	용법	약리작용 및 효능	부작용	주의 및 금기
Levothyroxine Sodium Synthyroxine tab 씬지록신정 …50mcg/T Synthyroid tab 씬지로이드정 …100mcg/T …150mcg/T	1) 성인 - 초회량: 25~100mcg - 유지량: 100~400mcg 2) 소아 (단위: mcg/kg/D) - 0~3개월: 10~15 - 3~6개월: 8~10 - 6~12개월: 6~8 - 1~5세: 5~6 - 6~12세: 4~5 - 12세이상: 2~3	1) Deiodination에 의해 L-triiodothyronine(T_3)으로 되어 정상적인 혈중농도를 나타내며 serum protein과 결합하여 작용발현은 완만하게 나타냄. 2) 갑상선기능이 결핍되거나 저하된 상태의 치료에 유효함. 3) Onset: 3~5days Tmax: 2~4hrs Duration: (multiple dose) several weeks $T_{\frac{1}{2}}$: 6~7days(euthyroid) 9~10days(hypothyroid)	- 심계항진, 부정맥, 빈맥, 흉통 - 초조, 두통, 불면, 발열, 운동실조 - 탈모 - 월경주기 변화, 체중감소, 식욕증가 - 설사, 복부경련, 변비, 구토 - 근육통, 진전 - 호흡곤란 - 발한, 피부 과민반응	〈금기〉 1) 급성 심근경색 환자 2) 중증 협심증 환자 3) 빈맥을 동반한 심부전 환자 4) 심근염 환자 5) 갑상선기능항진증 환자 6) 치료 전 부신기능부전증 환자 7) 갑상선중독증 환자 8) 고혈압 환자 〈주의〉 1) 심혈관계질환, 부신피질기능부전, 뇌하수체기능부전, 당뇨병, 중증 또는 장기간 지속된 갑상선기능

약품명 및 함량	용법	약리작용 및 효능	부작용	주의 및 금기
				저하증, 고령자 등에 사용시 신중투여 2) 황색4호(타르트라진)에 과민한 환자에 신중투여 3) 소량부터 시작하여 점차증량하여 유지량으로 투여함 4) 임신부 : Category A 5) 수유부: 심각한 부작용은 보고된 바 없으나, 모유로 소량 이행되므로 신중투여. 6) 과량투여시: 대증요법, 산소공급, 베타차단제, 강심배당체 등 투여, 흡수 억제를 위해 cholestyramin, T〈3〉로의 전환을 억제하기 위해 당질코르티코이드 투여 가능 7) 불면 부작용 있으므로 아침에 복용 8) 요오드 동위원소 섭취 검사시 4주전 복용 중단함 〈상호작용〉 1) Warfarin과 병용투여시 상승작용 2) 교감신경효능약과 병용투여시 교감신경효능 작용 증강 3) 갑상선기능 항진상태시 digoxin의 혈중농도 감소, 저하상태시 혈중농도 증가 4) 혈당강하제와 병용시 혈당조절 변화 5) Cholestyramin, Fe제제, Al함유 제산제와 병용시 T_4의 흡수 감소됨 6) Enzyme inducer(phenytoin, carbamazepine, phenobarbital, rifampin 등)에 의해 T_4의 혈중농도 저하 7) Phenytoin, carbamazepine 등 혈장단백결합률이 높은 약물에 의해 농도 상승
Liothyronine sodium Tetronine tab 테트로닌정 …20mcg/T	1) 초회량: 5~25mcg/D, 1~2주 간격으로 증량 2) 유지량: 25~75mcg/D (Max: 150mcg/D)	1) 체내 T_3의 L-isomer로 levothyroxine (T_4) 보다 활성이 크고 (약 4배) 작용 발현이 빠르나(수시간), 지속시간은 짧음(수일). 2) Thyroid suppression test: 75~100mcg 7일 복용후 ^{131}I thyroid uptake test 하여 50% 이상이면 정상	1) 과량투여에 의한 부작용 - 심계항진, 맥박증가, 부정맥, 협심증, 울혈성 심부전 - 진전, 불면, 두통,	〈금기〉 1) 급성 심근경색 환자 2) 심근염 환자 3) 갑상선 기능항진증 환자 4) 관상동맥 병변증 환자 5) 심대상부전증 환자

약품명 및 함량	용법	약리작용 및 효능	부작용	주의 및 금기
		3) 효능 및 효과: 갑상선 기능저하증, (원발성, 뇌하수체성), 점액부종, 크레틴병, 갑상선종(단순성, 결절성), 만성 갑상선염 4) Tmax: 1~2hrs Onset: few hrs (peak: 2~3days) $T\frac{1}{2}$: 25hrs BA: 95%	어지러움, 발한, 신경과민, 흥분, 불안감, 조울, 경련 - 식욕부진, 구토, 설사, 복부경련 - 근육통, 월경장애, 체중감소, 무력감, 홍조 2) 과민증 (발진) 3) 발열, 권태감, 간기능 검사치 이상 4) 동공산대, 소아의 고칼슘뇨증, 발작성향 증가, 쇽	6) 치료 전 부신 기능부전증 환자 〈주의〉 1) 중증의 심혈관계 질환, 부신피질기능부전, 뇌하수체기능부전, 당뇨병, 중증 또는 장기간 지속된 갑상선 기능저하증, 고령자 등에 사용시 신중투여 2) 소량부터 시작하여 점차 증량하여 유지량으로 투여함 3) 임신부 : Category A 4) 수유부: 심각한 부작용은 보고된 바 없으나, 모유로 소량 이행되므로 신중투여. 5) 과량투여시: 구토유발, 위세척, 흡수억제(cholestyramin, charcoal 투여) 등의 대증요법, 산소공급, 베타차단제, 강심배당체 등 투여. 〈상호작용〉 1) Warfarin과 병용투여시 warfarin 효과 상승 2) 교감신경효능약과 병용투여시 교감신경효능 작용 증강 3) 갑상선기능 항진상태시 digoxin의 혈중농도 감소, 저하상태시 혈중농도 증가 4) 혈당강하제와 병용시 혈당조절조건 변화되므로 혈당 체크하여 투여량 조절 5) Cholestyramin, Fe제제, Al함유 제산제와 병용시 이 약의 흡수 감소됨 6) Enzyme inducer (phenytoin, carbamazepine, phenobarbital, rifampin 등)에 의해 이 약의 혈중농도 저하 7) Aspirin, furosemide, clofibrate 등에 의해 이 약의 농도 상승
Levothyroxine sodium + Liothyronine sodium **Comthyroid tab** 콤지로이드정	1) 초회량 : 1/2Ⓣ qd 2~3주 간격으로 1/4Ⓣ씩 증량 2) 유지량: 1~2Ⓣ qd	1) 신속하고 단시간 작용하는 T_3와 완만하고 장시간 작용하는 T_4를 1 : 4로 혼합한 제제로 생리적으로 정상적인 갑상선분비 Hr.과 같음. 2) 갑상선기능 저하증, 단순성 갑상선종, 갑상선염(아급성, 만성), 점액수종, Cretinism에 사용함	- 갑상선 중독증: 흉통, 맥박수 증가, 심계항진, 발한과다, 열에 대한 불내성, 신경질 (투여중지)	〈금기〉 1) 부신피질부전 2) 갑상선 중독증 3) 이 약에 과민한 환자

약품명 및 함량	용법	약리작용 및 효능	부작용	주의 및 금기
…50+12.5mcg/T		3) $T\frac{1}{2}$: 6~7wks 지속시간: 3wks	- 갑상선 기능항진증상: 월경이상, 신경과민, 부정맥, 협심증.	〈주의〉 1) 신중투여: 협심증, 심혈관질환(저용량으로 시작), 당뇨병, 요붕증 환자 2) 임신부 : Category A

약품명 및 함량	용법	약리작용 및 효능	부작용	주의 및 금기
Recombinant human TSH (Thyrotropin-α) Thyrogen inj 타이로젠주 …1.1mg/V	1) 0.9mg을 24시간마다 2회 둔부에 IM 2) 최종주사 24시간 후에 방사선 조영을 위해 요오드 동위원소 투여. 3) 동위원소 투여 후 48시간째에 스캐닝. 혈청 Tg검사시에는 투여 72시간 후 혈청 채취. 4) 조제법: 1ⓥ을 주사용 증류수 1.2ml에 녹인 후 1.0ml를 취하여 주사	1) recombinant human TSH (=Thyroid Stimulating Hr.) 2) 갑상선에서 TSH receptor 에 결합하여 Thyroid Hr (T_3, T_4) 의 분비를 자극하여 cAMP 이차 전달체의 작용을 유발시킴. 3) 적응증: 갑상선 글로불린 테스트 (갑상선 암의 재발 가능성 및 전이 여부 진단) 또는 전신 스캐닝시 단시간 내 TSH의 적정 혈중 농도 도달을 위해 투여, 갑상선암 절제환자의 잔재 갑상선 조직 제거 목적으로 방사성 요오드와 함께 사용 4) 갑상선호르몬의 투여중지 없이 단기간 내에 진단이 가능하므로 갑상선호르몬 투여중단으로 생기는 부작용 방지 가능함. 5) $T\frac{1}{2}$: 25±10hrs Tmax: 3~24hrs	1) 1~10% - 오심, 구토 - 두통, 무력증, 발열, 오한, 현기증 - 감각이상, 무기력증 - Flu-like syndrome	〈주의〉 1) 이전에 Bovine TSH로 치료받은 환자, 이 성분에 과민반응이 있던 환자 2) 심장질환자, 갑상선 조직이 남아있는 환자 (∵갑상선 호르몬 혈중 농도가 유의하게 상승할 수 있음) 3) 갑상선암 담당 의사의 지시, 감독하에 투여. 4) Tg(Thyroglobulin) 항체로 인하여 혈중 Tg 농도 측정에 혼동이 있을 수 있으므로 초기 단계의 스캔 진단이라도 갑상선 호르몬 투여 중단 후 갑상선암의 위치와 정도에 대한 확인을 행함. 5) T_3, T_4 기능이 정상적이면 방사성 요오드 조영으로 검사하도록 함 6) 임신부 Category C 7) 수유부 및 소아, 노인: 안전성 미확립 〈취급상 주의〉 1) 냉장보관 2) 조제된 주사액은 냉장, 차광 보관하고, 24시간 이내 사용 3) IM으로만 투여할 것(엉덩이 부위에만)

약품명 및 함량	용법	약리작용 및 효능	부작용	주의 및 금기
Carbetocin Duratocin inj 듀라토신주 …100mcg/1ml/A	1) 제왕절개술에서 태아 만출 후: 100mcg IV (1분 동안)	1) Oxytocin 합성 유도체 2) Oxytocin의 N-말단을 탈 아미노화시키고, disulfide 결합을 $-CH_2-S-$로 치환함으로써 aminopeptidase와 disulfidase에 의한 분해를 방지하고, -OH기를 methylether기로 치환시켜 반감기를 연장시킨 제제 3) 적응증 : 경막외 또는 척수 마취하에 실시하는 선택적 제왕절개술 후 자궁 무력증 및 출산 후 출혈의 방지 4) Onset : ~2mins Duration : 1hr $T_{\frac{1}{2}}$: 40mins	- 복통, 두통, 저배통, 요통, 흉통 - 구역, 구토 - 저혈압, 열감, 홍조, 심계항진, 빈혈 - 호흡곤란 - 불안, 현기증, 오한, 진전 - 소양증, 발한 - 분만 후 출혈 - 금속성 미각	〈금기〉 1) 선택적 또는 의학적 분만 유도를 포함하여, 태아 분만 이전인 임신부 : 옥시토신에 비하여 상대적으로 긴 작용시간 때문에 과긴장성, 지속성 자궁 수축, 자궁 과자극, 격동성 분만. 자궁 파열, 자궁 경부 및 질의 열상, 분만 후 출혈 가능 2) 옥시토신 또는 카르베토신에 과민한 환자 3) 혈관질환(특히, 관상동맥질환) 환자 4) 간질환, 신질환 환자 5) 소아, 고령자 6) 수유부: 안전성 미확립 (도유로 이행) 〈취급상 주의〉 1) 냉장보관(2~8℃) 2) 개봉 후 즉시 사용
Dinoprostone Propess SR vag. Supp 프로페스질서방정 …10mg/EA	1) 1제를 질의 후부원개(posterial vaginal fornix)에 삽입함. 2) 8~12시간이내에 충분한 효과가 없을 경우 제거 후 1제를 추가 투여하며 12시간 이내에 제거함. 3) 유도분만으로 사용시 2회까지 투여함.	1) 합성 prostaglandin E2 의 자궁 수축제 2) 유도 분만이 지시된 임산부로서 bishop score가 6 이하이고 임신 기간이 38주 이상인 임산부의 자궁 경부 숙화를 개시 및 지속 3) Onset: 10min Duration: 2~3hr 배설: 주로 신장	1) > 10% - 두통 - 구토, 설사, 오심 2) 1~10% - 서맥 - 발열 - 저배통	〈금기〉 1) 다음의 경우에는 투여하지 말 것 - 질출혈 - 분만이 개시된 경우 - 막파열 - 지속적이고 강한 자궁수축이 부적합한 환자 - 골반염증이 있는 환자 - 다태 임신 (multiple pregnancy) 2) 수유부: 안전성 미확립 〈주의〉 1) 다음 질환을 가지고 있는 환자: 자궁 과긴장, 녹내장, 천식, 고혈압, 저혈압, 자궁경부염, 자궁경 내막염, 질염, 간질, 당뇨, 빈혈, 황달, 심혈관계질환, 신 · 간장애 〈상호작용〉 1) Oxytocin과 병용하지 않으며 6시간 간격을 두고 사용함.

약품명 및 함량	용법	약리작용 및 효능	부작용	주의 및 금기
				〈취급상 주의〉 1) -20~-10℃의 냉동 보관 2) 냉장보관시 3개월 안정
Methylergometrine (Methylergonovine) Unidergin tab 유니덜진정 …0.125mg/T Eruvin inj 에르빈주사액 …0.2mg/1ml/A	1) 경구: 1~2Ⓣ bid~qid 2) 주사: 1회 0.1~0.2mg IV 또는 1회 0.2mg SC, IM	1) 강력한 자궁수축작용 및 지혈작용을 나타냄. 2) 태반만출, 제왕절개수술, 유산후 출혈의 예방 및 치료, 자궁퇴축 부전에 사용함. 3) Prolactin분비 억제함.	- 고혈압, 일시적 흉통, 심계항진 - 환각, 현기, 발작, 두통 - 수분중독 - 오심, 구토, 설사, 미각이상 - 혈전성정맥염 - 다리경련 - 이명 - 혈뇨 - 호흡곤란, 비충혈 - 발한	〈금기〉 1) 분만중인 여성 2) 자간 환자 3) 분만 유도 환자 4) 아두만출전(분만유도 또는 촉진제로 사용 금기) 5) 고혈압, 임신중독증 6) 중증 허혈성 심질환 및 병력자 7) 폐색성 혈관질환 및 병력자 8) 중증 전염 상태 9) 패혈증 환자 10) 수유부: 모유로 이행 〈주의〉 1) 신중투여: 심 · 간 · 신질환 2) 임신부: Category C 3) IV투여는 피하나(부작용 증가) 꼭 필요하면 BP 측정하면서 1분이상에 걸쳐 투여
Oxytocin Oxyton inj 옥시톤주사액 …5 IU/ml/A	- 5~10IU IV, IM - 점적정주시 5DW5에 혼합하여 1~2mU/min으로 투여시작, 점차 증가(Max. 20mU/min)	1) 자궁 평활근에 작용하여 자궁을 수축시키며 유선을 자극함. 2) 승압효과는 거의 없음. 3) 분만유도, 진통미약시 분만촉진, 불완전하거나 혹은 불가피한 분만시 보조제. 4) 분만 후 자궁수축과 산후 출혈방지에 사용함. 5) $T\frac{1}{2}$: 3~5mins	(태아) 1) 1% 미만 - 부정맥, 서맥, 뇌손상, 사망, 저산소증, 뇌내출혈, 신생아황달 (산모) 1) 1% 미만 - 아나필락시스 반응, 부정맥, 혼수, 사망, 태아 무섬유소원혈증, 저혈압, 출혈증가, 자궁수축증가, 오심, 분만후 출혈, 발작	〈금기〉 1) 아두만출전(분만유도 또는 촉진제로 사용 금기) 2) 중증 허혈성 심질환 및 병력자 〈주의〉 1) 신중투여: 심질환, 폐색성 혈관질환, 간,신질환, 패혈증 환자 2) 임신부 : Category C(유도분만, 진통강화, 유산목적으로만 투여) 3) 수유부 : 안전성 미확립(모유로 이행) 〈취급상 주의〉 1) 냉소보관(10℃ 이하)

약품명 및 함량	용법	약리작용 및 효능	부작용	주의 및 금기
Sulprostone (Prostaglandin E_2) Nalador inj 나라돌주 …500mcg/ml/A	1) 병리적 조건하에서 임신중절의 유도, 자궁내 태아사망시 유도 - 1시간당 100mcg, 최대 1.7mcg/min으로 10시간까지 점적정주 - Max. 1500mcg/dose - 필요시 12~24시간 후 반복 2) 이완성 산후출혈 치료 - 30~120분내에 500mcg을 4~16 mcg/min로 점적정주 - Max. 33mcg/min	1) Prostaglandin E_2 유도체인 dinoprostone의 합성 유도체로 자궁근에 대한 선택작용이 커서 다른 기관의 평활근에 영향 미치지 않음. 2) 임신 자궁근 수축작용 및 자궁경부 이완작용이 있음. 3) 태아의 자궁내 사망, 계류유산, 포상기태 등의 유도분만에 사용함.	- 구역, 구토, 위경련, 설사, 졸음, 두통, 기관지수축, 서맥, 혈압강하	〈금기〉 1) 기관지 천식 환자 2) 심부전 환자 3) 신 및 간장애 환자 4) 중증 고혈압 환자 5) 대상부전성 당뇨병 환자 〈주의〉 1) 살아있는 태아의 분만유도 금기 2) 폐순환 압력을 증가시킬 수 있으므로 투여중 호흡과 순 환기능을 자주 점검해야 함 〈취급상 주의〉 1) IM bolus 금기 2) 동맥내 주입 금기 3) 냉장보관 4) NS로 용해한 후 냉장 12시간 유효

약품명 및 함량	용법	약리작용 및 효능	부작용	주의 및 금기
Atosiban Tractocile inj 트랙토실주 …6.75mg/0.9ml/V …37.5mg/5ml/V	연속적인 3단계 용법 1) 0.9ml 1분 이상 IV bolus 2) 부하용량(아래와같이 희석한 액 24ml/hr) 3시간동안 IV inf. 3) 유지용량(아래와 같이 희석한 액 8ml/hr) IV inf. (총 처치시간은 48시간 이내로 하고, 총 용량은 330mg을 넘지 않도록 함.) * IV inf. 주입액 조제 :희석액(NS, 5DW 등) 100ml에서 10ml를 버리고, 5ml vial 2개로부터 약을 취해 희석(최종농도: 0.75mg/ml)	1) 임부의 조산 방지제 2) 옥시토신 유도체로서, 자궁근층의 옥시토신 수용체에 경쟁적으로 작용하여, 옥시토신에 의한 자궁수축을 억제하므로 산모와 태아에 대한 부작용이 적음. 3) 적응증: 임부의 조산방지 목적으로 - 최소 30초간 유지되는 주기적인 자궁수축이 30분당 4회 이상으로 발생한 경우로서 - 1~3cm가량 경부가 확장되어 있고(초산인 경우 0~3cm), 50% 이상의 소실을 보이며, - 18세 이상, 임신주수 24~33주, 태아의 심박이 정상인 경우 4) $T_{\frac{1}{2}}$: 1.7 hrs Onset : 〈 1hr	- 홍통, 빈맥(2~3%) - 오심(~10%), 구토(2~3%) - 두통(2~8%)	〈금기〉 1) 자간증 및 자간전증 환자, 융모양막염, 산전 자궁출혈이 있는 환자, 다태임신, 자궁내 태아사망, 태반조기박리 환자 〈주의〉 1) 3cm 이상 경부가 확장된 경우 2) 심혈관질환, 신장애, 간질환 환자 3) 이 약 사용중 1cm 이상 경부가 확장되거나, 6시간 동안 자궁수축이 계속되는 경우 중단 고려 〈취급상 주의〉 1) 2~8℃ 냉장보관 2) 바이알 개봉시 바로 사용(보존제 없음) 3) 희석후 24시간 이내에 사용

약품명 및 함량	용법	약리작용 및 효능	부작용	주의 및 금기
Ritodrine HCl Rabopa inj 라보파주 …50mg/5ml/A	1) IV infusion: 150mg을 5DW5에 희석 투여 - 초회량: 0.05mg/min, 10분마다 0.05mg/min씩 증량. - 유지량: 0.15~0.3mg/min, 자궁수축이 멎은 후에도 12~48hr 계속주입. - 15분 간격으로 혈압맥박, 태아의 심장고동 측정하며, 저혈압 방지위해 옆으로 누워 주입. 2) IM: 10mg. 효과 없으면 1시간 내에 반복. 3~8시간마다 10~20mg을 12~48시간동안 주사	1) β-receptor agonist로 β_2-adrenergic receptor에 작용하여 자궁근의 수축을 억제함. 2) 조산방지에 사용함. 3) 적응증: 단순 조숙산통에 대한 단기간 관리(자궁수축억제제치료에 대한 의학적 또는 산과적 금기에 해당되지 않는 임신주수 22~37주 임부 분만억제)	1) > 10% - 산모 및 태아의 심박수 증가, 산모 고혈압, 심계항진, 흉통 - 두통 - 홍반 - 일시적 고혈당 - 오심, 구토 - 진전 - 폐부종 2) 1~10% - 초조, 불안 - 발진	〈금기〉 1) 임신 24주까지 2) Antepartum hemorrhage 3) Severe pre-eclampsia 4) 자궁내 태아사망 5) Chorioamnionitis 6) 모체의 심장질환, 고혈압, 당뇨 7) 모체의 복약경력, 특히 betamimetics와 corticosteroid에 의한 치료 8) 65세 이상 고령자, 12세 미만 소아 〈주의〉 1) 임신부: Category B (단, 임신 24주 이내 금기) 2) 신생아: 저혈당증, 장폐색 〈상호작용〉 1) Corticosteroids와의 병용은 폐부종 초래(초기 증상의 하나는 계속적인 빈맥)

*부록(아미노산 수액제 일람표) 참고

약품명 및 함량	용법	약리작용 및 효능	부작용	주의 및 금기
Amino acids 10% Primene 10% inj 프라이멘10%주사 …100ml/BT …250ml/BT	1) 10kg 이하 : 총 A.A로서 2.0~2.5g/kg/D IV inf. 2) 10kg 이상 : 총 A.A로서 20~25g/D에서 10kg 이상의 kg 당 1.0~1.25g/kg/D씩 증량하여 IV inf. 3) 소아 - A.A으로서 1.5~3.5g/kg/D - 이 약으로서 15~35ml/kg/D 4) 용법 - 신생아 및 유아 : 24hr IV inf. - 소아 : 24hr IV inf. 또는 1일 8~12hr 순환 주입 - 주입속도 : 0.05ml/kg/min 초과 금지	1) 유 · 소아용 아미노산 수액제 2) 기존 제제(6%)에 비하여 고농도 제제(10%)로서 투여시 필요한 수액량을 줄일수 있고, 유-소아에 필수적인 타우린 함량이 높음. 3) 적응증 : 경구 또는 장관내 영양 섭취가 불가능하거나 불충분 또는 금기인 유 · 소아 및 신생아 또는 조산아의 영양보급	- 신부전 소아의 경우 과량 투여시 대사성 산증 및 BUN 증가 - 과민증 - 오심, 구토 - 심계항진, 빈맥, 혈압강하 - 혈전성 정맥염	〈금기〉 1) 간성혼수 또는 간성혼수 우려자 2) 중증 신장애 환자(핍뇨 또는 무뇨증, 저장성 탈수증) 3) 고질소혈증 또는 질소 이등을 저해하는 대사 장애 환자 4) 소모성 신부전증, 폐수종, Lactic acidosis, Methanol 중독증, A-V block 5) 고나트륨혈증, 고염소산혈증 환자 〈주의〉 1) 고도의 acidosis 환자 2) Na+ 투여로 문제가 되는 경우 (CHF, 중증 신부전) 3) K+ 투여로 문제가 되는 경우 4) 신장애(BUN 수치 상승) 5) 간경변, 중증 바이러스성 간염
Amino acids(Glycly-L-glutamine 등) Glamin inj 글라민주 …500ml/BT	1) 총아미노산/디펩티드로서 1~2g(이약 7~14ml)/kg/D (체중 70kg 환자의 경우 1일 500~1,000ml) 2) 투여속도 : 0.6~0.7ml/kg/hr	1) Glutamine dipeptide를 포함하는 아미노산 영양수액제로서, Glutamine이 수용성이 낮고 용해후 안정성이 떨어지는 점의 해결을 위해 dipeptide 형태로 개발한 제제 2) Glutamine : 소장 세포의 유일한 에너지원으로 장점막을 보호, 위축을 방지하고 체내 면역 증강 작용 및 에너지 공급원으로 알려짐.	- 오한, 오심, 구토 - 홍조, 발한, 아미노산과 디펩티드의 신장배설 - 일시적 간효소 상승으로 설사, 두통, 마비, 열감, 가려움	〈금기〉 1) 선천성 아미노산 대사장애 환자 2) 심한 간부전, 신부전, 순환계 이상(쇽), 대사성 산증, 세포산소공급 부족, 과수분공급, 심근경색 및 병력 환자 3) 저나트륨, 저칼륨, 과젖산 혈증, 혈청 삼투압 증가 환자 4) 폐부종, 대사성 기능장애 환자 5) 소아 : 2세 미만 금기 〈주의〉 1) 2세 이상 소아 2) 임신부 : Category C
N(2)-L-alanyl-L-glutamine Dipeptiven inj	1) 0.3~0.4g/kg/D을 아미노산 수액 또는 아미노산 함유 수액에 첨가하여 IV inf. (총아미노산 으 로 서 Max. 2g/kg/D)	1) Glutamine과 alanine의 depeptide 농축액 2) Glutamine : 소장 세포의 유일한 에너지원으로 장점막을 보호, 위축을 방지하고 체내 면역 증강 작용 및 에너지 공급원으로 작용함.	- 급속 투여 시 오한, 구역, 구토	〈금기〉 1) 중증 신부전 환자(CrCl ≤25ml/min) 2) 중증 간부전, 중증 대사성산증 환자 3) 일반적인 수액 요법에 전신적인 부작용이 있는 경우

약품명 및 함량	용법	약리작용 및 효능	부작용	주의 및 금기
디펩티벤주 …20g/100ml/BT	2) 최대 투여속도 : 아미노산 0.1g/kg/hr 3) 사용 전 반드시 이 약 1용량을 최소 5용량의 아미노산 수액이나 아미노산 함유 수액과 혼합해야 함.	3) 적응증 : 정맥영양요법을 실시하는 경우 아미노산 수액이나 아미노산 함유 수액에 보충하여 글루타민 보급	- 장기간 정맥 주입시 간효소, 빌리루빈 수치 증가(주입량 감소시 정상으로 회복)	4) 임신부, 수유부, 소아 : 안전성 미확립 〈주의〉 1) 대사성 간부전 환자 〈취급상 주의〉 1) 희석 후 즉시 사용하며 다른 약물 첨가 금함. 2) 최종 혼합액의 삼투압에 따라 투여경로를 결정함. 3) 잔액은 폐기함. 4) 25℃ 이하 보관
1Ⓟ 중 l-Isoleucin 952mg, l-Leucin 1,904mg, l-Valine 1,144mg **Livact granule** 리박트과립 …4.15g/PK	1) 성인 1Ⓟ tid, 식후 경구 투여	1) 3종의 분지쇄 아미노산을 적절한 비율로 배합하여 간경변 환자들에 대한 경구용 아미노산 보급용으로 고안된 제제 2) 복수, 전신권태감 등 자타각 증상을 개선하고 간성뇌증의 악화 예방 효과 3) 식사 섭취에도 불구하고 저알부민혈증 (혈청알부민 3.5g/L이하)을 나타내는 비대상성 간경변 환자의 저알부민혈증 개선	- 변비, 설사, 복부팽만(감량 또는 단약할 것) - BUN 상승 등 신기능 장애 - 혈중 암모니아 상승	〈금기〉 1) 선천성 분지쇄 아미노산 대사 이상 환자 2) 임신부 및 수유부, 소아 : 안전성 미확립 〈주의〉 1) 간경변이 고도로 진행되어 본제의 효과가 기대될 수 없는 경우 투여중단 2) 분지아미노산으로만 구성되어 있으므로 추가적인 아미노산 공급이 요구됨. 3) 2개월 이상 투여해도 증상이 개선되지 않는 경우 치료법 변경 권장
Keto amino acid Ketosteril tab 케토스테릴정 …800mg/T * 5종의 필수아미노산 대체물: α-케토-DL-이소로이신칼슘 67mg α-케토로이신칼슘 101mg α-케토페닐알라닌칼슘 68mg α-케토발린칼슘 86mg	1) 저단백식이와 병용하여 4~8Ⓣ tid 식사도중 씹지 말고 복용 (씹어서 복용시 아미노산 특유의 불쾌한 냄새 유발) *저단백식이: 70kg 성인 기준으로 단백질 0.3~0.4 g/kg/day	1) 만성 신부전 환자를 위한 경구용 아미노산 보급제 2) 필수아미노산 중 질소기를 케토기로 치환시켜 약제내의 질소 함유량을 최소화하여 신장의 부담을 줄였으며, 주성분이 칼슘염으로 되어있어 인산 결합제로서의 작용도 가짐. 3) 적응증: 성인 기준으로 1일 식이 단백 섭취량이 40g 이하로 제한되어 있는 만성신부전환자에서 불완전한 단백질 대사로 인한 손상 감소	- 고칼슘혈증 - 상복부 불쾌감	〈금기〉 1) 고칼슘혈증 환자 2) 아미노산 대사장애 환자 3) 소아, 임신부, 수유부 : 안전성 미확립 〈주의〉 1) 저단백식이와 병용하여 복용 2) 단백질 섭취의 저하는 에너지의 섭취 저하를 일으키므로 35kcal/kg/day와 동등하거나 그 이상의 높은 열량 섭취 유지 〈상호작용〉 1) 다른 칼슘함유 제제와 병용시 혈청칼슘농도 변화 2) 투여 중 혈청인산농도 감소 ; 인산결합제 용량 감소해야 함. 3) 칼슘과 킬레이트를 형성하는 화합물(테트라사이클린 등)과 적어도 2시간 이상의 간격 두고 투여

약품명 및 함량	용법	약리작용 및 효능	부작용	주의 및 금기
α-히드록시-DL-메치오닌칼슘 59mg * 5종의 필수아미노산: L-초산 리신 105mg L-트레오닌 53mg L-트립토판 23mg L-히스티딘 38mg L-티로신 30mg				

약품명 및 함량	용법	약리작용 및 효능	부작용	주의 및 금기
100ml 중 Soybean oil 10g, MCT 10g **LipofundinMCT inj 20%** 리포푼딘엠씨티 20%주 …100ml/BT	1) 성인 : 지방으로 1~2g(5~10ml)/kg/D 2) 신 생 아 : 2~3g(10~15ml)/kg/D (Max. 4g(20ml)/kg/D) 3) 유아 : 1~3g(5~15ml)/kg/D 4) 점적 정맥 주사, 1일 최소 16시간 투여, 24시간 이상 점적 투여 권장	1) LCT(Long-chain TG)와 MCT(Middle-chain TG)를 1 : 1로 혼합한 지방 유액제 2) MCT는 LCT보다 빠른 흡수와 혈중 소실 속도를 나타내며 mitochondria내의 beta산화에 carnitine을 필요로 하지 않아 장기간투여시 carnitine 부족을 초래하지 않음. 3) 높은 열 생산 효과가 있으며 말초지방 조직에 축적되지 않음. 4) 총칼로리 중 40% 이상을 탄수화물과 함께 투여해야 함. 5) 적응증 : 비경구 영양공급을 필요로 하는 환자에 있어서 필수지방산 및 칼로리 공급	- 혈소판 감소증, 백혈구 감소증 등 지연반응 - 간종대, 황달 - 호흡곤란 등의 급성반응 - 고지혈증, 응고항진, 청색증 등의 급성반응 - 구역, 구토 - 알레르기 반응, 두통, 홍조 - 발한, 오한, 졸음, 흉통, 요통 - 비종대, 과부하증후군	1) 병적인 고지혈증, 지방성의 신장염 또는 급성 췌장염 또는 급성 췌장염과 같은 지방 대사 장애를 갖고 있는 환자 2) 케톤산증 환자 3) 저산소증 환자 4) 혈전 색전증 환자 5) 급성 쇽 상태 환자 6) 출혈을 동반한 췌장염환자, 담즙울체환자 7) 지방 색전증 환자 8) 간질환 환자 9) 세망 내피계 질환 환자 〈주의〉 1) 대사성 acidosis 환자 2) 폐질환 환자 3) 패혈증 환자 4) 빈혈 또는 혈액응고 이상 〈취급상 주의〉 1) 점적 정주로만 사용 2) 타 제품과의 혼합 투여는 금지이나 주입부 근처의 짧은 Y-커넥터를 통해 탄수화물과 아미노산을 동시에 주입할 수 있음.

약품명 및 함량	용법	약리작용 및 효능	부작용	주의 및 금기
100ml 중 Soybean Oil 20g, Ovolecithin 1.2g (등장화제 con.glycerin 2.2g) **Lipision 20% inj** 리피션20%주 …250ml/BT	1) 성인 : 1일 지방으로 2g(10ml)/kg을 IV(250ml를 3시간 이상에 걸쳐 점적 주사) 2) 첫째날 : 1g/kg 이하로 투여	1) 고칼로리 및 필수지방산 보급제 2) 다음 경우에 사용 ① 수술 전후 ② 급성, 만성 소화기 질환 ③ 소모성 질환 ④ 화상(열상), 외상 〈취급상 주의〉 1) 동결되었던 것이나 사용하다 남은 잔액은 폐기 2) 타제품과의 혼합사용 금함. 3) 혈장증량제 투여 후 96시간까지 본제 투여 피할 것	- 발열, 정맥염, 청색증 혈압강하, 호흡곤란, 오심, 구토, 혈관통, 간기능장애, 안면홍조, 이취감, 출혈 경향	〈금기〉 1) 혈전증, 중증 혈액응고장애 2) 중증의 간장애, 고지혈증 3) Ketosis성 당뇨병 〈주의〉 1) 미숙아 2) 간장애, 혈액응고 장애, 호흡장애, 뇌질환 환자 3) 급성 췌장염 환자 〈상호작용〉 1) Warfarin 작용 저하 가능
100ml 중 Soybean oil 4g, Olive oil 16g **ClinOleic 20% inj** 클리노레익20%주사 …100ml/BT …250ml/BT …500ml/BT	1) 포도당, 아미노산과 함께 TPN으로 투여 가능 2) 성인 : 지방으로 최대 2g/kg/day (10ml/kg/day) 투여 가능, 초기에는 분당 10gtt를 초과하지 않도록 하고 점차 속도를 증가시켜 30분 후 적정 속도에 도달하도록 함. (최대 주입 속도 0.75ml/kg/hr) 3) 소아 : 24시간 동안 지속적으로 주입하며, 지방으로 최대 3g/kg/day (15ml/kg/day) 투여 가능 (최대 주입 속도 0.75ml/kg/hr)	1) 올리브유와 대두유가 4:1로 혼합된 지방유제 2) 포화지방산(SFA) : 단일불포화 지방산(MUFA) : 다가불포화지방산(PUFA)의 비율이 지방산섭취 권장량과 유사함. 〈클리노레익, 인트라리포즈 조성 비교〉 SFA MUFA PUFA 섭취권장량 25% 50% 25% ClinOleic 15% 65% 20% Intralipos 17% 23% 60% 3) 적응증 : 비경구 영양보급을 요하는 환자에 대한 칼로리 및 필수지방산 공급	- 발한, 오한, 두통, 무호흡(투여중단) - Alk-P, transaminase, bilirubin 상승 - 중등도의 혈소판 감소증 - 드물게 간비대, 황달	〈금기〉 1) 달걀 또는 대두유 단백질에 과민한 환자 2) 지방대사 이상 환자(고지혈증, 지방 신증, 고지혈증을 동반한 급성 췌장염) 〈주의〉 1) 빈혈, 혈액응고 장애, 지방색전증 위험 환자 2) 미숙아, 조산아 3) 폐질환, 심한 간손상 환자 〈취급상 주의〉 1) 직사광선을 피하여 실온보관
100ml 중 Soybean oil 6.0g, MCT 6.0g, Olive oil 5.0g, Fish oil 3.0g **SMOF lipid 20% inj** 스모프리피드20%주 …100ml/BT	1) 투여 지방의 배설 능력 정도에 따라 용량, 주입속도 결정,중심정맥 또는 말초정맥으로 점적 주사해야 함. 2) 성인 - 1일 지방으로서 표준용량 1~2g(이 약 5~10ml)/kg - 주입속도 : 0.125g (이 약 0.63ml)/kg/hr (Max. 0.15g(이 약 0.75ml)/kg/hr)	1) 다음의 성분 함유한 지방유제 ① 정제대두유 : 필수지방산 공급 ② MCT(Medium Chain Triglyceride): 즉시 이용 가능한 형태의에너지 공급 ③ 정제올리브유 : 지질 과산화에 대해 안정 ④ 정제어유(EPA, DHA) : 오메가- 3 지방산으로 항염증, 면역조절 ⑤ α-tocopherol : free radical을 중화	1) 1~10% - 체온증가 2) 〈1% - 식욕부진, 오심, 구토 - 오한, 과민반응 - 저혈압, 고혈압 - 호흡곤란	〈금기〉 1) 생선, 계란, 콩 단백질 또는 주성분이나 첨가제에 과민한 환자 2) 심한 고지혈증, 간기능부전, 혈액응고장애, 급성 쇽 상태 환자 3) 혈액 여과나 투석을 실시하지 않는 신기능부전 환자 4) 수액요법의 일반적 금기 : 급성 폐부종, 수분공급과다, 대사기능장애, 심부전 5) 불안정상태(심한 외상 후 상태, 뇌졸중 등) 환자

약품명 및 함량	용법	약리작용 및 효능	부작용	주의 및 금기
…250ml/BT …500ml/BT	3) 신생아 및 영아 : - 1일 지방으로서 초기용량 0.5~1 g/kg 투여 후 0.5~1g/kg씩 점차적으로 증가 (Max. 3g(이 약 15ml)/kg/D) - 최대 주입속도 0.125g/kg/hr(미숙아와 저체중 신생아는 24hr 이상 계속적 주입해야 함.) 4) 어린이 - 1일 지방으로서 최대 3g(이 약 15ml)/kg, 투여 첫주 동안 점차적으로 1일 용량 증가 - 최대 주입속도 0.15g/kg/hr	2) 비경구 영양요법을 필요로 하는 환자에게 에너지와 필수 지방산 및 오메가-3 지방산의 공급을 위해 사용 3) 칼로리 : 2.0kcal/ml		〈주의〉 1) 신부전, 당뇨병, 췌장염, 간기능장애, 갑상선기능부전, 패혈증 : 지방대사 기능장애 발생 가능 2) 고지혈증위험 환자 3) 혈청 triglyceride 농도 모니터링(3mmol/L 초과하지 않아야 함) 4) 탄수화물이나 탄수화물 함유 아미노산 용액과 동시 투여 권장 〈상호작용〉 1) Heparin : 혈장 지방분해 증가 및 triglyceride 배설능 일시적 감소 2) Warfarin : 작용 저하 가능함. 〈취급상 주의〉 1) 25℃ 이하 보관 2) 개봉 후, 혼합 시 냉장 24시간 안정

*부록(완제품TPN 일람표) 참고

약품명 및 함량	용법	약리작용 및 효능	부작용	주의 및 금기
100ml 중 Protein 8.76g Fat 4.46g Carbohydrate 31.24g Vitamines Minerals **Encover soln** 엔커버액 …200ml/bag …400ml/bag	1) 열량: 1kcal/ml 2) 성인 - 통상 1,200~2000ml/D 경관 또는 경구투여 - 경관투여 초기 1일 400ml를 낮은 속도로 투여 하면서 3~7일에 표준량에 도달하도록 함. 유지 속도: 75~125ml/hr - 경구투여 1일 1회 또는 수회로 나누어 투여 3) 생후 1개월~10세 미만 - 0.4kcal/ml로 개시 - 표준 투여량: 70~100kcal/kg/D - 표준 농도: 0.6~0.8kcal/ml	1) 단백질, 지방, 탄수화물, 비타민, 미네랄 성분의 경장영양액 2) 특징: 오메가-3 지방산(들깨유)을 함유 3) 단백질로서 우유, 대두를 함유하며, 탄수화물로서 덱스트란, 백당을, 지질로서 트리카프릴린, 들깨유, 대두유, 팜유를 함유함. 4) 적응증: 수술 후 환자의 영양 보급 특히, 장기간에 걸쳐 경구 영양섭취가 곤란한 경우의 경관 영양 보급에 사용 가능	1) >5% - 설사, 복부팽만감, 복통 2) 0.1~5% - 오심, 구토 - 간수치 이상 3) 기타 - 변비 - 피부발진, 두드러기 - 발열, 두통	〈금기〉 1) 장폐색증, 중증의 장관기능 장애 환자 2) 중증 간, 신장애 환자 3) 중증 당뇨병 등 대사이상 환자 4) 우유에 과민하거나 알레르기 병력 있는 환자(우유 단백질인 카제인 함유) 〈주의〉 1) 단장 증후군, 급성 췌장염 환자 2) 수분의 보급에 주의를 요하는 환자 3) 임신부: Vit A 5,000IU/D 이상 섭취시 최기형성 증가(이 약 2,000ml 중 Vit A 4,140IU 함유) 〈상호작용〉 1) 이 약에는 Vit K가 다량 함유되어 있으므로 warfarin 복용 환자 주의 요함.

약품명 및 함량	용법	약리작용 및 효능	부작용	주의 및 금기
	경관 또는 경구투여			〈취급상 주의〉 1) 실온보관 2) 개봉 직전 잘 흔들어 사용 3) 개봉 후 가능한 신속히 사용하며, 밀폐하여 냉장보관시 24시간 이내 안정
100ml 중 Protein 4.8g Fat 3.0g Carbohydrate 13.5g Fiber 1g Vitamines Minerals **Harmonilan soln** 하모닐란액 …200ml/bag …500ml/bag	1) 투여개시: 400ml/D, 물로 2배 정도 희석하여 100ml/hr 이하 속도로 투여 후 2~7일에 걸쳐 표준량 도달 2) 성인: 1,500~2,000ml/D, 비강튜브, 위루, 장루를 통하여 지속적 또는 1일 수회에 나누어 투여 3) 투여속도: 100ml/hr 4) 500ml bag에만 영양세트 함께 불출, 200ml bag은 세트 불포함 (∵ 200ml bag은 경구로 복용하는 경우 주로 사용)	1) 수술 후 환자의 영양 유지 또는 경구적 식이 섭취가 곤란한 경우의 경관 영양 보급 (단백질:당질:지질 = 19:54:27) 2) 대두피식이섬유 함유(1g/100ml)로 설사 부작용 감소 3) 누트릴란, 엔커버와 비교해 섬유소는 추가, 비타민 D, K, 무기질 Mn, Cu 함유되어 있는 않은 차이 있음 4) 열량: 1kcal/ml	1) 〉5% - 설사, 복통 2) 0.1~5% - 복부팽만감, 구토, 오심, 메스꺼움, 갈증, 가슴쓰림 - 칼륨상승, 혈중 요소질소 상승	〈금기〉 1) 우유에 과민한 환자(우유 단백질 포함) 2) 선천성 아미노산대사이상 환자 3) 장폐색, 장관 기능 상실, 단장증후군, 염증성 장질환 급성기 환자 4) 간성혼수, 간성혼수 우려가 있는 환자 〈주의〉 1) 장관기능 저하, 신장애, 당대사이상, 급성췌장염, 수분 보급에 주의를 요하는 환자 2) 비타민, 전해질 및 미량원소(Cu, Mn, Iodine)의 부족을 일으킬 수 있으므로 필요에 따라 보급 3) 임신 3개월 이내, 가임여성(특히 비타민A 용량에 주의) 〈취급상 주의〉 1) 개봉 직전 흔들어서 사용 2) 개봉 후 밀폐, 냉장보관 3) 개봉 24시간내 투여 종료
1Ⓟ 중 Amino acid 50g, dextrose 250g, electrolyte **Combiflex inj** 콤비플렉스주 …1000ml/bag	1) 사용 직전 각 chamber 용액을 혼합 2) 질소 및 포도당 대사 능력에 따라 용량과 투여 속도 결정 3) 성인: Max. 20~30ml/kg/D (아미노산 1~1.5g/kg에 해당) Max. 40ml/kg/D 2) 투여속도: 1.0ml/kg/hr을 초과하지 않으며, 12~24시간에 걸쳐 경중심정맥 내 inf.	1) 2 in 1(아미노산+포도당) 중심정맥용 TPN 2) 적응증: 경구 또는 위장관 영양 공급이 불가능, 불충분하거나 제한되어 경정맥 영양공급을 실시해야 하는 환자들에게 수분, 전해질, 아미노산, 칼로리 보급 3) 공급 열량: 1,169Kcal/bag * total electrolytes (1bag (1,000ml) 기준) 1) Na^+(mEq) 53.4 2) K^+(mEq) 40 3) Mg^{2+}(mEq) 6.3	(빈도 미확립) - 대량급속투여시: 산증, 뇌부종, 폐수종, 말초부종, 물중독 - 대사성 합병증: 저인산혈증, 알칼리증, 고혈당, 전해질 불균형, 간효소 상승 - 과민증: 드물게 두드러기, 발진	〈금기〉 1) 혈중 전해질 농도가 비정상적으로 높은 환자 2) 중증 간, 신질환 환자 3) 선천성 아미노산 대사 장애, 대사성 산증, 고유산혈증, 고장성 혼수 환자, 고혈당 환자 4) 부신기능부전증, 폐수종, 과수화증, 심장부전 5) 중증 혈액응고장애 환자 6) 2세 이하의 영아 7) 임신부, 수유부 : 안전성 미확립 〈주의〉 1) 균혈증 환자

약품명 및 함량	용법	약리작용 및 효능	부작용	주의 및 금기
	*1Ⓟ(1,100ml) 중 A액(500ml) 아미노산 50g, 전해질(K_2HPO_4, Sod.acetate) B액(500ml) 포도당 250g, 전해질(NaCl, KCl, $MgCl_2$, $CaCl_2$)	4) Ca^{2+}(mEq) 5.6 5) Cl^-(mEq) 43.8 6) acetate (mEq) 45 7) phosphate (mmol) 15	– 때때로 구역, 구토 – 때때로 흉부불쾌감, 심계항진, 빈맥, 혈압상승 – 가끔 오한, 발열, 두통, 호흡곤란, 쇽, 요로경축, 말초혈관확장증, 저혈압	2) 간, 신장애 환자 3) 당뇨, 심부전 환자 4) 폐색성 요로질환에 의해 요량이 감소하고 있는 환자 5) 전해질 보유 경향이 있는 환자 〈상호작용〉 1) 혈액투여 전후로 투여할 경우, 응집반응의 가능성 있음. 2) Tetracycline: 아미노산의 단백 절약 효과 감소 〈취급상 주의〉 1) 외부 포장을 개봉하지 않은 상태에서 보관 2) 약액 혼합 후 실온 24시간 이내 사용
1Ⓟ 중 Amino acid 20.7g, dextrose 120g, electrolyte **Combiflex peri inj** 콤비플렉스페리주 …1100ml/bag	1) 성인 ① 정상 영양상태, 미약한 대사적 스트레스 상태의 환자 : 아미노산으로서 0.7~1.0g/kg/D (36.17~51.67ml/kg/D) ② 중등도~고도의 대사적 스트레스를 받는 환자 : 아미노산으로서 1.0~2.0g/kg/D 2) 투여속도 : 2.3ml/kg/hr을 초과하지 않으며, 12~24시간에 걸쳐 IV inf. * 1Ⓟ(1,100ml) 중 A액(600ml) 아미노산 20.7g, 전해질(K_2HPO_4,, Sod.acetate) B액(500ml) 포도당 120g 전해질(NaCl, KCl, $MgCl_2$, $CaCl_2$)	1) 말초정맥용 TPN 제제 2) Twin bag 형태(아미노산+포도당)로서, 아미노산과 포도당이 분리되어 있고, 침전의 우려가 많은 phosphate와 calcium도 분리되어 있음. (지방은 필요시 첨가 가능) * total electrolytes(1pack(1100ml) 기준) 1) Na^+(mEq) 37.5 2) K^+(mEq) 25 3) Mg^{2+}(mEq) 5 4) Ca^{2+}(mEq) 4.5 5) Cl^-(mEq) 43.5 6) acetate(mEq) 47 7) phosphate(mmol) 7.5 * 1pack(1100ml) 기준: 601.7Kcal	– 대량급속투여시: 산증, 뇌부종, 폐수종, 말초부종, 물중독 – 대사성 합병증 :저인산혈증, 알칼리증, 고혈당, 전해질 불균형, 간효소 상승 – 과민증 : 드물게 두드러기, 발진 – 때때로 구역, 구토 – 때때로 흉부불쾌감, 심계항진, 빈맥, 혈압상승 – 가끔 오한, 발열, 두통, 호흡곤란, 쇽, 요로경축, 말초혈관확장증, 저혈압	〈금기〉 1) 혈청 전해질 농도가 비정상적으로 높은 환자 2) 중증 간, 신질환 환자 3) 선천성 아미노산 대사 장애, 대사성 산증, 고유산혈증, 고장성 혼수 환자 4) 부신기능부전증, 폐수종, 과수화증, 심장부전 5) 중증 혈액응고장애 환자 6) 2세 이하의 소아 7) 임신부, 수유부 : 안전성 미확립 〈주의〉 1) 간장애, 신장애 환자 2) 당뇨, 심부전 환자 3) 폐색성 요로질환에 의해 요량이 감소하고 있는 환자 4) 전해질 보유 경향이 있는 환자 〈상호작용〉 1) 혈액투여 전후로 투여할 경우, 응집반응의 가능성 있음. 2) Tetracycline : 아미노산의 단백 절약 효과 감소 3) 칼슘염을 정맥 주사시 마그네슘염이 석출됨. 〈취급상 주의〉 1) 외부 포장을 개봉하지 않은 상태에서 보관 2) 약액 혼합 후 실온 24시간 이내 사용

약품명 및 함량	용법	약리작용 및 효능	부작용	주의 및 금기
Amino acid, Dextrose, Lipid, Electrolyte **Nutriflex lipid peri inj** 뉴트리플렉스 리피드 페리주 …1,250ml/bag …1,875ml/bag	1) 환자의 영양 상태와 대사요구량에 따라 용량 결정 : Max. 40ml/kg/D (아미노산 1.28g/kg, 포도당 2.56g/kg, 지방 1.6g/kg에 해당) 2) 투여속도: 2.5ml/kg/hr을 초과하지 않으며, 12~24시간에 걸쳐 IV inf. - 총 투여량, 최종 혼합액의 특성, 1일 투여량, 투여시간 등을 고려하여 투여속도 결정 * 조성(1,250ml 기준) 1 bag(955Kcal) 중 ① A액(500ml) 포도당… 80g 전해질 ($NaH_2PO_4 \cdot 2H_2O$, $Zn(CH_3COOH)_2 \cdot 2H_2O$) ② B액(250ml) 지질…50g ③ C액(500ml) 아미노산…40g 전해질($NaOH$, $NaCl$, $CaCl_2 \cdot 2H_2O$, Sod. acetate · $3H_2O$, Potassium acetate, Magnesium acetate) * 1,875ml 조성: 1,250ml의 1.5배	1) 아미노산, 포도당, 지질로 구성되어 사용 직전 혼합할 수 있는 말초정맥용 TNA 제제 (3 chamber bag) 2) 지방유제로서 MCT: LCT =1: 1 함유 (standard mixture) * MCT(Medium chain triglyceride): 에너지 공급 LCT(Long chain triglyceride): 대두유, 필수지방산 공급 3) 공급 열량 ① 1,250ml/bag: 955Kcal/bag ② 1,875ml/bag: 1,433Kcal/bag * total electrolytes (1,250ml / 1,875ml) Na^+(mEq) 50 / 75 K^+(mEq) 30 / 45 Mg^{2+}(mEq) 3 / 4.5 Ca^{2+}(mEq) 3 / 4.5 Cl^-(mEq) 48 / 72 acetate(mEq) 40 / 60 phosphate(mmol) 7.5 / 11.25 Zn^{2+}(mEq) 0.06 / 0.09	(빈도 미확립) - 간기능 검사 수치 증가, 간비대, 황달 - 지방 과다 증후군: 고지혈증, 발열, 지방침착, 간 비대, 비장 비대, 빈혈, 백혈구 감소증, 혈소판 감소증, 혈액 응집 이상, 혼수 등 (투여 중단 시 정상이 됨) - 혈전성 정맥염 - 체온 상승, 발한, 떨림 - 두통 - 구토 - 호흡곤란	〈금기〉 1) 조산아, 신생아 및 영아 2) 중증 간, 신질환 환자 3) 아미노산 대사 장애, 대사성 산증, 과유산혈증, 고장성 혼수 환자, 과혈당증 환자 4) 전해질, 수분 불균형 환자, 수분과다 환자 5) 중증 혈액응고장애 환자 6) 부신기능부전증, 폐수종, 과수화증, 비대상성 심장부전, 저장성 탈수 〈주의〉 1) 신부전, 췌장염, 간 기능이상, 심부전, 폐부전, 당뇨병, 담낭염 환자 2) 갑상선 기능 저하증(고트리글리세라이드혈증 수반), 패혈증 등으로 인한 지방 대사 이상 3) 전해질 보유 경향이 있는 환자 〈상호작용〉 1) 인슐린과 병용시 인체의 지방 분해 체계를 간섭할 수 있음. 2) 낮은 pH, 2가 이온 혼합 시 지방 혼합제 분리할 수 있음. 3) Heparin: 혈장 지방 분해 증가 4) Warfarin 효과 감소(∵대두유에 비타민 K1 함유) 〈취급상의 주의〉 1) 포장이 손상되거나, 격막 사이의 봉합이 파손된 경우 사용하지 않음 2) 분리된 용액은 사용 직전에 혼합하며 투여 후 남은 용액은 버림 3) 외부 포장을 개봉하지 않은 상태로, 15~25℃에서 보관
Amino acid, Dextrose, Lipid, Electrolyte **Peri Olimel N4E inj**	1) 성인 : 질소로서 0.16~0.35g/kg/D (아미노산으로서 1~2g/kg/D) - Max. 40ml/kg/D - 최대속도: 3.2ml/kg/hr * 조성 (1L의 경우)	1) 탄수화물, 아미노산+전해질, 지방이 격막으로 구분되어 한 용기에 들어있는 All-in-one 형태의 Total Nutrition Admixture(TNA) 제품 2) 지방 용액의 지질이 올리브유:대두유가 4:1로 구성됨. 3) 올리브유: 대두유 4:1로 구성된 지질의 특징 ① 지방산의 조성이 섭취권장량과 유사	- 급성반응: 발한, 발열, 오한, 두통, 발진, 호흡 곤란(투여 중단) - 혈소판 감소증 - 간비대, 황달	〈금기〉 1) 중증 신장애, 간질환 환자 2) 선천성 아미노산 대사 이상 환자 3) 중증 혈액응고장애, 혈구포식세포 증후군 환자 4) 부신기능부전증, 중증 고지혈증, 지질 대사 장애, 고혈당증 환자

약품명 및 함량	용법	약리작용 및 효능	부작용	주의 및 금기
페리올리멜엔4이주 …1,000ml/bag …1,500ml/bag …2,000ml/bag	① 지방 용액(200ml) 중 정제올리브유와 정제대두유 혼합물 (4:1) 30g ② 아미노산 용액(400ml)중 아미노산 25.3g, 전해질 (Sod. acetate, Sod. glycerophosphate, KCl, $MgCl_2$) ③ 당 용액(400ml) 중 포도당 75g, $CaCl_2$	② 주성분인 oleic acid(단일불포화지방산)는 free radical에 의한 지질 과산화에 대해 안정 ③ α-tocopherol은 free radical을 중화시킴 4) 경구 또는 위장관 영양보급이 불가능 또는 제한되어 경정맥 영양공급을 실시해야 하는 경우 사용(말초정맥용) * total electrolytes(1L 기준) 1) Na^+(mEq) 21 2) K^+(mEq) 16 3) Mg^{2+}(mEq) 2.2 4) Ca^{2+}(mEq) 2 5) Phosphate(mmol) 8.5	- Alk-P, Transaminase, 빌리루빈 증가 - 지방 과다 증후군	5) 중증 외상 후, 순환기계 쇽, 대사성 산증, 고유산혈증, 패혈증, 고장성 혼수 환자 6) 간성혼수 혹은 간성혼수 염려되는 환자 7) 조산아, 신생아 및 만 2세 미만 소아 〈주의〉 1) 임산부 : category C 2) 수유부 : 안전성 미확립 3) 지방대사 이상, 심부전, 폐부전, 전해질 저류 경향이 있는 환자 〈상호작용〉 1) 혈액과 동시 투여시 가응집반응 가능성 있음.
Amino acid, Dextrose, Lipid, Electrolyte **Olimel N9E inj** 올리멜엔9이주 …1,000ml/bag …1,500ml/bag	1) 성인 : 질소로서 0.16~0.35g/kg/D (아미노산으로서 1~2g/kg/D) - Max. 35ml/kg/D - 최대속도: 1.8ml/kg/hr * 조성 (1L의 경우) ① 지방 용액(200ml) 중 정제올리브유와 정제대두유 혼합물(4:1) 40g ② 아미노산 용액(400ml) 중 아미노산 56.9g, 전해질(Sod. acetate, Sod. glycerophosphate, KCl, $MgCl_2$) ③ 당 용액(400ml) 중 포도당 110g, $CaCl_2$	1) 탄수화물, 아미노산+전해질, 지방이 격막으로 구분되어 한 용기에 들어있는 All-in-one 형태의 Total Nutrition Admixture(TNA) 제품 2) 지방 용액의 지질이 올리브유:대두유가 4:1로 구성됨. 3) 올리브유 80%+ 대두유 20%로 구성된 지질의 특징 ① 지방산의 조성이 섭취권장량과 유사 ② 주성분인 oleic acid(단일불포화지방산)는 free radical에 의한 지질 과산화에 대해 안정 ③ α-tocopherol은 free radical을 중화시킴 4) 경구 또는 위장관 영양보급이 불가능 또는 제한되어 경정맥 영양공급을 실시해야 하는 경우 사용(중심정맥용) * total electrolytes(1L 기준) 1) Na^+(mEq) 35 2) K^+(mEq) 30 3) Mg^{2+}(mEq) 4 4) Ca^{2+}(mEq) 3.5 5) phosphate(mmol) 15	- 급성반응 : 발한, 발열, 오한, 두통, 발진, 호흡 곤란(투여중단) - 혈소판 감소증 - 간비대, 황달 - Alk-P, Transaminase, 빌리루빈 증가	〈금기〉 1) 중증 신장애, 간질환 환자 2) 선천성 아미노산 대사 이상 환자 3) 중증 혈액응고장애, 혈구포식세포 증후군 환자 4) 부신기능부전증, 중증 고지혈증, 지질 대사 장애, 고혈당증 환자 5) 중증 외상 후, 순환기계 쇽, 대사성 산증, 고유산혈증, 패혈증, 고장성 혼수 환자 6) 간성혼수 혹은 간성혼수 염려되는 환자 7) 조산아, 신생아 및 2세 미만 소아 〈주의〉 1) 임산부 : category C 2) 수유부 : 안전성 미확립 3) 지방대사 이상, 심부전, 폐부전, 전해질 저류 경향이 있는 환자 〈상호작용〉 1) 혈액과 동시 투여시 가응집반응 가능성 있음.

약품명 및 함량	용법	약리작용 및 효능	부작용	주의 및 금기
Amino acid, Dextrose, Lipid, Electrolyte **SmofKabiven inj** 스모프카비벤주 …986ml/bag …1,477ml/bag …1,970ml/bag	1) 사용직전 각 chamber 용액을 혼합 2) 지방 제거, 질소 및 포도당 대사 능력에 따라 용량과 투여 속도 결정 3) 용량: 일반적으로 13~31ml/kg/D 투여(아미노산 0.6~1.6g/kg, 총열량 14~35kcal/kg에 해당) Max. 35ml/kg/D 4) 투여속도: 시간당 2ml/kg (포도당 0.25g/kg, 아미노산 0.1g/kg, 지방 0.08g/kg에 해당)을 초과하지 않도록 하며 14~24hrs에 걸쳐 투여 5) 중심정맥으로 점적주입 *A액: Amino acid 10%, 전해질 B액: Glucose 42% C액: SMOF lipid 20% * 986ml A액: 500ml B액: 298ml C액: 188ml 1,477ml A액: 750ml B액: 446ml C액: 281ml 1,970ml A액: 1,000ml B액: 595ml C액: 375ml	1) 중심 정맥용 TNA (3 chamber bag) 2) ~4) 스모프카비벤페리페랄주(말초정맥용)와 동일 5) 공급 열량 ① 986ml/pk: 1,078 Kcal/pk ② 1,477ml/pk: 1,613 Kcal/pk ③ 1,970ml/pk: 2,154 Kcal/pk * total electrolytes 986ml 1,477ml 1,970ml Na^{+}(mEq) 40 60 80 K^{+}(mEq) 30 45 60 Mg^{2+}(mEq) 10 15 20 Ca^{2+}((mEq) 5 7.6 10 Cl^{-}(mEq) 35 52 70 SO_4^{2-}(mEq) 10 15 20 acetate(mEq) 104 157 209 PO_4^{3-}(mmol) 12 19 25 Zn^{2+}(mEq) 0.08 0.12 0.16	1) 1~10% - 혈전 정맥염, 체온 상승 2) ⟨1% - 식욕부진, 구역, 구토 - 혈장 간효소수치 증가 - 오한, 두통, 어지러움 - 빈맥 - 호흡곤란 - 저혈압, 고혈압 - 과민반응: 피부발진, 두드러기, 열감 및 냉감, 통증 등 3) 빈도 미확립 - 지방과다증후군 - 아미노산 주입과다: 질소레벨 증가 - 포도당 주입과다: 고혈당증	〈금기〉 1) 어류, 계란, 콩 또는 땅콩 단백질 혹은 이 약의 다른 성분에 과민한 환자 2) 중증의 고지혈증, 간기능부전, 혈액 응고 장애 환자 3) 아미노산 대사의 선천적 이상자 4) 혈액 여과나 투석을 하지 않는 중증 신부전 환자 5) 급성 쇼크 환자 6) 조절되지 않는 고혈당증 환자 7) 혈구포식세포증후군 환자 8) 심근경색 및 그 병력이 있는 환자 9) 임신부, 수유부 : 안전성미확립 〈주의〉 1) 투여 개시 이전에 전해질 불균형 상태가 개선되어야 함. 2) 투여기간 중 혈청 triglyceride 농도는 4mmol/L 이하여야 함. 〈상호작용〉 1) Insulin과 병용시 인체의 지방 분해 체계를 간섭할 수 있음. 2) Warfarin의 효과 감소시킬 수 있으나 임상적 영향은 적을 것으로 기대함. (∵대두유에 비타민 K1함유) 〈취급상 주의〉 1) 포장이 손상되거나, 격막 사이의 봉합이 파손된 경우 사용하지 않음. 2) 분리된 용액은 사용 직전에 혼합하며 투여 후 남은 용액은 폐기 3) 25℃ 이하 보관 4) 혼합액은 즉시 사용하되 2~8℃에서 24시간까지 보관 가능
Amino acid, Dextrose, Lipid, Electrolyte	1) 사용직전 각 chamber 용액을 혼합 2) 지방 제거, 질소 및 포도당 대사 능력에 따라 용량과 투여 속도 결정	1) 말초 정맥용 TNA (3 chamber bag) 2) 포도당: 에너지원 공급 3) 아미노산: 단백질 합성을 촉진, 칼로리를 보급하며	1) 1~10% - 혈전 정맥염, 체온 상승	〈금기〉 1) 어류, 계란, 콩 또는 땅콩 단백질 혹은 이 약의 다른 성분에 과민한 환자

약품명 및 함량	용법	약리작용 및 효능	부작용	주의 및 금기
SmofKabiven peripheral inj 스모프카비벤페리페랄주 …1,206ml/bag …1,448ml/bag …1,904ml/bag	3) 용량 : 일반적으로 20~40ml/kg/D 투여(아미노산 0.6~1.3g/kg, 총열량 14~28kcal/kg에 해당) Max. 40ml/kg/D 4) 투여속도 : 시간당 3ml/kg (포도당 0.21g/kg, 아미노산 0.1g/kg, 지방 0.08g/kg에 해당)을 초과하지 않도록 하며 14~24hrs에 걸쳐 투여 5) 말초 또는 중심정맥으로 점적주입 *A액: Amino acid 10%, 전해질 B액: Glucose 13% C액: SMOF lipid 20% *1,206ml A액: 380ml B액: 656ml C액: 170ml 1,448ml A액: 456ml B액: 788ml C액: 204ml 1,904ml A액: 600ml B액: 1036ml C액: 268ml	질소 불균형을 개선 4) 지방유제(SMOF lipid: 대두유, 올리브유, 어유, MCT(medium chain triglyceride) 혼합지질): 필수 지방산 결핍증을 예방하여 단백질 혹은 기타 질소원의 소모 억제, 아미노산의 이용을 증가시킴. 5) 공급 열량 ① 1,206ml/pk: 833 Kcal/pk ② 1,448ml/pk: 1,006 Kcal/pk ③ 1,904ml/pk: 1,318 Kcal/pk * total electrolytes (구분): 1,206ml / 1,448ml / 1,904ml Na^+(mEq): 30 / 36 / 48 K^+(mEq): 23 / 28 / 36 Mg^{2+}(mEq): 7.6 / 9.2 / 12.2 Ca^{2+}((mEq): 3.8 / 4.6 / 6.0 Cl^-(mEq): 27 / 32 / 42 SO_4^{2-}(mEq): 7.6 / 9.2 / 12.2 acetate(mEq): 79 / 96 / 125 PO_4^{3-}(mmol): 9.9 / 11.9 / 15.6 Zn^{2+}(mEq): 0.06 / 0.06 / 0.1	2) 〈1% - 식욕부진, 구역, 구토 - 혈장 간효소수치 증가 - 오한, 두통, 어지러움 - 빈맥 - 호흡곤란 - 저혈압, 고혈압 - 과민반응: 피부발진, 두드러기, 열감 및 냉감, 통증 등 3) 빈도 미확립 - 지방과다증후군 - 아미노산 주입과다: 질소레벨 증가 - 포도당 주입과다: 고혈당증	2) 중증의 고지혈증, 간기능부전, 혈액 응고 장애 환자 3) 아미노산 대사의 선천적 이상자 4) 혈액 여과나 투석을 하지 않는 중증 신부전 환자 5) 급성 쇼크 환자 6) 조절되지 않는 고혈당증 환자 7) 혈구포식세포증후군 환자 8) 심근경색 및 그 병력이 있는 환자 9) 임신부, 수유부 : 안전성미확립 〈주의〉 1) 투여 개시 이전에 전해질 불균형 상태가 개선되어야 함. 2) 투여기간 중 혈청 triglyceride 농도는 4mmol/L 이하여야 함. 〈상호작용〉 1) Insulin과 병용시 인체의 지방 분해 체계를 간섭할 수 있음. 2) Warfarin의 효과 감소시킬 수 있으나 임상적 영향은 적을 것으로 기대함.(∵대두유에 비타민 K1함유) 〈취급상 주의〉 1) 포장이 손상되거나, 격막 사이의 봉함이 파손된 경우 사용하지 않음. 2) 분리된 용액은 사용 직전에 혼합하며 투여 후 남은 용액은 폐기 3) 25℃ 이하 보관 4) 혼합액은 즉시 사용하되 2~8℃에서 24시간까지 보관 가능

약품명 및 함량	용법	약리작용 및 효능	부작용	주의 및 금기
Alendronate sodium Alend tab 아렌드정 …5mg/T …10mg/T Fosaqueen tab 포사퀸정 …70mg/T	1) 폐경 후 여성의 골다공증 및 남성의 골다공증 치료 : 10mg qd 2) Glucocorticoid에 의한 골다공증 치료 : 5mg qd (단, HRT를 하지 않는 폐경후 여성 : 10mg qd) 3) 70mg/T : 주 1회 1정 4) 아침 식전 복용, 충분한 양의 물로 복용하고 복용 후 최소 30분간 눕지않도록 하며, 취침전이나 기상전에 복용하지 않도록 함. * 신기능에 따른 용량 조절 참고 CrCl(ml/min) 〈35 : 투여 권장되지 않음.	1) Bisphosphonate계 제제로 파골세포에 의한 골흡수 저해제 2) 폐경후 여성의 골다공증 예방, 치료, 남성의 골다공증 치료 및 코르티코스테로이드에 의한 골다공증 치료에 사용함. 3) Onset : 3주 지속시간(다회 투여시) : 12~30주 배설 : 신장(50%)	1) 〉10% - 저칼슘혈증(18%), 저인산혈증(10%) 2) 1~10% - 두통(~3%) - 복통(1~7%), 산반동(1~5%), 식욕부진 및 오심(1~4%), 변비 및 설사(~3%), 식도궤양(1.5%), 구토 및 연하곤란(~1%) - 근골격계 통증(~4%), 근육 경련(~1%) 3) 〈1% - 십이지장 궤양, 식도미란, 식도염, 과민반응, 미각이상, 담마진, 혈관부종 등	〈금기〉 1) 식도협착 또는 무이완증과 같이 식도공복을 지연시키는 식도이상 환자 2) 최소 30분 동안 똑바로 앉거나 서있을 수 없는 환자 3) 저칼슘혈증 〈주의〉 1) 심한 소화성 궤양 발현 2) 신부전 환자 3) Estrogen 결핍이나 노화이외에 골다공증에 대한 다른 원인이 있는지 고려 4) 적절한 칼슘과 Vit.D 보급이 필요 5) 임신부 : Category C 〈상호작용〉 1) 제산제, 칼슘 보충제 : 이제제의 흡수저해(30분 간격을 두고 복용) 2) Aspirin 및 NSAIDs : 위장관 부작용 증가
Disodium etidronate Dinol tab 다이놀정 …200mg/T	1) 파제트병 ① 초기치료 - 5~10mg/kg qd(6개월) - 저용량에서 효과 없는 경우, 신속한 골교체 현상 억제시, 상승된 심박출량 감소시 : 10~20mg/kg qd (3개월) - Max. 20mg/kg/D ② 재치료시 : 90일 휴약 후 초기치료와 동일 2) 이상부위의 골화 - 둔부전면대체 : 수술 전 1개월, 후 3개월 동안 20mg/kg/D	1) Bisphosphonate 계열의 골재흡수 억제제 2) 뼈의 인산칼슘 표면에 화학적으로 흡착하여 hydroxyapatite crystal의 형성, 성장 및 용출을 저해하며 파골세포(osteoclast)를 감소시켜 새로운 뼈의 형성을 감소시킴. 3) 부갑상선 호르몬이나 혈청 칼슘치에 대한 영향이 적음. 4) 뼈의 파제트씨 병 치료, 이상부위 골화의 예방과 치료 및 골다공증에 사용함.	- 위장관 장애, 설사, 오심, 식욕부진 - 파제트병 발생 부위의 통증 증가 - 간효소 수치 상승을 수반하는 간장애, 골절의 위험증가 - 국소 골연화증	〈금기〉 1) 수유부 및 소아 : 안전성 미확립 2) 중증 신기능 부전, 골연화증, 급성위장염 환자 〈주의〉 1) 충분한 양의 칼슘과 Vit.D 섭취 필요 2) 고용량 투여로 설사를 수반하는 소장 결장염 증상을 보일 경우 투약 중단 3) 신장애 환자 4) 골절 환자의 경우 가골이 형성될 때까지 투여를 보류하도록 함. 5) 임신부 : Category C 〈상호작용〉 1) 약물 투여 후 2시간 이내 에 음식물, 미네랄이 첨가된

약품명 및 함량	용법	약리작용 및 효능	부작용	주의 및 금기
	- 척수상해환자 : 처음 2주 20mg/kg, 다음 10주 10mg/kg/D 3) 골다공증 - 200mg qd - 중증 : 400mg qd - 2주간 투약, 10~12주간 휴약(1주기) - Max. 400mg/D			비타민제, 칼슘, 철분, 마그네슘, 알루미늄 등의 섭취를 피할 것 (∵본 약제의 흡수 저하)
Ibandronate sodium Bonviva tab 본비바정 …150mg/T Bonviva inj 본비바주 …3mg/3ml/syr	(주사제) 1) 3개월마다 3mg씩, 15~30초간 IV 2) 보조적으로 칼슘과 비타민 D 섭취 권장 3) 정기 투약일에 투약 잊었을 경우, 가능한 빨리 주사하고 이로부터 3개월 간격으로 투약 (경구제) 1) 월 1회 1정 복용 2) 정기적으로 매월 같은 날 아침 식전 1시간에 충분한 양의 물(180~240ml)과 함께 씹지 않고 복용 3) 복용 후 60분간 눕지 않도록 함 (식도염, 식도궤양 발생 예방 목적) * 신기능에 따른 용량 조절 참고 - CrCl ≥30ml/min : 용량조절 불필요 - CrCl 〈30ml/min : 투여 권장되지 않음	1) Bisphosphate계열의 골다공증 치료제 2) 파골세포의 활성 억제를 통한 골흡수 저해 및 골질량 증가 3) 적응증 : 폐경 후 여성의 골다공증 치료 4) (주사제) $T_{\frac{1}{2}}$: 5~25hrs 배설 : 신장(50~60%) (경구제) Onset : 3months Tmax : 0.5~2hrs BA : 0.6% (음식에 의해 90% 이상 저해됨) $T_{\frac{1}{2}}$: 37~157hrs(Dose dependent) 배설 : 대변(흡수되지 않은 약물), 신장(흡수된 양의 50~60%)	1) 〉10% - 소화불량(6~12%) - 요통(4~14%) 2) 1~10% - 두통(3~7%), 어지러움(1~4%), 불면(1~2%) - 발진(1~2%) - 고콜레스테롤 혈증(5%) - 설사(4~7%), 복통(5~8%), 오심(5%), 구토(3%), 변비(3~4%), 치아 이상(4%) - 요로감염(2~6%) - 사지통증(8%), 관절이상(4%), 근육통(1~6%), 근경련(2%) - 기관지염(3~10%), 폐렴(6%), 상기도감염(2%), 인두염(3~4%)	〈금기〉 1) 저칼슘혈증 환자 2) 소아, 수유부 : 안전성 미확립 3) 식도 기능 이상자(경구제) 4) 적어도 60분 동안 똑바르 앉거나 서 있을 수 없는 환자(경구제) 〈주의〉 1) 투여 전 저칼슘혈증, 뼈와 무기질 대사장애 치료 2) Bisphosphonate계 약물 복용 환자에서 턱뼈 괴사 및 골, 관절, 근육 통증 보고 된 바 있음. 3) Scr 〉 2.3mg/dL 또는 CrCl 〈 30ml/min의 신장애 환자 투여 권장되지 않음 4) 임신부 : Category C 〈상호작용〉 1) Phosphate supplement의 농도 증가 2) Aminoglycoside, NSAIDs에 의해 본제 혈중농도 증가 3) 제산제, 칼슘염, 철분염, 마그네슘염과 병용 시 본제 혈중농도 감소 〈취급상 주의 – 주사제〉 1) 칼슘 함유 용액 또는 다른 약물과 혼합하지 않음. 2) 반드시 IV 3) 기존 정맥주입 라인으로 투여시, 주입액은 반드시 NS, 5DW이어야 함.

약품명 및 함량	용법	약리작용 및 효능	부작용	주의 및 금기
Pamidronate disodium Panorin soft cap 파노린연질캅셀 …100mg/C Panorin inj 파노린주 …15mg/A	1) 골다공증 ① 경구 : 2Ⓒ qd ② 주사 : 3개월 마다 30mg씩 투여 2) 유방암 환자의 용해성 골전이, 통증감소, 고칼슘혈증예방 ① 경구 : 3~6Ⓒ/D ② 주사 : 1회 90mg, 4주마다 투여 3) 악성종양에 의한 고칼슘혈증 ① 경구 : 1회 3~9Ⓒ(Max. 12Ⓒ) ② 주사 : 30~60mg IV inf 4) 파제트염(주사제만) : 1회 15~45mg(Max. 90mg) 5) 주사제의 경우 사용전 5DW 또는 NS에 희석하여, 2시간 이상에 걸쳐 천천히 IV inf	1) Bisphosphonate계로 mineralized matrix의 용해성을 낮춤으로써 파골세포의 골흡수작용을 억제하고 파골세포 전구체가 성숙파골세포로 전환하는 것을 억제함. 2) 작용발현이 신속하며, 정상 칼슘 농도 유지기간이 다른 bisphos-phonate 제제에 비해 연장	1) >10% – 발열(18~26%), 피로감(12%) – 저인산혈증 (9~18%), 저칼륨혈증(4~18%), 저마그네슘혈증 (4~12%), 저칼슘혈증(1~12%) – 오심(~18%), 식욕부진(1~12%) 2) 1~10% – 심방세동(~6%), 고혈압(~6%), 빈맥 (~6%) – 기면(1~6%), 불면 (~1%) – 갑상선 저하(6%) – 변비(4~6%), 위염 (1%) – 호중구감소증(~4%) – 근육통(~1%) – 요산뇨(~4%) – 비염(~6%), 상기도감염(~3%)	〈금기〉 1) 다른 bisphosphonate 제제와 병용 2) 위, 십이지장 궤양 환자(경구제) 3) 임신부 : Category D 4) 수유부 및 소아 : 안전성 미확립 〈주의〉 1) 신질환 환자 2) 경구용 칼슘 보급제와 Vit.D 병용추천 〈상호작용〉 1) 경구용 항응혈제, 경구용 혈당강하제, calcitonin, steroid : 상가작용 2) 골과 결합하므로 이론적으로 골섬광조영검사 방해 3) 우유와 제산제 병용금기(본 약제의 흡수 감소) 〈취급상 주의 – 주사제〉 1) 주사제의 경우 칼슘함유 수액(링거액, 하트만액)과 혼합금지 2) 희석 즉시 사용하고 잔액은 폐기함.
Risedronate sodium Actonel tab 악토넬정 …5mg/T …150mg/T Actonel EC tab 악토넬EC정 …35mg/T	1) 5mg/T(일반정): 1Ⓣ qd 복용 2) 35mg/T(장용정): 1Ⓣ 주 1회 복용 3) 150mg/T(일반정): 1Ⓣ 월 1회 복용 * 월 1회 복용시 복용일을 잊어버린 경우 – 다음 복용일이 7일 이상 남았을 경우 : 기억한 다음날 아침 1정 복용 후 기존에 정해진 복용일에 다시 복용	1) Bisphosphonate 계열의 골다공증 예방 및 치료제 2) 적응증 ① 5mg/T : 폐경후 여성의 골다공증 치료와 예방, 장기적으로 전신적 corticosteroid 치료를 받는 남녀 환자의 골밀도 유지 및 증가 ② 35mg/T(장용정) : 폐경후 여성의 골다공증 치료 – 경쟁적 킬레이팅제를 사용하여 소장의 칼슘에 결합하여 risedronate가 흡수되도록 하여 음식과 관계없이 복용 가능 ③ 150mg/T : 폐경 후 여성의 골다공증 치료와 예방	1) > 10% – 두통(18%) – 발진(11%) – 설사(20%), 복통 (11%) – 관절통(33%) – 감기양 증후군(10%) 2) 1~10% – 말초부종(8%)	〈금기〉 1) 식도 이상 환자 2) 저칼슘혈증 환자 3) 30분 이상 똑바로 앉거나 설 수 없는 환자 4) 수유부, 소아 : 안전성 미확립 〈주의〉 1) 투여 전 저칼슘혈증과 뼈 및 무기질 대사장애(부갑상선 기능부진, 비타민D 결핍증)를 치료하도록 함. 2) 임신부 : Category C

약품명 및 함량	용법	약리작용 및 효능	부작용	주의 및 금기
	- 다음 복용일이 7일 이내로 남았을 경우 : 기존에 정해진 복용일에 1정 복용 4) 하루 중 최초 음식물 섭취 최소 30분 전에 충분한 양의 물로 복용 후 최소 30분간 눕지 않으며, 씹거나 빨아먹지 않음 (식도염,식도궤양 발생 방지 위함) * 악토넬 EC정 (35mg/T) 식사와 관계없이 복용가능 * 신기능에 따른 용량 조절 참고 CrCl(ml/min)〈30 : 투여금기	3) BA : 0.63% Tmax : 1hr 대사 : 대사되지 않음. 배설 : 신장(50~80%) $T_{\frac{1}{2}}$: 1.5hrs(initial phase) 480hrs(terminal phase)	- 흉통(7%) - 현기증(7%) - 오심(10%), 변비(7%), 트림(3%) - 쇠약(5%), 근무력증(3%) - 안구건조(3%) - 부비강염(5%), 기관지염(3% vs 위약군 5%) - 종양(3%)	〈상호작용〉 1) 칼슘 보충제, 제산제 및 다가 양이온(Ca, Mg, Fe, Al등)을 동시 투여시 이 약의 흡수 저하 (악토넬 EC정) 2) 칼슘600mg/비타민D 400IU 보충제를 함께 복용 시 이 약의 흡수율 감소 3) Esomeprazole 병용 투여시 이 약의 생체이용율 감소
Zoledronic acid Zoledron inj 졸레드론산주사액 …5mg/100ml/V	1) 골다공증: 1년 1회 5mg IV inf. 2) 폐경 후 여성의 골다공증 예방: 2년 1회 5mg IV inf. 3) 골파제트병: - 5mg IV inf. 단회 투여 - 재치료: 최초 투여 후 1년 이상 지난 후 5mg 1회 추가 투여 4) 별도의 vented infusion line 사용하여 15분 이상 일정 속도로 투여 5) 투여 전후 충분한 수분 공급 필요 (이뇨제 투여 환자의 경우 특히 중요) 6) 칼슘 및 Vitamin D 병용 권장됨. * 신기능에 따른 용량조절 참고 - CrCl 〈 35ml/min : 투여 권장안함.	1) Bisphosphonate계 골 재흡수 저해제 2) 파골세포의 골흡수 작용을 억제하고 파골세포 전구체가 성숙파골세포로 전환하는 것을 억제함. 3) 적응증 ① 골다공증의 치료 - 폐경 후 여성의 대퇴골, 척추 및 비척추 골다공증성 골절의 발생율 감소 - 저충격 고관절 골절 후 새로운 골절발생률 감소 - 남성의 골다공증 치료 ② 폐경 후 여성의 골다공증 예방 ③ 글루코코르티코이드에 의한 골다공증 치료 및 예방 ④ 골파제트병의 치료 4) Onset: 1wk(용해성 골전이) 4~7days(고칼슘혈증) $T_{\frac{1}{2}}$: 146hrs 대사 : 신장 배설: 신장(미변환체로서 39±16%; 24시간 이내), 변(〈3%)	1) 〉10% - 저혈압 - 통증, 발열, 두통, 오한, 피로 - 저칼슘혈증 - 오심 - 관절통, 근육통, 요통, 사지 통증, 근골격계 통증 - 독감 유사 증상 2) 1~10% - 흉통, 말초부종, 심방세동, 심계항진 - 어지럼증, 경직, 실신, 감각저하, 현기증, 지각이상, 고체온증 - 피부 발진, 다한증 - 복통, 설사, 구토, 변비, 소화불량, 복부불편감, 식욕부진	〈금기〉 1) 다른 비스포스포네이트 계열의 약제에 과민한 환자 2) 저칼슘혈증 3) 임신부: Category D 4) 가임기 여성: 투여 기간 중 피임 권장 5) 수유부: 안전성 미확립 6) 항암제로 사용되는 zolecronic acid (4mg) 투여 환자 〈주의〉 1) 18세 미만의 소아: 안전성, 유효성 미확립 2) 중증 신기능장애(CrCl〈30ml/min) 3) 갑상선 수술 후(∵상대적 갑상선 저하증으로 인해 저칼슘혈증이 나타남.) 4) 중증의 간기능저하 환자 5) 아스피린 과민성 천식 환자(∵기관지 수축과 관련됨) 〈취급상 주의〉 1) 개봉 전 실온보관 2) 개봉 후 2~8℃에서 24시간 안정하나 즉시 사용 권장(보존제 없음) 3) 냉장보관 후 사용시에는 실온에 도달한 뒤 사용

약품명 및 함량	용법	약리작용 및 효능	부작용	주의 및 금기
			– C-reactive protein 증가 – 혈중 크레아티닌 상승 – 호흡곤란	4) 다른 의약품과 혼합하거나 함께 정맥주사해서는 안 됨. 5) Ca 함유 용액과 혼합금기
Zoledronic acid Zolenic inj 졸레닉주 …4mg/V	1) 악성종양에 의한 고칼슘혈증 ① 성인 : 1회 4mg을 100ml의 NS 또는 5DW에 희석하여 15분간 IV inf. ② 재치료 : 최소한 7~10일이 경과한 후에 재치료함. 2) 다발성 골수종 및 고형암의 골전이 치료 : 매 3~4주 마다 4mg을 15분간 IV inf. 3) 정맥용으로만 투여함. * 신기능에 따른 용량 조절 참고 CrCl(ml/min) : 용량 >60 : 4.0mg (5ml) 50~60 : 3.5mg (4.4ml) 40~49 : 3.3mg (4.1ml) 30~39 : 3.0mg (3.8ml)	1) Bisphosphonate 계열의 주사제로 파골세포의 골흡수 작용을 억제 하고 파골세포 전구체가 성숙파골세포로 전환하는 것을 억제함. 2) 효능 · 효과 : 악성종양에 의한 고칼슘혈증, 다발성 골수종 및 고형암(유방암, 전립선암)의 골전이치료 3) Onset : 1wk(용해성 골전이) 4~7days(고칼슘혈증) 단백 결합 : 약 22% $T_{\frac{1}{2}}$: 167hrs 배설 : 신장(미변화체로서 44±18%; 24시간 이내), 대변(<3%)	1) >10% – 다리 부종 – 발열, 두통, 불면, 흥분, 현기증, 불안 – 탈모 – 저인산혈증, 저칼륨혈증, 탈수 – 설사, 복통 – 요로감염 – 빈혈, 백혈구 감소증 – 근육통, 관절통, 골격 통증, 감각 이상 – 호흡곤란, 기침 2) 1~10% – 저혈압, 흉통 – 저마그네슘혈증, 저칼슘혈증, 고마그네슘혈증 – 점막염, 소화불량 – 혈소판 감소증, 범혈구 감소증 – Scr 상승 – 흉막 삼출, 상기도 감염	〈금기〉 1) 다른 비스포스포네이트 계열의 약제에 과민한 환자 2) 임신부 : Category D 3) 수유부, 소아 : 안전성 미확립 〈주의〉 1) 중증의 신기능 장애 환자 (Scr>4.5mg/dl) 2) 갑상선 수술 후(∵상대적 갑상선 저하증으로 인해 저칼슘혈증이 나타남.) 3) 중증의 간기능 저하 환자 4) Aspirin 과민성 천식 환자 (∵기관지 수축과 관련됨) 〈취급상의 주의〉 1) 재구성 : 주사용수 5ml 2) 희석 : NS 또는 5DW 100ml 3) 재구성 후 냉장 24시간 안정 4) 단독 정맥라인으로 주입
Alendronate sodium+ Calcitriol **Maxmarvil tab**	1) 1Ⓣ qd 2) 아침 식전 30분에 충분한 양의 물로 씹지 말고 복용	1) Bisphosphonate계열 골다공증 치료제인 Alendronate와 칼슘대사 조절에 관여하는 Vit D의 복합제제 2) 식도 및 위장장애 개선을 위해 장용 코팅한 정제임.	1) >10% – 소화불량(22%) – 비염(15.9%), 인두염(11.4%) – 관절통(13.6%)	〈금기〉 1) 식도협착, 무이완증 등 식도 이상 2) 저칼슘혈증, 고칼슘혈증 환자 3) 비타민 D 독성이 있는 환자 4) 수유부, 소아 : 안전성 미확립

약품명 및 함량	용법	약리작용 및 효능	부작용	주의 및 금기
맥스마빌정 …5+0.5mcg/T			2) 1~10% - 두통, 흉통, 복통 - 현기증, 심계항진, 불면, 우울 - 구역, 구토, 설사, 변비, 복통 - 요통, 근육통 - 방광염, 배뇨곤란 - 소양증, 발진 - 객담, 기침, 호흡곤란 - 각결막염, 간수치 상승	〈주의〉 1) 심한 소화성 궤양 발현 2) 신부전 환자 (CrCl 〈35ml/min) 3) Estrogen 결핍이나 노화 이외에 골다공증에 대한 다른 원인이 있는지 고려해 보아야 함. 4) 임신부 : Category C 〈취급상 주의〉 1) 장용정으로서, 분쇄할 경우 식도염, 식도궤양 등 부작용 증가하므로 주의
Alendronate sodium+ Cholecalciferol **FosamaxPlusD tab** 포사맥스플러스디정 …70mg+5,600IU/T	1) 1Ⓣ 주 1회 복용 2) 하루 중 최초 음식물 섭취 최소 30분 전에 충분한 양의 물로 복용 후 최소 30분간 눕지 않도록하며, 씹거나 빨아먹지 않고, 취침전이나 기상 전에 복용하지 않도록 함 (식도염, 식도궤양 발생 방지 위함)	1) Bisphosphonate계 골다공증치료제인 alendronate와 칼슘대사 조절에 관여하는 Vit. D3 복합제제 2) 적응증 : 폐경 후 여성의 골다공증 치료, 남성의 골다공증 치료	1) 〉10% - 저칼슘혈증(18%), 저인산혈증(10%) 2) 1~10% - 두통(~3%) - 복통(1~7%), 산반동(1~5%), 소화불량 및 오심(1~4%), 복부팽만(~4%), 설사(1~3%), 변비(~3%), 위식도 역류(1~3%), 식도궤양(~2%), 위염, 구토, 연하곤란(~1%) - 근골격계 통증(~6%), 근육 경련(~1%)	〈금기〉 1) 식도협착 또는 무이완증과 같이 식도배출을 지연시키는 식도이상 환자 2) 최소 30분 동안 똑바로 앉거나 서 있을 수 없는 환자 3) 저칼슘혈증 4) 갈락토오스 불내성, Lapp유당분해 효소 결핍증, 포도당-갈락토오스 흡수장애 환자 5) 소아, 수유부 : 안전성 미확립 〈주의〉 1) 상부 위장관 질환, 신부전환자 2) Estrogen 결핍이나 노화이외에 다른 골다공증 원인이 있는지 고려 3) 적절한 칼슘과 Vit. D 보급 필요 4) 임신부 : Category C 〈상호작용〉 1) 제산제, 칼슘보충제 : 이 약의 흡수저해(30분 간격을 두고 복용) 2) Aspirin, NSAIDs : 상부위장관 부작용 발생 증가 3) Olestra, 광물성 기름, orlistat, 담즙산제거약 : cholecalciferol 흡수 저해 4) 항경련제, cimetidine, thiazide : cholecalciferol의 이화 증가

약품명 및 함량	용법	약리작용 및 효능	부작용	주의 및 금기
Ibandronate sodium+ Cholecalciferol **Bonviva Plus tab** 본비바플러스정 …150mg+24,000IU/T	1) 월 1회 1정 복용 2) 정기적으로 매월 같은 날 아침 식전 1시간에 충분한 양의 물(180~240ml)과 함께 씹지 않고 복용, 복용 후 60분간 눕지 않도록 함(식도염, 식도궤양 발생 예방 목적) 3) 복용을 잊은 경우 ① 다음 복용 일까지 7일이내 남은 경우: 다음 복용일에 복용 ② 다음 복용 일까지 8일이상 남은 경우: 다음날 아침 1정 복용 후 예정대로 복용 * 신기능에 따른 용량 조절 참고 - CrCl≥30ml/min: 용량조절 불필요 - CrCl<30ml/min: 투여 권장되지 않음	1) Bisphosphonate계 골다공증 치료제인 ibandronate와 칼슘대사 조절에 관여하는 Vit. D3 복합제 2) 적응증 : 폐경 후 여성의 골다공증 치료 3) ① Ibandronate Onset : 3months Tmax : 0.5~2hrs BA : 0.6% (음식에 의해 90% 이상 저해됨) $T\frac{1}{2}$: 37~157hrs(Dose dependent) 배설 : 대변(흡수되지 않은 약물), 신장(흡수된 양의 50~60%) ② Cholecalciferol Tmax : 11hrs $T\frac{1}{2}$: 14hrs 대사 : 간, 신장 배설 : 신장(2.4%), 대변(4.9%)	(Ibandronate 단일제) 1) >10% - 소화불량(6~12%) - 등 통증(4~14%) 2) 1~10% - 고혈압(6~7%) - 두통(3~7%), 어지러움(1~4%), 불면(1~2%) - 발진(1~2%) - 고콜레스테롤혈증(5%) - 설사(4~7%), 복통(5~8%), 오심(5%), 구토(3%), 변비(3~4%) - 요로감염(2~6%) - 사지통증(1~8%), 관절이상(4%), 근육통(1~6%), 근경련(2%), 턱의 뼈괴사(4%) - 기관지염(3~10%), 폐렴(6%), 상기도감염(2%), 비인두염(3~4%)	〈금기〉 1) 저칼슘혈증 환자 2) 식도기능이상 환자 3) 적어도 60분 동안 똑바로 앉거나 서 있을 수 없는 환자 4) 유당 불내성 환자 〈주의〉 1) 중증 신부전환자 2) 임신부 : Category C 3) 수유부 및 18세 미만 소아: 안전성 미확립 〈상호작용〉 1) 제산제, 다가 양이온(Ca, Mg, Fe, Al 등) 함유 약물: Ibandronate 흡수 저해 2) Olestra, 광물성 기름, orlistat, cholestyramine, colestipol: cholecalciferol의 흡수 저해 3) 항경련제, cimetidine, thiazide : cholecalciferol의 이화작용 증진
Risedronate sodium+ Cholecalciferol **Risenex plus tab** 리세넥스플러스정 …35mg+5,600IU/T	1) 주 1회 1Ⓣ 2) 아침 식전 30분에 충분한 양의 물(170~230ml)과 함께 씹지 말고 복용 후 최소 30분간 눕지 않으며 씹거나 빨아먹지 않음 (∵ 식도자극 방지) 3) 중증 신장애 환자 (CrCl <30ml/min) : 금기	1) Bisphosphonate계열 골다공증 치료제인 risedronate와 Vit. D3 복합제제 2) 적응증 : 폐경 후 여성의 골다공증 치료 및 예방, 남성의 골다공증 치료 3) ① Risedronate BA : 0.63% Tmax : 1hr $T\frac{1}{2}$: 1.5hrs(initial phase)	〈복합제〉 - 위장관계(13.58%) - 근골격계(7.41%) 〈Risedronate 단일제〉 - 악토넬정 내용 참고	〈금기〉 1) 식도협착, 무이완증 등 식도 이상 2) 저칼슘혈증 환자 3) 30분 이상 똑바로 앉거나 설수 없는 환자 4) 유당을 함유하므로 갈락토오스-내당성, Lapp 락타아제 결핍, 포도당-갈락토오스 흡수장애를 가진 환자 5) 소아 및 수유부 : 안전성 미확립

약품명 및 함량	용법	약리작용 및 효능	부작용	주의 및 금기
		480hrs(terminal phase) 분포 : 뼈 (흡수량의 20~60%) 배설 : 신장(50~80%) ② Cholecalciferol Tmax : 10.6hrs T½ : 14hrs 대사 : 간, 신장 배설 : 신장(2.4%), 대변(4.9%)		〈주의〉 1) 임신부 : Category C 2) 상부 위장관 질환이 있는 환자 3) Estrogen 결핍이나 노화, 글루코코르티코이드 사용 이외의 다른 골다공증 원인이 있는지도 고려 〈상호작용〉 1) 칼슘보충제, 제산제 및 다가 양이온(Ca, Mg, Fe, Al등) 함유 약물 : Risedrcnate 흡수 저해 2) Olestra, 광물성 기름, orlistat, 담즙산 제거약(cholestyramine, colestipol) : Cholecalciferol 흡수 저해 3) 항경련제, cimetidine, thiazide : Cholecalciferol 이화 작용 증진

약품명 및 함량	용법	약리작용 및 효능	부작용	주의 및 금기
Elcatonin Elcitonin inj 엘시토닌주10단위 …10 U/1ml/A	1) 골다공증에서의 동통 : 10단위씩 주2회 IM 2) 고칼슘혈증 : 40단위씩 1일 2회 IM 3) 파제트병 : 40단위 씩 1일 1회 IM	1) 뱀장어 calcitonin의 합성유도체로 골흡수 억제와 골형성 촉진 작용이 있으며, 혈청 중의 칼슘과 인의 농도를 저하시킴. 2) 골흡수를 억제함으로써 Paget's disease의 진행을 억제함. 3) 골조다공화를 방지하며, 골다공증에 동반되는 통증을 신속히 제거해주는 약제임. 4) 뼈의 칼슘성분 손실(부갑상선기능 항진증)로 인한 과칼슘혈증에도 사용 5) 배설 : 신장(74%), 대변(7%)	– Shock – 과민증상 : 발진, 가려움 – 안면홍조, 열감, 흉부압박감 – 오심, 구토, 식욕 부진 – 두통, 간효소치증가, 저나트륨혈증	〈금기〉 1) 임신부, 수유부 : 안전성 미확립 〈주의〉 1) 이 약제는 polypeptide 제제로 쇽을 일으킬 가능성이 있으므로, 과민반응의 기왕력이 있는 환자는 주의 2) 천식 발작을 일으킬 수 있으므로 기관지 천식 또는 그 병력이 있는 환자 주의 〈상호작용〉 1) Bisphosphonate와 병용시 혈중 칼슘 농도가 급속히 저하될 수 있으므로 신중 투여하도록 함.
Salcatonin(합성 Salmon calcitonin) Menocal nasal spray 메노칼비강분무액200단위	1) 만성 고칼슘혈증 : 200~400 IU #2~4 2) 폐경후 골다공증 : 100~200 IU qd 3) 파제트병 : 100~200IU bid 비강내 투여	1) 생합성 연어 calcitonin 제제로 골흡수 억제 및 뼈 조직의 생합성 촉진 작용이 있음. 2) 파골세포의 수와 활성을 감소시켜서 골파괴를 억제함. 3) 과칼슘혈증, 과칼슘혈증 발작의 응급치료나 지속적 치료, 악성 종양에 기인한 골흡수에 의한 뼈의 통증, 뼈의 파제트병, 폐경 후 급만성 골조송증에 사용	1) >10% – 안면 홍조 – 구토, 설사, 식욕 부진 2) 1~10% – 다뇨	〈주의〉 1) 파제트씨 병이나 기타 골교체 과다에 의한 만성 질환의 치료는 수개월 이상 지속해야 함. 2) 혈액의 alkaline phosphatase와 뇨의 hydroxyproline의 배설 감소 또는 초기 감소 후 증가

약품명 및 함량	용법	약리작용 및 효능	부작용	주의 및 금기
…3,080IU/1.4ml/EA (200IU×15dose)	4) 비점막의 자극을 감소시키기 위하여 양쪽 비강내에 번갈아 분무하는 것이 바람직함. * 1Puff = 200IU	4) Tmax : 31~39mins 대사 : 신장 T½ : 43mins	– 관절통, 저배통 – 코피 3) 〈1% – 호흡곤란	3) 치료를 중단할 경우 골대사 장애가 재발됨. 4) 장기 치료시 간혹 calcitonin에 대한 항체가 생성됨 (∵부갑상선 호르몬 분비 증가) 5) 장기 치료시 1개월에 1회 소변 침전물의 검사를 실시 6) 임신부 : Category C 7) 소아 : 2~3주 이상 투여 하지 말 것 8) 만성 비염 환자의 경우 생체 이용률이 증가됨. 〈취급상 주의〉 1) 냉장 보관(2~8℃)하되 일단 사용이 시작되면 실온에 보관시 1개월 이내에 사용해야 함.

약품명 및 함량	용법	약리작용 및 효능	부작용	주의 및 금기
Diacerein Atrodar cap 아트로다캅셀 …50mg/C	1) 1Ⓒ qd~bid	1) Anthraquinone 유도체로, 단백질 분해 효소(proteoglycanase, collagenase)의 분비를 촉진하는 Interleukin-1의 작용을 저해함으로써 연골파괴를 억제함. 2) 연골 조직 구성 성분인 collagen과 glycosaminoglycan 합성을 자극하여 연골 재생 촉진 3) 골관절염의 치료 4) 지속시간 : 10~12hrs T½ : 2.3hrs	– 약한 완하작용	〈금기〉 1) 염증성 대장 질환, 장폐색 증후군, 중증의 간부전 환자 2) 임신부, 수유부, 소아 : 안전성 미확립 〈주의〉 1) 소장 결장 장애 병력 환자 2) 뇨가 노랗게 변색될 수 있음.
Glucosamine sulfate Ostemin cap 오스테민캅셀 …250mg/C	1) 2Ⓒ tid 식전복용 6주간	1) 내인성 aminomonosaccharide 2) 관절연골의 대사과정 중에 기질로써 직접 작용하는 활성물질로서 관절연골세포 구성물질인 proteoglycan의 생성을 자극함 3) 관절의 활액생성 증가, 점도 개선으로 관절기능을 원활하게 하는 윤활작용을 하므로 골관절의 변성과정을 억제하고 회복시켜줌 4) 골관절염(퇴행성관절질환) 치료	– 부종, 빈맥, 두통, 불면, 오심, 구토, 연하곤란, 설사, 위통	〈금기〉 1) 급성 관절통 환자 2) 황에 불내성인 자 〈주의〉 1) 장기투여(정기적 임상 검사 필요) 2) 약물요법 이외의 치료법도 고려 3) 타소염진통제와 병용을 피함. 4) 고령자

약품명 및 함량	용법	약리작용 및 효능	부작용	주의 및 금기
		5) BA : 26% 대사 : 간 $T_{\frac{1}{2}}$: 70hrs 배설 : 신장(10%), 대변(11%), 폐(moderate)		
Menatetrenone Glakay cap 글라케이연질캅셀 …15mg/C	1) 성인 1Ⓒ tid 2) 공복시 약성분의 흡수가 감소하므로 식후 복용하도록 함 (식사 중의 지방 함유량에 비례하여 흡수율 증가)	1) Vitamin K_2 analogue로 골형성 촉진 작용 및 골파괴(흡수)저해를 통해 골조직 대사 불균형 개선 2) 골기질 단백질인 osteocalcin의 활성화에 관여 3) Tmax : 3~5hrs 간대사를 광범위하게 받음.	- 상부 복통, 오심, 구토, 설사 등 - 드물게 발적, 홍반, 가려움 등의 과민증 - 두통 - 간효소수치 상승 - BUN 상승	〈금기〉 1) 임신부, 수유부 및 소아 : 안전성 미확립 2) Warfarin과의 병용 금기 〈주의〉 1) 골다공증으로 진단받아 골량 감소 및 통증이 있는 환자에게만 투여함. 2) 발적, 홍반, 가려움증이 나타나면 즉시 복용을 중단 3) 약인성 발진, 발적, 가려움의 병력이 있는 경우 신중투여 4) 고령자에게 장기간 투여시 주의
S-adenosyl-L-methionine Sayme tab 세이미정 …200mg/T	1) 활동성 퇴행성 관절증 - 1Ⓣ bid - 2Ⓣ tid까지 증량 가능 2) 우울증 - 개시요법 : 2Ⓣ bid~tid 15~30일간 투여 - 유지요법 : 1Ⓣ bid~tid	1) 주성분을 S-adenosyl-methionine(SAMe)으로 하는 methionine과 ATP로부터 생성되는 생체내 대사 물질 2) 체내조직 및 체액에 정상적으로 존재하는 SAMe은 메칠기 공여분자로 작용함으로써 세포기능을 유지하는데 필요한 물질의 합성에 관여함. 3) 효능 · 효과 : 메칠기 전이, 황전이 부전으로 인한 대사장애, 원발성 및 속발성 관절증, 섬유성 류마티스(견갑 상완골의 관절주위 염, 섬유근 통증), 각종 원인에 의한 요부 좌골 신경통, 우울증	- 오심, 구토	〈금기〉 1) 양극성 장애 환자 2) 정신분열증 환자 3) 소아, 임신부, 수유부 : 안전성 미확립
Sodium hyaluronate Hyruan Plus inj 히루안플러스주 …20mg/2ml/syr Hyal inj	* Hyal inj 1) 주 1회 1관을 5주간 연속하여 슬관절강내 또는 견관절내에 무균조작으로 투여 2) 증상 개선이 없는 경우 5회를 한도로 하여 투여중지	1) Highly viscous, non-antigenic polysaccharide 2) 관절 연골의 탄력성을 회복하고 손상된 연골세포를 보호하며 연골의 퇴행성 변화를 억제함 3) 염증을 유발하는 PGE_2의 생성을 억제하고 관절통을 감소시키며 proteoglycan aggregate의 형성에 기여함.	- 쇽 - 부종, 안면발적, 발진, 두드러기, 가려움증 발생시 투여중지 - 주사부위의 동통(주로 일과성), 종창,	〈주의〉 1) 다른 약제에 과민증의 기왕력이 있는 경우 2) 간장애 또는 기왕력이 있는 환자 3) 투여 관절부에 피부질환 또는 감염이 있는 경우 4) 임신부 : Category C 5) 수유부, 소아 : 안전성 미확립

약품명 및 함량	용법	약리작용 및 효능	부작용	주의 및 금기
하이알주프리필드주 …25mg/2.5ml/syr	3) 변형성 슬관절증으로 관절에 염증이 심한 경우는 염증증상을 제거 후 투여하도록 함. * Hyruan Plus inj 1) 주 1회 1관을 3주 간 투여하며, 증상에 따라 투여횟수 조절	4) 변형성 슬관절증, 견관절 주위염에 사용함. 5) Hyruan plus inj은 고분자량 제제로, 정상관절 활액과 유사한 정도로 점탄성이 증가되어 반감기가 연장됨에 따라 투여횟수를 줄인 제품	수종, 발적, 열감, 국소의 심한 압박감 - 오심, 구토, 발열	〈취급상 주의〉 1) 혈관내 또는 안과용으로 사용하지 말 것 2) 살균소독제(염화벤잘코늄 등의 제4급 암모늄염 및 chlorhexidine)에 의해 침전을 일으킬 수 있음 3)히루안플러스 :차광 및 실온보관(1~30℃)
Sodium hyaluronate (BDDE cross linked Sodium hyaluronate gel) Synovian inj 시노비안주 …60mg/3ml/syr	1) 성인: 1회 1관 (3ml(=1 syr)), 슬관절강 내에 투여 (증상에 따라 투여간격(6개월 이상)을 고려하여 적절히 투여)	1) Highly viscous polysaccharide (gel 타입) 2) 관절 내 활액 보충 및 충격 완충작용, 연골 보호 및 염증 억제 작용으로 관절통을 감소시키며 proteoglycan aggregate 형성에 기여함. 3) Sodium hyaluronate의 선형구조를 BDDE(1,4-butanediol diglycidyl ether)를 통해 그물망 형태로 교차 결합시켜 점탄성 및 반감기 연장 4) 적응증: 슬관절의 골관절염 5) Onset: 1day 이내 Tmax: 1day 이내 지속시간: 6개월 $T\frac{1}{2}$: 4wks	1) 1% 이상 - 주사부위 이상반응(통증, 홍반, 부종, 종창, 열감) - 비인두염, 상기도감염 - 관절 종창, 근골격통, 족저근막염, 사지통증 - 통증, 발열 - 방광염 - 소화불량 - 감각이상 - 홍반	〈금기〉 1) 투여 관절부에 감염 또는 피부질환이 있는 경우 2) 혈관내, 관절외, 윤활조직에 투여금지 〈주의〉 1) 다른 약제에 과민증 병력 있는 환자 2) 간장애 또는 병력 있는 환자 3) 투여 후 48시간 이내 관절에 무리 가능 행동 피할 것 4) 관절강 외 누출 시 통증 유발 가능 5) 임부, 수유부, 소아: 안전성, 유효성 미확립 〈취급상 주의〉 1) 차광, 실온보관(1~30℃) 2) 살균소독제(염화벤잘코늄 등의 제4급 암모늄염 및 chlorhexidine)에 의해 침전을 일으킬 수 있음.
Teriparatide Fosteo coter-pen 포스테오주 …750mcg/3ml/pen	1) 1일 1회 20mcg을 대퇴부 또는 복부에 SC(1pen=4주(28일) 사용 분량) 2) 투약기간 : 최대 24개월	1) 인체 부갑상선 호르몬의 활성부분 인 N말단 1~34번 아미노산 배열을, 유전자 재조합으로 생산한 rh-PTH(1-34)로서, 골형성 촉진제 2) 약리작용 : 인체내 PTH는 혈중 칼슘을 증가시키지만 외부에서 간헐적으로(1일 1회) 투여한 PTH는 파골작용보다 조골 작용에 대한 자극이 우선적으로 나타나 trabecular(섬유주)와 피질성 골수 표면의 새로운 뼈를 증가시킴 3) 적응증 : 폐경기 이후 여성 및 골절의 위험이 높은 남성의 골다공증 치료제 4) BA : 95% $T\frac{1}{2}$: 1hr (SC)	1) 1~10% - 흉통(3%), 실신(3%) - 어지러움(8%), 우울(4%), 현기증(4%) - 발진(5%) - 고칼슘혈증(투여 4~6시간 후 일시적 증가 6~11%) - 오심(9%), 소화불량(5%), 구토(3%), 치아이상(2%) - 고요산혈증(3%)	〈주의〉 1) 요로결석증 환자 2) 대사성 골질환 3) 골육종의 위험이 있는 환자 4) Paget's disease 5) 이전에 골격에 방사선 치료를 한 환자 6) Alkaline Phosphatase가 이유 없이 상승하는 경우 7) 중증의 신장애 환자 8) 임신부 : Category C 〈취급상 주의〉 1) 냉장보관(2~8℃)

약품명 및 함량	용법	약리작용 및 효능	부작용	주의 및 금기
		대사 : 간 배설 : 신장	- 관절통(10%), 허약감(9%), 다리 경련(3%) - 비염(10%), 인두염(6%), 폐렴(4%), 호흡곤란(4%) - Teriparatide에 대한 항체생성(3%)	2) 개봉 후 냉장 28일간 안정하므로 개봉 후 28일이 경과된 약은 사용하지 않음.
동종 제대혈유래 중간엽 줄기세포 Cartistem 카티스템 …$7.5X10^6$cells/1.5ml/V	1) 병변크기에 따라 0.5ml/cm^2을 관절연골결손부위에 구멍을 만들어 채운 후 주변에 도포 2) 조제 방법: 동종 제대혈 유래 중간엽 줄기세포 1V과 첨부물 sodium hyaluronate 1V을 혼합 후 상온에서 약 30분간 방치(첨부물: sodium hyaluronate 60mg/V)	1) 무릎 연골 결손 치료용 세포치료제 2) 제대혈로부터 중간엽 줄기세포를 분리해내어 배양한 것으로 연골손상부위에서 분비되는 물질들(injury factors, 주로 염증성 인자들)로 인해 단백질의 연골분화 촉진, 염증완화, 연골 기질 분해 단백질 활동 억제 등 복합적인 작용효과가 발생하여 손상된 연골의 재생을 유도함. 3) 적응증: 퇴행성 또는 반복적 외상으로 인한 골관절염환자(ICRS grade IV)의 무릎 연골결손 치료 * ICRS(International Cartilage Repair Society) grade: I(nearly normal), II(abnormal), III(severely abnormal), IV(subchondral bone defect)	1) 〉 10% - 오심, 변비, 소화불량 - 이식부위 가려움증 - 두통 - 배뇨곤란 - 가려움증	〈금기〉 1) 우단백질, 히알루론산, 마취제에 과민한 환자 2) Gentamicin 알러지 반응 병력 3) 류마티스 관절염 등 만성 염증성 관절 질환, 자가면역질환과 연관된 관절염 4) K&L Grade 4 5) 의료진 판단 하에 효과를 기대하기 어려운 심각하게 휜다리 〈주의〉 1) 임신부 및 수유부: 안전성 미확립 2) 소아: 안전성 미확립 3) 수술 중/수술 후 합병증 및 부작용 발생 고려하여 이 약 투여에 의한 유익성이 수술의 위험성이 상회한다고 판단할 경우 사용 4) 비경구 항생제 투여 요하는 감염증 〈취급상 주의〉 1) 투여 전까지 전용 운반-용기를 개봉하지 말 것, 4~20℃ 보관 2) 안정성: 두 바이알 mix 후에는 24시간이내 사용(생산 공장 출하로부터 투약까지 48시간 이내 사용) 3) Vial내 내용물이 엉켜 있거나, 변색, 이물질 관찰될 경우 사용 불가 4) 혈관에 투여하지 않도록 주의

약품명 및 함량	용법	약리작용 및 효능	부작용	주의 및 금기
Bendazac lysine Bendaline tab 벤다라인정 …500mg/T	1) 성인: 500mg tid 2) 소아: 250mg tid	1) 수정체 단백질의 변성 및 응집 저지하여 수정체의 혼탁 생성을 방지함. 2) 장년기 및 노년기 백내장, 유소아의 백내장, 당뇨병성 백내장, 각종 피질 또는 핵의 결정성의 불투명한 수정체에 사용함.	– 완하효과(일시적으로 1/2 감량) – 어지러움, 두통	〈주의〉 1) 담즙 분비 약물과 병용시 이담효과 상승으로 설사 등 부작용 초래 2) 임신부 3) 장기투여시 정기적인 간기능 검사 실시
Dobesilate calcium Doxium tab 독시움정 …250mg/T	1) 혈관손상 및 망막증 : 500~1000 mg/D 2) 정맥질환 : 1~3주 간 750mg/D, 그 후 500mg/D	1) 모세혈관 투과성 항진 및 취약증을 개선함. 2) 당뇨병성 망막증 및 기타 혈관손상에 사용함.	– 두통, 구역, 위장 장애, 피부 알러지반응	〈주의〉 1) 임신 3개월 이전에는 투여하지 말 것 2) 원인불명의 열성질환이 유발되면 투약을 중지할 것
Thioctic acid Neuropacid tab 뉴로패시드정 …200mg/T Neuropacid OD tab 뉴로패시드오디정 …600mg/T Thioctacid inj 치옥타시드주 …600mg/24ml/A	1) 경구(일반정) 1Ⓣ qd~tid, 씹지말고 복용(3Ⓣ qd 아침 식전 투여를 권장) 2) 경구(OD정): 1Ⓣ qd 식전 복용 3) 주사 ① IV inf. : 초기 2~4주, 1일 1회 1Ⓐ + NS 100~250ml (최대 주입 속도 : 50mg/min) ② 정맥 주사 : 1일 1회 1Ⓐ, 최소 12분간 주사	1) Medium chain fatty acid로 세포내 대사의 조효소로 작용하는 강력한 항산화제 2) Free radical 포획작용과 다른 항산화제의 재생 작용을 통해 산화성 스트레스를 감소시킴. 체내 포도당 이용을 개선하고, 단백질의 당화 감소시킴 3) 적응증: 당뇨병성 다발성신경병증 완화 4) 초기 2~4주간 IV 치료 후 PO로 전환함. 5) (OD정) Tmax : 20mins $T_{\frac{1}{2}}$: 10~20mins 대사 : 간 배설 : 신장 (80~90%)	– 오심, 구토, 위장관계 통증, 설사 – 발진, 두드러기, 가려움증 – 포도당 이용률 증가에 의해 혈당치가 감소함. – 미각장애	〈금기〉 1) α-lipoic acid에 과민한 환자 2) 임신부 및 수유부, 소아 : 안전성 미확립 〈상호작용〉 1) 알코올 : 이 제제의 효과 감소(금주할 것) 2) Cisplatin의 효과 감소 3) Insulin, 경구용 혈당강하제 : 혈당 강하작용 증가 4) Fe, Mg 함유제, Ca함유제(우유)와 병용시 이 약의 효과 감소 〈취급상 주의-주사제〉 1) 주사 : 차광보관 2) 주사액은 혼합 조제 후 은박지로 차광해야 하며, 실온에서 6시간 안정
Vaccinium myrtillus extract Tagen-F soft cap 타겐에프연질캅셀 …170mg/C	1) 1Ⓒ bid~tid	1) 시신경 전달물질인 rhodopsin의 생성 촉진 및 모세 혈관벽 보호 · 강화 작용 2) 적응증 – 당뇨병 및 고혈압으로 인한 망막 변성, 눈의 혈관장애 개선 – 고도근시, 야맹증	– 속쓰림, 구역 등 위장장애	

약품명 및 함량	용법	약리작용 및 효능	부작용	주의 및 금기
1Ⓐ(2ml) 중 Thiamine 10mg, Riboflavin 5.47mg, Pyridoxine 5mg, Cyanocobalamine 10mcg, D-panthenol 5.17mg, Nicotinamide 40mg **Beecom hexa inj** 삐콤헥사주사 …2ml/A	1회 1Ⓐ IM, IV	1) 장기 질병 환자 및 수술 후의 Vit.B군의 공급이 필요할 때 사용함. 2) 각종 Vit.B군 결핍증(식욕부진, 구순, 구각염, 다발성 신경염, 지루성 피부염)의 예방과 치료에 사용함. 3) 주사제는 Vit. B군 결핍환자로 경구투여가 불가능할때 사용	- 과민반응 : 발진, 가려움 - 구역, 구토 - 열감, 오한	
1ml 중 Vit. A 2000IU, Vit B1 10mg, Vit B2 2.54mg, Nicotinamide 20mg, Vit B6 3mg, Vit C 100mg, Vit D2 200IU, Vit E 1mg, Dexpanthenol 5mg, BHT 0.06mg, BHA 0.016mg **MVI inj** 엠비아이주 …5ml/V	1) 1회 1Ⓥ을 정맥주사용 포도당액, 생리식염액 및 혈장 등의 주사액 500~1000ml에 혼합하여 점적 정맥내 주사	1) 성장촉진, 뼈 및 치아의 형성을 도우며 전염병에 대한 저항력 증가, 건강 유지 등을 목적으로 하는 종합 비타민 2) 수술, 중화상, 골절, 심한 감염성 질환, 혼수 상태 등에 대한 영양 공급	- 쇽 - 발진 가려움 등의 과민증 - 구역, 구토 - 열감, 오한, 발열, 항문주위 가려움증 등	〈금기〉 1) 이 약이나 염산 치아민에 과민증이 있는 환자 2) 혈우병 환자(덱스판테놀에 의한 출혈시간 연장) 〈주의〉 1) 임신부는 Vit. A를 1일 5000IU이상 투여할 경우 선천성 기형 유발의 위험이 있으므로 임신 3개월이내 또는 임신할 가능성이 있는 부인은 Vit A를 5000IU/일 이상 투여하지 않도록 함. 〈상호작용〉 1) Levodopa의 작용을 감소시킬 수 있음. 〈적용상 주의〉 1) 정맥주사시에 혈관통을 일으킬 수 있으므로 되도록 서서히 투여 하도록 함. 2) 차광, 냉소 보관

약품명 및 함량	용법	약리작용 및 효능	부작용	주의 및 금기
1Ⓥ 중 Ascorbic acid 100mg, Vitamin A 3,300IU, Ergocalciferol 200IU, Thiamine HCl 3.81mg, Riboflavin sod. phosphate 3.60mg, Pyridoxine HCl 4.86mg, Nicotinamide 40mg, Dexpanthenol 15mg, Tocopherol acetate 10mg, Biotin 60mcg, Folic acid 400mcg, Cyanocobalamine 5mcg **Tamipool inj** 타미풀주	1) 11세 이상 및 성인 : 주사용 증류수 5ml로 재구성 후 5분 이내 DW, NS 또는 이와 유사한 수액제 500~1000ml에 혼합, 1일 1회 IV inf	1) 멀티비타민 주사제 2) 수액제로 영양을 공급받는 환자의 비타민 유지요법 및 외과수술, 중증화상, 골절 및 기타 외상, 중증 감염증, 혼수상태에서의 비타민 결핍 예방(Vit K 제외) 목적으로 사용 3) Total parenteral nutrition 제제 등 수액제에 혼합하여 사용	- 쇽, 아나필락시양 증상 - Vit A, D 과민반응 (과량투여 시)	〈금기〉 1) 혈우병 환자(덱스판테놀에 의한 출혈시간 연장) 〈주의〉 1) 고칼슘혈증 환자, 신장애 환자 2) 기관지 천식, 발작, 담마진 등의 알레르기를 일으키기 쉬운 체질 3) 수 주 이상 투여 시 Vit. A,D 축적여부 검사 4) 11세 미만 소아 : 유효성 및 안전성 미확립 5) 임신부 : Vit. A 고용량 투여시 최기형성 있으므로, Vit. A 1일 5,000IU 미만 투여 6) 수유부 : 투여 가능 〈취급상 주의〉 1) 바이알 : 실온보관(1~30℃) 2) 단백아미노산 제제 혼입 시 8시간 이내 사용 권장 (Folic acid 역가 저하 우려) 3) 차광커버 사용 : Vit. A, D, riboflavin은 빛에 민감 4) Acetazolamide, sodium chlorthiazide, tetracycline HCl 및 알칼리 용액과 배합금기 5) 칼슘염 존재 시 folic acid 불안정 6) 일부 vitamin은 Vit. K와 반응할 수 있음. 7) 지질 수액제에 직접 희석하지 않음.
1Ⓒ중 Benfotiamine 34.58mg, Pyridoxine HCl 25mg, Cyanocobalamine 250mcg **Vitamedin cap** 비타메진캡슐 …/C	1) 성인: 비타메진캡슐로서 2Ⓒ (벤포렉스캡슐로서 1Ⓒ) qd~bid	1) 비타민 B1, B6, B12 복합제 2) 약리작용 ① Benfotiamine : 비타민 B1의 합성 유도체로서, 당뇨에 의한 신경 및 혈관 손상 예방, transketolase를 활성화시켜 glucose 유도체가 신경과 혈관에 축적되는 것을 억제함. 7~70mg/kg/D 고용량 투여 시 당뇨병성 신증 억제 효과 있음. ② Pyridoxine (=Vit B6) : 아미노산의 탈탄산효소, transamination의보조제로서 단백질 대사에 관여하여 말초신경염의 예방 및 치료에 사용 ③ Cyanocobalamin(=Vit B12) : 신경세포내의 핵산, 단백 및 인지질의 합성 촉진	- 과민증 : 발진, 가려움. - 식욕부진, 위부 불쾌감, 구역, 설사	〈주의〉 1) Leber's disease (유전적 시신경 위축증) 〈상호작용〉 1) Pyridoxine은 levodopa의 작용을 감소시킴.

약품명 및 함량	용법	약리작용 및 효능	부작용	주의 및 금기
1Ⓒ중 Benfotiamine 69.15mg, Pyridoxine HCl 50mg, Cyanocobalamine 500mcg **Benforex cap** 벤포렉스캡슐 …/C		3) 본제에 함유된 비타민 보급 목적 및 결핍이나 대사 장애(신경통, 근육통, 관절통, 말초신경염, 말초신경마비)가 추정되는 경우 사용		
1Ⓣ 중 Thiamine HCl 6mg, Riboflavin 6mg, Pyridoxine 1mg, Ca-pantothenate 5mg, Nicotinamide 25mg, Ascorbic acid 50mg, Cyanocobalamine 1mcg **Beecom tab** 삐콤정 …/T	1) 8세 이상 소아 및 성인 : 1-3Ⓣ qd	1) 장기 질병 환자 및 수술 후의 Vit.B군의 공급이 필요할 때 사용함. 2) 각종 Vit.B군 결핍증(식욕부진, 구순, 구각염, 다발성 신경염, 지루성 피부염)의 예방과 치료에 사용함. 3) 주사제는 Vit. B군 결핍환자로 경구투여가 불가능할때 사용	- 구역, 구토	〈금기〉 1) 3개월 미만 영아 〈주의〉 1) 과뇨산혈증 환자 2) 뇨가 황색으로 변하여 임상 검사치에 영향 줄 수 있음.
1Ⓣ 중 Vit B1 1.5mg, Vit B2 1.7mg, Vit B6 10mg, Vit B12 6mcg, Vit C 60mg, Folic Acid 800mcg, d-Biotin 300mcg,	1) 1Ⓣ qd	1) 만성 신부전 환자를 위한 비타민 B, C 보급제 2) 매일 일정량의 비타민 공급이 필요한 투석 환자에게 적합한 양의 비타민을 보급함. - Folic acid: 신성 빈혈 및 심장계 질환을 예방하기 위해 일반인의 하루 권장량보다 2배 함유함. - Vit B6: 요독증상 악화를 예방하기 위해 일반인 권장량(1.3~2mg/D)의 5배 함유함.	(빈도 미확립) - 알레르기성 과민증상 - 구역, 구토, 설사, 묽은 변, 식욕부진, 위부불쾌감, 복부팽만감	〈금기〉 1) Vit B12 결핍성 악성빈혈 환자 (신경학적 증상의 악화 초래) 2) 3개월 미만의 영아 3) Levodopa를 복용하는 환자 4) 임신부, 수유부 : 안전성 미확립 〈주의〉 1) 의사의 치료를 받고있는 환자

약품명 및 함량	용법	약리작용 및 효능	부작용	주의 및 금기
Nicotinamide 20mg, Ca. Pantothenate 10mg **Neph Vita tab** 네프비타정 …/T			- (고용량 투여시) 소화성 궤양, 당내성 손상, 고뇨산혈증, 간손상, 혈액학적 이상반응, 내성	2) 고수산뇨증(hyperoxaluria)환자 〈취급상 주의〉 1) 분할 및 분쇄시 흡습성으로 인해 검게 변색되고 냄새 강해 복용 어려움.(약효 영향은 없음.)

약품명 및 함량	용법	약리작용 및 효능	부작용	주의 및 금기
Alfacalcidol (1α-hydroxy cholecalciferol) One-alpha tab 원알파정 …0.5mcg/T	1) 만성신부전증, 골다공증 : 1~2Ⓣ qd 2) 부갑상선기능 저하증, 기타 Vit.D 대사 이상증 : 2~8Ⓣ qd 3) 소아 - 골다공증 : 0.01~0.03mcg/kg qd - 기타 질환 : 0.05~0.1mcg/kg qd	1) 간장에서 활성형(1,25-dihydroxy -cholecalciferol = calcitriol)으로 되어 칼슘대사에 관여함. 2) 신장에서 별도의 대사과정이 필요없으므로 신기능장애환자에게도 사용 가능함. 3) Diphenylhydantoin 혹은 phenobarbital 같은 항경련제 복용 환자의 Vit.D 결핍예방 효과 있음. 4) Vit.D 결핍증(저칼슘혈증 및 저인산혈증, 구루병 및 골연화증), 골다공증, 만성신부전의 골병변, 부갑상선기능 저하증 개선 등에 사용함. 5) Tmax: 8~24hrs $T\frac{1}{2}$: 17.6hrs 배설 : 답즙(extensive) 신장(minimal) 6) Ergocalciferol 1,250mcg(50,000IU) ≒Calcitriol 1mcg ≒Alfacalcidol 2mcg	과량으로 인한 중독의 초기증상으로 - 식욕부진, 오심, 구토, 설사, 변비 등의 위장장해, 간효소수치 상승 - 두통, 두중감, 불면, 조바심, 권태감, 현기증, 졸림 등 - 연골 조직의 석회화. - 경도의 혈압상승, BUN, SCr상승, 동계 - 소양감, 발진, 열감 - 신결석, 쉰소리	〈금기〉 1)임신부: 안전성 미확립 2)수유부: 유즙으로 분비됨. 〈주의〉 1) 칼슘혈증 및 신장애 유발 가능 2) 고인산혈증 환자의 경우 인결합제(수산화 알르미늄겔 등)를 병용하여 혈중 인농도를 낮추어야 함. 3) Mg 함유 약제 병용시 고Mg혈증이 일어났다는 보고가 있으므로 신중히 투여
Ascorbic Acid Vitamin C tab 비타민씨정 …1000mg/T	1) 성인 1일 500~1,000mg을 1회~수회 분할 투여	1) Vit. C 보급제 2) 콜라겐 형성 및 조직 복구에 필요 요소이며, 체내 대사 과정에 관여함. 3) 혈관벽 보호강화와 혈소판 생성촉진으로 잇몸 출혈을 방지함. 4) Melanine색소 생성억제로 이상 색소 침착을 방지함.	1) 1~10% - 신장결석, 뇨의 산성화, 수산염결석의 침전(용량 의존성) 2) IM, SC로 주사시 주사부위 통증	〈주의〉 1) 통풍, 시스틴뇨증 환자 2) 임신부 : Category C 〈적용상 주의〉 1) 투여경로는 IV를 원칙으로하며, 경구투여가 가능할 경우 바로 경구투여로 전환함.

약품명 및 함량	용법	약리작용 및 효능	부작용	주의 및 금기
Ascorbic acid inj 아스코르브산주사액 …100mg/2ml/A …500mg/2ml/A		5) 철분의 체내흡수 및 Vit-B1 작용을 증가시킴. 6) 질병에 대한 저항력을 증가시킴. 7) Vit.C결핍증(괴혈병 등)의 예방과 치료, Vit.C 요구량이 증가하는 각종질환(소모성질환, 임신부, 수유부, 흡수 불량증 등)에 사용함.		2) 정맥주사시 혈관 통증이 나타날 수 있으므로 주사속도는 가능한 서서히 하도록 함. 3) SC, IM시 신경 등에 대한 영향을 피하기 위해 동일 부위에 반복 주사하지 않도록 함.
Calcitriol Calcio soft cap 칼시오연질캅셀 …0.25mcg/C	1) 신성골이영양증, 부갑상선 기능저하증, 구루병, 골연화증 -초기량 1일1ⓒ, 2~4주 간격으로 1ⓒ씩 증량가능 - 용량결정 기간동안 주 2회 이상 혈청Ca 농도 측정 2) 골다공증 - 1ⓒ bid, 1개월 간격으로 최대 2ⓒ bid까지 증량 가능	1) Vit-D_3가 간 및 신장에서 대사된 최종활성형(1,25-dihydroxycholecalciferol)으로, 외부로부터의칼슘 흡수 촉진 및 조골 세포의 골형성 촉진 작용이 있음. 2) Alfacalcidol과 용도는 같으나 작용발현이 빠르고 반감기가 짧음. Onset : 1wk $T\frac{1}{2}$: 5~8hrs 3) Ergocalciferol 1,250mcg(50,000IU) ≒Calcitriol 1mcg ≒Alfacalcidol 2mcg	1) >10% - 고칼슘혈증 2) 기타 - 부정맥, 고혈압, 저혈압, 두통, 짜증, 기면, 소양증, 고마그네슘혈증, 식욕증가, 식욕부진, 변비 등	〈금기〉 1) 고칼슘 혈증과 관련된 질환 환자 2) Vit. D의 독성 증거가 있는 환자 3) 1차성 부갑상선기능 항진증 환자 〈주의〉 1) 임신부 : Category C 2) 3세 이하 및 혈액투석을 받고 있는 소아 : 안전성 미확립
Calcitriol Bonky inj 본키주사 …1mcg/1ml/A	저칼슘혈증, 부갑상선 기능 과다증, 신성골이영양증 - 초기량: 주 3회 IV, 1회 0.5mcg(0.01mcg/ kg) - 2~4주간격으로 0.25~0.5mcg 증량 가능	1) Vit-D_3가 간 및 신장에서 대사된 최종활성형으로, 외부로부터의칼슘 흡수 촉진 및 조골 세포의 골형성 촉진 작용이 있음. 2) Alfacalcidol과 용도는 같으나 작용발현이 빠르고 반감기가 짧음. Onset : 1wk $T\frac{1}{2}$: 5~8hrs 3) Ergocalciferol 1,250mcg(50,000IU) ≒Calcitriol 1mcg ≒Alfacalcidol 2mcg	1) >10% - 고칼슘혈증 2) 기타 - 부정맥, 고혈압, 저혈압, 두통, 짜증, 기면, 소양증, 고마그네슘혈증, 식욕증가, 식욕부진, 변비 등	〈금기〉 1) 고칼슘 혈증과 관련된 질환 환자 2) Vit. D의 독성 증거가 있는 환자 3) 1차성 부갑상선기능 항진증 환자 〈주의〉 1) 임신부 : Category C 2) 3세 이하 및 혈액투석을 받고 있는 소아 : 안전성 미확립
Cholecalciferol D3 Base inj D3베이스주 …2.5mg/1ml/A Vitamine D3 BON inj	1) 청소년(12-19세) : 200,000IU(5mg), IM 2)고령자(65세이상) : 100,000IU(2.5mg), IM 3) 투여 후 고령자 3개월, 청소년 6개월 이내 혈중 25(OH)D 확인 후 재투여 여부 결정	1) 비활성형 Vit. D3 로 체내 흡수 후 간에서 calcidiol (25(OH)D)로 1차 전환, 신장에서 calcitriol (1,2(OH)2D로 전환되어 활성화 됨. 2) 적응증: 비타민D가 결핍된 고령자 및 청소년에서 비타민D 결핍의 예방과 치료 3) $T\frac{1}{2}$: 15-40days 배설: 담즙, 대변(extensive)	(빈도 미확립) - 두통, 무력증, 피로, 근육통, 식욕부진, 성장부진 - 오심, 구토, 변비, 설사, 다갈, 다뇨, 탈수	〈금기〉 1) 고칼슘혈증, 고칼슘뇨증, 칼슘결석이 있는 환자 2) 신장애 환자 3) 사르코이드증 4) 가성 부갑상선기능저하증 환자 〈주의〉 1) 임신부: Category A (단, 권장 일일섭취량 초과시

약품명 및 함량	용법	약리작용 및 효능	부작용	주의 및 금기
비타민D3비오엔주 …5mg/1ml/A		신장(minimal)	- 고혈압, - 칼슘결석, 조직석회화 - 신장질환, 혈관질환	Category C) 2) 수유부: 모유 이행 〈상호작용〉 1) Cholestyramine, cholestipol; 비타민 D흡수 감소
Mecobalamine Methycobal tab 메코발라민정 …0.5mg/T Actinamide inj 액티나마이드주 …1mg/2ml/A	1) 주사 : 1일 0.5~1Ⓐ IM 2) 경구 : 성인 1Ⓣ tid	1) Cyanocobalamine의 -CN기가 $-CH_3$로 치환한 성분으로 엽산대사에 필수적인 methionine합성 반응에 관여함. 2) 신경세포내의 핵산, 단백 및 인지질의 합성을 촉진하여 손상된 수초, 축색을 재생시킴. 3) 적응증 ① 주사 : 비타민 B12 결핍증의 예방 및 치료, 비타민 B12 결핍에 의한 악성빈혈 및 거대적아구성 빈혈 치료, 말초성 신경장애, 광절열두 조충증, 흡수부전증후군 ② 경구 : 말초성 신경장애	- 과민증 - 주사부위의 동통 - 두통, 발한, 발열감 - 식욕부진, 오심, 설사, 발진	〈주의-주사제〉 1) 광분해를 받기 쉬우므로 사용직전 차광용기에서 꺼내어 사용할 것 2) IV하지 말 것 (약물소실이 빨라짐.) 〈주의-경구제〉 1) 수은 및 수은 화합물 취급자에게 장기간 대량 투여하지 않도록 함. 2) 임신부 : Category C
Paricalcitol Zemplar inj 젬플라주 …5mcg/1ml/A	1) 초기 : 하루걸러 또는 그 이상의 간격으로 투석시 0.04~0.1mcg/kg (2.8~7mcg) IV bolus 투여 (Max. 0.24mcg/kg(16.8mcg)) 2) 만족할 만한 반응이 없으면 2~4주 간격으로 2~4mcg씩 증량 3) 용량이나 증가량은 각 환자에 따라 결정	1) 합성 vitamin D 유사체 2) Vitamin D receptor에 결합하여 선택적으로 vitamin D 반응 경로를 활성화시킴으로써 부갑상선 호르몬 (PTH)의 분비를 감소시킴. 3) 만성신부전과 관련된 이차적 부갑상선 기능항진증에 사용 4) Onset : 4~6wks 단백결합 : 〉99% $T_{\frac{1}{2}}$: 14~15hrs (stage 5 만성신질환) 배설 : 대변(63%), 신장(19%)	1) 〉10% - 오심(6~13%) 2) 1~10% - 부종, 혈압상승/저하, 심계항진, 흉통, 실신, 심근경색, 기립성 저혈압 - 통증, 오한, 현기증, 두통, 어지러움, 발열,우울, 불면 - 발진, 피부궤양, 소양감 - 탈수, 산증, 저칼륨혈증 - 구토, 설사, 구강건조, 변비, 소화불량	〈금기〉 1) 비타민 D 독성의 증거가 있는 환자 2) 과칼슘혈증 환자 3) 수유부 : 안전성 미확립 〈주의〉 1) 급성 과량 투여로 고칼슘혈증 유발 가능하므로, 특히 용량조절 동안, 혈중 Ca, P 농도를 주 2회 주의깊게 모니터링하여 과칼슘혈증 발현시 감량 또는 중단 필요 2) 이 약은 알코올 20%를 함유하므로 알코올중독자에게 위험 3) 소아 : 투여경험 적음(안전성, 유효성 미확립) 4) 임신부 : Category C 〈상호작용〉 1) 디기탈리스 제제(digoxin)와 병용시 고칼슘혈증에 의한 digoxin 독성 증가 주의 2) 인산염이나 비타민 D 제제와 병용 금기

약품명 및 함량	용법	약리작용 및 효능	부작용	주의 및 금기
			- 신기능이상 - 관절염, 저배통, 다리경련, 신경병증 - 약시, 망막질환 - 폐렴, 비염, 부비동염, 기관지염 - 감염, 과민반응	3) Ketoconazole 등의 강력한 CYP3A 억제제와 병용시 이 약의 혈중농도 상승 주의 4) 알루미늄 또는 마그네슘 제제와 병용시 알루미늄 독성 또는 고마그네슘혈증 발생 가능 (병용금기) 5) 칼슘 제제 또는 thiazide 이뇨제와 병용시 고칼슘혈증 위험
Pyridoxine HCl Pyridoxine tab 피리독신정 …50mg/T	1) 1일 10~100mg	1) 생체내에서 pyridoxal phosphate로 되어 아미노산의 탈탄산효소, transamination의 보조제로서 단백질 대사에 중요한 역할을 함. 2) 구내염, 설염, 피부염의 개선에 사용함. 3) Isoniazid, cycloserine, hydralazine 및 D-penicillamine 같은 Vit-B6 길항제나 배설촉진제의 복용시 말초 신경염의 예방 및 치료에 사용함. 4) Vit-B6 의존성 빈혈에 사용함.	- 오심, 두통, 혼몽, 지각마비 - GOT상승, 엽산 농도 감소 - 광과민반응 - 고용량 장기 복용시 신경경련,수족마비 동반한 감각신경증	〈금기〉 1) Levodopa 복용중인 환자(V-B6에 의해 길항됨.) 단, levodopa/dopa-decarboxylase inhibitor 복합제와의 병용은 가능함. 〈주의〉 1) 임신부 : Category A
Thiamine HCl Thiamine HCl tab 티아민염산염정 …10mg/T Thiamine HCl inj 티아민염산염주사 …50mg/2ml/A	1) 경구 : 1~10mg qd~tid 2) 주사 : 1~50mg/D SC, IM, IV	1) 탄수화물 대사에 필수적인 coenzyme으로 요구량은 칼로리(특히 탄수화물)의 섭취량에 비례함. 2) 각종 소모성 질환, 갑상선 기능 항진증, 임신부, 수유부, 심한 근육 노동시에 더욱 필요함. 3) 섭취량 부족이나 흡수대사 장애 등으로 인한 Vit-B1 결핍증(각기증, 알코올 중독으로 인한 Wernicke's 뇌질환 등) 치료 및 예방에 사용함.	1) 〈1% - 심혈관계 허탈, 사망, 감각이상	〈금기-주사제〉 1) 신생아 및 미숙아(보존제 벤질알코올은 조숙아에게 치명적인 호흡 장애와 연관이 있는 것으로 보고됨.)

약품명 및 함량	용법	약리작용 및 효능	부작용	주의 및 금기
5-hydroxytryptophan 5-HTP cap 5-에이치티피캡셀 …100mg/C	1) 100~300mg/D 식사시 복용 2) 고용량 투여시 단계적 증량 - 1~3일째 : 100mg qd (저녁) - 4~6일째 : 100mg bid - 7일째 이후 : 100mg tid 3) 적어도 3개월 이상 지속 투여	1) Serotonin 전구체 2) BH4는 dopamine과 serotonin 합성에 필요한 tyrosine hydroxylase와 tryptophan hydroxylase의 cofactor로 BH4의 결핍은 neurotransmitter의 합성에도 영향을 미쳐 phenylalanine과 무관하게 신경학적 증상을 나타냄. 3) BH4가 결핍되어 neurotransmitter합성이 부족한 환자에게 5-HTP를 투여하여 체내 serotonin의 수치를 높이고, 신경학적 증상을 조절함. 4) 적응증 : BH4가 결핍된 비정형성 페닐케톤뇨증 5) 한국희귀의약품센터 공급 약품 6) BA : 47~84% Tmax : 1~2hrs $T_{\frac{1}{2}}$: 4.3±2.8hrs 대사 : 간(25%) 배설 : 신장(5~9%)	- 혈압의 일시적 상승 또는 저하 - 위장관 장애, 구역, 구토, 설사(지속적 투여 또는 감량 시 점차 사라짐.) - 혈중 프로락틴 수치 증가 - 운동반응성에 영향 미침.	〈금기〉 1) 고농도의 세로토닌 증후군 2) 심한 신부전증 환자 3) 혈압 관련 질환자 4) 임신부, 수유부 : 안전성 미확립 〈주의〉 1) 갑자기 중단해서는 안됨. 2) 운전이나 기계 조작 금지 〈상호작용〉 1) MAO 저해제 : MAO 저해제의 이상효과 증강 2) 항우울제, 리튬염 : 이 약의 효과 증강 3) 혈장단백과 강하게 결합하거나 이 약의 디카르복실화를 차단할 수 있는 약물 (ex. methyldopa, benserazide, carbidopa 등) : 신중투여 〈취급상 주의〉 1) 차광 보관
Bromocriptine Mesylate Parlodel tab 팔로델정 …2.5mg/T	1) 식사직후 투여 - 1일 0.5Ⓣ hs - 2~3일 0.5Ⓣ bid - 이후 1Ⓣ bid 2) 적응증에 따른 유지량 - 파킨슨병: 10~15mg/D - 성기능부전증, 유루증, 불임증: 7.5mg/D - 주기적 양성 유방질환, 주기적 유선통, 월경시의 제증상: 5mg/D - 말단비대증: 20~30mg/D - 유즙분비 예방 및 억제: 5mg/D	1) Dopamine receptor에 직접 작용하는 dopamine agonist로 ergot alkaloids 제제임. 2) Idiopathic or postencephalitic parkinsonism에 levodopa에 내성이 생겼거나 "end-off-dose" akinesia 동통성 근육경축이 나타난 경우에 사용하며, 항콜린제나 amantadine보다 효과적임. 3) 뇌하수체 전엽에 직접 작용하며 prolactin의 분비를 억제함으로써 galactorrhea, amenorrhea를 치유함. 4) Hyperprolactinemia에 의한 여성불임 및 남성불임에 사용함. 5) Growth Hr. 분비 억제 작용으로 말단비대증 등에 사용함.	1) 〉10% - 두통, 현기 - 오심 2) 1~10% - 기립성 저혈압 - 피로, 졸음 - 식욕감퇴, 구토, 복부경련, 변비 - 비충혈	〈금기〉 1) Ergot alkaloid에 과민한 환자 2) 관상동맥질환자 3) 조절되지 않는 고혈압, 산욕기 고혈압 환자 4) 임신중독증 환자 〈주의〉 1) 현저한 시력장애, 간 · 신장애, 소화성궤양, 레이노병, 정신병, 중증 심혈관질환, 타 고혈압치료제를 투여중인 환자는 신중투여 2) 임신부: Category B 3) 15세 이하 소아: 안전성 미확립 〈상호작용〉 1) 혈압강하제와 병용시 강압작용 증강 2) 알코올에 의해 작용 증강 3) Macrolide계 항생제에 의해 혈중농도 상승 4) Dopamine 효능제와 병용시 약효 감약 5) CsA의 혈중농도 상승

약품명 및 함량	용법	약리작용 및 효능	부작용	주의 및 금기
Cabergoline Caberactin tab 카버락틴정 …0.5mg/T …1mg/T	1) 고프로락틴혈증 치료 - 초기: 주 2회, 0.25mg/회 복용 - 치료용량: 주 2회, 1mg/회 (환자의 혈중 프로락틴 농도에 따라 4주 이상 간격으로 증량) - Max. 주 4.5mg, 일 3mg 2) 유즙분비 억제 - 산후 첫째날 1mg 복용 - 생산된 유즙분비 억제: 0.25mg q 12hrs, 2일간 총 1mg 복용	1) D2 수용체에 높은 친화력을 갖는 long-acting dopamine receptor agonist로 ergot alkaloids 제제임. 2) 적응증: - 유즙 분비의 예방 및 억제 - 고프로락틴혈증 치료 3) Onset: (고프로락틴혈증) 3hrs Peak response: (고프로락틴혈증)48hrs 대사: 간 배설: 신장 $T\frac{1}{2}$: 63~69 hrs	- 변비(7~10%), 구역(27~29%) - 어지러움(9~17%), 두통(9~30%) - 피로(5~10%)	〈금기〉 1) 맥각유래물질에 과민한 자 2) 조절되지 않는 고혈압 환자 3) 수유부 및 소아: 안전성 미확립 〈주의〉 1) 초기용량 1mg 이상 시, 기립성 저혈압 위험증가 2) 간장애, 섬유증 및 판막이상증 3) 임신부: Category B 〈상호작용〉 1) phenothiazine, butyrophenone, thioxanthine, metoclopramide 등 D2 길항제: 병용금기 (두 약제의 치료 효과 감소)
Camostat Mesilate Foipan tab 호이판정 …100mg/T	1) 만성췌장염 : 2Ⓣ tid 2) 위절제 수술후 역류성식도염 : 1Ⓣ tid	1) 단백분해효소(trypsin, kallikrein, plasmin 등) 저해작용, kinin생성계에 대한 저해작용, 응고 · 용혈계에 대한 저해작용을 나타내며 만성췌장염에 유효함. 2) Gabexate보다 반감기가 긴 경구용 제제($T\frac{1}{2}$ = 63~73mins) 3) 단백분해효소의 일탈에 의한 만성 췌장염, 위절제 수술후 역류성 식도염의 치료에 사용	- 백혈구감소, 혈소판감소 - 발진, 가려움증 - 식욕부진, 복통, 복부불쾌감, 복부 팽만감, 설사, 구토, 가슴앓이, 변비 - 간효소수치 상승 - 부종, 저혈당	〈금기〉 1) 위액흡인, 절식, 절음 등의 식사 제한을 필요로 하는 중증 환자 2) 위액의 역류에 의한 역류성 식도염에는 사용하지 말 것 3) 유당 관련 유전질환 환자(∵유당 함유) 4) 소아 : 안전성 미확립 〈주의〉 1) 임신부 : 과량투여 금지 2) 고령자 : 부작용 심각도 증가
Cinacalcet Regpara tab 레그파라정 …25mg/T	1) 성인 : - 개시용량 : 25mg qd. 음식에 의해 흡수 증가되므로 식사와 함께 또는 식후즉시 복용 (본원 : 식후 즉시) - 3주이상 간격으로 25mg씩 증량 가능 (Max. 100mg/D)	1) 부갑상선 기능항진증 치료제 2) Calcium sensing receptor의 sensitivity를 증가시켜 직접적으로 혈중 부갑상선호르몬(PTH)과 칼슘 농도를 낮추어 부갑상선 기능 항진증을 치료함. 3) 적응증 : 투석을 받고 있는 만성신부전 환자와 관련된 이차성 부갑상선 기능항진증의 치료 4) Onset : 4~6wks Tmax : 2~6hrs $T\frac{1}{2}$: 30~40hrs (간손상 시 33~70%까지 지연) 흡수 : 고지방식이에 의해 Cmax 82%, AUC 68% 증가, 저지방식이에 의해 Cmax 65%,	1) >10% - 피로(12~21%), 두통(21%), 우울감(10~18%) - 저칼슘혈증(8~66%), 탈수(24%) - 오심(31~66%), 구토(27~52%), 설사(21%), 식욕부진(6~21%), 변비(10~18%)	〈금기〉 1) 수유부 및 19세 이하 소아 :안전성 미확립 2) 유당을 함유하고 있으므로 galactose intolerance, Lapplactase deficiency, glucosegalactose malabsorption 등 유전질환 환자 〈주의〉 1) 임신부 : Category C 2) 저칼슘혈증, 간기능장애, 심부전 환자 3) 경련 발작 환자 또는 병력자 4) 위장관출혈, 궤양 환자 또는 병력자 (증상 악화 또는 재발 가능)

약품명 및 함량	용법	약리작용 및 효능	부작용	주의 및 금기
		AUC 50% 증가 단백결합 : 93~97% 대사 : 간 배설 : 신장(80%), 대변(15%)	- 빈혈(6~17%) - 손발저림(14~29%), 골절(12~21%), 쇠약감(7~17%), 관절통(6~17%), 근육통(15%), 사지통증(10~12%) - 상기도감염(10~12%) 2) 1~10% - 고혈압(7%) - 어지럼증(10%), 경련(1%) - 테스토스테론 감소	〈상호작용〉 1) CYP3A4 저해제(atazanavir, clarithromycin, erythromycin, indinavir, itraconazole, ketoconazole, ritonavir, saquinavir, voriconazole)와 병용시 cinacalcet의 혈중농도증가 2) 이 약은 CYP2D6 저해제로서 다음 약제들의 대사를 저해하여 혈중농도 증가시킴 : amitriptyline, imipramine, nortriptyline, carvedilol, desipramine, doxepine, flecainide, metoprolol, vinblastine 3) 혈중 칼슘 감소작용 증강 : calcitonin, bisphosphonates, corticosteroids 4) 단백결합 높은 약제(digitalis, diazepam)에 의해 이 약의 혈중농도 변화 가능 〈취급상 주의〉 1) 분할, 분쇄 금함.(∵동물실험에서 점막자극 확인됨.)
Diazoxide Ivax proglycem oral suspension 아이벡스프로글리셈현탁액 …50mg/ml	1) 성인 및 소아 : 3~8mg/kg/D #2~3 2) 유아 및 신생아 - 초회용량 : 10mg/kg/D #3 - 유지용량 : 8~15mg/kg/D #2~3 3) 투여 2~3주 후에도 효과 나타나지 않으면 투여 중단	1) 고인슐린혈증으로 인한 저혈당증 치료제 2) 체내에서 인슐린 분비를 저해하고 말초에서의 포도당 이용률을 감소시키며, epinephrine을 분비시키고, 조직의 인슐린 감수성 및 인슐린의 metabolic clearance를 증가시키며, 직접적으로 간의 포도당 output을 증가시킴. 3) 적응증 - 성인 : 수술이 불가능한 췌도세포선종, 췌도세포암종, 췌도외 악성종양 - 유아 및 소아 : leucine sensitivity, 췌도세포 과형성증, 랑게르한스섬모세포종, 췌장외 악성종양, 췌도세포선종 또는 췌도세포선종증 4) 한국희귀의약품센터 공급약품(30ml/BT) 5) Onset : 1hr 지속시간 : 〈 8hrs Tmax : 3~5hrs 단백결합율 : 90% $T\frac{1}{2}$: 20~36hrs	(빈도 미확립) - 용혈성 빈혈, 호산구증가증, 백혈구 증가, 혈소판 감소증 - 흉통, 심근증, MI, 빈맥, 부종, 저혈압 - 다발성신경염, 감각이상, 추체외로증후군 - 혈당증가, 유즙분비증가, 고뇨산혈증 - 오심, 구토, 췌장염, 입맛이상 - 가역성 신증후군, 혈뇨, 단백뇨, 성욕감소 - 일시적 백내장, 결막하 출혈, 시야흐림 - 발진, 소양증 - AST/ALT 증가	〈금기〉 1) 기능성 저혈당증 환자 2) Diazoxide 또는 thiazide계약물에 과민한 환자 3) 수유부 : 안전성 미확립 〈주의〉 1) 임신부 : Category C 2) 통풍 또는 고뇨산혈증 환자 3) 저혈압 환자 4) 신기능 장애 환자 〈상호작용〉 1) Thiazide계 이뇨제 : 본제의 혈당 상승 작용 및 혈중 뇨산 상승작용 증강 2) Warfarin : thrombin 억제 작용 증강(출혈 증가) 3) Phenytoin : 저혈당 유발 및 phenytoin 혈중농도 감소로 인한 효과 감소 4) Chlorpromazine : 본제의 혈당상승 효과 증강

약품명 및 함량	용법	약리작용 및 효능	부작용	주의 및 금기
Gabexate Mesilate Foy inj 호의주 …100mg/V	1) 췌장염 : 1일 1~3Ⓥ 점적정주(5DW 500~1500ml), 증상에 따라 1~3Ⓥ 추가 2) DIC : 20~39mg/kg 범위에서 24시간 정맥내 지속투여	1) 단백분해효소(trypsin, kallikrein, plasmin, thrombin, C1-esterase)저해제로, 비펩타이드형이므로 항체를 생성하지 않음. 2) Oddi근의 이완작용이 있음. 3) Macroglobulin과 결합하고 있는 trypsin, plasmin을 저해하고, 항plasmin 작용이 우수하여 혈중, 뇨중 amylase를 개선 4) 단백분해효소 일탈에 기인하는 급·만성, 재발성 및 수술후 췌장염, 범발성 혈관내 혈액응고증(DIC)의 치료에 사용	– 주사부위의 혈관통, 정맥염, 발적 – 발진, 가려움증 – 혈압강하 – 구역, 구토 – 간기능 이상	〈주의〉 1) 투여 속도에 따라 정맥염, 저혈압을 일으킬 수 있음 : 2.5mg/hr/kg이하로 투여 2) 임신부, 가임여성에게 대량 투여 피할 것 〈취급상 주의〉 1) 용해 후 가급적 빨리 사용 2) 약액이 혈관외로 누출되지 않도록 함.
Imiglucerase Cerezyme inj 세레자임주 …212U/V	1) 초기 60U/kg을 매 2주마다 IV inf.(1~2시간동안) 2) 질병의 중증도에 따라 초기용량 결정 및 정기적인 반응 평가를 통해 용량 조절 3) 조제법 ① 용해 : 주사용 증류수(바이알 당 5.1ml 가하여 5ml취함) ② 희석 : NS (최종 용량 100~200ml)	1) DNA, 재조합 β-glucoserebrosidase (glucoserebroside를 가수분해하는 효소) 2) 적응증 : 아래 중 1가지 이상 증상을 나타내는 Type 1 고셔병으로 장기적 효소 치환요법으로 사용함. – 철결핍 이외의 원인으로 인한 빈혈 – 혈소판 감소 – 비타민 D 결핍 이외의 원인으로 인한 골질환 – 간 혹은 비장비대증 3) Onset : 30mins $T_{\frac{1}{2}}$: 3.6~10.4mins	– 과민증상 : 소양증, 홍조, 두드러기, 혈관부종, 기관지연축 – 아나필락시양 반응 – 저혈압, 청색증, 두통, 어지러움, 홍조, 소양증, 구역, 복부불쾌감, 배뇨횟수감소	〈주의〉 1) 이 약 성분에 과민한 환자는 치료 재검토 필요 2) 이 약에 항체가 있는 경우 과민반응 위험 크므로 치료 첫 해동안 IgG 항체 발생유무 정기적 검사 권장 3) 임신부 또는 가임기 여성, 수유부 4) 호흡기 증상 있는 환자는 폐고혈압증 여부 확인해야 함. 〈취급상 주의〉 1) 2~8℃ 냉장보관 2) 용해 후 즉시 사용(∵방부제 미함유) 3) 희석 후 냉장 24hrs 안정
Nafamostat mesilate Futhan inj 후탄주 …10mg/V …50mg/V	* 급성췌장염에는 10mg vial만 허가 적응증이 있음 1) 급성 췌장염(10mg vial만 처방 가능) : 10mg을 5DW 500ml에 희석하여 1일 1~2회 2시간에 걸쳐 IV inf. 2) DIC : 1일 용량을 5DW 1L에 희석하여 0.06~0.2mg/kg/hr의 속도로 24시간동안 IV inf.(증상에 따라 용량 증감 가능하며 주입시간 연장 가능) 3) 출혈 위험이 높은 환자의 혈액체외순환시 관류혈액 응고방지	1) Serine protease inhibitor 2) Thrombin, 활성형 혈액응고인자(XIIa, Xa, VIIa), kallikrein, plasma보체를 저해하여, 항응고, 항섬유소용해, 항혈소판 작용을 나타내고, tyrosine 활성을 저해함. 3) 혈액체외순환시 소실 반감기가 매우 짧아(~8mins) 혈액투석 환자 중 출혈 위험이 높은 환자에게 적용 가능함. 4) 적응증 ① 10mg 제형에 한함 : 췌염의 급성 증상(급성췌염, 만성췌염의 급성 악화기, 수술 후의 급성췌염, 췌관조영술 후의 급성췌염, 외상성췌염)의 개선	– 쇼크, 아나필락시스 – 고칼륨혈증, 저나트륨혈증 – 발진, 홍반, 소양감 – 근육통, 관절통 – 식욕부진, 설사, 구토 – 간수치상승, 빌리루빈상승, 황달 – 백혈구감소, 호산구증가, 혈소판감소 또는 증가, 출혈	〈금기〉 1) 임신부, 소아 : 안전성 미확립 2) 수유부 : 동물실험에서 모유이행 〈주의〉 1) 정기적으로 혈중 칼륨, 나트륨수치 모니터링 필요 2) 칼륨 함유제제, 칼륨보존성 이뇨제 등과 병용시 고칼륨혈증 발현 주의 〈취급상 주의〉 1) NS, 무기염류 함유 용액은 백탁 또는 결정 석출될 수 있으므로 바이알에 직접 가해서는 안됨. 2) 5DW, 주사용수로 용해 후 사용

약품명 및 함량	용법	약리작용 및 효능	부작용	주의 및 금기
	① 개시 전 : 20mg을 소량의 5DW나 주사용수에 용해 후 NS 500ml에 희석하여 혈액 회로 내 세정 ② 개시 후 : 20~50mg/hr를 지속주입(10mg당 1ml 이상의 5DW나 주사용수에 용해 후, 지속주입기의 용량에 맞게 5DW로 희석하여 주입) * 단, 재구성시 NS 및 무기염류 함유 용액 사용금지	② 10mg, 50mg 제형 모두 : 파종혈관내응고증(DIC), 출혈성 병변 및 출혈경향을 갖는 환자의 혈액체외 순환시 관류혈액 응고방지(혈액투석 및 혈장분리 반출술) 5) Onset : 30mins Duration : ~15mins $T_{\frac{1}{2}}$: 8mins(체외순환시), 23mins(IV) 배설: 신장(대부분)	- 심계항진, 혈압 상승 또는 저하 - 두통, 흉통, 권태감, 발열, 두중감, 투여부위 동통, 종창, BUN 상승	3) 용해 후 실온/차광시 72시간(5DW) 및 5일(주사용수)간 안정하나, 당일 내 되도록 빨리 사용하도록 권장함. 4) AN69(폴리아크릴로니트릴)막에 대한 흡착성 높으므로 사용금지 5) 투여시 혈관외 유출될 경우 염증, 궤양 위험 있으므로 주의
Nitisinone Orfadin cap 올파딘캅셀 …2mg/C	1) 성인 및 소아 : 초기 1mg/kg/D #2 공복에 복용(적어도 식전 1시간), 개인에 따라 용량조절 (Max. 2mg/kg/D)	1) *유전성 타이로신혈증 type 1에 대한 보조 치료제 2) Tyrosine 분해의 두 번째 단계 효소인 4-hydroxyphenylpyruvate dioxygenase를 경쟁적으로 억제하여 toxic metabolite의 생성을 억제함. * 유전성 타이로신혈증 type 1 : tyrosine의 분해 최종단계 효소인FAH(=fumarylacetoacetase) 결핍에 의한 염색체 퇴행성 질환으로서, tyrosine의 toxic metabolite인 succinylacetone, succiny-lacetoacetate에 의해 간과 신장에 손상을 초래하는 질환 3) 한국희귀의약품센터 공급 약품(60C/BT) 4) $T_{\frac{1}{2}}$: 54hrs 대사 : 간 배설 : 신장(45%), 대변(45%)	1) 1~3% - 백혈구감소증, 혈소판감소증 - 간부전, 간종양 - 결막염, 각막혼탁, 각막염, 눈부심	<주의> 1) 일반식과 함께 복용하는 경우, 체내에서 타이로신의 분해를 저해하여 오히려 타이로신 혈증을 초래할 수 있으므로, 반드시 타이로신 및 페닐알라닌 제한 식이와 병행하여야 함. 2) 임신부 : Category C <취급상 주의> 1) 냉장보관

5장. 소화기계(Gastrointestinal system)

1. Antidiarrhea agents
   (1) Antidiarrheals
   (2) Antidiarrheal microorganisms

2. Antiemetics
   (1) 5-HT_3 receptor antagonists
   (2) Antidopaminergic agents
   (3) Antihistamines
   (4) Neurokinin-1 Receptor Antagonists

3. Antispasmodics & Functional gastrointestinal disorder agents
   (1) Antispasmodics
   (2) Functional gastrointestinal disorder agents

4. Antiulcer agents and acid suppressants
   (1) Antacids
   (2) Antiulcer agents
   (3) H_2-antagonists
   (4) Prostaglandins
   (5) Proton-pump inhibitors

5. Digestants

6. Hepatics

7. Intestinal antiinflammatory agents

8. Laxatives
   (1) Bulk-forming laxatives
   (2) Contact laxatives
   (3) Enemas
   (4) Osmotically acting laxatives
   (5) Others

9. Prokinetic agents

10. Other Gastrointestinal system drugs

약품명 및 함량	용법	약리작용 및 효능	부작용	주의 및 금기
Bismuth subsalicylate Helibac tab 헬리박정 …262mg/T	1) 12세 이상 소아 및 성인 : 30분~1시간 간격으로 2Ⓣ씩 복용 (Max. 8회(16Ⓣ)/D) 2) 설사로 인한 탈수 증상의 예방을 위하여 많은 양의 물을 섭취	1) Bismuth(58%)와 Salicylate(42%)의 3가 불용성염 2) Antidiarrheal activity ① Bismuth : 세균과 바이러스에 대한 직접적인 항균 작용(E.coli, salmonella, C. difficile 등)과 enterotoxin 흡착 작용 ② Salicylate : 항 분비(endogenous prostaglandin & alkali) 효과로 장관 운동 감소와 염증 관련 물질 감소, Na^+와 Cl^-의 재흡수 촉진에 따른 수분 손실 감소 3) 설사 및 설사에 기인한 복통의 완화, 변비를 수반하지 않는 소화불량 증상 (과식 및 과음에 의한 소화 장애, 가슴 쓰림, 오심 및 복부팽만감)의 완화에 사용 4) BA: bismuth 〈1% (거의 흡수되지 않음), salicylic acid 〉80%	(빈도 미확립) – 이명 – 피부, 혀, 변 검게 변함(일시적) – 구역, 구토, 변비, 설사 – anaphylaxis, 고칼슘혈증, 발진	〈금기〉 1) 레이 증후군 : 수두나 독감을 앓고 있거나 회복중인 어린이나 청소년은 복용 금함. 2) 위, 십이지장 궤양, 출혈이상, 혈변이나 흑변 증상 있는 환자 3) 아스피린을 포함한 살리실산에 과민한 환자 4) 다른 살리실산 제제(ex. 아스피린)와 병용 금기 〈주의〉 1) 발열을 수반하는 설사, 점액변이 있는 환자 2) 고령자 3) 3일 이상 계속 복용하지 말 것 4) 임신부 : Category B2 (호주) 5) 수유부 〈상호작용〉 1) Warfarin과 병용시 출혈 경향 증가 가능 2) Methotrexate의 독성 발현 가능
Dioctahedral smectite Smecta suspension 스멕타현탁액 …3g/20ml/P …150mg/ml	1) 성인 – 1회 20ml(3g) tid – 급성 설사 시: 초기 3일간 1일 용량을 2배로 증량 가능 2) 소아 ① 2세 이상 : 40~60ml(6~9g) #3 ② 6세 이상~2세 미만 : 20~40ml (3~6g) #3 ③ 1세 미만 : 20ml(3g) #3 3) 식도염의 경우 식후, 타 적응증은 식간 복용	1) 장점막을 덮고있는 점액층을 보강하여 유해균에 의한 장점막 손상방지 및 정상화 2) 장내 이상 발효에 의한 가스제거로 복부팽만 및 통증완화 3) 장내 병원성 세균, 독소, 바이러스를 흡착 배설하며 체내에는 흡수되지 않음. 4) 적응증: 식도, 위-십이지장과 관련된 통증의 완화, 급-만성 설사	–변비(감량시 회복)	〈주의〉 1) 심한 만성 변비 환자 2) 임부, 수유부 3) 장폐색 병력 환자 〈상호작용〉 1) 흡착성이 있으므로 타제제와 병용시 시간간격을 둘 것.
Loperamide HCl Lopamid cap 로파미드캡슐 …2mg/C	1) 성인 : – 초회량 4mg – 유지량: 증상 있을 때마다 2mg씩 투여 – 상용량:	1) Pethidine과 유사구조를 가진 haloperidol의 유도체임. 2) 상용량에선 CNS 작용이 거의 없으며 장관의 점막 수용체를 차단하고 segmental contraction을 촉진시킴으로써 연동운동을 억제함.	– 복통, 복부팽만, 변비, 오심, 구토 – 졸음, 피로 – 발진	〈금기〉 1) 24개월 미만의 영아 2) 장폐색증, 변비, 복부팽만과 같이 연동운동을 피해야 하는 환자 3) 혈변, 세균성 설사 환자

약품명 및 함량	용법	약리작용 및 효능	부작용	주의 및 금기
	① 급성: 6~8mg/D ② 만성: 2~6mg/D #1~2 - 최대용량: 16mg/D 2) 소아(9~12세) - 급성설사: ① 초회량 2mg ② 유지량: 증상 있을 때마다 2mg씩 투여(Max. 6mg/D)	3) Ca^{2+} 의존성 조절 단백인 calmodulin을 불활성화함으로써 장점막의 분비를 억제함. 4) 여행자의 설사예방, 급 · 만성 감염성(E.coli 등)설사에도 유효함. 5) Onset : 1~3hrs 지속시간 : 41hrs 흡수 : 0.3% Tmax : 5hrs 대사 : 간 $T\frac{1}{2}$: 7~15hrs 배설 : 신장(1%), 대변(25~40%)		4) 급성 궤양성대장염, 위막성 대장염 환자 5) 소아(만성 설사인 경우) 6) 수유부 : 모유로 이행됨. 〈주의〉 1) 임신부 : Category B 2) 과량복용으로 CNS억제현상이 나타나면 naloxone으로 치료
Loperamide oxide Arestal tab 아레스탈정 …1mg/T	1) 12세 이상 소아 및 성인 : - 초회량: 2mg - 증상 있을 때마다 1mg씩 투여(Max. 8mg/D)	1) Loperamide의 prodrug 2) GI tract에서 loperamide로 전환되어 장점막에 직접적으로 지사작용을 나타냄 3) Pethidine과 유사구조를 가진 haloperidol의 유도체임. 4) 상용량에선 CNS 작용이 거의 없으며 장관의 점막수용체를 차단하고 segmental contraction을 촉진시킴으로써 연동운동을 억제함. 5) Ca^{2+} 의존성 조절 단백인 calmodulin을 불활성화함으로써 장점막의 분비를 억제함. 6) 여행자의 설사예방, 급 · 만성 감염성(E.coli 등)설사에도 유효함. 7) 적응증 - 설사의 증상 완화 - 인공항문의 배설량이 지나치게 많을 때 배설량 감소 및 항문직장의 배변조절력 개선	- 복통, 복부팽만, 변비, 오심, 구토 - 졸음, 피로 - 발진	〈금기〉 1) 2세 미만의 유아 2) 장폐색증, 변비와 같이 연동운동을 피해야 하는 환자 3) 혈변, 세균성 설사 환자 4) 급성 궤양성대장염, 위막성대장염 환자 〈주의〉 1) 임신부 : Category B 2) 수유부: 극소량이 모유로 이행됨, 신중투여 3) 12세 미만 소아: 안전성 및 유효성 미확립 4) 과량복용으로 CNS억제현상이 나타나면 naloxone으로 치료

약품명 및 함량	용법	약리작용 및 효능	부작용	주의 및 금기
Lactobacillus acidophilus	* 캅셀제 1) 12세 이상 소아 및 성인: 300mg qd~tid	1) Lactobacillus acidophilus는 장내의 정상균주로 lactic acid를 생성하여 장내 pH를 산성으로 유지하여 병원성 세균 및 곰팡이(부패균 포함)의 번식을 억제함.		〈금기〉 1) 우유 및 유제품에 과민한 환자

약품명 및 함량	용법	약리작용 및 효능	부작용	주의 및 금기
Antibio cap 안티비오캅셀 …300mg/C(생균수 1 ×10⁸개) Antibio granule 안티비오과립 …300mg/1g/P	2) 8세 이상~12세 미만 소아: 300mg qd~bid * 과립제 1) 12세 이상 소아 및 성인: 300mg qd~tid 2) 6세 이상~12세 미만 소아: 300mg qd~bid 3) 2세 이상~6세 미만 소아: 100mg qd~tid 4) 1세 이상~2세 미만 소아: 60mg qd~tid 5) 3개월 이상~1세 미만 소아: 30mg qd~tid	2) 생균 제제로 장내에서 정착력과 번식력이 강함. 3) 항균제로 인한 균교대증, 감염성 설사 등의 예방 및 치료에 사용함. 4) 적응증: 정장, 변비, 묽은 변, 복부팽만감, 장내 이상발효		〈주의〉 1) 3세 미만의 소아 2) 고열환자 3) 건냉암소에 보관 〈상호작용〉 1) Tetracycline 흡수를 방해
Lactobacillus casei 변종(variety) rhamnosus Ramnos cap 람노스캡슐 …250mg/C (생균수 2억마리)	1) 성인: 2~8Ⓒ/D, 물과 함께 식후 복용	1) 동결 건조하여 제조한 Lactobacillus rhamnosus를 주성분으로 한 정장제 2) 생균 상태로 장에 도달한 후 장관벽에 부착하여 장내 세균총과 단백질 분해 세균총이 평형을 유지할 수 있도록 유익균으로 활성을 유지함. 3) 적응증: 장내균총의 정상화에 의한 정장 및 설사증상의 개선		〈주의〉 1) 투여 2일 후에도 설사가 지속되는 경우에는 치료를 재고하며, 경구용 또는 정맥용 수분/전해질 보급을 고려하도록 함.
Saccharomyces boulardii Bioflor cap 비오플250캅셀 …282.5mg/C (생균수 5억마리) Bioflor powder 비오플250산 …282.5mg/P	1) 12세 이상 소아 및 성인 : 1~2Ⓒ/Ⓟ bid 2) 3~12세 : 1Ⓒ/Ⓟ tid 3) 3세 미만 : 1Ⓒ/Ⓟ bid 4) 물이나 음료수에 타서 복용 가능하며 유아의 경우 우유나 유아식에 혼합하여 복용 가능	1) 효모균의 일종인 Saccharomyces boulardii를 생균 상태에서 동결 건조시켜 인체 내에서 살아있는 상태로 부활하도록 제조된 정장제 2) 균주는 산소 공존 유무에 관계없이 생존 가능하며, 위산 및 장액에 안정하여 살아있는 상태로 결장까지 도달함. 3) 장내 병원균의 증식을 억제하고 독소를 감소시키며 면역물질 및 탄수화물 분해효소를 분비함으로써 불균형 상태인 장내 세균총을 정상화 시킴. 4) 적응증: 장내균총 이상(항생물질, 화학요법제 투여)에 의한 변비, 묽은 변, 복부 팽만감, 장내 이상발효 증상 개선		〈금기〉 1) 중심정맥 카테터 사용 중인 환자 (∵ Saccharomyces 양성 진균혈증 보고) 2) 유당 관련 대사장애 환자 〈주의〉 1) 1개월 정도 투여시에도 증상의 개선이 없을 경우 투여 중지 2) 3개월 미만의 영아 : 약사 또는 의사와 상의 요함.

약품명 및 함량	용법	약리작용 및 효능	부작용	주의 및 금기
250mg 중 Streptococcus faecalis 9억마리, Bacillus subtilis 1억마리 **Medilac-DS cap** 메디락디에스장용캅셀 …250mg/C **Medilac-S powder** 메디락에스 산 …62.5mg/g	* 캅셀제 1) 12세 이상 소아 및 성인 : 125~250 mg qd~tid * 산제(배산으로서) 1) 12세 이상 소아 및 성인: 2~4g qd~tid 2) 3세 이상~12세 미만 소아: 1~2g qd~bid 3) 3개월 이상~3세 미만 소아: 1g qd~bid	1) 2종의 유산균으로 장내 세균총을 정상화함. 2) 정장효과와 장내균총 이상에 의한 묽은 변, 변비, 복부 팽만 등의 제증상 개선에 사용함.		〈주의〉 1) 1개월 정도 투여시 증상의 개선이 없을 경우에는 투여를 중지함. 2) 3개월 미만의 영아에게 투여 시 주치의와 상의하도록 함.

약품명 및 함량	용법	약리작용 및 효능	부작용	주의 및 금기
Granisetron Sancuso patch 산쿠소패취 ···34.3mg/EA	1) 화학요법 1cycle 당 1패취 적용 (최대 7일까지 작용지속) 2) 화학요법제 투여 24~48시간 전에 상완부 바깥쪽에 1매 적용하고, 치료 종료 후 최소 24시간 경과 후에 제거 3) 방출량 : 3.1mg/day	1) 선택적인 5-HT3 receptor 길항제로서, 경피로 흡수되어 지속적인 효과를 나타내는 서방출형 패취제 2) 적응증 : 중등도~중증 구토 유발 화학요법제를 연속 5일까지 투여하는 환자의 구역 및 구토 예방 3) Tmax : Transdermal~48hrs (24~168hrs) 생체이용률 : 66% $T\frac{1}{2}$: 10~12hrs 단백결합 : 65% 대사 : 간 배설 : 신장(49%), 대변(34%)	1) >10% - 변비(3~18%) - 쇠약(5~18%) 2) 1~10% - QT간격 연장, 혈압상승 - 통증, 발열, 현기, 불면, 졸음, 불안 - 발진 - 설사, 복통, 소화 불량, 미각이상 - 간효소 수치 증가 - 핍뇨 - 기침 - 감염	〈금기〉 1) 수유부 : 안전성 미확립 2) 18세 미만 소아 : 안전성, 유효성 미확립 〈주의〉 1) QT간격 연장 위험성이 있거나 선천성 QT 연장 증후군이 있는 환자 2) 다른 5-HT3 antagonist에 과민한 환자 3) 항암 스케쥴에 따른 투여 이외에 필요시(prn) 투여할 수 없음. 4) 임신부 : Category B 〈상호작용〉 1) Apomorphine과 병용시 혈압저하 〈취급상 주의〉 1) 패취를 박리지로부터 떼어낸 즉시 의복으로 가려지는 부위 등에 적용 2) 직접적인 일광 노출을 피함. 3) 부착할 부위를 씻고 건조시키되 크림, 오일, 로션 등은 바르지 않음. 4) 패취 절단금지
Ondansetron Onseran tab 온세란정 ···4mg/T ···8mg/T Onseran inj 온세란주 ···4mg/2ml/A ···8mg/4ml/A	1) 성인 (1) 화학요법, 방사선요법 ① 비교적 약한 구토 유발성 화학요법/방사선요법 - 치료 직전 8mg IV, IM - 치료 1~2시간 전 8mg, 12시간 후 8mg 경구투여 - 지연성 구토 예방: 치료 후 최대 5일간 8mg bid 경구투여 ② 심한 구토 유발성 화학요법제 - 화학요법 실시 직전 8mg IV, IM 후 2~4시간 간격으로 8mg씩 2회 추가 투여	1) 5-HT3 antagonist 2) 세포독성유발 화학요법 또는 방사선요법에 의한 구역, 구토, 수술 후 구역과 구토의 예방 및 치료 3) 경구제는 혀 위에 놓고 분산되면 삼키는 구강붕해정 4) Tmax : 경구 1~2.2hrs IM 22mins/ IV inf. 종료시 대사 : 간 $T\frac{1}{2}$: 3~5.5hrs 배설 : 신장(44~60%), 대변(25%)	1) >10% - 피로감(9~13%) - 두통(9~27%) 2) 1~10% - 현기증(8%), 발열(2~8%), 졸음(4~7%), 짜증(6%), 냉감(2%) - 소양증(2~5%), 발진(1%) - 변비(6~9%), 설사(3~7%)	〈금기〉 1) 인공감미료 아스파탐이 함유되어 있으므로 페닐케톤뇨증의 유전질환이 있는 환자는 투여금지(정제) 〈주의〉 1) 임신부 : Category B 2) 장폐색 환자 3) 중증 간장애 환자 4) 수유부 : 동물실험시 유즙으로 분비 〈상호작용〉 1) Phenytoin, carbamazepine, rifampin : 이 약의 혈중농도 감소 2) Tramadol의 진통효과 감소 가능

약품명 및 함량	용법	약리작용 및 효능	부작용	주의 및 금기
	- 1mg/hr 속도로 최대 24시간동안 IV inf. - 16mg 15분 이상에 걸쳐 IV inf. (Max. 16mg/회) - 지연성 구토 예방 : 치료 후 최대 5일간 8mg bid 경구투여 〈약리작용 및 효능〉 란에 계속	(2) 수술 후 ① 예방 - 마취유도 1시간 전 16mg 경구투여 - 마취유도 1시간 전 8mg 경구투여, 8시간 간격으로 1회 8mg 2회 추가 투여 - 1회 4mg 마취 유도시 IV 또는 IM ② 치료: 1회 4mg IV 또는 IM 2) 소아 (1) 화학요법, 방사선요법(6개월 이상) ① 실시 직전 5mg/㎡ 최소 15분간 IV (Max. 8mg) ② 이 후 체표면적에 따라 경구투여 (Max. 32mg/D) - (체표면적) 〈0.6㎡ : IV 투여 12시간 후 2mg, 이 후 최대 5일간 2mg bid - (체표면적) 〉 0.6㎡ : IV 투여 12시간 후 4mg, 이 후 최대 5일간 4mg bid (2) 수술 후(2세 이상) 예방 및 치료: 1회 0.1mg/kg IV (Max. 4mg) 3) 간장애 환자: Max. 8mg/D	- 산부인과적 이상(7%), 배뇨곤란(5%) - 간효소 수치 상승(1~2%) - 주사부위 이상반응(4%) - 말초 마비(2%) - 저산소증(9%)	〈취급상 주의〉 1) 혼합가능 수액 : NS, 5DW, 10% mannitol 등 2) 사용직전에 희석하며, 희석 후 25℃ 이하 또는 냉장보관시 7일간 안정(오염 위험 있으므로 가능한 한 빠른 시간내에 사용) 3) Cisplatin, 5-FU, carboplatin, etoposide, ceftazidime, cyclophosphamide, doxorubicin과 동시 투여하는 경우 Y-site로 투여
Palonosetron Aloxi inj 알록시주 …0.25mg/5ml/V	1) 성인 ① 화학요법: 화학 요법 시작 30분 전 0.25mg 30초 이상에 걸쳐 IV ② 수술 후 구역, 구토: 0.075mg 10초 이상에 걸쳐 IV - 예방: 마취유도 직전 - 치료: 증상 발현 시 2) 소아(2개월 이상): 화학 요법 시작 30분 전 0.02mg/kg (Max. 1.5mg), 15분 이상에 걸쳐 IV inf. 3) 투약 전, 후에 NS 흘려 주입관을 씻어냄.	1) 5-HT3(serotonin) antagonist 2) 수용체 친화력이 강하고 반감기가 길어 급성, 지연성 구토에 모두 효과 있음. 3) 적응증 - 성인: 중등도~심한 구토 유발성 항암 화학요법에 의한 급성, 지연성 구역 및 구토의 예방, 수술 후 구역 및 구토 예방 및 치료 - 소아: 중등도~심한 구토 유발성 항암 화학요법제의 급성 구역 및 구토의 예방 4) $T_{\frac{1}{2}}$: 30~40hrs 대사 : 간(50%) 배설 : 신장(80%)	1) 1~10% - 서맥(1%), 저혈압(1%), 빈맥(1%) - 두통(5~9%), 현기증(1%), 불안(1%) - 고칼륨혈증(1%) - 변비(2~5%), 설사(1%) - 쇠약(1%)	〈주의〉 1) 다른 5-HT3 antagonist에 과민반응이 있는 환자 2) 심전도 간격(특히, QTc)이 연장되어 있거나 연장될 가능성이 있는 환자 3) 누적 고용량 anthracyclin 요법 중인 환자 4) 항암 스케쥴에 따른 투여 이외에 필요시 사용할 수 없음. 5) 임신부 : Category B 6) 신생아, 수유부 : 안전성, 유효성 미확립 〈취급상 주의〉 1) 실온, 차광보관(박스 벗기지 말 것)

약품명 및 함량	용법	약리작용 및 효능	부작용	주의 및 금기
Ramosetron HCl Nasea tab 나제아오디정 …0.1mg/T Nasea inj 나제아주사액 …0.3mg/2ml/A	* 경구제 1) 성인: - 화학요법 시작 전 1시간 이내 0.1mg qd - 투여기간: 5일 이내 * 주사제 1) 성인: 0.3mg(1Ⓐ) qd IV(Max. 0.6mg/D)	1) 5-HT_3 길항제로 암 화학요법에 의한 오심, 구토 억제제 2) 정제의 경우 구강내 붕해정으로 타액이나 소량의 물로 복용가능하나, 구강점막에서는 흡수되지 않으며 위장관을 통해 흡수됨. 4) 적응증 - 항암제(시스플라틴 등) 투여로 인한 구역 및 구토 방지 - 수술 후 구역 및 구토 방지(주사제만 해당)	- 아나필락시스성 쇽 - 두중감, 두통 - 설사 - GOT, GPT, γ-GTP 상승 - 체열감, 두부열감 등	〈주의〉 1) 고령자 2) 임신부 및 소아: 안전성 미확립 3) 수유부: 동물에서 유즙이행 보고; 수유중단 권고 4) 다른 세로토닌성 약물 투여 환자 〈상호작용〉 1) CYP1A2 저해제(Fluvoxamine): 이 약의 혈중농도 상승으로 인해 이상반응 증가 〈취급상 주의〉 1) (경구제) 습기에 의해 붕해될 수 있으므로 방습 포장을 유지하도록 하며, 분쇄 불가 2) 차광보관
Tropisetron Navoban cap 나보반캅셀 …5mg/C Navoban inj 나보반주사 …5mg/5ml/A	1) 성인 (1) 항암요법시 6일간 투여 ① D1: 항암제 투여 직전 5mg 15분간 IV or 2mg/min 속도로 IV inf. ② D2~D6: 5mg qd, 아침 식전 1시간 경구투여 (2) 수술 후 오심 구토 - 성인: 2mg IV inf. or 최소 30초 이상 IV 2) 소아(항암요법시) ① D1: 항암제 투여 직전 0.2mg/kg 15분간 IV or 2mg/min 속도로 IV inf. ② D2~D6: 0.2mg/kg 용량을 주사용 앰플에서 취하여 음료수에 희석하여 즉시 투여. 3) 간기능/신기능 장애 환자: IV시 용량감소(50%)	1) 선택적인 5-HT_3 receptor길항제 2) 적응증 - 항암제(시스플라틴 등) 투여로 인한 구역 및 구토 방지 - 수술 후 구역 및 구토 방지(주사제만 해당) 3) Duration: 진토효과 24hrs Tmax: 경구 2~3hrs 대사: 간 $T\frac{1}{2}$: 5.6~8.6hrs 배설: 신장(8~9%), 대변(15%)	- 두통(18%), 현기, 피로 - 변비(18%), 복통, 설사 - 허탈, 실신, 심혈관 정지 - 안면홍조, 전신성 두드러기, 흉부압통, 호흡곤란증, 급성 기관지 경련, 저혈압	〈금기〉 1) 다른 5-HT_3 antagonist에 과민한 환자 2) 임신부 : 동물실험에서 고용량 투여 시 배아독성 보고 3) 수유부 : 동물실험에서 유즙 이행 〈주의〉 1) 조절되지 않는 고혈압환자는 투여량이 10mg을 초과하지 않도록 함. 2) 간 및 신기능 장애 환자 3) 2세 미만 소아 : 안전성 미확립 〈상호작용〉 1) 경구제의 경우 음식물에 의해 흡수지연, 생체 이용율 증가 2) Rifampin, phenobarbital: 이 약의 혈중농도 감소 3) QTc 간격 연장 가능성 있는 약제 병용 시 주의

약품명 및 함량	용법	약리작용 및 효능	부작용	주의 및 금기
Chlorpromazine HCl Chlorpromazine tab 염산클로르프로마진정 …50mg/T Neomazine tab 네오마찐정 …100mg/T	1) 성인: 아래 용량을 분할 경구투여 – 정신과: 50~450mg/D – 기타: 30~100mg/D (* 진토 목적: 10~25mg q 4~6hrs) – Max. 1g/D 2) 소아: 0.5mg/kg tid~qid	1) Aliphatic phenothiazine 화합물 2) 연수의 chemoreceptor trigger zone에 작용하여 진토작용을 나타냄. 3) 강한 최토성 항암제(cisplatin 등)에는 비효과적임. 4) 적응증: 정신분열증, 기타의 정신병, 조증, 구역/구토, 딸꾹질, 인공동면, 정신병적 장애에서의 증상으로 나타나는 불안/긴장/흥분 5) Tmax : 2.8hrs 대사 : 간 $T\frac{1}{2}$: 6hrs 배설 : 신장(23%)	– 기립성 저혈압, 빈맥, 현기증 – 졸음, 근긴장 이상, 정좌불능, 만발성 이상운동증, 발작 – 광과민성, 피부염, 색소침착 – 유즙분비, 유방확대, 여성형 유방, 무월경, 고혈당, 저혈당 – 구강건조, 변비, 오심 – 뇨저류, 사정장애, 발기부전 – 무과립구증, 호산구증가, 백혈구 감소, 용혈성 빈혈, 재생불량성 빈혈, 혈소판 감소성 자반증 – 황달 – 시야몽롱, 각막 및 수정체의 변화	〈금기〉 1) 혼수 또는 순환허탈 상태 2) CNS 억제 상태인 환자 3) 급성 알콜중독 환자 4) 이 약 또는 phenothiazine계에 과민한 환자 5) 1세 미만 영아(추체외로계 증상–운동장애) 6) 라이증후군 환자 7) Epinephrine 투여중인 환자 8) 임신부: 신생아 부작용 보고; 투여 금기 〈주의〉 1) 피질하부의 뇌장애가 의심되는 환자에게 신중투여 2) 간 · 신 · 혈액장애, 크롬친화세포종, 동맥경화증, 심혈관질환(혈압변화), 피부질환, 중증 호흡기 질환, 급성 호흡기감염증(호흡억제 유발), 경련성 환자, 파킨슨병, 협우각형녹내장, 프롤락틴 의존성 종양, 우울증, 탈수, 영양불량상태의 환자에게 신중투여 3) 수유부 : 모유 이행; 수유중단 권고
Domperidone maleate Hamidon suspension 하미돈현탁액 …1mg/ml Motilium M tab 모티리움엠정 …10mg/T	1) 성인 및 청소년(12세 이상, 35kg 이상): 10mg tid (L–dopa 투여시 5mg tid) (Max. 30mg/D) 2) 1주일을 초과 사용 하지 않도록 함	1) Dopamine receptor(D1, D2) antagonist로서, gastrokinetic agent 2) 말초성 dopamine antagonist로 CNS를 통과하지 않고 basal ganglia의 dopamin receptor를 차단하지 않으므로 추체외로 증상 또는 CNS효과가 덜 나타남. 3) 적응증: 오심, 구토 증상의 완화 4) 흡수 : 13~17% 단백결합 : 91~93% 대사 : 간대사 배설 : 신장(1.7~2.4%),	– 쇼크, 아나필락스양 증상 – 설사, 변비, 복통, 복부압박감 – 구갈, 가슴쓰림, 구역, 구토, 복부 팽만감 – 프로락틴 상승, 여성형 유방, 무월경증 – 심계항진, 추체외로 증상 – 발진, 알레르기	〈금기〉 1) 위장관출혈, 기계적 폐쇄증 또는 천공 환자 2) 프로락틴분비성 하수체종 환자 3) QTc 간격을 지연시키는 약물을 투여중인 환자 4) 심장 기저질환, 전해질 불균형 환자 5) 간부전 환자 6) 유당 불내성 환자 7) 수유부 : 신생아의 QTc 연장 위험 〈주의〉 1) 신장애 또는 경증 간장애 환자 2) 임신부 : Category B2 (호주)

약품명 및 함량	용법	약리작용 및 효능	부작용	주의 및 금기
		대변(10%) $T_{\frac{1}{2}}$: 7.5hrs		3) 소아: 35kg 미만 소아에서 투여 부적절함(∵신경계 이상) 4) 고령자 5) 심질환 병력 〈상호작용〉 1) CYP3A4억제제(azole계 항진균제, macrolide계 항생제, HIV protease inhibitor, nefazodone) : domperidone의 대사가 억제되어 혈중 농도 상승 〈취급상 주의〉 1) 현탁시럽제: 흔들어 복용
Metoclopramide HCl Mackool inj 멕쿨주 …10mg/2ml/A Macperan tab 맥페란정 …5mg/T	* 경구제 1) 성인: 10~30mg #2~3 (Max. 30mg/D 또는 0.5mg/kg) 2) 소아(1~18세): 0.1-0.15mg/kg, ~3회/D (Max. 0.5mg/kg/D) 3) 투여간격: 6시간 이상 4) 최대 투여기간 - 화학요법 후 지연된 구역, 구토 예방: 5일 * 주사제 1) 성인: 10mg IV, IM 단회 투여 권장 (방사선요법: ~3회/D) 2) 소아(1~18세): 0.1-0.15mg/kg, ~3회/D (Max. 0.5mg/kg/D) 3) 투여간격: 6시간 이상 4) 최대 투여기간 - 수술 후 구역, 구토 예방: 48시간 - 화학요법 후 지연된 구역, 구토 예방: 5일 * 신기능에 따른 용량 조절 참고	1) 구조적으로 procainamide와 유사한 p-aminobenzoic acid 유도체로 dopamine antagonist임. 2) Upper GI의 운동성을 항진 (위수축, 유문괄약근 이완, 십이지장 및 공장의 연동운동 촉진)시켜 위내용물의 정체시간을 단축시킴. 3) 위 · 담 · 췌장분비에는 영향없음. 4) 구토중추의 CTZ에 대한 억제작용으로 마약성 오심 구토에도 유효함. 5) 적응증 ① 성인 - 방사선요법 유발 구역, 구토 예방 - 구역, 구토의 증상 치료 - 항암화학요법 후 지연된 구역, 구토예방(정제만 해당) - 수술 후 구역,구토 예방(주사제만 해당) ② 1-18세 소아 - 2차 치료로써 항암화학요법 후 지연된 구역, 구토 예방 - 2차 치료로써 확립된 수술 후 구역,구토 치료(주사제만 해당)	1) 〉10% - 초조감, 현기증, 추체외로 효과 (고용량에서 ~34%) - 설사 - 허약감 2) 1~10% - 불면, 우울 - 발진 - 유방 종창, 프로락틴 분비 - 구강건조 3) 〈1% - 무과립세포증, 알레르기 반응, AV block, 여성형 유방, 간독성 등	〈금기〉 1) 위장관출혈, 장폐색, 천공 환자 2) 크롬친화종 환자(고혈압위기 유발) 3) 간질, 추체외로 증상을 유발할 수 있는 약물 복용 환자 4) 파킨슨병, 신경이완제 또는 이 약 유발 지연성 이상운동증 병력 환자 5) 수유부 : 유즙 분비 6) 1세 미만 (∵추체외로장애) 〈주의〉 1) 소아: 급성 근긴장이상의 추체외로 증상을 보임. (0.5mg/kg/D 이하 투약) 2) 고령자 : 장기간 사용시 tardive dyskinesia 유발 3) 임신부 : Category B 4) 심질환 환자 5) 신장애, 간장애: 용량 감량 〈상호작용〉 1) 항콜린제, 마약성진통제: 이 약의 약효 감소 2) Digoxin 포화의 지표증상 은폐 3) MAOI 효과 증가(Catecholamine 분비) 4) CNS 억제제의 효과 증가시킴.

약품명 및 함량	용법	약리작용 및 효능	부작용	주의 및 금기
	CrCl(ml/min) : 용량 – 15–60: 50%로 감량 – <15: 25%로 감량			5) Benzamide계, phenothiazin계, butyrophenone계, reserpine: 추체외로증상 발현 증가 6) 인슐린 투여 용량, 시간 조정 필요(∵음식물 흡수 분포에 영향)

5장. 소화기계 ··························2. Antiemetics ··································(3) Antihistamines

약품명 및 함량	용법	약리작용 및 효능	부작용	주의 및 금기
Dimenhydrinate Bonaling-A tab 보나링에이정 ···50mg/T	1) 성인 : – 1Ⓣ tid~qid – 예방 목적: 30분~1시간전 1~2Ⓣ 투여 – Max. 4Ⓣ/D	1) Ethanolamine계 약물 2) 구토 중추 및 내이의 신체 평형을 담당하는 미로기능을 억제하여 중추신경 이상 흥분을 진정시킴. 3) Meniere's syn, 동요병, 편두통, 뇌동맥 경화증에 기인하는 현기증 및 임신성 오심, 구토에 유효함. 4) 적응증 – 멀미, 메니에르증후군, 방사선숙취에 의한 구역, 구토, 어지러움 – 수술 후 구역, 구토 5) 동요병에 대한 Onset : 15~30mins Duration : 3~6hrs 대사 : 간장	– 졸음, 두통, 두중감, 수족마비, 손가락진전, 현기, 시야몽롱, 어지러움, 불면, 지각이상 – 발진, 광과민증 – 가슴앓이, 위통 – 구갈, 피로감	〈금기〉 1) MAO 저해제를 사용중인 환자 2) 디페닐메탄계 화합물에 대해 과민증인 환자 3) 전립선비대 등 배뇨장애환자 4) 협우각형 녹내장 환자 5) 간질 환자 6) 수유부 : 안전성 미확립 〈주의〉 1) 소아 및 간질, 갑상선기능항진증, 급성신염 환자 2) 마취 시행전 환자 3) 임신부 : Category B 〈상호작용〉 1) Barbital 유도체, 마취제등의 중추신경억제제 또는 음주 : 상호간의 작용 증강 2) Aminoglycoside계 항생제 : 난청을 불현성화하는 경우가 있으니 관찰을 충분히 하고 신중투여 3) Atropine계 약물 : 뇨저류, 변비, 구갈 등 부작용 증가

5장. 소화기계 ··························2. Antiemetics ··································(4) Neurokinin-1 Receptor Antagonists

약품명 및 함량	용법	약리작용 및 효능	부작용	주의 및 금기
Aprepitant Emend cap	1) 성인 – 첫째날: 항암제 투여 1시간 전 125mg	1) 항암제에 의한 구토 예방 및 치료제 2) Substance P/Neurokinin 1 (=NK1) 수용체에 대한 선택적 길항제	〈전신 마취나 항암화학요법과 병용시 보고된 자료〉	〈금기〉 1) Terfenadine, astemizole, cisapride, pimozide 복용자

약품명 및 함량	용법	약리작용 및 효능	부작용	주의 및 금기
에멘드캡슐 …80mg/C …125mg/C	- 둘째~셋째날: 80mg qd (아침) 2) Corticosteroid 및 5-HT3 길항제와 병용투여	3) 중등도~심한 구토 유발성 항암제의 초기 및 반복 치료에 의한 급성 및 지연형 구역, 구토의 예방 4) BA : 60~65% Tmax : 4hrs $T_{\frac{1}{2}}$: 9~13hrs 대사 : 간 CYP3A4(major) CYP1A2, CYP2C19(minor)	1) >10% - 피로감(18~22%) - 오심(7~13%), 변비(9~12%) - 허약감(3~18%) - 딸꾹질(11%) 2) 1~10% - 저혈압(6%), 서맥(4%) - 현기증 (0.5~7%) - 탈수(6%), 안면 홍조(3%) - 설사(6~10%), 소화불량(8%), 복통(5%), 구내염(5%), 상복부 불편감(4%), 위염(4%), 점막 이상(3%), 인후통(3%), 구토(3%) - 중성구 감소증(3~9%), 백혈구 감소증(9%), Hb이상(2~5%) - ALT 상승(1~6%), AST상승(3%) - BUN 상승(5%), 단백뇨(7%), Scr상승(4%)	〈주의〉 1) CYP3A4에 의해 대사되는 약물을 복용하는 환자 2) 간기능 저하자 3) 임신부 : Category B 〈상호작용〉 1) CYP3A4 inhibitor : 이 약의 농도, 효과 상승 2) 이 약은 corticosteroid 농도를 증가시킴. - Dexamethasone(경구)와 병용시 dexamethasone 50% 감량 - Methylprednisolone 25%(IV), 50%(PO) 감량 3) 이 약은 다음 약제의 혈중 농도를 상승시킴 : benzodiazepine, CCB, ergot 유도체, mirtazapine, nateglinide, nefazodone, tacrolimus, venlafaxine 4) CYP3A4 inducer : 이 약의 농도, 효과 감소 5) Warfarin 대사 증가 가능 6) 경구피임약 약효 감소 가능
Fosaprepitant dimeglumine Emend IV inj 에멘드IV주 …150mg/V	1) 첫째날: 항암제 투여 30분 전에 150mg을 20~30분에 걸쳐 IV inf. - 재구성 및 희석 시 가볍게 흔들어 조제, 심하게 흔들거나 급속주입 금지 2) Corticosteroid 및 5-HT3 길항제와 병용투여	1) 항구토제, aprepitant의 prodrug 2) 체내에서 aprepitant로 대사되어, Substance P/Neurokinin 1(NK1) receptor에 선택적 길항작용을 나타냄 3) 적응증: 심한 구토를 유발하는 항암화학요법의 초기 및 반복치료에 의한 급성 및 지연형 구역, 구토의 예방	1) 1~10% - 피로, 두통 - 식욕부진, 변비, 소화불량, 설사 - ALT/AST상승 - 주사부위 반응	〈금기〉 1) Aprepitant, polysorbate80에 과민한 자 2) 유당 관련 대사장애 환자(∵유당함유) 3) Terfenadine, astemizole, cisapride, pimozide 복용자 4) 수유부, 소아: 유효성, 안전성 미확립

약품명 및 함량	용법	약리작용 및 효능	부작용	주의 및 금기
		4) $T\frac{1}{2}$: 9–13hrs 대사: 간 CYP3A4(major) CYP1A2, CYP2C19(minor) (투여 30분 이내 aprepitant로 변환) 배설: 신장(57%), 대변(45%)	– 무력감 – 딸꾹질	〈주의〉 1) CYP3A4에 의해 대사되는 약물을 복용하는 환자 2) 중증 간장애 환자(Child pugh〉9) 3) 임신부: Category B 〈상호작용〉 Emend cap (aprepitant) 참조 〈취급상 주의〉 1) 냉장(2–8℃) 보관 2) 재구성: NS 5ml, 희석: NS 145ml (최종희석농도: 1mg/ml) 3) 희석 후 25℃이하에서 24시간 안정 4) 2가 양이온(Ca^{2+}, Mg^{2+}) 함유 수액과 배합 금기

약품명 및 함량	용법	약리작용 및 효능	부작용	주의 및 금기
Atropine sulfate Atropine sulfate inj 아트로핀주사액 …0.5mg/1ml/A …10mg/20ml/A	1) 성인: – 1회 0.5mg SC, IM, IV – 유기인 살충제 중독 ① 경증: 0.5~1mg SC ② 중등증: 1~2mg SC, IM, IV, 20~30분 간격으로 반복 ③ 중증: 2~4mg IV 투여후, atropine 포화의 징후가 인정될때까지 반복 주사	1) 중추 및 말초작용이 있는 anticholinergic alkaloid 2) CNS를 흥분시킨 후 억제함. 3) 평활근에 대한 항경련작용으로 장 운동과 분비 특히 타액, 기관지 분비를 억제함. 4) 담도 및 비뇨생식기에 대한 작용은 약함. 5) 적응증: 위장관 경련성 동통, 요관 산통, 경련성 변비, 위-십이지장궤양에서의 분비 및 운동 항진, 방실전도장애, 미주신경성 서맥, 마취전투약, 유기인 살충제 및 부교감신경흥분제 중독	1) >10% – 피부건조, 열감 – GI 연동 이상, 변비, 구강 건조 – 주사부위 자극감 – 비강 건조 2) 1~10% – 광과민성 – 유즙분비억제 – 연하곤란	〈금기〉 1) 녹내장, 천식 환자 2) 전립선 비대에 의한 배뇨장애 환자 3) 마비성 장폐쇄 환자 4) 임신부 : 태아에서 빈맥유발(Category C) 5) 수유부 : 신생아 빈맥유발 및 유즙분비 억제 가능성 〈주의〉 1) 전립선비대 환자 2) 중증 심질환 환자 3) 궤양성 대장염 환자 4) 갑상선기능항진증 환자 5) 고온 환경에 있는 자 6) 40세 이상의 환자 〈상호작용〉 1) TCA, 항히스타민제, MAO억제제, phenothiazine과의 복용으로 작용 증강 2) 강심배당체와 병용시 강심배당체의 독성 증가 3) 항콜린 에스테라제, 콜린유사작용이 있는 알칼로이드와 길항작용
Cimetropium bromide Algiron inj 알기론주사 …5mg/ml/A	1) 위장관, 담도, 비뇨기계의 경련 및 기능적 운동장애: 1회 5mg IM, IV 2) 내시경 검사시 전 투약: 1회 10mg IV 3) 분만 통증시: 1회 10mg IM, IV	1) 말초작용이 있는 선택적 muscarin antagonist의 4급 암모늄 제제 2) 위장관계, 담도계, 비뇨기계에 있는 평활근에 작용하여 항경련 효과를 나타냄. 3) 적응증 – 위장관계, 담도계 비뇨기계의 경련 및 기능적 운동장애, 간산통, 신산통, 월경곤란 – 소화관 내시경 검사시의 전투약: 십이지장의 무긴장증과 오디괄약근의 이완 – 분만통증시: 과도하게 긴장된 자궁경부의 이완 촉진 4) $T\frac{1}{2}$: 50mins 배설 : 신장(46%), 담즙(7.5%)	– 과용량 투여시 : 시각조절장애, 심계항진, 감각장애 – 배뇨곤란, 안내압증가, 변비 – 두통, 어지러움, 다행증, 졸음, 무력 – 구역, 알러지성 피부반응	〈금기〉 1) 다음 질환을 가진 환자 – 전립선 비대 – 요 및 장폐색 – 유문협착 – 녹내장 – 근무력증 – 거대 결장 – 회장 마비 〈주의〉 1) 자율신경계 질환자 2) 간 및 신질환자 3) 갑상선 기능 항진증 환자

약품명 및 함량	용법	약리작용 및 효능	부작용	주의 및 금기
				4) 관상동맥질환자 5) 이상고열증 소아
Glycopyrrolate Mobinul inj 모비눌주사 …0.2mg/1ml/A	* IM, IV로 희석하지 않고 투여 가능 1) 성인 ① 마취 시 - 수술전: 마취유도 30~60분전 4mcg/kg IM - 수술중: 약물유발 또는 부정맥에 수반된 미주신경 반사방지용 0.1mg IV - 신경근차단 역전: neostigmine 1mg, pyridostigmine 5mg에 대해 이 약 0.2mg씩 IV ② 소화성 궤양의 보조: 0.1mg tid~qid SC, IM, IV 2) 소아(1개월~12세) ① 마취 시 - 수술전: 마취유도 30~60분전 4mcg/kg IM(1개 월 ~2세 는 8mcg/kg 투여 가능) - 수술중: 추가 투여시 4mcg/kg IV - 신경근차단 역전: neostigmine 1mg, pyridostigmine 5mg에 대해 이 약 0.2mg씩 IV	1) 4급 암모늄 antimuscarin제제로 말초 효과는 atropine과 유사하며 위장관 흡수가 약하고(10~25%) BBB를 잘 통과하지 않음. 2) 마취전에 atropine과 같은 목적으로 주사함. 3) ventilator apply시 투여 가능 4) 적응증 ① 마취 시 - 수술전 타액분비, 기관기관지액 분비, 인두분비, 위액의 유리산 분비 감소 - 마취시나 마취유도시 심장미주신경 억제반사의 방지 - 비탈분극성 근이완제에 의한 신경근 차단을 역전하기 위해 네오스티그민이나 피리도스티그민 등의 콜린성 약물 사용 시 나타나는 말초 무스카린 효과(서맥 및 과다분비) 등 방지 ② 소화성 궤양의 보조: 급속한 항콜린작용 필요 시 또는 경구투여에 내약성이 없는 경우	1) >10% - 피부 건조 - 변비, 구강건조 - 주사부위 통증 - 비강 건조 - 발한 2) 1~10% - 광과민성 증가 - 유즙분비 감소 - 소화불량	〈금기〉 1) 신생아, 미숙아(벤질 알콜 함유) 2) 폐쇄성 요로질환 3) 폐쇄성 위장관 질환 4) 급성출혈 상태의 심장혈관 질환 〈주의〉 1) 임신부 : Category B 2) 관동맥질환, 울혈성 심부전, 부정맥, 고혈압, 갑상선 기능 항진증, 천식, 녹내장환자 신중투여 3) 고온 환경에서 투여시 발한 감소 〈취급상 주의〉 1) 알카리성(pH>6) 주사액과 배합 금기임.
Hyoscine-N-butylbromide Buscopan inj 부스코판주사액 …20mg/1ml/A Buscopan tab 부스코판당의정 …10mg/T	* 경구제 1) 성인: 10~20mg, 3~5회 * 주사제 1) 성인: 1회 10~20mg SC, IM, IV	1) 중추 및 말초작용이 있는 antimuscarin 제제인 hyoscine의 4급 암모늄염으로 위장관에서의 흡수가 약하고, BBB를 잘 통과하지 않음. 2) 소화관, 담관, 비뇨, 생식기계 등 복강장기의 평활근에 대해 항경련 효과를 나타냄. 3) 적응증 - 위-십이지장궤양, 식도경련, 유문연축, 위염, 장염, 장산통, 경련성 변비, 기능성 설사, 담낭염, 담관염, 담석증, 담도이상운동증, 위-담낭절제후의 후유증, 요로결석, 방광염, 월경곤란, (이하 주사제만 해당)	- 구역, 구토, 변비, 구갈 - 배뇨곤란 - 산동, 모양근 마비 - 심계항진, 빈맥, 기립성저혈압 - 홍조, 현기, 불안, 홍분, 고열	〈금기〉 1) 녹내장 환자 2) 전립선 비대에 의한 배뇨장애 환자 3) 기능적 위장관 협착 환자 4) 중증 근무력증 환자 5) 거대결장 환자 6) 중증의 심질환자 7) 출혈성 대장염 환자 8) 수유부 : 안전성 미확립 〈주의〉

약품명 및 함량	용법	약리작용 및 효능	부작용	주의 및 금기
		기능성설사, 기구삽입에 의한 요도-방광 경련, 분만시 자궁하부경련 - 소화관의 엑스선 및 내시경 검사의 전처치(주사제만 해당)		1) 세균성 설사 환자 2) 임신부 : Category C 3) 부정맥 환자 4) 고온 환경에 있는 환자 〈상호작용〉 1) Phenothiazine계 약물, 삼환계 항우울제, MAOI, 항히스타민제, amantadine : 항콜린 작용 증가 2) Metoclopramide : 위장관에 대한 효과 감소 3) 베타 효능약 : 심박작용 증가
Octylonium bromide Menoctyl tab 메녹틸정 …40mg/T	1) 성인: 20~40㎎ bid~tid (Max. 120mg/D)	1) 장관 평활근에 직접 작용하는 Calcium channel blocker로 위장관 진경 작용 나타내는 동시에 NK2 receptor antagonist로 통증 억제 작용 나타냄. 2) 적응증 : 위장관 경련 및 과민성 대장증후군 3) Onset : 30mins 지속시간 : 4~8hrs 흡수 : 3% 미만(위장관 선택적 작용) $T\frac{1}{2}$: 3hrs 배설 : 신장(0.71%), 대변(97.8%, 미변화체, 24시간 이내 투여량 80% 이상 배설됨)	(빈도 미확립) - 구역, 구토, 상복부 통증, 복부불편감 - 두통, 어지러움 - 심계항진 - 산동	〈주의〉 1) 녹내장 환자 2) 임신부 및 소아: 안전성 미확립
Phloroglucinol Flospan soln 후로스판액 …8mg/ml Flospan tab 후로스판정 …80mg/T	1) 성인: 1회 160mg, 증상발현 시 투여 2) 소아: 80mg bid (8mg/kg/D)	1) 직접적으로 평활근에 작용하는 근이완제로 anticholinergic effect가 적음. 2) 적응증: 비뇨기계 경련 및 통증, 소화관 및 담도계의 기능장애에 의한 통증, 부인과 경련성 통증, 임신 중 수축의 보조치료 3) $T\frac{1}{2}$: 1.5hrs Tmax : 20mins	- 구역, 구갈 - 알러지 반응 - 복시, 기분 불량	〈금기〉 1) 임신부(특히 초기 3개월) 2) 수유부 〈상호작용〉 1) Morphine 또는 그 유도체와 병용하지 않음. (∵마비성 장폐색, 변비, 뇨저류 악화)
Pinaverium bromide Dicetel tab 디세텔정	1) 성인: 1Ⓣ tid	1) Calcium antagonist로 장관 평활근에만 선택적으로 작용하여 항경련작용을 나타냄. 2) 항콜린작용 없이 대장기능을 조절하므로 녹내장, 전립선질환 환자에게도 투약 가능함.	-드물게 변비	〈금기〉 1) 임신부, 수유부 〈상호작용〉 1) MAO 억제제와 병용 피할 것

약품명 및 함량	용법	약리작용 및 효능	부작용	주의 및 금기
…50mg/T		3) 소화기 평활근으로 구성되어 있는 담도의 운동성 부전 조절 작용 4) 적응증: 과민성 대장증후군(복통, 복부팽만감, 복부경련, 변비, 설사, 변비/설사의 반복, 구역, 구토), 담관운동부전		
Tiropramide Tiropa tab 티로파정 …100mg/T	1) 성인: 1Ⓣ bid~tid	1) Antispasmodic agent로 c-AMP의 양을 증가시켜 과잉의 평활근 수축을 억제함. 2) 근육 세포내의 칼슘 이온 양을 조절함으로써 장관 운동의 정상 유지 3) 내장, 평활근에만 선택적으로 작용 및 과민성 대장증후군에 의한 증상에 대해서도 진경 작용 있음. 4) 적응증 - 간담도산통, 여러 원인에 의한 복부산통, 신장-요관의 산통에서의 급성 경련성 동통 - 위장관 이상운동증, 담석증, 담낭염, 수술 후 유착에서의 복부 경련 및 동통	- 구갈, 구토, 구역, 변비 - 알러지반응(소양증, 홍반)	〈금기〉 1) 외부자극으로 인해 위장관이 협착된 환자 2) 거대결장, 허탈 3) 중증 간부전 환자 〈주의〉 1) 녹내장, 전립선 환자 2) 임신부 〈상호작용〉 1) 혈압 강하약물과 고용량으로 병용시 혈압강하 효과 상승

약품명 및 함량	용법	약리작용 및 효능	부작용	주의 및 금기
Ramosetron Irribow tab 이리보정 …5mcg/T	1) 성인 남성: 5mcg qd (2.5~10mcg/D)	1) 5-HT3 antagonist로 과민성 장증후군(IBS: Irritable Bowel Syndrome) 치료제 2) Intestinal secretion & peristaltic activity를 조절하는 GI tract의 neuron에 분포하는 5-HT3 receptor에 작용, 비정상적인 배변을 억제하고, colon 감수성역치를 증가 3) 적응증: 남성의 설사형 과민성 대장증후군	1) 〉5% - 변비, 굳은 변 2) 1~5% - 복부팽만, 복통, 상복부통 - ALT상승, γ-GTP 상승 2) 〈1% - 빈혈, 혈소판수 감소, 백혈구수 감소, 백혈구수 증가 - 심계항진	〈금기〉 1) 임신부, 수유부, 소아: 안전성 미확립 2) 여성에서 유효성이 입증되지 않았고, 이상반응 발생률이 남성에 비해 높았으므로, 투여하지 않음 〈주의〉 1) 투여 전 만성변비 또는 변비형 과민성 대장증후군 환자가 아님을 확인 2) 복부 수술력이 있는 환자 주의 3) 증상개선이 나타나는 경우, 투여 개시 3개월을 기준으로 치료의 지속 또는 종료 여부를 검토, 장기간 지속적인 투여는 피함

약품명 및 함량	용법	약리작용 및 효능	부작용	주의 및 금기
			- 구역, 구토, 역류성 식도염, 위부 불쾌감, 위염, 십이지장 궤양, 복부 불쾌감, 하복부통, 치핵, 직장통증, 배변곤란, 설사, 치출혈 - 흉부 불쾌감, 권태감, 구갈 - 간기능 수치 상승 - 게실염 - 등통증 - 두통, 졸림 - 발진, 두드러기 - 전립선염	〈상호작용〉 1) CYP1A2 저해작용이 있는 약물, fluvoxamine과 병용 투여 시 이 약의 혈중 농도 상승 2) 항콜린작용 약물 (항콜린제, 삼환계 항우울제, 페노치아진계 약물, Monoamine oxidase 저해제 등), 지사제 (Loperamide 등), 아편알카로이드계 마약 : 변비, 굳은 변 등의 이상 반응 증가 우려
427 **Simethicone** Gasocol solution 가소콜액 …0.2g/10ml/P …10g/500ml/BT	1) 성인: ① 위내시경 검사시 장내기포 제거: 시메치콘으로서 검사 15~40분 전에 40~80mg을 약 10ml의 물과 경구투여 ② 복부 X선 검사시 장내 가스제거: 검사 3~4일 전부터 1회 40~80mg 1일 3회 식후 또는 식간 투여 ③ 위장관내 가스로 인한 복부 증상의 개선: 1회 40~80mg 1일 3회 식후 또는 취침시	1) 소포작용(위경검사, X-선 촬영시), 위내 유포성 점액 제거 작용 2) 각종 소화기 질환, 위장관 수술 후에 수반하는 복부 팽만감, 고장, 공기연하증에 사용함.	- 위장계 : 연변, 복부 불쾌감, 설사, 복통, 구토, 구역, 식욕부진 - 기타 : 두통	〈금기〉 1) 페닐케톤증 환자 〈주의〉 1) 안식향산 나트륨으로 인해 피부, 눈, 점막에 경미한 자극
Trimebutine Polybutine Dry syrup 포리부틴드라이시럽 …4.8mg/ml Polybutine tab	* 정제 1) 성인: 100~200mg tid, 식전 복용 * 시럽제 1) 성인: 15ml tid 2) 소아 - 5세 이상: 10ml tid	1) 소화관 운동의 내인성 조절인자인 위장관내의 내부신경총(Auerbach와 Meissner)에 주로 작용하여 위장관 운동을 정상화시킴. 2) 위장관의 과도한 기능억제(기능적 소화불량)및 기능항진(과민성 대장증후군)을 정상화시킴. 3) 내약성이 우수하며 장기치료 및 유아, 소아, 노인 치료에 적합함.	- 오심, 구토, 설사, 변비, 소화장애 - 심계항진 - 피로감, 졸음, 현기증 - 간효소수치 상승	〈금기〉 1) 임신부 및 수유부: 안전성 미확립 〈취급상 주의〉 1) 시럽제 - 이 약 1병(152.5g)에 150ml의 물을 2회로 나누어 넣어 총 250ml로 현탁하여 사용(152.5g/250ml/BT)

약품명 및 함량	용법	약리작용 및 효능	부작용	주의 및 금기
포리부틴정 …100mg/T	- 1~5세 미만: 5ml tid - 6개월~1세 미만: 5ml bid - 6개월 미만: 2.5ml bid~tid	4) 항콜린효과 없음. 5) 적응증 - 식도역류 및 열공헤르니아, 위-십이지장염, 위-십이지장궤양에 있어서의 소화기능이상(복통, 소화불량, 구역, 구토) - 과민성대장증후군 및 경련성 결장 - 소아 질환: 습관성 구토, 비감염성 장관통과장애(변비, 설사), 동요자극, 수면장애		- 소분하는 경우 분말 6.1g에 물 6ml을 넣어 현탁액 10ml로 함 - 현탁액 조제 후 실온에서 15일간 안정

약품명 및 함량	용법	약리작용 및 효능	부작용	주의 및 금기
Almagate Almagel suspension 알마겔현탁액 …1g/P Almagel tab 알마겔정 …500mg/T	1) 12세 이상 소아 및 성인 – 2Ⓣ(1g) 또는 1Ⓟ(1~1.5g) tid, 식후 30분~1시간에 씹어서 복용 – 필요 시 취침 전 1회 추가 복용 가능	1) $Al_2Mg_6(OH)_{14}(CO_3)_2 \cdot 4H_2O$로 제산작용을 나타내며 Na함량이 낮음(25ppm 이하). 2) 담즙산 흡착 및 항펩신작용이 있음. 3) 위십이지장 궤양, 위염, 위산과다, 역류성 식도염에 사용함.	– 변비 또는 설사	〈주의〉 1) 임신부 〈상호작용〉 1) NSAID, 궤양 치료제, digitalis 제제, chlorpromazine, lansoprazole, prednisolone, penicillin, quinolone, Fe염 제제의 흡수를 감소시킬 수 있으므로 2~3시간 간격 두고 복용 2) Tetracycline과 병용시 흡수율 감소
Dried Aluminum hydroxide Amphogel tab 암포젤정 …392mg/T (Aluminum hydroxide로서 300mg)	1) 성인: 1~2Ⓣ tid, 식간 복용	1) 수산화 알루미늄 겔에 의한 완충효과로 적정 위내 산도 유지 2) 펩신과 결합 또는 흡착을 통해 위장점막의 자기 소화 방지 3) 궤양부위의 혈관 수축 및 단백응고작용으로 피막을 형성하여 궤양성 출혈에 효과적임. 4) 장내 이상발효에 의한 유독물질을 흡착하여 배설하는 효과 있음. 5) 체내 흡수되지 않고 그대로 배설되므로 akalosis에 의한 부작용 없음. 6) 적응증: 위-십이지장궤양, 위염, 위산과다 시 제산작용 및 증상 개선	– 변비, 구역, 구토 – 장기투여시 알루미늄뇌증, 고마그네슘혈증, 저인산혈증 발현 가능	〈금기〉 1) 투석요법을 받고 있는 환자 〈주의〉 1) 인산염 결핍 환자 2) 신장애 환자 3) 안식향산 나트륨에 의해 피부, 눈, 점막에 자극 발생 가능 〈상호작용〉 1) Isoniazid의 흡수를 감소시킴. 2) Tetracycline과 병용시 킬레이트 형성으로 흡수가 감소됨.
Calcium carbonate Cicibon tab 씨씨본정 …500mg/T (Ca^{2+}으로서 200.4mg/T)	1) 위-십이지장궤양, 위염, 위산과다: 탄산칼슘으로서 1~5g #3~4 (Max. 7.5g/D) 2) 칼슘보급: 1.5~3g #1~2	1) 강력하고 신속한 중화작용으로 제산효과 있으며, 가벼운 수렴작용 및 완하작용도 나타냄. 2) 경구로 2~4g 투여시 pH 5.5로 유지됨. 3) 적응증: 제산작용 및 소화성 궤양의 증상 개선, 칼슘 보급 4) 수유시 투여 가능함	1) 1~10% – 두통 – 저인산혈증, 고칼슘혈증 – 변비, 사하작용, 산반동, 오심, 구토, 식욕부진, 구강건조 – 우유 알칼리 증후군	〈금기〉 1) 중증 고칼슘혈증 환자 2) 부갑상선기능항진증 또는 갑상선기능저하증 환자 3) 중증 신부전 환자 4) 무산증 또는 위산결핍 환자 〈주의〉 1) 2주 정도 투여로 증상의 개선이 없을 경우 투여를 중지함. 2) 신장애 환자 3) 임신부 : Category C 〈상호작용〉

약품명 및 함량	용법	약리작용 및 효능	부작용	주의 및 금기
				1) 다량의 우유와 병용시 우유알칼리증후군(고칼슘혈증, 고질소혈증 등)이 초래됨. 2) Tetracycline과 병용시 킬레이트 형성으로 tetracycline의 흡수감소(1~2시간 간격 두고 투여)
Magnesium hydroxide Magmil tab 마그밀정 …500mg/T	1) 제산제: 1~2.5g 분할 투여 2) 완하제: 1~2g #1~2 * 신기능에 따른 용량 조절 참고 – CrCl 〈25ml/min : 혈중 마그네슘 농도 모니터링 필요 – 중증 신부전시 투여금기	1) 제산작용 : 위, 십이지장 궤양, 위염, 위산과다 2) 완하작용 3) 점막에 대한 수렴, 국소 피복작용	– 대사 이상 – 고마그네슘혈증(ECG변화, mental depression, 오심, 구토, 혼수) – 설사	〈금기〉 1) 신장애 환자 2) 설사 환자 〈주의〉 1) 심기능장애 환자 2) 고마그네슘혈증 환자 〈상호작용〉 1) Tetracycline과 병용투여하지 않도록 함. 2) 다량의 우유, 칼슘 제제와 병용시 우유–알칼리 증후군 주의
1정 중 Ranitidine HCl 31.5mg, Magnesium oxide 50mg, Aluminium Mg. silicate 125mg, Aluminium Mg. hydrate 100mg **Ranione tab** 라니원정 …/T	1) 15세 이상~80세 미만 성인: 2Ⓣ qd 복용 후 증상 개선되지 않을 시 2Ⓣ 추가 복용 (Max. 4Ⓣ/D)	1) 제산제와 H2–receptor inhibitor를 함유한 복합제 2) 위산중화작용과 함께 위산 분비 억제 작용을 가짐 3) 위통, 속쓰림, 소화불량, 구역 등의 증상 소실 작용	– 발진, 가려움, 발적, 부종, 변비, 설사, 구토, 두통, 어지러움, 근육통 – 발열, 권태감, 출혈, 인후통, 기침 – 황달	〈금기〉 1) 혈액질환, 신·간장질환, 천식, 류마티스(∵백혈구 감소, 혈소판 감소) 2) 위십이지장 질환(중복 복용) 3) 임신부, 수유부, 소아 : 안전성 미확립 〈주의〉 1) 3일간 복용 후 증상의 개선이 보이지 않으면 의사와 상의 2) 2주를 초과하여 사용하지 말 것 3) 고령자(80세 이상) : 신기능 저하로 약효증강 우려 있음. 〈상호작용〉 1) Alcohol : 혈중 농도 상승 2) Tetracycline계 항생제, quinolone계 항생제 : 흡수 저해

약품명 및 함량	용법	약리작용 및 효능	부작용	주의 및 금기
Artemisia asiatica ethanol extract (애엽 연조 엑스) Stillen tab 스티렌정 …60mg/T (Eupatilin으로서 0.43~1.44mg)	1) 1Ⓣ tid	1) PG 생성을 촉진하여 점액분비 촉진 및 혈류량을 증가시켜 위 점막을 보호하고 손상된 세포를 치유 2) H.pylori로부터 자극을 받은 호중구에 의한 free radical 생성 차단 : 위점막 손상 억제, 손상된 점막회복, 위점막 보호, 항산화 및 항염증 작용 3) 위점막 병변(미란, 출혈, 발적, 부종)의 개선, 급·만성 위염, NSAIDs로 인한 위염 예방	- 구토, 식욕부진, 설사, 구토, 속쓰림, 상부복통 - 현기증, 두통 - 발진, 가려움 - GPT 상승	〈금기〉 1) 소화기계 악성종양 환자 〈주의〉 1) 혈전, 응고장애 환자 2) 간장, 신장, 심장, 폐, 혈액 등의 중대한 장애 환자 3) 약물알레르기증상(발진, 발열, 가려움 등) 병력 환자
Sodium alginate Lamina-G sol 라미나지액 …1g/20ml/P …50mg/ml	1) 위-십이지장궤양, 미란성 위염, 역류성 식도염에서의 지혈 및 자각증상 개선: - 20~60ml tid~qid, 공복 투여 - 경구 투여 불가시 Sonde에 경비 투여 2) 위생검에 의한 출혈 지혈: 10~30ml를 내시경적으로 투여 후 30ml 경구로 추가 투여	1) 천연 다당체로 D-Mannuronic acid와 L-Guluronic acid의 co-polymer제제 2) 혈소판 응집, 적혈구 응집, fibrin형성 촉진작용으로 상부소화관 출혈의 지혈작용이 있음. 3) 경구 복용시 위산에 의해 겔화되어 위점막에 부착 및 피막을 형성하여 소화기 점막 보호작용 4) 적응증: 위·십이지장궤양, 미란성위염, 역류성 식도염, 위생검 후 등에서의 지혈 및 자각증상 개선	- 설사, 변비	〈주의〉 1) 위산 결핍증 환자 효과 떨어짐.(겔화 이루어지지 않음)
Ecabet sodium Gastrex granule 가스트렉스과립 …1g/1.5g/P	1) 성인: 1Ⓟ bid(아침 식사 후, 취침전 복용)	1) 송진에서 추출한 위궤양치료제 2) 위점막과 결합하여 피복층을 형성하여 위점막 보호 및 방어인자 증강 작용 3) 적응증 : 위궤양, 급-만성위염 급성 악화기의 위점막 병변(미란, 출혈, 발적, 부종) 개선	- 발진, 가려움증, 두드러기 - 변비, 설사, 복부팽만감, 오심, 구토 - AST, ALT 상승 - 흉부압박감, 전신권태감	〈금기〉 1) 페닐케톤뇨증 환자(감미제로 아스파탐 함유) 2) 수유부 : 안전성 미확립 3) 소아, 임신부 : 안전성 미확립 〈주의〉 1) 고령자
Polaprezinc Promac tab 프로맥정 …75mg/T	1) 성인: 1Ⓣ bid(아침식사 후, 취침전 복용)	1) 위점막 방어인자 증강제 2) L-carnosin과 아연으로 구성된 착화합물 - 아연: IL-8 분비억제하여 위점막의 염증반응 억제함 - L-carnosine: IGF-1증가시켜 손상된 위점막의 재생 촉진시킴 3) 적응증: 위궤양, 급-만성위염 급성 악화기의 위점막 병변(미란, 출혈, 발적, 부종) 개선	(빈도미확립) - 간기능장애, 황달, ALT/AST 상승 - 발진, 가려움증 - 변비, 복부팽만감, 오심, 소화불량 - 호산구증가, 백혈구감소, 혈소판감소	〈금기〉 1) 임신부, 소아: 안전성 미확립 2) 수유부: 모유 이행

약품명 및 함량	용법	약리작용 및 효능	부작용	주의 및 금기
Rebamipide Mucosta tab 무코스타정 …100mg/T	1) 성인: - 1Ⓣ tid - 위궤양의 경우, 아침, 저녁, 취침전 복용	1) 위점막 프로스타글란딘(PGE_2, PGI_2) 증가작용, 위점막 보호작용, 위점막 증가작용, 위점막 혈류량 증가 작용, 점막세포 회전 부활작용, 활성산소 생성억제 작용을 가짐. 2) H.pylori 감염에 의한 cytokine 생성 억제 및 염증반응 억제효과 있으며, H.pylori의 위벽에 대한 adhesion 방지효과 있어 박멸 요법에 유효 3) 적응증: 위궤양, 급-만성위염 급성 악화기의 위점막 병변(미란, 출혈, 발적, 부종) 개선 4) Tmax: 30~60mins	- 과민증(습진, 발진) - 소화기 : 변비, 복부팽만감, 속쓰림, 복통, 트림, 구역 - 간기능 장애 - 혈액계: 백혈구 분획증, 임파구 상승 - 안면부종, 인두 이물감	〈금기〉 1) 임신부, 수유부, 소아: 안전성 미확립 〈주의〉 1) 고령자 : 소화기 부작용에 주의하여 사용
Sucralfate Ulcermin sol 아루사루민액 …1g/15ml/P	1) 성인: - 1Ⓟ tid, 식전 1시간 복용 - 역류성식도염: 1Ⓟ qid, 식전 1시간 및 취침전 복용	1) 위산분비 억제나 중화 효과는 없으나 위장관 내에서 수소이완과 반응하여 점도가 매우 높은 젤을 형성하여 보호 피막 형성 2) 펩신과 위산의 활성 억제 작용 3) 경구 투여시 위장관에서 거의 흡수되지 않아 전신적인 부작용이 적음. 4) 적응증: 위산과다, 위-십이지장궤양, 급-만성위염 급성 악화기의 위점막 병변(미란, 출혈, 발적, 부종) 개선, 역류성 식도염 5) Onset: 1hr 지속시간: 6hrs 이상 배설: 대변(90%)	1) 1~10% - 변비 2) 〈1% - 과민반응(두드러기, 비염, 혈관부종, 호흡곤란)	〈금기〉 1) 만성 신부전 환자 2) 투석요법을 받고있는 환자 3) 소아: 안전성 미확립 〈주의〉 1) 임신부: Category B 2) 수유부: 신중투여 3) 신장애 환자 〈상호작용〉 1) Quinolone계 항생제, cimetidine, ranitidine, digoxin, phenytoin, theophylline 병용시 병용제제의 흡수 방해(2시간 간격두고 투여)
Sulglycotide Gliptide tab 글립타이드정 …200mg/T	1) 성인: 1Ⓣ tid, 공복에 복용	1) 위염, 위궤양에 사용하는 방어인자 증강제 2) 돼지 십이지장에서 추출한 glycopeptide를 반합성한 물질로 위점액 조성물인 glycoprotein 계통의 물질 3) 위점막 보호, H.pylori에 의한 점막 손상 억제 작용, 손상된 세포 안정화 작용 4) 적응증 : 위십이지장궤양, 위십이지장염	- 설사, 변비, 궤양 재발	〈취급상 주의〉 1) 인습성 있으므로 복용시 포장 개봉 2) 산제 불가
Teprenone Selbex cap 셀벡스캅셀	1) 성인: 1Ⓒ tid	1) 위점막의 재생 방어의 주요 인자인 고분자 당단백질과 인지질의 합성, 분비 촉진 2) 중탄산염의 농도를 상승시킴으로써 위산공격으로부터 위점막을 보호함.	- 변비, 복부팽만감, 설사, 구갈, 오심 - 두통 - 발진, 소양감, 열감	〈주의〉 1) 임신부, 소아: 안전성 미확립

약품명 및 함량	용법	약리작용 및 효능	부작용	주의 및 금기
…50mg/C		3) 항궤양호르몬인 secretin 농도를 상승시킴. 4) PG 생합성 촉진 5) 위점막의 혈류개선 6) 적응증: 위궤양, 급-만성위염 급성 악화기의 위점막 병변(미란, 출혈, 발적, 부종) 개선	- AST,ALT 상승	
Tripotassium dicitrato bismuthate Denol tab 데놀정 …300mg/T (Bi_2O_3로서 120mg)	1) 성인: - 2Ⓣ bid, 식전 30분 복용 - 1Ⓣ qid, 식전 30분 및 저녁 식후 2시간 복용 2) 혀가 검게 변색될 수 있으므로 깨물어서 복용하지 않도록 함	1) 궤양으로 인한 괴사조직에서 분비되는 유리 아미노산이나 단백질과 double chelation하여 궤양부위에 보호막을 형성함. 2) 위산 분비 억제 및 산 중화작용은 거의 없음. 3) H. pylori에 대한 bactericidal effect가 있음. 4) 적응증: 위-십이지장궤양 5) 최대효과: 소화성 궤양 1~4wks Tmax: 30mins~3hrs $T_{\frac{1}{2}}$: 1~4hrs 배설: 대변(99%이상)	- 혀가 암갈색으로 변색, 흑변(약효와 무관, bismuth sulfide 형성) - 오심, 구토	〈금기〉 1) 신장애 환자 2) 수유부 및 소아: 안전성 미확립 〈주의〉 1) 복용 전후 30분에 우유 등의 음료 복용을 피함: 킬레이트 형성으로 약효 감소 2) Tetracycline의 효과를 감소시킴. 3) 임신부: Category C
Troxipide Aplace tab 아프라스정 …100mg/T	1) 성인: 1Ⓣ tid	1) 위점막 방어인자 증강제 2) 위세포 보호, 점막손상 억제, 위점막 혈류량 증가 및 위점막의 PGE_2 함량을 증가시킴. 3) H.pylori에 의해 유도된 위점막 손상은 감소시키지만, H.pylori균 제거에 도움을 주지는 못함. 4) 적응증: 위궤양, 급-만성위염 급성 악화기의 위점막 병변(미란, 출혈, 발적, 부종) 개선	- 변비, 복부팽만감, 가슴쓰림, 구역 - 간효소수치 상승 - 과민증 : 가려움증, 발진 - 두중감, 전신권태감, 동계	〈금기〉 1) 임신부, 소아: 안전성 미확립 2) 수유부: 모유 이행 〈주의〉 1) 동물실험에서 프로락틴 분비 이상이 추정되는 보고가 있으므로, 월경이상, 유즙분비 등 여부를 관찰하여 이상이 나타나면 휴약 또는 투여중지
1정 중 Ranitidine HCl (ranitidine으로) 75mg, Bismuth subcitrate 100mg, Sucralfate 300mg **Albis tab** 알비스정 …/T	1) 성인: 2Ⓣ bid, 식사와 관계없이 오전 및 취침 전 복용 ① 위-십이지장궤양 - 2Ⓣ bid or 4Ⓣ hs - 십이지장궤양: 4Ⓣ bid시 높은 치료효과 ② 역류성 식도염 - 8주 동안, 2Ⓣ bid or 4Ⓣ hs - 중증: 4Ⓣ qid 가능 ③ 졸링거-엘리슨 증후군 - 초기: 2Ⓣ tid	1) 산분비 억제와 점막보호 및 헬리코박터 억제효과를 가진 항궤양복합제 2) 위벽세포의 H_2 receptor에 가역적, 경쟁적 저해로 위산분비저해로 수소이온농도 감소, 펩신작용 억제, 수소이온과 반응하여 젤을 형성하여 보호피막 형성, H.pylori의 상피세포 부착을 방해하고 단백분해효소 억제하여 위점막 보호 3) 적응증 : 위궤양, 위염, 십이지장 궤양, 졸링거-엘리슨 증후군, 역류성 식도염, 마취전 투약(멘델슨 증후군 예방), 수술 후 궤양, 비스테로이성 소염진통제(NSAID)로 인한 위 · 십이지장궤양	(빈도 미확립) - 쇽 - 피부발진, 담마진, 혈관신경부종, 발열, 기관지경련, 저혈압 - 가역적 백혈구감소, 혈소판감소, 혈청효소치상승, 무과립구증, 범혈구감소증, 골수형성부전,	〈금기〉 1) 투석요법 받고 있는 환자 2) 급성 포르피린증 병력 환자 3) 신장애, 칼륨 제한 식이요법 환자 4) 상부 위장관 수술 환자 5) 임신부 - Ranitidine : Category B (FDA) - Sucralfate : Category B (FDA) - Bismuth subcitrate : Category B2 (호주 ADEC) 6) 수유부 : 모유로 이행 7) 미숙아, 신생아

약품명 및 함량	용법	약리작용 및 효능	부작용	주의 및 금기
	- 중증: ranitidine으로서 6g/D까지 증량 가능 ④ 소화성 급성 스트레스성 궤양, 급성 위점막 병변의 상부소화관 출혈: 주사에서 경구로 전환시 2Ⓣ bid ⑤ 마취전(멘델슨증후군 예방): 마취유도 2시간 전 2Ⓣ, 수술전야 2Ⓣ 추가 권장		재생불량성 빈혈, 호산구증가 - 일시적 / 가역적 AST · ALT · r-GPT · ALP의 상승, 가역적 황달성/비황달성 간염 - 빈맥, 서맥, 방실차단, 조기심실수축 - 구역, 구토, 변비, 설사, 복부팽만감, 복통, 식욕부진, 흑변 - 현훈, 졸음, 가역성의 착란상태, 경련, 흥분, 우울, 환각, 불면, 두통, 두중감, 병감, 가역성 시력불선명 - 여성형유방, 성행동장애 - 관절통 - 발진, 탈모 - 가려움, 설염, 검은 혀	〈주의〉 1) 간장애 환자 2) 약물과민증 병력 있는 환자 3) 고령자 4) 신장애 병력이 있는 환자 5) 장기연용 금지 6) 위암의 증상을 은폐할 수 있으므로 악성이 아닌 것을 확인한 후에 투여 7) NSAID 병용 투여 환자

약품명 및 함량	용법	약리작용 및 효능	부작용	주의 및 금기
Cimetidine Cimet tab 싸이메트정 …200mg/T Tagamet inj	* 경구제 1) 성인 - 400mg bid(오전, 취침 시) or 800mg hs or 300mg qid(Max. 2.4g/D) - 급-만성위염 급성 악화기의 위점막 병변 개선: 400mg #1~2	1) Parietal cell H2-수용체에 히스타민과 상경적으로 결합하는 선택성 H2-수용체 차단제임. 2) 기초 위산 및 히스타민, 음식물, 가스트린, Ach, 카페인, 인슐린, bethanechol 등의 자극에 의한 위산분비(분비량 및 H^+ 농도)를 억제함. 3) Bioavailability(%) Cimetidine : 60~70	1) 1~10% - 두통, 어지러움, 초조, 현기증 - 설사, 오심, 구토, 여성화 유방	〈주의〉 1) 임신부 : Category B 2) 수유부 : 모유로 이행됨. 3) 간 · 신장 장애 환자 4) 주사제는 차광, 차열, 실온보관 〈상호작용〉 1) 다음 약물의 대사 및 배설 지연으로 혈중 농도 상승

약품명 및 함량	용법	약리작용 및 효능	부작용	주의 및 금기
타가메트주사 …200mg/2ml/A	2) 소아: 20~40mg/kg/D * 주사제 1) 성인 ① IV : 1회 200mg q 4~6hrs ② IV inf. : 1회 200mg q 4~6hrs, 2시간동안 inf. - 최대 투여속도: 150mg/hr or 2mg/kg/hr - 지속 주입 시 평균 투여속도는 24시간동안 75mg/hr 미만. ③ Max. 2g/D 2) 소아: 20~40mg/kg/D * 신기능에 따른 용량 조절 참고 - 신부전: 300mg bid	Ranitidine : 50~60 Famotidine : 40~45 4) Tmax : 45~90mins 대사 : 간 $T\frac{1}{2}$: 2hrs 배설 : 신장(48~75%)		: warfarin, phenytoin, lidocaine, midazolam, triamcinolone, alprazolam, diazepam, flurazepam, triazolam, theophylline, propranolol, calcium channel blocker 등
Famotidine Gaster inj 가스터주 …20mg/A Gaster tab 가스터정 …20mg/T Gaster D tab 가스터디정 …20mg/T	* 경구제 1) 성인 ① 위, 십이지장궤양, 문합부궤양, 상부소화관출혈, 역류성식도염, Z-E 증후군, 위점막 병변 개선: 20mg bid or 40mg hs ② 급-만성 위염의 급성 악화기 위점막 병변 개선: 10mg bid or 20mg hs * 주사제 1) 성인 ① 상부소화관출혈, Z-E 증후군, 신체적 스트레스에 의한 상부소화관 출혈 억제 - 20mg bid IM, IV, IV inf. - 상부소화관출혈, Z-E 증후군: 1주 이내 효과가 나타나며, 경구투여가 가능하게 되면 경구제로 변경	1) H_2-수용체 차단제로 ranitidine과 약리작용 유사함. 2) 항androgen 효과가 거의 없으며, 혈중 prolactin 농도에도 영향을 미치지 않음. 3) 가스터디정: 구강 붕해정으로 신속히 구강 내에서 붕해되지만, 구강 점막에서 흡수되지 않으므로 타액 또는 물로 삼킴. 4) 적응증 - (경구제) 위-십이지장궤양, 문합부궤양, 상부소화관출혈, 역류성식도염, 졸링거-엘리슨증후군(Z-E 증후군), 급-만성위염 급성 악화기의 위점막 병변(미란, 출혈, 발적, 부종) 개선 - (주사제) 상부소화관출혈, Z-E 증후군, 신체적스트레스에 의한 상부소화관출혈의 억제, 마취전 투약 5) Onset: 1hr Tmax: 1~3hrs Duration: 10~12hrs 대사: 간 30~35%	1) 1~10% - 두통, 현기증 - 변비, 설사	〈금기〉 1) 수유부 : 유즙으로 분비 2) 소아 : 안전성 미확립 〈주의〉 1) 위암증상 은폐 2) 간장애 환자 3) 신장애 환자 4) 임신부 : Category B 〈취급상 주의〉 1) 용해 후 실온/냉장 보관 시 48시간 이내 사용

약품명 및 함량	용법	약리작용 및 효능	부작용	주의 및 금기
	- 대수술 후 신체적 스트레스는 3일, 기타 7일간 투여 ② 마취전 투약: 1회 20mg, 마취 1시간 전 IM, IV	$T\frac{1}{2}$: 2.5~3.5 hrs 배설: 신장(25~70%), 대변(50%)		
Lafutidine Stogar tab 스토가정 …10mg/T	1) 위궤양, 십이지장 궤양의 단기 치료, 역류성 식도염 : 10mg bid 2) 위점막 병변 개선 : 10mg qd 취침전 3) H.pylori 제균요법 : 이 약 20mg, clarithromycin 500mg, amoxicillin 1g bid 7~14일간 4) 마취전 투약 : 10mg씩 2회 (수술전일 취침전 및 수술 당일 마취 2시간 전)	1) H2-receptor antagonists로서, H.pylori 제균요법에 사용 가능함. 2) 적응증 : 위궤양, 십이지장궤양, 급-만성 위염의 위점막 병변 개선, H.pylori 제균시 항생제 병용요법, 마취전 투약, 역류성 식도염 치료 3) Onset : 1~2hrs Tmax : 2.1hrs $T\frac{1}{2}$: 3.79hrs	1) 1~10% - 설사(6%), 복부 팽만감(6%), 식욕부진(3%) - ALT 상승(2%) 2) 기타 - 구역, 구토 - 두통, 불면, 졸음, 가역성 착란상태, 환각, 의식장애, 현기증 - 동계, 열감, 안면홍조 - 백혈구 증가/감소, 호산구 상승, 적혈구 감소, Hct 감소 - AST, ALP 등 상승 - 뇨단백 이상, BUN 상승 - 혈청 요산치 상승, Cl 상승, 여성화유방, 부종, 권태감	〈금기〉 1) 수유부 : 동물실험에서 모유 이행 2) 소아 : 안전성 미확립 3) 유당 관련 대사장애 환자 〈주의〉 1) 간/신장애, 투석 환자 2) 고령자 3) 임신부 : 치료상의 유익성이 위험성을 상회할 경우에만 투여
Ranitidine HCl Curan inj 큐란주사 …50mg/2ml/A …100mg/4ml/A Curan tab	* 경구제 1) 성인 ① 궤양: 150~300mg hs or bid(오전 및 hs) ② 역류성 식도염: 150mg bid or qid(중증), 300mg hs ③ Z-E 증후군: 150mg tid, 필요에 따라 증량 (Max. 6g/D)	1) 선택적인 H_2-수용체 차단제로서 cimetidine과 유사함. 2) 지속성으로 1일 2회 요법이 가능함. 3) 항androgen 효과 Cimetidine 〉 Ranitidine ≒ Famotidine 4) 적응증 - 위-십이지장궤양, Z-E 증후군, 역류성식도염, 마취전 투약(멘델슨증후군 예방), 수술 후 궤양, 상부	- 두통, 혼몽 - 변비, 오심, 구토, 복부통 - 조홍, 담마진 - 백혈구 감소증 골수 형성부전 - 혈중 크레아틴치 상승	〈금기〉 1) 소아: 안전성 미확립 2) 수유부:모유중으로 이행 〈주의〉 1) 악성 종양을 은폐 2) 신장애 환자 3) 간장애 환자 4) 임신부 : Category B

약품명 및 함량	용법	약리작용 및 효능	부작용	주의 및 금기
큐란정 …150mg/T …300mg/T Ranibic tab 라니빅정 …75mg/T	④ 상부소화관출혈: 150mg bid ⑤ 마취: 150mg 2회(마취유도 2시간 전, 수술 전야) 투여 ⑥ 위산과다, 속쓰림, 신트림(75mg만 해당): 75mg bid 2) 소아(8-18세): 150mg~bid (2mg/kg) * 주사제 1) 성인: 50mg tid~qid IM, IV, IV inf. (마취: 50mg, 마취유도 45-60분 전 IM, IV) * 신기능에 따른 용량조절 참고 - CrCl(ml/min)〈50: (PO) 150mg q12-24hrs, (IV) 25mg qd or 50mg q12-24hrs	소화관출혈, (이하 경구제만 해당) NSAID 투여로 인한 위-십이지장궤양, 급-만성위염의 급성악화기의 위점막 병변 개선, (75mg) 위산과다, 속쓰림, 신트림 5) Duration: 8~12hrs $T_{\frac{1}{2}}$: 2~3hrs(신부전시 8~10hrs) 대사 : 간 배설: 신장(30~70%)	- 심부정맥, 빈맥, 서맥	

약품명 및 함량	용법	약리작용 및 효능	부작용	주의 및 금기
Misoprostol (합성 PGE_1 유도체) Alsoben tab 알소벤정 …100mcg/T …200mcg/T	1) 소화성 궤양 및 NSAIDs로 인한 위장염 치료: 200mcg qid 4~8주간 2) 소화성 궤양 및 NSAIDs로 인한 위장염 예방 : 1일 400~800mcg 분할 투여	1) 합성 PGE_1 유도체로 위벽세포의 PGE_1 수용체에 대한 직접작용으로 위산분비 억제작용 2) 위점액, 십이지장의 중탄산이온 분비촉진, 위점막의 혈류량 증가로 세포보호작용. 3) Aspirin이나 NSAIDs의 장기 사용으로 인한 소화성 궤양의 예방에도 사용함. 4) 적응증: 위-십이지장궤양, NSAID 투여로 인한 위-십이지장염 및 위-십이지장궤양의 예방과 치료 5) Onset : 초회 제산효과 2~3hrs 최대효과 : 소화성 궤양 4wks Tmax : 9~15mins 배설 : 신장(80%), 대변(15%)	- 설사(13%), 오심, 상복부통, 고창 - 두통(2%), 피로 - 월경이상 - 빈혈, 시각장애, 발진, 흉통, 상복부감염	〈금기〉 1) PG에 과민한 환자 2) 임신부 : Category X (유산 가능성) 3) 수유부 및 소아 : 안전성 미확립 〈주의〉 1) 뇌혈관장애 또는 관동맥 혈관 질환 등 혈압저하에 의한 중증 합병증을 일으킬 수 있는 환자 2) 간장애 환자

약품명 및 함량	용법	약리작용 및 효능	부작용	주의 및 금기
Dexlansoprazole Dexilant DR cap 덱실란트디알캡슐 …30mg/C …60mg/C	1) 미란성식도염 치료: 60mg qd, 8주 2) 미란성식도염 치료 후 유지: 30mg qd, 6개월 3) 중후성 비미란성 GERD증상치료: 30mg qd, 4주 4) 식사와 관계없이 복용 가능 5) 약을 삼키기 어려운 환자는 캡슐을 개봉하여 과립을 15ml 사과쥬스에 뿌린 후, 씹지 말고 즉시 복용하도록 함. 6) 중등증 간장애 환자: Max. 30mg/D	1) Proton pump inhibitor 2) Lansoprazole의 단일 광학이성질체(R-enantiomer)로 proton pump에 비가역적으로 공유 결합하여 위산분비 저해 3) 캡슐내 이중지연방출(Dual delayed release, DDR) 과립이 충진되어 있어, 1차 소장 근위부, 2차 소장의 말단에서 방출됨. 4) 적응증 - 미란성식도염의 치료 및 치료 후 유지 - 중후성 비미란성 위식도 역류질환과 관련된 속쓰림의 치료 5) BA : 음식과 함께 복용 시 증가 Tmax : 1~2hrs(1차 peak), 4~5hrs(2차 peak) $T_{\frac{1}{2}}$: ~1~2hrs 대사 : 간대사 (CYP2C19, CYP3A4) 배설 : 소변(~51%), 변(~48%)	1) 2~10% - 설사, 복통, 오심, 구토, 복부팽만 - 상기도 감염	〈금기〉 1) 소아 및 수유부: 안전성 미확립 2) 중증 간장애 환자 (투여경험 없음) 〈주의〉 1) 임신부: Category B 2) PPI제제의 고용량, 장기간 투여시 골다공증 관련 골절 위험성 증가 3) Digoxin 또는 저마그네슘혈증 유발 약제(이뇨제 등) 복용 환자: 주기적 마그네슘 수치 모니터링 4) Methotrexate와 병용시 독성 증가 5) PPI사용은 클로스트리듐 디피실레성 설사(CDAD) 위험 증가와 연관 있음 6) 중등증 간장애 환자 〈상호작용〉 1) 이 약의 위산분비억제 작용이 atazanavir sulfate의 용해도를 낮추어 혈중농도 감소시킴. 2) pH 의존성 흡수 약물(예. ampicillin esters, digoxin, iron salts, ketoconazole)의 흡수 저해 3) PPI 제제와 warfarin 병용환자의 INR, prothrombin time 증가 4) Tacrolimus 대사를 경쟁적으로 저해하여 tacrolimus 혈중농도 증가 5) Methotrexate의 혈중농도 증가
Esomeprazole Esomezole cap 에소메졸캅셀 …20mg/C …40mg/C	1) 성인 ① GERD - 미란성 역류성 식도염 : 40mg qd, 4주 - 식도염 재발 방지, 식도염 없는 GERD : 20mg qd ② H.pylori 박멸: 이 약 20mg+amoxicillin 1g+ clarithromycin 500mg bid 7일	1) Proton pump inhibitor 2) Omeprazole의 S-isomer로서, omeprazole에 비해 간에서의 초회통과효과가 적어 생체이용률이 증가된 제제임. 3) 유효성분 입자마다 장용성 제피를 씌운 제형으로서, 분할은 가능하나 분쇄는 불가하며, 삼키지 못하는 환자는 물에 붕해시켜 복용가능함. 4) 적응증 - 위식도 역류질환(GERD)	1) 1~10% - 두통(4~6%), 설사(4%), 오심, 복부팽만, 복통(4%), 변비, 구강건조 2) 〈1% - 알러지반응, 아나필락시스, 협심증, 호흡곤란, 고혈압,	〈금기〉 1) 과당불내성, 포도당-갈락토즈 흡수불량, 수크라제-이소말타제 결핍 등 유전적인 문제가 있는 환자 2) 수유부 : 유즙으로 이행 〈주의〉 1) Rabeprazole, pantoprazole, lansoprazole에 과민한 경력이 있는 환자 2) 간질환 환자 3) 임신부 : Category B

약품명 및 함량	용법	약리작용 및 효능	부작용	주의 및 금기
	③ NSAID 투여 관련 상부 위장관 증상, 위-십이지장 궤양 예방 및 치료: 20mg qd ④ Z-E 증후군: - 초회량: 40mg bid - 유지량: 80~160mg/D(80mg/D 이상은 2회로 분복) ⑤ IV로 위-십이지장궤양에 의한 재출혈 예방 유도 이후 유지요법: 40mg qd, 4주 2) 12세 이상 청소년: ① GERD - 미란성 역류성 식도염 : 40mg qd 4주 - 식도염 없는 GERD : 20mg qd 3) 음식에 의해 흡수 저하되므로 최소 식사 1시간 전 복용	- H.pylori 박멸을 위한 항생제 병용요법 - NSAID 투여와 관련된 상부 위장관 증상 치료의 단기요법 - NSAID 관련 위궤양 및 십이지장궤양의 예방, 치료 - Z-E 증후군의 치료 - 정맥주사로 위-십이지장궤양에 의한 재출혈 예방 유도 이후의 유지요법 5) Tmax : 1~1.6hrs $T_{\frac{1}{2}}$: 1.2~1.5hrs Onset : 1~2hrs (위산 억제효과) 4주내 (GERD) 단백결합 : 97% 배설 : 신장(80%), 대변(20%)	저나트륨혈증, 췌장염, 혈소판감소증 등	〈상호작용〉 1) Atorvastatin과 병용시 atorvastatin의 독성 증가 2) CYP2C19에 의하여 대사되는 diazepam, escitalopram, imipramine, clomipramine, phenytoin 등과 병용시 이들 약물의 혈중농도 증가
Esomeprazole sodium Nexium inj 넥시움주 …40mg/V	1) 성인 ① GERD - 역류성 식도염: 40mg qd IV - 식도 역류 증상: 20mg qd IV - 투여 기간: 최대 7일 ② 급성 출혈성 위궤양 및 내시경 치료 후 재출혈 예방: 80mg IV bolus 후 8mg/hr로 71.5시간 IV inf. 2) 소아(1~18세) ① 미란성 역류성 식도염 있는 GERD - 1~11세: (<20kg) 10mg IV (≥20kg) 10mg 또는 20mg IV - 12~18세: 40mg IV ② 식도 역류에 따른 중증 GERD	1) Proton pump inhibitor 주사제 2) 위벽세포에서 위산생성 마지막 단계에 관여하는 효소인 proton pump (H^+/K^+ ATPase)를 차단하여 위산분비 억제작용을 나타냄 3) Omeprazole의 S-isomer로, omeprazole에 비해 간에서의 초회통과 효과가 적어 생체이용률이 증가됨. 4) 적응증 ① 성인: 경구요법에 대한 대체요법으로 증상이 심한 위식도역류질환, 급성 출혈성 위궤양, 십이지장궤양의 내시경 치료 후 재출혈 예방 ② 소아(1~18세): 경구요법에 대한 대체요법으로 증상이 심한 위식도역류질환 5) $T_{\frac{1}{2}}$: 1.05~1.41hrs 대사: 간(CYP2C19, CYP3A4) 배설: 신장(80%), 대변(20%)	1) >10% - 두통(11%) 2) 1~10% - 어지러움(3%), 졸음(성인<1%; 소아 2%) - 가려움(1%) - 고창(10%), 설사(4%), 복통(6%), 오심 (6%), 입마름(4%), 변비(3%) - 주사부위 반응(2%)	〈금기〉 1) Benzimidazole류 과민 환자 2) Atazanavir, nelfinavir 투여 3) 수유부 〈주의〉 1) 임신부: Category C 2) 1세 미만 영아: 안전성 미확립 3) 악성 종양, 위궤양 의심 환자 4) 고용량, 장기간 투여 시 골다공증 관련 골절 위험성 증가 5) Digoxin, 저마그네슘혈증 유발 약제 병용: Mg수치 모니터링 6) CDAD 발생 위험성 증가 7) CgA(serum chromogranin A) 수치 간섭 가능 〈상호작용〉 1) Atazanavir, nelfinavir의 노출 75% 감소: 병용 금기

약품명 및 함량	용법	약리작용 및 효능	부작용	주의 및 금기
	- 1~11세: 10mg IV - 12~18세: 20mg IV 3) 중증 간장애 - GERD: Max. 20mg/D - 출혈성 궤양: 80mg IV bolus 후 4mg/hr로 71.5시간 IV inf. '약리작용 및 효능' 란에 계속	단백결합: 97% 〈용법〉 4) 정맥주사 시 투여시간 ① IV bolus: 1일 용량, 3분에 걸쳐 투여 ② IV inf. - 10~40mg: 10~30분에 걸쳐 inf. - 80mg: 30분에 걸쳐 continuous inf. - 8mg/h 속도: 71.5시간 동안 continuous inf. 5) 경구투여가 가능해지면 즉시 경구제로 전환		2) Digoxin의 흡수 증가 3) Warfarin 병용 환자: INR 상승 4) CYP3A4 억제제: 이 약의 AUC 2배 증가 5) CYP2C19기질, methotrexate, tacrolimus 혈중농도 상승 〈취급상 주의〉 1) 차광(실내광에서 24시간 안정) 2) 조제 방법 - 재구성: 1V당 NS 5ml 사용 - 희석: 재구성액 40~80mg을 NS 100ml이내로 희석(농도: 0.4~0.8mg/ml) 4) 조제 후 즉시 사용 권장(25℃ 실온에서 12시간 안정)
Ilaprazole Noltec tab 놀텍정 …10mg/T	1) 십이지장궤양 : 10mg qd (통상 4주까지) 2) 위궤양 : 10mg qd (통상 4-6주까지) 3) 미란성식도염 : 20mg qd (통상 8주까지) 4) 식사 1시간 전 복용, 씹거나 부수지 말고 통째로 물과 함께 삼킴 (∵장용성 제피정)	1) Proton pump inhibitor 2) 위벽세포막에 존재하는 proton pump의 cysteine 기와 비가역적 disulfide 공유결합 형성으로 효소를 억제하여 위산 분비 억제 및 H2-antagonist 작용 3) 적응증 - 십이지장궤양 및 위궤양의 단기치료 - 미란성 식도염의 단기치료 4) Onset: 0.5hrs Tmax: 3-5hrs 지속시간: 72hrs $T\frac{1}{2}$: 3-6.5hrs	1) 1~10% - 빈혈, 두통, 발열 - 기침, 상기도감염, 비인두염 - 고콜레스테롤혈증 - AST/ALT 증가 - 위염, 설사, 오심, 복부팽만 - 비뇨기계 감염 2) 〈1% - 위궤양, 소화불량, 변비 - 기침, 호흡곤란, 비충혈 - 피로, 현기증, 두통, 불안 - 식욕저하, 당뇨 - 이명, 난청, 유방통 - 갑상선 기능 저하증 - 심전도 QT 증가, 혈압상승	〈금기〉 1) 악성종양 가능성 있는 위궤양 환자 2) 간장애 및 신장애 환자 3) 19세 미만 청소년 및 소아 4) Atazanavir와 병용 환자 (∵atazanavir 약물 노출 감소) 5) 수유부 〈주의〉 1) 임신부: 동물실험에서 태자 독성 보고 2) 고령자 〈상호작용〉 1) CYP3A4 대사약물, tacrolimus 병용 시 이들 약물의 모니터링 필요 2) Itraconazol, ketoconazol: 이들 약물 흡수감소 3) 음식물과 투여 시 본 제제의 흡수가 11시간 이상 지연

약품명 및 함량	용법	약리작용 및 효능	부작용	주의 및 금기
Lansoprazole Lanston cap 란스톤캅셀 …15mg/C …30mg/C Lanston LFDT tab 란스톤엘에프디티정 …15mg/T …30mg/T	1) 활동성 십이지장궤양: 15mg qd, 4주 2) 활동성 양성 위궤양: 30mg qd, 8주 3) H.pylori 박멸: 이 약 30mg+clarithromycin 500mg+amoxicillin 1g bid 7~14일 or 이 약 30mg+amoxicillin 1g tid 14일 4) 십이지장궤양 치료 후 유지: 15mg qd 5) NSAIDs 유발성 위궤양 – 치료: 30mg qd, 8주 – 예방: 15mg qd, 12주 6) 미란성식도염 – 단기치료 : 30mg qd, 8주 – 유지: 15mg qd 7) GERD 증상 단기치료: 15mg qd, 8주 8) Z-E 증후군 포함 병리학적 과분비 상태: 60mg qd로 시작하여 90mg bid까지 조절 가능 9) 음식물에 의해 흡수가 30%까지 저하되므로 식전 30분 투여 권장	1) 위점막의 벽세포의 H^+/K^+ ATPase를 억제하여 위산생성을 억제하는 proton pump inhibitor 2) 지속적인 위산 분비 억제 작용 3) 만성 궤양의 치유 촉진 및 궤양형성 억제 작용 4) 제제 비교 ① Lanston : 장용성 과립이 충진된 경질 캅셀제로 분쇄 불가능 ② Lanston LFDT : 장용성 과립의 구강 붕해정으로 분쇄는 불가능하나 물 없이 혀에서 녹여 먹거나, 투여전 물에 녹여 복용 가능함. Lanston 보다 과립의 크기가 $\frac{1}{3}$ 정도로 작고 용해 속도 빨라 분쇄하지 않고 물에 녹여 nasogastric tube로 투여 가능 ③ Lanston과 Lanston LFDT는 약동학적 성질 동일(구강붕해정이 구강내에서 흡수되지는 않음) 5) 약효발현 ① 소화성 궤양 : 1wk ② 역류성 식도염 : 1~4wks 6) Tmax : 1.5~3hrs 지속시간 : 24hrs 대사 : 간, 위(산에 의해 활성형 전환) 배설 : 신장(14~25%), 담즙(67%) $T_{\frac{1}{2}}$: 1.5hrs	1) 1~10% – 두통, 복부 통증(2%), 설사(~8%), 변비(1%), 오심(1%), 피로	〈금기〉 1) 페닐케톤뇨증 환자(이 약에 함유된 아스파탐이 체내에서 페닐알라닌으로 대사) 〈주의〉 1) 약물과민증의 병력 환자 2) 간장애 환자(용량 조절하여 투여) 3) 고령자 4) 임신부 : Category B 5) 수유부 및 소아 : 신중투여 6) 증상에 따라 최소용량만 사용하며 유지용으로는 사용하지 않는 것이 바람직 〈상호작용〉 1) Lansoprazole의 위산분비억제 작용이 atazanavir sulfate의 용해도를 낮추어 혈중농도 감소시킴. 2) Diazepam, phenytoin의 대사 배설을 지연 3) Theophylline의 혈중 농도 저하 4) Clopidogrel의 platelet inhibition 효과를 감소시켜 혈전 생성 위험성 증가 5) Tacrolimus 대사를 경쟁적으로 저해하여 tacrolimus 혈중농도 증가 6) Sucralfate와 병용시 lansoprazole의 BA 17% 감소 7) PPI 제제와 warfarin 병용환자의 INR, prothrombin time 증가
Omeprazole Omed tab 오메드정 …10mg/T Ramezol cap 라메졸캅셀 …20mg/C	1) 위 · 십이지장궤양, 역류성 식도염 : 20mg qd, 타제제로 효과 없을 때는 40mg qd 2) Z-E 증후군 : 60mg qd 3) H.pylori 제균요법 ① 2제요법 : 이 약 20mg + amoxicillin 750mg~1g bid ② 3제요법 : 이 약 20mg + amoxicillin 1g + clarithromycin 500mg bid	1) 위벽세포에서 위산생성 마지막 단계에 관여하는 효소인 proton pump(H^+/K^+ ATPase)를 차단하여 위산분비 억제작용을 나타냄. 2) 타제제(H2-blockers 등)로 효과가 없을때 사용함이 바람직함. 3) 적응증: 위-십이지장궤양, 역류성식도염 및 위식도 역류질환(GERD), 소화성궤양, Z-E 증후군 치료, H.pylori 감염 십이지장궤양 재발방지를 위한 항생제 병용요법, NSAID 투여로 인한 위-십이지장궤양 또는 미란의 치료 및 예방, 역류성식도염의 재발 방지	1) 1~10% – 두통(7%), 어지러움(2%) – 발진(2%) – 설사(3%), 복통, 오심, 구토(2%), 변비(1%) – 허약감, 저배통(1%) – 호흡기 감염(2%), 기침(1%)	〈금기〉 1) 악성종양 가능성있는 위궤양 환자 2) 소아, 수유부 : 안전성 미확립 〈주의〉 1) 중증 간기능 손상자 2) 임신부 : Category C 3) 경구제는 깨거나 씹지 말고 그대로 삼킴(산에 불안정한 장용성 제제임). 4) 1년 이상 복용시 정기적 검사 받아야 함.

약품명 및 함량	용법	약리작용 및 효능	부작용	주의 및 금기
	4) NSAID 투여로 인한 위-십이지장 궤양 또는 미란의 예방 및 치료: 20mg qd 5) 역류성 식도염 재발 방지 : 10mg qd	4) Onset : 1hr Tmax : 2hrs 대사 : 간 배설 : 신장(77%) 담즙 및 대변(16~19%)		〈상호작용〉 1) 간에서 산화를 거쳐 대사되는 diazepam, phenytoin, warfarin의 배설을 지연시킬 수 있음. 2) Atazanavir와 병용금기 (Atazanavir 혈중농도 감소)
Pantoprazole Pantoloc tab 판토록정 …20mg/T …40mg/T	* 20mg/T 1) 경증의 GERD: 20mg qd 4주 복용 (Max. 8주) 2) GERD 재발 방지를 위한 장기유지요법: 20mg qd (단, 재발 치료는 40mg qd) 3) NSAID 투여시 위-십이지장궤양 예방: 20mg qd * 40mg/T 1) H.pylori 제균요법: 이 약 40mg+ (amoxicillin 1g, clarithromycin 500mg, metronidazole 500mg) 중 2종 병용 bid 7일간 투여 가능 2) 위-십이지장 궤양, 역류성 식도염: 40mg qd(80mg로 증량 가능) 3) Z-E 증후군 및 기타 위산 과분비 상태: - 초회량: 80mg/D (80mg 이상 2회 분복) 4) 중증 간장애: 40mg EOD 5) 고령자, 신장애: 40mg qd	1) Proton pump inhibitor(PPI)로 위벽 세포에서 H^+/K^+ ATPase와 공유 결합하여 위산 생성의 마지막 단계를 억제 2) 20mg/T 적응증: 경증의 역류성 식도질환 및 관련 증상(가슴쓰림, 신트림, 연하통) 치료, 역류성 식도염의 재발방지를 위한 장기 유지요법, 지속적 NSAIDs 투여 환자에서 위십이지장 궤양 예방 3) 40mg/T 적응증: H.pylori에 감염된 위 · 십이지장 궤양의 치료 및 재발 방지를 위한 항생제 병용 요법, 위궤양, 십이지장궤양, 중등도~중증 역류성 식도염, 졸링거엘리슨 증후군과 기타 병적인 위산 과분비 상태 4) Tmax: 2.8hrs T½: 1.9hrs Onset: 24hrs(peptic ulcer) 지속시간: 7days(peptic ulcer) 대사: 간 배설: 신장(71~82%)	- 과민증 - 두통, 졸음, 우울, 불면 - 발열, 부종, 고혈당 - 오심, 구토, 설사, 복통, 고창, 신생물 - 혈뇨, 발기부전 - 간효소치 상승 - 시야몽롱 - 발진, 탈모, 피부염	〈금기〉 1) Atazanavir와 병용 환자 (∵atazanavir 약물 노출 감소) 2) 임신 1기의 임신부 3) 수유부: 안전성 미확립 4) 12세 미만 소아: 안전성 및 유효성 미확립 〈주의〉 1) 씹거나 부수지말고 복용(장용성 제피) 2) 중증의 간부전 환자에게 투여하는 경우: 간효소치를 정기적 관찰하고, 수치가 높아진 경우 투약 중지 3) 임신부: Category B 〈상호작용〉 1) 고용량 Methotrexate와 병용 시 Methotrexate 독성 발생 가능
Pantoprazole sodium Pantoloc IV 판토록주사 …40mg/V	* 경구투여가 불가능한 환자에게 투여하며, 경구투여가 가능해지면, 즉시 경구제로 전환 1) 위-십이지장궤양, 중등도~중증 역류성식도염 : 40mg qd IV	1) Proton pump inhibitor로서, 위벽세포에서 H^+/K^+ ATPase와 공유결합하여 위산 생성의 마지막 단계를 억제함. 2) 위-십이지장궤양, 중등도~중증역류성식도염, 졸링거엘리슨증후군 환자에 있어 출혈이 동반된 경우에 단기간 사용	1) 1~10% - 흉통 - 동통, 편두통, 불안, 현기증, 두통(IV >1%)	〈금기〉 1) Atazanavir와 병용 환자 (∵atazanavir 약물 노출 감소) 2) 수유부 : 모유로 미량 분비됨 3) 18세 미만 소아: 안전성 및 유효성 미확립

약품명 및 함량	용법	약리작용 및 효능	부작용	주의 및 금기
	2) Z-E 증후군 및 기타 병리학적 위산 과분비 상태 : 초회량 80mg/D IV (80mg 이상은 2회 분할투여) 3) 중증 간장애: 20mg/D 4) 고령자, 신장애: 40mg/D	3) Tmax : 2.8hrs 분포 : Protein Binding 98% 대사 : 간 배설 : 신장(71~82%) $T_{\frac{1}{2}}$: 1.9hrs	- 발진(IV 6%), 소양증(IV 4%) - 고혈당(1%), 고지혈증 - 설사(4%), 변비, 소화불량, 위장관염, 오심, 직장이상, 구토, 복통(IV 12%) - 빈뇨, 요로감염 - 간효소치 상승 - 주사부위 통증 (>1%) - 쇠약, 저배통, 목통증, 관절통, 근긴장과다 - 기관지염, 기침, 호흡곤란, 인두염, 비염, 부비동염, 상기도 감염, 독감유사증상	〈주의〉 1) 중증의 간부전 환자에게 투여하는 경우, 간효소치를 정기적으로 관찰하고, 수치가 높아진 경우 투약 중지 2) 임신부 : Category B (임신초기 3개월 간은 투여를 권장하지 않음) 〈취급상 주의〉 1) 차광, 실온보관 2) 재구성액: NS 10ml 3) 희석액: NS, 5DW 4) 조제 후 12시간 이내 사용(25℃이하에서 보관)
Rabeprazole sodium Pariet tab 파리에트정 …10mg/T …20mg/T	1) 성인 ① 위-십이지장궤양: 10mg qd - 투여기간: 위궤양 8주, 십이지장궤양 6주 ② GERD: 10~20mg qd 4~8주, 유지요법으로 10~20mg qd ③ H.pylori 제균요법: 이 약 20mg+clarithromycin 500mg+amoxicillin 1g bid 7일간 투여 ④ Z-E 증후군 - 초회량: 60mg bid (Max.120mg/D) - 100mg 초과 2회 분복	1) 위벽 세포의 세포막에 존재하는 proton pump (H^+/K^+ ATPase)에 결합하여 위산 분비를 억제함. 2) 위궤양, 십이지장궤양, 위 식도역류 질환의 증상, 위 식도 역류질환의 장기간 유지요법에 효과적임. 3) 적응증: 위-십이지장궤양, 미란성 또는 궤양성 위식도역류질환의 증상 완화 및 장기간 유지요법, H.pylori에 감염된 소화기 궤양 환자에 대한 항생제 병용 요법, 졸링거엘리슨 증후군	1) 1~10% - 두통 2) <1% - 쇽, 혈소판 감소, 무과립구증, 용혈성 빈혈, 빈혈, 발진, 담마진, 소양감, 변비, 복통, 복부 팽만감, 구갈, 구토, 하복부통, 위체, 무력증, 현훈, 수기	〈금기〉 1) Benzimidazole 성분 과민증 〈주의〉 1) 임신부: Category B 2) 고령자: 소화기계 부작용 발생시 휴약 필요 3) 운전, 복잡한 기계 작동 금지 4) 식도 종양 진단 방해 5) 깨거나 씹지 말고 그대로 복용(산에 불안정한 장용성 제피) 6) 간장애 환자 〈상호작용〉 1) CYP450에 의해 대사되는 약물과 상호작용 없음. 2) Digoxin과 병용 투여시 혈중 농도를 22% 증가시킴. 〈취급상 주의〉 1) Powder로 분쇄 불가

약품명 및 함량	용법	약리작용 및 효능	부작용	주의 및 금기
Revaprazan Revanex tab 레바넥스정 …200mg/T	1) 1Ⓣ qd	1) Proton pump (= H^+/K^+ ATPase) antagonist (위산분비 억제제) 2) K^+ 결합부위에 K^+과 상경적으로 결합하는 가역적 저해제 3) 적응증 : 위-십이지장궤양의 단기치료, 급-만성위염의 위점막 병변의 개선 4) Onset : ~30mins Tmax : 1.4~2.2hrs 배설 : 대변(89%), 신장(<1.2%)	1) 1~5% - 상복부쓰림(3.6%), 식후포만감(2.8%), 팽만감(2.4%), 상복부 불쾌감, 트림, 설사, 위내저류감, 구역, 가슴쓰림, 변비 - 무력, 두드러기, 두통, 현기증, 발진, 안면부종, 상기도감염	〈금기〉 1) 임신부, 수유부: 안전성 미확립 2) Atazanavir를 투약중인 환자 3) 소아 : 안전성 미확립 〈주의〉 1) 신기능부전, 간장애, 고령자 〈상호작용〉 1) ketoconazole, itraconazole의 흡수 감소됨 : 투여 간격 조절

약품명 및 함량	용법	약리작용 및 효능	부작용	주의 및 금기
β-Galactosidase Galtase powder 갈타제산 …5,000 ONPG단위/g	1) 유아의 유당불내증: - 1회 0.25g~0.5g을 수유중에 복용시킴. - 물의 온도는 50℃로 유지함. 2) 경관영양식, 경구유동식 섭취 시 유당불내에 의한 설사 개선: 섭취유당량 10g에 대해 1g을 식사와 함께 투여	1) Lactose를 분해 소화하여 지사작용을 함. 2) Galactose로 분해 흡수되어 Ca의 흡수를 촉진하며 체내 뇌대사 및 탄수화물 대사를 개선시킴. 3) 적응증 ① 유아의 유당불내에 의한 소화불량 개선 ② 경관영양식, 경구유동식 등의 섭취시 유당불내에 의한 설사 개선	- 과민증 : 쇽, 안면창백, 청색증 - 변비, 복부팽만, 구토	〈주의〉 1) 기관지 천식, 과민증, 음식물 알러지성 체질이 있는 경우
Pancreatin enteric coated micotablet Norzyme cap 노자임캡슐 …457.7mg/C	1) 1~2Ⓒ tid, 충분한 물과 함께 부수거나 씹지 말고 삼킴.	1) Pancreatin 단일성분 소화제 2) 췌장성 소화효소로 소장에서 단백질, 지방, 탄수화물을 소화시킴 3) 각각 장용코팅된 미립정(microtablet)을 캅셀에 충진, 위산으로 파괴되는 것을 막은 장용정 4) 적응증 : 외분비췌장효소장애 (소화불량, 위부팽만감), 췌장암으로 인한 췌담관폐쇄, 만성췌장염, 낭성섬유증, 위장 수술 후 췌장절제술 후 소화장애	(빈도 미확립) - 홍반, 재채기, 유루, 피부발진, 기관지경련 - 복통, 변비, 비정상적인 변, 설사, 오심, 구토, 회장 - 맹장과 대장의 협착(섬유화 대장병증), 대장염 - 구강 및 항문 주위 궤양(주로 소아) - 고요산뇨증, 고요산혈증	〈금기〉 1) 돼지고기 및 기타 부형제에 과민반응이 있는 환자 2) 급성 췌장염 환자, 만성 췌장염의 급성 발현 환자 3) 임신부, 수유부 : 안전성 미확립 〈주의〉 1) 췌장질환으로 인한 소화불량 개선목적으로만 사용 2) 2주 정도 투여 후 증상의 개선이 없을 경우 주치의와 상의 〈상호작용〉 1) Acarbose, miglitol과 병용시 이 약들의 효과를 감소시킬 수 있음. 〈취급상 주의〉 1) 분쇄 불가 2) 캡슐을 풀어서 복용 가능
1Ⓣ 중 Biodiastase 75mg, α-Amylase 22,500U, s-Amylase 788U, Protease 53U, Lipase 168U(2.8mg), Cellulase 675U(25mg) **Bestase tab** 베스타제정 …/T	1) 성인: 2Ⓣ tid 2) 소아 - 11~14세: 1-2Ⓣ tid - 8~10세: 1Ⓣ tid	1) Biodiastase는 Aspergillus속의 사상균을 배양 정제한 소화효소제로 음식물 중의 탄수화물, 단백질, 지방의 소화작용을 나타냄. 2) 식물섬유 및 식물조직의 소화작용을 나타냄. 3) 산, 알카리 모두에서 소화작용을 나타냄.	- 알레르기 증상(발진, 가려움 등) - 입마름 - 변비, 설사 - 뇨량 감소, 부종 등	〈금기〉 1) 7세 미만의 영 · 유아 〈주의〉 1) 고혈압, 고령자, 심장애, 신장애, 부종 환자 2) 2주 정도 투여해도 증상의 개선이 없을 때는 투여 중지

약품명 및 함량	용법	약리작용 및 효능	부작용	주의 및 금기
Gastropylore, Cyanocobalamine **Gaspylor powder** 가스피로산 …200mg+10mcg/g **Gaspylor cap** 가스피로캅셀 …133mg+6.7mcg/C	* 산제 1) 성인: 2g/D #3 2) 소아: 1g/D #3 3) 유아: 0.8g/D #3 * 캅셀제 1) 성인: 1Ⓒ tid	1) 이유기 전 어린양의 위점막에서 추출한 것으로 pepsin의 일종인 특수효소(lab-ferment)를 함유해 단백소화 작용을 함. 2) 유 · 소아에게도 안심하고 사용하며, 유아의 토유 방지와 식욕 증진 작용이 있음. 3) 소화불량, 저산증, 무산증, 위염, 위액분비 결핍증에 사용함. 4) 적응증: 위염 또는 위절제에 의한 소화 이상 증상의 개선, 식욕부진, 소화불량		〈주의〉 1) 2주 정도 투여하여도 증상의 개선이 없을 경우에는 투여 중지 〈취급상 주의〉 1) $NaHCO_3$ 또는 MgO와 배합시 흡습
Pancreatin, Bromelain, Dimethicone **Beszyme tab** 베스자임정 …400+30+40mg/T	1) 성인: 1Ⓣ tid	1) 작용기전 - Pancreatin : 췌장성 소화효소, 소장에서 단백질, 지방, 탄수화물을 소화시킴. - Bromelain : 식물성 소화효소, 위에서의 소화, 장에서의 pancreatin과 소화력 상승작용 - Dimethicone : gas bubble의 표면장력을 저하시켜 복부 팽만감 해소 2) 3중정으로 위 · 장관의 부위별 pH에 대응하는 속효성 제제 3) 적응증 : 소화불량, 식욕감퇴, 과식, 식체, 소화촉진, 소화불량으로 인한 위부팽만감, 방사선 검사 전의 가스 제거	- 위장관계 : 하리, 변비, 위부 불쾌감 - Bromelain의 과민증 : 발진, 발적	〈금기〉 1) 급성 췌장염 2) 7세 이하 영 · 유아 〈주의〉 1) 2주 정도 투여 후 증상의 개선이 없을 경우 주치의와 상의하도록 함.
Pancreatin, Simethicone **Creacone tab** 크리아콘정 …170+84.4mg/T	1) 성인: 1~2Ⓣ tid 2) 소아(8~14세): 1Ⓣ tid	1) Pancreatin은 고장성 소화불량 원인을 지속적으로 제거함. 2) Simethicone은 기포성 점액에 대한 파괴작용 및 gas 흡수작용을 촉진함. 3) 적응증: 소화불량, 식욕감퇴, 과식, 체함, 소화촉진, 소화불량으로 인한 위부팽만감, 가스제거		〈금기〉 1) 7세 미만의 소아 〈주의〉 1) 2주 이상 투여시에도 증상의 개선이 없을 경우에는 투여 중지
1Ⓣ 중 외층(위용부) : Simethicone 25mg 내핵(장용부) : Simethicone 70mg	1) 성인: 1~2Ⓣ tid	1) 위와 장에서 단계적으로 작용하는 특수 코팅정. 2) 장내 가스제거작용을 나타내는 simethicone 및 소화촉진 작용을 나타내는 pancreatin을 함유한 laminated coating tab로서 효소의 역가를 보존하면서 위와 장에서 단계적으로 작용함.		〈금기〉 1) 7세 미만의 소아

약품명 및 함량	용법	약리작용 및 효능	부작용	주의 및 금기
Pancreatin 40mg (Amylase…4,000U Lipase…480U Protease…6,000U) **Phazyme tab** 파자임95mg이중정 …/T		3) 적응증: 소화불량, 식욕감퇴, 과식, 체함, 소화촉진, 소화불량으로 인한 위부팽만감, 가스제거		

약품명 및 함량	용법	약리작용 및 효능	부작용	주의 및 금기
L-Ornithine aspartate Hepamerz powder 헤파멜즈산 …3g/3.6g/P Hepamerz inj 헤파멜즈주 …500mg/5ml/A Hepamerz infusion inj 헤파멜즈인퓨전주 …5g/10ml/A	* 경구제 1) 만성간염: 1Ⓟ qd~bid 식후 복용 2) 간경변: 2Ⓟ bid 식후 복용 * 주사제 1) IV(500mg/5ml/A) - 1g(2Ⓐ)/D 천천히 IV, 2g(4Ⓐ)/D로 증량 가능 2) IV infusion(5g/10ml/A) - 만성간염: 10~20g(2~4Ⓐ)/D, IV inf. - 간경변 : ① 5~20g(1~4Ⓐ)/D, IV inf. ② 중등도 증상 및 간성뇌증(혼수전단계, 혼수): 40g(8Ⓐ)/D까지 사용	1) 체내에 흡수되어 L-ornithine과 aspartic acid로 분해됨. 2) L-ornithine은 ① 간의 TCA cycle에 작용하여 효소 생성촉진 ② Urea cycle을 촉진하여 ammonia를 urea로 전환, 배설시킴. 3) Aspartic acid는 핵산합성에 관여, 간세포 부활작용 있음. 4) 적응증 - (경구제): 간경변, 만성간염 등 중증의 간질환 해독의 보조 치료 - 500mg/5ml/A(정맥주사): 간염, 간염후유증, 조직손상, 간경변 - 5g/10ml/A(인퓨전주): 간경변, 만성간염, 간성뇌증(혼수전단계, 혼수포함)	- 구역 - 후두부 열감	〈금기〉 1) 심한 신부전 환자 2) (주사제) 유산염 산성증, 메탄올중독, fructose-sorbitol 불내성, fructose-1,6-diphosphate 결핍 환자 〈주의〉 1) 아세틸살리실산에 과민한 환자 (특히 천식) 2) (주사제) 고용량 투여시 혈중 urea치 검사 필요 〈취급상 주의〉 1) 1포씩 복용시 물에 반드시 녹여먹을 필요 없음. (단, 가루양이 많아 삼키기 곤란할 경우 물에 녹여먹도록 함.)
Metadoxine Alcotel tab 알코텔정 …500mg/T	1) 성인: 1Ⓣ bid	1) Pyridoxine과 pyrilidone carboxylic acid 사이에 염화된 약제 2) 간에서 alc.대사에 관여하는 효소(ADH, ALDH)의 활성을 증가시켜 alc.의 분해와 대사를 촉진시킴. 3) 내인성 Glutathion의 생성 및 활성의 증가로 간세포를 파괴하는 과산화지질로부터 간세포를 보호하며, ATP대사를 정상화시켜 간세포의 정상적인 활동을 유지시키며, 상승된 간수치를 정상화 시킴. 4) 적응증 : 알코올성 간질환, 만성 알코올 중독	- 과량 투여 및 장기간 치료시 감수성이 예민한 환자에서 투여 중단시 가역적인 말초 신경병이 나타날 수 있음.	〈금기〉 1) 임신부 2) 수유부 (저프로락틴혈증 유발) 〈주의〉 1) L-dopa를 투여받고 있는 파킨슨 환자 〈상호작용〉 1) L-dopa와 병용시 L-dopa의 말초 카르복실 작용을 증강시켜 효과 감소가능
Ursodesoxycholic acid Ursa tab 우루사정 …100mg/T	1) 성인: 50~100mg tid - 담석증: 200~250mg tid - 원발 쓸개관 간경화증: 200~300 mg tid - 만성 C형 간염: 200mg tid (필요시 300mg tid로 증량)	1) 곰의 담즙에 포함되어 있는 약효 성분인 ursodeoxycholic acid를 합성한 제제 2) 담즙 생성 촉진 작용, 간내 cholesterol의 대사효소에 작용하여 간 cholesterol 수치를 낮추며, 담석 용해율을 증가시켜 cholesterol계 담석 용해에 사용함.	1) >10% - 두통(~25%), 어지러움(~17%) - 변비(~26%) 2) 1~10% - 발진(1~3%),	〈금기〉 1) 완전 담도폐쇄 환자 2) 중증 간염 환자 3) 급성 담낭염 환자

약품명 및 함량	용법	약리작용 및 효능	부작용	주의 및 금기
…200mg/T		3) Lipase 작용을 활성화시켜 지방의 소화 흡수를 촉진시킴. 4) Vit.B_1, Vit.B_2의 흡수 이용량을 증가시킴. 5) 적응증 – (100mg/T) 담즙분비 부전으로 오는 간질환, 담도(담관, 담낭)계 질환, 만성 간질환의 간기능 개선, 소장절제 후유증 및 염증성 소장 질환의 소화불량 – (200mg/T) 담석증, 원발 쓸개관 간경화증의 간기능 개선, 만성 C형 간염 환자의 간기능 개선	탈모(1~5%) – 설사, 오심, 구토 – 백혈구 감소(3%) – 알러지(5%) 3) 〈1% – 복부통증, 피로감, 금속성 맛 등	〈주의〉 1) 심한 췌장질환 환자, 소화성 궤양환자, 담관에 담석이 있는 자 2) 임신부 : Category B 〈상호작용〉 1) Cholestyramine, Al함유 제산제와의 병용은 본제제의 흡수를 감소시킴.
Biphenyl dimethyl dicarboxylate, Garlic oil **Pennel cap** 펜넬캅셀 …25+50mg/C	1) 성인: 1~2Ⓒ tid 2) 소아: 감량 투여	1) 간장 보호작용이 있는 biphenyl dimethyl dicarboxylate와 간독성 및 발암 억제효과가 있는 garlic oil의 복합제제 2) 간세포 파괴 억제와 간대사 효소에 작용하여 간장의 해독기능 강화 및 독성 물질 불활성화 3) 적응증: Transaminase가 상승된 급 · 만성 간염 환자	– 피부 발진 – 일과성 황달 – 구역	〈주의〉 1) 만성 활동성 간염 환자 2) 간경변 환자
1Ⓒ 중 Biphenyl dimethyl dicarboxylate 25mg, Carnitine orotate 150mg, Adenine HCl 2.5mg, Antitoxic Liver Ext. 12.5mg, Cyanocobalamin 125mcg, Pyridoxine HCl 25mg, Riboflavin 500mcg **Godex cap** 고덱스캡슐 …/C	1) 성인; 2Ⓒ bid~tid	1) 간세포 괴사 및 지방간 억제, 해독기능이 있는 복합성분의 간장약 2) 작용기전 – Carnitine: 지방산을 미토콘드리아 내로 수송, 지방간 억제 – Orotate: Pyrimidine 합성의 전구 물질로 손상된 간세포 부활 – Liver ext. antitoxic fraction: 소의 간 추출물질, 아미노산 보급, 해독작용 – Vit B2,6,12: 세포 대사 관여 – BDD: 해독작용 3) 적응증: Transaminase가 상승된 간질환 4) Onset: 30min Tmax: 2hrs 지속시간: 6~8hrs	(빈도 미확립) – 간혹 입안마름, 메스꺼움, 발진, 가려움증, 발적 등 – 드물게 구역, 복부팽만, 변비, 메스꺼움, 상복부 불쾌감, 복통, 소화불량증, 속쓰림, 간효소 증가	〈금기〉 1) 레보도파를 투여 받고 있는 환자 2) 임신부 및 수유부: 안전성 미확립 〈주의〉 1) 만성 활동성 간염 및 간경화 환자 2) 고령자 〈상호작용〉 1) Levodopa: 이 약에 의해 효과감소, (pyridoxine이 levodopa의 말초대사를 증가시킴) 2) Isoniazid, penicillamine, estrogen 제제: 비타민 B6 요구량 증가시킴 3) Altretamine 및 cisplatin: pyridoxine에 의해 altretamine 및 cisplatin의 반응기간도 감소시킴

약품명 및 함량	용법	약리작용 및 효능	부작용	주의 및 금기
1Ⓒ 중 Pinene(a+b) 17mg, Borneol 5mg, Camphene 5mg, Cineol 2mg, Menthol 32mg, Menthone 6mg **Rowachol cap** 로와콜연질캅셀 …/C	1) 성인: 1~2Ⓒ tid 2) 소아(6~14세): 1Ⓒ bid 3) 식전 복용 권장	1) Terpene계 성분으로 구성된 장용성 제제 2) 콜레스테롤 담석과 색소성 담석의 용해 작용, 담석으로 인한 경련성 통증 등 증상 개선 작용 3) 적응증: 담석증, 담낭염, 담도염 치료의 보조요법, 담석 수술 후 결석 재발방지	– 트림, 구역, 구토	〈주의〉 1) 경구용 항응고제 복용 환자 2) 간에 의해 대사되는 약물을 복용중인 환자 3) 약간의 페퍼민트 맛이 느껴질 수 있음. 4) 임신부: 초기 3개월 동안 금기 5) 수유부: 신중 투여
Silymarin, Silybin **Legalon cap 140** 레가론 캅셀 140 …140+60mg/C **Silyman soft cap** 실리만연질캅셀 …140+60mg/C	1) 성인 – 초기량: 1Ⓒ tid – 유지량: 1Ⓒ bid	1) Cardus marianus L.의 종자에서 분리한 활성 성분을 주성분으로 하는 간장약 2) 간 mitochondria 및 microsome에서의 lipidperoxide의 생성을 방지함. 3) 세포막 안정화 작용으로 간독성 물질로부터 간세포 보호 및 간조직 재생 역할 4) 간기능 손상, 간독성물질 투여시 간세포보호, 급성간염, 만성지속성간염, 간경변증 등에 사용함. 5) 실리만연질캡슐은 주성분을 공계면활성제, 계면활성제 및 오일에 용해시켜 투명하게 제조한 SMEDDS (self micro emulsifying drug delivery system) 기술을 이용한 제제로, 타 제제에 비해 생체내 이용율이 높음.	– 경미한 설사	〈금기〉 1) 12세 이하 소아 2) 심한 담도폐쇄 환자 〈주의〉 다음의 경우 의사와 상의할 것 1) 장기 복용시 2) 황달 3) 임신부 및 수유부

약품명 및 함량	용법	약리작용 및 효능	부작용	주의 및 금기
Balsalazide disodium Colazal cap 콜라잘캡슐 …750mg/C	1) 성인 ① 활동기요법: 관해 도달 또는 최대 12주까지 3Ⓒ tid(6.75g/D) ② 유지요법: 2Ⓒ bid (3g/D) (Max. 6g/D) 2) 5~17세 소아 – 최대 8주까지, 1Ⓒ 또는 3Ⓒ tid 3) 캡슐 개봉하여 복용 시 일시적으로 치아나 혀에 색의 침착이 있을 수 있음.	1) Mesalazine(5-ASA)의 prodrug 2) Prodrug 상태로 소장을 통과한 후, 대장에서 정상 세균총의 azo reductase에 의해 활성대사체인 mesalazine(5-ASA)으로 유리되어 항염작용을 나타냄. 3) 적응증: 경증~중등증의 활동기 궤양성 대장염의 치료 및 관해의 유지 4) Initial response : 10days~2wks Tmax : 1~2hrs 단백결합 : ≥99% 배설 : 신장(25%), 대변(65%)	1) 1~10% – 두통(8%), 불면(2%), 피로(2%), 발열(2%), 통증(2%), 현기증(1%) – 복통(6%), 설사(5%), 오심(5%), 구토(4%), 식욕부진(2%), 소화불량(2%), 고창(2%), 직장출혈(2%) – 관절통(4%), 저배통(2%) – 호흡기감염(4%), 기침(2%), 인두염(2%), 비염(2%)	〈금기〉 1) Mesalazine 또는 Salicylic acid에 과민한 환자 2) 수유부 및 5세 미만 소아 : 안전성 미확립 3) 중증의 간장애, 신장애 환자 4) 혈액응고 환자, 소화성궤양 환자 〈주의〉 1) 천식 또는 알러지성 질환 환자 2) 유문협착증 (이 약의 위장관 체류시간을 지연시킴.) 3) 신장애 환자 및 병력자 (다른 메살라진 제제에서 신독성 보고됨.) 4) 12주 이상 투여시 안전성, 유효성 미확립 5) 임신부 : Category B
Beclomethasone dipropionate Clipper tab 클리퍼지속성장용정 …5mg/T	1) 1Ⓣ qd, 부수거나 씹지 않고 물로 삼킴 2) 4주 이상 투여 권장되지 않음	1) 합성 glucocorticoid 경구제로 약한 mineralocorticoid 작용을 가짐 2) 위산 저항성 필름코팅과 prolonged release core 형태의 지속장용정으로 대장에 국소적으로 작용 3) 적응증 : 경증 또는 중등증의 활동성 궤양성대장염 치료 4) 흡수 : 21% (GI mucosa에 고농도로 분포) $T_{\frac{1}{2}}$: 2.7hrs 대사 : 간 배설 : 주로 대변	1) 〈1% – 불안, 두통, 졸림 – 구역, 변비, 복통 – 근육경련, 월경과다 – 발열, 인플루엔자 증후군	〈금기〉 1) 유효한 항균제가 없는 감염증, 전신진균증 환자 2) 결핵이나 국소적으로 진균, 바이러스에 감염된 환자 3) 유당 관련 대사장애 환자 4) 수유부, 소아 : 안전성 미확립 〈주의〉 1) 간장애, 신장애 환자 2) 당뇨 환자 3) 위십이지장궤양 환자 4) 중증의 동맥성고혈압 환자 5) 골다공증 환자 6) 부신기능저하증 환자 7) 녹내장, 백내장 환자 8) 임신부 : Category C (초기 3개월 사용 금지) 〈취급상 주의〉 1) 분할, 분쇄 불가

약품명 및 함량	용법	약리작용 및 효능	부작용	주의 및 금기
Mesalazine Asacol DR tab 아사콜디알정 …400mg/T Pentasa SR tab 펜타사서방정 …500mg/T …1,000mg/T	* 아사콜디알정(장용성 서방정) 1) 성인 ① 경증~중등도 활동성 궤양성 대장염 – 초기: 2Ⓣ tid 6주간(Max. 1.6g/D) – 유지: 1Ⓣ tid(Max. 2.4g/D) ② 경증 및 재발성 크론병: 2Ⓣ tid * 펜타사서방정(서방정) 1) 성인 ① 궤양성 대장염 – 급성 발병: 1g qid – 유지: Max. 2g/D ② 크론병: 4g/D 분복 2) 소아(6세 이상): 40kg 미만은 성인 1/2 용량, 40kg는 성인 용량 복용 – 급성 발병: 30~50mg/kg/D 분복(Max. 4g/D) – 유지: 15~30mg/kg/D 분복(Max. 2g/D) * 신기능에 따른 용량조절 참고 – 중증 신장애: 금기	1) 5-Aminosalicylic acid 제제로 sulfasalazine의 활성형으로 대장에서 항염작용을 나타내며, sulfasalazine과 달리 조혈기계 부작용이 없고 RA에는 사용하지 않음. 2) 적응증: 경증~중등도 궤양성 대장염, 크론병의 치료 3) 흡수: 다양(좌제), ~28%(경구, 정제) $T_{\frac{1}{2}}$: 0.5~10hrs(모체), 2~15hrs(대사체) Tmax: 3~7hrs(DR제제, 10~16hrs) 배설: 신장(대사체), 대변(<2%)	1) >10% – 두통, 통증 – 복통, 트림 – 인두염 2) 1~10% – 흉통, 말초부종 – 오한, 현기증, 발열, 불면, 권태 – 발진, 소양증, 여드름 – 소화불량, 변비, 구토, 장염악화, 오심, 고창, 치질, 구토, 직장 통증 – Enema시 삽입부위의 통증 – 저배통, 관절통, 근강직, 근육통, 관절염 – 결막염 – 감기양 증후군, 발한, 기침증가	〈금기〉 1) Salicylic acid 및 그 유도체 성분에 과민한 환자 2) 간, 신장애, 소화성 궤양 환자 3) 혈액응고장애 환자 4) 임신 말기(신생아에게 고빌리루빈혈증 유발) 5) 신생아, 미숙아, 2세 미만 소아 〈주의〉 1) 혈액장애, 기관지천식 2) 다른 약물에 과민증 있는 환자 3) 고령자 4) 임신부: Category B 5) 수유부 〈상호작용〉 1) 혈액응고억제제: 출혈위험 증가 2) Glucocorticoid: 위장관 부작용 증가 3) Sulfonylurea: 혈당강하 작용 상승 4) Methotrexate의 독성 증가 5) Probenecid/sulfinpyrazone : 뇨산배설 감소 6) Spironolactone, furosemide : 이뇨작용 감소 7) Rifampin: 항결핵작용 감소 8) Mercaptopurine : 범혈구감소증 보고됨 〈취급상 주의〉 1) 장용코팅정 및 서방정이므로 분할 및 분쇄 불가함
Mesalazine Pentasa enema 펜타사관장액 …1g/100ml/EA Pentasa supp 펜타사좌약 …1g/EA	* 관장액 1) 100ml(1EA) qd, 취침전 직장내 주입 2) 현탁액으로 사용직전 잘 흔들어서 사용 3) 투여전 화장실에 다녀오는 것을 권장 * 좌약 1) 성인: 1EA qd, 직장내 삽입 2) 이 약 삽입 후 처음 10분 이내에 약이 빠져나온 경우, 새로운 좌약 삽입 가능	1) 높아진 PGE2, LTB4와 HETE의 농도를 정상화시켜 항염증작용 2) 활성 산소기를 제거하고, 지방산의 과산화 억제인자로 작용 3) 궤양성 대장염의 급성발병 치료, 재발방지 및 병소부위가 결장하단부에 국한된 궤양성 대장염 치료에 효과적임. 4) Sulfasalazine의 활성형으로 Sulfasalazine보다 부작용을 줄인 제제 5) 국소적용 제제 특성상 반응시간이 빠르고 경구제에 비해 투여횟수 감소	1) >10% – 두통, 통증 – 복통, 트림 – 인두염 2) 1~10% – 흉통, 말초부종 – 오한, 현기증, 발열, 불면, 권태 – 발진, 소양증, 여드름 – 소화불량, 변비, 구토,	〈금기〉 1) 중증 간장애 및 신장애 환자 2) 소화성 궤양 환자 3) 혈액응고 지연 환자 4) 4주 미만의 신생아 및 미숙아(고빌리루빈혈증 유발 가능) 5) 살리실산, 살리실산염에 과민한 환자 〈주의〉 1) 천식 환자 2) 임신부 : Category B 3) 수유부 : 주의하여 사용가능

약품명 및 함량	용법	약리작용 및 효능	부작용	주의 및 금기
		- 관장액: 직장을 포함한 좌측 침입성 결장염 치료에 사용 가능 - 좌약: 직장염에만 적용 가능, 1g/EA 함량은 서서히 약물이 방출되도록 고안된 제형으로 1일 1회 투여 가능	장염악화, 오심, 고창, 치질, 구토, 직장 통증 - Enema시 삽입부위의 통증 - 저배통, 관절통, 근강직, 근육통, 관절염 - 결막염 - 감기양 증후군, 발한, 기침증가	4) 2~15세 미만 유 · 소아
Micronized Budesonide Entocort enema 엔토코트에네마 …2.3mg/T (첨부용해액 115ml/BT)	1) 1Ⓣ qd, 첨부용해액에 용해하여 취침시 4주간 직장내 투여 후 5분간 엎드려 있어야 함. 2) 조제방법 ① 가용성 정제 1Ⓣ을 첨부용해액 1병에 넣고 최소 10초간 세게 흔듦. ② 조제된 액은 미황색을 띰.	1) 항염효과를 가지는 glucocorticoid로 염증 매개물질(kinins, histamine, liposomal enzymes, PGs, LTs)의 형성 및 유리를 감소시킴. 2) 국소활성이 큰 glucocorticoid 로서 간에서 광범위한 초회통과효과를 거치므로 전신 부작용이 적게 나타남. 3) Enema형으로 대장 및 직장의 염증부위에 적용하여 국소적 항염작용을 나타내도록 고안된 약제임. 4) 적응증 : 궤양성대장염(직장 및 S상 결장)	- 고창, 오심, 설사 - 두드러기, 피진 - 흥분, 수면장애 - 드물게 부신 기능 저하증	〈금기〉 1) 전신 또는 국소 세균, 진균, 바이러스 감염자 2) 수유부 : 안전성 미확립 〈주의〉 1) 전신적 steroids 투여법에서 이 약으로 전환시 부신피질 기능 억제를 피하기 위해 점차 감량할 것 2) 전신적 steroids 투여법에서 이 약으로 전환시 withdrawal symptom이 나타날 수 있음. 3) 수술, 감염 등 스트레스 상태에서 전신적 steroids 대신 사용불가 4) 간기능 장애 환자 5) 소아 : 안전성 및 유효성 미확립 6) 임신부 : Category C 〈상호작용〉 1) 장질환 치료약물과 상호작용하지 않음. 2) Ketoconazole, troleandomycin과 병용시 부세소니드 혈중 농도 상승 〈취급상 주의〉 1) 용해 후 점차적으로 분해되므로 조제 후 즉시 사용함
Sulfasalazine Salazopyrin EN tab 사라조피린EN정	1) 성인 ① 궤양성 대장염 - 2Ⓣ씩, 1일 4~6회 - 증상개선 후 1Ⓣ qid	1) 5-Aminosalicylic acid(5-ASA)와 sulfapyridine의 azo 결합 화합물 2) Sulfapyridine의 항균작용, 5-ASA의 항염작용 이외에도 PG 합성억제, 면역억제작용을 나타냄.	1) >10% - 두통(33%) - 광과민반응 - 식욕부진, 오심, 구토,	〈금기〉 1) Sulfa제에 과민한 환자 2) 임신부 : Category B 3) 수유부 : 안전성 미확립

약품명 및 함량	용법	약리작용 및 효능	부작용	주의 및 금기
…500mg/T	② RA – 초회량: 1Ⓣ qd – 1주마다 1Ⓣ씩 증가 – 유지량: 1Ⓣ bid~qid	3) 적응증: NSADIs로 반응하지 않는 류마티스관절염, 궤양성대장염 4) $T\frac{1}{2}$: 5.7~10hrs 배설: 신장(15~40%)	설사(33%), 복부불쾌감 – 가역적 정자감소증 2) 〈3% – 탈모, 아나필락시스, 재생불량성 빈혈, 운동실조, 결정뇨, 우울, 피부염, 과립구감소, 환각, Heinz body 증후군, 신장병증, 췌장염, 말초신경병증, 소양증, 횡문근융해증, 발작, 피부변색, 스티븐스존슨증후군, 혈소판감소, 갑상선기능 장애, 뇨변색, 두드러기, 혈관염, 현훈	4) 2세 이하의 영아, 미숙아 5) 중증 간부전/신부전, 포르피린증, 조혈기관 질환 환자 6) 장폐색, 요로협착 환자 7) G-6-PD 결핍환자 〈주의〉 1) 혈액질환 환자 2) 간 · 신장애 환자 3) 천식 환자 〈상호작용〉 1) Warfarin과 병용시 PT 연장 2) Methotrexate, sulfonylurea계 약물의 작용을 증강시킴. 3) 결정뇨와 결석형성을 예방하기 위하여 적절한 수분 공급 필요

약품명 및 함량	용법	약리작용 및 효능	부작용	주의 및 금기
Calcium Polycarbophil Sylcon tab 실콘정 …625mg/T (Polycarbophil로서 500 mg)	1) 성인: 2Ⓣ qd~qid (Max. 8Ⓣ/D) 2) 소아(6~12세): 1Ⓣ qd~tid 3) 충분한 양의 물과 복용하지 않을 경우 인후 또는 식도 종창, 막힘, 질식 유발 가능성이 있으므로 반드시 250ml 이상의 물과 함께 복용해야 함.	1) 친수성이 있는 polyarylic resin의 칼슘염으로서 자체 무게의 60배 정도 물을 흡수하여 부피 팽창에 의한 사하 작용 2) 장관내 과도한 수분을 흡수하여 겔형태 또는 정상적인 변형태로 만들어주는 지사작용 3) 경구투여시 위장관에서 흡수되지 않으므로 전신 부작용이 없으며 임신부에게 적용할 수 있음. 4) 만성 변비, 과민성 대장 증후군, 게실 질환시 변비의 보조 요법, 치질환자 장관관리, 임신·병후 회복기·고령자의 변비, 비특이성 설사에 사용함. 5) Onset : 변비 12~72hrs	- 장폐쇄증, 분변매복, 복부통증 - 고칼슘혈증 - 장내가스, 오심	〈금기〉 1) 직장출혈, 탈수, 결장 혹은 배변 무력증, 급성 복부 질환, 장폐색 환자 2) 고칼슘혈증, 신결석, 심부전 환자 〈주의〉 1) 이 약제에 포함된 카라멜 성분에 과민한 환자 2) 6세 미만 소아 : 의사와 상담할 것 3) 충분한 양의 물과 복용 4) 흉부 통증, 구토, 호흡 곤란시 투여 중지 〈상호작용〉 1) Tetracycline의 흡수를 저해할 수 있으므로 복용시 1~2시간의 간격을 두고 복용 2) Digoxin의 작용을 강화시켜 부정맥 유발 가능 3) 위내 pH 상승 약제(PPI, H2-blocker, 제산제): 이 약의 효과 감소
Agiocur 원료 과립 4.08g(차전자 3.9g, 차전자피 0.13g) **Agio granule** 아기오과립 …6g/P	1) 15세 이상 소아 및 성인: 1~2Ⓟ qd, 저녁 식후 복용 2) 물 1~2컵과 함께 복용	1) 차전자, 차전자피 성분의 식이섬유제 (팽창성 하제) 2) 적응증: 변비 및 변비로 인한 식욕부진, 복부팽만, 장내이상발효 치질 증상 완화	- 드물게 알레르기 반응 - 이 약 투여 후 심한 복통, 설사, 구토 발현시 복용 중지	〈금기〉 1) 장폐색 환자 2) 위장관내(특히 기도부근)협착증 및 연하곤란 환자 3) 진단되지 않은 복통, 구역, 구토 환자 4) 15세 미만의 소아 〈주의〉 1) 1주 정도 투여 후에도 증상 개선 없을 경우 복용 중지하고 의사, 약사와 상의 〈상호작용〉 1) 장관운동 억제시키는 지사제(loperamide, diphenoxylate, opioids)와 병용시 장관 폐쇄 일어날 수 있으므로 병용 금기

약품명 및 함량	용법	약리작용 및 효능	부작용	주의 및 금기
Bisacodyl Dulcolax supp 둘코락스좌약 …10mg/EA	1) 성인: 1EA hs, 항문에 삽입 2) 소아(6~12세): 0.5EA hs, 항문에 삽입	1) 대장점막의 sensory nerve ending을 자극하여 대장의 연동운동을 증가시키는 부교감신경 반사를 일으킴. 2) 급만성 변비 및 방사선 치료나 수술, 분만시 배변 목적 및 X선 촬영시 장내 분변 제거로 사용함. 3) Onset: (좌제) 15~60mins 배설 : 주로 대변	- 심한 변비시 간혹 복부경련 - 좌제 사용시 항문 주위 피부염, 출혈, 항문부 동통 - 복통, 구역, 구토, 두통, 전해질 이상	〈금기〉 1) 급성 복부경련 및 복부통 있는 환자 2) 장폐색 환자 3) 구역,구토 동반하는 중증의 복부 통증 환자 4) 경련성 변비 환자 5) 중증의 경결변 환자 6) 급성 복부 수술 상태 7) 항문 열창이 있는 환자 8) 급성 장염 환자 9) 심한 탈수 상태 〈주의〉 1) 장기간 사용으로 전해질 손실 초래 2) 이 약의 사용이 통증이나 국소 자극을 유발할 수 있으며, 궤양성 치질 환자는 특히 주의 요함. 3) 임신부 : Category A(호주) 4) 수유부: 안전성 미확립 〈상호작용〉 1) 이뇨제, 부신 피질 호르몬제와 함께 이 약을 과량 투여시 전해질 불균형 위험 증가
Bisacodyl, Docusate sodium **Duolax tab** 듀오락스정 …5+16.75mg/T	1) 성인: 2Ⓣ hs 2) 소아 - 11~14세: 1~2Ⓣ hs - 7~10세: 1Ⓣ hs	1) 대장점막의 sensory nerve ending을 자극하여 대장의 연동운동을 증가시키는 부교감신경 반사를 일으킴. 2) 적응증: 변비, 변비에 따른 식욕부진, 복부팽만, 장내이상발효, 치질 증상 완화 3) Onset(경구): 6~12hrs (아침 식전 복용시 6시간 이내 배변) 흡수 : 〈5% 배설 : 대변(extensive) 신장(minimal)	- 심한 변비시 간혹 복부경련 - 좌제 사용시 항문 주위 피부염, 출혈, 항문부 동통 - 복통, 구역, 구토, 두통, 전해질 이상	〈금기〉 1) 급성 복부경련 및 복통 환자, 장폐색 환자 2) 알칼리성 제산제나 우유와의 병용 : 장용제피가 신속히 분해되어 위장, 소장점막에 자극 유발 3) 7세 미만의 영유아 〈주의〉 1) 장기간 사용으로 전해질 손실초래 2) 이 약의 사용이 통증이나 국소 자극을 유발할 수 있으며, 궤양성 치질 환자는 특히 주의 요함. 3) 임신부 : Category A(호주) 〈상호작용〉 1) 이뇨제, 부신 피질 호르몬제와 함께 이 약을 과량 투여시 전해질 불균형 위험 증가

5장. 소화기계 ……………8. Laxatives ……………(3) Enemas

약품명 및 함량	용법	약리작용 및 효능	부작용	주의 및 금기
Docusate sodium, D-Sorbitol **Yal solution** 얄액 …10mg+13.4g/EA (67.5ml/EA)	1) 1회 1~2EA 사용 2) 사용 전 거품이 생길 때까지 강하게 흔든 후 관장	1) Docusate Na의 계면활성 효과와 sorbitol의 삼투 효과를 이용한 복합완하제 2) Docusate Na : 변을 분해 세정 D-Sorbitol : 대변에 수분 저류 3) 투여 후 10~30분 이내 배변 작용 4) 적응증: 직장과 S상결장 등의 위장관 진단검사시의 전처치, 직장 등의 위장관에 대한 외관적 수술의 전처치, 불응성 변비의 1차 치료제	- 복통, 오심, 설사 - 쇠약, 근무력(이뇨제, 부신피질 호르몬제 병용시) - 전해질 불균형	〈금기〉 1) 장폐색, 유전성 과당 불내성 환자 2) 물, 전해질 균형이상, 복통, 장폐색 의심되는 환자 3) 항문출혈, 장천공, 급성위장염 환자 4) 유소아 〈주의〉 1) 가능한 단기간 사용 2) 임신부 : Category C
Dibasic sodium phosphate, Monobasic sodium phosphate **Colclean-S enema** 콜크린에스액 …60+160mg/ml (133ml/EA)	* Enema 대장수술 또는 응급복부 수술, 대장조영술, 장내시경시 전처치, 경구로 효과가 없는 변비 1) 성인: 1EA(118ml) qd 2) 소아: 1/2EA(59ml) qd	1) 염류성 하제 2) 삼투압 차이에 의한 사하 작용으로, 변비시 하제로 사용함. 3) 각종 수술, 검사시 전처치, 경구로 효과가 없는 변비에 사용함. 4) 관장 후 2~15분 이내 변 배출	1) 거대 결장증 소아 - 탈수증, 혈청나트륨 농도상승 2) 신부전 환자 - 혈청인산염 농도상승, 혈청칼슘 농도감소	〈금기〉 1) 3세 미만 소아 2) 선천성 거대결장증 또는 울혈성 심부전 환자 3) 신질환 또는 나트륨제한 식이요법 환자 〈주의〉 1) 의사 지시없이 1주 이상 사용 금지 2) 임신부 및 수유부 3) 신부전 환자 (저칼슘혈증, 고인산혈증, 고나트륨혈증, 산성증 발현가능)

5장. 소화기계 ……………8. Laxatives ……………(4) Osmotically acting laxatives

약품명 및 함량	용법	약리작용 및 효능	부작용	주의 및 금기
Dibasic sodium phosphate, Monobasic sodium phosphate **Phospanol soln** 포스파놀액 …180+480mg/ml (90ml/BT)	1) 성인: 20ml qd 2) 소아 - 5~10세: 5ml qd - 10~12세: 10ml qd - 12세 이상: 20ml qd 2) 공복(기상전후, 식사전 30분 이내 또는 취침전) 복용 권장하며, 위의 용량을 냉수 반컵(118ml)에 희석하여 마신후 다시 한컵(236ml)의 냉수 복용	1) 염류성 하제 2) 삼투압 차이에 의한 사하 작용으로, 변비시 하제로 사용함. 3) 장세척 목적으로 사용시 전해질 교란 및 신장 손상을 일으킬 수 있어 사용하지 않음.	- 수분 및 전해질 불균형 (특히, 거대결장인 소아에게 탈수 주의) - 혈청 인산염 농도상승, 혈청 칼슘농도 감소 - 오심, 구토, 복통 (발현시 의사 지시없이 복용 금함)	〈금기〉 1) 선천성 거대결장 환자 2) 울혈성 심부전 환자 3) 5세 이하의 소아 〈주의〉 1) 신장애 환자 2) 임신부 : (phosphate의 경우) Category C 3) 탈수증, 교정되지 않는 전해질 이상, 혈량저하증, 장통과시간 증가 환자, 활동성 대장염 환자 4) 55세 이상

약품명 및 함량	용법	약리작용 및 효능	부작용	주의 및 금기
				〈상호작용〉 1) 인산나트륨을 함유하는 하제와 병용투여 피할 것 2) ACE 저해제, 안지오텐신 수용체 차단제, 비스테로이드성 소염진통제
Lactitol Monohydrate Potalac powder 포탈락산 …20g/P (열량: 2kcal/g) Lactitol powder 락티톨산 …20g/P (열량: 2kcal/g)	* 포탈락산(변비) 1) 성인: – 초회량: 20g qd – 유지량: 10g qd 2) 소아: 0.25g/kg/D ① 1–6세: 2.5~5g/D ② 6–12세: 5~10g/D ③ 12–16세: 10–20g/D 3) 물 또는 냉 · 온 음료, 시리얼, 푸딩 등과 함께 복용 가능 * 락티톨산(간성혼수) 1) 성인: 0.5~0.7g/kg/D #3 (Max. 72g/D) 2) 필요시 용액으로 만든 후 L–tube를 사용하여 주입 가능 3) 물 또는 냉 · 온 음료, 시리얼, 푸딩 등과 함께 복용 가능	1) 합성 수용성 이당류로 위장관 하부에 작용하여 장내 세균총에 의해 대사됨. 2) 유산균 증식 및 유기산 생성을 통해 장내 pH를 낮추어 암모니아 생성과 흡수를 감소시킴. 3) 장으로 수분 흡수가 증가되는 삼투압 작용에 의해 장 통과 시간을 감소시키고 연동 운동을 촉진시킴. 4) 열량이 거의 없고 혈당치에 대한 영향이 없으므로 당뇨환자에게 적용 가능 5) 적응증 ① 포탈락산 : 변비 ② 락티톨산: 급–만성 문맥계 뇌병증의 간성혼수 개선 6) 대사: 대장(박테리아에 의해 대사됨) 배설: 대부분 대변	– 치료 초기 : 복부불쾌감, 방귀 – 과량 복용시 : 오심, 구토, 복명, 설사	〈금기〉 1) 장폐색 환자, 갈락토스 혈증, 소화장기 손상, 원인불명의 복통, 출혈, 숙변이 있는 환자, 회장 또는 직장 절개 환자 〈주의〉 1) 임신부, 수유부: 안전성 미확립 2) 영,유아 및 소아(이 약 투여할 경우 배변 반사작용의 정상적인 기능을 저해할 수 있음) 3) 고령자 (장기 투여시 혈청 전해질 모니터링) 4) 체액 및 전해질 불균형 환자 〈상호작용〉 1) 제산제, neomycin : 변의 산성화 효과 중화 가능, 병용 금지 2) 이 약은 Thiazide계 이뇨제, corticosteroid류, carbenoxolone, amphotericin B에 의한 칼륨 손실 작용 증가시킬 수 있음. 〈취급상 주의〉 * 락티톨산 L–tube 적용 1) 40% 용액 조제 : 이 약 200g를 뜨거운 증류수 200ml로 녹이고, 차가운 증류수를 부어 500ml를 만듬(1~2ml/kg/D). 2) 용해된 약제는 가능한 즉시 사용하도록 함.
Magnesium hydroxide Magmil tab 마그밀정 …500mg/T	1) 성인 ① 제산제: 1~2.5g 분할 투여 ② 완하제: 1~2g #1~2 * 신기능에 따른 용량 조절 참고 – CrCl 〈25ml/min : 혈중 마그네슘 농도 모니터링 필요	1) 제산작용 : 위, 십이지장 궤양, 위염, 위산과다 2) 완하작용 3) 점막에 대한 수렴, 국소 피복작용	– 대사 이상 – 고마그네슘혈증 (ECG변화, mental depression, 오심, 구토, 혼수) – 설사	〈금기〉 1) 신장애 환자 2) 설사 환자 〈주의〉 1) 심기능장애 환자 2) 고마그네슘혈증 환자 〈상호작용〉

약품명 및 함량	용법	약리작용 및 효능	부작용	주의 및 금기
	- 중증 신부전: 투여금기			1) Tetracycline과 병용투여하지 않도록 함. 2) 다량의 우유, 칼슘 제제와 병용시 우유-알칼리 증후군 주의
Lactulose Duphalac-Easy syr 듀파락-이지시럽 …1.34g(0.67g)/ml, 15ml/P Duphalac syr 듀파락시럽 …1.34g(0.67g)/ml, 15ml/P	* 듀파락시럽 1) 만성 문맥계 뇌증에 있어서의 간성혼수: ① 경구 : 30~50ml tid ② Retention enema : 이 약 300ml를 700ml 정제수와 혼합한 후 30~60분간 직장내 정체시킴. 4~6시간마다 반복 2) 간성혼수의 예방: 25ml tid * 듀파락 이지시럽 1) 만성변비 : 1일 1회 아침식사전 복용 ① 성인 : - 15~30ml/D, 3일후 10~15ml/D (Max. 45ml/D) ② 소아 - 7~14세: 15ml/D, 3일후 10ml/D - 1~6세: 5~10ml/D - 12개월 미만: 5ml/D	1) 장내세균(Saccharolytic bacteria)에 의해 저분자 유기산으로 분해되어 대장 내부의 pH를 저하시킴. 2) 장내 암모니아 생성균의 증식을 억제하며, 생성된 암모니아 및 아민류의 체내흡수를 방지하므로 간성 뇌질환과 관련된 제증상을 예방함(다량에서). 3) 적응증 ① 듀파락시럽 : 만성 문맥계 뇌증(Chronic PSE)에 있어서의 간성혼수의 치료 및 예방 ② 듀파락이지시럽 : 변비 4) 대사 : 대장	- 고창, 복부불쾌감 - 유아에서 탈수현상 - 과량복용시 오심, 구토, 설사	〈금기〉 1) 저갈락토즈식이 환자 2) 염증성 대장 질환 환자(궤양성 대장염, 크론병) 3) 위장관 폐색 환자 4) 원인 불명의 복통 환자 5) 유당 불내성 환자 〈주의〉 1) 본제는 galactose와 lactose를 함유하고 있으므로 당뇨환자 주의 요함. 2) 문맥계 뇌질환 환자 3) 간손상 환자 4) 다른 완하제 복용환자 5) 임신부 : Category B 6) 연변 또는 설사 발생시에는 감량 또는 중지 〈상호작용〉 1) Acarbose 등 α-glucosidase 저해제와 병용시 소화기계 이상반응 2) 이뇨제, corticoid, amphotericin B와 병용시 본제의 효능 감소 3) 강심배당체와 병용투여시 독성 증가 가능 4) 제산제와 병용투여시 본제의 효능 감소
1Ⓟ 중 Polyethylene glycol 3350 13.125g, Sodium chloride 350.7mg, Sodium bicarbonate 178.5mg, Potassium chloride 46.6mg	1) 12세 이상의 소아 및 성인: 1~3Ⓟ/D 분할 복용 2) 1포를 125ml의 물에 녹여서 복용 3) 변비치료 목적으로 2주 이상 복용하지 않도록 함(단, 이차성 변비환자의 경우 지속투여 가능)	1) 삼투성 완하제 2) PEG 3350의 삼투작용으로 배변을 촉진시킴 3) 적응증: 만성 변비 4) Onset: 1~4days 배설: 대변(93%)	(빈도 미확립) - 알레르기반응, 혈관부종, 호흡곤란, 발진, 두드러기, 소양증 - 고칼륨혈증, 저칼륨혈증 - 두통 - 복부 통증, 설사, 오심, 구토, 소화불량,	〈금기〉 1) 장천공 또는 장폐색 환자 2) 중증의 염증성 장질환 환자 〈주의〉 1) 12세 미만 소아 2) 임부: Category C 3) 수유부: 안전성 미확립 〈상호작용〉 1) 위장관 통과 속도를 증가시켜 경구투여 약물의 흡수를 저해할 수 있음

약품명 및 함량	용법	약리작용 및 효능	부작용	주의 및 금기
Movilax powder 모비락스산 …/P			복부팽만, 항문불편 - 말단부종	〈취급상 주의〉 1) 물로 조제한 용액은 냉장보관(2~8℃) 시 6시간까지 사용 가능(뚜껑을 덮어 보관)

약품명 및 함량	용법	약리작용 및 효능	부작용	주의 및 금기
Prucalopride succinate Resolor tab 레졸로정 …1mg/T …2mg/T	1) 성인: 2mg qd (Max. 2mg/D) - 4주간 투여 후 치료 지속여부 재평가 2) 65세 이상 고령자: 초회 1mg qd, 필요시 2mg qd로 증량 가능 3) 중증 간장애(Child-Pugh class C): 1mg qd * 신기능에 따른 용량 조절 참고 - GFR 〈 30ml/min/1.73m^2 : 1mg qd	1) Highly selective serotonin 5-HT4 agonist 2) 위장관 운동 촉진에 관여하는 5-HT4 수용체를 자극, proximal colonic emptying을 개선하여 대장의 연동 운동을 촉진함 3) 적응증: 완하제 투여로 증상완화에 실패한 성인에서 만성변비 증상의 치료 4) BA : 〉90% Peak : 2~3hrs T½ : ~24hrs 배설 : 신장(55~74%), 대변(4~8%)	1) ≥10% - 두통 - 오심, 복통, 설사 2) 1~10% - 심계항진 - 현기증, 피로, 발열, 실신 - 빈뇨 - 상복부 통증, 복부팽만, 구토, 소화불량, 이상 장음, 식욕부진, 위장염 - 근경련	〈금기〉 1) 투석이 필요한 신장애 환자 2) 장천공, 장폐쇄 및 폐색증, 장관의 중증 감염, 궤양성 대장염 및 독성 거대결장/거대직장 환자 3) 유당 관련 대사장애 환자 〈주의〉 1) 18세 미만 소아: 투여 권장하지 않음 2) 임신부: 투여 권장하지 않음 3) 수유부: 투여 권장하지 않음(유즙으로 분비) 4) 중증 신, 간장애 환자 : 감량 투여 5) QTc 연장 약물과의 병용 6) 복용 초기 운전 및 기계조작 주의(어지러움) 〈상호작용〉 1) P-glycoprotein/ABCB1 Inhibitors: 혈중 농도 증가 2) 피임약(Estrogens, progestins): 피임 효과 감소

약품명 및 함량	용법	약리작용 및 효능	부작용	주의 및 금기
Coridalis tuber, Pharbitis seed (5:1) 50% ethanol extract Motilitone tab 모티리톤정 …30mg/T	1) 성인: 1Ⓣ tid 식전 복용	1) 현호색 : 견우자(5:1) 추출물 2) D2 antagonist로 5-HT1,4 항진 작용 3) Acetylcholine의 분비를 증가시켜 평활근 수축, 위장관 운동 자극 4) 적응증 : 기능성 소화불량증	1) 1~10% - 변비(2.2%), 설사(1.7%) - Prolactine 레벨 상승(1.7%) - 가려움증(1.3%) - ALT상승(1.3%) 2) <1% - 혈중 아밀라제 상승 - 어지럼증 - 심계항진 - 발진, 두드러기, 피부 동통 - GGT, AST, LDH 상승 - CPK 상승	〈금기〉 1) 유당 관련 대사장애 환자 2) 임신부, 수유부, 소아 : 안전성 미확립 〈주의〉 1) 4주 투여 후 증상의 개선이 없을 시 치료요법의 전환 고려 〈상호작용〉 1) 항콜린제와 병용 시 효과 감소 2) 한의서에 따르면 견우자와 파두유를 같이 사용하지 않음.
Levosulpiride Levopride tab 레보프라이드정 …25mg/T	1) 성인: 1Ⓣ tid 식전 복용	1) 중추 및 위장관내 장관신경총에 이중적으로 작용하는 Dopamin2-receptor길항제 2) D2-receptor 차단으로 장운동 촉진뿐 아니라 antipsychotic, antidepressant, antiemetic, sedative 효과도 나타냄. 3) 기능성 소화불량에서의 효과 metoclopramide ≒ levosulpiride 4) Tmax : 3~4hrs $T\frac{1}{2}$: 6~10hrs 배설 : 신장(70~90%)	- 추체외로 증상 - 구갈, 구토, 설사, 속쓰림 - 간뇌의 내분비 조절 이상 - 고혈압 - 악성신경마비 증후군	〈금기〉 1) 임신부, 수유부: 안전성 미확립 2) 위장관출혈, 천공 3) 갈색세포종 환자 4) 간질 및 조울증 초기 단계 5) 악성유선종 환자 〈주의〉 1) 간뇌 내분비 기능 이상으로 프로락틴 분비 증가에 의한 유즙 누출 가능 2) 집중력을 요하는 작업시 주의 3) 고혈압 환자 4) 고령자 5) 소아: 신중투여 〈상호작용〉 1) 항콜린효능약, 마약, 진통제: 이 약에 대한 길항작용 있을 수 있음.

약품명 및 함량	용법	약리작용 및 효능	부작용	주의 및 금기
				2) Digitalis: 구역, 구토, 식욕부진 3) Metoclopramide: 추체외로 증상 4) 알코올: CNS 부작용
Mosapride citrate Gasmotin tab 가스모틴정 …5mg/T	1) 성인: 1Ⓣ tid	1) 선택적 serotonin 5-HT4 agonist 2) 위장관 운동 촉진에 관여하는 serotonin 5-HT4 수용체를 자극하여 부교감 신경 말단으로부터 acetylcholine의 유리를 촉진시켜 소화관 운동을 항진시킴. 3) 기능성 소화불량(만성위염)에 수반하는 소화기능 이상(가슴쓰림, 오심, 구토)에 사용함. 4) Dopamine 차단 작용이 없어 유즙 분비, 추체외로 등의 부작용이 거의 없음. 5) Tmax : 0.5~1hr 지속시간 : 8hrs 대사 : 주로 간의 CYP3A4 $T\frac{1}{2}$: 1.4~2.0hrs	- 설사 · 연변(1.8%), 구갈(0.5%), 권태감 (0.3%) - 간기능장애(0.1% 미만) : AST, ALT, γ-GTP 상승 - 기타 : 과민증(부종, 발진, 담마진), 심계항진, 현훈, 휘청거림, 두통, 호산구증가, 중성지방의 상승	〈금기〉 1) 위장부위의 천공, 폐쇄, 출혈이 있는 환자 2) 수유부: 동물실험에서 유즙 분비 보고 〈주의〉 1) 심질환자 2) 간 및 신기능 부전 환자 3) 임신부, 소아 : 안전성 미확립 〈상호작용〉 1) 항콜린제와 병용시 작용이 감소하므로 복용간격을 두어야 함.

약품명 및 함량	용법	약리작용 및 효능	부작용	주의 및 금기
Orlistat Lipidown cap 리피다운캡슐 …120mg/C	1) 1ⓒ tid 2) 식사와 함께 또는 식사 후 1시간 이내 복용(식사를 거르거나 지방 함유 식사를 하지 않는 경우 복용하지 않아도 됨) 3) 지용성 비타민의 흡수도 저해하므로 이 약물 투여 중 지용성 비타민을 보충할 것을 권장함. 4) 지용성 비타민 제제를 병용할 경우 비타민은 이 약제 투여와 2시간 이상 간격을 두고 복용하도록 함.	1) 위장관에서 지방분해 효소(lipase)의 가역적 억제제 2) Lipase를 저해함으로써 triglyceride 형태의 식이성 지방의 가수분해를 차단하여 체내흡수를 저해함으로써 체중감소 효과를 나타내며, 식욕억제 작용은 없음. 3) 적응증 : 체질량 지수(BMI) 30kg/㎡ 이상 또는 다른 위험 인자(고혈압, 당뇨, 이상 지방혈증)가 있는 27kg/㎡ 이상 비만 환자 4) Onset (obesity) : 2wks 배설 : 대변(약 97%)	1) >10% – 두통, 유상반점변, 복통, 복부팽만, 지방변, 배변빈도 증가, 저배통, 상기도 감염 2) 1~10% – 피로감, 불안, 수면곤란, 피부건조, 생리불순, 대변실금, 오심, 항문통, 구토, 관절염, 근육통, 이염	〈금기〉 1) 만성 흡수 불량 증후군 환자 또는 담즙 분비 정지환자 2) 기질적 비만원인(갑상선기능 저하증 등)에 의한 환자는 처방대상에서 제외함. 3) 수유부 및 12세 이하 소아: 안전성 미확립 4) 임신부 : Category X 〈주의〉 1) 식이지침을 준수할 것 2) 고지방 식이와 병용시 위장관 부작용이 증가할 수 있음. 3) 신결석력이 있는 환자 4) 간 기능 이상 징후가 나타나면 복용을 중단하고 간 기능 검사 실시 〈상호작용〉 1) 다음 약물의 혈중 농도 저하 : cyclosporin(동시복용 금지, 2시간 이상 간격두고 복용), β-carotene (흡수율 30%감소), Vit.E(흡수율60% 감소), amiodarone, levothyroxine 2) 다음 약물의 혈중 농도 상승 : pravastatin, wafarin (비타민 K 흡수 감소로 INR 상승 가능함)
자가지방 유래 중간엽 줄기세포 Cupistem inj 큐피스템주 …3X10^{7}개/1ml/V	1) 누공관 표면적1cm^{2}당 1×10^{7}cells 투여 2) 누공 직경 – 1cm 이하: 누공 길이(cm) 당 1ml(3x10^{7}cells) 투여 – 1~2cm: 누공 길이(cm) 당 2ml(6x10^{7}cells) 투여 3) 누공관에 있는 농양 및 육아조직을 제거하고 내공을 봉합한 후 내공주변과 누공관 점막 하에 투여, 필요 시 피브린글루(fibrinogen+thrombin)와 혼합하여 투여	1) 자가지방 유래 중간엽 줄기세포 (mesenchymal stem cell) 2) 작용기전 ① 지방유래 중간엽 줄기세포가 갖는 다분화능을 이용하여 항문누공의 손상된 조직을 재생 ② T cell의 활성과 증식을 억제하여 항염증 효과를 나타내며 TNF-α, INF-γ의 분비를 억제하여 면역 활성을 억제함. 3) 적응증: 크론병으로 인한 누공 치료 4) 환자 본인의 지방을 채취한 후 일정기간(약 3주) 배양	1) >50% – 수술 후 통증 (60.47%) 2) 10~50% – 항문 통증, 항문 염증 3) 1~10% – 항문 출혈, 복통, 빈혈, 감기, 항문 통증, 항문 열창, 가슴앓이, 국소부종	〈금기〉 1) 우단백에 과민한 환자 2) 중증의 활동성 크론병 환자 〈주의〉 1) 임신부, 수유부, 만 18세 미만 소아, 만 70세 초과 고령자: 안전성 미확립 〈취급상 주의〉 1) 투여 직전에 세포를 재현탁하여 사용 2) 유효기간: 제조일시로부터 24시간 3) 보관방법: 5~20℃ 전용 운반용기에 보관

6장. 비뇨기계(Urinary system)

약품명 및 함량	용법	약리작용 및 효능	부작용	주의 및 금기
Avanafil Zepeed tab 제피드정 …100mg/T …200mg/T	1) 성교 약 30분 전에 100mg qd (Max. 1일 1회) 2) 내약성과 유효성 고려하여 200mg qd까지 증량 가능	1) GMP selective phosphodiesterase-5(PDE5) inhibitor 2) 음경해면체 내의 PDE5를 억제하여 c-GMP의 양을 증가시키고 이는 평활근을 이완시켜 약리효과를 나타냄. 3) 적응증: 발기부전의 치료 4) Onset: 15~30mins 지속시간: 6hrs Peak: 30~45mins Tmax: 20~60mins $T_{\frac{1}{2}}$: 7~10hrs 〈상호작용〉 1) CYP450 3A4 저해제(ketoconazole, ritonavir 등): 이 약의 혈중 농도 증가 2) CYP450 3A4 유도제(rifampicin 등): 이 약의 혈중 농도 감소 3) 자몽쥬스: 이 약의 혈중 농도 증가 4) α-blockers: 혈압 강하 작용 증가	1) 1~10% - 안면홍조, 심계항진 - 두통, 현기증 - 오심 2) 〈1% - 흉부불편, 흉통, 피로 - 편두통 - 설사, 소화불량, 속쓰림, 오심 - 이명 - 빌리루빈 증가 - 두드러기 - 눈충혈, 결막염, 시각이상	〈금기〉 1) 질산염 제제 복용자 2) 불안정형 협심증 또는 중증 심부전 같은 중증 심혈관질환자, 6개월 이내 뇌졸중, 일시적 허혈성 발작, 심근경색증, 관상동맥 우회수술 병력 3) 저혈압(안정시 90/50mmHg 미만) 또는 조절되지 않는 고혈압(안정시 170/100mmHg 초과), 조절되지 않는 부정맥 환자 4) 색소성 망막염, 유전적인 퇴행성 망막질환자, 비동맥 전방허혈성시신경증으로 시력 소실된 환자 5) 중증 간부전 및 신부전 환자 6) 다른 발기부전치료제와의 병용 7) 여성, 18세 이하 소아 〈주의〉 1) 음경 기형, 지속발기증의 소인이 있는 환자, 증식성 당뇨병성 망막증, 출혈이상, 활동성 소화궤양, 조절되지 않는 당뇨 환자 2) 갑작스런 시력상실 , 청력감퇴 및 난청 발생 3) 운전 및 기계조작 주의(어지러움) 4) 임신부 : Category C
Mirodenafil HCl Mvix S ODF 엠빅스에스구강붕해필름 …50mg/EA …100mg/EA	1) 성교 약 1시간 전에 50mg 또는 100mg 1일 1회 투여 (Max. 100mg qd) 2) 경우에 따라 4시간~30분 전에 투여 가능 3) 물 없이 혀 위에 놓고 녹여서 복용	1) 기전 및 적응증 : avanafil 참고 2) Onset : 30~60mins Tmax : 40~80mins 지속시간 : 4~6hrs $T_{\frac{1}{2}}$: 2.8hrs(ODF) 〈상호작용〉 1) CYP450 3A4 저해제(Ketoconazole, ritonavir 등) : 이 약의 혈중 농도 증가 2) CYP450 3A4 유도제(rifampicin 등) : 이 약의 혈중 농도 감소 3) 자몽쥬스 : 이 약의 혈중 농도 증가	1) 〉10% - 홍조 2) 1~10% - 두통, 안충혈, 오심, 어지러움, 소화불량, 눈꼽, 가려움, 두드러기	〈금기〉 1) 질산염(nitrate)제제 복용자 2) 불안정형 협심증 또는 중증 심부전 같은 중증 심혈관질환자, 6개월 이내 뇌졸중, 일시적 허혈성 발작, 심근경색증, 관상동맥 우회 수술 병력 3) 저혈압 또는 조절되지 않는 고혈압, 부정맥 환자 4) 색소성 망막염, 유전적인 퇴행성 망막질환자, 비동맥 전방허혈성시신경증으로 시력 소실된 환자 5) 중증 간부전 및 신부전 환자 6) 다른 발기부전치료제와의 병용 7) 여성, 18세 이하 소아

약품명 및 함량	용법	약리작용 및 효능	부작용	주의 및 금기
		4) α-blockers : 혈압 강하 작용 증가		〈주의〉 1) 음경 기형, 지속발기증의 소인이 있는 환자, 증식성 당뇨병성 망막증, 출혈이상, 활동성 소화궤양, 조절되지 않는 당뇨 환자 2) 갑작스런 시력상실 , 청력 감퇴 및 난청 발생 3) 운전 및 기계조작 주의(어지러움)
Sildenafil citrate Viagra tab 비아그라정 …50mg/T …100mg/T Viagra L ODF 비아그라엘 구강붕해필름 …50mg/EA …100mg/EA **Sildenafil** Palpal chewable tab 팔팔츄정 …25mg/T …50mg/T	1) 성교 약 1시간 전에 25~50mg을 1일 1회 투여 2) 경우에 따라 4시간전~30분 전에 투여 가능 3) 츄어블정 : 물 없이 씹어서 복용 가능 4) ODF(구강붕해필름): 물 없이 혀 위에 놓고 녹여서 복용 * 신기능에 따른 용량조절 참고 CrCl ≤30ml/min : 초회용량 25mg	1) GMP selective phosphodiesterase-5(PDE5) inhibitor로 발기부전 치료제 2) 음경해면체에 대한 직접적인 이완작용은 없으나 음경 해면체내의 c-GMP를 분해시키는 PDE5 억제를 통해 약리 효과를 나타냄. 3) 적응증 : 발기부전의 치료 4) 허가사항 적응증 외에 pulmonary arterial hypertension에 사용할 수 있음. 5) Onset : 10~40mins Tmax : 30mins~2hrs 대사 : 간 $T_{\frac{1}{2}}$: 4hrs 배설 : 신장(13%), 대변(80%) 〈상호작용〉 1) CYP450 3A4 저해제(Ketoconazole, ritonavir 등) : 이 약의 혈중 농도 증가 2) CYP450 3A4 유도체(rifampicin 등) : 이 약의 혈중 농도 감소 3) 자몽쥬스 : 이 약의 혈중 농도 증가 4) α-blockers : 혈압 강하 작용 증가 5) Amiodarone : QTc연장 작용 증가	1) >10% - 두통 - 소화불량 - 시각 이상(100mg 투여시) 2) 1~10% - 홍조 - 어지러움 - 발진 - 요로감염 - 시야몽롱 - 비충혈	〈금기〉 1) 질산염(nitrate)제제 복용자 2) 불안정형 협심증 또는 중증 심부전 같은 중증 심혈관질환자, 6개월 이내 뇌졸중, 일시적 허혈성 발작, 심근경색증, 관상동맥 우회 수술 병력 3) 저혈압 또는 조절되지 않는 고혈압, 부정맥 환자 4) 색소성 망막염, 유전적인 퇴행성 망막질환자, 비동맥성전방허혈성시신경증으로 시력이 소실된 환자 5) 중증 간부전 및 신부전 환자 6) 다른 발기부전 치료제와의 병용 7) 여성, 18세 이하 소아 〈주의〉 1) 음경 기형, 지속발기증의 소인이 있는 환자, 증식성 당뇨병성 망막증, 출혈이상, 활동성 소화궤양, 조절되지 않는 당뇨 환자 2) 갑작스런 시력상실, 청력 감퇴 및 난청 발생 3) 운전 및 기계조작 주의(어지러움) 4) 임신부 : Category B
Tadalafil Cialis tab 시알리스정 …5mg/T	* 10mg/T, 20mg/T 1) 적어도 성교 30분전에 10mg을 투여함. 2) 최대용량 : 20mg/D	1) Phospodiesterase 5(PDE5)에 대한 선택적, 가역적 억제제로서 성적자극에 대한 NO 매개 반응을 촉진시키며, 세포내 cGMP의 축적을 증가시킴으로써 발기유도와 유지에 관여함. 2) 적응증	1) > 10% - 두통(3~15%) 2) 2~10% - 홍조, 저혈압 - 소화불량	〈금기〉 1) 질산염(nitrate)제제 복용자 2) 불안정형 협심증 또는 중증 심부전 같은 중증 심혈관질환자, 6개월 이내 뇌졸중, 일시적 허혈성 발작, 심근경색증, 관상동맥 우회 수술 병력

약품명 및 함량	용법	약리작용 및 효능	부작용	주의 및 금기
…10mg/T …20mg/T	* 5mg/T 1) 1일 1회 5mg, 매일 같은 시간에 복용 2) 필요시 복용 용량인 10mg, 20mg에 반응하고 시알리스의 빈번한 사용이 (주 2회 이상) 기대되는 환자에게 적절 * 신기능에 따른 용량 조절 참고 1) 경증~중등도 장애 : 용량조절 불필요 2) 중증이상 : Max. 10mg	① 10mg, 20mg/T : 발기부전의 치료 ② 5mg/T : 발기부전의 치료, 양성 전립선 비대증의 징후 및 증상의 치료 3) 허가적응증 외에 pulmonary arterial hypertension에 사용할 수 있음 4) Tmax : 2hrs Onset : 30~45mins 지속시간 : single dose ~36hrs, multiple dose ~24hrs 배설 : 대변(61%), 신장(36%) $T\frac{1}{2}$: 17.5hrs 〈상호작용〉 1) CYP450 3A4 저해제(ketoconazole, ritonavir 등)에 의해 혈중 농도 증가 2) CYP450 3A4 유도제(rifampicin 등)에 의해 혈중 농도 감소 3) 자몽쥬스 : 이 약의 혈중 농도 증가 4) α-blockers : 혈압 강하 작용 증가	- 요통, 근육통, 사지통 - 상기도 감염, 비충혈 3) 〈2% (serious) - 협심증, 흉통, 심근경색, 빈맥 - Stevens-Johnson syndrome - 뇌출혈, 뇌혈관 사고 - non-arteritic ischemic optic neuropathy(NAION), 망막동맥폐쇄, 망막정맥혈전 - 청력 감소, 청력 소실	3) 저혈압 또는 조절되지 않는 고혈압, 부정맥 환자 4) 색소성 망막염, 유전적인 퇴행성 망막질환자, 비동맥 전방허혈성시신경증으로 시력 소실된 환자 5) 중증 간부전 및 신부전 환자 6) 다른 발기부전치료제와의 병용 7) 여성, 18세 이하 소아 〈주의〉 1) 음경 기형, 지속발기증의 소인이 있는 환자, 증식성 당뇨병성 망막증, 출혈이상, 활동성 소화궤양, 조절되지 않는 당뇨 환자 2) 갑작스런 시력상실 , 청력 감퇴 및 난청 발생 3) 운전 및 기계조작 주의(어지러움) 4) 임신부 : Category B 5) 5mg qd 용법은 2년 6개월 이상의 임상데이터 없음.
Udenafil Zydena tab 자이데나정 …100mg/T …200mg/T	1) 성행위 약 30분~12시간 전 초회권장량 100mg을 1회 투여 (Max. 1일 1회) 2) 100mg에 대한 내약성 확인된 경우에만 200mg으로 증량 가능.	1) GMP selective phosphodiesterase-5 (PDE5) inhibitor 계열의 발기부전 치료제로서, 음경해면체 내의 c-GMP를 분해시키는 PDE5 억제를 통해 약리 효과를 나타냄. 2) 적응증 : 남성 발기부전의 치료 3) Onset : 30~40mins Tmax : 1hr 지속시간 : 〉 12hrs $T\frac{1}{2}$: 12hrs 〈상호작용〉 1) CYP450 3A4 저해제(Ketoconazole, ritonavir 등) : 이 약의 혈중 농도 증가 2) CYP450 3A4 유도체(rifampicin 등) : 이 약의 혈중 농도 감소	1) 〉10% - 안면홍조 2) 1~10% - 두통, 열감, 흉부불편감, 비충혈, 안구충혈, 소화불량, 위부불쾌감	〈금기〉 1) 질산염(nitrate)제제 복용자 2) 불안정형 협심증 또는 중증 심부전 같은 중증 심혈관질환자, 6개월 이내 뇌졸중, 일시적 허혈성 발작, 심근경색증, 관상동맥 우회 수술 병력 3) 저혈압 또는 조절되지 않는 고혈압, 부정맥 환자 4) 색소성 망막염, 유전적인 퇴행성 망막질환자, 비동맥 전방허혈성시신경증으로 시력 소실된 환자 5) 중증 간부전 및 신부전 환자 6) 다른 발기부전치료제와의 병용 7) 여성, 18세 이하 소아 〈주의〉 1) 음경 기형, 지속발기증의 소인이 있는 환자, 증식성 당뇨병성 망막증, 출혈이상, 활동성 소화궤양, 조절되지 않는 당뇨 환자

약품명 및 함량	용법	약리작용 및 효능	부작용	주의 및 금기
		3) 자몽쥬스 : 이 약의 혈중 농도 증가 4) α–blockers : 혈압 강하 작용 증가		2) 갑작스런 시력상실, 청력감퇴 및 난청 발생 3) 운전 및 기계조작 주의(어지러움)
Vardenafil Levitra tab 레비트라정 …10mg/T …20mg/T	1) 성교 약 25~60분 전에 10mg을 투여함. (Max. 1일 1회 20mg) 2) 5~20mg까지 조절함. *신기능에 따른 용량조절 참고 CrCl 〈30ml/min : 초회용량 5mg (10~20mg으로 증량 가능)	1) 기전 및 적응증 : avanafil 참고 2) Tmax : 0.5~2hrs Onset : ~1hr 지속시간 : ~1hr BA : 15% 배설 : 대변(91~95%) 〈상호작용〉 1) CYP450 3A4 저해제(Ketoconazole, ritonavir 등) : 이 약의 혈중 농도 증가 2) CYP450 3A4 유도체(rifampicin 등) : 이 약의 혈중 농도 감소 3) 자몽쥬스 : 이 약의 혈중 농도 증가 4) α–blockers : 혈압 강하 작용 증가	1) 〉10% 두통, 안면 홍조 2) 1~10% 혈압 강하, 소화불량, 오심, 어지러움, 비염	〈금기〉 1) 질산염(nitrate)제제 복용자 2) 불안정형 협심증 또는 중증 심부전 같은 중증 심혈관질환자, 6개월 이내 뇌졸중, 일시적 허혈성 발작, 심근경색증, 관상동맥 우회 수술 병력 3) 저혈압 또는 조절되지 않는 고혈압, 부정맥 환자 4) 색소성 망막염, 유전적인 퇴행성 망막질환자, 비동맥 전방허혈성시신경증으로 시력 소실된 환자 5) 중증 간부전 및 신부전 환자 6) 다른 발기부전치료제와의 병용 7) 여성, 18세 이하 소아 〈주의〉 1) 음경 기형, 지속발기증의 소인이 있는 환자, 증식성 당뇨병성 망막증, 출혈이상, 활동성 소화궤양, 조절되지 않는 당뇨 환자 2) 갑작스런 시력상실 , 청력감퇴 및 난청 발생 3) 운전 및 기계조작 주의(어지러움) 4) 임신부 : Category B
1ml 중 Alprostadil 6mcg, Papaverine 17.64mg Phentolamine 0.6mg **Standro inj** 스텐드로주 …1ml/V	1) 1회/day, 3회/wk 이하로 투여 2) 투여방법 : 24시간 이상의 간격으로 음경해면체에 직접 주사함. – 심인성, 신경성 발기부전: 0.05~0.15ml – 혈관성, 당뇨, 복합적 원인에 의한 발기부전: 0.2~0.25ml 3) 환자의 반응에 따라 0.02~0.05ml 씩 증량 또는 감량할 수 있음. (Max. 1ml/1회)	1) Alprostadil : Prostaglandin E_1으로 음경 해면체 동맥의 평활근 이완, 해면체의 동상 공간(lacunar space) 팽창 및 세정맥의 압축을 유도하여 발기를 유발함. 2) Papaverine: phosphodiesterase를 억제, cyclic AMP를 증가시켜 평활근을 직접적으로 이완시킴. 3) Phentolamine: α–adrenergic antagonist로 vasodilator 4) 적응증 : 발기부전의 치료 〈취급상 주의〉 1) 주사용 증류수로만 희석하며 여기에 다른 약물 등을 섞지 않음. 2) 희석액은 실온에서 3일, 냉장(2~8℃) 보관시 3개월 안정.	– 4시간 이상의 지속 발기증 – 발기중 작열감, 음경의 통증, 주사부위의 혈종 – 황달, 호산구 증가증, 간기능 검사 변화 – 어지러움, 허약, 두통, 열감, 발한, 졸음, 진정 – 구역, 구토, 설사, 변비, 식욕부진, 복통, 복부불쾌감	〈금기〉 1) 18세 이하 2) 저혈압 환자, 심근경색, 관상동맥 질환자, 완전 심방실블록이 있는 환자 3) 정신불안 환자, 성폭행자, 해부학적 성기 이상자 4) 겸상적혈구성 빈혈, 다발성 골수종 또는 백혈병 질환자 (음경지속 발기의 요인이 될 수 있음.) 5) 간경화증 환자 6) 다른 발기부전 치료제와 병용을 금함. 〈주의〉 1) 녹내장 환자 2) 위염, 소화성 궤양 환자 3) 신장애 환자

약품명 및 함량	용법	약리작용 및 효능	부작용	주의 및 금기
Alfuzosin HCl Xatral XL tab 자트랄엑스엘정 …10mg/T	1) 10mg qd 저녁 식후에 복용 2) 서방형 제제로 first-dose effect가 적으므로, 초기 용량 설정 및 용량의 증량이 필요하지 않음. 3) 양성 전립선 비대증과 관련된 급성 요폐에서 카테터에 대한 보조요법: 10mg qd, 삽입 첫날부터 카테터 제거 후 1일까지 3~4일 복용 *신기능에 따른 용량조절 참고 CrCl 〈30ml/min: 금기(안전성 미확립)	1) Uroselective α_1 blocker로 방광 경부 및 전립선 요도의 평활근 수축을 억제하여 요량을 증가시키고 요로 폐쇄를 감소시킴. 2) 양성 전립선비대증의 기능적 증상을 치료, 양성 전립선비대증과 관련된 급성 요폐에서 카테터에 대한 보조요법 3) BA: 64% 단백 결합율: 90% Tmax: 0.5~3hrs 대사: 간 $T\frac{1}{2}$: 3~5hrs 배설: 신장(24~30%), 대변(69%)	1) 1~10% - 어지러움, 두통 - 기관지염 - 오심, 복통 2) 〈1% - 구갈 - 현기증, 졸음 - 비염	〈금기〉 1) 기립성 저혈압 환자 2) 장폐색 환자 3) 신 · 간기능 부전자 〈주의〉 1) 공복에 복용시 정제가 불완전 붕괴되고, BA가 감소함. 2) 약물이 서서히 방출되는 geomatrix type 제제이므로 깨물어 먹지 않도록 함. 3) 관상동맥 혹은 전립선암 환자 4) 항고혈압제 α-blocker와 병용투여 권장되지 않음. 5) 임신부: Category B 6) 수유부: 안전성 미확립 〈상호작용〉 1) α_1 blocker (doxazosin, terazosin, tamsulosin) 및 다른 항고혈압 약제와 병용시 심한 기립성 저혈압 유발 가능
Doxazosin Mesylate Cadil tab 카딜정 …1mg/T …2mg/T Cadura XL tab 카두라엑스엘서방정 …4mg/T	〈일반정제〉 1) 고혈압 -초회량: 1mg qd -1~2주 간격으로 서서히 증량 -Max. 16mg/D 2) 양성 전립선비대증 -초회량 :1mg qd -1~2주 간격으로 서서히 증량 -Max. 8mg/D 〈서방정제〉 1) 고혈압, 양성전립선비대증 - 4mg qd (Max. 8mg/D)	1) Quinazoline 유도체로서 선택적으로 α_1-adrenergic receptor를 차단하여 동맥, 정맥을 확장시켜 혈압을 하강시킴 2) 전립선과 방광의 평활근 tone을 감소시켜 양성 전립선 비대증 증상 개선 3) 서방정제 특징 : 위장관을 통하여 일정한 비율로 약물을 전달하도록 고안된 제형으로서, 삼투압 펌프 원리에 의해 물을 정제 안으로 끌어들여 약액이 현탁액 상태 로 서서히 방출됨.(분할, 분쇄 불가) 4) 적응증 : 고혈압, 양성전립선비대에 의한 뇨폐색 및 배뇨장애 5) Onset : 2wks 최대효과 : 4~6wks 대사 : 간(35%) $T\frac{1}{2}$: 8.8~22hrs	1) 〉10% - 현기증, 두통 2) 1~10% -기립성 저혈압, 부종, 저혈압, 심계항진, 흉통, 부정맥, 기절, 홍조 -피로감, 기면, 신경과민, 통증, 시야몽롱, 불면, 짜증, 허약감 -발진, 소양증 -성기능장애 -복부통증, 설사, 식욕부진, 오심,	〈금기〉 1) 이 약 또는 quinazoline에 과민한 환자 2) 백혈구, 호중구 감소증 3) 저혈압 환자 4) 12세 이하 소아, 수유부: 안전성 미확립 〈주의〉 1) 신중투여: 간장애 환자 2) 기립성 저혈압에 의한 실신을 유발할 수 있음 3) 음경지속 발기증 유발 가능 4) 임신부: Category C 〈상호작용〉 1) 고혈압 치료제, 이뇨제와 병용시 심한 기립성 저혈압 유발 가능 2) PDE-5 저해제와의 병용투여는 일부 환자에서 중후성 저혈압이 가능하므로 주의

약품명 및 함량	용법	약리작용 및 효능	부작용	주의 및 금기
		(IR : ~22hrs, ER : 15~19hrs) 배설 : 대변(63~65%), 신장(9%)	구강건조, 변비, 고창 -UTI, 발기부전, 다뇨 -저배통, 관절염, 허약감, 근육경련 -시각장애, 결막염 -비염, 호흡곤란, 기관지 이상	〈취급상 주의〉 1) 서방정은 분할, 분쇄 불가
Naftopidil Flivas tab 플리바스정 …25mg/T …50mg/T …75mg/T	1) 초회량: 25mg qd 2) 1~2주 간격으로 50~75mg으로 서서히 증량 (Max. 75mg/D)	1) 선택적 α-1D adrenal receptor antagonist 2) 전립선과 요도부의 α-1 receptor 차단하여 지속적으로 평활근을 이완시켜 배뇨장애개선 및 α-1D 선택적으로 빈뇨, 뇨절박, 야간뇨 등의 저장장애 개선함 3) 적응증: 전립선 비대증에 의한 배뇨장애 * 참고: 3가지 subtype α-1 adrenal receptor - α-1A: α-1 중 약 70%, 전립선에 주로 분포 - α-1B: 소량, 혈관 평활근에 주로 분포 - α-1D: α-1 중 약 30%, 전립선과 방광의 배뇨근에 주로 분포	1) 0.1~1% - 발진 - 현기증 및 비틀거림, 두통, 머리 무거움 - 어지러움, 저혈압 - 위부불쾌감, 설사 - AST, ALT 상승 2) 0.1% 미만 - 가려움증, 두드러기 - 권태감, 졸음, 이명, 저림감, 떨림, 미각이상 - 동계, 달아오름, 부정맥 - 변비, 구갈, 오심, 구토, 팽만감, 복통 - LDH, ALP 상승 - 시야흐림, 안검 부종 - 부종, 요실금, 오한, 어깨 결림, 코막힘, 발기 장애	〈금기〉 1) 유당을 함유하므로 유당 관련 대사장애 환자 〈주의〉 1) 간기능 장애 환자 2) 중증 심질환 및 뇌혈관 장애 환자 3) 고령자 4) PDE5 inhibitor 복용 환자 5) 기립성 저혈압 환자 6) 혈압강하제 복용 환자 7) 기립성 저혈압에 근거하는 현기증, 어지러움 발생 가능 (높은 곳에서의 작업, 운전 시 주의) 8) 임신부, 수유부, 소아: 안전성 미확립 〈상호작용〉 1) 이뇨제 및 혈압강하제: 혈압강하 작용 증가 2) PDE5 inhibitor(sildenafil 등): 혈관 이완성 혈압강하 작용 증가
Silodosin Thrupas tab 트루패스정 …4mg/T	1) 성인: 4mg bid 또는 8mg qd (8mg은 식사와 함께 복용) 2) 간장애 환자 ① 경~중등도: 용량조절 불필요 ② 중증: 금기	1) 비뇨기계에 선택적인 α1A-blocker 2) 전립선, 요도, 방광에 널리 분포된 α1A receptor를 억제하여 조직의 평활근을 이완, 뇨량을 증가 3) 적응증 : 전립선 비대증에 수반되는 배뇨장애에 사용 4) Tmax: 3hrs	1) >10% - 사정장애(역행성 사정) 2) 1~10% - 기립성 저혈압 - 현기증, 두통, 불면	〈금기〉 1) 중증 신장애(CrCl <30mL/min) 2) 중증 간장애(Child-Pugh score≥10) 3) 강력한 CYP450 3A4 저해제(ketoconazole, clarithromycin, itraconazole, ritonavir) 복용중인 환자

약품명 및 함량	용법	약리작용 및 효능	부작용	주의 및 금기
	* 신기능에 따른 용량 조절 참고 ① CrCl 50~80ml/min: 용량조절 불필요 ② CrCl 30~50ml/min: 4mg qd 또는 2mg bid ③ CrCl <30ml/min: 투여 금기	T½: 5~21hrs(active metabolite, 24hrs) 대사: 간 배설: 신장(34%), 대변(55%)	- 설사, 복통 - 비충혈, 비인두염, 콧물 - 구갈 - AST 상승, ALT 상승, γ-GTP 상승, 총빌리루빈 상승, LDH 상승, TG 상승 - 발기부전, 요실금 3) <1%(빈도불명) - 간장애, 황달 - 실신, 의식상실	〈주의〉 1) 기립성 저혈압, 간장애, 신장애 환자 2) PDE5 저해제, 다른 α-blocker 복용 중인 환자 (∵혈압강하 작용 증가) 3) 임신부: Category B 〈상호작용〉 1) 강력한 CYP3A4 저해제와 병용시 이 약의 혈중 농도 상승 2) Cyclosporin: 이 약의 혈중 농도 상승할 수 있음
Tamsulosin HCl Harnal D tab 하루날디정 …0.2mg/T	1) 전립선비대에 의한 배뇨장애: 0.2mg qd	1) 비뇨기계에 선택적인 α1-blocker로서, 전립선비대증에 의한 배뇨장애 개선제 2) 서방정이면서 구강붕해정으로 연하장애가 있는 환자와 수분을 제한할 필요가 있는 야간빈뇨 환자에게 사용 가능 3) 적응증: 양성 전립선비대증에 따른 배뇨장애 4) Vd: 0.2L/kg BA: 공복시 100% Tmax: 4~5hrs(공복 시) 6~7hrs(식사 후) T½: 9~13hrs 14~15hrs(65세 이상) 배설: 신장(76%), 대변(21%) 〈상호작용〉 1) PDE5 억제제(sildenafil, vardenafil 등)와 병용 시 혈관 이완성 혈압강하 작용 증가 및 저혈압 발생 가능 2) Cimetidine과 병용 시 본제 혈중농도 증가	1) >10% - 두통(19~21%), 현기증(15~17%) - 비정상적 발기(8~18%), 비염(13~18%) 2) 1~10% - 흉통(~4%), 저배통(7~8%), 허약감(8~9%), 기면(3~4%), 불면(1~2%) - 설사(4~6%), 오심(3~4%), 복부불쾌감 (2~3%), 쓴 맛(2~3%) - 성욕감퇴(1~2%), 약시(~2%), 감염(9~11%), 치아이상(1~2%)	〈금기〉 1) 기립성저혈압 환자 2) 중증 간장애 환자 3) 임신부 : Category B(국내 허가금기) 〈주의〉 1) 중증 신장애 환자 2) 고령자 3) 혈압강하제와 병용시 저혈압 발생 주의 4) PDE5억제제, 알파-1차단제, CYP3A4 저해제 투여 중인 환자 5) 수유부, 소아 : 안전성 미확립 〈취급상 주의〉 1) 서방성 과립을 함유하므로 씹어서 복용 불가, 분할 및 분쇄 불가 2) 구강 내에서 붕해되지만 점막에서 흡수되지 않으므로 타액 또는 물과 함께 복용(누워 있는 상태 포함) 〈약리작용 및 효능〉란에 계속

약품명 및 함량	용법	약리작용 및 효능	부작용	주의 및 금기
Tamsulosin HCl Tamsnal SR tab 탐스날서방정 …0.2mg/T	1)전립선 비대에 의한 배뇨장애: 0.2mg qd	1) 비뇨기계에 선택적인 α_1-blocker로 요도내압곡선의 전립선 부압을 감소시킴으로써 전립선 비대증에 의한 배뇨장애에 사용함. 2) 적응증: 양성 전립선비대증에 따른 배뇨장애 3) 비선택적 α_1-receptor blocker에 비해 기립성 저혈압은 유발되지 않으나 비정상적 사정(8~18%), 성욕 감소(1~2%)의 가능성 있음. 4) Vd: 0.2L/kg BA: 공복시 100% Tmax: 4~5hrs(공복 시) 6~7hrs(식사 후) $T\frac{1}{2}$: 9~13hrs 14~15hrs(65세 이상) 배설: 신장(76%), 대변(21%)	1) >10% -두통(19~21%), 현기증(15~17%) -비정상적발기(8~18%) -비염(13~18%) 2) 1~10% -흉통(~4%) -허약감(8~9%), 기면(3~4%), 불면(1~2%) -성욕감퇴(1~2%) -설사(4~6%), 오심(3~4%), 복부불쾌감 (2~3%), 쓴 맛(2~3%) -저배통(7~8%) -약시(~2%) -후두염, 기침(5%), 부비동염(2~4%) -감염(9~11%), 치아 이상(1~2%)	〈금기〉 1) 기립성저혈압 환자 2) 중증 간장애 환자 3) 임신부 : Category B(국내 허가금기) 〈주의〉 1) 중증 신장애 환자 2) 고령자 3) 혈압강하제와 병용시 저혈압 발생 주의 4) PDE5억제제, 알파-1차단제, CYP3A4 저해제 투여 중인 환자 5) 수유부, 소아 : 안전성 미확립 〈상호작용〉 1) PDE5 억제제(sildenafil, vardenafil 등)와 병용 시 혈관 이완성 혈압강하 작용 증가 및 저혈압 발생 가능 2) Cimetidine과 병용 시 본제 혈중농도 증가 〈취급상 주의〉 1) 인습성 있으므로 복용시 개봉함.
Terazosin HCl Hytrin tab 하이트린정 …1mg/T …2mg/T …5mg/T	1) 양성전립선비대증 : 초기 1mg hs 증상이 개선될 때까지 서서히 증량하여 5~10mg qd	1) α_1-adrenoceptor blocking agent로 말초혈관저항을 감소시킴. 2) 방광경부 및 전립선 요도 주위의 α_1-수용체를 차단하여 전립선의 평활근 긴장도 완화, 전립선 요도의 폐쇄압을 감소시켜 전립선 비대 환자의 배뇨장애 개선 3) Onset: 전립선 비대 4~6wks Tmax : 1~2hrs $T\frac{1}{2}$: 9~12hrs 배설 : 신장(10%), 대변(~60%)	1) > 10% - 현기증, 두통, 근무력감 2) 1~10% - 부종, 심계항진, 흉통, 말초 부종, 기립성 저혈압, 빈맥 - 피로감, 신경과민, 어지러움 - 구강건조 - 빈뇨 - 시야 장애 - 호흡곤란, 비충혈	〈금기〉 1) α_1-길항제에 과민한 환자. 2) 12세 이하 소아 〈주의〉 1) 중증의 간 · 신기능 장애 환자 2) 기립성 저혈압, 심근경색, 뇌혈관장애, 협심증, 위궤양, 인슐린 의존성 당뇨병 환자 3) 임신부 : Category C 4) 수유부 : 동물실험시 모유이행 보고 5) 초회투여 후 12시간 동안 또는 용량 증량기에는 위험한 기계조작을 피함(현기증, 두중감, 기면상태 발생 가능)

약품명 및 함량	용법	약리작용 및 효능	부작용	주의 및 금기
Dutasteride Avodart soft cap 아보다트연질캡슐 …0.5mg/C	1) 성인 : 1Ⓒ qd 식사와 상관없이 복용 2) 씹거나 쪼개지 않고 통째로 삼켜서 복용	1) 5α-reductase inhibitors 2) Testosterone에서 DHT(dihydrotestosterone)으로 전환될 때 작용하는 효소인 5α-reductase type 1, 2를 억제하여 혈액 중 DHT 수치를 감소시킴. 3) 적응증 : 양성 전립선 비대증의 치료(양성전립선비대증 증상의 개선, 급성뇨저류 위험성 감소, 양성전립선비대증과 관련된 수술 필요성 감소), 남성(만 18-50세)의 남성형탈모 치료 4) Tmax : 2~3hrs $T_{\frac{1}{2}}$: 5wks 대사 : 간 〈상호작용〉 1) 이 약은 CYP3A4에 의해 대사되므로 강력한 CYP3A4 억제제(diltiazem, verapamil, ketoconazole, cimetidine, ritonavir, ciprofloxacin) 를 투여중인 환자에서 이 약의 혈중농도 증가 가능	1) 1~10% - 발기불능, 성욕감퇴, 사정 장애 - 여성형 유방(12개월 이상 복용시 1.1%)	〈금기〉 1) 여성 : 피부로 흡수되어 임신중인 남성태아의 외부생식기 발달 저해(Category X) 2) 소아, 수유부 : 안전성 미확립 3) 이 약이나 다른 5α-reductase 억제제에 과민한 환자 〈주의〉 1) 뇨 잔류량이 크거나 중증 요류 감소가 나타나는 환자 2) 간장애 환자 3) 전립선암 marker인 혈중 prostate-specific antigen(PSA)을 감소시키므로 본제 사용중에는 다른 방법으로 검사함. 4) 헌혈 : 수혈시 임신부에 투여되는것 방지 위해 마지막 복용 후 최소 6개월 헌혈 금지 〈취급상 주의〉 1) 이 약은 피부로 흡수되므로 임신 가능성이 있는 여성이나 임신한 여성, 소아는 누출되는 캡슐과의 접촉을 피해야 함(임신부의 남성 태아의 외부생식기 발달 저해). 〈약리작용 및 효능〉란에 계속
Finasteride Propecia tab 프로페시아정 …1mg/T Proscar tab 프로스카정 …5mg/T	* 1mg/T 1) 남성형 탈모 (만 18세~41세) ① 1mg qd ② 최소 3개월 이상 복용해야 하며 단약시 약효 소실의 우려 있으므로 지속적 복용 권장 * 5mg/T 1) 전립선 비대 ① 5mg qd 식사와 관계 없이 복용 가능 ②증상이 개선되어도 최소 6개월간 치료 필요 ③신부전증, 노인 환자에 대한 용량 조절 불필요	1) 선택적 5α-reductase 저해제 2) Testosterone이 DHT(dihydro- testosterone)로 전환되는 것을 억제하여 testosterone은 정상 수준으로 유지하고, DHT는 감소시켜 비대해진 전립선의 용적을 감소시키고 뇨속을 증가시킴. 3) 5α-reductase는 모발의 성장을 억제하므로 탈모에도 유효함. 4) 효능 ① 1mg/T : 성인 남성(만 18~41세)의 남성형 탈모(androgenetic alopecia) 치료에 사용 ② 5mg/T : 양성 전립선 비대증에 사용(비후된 전립선의 퇴행, 뇨류 개선, 양성 전립선 비대증의 증상개선 등)	1) 1~10% - 성욕감퇴 - 발기불능, 사정액 감소 2) 〈1% - 유방압통, 유방비대	〈금기〉 1) 여성 : 부서진 조각은 피부흡수되어 임신부의 남성태아 외부생식기에 비정상 초래함(Category X). 2) 수유부 및 소아 : 안전성 미확립 〈주의〉 1) 전립선암 marker인 혈중 prostate-specific antigen (PSA)을 감소시키므로 본제 사용중에는 다른 방법으로 검사함. 2) 약효가 즉시 나타나지 않으므로 다량 잔류뇨를 가지는 환자, 심하게 요속이 감소되는 환자는 장애적 요로질환에 대해 세밀한 검사 필요 3) 간기능 이상 환자

약품명 및 함량	용법	약리작용 및 효능	부작용	주의 및 금기
Fesoterodine fumarate Toviaz PR tab 토비애즈서방정 …4mg/T …8mg/T	1) 성인(고령자 포함): 4mg qd (Max. 8mg/D), 식사와 무관하게 복용 2) 중등도 및 강력한 CYP3A4 저해제(ketoconazole, ritonavir, nelfinavir, itraconazole등) 병용시: Max. 4mg/D 3) 신장애 및 간장애 환자 용량 조절: 설명서 참고 4) 치료효과 2~8주 이내에 나타나므로 8주 이후 효과 재평가 권장	1) Muscarinic receptor antagonist, Urinary antispasmodic 2) 방광 평활근의 muscarinic type-3 수용체에 acetylcholine이 결합하는 것을 차단하여 배뇨근의 수축을 억제시킴. 3) 적응증 : 절박뇨, 빈뇨, 절박성 요실금과 같은 과민성 방광 증상 치료 4) 활성대사체 : 5-hydroxymethyl tolterodine (5-HMT) BA : 52% Tmax : ~5hrs $T_{\frac{1}{2}}$: ~7hrs 대사 : 간(CYP2D6, CYP3A4) 배설 : 신장(~70%; 5-HMT로서 16%), 대변(7%) 〈상호작용〉 1) Metoclopramide의 위장에 대한 효과 감소 2) 강력한 CYP3A4 저해제, CYP2D6 저해제와 병용 시 본제 치료 효과 및 이상반응 증가 3) CYP3A4 유도제(carbamazepine, rifampicin, phenobarbital 등)와의 병용 시 본제 혈중농도 감소	1) 〉10% - 구갈 2) 1~10%: - 어지러움, 두통, 불면 - 안구건조, 인후건조 - 복통, 설사, 소화불량, 변비, 구역 - 배뇨장애	〈금기〉 1) 이 약의 성분 및 땅콩, 콩에 과민한 환자(∵soy lecithin 코팅) 2) 요폐 증상, 위정체, 조절되지 않는 협우각 녹내장 환자 3) 강력한 CYP3A4 저해제를 투여중인 중등도 내지 중증의 간장애 또는 신장애 환자 등 〈주의〉 1) 요폐의 위험이 있는 현저한 방광출구폐쇄 환자 2) 유문 협착 등의 위장관 폐쇄성 질환자 3) 위식도역류 환자 또는 식도염을 일으키거나 악화시킬 수 있는 경구용 bisphosphonate와 같은 약을 현재 투여중인 환자 4) QT간격 연장의 위험이 있거나 심장질환을 가진 환자 5) 임신부: Category C 6) 수유부: 안전성 미확립 7) 소아 및 18세 미만: 안전성 및 유효성 미확립 〈취급상 주의〉 1) 분쇄, 분할 불가 (서방 필름코팅정)
Imidafenacin Uritos tab 유리토스정 …0.1mg/T	1) 성인: 0.1mg bid (Max. 0.4mg/D)	1) Muscarinic receptor antagonist, Urinary antispasmodic 2) 방광 평활근의 muscarinic type-3 수용체에 선택적으로 작용하여, acetylcholine이 결합하는 것을 차단하여 배뇨근의 수축을 억제시킴 3) 적응증: 절박성 요실금, 빈뇨, 절박뇨와 같은 과민성 방광의 증상 치료 4) $T_{\frac{1}{2}}$: ~3hrs Tmax: ~1hrs 배설: 신장(66%), 대변(29%)	1) 〉10% - 구갈(31~37%) 2) 1~10% - 변비(8~14%), 위 불쾌감(1%) - Triglyceride 상승(1%), γ-GTP 상승(1%) - 졸림(1%), 두통(1%) - 요 저류(2%), 배뇨장애(1%)	〈금기〉 1) 요폐 증상있는 환자, 협우각 녹내장 환자, 중증근무력증 환자, 위무력증 환자, 중증 심질환 환자 2) 유문, 십이지장 및 장관 폐색, 마비성 장폐색증 환자 〈주의〉 1) 부정맥 또는 병력이 있는 자 2) 치매, 인지기능 장애, 파킨슨병 증상, 뇌혈관 장애 환자 3) 갑상선기능 항진증 4) 전립선비대, 방광하부 폐색환자

약품명 및 함량	용법	약리작용 및 효능	부작용	주의 및 금기
		<상호작용> 1) CYP3A4 저해제(itraconazole, clarithromycin 등): 이 약의 혈중 농도 상승 2) 항무스카린 약물, 항히스타민제, TCA, Phenothiazine계, MAO 저해제: 항콜린작용 증가	- 백혈구뇨증(2%) - 눈부심(2%), 시야흐림(1%)	5) 궤양성 대장염 환자 6) 간장애, 신장애 환자 7) 임신부 및 수유부: 안전성 미확립 8) 18세 미만: 유효성, 안전성 미확립
Oxybutynin Cl Obutin tab 오부틴정 …5mg/T	1) 성인 : 6~15mg #2~3 (Max. 20mg/D) 2) 5세이상 소아 : 2~5mg bid (Max. 15mg/D)	1) Anticholinergics로 진경작용이 있음. 2) 비억제성, 반사신경성 방광에 기인한 빈뇨에 사용함. 3) 절박실금의 치료(야뇨증, 주간뇨실금, 야간실뇨). 4) Onset: 30~60mins 최대효과 : 3~6hrs Duration : 6~10hrs Tmax : 1hr 대사 : 간 $T\frac{1}{2}$: 1.1~2.3hrs <상호작용> 1) Digoxin의 혈중농도 상승 2) CYP3A4 효소계 저해제 병용시 이 약의 Cmax 및 AUC 증가 가능	1) >10% - 현기증 - 구강건조, 변비 - 발한 2) 1~10% - 심계항진, 빈맥 - 어지러움, 불면, 발열, 두통 - 발진 - 유즙분비 감소, 성적 능력 감퇴, 홍조 - 구토 - 뇨저류 - 허약감 - 시야몽롱, 동공산대	<금기> 1) 녹내장, 위장폐색, 중증결장염, 장이완증, 거대결장증, 폐쇄성 요로증, 급성 출혈성 심장질환 환자, 과민한 환자 <주의> 1) 기온이 높을 때 투여하면 일사병(∵땀의 분비 감소) 2) 졸음, 시야 흔들림이 올 수 있으므로 운전 등의 기계조작시에는 주의하여 투약 3) 갑상선 비대, 갑상선기능항진증, 울혈성 심부전, 부정맥, 간질환, 신질환, 고혈압, 자율신경 장애, 심각한 위장관 운동장애, 관상동맥질환, 역류성식도염, 열공헤르니아 4) 임신부 : Category B 5) 수유부, 5세미만 소아 : 안전성 미확립 <약리작용 및 효능>란에 계속
Oxybutynin Cl Lyrinel oros tab 라이리넬오로스서방정 …5mg/T …10mg/T	1) 성인 - 초기: 5~10mg qd - 5mg씩 증량 가능 (Max. 30mg/D) 2) 6세이상 소아 - 초기: 5mg qd - 5mg씩 증량 가능 (Max. 15mg/D) 3) 속방성 제제를 투여받던 환자: 이 약으로 전환시 1일 총 투여량과 유사한 용량을 1일 1회로 복용	1) 방광 배뇨근에 대한 직접적인 진경 및 항콜린 작용을 가진 합성 3급 아민 2) 효능, 효과 ① 성인: 과민성 방광으로 인한 요실금, 절박뇨, 빈뇨 ② 6세이상 소아: 신경성 상태(예: 척추갈림증(spina bifida))와 관련된 배뇨근 과활동의 치료 3) OROS 공법으로 제조되어 삼투펌프 원리에 따라 24시간동안 약물이 서서히 방출되는 제형임 4) Tmax : 4~6hrs 지속시간 : 24hrs 대사 : 간(CYP3A4) 배설 : 신장(<0.1%)	1) >10% - 현기증(6~16%), 졸음(12~13%) - 구강건조(61~71%), 변비(13%) - 배뇨곤란(11%) 2) 1~10% - 심계항진, 말초부종, 고혈압, 혈관확장 - 두통, 통증, 혼돈, 신경과민 - 피부건조, 발진	<금기> 1) 뇨저류, 위정체 및 다른 중증의 위장관 운동 저하 환자 2) 조절되지 않는 협우각 녹내장 환자 <주의> 1) 간장애 또는 신장애 환자 2) 중증 근무력증 환자 3) 역류성 식도염 환자 4) 중증의 위장관 협착 병력자 5) Cholinesterase 저해제를 투여한 치매 환자 6) 방광유출폐색 환자 7) 임신부 : Category B 8) 수유부, 6세 미만 소아 : 안전성 미확립

약품명 및 함량	용법	약리작용 및 효능	부작용	주의 및 금기
		〈상호작용〉 1) Digoxin의 혈중농도 상승 2) CYP3A4 효소계 저해제 병용시 이 약의 Cmax 및 AUC 증가 가능	- 구역, 소화불량, 복통, 설사, 고창, 위장관 역류, 미각 이상 - 요로 감염 - 허약감 - 시야흐림, 안구건조	〈취급상 주의〉 1) 분할, 분쇄 불가
Propiverine HCl Bup-4 tab 비유피4정 …10mg/T Bearverine tab 베아베린정 …20mg/T	1) 성인 : 20mg qd (Max. 40mg/D)	1) 항콜린작용과 Ca-길항작용에 의한 평활근 이완작용으로 방광용량 및 유효 방광용량 증가시킴. 2) 배뇨운동 억제 작용 3) 신경인성 방광, 신경성 빈뇨, 불안정 방광, 만성 방광염, 만성 전립선염으로 인한 빈뇨, 뇨실금에 사용. 4) Oxybutynin에 비해 항콜린효과로 인한 부작용 발현율 감소 5) 지속시간 : 24hrs $T_{\frac{1}{2}}$: 4~4.1hrs 대사 : 간	-비염, 비강 건조 -마비성 장폐색 -신기능 장애, 뇨폐 -환각, 섬망 -과민증 : 가려움, 담마진, 발진 -조절장애 -AST, ALT, ALP 상승 -혈소판 감소 -안압항진 -근육통, 무력감, 횡문근 융해증	〈금기〉 1) 유문, 십이지장 및 장관폐색 환자 2) 하부요로 폐쇄 환자 3) 폐쇄우각녹내장 환자 4) 중증의 심질환 환자 5) 위무력증, 장관이완증, 중증근무력증, 독성거대결장증 환자 〈주의〉 1) 졸음, 현기증을 유발할 수 있으므로 위험을 수반하는 기계조작하지 말 것 2) 임신부 및 수유부: 안전성 미확립 3) 소아 : 안전성 미확립
Solifenacin succinate Vesicare tab 베시케어정 …5mg/T …10mg/T	1) 성인: 5mg qd (Max. 10mg) 2) 중등도의 간장애 환자(Child-Pugh 등급B), 강력한 CYP450 3A4 저해제 복용중인 환자: Max. 5mg/D * 신기능에 따른 용량 조절 참고 - 경증~중등도(CrCl〉30ml/min) : 용량조절 불필요 - 중증 (CrCl≤30ml/min) : Max. 5mg/D	1) Muscarinic receptor antagonist, Urinary antispasmodic 2) 방광 평활근에서 muscarinic type-3 수용체에 acetylcholine이 결합하는 것을 차단하여 배뇨근의 수축을 억제시킴. 3) 방광과 GI tract에서 M-3 receptor에 대한 선택성 있음. 4) 적응증: 절박성 뇨실금, 빈뇨, 요절박과 같은 과민성 방광의 치료 5) BA: 90% Tmax: 3~8hrs 대사: 간(CYP3A4의 substrate) $T_{\frac{1}{2}}$: 45~68hrs 배설: 신장(69%), 대변(23%)	1) 〉10% - 구강건조(11~28%), 변비(5~13%) 2) 1~10% - 부종, 고혈압 - 현기증(3~6%), 피로 (1~2%), 우울증 (≤1%) - 소화불량(1~4%), 오심 (2~3%), 복통 (1~2%), 구토(≤1%) - 요로감염(3~5%), 요저류(≤1%) - 시야 흐림(4~5%), 안구건조(≤2%)	〈금기〉 1) 요저류 증상 환자 2) 조절되지 않는 협우각 녹내장 환자 3) 갈락토오스 불내성, Lapp유당분해효소 결핍, 포도당- 갈락토오스 흡수장애 환자 4) 중증의 위장관 상태, 중증근무력증, 중증의 간장애 환자, 혈액투석 중인 환자 〈주의〉 1) 방광 출구폐색 환자 2) 위장관 폐쇄성 질환, 운동성 감소 환자 3) 강력한 CYP3A4 저해제를 병용 투여중인 환자 4) 임신부 : Category C 5) 수유부 및 소아 : 안전성미확립 〈상호작용〉 1) 항콜린성 약물과 병용시 치료효과 증대

약품명 및 함량	용법	약리작용 및 효능	부작용	주의 및 금기
			– 기침(≤1%), 인두염(≤1%) – influenza(≤2%)	2) Metoclopramide, cisapride와 같은 위장관 운동성 증가시키는 약물의 효과 감소
Trospium chloride Spasmolyt tab 스파스몰리트당의정 …20mg/T	1) 성인: 20mg bid – 씹지 않고 물과 함께 복용함 (∵쓴 맛이 강함.) *신기능에 따른 용량조절 참고 Clcr(ml/min) ≤30 : 20mg qd	1) 4급 ammonium 유도체인 부교감신경 차단제로 방광 평활근의 과도한 수축을 억제하고 배뇨근 최대압을 현저히 감소시키며 방광의 최대용량을 증가시켜 정상적인 배뇨가 가능하게 함. 2) 다른 3급 amine계 항콜린제에 비해 BBB를 거의 통과하지 않으므로 중추신경계 부작용이 적음. 3) 적응증: 빈뇨, 야간다뇨, 과민성 방광, 절박 요실금 치료 4) 최대효과: 4~6hrs 지속시간: 3hrs $T\frac{1}{2}$: 20hrs BA: 9.6% 배설: 신장(~6%), 대변(85%)	〈항콜린 작용〉 – 발한억제, 홍반 – 폐쇄각 녹내장, 눈의 조절이상(특히 시력이 적절히 조절되지 않는 원시환자) – 구갈, 빈맥, 배뇨곤란 – 변비, 소화불량, 식욕부진 – 두통	〈금기〉 1) 폐쇄각 녹내장 2) 요폐증상을 나타내는 배뇨곤란(전립선종, 전립선비대증) 3) 위장관의 기계적 협착증 (유문협착증) 4) 빈맥성 부정맥 5) 근무력증, 거대 결장증 〈주의〉 1) 자동차 운전 등 위험한 기계조작 금함 (눈의 조절이상 가능) 2) 임신부 : Category C 3) 수유부 및 소아 : 안전성미확립 〈상호작용〉 1) Amantadine, quinidine, 항히스타민제, 삼환계 항우울약의 항콜린작용을 증강시킴. 2) β-agonist의 빈맥효과를 증강시킴.

약품명 및 함량	용법	약리작용 및 효능	부작용	주의 및 금기
Mirabegron Betamiga PR tab 베타미가서방정 …50mg/T	1) 성인: 50mg qd, 식사와 관계없이 복용 2) 용량조절 ① 다음의 경우 25mg qd – 강력한 CYP3A4 저해제투여 중인 경증~중등도 신장애 및 경증 간장애 환자 – 중증 신장애 및 중등도 간장애 환자 ② 다음의 경우 투여 권장되지 않음	1) 방광선택성 beta-3 agonist 2) 방광의 beta-3 수용체에 작용하여 방광 평활근을 이완시킴 3) 적응증: 절박뇨, 빈뇨, 절박성 요실금과 같은 과민성 방광 증상 치료 4) BA: 29-35% Tmax: 3.5hrs $T\frac{1}{2}$: 50hrs 대사: 간(CYP3A4, CYP2D6) 배설: 신장(6-12.2%), 미변화체로 배설	1) >10% – 고혈압(9-11%) 2) 1~10% – 빈맥(2%) – 두통(4%), 어지러움(3%) – 변비(2-3%), 입마름(3%) 설사(2%) – 요로감염(3-6%), 방광염(2%)	〈금기〉 1) 심각한 심장질환자(∵혈압 상승) 〈주의〉 1) QT 연장 환자 2) 말기 신질환자, 중증 간장애 (Child-Pugh C), 중증 고혈압 환자 3) 강력한 CYP3A 저해제 병용하는 중등도 간장애 (Child-Pugh B), 중증 신장애 환자 4) 방광출구폐쇄 환자, 과민성방광으로 항무스카린제 복용중인 환자

약품명 및 함량	용법	약리작용 및 효능	부작용	주의 및 금기
	- 강력한 CYP3A4 저해제 투여 중인 중증 신장애 및 중등도 간장애 환자 * 신기능에 따른 용량 조절 참고 ① CrCl 15~29ml/min: 25mg qd ② 강력한 CYP3A4 저해제 투여 시 - CrCl 30~89ml/min: 25mg qd - CrCl 15~29ml/min: 투여 비권장		- 등 통증(3%), 관절통(2%) - 비인두염(4%), 부비동염(3%) - 독감유사증상(3%)	5) 임신부: Category C 6) 수유부 및 19세 미만 소아: 안전성 미확립 〈상호작용〉 1) 강력한 CYP3A4 저해제 (itraconazole, ketoconazole, ritonavir, clarithromycin): 이 약의 AUC 증가 2) CYP3A4 및 P-gp 유도제: 이 약의 혈중 농도 감소 3) P-gp 기질(digoxin, dabigatran) 및 CYP2D6 기질(삼환계 항우울제, propafenone, Flecinide): 각 약물의 혈중 농도 상승 가능

약품명 및 함량	용법	약리작용 및 효능	부작용	주의 및 금기
Bethanechol Cl Mytonin tab 마이토닌정 …25mg/T	1) 성인: 10~25mg tid~qid	1) Cholinesterase에 비교적 안정한 4급 아민류(choline ester) 부교감 효능약 2) Muscarine 수용체에만 선택적으로 작용하며, 특히 위장관, 방광에 선택적인 효과를 나타내어 뇨저류 증상을 개선 3) 치료용량에서는 순환계에 영향을 미치지 않음. 4) 적응증 : 수술 및 분만 후 기능성 뇨정체, 방광의 신경성 근이완증 5) Onset(뇨저류) : 30~90mins 지속시간 : 60mins 〈상호작용〉 1) 콜린성 약물(특히 cholinesterase 억제제)과 병용시 상승작용 2) Quinidine, procainamide와 병용시 이 약물효과에 길항함. 3) 교감신경차단제와 병용시 심한 복부증상에 이어 급격한 혈압강하 유발 위험	(빈도미확립) – 저혈압, 빈맥, 안면홍조 – 두통, 권태감 – 복부경련, 설사, 오심, 구토, 침분비, 트림 – 절박뇨 – 유루(눈물), 축동 – 천식발작, 기관지수축 – 발한	〈금기〉 1) 위장관, 요로의 기계적인 폐쇄 2) 경련성 위장질환, 위궤양, 급성위장관 염증성 질환, 복막염, 담도폐쇄 환자 3) 미주신경 긴장 항진 환자 4) 천식, 갑상선기능항진증 5) 관상동맥질환, 서맥, 방실전도장애, 혈관운동 불안정상태, 저혈압, 고혈압, MI 6) 간질, 파킨슨증 7) 임신부 : Category C(국내 허가금기) 〈주의〉 1) 황색 4호(타르트라진) 과민 환자 2) 졸음, 어지러움 유발할 수 있으므로 위험한 기계조작 피함. 3) 호흡곤란, 실신, 맥박 50 이하시 의사에게 즉시 알림. 4) 소아, 수유부 : 안전성 미확립 〈취급상 주의〉 1) 분할 및 분쇄 가능하나, 분쇄 후 장기간 보관시 흡습하여 굳을 수 있으니 주의함. 〈약리작용 및 효능〉란에 계속

약품명 및 함량	용법	약리작용 및 효능	부작용	주의 및 금기
Dapoxetine HCl Priligy tab 프릴리지정 …30mg/T …60mg/T	1) 성인 남성(18~64세): 성행위 약 1~3시간 전 30mg qd (Max. 60mg, 1회/24hrs) 2) 최소 1컵의 물과 함께 복용하며 식사와 무관	1) 경구용 조루증 치료제 2) Selective Serotonin Reuptake Inhibitor(=SSRI)로서 척수보다 상위 수준에 작용하여 사정 방출 반사를 억제하며, 단시간형 제제로서 필요시 복용 후 빨리 배설되는 특징이 있음. 3) 적응증 : 조루증의 치료 – 질 내 삽입 후 사정까지의 시간이 2분 미만인 경우로, 조루증이 지속적이거나 재발하여, 개인적 고통이 크거나 대인관계에 어려움이 있으며, 사정제어가 잘 안되는 경우 4) Tmax : 1.3hrs (24시간 후 혈중농도: Cmax 대비 4% 미만) $T_{\frac{1}{2}}$: 1.5hrs (terminal 16.3hrs)	1) >10% – 두통, 어지러움, 구역 2) 1~10% – 불면증, 불안, 초조 – 졸음, 집중력 장애, 진전 – 시야혼탁 – 이명 – 홍조 – 설사, 구갈, 구토, 변비, 복통, 소화불량 – 다한증 – 발기부전 – 피로, 과민 – 혈압상승	〈금기〉 1) 병리학적으로 중대한 심장 질환자 2) 중등도 및 중증의 간장애 환자 3) 여성, 18세 미만 소아, 65세 이상의 고령자 〈주의〉 1) 신장애 환자 2) CYP2D6 대사가 적은 유전형을 가진 환자 3) 간질발작의 병력이 있는 환자 4) 오직 조루증이 있는 남성만 사용해야 함.(조루증 없는 남성에 대한 효과 및 안전성 미확립) 5) 치료를 시작하기 전 기립성 시험을 시행해야 하며, 기립성 반응의 기왕력이 있거나 의심되는 환자의 경우 투여 피해야 함. 6) 실신, 어지러움 등 발생하면 운전이나 위험한 기계 조작 피해야 함. 〈상호작용〉 1) 강력한 CYP3A4 저해제(ketoconazole, itraconazole, ritonavir, saquinavir 등)를 투여중인 환자: 병용금기 2) MAO 저해제, thioridazine, 세로토닌 유사작용 약물(SSRI, SNRI, TCA 등)을 투여중이거나 투여 중단 후 14일 이내인 환자: 세로토닌증후군 발현 위험 – 병용금기 3) 강력한 CYP2D6 저해제나 중등도의 CYP3A4 저해제(erythromycin, clarithromycin, fluconazole 등) 병용시 이 약의 혈중농도 증가
Imipramine HCl Imiprimine HCl tab 염산이미프라민정 …25mg/T	1) 소아 야뇨증 ① 초회량 – 25mg hs ② 반응 불충분한 경우 25mg/D 단위로 증량 – 6세~12세: 50mg	1) 삼환계 항우울제로 비뇨기계에 대한 정확한 작용기전은 알려져 있지 않으나, 방광근육에 대한 직접적인 이완작용 및 야뇨증 환자에서 vasopressin 비의존성 항이뇨 효과를 나타냄. 2) 장기간 사용시 방광의 용량을 증가시킴	– 신경 이완제 악성 증후군:운동마비, 근강직, 빈맥, 연하곤란 – 심부전, 기립성 저혈압, 심전도 이상, 뇌졸중	〈금기〉 1) 녹내장 환자 2) 삼환계 항우울약에 과민한 환자 3) 전립선 질환 등 요폐 환자 4) 유문협착 환자 5) 마비성 장폐색 환자

약품명 및 함량	용법	약리작용 및 효능	부작용	주의 및 금기
	- 12세 이상: 75mg 까지 증량 가능 (Max. 2.5mg/kg/D) 2) 절박성 뇨실금(성인) ① 25mg hs로 시작, 25mg 단위로 증량 가능. 보통 75~150mg/D 복용 가능 (Max. 150mg/D) ② 고령자: 항콜린성 부작용, 기립성 저혈압 부작용 등으로 인해 추천안 함.	3) 소아 야뇨증, 노인성 절박뇨실금(괄약근 약화로 기인)에도 사용함(항콜린제와의 병용도 가능함). 4) Tmax : 1hr $T\frac{1}{2}$: 6~18hrs	- 간질발작, 진전, 추체외로장애 - 항콜린작용 - 무과립구증, 호산구 증가증, 백혈구 감소증 - 간기능 장애, 효소 수치 상승 - 장관마비	〈주의〉 1) 경련성 질환 병력 환자 2) 뇌의 기질적 장애 환자 3) 저혈압 환자 4) 만성 변비 환자 5) 배뇨곤란, 안내압항진 환자 6) 심질환, 갑상선기능항진증 환자 7) 조울증 환자 8) 크롬친화세포종 등 9) 임신부: Category C(호주) 10) 수유부: 모유이행
Pentosan polysulfate Zelmiron cap 젤미론캡슐 …100mg/C	1) 1Ⓒ tid 2) 식전 1시간이나 식후 2시간에 복용	1) Heparin과 유사한 성질의 음전하를 띤 합성 sulfated polysaccharide로 MW=4,000~6,000 2) 손상된 방광내피의 재생, 보호 작용과 항염증작용, 항혈전작용, 용혈작용이 있음. 3) 혈액응고 저지작용은 heparin의 1/15 4) 적응증 : 간질성 방광염(interstitial cystitis)으로 인한 방광통, 배뇨곤란 5) Onset : 4~10wks 지속시간 : 다회 투여후 3months 대사 : 간(68%), 신장 $T\frac{1}{2}$: 20~27hrs 배설 : 대변	- 두통, 불면, 불안, 우울 - 설사, 복통, 구역 - 발진, 가려움 - 빈혈, 반상출혈, 혈소판 감소증 - 비염, 인두염 - 질염 - 과민증	〈금기〉 1) 16세 미만의 소아 : 안전성 및 유효성 미확립 〈주의〉 1) 출혈의 위험이 있는 환자 2) Heparin 투여로 혈소판 감소증이 유발된 병력이 있는 환자 3) 간기능 부전 환자 4) 비장 질환자 5) 임신부 : Category B 6) 수유부 : 안정성 미확립 7) 16세 미만의 소아 : 안전성 및 유효성 미확립 〈상호작용〉 1) 항응고제, 항혈전제 병용시 : 출혈경향 증가
Aminobenzoate potassium Peyron cap 페이론캡슐 …500mg/C	1) 성인: 6Ⓒ qid 2) 식후 또는 가벼운 식사 후 복용, 위장장애 방지를 위해 충분한 양의 음료와 함께 복용	1) Vitamin B complex에 속하는 PABA(para-aminobenzoate)의 수용성염. 2) 작용기전: ① Anti-fibrotic effect: 조직의 oxygen uptake증가시켜 monoamine oxidase 활성 강화하여 섬유화 억제, 비정상 fibroblast proliferation 억제 및 acid mucopolysaccharide, glycosaminoglycan 분비 억제로 인한 피부경화를 억제함	(빈도 미확립) - 발열 - 발진 - 식욕부진, 오심 - 과민반응	〈금기〉 1) 설폰아미드계 제제 복용 환자 2) 소아 〈주의〉 1) 단식, 식욕부진, 오심 환자: 저혈당증으로의 진행을 방지하기 위해 정상적 식이 회복할 때까지 투여 중지 2) 간장애, 신장애 환자 3) 임신부, 수유부: 안전성 미확립

약품명 및 함량	용법	약리작용 및 효능	부작용	주의 및 금기
		② Anti-inflammatory effect: myeloperoxidase 활성 저하시켜 호중구 oxidative burst 억제하며 활성산소로 인한 조직손상을 억제함 3) 적응증: 피부경화증, 페이로니씨병(음경만곡증)의 치료		〈상호작용〉 1) 설폰아미드계 제제: 약효 감소
1Ⓒ 중 Pinene($\alpha+\beta$) 31mg, Camphene 15mg, Cineol 3mg, Fenchone 4mg, Borneol 10mg, Anethol 4mg **Rowatinex cap** 로와치넥스캅셀	1) 1Ⓒ tid~qid (식전복용 권장)	1) Terpene계 성분으로 구성된 장용성 제제 2) 평활근에 직접 작용하여 경련성 통증 및 colic pain을 신속히 제거하고 renal parenchyma에 혈액순환을 촉진시켜 신기능 개선 3) G(+), (-)에 광범위하게 작용하여 신장염, 방광염, 결석으로 유발된 염증 치료 4) 결석 환자의 통증 제거 및 결석 배출, 급만성 방광염, 신장염에 효과 5) 적응증 : 신증, 요로결석증의 보조요법	- 구역, 구토	〈금기〉 1) 경구용 항응고제 복용자 2) 기형발생에 관해 알려진바 없으나 임신초기 3개월 동안 투여 금함. 〈주의〉 1) 약인성 발진, 발적, 가려움의 병력이 있는 경우 신중투여

7장. 조혈기계(Blood & Blood forming organs)

1. Antianemia drugs
    - (1) Iron preparations
    - (2) Vitamin B12 & folic acid

2. Antihemorrhagic agents
    - (1) Antifibrinolytics
    - (2) Hemostatics
        - 1) Blood coagulation factors
        - 2) Local hemostatics
        - 3) Others

3. Antithrombotic agents
    - (1) Direct factor Xa inhibitors
    - (2) Direct thrombin inhibitors
    - (3) Heparin group
    - (4) Pletelet-aggregation inhibitors
    - (5) Thrombolytic agents
    - (6) Vitamin K antagonists
    - (7) Others

4. Hematopoietic agents
    - (1) Colony stimulation factors
        - 1) Erythropoietin
        - 2) Granulocyte colony stimulation factors(G-CSF)
        - 3) Thrombopoietic agents
    - (2) Hematopoietic stem cell mobilizer

5. Blood derivatives

약품명 및 함량	용법	약리작용 및 효능	부작용	주의 및 금기
Dried ferrous sulfate Feroba-You SR tab 훼로바유서방정 …256mg/T (Fe^{2+}로서 80mg)	12세 이상: 1Ⓣ qd~bid	1) 적응증: 철결핍성 빈혈 예방 및 치료제 2) L-glutamine(1정당 30mg 포함)은 철분의 용출을 증가시켜 철분 흡수량을 높여주고 위장관 점막수복효과가 있음. 3) Ascorbic acid(1정당 30mg 포함)은 철분의 흡수를 증가시킴.	- 구역, 구토, 식욕부진, 복통, 설사, 변비, 위장 불쾌감 - 두드러기, 가려움증, 광과민증 등의 증상이 나타나는 경우에는 복용 중지	〈금기〉 1) 헤모시데린 침착증, 혈색소증, 악성 · 재생불량성 · 용혈성 · 철불응성 빈혈 환자 2) 만성 췌장염 환자 3) 간경변 환자 4) 1세 미만 영아(훼럼키드액 제외) 〈주의〉 1) 알콜 중독자, 장 염증성 질환, 간기능 장애, 신장애 환자 〈상호작용〉 1) 탄닌을 함유한 차(녹차, 홍차), 우유, 유제품은 철분제의 흡수를 감소시키므로 이 약 복용중 또는 복용 전후에 피하도록 함. 2) Tetracycline계 항균제 : 상호간 효과 감소 3) Quinolone계 항균제 : 퀴놀론의 효과 감소 4) 제산제 : 철의 흡수 저하
Ferric hydroxide – polymaltose complex Ferrumkid soln 훼럼키드액 …178.5mg/ml, 45ml/BT	1) 1세 이하: 0.3~1ml qd 2) 1~12세: 1ml qd~bid 3) 12세 이상 소아: 1ml bid 4) 1방울 = 0.05ml = Fe^{3+}로서 2.5mg (1ml = Fe^{3+}로서 50mg)	1) 적응증: 철결핍성 빈혈 2) $Fe(OH)_3$의 polysaccharide염으로서 수용성을 높여 시럽화한 제제 3) 주성분이 위장관에서 미분화 상태로 흡수된 후 망상계 세포내에서 서서히 유리되는 비이온형 제제 4) 활성형 철분이 신장으로 배설되지 않아 생체 이용률 높음. 5) 음식물과의 상호작용이 없어 음식의 복용과 상관없이 복용가능함.	- 구역, 구토, 식욕부진, 복통, 설사, 변비, 위부불쾌감. - 두드러기, 가려움증, 광과민증 등의 증상이 나타나는 경우에는 복용 중지.	〈금기〉 1) 헤모시데린 침착증, 혈색소증 환자 2) 재생불량성 · 용혈성 · 철불응성 빈혈 환자 3) 만성 췌장염 환자 4) 간경변 환자 〈주의〉 1) 탄닌을 함유한 차와는 함께 복용하지 말 것. 2) 테트라사이클린계 항균제, 제산제와는 동시 복용 금지
Ferric hydroxide – polymaltose complex Ferrummate soln 훼럼메이트액 …357mg/5ml/BT	1) 성인: 5ml qd 2) 1~12세: 2.5ml qd~bid 3) 12~19세: 2.5ml bid	1) 적응증: 철결핍성 빈혈 예방 및 치료제 2) Fe^{3+}와 polymaltose를 결합시킨 철분 보급제 3) 주성분이 위장관에서 미분화 상태로 흡수된 후 망상계 세포내에서 서서히 유리되는 비이온형 제제 4) 활성형 철분이 신장으로 배설되지 않아 생체 이용률 높음.	- 구역, 구토, 식욕부진, 복통, 설사, 변비, 위부불쾌감. - 두드러기, 가려움증, 광과민증 등의 증상이 나타나는 경우에는 복용 중지.	〈금기〉 1) 헤모시데린 침착증, 혈색소증 환자. 2) 재생불량성 · 용혈성 · 철불응성 빈혈 환자. 3) 만성 췌장염 환자. 4) 간경변 환자. 5) 1세 미만의 영아 〈주의〉

약품명 및 함량	용법	약리작용 및 효능	부작용	주의 및 금기
(Fe^{3+}로서 100mg/5ml)		5) 음식물과의 상호작용이 없어 음식의 복용과 상관없이 복용가능함.		1) 탄닌을 함유한 차와는 함께 복용하지 말 것. 2) 테트라사이클린계 항균제, 제산제와는 동시 복용 금지.
Iron acetyl transferrin Bolgre cap 볼그레캡셀 …200mg/C (Fe^{3+}로서 40mg/C) Bolgre soln 볼그레액 …200mg/10ml/P (Fe^{3+}로서 40mg/P)	1) 성인: 1포(또는 1C) qd~bid 2) 소아: 철로서 3~6mg/kg/D #1~3로 분할 복용 3) 볼그레액 1포(10ml/P) 중 Fe^{3+}로서 40mg/P	1) 철분 보급제 2) 3가철의 수용액으로서 계란흰자의 구성 단백질인 conalbumin과 철분이 안정적인 단백철염의 형태로 결합된 제제 (복숭아 맛과 향 첨가) 3) 적응증 : 철결핍성 빈혈	- 구역, 구토, 식욕부진, 복통, 설사, 변비, 위장 불쾌감 - 두드러기, 가려움증, 광과민증 등의 증상이 나타나는 경우에는 복용 중지	〈금기〉 1) 헤모시데린 침착증, 혈색소증, 악성 · 재생불량성 · 용혈성 · 철불응성 빈혈 환자 2) 만성 췌장염 환자 3) 간경변 환자 4) 1세 미만 영아 〈주의〉 1) 알콜 중독자, 장 염증성 질환, 간기능 장애, 신장애 환자 〈상호작용〉 1) 탄닌을 함유한 차(녹차, 홍차), 우유, 유제품은 철분제의 흡수를 감소시키므로 이 약 복용중 또는 복용 전후에 피하도록 함. 2) Tetracycline계 항균제 : 상호간 효과 감소 3) Quinolone계 항균제 : 퀴놀론의 효과 감소 4) 제산제 : 철의 흡수 저하
Iron hydroxide sucrose complex Venoferrum inj 베노훼럼주 …2700mg/5ml/A (Fe^{3+}로서 100mg/A) Ferex inj 훼렉스주 …5400mg/10ml/A (Fe^{3+}로서 200mg/A)	1) 성인 : 2~3회/주, 1회 5~10ml ① IV infusion: 5ml당 최대 100ml의 NS에 희석하여 Fe^{3+}로서 100mg은 15분 이상, 200mg은 30분 이상, 500mg은 3시간 30분 이상에 걸쳐 주입 (Max. Fe^{3+}로서 7mg/kg/wk, 500mg/wk) ② IV bolus : 1ml/min 이하의 느린 속도로 투여 (Max. 10ml/회) 2) 소아(3세이상) : Fe^{3+}로서 3mg/kg 주 2~3회 (Max. Fe^{3+}로서 7mg/kg/wk) 3) 투여 용량은 철 부족량에 따라 개별적으로 산정	1) 신체내 저장 철 형태인 ferritin과 유사 구조로 골수의 조혈작용에 참여하여 Hb과 serum ferritin의 수치를 개선 2) 철 결핍환자에서 철 보급: 경구용 철분제제의 복용이 불가능하거나 치료가 만족스럽지 못한 환자, 약물순응도가 떨어져 치료효과가 의심되는 환자에서 투여 3) Tmax : 10mins $T_{\frac{1}{2}}$: 5.3hrs	- 복통, 구역, 구토, 관절통, 발열, 두통, 졸음, 림프선종대 - 알러지, 아나필락시스	〈금기〉 1) 임신 1기 2) 철결핍증 이외의 빈혈 환자 3) 철분과다 4) 철 이용장애 환자 5) Rendu-Osler-Weber 증후군 (유전성 혈관 질환) 환자 6) 만성 다발성 관절염 환자의 급성 악화기 7) 급성기의 감염성 신장애 환자 8) 조절되지 않는 부갑상선 기능항진 환자 9) 간경변 환자, 유행성 간염 10) 페리친 수치가 상승된 급 · 만성 감염증 환자 〈주의〉 1) 임신부 : Category B (임신 초기 3개월 내 금기)

약품명 및 함량	용법	약리작용 및 효능	부작용	주의 및 금기
				2) 수유부, 3세 이하 소아 : 신중투여 (권장 안함) 〈상호작용〉 1) ACE inhibitor : 철분제제의 전신작용 증가 2) 경구용 철분제 : 최종 주사 후 5일 경과 후 복용 〈적용상 주의〉 1) 주입 후 최소 30분 동안 이상반응이 나타나는지 관찰함 2) IV로 투여(IM 금지), NS에만 희석 가능(희석 후 12시간 이내 사용)

약품명 및 함량	용법	약리작용 및 효능	부작용	주의 및 금기
Folic Acid Folic acid tab 폴산정 ···1mg/T	1) 치료 : 1일 0.25~1mg 2) 예방 : 1일 0.1~0.25mg 3) Neural tube defect의 예방 ① 1차 예방 : 1일 0.5~1mg ② 재발 예방 - 임신전 1달 4mg/D - 임신 첫 3개월간 0.8~5mg/D까지 다양하게 복용(Max. 10mg/D)	1) 항빈혈인자로 체내 여러 대사계의 조효소 합성 과정 및 적혈구의 정상적 형성에 관여함. 2) Folic acid 결핍에 기인되는 megaloblastic anemia 치료에 유효함. 3) 골수를 자극하여 백혈구를 증가시킴. 4) 간에서 Vit.B12의 합성을 촉진함. 5) Vit.C 결핍시 아미노산 대사 이상을 회복시킴. 6) Vit.B12 부족시의 악성빈혈, 거대적아구성빈혈(철분 부족, 백혈병, 골수형성 부전에 따른 빈혈)에는 무효함.	- 알러지 반응, 부종, 식욕부진, 구토, 체중감소	〈주의〉 1) 악성빈혈에 투여시 신경증상에는 효과없으므로 Vit.B12와 병용할 것 2) 임신부: Category A 3) 수유부: 수유가능
Mecobalamine Actinamide inj 액티나마이드주 ···1mg/2ml/A Methycobal tab 메코발라민정 ···0.5mg/T	1) 주사 1일 0.5~1Ⓐ IM 2) 경구 성인 1Ⓣ tid	1) Cyanocobalamine의 -CN기가 -CH3로 치환한 성분으로 엽산대사에 필수적인 methionine합성 반응에 관여함. 2) 신경세포내의 핵산, 단백 및 인지질의 합성을 촉진하여 손상된 수초, 축색을 재생시킴. 3) 적응증 ① 주사 : 비타민 B12 결핍증의 예방 및 치료, 비타민 B12 결핍에 의한 악성빈혈 및 거대적아구성 빈혈 치료, 말초성 신경장애, 광절열두 조충증, 흡수부전증후군 ② 경구 : 말초성 신경장애	- 과민증 - 주사부위의 동통 - 두통, 발한, 발열감 - 식욕부진, 오심, 설사, 발진	〈주의-주사제〉 1) 광분해를 받기 쉬우므로 사용직전 차광용기에서 꺼내어 사용할 것 2) IV하지 말 것 (약물소실이 빨라짐.) 〈주의-경구제〉 1) 수은 및 수은 화합물 취급자에게 장기간 대량 투여하지 않도록 함. 2) 임신부 : Category C

약품명 및 함량	용법	약리작용 및 효능	부작용	주의 및 금기
p-Aminomethyl benzoic acid Esbix inj 에스빅스주 …50mg/5ml/A	1) 성인 : 1~3Ⓐ/D IM 또는 IV inf. 천천히 IV 2) 유소아 : 용량조절	1) 항 plasminogen activator 작용 및 fibrin & fibrinogen 안정화 작용을 통한 지혈작용 2) 혈장 단백 기질의 분해 산물인 kinin, serotonin, histamine 등의 염증 매개 물질의 생성 억제를 통해 항염 및 항알레르기 작용 3) 적응증 ① 수술 중 및 수술 후의 출혈 예방 및 치료(전립선 수술, 분만시 출혈) ② 월경과다 및 미란성 출혈 ③ 백혈병 및 간경변시의 출혈, 위장, 폐, 췌장 및 전립선 부위의 전이성 출혈 ④ 수혈에 의한 사고시의 출혈, 혈우병에 의한 출혈, 섬유소 용해제 치료시의 해독제 ⑤ 알레르기성 염증, 습진 및 각종 염증(피부염, 편도선염, 인두염, 후두염, 구내염 등) 4) 유효농도 도달 시간 : 30mins	- 혈압변화, 빈맥 - 국소 혈전성 정맥염 - 오심, 구토, 설사, 어지러움	〈금기〉 1) 임신 초기 2) 중증 신부전 환자 3) 유리체 출혈 환자 4) 과다 응고 환자 5) 임신부, 수유부 : 안전성 미확립 〈주의〉 1) 혈전 색전증 환자
Tranexamic acid Tranexamic acid inj 트라넥삼산주사 …500mg/5ml/A Transamin cap 도란사민캅셀 …250mg/C	1) 경구 : 750~2,000mg #3~4 2) 주사 : 250~500mg #1~2 IM, IV, 수술중 · 후에는 필요에 따라 1회 500~1,000mg IV(1ml/min 이하의 속도로 천천히 IV) 혹은 500~2,500mg IV inf. * 신기능에 따른 용량 조절 참고 1) 경구 - Scr(mg/dl) 1.4~2.8 : 1,300mg bid (66%로 감량) - Scr(mg/dl) 2.8~5.7 : 1,300mg qd (33%로 감량) - Scr(mg/dl) 〉5.7 : 650mg qd (17%로 감량) 2) 주사	1) Antifibrinolytic agent 2) Plasmin에 의한 fibirin을 분해, 응고 조직인자 분해, 혈소판 변성혈관 취약화 방지 3) 출혈 질환, 수술시 출혈 등에 있어서 섬유소 용해 현상을 억제하고 응혈에 관여하는 인자를 안정화시켜 출혈량 감소, 지혈시간 단축 4) 적응증 : 섬유소성 용해항진과 관련된 출혈경향 ① 전신적 섬유소용해 항진 관련: 백혈병, 자반병, 암, 수술 관련 출혈 ② 국소적 섬유소용해 항진 관련: 폐출혈, 성기출혈, 신출혈, 전립선 수술관련 출혈 5) Tmax : 2.5~3hrs(경구) 1hr(IM) 5mins(IV bolus) 지속시간 : 24hrs(경구) 17hrs(주사)	1) 〉10% - 오심, 구토, 설사 2) 1~10% - 저혈압, 혈전형성 - 시야몽롱 3) 〈1% - 심부정맥혈전증, 폐색전, 신피질 괴사, 망막 혈관 폐색 등	〈금기〉 1) 트롬빈을 투여중인 환자 2) 혈전색전증 및 그의 병력이 있는 환자 3) (경구제) 중증 신부전 환자(축적 위험) 4) 수유부 : 안전성 미확립 〈주의〉 1) 임신부 : Category B 2) 혈전이 있거나 혈전증을 일으킬 가능성이 있는 환자 3) 소모성 응고장애 환자(heparin과 병용) 4) 신부전 환자 5) 색감각 이상의 부작용이 나타나는 경우 투여 중지함. 〈상호작용〉 1) 지혈성 장기제제, hemocoagulase와 대량 병용시 혈전형성 우려 있음.

약품명 및 함량	용법	약리작용 및 효능	부작용	주의 및 금기
	- Scr(mg/dl) 1.36~2.83 : 10mg/kg bid(50%로 감량) - Scr(mg/dl) 2.83~5.66 : 10mg/kg qd(25%로 감량) - Scr(mg/dl) >5.66 : 5mg/kg qd 또는 10mg/kg q 48hrs(12.5%로 감량)	$T_{\frac{1}{2}}$: 2hrs 배설 : 신장(~95%)		〈취급상 주의〉 1) 주사 : 천천히 IV해야 함. (1ml/min 이하의 속도로 IV, ∵저혈압, 서맥, 부정맥의 원인이 됨)

약품명 및 함량	용법	약리작용 및 효능	부작용	주의 및 금기
Recombinant blood coagulation factor IX Benefix inj 베네픽스주 ···1IU	1) 용량 및 투여기간은 IX인자 결핍정도, 출혈 부위 및 범위, 환자의 임상적 상태에 따라 결정 2) 예방 : 40IU/kg 3~4일 간격으로 투여 (소아는 용량증가 또는 투여간격 좁힘) 3) 치료 : *해당용량을 12~24시간 간격으로 경미한 출혈은 1~2일간, 중등도 출혈은 2~7일간, 심한 출혈은 7~10일간 투여 * 용량계산식 요구량(IU) = 체중(kg) × 요구되는 factor IX 증가치(% or IU/dl) × 1.2(성인) or 1.4(소아)	1) 유전자재조합 기술로 CHO(Chinese Hamster Ovary) 세포를 배양하여 얻은 혈액응고인자 IX 2) 혈우병 B(선천성 IX인자 결핍증 또는 크리스마스병) 환자의 출혈 에피소드의 억제 및 예방 목적으로 사용 3) Tmax : 즉시 $T_{\frac{1}{2}}$: 18.8hrs	(빈도 미확립) - 혈관부종, 청색증, 홍조, 혈압저하, 흉부압박감, 목 압박감, 혈전증 - 발열, 두통, 오한, 졸림, 현기증, 어지러움증 - 두드러기, 발진 - 오심, 구토, 맛감각 이상 - 파종혈관내응고(DIC) - 주사부위 불편감 - 저림 - 호흡곤란, 후두부종, 알러지성 비염 - 일시적 발열(빠르게 주입시), 아나필락시스, 턱과 두개골의 작열감	〈금기〉 1) 이 약 성분 및 햄스터 단백질에 과민한 환자 〈주의〉 1) IX인자 억제인자를 가지고 있고 알러지 반응의 기왕력이 있는 환자 (면역내성 유도에 따른 신증후군 보고됨) 2) 간장애, 수술 후 환자, 신생아, 혈전색전증, DIC 환자 3) 활성중화항체(억제인자)가 발현되는지 모니터링 필요 4) 임신부 : Category C 5) 수유부 : 안전성 미확립 6) 소아 및 청소년에 대한 유효성, 안전성은 시험중에 있음. 〈취급상 주의〉 1) 바이알 : 실온보관 2) 멸균주사용수에 재구성하여 수분에 걸쳐 IV 3) 재구성액은 실온 3시간 안정 4) 이 약의 투여로 튜브나 주사기 내에 적혈구가 응집할 수 있으므로 혈액이 들어오지 않도록 주의하며, 응집현상 발생시 모두 교체사용

약품명 및 함량	용법	약리작용 및 효능	부작용	주의 및 금기
Gelatin sponge Spongostan Anal 스폰고스탄 아날 …643.5mg, 80×30mm/EA	1) 건조상태 그대로 사용 또는 생리식염수나 적당한 농도의 thrombin 용액으로 적셔서 사용함.	1) Sterile, water insoluble의 정제된 pocrine gelatin으로 수술 및 외상시 출혈 부위의 표면에 적용하는 흡수성 지혈 sponge임 (자체 무게의 약 45배 흡수) 2) 'Anal' 제형은 치핵 수술을 포함한 항문 및 직장 수술에 사용되며, 수술 1~2일 후에 배출됨. 3) 적응증: 여러 외과 영역의 수술 및 외상 시 흡수성 지혈제	- 감염이나 농양의 병소가 형성될 수 있음. -Giantcell granuloma가 형성될 수 있음.	〈금기〉 1) 분만후 출혈, 기능성 자궁 출혈 2) 피부봉합 부위(치유 방해됨), 감염부위(감염이 악화됨)에의 적용 3) 혈액이상, 응고장애 환자 4) Bone wound에의 적용 〈주의〉 1) 심한 동맥출혈의 경우 압력 때문에 안전하게 붙어있지 못하여 출혈이 계속될 가능성이 있음. 2) 포장이 손상되거나 젖은 경우 멸균성을 보장할 수 없으므로 사용하지 않음. 〈취급상 주의〉 1) 차광 밀봉 용기, 실온보관
Gelatin sponge Spongostan Standard 스폰고스탄 스탠다드 …428mg, 70×50×10mm³/EA	1) 건조상태 그대로 사용 또는 생리식염수나 적당한 농도의 thrombin 용액으로 적셔서 사용함.	1) Sterile, water insoluble의 정제된 pocrine gelatin으로 수술 및 외상시 출혈 부위의 표면에 적용하는 흡수성 지혈 sponge임 (자체 무게의 약 45배 흡수). 2) 조직내 넣어 봉합할 경우 4~6주 이내 흡수되고, 피부나 비점막 등의 외부 출혈부위에 사용할 경우 2~5일 이내에 액화되어 없어짐. 3) 적응증: 여러 외과 영역의 수술 및 외상 시 흡수성 지혈제	- 감염이나 농양의 병소가 형성될 수 있음. - Giantcell granuloma가 형성될 수 있음.	〈금기〉 1) 분만후 출혈, 기능성 자궁 출혈 2) 피부봉합 부위(치유가 연장됨), 감염부위(감염이 악화됨)에의 적용 3) 혈액이상, 응고장애 환자 4) Bone wound에의 적용 〈주의〉 1) 심한 동맥출혈의 경우 압력 때문에 안전하게 붙어있지 못하여 출혈이 계속될 가능성이 있음. 2) 포장이 손상되거나 젖은 경우 멸균성을 보장할 수 없으므로 사용하지 않음. 〈취급상 주의〉 1) 차광 밀봉 용기, 실온보관
Microfibrillar Collagen HCl Avitene 아비텐압축형 …70×35×1mm³/매	1) 상처의 출혈 정도에 따라 알맞은 용량을 사용하여 부위에 직접 바름. 2) 심한 출혈일 경우 두껍게 바름. 3) 출혈의 정도를 알기 위해 사용전 마른 스폰지로 상처 부위를 가볍게 두드림.	1) 정제 bovine corium collagen으로부터 정제한 microfibrillar collagen-hemostat로서 수술시 국소 출혈에 사용함. 2) 출혈 부위에서 혈소판을 끌어 모음으로써 혈전을 형성, 혈액을 응고시킴. 3) 적응증: 수술시 지혈	- 종기, 혈종, 상처의 열개, 종격동염	〈금기〉 1) 골표면에의 적용 2) 피부 봉합부위, 피부 절개 부위에의 적용(회복 방해) 〈주의〉 1) 이종 단백이므로 감염증의 악화, 농양형성, 피부절개부위의 dehiscene, 종격동염을 초래할 수 있음.

약품명 및 함량	용법	약리작용 및 효능	부작용	주의 및 금기
		4) 수술중 결찰이나 소작이 비효과적이거나 불가능한 부위에 사용함.(안과적 수술 및 비뇨기계 수술은 제외) 5) Diffuse capillary bleeding에 hemophilia나 항혈액응고제 투여중인 환자의 구강출혈에 유효함. 6) Hepatic bleeding에도 유효함. 7) 수술부위에 붙여 봉합하면 7주이내에 자연 흡수됨.		2) 잘 마르고 매끈한 멸균된 forcep을 사용해야 됨. 3) 건조하게 보관해야 하며, 개봉후 재멸균하면 불활성화됨 4) 사용하고 남은 것은 버림.
Microfibrillar Collagen HCl Helitene 헬리텐 …0.5g/EA	1) 상처의 출혈 정도에 따라 알맞은 용량을 출혈 부위에 직접 적용하고, 마른 거즈를 이용하여 적절한 압력을 가함.(1~5분간)	1) 소(bovine)의 아킬레스건에서 추출한 콜라겐 성분의 지혈제 2) 출혈 부위에서 혈소판을 끌어 모음으로써 혈전을 형성, 혈액을 응고시킴. 3) 적응증: 수술(안과, 비뇨기계 수술 제외) 시 결찰(ligation)이나 통상적 방법으로 지혈하는 것이 불가능하거나 지혈되지 않을 때, 지혈 보조요법	- 유착, 과민반응, 이물반응, 드물게 모상건막하농양(subgaleal seroma) - 발치 소켓에 적용할 경우 치조 통증 증가 - 편도절제술시 과량으로 적용된 부분을 흡인 제거하는 과정에서 일시적인 성대문연축 보고	〈금기〉 1) 소유래 콜라겐에 과민한 환자 2) 자가수혈기를 사용해야 하는 환자(∵이 약이 자가수혈기 필터를 통과하여 환자에게 재유입될 수 있음) 3) 피부 봉합부위에의 적용 (∵상처 회복시 물리적 방해 가능) 4) 메칠메타크릴레이트 골시멘트와 사용되는 인공이식물의 뼈 표면에 접촉시 (∵ 망상골의 공극을 채워 메칠메타크릴레이트 골시멘트의 뼈에 대한 접착력 감소 가능) 5) 임신부 : 안전성 미확립 〈주의〉 1) 필요시 출혈부위에 남겨둘 수도 있지만, 상처 봉합하기 전 과량의 약은 제거 2) 젖으면 지혈 효과가 없으므로 건조한 상태로 적용해야 함. 3) 사용하고 남은 것은 버림.
Oxidized regenerated cellulose Sugicell Fibrillar 써지셀피브릴라 …2.5x5.1cm²/EA …5.1x10.2cm²/EA	1) 적당한 크기로 잘라 출혈부위나 조직면에 지혈될 때까지 견고하게 부착	1) 산화재생셀룰로오스로서 국소출혈방지용 흡수성 지혈제 2) 효능, 효과 : 수술 시 모세혈관, 정맥 및 소동맥의 출혈에 대해 결찰 등의 다른 방법이 효과적이지 않을 때 사용하는 지혈 보조제 3) 제형에 따른 비교	- 거부반응 - 혈관 협착 - 수술후 도관을 통한 배출 지연 - 이비인후과적 용도로 사용시 : 화끈감, 자통, 재채기	〈금기〉 1) 패킹이나 공간을 솜으로 매우는 용도, 유착방지 목적은 사용을 금함 2) 골절 등의 뼈손상, 큰 동맥의 출혈 〈주의〉 1) 골공의 주변, 척추 및 시신경 주위에 사용할 시 제품이 부풀어 올라 과도한 압력을 유발할 수 있으므로 지혈 후 반드시 제거함. 2) 배농하지 않은 오염된 상처 적용

약품명 및 함량	용법	약리작용 및 효능	부작용	주의 및 금기
Sugicell(Original) 써지셀 …1901KR, 5x35cm²/EA …1903KR, 5x7.5cm²/EA		써지셀 오리지날 / 써지셀 피브릴라 [제형] 거즈 / 솜 [성상] 평면적 그물망 형태의 직조 / 솜뭉치가 입체적(다층적)으로 연결 [두께] 0.025cm / 0.455cm [지혈시간] 8-11분 / 3-6분 [흡수기간] 1-2 주 (가수분해)		3) 비뇨기과, 이비인후과 수술시 〈취급상 주의〉 1) 본 제품은 멸균된 상태이며 개봉 후 무균조작함. 2) 개봉 후 미사용제품은 재멸균할 수 없으며 폐기함. 3) 트롬빈과 함께 사용시 본 제품의 낮은 pH로 인해 트롬빈 효과가 파괴될 수 있음. 4) 건조한 상태로 사용.
Thrombin Thrombin topical 트롬빈동결건조분말 …5,000IU/V	1) NS에 녹인 용액(50~1,000U/ml)을 출혈 국소에 분무, 관주(tube로 주입)하거나 분말 그대로 산포 2) 상부소화관 출혈시 200~400U/ml를 경구투여(우유에 용해하여 경구투여 가능) *주의: 절대 주사하지 말 것.	1) 수술 중이나 수술 후 삼출 상태에 대한 지혈효과가 있는 국소형 지혈제 2) 통상의 결찰에 의해 지혈이 곤란한 소혈관, 모세혈관 및 실질 장기에서의 출혈에 사용함. 3) 응혈속도는 thrombin용액의 농도에 의존함(1,000U/ml의 용액 5ml는 1L의 혈액을 1분내에 응고시킴).	- 과민증상, shock, 발열, 구역, 구토, 두통	〈금기〉 1) 본제나 소의 혈액성분을 원료로 하는 제제에 과민한 환자 〈주의〉 1) 심한 간장애 환자 2) 범발성 혈관내 응고 증후군 환자(혈전생성 우려) 3) 국소 사용시 혈관내에 들어가지 않도록 주의할 것. 〈상호작용〉 1) 응고촉진제, aprotinin제제 : 혈전형성 경향이 나타날 수 있으므로 병용피함. 〈취급상 주의〉 1) 냉장보관
100ml 중 Epinephrine 0.1g, Chlorobutanol 0.3g **Bosmin soln** 보스민액 …50ml/BT	1) 기관지 천식 ① 0.1% 용액을 5~10배 희석하여 흡입(1회 투여량 0.3mg 이내) ② 2~15분 지나도 효과 불충분시 한 번 더 반복하며, 연용시 4~6시간 간격 필요 2) 국소 출혈 : 0.1% 용액을 5~10배로 희석하여 직접 도포하거나 분무	1) 교감신경 자극으로 피부 및 내장기관 수축, 기관지근 이완 2) 관상혈관에 대해서는 확장작용을 나타내 심한 출혈을 억제하여 지혈작용을 나타냄. 3) 적응증: 국소 부위의 출혈(외상 및 찰과상, 발치 후, 코, 입, 인후두 점막의 출혈), 기관지 천식 발작의 완화	- 두통, 수지진전, 졸음 - 인두염, 비충혈 - 심계항진, 맥박증가, 혈압변동 - 식욕부진, 소화불량, 구역, 구토 - 과민반응	〈금기〉 1) 폐쇄각 또는 전방이 얇아서 안압상승의 요인이 있는 환자 2) 임신부 및 가임부 : 태아의 산소결핍 우려있으므로 가급적 투여 안함. 〈주의〉 1) 과도하게 사용을 계속할 경우 부정맥, 심정지 우려 있음. 2) 고용량의 다른 교감신경 효능약을 투여받는 환자 3) 치명적일 수 있는 기이성 기관지 경련 유발 가능 4) 변색에 의한 효력 감퇴는 없으나 혼탁시 사용 금지

약품명 및 함량	용법	약리작용 및 효능	부작용	주의 및 금기
1ml/set 중 1) Vial 1 Aprotinin 1,000KIU, 2) Vial 2 Human plasma fibrinogen 65~115mg, 3) Vial 3 Human plasma Thrombin 400~600IU, 4) Vial 4 $CaCl_2$ 5.9mg **Beriplast P combiset** 베리플라스트피콤비세트 …1ml/set …3ml/set	1) 보통 접착이 필요한 조직의 표면적에 따라 - 8㎠까지: 1ml - 24㎠까지: 3ml 적용 2) 미리 연결되어 있는 vial 1-2(fibrinogen(factorXIII) /aprotinin), vial 3-4(thrombin/$CaCl_2$)에 수직으로 압력을 가하여 용해, mix 한 후 주입 또는 분무	1) 혈액응고인자로 구성된 외용 지혈제 2) 성분별 효능 - Human plasma fibrinogen: 사람 피브리노겐(혈액응고작용) 공급 - Aprotinin: clot의 용해 예방 - Thrombin: 혈액응고에 관여하는 단백질 분해 효소, 혈액속의 가용성 피브리노겐을 가수분해하여 불용성의 피브린으로 변화시키는 반응을 촉매 - $CaCl_2$: 프로트롬빈을 트롬빈으로 활성화하여 피브린합성에 필수적인 요소 3) 수술시 혈액 응고 인자를 수술 부위에 뿌려주어 조직 접착, 봉합보조, 국소지혈, 상처치유, 체강 및 지주막하 공간의 밀봉	- 알레르기, 아나필락시스 반응, 트롬빈에 의해 과민증상 - 발열, 구토, 두통 - 혈관내로 투여할 경우 혈전성 색전	〈금기〉 1) 동맥출혈 및 심한 정맥출혈 환자 2) 우(牛)단백에 대해 과민증이 있는 환자 3) 혈관 내 투여 〈주의〉 1) 용혈성, 실혈성 빈혈 환자 2) 면역부전 환자, 면역억제상태 환자 3) 임신부: Category C 4) 수유부: 안전성 미확립 〈상호작용〉 1) 알콜, 요오드, 중금속 함유 용액(살균제 등): 변성 〈취급상 주의〉 1) 냉장보관(2~8℃), 얼리지 말 것. 2) 차광을 위해 외부상자를 유지한 채 보관 3) 조합한 용액은 즉시 사용, 조제한 피브리노겐 용액 및 트롬빈 용액은 실온(15℃~25℃)에서 8시간까지 안정.
1 kit 중 1) 분말이 든 실린지 Purified gelatin 706mg 2) 분말바이알 Thrombin 2,500IU/V 3) 액상바이알 $CaCl_2$ 200μmol/5ml/V **Floseal hemostatic matrix** 플로실헤모스태틱 매트릭스 …/kit	1) 준비단계: 염화칼슘용액 5ml으로 용해한 트롬빈을 주사기에 충진되어 있는 젤라틴 매트릭스와 혼합 2) 적용단계: 멸균식염수(헤파린이 처리되지 않은)로 적신 거즈 스폰지와 출혈표면 사이에 주사기로 주입한 후 2분간 고정 3) 혈액 또는 다른 용액과 접촉시 약 20% 팽창하며, 최대 팽창 부피는 10분 안에 나타남. 4) 필요한 경우, 재적용 가능	1) 혈액응고인자로 구성된 외용 지혈제(Thrombin-gelatin matrix) 2) 출혈부위 조직 표면에 젤라틴이 접촉되면 젤라틴 입자가 약 20% 팽창하여 출혈의 흐름을 저항하게 되고, 혈액내의 피브리노겐과 트롬빈이 반응하여 혈액응고를 유발하여 지혈. 3) 적응증: 눈 이외의 부위에 대한 여러 영역의 외과적 수술 시, 결찰(ligature) 또는 일반적인 절차로 효과적으로 조절되지 않거나 조절이 불가능한 출혈	(빈도 미확립) - 드물게 알러지, 아나필락시스 - 빈혈, 심방 세동, 감염 및 출혈	〈금기〉 1) 응고장애의 1차적 치료법 및 예방적 지혈제로 사용 불가 2) 혈관이나 조직 내에 투여, 피부절개 부위의 봉합목적, 심한 동맥출혈환자, 눈 수술 부위, 산후 출혈 및 월경과다 지혈목적 사용 금지 〈주의〉 1) 중증의 간장애, 파종혈관내응고(DIC) 등 섬유소용해계 활성의 저하가 우려되는 질환이 있는 환자 2) 투여 시 이 약의 팽창부피를 고려(강(cavity) 또는 폐쇄된 조직공간에 투여시 완만한 접근 권장됨) 3) 사람 혈장으로부터 제조되므로 바이러스질환 원인물질 함유 가능성 있음. 4) 임신부, 수유부, 소아; 안전성 미확립 〈상호작용〉 1) 알코올, 요오드 또는 중금속이온을 함유하는 용액과

약품명 및 함량	용법	약리작용 및 효능	부작용	주의 및 금기
				접촉시 변성. (이 제품고무마개 살균용액으로 요오드 함유제제(베타딘 등) 사용금지) 2) 응고촉진제, 항플라스민제, aprotinin제제: 병용피함(혈전형성 경향나타남) 〈취급상 주의〉 1) 밀봉용기, 실온(2 – 25℃)에서 얼지 않게 보관 2) 염화칼슘용액으로 용해한 트롬빈 용액: 혼화 후 4시간 이내 사용 3) 젤라틴-트롬빈용액 혼합후 2시간이내 사용
1ml/set 중 1) Vial 1 Human plasma Fibrinogen 71.5~126.5mg (혈액응고인자 XIII으로 44~88 U) 2) Vial 2 Aprotinin 1,100KIU 3) Vial 3 Human plasma Thrombin 400~600IU 4) Vial 4 $CaCl_2$ 13.9~15.6mg **Greenplast** 그린플라스트키트 …1ml/set	1) 용량: 상처표면 면적 8㎠까지 1ml 키트 2) 용법 ① 사용전 약액을 꺼내어 실온에 방치함 ② 멸균된 주사기로 vial 2를 vial 1에 옮겨 완전히 용해 시킨다(a) ③ 같은 방법으로 vial 4를 vial 3에 옮겨 용해시킨다(b) ④ 접착이 필요한 조직표면에 (a)를 뿌린후 즉시 그위에 (b)를 뿌림. (동시에 분무하기 위해 분무세트를 사용할 수 있음)	1) 사람혈장에서 추출한 혈액응고인자로 구성된 외용지혈제 2) 지혈이 필요한 부위나 수술부위에 직접 약액을 도포 혹은 분무함으로써 지혈 작용 나타냄. 3) 조직 접착, 봉합 보조, 국소지혈, 상처 치유, 체강 및 지주막하 공간의 밀봉에 사용함.	- 드물게 알러지, 아나필락시스 - 발열, 구토, 두통 - 혈관내 투여시 혈전색전증 발생 가능	〈금기〉 1) 동맥 출혈 및 심한 정맥 출혈이 있는 환자 2) 소단백 과민증 환자 〈주의〉 1) 국소용으로만 사용하고 혈관 내로 투여금기 2) 사람 혈장으로부터 제조되므로 바이러스 질환 원인물질을 함유할 가능성이 있음 〈상호작용〉 1) 산화제, 단백변성제, 중금속 함유 물질에 의해 효능 저하됨. 2) 혈관내로 투여될 경우 약제내 함유된 칼슘에 의해 강심 배당체의 효과 상승됨. 〈취급상 주의〉 1) 냉장보관 2) 조제 후 가급적 바로 사용하도록 하며, 15~25℃에서 8hrs 안정(동결 금함)
2ml/set 중 1) syr 1 (1ml) Human Fibrinogen 75~115mg, Aprotinin 750~1,250KIU 2) syr 2 (1ml) Thrombin 400~600IU, $CaCl_2$ 5.6~6.2mg	1) 용량: 상처표면 면적 8㎠까지 2ml(1set) 키트 2) 사용전 해동: 냉동고에서 꺼내 실온에서 30-50분간 방치 또는 37℃ 이하에서 멸균 수욕상에서 해동 후 바로 사용 3) 적용 ① 동시적용	1) 사람 혈장에서 추출한 혈액응고인자로 구성된 외용 지혈제 2) 조직접착, 봉합보조, 국소지혈, 상처치유, 체강 및 지주막하 공간의 밀봉에 사용함.	- 드물게 알러지, 아나필락시스 - 발열, 구토, 두통 - 혈관내 투여시 혈전색전증 발생 가능	〈금기〉 1) 동맥 출혈 및 심한 정맥 출혈이 있는 환자 2) 소단백 과민증 환자 〈주의〉 1) 국소용으로만 사용하고 혈관내로 투여금기 2) 이 약제는 사람혈장으로부터 제조되므로 바이러스 질환 원인물질을 함유할 가능성이 있으므로 적절한 예방요법이 요구됨.

약품명 및 함량	용법	약리작용 및 효능	부작용	주의 및 금기
Greenplast Q prefilled syr 그린플라스트큐프리필드시린지키트 …2ml/set	2개의 동일한 시린지를 고정시키는 클립과 Y자관을 통해서 주사바늘을 이용하여 동시 혼합 사용 ② 개별적용 시린지 클립을 제거하고 각각 사용			〈상호작용〉 1) 산화제, 단백변성제, 중금속 함유물질에 의해 효능 저하됨. 2) 혈관내로 투여될 경우 약제내 함유된 칼슘에 의해 강심배당체의 효과 상승됨. 〈취급상주의〉 1) −20℃이하냉동보관 2) 해동 후 즉시 사용하며 15~25℃에서 8hrs 안정(동결금함)
1㎠ 중 Collagen(sponge) 기제, Fibrinogen 4.3~6.7mg, Thrombin 1.5~2.5IU **Tachosil** 타코실 …$2.5\times3.0\times0.5cm^3$ …$4.8\times4.8\times0.5cm^3$ …$9.5\times4.8\times0.5cm^3$	1) 상처부위의 크기에 맞게 적당한 크기(상처 부위보다 1~2cm 더 크게)로 절단하여 부착 2) 용법 ① 적용전에 상처 부위 멸균 세척 ② 약물이 도포되어 있는 면을 상처부위에 적용한 후 3~5분간 압착 (1개 이상 적용시에는 각각의 부착포가 겹쳐지도록 적용할 것) ③ 충분한 수분이 있는 부위는 따로 적실 필요 없으나, 건조한 부위에 적용시에는 흡착을 위해 적용 전에 생리식염수로 처리할 것 ④ 적신 후에는 즉시 사용할 것	1) 콜라겐 스폰지에 지혈작용이 있는 피브리노겐, 트롬빈 등이 도포되어 있는 제제로 상처부위의 2차적 흡착 및 물리적 지혈효과 있음 2) 효능, 효과 ① 기존 치료법으로 지혈이 불충분할 경우 또는 담즙, 림프액의 누출 및 공기가 새는 경우 폐색작용 ② 간, 비장 등 실질적 기관 수술시의 지혈 및 조직 접착 및 외상 관련 수술시의 지혈 ③ 림프, 담즙, 액의 누공의 예방적 처치 ④ 폐수술시 발생하는 공기가 새는 부위의 봉합	− 쇽, 과민반응 − 호산구증가, 백혈구증가 − 황달, AST 및 ALT 상승 − 발열, CRP 상승 − 두통, 구토	〈금기〉 1) 임신부 및 수유부 : 안전성 미확립 2) 말을 원료로 하는 제제에 과민한 자 〈주의〉 1) 본 제제는 사람 혈장으로부터 추출한 재료로 제조된 것이므로 감염의 위험성이 큰 혈우병 환자, 면역기능 저하자인 경우 적절한 백신 접종이 권장 2) 수술도구에 본 약제가 붙지 않도록 수술 도구에 묻어있는 혈액이나 분비물을 제거함. 3) 사용된 이 약에 대한 주변 장기의 유착이 나타날 수 있어 적절한 처치 행해야 함. 〈취급상 주의〉 1) 본 제제는 무균 포장이므로 무균 상태에서 취급함. 2) 개봉 후 남은 약제는 폐기함. 3) 포장이 훼손된 제품은 사용하지 않도록 하며, 재멸균하여 사용 불가 4) 냉장보관(2~8℃)
2ml/set 중 1) syr 1(1ml) aprotinin 3,000KIU, 혈액응고인자XIII 10IU, fibrinogen 91mg	1) 용량 (조직표면적:티씰 표면적(syr 1+2 총량) ~$5cm^2$: 1ml ~$10cm^2$: 2ml ~$20cm^2$: 4ml ~$50cm^2$: 10ml	1) 피브리노겐과 트롬빈의 분리된 2개의 물질을 상처부위에 사용함으로써 coagulation cascade의 마지막 단계를 이용하여 혈액응고를 유도 2) 신생혈관의 생성촉진과 국소 조직의 성장 촉진 작용 3) 적응증 : 국소지혈, 봉합, 조직접착, 상처 치유보조	− 알레르기, 아나필락시스 반응 − 트롬빈에 의한 과민증상, 발열, 구토, 두통	〈금기〉 1) 동맥출혈, 심한 정맥출혈이 있는 환자 2) 우단백에 과민한 환자 3) 심각한 알러지성 − 아나필락시스성 반응을 보이거나 혈전 색전증이 일어날 수 있으므로 비점막으로는 주입하지 않음.

약품명 및 함량	용법	약리작용 및 효능	부작용	주의 및 금기
2) syr 2(1ml) human thrombin 500IU, $CaCl_2$ 5.88mg **Tisseel** 티씰 …2ml/set …4ml/set	2) 용법 ① 냉동고에서 꺼내어 실온에 방치 (신속한 해동을 위해 2개의 백을 제거한 후 37℃를 넘지 않는 멸균 수욕상에 데워서 사용) ② 적용 직전까지 syringe의 보호캡을 제거하지 않음. ③ 꿀과 같은 정도로 점성이 일정하게 유지되었을 때 사용 (약제를 기울이거나 거꾸로 뒤집었을 때 syringe내의 공기방울이 천천히 올라옴) ④ 해동 후 25℃로 보관시 72시간 이내 사용(해동 후 냉장, 냉동 금지) 3) 적용량은 수술 종류, 영향 받는 부위의 면적, 적용방법, 횟수에 따라 다름.		– 반복 사용시 항체 형성 가능	4) 임신부, 수유부 : 안전성 미확립 5) 소아 〈주의〉 1) 이 약과 트롬빈 용액은 혈관내 주입하지 않음.(아나필락시스 반응의 위험과 혈관 투여시 혈전 색전증의 위험 가능) 2) 최소한으로 필요한 분무거리 10cm 3) 두 성분을 적용한 후 즉시 상처 부위에 접근시킴. 4) 세팅된 접착제가 주위 조직에 단단하게 붙도록 약 3~5분간 연속적인 부드러운 압력으로 접착된 부위를 고정시킴. 〈상호작용〉 1) 요오드, 과산화수소 등의 산화제, 알코올 등의 단백변성체 또는 치메로살 같은 중금속을 함유한 물질은 이 약의 효능을 감소시킬 수 있음. 〈취급상 주의〉 1) 냉동보관(〈 -20℃) 2) 해동 후 안정성 : 실온 72시간이내 보관가능하나 해동시킨 후 가능한 즉시 사용

약품명 및 함량	용법	약리작용 및 효능	부작용	주의 및 금기
Hemocoagulase Botropase inj 보트로파제주 …1 KU/1ml/A …2 KU/2ml/A	1) 예방 : 수술 2~4시간 전 1ml IM 혹은 수술 직전 1ml IV 2) 치료 – 성인 : 1~2ml/D IV, IM – 소아 : 0.3~1ml q 8hrs 3) 위급치료 : IV로 투여하며 필요시 투여 반복 4) 피부과 : 대상포진 증후 – 처음 2일간 : 1ml q 8hrs IM – 셋째날부터 : 1ml q 12hrs IM	1) 브라질 독사 Bothrops Jararaca의 독액(venom)에서 분리 정제하여 무독화한 혈액응고 촉진효소(hemocoagulase)임. 2) Thrombin과 유사하게 fibrinogen에서 fibrin으로의 전환율 증가, thromboplastin 생성 증가, factor V 활성 증가 작용 3) Heparin과 달리 항트롬빈 인자에 의해 영향을 받지 않고 fibrin clot에 의해 흡수되지 않으므로 작용이 지속적임. 4) Onset : 15mins(IV), ~30mins(IM) 최대효과 : 30~45mins(IV), 〉1~2hrs(IM)	– 과민증상 – Shock 유사 증상	〈금기〉 1) 정맥, 동맥 혈전증 환자 2) 혈관내 산재된 응고증후 환자 3) 트롬빈을 투여중인 환자 〈주의〉 1) 항 plasmin제와의 대량 병용으로 혈전경향이 나타나는 일이 있으므로 신중투여 2) 저fibrinogen혈증 등의 심한 fibrinogen 결핍에는 무효 3) 급속하게 투여하면 오심, 심계항진, 두통 등이 나타남.

약품명 및 함량	용법	약리작용 및 효능	부작용	주의 및 금기
		5) 각종 출혈의 치료 및 예방, 대상 포진 치료에 사용		
Human fibrinogen dried Fibrinogen inj 파이브리노겐주 …1g/V	1) 1회 3g 천천히 IV 2) 증상에 따라 혈장 피브리노겐 양이 될 때까지 반복 3) 주사용수로 용해	1) 사람 혈장에서 추출한 coagulation factor 2) 적응증: 외과처치, 선천성 저 · 무 피브리노겐혈증 등의 저피브리노겐혈증 3) 문헌에 air leak, pleural effusion 등에 흉막유착술 시행시 사용례 보고되어 있음 – 흉막유착 사용시 용법: 1일 1회 1g, intrapleural inf. fibrinogen soln과 thrombin+CaCl2 soln을 순차적으로 투여 (추가용량 투여 가능)	(빈도 미확립) – 과민반응: 오한, 발열 – 아나필락시 쇽(호흡곤란, 흉부불쾌감, 혈압저하, 청색증 등) – 흉막 유착 사용시: 발열, 흉통	〈주의〉 1) 혈장에서 제조되어 간염 및 다른 바이러스 질환 원인물질을 함유할 가능성에 주의 2) 용혈성, 실혈성 빈혈환자 3) 면역부전 환자, 면역결핍 환자 4) 임신부: Category C 〈취급상 주의〉 1) 냉장 보관 2) 미세 여과망 수혈세트를 사용하여 단독으로 투여 3) 용해 후 1시간 이내 사용, 잔액 폐기
Phytonadione (Vitamin K1) Vitamin K1 inj 비타민케이1주사액 …10mg/1ml/A	1) 저프로트롬빈 혈증 – 성인 : 2.5~10mg, 필요시 6~8시간후 반복투여 가능 (Max. 25~50mg) – 소아 : 2.5~10mg SC, IM, 응급시에는 IV(3mg/m^2/min 이하의 속도로 투여), 필요시 6~8시간후 반복투여 가능 – 영아 : 1~2mg IM, SC 2) 신생아 출혈성 질환의 예방 – 출생 1hr 이내 0.5~1mg IM 3) 신생아 출혈성 질환의 치료 : 1mg IM, SC	1) 혈액응고인자인 factor Ⅱ(prothrombin), Ⅶ(proconvertin), Ⅸ, Ⅹ의 생성을 촉진하여 지혈작용을 나타냄 2) 영양결핍, Vit.K 생합성 및 흡수불량으로 오는 저프로트롬빈혈증에 사용함 3) Coumarin, indandion계 anticoagulant에 의한 출혈에 선택 약제임(간기능 정상인 환자에서 투여 후 4~6시간 이내에 정상수치 회복). 항생제, 살리실산제제 등에 의한 2차적으로 발생되는 저프로트롬빈혈증 4) 임신중 산모의 anticonvulsant 치료에 의한 신생아 출혈질환의 예방 및 치료에 유효 5) Tmax : 12hrs $T_{\frac{1}{2}}$: 26~193hrs 배설 : 신장	– 일시적 홍조감, 미각변화, 어지러움, 빈맥, 단기간 저혈압, 호흡곤란, 청색증, 급성 말초혈관 부전증 – 기관지 경련, 쇽 – 주사부위 동통 – 홍반성, 경화성 플라크 – 고빌리루빈혈증 (신생아, 특히 미숙아)	〈금기〉 1) 간세포 손상으로 인한 저프로트롬빈 혈증 환자 2) 담즙분비 정지 환자 〈주의〉 1) 대량 연용시 고빌리루빈혈증이 나타날 수 있으므로 혈액응고 이상을 고려하여 과량 투여되지 않도록 신중 투여하도록 함. 2) 임신부 : Category C (임신말기 산모에게 대량 투여시 신생아에서 고빌리루빈혈증, kernicterus증후가 나타날 수 있으므로 주의) 3) 중증 간장애 환자에게 투여시 2일 이내 프로트롬빈 수치가 개선되지 않을 경우 주의 4) 수유부 : 안전성 미확립 〈취급상 주의〉 1) 차광 보존 2) 정맥주사시 NS, 5DW, 5DS에만 희석하고 혼합 즉시 투여를 시작함. (1mg/min 이하 속도로 투여) 3) SC 권장하나 응급시 IV inf. (단, 신생아에서는 IM 권장)

약품명 및 함량	용법	약리작용 및 효능	부작용	주의 및 금기
Apixaban Eliquis tab 엘리퀴스정 ···2.5mg/T ···5mg/T	1) 슬관절 또는 고관절 치환술을 받은 성인 환자의 정맥혈전색전증 예방: 2.5mg bid (음식물과 관계없이 복용) - 수술 후 12~24시간내에 투여시작하여 고관절치환술에 32~38일, 슬관절 치환술에 10~14일간 투여 2) 비판막성 심방세동 환자에서 뇌졸중 및 전신색전증의 위험 감소: 5mg bid - ① 나이≥80세, ② 체중≤60kg, ③ Scr≥1.5mg/dL 중 최소 2가지 이상 해당 시: 2.5mg bid 3) 심재성 정맥혈전증 및 폐색전증의 치료: 10mg bid로 7일간 투여 후 5mg bid로 투여 4) 심재성 정맥혈전증 및 폐색전증의 재발위험 감소: 2.5mg bid 5) 와파린 투여중인 환자: 중단 후 INR 2.0 미만일 때 투여 시작 6) 비경구 항응고제 투여중인 환자: 바로 다음 투여부터 전환 가능 * 신기능에 따른 용량 조절 참고 - 15 ≤ CrCl(ml/min) 〈 30 : 2.5mg bid - CrCl(ml/min) 〈 15 : 투여금기	1) 항혈액응고제 2) factor Xa를 선택적, 직접적으로 억제하여 혈소판의 활성과 fibrin의 혈전형성을 억제함으로써 항응고 작용을 나타냄. 3) 적응증 - 고관절 또는 슬관절 치환술을 받은 성인 환자에서 정맥혈전색전증의 예방 - 비판막성 심방세동 환자에서 뇌졸중 및 전신 색전증의 위험 감소 - 심재성 정맥혈전증 및 폐색전증의 치료 - 심재성 정맥혈전증 및 폐색전증의 재발 위험감소 4) BA : 50% Onset : 3~4hrs peak : 3~4hrs $T_{\frac{1}{2}}$: ~12hrs 대사 : 간 배설 : 신장(27%), 대변	1) 〉 10% - 출혈 2) 1~10% - 자반 - 오심, 구토, 복통, 소화불량, 설사 - 빈혈, 처치 후 출혈 - 어지러움, 두통 - GGT 상승, transaminase 상승	〈금기〉 1) 임상적으로 유의한 출혈환자 및 출혈 위험성이 증가된 환자 2) 혈액응고장애 및 출혈 위험성과 관련된 간질환 환자 3) 고관절 골절술, 인공판막 환자: 안전성, 유효성 미확립 4) 갈락토오스 불내성, Lapp 유당분해효소 결핍증 등의 유전적 문제 있는 환자 (∵유당 함유) 5) 수유부: 안전성 미확립 6) 18세 미만 소아: 안전성 미확립 〈주의〉 1) 임신부: Category B (투여 비권장) 2) 중증 신장애 환자, 고령자 3) 척수/경막외 마취 또는 천자 시행 환자 4) 혈전 용해제를 사용하는 급성 허혈성 뇌졸중 환자: 안전성 미확립 〈상호작용〉 1) 항응고제, 혈소판 응집 저해제 및 NSAIDs: 출혈 위험 증가 2) CYP3A4 및 P-gp 저해제: 이 약의 약효 증가 3) CYP3A4 및 P-gp 유도제: 이 약의 약효 감소 〈참고〉 1) 침습적 시술(또는 수술)전 중단 시간 - 출혈위험이 낮은 경우: 최소 24시간, - 중등도~중증의 출혈 위험이 있는 경우: 최소 48시간 전에 중단
Fondaparinux sodium Arixtra inj 아릭스트라주	1) 정형외과 또는 복부수술을 받은 환자 : 1일 1회 2.5mg SC - 수술 부위 봉합 후 6시간 후 - 수술 후 최소 5~9일간, 고관절수술은 24일까지 투여 고려	1) 헤파린 구조 중 활성 부위만을 합성한 sulphated pentasaccharide 제제로서 activated Xa의 selective inhibitor (antithrombotic agent) 2) ATⅢ와 선택적으로 결합하여 ATⅢ에 의한 Factror Xa의 중화를 증가시켜 혈액응고 반응을	1) 〉10% - 발열(4~14%), 오심(11%), 빈혈(20%) 2) 1~10% - 부종(9%), 저혈압(4%),	〈금기〉 1) 임상적으로 유의한 활동성 출혈 상태에 있는 환자 2) 출혈성 뇌혈관 사고 환자 3) 출혈하기 쉬운 조직 병소가 있는 환자 4) 혈소판 감소증 환자

약품명 및 함량	용법	약리작용 및 효능	부작용	주의 및 금기
…2.5mg/0.5ml/syr	2) 혈전 색전증 위험이 높은 내과 환자 : 1일 1회 2.5mg SC 3) 불안정형 협심증, 비ST분절 상승 심근경색 : 1일 1회 2.5mg SC 최대 8일간 4) ST 분절 상승 심근경색 : 1일 1회 2.5mg 초회용량 IV 투여 후 SC로 최대 8일간 * 신기능에 따른 용량 조절 참고 1) 정맥혈전색전증 예방 ① CrCl 30~50ml/min : 1.5mg으로 감량 고려 ② CrCl <30ml/min : 투여금기 2) UA/NSTEMI, STEMI 치료 ① CrCl <30ml/min : 투여금기	차단하고, thrombin 생성과 thrombus 생성을 억제 (thrombin을 불활성화 시키지 않고, platelet에는 영향을 미치지 않음.) 3) 적응증 - 고관절 골절수술, 슬관절 및 고관절 대체수술과 같은 하지의 정형외과 수술을 받은 환자에서의 정맥 혈전 색전증의 예방 - 복부암 수술과 같은 복부 수술을 받은 환자 중 혈전색전증 합병증의 위험이 높다고 판단되는 환자에서의 정맥 혈전색전증의 예방 - 심부전(Class Ⅲ, Ⅳ), 급성호흡기 질환, 급성 감염 또는 염증 질환과 같은 급성질환으로 거동이 제한되는 환자와 정맥혈전색전증의 위험이 높다고 판단되는 내과 환자에서의 정맥혈전 색전증의 예방 - PCI가 적용되지 않는 환자의 불안정형 협심증 또는 비-ST분절 상승 심근경색 치료 - 혈전용해제로 치료받고 있거나 초기에 다른 형태의 재관류요법 치료를 받지 않은 환자의 ST 분절 상승 심근경색 4) BA : 100% $T_{\frac{1}{2}}$: 17~21hrs Tmax : 3hrs 배설 : 신장	착란(3%) - 불면(5%), 어지러움(4%), 두통(2~5%), 통증(2%) - 발진(8%), 자반(4%), 수포성 발진(3%) - 저칼륨혈증(1~4%) - 변비(5~9%), 구토(6%), 설사(3%), 소화불량(2%) - 요도감염(4%), 뇨저류(3%) - 중등의 혈소판 감소증(3%), 출혈(1~4%), 혈종(3%) - AST 증가(2%),ALT 증가(3%) - 주사부위 반응 (출혈, 발진, 소양증) - 상처 삼출물 증가(5%)	5) 급성 세균성 심내막염이 있는 환자 6) 중증 신기능 저하 환자 (CrCl <30ml/min) <주의> 1) 척추 및 경막 외 마취 환자 2) 고령인 환자 3) 저체중 환자(<50Kg) 4) 중등도 신기능 장애 환자 (30ml/min≤CrCl<50ml/min) 5) 심한 간장애 환자 6) 임신부 : Category B 7) 출혈 위험을 증가시킬 수 있는 제제 병용시
Rivaroxaban Xarelto tab 자렐토정 …10mg/T …15mg/T …20mg/T	1) 슬관절 또는 고관절 치환술을 받은 성인 환자의 정맥혈전색전증 예방: - 10mg qd (식사와 관계없이 투여) - 수술 후 6~10시간 내에 시작하여 고관절 전치환술 5주, 슬관절 전치환술 2주간 투여 2) 비판막성 심방세동 환자에서 뇌졸중 및 전신색전증의 위험 감소: - 20mg qd - CrCl 30~49ml/min: 15mg qd	1) 항혈액응고제 2) cofactor 필요 없이 factor Xa를 선택적, 직접적, 가역적으로 억제하여 혈소판의 활성과 fibrin의 혈전형성을 억제함으로써 항응고 작용을 나타냄. 3) 적응증: - 슬관절 또는 고관절 치환술을 받은 성인 환자의 정맥혈전색전증 예방 - 비판막성 심방세동 환자에서 뇌졸중 및 전신색전증의 위험 감소	1) 1~10% - 출혈(5.8%), 혈소판 감소증(2.6%) - GGT 상승(6.6%), 빌리루빈 상승(3.2%), AST 상승(2.8%), ALT 상승(2.6%) - 상처 분비물(2.8%), 가려움(2.1%), 수포(1.4%)	<금기> 1) 출혈 환자 2) 수유부: 안전성 미확립 3) 18세미만 소아: 안전성, 유효성 미확립 4) 임신부: Category C(국내허가금기) <주의> 1) 정기적 혈액응고지표 모니터링은 불필요하며, 출혈 고위험 환자는 Hgb 모니터링 권장 2) 척수, 경막외 마취 또는 요추천자 환자에게 사용시 척수혈종, 경막외혈종 위험성 증가

1장 2장 3장 4장 5장 6장 7장 8장 9장 10장 11장 12장 13장 14장 15장 16장 17장 18장 부록 Index

약품명 및 함량	용법	약리작용 및 효능	부작용	주의 및 금기
	3) 심재성 정맥혈전증 및 폐색전증의 치료 및 재발위험감소: – 치료시: 첫 3주간 15mg bid, 이후 유지용량 20mg qd – 재발위험감소; 20mg qd *신기능에 따른 용량조절 참고 – CrCl 〈 15ml/min; 투여 비권장 (투여 경험 없음)	– 심재성 정맥혈전증 및 폐색전증의 치료 및 재발 위험 감소 4) Tmax: 2~4hrs $T_{\frac{1}{2}}$: 5~9hrs (노인: 11~19hrs) 단백결합: 92~95% BA: 80~100% 대사: 간 배설: 신장(66%), 대변(28%)	– 실신(1.2%) – 사지통증(1.7%), 근육연축(1.2%)	3) NSAIDs, 혈소판응집억제제, 다른 항응고제와 같이 지혈작용에 영향을 주는 약물을 투약중인 환자 4) 중증(CrCl〈30ml/min) 또는 중등도의 신장애(CrCl 30–49ml/min) 환자 5) 중등도의 간장애(Child Pugh B,C) 환자 〈상호작용〉 1) 이 약의 효과 증강: CYP3A4 억제제(azole계 항진균제 등) 2) 이 약의 효과 감소: CYP3A4 유도제(rifampicin, phenytoin, carbamazepine, phenobarbital)

약품명 및 함량	용법	약리작용 및 효능	부작용	주의 및 금기
Argatroban Novastan HI inj 노바스탄하이주 ···10mg/2ml/A	1) 만성동맥폐색증 : 10mg 1일 2회, 2~3시간 동안 IV inf. (투여기간 4주 이내) 2) 발병후 48시간 이내의 뇌혈전증 급성기(열공(Lacuna, 직경 15mm 이내의 소경색) 제외) ① 처음 2일간: 60mg/D, 24시간 동안 IV inf. ② 다음 5일간: 10mg 1일 2회, 3시간 동안 IV inf. 3) 제2형 헤파린기인성 혈소판감소증 (HIT) ① 초기용량: 2mcg/kg/min continuous IV inf. – 중등도 간장애(Child–Pugh B), 심장수술 후, 중증질환자 : 0.5mcg/kg/min – aPTT가 치료범위(기저치의 1.5–3배, 100초를 넘지 않음)에 도달하도록 용량 조절	1) Thrombin에 직접 작용하는 selective thrombin inhibitor로서 thrombin의 작용을 가역적으로 억제하여 fibrin 생성, plasminogen activator 분비, coagulation factor V, VIII, XIII, protein C 및 혈소판 응집을 억제함. 2) 적응증 ① 만성동맥폐색증(폐쇄혈전혈관염, 폐쇄동맥경화증)에서의 사지궤양, 안정 시 동통 및 냉감의 개선 ② 발병 후 48시간 이내의 뇌혈전증 급성기에서 신경증상 및 일상생활 동작의 개선 ③ 비경구적 항혈전요법을 필요로 하는 제2형 헤파린기인성 혈소판감소증(HIT) 3) Onset: ~30mins Tmax: 1~3hrs $T_{\frac{1}{2}}$: 30~51mins Duration: 1~2hrs 대사: 간 배설: 신장(22%), 대변(65%)	1) 〉 10% – 가슴통증, 저혈압 – 비뇨생식기계 출혈(혈뇨) 2) 1~10% – 혈관이완, 심정지, 서맥, 심실성 빈맥, 심근경색, 협심증, 허혈성 심질환, thrombosis – 두통, 통증, 두개내출혈 – 피부부작용 – 오심, 설사, 구토, 복통, 소화기계 출혈 – 등 통증 – 호흡곤란, 기침, 객혈	〈금기〉 1) 출혈이 있는 환자 2) 뇌색전 우려 환자, 의식장애를 수반한 대경색 환자 3) 중증 간장애(Child–Pugh C) 환자 〈주의〉 1) 출혈 가능성 있는 환자 2) 항응고제, 항혈소판제, 혈전용해제 투여중인 환자 3) 뇌혈전증 환자의 경우 출혈성 뇌졸중 발현 가능성이 있으므로 임상증상 및 CT결과 체크 필요 4) 혈액응고기능 검사 등 출혈관리 필요 5) HIT 환자의 경우 헤파린 치료 중단 후 1–2hrs 경과 후 이 약 투여 시작 6) 에탄올 함유: 70kg HIT 환자에게 10mcg/kg/min 투여 시 에탄올 투입량 약 30g/D 7) 임신부: Category B 8) 수유부: 동물실험에서 유즙 분비 9) 소아: 안전성 미확립 〈취급상 주의〉 1) 차광, 실온보관 2) 희석 후 실온에서 24시간 안정

약품명 및 함량	용법	약리작용 및 효능	부작용	주의 및 금기
	- Max. 10mcg/kg/min, 최대권장 투여기간 14일 ② 경피적관상동맥중재술(PCI) 시행시 HIT: 350mcg/kg 3~5분간 IV bolus 후 25mcg/kg/min continuous IV inf., 활성응고시간(ACT) 확인 후 용량조절 ③ 혈액투석 환자: 투석회로 내 250mcg/kg bolus후 2mcg/kg/min continuous IV inf.			
Dabigatran etexilate Pradaxa cap 프라닥사캡슐 …110mg/C …150mg/C	1) 비판막성 심방세동환자에서 뇌졸중 및 전신색전증 위험감소 : 150mg bid 2) DVT 및 PE의 치료/재발 감소 : 150mg bid 3) 고관절 또는 슬관절 치환술 환자의 정맥혈전색전증 예방 : 220mg qd 4) 출혈의 위험성 있는 환자, 75세 이상 고령자 : 110mg bid 5) 신장애시 용량조절 ① CrCl ≥50ml/min : 용량조절 불필요 ② CrCl 30~50ml/min : 110mg bid ③ CrCl <30ml/min : 투여 금기 6) 와파린 투여중인 환자 : 중단 후 INR 2.0 미만에서 투여 시작 7) 비경구 항응고제 투여중인 환자 : 다음 투여 스케쥴 0~2시간 전(예, enoxaparin) 또는 연속투여 중단 시점(예, IV heparin)에 투여 시작	1) 트롬빈에 대한 직접적, 선택적, 가역적 저해제로 fibrinogen-fibrin, factor V, VIII, XI, XIII 작용을 억제 2) 적응증 - 비판막성 심방세동 환자에서 뇌졸중 및 전신 색전증의 위험 감소 - 심재성 정맥혈전증(DVT) 및 폐색전증(PE)의 치료 - 심재성 정맥혈전증 및 폐색전증의 재발 위험감소 - 고관절 또는 슬관절 치환술을 받은 환자에서 정맥혈전색전증의 예방(110mg) 3) INR 모니터링 필요 없음. 4) Onset : 0.5~2hrs 지속시간 : 12hrs $T_{\frac{1}{2}}$: 12~17hrs (고령, 신장애시 증가) 대사 : 간(활성형으로 변화) 배설 : 신장(85%, 미변화체 7%), 대변(6%)	1) >10% - 출혈 - 소화불량 2) 1~10% - 위장관계 출혈, 위염 유사증상 - 빈혈, 혈종, Hb 감소 - ALT 상승	〈금기〉 1) 임상적으로 유의한 출혈 환자 2) 중증 신장애 환자 3) 경구용 ketoconazole 병용 환자 〈주의〉 1) 출혈위험이 있는 환자(Pgp 저해제, aspirin, clopidogrel, NSAIDs 병용 환자, 중등도 신장애, 75세 이상 등)는 110mg bid로 감량 고려 2) 수술 전 적어도 24시간 이전 투여 중단, 출혈 위험이 높은 환자는 2~4일전 투여중단, 신기능 저하 환자는 소실속도 지연되므로 고려 3) 임신부 : Category C 〈상호작용〉 1) Salicylates 병용시 출혈위험 증가 2) Clopidogrel, ketoconazole, verapamil, amiodarone, quinidine 병용시 이 약의 혈중 농도 증가 3) Rifampicin(강력한 P-gp 유도제)은 이 약의 혈중 농도 감소 〈취급상 주의〉 1) 분쇄 불가, 캡슐을 개봉하지 않음(∵캡슐 개봉시 가수분해) 2) 캡슐 내 펠렛 파괴시 흡수 증가

약품명 및 함량	용법	약리작용 및 효능	부작용	주의 및 금기
Antithrombin Ⅲ, human Antithrombin Ⅲ inj 안티트롬빈III주 ···500IU/BT	AT-Ⅲ의 결핍정도나 소모정도에 따라 결정 1) 예방 : 1일 1,000~1,500IU 2) 치료초기 : 1일 1,000~2,000IU 3) 유지 : 1일 2,000~3,000IU, 1회 500IU q 4~6hrs 분할투여 or 계속 IV infusion 4) AT-Ⅲ 혈장수준이 정상화되고 제반증상이 없어질 때까지 투여함. 5) 10ml 주사용 증류수에 용해 후 서서히 IV - 점적주사 : 5% 알부민 용액에 희석 - 1:10 희석 : NS, 5DW, lactated ringer soln을 사용함.	1) 사람혈장에서 제조한 antithrombin Ⅲ를 고농도로 함유한 제제로 병원성 바이러스를 불활성화시키기 위해 60℃에서 10시간 동안 액상 가열처리한 제제 2) Heparin의 항응고작용에 cofactor로 작용하며, thrombin 및 기타 혈액응고인자(IX, X, XI, XII 등)의 억제에 의한 항응고-항혈전작용 3) 선천성 AT-Ⅲ 결핍증, 범발성 혈관내 응고증후군(disseminated intravascular coagulation〈DIC〉 synd.) 등의 후천성 AT-Ⅲ 결핍증에 사용 4) 체중 1kg당 이 약 1 IU 투여시 antithrombin Ⅲ 활성이 정상치의 1%이상 증가함. 5) Onset : DIC에 IV 2~3days 최대효과 : IV 15~30mins 지속시간 : 다회투여 후 50~70hrs $T\frac{1}{2}$: 2.6~3.8days	1) 1~10% - 어지러움(2%) 2) 〈1% - 복부 경련, 흉통, 흉부불쾌감, 이뇨효과, 호흡곤란, 부종, 발열 등	〈금기〉 1) 수유부 : 안전성 미확립 〈주의〉 1) 용혈성, 실혈성 빈혈 환자 2) 면역기능부전 환자, 면역결핍 환자 3) 임신부 : Category B 〈상호작용〉 1) Heparin 존재시 약리작용의 증가로 출혈의 위험성 있으므로 heparin 투여량은 500IU/hr 이하로 조절함. 〈취급상 주의〉 1) 조제 후 실온에서 12시간 안정 (재구성액은 냉장보관 하지 않음) 2) 용해시 절대로 심하게 흔들지 말 것 3) 냉장보관 4) 동결건조상태이며, 방부제를 함유하지 않음.
Dalteparin sodium Fragmin inj 프라그민주 ···2,500IU/0.2ml/syr ···7,500IU/0.3ml/syr ···10,000IU/0.4ml/syr	1) 수술관련 혈전색전증 예방 : 2,500 또는 5,000IU qd SC 2) 급성 심재성 정맥혈전증 치료 : 적어도 5일간 200IU/kg qd 또는 100IU/kg bid SC (Max. 18,000IU/D) 3) 혈액투석/여과시 혈액응고 방지 : 출혈위험, 혈액투석/여과 시간에 따라 용량조절, IV 투여 4) 불안정 협심증, 심근경색증 : 12시간마다 120IU/kg SC, 5~8일간 (Max. 10,000IU/12hrs) 5) 급성내과질환 환자의 심재성 정맥혈전예방 : 5,000IU qd SC 6) 증상적 정맥 혈전색전증 암환자	1) 저분자량 헤파린(LMWH)으로 factor Xa와 factor IIa(thrombin) 모두 억제 2) 특이적으로 factor Xa에 대한 작용이 factor IIa(thrombin)에 대한 작용보다 4배 큼. 3) 과량투여로 인한 응급시 중화 : protamine 1mg은 dalteparin 100IU anti-Xa를 중화 4) Onset : 1~2hrs 지속시간 : 12hrs 이상 $T\frac{1}{2}$: 2~5hrs 배설 : 신장	1) 〉10% - 출혈(3~14%) 2) 1~10% - 상처혈종 - AST/ALT 상승 - 주사부위 : 통증(~12%), 혈종(~7%)	〈금기〉 1) 이 약 존재 하에 실시한 in vitro 응고시험에서 양성 판정된 혈소판 감소증 환자 2) 돼지고기 제품에 과민반응 환자 3) 진행중인 출혈 환자 4) 급상 심재성 정맥혈전증, 폐색전증, 불안정협심증, 비Q파 심근경색증 치료와 관련된 국소마취 환자 5) Heparin 유도 혈소판감소증 환자 〈주의〉 1) 혈소판 감소증 및 기능장애 환자 2) 중증 간, 신장애 환자 3) 조절되지 않는 고혈압 환자 4) 고혈압성 또는 당뇨성 망막염 환자 5) 활동성 궤양 및 혈관형성 이상성 위장관질환 환자

약품명 및 함량	용법	약리작용 및 효능	부작용	주의 및 금기
	① 첫 1개월간 200IU/kg qd SC, 2~6개 월간 150IU/kg qd SC (Max. 18,000IU/D) ② 혈소판감소증 또는 신부전 시 용량 감소 필요			6) 임신부 : Category B 7) 소아 : 안전성 및 유효성 제한적임 (anti-Xa수치 모니터링 필요) 〈상호작용〉 1) Acetylsalicylic aid, 항혈소판제, 항응고제, dasatinib, NSAIDs, pentoxifylline, prostacyclin 유사체, 혈전용해제에 의해 효과 증가 〈취급상 주의〉 1) NS, DW에 희석한 주사 조제액 : 실온 12시간 이내 사용 2) 근육주사 금기
Enoxaparin sodium Clexane inj 크렉산주 …20mg/0.2ml/syr …40mg/0.4ml/syr …60mg/0.6ml/syr …80mg/0.8ml/syr	1) 외과영역 수술 후 정맥 혈전/색전 질환 예방(SC) ① 색전형성 저위험군 : 20mg qd (GS수술 2시간 전) ② 색전 위험성이 높은 경우 : 40mg qd (OS수술 12시간 전) ③ 혈전의 위험성이 있는 한 보행가능 시까지 계속 투여 (수술 후 7~10일) 2) 혈액 투석시 체외 혈액순환 회로의 혈액응고 방지 ① 혈액 투석 반복 실시 환자 : 투석회로의 동맥선에 1mg/kg (fibrin ring 형성시 0.5~1mg/kg 추가 투여) ② 출혈 위험 높은 환자 : 0.5~0.75mg/kg 3) 심재성 정맥 혈전증 치료(SC) ① 1mg/kg q 12hrs ② 10일 이상 투여금지 ③ Anti-Xa값 측정 필요 (0.5~1IU/ml) 4) 불안정 협심증, non-Q wave MI 치료(SC) ① 1mg/kg q 12hrs	1) Low molecular weight heparin으로 factor IIa, Xa 억제하여 항응고 작용 나타냄. 2) Prothrombinase의 작용을 억제하고 thrombin을 불활성화 시킴. 3) 수술 관련 혈전/색전 예방, 혈액 투석시 체외 혈액순환의 혈액응고 방지, 심재성 정맥 혈전증 치료 및 예방, 급성심근경색증, 급성 내과 질환으로 인한 심재성 정맥혈전색전증 예방 4) $T_{\frac{1}{2}}$: 7hrs(repeated dose) BA : 100% * 신기능에 따른 용량조절 참고 CrCl 〈30ml/min인 경우 - 외과영역 수술 후 DVT예방 : 30mg qd SC - DVT치료 : 1mg/kg qd SC - NQMI, 불안정협심증 : 1mg/kg qd SC - STEMI : 75세 이상 1mg/kg qd SC, 75세 미만 30mg 초회투여(IV) 후 1mg/kg qd SC	1) 1~10% - 발열(5~8%), 섬망, 통증 - 홍반, 멍 - 오심(3%), 설사 - 출혈(5~13%), 혈소판 감소증(2%), 저크롬성 빈혈(2%) - 간효소수치 상승 - 주사부위 혈종(9%), 국소반응 - 척수혈종, 경막외 혈종	〈금기〉 1) 본제 투여시 혈소판 감소증 기왕력 환자 2) 출혈 경향이 증가하거나 출혈하기 쉬운 조직병소가 있는 환자 3) 급성 세균성 심내막염 환자 4) 소아 및 수유부 : 안전성 미확립 〈주의〉 1) 인공 판막 환자 2) 고령자 3) 간부전 또는 신부전 환자 4) 10일 이상 지속 투여하는 경우 5) 임신부 : Category B 6) 과량 투여시 protamine으로 중화 가능 〈 상호작용〉 1) Aspirin, NSAIDs, ticlopidine과 병용시 출혈경향 증가 2) 고용량 heparin과 병용 투여 금기

약품명 및 함량	용법	약리작용 및 효능	부작용	주의 및 금기
	② 투여기간 : 2~8일 ③ aspirin(100~325mg/D, PO) 병용투여 5) 급성 내과질환 환자의 정맥 혈전, 색전 질환 예방(SC) ① 40mg qd ② 투여기간 : 6~14일 6) 급성 STEMI (IV bolus 후에 SC) : 30mg IV bolus 후 15분 이내 1mg/kg SC, 이후 12시간마다 1mg/kg SC			
Heparin sodium Heparin inj 헤파린나트륨주사액 …20,000IU/20ml/V …25,000IU/5ml/V	1) IV 또는 관류혈액에 첨가하여 사용함. 2) 헤파린 감수성의 개체차가 크므로 투여전에 감수성 시험을 실시하고 투여 후에는 혈액응고 시간을 측정함. 3) 적용 : 사용목적에 따라 투여량 결정	1) 돼지 점막에서 추출한 Mucotin polysulfuric ester로 혈액응고 억제제 2) Thrombin을 불활성화하여 fibrinogen이 fibrin으로 되는 것을 방지함(섬유소 용해작용은 없음). 3) 정맥혈전증, 폐 및 말초동맥 색전증의 예방과 치료에 사용함. 4) 색전성 심방세동의 치료와 급·만성 응고장애(DIC 등)의 진단 및 치료에 사용함. 5) 수술 또는 혈액투석 중 혈액이 체외로 나오는 경우와 검사실에서의 혈액채취시 응고방지 목적으로도 사용함. 6) 혈액응고시간 연장은 투여한 Heparin의 용량에 의존함. 7) 과량투여시 해독엔 protamine을 주사함. 8) Onset(항응고작용) : IV 투여즉시, SC 20~30mins 대사 : 간 $T\frac{1}{2}$: 1.5hrs(평균), 1~2hrs(range) (비만, 신기능, 간기능, 악성종양, 폐혈전, 감염 등에 영향 받음) 배설 : 신장	- 출혈(1.5~20%) : 혈소판감소, 비출혈, 정맥주사 후 급성 가역성 혈소판혈병 - 과민증 : 소양감, 담마진, 오한, 발열, 기관지천식 - SC, IM에 의한 국소통증성 혈종 궤양 - AST, ALT 증가 - 기타 : 원형탈모증, 백반, 골다공증, 신장기능억제	〈금기〉 1) 혈액응고 검사결과 응고 간격이 적당하지 않은 환자 2) 조절할 수 없는 활동성 출혈 환자 3) 신생아, 미숙아(벤질알콜 함유) 4) 중증의 간, 신질환 〈주의〉 1) 출혈의 위험이 높은 질병에 사용시 2) 투여 중지시는 서서히 감량함(혈전 생성 예방) 3) 과량투여시(증상 : 비출혈,혈뇨, 흑변) 4) 임신부 : Category C(임신 말기 3개월 주의) 5) 수유부 : 수유가능 〈상호작용〉 1) 이 약의 효능 증강 : anticoagulants, salicylates, NSAIDs 등 2) 이 약의 효능 감소 : antihistamines, ascorbic acid, digitalis, tetracyclines, nitroglycerin 등 〈적용상 주의〉 1) 혈종의 위험이 있으므로 치료 중에 근육주사 피함

약품명 및 함량	용법	약리작용 및 효능	부작용	주의 및 금기
Heparin sodium Heparine sod. inj 헤파린나트륨주사 …1,000IU/10ml/V	1) 카테터, 캐뉼라 개통성 유지 : 2ml(200IU)를 필요시 또는 4~8시간 간격으로 사용	1) 돼지 점막에서 추출한 Mucotin polysulfuric ester로 혈액응고 억제제 2) Thrombin을 불활성화하여 fibrinogen이 fibrin으로 되는 것을 방지함(섬유소 용해작용은 없음). 3) 1:100 제제로 정맥용 카테너나 캐뉼라의 개통성 유지(세척용) 목적으로만 사용함(항응고 치료제로 사용하지 않음)	- 드물게 혈소판감소증, 혈전증 - 헤파린 과민반응: 두드러기, 결막염, 빠른 호흡, 열감, 오한, 과민성 쇼크 등	〈금기〉 1) 신생아, 미숙아(벤질알콜 함유) 2) 혈소판감소증, 혈전증 환자 〈주의〉 1) 혈관내 카테터, 캐뉼라 개통성 유지 목적으로 5일 이상 반복적으로 사용시 혈소판 수치 측정 2) 혈액샘플 채취 전 헤파린 세척액 제거(혈액 시험결과 영향 미칠 수 있음) 3) 임신부 : Category C 4) 수유부 : 수유가능
Nadroparin calcium Fraxiparine inj 후락시파린주사 …2,850IU/0.3ml/syr …3,800IU/0.4ml/syr …5,700IU/0.6ml/syr	1) 혈전색전증 예방 ① 일반외과 : 1일 1회 0.3ml을 수술 2~4시간 전 및 수술 후 보행이 가능할 때까지 7일 이상 SC ② 정형외과 : 보행 가능할 때까지 10일이상 SC - 수술 전 : 38 IU/kg SC(12시간 전) - 수술 12시간 후~3일째 까지 : 38IU/kg qd SC - 수술 후 4일째부터 : 57 IU/kg qd SC 2) 심재성 정맥혈전증 : 85.5 IU/kg q 12hrs SC 3) 체외 혈액 투석시 혈액응고 방지 ① 출혈위험이 없거나 투석시간이 4시간 이하인 경우 : 65IU/kg 동맥선에 IV bolus 4) Unstable angina, non-Q wave MI :초회 86 IU/kg IV bolus 투여 직후 86IU/kg SC, 그후 12시간마다 SC, 6일간 투여	1) Low molecular weight heparin으로 factor Ⅱa (thrombin)과 factor Xa를 억제하며, antithrombin에 결합 2) MW 4,500 daltons(1,000~10,000 daltons) 3) 혈전색전증의 예방 및 심정맥혈전증의 치료, 체외 혈액 투석시 혈액응고 방지, non-Q wave MI 치료에 사용함. 4) 지속시간 : 혈전용해작용 24hrs $T_{\frac{1}{2}}$: 2~5hrs	1) 출혈(〈2%), 혈소판감소증(0.001%) 2) 간효소 수치 상승 3) 주사부위 혈종(10~13%), 홍반성 피부반응, 통증, 작열감, 가려움증, 피부괴사(치료시작 7~15일 후에 드물게 나타남)	〈금기〉 1) 이 약제로 인한 혈소판 감소증의 병력이 있는 환자 2) 지혈장애 환자 3) 출혈이 일어나기 쉬운 부위에 기질성 병변이 있는 환자 4) 출혈성 뇌혈관 사고 환자 5) 급성 감염성 심내막염 환자 6) 맥락망막 혈관성 질환이 있는 환자 7) 뇌, 척수 또는 눈 수술 후 회복기에 있는 환자 〈주의〉 1) 간 또는 신기능 부전 2) 피부 괴사 환자 〈상호작용〉 1) 출혈 위험을 증가시킬 수 있는 제제 : 항혈소판 제제, aspirin, NSAIDs

약품명 및 함량	용법	약리작용 및 효능	부작용	주의 및 금기
Abciximab Clotinab inj 클로티냅주 …10mg/5ml/V	1) PTCA 시술시 시술 시작 60~10분전 0.25mg/kg IV bolus 하고 그 후 12시간동안 0.125 mcg/kg/min(Max. 10mcg/min)로 IV inf. 2) 병용투여 약물 ① Aspirin(300mg qd) ② Heparin - PTCA 시술전 ACT 〈150초 : 150U/kg ACT 150~225초 : 75U/kg ACT 226~299초 : 50U/kg - 시술 중 ACT 〈300초 : 300에 도달시까지 추가 일시 주입 ACT 〈275초 : 50U/kg ACT 275~299초 : 25U/kg - 시술 후 10U/kg/hr로 헤파린 투여 시작, APTT 60~85초 또는 1.5~2.5 time base를 유지하기 위해 필요한 양으로 보정해서 연속 주입방법으로 투여 * ACT : Activated Clotting Time	1) Platelet glycoprotein IIb-IIIa receptor에 작용하는 chimeric monoclonal antibody Fab fragment 2) 경피적 관동맥혈관 확장술(PTCA)을 받는 환자 중 high risk 환자의 허혈성 심합병증 예방에 heparin, aspirin과 병용투여 3) Onset : 2hrs (PTCA시술시 IV) 지속시간 : 48hrs (이후 혈소판 기능 회복) $T_{\frac{1}{2}}$: 〈10mins	1) 〉10% - 저혈압(14.4%), 흉통(11.4%) - 오심(13.6%) - 미세출혈 (4~16.8%) - 저배통(17.6%) 2) 1~10% - 서맥(4.5%), 말초 부종(1.6%) - 두통(6.45%) - 구토(7.3%), 복부 통증(3.1%) - 혈소판 감소증 (2.5~5.6%) - 주사부위 통증(3.6%)	〈금기〉 1) 출혈 위험성을 가진 환자 - 최근(6주내) 위장관 또는비뇨생식기 출혈 - 2년내 뇌혈관 발작의 기왕력 - 혈소판 감소증(10만cells/㎕) - 고혈압성 당뇨병 환자 - 심한 간 및 신장애 2) 본제 및 뮤린 단백질에 과민한 환자 3) 수유부 및 소아 : 안전성 미확립 〈주의〉 1) 다음 환자는 출혈의 위험성이 증가될 수 있음 - 75kg 이하의 환자 - 65세 이상의 환자 - 위장관 병력이 있는 환자 - 혈전 용해제를 투여 받은 환자 2) 임신부 : Category C 〈취급상 주의〉 1) 냉장보관 2) 가능하면 다른 약제와 혼합하지 말고 분리된 IV line을 이용하여 투여할 것
Aspirin (Acetylsalicylic acid) Aspirin protect tab 아스피린프로텍트정 …100mg/T	1) 불안정형 협심증 환자에 있어서 비치명적 심근 경색 위험 감소 : 75~300mg/D 2) 일과성 허혈 발작의 위험 감소 : 30~300mg/D 3) 최초 심근경색 후 재경색 예방 : 300mg/D	1) Salicylate계 해열소염진통제 2) Prostaglandin 합성억제작용에 의한 진통, 소염효과 및 위산분비 촉진효과 3) 말초혈관확장과 발한촉진작용에 의한 해열효과 4) Prothrombin합성 및 혈소판 응집 억제 작용 5) 장용정으로 아스피린으로 인한 위장장애 감소시킴.	- 저혈압, 빈맥, 부종 - 발진, 혈관부종, 두드러기 - 전해질 이상, 산증, 탈수, 혈당이상 - 오심, 구토, 소화불량, 상부위장관 불편감,	〈금기〉 1) 이 약 또는 다른 살리실산 제제에 과민증의 병력이 있는 환자 2) 소화성궤양 환자 3) 아스피린 천식(NSAIDs에 의한 천식발작) 또는 그 병력이 있는 환자 4) 혈우병 환자

약품명 및 함량	용법	약리작용 및 효능	부작용	주의 및 금기
	4) 뇌경색환자, 심혈관 위험인자를 가진 환자에서 관상동맥혈전증 예방 등의 경우 혈전색전형성 억제: 100mg/D	6) 혈소판 응집 억제 작용에 의한 불안정형 협심증 환자에 있어서 비치명적 심근 경색 위험 감소 및 일과성 허혈발작 위험감소, 최초 심근경색 후 재경색 예방에 사용함. 7) 흡수 : 신속 Tmax : 1~2hrs 지속시간 : 4~6hrs $T\frac{1}{2}$: 4.7~9hrs(Ave. 6hrs) 배설 : 신장	작열감, 위통, 위궤양(6~31%), 십이지장궤양 – 빈혈, 응고장애, 혈소판감소증, 출혈 – 간독성, 간효소 수치 상승, 간염(가역적) – 청력감퇴, 이명 – 간질성 신염, 단백뇨, 신부전 – 천식, 기관지수축, 과호흡, 호흡성 알칼리증, 비심인성 폐부종 * 출혈 부작용은 용량, 병용약물, 개인에 따라 다르며 주로 용량 의존적임. 기타 중대한 부작용은 특이적으로 발생함.	5) 중증 간장애 환자 6) 중증 신장애 환자 7) 중증 심부전 환자 8) 임신부 : Category D 〈주의〉 1) 수두 및 influenza 환아(Reye's syndrome의 위험) 2) 신 · 간장애, 심기능 이상, 기관지천식 환자 3) 출혈경향 또는 혈액이상이 있는 환자, 심혈관 순환기능 이상 환자 4) 수술전 투여는 출혈경향 증가 5) 3세 이하 유아 6) 진통제, 소염제, 항류마티스제에 과민증 및 다른 알레르기 질환의 병력이 있는 환자 7) 포도당-6-인산염 탈수소효소(G6PD)결핍 환자(용혈, 용혈성 빈혈 유도) 〈상호 작용〉 1) Warfarin, 당뇨병 치료제의 작용 증강시킴. 2) Benzbromarone, Hydrochlorothiazide의 작용 감소시킴. 3) Methotrexate의 혈액학적 독성 증가시킴. 4) Lithium 독성 증가시킴.
Aspirin encapsulated Rhonal tab 로날정 …100mg/T …500mg/T	1) 500mg/T 성인 : 0.5~1.5g bid~tid 2) 100mg/T ① 1~2세 : 100~150mg bid~tid ② 3~6세 : 150~250mg bid~tid ③ 7~10세 : 300~400mg bid~tid ④ 11~14세 : 400~500mg bid~tid * 신기능에 따른 용량조절 참고 CrCl <10ml/min : 금기	1) Salicylate계 해열소염진통제 2) Prostaglandin 합성억제작용에 의한 진통, 소염효과 및 위산분비 촉진효과 3) 말초혈관확장과 발한촉진작용에 의한 해열효과 4) Prothrombin합성 및 혈소판 응집 억제 작용 5) 제피세립하여 아스피린으로 인한 위장장애 감소시킴. 6) 혈소판 응집 억제 작용에 의한 불안정형 협심증 환자에 있어서 비치명적 심근 경색 위험 감소 및 일과성 허혈발작 위험감소, 최초 심근경색 후 재경색 예방에 사용함. 7) 흡수 : 신속	– 저혈압, 빈맥, 부종 – 발진, 혈관부종, 두드러기 – 전해질 이상, 산증, 탈수, 혈당이상 – 오심, 구토, 소화불량, 상부위장관 불편감, 작열감, 위통, 위궤양(6~31%), 십이지장궤양 – 빈혈, 응고장애, 혈소판감소증, 출혈	〈금기〉 1) 이 약 또는 다른 살리실산 제제에 과민증의 병력이 있는 환자 2) 소화성궤양 환자 3) 아스피린 천식(NSAIDs에 의한 천식발작) 또는 그 병력이 있는 환자 4) 혈우병 환자 5) 중증 간장애 환자 6) 중증 신장애 환자 7) 중증 심부전 환자 8) 임신부 : Category D 〈주의〉

약품명 및 함량	용법	약리작용 및 효능	부작용	주의 및 금기
		Tmax : 1~2hrs 지속시간 : 4~6hrs T½ : 4.7~9hrs(Ave. 6hrs) 배설 : 신장	- 간독성, 간효소 수치 상승, 간염(가역적) - 청력감퇴, 이명 - 간질성 신염, 단백뇨, 신부전 - 천식, 기관지수축, 과호흡, 호흡성 알칼리증, 비심인성 폐부종 * 출혈 부작용은 용량, 병용약물, 개인에 따라 다르며 주로 용량 의존적임. 기타 중대한 부작용은 특이적으로 발생함.	1) 수두 및 influenza 환아(Reye's syndrome의 위험) 2) 신 · 간장애, 심기능 이상, 기관지천식 환자 3) 출혈경향 또는 혈액이상이 있는 환자, 심혈관 순환기능 이상 환자 4) 수술전 투여는 출혈경향 증가 5) 3세 이하 유아 6) 진통제, 소염제, 항류마티스제에 과민증 및 다른 알레르기 질환의 병력이 있는 환자 7) 포도당-6-인산염 탈수소효소(G6PD)결핍 환자(용혈, 용혈성 빈혈 유도) 〈상호 작용〉 1) Warfarin, 당뇨병 치료제의 작용 증강시킴. 2) Benzbromarone, Hydrochlorothiazide의 작용 감소시킴. 3) Methotrexate의 혈액학적 독성 증가시킴. 4) Lithium 독성 증가시킴.
Cilostazol Pletaal tab 프레탈정 …50mg/T …100mg/T	1) 100mg bid	1) 혈소판과 혈관 평활근의 C-AMP Phosphodiesterase 활성저해에 의해 혈소판 응집억제 작용 및 혈관 확장 작용을 나타냄. 2) 효능 · 효과 ① 만성동맥폐색증(Buerger' s disease, 폐색성 동맥경화증, 당뇨병성 말초혈관병증 등)에 의한 궤양, 동통, 냉감 등의 허혈증상 개선 ② 뇌경색(심인성 뇌색전증 제외) 발증 후 재발 억제 3) Onset : 혈소판 응집저해 3~6hrs 지속시간 : 12hrs(단회 투여시), 48hrs(반복 투여시) 대사 : 간 T½ : 11~13hrs 배설 : 신장(74%), 대변(20%)	1) 〉10% - 두통(27~34%) - 비정상적 배변(12~15%), 설사(12~19%) - 감염(10~14%) 2) 2~10% - 말초부종(7~9%), 심계항진(5~10%), 빈맥(4%) - 어지러움(9~10%) - 호흡곤란(6%), 오심(6~7%), 비정상적 통증(4~5%), 고창(2~3%) - 저배통(6~7%), 근육통(2~3%)	〈금기〉 1) 출혈이 있는 환자 2) 울혈성 심부전 환자 3) 수유부, 소아 : 안전성 미확립 〈주의〉 1) 항응고제, 항혈소판제제를 투여중인 환자 2) 관동맥 협착의 합병증 환자(협심증 유발 가능성) 3) 간장애 및 신장애 환자 4) 지속적으로 혈압이 상승하고 있는 고혈압 환자 5) 월경중인 환자 6) 당뇨병, 내당능장애가 있는 환자 7) 임신부 : Category C 〈상호작용〉 1) 출혈 경향을 높일 수 있는 약물: 항응고제, 혈소판 응집 저해제, 혈전 용해제, PG제제 2) 본 약물의 혈중 농도 상승 : 약물대사 효소 저해제, 자몽쥬스

약품명 및 함량	용법	약리작용 및 효능	부작용	주의 및 금기
			– 비염(7~12%), 후두염(7~10%), 기침(3~4%)	
Clopidogrel resinate Pregrel tab 프리그렐정 (Clopidogrel로서) …75mg/T	1) 뇌졸중, 심근경색 또는 말초동맥성 질환 : 75mg qd 2) 급성 관상동맥 증후군 – 초회 : 300mg qd – 유지 : 75mg qd 이 때 aspirin 75~325mg qd 병용투여 3) 심방세동 : 75mg qd 이때 aspirin 75~100mg qd 병용투여 * 참고 – PCI 시행전 loading dose로서 300~600mg 투여 가능	1) 비가역적 혈소판 응집 저해제로 ticlopidine의 analogue 2) ADP 유도성 혈소판 응집 및 점착을 억제함으로써 항혈전 작용을 나타냄. 3) Thromboxane A2, prostacycline 합성 및 phospholipase A 활성 억제 작용이 미약하여, ticlopidine의 위장 출혈 및 피부과적 부작용이 개선됨. 4) 허혈성뇌졸중, 심근경색, 말초동맥성질환, 급성관상동맥증후군, 심방세동환자에서 죽상동맥경화성 증상 개선 5) Peak response : 3~7days 지속시간 : 반복투여시 5~8days 단회투여시 72hrs Tmax : 0.7~1hr $T_{\frac{1}{2}}$: 7~8hrs 배설 : 신장(50%), 대변(46%) 6) 혈소판 응집 억제 효과 : 이 약 75mg qd ≒ Ticlopidine 250mg bid	1) >10% – 복통, 구토, 소화불량, 위염, 변비 2) 3~10% – 흉통, 부종, 고혈압 – 두통, 현기증, 우울, 피로 – 발진, 소양증 – 고지혈증 – 복통, 소화불량, 설사, 오심 – 요로감염 – 자반, 비출혈 – 간기능검사 이상 – 관절통, 저배통 – 호흡곤란, 비염, 기관지염, 기침, 상기도감염 – 감기양 증후군	〈금기〉 1) 소화성 궤양 또는 두개내 출혈 등 병리적 출혈 환자 2) 수유부 : 안전성 미확립 〈주의〉 1) 신중투여 : 위장관 출혈, 간기능 손상 환자(간대사) 2) 출혈 경향을 증가시키는 약제와 병용시 주의 3) 항응고효과가 필요하지 않을 경우 수술 5~7일 전 단약 4) 임신부 : Category B
Indobufen Ibustrin tab 이부스트린정 …200mg/T	1) 100~200mg bid 2) 장기치료시 : 200mg/D 3) 고령자 : 100~200mg/D 4) 혈액투석시 혈전생성 예방 : 투석 전 100mg 5) 신장애 환자 ① CrCl >80ml/min : 100mg~200mg bid ② CrCl 40~80ml/min : 100mg qd~bid	1) 혈소판 응집 억제제 2) 가역적인 혈소판 COX 억제제로서, Thromboxane의 생성을 억제하고, 혈소판 응집을 저해함 (작용이 가역적이므로 투약 중단 24시간 후 혈소판 기능 회복됨) 3) 적응증: 허혈성 뇌혈관질환, 허혈성 심질환, 죽상경화성 말초혈관질환, 정맥혈전증, 혈액투석(체외순환)시 혈전생성 예방 4) Onset : 0.1~1hr	– 소화불량, 복통, 변비, 오심, 구토 – 출혈(<1%)(잇몸 출혈, 비출혈, 드물게 혈변, 혈뇨, 위장 출혈) – 피부알러지, CNS부작용	〈금기〉 1) 선천성 또는 후천성 출혈성 질환, 궤양 또는 위장관계 병변을 가진 환자 2) 본제 또는 동일 약물군의 타약물에 대해 과민한 환자 3) 임신부, 수유부 : 안전성 미확립 〈주의〉 1) 위장관 병변의 경력을 가진 환자, 다른 항혈액응고제 또는 NSAIDs 복용중인 환자 2) 경구용 혈당강하제를 복용중인 당뇨 환자는 자주 혈당을 측정하도록 함

약품명 및 함량	용법	약리작용 및 효능	부작용	주의 및 금기
	③ CrCl <40ml/min : 100mg EOD~qd	Tmax : 2hrs $T_{\frac{1}{2}}$: 7~8hrs 배설 : 신장(75%)		3) 신기능 저하 환자
Ozagrel sodium Xanbon S inj 키산본에스주사액 …40mg/V	1) 뇌혈전증(급성기)에 수반하는 운동장애 개선 : 80mg bid, 2시간에 걸쳐 IV inf. (2주간 투여) 2) 지주막하출혈 수술 후의 뇌혈관 연축 및 뇌허혈 증상 개선 : 80mg 24시간에 걸쳐 IV inf. (2주간 투여)	1) 선택적으로 Thromboxane A_2 합성 효소를 억제하는 항혈액응고제 2) TXA_2합성 효소억제, PGI_2생성 촉진, 뇌혈관 수축 억제, 혈소판 응집 억제, 뇌혈류량 개선 작용을 나타냄. 3) 적응증 ① 뇌혈전증(급성기)에 수반되는 운동장애 개선 ② 지주막하 출혈 수술 후 뇌혈관 연축 및 이에 수반하는 뇌허혈증상 개선 4) Onset : 30mins (동물실험자료)	(빈도 미확립) - 출혈성 뇌경색, 경막외 혈종, 뇌출혈, 소화관출혈, 피하출혈, 혈소판 감소, 빈혈, 백혈구 감소 - 쇽 - ALT, AST, LDH, ALP, BUN, Scr 상승 - 오심, 구토, 설사, 식욕부진, 복부팽만감 - 상실성 기외수축, 혈압강하 - 발진, 발열, 두통, 흉내고민감, 주사부위 발적, 종창, 동통	〈금기〉 1) 출혈중인 환자(출혈성 뇌경색, 경막외출혈, 뇌출혈 또는 원발성 뇌실내출혈이 합병된 경우) : 출혈을 악화시킬 수 있음. 2) 뇌색전증 환자 (출혈성 뇌경색 발현 쉬움) 3) 이 약 성분에 과민한 환자 〈주의〉 1) 뇌색전증 우려 환자, 심방세동, 심근경색, 심장판막 질환, 감염성 심내막염, 일시적 완성형 신경증상을 보이는 환자 2) 심한 의식장애를 수반한 대경색 환자 (출혈성 뇌경색 발현 쉬움) 3) 출혈 중이거나 출혈 가능성이 있는 환자 〈상호작용〉 1) 항혈소판제, 혈전용해제, 항응고제와 병용시 출혈 경향 증가 우려되므로 용량 조절 필요 〈취급상 주의〉 1) 밀봉용기, 실온보관 2) 배합금기 : 칼슘 함유 수액과 배합시 침전 생성 3) NS, DW에 희석시 실온 24시간 안정 4) 기타 혼합 가능 수액 : 아미노산, mannitol, glyfurol과 혼합시 실온 24시간 안정
Prasugrel HCl Effient tab 에피언트정 …5mg/T …10mg/T	1) 60kg 이상, 75세 미만 성인 - 부하용량 : 60mg 1회 투여 - 유지용량 : 10mg qd(출혈위험 환자는 5mg qd) 2) 아스피린(75~325mg/D)과 병용투여 3) 신장애 환자 : 용량조절 불필요하나 신중히 투여	1) 3세대 경구용 Thienopyridine계 항혈소판제 2) Plasma esterase에 의해 가수분해된 후 간에서 한 번의 CYP450 산화 단계를 거쳐 활성대사체로 변환, 혈소판 표면의 Adenosine diphosphate(ADP) 수용체를 차단하여 혈소판의 활성과 응집을 억제 3) 적응증 : 관상동맥중재술(PCI)이 예정된 다음의 환자에서 혈전성 심혈관 사건의 발생율 감소	1) 1~10% - 고혈압, 심방세동, 서맥, 저혈압, 말초부종 - 두통, 현기증, 피로, 사지통증 - 고지혈증 - 구역, 설사, 위장관 출혈	〈금기〉 1) 활동성 출혈 환자 2) 뇌졸중, 일과성 허혈발작 병력 환자 3) 중증 간장애 4) 18세 이하 소아 : 안전성, 유효성 미확립 〈주의〉 1) 60kg 미만, 75세 이상 환자에서 출혈 위험성 증가로 투여 비권장

약품명 및 함량	용법	약리작용 및 효능	부작용	주의 및 금기
	4) 간장애 환자 : 경증~중등증 환자 용량조절 불필요 하나 신중히 투여	① 불안정형 협심증 또는 비-ST 분절 상승 심근경색(NSTEMI) 환자 ② 일차적 또는 지연 PCI를 받은 ST 분절 상승 심근경색(STEMI) 환자 4) 약동학 자료(혈소판 응집 효과) Onset : 15~30mins Tmax(Peak response) : 2hrs 지속시간 : 5~9days $T\frac{1}{2}$: 7~8hrs 대사 : 간 배설 : 신장(68~70%), 대변(25~27%)	- 백혈구 감소증, 빈혈 - 요통 - 기침, 무호흡, 비출혈	2) 신장애, 간장애 환자 3) 수술, 시술 7일전 투여 중단 4) 임신부 : Category B 〈상호작용〉 1) Warfarin, NSAIDs 등 병용시 출혈 위험 증가 2) CYP450 대사 약물(statin계, rifampicin, carbamazepine 등)과 병용 가능
Sarpogrelate HCl Anplag tab 안플라그정 …100mg/T	1) 100mg tid 식후복용 2) 환자의 연령 및 증상에 따라 적절히 증감할 수 있음.	1) 혈소판 및 혈관평활근 serotonin receptor(5-HT2)의 선택적 길항제로 혈소판 응집 억제 및 혈관 수축 억제 작용 있음. 2) 만성 동맥 폐색 환자의 경피적 조직 산소 분압 및 피부 표면 온도 상승 작용으로 미소순환 개선 3) 동맥폐색(버거씨병, 폐색성 동맥경화, 당뇨병성 말초 혈관 병증 등)에 의한 사지말단 궤양, 동통, 냉감 등의 허혈성 제증상과 측부혈행의 순환장애 개선	- 간효소 수치 상승 - 발진, 발적, 소양감 - 가슴쓰림, 복통, 변비, 식욕부진 - 심계항진, 흉통, 안면홍조, 손 부종 - 졸음, 미각이상, 두통, 현기증 - 출혈경향 - 단백뇨, 뇨잠혈, BUN 상승	〈금기〉 1) 임신부 : 동물에게서 태자 독성 보고된 바 있으므로 투여 금기 2) 수유부 : 동물 실험상 유즙 분비 보고 있으므로 수유 금함. 3) 소아 : 안전성 미확립(사용경험 없음) 〈주의〉 1) 출혈이 있는 환자(혈우병, 모세혈관위약증, 소화관 궤양, 요로 출혈 등)는 출혈 증가의 위험 있음. 2) 월경 기간중인 환자 3) 항응고제 또는 혈소판응집 억제 작용이 있는 약제를 투여중인 환자 4) 중증의 신장애 환자 5) 궤양성 질환이나 위장관 출혈의 병력이 있는 환자 6) 정기적인 혈액검사 권장
Sulodexide Vessel due F soft cap 베셀듀에프연질캅셀 …250LSU/C *LSU: 지방분해단위	1) 1Ⓒ bid	1) 돼지의 십이지장으로 부터 얻은 천연 장기추출제제 2) 혈액 : Xa factor를 선택적으로 억제하여 항혈전작용 및 혈관내피에 부착된 fibrin 용해 작용, 혈전성 소인인 fibrinogen 수치 저하	- 위장관 장애	〈금기〉 1) Heparin 유사약물이므로 heparin에 과민한 환자 〈주의〉 1) 투여중 혈중 지질 농도를 정기적으로 검사하고 반드시 식이요법을 병행하여 치료효과가 인정되지 않을 경우 투여 중지

약품명 및 함량	용법	약리작용 및 효능	부작용	주의 및 금기
		3) 혈관벽 : lipoprotein lipase 유리 촉진하여 혈중지질을 정상화하고 혈중 cholesterol 저하작용, 혈액점도 개선, 혈관 평활근 세포증식 억제작용을 나타냄. 4) 이 약 600LSU ≒ Heparin 4,000IU 5) 적응증 : 혈전의 위험성이 있는 혈관질환(허혈성 뇌 · 심장혈관질환, 정맥혈전증, 망막혈관폐색증) 6) Tmax : 1.33hrs $T_{\frac{1}{2}}$: 11.7~25.8hrs 배설 : 신장(55.3%), 담즙(23.5%)		2) 항응고효과를 증가시키므로 항응고제와 병용투여 시 정기적 혈액응고지표 검사 필요
Ticagrelor Brilinta tab 브릴린타정 …90mg/T	1) 성인: 180mg 초회 투여 이후 90mg bid – aspirin 75–150mg 병용 2) Clopidogrel에서 전환하는 경우: clopidogrel 마지막 투여 24시간 후 이 약 1정 투여 시작 3) 신장애 환자 : 용량 조절 불필요 (투석 환자는 투여경험 없음) 4) 간장애 환자 – 경증: 용량 조절 불필요	1) CPTP(cyclopentyltriazolopyrimidine)계 항혈소판 제제 2) 혈소판 P2Y12–ADP 수용체에 가역적으로 결합하여, 신호전달 및 혈소판 활성을 억제함. 3) 적응증 : 급성 관상동맥증후군(불안정성 협심증, NSTEMI 또는 STEMI환자에 있어서 약물치료, PCI 또는 CABG을 받을 환자를 포함)인 성인 환자에서 아스피린과 병용하여, 혈전성 심혈관 사건의 발생율 감소 4) 약동학 자료(혈소판 응집억제(IPA)효과) Onset of IPA : 30mins이내 (180mg, loading dose) Peak effect : 2hrs (loading dose) 지속시간 of IPA : 2~8hrs (loading dose) Tmax : 1.5~2.1 hrs (활성대사체: 2~2.5hrs) 대사 : 간 (CYP3A4/5) $T_{\frac{1}{2}}$: 7hrs (활성대사체: 9hrs) 배설 : 대변(58%), 신장(26%)	1) 〉10% – 호흡곤란 2) 1~10% – 심실 휴지, 부정맥, 고혈압, 협심증, 저혈압, 빈맥, 심부전, 혈관 부종, 심계항진 – 두통, 어지러움, 피로, 발열, 불안, 불면, 우울 – 멍, 발진, 피하출혈 – 저칼륨혈증, 당뇨, 지질 이상, 고콜레스테롤혈증 – 설사, 오심, 구토, 복통, 변비, 위산분비, 위장관 출혈 – 출혈, 빈혈, 혈종 – 통증, 관절염, 근육통 – Scr상승, 혈뇨, 신부전 – 비출혈, 기침, 비인두염, 기관지염, 폐렴	〈금기〉 1) 활동성 출혈(소화성 궤양, 두개내 출혈 등) 환자 2) 중등증~중증 간장애 3) 임신부: Category C 4) 수유부 및 18세 미만 소아: 안전성, 유효성 미확립 5) CYP3A4 저해제(ketoconazole, clarithromycin, ritonavir, atazanavir) 투여 중인 환자 〈주의〉 1) 수술 예정자: 적어도 5~7일전 이 약 투여 중단 2) 서맥성 증상, 호흡곤란 위험 있는 환자 3) 75세 이상, 신장애 환자, ARB 투여 환자: Scr 증가 위험 〈상호작용〉 1) CYP3A4 저해제: 이 약의 약효 및 부작용 증가 2) CYP3A4 유도제(rifampicin, dexamethasone, phenytoin, carbamazepine, phenobarbital): 이 약의 약효 및 부작용 감소 3) 이 약과 병용시 simvastatin, atorvastatin, digoxine의 AUC, Cmax 증가

약품명 및 함량	용법	약리작용 및 효능	부작용	주의 및 금기
Ticlopidine HCl Clid tab 크리드정 …250mg/T	1) 혈전 색전 치료 및 혈류장애 개선 : 200~300mg #2~3 2) 만성 동맥 폐색증의 제증상 개선 : 300~600mg #2~3 3) 허혈성 뇌혈관 장애에 수반되는 혈전 색전 치료, 관 상동맥 질환, 스텐트 삽입 후 혈전예방 : 500mg #2 4) 뇌지망막하출혈 수술 후 혈류장애 개선 : 300mg #3	1) ADP 유도성 혈소판응집 및 점착을 억제함으로써 항혈전작용을 나타남. 2) 혈액의 rheological 성상을 개선함. 3) 혈관수술시 등 혈전생성으로 야기될 수 있는 각종 질환을 예방함. 4) Onset : 6hrs 최대효과 : 2~5days 지속시간 : 4~10days Tmax : 1~3hrs 대사 : 간 $T_{\frac{1}{2}}$: 12.6hrs 배설 : 신장(60%), 대변(23%)	1) 〉10% - 총콜레스테롤 수치 증가(치료시작 1개월 이내 8 ~10%) - 설사(13%) 2) 1~10% - 어지러움(1%) - 발진(5%), 자반증(2%), 소양증(1%) - 오심, 소화불량(7%), 위장관 통증(4%), 구토, 고창(2%), 식욕부진(1%) - 호중구 감소증(2%) - 간기능검사 이상(1%)	〈금기〉 1) 출혈 환자 2) 중증의 간장애 환자 3) 백혈구감소증 환자 4) 수유부 및 소아 : 안전성 미확립 〈주의〉 1) 월경기간 중의 환자 2) 항응고제, 항혈소판제, 혈전용해제를 투여중인 환자 3) 수술 예정인 환자 4) 임신부 : Category B 〈상호작용〉 1) 병용 투여 금기 : NSAIDs, 항혈소판제, 항응고제, heparin, salicylate유도체, 혈전용해제–출혈경향 증가
Tirofiban HCl Agrastat inj 아그라스타트주 …12.5mg/50ml/V	1) 최초 30분간 0.4mcg/kg/min 속도로 투여하고, 그 이후에는 0.1mcg/kg/min 속도로 유지하면서 계속 투여(IV) 2) 용량조절은 환자의 체중에 근거하여 이루어짐 3) 희석액 조제 : NS, 5DW에 4:1의 비율로 이 약제 희석하여 최종농도 50mcg/ml가 되도록 조제 * 신기능에 따른 용량조절 참고 CrCl(ml/min)〈30 : 통상 주입속도의 반으로 투여	1) 혈소판 길항제 2) 혈소판 표면 수용체인 혈소판 GP IIb/IIIa 수용체에 대한 fibrinogen의 결합을 억제하여 혈소판 응집을 저해함. 3) 급성 관증후군 치료, PTCA, 죽상 반절제술 환자에서 헤파린과 병용 투여하여 사망, 심근경색의 발생, 치료 불응성 허혈/재심장 시술의 발생 빈도 감소 4) $T_{\frac{1}{2}}$: 1.5~3hrs 배설 : 신장(65%), 대변(25%), 투석시 여과되어 배설됨	1) 주된 부작용 - 출혈 2) 〉1% - 서맥(4%), 관상동맥 해리(5%), 부종(2%) - 어지러움(3%), 발열 및 두통(〉1%) - 오심(〉1%) - 골반통(6%) - 혈소판 감소 - 다리 통증	〈금기〉 1) 최근 30일 이내에 출혈이 있었던 환자 2) 두개내 종양, 출혈 등의 병력이 있었던 환자 3) 이전에 이 약 투여로 혈소판감소증이 발생했던 환자 4) 중증 고혈압, 대동맥 해리, 심막염 환자 5) 18세 미만 소아 및 수유부 : 안전성 미확립 〈주의〉 1) 혈소판수 ≤150,000/㎣인 환자 2) 출혈성 망막증 환자 3) 간장애 환자 4) 임신부 : Category B 〈취급상 주의〉 1) 냉장보관 하지 말 것 2) 투여전 반드시 희석 3) 희석액에 타약제 혼합 금기 4) 주입 시작 24시간 후 남은 약액은 폐기

약품명 및 함량	용법	약리작용 및 효능	부작용	주의 및 금기
Triflusal Disgren cap 디스그렌캅셀 …300mg/C	1) 성인 : 1~3Ⓒ #1~3 - 예방용량: 300mg/day - 유지용량: 600mg/day - 혈전증의 위험이 있는 경우: 900mg/day	1) 혈소판의 cyclooxygenase를 선택적으로 억제하여 thromboxane A_2 생성을 저해함. 2) Phosphodiesterase의 저해 및 유리 adenosine 증가에 의해 c-AMP 농도를 증가시켜 항혈전작용, 혈관확장작용 나타냄. 3) 혈전색전질환의 예방과 치료 및 혈소판 응집억제에 이용됨. 4) Onset : 말초혈관질환 4wks 혈소판 억제 24hrs Tmax : 48mins 대사 : 간 $T\frac{1}{2}$: 30mins 배설 : 신장(>60%)	- 위통, 속쓰림, 소화불량, 구역 등의 위부 불쾌감 - 소화성 출혈, 결막출혈, 반상출혈, 청각장애, 편두통	〈금기〉 1) 임신부 및 수유부 : 안전성 미확립 2) 소화성궤양의 기왕력이 있는 환자 3) Salicylate 유도체에 과민한 환자 〈상호작용〉 1) 이 약에 의해 약효 증가 : 항응고제, 경구용 혈당강하제
Cilostazol + Ginkgo biloba leaf extract **Renexin tab** 리넥신정 …100mg+80mg/T	1) 1Ⓣ bid	1) 항혈소판 제제와 은행엽 추출물 복합제 2) Cilostazol은 cAMP PDE III inhibitor로서 항혈소판 작용 및 혈관확장 작용 나타내며, ginkgo bioba ext.는 항산화작용, 혈관 긴 장도 유지, 동맥혈관 이완 작용 등을 나타냄 3) 적응증 : Cilostazole 단독요법으로 효과 불충분한 경우, ginkgo biloba ext 병용요법에 대한 대체 ① 만성동맥폐색증에 의한 궤양, 동통 및 냉감 등 허혈성 제증상의 개선 ② 뇌경색 발증 후 재발억제	* Cilostazole 1) >10% - 두통(27~34%) - 비정상적 배변(12~15%), 설사(12~19%) - 감염(10~14%) 2) 2~10% - 말초부종, 심계항진, 빈맥 - 어지러움 - 호흡곤란, 오심, 비정상적 통증, 고창 - 저배통, 근육통 - 비염, 후두염, 기침 3) <2% - 부정맥, 심정지, 출혈, 뇌허혈, 대장염 등 * Ginkgo biloba - 위장관 불쾌감,두통, 알레르기성 피부반응	〈금기〉 1) 출혈이 있는 환자 2) 울혈성 심부전 환자 3) 수유부 : 동물실험에서 모유중으로 이행 4) 소아 : 안전성 미확립 〈주의〉 1) 항응고제, 항혈소판제제를 투여중인 환자 2) 관동맥 협착의 합병증 환자(협심증 유발 가능성) 3) 간장애 및 신장애 환자 4) 지속적으로 혈압이 상승하고 있는 고혈압 환자 5) 월경중인 환자 6) 당뇨병, 내당능 장애가 있는 환자 7) 임신부 : Category C(cilostazole) 〈상호작용〉 1) 출혈 경향을 높일 수 있는 약물 : 항응고제, 혈소판 응집 저해제, 혈전 용해제, PG제제 2) 본 약물의 혈중 농도 상승 : 약물대사 효소 저해제, 자몽쥬스

약품명 및 함량	용법	약리작용 및 효능	부작용	주의 및 금기
Recombinant Tissue-type Plasminogen Activator (γ-TPA=alteplase) Actilyse inj 액티라제주사 …50mg/V …20mg/V	1mg/ml의 농도가 되도록 증류수로 희석하여 사용 1) 급성심근경색증 〈증상발현 6hrs 이내〉 ① 65kg 이상 - 15mg IV bolus - 뒤이어 50mg 30분간 IV inf. - 다음 35mg 60분간 IV inf. ② 65kg 미만 - 15mg IV bolus - 뒤이어 0.75mg/kg 30분간 IV inf.(Max. 50mg) - 다음 0.5mg/kg 60분간 IV inf. (Max. 30mg) 〈증상발현 후 6~12hrs〉 ① 65kg 이상(총 투여량 Max. 100mg) - 10mg IV bolus - 뒤이어 50mg 1시간 IV inf. - 다음 30분간 10mg을 IV inf. ② 65kg 미만 - 1.5mg/kg 초과하지 않음. 2) 급성폐색전증 ① 10mg IV bolus 1~2분간 ② 90mg 2시간 IV inf.	1) 인체내에 존재하는 TPA를 유전자 재조합법으로 제조한 것임. 2) Fibrin 선택성으로 fibrin과 결합된 plasminogen에서 arginine-valine의 peptide bond를 가수분해하여 plasminogen을 plasmin으로 활성화함. 3) 급성심근경색, 급성폐색전, 급성허혈뇌졸중에 효과적임. 4) Onset : 30mins(관상동맥혈전용해 IV시) Tmax : 20~40mins 대사 : 간 $T_{\frac{1}{2}}$: 26.5~46mins	1) 1~10% - 저혈압 - 발열 - 멍 - 위장관 출혈(5%), 오심, 구토 - 비뇨생식계 출혈 (4%) - 카테터 삽입부 출혈 (15.3%)	〈금기〉 1) 내출혈이나 출혈성 소인이 있는 환자 2) 뇌혈관사고, 두개내신생물, 동맥류, 최근(6개월이내) 두개내수술을 시행한 환자 3) 조절 불능의 심한 고혈압 〈주의〉 1) 대수술, 분만, 장기생검 등을 시행한 환자 2) 임신부 : Category C 3) 수유부, 소아 : 안전성 미확립 〈상호작용〉 1) 항응고제와 병용으로 상가작용 〈취급상 주의〉 1) 주사용수(첨부용제)를 사용하여 재구성 2) 희석가능 수액 : NS로 최고 1:5의 비율로 희석가능 (DW, 증류수 사용불가) 3) 용해후 실온 보관시 8시간 유효, 냉장 보관시(2~8℃) 24시간 유효
Tenecteplase Metalyse inj 메탈라제주사 …40mg/V(8,000IU)	1) 환자의 체중에 따라 투여량 조절하여 급성심근경색후 30분 이내에 IV bolus로 투여(10초 동안) 〈60kg : 30mg 60~69kg : 35mg 70~79kg : 40mg 80~89kg : 45mg	1) 급성심근경색에 의한 혈전 용해 2) Recombinant human t-PA (tissue-type plasminogen activator) 3) Fibrin과 결합하여 plasminogen을 plasmin으로 전환시킴. 4) Alteplase에 비해 fibrin 선택성이 증가된 제제로 plasminogen activator inhibitors에 대한 저항성	1) >10% - 출혈(22%), 혈종 (12%) 2) 1~10% - 뇌졸중(2%) - GI 출혈(1~2%), 비출혈(2%)	〈금기〉 1) 내부출혈이 심한 환자 2) 뇌졸중 기왕력 환자 3) 최근 두 달 사이에 뇌내, 척수내 수술이나 외상이 있었던 환자 4) 뇌종양 환자 5) 동정맥기형이나 동맥류 환자

약품명 및 함량	용법	약리작용 및 효능	부작용	주의 및 금기
	≥90kg : 50mg (Max. 50mg/D) 2) 용해액은 1ml 당이 약 5mg(1,000IU) 함유 3) 첨부 용제를 사용하여 재구성 〈취급상 주의〉 1) IV line이 있는 경우 DW액과 혼합되지 않도록 하며 NS로 flushing 후 투여함. 2) 용해 후 즉시 사용 권장(실온 8hrs, 냉장 24hrs 안정)	증가 및 $T\frac{1}{2}$ 연장됨. 5) Tmax : 1~2hrs Onset : few hrs(peak: 2~3days) $T\frac{1}{2}$: Biphasic: Initial: 20-24 mins; Terminal: 90-130 mins 〈상호작용〉 1) Warfarin이나 anticoagulants와 병용시 상승작용(출혈위험 증가) 2) 혈소판 기능에 영향을 주는 약과 병용시 상승 3) Heparin, aspirin과 병용시 출혈 위험이 증가할 수도 있으나 임상적으로 대다수의 환자에서 병용함. 4) Aminocaproic acid : 이 약의 효과 감소	- 비뇨생식기계 출혈(4%) - 카테터 삽입부위 출혈(4%) - 인두(3%) * 출혈과 뇌졸중은 65세 이상에서 증가	6) 출혈경향이 있는 환자 7) 중증의 조절이 안되는 고혈압 환자 〈주의〉 1) 심각한 출혈이 나타나면 heparin과 다른 antiplatelet agent 사용중지 2) 임신부 : Category C 3) 수유부 : 모유로 이행되는지의 여부는 뚜렷하지 않음. 혈전용해제 투여 후 24시간 이내에 모유수유 중단 4) 소아 : 18세 미만에서 안전성 미확립 5) 노인 : 뇌내출혈, 뇌졸중 유발 위험 크므로 신중투여 6) 중증 간장애 환자 : 출혈 위험 크므로 신중투여
Urokinase Urokinase inj 유로키나제주 …20,000IU/V …100,000IU/V …500,000IU/V	1) 뇌경색 및 뇌혈전 : 6천~30만IU/D 2) 말초 동·정맥 폐색증 : 초기 5만~25만IU/D 투여 후 서서히 감량하여 7일간 투여 3) 급성심근경색 : 50~100만 IU 관상동맥내 주입 또는 30분간 IV inf. 4) 폐색전증 - 초회량 : 4,400IU/kg 10분간 투여 - 유지량 : 4,400IU/kg/hr NS나 DW에 혼합하여 점적주사(12시간 동안)	1) 건강한 성인 남자의 신선한 뇨로부터 분리 정제한 가수분해 효소로 plasminogen을 plasmin으로 전환시키는 효소 제제 2) 신장에서 생성되어 뇨중으로 배출되는 단백효소임. 3) Plasminogen을 plasmin으로 변화시킴으로써 endogenous fibrinolytic system에 관여함. 4) 뇌혈전, 관동맥 폐색, 폐색전에 사용함(lobe에의 혈류폐색, 혈압 조절의 실패로 형성된 emboli를 용해). 5) Onset : 투여후 즉시(혈전용해) 대사 : 간 $T\frac{1}{2}$: 〈20mins	1) 〉10% - 주사부위 출혈 2) 1~10% - 멍 - 위장관 출혈, 오심, 구토 - 비뇨기계 출혈 - 빈혈 - 근육통 - 코피	〈금기〉 1) 지혈처치가 곤란한 환자(두개내 출혈, 객혈, 후복막 출혈 등) 2) 최근 2개월이내 두개내 및 척수수술이나 손상을 받은 경우 3) 동맥류 환자 4) 수유부 및 소아 : 안전성 미확립 5) 중증의 의식장애 환자 〈주의〉 1) 출혈 또는 출혈 가능성이 있는 환자 2) 항응고제 투여 환자 3) 중증의 간, 신장애 환자 4) 임신부 : 태반 초기 박리의 가능성이 있음 (Category B)

7장. 조혈기계 ……………3. Antithrombotic agents ……………………(6) Vitamin K antagonists

약품명 및 함량	용법	약리작용 및 효능	부작용	주의 및 금기
Warfarin sodium Cuparin tab	1) 초기 : 2~5mg qd 2) 유지 : 2~10mg qd 3) 개인의 PT/INR 및 유전자의 특정	1) Coumarin계 indirect-acting anticoagulants 2) Vit.K의 역할을 저해함으로써 Vit.K dependent coagulant 인자인 facter II(prothrombin),	- 출혈, 괴사 - 오심, 구토, 식욕부진	〈금기〉 1) 출혈성 환자 2) 중증 간·신장애 환자

약품명 및 함량	용법	약리작용 및 효능	부작용	주의 및 금기
쿠파린정 …2mg/T …5mg/T	유전형에 따라 용량 조절	VII(proconvertin), IX, X의 간에서의 생합성을 저해 3) 투약을 중단하거나, phytonadione을 투여하면 이들 인자들의 혈중 농도는 회복됨. 4) 정맥혈전증, 폐동맥 색전증, 색전성 심방세동, 관상동맥폐색 등에 사용 5) Onset : 항응혈 효과 72~96hrs 항혈소판 작용 6days 지속시간 : 2~5days 대사 : 간 $T\frac{1}{2}$: 20~60hrs	- 담마진, 원형탈모증, 발열 - 구강궤양 - 장폐색 - AST, ALT 상승, 황달 - Purple toe syndrome	3) 중증 고혈압 환자 4) Vit-K 결핍 환자 5) 임신부 : Category X (태아의 선천성 기형유발) 〈주의〉 1) 본 약물의 항응고작용을 변화시킬 수 있는 인자 : Vit. K, 지방 및 야채류 섭취의 변화, 발열, 알코올 중독 등 2) Heparin과 병용시 IV 5시간 후, SC 24시간 후 본 약제를 투여해야 함. 3) 수유부 : 수유 가능(모유통해 영아에게 전달되어 예기치 않은 출혈 발생, 충분한 관찰 필요함) 〈상호작용〉 1) 이 약의 약효 증가 : amiodarone, anabolic steroids, chloramphenicol, bezafibrate, metronidazole, salicylate, phenylbutazone, streptokinase, urokinase 2) 이 약의 약효 감소 : barbiturates, glutethimide, estrogen 함유 경구피임제

약품명 및 함량	용법	약리작용 및 효능	부작용	주의 및 금기
Gabexate Mesilate Foy inj 호의주 …100mg/V	1) 췌장염 : 1일 1~3ⓥ 점적정주(5DW 500~1500ml), 증상에 따라 1~3ⓥ 추가 2) DIC : 20~39mg/kg 범위에서 24시간 정맥내 지속투여	1) 단백분해효소(trypsin, kallikrein, plasmin, thrombin, C1-esterase)저해제로, 비펩타이드형이므로 항체를 생성하지 않음. 2) Oddi근의 이완작용이 있음. 3) Macroglobulin과 결합하고 있는 trypsin, plasmin을 저해하고, 항plasmin 작용이 우수하여 혈중, 뇨중 amylase를 개선 4) 단백분해효소 일탈에 기인하는 급·만성, 재발성 및 수술후 췌장염, 범발성 혈관내 혈액응고증(DIC)의 치료에 사용	- 주사부위의 혈관통, 정맥염, 발적 - 발진, 가려움증 - 혈압강하 - 구역, 구토 - 간기능 이상	〈주의〉 1) 투여 속도에 따라 정맥염, 저혈압을 일으킬 수 있음 : 2.5mg/hr/kg이하로 투여 2) 임신부, 가임여성에게 대량 투여 피할 것 〈취급상 주의〉 1) 용해 후 가급적 빨리 사용 2) 약액이 혈관외로 누출되지 않도록 함.

약품명 및 함량	용법	약리작용 및 효능	부작용	주의 및 금기
Nafamostat mesilate Futhan inj 주사용후탄 …10mg/V …50mg/V	1) 급성 췌장염(10mg vial만 처방 가능) : 10mg을 5DW 500ml에 희석하여 1일 1~2회 2시간에 걸쳐 IV inf. 2) DIC : 1일 용량을 5DW 1L에 희석하여 0.06~0.2mg/kg/hr의 속도로 24시간동안 IV inf.(증상에 따라 용량 증감 가능하며 주입시간 연장 가능) 3) 출혈 위험이 높은 환자의 혈액체외순환시 관류혈액 응고방지 ① 개시 전 : 20mg을 소량의 5DW나 주사용수에 용해 후 NS 500ml에 희석하여 혈액 회로내 세정 ② 개시 후 : 20~50mg/hr를 지속주입(10mg당 1ml 이상의 5DW나 주사용수에 용해 후, 지속주입기의 용량에 맞게 5DW로 희석하여 주입) * 단, 용해시 NS 및 무기염류 함유 용액 사용금지	1) Serine protease inhibitor 2) Thrombin, 활성형 혈액응고인자(XIIa, Xa, VIIa), kallikrein, plasma 보체를 저해하여, 항응고, 항섬유 소용해, 항혈소판 작용을 나타내고, tyrosine 활성을 저해함. 3) 혈액체외순환시 소실 반감기가 매우 짧아(~8mins) 혈액투석 환자 중 출혈 위험이 높은 환자에게 적용 가능함. 4) 적응증 ① 10mg 제형 : 췌염의 급성 증상(급성췌염, 만성췌염의 급성 악화기, 수술 후의 급성췌염, 췌관조영술 후의 급성췌염, 외상성췌염)의 개선 ② 10mg, 50mg 제형 : 파종혈 관내응고증(DIC), 출혈성 병변 및 출혈경향을 갖는 환자의 혈액체 외순환시 관류혈액 응고방지(혈액투석 및 혈장분리 반출술) 5) Onset : 30mins 지속시간 : ~15mins $T_{\frac{1}{2}}$: 8mins(체외순환시), 23mins(IV) 배설 : 신장(대부분)	– 쇼크, 아나필락시스 – 고칼륨혈증, 저나트륨혈증 – 발진, 홍반, 소양감 – 근육통, 관절통 – 식욕부진, 설사, 구토 – 간수치 상승, 빌리루빈 상승, 황달 – 백혈구감소, 호산구증가, 혈소판감소 또는 증가, 출혈 – 심계항진, 혈압 상승 또는 저하 – 두통, 흉통, 권태감, 발열, 두중감, 투여부위 동통, 종창, BUN 상승	〈금기〉 1) 임신부, 소아 : 안전성 미확립 2) 수유부 : 동물실험에서 모유 이행 〈주의〉 1) 정기적으로 혈중 칼륨, 나트륨수치 모니터링 필요 2) 칼륨 함유제제, 칼륨보존성 이뇨제 등과 병용시 고칼륨혈증 발현 주의 〈취급상 주의〉 1) NS, 무기염류 함유 용액은 백탁 또는 결정 석출될 수 있으므로 바이알에 직접 가해서는 안됨. 2) 5DW, 주사용수로 용해 후 사용 3) 용해 후 즉시 사용(실온/차광시 72hrs 내 사용 가능) 4) AN69(폴리아크릴로니트릴)막에 대한 흡착성 높으므로 사용금지 5) 투여시 혈관외 유출될 경우 염증, 궤양 위험 있으므로 주의
Glucose, Sodium citrate, Anhydrous citric acid **ACD-A soln** 에이.씨.디.에이액 …500ml/bag	1) 혈액 100mL 당 15mL의 비율로 첨가하여 사용	1) 저장 혈액의 응고를 방지하기 위해 첨가하는 혈액응고 방지제 2) 혈액응고에 필요한 Ca 이온을 구연산(Citric acid)이 포획함으로써 혈액응고를 방지하는 작용을 함. 3) PBSC, TPE 시행시 체외로 순환하는 혈액의 응고방지, 혈소판 헌혈시 혈액응고 방지, pH 조절 및 저장기간동안 영양분 공급	1) 구연산혈을 단시간에 대량 수혈할 경우의 구연산 중독 증상 – 심기능 억제, 심전도 이상, 혈압저하 등 – 테타니, 경련 등 – 감각이상 2) 기타 – 흉부불쾌감, 호흡곤란 – 구역, 구토	〈주의〉 1) 간장애, 저온마취 환자(구연산 중독 발생 가능) 2) 구연산혈을 단시간에 대량 수혈하여 구연산 중독 증상이 발생한 경우 Ca. gluconate 등 투여 〈취급상 주의〉 1) 액이 맑은지 확인 후 사용 2) 채혈 동안 여러번 혈액에 이 약을 섞어줌. 3) 수혈 직전에 혈구를 균등하게 부유시키도록 함. 4) 수혈시 다른 약품 첨가 금함. 5) 여과망 있는 수혈셋트 사용 6) 혈액을 따뜻하게 해서 수혈하지 않도록 함.

약품명 및 함량	용법	약리작용 및 효능	부작용	주의 및 금기
			- 혈색소뇨, 오한, 전율, 발열, 어지러움, 대사성 알칼리증 - 소아의 경우 녹갈색변, 빌리루빈뇨	7) 이 약은 밀봉용기, 실온보관하며, 저장혈액은 1~6℃ 냉암소에 보관하고 저장온도 변화는 2℃ 이내로 함.

약품명 및 함량	용법	약리작용 및 효능	부작용	주의 및 금기
Darbepoetin α Nesp prefilled syr 네스프프리필드시린지주 …20mcg/0.5ml/syr …30mcg/0.5ml/syr …40mcg/0.5ml/syr …60mcg/0.5ml/syr …120mcg/0.5ml/syr	1. 만성신부전 1) 초기용량 : 20mcg, 주 1회 IV 또는 혈액 투석을 받고 있지 않은 경우 30mcg, 2주 1회 SC, IV ① Hgb이 4주 동안 1g/dL 이상 증가하지 않으면 25% 증량 (4주동안 1회 이상 증량하지 않도록 함.) ② Hgb이 2주 동안 1g/dL 이상 증가하면 25% 이상 감량 2) 유지단계 : - 혈액투석 환자의 경우 주 1회 15~60mcg, 1주 1회 용량의 2배 용량으로 2주 1회 IV 가능 - 혈액투석을 받지 않는 경우 2주 1회 30~120mcg, 2주 1회 용량의 2배 용량으로 월 1회 SC, IV 가능 (Max. 180mcg/회) 2. 암환자의 빈혈치료 1) 초기 용량 : 6.75mcg/kg 3주 1회 또는 2.25mcg/kg 주 1회 투여 2) Hgb이 6주 동안 1g/dL 이상 증가하지 않으면 두배로 증량 3) Hgb이 12g/dL 초과시 11g/dL로 떨어질 때까지 투여중지, 그 이후 이전용량의 50% 감량투여 3. 대응량 : Darbepoetin 1mcg = Epoetin 200 IU	1) Recombinant Human Erythropoietin (r-HuEPO)의 고배당체화 유도체 2) 기존 Erythropoietin 제제에 비해 carbohydrate chain 2개가 추가 결합되어 반감기가 연장된 제제 3) 적응증 : ① 만성신부전 환자의 빈혈 치료 ② 고형암의 화학요법에 의한 빈혈 4) BA : 37% Onset : 1~4wks Tmax : 12~72hrs(SC) $T_{\frac{1}{2}}$: 46hrs(SC, 투석환자), 21hrs(IV)	1) >10% - 고혈압, 저혈압, 부종, 말초부종, 부정맥 - 피로, 발열, 두통, 현기증 - 설사, 변비, 구토, 오심, 복통 - 근육통, 관절통 - 상기도감염, 호흡곤란, 기침 - 감염 2) 1~10% - 흉통, 체액저류, CHF, 색전, MI - 경련, 쇽, 일과성 허혈발작 - 소양증, 발진 - 탈수 - 주사부위동통, 요통, 허약감, 사지통 - 기관지염, 폐부종, 주사부위 혈전증, 주사부위 감염, 인플루엔자양 증상, 주사부위 출혈	〈금기〉 1) 조절 불가능 고혈압 환자 2) 이 약 또는 다른 에리스로포이에틴 제제에 과민한 환자 3) 포유동물세포 기원 제제 또는 부형제에 과민한 환자 4) 소아, 수유부 : 안전성 미확립 〈주의〉 1) 고혈압 환자 2) 약물과민증 및 알러지 소인 환자 3) 심근경색, 폐경색, 뇌경색 등의 환자 4) 간질환 환자 5) 겸상적혈구빈혈 환자 6) 간질 환자 7) 혈액 투석환자의 경우 혈액 투석 이후에 주사하도록 함. 8) 임신부 : Category C 〈상호작용〉 1) 적혈구 결합율이 높은 약물(CsA, tacrolimus)과의 상호작용 가능성 있음. 2) Barbiturates에 의한 수면유도 효과를 40~50% 연장시킴. 〈취급상 주의〉 1) 직사광선을 피하여 냉장보관(2~8℃), 동결 금함. 2) 흔들지 않도록 함(∵장시간 강하게 흔들면 단백이 변성되어 활성 저하). 3) 다른 약에 희석하거나 함께 투여하지 않음.
Erythropoietin α Epokine Prefilled inj 에포카인프리필드주 …1,000 IU/0.5ml/syr	1) 만성 신부전 환자 ① 초기 투여량 : 1회 50IU/kg, 주 3회 IV, SC ② 유지량 : 1회 25~50IU/kg, 주 2~3회(Max. 1회 200IU/kg 주 3회)	1) 유전자 재조합(Recombinant human) erythropoietin 제제로 골수중의 적혈구 전구세포에 작용하여 적혈구의 생성을 조절하는 조혈 호르몬제제 2) 내인성 erythropoietin과 동등한 아미노산배열 및 생물학적/면역학적 활성을 지님으로써 erythropoietin	1) >10% - 고혈압 - 피로감, 두통, 발열 2) 1~10% - 부종, 흉통	〈금기〉 1) 조절 불능 고혈압 환자 2) 심재성 정맥 혈전증 위험이 있는 환자 3) 정맥내 점적 주입 금기 4) 수유부 및 소아 : 안전성 미확립

약품명 및 함량	용법	약리작용 및 효능	부작용	주의 및 금기
…2,000 IU/0.5ml/syr …4,000 IU/0.4ml/syr …6,000 IU/0.6ml/syr …10,000 IU/1ml/syr	2) 항암요법을 받는 암환자 ① 초기 투여량 : 1회 150IU/kg, 주 3회 SC ② 8주후 반응이 충분치 않은 경우 : 1회 300IU/kg, 주 3회까지 증량 3) 자가 혈액 저장 프로그램에 참여하는 환자의 적혈구 생성촉진을 위한 유효용량 ① 150~300IU/kg 주 2회, 3주동안 IV ② 최대의 적혈구 생성 촉진이 필요한 환자에게는 600IU/kg 주 2회, 3주 동안 IV 추천	결핍에 따른 빈혈치료에 사용 3) 적응증: 만성신부전 환자에게 나타나는 빈혈(증후성 빈혈, 수혈이 필요한 빈혈), 화학요법을 받는 암환자에게 나타나는 빈혈, 자가혈액 저장 프로그램에 참여하는 환자 4) Onset : 7~10days 혈액학적 검사수치 회복 : 2~6wks $T\frac{1}{2}$: IV 4~13hrs, SC 27hrs	– 어지러움 – 오심, 구토, 설사 – 근육통, 허약감	〈주의〉 1) 알레르기 소인이 있는 환자 2) 간질 환자 3) 혈소판 증가증 환자 4) 혈액 투석 환자의 경우 혈액 투석 이후에 주사하도록 함. 5) 임신부: Category C 〈취급상 주의〉 1) 냉장보관 2) 다른 제제와 혼합주사를 피함.
Erythropoietin β Recormon prefilled inj 리코몬프리필드주 …2,000IU/0.3ml/syr …3,000IU/0.3ml/syr …5,000IU/0.3ml/syr	1) CRF 환자의 빈혈 * 교정기 ① SC : 1회 20IU/kg 주 3회, 효과 없으면 4주 간격 20IU/kg 증가 ② IV : 1회 40IU/kg 주 3회, 4주후 1회 80IU/kg으로 증량, 추가 증량 필요시 월간격으 로 1회 20IU/kg 증가 ③ Max. 720IU/kg/주 * 유지기 ① 직전 투여량의 $\frac{1}{2}$로 감량, 환자상태에 따라 1~2주 간격으로 용량을 조절하여 Hct가 35%를 초과하지 않도록 함. ② 피하주사의 경우 주당 투여량을 주 1회 및 주당 3 또는 7회로 분할하여 투여할 수 있음. 2) 미숙아 빈혈 예방 : 250IU/kg 주 3회, 출생 후 3일째부터 6주간(SC) 3) 자가수혈환자 : 개개인에 따라 용량 결정하여 IV	1) 유전자 재조합(Recombinant human) erythropoietin 제제 2) 골수 중 조혈 조직의 적아구계 전구세포에 작용하여 분화, 증식 촉진시켜 적혈구 증가를 촉진시킴. 3) 투여방법 : SC가 IV보다 용량 30% 감소효과 있음. 4) 적응증: 만성신부전 환자에게 나타나는 빈혈(증후성 빈혈, 수혈이 필요한 빈혈), 화학요법을 받는 암환자에게 나타나는 빈혈, 자가혈액 저장 프로그램에 참여하는 환자, 미숙아(출생시 750g~1500g 무게를 갖는 34주재태기 이전 출생)의 빈혈예방 5) Onset : 7~10days 혈액학적 검사수치 회복 : 2~6wks $T\frac{1}{2}$: IV 4~13hrs, SC 27hrs	1) >10% – 고혈압 – 피로감, 두통, 발열 2) 1~10% – 부종, 흉통 – 어지러움 – 오심, 구토, 설사 – 근육통, 허약감	〈금기〉 1) 조절 불능 고혈압 환자 2) 심재성 정맥 혈전증 위험이 있는 환자 3) 정맥내 점적 주입 금기 4) 임신부, 수유부 및 소아 : 안전성 미확립 〈주의〉 1) 알레르기 소인이 있는 환자 2) 간질 환자 3) 혈소판 증가증 환자 4) 혈액 투석 환자의 경우 혈액 투석 이후에 주사하도록 함. 〈취급상 주의〉 1) 냉장보관 2) 다른 제제와 혼합주사를 피함. 3) 정맥주사시 1~2분에 걸쳐 주사 4) 독감유사 증세가 있는 환자에게는 5분 이상 서서히 주사하도록 함.

약품명 및 함량	용법	약리작용 및 효능	부작용	주의 및 금기
	4) 암환자의 빈혈 치료 : 30,000IU/wk SC (Max. 60,000IU/wk)			
Methoxy polyethylene glycol-epoetin β Mircera PFS inj 미쎄라프리필드주 …50mcg/0.3ml/syr …75mcg/0.3ml/syr …120mcg/0.3ml/syr …200mcg/0.3ml/syr	1) 조혈촉진제 미투여 환자 ① 투석 환자 - 초기 0.6mcg/kg 2주마다 SC, IV ② 미투석 환자 - 초기 0.6mcg/kg 2주마다 SC, IV - 또는 1.2mcg/kg 4주마다 SC 2) 조혈촉진제 투여 환자 : 이 약 1개월에 1회 투여로 대체 가능(대응용량 참고) 〈대응용량〉 Darbe-poetin α (mcg/wk) / Epoetin (IU/wk) / Mircera (mcg/월) 〈40 / 〈8,000 / 120 40-80 / 8,000-16,000 / 200 〉80 / 〉16,000 / 360	1) 조혈호르몬(erythropoietin) 제제 2) 적응증: 만성 신질환 환자의 증후성 빈혈 치료 3) Epoetin에 선형 methoxy-polyethylene glycol 분자를 화학적으로 접합시켜 합성한 제제로, epoetin 및 darbepoetin에 비해 반감기가 길어 2주마다 또는 월 1회 투여 가능함. 4) Onset : 7~15days Tmax : 72hrs(SC) $T_{\frac{1}{2}}$: 134hrs(IV), 139hrs(SC) BA : 62%	1) 〉10% - 고혈압(13%) - 설사(11%) - 비인두염(11%) 2) 1~10% - 부종, 저혈압 - 변비, 위장관 출혈, 구토 - 동정맥샛길혈전증, 심부정맥혈전증, 출혈 - 저배통, 극심한 통증, 골격근연축 - 두통 - 요로감염 - 기침, 상기도감염 (빈도 미확립) - 울혈성 심부전, 심근경색 - 심각한 빈혈, 혈전증 - 항체생성, 순수적혈구 무형성증 - 고혈압뇌병증, 발작	〈금기〉 1) 조절이 되지 않는 고혈압 환자 2) 수유부 : 안전성 미확립 3) 18세 미만 : 안전성 및 유효성 미확립 〈주의〉 1) 중증 간질환 환자 2) 헤모글로빈병증 환자 3) 발작 환자 4) 수혈이 필요한 출혈 또는 최근에 출혈이 있었던 환자 5) 혈소판 수치가 〉 500×10^9/L인 환자 6) 임신부 : Category C 〈취급상 주의〉 1) 냉장보관(2~8℃), 동결 금함. 2) 가급적 다른 제제와 혼합을 피함. 3) 흔들지 않도록 함. 4) 보존제 불포함 : 일회용으로 사용하고 잔여분은 폐기 5) 1회에 한하여 프리필드 시린지는 1개월간 실온에서 보관할 수 있으며, 반드시 기간내에 사용해야 함.

약품명 및 함량	용법	약리작용 및 효능	부작용	주의 및 금기
Filgrastim Grasin inj 그라신프리필드시린지주 …75mcg/0.3ml/syr …150mcg/0.6ml/syr …300mcg/0.7ml/syr Leucostim inj 류코스팀주사액 …75mcg/0.3ml/V …150mcg/0.6ml/V …300mcg/1.2ml/V	* 다음 용량대로 호중구수 500~1,000/mm³ 미만인 경우 투여 시작하여 5,000/mm³에 도달하면 투여 중지 1) 조혈모세포이식시 호중구수 증가 촉진 - 이식시행 다음날 내지 5일 후부터 300mcg/㎡ qd IV inf. 2) 조혈모세포의 말초혈중으로의 동원 - 400mcg/㎡ #1~2 SC, 말초조혈모세포 채취 종료 전에 백혈구 수가 50,000/mm³ 이상 증가 시 감량, 감량 후 백혈구수가 75,000/mm³ 도달한 경우 투여 중지 3) 암화학요법시 호중구 감소증 ① 악성림프종, 폐암, 난소암, 고환종양, 신경아세포종 등 : - 50mcg/㎡ qd SC - 100mcg/㎡ qd IV (inf.) ② 급성백혈병 - 100mcg/㎡ qd SC - 200mcg/㎡ qd IV (inf.) 4) 골수이형성 증후군 : 100mcg/㎡ qd IV inf. 5) 재생불량성빈혈 : 400mcg/㎡ qd IV inf. 6) 선천성 특발성 호중구 감소증 : 50mcg/㎡ qd SC 7) HIV 감염치료 중 호중구감소증 : 200mcg/㎡ qd IV inf. (호중구 3,000/mm³에 도달하면 투여중지)	1) Recombinant Human Granulocyte Colony Stimulating Factor(rh G-CSF)로, E.coli로부터 생성함. 2) 호중구 전구세포에 작용하여 분화, 증식을 촉진하고 골수로부터 성숙 호중구의 방출을 촉진, 기능을 항진시킴. * ANC(Absolute Neutrophil Count) = WBC×segmented neutrophil(%)×1/100 3) 적응증 그라신프리필드주 ① 다음 환자의 호중구 감소증 - 고형암에 대해 항암요법을 받는 환자 - 혈액종양에 대해 항암요법을 받는 환자 - 골수이형성증후군, 재생불량성 빈혈 - HIV 감염증 - 선천성 특발성 호중구감소증 ② 조혈모세포이식시의 호중구수 증가 촉진 ③ 조혈모세포의 말초혈중으로의 동원 류코스팀주 ① 다음 환자의 호중구 감소증 - 고형암에 대해 항암요법을 받는 환자 - 혈액종양에 대해 항암요법을 받는 환자 ② 조혈모세포이식시의 호중구수 증가 촉진 ③ 조혈모세포의 말초혈중으로의 동원 4) Tmax : 2~8hrs(SC) $T\frac{1}{2}$: 2~7hrs	1) 〉10% - 호중구감소성 발열 - 원형 탈모 - 오심, 구토, 설사, 점막염, 췌장 비대 - 골통(24%) 2) 1~10% - 흉통, 체액저류 - 두통 - 피부 발진 - 식욕부진, 위염, 변비 - 주사부위 통증 - 허약감 - 호흡곤란, 기침, 인후통	〈금기〉 1) 본제 또는 다른 G-CSF 자극인자에 과민한 환자 2) 골수중의 아구가 충분히 감소하지 않은 골수성 백혈병환자 및 말초혈액중에 골수아구가 보이는 골수성 백혈병 환자 3) 미숙아, 신생아, 수유부 : 안전성 미확립 〈주의〉 1) 투약전에 skin test 권장: 본제 0.02ml(5mcg)를 피내투여한 뒤 20분 후 발적과 팽진 등 과민반응 증상 유무 확인 2) 정기적인 혈액검사(필요이상의 호중구가 증가하지 않도록 함.) 3) 암화학요법에 의한 호중구 감소증 환자는 암화학요법제 투여 전후 24시간 이내에 본제 투여 피함. 4) 임신부 : Category C 〈취급상 주의〉 1) 냉장보관 2) 희석액 : 5DW, NS 3) 타제제와 혼합투여 금기

약품명 및 함량	용법	약리작용 및 효능	부작용	주의 및 금기
Lenograstim Neutrogin inj 뉴트로진주 …50mcg/V …100mcg/V …250mcg/V	* 다음 용량대로 호중구수 500~1,000/mm^3 미만인 경우 투여 시작하여 5,000/mm^{3}에 도달하면 투여 중지 1) 조혈모세포이식시 호중구수 증가 촉진 : 이식시행 다음날 내지 5일 후부터 5mcg/kg qd IV inf. 2) 암화학요법시 ① 악성림프종, 폐암, 난소암, 고환종양, 신경아세포종, 혈액종양 - 2mcg/kg qd SC - 5mcg/kg qd IV (inf.) 3) 골수이형성 증후군 : 5mcg/kg qd IV 4) 재생불량성빈혈 : 5mcg/kg qd IV, 소아는 SC도 가능 5) 선천성 특발성 호중구감소증 : 2mcg/kg qd IV or SC 6) HIV 감염치료 중 호중구감소증 : 5mcg/kg qd IV (호중구 3,000/mm^{3}에 도달하면 투여 중지) 7) 조혈모세포 말초혈중으로 동원 : 5~10mcg/kg #1~2 SC, 말초 조혈모세포 채취 종료 전에 백혈구 수가 50,000/mm^{3}이상 증가 시 감량, 감량 후 백혈구수가 75,000/mm^3 도달한 경우 투여 중지 8) 면역억제요법(신이식)에 따른 호중구 감소증 : 호중구수가 1,500/mm^3 미만일 때부터 2mcg/kg qd SC	1) 유전자 재조합 기술에 의한 rh G-CSF제제 2) 호중구 전구세포에 작용하여 분화, 증식을 촉진하고 골수로부터 성숙 호중구의 방출을 촉진, 기능을 항진시킴. * ANC(Absolute Neutrophil Count) = WBC×segmented neutrophil(%)×1/100 3) 적응증 ① 다음 환자의 호중구 감소증 - 고형암에 대해 항암요법을 받는 환자 - 혈액종양에 대해 항암요법을 받는 환자 - 골수이형성증후군, 재생불량성 빈혈 - HIV 감염증, 면역억제요법(신이식) - 선천성 특발성 호중구감소증 ② 조혈모세포이식시의 호중구수 증가 촉진 ③ 조혈모세포의 말초혈중으로의 동원 4) Tmax : 6~8hrs $T_{\frac{1}{2}}$: 3~4hrs(SC), 1~1.5hrs(IV)	1) >5% - LDH, ALP 상승 2) 0.1~5% - 피진, 발진, 가려움, 두드러기 - 간효소 수치 상승, 간기능 이상 - 오심, 구역, 구토, 식욕부진 - 골통, 흉통, 요통, 저배통 - 발열, 두통, 권태감 - 혈소판 감소증 3) 빈도불명 - 호중구 침윤, 유통성 홍반, 발열을 수반하는 피부장애 - 폐수종, 호흡곤란, 저산소혈증 - 요산상승	〈금기〉 1) 본제 또는 다른 G-CSF 자극인자에 과민한 환자 2) 골수중의 아구가 충분히 감소하지 않은 골수성 백혈병환자 및 말초 혈액 중에 골수아구가 보이는 골수성백혈병 환자 3) 임신부, 수유부 : 안전성 미확립 〈주의〉 1) 투약전에 skin test 권장 2) 정기적인 혈액검사(필요이상의 호중구가 증가하지 않도록 함.) 3) 암화학요법에 의한 호중구 감소증 환자는 암화학요법제 투여 전후 24시간 이내에 본제 투여 피함. 4) 정맥내 투여시 가능한 투여속도를 천천히 함 〈취급상 주의〉 1) 25℃이하 보관 2) 1바이알당 주사용수 1ml에 녹여서 사용 3) 희석액 : 5DW, NS 4) 타제제와 혼합 투여금기
Pegfilgrastim Neulasta prefilled syr 뉴라스타 프리필드시린지주	1) 항암화학요법 이후 약 24시간 후에 6mg SC 2) 1 cycle 당 1회 투여	1) Pegylated G-CSF 2) Filgrastim에 고분자 중합체인 PEG(폴리에틸렌글리콜)를 부착시켜 신장으로 배설되지 않고 호중구가 감소된 동안 혈류에 머무르다 호중구 회복 시 호중구의 G-CSF 수용체에 결합하여 제거됨	1) > 10% - 말초부종 - 두통 - 구토 - 골통증, 근육통,	〈금기〉 1) 대장균 유래 단백질, pegfilgrastim, filgrastim 등에 과민증 있는 환자 〈주의〉 1) 임신부: Category C

약품명 및 함량	용법	약리작용 및 효능	부작용	주의 및 금기
…6mg/0.6ml/syr		3) 적응증: 세포독성 화학요법을 받는 악성종양환자의 발열성 호중구감소증 발생과 호중구감소증 기간의 감소(만성골수성백혈병, 골수이형성증후군은 제외) 4) 항암화학요법 후 호중구감소증 예방 목적으로 사용 5) Tmax: 24-72 hrs $T_{\frac{1}{2}}$: 15-80 hrs	관절통, 허약 2) 1~10% - 변비 - 항체 형성 3) 〈1% - 알러지반응 - 급성 호흡곤란증후군(ARDS)	2) 수유부 및 소아: 안전성 미확립 3) 골수이형성 증후군, 만성 골수성 백혈병, 급성 골수성 백혈병 환자 4) 겸상적혈구질환 환자 5) 라텍스 알러지 (∵ 주사바늘 덮개에 라텍스 포함) 6) 과당내성에 유전적 문제 있는 환자 7) 급성 호흡곤란증후군(ARDS) 발생 시 투여 중지 8) 비장 크기 모니터링 (무증상 비장 비대증 및 비장 파열 발생 우려) 9) 이 약 투여 후 백혈구 수가 예상된 최하점 후에 50,000/mm³ 초과 시 투여 중단 〈취급상 주의〉 1) 냉장보관 (2~8℃) 2) 차광보관: 박스 내 보관

약품명 및 함량	용법	약리작용 및 효능	부작용	주의 및 금기
Eltrombopag olamine Revolade tab 레볼레이드정 …25mg/T …50mg/T	1) 만성 면역성(특발성) 혈소판 감소증 (ITP) - 초회량 : 25mg qd - 혈소판 수 ≥50×10⁹/L에 도달 및 유지 하도록 용량 조절 (Max. 50mg/D) 2) 만성 C형 간염 - 초회량 : 25mg qd - 항바이러스 요법 시작을 위한 목표 혈소판 수 도달 위해 2주마다 25mg씩 용량 조절 - 항바이러스 요법 중, 페그인터페론을 감량하지 않도록 용량 조절 (Max.75mg/D)	1) Thrombopoietin(TPO)-receptor agonist로서 용량 의존적으로 bone marrow progenitor cell로부터 megakaryocyte의 증식과 분화를 유도함. 2) 적응증 ① 코르티코스테로이드 또는 면역글로불린 또는 비장 절제술에 충분한 반응을 보이지 않은 만성 면역성(특발성) 혈소판 감소증 환자에서의 저혈소판증 치료 ② 만성 C형 간염 환자에서 인터페론 기반 요법의 시작 및 유지를 위한 저혈소판증(투여 시작 시 혈소판 수치가 75×10⁹/L 미만) 치료 3) Onset: 8days (initial response) 16days (peak response) Tmax: 2~6hrs	1) 〉10% - 피로, 두통, 불면, 오한, 현기증 - 소양증, 반상출혈 - 오심, 설사, 식욕부진, 복통 - 빈혈, 열성 호중구감소증 - 고빌리루빈혈증, serum transaminase 증가, 간기능 이상, ALT/AST 증가 - 사지 통증, 무력감, 관절통, 근육경련,	주의〉 1) 간장애 환자 2) 혈구의 형태학적 이상 발생의 위험이 있는 환자 3) 혈전색전증의 위험요소가 있는 환자 4) 신장애 환자 5) 임신부: Category C 6) 수유부, 소아: 안전성 미확립 〈상호작용〉 1) OATP1B1, BCRP 기질 (benzylpenicillin, atorvastatin, fluvastatin, pravastatin, rosuvastatin, methotrexate, nateglinide, repaglinide, rifampicin, doxorubicin): 병용약제의 전신 노출 증가로 모니터링 및 용량감소 고려 (rosuvastatin은 50%까지 용량 감소 권장)

약품명 및 함량	용법	약리작용 및 효능	부작용	주의 및 금기
	3) 공복(식사 1시간 전 또는 식사 2시간 후) 복용 (∵음식과 투여시 흡수 감소)	지속시간: 마지막 투여 후 1~2wks $T\frac{1}{2}$: 21~32hrs (건강한 성인) 26~35hrs (ITP환자) 대사: 간(CYP1A2/2C8, UGT1A1/1A3) 배설: 신장(31%), 대변(59%)	근육통 - 기침, 독감 유사 증상, 상기도감염, 호흡곤란, 구강인두통, 비인두염, 비루 - 열	2) 다가 양이온 함유제품(유제품, 미네랄 보충제, 제산제 등): 이 약의 혈중농도 감소(복용 최소 2시간 전 또는 복용하고 최소 4시간 후 이 약 투여)

약품명 및 함량	용법	약리작용 및 효능	부작용	주의 및 금기
Plerixafor Mozobil inj 모조빌주 ···24mg/1.2ml/V	1) 1회 0.24mg/kg SC (투여용량(ml)= 0.012 × ABW(kg)) 2) Max. 40mg/D 3) 성분채집술 시행 전 4일 간 매일 오전 G-CSF 10mcg/kg 투여, 4일째 오후부터 plerixafor 투여 시작, 오전 G-CSF, 오후 plerixafor 투여 유지, 성분채집술 시술 11시간 이전에 plerixafor 투여함. 4) 최대 4일 연속 투여 가능 * 신기능 손상 환자 1) CrCl 〉 50ml/min : 용량 조절 필요 없음. 2) CrCl ≤ 50ml/min : 0.16mg/kg qd (Max. 27mg/D)	1) Hematopoietic stem cell mobilizer 2) CXCR4(chemokine receptor)를 차단하여 SDF-1-alpha(stromal cell-derived factor)와의 결합을 방해, 말초혈액으로 조혈모세포 유입을 증진 3) 적응증: G-CSF와 병용하여, 비호지킨림프종과 다발성골수종 환자의 자가 조혈모세포이식과 조혈모세포 채집시 말초혈액으로 조혈모세포의 가동화 증진 4) $T\frac{1}{2}$: 3~5hrs 배설: 신장(70%)	1) 〉 10% - 설사, 구역, 구토 - 주사부위 반응(홍반, 출혈, 가려움, 발진, 두드러기, 감각 이상 등) - 피로, 어지러움 - 관절통, 두통 2) 1~10% - 복부팽만, 불면증 - 심근경색 3) 〈 1% - 두드러기, 눈주위부종, 호흡곤란, 저산소증 - 혈관미주신경반응	〈금기〉 1) 백혈병환자 : 백혈병세포의 가동화 유발로 분리반출액 오염 가능성 있음 2) 임신부: Category D 〈주의〉 1) 백혈구증가증 환자 신중투여(G-CSF와 병용투여시 순환 백혈구 수치 증가하므로 백혈구수 관찰 필요) 2) 소아 및 수유부: 안전성 미확립 3) 백혈병환자의 암세포 동원 가능성, 혈소판 수치 감소 모니터링 필요 4) 비장비대 평가 필요

약품명 및 함량	용법	약리작용 및 효능	부작용	주의 및 금기
Human serum albumin Albumin inj 5% 알부민주 5% …250ml/BT	1) 25g(5%로서 500ml)/D를 2~4 ml/min의 속도로 IV inf. 2) 체중, 연령, 증상에 따라 적절히 증감	1) 정상 인혈장 단백 중 52~56%를 차지하는 단백질로 전신의 단백영양과 혈액의 colloid 삼투압 유지 작용을 함. 2) 알부민의 상실(화상, 신증후군 등) 및 알부민 합성저하(간경변증 등) 에 의한 저알부민혈증, 출혈성 쇽, plasma exchange, 뇌지주막하출혈 환자에게 volume expansion 목적 등으로 사용	1) 1~10% - 울혈성 심부전, 심근 수축력 감소 - 폐부종, 호흡곤란 - 염분 및 수분저류 2) 〈1% - 저혈압, 빈맥	〈금기〉 1) 급성 순환부하 고위험 환자(심부전, 폐부종, 심한 빈혈) 〈주의〉 1) 임신부: Category C 2) 수유부: 수유가능 〈취급상 주의〉 1) 혼탁된 것은 사용하지 말것 2) 보존제가 함유되지 않았으므로 개봉후 4시간 이내 사용하고, 사용후 잔액은 폐기
Human serum Albumin Albumin inj 20% 알부민주 20% …20g/100ml/BT …10g/50ml/BT	1) 1일 인혈청 알부민으로 25~75g에 해당 하는 양(20% 125~375ml)을 2~4ml/min의 속도로 IV inf. 2) 연령과 증상에 따라 용량을 조절함.	1) Albumin은 정상 인혈장단백중에 52~56% 차지하는 단백질로 전신의 단백영양과 혈액의 colloid 삼투압을 유지해 줌. 2) 인혈청 알부민 20ml는 약 100ml의 혈장과 동일한 삼투압을 제공 3) 인혈청 알부민 20ml 투여시 15분이내 약 80ml의 조직액이 혈관에 흡입되어 혈액의 농축화와 점조도를 감소시킴. 4) 알부민 상실(화상, 신증후군 등) 및 알부민 합성저하(간경병증 등)에 의한 저알부민혈증, 출혈성 쇼크	1) 1~10% - 울혈성 심부전, 심근 수축력 감소 - 폐부종, 호흡곤란 - 염분 및 수분저류 2) 〈1% - 저혈압, 빈맥	〈금기〉 1) 급성 순환부하 고위험 환자(심부전, 폐부종, 심한 빈혈) 〈주의〉 1) 임신부: Category C 2) 수유부: 수유가능 〈취급상 주의〉 1) 혼탁된 것은 사용하지 말것. 2) 보존제가 함유되지 않았으므로 개봉후 4시간 이내 사용하고, 사용후 잔액은 폐기함. 3) 필요에 따라 5DW, NS에 희석 가능

8장. 생물학적 제제(Serums & Vaccines)

약품명 및 함량	용법	약리작용 및 효능	부작용	주의 및 금기
Agkistrodon(salmusa) antivenom(equine) Kovax Salmosa antivenon inj 코박스건조살무사항독소주 …6,000IU/V	1) 첨부용제 20ml로 완전히 용해 후 6,000U를 교상 국소 부위를 피하여 IM, SC, IV 혹은 NS 등으로 희석하여 IV inf 2) 필요하면 2~3시간 후 3,000~6,000U 추가 3) 이 약 사용전 혈청병 발생에 주의하여 미리 혈청과민 반응 시험 실시	1) 살무사 독으로 말을 면역시켜 형성된 면역 글로부린의 동결건조 제제로, 뱀독소의 독작용을 중화시킴. 2) 적응증: 살무사 교상 치료 3) 뱀에 물린 후 가능한한 빨리(4시간 이내가 가장 효과적임) 초회 용량을 투여할 것	- Immediate reaction: 쇽, anaphylaxis, 불안, 홍조, 소양증, 얼굴부종, 권태, 발열, 담마진, 관절통 - 혈청병	〈금기〉 1) 말 혈청 과민증 환자 〈주의〉 1) 투약 전 반드시 과민반응 검사 ① 첨부용제로 희석후 다시 NS로 10배 희석하여 0.1ml 피내주사 혹은 1적을 점안하고 30분후 관찰 ② 관찰결과 음성 또는 경도인 경우 원액 1ml를 SC 후 30분간 관찰, 이상이 없으면 투여량 투여 2) 사용시 혈청병 발생에 대비하여 응급 처치약을 구비하고 투약함. 3) 가급적 교상을 입은 후 조기에 투약함. 〈취급상 주의〉 1) 사용직전 용해하고, 용해 후 즉시 사용함(보존제 미포함) 2) 냉장, 차광보관

약품명 및 함량	용법	약리작용 및 효능	부작용	주의 및 금기
Anti-cytomegalovirus human immunoglobulin Megalotect inj 메갈로텍주 …500U*/10ml/A …2,500U/50ml/V (*PEI: Paul-Ehrlich-Institute, 1 IU=2mg)	1) 50U/kg IV inf. ① 이식 당일 또는 그 전날(골수 이식 시) 투여 시작 ② CMV 혈청 양성 환자 : 이식 10일 전부터 투여할 것을 권장 2) 투여횟수 : 2~3주 간격으로 최소 6회 투여 3) 투여속도 : 최대 20 방울(1ml)/min의 비율로 정맥주사.	1) Cytomegalo virus(CMV)에 대한 특이적 중화 항체를 고역가로 함유한 면역 글로불린 제제 2) 면역억제 요법을 받고 있는 환자, 특히 골수 및 장기 이식 환자에 대한 CMV감염 예방요법제	1) 〈 6% - 홍조 - 오한, 발열 - 구토 - 근육통, 저배통, 근육 경련 - 천명음 2) 〈 1% - 급성 신부전, 아나필락시스성 쇼크, 부종, 핍뇨, BUN상승, 혈중크레아티닌 상승, 삼투성 괴사 등	〈금기〉 1) 선천성 면역글로불린 A 결핍환자 〈주의〉 1) 주입동안과 투여 후 20분이상 환자를 주의깊게 관찰 2) 임신부 : Category C 3) 수유부 : 안전성 미확립 4) 혈전증 발생 위험 환자: 투여 전 적절한 수분섭취 필요, 최소농도를 최저주입속도로 투여 후 관찰 필요 〈상호작용〉 1) 약독화된 생백신(홍역, 풍진, 이하선염, 수두 등): 백신의 효능 감소

약품명 및 함량	용법	약리작용 및 효능	부작용	주의 및 금기
				〈취급상 주의〉 1) 냉장(2~8℃), 차광보관 2) 희석용액 : NS 3) 투여전 실온 또는 체온과 유사하게 한 후 투여, 사용후 남은액이나 개봉한 액은 폐기
Hepatitis B immunoglobulin Hepabig inj 헤파빅주 …100IU/0.5ml/V …200IU/1ml/V	1) B형 간염 바이러스에 노출 ① 성인 : 1,000~2,000IU IM 필요에 따라 증량 또는 동량 반복 투여 가능한 즉시(7일이내로 하며 48시간이내가 바람직) ② 소아 : 32~48IU/kg ③ 대한감염학회 권장용량 - 무반응자, 항체 음성인 경우: 0.06ml/kg IM (Max. 5ml) 2) 신생아 ① 초회투여 : 100~200IU IM (생후 5일이내로 하며, 48시간 이내가 바람직) ② 추가투여 : 32~48 IU/kg, 초회 주사 후 2~3개월 이내 ③ 투여량이 1ml인 경우 0.5ml씩 두 군데에 나누어 주사	1) Hepatitis B surface antigen에 대한 항체를 인혈장에서 분리하여 얻은 액상제제임. 2) HBsAg 양성 혈액 오염사고 후의 B형 간염 예방에 사용함. 3) 신생아의 B형 간염 예방 : HBsAg 만성보균자 모체로부터의 수직감염을 예방하기 위해 출생 후 48시간 이내에 투여하여 수동면역시킨 후 간염백신을 투여함. 4) Onset : anti-HBs 발현 1~6days 최대효과 : 3~11days 지속시간 : 2~6months	- 과민반응 - 간혹 주사부위의 통증, 종창 - 간격을 둔 주사에 의해 anaphylaxis 증상이 일어날 수 있음	〈금기〉 1) HBsAg 양성 환자(단 신생아에 투여하는 경우 부득이한 경우 HBsAg 검사결과를 기다리지 않고 투여 가능) 〈주의〉 1) IgA 결핍증 환자, 중증의 혈소판 감소증, 혈액응고질환, 인면역 글로부린제제에 알러지 기왕력 환자 2) 임신부 : Category C 3) 혈전증 발생 위험요인 있는 환자: 투여 전 적절한 수분섭취 필요, 최소농도를 최저주입속도로 투여 후 관찰 필요 〈취급상 주의〉 1) 보존제를 사용하지 않았으므로 사용한 잔액은 폐기 2) IV해서는 안됨. 3) 냉장보관
Hepatitis B immunoglobulin Hepabig inj 정주용 헤파빅주 …2000IU/10ml/V	1) 수술중 ① HBV-DNA(-), HBeAg(-) : 10,000IU 1회 투여 ② HBV-DNA(+) 또는 HBeAg(+) : 20,000IU 1회 투여	1) Hepatitis B surface antigen에 대한 항체를 인혈장에서 분리하여 얻은 액상제제임. 2) 적응증 : 간이식 환자의 B형 간염 재발의 예방	- 과민반응 - 간격을 둔 주사에 의해 anapylaxis 증상이 일어날 수 있음 - 급성 신부전	〈주의〉 1) Ig A 결핍증 환자, 신장애환자, 용혈성 실혈성 빈혈 환자, 면역부전환자, 면역 억제상태 환자 2) 임신부 : Category C

약품명 및 함량	용법	약리작용 및 효능	부작용	주의 및 금기
	2) 수술후 1주일까지 : 10,000IU/day 3) 수술후 1개월까지 : 10,000 IU/week 4) 수술후 1개월 이후 : 10,000 IU/4wks 5) 5DW 150ml에 10,000 IU를 희석하여 점적주사		- 혈압강하 - AST, ALT 상승 - 권태감, 오한, 두드러기, 불면	3) 혈전증 발생 위험요인 있는 환자: 투여 전 적절한 수분섭취 필요, 최소농도를 최저주입속도로 투여 후 관찰 필요 〈취급상 주의〉 1) 5DW 외에는 혼합 금기 2) 보존제를 사용하지 않았으므로 사용한 잔액은 폐기 3) 냉장보관
Human immunoglobulin Gamma-Globulin inj 감마글로불린주 …330mg/2ml/V …1.65g/10ml/V	1) 저 · 무감마글로불린혈증 : 100~300mg/kg 한달 간격 IM 2) 기타 : 1회 15~50mg/kg IM	1) 건강인의 혈청으로부터 γ-globulin층을 모아서 얻은 제제 2) 적응증 : 저 · 무감마글로불린혈증, virus성 질환(A형 간염, 홍역, 폴리오) 예방 및 증상 경감 3) Tmax : 2days $T_{\frac{1}{2}}$: 23days	- 쇼크 : 오한, 구기, 발한, 요통 등의 증상이 나타나면 투여 중지 - 과민증 - 주사부위에 일과성 발적, 동통	〈금기〉 1) Thimerosal에 과민증이 있는 환자(1ml중 0.1mg thimerosal 함유) 〈주의〉 1) IgA 결핍증 환자 2) 용혈성, 실혈성 빈혈 환자 3) 면역부전 환자, 면역 억제 상태 환자 4) 임신부 : Category C(태아에 장애 유발 가능한 Parvovirus B19의 감염가능성 있음) 5) 혈전증 발생 위험요인 있는 환자: 투여 전 적절한 수분섭취 필요, 최소농도를 최저주입속도로 투여 후 관찰 필요 〈취급상 주의〉 1) 10℃이하, 동결을 피해 보관 2) IM으로만 사용(IV 금지)
Human immunoglobulin G I.V-Globulin SN inj 아이비글로불린에스엔주 …500mg/10ml/V …1g/20ml/V …2.5g/50ml/V Livgamma SN inj	1) 저 · 무감마글로불린혈증, 중증감염증에서 항생제와 병용시 - 성인 : 2,500~5,000mg - 소아 : 50~150mg/kg IV or IV inf. 2) 특발성혈소판감소성 자반병 : 200~400mg/kg/D, 최대 5일간 사용 3) 길랑바레증후군 : 400mg/kg/D 5일간	1) 사람 IgG 및 maltose를 함유하는 제제 2) 면역항체가 농축되어 있어 유효 혈중농도를 신속히 상승시킴. 3) 반감기가 길고 면역식균작용을 촉진 시킴. 4) IgG antibody 저생산자의 치료, 선천성 무감마글로부린혈증, 저감마글로부린혈증, 중증감염증에 항생물질 병용, 특발성 혈소판감소성 자반(ITP), 길랑바레증후군, 가와사키병 5) 점적정주가 바람직하며 직접 정주할 경우에는 매우 서서히 투여함.	〈빈도 미확립〉 - 쇼크 : 필요하면 epinephrine (1:1000) 0.1~0.5ml, corticosteroid 투여 - 과민반응 - 급속한 IV로 혈압강하 - AST, ALT 상승 - 급성 신부전	〈금기〉 1) 사람 면역글로불린에 과민한 환자 〈주의〉 1) IgA 결핍증 환자나 신장장애 환자 2) 특발성 혈소판 감소성 자반증 치료시에 사용할 경우 원인 치료는 안됨.(대증요법 임) 3) 용혈성, 실혈성 빈혈환자 4) 면역 부전 환자 5) 뇌 · 심장혈관 장애 또는 그 병력이 있는 환자 6) 혈전 · 색전증 위험성이 높은 환자: 투여 전 적절한

약품명 및 함량	용법	약리작용 및 효능	부작용	주의 및 금기
리브감마에스앤주 …3g/60ml/V	4) 가와사끼병 : 400mg/kg/D 5일간 (증감) 또는 2g/kg single dose (적의감량) * 신기능에 따른 용량조절 참고 – 신장애시 천천히 투여 – CrCl 〈10ml/min : 투여 피함.	6) 정맥주사시 초기 30분간 0.01~0.02ml/kg/min 속도로 투여 후 15~30mins 간격으로 환자 상태 모니터링 하면서 증량 가능(예를 들어, 0.02→0.04→0.06ml/kg/min, Max rate. 0.08ml/kg/min)	– 혈소판 감소 – 졸음, 오한, 흉통, 불안	수분섭취 필요, 최소농도를 최저주입속도로 투여 후 관찰 필요 7) 임신부 : Category C 8) 수유부 : 수유가능 〈상호작용〉 1) 약독화된 생백신(홍역, 풍진, 이하선염, 수두 등) : 백신의 효능 감소 〈취급상 주의〉 1) 냉장보관 2) 개봉후 1시간 이내에 사용하며, 보존제가 포함되어 있지 않으므로 잔액은 폐기함. 3) 5DW 이외의 다른 약과의 혼합주사는 피함
IgM enriched human immunoglobulin Pentaglobin inj 펜타글로빈주 …500mg/10ml/A …5g/100ml/V	1) 중증 감염증 : 5ml/kg IV inf. 3일간 2) 면역글로불린 대체 요법 : 3~5ml/kg IV inf. 필요시 일주일 간격으로 반복 가능 3) 투여속도 – 신생아, 유아 : 1.7ml/kg/hr – 성인 : 0.4ml/kg/hr 4) 혼합가능 수액 : NS	1) IgM을 풍부하게 함유한 면역글로불린 제제로서, IgM은 감염의 초기에 가장 많이 존재하는 항체임. 2) IgM 결핍으로 인해 IgM의 투여가 반드시 필요한 중증 감염증에 사용함. 3) 적응증 – 면역기능저하환자의 중증세균감염증에 항생제와 병용요법 – 저면역글로불린증 환자에서 면역 글로불린 대체요법	– 쇼크 : 필요하면 epinephrine (1:1000) 0.1~0.5ml, corticosteroid 투여 – 과민반응 – 급속한 IV투여시 혈압강하 – AST, ALT 상승 – 급성 신부전	〈금기〉 1) 사람 면역글로불린에 내약성이 없는 환자 (드물게 IgA 결핍 환자는 IgA에 대한 항체 생성 가능) 2) 당뇨병성 대사상태 〈주의〉 1) 주입기간동안 및 투여 후 20분 이상 세밀하게 이상반응 증상 관찰 2) 임신부 : Category C (IgM은 태반을 통과하지 않음) 3) 수유부 : 수유가능 4) 혈전증 발생 위험요인 있는 환자 : 투여 전 적절한 수분섭취 필요, 최소농도를 최저주입속도로 투여 후 관찰 필요 〈상호작용〉 1) 유아에게 Ca. gluconate와 동시 투여시 부작용 발현 가능, 병용금지 2) 약독화된 생백신(홍역, 풍진, 이하선염, 수두 등) : 백신의 효능 감소 〈취급상 주의〉 1) 차광, 냉장보관(2~8℃)

약품명 및 함량	용법	약리작용 및 효능	부작용	주의 및 금기
Palivizumab Synagis inj 시나지스주 …50mg/V …100mg/V	1) RSV 위험이 예상되는 계절 시작 전부터 RSV 계절동안 15mg/kg씩 1개월마다 IM 2) 조제방법 ① 기포가 생기지 않도록 멸균주사용수(50mg vial : 0.6ml, 100mg vial : 1ml)를 바이알 내벽을 따라 천천히 가함 ② 바이알을 약간 기울여 약 30초간 부드럽게 회전시킴 (흔들어 섞지 않음) ③ 용액이 투명해질 때까지 실온에서 최소 20분간 방치 ④ 희석 후 3시간 이내에 투여 (보존제 불포함) 3) 주로 대퇴부의 전외측에 IM, 1ml을 초과하여 주사시 분할투여	1) 유전자 재조합 기술로 생산한 RSV*(=respiratory syncytial virus)에 대한 단일클론항체로 하기도 감염의 immunoprophylaxis로 작용 (*RSV : 소아와 신생아의 하기도 감염의 주요 원인 바이러스로서, 만성폐질환이 있는 미숙아, 면역저하자 등이 RSV 감염 고위험군임) 2) RSV 표면 당단백질인 F 단백질의 A epitope에 결합하여 RSV를 중화함. 3) 적응증 다음과 같은 경우에 있어 RSV에 의한 심각한 하기도 감염의 예방 - 재태기간 35주 이하로 태어나고 RSV 계절 시작시점에 생후 6개월 이하인 소아 - 최근 6개월 이내에 기관지폐이형성증 치료가 필요했던 만 2세 이하의 소아 - 혈류역학적으로 유의한 선천성 심장질환이 있는 만 2세 이하의 소아 4) Tmax : 〈48hrs $T\frac{1}{2}$: 13~27days	1) 부작용 (〉1%) - 초조, 발열 - 진균성 피부염, 습진 - 설사, 구토, 위장염 - 빈혈 - LFTs 이상 - 주사부위 반응 - 결막염 - 중이염 - 기침, 천명, 세기관지염 등	〈금기〉 1) 다른 단일클론항체에 과민한 환자 〈주의〉 1) 중증의 급성 감염자, 열성질환자 2) 임신부 : Category C 3) 수유부 : 안전성 미확립(성인에 대한 적응증 없음) 4) RSV 계절동안 매달 투여(대부분의 사용경험은 한 계절동안 5회 주사이었음) 〈취급상 주의〉 1) 냉장보관(2~8℃) 2) 보존제를 포함하지 않으므로 용해 후 3시간 이내에 사용하며, 남은 용액은 폐기하도록 함.
Rabies human immunoglobulin Kamrab inj 캄랍주 …300IU/2ml/V	1) 공수병 백신과 함께 투여하며, 공수병 바이러스에 노출 후 가능한 빨리 20IU/kg(0.133ml/kg)를 상처 가까운 부위에 IM 2) 나머지는 공수병백신과 다른 부위의 둔부에 주사 (둔부 중앙을 피하여)	1) 높은 역가의 항 공수병 항체를 가진 성인 기증자의 정맥혈장에서 얻은 항 공수병 면역 글로불린 2) 공수병 바이러스에 노출된 사람에게 즉각적으로 수동적 면역 제공 3) 이전에 공수병 항체를 가진 경우는 이 약의 투여 불필요함. 4) 한국희귀의약품센터 공급 약품 5) Initial response : 24hrs Peak response : 2~7days $T\frac{1}{2}$: 21day	- 주사 부위의 국소적인 압통, 근육의 쓰림 - 두드러기, 혈관부종 - 드물게 아나필락시스 반응	〈금기〉 1) 반복 처방 금함(병용하는 공수병 백신의 효과 저해) 2) IV투여 〈주의〉 1) 환자의 알러지 반응 여부 고려 필요 2) 공수병 백신과 동일한 주사기나 동일한 부위에 주사하지 않도록 함 3) 백신 투여 후 즉시 이 약을 투여하지 못한 경우 : 백신 투여 시작 7일 이내에는 반드시 투여 3) 임신부 : Category C 〈취급상 주의〉 1) 냉장보관

약품명 및 함량	용법	약리작용 및 효능	부작용	주의 및 금기
Rho(D) immunoglobulin WinRho SDF inj 윈로에스디에프주 …600IU(120mcg)/3ml/V …1,500IU(300mcg)/3ml/V	1) 산전 예방목적 : 임신 28~30주에 1,500IU IM or IV, 분만 후 72시간 이내 600IU 추가 투여 2) 산부인과적 상황 - 유산, 자궁외 임신, 경태반출혈 등 산부인과적 합병증: 합병증 72시간 이내 1,500IU IM or IV - 임신 중 침습적 처치(양수천자, 융모막생검) 또는 산부인과적 처치(태위의 회전술, 복부 외상 등): 처치 72시간 이내 1,500IU IM or IV 3) 특발성 혈소판 감소성 자반증: 125~300IU/kg, 반드시 IV	1) Anti-D(Rho) 면역 글로불린, 사람 혈청으로부터 제조 2) Rho(-)인 모체의 Rho에 의한 감작반응을 예방하며, 항원 항체반응을 억제하여 태아의 용혈성 빈혈로 인한 사망률 감소 3) Rho(+)인 혈액의 수혈로 인한 용혈성질환의 예방 및 특발성 혈소판 감소 자반증의 치료 4) 적응증 ① 모체와 태아 또는 신생아와의 혈액형이 다음과 같거나 태아 또는 신생아의 Rh인자가 확인되지 않거나 확인할 수 없는 경우 모체의 D(Rho) 항원에 대한 감작예방을 위한 투여 모체 / 태아 또는 신생아 D(Rho) 음성 / D(Rho) 양성 D(Rho) 음성 / Du 양성 Du양성 / D(Rho) 양성 ② 특발성 혈소판 감소자반증(ITP)의 치료 - 소아의 급성 또는 만성 ITP - 성인의 만성 ITP - HIV 감염에 의한 성인 또는 소아의 이차적인 ITP 5) Tmax : IV 2hrs, IM 5~10days $T_{\frac{1}{2}}$: IV 24days, IM 30days	- Anaphylaxis - 저혈압, 창백, 혈관확장 - 오한, 어지러움, 열, 두통, 불면증 - 가려움증, 발진 - 복통, 설사 - Rho(+) ITP환자 : 헤모글로빈 감소, 혈관내 용혈, 두통(2%), 오한(〈2%), 발열(1%) - 주사부위 반응(불편감, 경결, 약한 통증, 발적, 부종) - 요통, 운동과다증, 근육통, 허약	〈금기〉 1) Rh 항원 감작예방시 - Rho(D) 양성인 환자 2) ITP 치료시 - Rho(D) 음성인 환자 - 비장적출술을 한 환자 3) IgA 결핍환자 〈주의〉 1) Hgb〈10g/dL : 감량하여 사용하며, 〈8g/dL시 다른 치료법 사용 2) 이 약을 면역글로불린 부족증 환자에게 면역글로불린 대체로 사용 금함 3) IgA 부족증 환자 : 이 약에 미량으로 IgA가 있을 수 있으므로 아나필락시스 유발 우려 4) 혈소판감소증 또는 혈액응고장해 환자 : IM시 주의 5) 임신부 : Category C 6) 혈전증 발생 위험요인 있는 환자: 투여 전 적절한 수분섭취 필요, 최소농도를 최저주입속도로 투여 후 관찰 필요 〈상호작용〉 1) 약독화된 생백신(홍역, 풍진, 이하선염, 수두 등): 백신의 효능 감소 〈취급상 주의〉 1) 냉장보관 2) 희석하여 사용하는 경우 반드시 NS에 희석
Tetanus human immunoglobulin Hyper-Tet inj 하이퍼테트주 …250IU/1ml/V	1) 파상풍 잠복기 초기에 발생 예방 : 250IU IM 2) 파상풍 발생 후 5,000IU 이상 IM	1) 인체에 파상풍 백신을 접종하여 얻은 파상풍 항체의 고역가 혈장 제제(skin test하지 않아도 됨) 2) 파상풍 독소에 즉각적인 면역을 요할 때 효과적임 3) 적응증: 파상풍 발생 예방 및 발생 후의 증상 경감 4) $T_{\frac{1}{2}}$: 3~5wks 지속시간 : 14wks	1) 〉10% - 국소 통증, 종창, 주사부위 홍반 2) 1~10% - 발열 - 두드러기, 혈관부종 - 근강직	〈금기〉 1) 감마글로불린에 과민반응을 나타내는 자 2) Thimerosal에 과민증인 환자 3) 정맥내 투여 금함. 〈주의〉 1) IgA 결핍증 환자 2) 용혈성, 실혈성 빈혈 환자

약품명 및 함량	용법	약리작용 및 효능	부작용	주의 및 금기
			- 아나필락시스 반응 3) <1% - 반복투여시 감작 반응	3) 면역부전 및 면역 억제 환자 4) 임신부 : Category C 5) 수유부 : 수유가능 6) 혈전증 발생 위험요인 있는 환자 〈상호작용〉 1) 생백신(MMR, 수두백신): 백신의 효과 감소 〈취급상 주의〉 1) 냉장 보관(10℃ 이하)

약품명 및 함량	용법	약리작용 및 효능	부작용	주의 및 금기
Haemophilus influenzae type B polysaccharide (conjugated with tetanus toxoid) Act-HIB inj 악티브주 …10mcg/0.5ml/V	1) 통상 0.5ml를 SC 또는 IM (IV 금지) 2) 접종부위: ① 2세 미만 : 대퇴부전외측면(1/3 부위) ② 2세 이상 : 상완 삼각근부 3) 접종일정 및 횟수 ① 6개월 이전 - 초기접종 : 1~2개월 간격으로 3회 접종 - 추가접종 : 초기접종 후 18개월에 1회 접종(2, 3, 4개월 및 18개월에 DPT-소아마비백신의 기본 접종과 접종부위를 달리하여 동시에 접종할 수 있음) ② 6~12개월 : 1개월 간격으로 2회 접종 후, 18개월에 1회 추가접종 ③ 1~5세 : 1회 접종	1) HIB(Haemophilus influenzae type b)에 의한 뇌수막염 예방백신 2) HIB 캡슐의 PRP(polyribosylribitol phosphate)와 운반단백의 결합백신 3) HIB 협막 올리고당을 tetanus 독소 단백과 결합시켜 T세포 의존성 면역반응을 유도한 PRP-T 백신제제 4) 적응증 : 2개월 이상의 유아에서 Haemophilus influenzae type B에 의한 침습성 감염증의 예방 5) 다른 백신과 투여부위를 달리하여 동시 접종가능(각각의 항체생성능이 저하되지 않음) 6) 1회투여 후 혈청변환율 ① 18개월 소아 : 75% ② 24개월 이상 소아 : 90% 7) 혈중에서 항체가 검출되기 시작하는 시간 : 접종 후 1~2주 8) 작용지속시간 : 약 1.5년	1) >10% - 부종 - 국소 홍반 - 백신 접종 후 뇌수막염 감염위험 증가 - 급성 발열반응 2) 1~10% - 발열, 짜증, 무력감 - 식욕부진, 설사 - 주사부위 자극 3) <1% - 호흡곤란, 눈부위 부종, 가려움, 피로감	〈금기〉 1) 이 약 성분 특히 파상풍단백에 과민성인 환자 2) 임신부 : Category C (소아용으로 성인 투여 권장 안함) 3) 수유부 : 안전성 미확립 4) 발열 또는 급성감염 환자 〈주의〉 1) 다른 형의 H. influenzae 균으로 인한 감염증과 다른 원인에 의한 수막염은 방어할 수 없음 2) 통상적인 파상풍 백신 접종을 대신해서는 안됨. 3) 알러지 등이 의심되는 경우 의사와 사전에 상의 4) 아니필락스 반응 또는 알러지성 반응 발현시 즉시 epinephrine(1:1000) 투여 5) Thimerosal 함유하지 않음 6) 소아 : 6주미만 영아 안전성 및 유효성 미확립) 〈취급상 주의〉 1) 냉장보관(동결을 피하여 보관)
Haemophilus influenzae type B polysaccharide (conjugated with tetanus toxoid) Euhib inj 유히브주 …30~50mcg/0.5ml/V	1) 1회 0.5ml를 IM (IV 금지) 2) 접종부위 : 대퇴부 전외측(2세 미만) 3) 접종일정 및 횟수 ① 기초접종 : 생후 2, 4, 6개월에 3회 접종 ② 추가접종 : 생후 12~15개월에 1회 접종(DPT백신과 접종부위를 달리하여 동시에 또는 1~2주 간격을 두고 접종할 수 있음)	1) HIB(Haemophilus influenzae type b)에 의한 뇌수막염 예방백신 2) HIB 캡슐의 PRP(polyribosylribitol phosphate)와 운반단백의 결합백신 3) HIB 협막 올리고당을 tetanus 독소 단백과 결합시켜 T세포 의존성 면역반응을 유도한 PRP-T 백신제제 4) 적응증 : 2개월 이상 영아에서 Haemophilus influenza type B에 의한 침습성 감염증 예방	(생후 7주 이상 6개월 이하의 영아) 1) >10% - 설사 식욕부진, 지속적인 울음, 구토 2) 1~10% - 발적, 부종, 통증 - 과민흥분/불안, 졸림, 발열 - 상기도감염, 코인두염 - 수면장애, 발진 3) <1% - 중이염, 인두편도염 - 기저귀피부염, 습진, 홍색땀띠	〈금기〉 1) 이 약 성분 또는 파상풍단백에 과민반응 증상이 나타났던 환자 2) 유당 불내성 환자 3) 발열 또는 급성감염 환자 〈주의〉 1) 다른 형의 H. influenzae 균으로 인한 감염증과 다른 원인에 의한 수막염은 예방할 수 없음 2) 통상적인 파상풍 백신 접종을 대신해서는 안됨 3) 알러지 등이 의심되는 경우 의사와 사전에 상의 4) 아니필락스 반응 또는 알러지성 반응 발현 시 즉시 epinephrine(1:1000) 투여 5) Thimerosal 함유하지 않음 6) 임신부 : Category C (소아용으로 성인 투여 권장 안 함) 7) 수유부 : 안전성 미확립

약품명 및 함량	용법	약리작용 및 효능	부작용	주의 및 금기
				〈취급상 주의사항〉 1) 냉장보관(동결을 피하여 보관) 2) 첨부용제 프리필드시린지에 23G(파란색)주사침을 끼운 후 동결건조 약물이 함유된 바이알에 넣어 용해한 후 다시 프리필드시린지로 약물을 흡인 함, 25G(주황색) 주사침으로 갈아 끼운 후 접종
Haemophilus influenzae type B oligosaccharide (conjugated with diphtheria CRM197 protein) Firsthib inj 퍼스트힙주 …35mcg/0.5ml/syr	1) 주사방법 : 1회 0.5ml를 대퇴부 전외측에 IM 2) 접종 스케쥴 ① 초기접종 : 2, 4, 6개월에 3회 접종 ② 추가접종 : 16~20개월에 1회 접종	1) HIB(Haemophilus influenzae type b)에 의한 뇌수막염 예방백신 2) HIB 협막 올리고당을 diphtheria 독소 단백과 결합시켜 T세포 의존성 면역반응을 유도한 백신 3) 적응증 : 2개월이상~5세 이하의 유 · 소아에서 Haemophilus influenzae typeB에 의한 감염성질환의 예방 4) 다른 백신과 투여부위를 달리하여 동시 접종가능 (각각의 항체생성능이 저하되지 않음) 5) 1회투여 후 혈청변환율 ① 18개월 소아 : 75% ② 24개월 이상 소아 : 90% 6) 혈중에서 항체가 검출되기 시작하는 시간: 접종 후 1~2주 7) 작용지속시간 : 약 1.5년	1) 〉10% - 부종 - 국소 홍반 - 백신 접종 후 뇌수막염 감염위험 증가 - 급성 발열반응 2) 1~10% - 발열, 짜증, 무력감 - 식욕부진, 설사 - 주사부위 자극 3) 〈1% - 호흡곤란, 눈부위 부종, 가려움, 피로감	〈금기〉 1) 이 약 성분 특히 디프테리아 단백에 과민성인 환자 2) 발열 또는 급성감염 환자 3) 수유부: 안전성 미확립 4) 임신부 : Category C (소아용으로 성인 투여 권장 안함) 〈주의〉 1) 다른 형의 H. influenzae 균으로 인한 감염증과 다른 원인에 의한 수막염은 방어할 수 없음 2) 통상적인 디프테리아 백신 접종을 대신해서는 안됨. 3) 알러지 등이 의심되는 경우 의사와 사전에 상의 4) 아나필락스 반응 또는 알러지성 반응 발현시 즉시 epinephrine(1:1000)과 corticosteroid 투여 〈취급상 주의〉 1) 냉장보관(2~8℃)
Meningococcal A, C, W135, Y oligosaccharide (conjugated to diphtheria CRM197) Menveo inj 멘비오주 (Vial 1–분말) MenA 10mcg, (Vial 2–용액) MenC,W,Y각 5mcg …2V/set	1) 1회 0.5ml 상완부 삼각근에 IM(영아는 대퇴부전외측) 2) 주사액의 조제 ① Vial1(MenA분말) + Vial2(MenCWY용액)/set ② 바이알2 용액으로 바이알1 분말을 투여직전에 재구성하여 사용 3) 접종일정 및 횟수 ① 2~6개월 소아: 처음 3회 접종을 최소 2개월간격으로 실시, 4차접종은 적어도 6개월 간격을 두고 만 1세 이후에 실시 ② 7~23개월 소아: 최소 3개월 간격으로 2회 접종 ③ 만2~55세: 1회 접종	1) 수막구균(Meningococcus) A, C, W135, Y혈청군의 세균성 피막다당질을 함유하는 4가 단백접합 백신 2) 수막구균으로 인한 침습적 질환을 유발하는 가장 흔한 혈청군 4가지의 피막다당질을 단백수송체 CRM197에 화학적으로 결합시켜 T세포 의존성 항체 반응을 유도 3) 적응증 : 2개월~55세의 영유아, 소아, 청소년과 성인에서 Neisseria meningitidis A, C, W135 및 Y군에 의한 침습성 수막구균 질환의 예방 (단, 만2세 이하 영유아에서는Neisseria meningitidis A군의 효능 입증되지 않음)	1) 〉10% - 두통, 권태감 - 구역 - 국소: 주사부위 통증, 홍반, 경화 - 근육통 2) 1~10% - 오한, 발열 - 발진 - 관절통	〈금기〉 1) 활성 성분 또는 디프테리아 톡소이드(CRM19)에 과민한 환자 〈주의〉 1) 혈소판감소증환자, 출혈장애 환자 및 혈종위험으로 항응고요법을 받고 있는 자 2) 급성 중증 발열성 질환이 있는 자 3) 임신부 : Category C 〈보관방법〉 1) 2-8℃ 냉장보관 (냉동 금기) 2) 차광보관 3) 재현탁 후 25℃ 미만에서 8시간 안정

약품명 및 함량	용법	약리작용 및 효능	부작용	주의 및 금기
Mycobacterium bovis(B.C.G.) danish 1131 BCG vaccine SSI inj 피내용건조비씨지백신에스에스아이주 …0.75mg/V	1) 1세 미만 영유아 : 0.05ml 피내주사 2) 1세 이상 소아 및 성인 : 0.1ml 피내주사 3) 첨부된 용제(생리식염수) 1ml로 용해 후 사용	1) 피내 접종용 결핵 예방접종약 2) Mycobacterium bovis의 live attenuated strain(Calmette개량균(BCG French Pasteur strain 1173P2균주)) 3) Tuberculin skin test에 음성인 환자에게 접종 4) 불치의 sputum-positive 폐결핵에 반복 투여함.	1) >10% - 임파선염, 핍뇨, 빈뇨, 혈뇨 2) 1~10% - 두통, 어지러움, 피로감 - 오심, 구토, 식욕부진, 복통, 설사 3) 기타 - 접종부위 궤양형성(궤양이 크거나 오래 지속되면 항결핵제가 든 연고를 발라 줌) - 골수염(어른보다 신생아에서 잘 발생함) - 파종성 BCG 감염, 사망(천만 명 중 1~10명)	〈금기〉 1) 결핵에 대한 예방요법 중인 환자 2) 현저한 영양장애 환자 3) 중증 또는 열병 환자 4) 피부감염 또는 심한 전신 피부질환 환자 5) 다른 생백신 투여 후 4주가 경과되지 않은 환자 6) 임신부 : Category C(국내허가 금기) 〈주의〉 1) 백신 접종전 투베르쿨린 음성반응을 확인함 2) 수유부 : 안전성 미확립 〈상호작용〉 1) 부신피질호르몬제, 면역 억제제 투여 종료 6개월 이내인 환자는 발증의 우려가 있으므로 이 약제를 사용하지 않음. 〈취급상 주의〉 1) 냉장(2~8℃), 차광보관 2) 바이알 개봉 후 가능한 즉시 사용하며, 재구성 후 4시간 경과하면 폐기해야 함.
Mycobacterium bovis(B.C.G.) Tokyo 172 Freeze-dried Glutamate BCG vaccine for percutaneous use 경피용 건조 BCG 백신 …12mg/A	1) 1Ⓐ에 용제(NS 0.15ml/A)를 가한 것을 상완외측 중앙부에 떨어뜨려 바르고 경피 접종침을 사용함. 2) 접종은 관침의 원통자국이 상호 접하게 하여 2개소로 함.	1) 경피용 결핵예방 접종약 2) Mycobacterium bovis의 live attenuated strain(Calmette개량균) 3) Tuberculin skin test에 음성인 환자에게 접종 4) 흉터가 거의 남지 않는 장점이 있음. 5) 첫백신 접종은 6세 이전에 실시	- 접종 후 1~4주간 접종부위의 발적, 종창, 가피형상, 피부궤양 (2~3개월 후 소실) - 액와 임파절, 종창	〈금기〉 1) 결핵에 대한 예방요법 중인 환자 2) 현저한 영양장애 환자 3) 중증 또는 열병 환자 4) 피부감염 또는 심한 전신 피부질환 환자 5) 면역부전 과거력 또는 면역기능 이상을 가져올 위험이 있는 환자 6) 다른 생백신 투여 후 4주가 경과되지 않은 환자 7) 임신부 : Category C(국내허가 금기) 〈주의〉 1) 백신 접종전 투베르쿨린 음성반응을 확인함 2) 수유부 : 안전성미확립 〈상호작용〉 1) 부신피질호르몬제, 면역 억제제 투여 종료 6개월 이내인 환자는 발증의 우려가 있으므로 이 약제를 사용하지 않음.

약품명 및 함량	용법	약리작용 및 효능	부작용	주의 및 금기
				〈취급상 주의〉 1) 10℃이하 보관 2) 용제를 가할 때 앰플 내벽을 따라 천천히 주입시키고, 조용히 흔들어 균등한 현탁액으로 만듦 3) 현탁한 액은 즉시 사용하고 잔량은 폐기함.
Pneumococcal polysaccharide (conjugated to diphtheria toxoid, tetanus toxoid, NTHi protein D) Synflorix PFS inj 신플로릭스프리필드시린지 …0.5ml/syr	1) 생후 6주~6개월이하의 영아 및 재태기간 27~36주의 미숙아 ① 기초접종 : 1회 0.5ml씩 생후 2, 4, 6개월에 3회 IM ② 추가접종 : 12~15개월에 0.5ml IM (기초접종완료 후 최소 6개월 후 접종) 2) 기초 접종하지 않은 영아 및 소아 ① 7~11개월 : 0.5ml씩 3회 IM (1, 2차는 적어도 1개월 간격을 둠, 3차는 생후 12개월 이후 2차 접종과 최소 2개월 간격) ② 12~23개월 : 0.5ml씩 2개월 간격으로 2회 IM(2회 접종 후 추가접종 필요성 미확립) ③ 2세~5세 미만 : 0.5ml씩 2개월 간격으로 2회 IM	1) 폐렴구균 polysaccharide 혈청형(1, 4, 5, 6B, 7F, 9V, 14, 18C, 19F, 23F)을 NTHi(Nontypeable Haemophilus Influenzae) 단백질 D, Tetanus toxoid, Diphtheria toxoid에 접합시킨 10가 백신 2) 적응증 생후 6주~5년 미만 영아 및 어린이에서 폐렴구균(혈청형 1, 4, 5, 6B, 7F, 9V, 14, 18C, 19F, 23F)으로 인하여 생기는 침습성 질환과 폐렴 및 급성 중이염 예방(혈청형 1, 5, 7F에 의한 급성중이염에 대한 유효성 자료는 충분치 않음) 3) 디프테리아, 파상풍, 헤모필루스 인플루엔자 b형에 대한 예방은 예방접종지침에 따라 별도 실시해야 함.	– 졸음, 비열성 경련 – 설사, 구토 – 발진, 소양증 – 식욕부진 – 주사부위의 통증, 발적, 부종 – 발열 – 보챔, 비정상적 울음 – 극미숙아(재태기간 28주이하)의 무호흡	〈금기〉 1) 이 백신의 유효성분, 첨가제 또는 운반단백질에 과민한 환자 2) 급성중증 열성질환자(경미한 감염은 제외) 〈주의〉 1) 극미숙아 (재태기간 28주 이하) 2) 혈소판 감소증이나 혈액응고장애(근육주사 시 출혈위험) 3) 면역억제요법, 유전적 결함 등으로 면역능이 저하된 환자(백신에 의한 항체반응 감소될 수 있음) 〈상호작용〉 1) DTP, B형간염, 소아마비, Hib, MMR, 수두, 수막구균 백신 : 동시 접종 가능 2) 예방적 해열제(AAP) : 백신에 의한 면역반응이 감소될 수 있음 3) 임신부, 수유부 : 안전성 미확립 4) 고령자 : 이 약으로 23가 폐렴구균 다당체 백신을 대체하여 사용할 수 없음. 〈취급상 주의〉 1) 동결을 피하여 냉장보관(2~8℃), 차광(박스내 보관) 2) 사용 전 충분히 흔들어 사용(현탁액)
Pneumococcal polysaccharide (conjugated to diphtheria CRM197) Prevenar 13 PFS inj.	1) 6개월 이하의 영아 ① 기초접종 : 1회 0.5ml씩 생후 2, 4, 6개월에 3회 IM ② 추가접종 : 12~15개월에 0.5ml IM 2) 기초 접종하지 않은 영아 및 소아 ① 7~11개월 : 0.5ml씩 3회 IM (1, 2차는	1) 폐렴구균 polysaccharide 혈청형 (1, 3, 4, 5, 6A, 6B, 7F, 9V, 14, 18C, 19A, 19F, 23F)과 C. diphtheriae CRM [197] 단백을 결합시킨 13가 백신(PCV13) 2) 단백질을 결합시킴으로써 T cell 의존성 면역반응을 일으키므로 면역 기능이 발달되지 않은 6주 이상의	1) > 10% – 발열 (24.3~36.5%) – 주사 부위 반응(홍반, 경화, 압통, 결절)	〈금기〉 1) 이 약제의 성분 또는 디프테리아 톡소이드에 과민한 환자 2) 급성 중증의 열성 질환 환자(접종 연기) 〈주의〉 1) 백신에 포함되지 않은 다른 폐렴구균혈청형이나 다른

약품명 및 함량	용법	약리작용 및 효능	부작용	주의 및 금기
프리베나13주 …0.5ml/syr (주사침 동봉, 성인용 1inch, 소아용 5/8inch)	적어도 1개월 간격을 둠, 3차는 생후 12개월 이후 2차 접종과 최소 2개월 간격) ② 12~23개월 : 0.5ml씩 2개월 간격으로 2회 IM ③ 24개월~17세 : 0.5ml 1회 IM 3) 프리베나-프리베나13 전환 접종 ① 프리베나 1회 이상 투여 시 : 프리베나 13으로 전환하여 4회 접종 완료 ② 프리베나 4회 접종 완료 시 : 6가지 추가혈청 면역반응 유도 위해 생후 15개월~5세에 프리베나 13 1회 접종(마지막접종과 최소 2개월 간격) 4) 50세 이상 성인 : 1회 0.5ml IM	어린이에게 적용 가능함. 3) PCV13은 Pneumococcal polysaccharide vaccine(PPSV23)과 유사하거나 더 높은 항체생성 반응을 나타냄. 4) 적응증 ① 생후 6주 ~ 만 17세에서 폐렴구균(혈청형 1,3,4,5,6A,6B,7F,9V,14,18C,19A,19F,23F)으로 인하여 생기는 침습성질환과 폐렴 및 급성 중이염의 예방 (혈청형 1, 3, 5, 6A, 7F, 19A에 의한 급성 중이염에 대한 유효성 자료는 이용 불가능) ② 18세 이상의 성인에서의 폐렴구균(혈청형 1,3,4,5,6A,6B,7F,9V,14,18C,19A,19F,23F)으로 인한 침습성 질환의 예방 ③ 50세 이상의 성인에서 폐렴구균(혈청형 1,3,4,5,6A,6B,7F,9V,14,18C,19A,19F,23F)으로 인하여 생기는 폐렴 예방 5) 성인에서 PCV13 접종 추천 : 19세 이상 면역저하 환자(HIV, cancer etc), 뇌척수액 유출이 있는 환자, 와우이식, 진행성 신질환자 6) 성인용과 소아용 성분 및 함량 모두 동일하고 동봉된 주사침 길이만 다름, 투여시 동봉된 주사침 사용 (∵성인, 소아의 근육량 차이 고려함)	- 과민, 졸음, 불안정한 수면 - 식욕감퇴 2) 1~10% - 발진 - 설사, 구토	미생물에 의한 침습성질환, 중이염에 대한 예방 효과 없음. 2) 고위험군 생후 24개월 이상 소아에서 23가 폐렴구균 다당체 백신을 대체할 수 없으며, 이 약과 23가 폐렴구균 다당체 백신은 8주 이상 간격으로 투여 가능 3) 근육주사 금기인 혈소판 감소증, 기타 혈액응고 장애, 항응고요법중인 영아 및 어린이 4) 정맥 주사하지 말 것 5) 임신부 : Category C 6) 수유부, 6주이하의 소아 : 안전성 미확립 〈상호작용〉 1) 다른 소아용 백신과 병용 투여 가능(다른 주사 부위) 2) 면역 억제요법을 받는 경우 적절한 면역 반응이 나타나지 않을 수 있음 〈취급상 주의〉 1) 냉장 보관 (동결 금함) 2) 투여 전 균일한 백색현탁액으로 만들어 사용
Pneumococcal polysaccharide Prodiax 23 프로디악스-23 …0.5ml/V	1) 2세이상 소아, 성인 : 1회 0.5ml (1dose) SC 또는 IM	1) Streptococcus pneumoniae 혈청형의 협막 다당류 항원을 정제시켜 만든 23종의 polysaccharide vaccine 2) 신체의 immune system 자극에 의한 유효 방어항체를 생산함. 3) 적응증 : 백신함유 협막형에 의한 폐렴구균질병의 예방 4) 50세이상, 2세이상의 만성 심혈관계질환, 만성폐질환, 당뇨병, 알코올 중독증, 만성간질환, 비장절제술환자, HIV감염, 백혈병, 림프종 다발성골수종, 전신암, 만성신부전 환자 등에 접종함	- 일과성 반응 (3일내 소실) : 발열, 국소동통, 권태감, 열감, 종창, 발적, 근육관절통, 오한, 두통, 인두통, 콧물 - 아나필락시스반응 - Guillain-Barre syndrome, 지각이상을 포함하는 급성 신경근장애	〈주의〉 1) 함유하는 협막형 이외의 폐렴구균감염에 효과없음. 2) 열성 호흡기질환, 다른 활동성 감염시 접종 보류 고려 3) 방사선 · 면역억제제로 치료중이거나 면역기능이 현저히 저하된 자 4) 접종 당일과 다음날은 안정 취하고, 접종 부위를 청결히 유지함. 5) 주사침 끝이 혈관내에 들어가지 않은 것을 확인함. 6) 임신부 : Category C 7) 수유부, 2세미만소아 : 안전성 미확립

약품명 및 함량	용법	약리작용 및 효능	부작용	주의 및 금기
		5) 면역력이 정상인 사람에게는 재접종이 일반적으로 권장되지 않으나 고위험군환자에서 최소 5년이 경과한 경우 1회의 재접종이 권장됨		〈상호작용〉 1) 인플루엔자 백신과 동시접종 가능 2) 대상포진 생바이러스백신 : 최소 4주간격두고 접종 고려 〈취급상 주의〉 1) 냉장보관 2) 사용시 실온으로 한 후 잘 흔들어 사용(동결된 것은 사용하지 말 것)
Salmonella typhi purified Ⅵ capsular polysaccharide Zerotyph inj 지로티프주 …25mcg/0.5ml/V	1) 성인 및 5세 이상의 유,소아 : 1회 0.5mL IM 또는 SC	1) 장티푸스 백신으로, 항체생성에 관여하는 VI 항원만을 고순도로 정제하여 제조한 polysaccharide 제제 2) 1회 접종으로 유효항체가 형성되며, 최소 3년간 면역력 유지됨. 3) 항체형성시기 : 접종 후 7일 경부터	- 접종 24시간 이내에 경미한 국소동통 - 드물게 발진 또는 국소경련. - 종창, 홍반 등 국소반응(20%) - 발열, 두통, 불쾌감, 구역(6%) - 경미한 체온상승(1~5%) - 근육통, 설사	〈금기〉 1) Neomycin에 과민반응이 있는 자 2) 급성 전염병 환자 3) 면역결핍 환자 4) 예방접종 실시가 부적합한 상태에 있는 환자 5) 임신부 : Category C(국내허가 금기) 6) 수유부 〈주의〉 1) 혼탁, 착색, 이물이 혼입된 제제는 사용하지 않음. 2) 2세 이하 접종은 권장하지 않으며, 2~5세 유아에서는 장티푸스 노출 위험성을 고려하여 결정 3) 아나필락시스가 유발될 수 있으므로 epinephrine (1:1000)을 준비할 것 4) 면역억제 환자 및 면역억제요법 중인 환자(백신에 의한 항체반응 감소될 수 있음) 5) 혈소판 감소증 또는 혈액 응고장애 환자 〈취급상 주의〉 1) 동결을 피해 2~8℃ 냉장보관 2) 투여시 실온으로 한 후 흔들어서 균등하게 한 후 사용
1V(0.5ml) 중 Diphtheria toxoid 2IU이상, Tetanus toxoid 20IU 이상, Bordetella pertussis	1) 영유아기 소아용 DTaP기초접종을 일정대로 완료한 만 11~64세 : 1회 0.5ml IM 2) Td 백신을 추가 접종받은 경우 5년 이내에는 본 백신의 접종 피해야 함.	1) 청소년 및 성인용 디프테리아, 파상풍, 백일해 예방백신(Tdap) 2) Td백신(파상풍, 디프테리아 톡소이드)에 불활화한 정제 백일해 방어항원*(5가)이 추가된 것으로, 소아용DTaP 백신에 비해서는 디프테리아와 백일해 항원의 함량이 감소된 제제 (소아용 DTaP 백신은	1) >10% - 피로(24~37%), 두통(34~44%), 오한(8~15%) - 복통, 설사, 오심, 구토	〈금기〉 1) 본제 성분과 동일한 백신에 과민한 환자 2) 백일해 항원을 포함한 백신 접종 후 7일 이내 다른 원인에 기인하지 않은 뇌병증이 나타난 환자 3) 진행성 신경계 질환, 조절 불가능한 간질 또는 진행성 뇌병증 환자

약품명 및 함량	용법	약리작용 및 효능	부작용	주의 및 금기
toxoid 2.5mcg, FHA 5mcg, FIM 2+3 5mcg, PRN 3mcg **Adacel inj** 아다셀주 …0.5ml/V	3) 영유아 기초접종에 사용할 수 없음.	디프테리아, 백일해 항원의 함량이 높아 성인에게 이상반응 발현 많음) 3) 대한감염학회 권장사항 : 기본 예방접종으로서, 11세 이상 청소년 및 성인은 Td 백신을 10년마다 접종하되, 처음 1회는 백일해 항원이 포함된 Tdap 백신으로 접종하도록 함. * FHA(Filamentous hemagglutinin), FIM(Fimbriae), PRN(Pertactin)	– 주사부위 통증, 부종, 홍반 – 전신통증 또는 근육약화, 관절통증 또는 관절종창 2) 1~10% – 발열(≥38℃)(1~5%) – 발진(2~3%) – 임파절 종대(7%)	4) 발열성(40.5℃이상) 또는 급성질환자(경미한 감염은 제외) 〈주의〉 1) 응고장애 또는 항응고 치료를 받는 환자 2) 면역저하자 3) 과거 유사한 성분을 포함한 백신을 접종하고 48시간이내 심각한 이상 약물 반응이 있었던 환자 4) 임신부 : Category C 5) 수유부 : 안전성 미확립 〈상호작용〉 1) 다른 불활화 또는 생백신 : 동시 접종 가능 2) 면역억제제(CsA, steroids) : 적절한 면역반응이 나타나지 않을 수 있음. 〈취급상 주의〉 1) 동결을 피하여 냉장보관(2~8℃) 2) 사용전 충분히 흔들어 사용(현탁액)
1syr(0.5ml) 중 Diphtheria toxoid 2IU 이상, Tetanus toxoid 20IU 이상 **TD pur inj** 티디퓨어주 …0.5ml/syr	1) 첫 접종 (비면역자 또는 접종 증거가 없는 경우) – 0.5ml 3회 IM – 1차 : 7세이상부터 접종 – 1차 4~6주 후 2차 접종 – 2차 6~12개월 후 3차 접종 2) 재접종 (영유아기 기초접종을 완료한 경우) – 만 10~12세 : 0.5ml IM – 이후 매 10년마다 0.5ml IM 3) 상처발생시 파상풍 예방(최근 접종일에 따라) – 접종 후 5년까지 : 즉시 접종 불필요 – 5~10년 경과시 : 0.5ml IM – 10년 이상 경과시 : 0.5ml IM + tetanus immunoglobulin 250 IU	1) 디프테리아, 파상풍 혼합 톡소이드(Td) 백신 2) 7세 이상 소아 및 성인을 대상으로 디프테리아 및 파상풍 예방접종, 상처 발생시 파상풍 예방목적으로 투여	– 국소의 일시적인 발적, 종창, 동통 – 육아종, 장액종 – 감기증상, 두통, 순환 계통의 부작용, 땀의 발생, 오한, 발열, 호흡 곤란, 근육통 및 관절통, 소화불량 – 과민 반응, 일시적인 발진 – 길랑 바레 증후군, 호흡 계통, 사지의 마비 – 말초 신경망의 염증 반응	〈금기〉 1) 급성 질환에서 회복 후 2주가 경과하지 않은 환자 2) 디프테리아, 파상풍 접종에 의해 일시적인 혈소판감소증, 신경학적 합병증, 기타 부작용 경험 환자 3) 백신 성분 중 심각한 과민 반응이 일어난 자 〈주의〉 1) 본제는 영유아의 기초접종에 해당하지 않으며, 영유아 기초접종은 반드시 DPT를 사용 2) 보존제(thimerosal)를 함유하지 않음 3) 임신부 : Category C 〈상호 작용〉 1) 면역 억제제를 투어 받은 환자의 경우 면역 접종의 효과가 떨어짐. 〈취급상 주의〉 1) 냉장 보관(동결을 피함) 2) 잘 흔들어 사용 3) 혈관내 접종 금함.

약품명 및 함량	용법	약리작용 및 효능	부작용	주의 및 금기
			- 일시적인 혈소판 감소증, 알러지성 신장질병, 일시적인 단백뇨	
1syr(0.5ml) 중 Diphtheria toxoid 16.7LF 이하, Tetanus toxoid 6.7LF이하, Bordetella pertussis protective antigen 4IU이상 **DPT-III vaccine** 디티에이피 백신주 …0.5ml/syr	1) 기초접종 : 1회 0.5ml씩 생후 2, 4, 6개월에 3회 SC or IM 2) 추가접종 : 18개월과 4~6세에 0.5ml SC or IM	1) 고순도로 정제된 디프테리아와 파상풍 톡소이드에 백일해의 감염 방어 항원 부분만 정제한 개량형 DPT백신 2) 유아, 6세까지의 어린이에게 디프테리아, 파상풍, 백일해에 대한 활성면역을 제공	1) 〉10% - 어지러움, 짜증 - 식욕감퇴 - 발적, 종창 2) 1~10% - 발열 - 구토 - 통증, 발적(〉3cm) : 2~3일 후 자연소실됨	〈금기〉 1) 발열, 현저한 영양장애자 2) 중증의 심장, 신장 및 간장질환자 3) 이전 접종에서 2일 이내에 발열이 있었던 환자 4) 접종전 1년 이내에 간질 또는 경련 증상이 있었던 환자 5) 진행성 퇴행신경성 질환 환자 6) 임신부 및 신생아 〈주의〉 1) 소아용 제제이므로 성인에게 사용하지 않음 〈상호작용〉 1) 혼합제품을 제외하고 이백신과 B형간염이나 Hib 백신을 혼합접종 하지 않음(∵백신 효과 약화 또는 무효화) 〈취급상 주의〉 1) 동결을 피하여 냉장보관 2) 침강되기 쉬우므로 사용전에 충분히 흔들것 3) 개봉한 것은 당일 중에 사용함.
1syr(0.5ml) 중 Diphtheria toxoid 30IU이상, Tetanus toxoid 40IU 이상, Bordetella pertussis toxoid 25mcg, FHA* 25mcg, PRN 8mcg	1) 기초접종 : 1회 0.5ml씩 생후 2, 4, 6개월에 3회 IM 2) 추가접종 : 15~18개월과 4~6세에 0.5ml IM	1) 흡착 디프테리아, 파상풍 톡소이드 및 정제 백일해균 방어항원(3가) 부분을 정제한 개량형 DPT백신 2) 유아 및 6세까지의 어린이에게 디프테리아, 파상풍, 백일해에 대한 면역을 제공함 3) 타 백신과 접종 부위를 달리하여 동시 접종 가능 * FHA(Filamentous hemagglutinin) PRN(Pertactin)	1) 〉10% - 신경과민증 - 졸음 - 발적, 주사부위의 국소종창(≤50mm), 발열 2) 1~10% - 식욕부진 - 불안, 비정상적 울음 - 설사, 구토 - 가려움	〈금기〉 1) DTPw 또는 DTPa접종 7일 이내에 다른 원인이 확인되지 않는 뇌병증이 나타난 병력 있는 환자 2) 급성 중증 열성 질환인 환자 〈주의〉 1) 접종 후 2일 이내의 발열, 허탈 또는 쇽, 3시간 이상 우는 경우, 3일 이내의 경련 2) 열성 경련의 병력 또는 경련성 발작의 가족력이 있는 환자 3) HIV 감염 환자 4) 출혈성 질환이 있는 환자

약품명 및 함량	용법	약리작용 및 효능	부작용	주의 및 금기
Infanrix inj 인판릭스주 …0.5ml/syr			- 통증	5) 임신부 및 수유부 : 안전성 미확립(성인 대상 백신 아님) 6) 6주미만 소아 : 안전성 미확립 〈취급상 주의〉 1) 냉장보관(2~8℃) 2) 동결된 경우 사용을 금함. 3) 접종 전 잘 흔들어 균질한 현탁액 상태에서 사용

약품명 및 함량	용법	약리작용 및 효능	부작용	주의 및 금기
Hepatitis A vaccine inactivated Avaxim pediatric inj 아박심80U소아용주 … 80U/0.5ml/syr Avaxim adult inj 아박심160U성인용주 … 160U/0.5ml/syr	1) 1회 용량을 둔부를 제외한 삼각근에 IM ① 만 16세 이상 : 160U (0.5ml, 성인용) ② 만 16세 미만 : 80U (0.5ml, 소아용) 2) 기초 접종 1회 후 장기면역을 위해 기초접종 6~18개월에 1회 추가접종 3) 추가접종 시행 시 백신의 용량은 추가접종 시기의 연령을 따름. 4) 혈소판감소증, 출혈위험 환자에서는 SC 가능함.	1) A형 간염예방백신 2) GBM주를 MRC-5세포에서 계대배양하여 제조(흡착제 : aluminium hydroxide) 3) 항체형성 : 접종 2~4주 이내 약효지속 : 항체의 지속성에 관련된 자료 없으나, 기초접종 후 10년까지 방어수준이 지속되는 것으로 보임 4) 제조사가 다른 제품으로 교차접종 가능(항체양전률과 면역원성에 영향을 미치지 않음)	1) >10% - 두통 - 주사부위 동통, 종창, 열감 2) 1~10% - 후두염(1%) - 복부통증 - 주사부위 부종, 적색으로 변화	〈금기〉 1) 발열 및 급 · 만성질환자 2) Neomycin, polysorbate 80에 과민한 자 〈주의〉 1) 혈소판 감소증 혹은 출혈 질환이 있는 환자에게는 주사 후 출혈이 발생할 수 있으므로 주의 2) 면역억제제의 투여나 면역결핍 상태에 의해 이 백신의 면역원성이 저해될 수 있음 3) 임신부 : category C 4) 수유부 : 신중히 투여 〈취급상 주의〉 1) 냉장, 차광 보관 2) 접종 전 균질한 현탁액이 되도록 흔들어서 사용
Hepatitis B surface antigen protein Hepavax-Gene TF inj 헤파박스진-티에프주 …10mcg/0.5ml/V …20mcg/1ml/V	1) 기본면역 ① 성인 : 1ml씩 상완에 IM ② 신생아 및 유 · 소아 : 1회 0.5ml IM ③ 투여간격 - 1차 : 접종 개시일 - 2차 : 1차접종 1개월 후 - 3차 : 1차접종 6개월 후	1) 유전자 재조합 B형 간염 백신 2) HBsAg을 발현하는 vector를 삽입시킨 Hansenular polymorpha를 대량 배양시킨 후 HBsAg을 분리 정제한 제제 3) Hepatitis B virus에 기인한 감염 예방 및 우선 접종 대상자 ① 의료기관에 종사자 ② 면역기능이 저하된 투석환자	- 국소반응 : 홍반, 통증, 종창, 경변, 미열(2일 이내 소실됨) - 전신반응 : 고열, 권태, 피로, 두통, 오심, 구토, 어지러움, 관절통, 지각이상, 정신적 불안	〈주의〉 1) 심한 심 · 폐 장애자 2) 심각한 열성 또는 전신 반응을 나타낼 수 있는 환자 3) 면역시스템 촉진에 의해 다발성 경화증 환자의 증상이 악화될 수 있음. 4) 혈액투석환자, 면역학적 질환 환자, 남성에서 반응이 감소될 수 있어 추가접종의 필요성 검토해야 함. 5) 보존제를 함유하지 않음.

약품명 및 함량	용법	약리작용 및 효능	부작용	주의 및 금기
	2) 감염노출 위험이 높은 경우나 조속한 면역이 필요한 경우 : 1개월 간격으로 3회 IM	③ 동성연애자 ④ 어린이 4) 약효지속 : 최소 3~6년		6) 임산부: Category C 〈취급상 주의〉 1) 균질한 액이 되도록 흔들어 사용 2) 2~8℃ 동결을 피하여 보관
Human papillomavirus type 16, 18 Cervarix inj 서바릭스프리필드시린지 …0.5ml/syr (type 16, 18 각 20mcg)	1) 1회 0.5ml IM 2) 9~25세 여성에게 다음에 따라 접종 - 9~14세 : 2회 접종(0,6개월) (1차 접종 후 5~7개월사이 2차 접종) - 15~25세 : 3회 접종(0,1,6개월) (2차 접종은 1차 접종 후 1~2.5개월 사이, 3차 접종을 1차 접종 후 5~12개월 사이에 투여) 4) 2차 또는 3차접종 지연된 경우 : 가능한 한 빨리 접종하고 다음 접종과의 최소간격을 지켜서 접종하면 됨. 〈접종간 최소 간격〉 (3회 접종 일정) ① 1-2차 간격 : 최소 4주이상 ② 2-3차 간격 : 최소 12주이상 ③ 1-3차 간격 : 최소 24주이상 5) 최소간격보다 짧은 간격으로 접종한 경우 : 재접종 필요 (미국 ACIP 가이드라인)	1) 인유두종 바이러스(Human Papilloma Virus) 16, 18형의 주요 캡시드 단백질(L1)을 이용한 유전자 재조합 백신 2) 적응증 ① HPV 16, 18형에 의한 자궁경부암의 예방 ② HPV 16, 18형에 의한 다음의 예방 - 일시적 지속적 감염 - 유의성이 불확실한 비정형 편평세포를 포함하는 세포학적 이상, 자궁경부 상피내종양, 외음부 상피내 종양, 질 상피내 종양 3) 생식기사마귀(첨형 콘딜로마) 예방 효과는 없음.	- 주사부위통증(78%), 발적(29.6%), 부종(25.8%) - 피로(33.1%), 위장관계 증상(12.9%), 두통(29.5%), 관절통(10.2%), 근육통(28.1%)	〈주의〉 1) 급성 중증 열성 질환자는 접종 연기 2) 저혈소판증이나 혈액응고장애가 있는 환자 3) 임신부 : Category B 4) 급성 파종성 뇌척수염(ADEM), 길랑바레증후군 발생 사례 있음.(일본) 〈상호작용〉 1) 성인용 디프테리아, 파상풍, 백일해(Tdap) 백신, 불활화 폴리오(IPV)백신 및 DTPa-IPV 혼합백신: 불활화 A형 간염 백신(HepA) 및 B형 간염 백신(HepB, 유전자재조합)과 동시 투여 가능 〈취급상 주의〉 1) 냉장(2~8℃), 차광보관 2) 이 약은 백색의 현탁액으로 흰색 침전과 투명한 상등액이 관찰될 수 있음
Human papillomavirus type 6, 11, 16, 18 Gardasil prefilled syr 가다실프리필드시린지 …0.5ml/syr (type 11, 16 각 40mcg, type 6, 18 각 20mcg)	1) 1회 0.5ml IM 2) 9~26세 여성 및 남성에게 다음에 따라 접종 - 9~13세 : 2회 접종(0,6개월) - 14~26세 : 3회 접종(0,2,6개월) 3) 2차 또는 3차접종 지연된 경우: 가능한 한 빨리 접종하고 다음 접종과의 최소간격을 지켜서 1년 이내에 3회 접종을 모두 완료 할 것.	1) 인유두종바이러스(Human PapillomaViurs) 6, 11, 16, 18형의 주요 캡시드 단백질(L1)을 이용한 정제 바이러스유사입자(virus-like particles)로부터 만들어진 비감염성 재조합 4가 백신 2) 적응증 (1) 여성 (9~26세) ① 인유두종바이러스(HPV)에 의한 다음 질병의 예방 - HPV 16, 18형에 의한 자궁경부암, 외음부암, 질암, 항문암	- 주사부위 홍반(24.6%), 통증 (83.9%), 가려움 (3.1%), 종창 (25.4%) - 발열 (10.3-13%)	〈주의〉 1) 현재 또는 최근 열성 질환이 있는 자 2) 저혈소판증이나 기타 혈액응고장애가 있는 환자 3) 임신부 : Category B 4) 급성 파종성 뇌척수염, 길랑바레증후군 발생사례 있음 〈상호작용〉 1) B형간염백신과 각각 다른 부위에 동시에 투여가능

약품명 및 함량	용법	약리작용 및 효능	부작용	주의 및 금기
	〈접종간 최소 간격〉 1-2차 간격 : 최소 4주이상 2-3차 간격 : 최소 12주이상 1-3차 간격 : 최소 24주이상 4) 최소간격보다 짧은 간격으로 접종한 경우 : 재접종 필요 (미국 ACIP 가이드라인)	- HPV 6, 11형에 의한 생식기 사마귀(첨형콘딜로마) ② HPV 6, 11, 16, 18형에 의한 다음의 전암성 또는 이형성 병변의 예방 - 자궁경부 상피내 선암 - 자궁경부 상피내 종양 1기/2기/3기 - 외음부 상피내 종양 2기/3기 - 질 상피내 종양 2기/3기 - 항문 상피내 종양 1기/2기/3기 (2) 남성 (9~26세) ① 인유두종바이러스(HPV)에 의한 다음 질병의 예방 - HPV 16, 18형에 의한 항문암 - HPV 6, 11형에 의한 생식기 사마귀(첨형콘딜로마) ② HPV 6, 11, 16, 18형에 의한 다음의 전암성 또는 이형성 병변의 예방 - 항문 상피내 종양 1기/2기/3기 3) Peak Response : 7 months		〈취급상 주의〉 1) 냉장보관(2~8℃), 차광보관 2) 냉장고에서 꺼내 즉시 사용하되, 25℃ 이하에서 3일까지 보관 가능 3) 사용 직전 충분히 흔들 것
Influenza virus antigen(3가), inactivated Flu prefilled syringe VIII-TF inj 플루백신VIII-TF주 …각 7.5mcg/0.25ml/syr …각 15mcg/0.5ml/sy	1) 6~35개월 : 0.25ml IM 2) 3~8세 : 0.5ml IM 3) 9세 이상 : 0.5ml IM 4) 매년 접종 - 9세 미만 : 첫 해 접종시 4주이상 간격 2회 접종 - 9세 이상 : 매년 1회 접종 5) 주사방법 : IM (혈소판감소증이나 출혈성 질환 환자는 SC)	1) 발육계란의 뇨막강내에 접종, 배양시킨 influenza virus에서 면역에 필요한 hemagglutinin만을 취해 불활화시켜 만든 influenza vaccine 2) 2종의 influenza A viruses(H1N1, H3N2)와 1종의 influenza B viruses를 포함하는 3가 백신 3) 투여 2주 후 약효 발현 4) 접종자의 70~80%에서 면역 생성됨. 5) 당해에 추천된 균주로 제조된 새로운 백신으로 매년 접종(보통 influenza가 유행하기 전 9~11월 사이에 접종)	- 국소반응 : 발적, 종창, 동통 - 전신반응 : 오한, 발열, 두통, 권태감, 구역, 근육통 등이 나타날 수 있으나 보통 2~3일내 소실됨. - 뇌척수염	〈금기〉 1) 닭유래성분, neomycin, polymixin, gentamicin 등에 과민한 환자. 2) 발열중인 자, 현저한 영양장애자 3) 심혈관, 신 · 간질환의 급성기 또는 활동기에 있는 환자 4) 접종전 1년 이내에 경련증상을 보인 환자 5) 이전 접종에서 2일이내 발열이 있었던 환자 6) 이전에 인플루엔자백신 접종으로 6주 이내에 길랑-바레 증후군이나 다른 신경이상을 나타낸 환자 〈주의〉 1) 임신부 : Category B(접종 권장됨) 2) 수유부 : 주의하여 수유가능 〈취급상 주의〉 1) 냉장보관(냉동 금지) 2) 냉장고에서 꺼내 실온으로 한 후 잘 흔들어 사용 3) 개봉 후 즉시 사용

약품명 및 함량	용법	약리작용 및 효능	부작용	주의 및 금기
Influenza virus antigen(4가), inactivated Fluarix tetra prefilled syr 플루아릭스테트라프리필드실린지 … 각 15mcg/0.5ml/syr	1) 만 3세 이상 소아 및 성인 : 0.5ml IM 2) 매년 1회 접종 - 9세 미만 : 첫 해 접종 시 4주 이상 간격으로 2회 접종 - 9세 이상 : 매년 1회 접종	1) 불활화 4가 influenza vaccine 2) 2종의 influenza A viruses(H1N1, H3N2)와 2종의 influenza B viruses를 포함하는 4가 백신 3) 적응증 : 만 3세 이상 소아 및 성인에서 인플루엔자 질환의 예방 4) Onset(immunization) : 6~42 days 5) 당해 추천된 균주로 제조된 백신으로 매년 접종(보통 influenza가 유행하기 전 9~11월 사이에 접종)	- 졸음, 두통, 어지러움 - 근육통, 관절통 - 식욕부진, 오심, 구토, 설사 - 국소반응 : 주사부위 통증, 발적, 가려움증 - 전신반응 : 피로, 오한, 발열	〈금기〉 1) 계란성분, formaldehyde, gentamicin sulfate, sodium deoxydcholate에 과민반응을 나타내는 자 2) 이전 인플루엔자백신 접종으로 과민반응이 있었던 자 3) 이전에 인플루엔자백신 접종으로 6주 이내에 길랑-바레 증후군이나 다른 신경이상을 나타낸 환자 4) 열성질환 또는 급성감염환자는 접종을 연기함 〈주의〉 1) 임신부 : Category B(접종 권장됨) 2) 수유부 〈취급상 주의〉 1) 차광, 냉장보관 2) 사용 전 상온에 도달하도록 함 3) 사용 전 흔들어 사용
Japanese encephalitis virus, inactivated (Nakayama) Japanese-Encephalitis vaccine 일본뇌염백신 …1ml/V	1) 기초접종 ① 3세 이상 : 1~2주 간격으로 1ml씩 2회 SC, 1년후 1회 1ml SC ② 3세 미만 : 0.5ml씩 ①과 같은 방법으로 2) 추가접종 : 기초 접종 후 만 6세, 12세에 1회 1ml SC	1) 일본뇌염 예방 백신 2) 일본 뇌염 바이러스를 마우스 뇌에 주사한 후 뇌조직을 정제하여 불활화한 제제 3) 항체형성 : 투여후 약 15일 후 약효발현 : 투여후 약 45일 후	- 국소 홍반, 통증, 종창, 경변, 미열 - 전신반응 : 고열, 권태, 피로, 두통, 오심, 구토, 어지러움, 관절통, 지각이상, 정신적 불안 (2~3일 이내 소실됨)	〈금기〉 1) 발열 또는 현저한 영양장애자 2) 심혈관, 신 · 간질환의 급성기 또는 활동기에 있는 환자 3) 접종전 1년 이내에 경련 증상을 나타낸 환자 4) 임신부 : Category B(국내허가금기) 〈주의〉 1) 약제에 포함되어 있는 thimerosal에 과민반응이 일어날 수 있음. 2) 1세 이하 영유아 : 안전성 미확립 〈취급상 주의〉 1) 한번 주사기로 개봉한 약제는 당일 중 사용함 2) 사용 전 충분히 흔들어 사용하도록 함. 3) 2~8℃ 보관
Japanese encephalitis virus, inactivated cell-culture (Beijing-Handai주)	1) 기초접종 (총 3회) ① 3세 이상 : 0.5ml를 1~4주 간격으로 2회, 1년 이후 1회 SC ② 3세 미만 : 0.25ml씩, ①과 같은 방법으로 접종	1) 불활성화 일본뇌염백신 2) 일본뇌염 바이러스 Beijing-1주를 원숭이 신장세포(vero cell)에서 배양하여 불활화 정제한 제제 3) 적응증 : 일본뇌염의 예방 4) 마우스 뇌조직 유래 불활성화 백신과 교차접종 권장안함.(∵근거 불충분)	1) >10% - 울음이상, 발열 - 주사부위 통증, 홍반, 부기 - 과민성 - 졸림	〈금기〉 1) 분명한 발열이 있는 자 2) 심각한 급성 질환자 〈주의〉 1) 심혈관, 신장, 간, 혈액질환, 발육장애 등의 기저질환자

약품명 및 함량	용법	약리작용 및 효능	부작용	주의 및 금기
Cell-culture Japanese encephalitis vaccine inj 세포배양일본뇌염백신주 …0.4ml/V …0.7ml/V	2) 추가접종 : 기초 접종 후 만 6세, 만 12세에 0.5ml SC 3) 첨부용제 0.7ml로 용해 후 해당 용량(0.5ml 또는 0.25ml)을 접종		- 식욕감소 - 설사 2) 1~10% - 구토 - 상기도감염, 비인두염 - 두드러기 2) <1% - 발진	2) 백신접종 후 48시간 이내 발열이나 알레르기 증상 있었던 경우 3) 경련 기왕력자, 면역부전 진단, 가족력이 있는 자 5) 임신부, 수유부 : 안전성 미확립 〈취급상 주의〉 1) 차광, 냉장(2~8℃)보관, 동결 금지 2) 용해 후 즉시 사용 권장, 24시간 이내 사용 3) 1회 사용 후 폐기(∵보존제 불포함)
Japanese encephalitis virus, live attenuated (SA14-14-2주) CD. JEVAX inj 씨디제박스주 …5.4 log PFU이상 /0.5ml/V	1) 첨부된 용제로 용해하여 0.5ml SC - 1차접종 : 접종개시일 - 2차접종 : 1차 접종일로 부터 1년 후 - 3차접종 : 2차 접종일로 부터 4년 후 (통상 1, 2, 6세에 접종)	1) 일본뇌염 약독화 생바이러스 백신(Live Attenuated Japanese Encephalitis Vaccine) 2) SA14-14-2 strain을 계대 배양하여 일본뇌염 약독화 생바이러스를 획득, 동물세포에서 증식, 정제한 제제	1) 흔하게 - 저혈압 - 발열, 두통, 오한, 현기증, 권태감 - 발진, 두드러기, 소양감 - 오심, 구토, 복통 - 주사부위 발적, 동통 - 근육통 2) 드물게 - 혈관부종 - 경련, 뇌염 - 말초신경염, 관절부종 - 호흡곤란 - 아나필락시스 반응 - 다형홍반, 결절홍반	〈금기〉 1) 발열 있는 환자, 영양장애 환자 2) 급성전염병 환자 3) 중이염 환자 4) 심장, 신장, 간 질환자의 급성기 및 활동기에 있는 환자 5) 알러지 또는 경련 기왕력자 6) 최근 면역억제 치료 또는 면역기능이상 있는 환자 7) Kanamycin, gentamicin, gelatin에 과민한 환자 8) 다른 생백신 접종을 받은 후 1개월 이내인 경우 〈주의〉 1) 임신부 : Category C 2) 젤라틴 함유제제 투여로 쇼크, 아나필락시스양 증상 발생 보고 〈취급상 주의〉 1) 차광, 냉장보관(2~8℃) 2) 사용 직전 용해하고, 한번 용해한 것은 바로 사용
Japanese encephalitis virus, live attenuated (SA14-14-2주) Imojev inj 이모젭주 …4.0~5.8 log PFU이상 /0.5ml/V	1) 성인 : 0.5ml SC 1회 접종 2) 12개월 이상 소아 : 0.5ml SC 기초접종 12~24개월 후 1회 추가접종 3) 접종부위 - 12~24개월 소아 : 허벅지 전외 측이나 상완 삼각근 - 24개월 이상 소아, 성인 : 상완 삼각근	1) 일본뇌염 약독화 생백신 2) 유전자 재조합으로 만든 chimeric virus (SA14-14-2주)를 vero 세포에서 배양하여 만든 백신 3) 적응증 : 일본뇌염의 예방	(성인) 1) >10% - 불안 - 주사부위통증 2) 1~10% - 어지러움 - 설사, 오심 - 주사부위 홍반 - 인후부 통증	〈금기〉 1) 발열성 질환, 급성 질환 2) 선천성, 후천적 면역결핍자(14일 이상의 고용량 전신스테로이드 요법 포함) 3) 임부 및 수유부 4) 유당과 관련된 유전적 문제가 있는 자 〈주의〉 1) 아나필락시스 반응 2) 혈관 내로 투여되지 않도록 주의

약품명 및 함량	용법	약리작용 및 효능	부작용	주의 및 금기
			(소아) 1) >10% – 불안, 흥분, 두통, 졸림 – 식욕부진, 구토 – 주사부위통증/홍반 – 근육통 – 열 2) 1~10% – 주사부위 부종	〈상호작용〉 1) 황열 백신과 동시접종 가능 2) 면역글로불린 투여 후 3개월 이내 접종하지 않도록 권장(∵백신의 효과 감소) 〈취급상 주의〉 1) 차광, 냉장(2~8°C)보관, 동결금지 2) 접종 직전에 용해 3) 소독제가 백신에 접촉하지 않도록 함(∵바이러스가 불활화될 수 있음)
Polio virus, inactivated, type I, II, III Imovax Polio inj 이모박스폴리오주 …0.5ml/syr	1) 0.5ml를 2, 4, 6~12개월 및 4~6세에 각 1회씩 IM 또는 SC	1) Prefilled syringe 형태의 소아마비 백신(개량불활 폴리오백신) 2) 기존의 경구용 소아마비 백신과 달리 백신 관련 소아마비 증후군(Vaccine Associated Paralytic Poliomyelitis) 발병의 위험이 적은 것으로 알려져 있음.	– 접종부위에 대한 일시적인 국소반응(홍반, 경화, 동통), 고열 – 식욕부진, 구토	〈금기〉 1) 2-Phenoxyethanol, formaldehyde, neomycin, streptomycin, polymixin B를 포함한 백신성분에 과민환자 2) 열성 · 급성 또는 진행성 만성질환환자(투여 연기) 〈주의〉 1) 1회 접종 후 24시간 이내 아나필락시스가 발생할 경우 추가 접종 금기 2) Neomycin, streptomycin, polymixin B가 제조과정 중 사용되므로 이 성분에 과민증이 있는 환자 3) 면역억제제 투여중이거나 면역 기능 결핍인 환자 4) 임신부 : Category C 5) 6주 이하의 신생아 : 안전성 미확립 〈취급상 주의〉 1) 차광, 냉장보관
Rabies vaccine Verorab inj 베로랍주 …2.5IU이상/0.5ml/V	1) 예방, 노출 전 접종 ① 기본접종 : 0, 7, 28일 각 세 번 접종(28일 접종은 21일에 접종해도 무방) ② 추가접종 : 1년 후, 이후 매 5년마다 접종 2) 치료목적 접종 ① 첫 번째 치료 : 물린 후 즉시 상처	1) 불활성화된 광견병 바이러스 백신 2) 적응증 – 노출 전(비급여) : 광견병에 노출될 고위험군 대상자에게 예방 목적 투여 (고위험군의 경우 6개월마다 혈청반응 검사 후 항체가 0.5IU/ml 이인 경우 추가접종 필요) – 노출 후 : 노출이 의심되거나 확인된 후 즉시 접종(위험이 약간이라도 있을 시), 치료 방법은 상처의	– 부종 – 현기증, 권태, 뇌척수염, 횡단 척수염, 열, 통증, 두통, 신경마비 – 오심, 복통 – 국소 불편감, 주사부위 통증, 소양감,	〈금기〉 1) 노출 전 ① 심각한 열이 발생되는 감염, 급성질환, 진행중인 만성질환 : 백신 접종 연기 ② 이 백신 구성 성분에 특이 반응을 나타내는 경우 2) 노출 후 – 광견병 감염 감지 후 치명적인 상황으로 진행되는 경우, 치료 효과가 있는 백신 접종에 대한 금기사항

약품명 및 함량	용법	약리작용 및 효능	부작용	주의 및 금기
	부위를 비누와 물로 깨끗이 씻고, 소독함. ② 치료목적의 예방접종은 오로지 광견병 치료센터에서만 의료인의 감독하에 접종함. ③ 면역 없는 사람에 대한 접종 – 성인, 소아에 관계없이 5회 접종 (0, 3, 7, 14, 28일)	종류와 동물의 상태에 따라 달라짐. 3) 한국희귀의약품센터 공급 약품 4) 중증도 III(점액을 함유한 침을 통한 감염, 한번 혹은 여러 번 물려 표피가 벗겨진 경우)에 해당되는 경우 면역글로불린 함께 주사(가능하다면, 면역글로불린은 백신접종 반대 부위에 접종)	홍반 – 근육통 – 과민반응, 뇌염, Guillai-Barre syndrome, 뇌수막염, 일시적 마비, 색소성 두드러기	은 없음. 〈주의〉 1) 임신부 : Category C 2) 수유부 : 주의하여 수유가능 〈취급상 주의〉 1) 냉장보관
Rotavirus, live attenuated Rotarix prefilled syr 로타릭스프리필드 …1.5ml/syr	1) 매 회차에 1syr(1.5ml)를 경구 투여 (총 2회) – 1차 : 생후 6주 이후 – 2차 : 1차 투여 후 최소 4주 후 (최대 생후 24주 내에 완료되어야 함) 2) 구성 : 분말이 포함된 바이알 + 어댑터 + 첨부용제가 들어있는 경구투여기	1) 경구용 Rotavirus 약독화생백신 2) 사람 Rota 생바이러스 G1P1A[8]을 약독화한 1가 백신임.(바이러스주 RIX4414주) 3) 생후 6주 이상의 영아에서 로타바이러스(G1P[8], G2P[4] G3P[8], G4P[8], G9P[8])에 의한 위장염의 예방	1) 〉10% – 보챔, 식욕 부진 2) 1~10% – 설사, 구토, 방귀, 복통, 음식의 역류 – 발열, 피로	〈금기〉 1) 장중첩증의 병력이 있는 환자 2) 선천성 위장관 이상이 있는 환자 3) 중증혼합면역결핍증(SCID)이 있는 환자 4) 급성 중증 열성 질환자 5) 설사, 구토시 백신 접종을 연기 〈주의〉 1) 면역이 억제된 영아 2) 면역이 결핍된자와 접촉하는 경우 주의하여 투여 3) 임신부 : Category C 〈취급상 주의〉 1) 주사용으로 사용하지 말 것 2) 개봉후 즉시 투여함 3) 차광, 냉장보관(2~8℃), 동결을 금함
Rotavirus, live attenuated Rotateq solution 로타텍액 …2ml/tube	1) 매 회차에 1 tube (2ml) 경구 투여 (총 3회) 2) 생후 6~12주에 1차 투여하고, 이후 각 4~10주 간격으로 2차, 3차 투여 3) 3차 투여시 생후 32주를 넘어서는 안 됨 4) 적용상 주의 – 주사용으로 사용하지 말 것 – 영아에게 백신 권장 투여량을 투여하지 못한 경우(예 : 뱉어내거나 토한 경우 등) : 새로운 백신 재투여는	1) 경구용 5가 Rotavirus 생백신(사람–소 재배열) 2) 영아에서 G1, G2, G3, G4, G9P1A[8] 혈청형 로타바이러스에 의한 위장관염 예방 3) 지속시간 : 백신 투여 후 최소 2년 4) 디프테리아–파상풍 톡소이드 및 백일해 백신(DTaP), 불활화 소아마비 백신(IPV), 헤모필루스 인플루엔자 b형 접합백신 (Hib), B형 간염 백신, 폐렴구균 접합백신과 함께 접종 가능	1) 〉10% – 발열(43%, placebo와 유사) – 설사(4~24%), 구토(3~15%) – 중이염(15%) 2) 1~10%: – 보챔(3~8%) – 코인두염(7%), 기관지경련(1%)	〈금기〉 1) 선천성 복부 질환, 복부 수술, 장충첩증 병력의 환자 2) 급성 위장관 질환, 만성 설사로 성장 지연이 있는 영아 3) 면역 결핍 환자 〈주의〉 1) 임신부 : Category C 2) 열성 질환(투여 연기 가능) 3) 면역이 결핍된자와 접촉하는 경우 주의하여 투여 〈취급상 주의〉 1) 차광, 냉장 보관

약품명 및 함량	용법	약리작용 및 효능	부작용	주의 및 금기
	권장되지 않고, 계획된 추가 스케줄에 따라 다음 투여를 함			2) 냉장고에서 꺼낸 후 가능한 한 빨리 투여함 3) 냉장고에서 꺼낸 상태로 25℃ 이하 실온에서 48시간까지 안정 4) 다른 백신 또는 용액과 혼합, 용해, 희석하지 말 것
Varicella virus, live attenuated Suduvax inj 수두박스주 …1,400PFU이상/V	1) 첨부된 용제(0.7ml)로 용해 후 0.5ml 1회 SC	1) 수두 바이러스를 약독화한 생바이러스 제제 2) 생후 12개월 이상에서 수두의 예방에 사용함	– 접종후 14~30일에 발열을 동반한 구진, 수포성 발진 – 상기도 질환, 기침, 자극 과민증 – 신경질, 피로, 수면장애, 설사	<금기> 1) 발열이 있거나 심한 영양장애 환자 2) 면역 결핍 환자 3) 심장혈관계, 신장, 간장질환의 급성기 또는 활동기에 있는 환자 4) 접종전 1년이내 경련증상을 나타낸 환자 5) 다른 생백신을 접종 후 1개월이 경과하지 않은 환자 6) Erythromycin, Kanamycin에 과민한 환자 7) 임신부 : Category C(국내허가금기) 8) 2개월이내에 임신하고자 하는 여성 <주의> 1) 1세 미만 영아 : 안전성 미확립 2) 수유부 : 주의하여 수유가능 <상호작용> 1) 혈액 제제, 면역글로불린 : 이 백신의 효과 감소
Varicella virus, live attenuated (Oka strain) Varilrix inj 바릴릭스주 …2,000PFU이상/V	1) 첨부된 용제로 용해하여 0.5ml SC 2) 접종 회수 ① 생후 12개월 ~12세 이하 : 1회 접종 ② 13세 이상 : 6~10주 간격으로 2회 접종	1) 약독화 건조 수두 생바이러스 백신 2) 생후 12개월 이상에서 수두의 예방에 사용함.	– 주사부위 반응 – 생후 9~12개월의 접종 소아 : 구진 –소포성 발진(<4%)	<금기> 1) 중증의 급성 열성 질환자 2) 면역결핍 환자 3) Neomycin에 의한 전신 과민반응의 기왕력이 있는 환자 4) 임신부 : Category C (국내허가금기) 5) 가임여성 : 접종 후 3개월간 피임 <주의> 1) 아나필락시스 반응 유발 가능하므로 접종 후 30분간 관찰할 것을 권장함 2) 정맥주사 및 피내주사 금기 <상호작용> 1) 혈액 제제, 면역글로불린 : 이 백신의 효과 감소

약품명 및 함량	용법	약리작용 및 효능	부작용	주의 및 금기
Varicella virus, live attenuated Zostavax inj 조스타박스주 …19,400PFU/V	1) 1회 0.65mL SC(IV 또는 IM 금기) 2) 조제 및 투여법 - 주사기 내 첨부용제를 동결건조된 백신이 들어있는 바이알에 모두 넣고 완전히 섞음 - 용해액 전량을 취해 0.65ml SC	1) Varicella zoster virus(shingles) 약독화 생백신 2) 수두백신에 포함된 Oka/Merck주와 같으며, 최소 19,400PFU를 포함하여 수두백신(보통 1,350PFU) 보다 더 많은 양의 백신 바이러스를 포함하여 VZV-specific immunity를 증폭시킴. 3) 적응증 : 50세 이상의 성인에서의 대상포진의 예방	1) >10% 주사부위 반응 (홍반, 통증, 압통, 부종 등 포함) 2) 1~10% 발열 ,두통, 설사, 피부질환, 무력감, 호흡기계 감염, 비염, 피부질환	〈금기〉 1) Neomycin 아나필락시스 병력자 (미량의 neomycin 함유) 2) 면역기능저하 또는 결핍자 3) 고용량의 corticosteroids를 포함하여 면역억제요법을 받고 있는 환자 4) 치료받고 있지 않는 활동성 결핵 환자 5) 임부 및 수유부 , 소아 〈주의〉 1) 수두의 예방목적 또는 대상포진 치료제로 사용하지 않음 2) 38.5℃ 초과 발열 등 급성 병증 환자 접종 연기 고려 3) 백신 접종 후 3개월 간 임신을 피해야 함 〈상호작용〉 1) 불활화 인플루엔자백신과 병용투여 가능 2) 폐렴구균폴리사카라이드백신과 병용하지 않음(이 백신의 면역원성 감소) 〈취급상 주의〉 1) 역가 손실을 최소화하기 위하여 조제 후 즉시 백신을 투여함. (∵조제 후 30분간 안정) 2) 냉장보관 (냉장고에서 꺼낸 후 즉시 조제해야 함)
1V(0.5ml) 중 Live attenuated measles virus 3.0logCCID50 이상, Live attenuated mumps 3.7logCCID50이상, Live attenuated rubella virus 3.0logCCID50이상 **Priorix inj** 프리오릭스주 …0.5ml/V	1) 소아 : 생후 12~15개월, 4~6세에 0.5ml 1회 SC or IM 2) 성인 : 0.5ml 1회 SC 3) 첨부용제 전량으로 재구성 후 0.5ml 주사	1) 홍역, 유행성 이하선염, 풍진 생바이러스를 약독화 시킨 생바이러스 백신 제제로 세가지 질환을 동시에 예방함. 2) 홍역에 자연 감염된 후 72시간 이내 백신을 접종할 경우, 홍역에 대한 예방효과가 불충분할 수 있음. 3) 접종 부위를 달리하여 소아마비, DPT, 뇌수막염, 수두백신과 동시에 접종할 수 있으며, 약독화생백신과는 동시 투여하지 않을 경우 한달 이상 간격을 두고 접종하도록 함.	1) >5% - 국소발적(7.2%), 발진(7.1%) - 발열(6.4%) 2) 1~5% - 국소통증(3.1%) - 국소부종(2.6%) 3) <1% - 이하선 부종, 열성 경련, 불안, 인두염, 상기도감염, 비염, 설사	〈금기〉 1) Neomycin 또는 기타 이약 성분에 과민한 환자 2) 중증의 급성 열성 환자 3) 임신부 : Category C (국내허가금기) 4) 가임여성 : 접종 후 3개월간 피임 〈주의〉 1) 계란섭취 후 아나필락시스 반응을 경험한 자 2) 알러지나 경련의 병력, 가족력이 있는 경우 3) 수유부 : 주의하여 수유 가능 〈취급상 주의〉 1) 냉장보관 2) 용해한 후 가능한 즉시 사용하고, 늦어도 8시간 이내 사용함. 3) IV 금기

약품명 및 함량	용법	약리작용 및 효능	부작용	주의 및 금기
1syr(0.5ml) 중 Diphtheria toxoid 30IU, Tetanus toxoid 40IU, Bordetella pertussis toxoid 25mcg, FHA 25mcg, PRN 8mcg, Polio virus, inactivated, types Ⅰ, Ⅱ, Ⅲ **Infanrix-IPV prefilled syr** 인판릭스-IPV 프리필드시린지 ···0.5ml/syr	1) 기초접종 : 1회 0.5ml씩 생후 2, 4, 6개월에 3회 IM 2) 추가접종 : 4~6세에 1회 0.5ml IM (2세 미만 대퇴부의 전외부, 4세 이상의 경우 삼각근에 주사)	1) 디프테리아, 파상풍, 백일해(3가), 소아마비 예방백신(DTaP-IPV) 2) B형 간염, 헤모필루스 인플루엔자(Hib), MMR 백신과 접종 부위를 달리하여 동시에 접종 가능 * FHA(Filamentous hemagglutinin) PRN(Pertactin)	1) >10% - 식욕부진 - 신경과민증, 불안 - 비정상적 울음 - 두통(6-13세), 졸음 - 발적, 주사부위의 국소종창(≤50mm), 발열 2) 1~10% - 무력증, 권태감 - 오심, 설사, 구토 - 주사부위의 국소종창(>50mm)	〈금기〉 1) DTP 접종 7일 이내에 다른 원인이 확인되지 않는 뇌병증이 나타난 병력 있는 환자 2) 급성 중증 열성 질환인 환자 : 접종연기 〈주의〉 1) 접종 후 2일 이내의 발열, 허탈 또는 쇽, 3시간 이상 우는 경우, 3일 이내의 경련 2) 영아연축, 조절되지 않은 간질 등 신경계 질환이 있는 경우 3) 임신부 : Category C 〈취급상 주의〉 1) 차광, 냉장보관(2~8℃) 2) 보관시 흰색침전과 상등액이 관찰됨, 사용전 흔들어서 균질한 현탁액으로 사용
0.5ml(1syr) 중 Diphtheria Toxoid 30IU, Tetanus toxoid 40IU, Bordetella pertussis toxoid 25mcg, FHA(Filamentous hemagglutinin) 25mcg, Polio virus, inactivated, types Ⅰ, Ⅱ, Ⅲ	1) 기초접종 : 1회 0.5ml씩 생후 2, 4, 6개월에 3회 IM 2) 추가 접종 : 4~6세에 1회 0.5ml IM * 주의 : 15~18개월에 DTaP 단독 백신 접종 필요	1) 디프테리아, 파상풍, 백일해(DTaP), 소아마비 예방백신(DTaP-IPV) 2) 디프테리아, 파상풍 톡소이드에 불활화한 정제 백일해 방어항원(2가), 불활화 폴리오 바이러스가 혼합된 백신 3) 대한소아과학회 추천 예방접종 ① DTaP 백신 기초접종 : 생후 2, 4, 6개월 추가접종 : 생후 15~18개월, 4~6세 ② 폴리오바이러스(소아마비) 백신 기초접종 : 생후 2, 4, 6~18개월 추가접종 : 4~6세	- 홍반, 발적, 발열 - 주사부위 부종, 경결 - 설사, 구토 - 식욕감퇴 - 졸음 - 신경과민, 자극과민성, 불면증, 수면장애, 비정상적인 울음, 저긴장성-저반응성 반응	〈금기〉 1) 백일해 항원을 포함한 백신 접종 후 7일 이내 다른 원인에 기인하지 않은 뇌병증이 나타난 환자, 진행성 뇌병증 환자 2) 발열성(40.5℃ 이상) 또는 급성질환자(경미한 감염은 제외) 〈주의〉 1) 파상풍톡소이드를 포함한 백신 접종후 길랑-바레 증후군 또는 상완신경염이 나타난 경우 2) 저혈소판증 또는 혈액응고장애(IM 시 출혈 위험) 3) 백신접종 후 48시간 이내에 40℃ 이상의 발열, 저긴장성-저반응성의 허탈 또는 쇽, 3시간이상 지속해서 우는 경우 4) 백신접종 후 3일 이내 경련이 발생한 경우 5) 임신부 : Category C 6) 수유부 : 안전성 미확립

약품명 및 함량	용법	약리작용 및 효능	부작용	주의 및 금기
Tetraxim inj 테트락심주 …0.5ml/syr				7) 8주미만 소아 : 안전성, 유효성 미확립 〈취급상 주의〉 1) 동결을 피하여 냉장보관(2~8℃), 차광(박스내 보관) 2) 사용 전 충분히 흔들어 사용(현탁액)

9장. 항종양제(Antineoplastic agents)

① Cell cycle phase에 비선택성으로 휴지기 및 분열기의 세포에 작용하나 대부분이 증식하는 세포에 대해 더 강한 작용을 나타냄.
② DNA guanidine의 7-nitrogen을 알킬화시킴으로써 세포를 파괴함.
③ 이들 제제의 독성은 cytotoxic effects에 의한 것으로 정상세포 중 성장속도가 빠른 세포가 영향을 많이 받으며, 골수 억제는 dose limiting 독성이며, 오심 · 구토는 주사제에서 더 나타남.

9장. 항종양제 ··························1. Alkylating agents ·······················(1) Alkyl sulfonates

약품명 및 함량	용법	약리작용 및 효능	부작용	주의 및 금기
Busulfan Busulfex inj 부설펙스주 …60mg/10ml/A	1) 성인 : 0.8mg/kg를 4일간(D-7~D-4) 매 6시간마다 총 16회 2시간동안 투여, cyclophosphamide는 16회 완료된 6시간 후 골수이식 개시 3일전에 60mg/kg로 1시간동안 2일간 투여 2) 소아 : - 12kg 이하 1.1mg/kg, - 12kg 초과 0.8mg/kg을 4일간 매 6시간마다 16회 2시간동안 투여, cyclophosphamide는 16회 완료된 후 골수이식 개시 5일전부터 50mg/kg로 1일 1회 4일간 투여 3) 2시간 동안 중심 정맥 카테터를 통하여 주입	1) Alkylating agent로서 DNA 합성억제 2) 약 성분이 뇌-혈관 장벽을 통과하여 발작을 유발할 수 있으므로 phenytoin을 투여하여 예방함. 3) 항구토제를 초회 사용전에 투여 4) 적응증 : 급성 백혈병, 만성 골수성 백혈병, 림프종, 골수이형성증후군에 cyclophosphamide 와 병용하여 조혈모세포 이식시 전처치요법으로 사용 5) Tmax : ~5mins 대사 : 간 배설 : 신장(48시간 이내 30% 배설)	1) >10% - 백혈구감소증, 빈혈, 혈소판감소증 - 빈맥, 흉통 - 부종 - 불면, 불안, 두통, 현기증, 우울 - 저마그네슘혈증, 고혈당, 저칼륨혈증, 저칼슘혈증, 저인산혈증 - 설사, 복통, 식욕부진, 구토, 변비, 구내염 - Scr 상승, ALP상승, 고빌리루빈혈증, ALT/AST상승 - 비염, 기침, 호흡 곤란, 비출혈 - 발진, 소양증, 주사부위 염증, 알러지 반응, 탈모, 주사부위 통증 - 쇠약, 비특이적 통증, 저배통, 근육통, 관절통	〈금기〉 1) 이 약제 성분이나 부형제에 과민증이 있었던 환자 2) 임신부: Category D 〈주의〉 1) CBC 검사를 자주해야 함(pancytopenia 유발가능-필요시 감량 또는 중단) 2) 이차적인 악성질환의 가능성 주의 3) 간독성 여부 확인 위해 이식 후 4주간 매일 alkaline phosphatase, ALT/AST, bilirubin 수치 측정 필요 4) 수유부: 안전성 미확립 〈상호작용〉 1) Itraconazole, cytotoxic agent : 이 약의 독성 증가시킴 2) Phenytoin : 이 약의 혈중 농도 감소 3) Acetaminophen : 병용 또는 72시간이내 사용시 이 약의 독성을 증가시킴 〈취급상 주의〉 1) 냉장보관 2) 주사액의 조제 ① 희석액 : NS 또는 5DW로 원액의 10배가 되도록 희석(최종농도 : 0.5mg/ml 이상 유지) ② 약액 주입전 카테터를 5ml의 NS나 5DW로 세척함. 3) DW, NS 에 희석한 용액은 실온에서 8시간 안정 (NS에 희석시 냉장보관 12시간 안정)

1장 2장 3장 4장 5장 6장 7장 8장 9장 10장 11장 12장 13장 14장 15장 16장 17장 18장 부록 Index

약품명 및 함량	용법	약리작용 및 효능	부작용	주의 및 금기
Bendamustine HCl Symbenda inj 심벤다주 ···25mg/V ···100mg/V	1) 리툭시맙에 불응하는 저등급 비호지킨 림프종 (NHL)의 단일요법: 120mg/m^2 IV inf., D1-2 (3주 간격) 2) 만성임파구성 백혈병의 단일요법: 100mg/m^2 IV inf., D1-2 (4주 간격) 3) 다발성골수종 : 120~150mg/m^2 IV inf., D1-2 (+ prednisolone 60mg/m^2/D, D1-4) (4주 간격) 4) 조제 및 투여 - 재구성: 주사용수만 가능 (2.5mg/ml) - 희석: 재구성액이 투명해지는 즉시 (5-10분 후) NS에 희석, 전량 500ml로 함. (0.2-0.6mg/ml) - 투여: 30~60분간 IV inf. 5) 중등도 간기능 부전(혈청 빌리루빈 1.2-3.0mg/dL): 30% 용량 감량 권고 6) 비혈액학적 독성 발현시 등급에 따라 감량 또는 투여중단	1) Alkylating nitrogen mustard기와 purine nucleoside 유사체(benzimidazole ring)가 결합된 항종양제 2) 이중구조로 dual cell-death effect를 가지며, 기존 alkylating agents와 부분적 교차내성만 나타냄. (in vitro) 3) 적응증 - 리툭시맙 단일요법, 리툭시맙이 포함된 병용요법 시행 중 또는 6개월내 질병이 진행된 저등급 비호지킨림프종(NHL)의 단일요법 - 플루다라빈이 포함된 항암화학요법에 부적합하며, Binet stage B, C에 해당하는 만성임파구성백혈병(CLL)의 일차요법 - 자가조혈모세포 이식에 적합하지 않고 진단 시 신경병증으로 탈리도마이드 또는 보르테조밉 투여가 부적합한 65세 이상 Durie-Salmon stage III 또는 진행성 stage II에 해당되는 다발성골수종(MM)에서 프레드니손과 병용요법 4) peak : 주입이 끝날 시점 $T_{\frac{1}{2}}$: Bendamustine ~40mins M3 metabolite ~3hrs M4 metabolite ~30mins 대사 : 간대사 (CYP1A2) 배설 : 대변(~25%), 신장(~50%; 모화합물 3%) 〈부작용 계속〉 - 과민반응 - 대상포진, 감염, 단순포진, 요로감염, 상기도감염 - 주입 부위 국소 반응, 카테터 통증 - 관절통, 사지 통증, 뼈통증 - 혈중 크레아티닌 상승 - ALT/AST 상승	1) 〉 10% - 말초부종 - 피로, 두통, 현기증, 오한, 불면증 - 피부 발진 - 체중 감소, 탈수 - 오심, 구토, 설사, 변비, 식욕부진, 구내염, 복통, 소화불량 - 림프구 감소증, 골수억제, 백혈구 감소증, 헤모글로빈 감소, 호중구 감소, 혈소판 감소증 - 혈중 빌리루빈 상승 - 요통, 허약 - 기침, 호흡곤란 - 발열 2) 1~10% - 빈맥, 흉통, 저혈압, 고혈압 악화 - 불안, 우울증, 통증 - 소양, 다한, 도한, 피부 건조 - 저칼륨혈증, 고뇨산혈증, 고혈당, 저칼슘혈증, 저나트륨혈증 - 역류성 식도염, 구강건조증, 미각장애, 구강칸디다증 〈약리작용 및 효능〉란에 계속	〈금기〉 1) 임신부: Category D (투여경험 불충분, 동물시험에서 최기형성, 유전독성 나타냄) 2) 수유부: 안전성 미확립 3) 중증 간기능 부전 환자 (혈청빌리루빈 〉 3.0mg/dL), 황달 4) 중증 골수 기능 저하, 백혈구 〈 3,000mm^3 또는 혈소판 수치 〈 75,000mm^3 까지 감소한 경우 5) 치료 시작 30일 내에 대수술의 기왕력, 백혈구 감소와 관련된 감염 환자, 6) 황열병 백신 투여 환자 〈주의〉 1) 가임기 여성: 투여 전, 투여 기간 내 피임 2) 남성: 투여 기간~투여중단 후 6개월간 피임 권장 3) 심질환 환자: 혈중 칼륨농도 모니터링 4) 중증 피부반응 발생 시 투여 중단 5) 종양 용해 증후군: 이 약 투여 48시간 이내 발생 가능 (칼륨, 요산수치 등 모니터링) 6) 소아: 투여경험 없음. 〈상호작용〉 1) 골수억제제: 골수 억제 독성 증가 2) Cyclosporine, tacrolimus: 과도한 면역억제로 인한 림프구 증식 발생 3) CYP1A2유도제: 이 약의 혈중농도 감소 4) CYP1A2저해제(ciprofloxacin, acyclovir, cimetidine 등): 이 약의 혈중농도 증가 5) 생백신: 항체 생성 감소 및 감염 위험 증가 〈취급상 주의〉 1) 차광, 25℃이하에서 보관 2) 재구성액: 25℃이하 3.5시간 안정 3) NS 희석액: 폴리에틸렌 bag에 보관시 냉장 2일간 안정

약품명 및 함량	용법	약리작용 및 효능	부작용	주의 및 금기
Cyclophosphamide Alkyloxan tab 알키록산정 …50mg/T Endoxan inj 엔독산주 …500mg/V	(경구제) 1) 초회량 및 유지량 : 1~5mg/kg/D, 다른 약과 병용시 다른 약물 양만큼 감량 2) 항암효과와 백혈구 감소에 따라 용량 조절 3) 백혈구수 2,000/㎣ 이상 또는 과립구수 1,000/㎣ 이상 회복시까지 투여중지 권장 (주사제) 1) 유도요법 : 1600-2000mg/m^2 또는 400~800mg/m^2 2~5일간 분할투여, 방사선이나 다른 항암제 투여 환자는 1/3~1/2로 감량함. 2) 유지요법 : 400~600mg/m^2IV q 7~10일 또는 120~200mg/m^2 주 2회 IV * 신기능에 따른 용량조절 참고 – CrCl(ml/min) 10~50 : 상용량의 75%로 감량 – CrCl(ml/min) 〈10 : 상용량의 50%로 감량 – 경구제 KFDA 허가사항 : 신부전 환자에서 용량 조절 필요 없음.	1) Mechlorethamine의 phosphamide ester로 가장 널리 쓰이는 alkyl화제 2) Cell cycle에 비선택성임. 3) 적응증: 악성림프종, 다발성골수종, 백혈병, 신경모세포종, 난소암, 망막아종, 유방암에 사용, 경구제는 호지킨병, 림프구 림프종, 혼합세포형 림프종, 조직구성 림프종, 버킷림프종, 균상식육증에도 사용함 4) 면역억제 작용이 강하므로 KT, BMT, 류마티스 질환, 소아의 nephrotic syndrome, Wegener's granulomatosis에도 사용함. 5) Tmax : 1hr(PO) $T_{\frac{1}{2}}$: 4~6hrs 대사 : 간 배설 : 신장(50~70%)	1) 〉10% – 탈모(40~60%) – 생식기능 장애 – 오심, 구토, 설사, 식욕부진, 구내염, 위염 – 출혈성 방광염 – 혈소판 감소증, 빈혈(Onset : 7일, Nadir : 10~14일, 회복 : 21일) 2) 1~10% – 두통 – 피부발진, 안면홍조 – SIADH, 신세뇨관 괴사 – 비충혈, 비루	〈금기〉 1) Pentostatin 투여 환자 2) 임신부 : Category D 3) 수유부 : 수유중 투여 금기 (유즙중 분비) 4) 감염증, 방광염, 요로유출폐색, 중증 신장애, 간장애 환자 〈주의〉 1) 고용량투여시 fatal CHF, 출혈성 심근염, doxorubicin으로 인한 심장독성을 악화시킴. 2) 백혈구, 혈소판 감소증 환자 및 방사선 치료나 다른 항암제로 치료 받았던 환자 3) 간 및 신기능손상 환자 〈상호작용〉 1) Barbiturates : 이 약의 대사 촉진 2) Allopurinol : 골수억제 작용 증강 3) Chloramphenicol : 이 약의 반감기 연장 〈취급상 주의–주사제〉 1) 용해후 6시간이내 사용(8℃ 이하 보관) 2) 재구성 용매 : 주사용수(등장화제 함유제제), NS(등장화제 미함유제제) 3) 희석 가능 수액 : 5DW, NS 등
Ifosfamide Holoxan inj 홀록산주 …1000mg/V	1) 1.2~2.4g/m^2/D, 5일간 IV 2) 1일 용량을 낮출 필요가 있거나 총 용량을 장기간에 걸쳐 분할 투여할 필요가 있을때는 1일 20~30 mg/kg로 10일간 투여 3) 반복 투여시 최소한 4주간 휴약함.	1) Cyclophosphamide의 구조적 동족체로서 간의 효소계에 의하여 활성화되어야 작용을 나타냄. 2) Cyclophosphamide와 유사하게 작용하나 부작용을 줄이고, 안전역을 늘인 제제임. 3) 치료효과의 축적이 독성작용의 축적 작용보다 강력하여 연속적으로 사용할 수 있으므로 고용량 요법을 기대할 수 있음.	1) 〉10% – 졸음, 환각 – 탈모(75~100%) – 대사성 산혈증(31%) – 오심, 구토(58%) – 출혈성 방광염 (6~92%)	〈금기〉 1) Pentostatin 투여 환자 2) 급성감염, 중증골수기능저하자 3) 방광염, 요로유출폐색환자 4) 임신부 : Category D 5) 수유부 : 안전성 미확립

약품명 및 함량	용법	약리작용 및 효능	부작용	주의 및 금기
		4) 적응증 : 기관지암, 소세포기관지암, 난소암, 유방암, 고환종, 췌장암, 악성림프종, 골육종, 연조직육종(평활근종, 횡문근종, 연골육종), 자궁경부암, 두경부암, 유잉육종 5) Tmax : IV투여 종료시 대사 : 간 T½ : 7~15hrs 배설 : 신장	- 골수억제, 백혈구감소증(~100%), 혈소판 감소증(8~20%) (Onset : 7~14일, Nadir : 21~28일, 회복 : 21~28일) - 혈뇨(6~92%) 2) 1~10% - 우울증, 다발성 신경염 - 피부염, 손톱변화, 색소침착 - SIADH, 불임 - 정맥염 - 크레아틴, BUN상승 - 비충혈	〈주의〉 1) 가임기의 남녀는 투약중 및 투여 후 6개월이상 피임 2) 요로이상, 배뇨이상, 간장애 등을 치료한 후 투약해야 함. 3) 소아 : 고용량, 누적 투여량 증가시 판코니증후군 발생가능, 3세 이하에서 특히 주의 〈상호작용〉 1) Sulfonylurea : 저혈당 작용 강화 2) Allopurinol : 골수억제 강화 〈취급상 주의〉 1) 주사용 증류수 5ml에 200mg을 용해후 즉시 사용 2) 점적주사용 : 상기 방법으로 조제한 액을 250ml 또는 500ml 링거액이나 유사한 주입액에 희석하여 30분~1시간 또는 1~2시간에 걸쳐 투여 3) 용제 가한 후 0.5~1분간 강하게 흔들면 즉시 용해되나, 용해되지 않을 경우 수 분간 방치
Melphalan (L-Sarcolysin, L-Phenylalanine mustard) Alkeran tab 알케란정 …2mg/T Alkeran inj 알케란주 …50mg/V	(경구제) 1) 다발골수종 : 0.15mg/kg/D + prednisolone 40mg 분할하여 4일간 투여, 6주마다 반복 2) 난소선암 : 0.2mg/kg/D #3, 5일간 투여, 4~8주 마다 반복 3) 진행성 유방암 : 0.15mg/kg/D 또는 6mg/m² 4~6일간 투여, 3~6주 간격으로 반복 4) 진성 적혈구증가증 : 6~10mg/D 5~7일간 투여후 2~4mg/D, 유지요법은 2~6mg 매주 투여 (주사제) 1) 다발골수종 : 성인 0.4mg/kg(16mg/m²) 로 15~20분에 걸쳐 IV, 2주 간격으로 4회 투여 후 독성으로부터 적절히	1) Nitrogen mustard의 phenylalanine 유도체로서 cell cycle에 비선택적으로 작용함. 2) Multiple myeloma에 선택약제임. 3) Chlorambucil처럼 벤젠핵이 있어 작용이 느림. 4) 적응증 - 정제 : 다발성골수종, 난소선암, 진행성유방암, 진성적혈구증가증 - 주사제 : 다발성골수종 5) T½ : 1~2hrs 배설 : 신장(10~15%), 대변(20~25%)	1) >10% - 골수억제, 호중구감소증, 혈소판감소증 (Onset : 7일, Nadir : 14~21일, 회복 : 28~35일) - 오심(30~90%), 구토, 구강궤양 2) 1~10% - 혈관염 - 탈모, 소양증, 발진 - 방광 자극감, 출혈성 방광염 - 간효소수치 상승 - 폐섬유종, 간질성폐렴	〈금기〉 1) 백혈구수 2000/㎣ 이하, 혈소판 수 50,000/㎣이하로 감소된 환자 2) 임신부 : Category D 〈주의〉 1) 감염증환자 2) 요독증 환자 : 본제의 독성 증가 3) 수유부 : 안전성 미확립 〈취급상 주의 : 주사제〉 1) 1 바이알당 첨부용제 10ml로 녹일 것 2) 용해시킬 때 NS사용(DW금지) 3) 조제한 주사액은 냉장보관 금지(침전 생성) 4) 25℃에서 조제시부터 주입시 까지 90분을 넘어서는 안됨(온도 상승시 분해속도 급격히 증가) 5) 바이알 : 실온, 차광보관 정제 : 냉장, 차광보관

약품명 및 함량	용법	약리작용 및 효능	부작용	주의 및 금기
	회복되면 4주 간격으로 투여 2) BUN>30mg/dL인 경우 상용량의 50% 투여			
Thiotepa Tepadina inj 테파디나주 …100mg/V …15mg/V	1) 방광 및 강내주입 시 : 1회 또는 분할하여 60mg까지 투여 2) 수막강내 주사시 : 최대 10mg까지 투여 3) 골수 이식 및 특이암 용법 · 용량은 제품설명서 참조 4) 투여 12~24시간 전 전혈구수 측정	1) Ethyleneimine 계열의 세포 독성 항암제 (alkylating agent) 2) DNA phosphate 그룹과 반응하여 DNA strand와 cross-linkage를 형성하여 DNA, RNA, 단백질 합성을 억제함. 3) 적응증 ① 신생물 질환의 치료에 따른 수술시 투여 또는 다른 세포독성 약물과 병용 또는 단독으로 투여 : 유방암, 방광암, 악성수막질환, 난소암 ② 악성 흉막 삼출액 및 복수의 치료 4) 대사 : 간 $T_{\frac{1}{2}}$: 109mins 배설 : 신장	1) >10% - 골수 억제(용량 의존적), 빈혈, 범혈구 감소증 (onset : 7~10일, nadir : 14일, 회복 : 28일) - 주사 부위 통증 2) 1~10% - 현기증, 피로, 발열, 두통 - 탈모, 탈색, 발진, 두드러기 - 무월경 - 식욕부진, 오심, 구토 - 배뇨장애, 혈뇨 - 허약감 - 결막염 - 알러지 반응, 인후 긴장(tightness of the throat)	〈금기〉 1) 백혈구수 3,000/mm³이하, 혈소판수 100,000/mm³ 이하인 환자 2) 임신부 : Category D 〈주의〉 1) 국소적인 안구적용을 제외하고는 치오테파 투여전 12~24시간 동안 WBC 및 혈소판치 관찰 2) WBC나 혈소판치가 감소하는 골수이상이 있으면 감량 또는 금기 3) 소아 : 안전성 미확립 〈취급상 주의〉 1) 냉장보관(2~8℃), 차광보관(박스를 벗기지 말 것) 2) 재구성 용액의 침전은 형성된 미활성화성분과의 중합을 의미하므로 그 주사 용액은 폐기함. 3) 재구성용액은 24시간동안 냉장(2~8℃)에서 안정

약품명 및 함량	용법	약리작용 및 효능	부작용	주의 및 금기
Dacarbazine (Dimethyl Triazeno Imidazol Carboxamide : DTIC)	1) 악성흑색종 : 1일 2~4.5mg/kg을 10일간 IV, 4주마다 반복 투여 2) Hodgkin's Dz. ① 1일 150mg/m² 5일간 IV, 4주마다 반복 투여	1) Purine 합성을 억제하고 단백질의 SH그룹에 개입하는 대사억제제로 알려져 왔었으나, 간에서 MTIC [(methyl-triazene-1-yl)-imidazole-4-carboxamide]로 대사되어 이의 알킬화 작용에 의해 세포를 파괴함이 주작용 기전으로 밝혀짐.	1) >10% - 주사부위 통증 - 식욕부진, 오심, 구토(90% : 용량 의존적이며 투여종료후	〈금기〉 1) 임신부 : Category C(국내 허가 금기, 동물실험시 기형유발 보고) 2) 수유부 : 안전성 미확립 3) 백혈구 및 혈소판 감소증

약품명 및 함량	용법	약리작용 및 효능	부작용	주의 및 금기
DTI inj 디티아이주 …100mg/V …200mg/V	② 375mg/m²을 15일마다 IV 3) 기타 250mg/m² 1~5일간 IV, 3주마다 반복 투여	2) Cell cycle에 비선택성이며 RNA와 단백질합성 억제작용이 DNA억제작용보다 현저함. 3) 적응증 : 악성흑색종, Hodgkin's Dz., 신경모세포종, 평활근 근육종을 포함한 연조직 육종 4) 분포 : CSF 14% 대사 : 간 $T\frac{1}{2}$: 5hrs 배설 : 신장(18~63%), 담즙(extensive)	12시간까지 지속됨) 〈500mg : 중등도이상 구토, 〉500mg : 중증구토 (Onset : 1~2hrs, 지속 : 2~4hrs) – 빈혈, 백혈구 감소증, 혈소판 감소증 – 탈모 2) 1~10% – 안면홍조 – 두통 – 발열, 피로감, 근육통 – 식욕부진, 금속성맛 – 골수억제(Onset : 7일, Nadir : 7~10일, 회복 : 21~28일) – 마비감 – 부비동염, 부종	〈주의〉 1) 간, 신장애 환자 2) 감염증을 합병증으로 앓고 있는 환자 3) 수두 환자(치명적인 전신 장해가 일어날 수 있음) 4) 소아 : 안전성 미확립 (이상반응 발현 주의) 〈취급상 주의〉 1) 피하 또는 근육주사 금기 2) IV시 혈관외로 약액이 누출되면 조직 손상과 심한 통증이 발현됨. 만약 약액이 샌 경우에는 주사부위에 hot bag으로 동통을 경감시킬 것 3) 안정성 ① 재구성액 : 차광하여 실온 8시간, 냉장 72시간 안정 ② 희석액 : 차광하여 냉장 24시간 안정
Temozolomide Temodal cap 테모달캅셀 …20mg/C …100mg/C …250mg/C	1) 새로이 진단된 다형성 교아종 ① 방사선치료와 병용 : 75mg/m²/D 42일간 ② 단독 : 방사선 병용종료 후 4주 경과되면 6주기까지 단독 투여, 150mg/m² 5일간 투여 후 23일 휴약, 독성 평가 후 증량여부 결정 2) 표준요법에 실패한 다형성 교아종 및 미분화성 상세포종(28일 주기) ① 전치료로 화학요법제 치료받지 않은 환자 : 200mg/m² 5일간 투여 후 23일간 휴약 ② 전치료로 화학요법제 치료를 받은 환자	1) Alkylating agent, 경구용 악성 뇌종양 치료제 2) 적응증 : 새로이 진단된 다형성 교아종(Glioblastoma multiforme)의 치료(초기 방사선 치료와 병용. 이후에는 단독투여), 표준요법에 실패한 재발성 및 진행성 다형성 교아종 및 미분화성상세포종(Anaplastic astrocytoma)의 치료 3) 체내에서 간 대사 없이 dacarbazine과 동일한 활성 대사체인 MTIC [5-(3-methyl triazine-1-yl)imidazole-4-carboxamide]로 변환 4) 방사선 치료 병용시 아래조건을 만족해야 치료기간 42일(최대 49일)동안 지속가능함(매주 혈액 수치 측정) ① 절대 호중구수(ANC) ≥1,500/mm³ ② 혈소판 수 ≥100,000/mm³	– 오심(grade 1~2 : 42%), 구토(grade 1~2 : 35%) – 혈소판 감소 · 호중구 감소증(Nadir : 21~28일, 회복 : 1~2주 내) – 피로(21%), 변비(15%), 두통(13%), 식욕부진, 설사, 발진 – 드물게(2~5%) 동통, 현기, 체중감소, 탈모	〈금기〉 1) 이 약제 또는 Dacarbazine에 과민한 환자 2) 심한 골수억제 환자 3) 임신부 : Category D 4) 이 약 투여중인 남성 ① 치료 종료 6개월 후까지 부인이 피임하도록 함. ② 비가역적인 불임의 가능성이 있으므로 정자의 냉동보존 고려할 것 5) 수유부 및 3세미만 소아 : 안전성 미확립 〈주의〉 1) 중증의 간 또는 신장애 환자 2) 중증(3~4등급) 구토 발생시 항구토제 투여 권장 3) 70세 이상의 고령 환자

약품명 및 함량	용법	약리작용 및 효능	부작용	주의 및 금기
	- 초회 용량: 150mg/㎡ qd 5일간 투여 후 23일간 휴약 - 2주기부터 200mg/㎡ qd 5일간 투여 후 23일간 휴약으로 증량 가능 3) 고지방 식이와 병용시 AUC 감소 우려있으며, 오심/구토 발생빈도를 줄이기 위해 취침전 공복시 복용 권장	③ 일반적 독성기준(CTC) 중 비혈액학적 독성수준 1 이하(탈모, 오심, 구토는 제외) 5) $T\frac{1}{2}$: 1.8hrs Tmax : 공복시 1hr 배설 : 신장(~38%), 대변(0.8%)		4) 투여 후 피로, 졸음 나타날 수 있으므로 운전, 기계 조작시 주의

① 핵산, purines, pyrimidines 및 그 전구체의 합성에 필요한 효소 반응에 관여하거나 핵산에 삽입됨으로써 세포기능을 억제함.
② 대부분 cell cycle의 S-phase(DNA 합성시기) 또 그 전기에 작용하는 cell cycle 선택성을 가짐.
③ 골수 억제(백혈구 감소, 혈소판 감소, 빈혈)가 dose-limiting 독성임.

약품명 및 함량	용법	약리작용 및 효능	부작용	주의 및 금기
Methotrexate (Amethopterin) Methotrexate tab 메토트렉세이트정 ···2.5mg/T Methotrexate inj 메토트렉세이트주 ···50mg/2ml/V ···500mg/20ml/V ···5g/50ml/V	1) 융모질환(Choriocarcinoma) ① PO : 10~30mg/D, 5일간 투여 후 7~12일간 휴약 ② 주사(5일 주기) : 10~30mg/m^2 5일간 IM 후 7~12일 휴약 (1주기 3~5회 반복) 2) 백혈병(Leukemia) ① PO – 유아 : 1.25~2.5mg/D – 소아 : 2.5~5mg/D – 성인 : 5~10mg/D 상기용량을 1주일에 3~6일간 투여 ② 주사 소아 수막성 백혈병 : 12~15mg/m^2 (0.4~0.5mg/kg)1주 간격으로 intrathecal 투여 3) 류마티스 관절염, 건선 ① PO : 치료 1주일 전 5~10mg 투여하여 이상반응 시험 권장, 7.5~20mg 1회/wk 또는 7.5mg #3 (12시간 간격)/wk ② 주사(건선) : 5~10mg PO 시험투여, 심한 경우 10~25mg 1회/wk IV 또는 IM) 4) 기타 적응증에 대한 용법은 설명서 참조	1) 엽산과 구조유사체로 dihydrofolate reductase에 길항하여 항암효과 나타냄. 2) Cell cycle의 S-phase에 선택적으로 작용하나 세포가 S-phase로 들어감이 지연되므로 한계성이 있음. 3) 적응증 ① 경구제 : 백혈병, 융모질환의 자각적, 타각적 증상 완화, 류마티스관절염, 다른약물로 효과가 없은 중증의 불응성 건선 ② 주사제 : 급성 백혈병, 비호지킨림프종, 육종(연부육종, 골육종), 유방암, 폐암, 두경부암, 방광암 등의 고형암, 융모질환, 타 약제에 반응하지 않는 중증건선 – 경구제 복용이 불가능한 사유가 있는 류마티스 관절염에 사용 가능 4) $T_{1/2}$(배설) : 8~15hrs(고용량) 3~10hrs(저용량) 배설 : 신장(48~100%), 담즙(~10%) * 신기능에 따른 용량조절 참고 – CrCl(ml/min)에 따른 용량 조절 예시 1 ① 61~80 : 상용량의 75% ② 51~60 : 상용량의 70% ③ 10~50 : 상용량의 30~50% ④ 〈10 : Avoid use – 용량조절 예시 2 ① >50 : 용량조절 불필요 ② 10~50 : 상용량의 50%	1) >10% – 혈관염 – 피부 홍반 – 고요산혈증, 정자, 난자 생성결핍증 – 궤양성 위장염, 오심, 구토, 식욕 부진, 설사(용량 의존적) * 구토정도 〈 100mg : 경증, 100mg~250mg : 중등도, >250mg : 중등도 이상 – 빈혈, 혈소판 감소증 – 신부전, 신증후군 – 후두염 2) 1~10% – 어지러움, 피로감, 뇌증후군, 발작, 발열, 오한 – 탈모, 발진, 광과민성, 색소침착 – 당뇨 – 방광염 – 골수억제(Onset : 7일, Nadir : 10일, 회복 : 21일)	〈금기〉 1) 중증 신 · 간기능 장애 2) 흉수, 복수 등이 있는 환자 2) 혈액질환, 면역결핍, 간질환 경력이 있는 건선 또는 류마티스관절염 환자 3) Acitretin 투여 환자 4) 임신부 : Category X 5) 수유부 : 모유이행 〈주의〉 1) 골수억제, 간 또는 신기능 장애 등이 있을 수 있으므로 정기적인 CBC 검사 2) 감염증, 출혈경향 발현에 주의 3) 생식기능 장애가 있을 수 있으므로 성선에 대한 기능 고려(투여중지 후 6개월 피임함) 4) 신세뇨관에 본 약제 성분침착에 의해 신장애가 나타날 수 있으므로 충분한 수분공급, 뇨의 알카리화(Sod. bicarbonate 또는 acetazolamide 사용)로 신장 보호 5) 저용량 장기간 계속 사용시 간장애를 초래하므로 정기적인 간기능 검사 실시 6) 건선에 사용시 반드시 생검이나 피부과적으로 확진해야 함. 〈상호작용〉 1) Vinca alkaloids, daunorubicin, cytarabine은 이 약의 세포내 침투를 증가시킴. 2) Penicillin, hydroxyurea, mercaptopurine, neomycin, kanamycin, corticosteroids, bleomycin,

약품명 및 함량	용법	약리작용 및 효능	부작용	주의 및 금기
		③ <10 : Avoid use 〈취급상 주의 – 주사제〉 1) 5DW, 5DS 혹은 NS에 희석시 최소 24시간 안정 2) 70mg/m²(2.3mg/kg) 초과시 류코보린 구원요법을 병행하거나 투여후 24-48시간의 혈청MTX 에 대해 분석해야 함.	– 간경변, 간문맥 섬유화 – 근육통 – 시야몽롱 – 신기능 장애 – 폐렴	L-asparaginase는 이 약의 세포내 침투를 감소시킴. 3) Sulfonamides, salicylates, tetracycline, chloramphenicol, phenytoin은 혈장 알부민과 결합된 이 약을 치환시킴. 4) Acitretin과 병용 후 간독성 증가 가능함. 5) NSAIDs, salicylic acid, aspirin : 신세뇨관에서 이 약의 배설이 지연됨.(고용량의 MTX와 병용하지 않음) 6) Proton pump inhibitor : MTX와 그 대사체의 혈중농도가 상승 및 지속되어 독성 가능성 보고됨.
Pemetrexed Alimta inj 알림타주 …100mg/V …500mg/V	1) Cisplatin 병용요법 : 500mg/m²을 21일 주기 중 제 1일에 10분 동안 IV (cisplatin : 이 약주입 30분 후 2시간 동안 75mg/m² IV inf.) 2) 단독요법(비소세포폐암) : 500mg/m²을 21일 주기 중 제 1일에 10분 동안 IV 3) Premedication regimen ① dexamethasone 4mg bid: 이 약 투여 전일, 당일, 다음날 (피부반응 발생과 중증도 감소) ② folic acid 350~1,000mcg/D PO: 이 약 초회 투여 전 7일 동안 최소한 5회 복용, 치료 전체 기간과 이 약 최종 투여 후 21일 동안 복용 지속 ③ Vit B_{12} 1,000mcg IM: 이 약 초회 투여전 주에 1회, 그 후 매 3주기마다 1회씩 투여(이 약과 같은 날 투여 가능) * 신기능에 따른 용량조절 참고 CrCl <45ml/min : 사용 권장되지 않음 (용량 조절 정보 없음).	1) Multitargeted antifolate agents(항종양제) 2) TS(thymidylate synthase), DHFR(dihydrofolate reductase), GARFT(Glycinamide ribonucleotide formyltransferase)를 포함하여 엽산을 필요로 하는 여러 enzyme을 복합적으로 저해함으로써 세포독성 작용을 나타냄. 3) 적응증 ① 화학요법을 받은 적이 없는 수술 불가능한 악성 흉막 중피종(Cisplatin과 병용) ② 비소세포 폐암 : 편평상피세포 조직을 갖는 경우를 제외함 – 진행성 혹은 전이성 비소세포폐암 환자의 일차치료제(Cisplatin과 병용) – 이전 화학요법 실시 후, 국소진행성 혹은 전이성 비소세포폐암의 단독요법 – 백금계 약물을 기본으로 하는 1차 치료 4주기 이후 질병진행이 없는, 국소 진행성 또는 전이성 비소세포폐암 환자의 유지요법 4) $T\frac{1}{2}$: 3.5hrs(정상신기능) 배설 : 신장(70~90%, 미변화체) 〈취급상 주의〉	1) >10% – 흉통, 부종 – 피로감, 발열, 우울 – 발진, 탈모 – 오심, 구토, 변비, 식욕부진, 구내염/인두염, 설사 – 호중구감소증, 백혈구감소증, 빈혈, 혈소판감소증 – 신경병증, 근육통 – 크레아티닌 증가 – 호흡곤란 – 감염 2) 1~10% – 혈전색전증, 심장허혈 – 탈수증 – 연하곤란, 식도염, 연하통 – 신부전 – 알러지 반응 – 관절통	〈금기〉 1) 황열병(yellow fever) 백신 동시 접종 불가 2) 이 약 또는 부형제 성분에 과민한 환자 3) 유전적 손상, 비가역적 불임 유발 ① 남성 : 치료 중, 치료 후 6개월까지 피임, 치료 시작 전 정자 저장에 대한 상담 권장 ② 여성 : 치료 기간동안 피임(Category D) 〈주의〉 1) ANC 1,500/㎣ 이상, Platelet 100,000/㎣ 이상인 경우에만 투여 가능 2) CrCl 45ml/min 미만인 경우 권장되지 않음. 3) 경증~중등도의 신부전환자(CrCl 45~79ml/min) : 이 약 투여 5일 전부터 투여 후 2일간 NSAIDs와 aspirin의 투여 피함. 4) Cisplatin과 병용시 심각한 탈수 발생할 수 있으므로 치료 전, 후 항구토 치료와 수분공급 필요 5) 약독화 생균 백신 동시 사용 권장 안함. 4) 수유부 : 안전성 미확립 〈상호작용〉 1) 신독성 있는 약물(ex. aminoglycosides, loop 이뇨제, platinum compounds, CsA)의 병용 투여시 이 약의 배설 지연 2) Probenecid, penicillin 병용시 이 약의 배설 지연

약품명 및 함량	용법	약리작용 및 효능	부작용	주의 및 금기
		1) 주사액 조제 : 100mg을 NS 4.2ml, 500mg을 NS 20ml에 재구성 후, 다시 NS에 희석하여 전량을 100ml로 함. 2) Lactated ringer's inj, ringer's inj을 포함하여 Ca 함유 수액과 배합 금기 3) 희석 후 냉장 24시간 안정하나, 보존제 없으므로 즉시 사용 권장		3) 신기능 정상(CrCl 80ml/min 이상) 환자의 경우도 고용량의 NSAIDs, aspirin 병용시 이 약 이상반응 증가 〈약리작용 및 효능〉란에 계속
Pralatrexate Folotyn inj 폴로틴주사 …20mg/1ml/V	1) 1회 30mg/m²을 3-5분에 걸쳐 정맥투여 (희석금지, 0.9% NS를 주입하면서 side port로 투여) 2) 1cycle: 총 7주간(주 1회씩 6주간 투여 후 1주간 휴약) 3) 투여 전 처치 ① 경구용 엽산제 1~1.25mg/D : 이 약 최초 투여 10일전부터 마지막 투여 후 30일까지 ② Vit.B_{12} 1mg IM : 이 약 최초 투여 전 10주 이내 및 투여 후 매 8~10주마다(이 약과 같은 날 투여 가능)	1) Dihydrofolate reductase를 경쟁적으로 저해하는 antifolate analog 2) 정상세포보다 암세포에서 과발현하는 엽산수송기 RFC-1 (reduced folate carrier type 1) protein에 친화력이 높아 암세포를 선택적으로 사멸 3) 적응증: 성인에서의 재발성 또는 불응성의 말초 T세포 림프종(Peripheral T-Cell Lymphoma; PTCL)의 치료 4) $T_{\frac{1}{2}}$: 12~18hrs 배설: 신장(68%) 〈부작용 계속〉 - 불면증, 불안, 두통, 현기증 - 두드러기, 소양증, 이명, 눈자극, 눈충혈, 시야흐림 - 호흡곤란, 기침, 구강통증 - 복통, 소화불량, 구갈 - 탈모증, 피부건조증, 얼굴부종, 타박상	1) 1~10% - 호중구감소증, 백혈구감소증, 혈소판감소증, 빈혈, 코피 - 거식증, 구토 - 점막염, 피로, 설사, 변비 - 발열, 발진, 말초부종 - 근골격계 통증 2) 〈1% - 패혈증, 폐렴, 기관지염, 요로감염, 세포염, 대상 포진, 농양, 감염 - 저칼륨증, 고칼륨증, 탈수, 고요산혈증, 고혈당증, 저마그네슘혈증, 저인산혈증 〈약리작용 및 효능〉란에 계속	〈금기〉 1) 임신부: Category D 2) 수유부 : 안전성 미확립 〈주의〉 1) 소아: 안전성 미확립 2) 골수기능 억제되므로 정기적으로 CBC 검사 할 것 3) 점막염, 중증 피부이상반응 시 용량조절 고려 4) 남성은 치료 기간과 치료 후 6개월까지 피임 권장 〈상호작용〉 1) Probenecid와 같은 요산 배설 촉진제, NSAIDs, penicillin, omeprazol 및 pantoprazol: 이 약의 배설지연 2) Trimetoprim/sulfamethoxazole: 엽산 길항작용 효과를 증가시켜 골수기능을 더욱 억제 〈취급상 주의〉 1) 차광, 냉장보관(2~8℃) 2) 단회사용(보존제 미함유) 3) 희석금지, 다른 약물과 혼합금지

약품명 및 함량	용법	약리작용 및 효능	부작용	주의 및 금기
Cladribine Leustatin inj	1) 0.09mg/kg을 7일간 연속해서 정맥 주입함.	1) Adenosine deaminase의 작용을 저해하는 purine nucleoside 유사체	1) 〉10% - 피로, 두통, 발열	〈금기〉 1) 임신부 : Category D

약품명 및 함량	용법	약리작용 및 효능	부작용	주의 및 금기
류스타틴주사액 …10mg/10ml/V	2) 투여방법 : 1일 투여량을 NS 500ml에 희석, 24hrs 동안 연속 정맥주입, 7일간 반복 (5DW : 이 약 파괴 증가시키므로 배합금기) * 신기능에 따른 용량 조절 참고 – 신독성이 발생한 경우 투약을 연기하거나 중단할 것을 고려하도록 함. – CrCl 10~50ml/min : 성인 75%, 소아 50%로 감량함. – CrCl <10ml/min : 성인 50%, 소아 30%로 감량함.	2) 세포내 deoxycytidine kinase에 의해 5'-triphosphate 유도체로 활성화되어 DNA에 결합하여 DNA를 파괴함. 3) 분열하고 있는 세포뿐만 아니라 휴지기세포에도 작용함(cell cycle nonspecific). 4) 적응증 : 활동성 모상세포 백혈병(Hairy Call Leukemia) 치료 5) $T_{\frac{1}{2}}$: 3~22hrs 배설 : 신장(18~44%)	– 발진 – 오심, 구토 – 빈혈, 혈소판감소증, 호중구감소증, 골수억제 (Nadir : 5~10일, 회복 : 4~8주) 2) 1~10% – 부종, 빈맥, 정맥염 – 어지러움, 불면, 통증, 오한, 허약감 – 주사부위 통증 – 발진, 홍반 – 변비, 설사, 복부 통증 – 근육통, 근무력감 – 호흡곤란, 기침 – 복시	〈주의〉 1) 투약 후 4~8주간 혈액학적 부작용 관찰 2) 신/간기능 평가 필요 3) 골수이식 전처치로서 모상세포 백혈병 용량의 4~9배를 고용량 cyclophosphamide, 전신 방사선 조사와 함께 적용시 급성 신부전과 신경 독성이 보고됨. 4) 고뇨산혈증과 종양용해 증후군이 발생할 수 있음 (∴allopurinol 병용). 5) 이 약을 투여 받은 남성 : 투여 종료 후 6개월 까지 피임 권고 6) 수유부 및 소아 : 안전성 미확립 〈취급상 주의〉 1) 차광, 냉장보관(실온에서 7일간 안정) 2) 냉동시 약효변화 없으며, 침전물은 흔들거나 실온에서 녹여 사용. 다시 얼리지 말 것 3) 희석액은 즉시 사용하거나, 냉장보관하여 8시간 이내 투여
Clofarabine Evoltra inj 에볼트라주 …20mg/20ml/V	1) 21세 이하 소아: – 52mg/㎡로 D1-D5, 2시간 동안 IV inf. – 체중 20kg 미만의 소아: 2시간 초과하여 주입 – 2~6주 간격으로 투여 (1~2회 주기 치료) 2) 희석용액의 조제 – 0.2 micrometer filter 주사기로 여과시킨 후 NS에 희석, 전량을 체표면적에 따른 용량에 맞춤. ① ≤1.44㎡ : 100ml ② 1.45~2.40㎡ : 150ml ③ 2.41~2.50㎡ : 200ml *최종농도: 0.15-0.4mg/ml – 0.2 micrometer filter 주사기 적용 어려울 경우 5micrometer filter	1) Purine analog antimetabolite, 항종양제 2) 적응증 : 두 가지 이상의 치료법에 반응하지 않거나 재발한, 진단 당시 21세 이하 소아의 급성 림프구성 백혈병 (지속적인 관해를 유도할 다른 치료법이 없는 경우) 3) $T_{\frac{1}{2}}$: 소아 ~5hrs, 소아 및 성인 7hrs 대사 : 제한적 간대사 (0.2%) 배설 : 소변 (미변화체 49~60%) 〈부작용 계속〉 2) 1~10% – 심낭 삼출 – 자극 과민성, 무기력, 졸음, 불안, 정신상태 변화 – 봉와직염, 소양성 발진 – 직장통, C. difficile 대장염, 위염, 구강 점막 점상출혈, 맹장염, 췌장염 – 황달	1) > 10% – 빈맥, 저혈압, 홍조, 고혈압, 부종 – 두통, 발열, 오한, 피로, 불안, 통증 – 소양감, 발진, 점상출혈, 손발 홍반성감각이상증후군, 홍반 – 구토, 오심, 설사, 복통, 식욕부진, 잇몸출혈, 점막 염증, 구강칸디다증 – 백혈구 감소증, 림프구 감소증, 혈소판 감소증, 호중구 감소증, 발열성 호중구 감소증, 빈혈	〈금기〉 1) 중증 신, 간장애 환자 2) 임신부: Category D 3) 수유부: 안전성 미확립 〈주의〉 1) 1세 미만 영유아, 성인 및 고령자: 안전성, 유효성 미확립 2) 가임기 여성 및 남성: 투여 기간 중 피임 권장 3) 경증-중등도 신, 간장애 환자 4) 심장질환 환자 및 심장기능이나 혈압에 영향을 주는 약물 복용 환자 5) 종양 용해 증후군: allopurinol 예방적 투여 고려 6) 3회 초과 주기 치료: 안전성, 유효성 미확립 7) Sodium 식이조절 환자: 이 약은 NaCl 180mg 함유(Na+ 3.08mmol = 70.77mg) 〈상호작용〉 1) 신독성 및 세뇨관 분비 약물(NSAIDs, Amphotericin B,

약품명 및 함량	용법	약리작용 및 효능	부작용	주의 및 금기
	주사기로 여과 후 투여시 0.22 micrometer filter 사용 3) 혈액독성 및 감염 등의 비혈액독성이 발생한 경우 용량 감량 또는 투여 중단	- 요통, 뼈통증, 허약, 관절통 - 폐렴, 호흡곤란, 빈호흡, 상기도감염, 폐부종 - 단순포진, 균혈증, 칸디다증, 대상포진, 포도상구균 균혈증, 종양 용해 증후군, 모세혈관 누출 증후군, 과민반응, 전신성 염증반응 증후군	- ALT/AST 상승, 빌리루빈 상승 - 사지 통증, 근육통 - 크레아티닌 상승, 혈뇨 - 비출혈, 호흡곤란, 늑막삼출 - 감염, 패혈증, 카테터 관련 감염 〈약리작용 및 효능〉란에 계속	methotrexate, cyclosporine, tacrolimus, acyclovir 등): 신독성 증가 2) 간독성 약물: 간독성 증가 3) 심장기능이나 혈압에 영향을 주는 약물: 독성 증가, 모니터링 권고 〈취급상 주의〉 1) 밀봉, 실온 보관 (15~30℃) 2) NS 희석액은 2-8℃에서 24시간 보관 가능
Fludarabine phosphate Fludara tab 플루다라정 …10mg/T Fludara inj 플루다라주 …50mg/V	1) 경구제 ① 40mg/m²/D 5일간 (28일 주기, 통상 6회) ② 체표면적에 따른 투여량 - 체표면적(m²) : 투여량(mg/day) 0.75~0.88 : 30 0.89~1.13 : 40 1.14~1.38 : 50 1.39~1.63 : 60 1.64~1.88 : 70 1.89~2.13 : 80 2.14~2.38 : 90 2.39~2.50 : 100 2) 주사제 : 25mg/m²/D IV 5일간(28일 주기, 통상 6회) 3) 약물 관련 혈액학적 독성 발생시 과립구수가 1.0×10^9/L 이상, 혈소판 수가 100×10^9/L 이상 될 때까지 치료 연기(최대 2주) 하며 2주 연기 뒤에도 회복되지 않았을 경우 감량 투여 * 신기능에 따른 용량조절 참고 - CrCl 30~70ml/min : 50% 감량 투여 - CrCl <30ml/min : 금기	1) Purine계 antimetabolite인 Vidarabine (adenosine arabinoside)의 동족체로서, 체내에서 탈인산화와 인산화 과정을 거쳐 2-fluoro-ara-ATP로 활성화됨. 2) DNA polymerase-α, ribonucleotide reductase, DNA primase를 저해하여 DNA 합성을 방해함. 3) 적응증 ① 골수 보유가 충분한 B-cell CLL환자의 1차 또는 2차 치료법 ② 1차 치료법으로 사용시는 다음과 같은 경우에 한함. - 진전된 질병, 즉 Rai stage Ⅲ/Ⅳ(Binet stage C) 환자 - 다음과 같은 증상을 나타내는 Rai stage Ⅰ/Ⅱ (Binet stage A/B) 환자 • 골수부전 악화 • 체중감소, 극도의 피곤함, 야간발한, 발열 등과 같은 증상 환자 • 거대 또는 진행성 간비종대 또는 림프절증 환자 • 2개월 동안 말초 혈액 림프구가 50% 이상 증가하거나 12개월 이내에 말초혈액림프구가 2배로 증가되는 환자 ③ 다른 전통적인 치료법에 실패한 저등급 비호지킨 림프종의 이차적인 치료법으로도 사용	1) >10% - 발열, 오한, 피로, 통증 - 발진 - 중등도 오심, 구토, 설사, 위염, 위장관 출혈 - 요로 감염 - 빈혈, 혈소판감소증, 백혈구 감소증, * 과립구 nadir : 13일(3~25일), 혈소판 nadir : 16일(2~32일), WBC nadir : 8일 (회복 : 5~7주) - 마비감, 근육통, 허약감 - 호흡곤란, 기침, 폐렴 2) 1~10% - 울혈성 심부전, 부종	〈금기〉 1) CrCl가 30ml/min 이하의 신장애 환자 2) 임신부 : Category D(가임 여성과 남성은 치료중 또는 치료후 최소 6개월간 피임 실시) 3) 수유부 : 안전성 미확립 〈주의〉 1) CrCl가 70ml/min 이하의 신장애 환자 2) 75세 이상 고령자 3) 심한 골수억제 환자 4) 소아 : 안전성 미확립 〈상호작용〉 1) Pentostatin : 치명적 폐독성 유발 2) 이 약물 투여 중 생백신 사용 금기 〈취급상 주의-주사제〉 1) 재구성 : 1바이알당 주사 용수 2ml 희석액 : 5DW, NS 모두 가능함. 2) 보존제 미포함 약제이므로 용해 후 8시간 이내 사용함. 3) 용액이 피부나 점막에 접촉된 경우 물과 비누로 완전히 씻어냄.

약품명 및 함량	용법	약리작용 및 효능	부작용	주의 및 금기
		4) BA : 54~56%(PO) Tmax : 1.1~1.2hrs(PO) T½ : 10.3~20hrs(모체), 10hrs(대사체) 배설 : 신장(40%)	- 허약감, 두통 - 탈모 - 고혈당 - 식욕부진 - 청각손실	
Mercaptopurine (6-mercaptopurine; 6-MP) Purinetone tab 푸리네톤정 …50mg/T	1) 성인 및 소아 초기용량 : 2.5mg/kg qd, 투여용량 및 기간은 병용약제의 종류 및 용량에 따라 조절 2) 간, 신기능 장애 환자 : 감량 고려, allopurinol과 병용시 이 약 1/4만 투여 * 신기능에 따른 용량 조절 참고 - 신장애시 감량 필요 (용량조절 정보 없음) - 소아 용량조절 예시 ① CrCl(ml/min)<50 : 48시간마다 투여 ② HD, CAPD, CRRT 환자 : 48시간마다 투여	1) Hypoxanthine의 thio 동족체로 세포 내에서 6-mercaptopurineribose-phosphate(6-MPRP)로 전환되어 작용을 나타내는 prodrug 2) 6-MPRP는 S-phase에 있는 세포의 purine 생합성 초기단계를 억제하며 inosinic acid의 adenylic acid or guanylic acid로의 전환을 억제함. 3) 전환효소(HGPRT) 부족, 분해효소인 alkaline phosphatase 등의 농도 증가에 의해 생화학적 내성 발현 4) 단독보다는 병용요법이 더 효과적임. 5) 적응증 : 급성백혈병 특히, 급성림프모구백혈병과 급성골수성백혈병의 유지요법, 만성골수성백혈병에 사용함 6) 면역억제제로도 작용함. 7) Tmax : 2hrs 대사 : 간 T½ : 21~90mins 배설 : 신장(46%)	1) >10% - 골수억제, 백혈구 및 혈소판 감소, 빈혈(Onset : 7~10일 Nadir : 14~16일 회복 : 20~28일) - 담즙울체, 중심정맥괴사(40%) 2) 1~10% - 약인성 발열 - 색소침착, 발진 - 고뇨산혈증 - 오심, 구토, 설사, 위염, 식욕부진, 위통 - 신독성	〈금기〉 1) 이 약에 내성 경험 환자 2) AML 또는 CML 진단이 확실하지 않은 경우 3) 임신부 : Category D 〈주의〉 1) CBC를 매주 실시해야 함. 백혈구 수에 따라 감량 또는 중단, 유지용량을 결정함. 2) 신 · 간장애시 감량함. 〈상호작용〉 1) 생백신 : 면역손상 환자의 감염 우려 2) Allopurinol : 이 약 상용량의 1/4만 투여(이 약의 대사 억제) 3) Warfarin : 항응고효과 억제 4) 6-Thioguanine과 교차내성 있음

약품명 및 함량	용법	약리작용 및 효능	부작용	주의 및 금기
Azacitidine Vidaza 비다자현탁주사용분말 …100mg/V	1) 첫 번째 cycle 75mg/m²/D 7일간 SC 2) 이후 cycle 매 4주마다 반복. 치료효과가 2 cycle 후 나타나지 않고 오심, 구토 이외의 다른 독성 없으면 100mg/m²까지 증량 가능.	1) Pyrimidine nucleoside analogue로서, 골수내의 비정상적 조혈세포에 대한 직접적인 세포독성 효과 및 DNA hypomethylation 작용으로 유전자의 정상 기능을 회복시키는 항종양제 2) 적응증 : 골수이형성증후군(MDS;Myelodysplastic syndrome)의 치료	1) >10% - 발열, 피로, 두통, 현기증, 불안, 우울, 불면, 권태, 통증 - 탈모, 멍, 점상출혈, 홍반, 피부병변, 발진	〈금기〉 1) 이 약 성분과 만니톨에 과민한 환자 2) 진행성 간암 3) 임신부 : Category D 〈주의〉 1) 기본 알부민 수치 3g/dL 이하

약품명 및 함량	용법	약리작용 및 효능	부작용	주의 및 금기
	최소 4 cycle 이상 치료가 추천됨. 3) 조제 및 투여법 ① 1바이알 당 4ml의 멸균 주사용수로 용해 (천천히 가하여 위아래로 뒤집어 섞음) ② 총량이 4ml 이상이면 두 개의 주사기에 나누어 다른 주사부위(대퇴부, 복부, 상완부)에 투여(적어도 2.54cm 떨어진 간격) ③ 현탁액이므로 사용전 손바닥에서 굴려 균일하게 한 후 사용	3) 골수이형성증후군에 최초로 허가 받은 약제로서 골수이형성증후군의 5가지 subtype에 모두 유효함. 〈부작용 계속〉 - 기침, 호흡곤란, 인두염, 코피, 비인두염, 상기도감염, 젖은기침, 폐렴 - 흉통, 창백, 말초부종, pitting edema	- 오심, 구토, 점막염, 설사, 변비, 식욕부진, 체중감소, 복통, 식욕감퇴, 복부 압통 - 빈혈, 혈소판감소증, 백혈구감소증, 호중구감소증, 열성 호중구감소증 - 간수치 증가 - 주사부위 반응 : 홍반, 통증, 멍 - 쇠약, 경직, 관절통, 사지통증, 저배통, 근육통 〈약리작용 및 효능〉란에 계속	2) 가임기 여성 및 남성 : 피임할 것 (최기형성) 3) 신기능장애 환자 4) 간질환 환자 5) 혈중 bicarbonate가 20mEq/L 미만으로 감소하거나 BUN, Scr이 증가할 경우 감량 또는 투여 지연 6) 소아 및 수유부 : 안전성 미확립 〈상호작용〉 1) 이 약 투여 중 생백신(BCG, MMR, 풍진, 수두 등)을 접종할 경우 생백신에 의한 감염 위험 증가 〈취급상 주의〉 1) 바이알 : 실온보관 2) 용해 후 실온 1시간, 냉장 8시간 안정 3) 사용하고 남은 약은 폐기함(보존제 없음).
Capecitabine Xeloda tab 젤로다정 …150mg/T …500mg/T	1) 결장직장암, 유방암, 수술이 불가능한 진행성 또는 전이성 위암 : 2,500mg/m²/D #2, 2주 투약 후 1주 휴약 2) 백금계 약물과 병용하여 진행성 위암의 1차 치료 : 2,000mg/m²/D #2, 2주 투약 후 1주 휴약 또는 1,250mg/m²/D #2, 3주 연속 투약 3) 식후 30분 이내 복용을 권장함. * 신기능에 따른 용량 조절 참고 - CrCl 30~50ml/min : 1,250mg/m²의 75%로 감량 (1,000mg/m²용량은 감량 필요하지 않음) - CrCl < 30ml/min : 금기	1) Doxifluridine 및 5-FU의 모체화합물로 체내에서 5-FU로 전환되어 항암작용을 나타내며 암세포에서 5-FU로의 전환이 더 잘 이루어짐. 2) 적응증 ① 유방암 - Taxenes 및 anthracycline계 약물이 포함된 화학요법에 불응인 국소진행성 또는 전이성 유방암 - anthracycline계 약물이 포함된 화학요법에 실패한 국소 진행성 또는 전이성 유방암에서 docetaxel과의 병용 ② 결장 직장암 - 전이성 결장 직장암 - stage Ⅲ(Dukes'C)의 결장암의 수술 후 보조요법 (단독 또는 oxaliplatin과의 병용) ③ 위암 - 수술이 불가능한 진행성 또는 전이성 위암 - 백금계 약물과 병용하여 진행선 위암의 1차 치료 - 옥살리플라틴과 병용하여 stage II, III 환자의 위암수술 후 보조요법 3) Tmax : 1~1.5hrs	1) >10% - 설사(~55%), 중등도 오심(53%), 구토(27~37%), 구내염(~25%), 복통(20~35%), 식욕감퇴, 변비(~15%) - 수족증후군(~55%), 피부염(27~37%) - 피로감(~40%), 발열(12~18%), 통증 - 림프구 감소증(94%), 빈혈(72~80%), 호중구 감소증(13~26%), 혈소판감소증(24%) - 빌리루빈 증가 - 안구자극감 - 호흡곤란 〈주의 및 금기〉란에 계속	〈금기〉 1) 중증 신부전 환자 2) 임신부 : Category D 3) 수유부 : 안전성 미확립 4) DPD(dihydro-pyridine dehydrogenase 결핍으로 알려진 환자) 〈주의〉 1) 3급 수족 증후군(무감각, 지각이상, 따끔거림, 홍반 등)이 나타나면 감량 2) 간 및 신부전 환자 3) 18세 미만 소아 : 안전성 미확립 〈상호작용〉 1) 항응고제 : 출혈경향 주의 2) Allopurinol : 간의 상호작용이 있으므로 병용금기 3) Phenytoin : phenytoin의 혈장농도 상승 〈부작용 계속〉 2) 5~10% - 정맥혈전증, 흉통 - 두통, 어지러움, 불면

약품명 및 함량	용법	약리작용 및 효능	부작용	주의 및 금기
		대사 : 간(1차 대사) $T_{\frac{1}{2}}$: 38~45mins 배설 : 신장(95.5%)		- 손톱변화, 피부색소 침착, 탈모 - 탈수 - 위장관 운동장애, 미각이상 - 저배통, 근육통, 신경병증 - 기침, 인후통증 - 시각장애
Cytarabine (Cytosine arabinoside) Cytarabine inj 시타라빈주 …1g/10ml/V …2g/20ml/V Cytosar-U inj 싸이토사유주 …100mg/V …1g/V	1) 단독요법과 병용요법, 암의 종류 및 치료시기 등에 따라 용량이 다르므로 문헌 참조	1) Cell cycle의 S-phase에 선택적으로 작용하며, DNA polymerase를 억제함으로써 cell의 대사를 방해, DNA의 합성을 저지함. 2) 적응증 : 급성골수성백혈병, 급성림프성백혈병, 만성골수성백혈병(모세포단계), 적백혈병, 수막성백혈병, 소아의 비호지킨 림프종 3) 병용요법(doxorubicin 또는 daunorubicin과 6-thioguanine)이 더 효과적임. 4) 강력한 면역억제작용을 나타냄. 5) Tmax : 20~60mins 분포 : CNS로의 분포 용이 대사 : 간 $T_{\frac{1}{2}}$: 1~3hrs 배설 : 신장(80%) 〈부작용 계속〉 - 어지러움, 두통, 신경염 - 탈모, 소양증, 피부궤양, 주사부위 염증 - 복통, 창자괴사, 식도염, 췌장염, 인후통 - 뇨저류, 신기능장애 - 결막염 - 호흡곤란 - 부종, anaphylaxis, 패혈증	(빈도 미확립) (frequent) - 발열 - 두드러기 - 항문염, 항문궤양, 식욕부진, 설사, 점막염, 오심, 구토 - 골수억제, 호중구감소증 (onset : 1~7일 nadir[양극성] : 7~9일, 15~24일 recovery[양극성] : 9~12일, 24~34일), 혈소판감소증(onset : 5일, nadir : 12~15일, recovery : 15~25일), 빈혈, 혈, 백혈구 감소 - 간기능장애, 중증도 황달, transaminase 상승 - 혈정맥염 (less frequent) - 흉통, 심장막염 〈약리작용 및 효능〉란에 계속	〈금기〉 1) 임신부 : Category D 2) 급성 또는 중증 감염환자 〈주의〉 1) 주기적인 CBC 및 골수 검사가 필요(용량과 schedule 결정에 필요) 2) 간 및 신장애 환자 3) 골수기능 억제 환자 4) 남녀 모두 이 약 치료기간, 치료 후 6개월간 피임해야함. 5) 수유부 : 안전성 미확립 6) 소아 : 이상반응 발현 주의 〈상호작용〉 1) 다른 항악성 종양제, 방사선 요법과 병용 : 골수억제 부작용 증가 2) 5-FU, mitomycin, 부신피질호르몬제 : 정맥염, 탈모 3) Digoxin : 이 약에 의해 흡수 감소

약품명 및 함량	용법	약리작용 및 효능	부작용	주의 및 금기
Cytarabine liposomal Depocyte inj 데포사이트주사 …50mg/5ml/V	1) 성인 및 노인의 림프종성 뇌수막염 ① 유도요법: 14일마다 50 mg씩 2회 투여(1, 3주차) ② 강화요법: 14일마다 50 mg 씩 3회 투여(5, 7, 9주차)후 13주차에 50mg 추가 투여 ③ 유지요법: 28일마다 50mg씩 1회 투여 (17, 21, 25, 29주차) * 심실 내 혹은 요추낭에 주입하여 뇌척수액(CSF)으로 직접 주입하는 제제로 1~5분에 걸쳐 천천히 주입. 2) 약물과 관련 신경독성 발생시 25mg으로 감량 3) 이 약 주입 시작일로부터 5일동안 환자에게 dexamethaxone 4mg bid PO 또는 IV 투여(화학적 지주막염 증상 최소화)	1) Pyrimidine analogue계 antimetabolite 항암제 2) Cell cycle의 S-phase에 선택적으로 작용하며, DNA polymerase를 억제함으로써 cell의 대사를 방해, DNA의 합성을 저지함. 3) Liposomal 제형 특징: 서방형 cytarabine이 인지질, 트리글리세라이드, 콜레스테롤로 구성된 비중심성 수성강실(aqueous chamber)내에 캡슐화되어 기존 free cytarabine 주사보다 반감기가 40배 이상 증가되어 CSF내에 2주 이상 유효농도 유지 4) 적응증 : 성인 및 노인의 림프종성 뇌수막염의 경막 내 치료 5) $T_{\frac{1}{2}}$: 100~263hrs Tmax: 〈5hrs 배설: CSF	1) 〉10% - 말초부종, 두통(56%), 혼동(33%), 피로(25%), 발열(32%) - 탈수(13%), 허약감(40%) - 오심(46%), 구역(44%), 변비(25%), 설사(12%), 식욕감퇴(11%) - 시야흐림(11%), 빈혈(12%) - 불면(14%), 현기증(18%), 무력감(16%), 기억손상(14%)	〈금기〉 1) 활동성 수막염이 있는 환자 2) 임신부: Category D 〈주의〉 1) 신경독성 화학요법제, 뇌/척수 방사선조사와 병행시 신경독성의 위험이 증가 2) 수유부 및 소아: 안전성 미확립 〈취급상 주의〉 1) 냉장보관(2~8℃), 동결금지 2) 실온(18~22℃)에서 최소 30분간 방치한 후 부드럽게 흔들어 균질하게 현탁한 후 사용 3) 4시간 이내에 사용(보존제 미함유) 4) 인라인 필터(in-line filter)사용금지
Decitabine Dacogen inj 다코젠주 …50mg/V	(5일요법) 1) 20mg/m²을 5일간 IV inf. (1시간동안) 2) 1cycle : 4주 (3일요법) 1) 치료 1주기 : 15mg/m² 8시간마다 IV inf.(3시간 동안), 3일간 투여(표준 항구토제 예방적 투여) 2) 1 cycle : 6주 3) 최소 4주기 동안 치료, 혈액학적 검사 수치에 근거한 용량 조절 및 투여 지연 필요	1) Pyrimidine nucleoside analogue로서 DNA hypomethylation 유도하여 암세포 증식 억제 2) 적응증 - 골수이형성증후군(MDS: Myelodysplastic syndrome) - 새롭게 진단받은, 표준유도요법을 시행할 수 없는 65세 이상의 성인 환자의 원발성 또는 속발성 급성 골수성 백혈병의 치료 3) Tmax : end of infusion 대사 : extrahepatic $T_{\frac{1}{2}}$: 30~35mins 〈부작용 계속〉 - 고혈당(33%), 저알부민혈증(7~24%), 저마그네슘혈증(24%), 저칼륨혈증(22%) - 오심(42%), 변비(35%), 설사(34%), 구토(25%) - 호중구감소증(90%, recovery 28~50 days), 혈소판 감소증(89%), 빈혈(82%)	1) 〉10% - 말초부종(25%), 창백(23%), 심잡음(16%) - 발열(6~53%), 두통(28%), 불면증(28%), 어지러움(18%), 통증(13%) - 점상출혈(39%), 타박상(22%), 발진(19%) 〈약리작용 및 효능〉란에 계속	〈금기〉 1) 임신부 : Category D 2) 수유부 : 안전성 미확립 〈주의〉 1) 남성은 이 약 투여 중 및 투여 후 2개월까지 피임(최기형성) 2) 전혈구수 및 혈소판 수치 매 투여 주기 이전에 측정 3) 간 및 신기능장애 환자 4) 소아 : 사용경험 부족(안전성 및 유효성 미확립) 〈상호작용〉 1) 약물상호작용 연구가 수행되지 않음. in vitro 연구결과 P450효소 저해하거나 유도하지 않음. 〈취급상 주의〉 1) 바이알 : 25℃ 이하 보관 2) 조제방법 : 주사용 증류수 10ml로 재구성 후 NS, 5DW 에 희석(최종약물농도 : 0.1~1mg/ml)

약품명 및 함량	용법	약리작용 및 효능	부작용	주의 및 금기
		- 고빌리루빈혈증(14%) - 기침(40%), 폐렴(22%), 인두염(16%)		3) 조제 후 15분 이내에 사용하지 않는 경우 희석액은 차가운(2~8℃) 점적주입액 사용 4) 희석 후 2~8℃ 냉장보관시 최대 4시간까지 안정
Doxifluridine Doxifluridine cap 독시플루리딘캅셀 …100mg/C …200mg/C	1) 800~1200mg/D #3~4	1) 5-FU의 prodrug 2) 종양 조직내의 pyrimidine nucleoside phosphorylase에 의해 5-FU로 변환되므로 5-FU보다 암세포 내 침투율은 증가되고 부작용은 감소됨. 3) 소화기암(위암, 결장암, 직장암), 유방암에 사용함. 4) Tmax : 1~2hrs 배설 : 신장 $T_{\frac{1}{2}}$: 20~30mins	1) >5% - 설사, 소화기 출혈, 설염, 구내염, 췌장염 - 졸음, 두통, 휘청거림 - 피부염, 광과민성 - 심계항진, 부정맥, 심전도 이상 - 뇨실금 2) 0.1~5% - 백혈구 감소, 혈소판 감소, 빈혈 - 간효소 수치 상승 - BUN 상승 - 마비성 장폐색, 식욕부진, 오심, 구토, 복통, 구내염	〈금기〉 1) Tegafur + gimeracil + oteracil 복합제 투여 중인 환자, 종료 후 7일 이내인 환자 〈주의〉 1) 골수기능 억제 환자 2) 간 · 신장애 환자 3) 감염증이 있는 환자 4) 임신부: 동물실험 시 기형유발 보고 5) 수유부: 동물실험 시 유즙이행 보고 6) 소아 : 안전성 미확립
Enocitabine (Behenoyl cytarabine) Enoron inj 에노론주 …250mg/V	1) 3.5~6mg/kg/D를 5DW, NS, 5DS, 링거액 등에 희석하여 #1~2 IV infusion(2~4시간동안) 2) 10~14일 또는 6~10일 연속 투여 후 휴약 반복	1) Cytarabine의 N^4에 behenoyl기가 결합된 대사길항제 2) Leukemic cell에서 서서히 cytarabine으로 전환됨. 3) 적응증 : 급성백혈병 (만성 백혈병의 급성전환 포함) 4) 지질친화성이 높아 혈구, 골수, 비장, 심장, 폐, 간 등에 장시간 분포	- 쇽, 과민증 - 빈혈, 백혈구 감소, 혈소판감소 - 식욕부진, 오심, 구토, 설사, 복통, 복부팽만감, 구내염 - 권태감, 요통, 두통, 현훈, 마비감 - 빌리루빈, AST, ALT, ALK-P상승 - 탈모, 홍반, 소양감 - 발열, 부종, 심계 항진	〈주의〉 1) 골수 기능 억제 환자 2) 감염증, 출혈경향 발현 또는 증가 악화 3) 간장애 환자 4) 첨가제인 폴리옥시에필렌 경화피마자유에 의해 쇽 발현이 보고된 바 있으므로 주의 5) 임신부 : 동물실험 시 기형발생 보고 6) 수유부 : 동물실험 시 유즙 이행 보고 7) 소아: 안전성 미확립 〈취급상 주의〉 1) 바이알 : 냉소보관(15℃ 이하) 2) 주사액의 조제 : 이 약 10mg당 주사용증류수 1ml를 가하여 끓는 물에서 교반하며 용해 후, 흐르는 물에

약품명 및 함량	용법	약리작용 및 효능	부작용	주의 및 금기
				흔들며 급냉하여 사용 3) 재구성 용액은 5℃이하에서 48시간 안정함.
5-Fluorouracil 5-FU inj 5-에프유주 …250mg/5ml/V …500mg/10ml/V …1g/20ml/V	1) 정맥투여 : 5~15mg/kg/D를 5DW 300~500ml에 혼합하여 5일간 투여, 그 후 격일로 5~7.5mg/kg (Max. 1g/D), 부작용 발현시 투여 중지 2) 동맥내 투여 : 5~7.5mg/kg/D를 5DW 20~100ml에 녹여 주입펌프로 10~20일간 투여 3) 타 항암제와 병용 : 5~10mg/kg/D를 1)의 방법으로 또는 간헐적으로 주1~2회 투여 4) 방사선과 병용 : 5~10mg/kg/D를 1)의 방법으로 투여	1) 불소화된 pyrimidine 유도체 2) 체내에서 uracil과 상경적으로 작용하여 종양세포의 DNA 합성과정 중 deoxyuridylic산이 thynidylic산으로 합성되는 과정을 억제함으로써 DNA합성을 저지하며, RNA 합성도 일부 억제함. 3) 결장 · 직장암, 유방암, 위암, 간암, 췌장암, 난소암, 자궁암에 사용 4) 식도암, 폐암, 악암, 설암에는 방사선이나 타 항암제 병용 5) Tmax : 27~41mins 대사 : 간 $T\frac{1}{2}$: 8~22mins 배설 : 신장(10~20%), 폐	1) >10% - 피부염, 소양성 발진, 탈모 - 흉부작열감, 오심, 구토, 식욕부진, 위염, 식도염, 설사 (※ 구토유발정도 <1g : 중등도 이하, >1g : 중등도) - 골수억제(Onset : 7~10일, Nadir : 14일, 회복 : 21일) - 주사부위 통증 2) 1~10% - 피부건조 - 위장관 궤양	〈금기〉 1) Tegafur + gimeracil + oteracil 복합제 투여 중인 환자, 종료 후 7일 이내인 환자 2) 항종양제, 방사선 치료로 인한 골수 저하, 극도의 허약환자 3) 임신부 : Category D 4) 수유부 : 안전성 미확립 5) 비악성종양 질환 환자 〈주의〉 1) 골수기능 억제작용이 있으므로 수시로 혈액 · 간 · 신기능의 검사를 실시함 2) 디하이드로피리미딘 탈수소효소 결핍 환자에게 투여 시 독성 유발 위험이 있음. 3) 영양상태 불량, 중증 외과적 침농, 심질환자 등 신중 투여 4) 혈관통, 정맥염 등을 일으킬 수 있으므로 서서히 투여해야 함. 〈취급상주의〉 1) 조제액이 알칼리성이므로 산성약물과 혼합 피할 것
Gemcitabine Gemtan inj 젬탄액상주 …200mg/5.26ml/V …1g/26.3ml/V	1) 비소세포폐암 ① 단독요법: 1000mg/㎡ 30분 IV inf. D1, 8, 15 (4주간격) ② 병용요법: Cisplatin과 병용가능 - 1250mg/㎡ 30분 IV inf. D1, 8 (3주 간격) - 1000mg/㎡ 30분 IV inf. D1, 8, 15 (4주간격) 2) 췌장암: 1000mg/㎡ 30분 IV inf. ① 첫 주기: 연속 7주간 주 1회 투여 후 1주 휴약 ② 이후 주기: D1, 8, 15 (4주간격)	1) Pyrimidine nucleoside (antimetabolite) 2) Cell cycle 중 G1에서 S phase로 진행되는 것을 차단하여 DNA 합성을 저해함 3) 적응증 - 비소세포폐암: 국소진행성 또는 전이성 비소세포폐암 1차치료(단독 또는 cisplatin 병용) - 췌장암: 국소진행성 또는 전이성 췌장암 1차치료 - 방광암 - 유방암: anthracycline에 실패한 국소진행성 또는 전이성 유방암(paclitaxel 병용) - 난소암: 백금화합물 요법을 완료하고 최소 6개월 후 재발된 전이성 난소암(carboplatin 병용)	1) >10% - 피로감,발열(40%), 허약감, 통증(10~48%), 기면(5~11%) - 혈중 transaminase 상승(~66%) - 오심, 구토, 식욕 부진(20~70%), 위염(10~14%) - 골수억제(20~30%), 백혈구 감소 - 허약감(15~25%)	〈금기〉 1) 임신부 : Category D 2) 수유부 : 안전성 미확립 3) 흉부 방사선 요법과 동시 병용 금기 4) 간질성폐렴 또는 폐섬유증 환자 〈주의〉 1) 간 · 신기능 장애 환자 2) 골수억제 : 매 투여마다 CBC monitoring 시행 3) 60분 이상에 걸쳐 주입하거나 주 1회 이상 투여하지 말 것(부작용증가 우려) 〈취급상 주의〉 1) 희석액 : NS

약품명 및 함량	용법	약리작용 및 효능	부작용	주의 및 금기
	3) 방광암: Cisplatin과 병용 하여 1000mg/m² 30분 IV inf. D1, 8, 15 (4주간격) 4) 유방암: Paclitaxel과 병용 하여 1250mg/m² 30분 IV inf. D1, 8 (3주 간격) 5) 난소암: Carboplatin과 병용 하여 1000mg/m² 30분 IV inf. D1, 8 (3주 간격) 6) 담도암: Cisplatin과 병용 ① 1000mg/m² 30분 IV inf. D1, 8 (3주 간격) ② cisplatin 투여 후에 gemcitabine 투여	- 담도암: 화학요법 치료를 받은 경험이 없는 수술 불가능한 국소진행성 또는 전이성 담도암(cisplatin 병용) 4) $T_{\frac{1}{2}}$: 32mins~10hrs 배설 : 신장(30~98%)	- 혈뇨(45%), BUN상승 - 호흡곤란(10~23%) - 감기양증후군 2) 1~10% - 소양증(8%) - 중등도 설사(7%), 변비(6%) - 혈소판 감소증(~10%), 빈혈(6%) - 빌리루빈 상승(10%) - 마비감(2~10%), 말초 신경병증(3.5%) - 심한 호흡곤란(3%) - 알러지반응(4%)	2) 희석후 실온에서 24시간 안정하며, 냉장시 결정 석출 우려가 있으므로 냉장 금기 3) 최종 희석농도 : 0.1mg/ml 이상
1Ⓒ(20mg) 중 Tegafur …20mg Gimeracil …5.8mg Oteracil K …19.6mg 1Ⓒ(25mg) 중 Tegafur …25mg Gimeracil …7.25mg Oteracil K …24.5mg **TS-1 cap** 티에스원캡슐	1) 체표면적 기준으로 1회 복용량을 결정하며 1일 2회 28일간 투여후 14일간 휴약(1cycle) - 1.25m² 미만 : 40mg/회 - 1.25~1.5m² 미만 : 50mg/회 - 1.5m² 이상 : 60mg/회 (FT 상당량) 2) 환자의 상태에 따라 40, 50, 60, 75mg/회 단계로 적절히 증감 (증량은 1 cycle 마다)	1) 주 약효 성분인 tegafur의 대사체 5-FU의 체내 이용률 증대와 골수억제 독성 감소를 위해 두가지 성분의 modulator를 복합한 제제 2) tegafur(FT) : 체내에서 5-FU로 전환되어 약효를 나타냄 gimeracil(CDHP) : 간에서 5-FU 분해효소 저해 oteracil(OXO) : 소화기관 내에서 5-FU 인산화 효소 저해 3) 적응증 - 진행성, 전이성 또는 재발성 위암 - 위암 수술 후 보조화학요법 - 진행성 또는 재발성 두경부암 - 국소진행성 또는 전이성 췌장암	1) 〉10% - 백혈구 감소(46%), 호중구감소(44%), Hgb감소(37%), 혈소판감소(11%) - 식욕부진(33%), 오심, 구토(27%), 설사(17%), 구내염(16%) - 색소침착(20%), 발진(11%)	〈금기〉 1) 심한 골수기능 억제, 심한 신, 간장애 환자 2) 불화 pyrimidine계 항종양제 투여중인 환자 3) Flucytosine을 투여중인 환자 4) 임신부 : 안전성 미확립 〈주의〉 1) 골수기능 억제가 있으므로 수시로 혈액검사, 간·신기능 검사 실시 2) 수유부 : 안전성 미확립 (동물실험시 유즙이행 보고) 〈상호작용〉 1) Tegafur+uracil, 5-FU, doxifluridine, capecitabine과 병용시 독성 증가 (투여 중지 후 최소 7일간 휴약) 2) Phenytoin : phenytoin의 혈중농도 상승 3) Warfarin의 작용을 증강시킴

약품명 및 함량	용법	약리작용 및 효능	부작용	주의 및 금기
1Ⓒ중 Tegafur …100mg Uracil …224mg **UFT-E cap** 유에프티캡슐 1Ⓟ(0.5g)중 Tegafur …100mg uracil …224mg **UFT-E granule** 유에프티이 과립	1) 통상 tegafur로 300~600mg/D #2~3 2) 자궁경부암 : tegafur로 600mg/D #2~3	1) Tegafur : Uracil=1 : 4의 몰비로 배합된 항악성 종양제 2) Tegafur: 체내에서 5-FU로 변환되는 5-FU의 masked compound로 항종양 효과(DNA-RNA 억제) 나타냄. 3) Uracil : 단독으로는 약리작용이 거의 없으나 tegafur와 병용시 5-FU의 불활성 저해작용으로 종양 내의 5-FU 및 그 활성대사산물이 고농도로 유지되게 해 줌. 4) 적응증 : 두경부암, 위암, 결장 · 직장암, 간암, 담낭 · 담관암, 췌장암, 폐암, 유방암, 방광암, 전립선암, 자궁경부암에 사용함.	- 범혈구감소 - 황달, 지방간, AST, ALT 상승 - 단백뇨, 혈뇨, BUN 상승 - 식욕부진, 구역, 구토, 설사, 구내염, 복통, 복부 팽만감, 미각이상, 위염, 구갈, 변비 - 지각 이상, 추체외로 증상, 뇨실금, 언어 보행장애, 방향감각 상실, 마비감, 이명 - 색소침착, 각화, 피부염, 부종, 홍조 - 발진, 가려움 - 흉통, 심전도 이상	〈금기〉 1) Tegafur + gimeracil + oteracil 복합제 투여 중인 환자, 종료 후 7일 이내인 환자 2) 임신부 : 동물시험에서 최기형성 3) 수유부 : 동물실험에서 유즙이행 보고 4) 소아 : 안전성 미확립 〈주의〉 1) 골수기능 억제가 있으므로 수시로 혈액검사, 간 · 신기능 검사를 실시함. 2) 감염증, 출혈경향의 발현 또는 악화 3) 수두 환자 4) 위 · 십이지장 궤양 환자 5) 내당능 이상 환자 〈상호작용〉 1) Phenytoin : phenytoin의 혈중농도 상승 2) Warfarin의 작용을 증강시킴

약품명 및 함량	용법	약리작용 및 효능	부작용	주의 및 금기
Daunorubicin HCl Daunocin inj 다우노신주 …20mg/V	1) 성인 : 0.4~1mg/kg/D qd or EOD로 3~5회 IV or IV infusion, 약 1주일 관찰 후 반복 투여 2) 소아 : 1mg/kg/D qd or EOD로 3~5회 IV or IV infusion, 약 1주일 관찰 후 반복 투여 3) 간 또는 신기능 감소시 용량 조절 * 신기능에 따른 용량 조절 참고 Scr>3mg/dL : 상용량의 50%로 감량	1) Anthracycline계 항생제로 DNA와 complex를 형성하여 DNA와 DNA-dependent RNA생합성 억제 2) Cell cycle에 비선택적이나 S phase에 가장 작용이 강함. 3) 적응증 : 급성백혈병(만성골수성 백혈병 포함) 4) Doxorubicin과 교차내성 있음. 5) 대사 : 간 $T_{\frac{1}{2}}$: 14~20hrs 배설 : 대변(40%), 신장(~25%)	1) >10% – 일시적 ECG 이상, 심부전(용량 의존적, 지연형 가능) – 탈모, radiation recall – 경증의 오심, 구토, 구내염 – 적색뇨 – 골수 억제 (Onset : 7일, Nadir : 10~14일, Recovery : 21~28일) 2) 1~10% – 주사 부위 피부 발적, 타액, 땀, 눈물 색의 변화 – 고뇨산 혈증 – 복부 통증, 위장관 궤양, 설사	〈금기〉 1) 심기능 이상 또는 그 병력이 있는 환자 2) 다른 anthracycline계 약제의 총 누적용량에 도달한 환자 3) 임신부 : Category D 4) 수유부 : 안전성 미확립 〈주의〉 1) 투여 용량 의존적인 심근독성 있음. 총 투여 용량이 다음 용량을 초과하지 않도록 함. ① 2세 이상 소아 : 300mg/m² ② 성인 – cardiotoxicity risk factor가 없는 경우 : 550mg/m² – chest irradiation 받은 경우 : 400mg/m² 2) Vesicant: 약액이 혈관 외로 유출 되지 않게 주의 〈취급상 주의〉 1) NS 또는 5DW에 용해시 실온 24시간, 냉장 48시간 안정 2) pH 8 이상에서 불안정 3) 차광보관, 희석 후 차광
Doxorubicin HCl Adriamycin PFS inj 아드리아마이신PFS주 …10mg/5ml/V …50mg/25ml/V Adriamycin RDF inj 아드리아마이신RDF주 …10mg/V	1) 체표면적기준 ① 60~75mg/m² qd IV 후 3주간 휴약 ② 20~25mg/m² qd 3일간 연속 IV 후 3주간 휴약 2) 체중 기준 ① 1.2~2.4mg/kg qd IV 후 3주간 휴약 ② 0.4~0.8mg/kg qd 3일간 연속 IV 후 3주간 휴약 3) 타항암제와 병용시 본 약제의 용량을 30~40mg/m²로 감량	1) Anthracycline계 항생제로 DNA와 결합하여 핵산 합성을 억제함. 2) Cell cycle에 비선택적이나 S phase에 대한 작용이 가장 강함 3) 악성 림프종, 소화기암, 급성 골수성 백혈병, 연조직 골육종, 유방암, 난소암, 폐암, 기관지암, 방광암, Wilm's 종양 4) 대사 : 간 $T_{\frac{1}{2}}$: 20~48hrs 배설 : 담즙(40%), 신장(5~12%), 대변(50%)	1) >10% – 탈모 – 급성 오심, 구토 (21~55%), 점막염, 궤양, 장괴사, 식욕부진, 설사, 위염, 식도염 (※ 구토정도<20mg : 경미함, 20mg~60mg : 중등도, >60mg : 심함 ※ Onset : 1~3 hrs ※ 지속 : 4~24hrs)	〈금기〉 1) 심기능 이상 또는 그 병력이 있는 환자 2) 다른 anthracycline계 약제의 총 누적용량에 도달한 환자 3) 임신부 : Category D 4) 수유부 : 안전성 미확립 〈주의〉 1) 간 · 신장애 환자 2) 감염증의 합병증이 있는 환자 3) 골수기능 억제 환자 4) 수두환자(치명적인 전신장애 유발 우려) 5) 비가역성 심근독성 : 총투여량이 550mg/m²이상

약품명 및 함량	용법	약리작용 및 효능	부작용	주의 및 금기
…50mg/V	4) 간장애 환자 : 혈청 bilirubin 수치에 따라 ① 1.2~3mg/dl : 50%로 감량 ② 〉3mg/dl : 25%로 감량 5) 반드시 정맥주사로만 투여	〈부작용 계속〉 2) 1~10% - 급성심독성 : 부정맥, 심정지, 안면 홍조 - 만성심독성 : CHF - 색소침착, 신속히 주사할 경우 정맥을 따라서 홍반 형성 - 고요산혈증	- 뇨변색 - 골수억제, 백혈구 감소(60~80%) (Onset : 7일, Nadir : 10~14일, 회복 : 21~28일) - 주사부위 동통, vesicant chemo 〈약리작용 및 효능〉란에 계속	6) 투약 1~2일후에는 소변이 붉게 착색됨. 7) Vesicant: 약액이 혈관 외로 유출 되지 않게 주의 〈상호작용〉 1) 투여전 심장부에 방사선 조사나 cyclophosphamide와의 병용시 부작용 증가 〈취급상 주의사항〉 1) SC 또는 IM 금기 2) 천천히 IV하며 용해후 신속히 사용 3) 헤파린과 혼입금지(약효 감소)
Doxorubicin HCl liposomal Caelyx inj 케릭스주사 …20mg/10ml/V	1) 유방암, 난소암 : 매 4주마다 50mg/m² IV inf 2) AIDS관련 카포시 육종 : 매 3주마다 20mg/m² IV inf 3) 다발성골수종 : bortezomib 3주 치료요법의 4일째에, 30mg/m² 1시간에 걸쳐 IV inf 4) 반드시 희석하여 말초정맥으로 천천히 주입(중심정맥 투여와 관련된 임상 자료 없음, SC 또는 IM금기) 5) 간부전환자, 손발지각이상 증후군, 구내염, 혈액학적 독성 발생 시 용량 감량	1) Pegylated liposomal doxorubicin - Anthracycline계 항종양제로 DNA와 결합하여 핵산 합성을 억제함 - Liposome-encapsulated제형으로, 반감기 연장되어 항종양 효과를 높이고 RES cells과의 affinity감소되어 독성을 낮춤 2) 적응증 - 전이성 유방암환자로 심장에 위험요소가 많은 경우 단독 요법 - 파클리탁셀 또는 백금착체 항암제를 포함하는 화학요법제에 실패한 진행성 난소암 - 이전의 병용 화학요법으로 질환이 계속 진행되거나 과민반응을 보이는 환자에서 AIDS관련 카포시 육종 - 한 가지 이상의 치료를 받은 환자로써, 골수이식을 이미 받았거나, 골수 이식이 적합하지 않은 진행성 다발성 골수종 환자에 bortezomib과 병용 3) $T_{\frac{1}{2}}$: 45-55 hrs 배설: 신장(5%)	1) 〉10% - 말초부종(≤11%) - 발열(8-21%), 두통(≤11%), 통증(≤21%) - 손발의 홍반성지각이상 증후군, 발진, 탈모(9-19%) - 구역(17-46%), 구내염(5-41%), 구토(8-33%), 변비(≤30%), 설사(5-21%), 식욕부진(≤12%), 점막염(≤14%), 소화불량(≤12%), 장폐쇄(≤11%) - 골수억제(onset: 7일; nadir: 10-14일; recovery:21-28일),	〈금기〉 1) 심기능 이상 또는 그 병력이 있는 환자 2) 다른 제형의 독소루비신과 교체하여 사용하지 말 것 3) 임부: category D 4) 수유부: 안전성 미확립 〈주의〉 1) 간장애, 신장애 환자, 고령자 2) 감염증을 합병하고 있는 환자 3) 골수기능 억제 환자 4) 수두환자(치명적인 전신장애 유발우려) 5) 소아: 안전성 미확립 6) 비장절제술을 받은 AIDS 관련 카포시육종 환자: 투여경험 없음 〈취급상 주의사항〉 1) 냉장보관 (2-8℃) 2) 5DW만 희석가능 - 투여량 기준 90mg미만: 5DW 250ml 90mg이상: 5DW 500ml로 희석 3) 희석 후 냉장보관(2-8℃), 24시간 이내 투여완료 4) 투여 시 in-line필터 사용금지

약품명 및 함량	용법	약리작용 및 효능	부작용	주의 및 금기
			혈소판감소증, 호중구감소증, 백혈구감소증, 빈혈 – 감염(≤12%)	
Epirubicin HCl Epirubicin HCl inj 에피루비신염산염주 …10mg/5ml/V …50mg/25ml/V	1) 정맥투여 ① 성인 : 60~90/m² 3-5분간 Ⅳ, 매 3주마다 투여 ② 중증도 간장애 환자(빌리루빈 농도 1.4~3mg/100ml, BSP 저류 9~15%)는 1/2, 그 이상의 심한 간장애 환자는 1/4로 용량 감량 ③ 골수기능 손상 환자 : 60~75mg/m² Ⅳ 2) 동맥투여 : 60mg/m² 1일 1회 투여 후 3~4주 휴약(1주기), 3~4회 반복 3) 방광내투여 : 매주 50mg씩 8주간 점적 주입 ① 국소 독성이 나타난 환자 : 30mg로 감량 투여 ② 상피내암 : 80mg까지 증량투여 가능 ③ 경요도절제술 후 재발 방지 : 매주 50mg 4주 투여 후 12개월까지 매달 50mg투여	1) Anthracyline계 세포독성 항생물질로 작용하는 doxorubicin의 유도체 2) Doxorubicin과 유사한 약효를 나타내면서 부작용을 줄이기 위해 개발된 제제임 3) DNA polymerase에 의한 주형 DNA의 생화학적 과정을 억제 4) 적응증 : 유방암, 악성 림프종, 연조직육종, 위암, 결장직장암, 폐암, 난소암, 간암, 표재성방광암, 경요도 절제술 후 재발방지 5) Tmax : 8~14mins(Ⅳ) 대사 : 간 T½ : 30~38hrs(모체) 20~31hrs(대사체) 배설 : 신장(20~27%), 담즙(다량)	1) 〉10% – 탈진(1~46%) – 탈모(69~96%) – 무월경(69~72%), 홍조(5~39) – 오심, 구토(83~92%), 점막염, 설사 – 백혈구 감소증, 호중구 감소증, 빈혈, 혈소판 감소증 – 주사부위 동통 – 결막염(1~15%) – 감염(15~21%) 2) 1~10% – 울혈성 심부전 – 발열 – 발진, 피부변화 – 식욕부진	〈금기〉 1) 심기능 이상, 중증 간장애 환자 2) 타 anthracycline계 항암제 등 심독성이 있는 약제의 축적용량 한계치에 도달한 환자 3) 임신부 : Category D 4) 수유부 : 동물실험시 유즙 이행보고 〈주의〉 1) 간장애, 신장애, 골수기능 억제환자 2) 총 투여용량 900mg/m² 초과시 울혈성 심부전의 위험이 있으므로 주의 3) *심독성이 있는 약물로 치료를 받은 적이 있는 환자 : 총 투여량 650mg/m²이 초과될 경우 심기능 검사 필요 4) Vesicant drug : 주사시 약액이 혈관외로 누출되지 않도록 함(연조직 괴사) 5) 소아 : 이상반응 발현에 주의 〈상호작용〉 1) 잠재적인 심독성이 있는 약제와 병용 : 심근장애 증가 2) 요산배설저해제 병용 : 고요산혈증악화 〈취급상 주의〉 1) 냉장보관(4~8℃) 2) 희석액 : 차광, 냉장 24hrs 안정 3) SC, IM, 복강내 투여 금지
Idarubicin HCl Zavel inj 자벨주사 …5mg/V	1) AML(성인) ① 12mg/㎡/D 3일 연속 IV inf. (cytarabine 병용) ② 8mg/㎡/D 5일 연속 IV inf. 2) 재발성 ALL ① 성인 : 12mg/㎡/D 3일연속 IV inf.	1) Anthracycline계 항종양제 2) DNA와 복합체를 형성하여 핵산합성억제에 의한 항종양 작용을 나타냄. 3) Daunorubicin, doxorubicin보다 치료 용량에서 심장 독성이 낮은 것으로 보고됨. 4) 성인 급성 골수성 백혈병, 성인 · 소아의 급성림프	1) 〉10% – 심전도 이상, CHF, 축적용량에 의한 심장 독성(150mg/㎡~540mg/㎡까지 다양하게 보고됨)	〈금기〉 1) 중증의 신장, 간장 손상 환자 2) 중증 감염 환자 3) 다른 anthracycline계 약제의 총 누적용량에 도달한 환자 4) 임신부 : Category D

약품명 및 함량	용법	약리작용 및 효능	부작용	주의 및 금기
	② 소아 : 10mg/㎡/D 3일연속 IV inf. * 신기능에 따른 용량 조절 참고 - CrCl(ml/min) : 용량 1) 성인 ① 10~50 : 상용량의 75% ② 〈10 : 상용량의 50% 2) 소아 - 〈50 : 상용량의 75%	구성 백혈병의 2차 치료 5) Tmax : IV inf. 종료 직후 대사 : 간 $T_{1/2}$: 모체 14~35hrs 대사체 45hrs 배설 : 신장(16%), 담즙(8~17%) 〈부작용 계속〉 - extravasation에 의한 조직 손상, 홍반 : vesicant - 뇨변색 2) 1~10% - 발작 - 말초 신경염	- 두통 - 탈모(25~30%), 피부 발진(11%), 두드러기 - 오심, 구토(30~60%), 설사(9~22%), 위염(11%), 위장관 출혈(30%) - 골수억제, 백혈구 감소, 혈소판감소, 빈혈 (Nadir : 10~15일 회복 : 21~28일) - 빌리루빈 및 transaminase수치 상승(44%) 〈약리작용 및 효능〉란에 계속	〈주의〉 1) 심질환 환자(심기능 검사) 2) 과립구, 적혈구, 혈소판 등의 혈액검사 실시 3) 심한 출혈, 감염은 신속히 치료 4) 수유부 : 안전성 미확립 〈취급상 주의〉 1) IV만 가능함(희석하여 5~10분간 서서히 주사) 2) 주사부위의 통증, 발열있으면 투여중지하고 다른 정맥으로 재투여 3) 용해 후 냉장보관시 48시간, 실온보관시 24시간 안정 4) 알칼리 용액과 배합금기 5) 취급시 피부에 접촉하였을 경우 즉시 물로 세척함.
Mitoxantrone Mitrone inj 미트론주 …20mg/10ml/V	1) 진행성 유방암, 비호지킨 림프종, 간암 ① 단독요법 : 14mg/㎡ 1회 IV, 3주 간격으로 반복(신체기능 약화환자 : 12mg/㎡로 감량가능) ② 병용요법 : 단독요법 용량에서 2~4mg/㎡ 감량 2) 급성 비림프성 백혈병 ① 단독요법 : 12mg/㎡/D 연속 5일간 1일 1회 IV (총용량 60mg/㎡) ② 병용요법 : 10~12mg/㎡씩 3일간 IV + cytarabine 100mg/㎡ 7일간 IV	1) Anthracenedione 유도체로 doxorubicin의 alkylamino-anthraquinone치환제 2) DNA double helix의 intercalating agent로 작용하여 RNA 및 DNA의 합성을 억제함. 3) 심독성(cardiomyopathy)이 비교적 적게 나타남. 4) 진행성 유방암, 비호지킨성 림프종, 성인의 비림프성백혈병, 수술불능의 원발성 간세포암에 사용 5) 대사 : 간 $T_{1/2}$(배설) : 20~215hrs(간부전시 연장됨) 배설 : 대변(25%), 신장(11%), 담즙(18.3%)	1) 〉10% - 두통 - 탈모 - 오심, 구토, 설사, 복부 통증, 점막염, 위염, 위장관 출혈 - 청록색으로 뇨변색 (투여후 24시간 동안) - 월경장애 - 기침, 호흡곤란 2) 1~10% - 심독성 (이 전 에 anthracycline 항암제 투여 경력이 있는 경우), CHF, 저혈압 - 발작, 발열	〈금기〉 1) 임신부 : Category D 〈주의〉 1) 골수억제 혹은 신체 기능 악화된 환자 2) 중증 간부전 환자 3) CHF, 신기능 이상 환자 4) 수유부 : 모유로 분비 〈취급상 주의〉 1) 희석가능 수액 : NS, 5DW(희석액의 양은 최소 50ml이상이어야 함) 2) 희석액은 실온보관 24시간 이내 사용함. 3) 사용기구 및 주위에 본약제를 엎지른 경우 : Na 혹은 Ca hypochlorite 50% 용액을 만든후, 이 용액을 적신 흡수성 휴지를 덮음. 약제의 청색이 탈색될 때까지 방치후 휴지를 제거하고, 다시 물로 세척함. 4) IV시 타약제나 heparin과 혼합하지 않음.

약품명 및 함량	용법	약리작용 및 효능	부작용	주의 및 금기
			- 소양증, 피부박리 - 골수억제(Onset : 7~10일, Nadir : 14일, 회복 : 21일) - 간효소수치 상승, 황달 - 결막염 - 신부전	

약품명 및 함량	용법	약리작용 및 효능	부작용	주의 및 금기
Bleomycin HCl Bleocin inj 브레오신주 ···15mg/V (1mg=1 IU)	1) 정맥주사 : 1회 15~30mg을 NS, 5DW 약 5~20ml에 녹여 천천히 주사함. 발열이 심한 경우 5mg 이하로 투여함 2) 근육 및 피하주사 : 1회 15~30mg을 적당한 주사액 5ml에 녹여 근육 또는 피하주사. 환부주변에 피하주사할 경우 1mg/ml 이하 농도로 주사 3) 동맥주사 : 1회 5~15mg을 적당한 주사액에 녹여 동맥주사 4) 투여 횟수 : 주 2회(1일 1회~주 1회 가능) *신기능에 따른 용량조절 참고 - CrCl(ml/min) : 용량 ① 40~50 : 상용량의 70% 투여 ② 30~40 : 상용량의 60% 투여 ③ 20~30 : 상용량의 55% 투여 ④ 10~20 : 상용량의 45% 투여 ⑤ 5~10 : 상용량의 40% 투여	1) Streptomyces verticillus에서 추출한 복합 glycopeptide임. 2) DNA분자의 단일 및 이중결합을 분해하는 유리기를 생성함으로써 세포독성을 나타냄. 3) G2-phase에 가장 활동적이며 G1후기, S초기 및 M-phase에도 작용 4) 적응증: 피부암, 두경부암, 폐암(특히 원발성 및 전이성 편평상피암), 식도암, 자궁경부암, 악성림프종, 신경교종, 갑상선암. 5) 골수억제작용이 약해 다제요법제로 널리 쓰임. 6) Tmax : 60mins(IM) 대사 : 주로 장관벽, 간 $T_{\frac{1}{2}}$: 115mins 배설 : 신장(50%)	1) >10% - 레이노이드 증후군 - 중등도 발열 반응, 발열, 오한 - 소양성 홍반 - 점막 독성, 위염, 오심, 구토, 식욕부진 - 주사부위 통증, irritant - 기관지염 2) 1~10% - 탈모 - 체중감소 - 폐섬유화 및 사망 : dose-limiting 독성(축적용량 >400IU, 1회 투여량 30IU 이상) 3) 원인불명 과민 반응	〈금기〉 1) 이 약에 과민반응 및 특이체질 반응을 보였던 환자 2) 중증 신장애, 심질환 환자 3) 흉부 및 조절부위에 방사선 조사를 받고 있는 환자 4) 임신부 : Category D 〈주의〉 1) 간질성 폐렴이나 폐섬유증 등 심한 폐독성 유발 우려 2) 총 투여량 450mg 초과하지 않음. 3) 신장애 4) 감염증의 발현이나 출혈경향 악화에 주의 5) Anaphylaxis 발현을 예방하기 위해 투여 전 1~2IU을 test dose로 투여함(특히 lymphoma 환자) 6) 소아 및 수유부 : 안전성 미확립 〈취급상 주의〉 1) 주사용증류수, 5DW 혹은 NS에 용해 2) 용해액은 실온에서 24시간 안정

약품명 및 함량	용법	약리작용 및 효능	부작용	주의 및 금기
Mitomycin C Mitomycin C inj 미토마이신씨주 …2mg/V Mitomycin-C Kyowa inj 미토마이신씨교와주 …10mg/V	1) 간헐투여 : 4~6mg/D 주1~2회 2) 연일투여 : 2mg/D 3) 대량간헐투여 : 10~30mg/D, 1~3주 간격 4) 타 항종양제와 병용시 : 2~4mg/D, 주 1~2회 5) 방광종양 : 방광내 주입 ① 재발예방 : 4~10mg qd 또는 EOD ② 치료 : 10~40mg qd (IV시 Max. 30mg/D) * 신기능에 따른 용량 조절 참고 - GFR〈10ml/min : 상용량의 75% 투여 - Scr〉1.7mg/dl : 투여 금기	1) Streptomyces caespitosus에서 분리된 항종양제 2) Cell cycle에 비선택적이나 late G1, early S-phase에 가장 작용이 강하며, DNA합성을 선택적으로 억제함. 3) 적응증: 만성 림프성/골수성 백혈병, 위암, 장암 · 직장암, 폐암, 췌장암, 간암, 자궁경부암, 유방암, 두경부암, 방광종양 4) 대사 : 간 $T_{\frac{1}{2}}$: 23~78mins 배설 : 신장(〈10%)	1) 〉10% - CHF(3~15% : 투여용량〉30mg/m²) - 탈모, 손톱 변형 및 착색 - 오심, 구토, 식욕 부진(14%) - 빈혈(19~24%), 골수억제(Onset : 3주, Nadir : 4~6주, 회복 : 6~8주) 2) 1~10% - 발진 - 위염 - 마비감 - 간질성 폐렴, 호흡곤란, 기침(7%) 3) 〈1% - extravasation, 발열, 용혈성 신증후군, 허약감, 소양증, 신부전	〈금기〉 1) 이 약에 과민반응 및 특이 체질 반응을 보였던 환자 2) 응고부전 혹은 출혈경향이 있는 환자 3) Scr ≥ 1.7mg/dl 인 경우(신독성 우려) 4) 임신부 : Category X 5) 수유부 : 안전성 미확립 〈주의〉 1) 간 또는 신장애 환자 2) 골수기능 억제환자 3) 감염증의 합병증이 있는 환자(감염증 악화될 수 있음) 4) 수두환자(치명적인 전신장애가 나타날 수 있음.) 〈상호작용〉 1) doxorubicin 병용시 자유라디칼 생성으로 심독성 증가 〈취급상 주의〉 1) 용해액 조제 : 이 약 2mg당 주사용수 5ml에 용해 2) 용해액은 실온에서 7일, 냉장시 14일간 보관 3) 5DW에 희석시 불안정하므로 희석 금기, pH 낮은 용액은 역가를 저하시킴

약품명 및 함량	용법	약리작용 및 효능	부작용	주의 및 금기
Abiraterone acetate Zytiga tab 자이티가정 …250mg/T	1) 성인 4Ⓣ qd (prednisolone 5mg bid와 병용투여) 2) 식후 최소 2시간 후에 복용해야 하며, 이 약 복용 후 최소 1시간동안 음식물 섭취를 금함. *간기능에 따른 용량조절 참고 – 본 약제 투여 후 ALT 정상치 5배 이상, 빌리루빈 정상치 3배 이상 시 치료 중단 후 500mg qd로 감량하여 재치료	1) Androgen 합성 효소 억제제 2) Androgen 생합성에 필요한 효소 CYP17의 선택적, 비가역적 저해제로 testosterone 합성을 차단하여 전립선암의 진행을 억제함. 3) 적응증 : 프레드니솔론과 병용해야 함 – 무증상 또는 경미한 증상의 거세저항성 전립선암 치료 – 이전에 도세탁셀을 포함한 화학요법을 받았던 전이성 거세 저항성 전립선암 환자의 치료 4) Tmax: 2hrs $T\frac{1}{2}$: 12 ± 5hrs 배설: 대변(~88%), 신장(~5%)	1) >10% – 부종 – 저칼륨혈증, TG 상승, 저인산혈증, 안면홍조 – 설사 – 요로감염 – AST 증가, ALT 증가 – 관절부종, 근육 통증 – 기침 2) 1~10% – 고혈압, 부정맥, 가슴통증, 심기능 상실 – 소화불량 – 다뇨증, 야뇨증 – 빌리루빈 증가 – 상기도 감염	〈금기〉 1) 임신부: Category X 2) 유당을 함유하므로 갈락토오스-내당성, Lapp 락타아제 결핍, 포도당-갈락토오스 흡수장애를 가진 환자 3) 소아, 가임기 여성 4) 중증도 또는 중증 간장애 환자 〈주의〉 1) 고혈압, 저칼륨혈증, 체액 정체, 심혈관계 질환 병력환자 2) 간장애 환자의 경우 간 기능 검사결과에 따라 감량 혹은 투여 중단 〈상호작용〉 1) 음식과 함께 복용시 약의 흡수가 상당히 증가하므로 공복에 복용 2) CYP2D6에 의해 활성화 또는 대사되는 치료역이 좁은 약물 : 감량 고려 (dextromethorphan의 경우 본 약과 병용 투여시 전신노출 200% 증가)
Bicalutamide Bicalude tab 비카루드정 …50mg/T	1) LHRH 유도체와 병용 혹은 거세수술과 병용(성인 남자 및 고령자): 1Ⓣ qd (LHRH 투여 3일전 혹은 거세수술과 동시복용) 2) 국소진행성, 비전이성 전립선암 환자의 단독투여, 전립선 근치절제술 또는 방사선 요법의 보조요법(성인 남자 및 고령자): 3Ⓣ qd, 최소 2년간 또는 질환이 진행되기 전까지 지속 투여	1) Pure nonsteroidal antiandrogen(다른 내분비적 효과 없음) 2) Androgen receptor에 결합하여 androgen 활성을 억제하여 전립선종양 억제효과 3) 말초에 선택적이지 않으므로 치료시 황체유리 호르몬과 혈청 testosterone level이 상승할 우려 있음. 4) 적응증 – LHRH 유도체와 병용 혹은 거세수술과 병용하여 진행성 전립선암 치료 – 질병의 진행 위험성이 높은 국소진행성, 비전이성 전립선암 환자에서 단독 투여 또는 전립선 근치절제술이나 방사선 요법의 보조요법 5) Tmax : 31hrs $T\frac{1}{2}$: 5.8days	1) >10% – 안면홍조, 흉통 – 복부 통증, 변비, 오심 – 허약감 – 전신통증 2) 1~10% – 고혈압, 부종 – 두통, 우울, 섬망, 신경과민, 발열, 오한, 불면 – 피부건조, 소양증, 탈모, 발진 – 유방통, 당뇨, 성욕감퇴, 탈수	〈금기〉 1) 여성, 18세 미만의 소아 2) 임신부 : Category X 3) 중증 간장애 환자 〈주의〉 1) 주로 간대사되므로 간부전 환자에게 신중 투여 2) 과민성 환자(∵유당함유) 〈상호작용〉 1) Cimetidine : 본제의 혈중 농도 증가 2) 항혈액응고제 : 본제에 의해 이 약제들의 단백결합 치환이 가능하므로 PT time 관찰 요함. 3) Terfenadine : 병용 금기

약품명 및 함량	용법	약리작용 및 효능	부작용	주의 및 금기
			- 설사, 구역, 항문출혈, 구강건조 - 다뇨 - 근무력감, 관절염, 족부경련, 신경병증 - 크레아티닌 상승 - 기침, 호흡곤란	
Cyproterone acetate Androcur tab 안드로쿨정 …50mg/T	1) 2Ⓣ bid~tid (Max. 300mg/D) 2) LHRH 효능약 병용 시 남성 호르몬의 초기 증가 억제 - 처음 5~7일 2Ⓣ bid, 단독투여 - 이후 3~4주 동안 2Ⓣ bid, LHRH 효능약과 병용투여 3) LHRH 유사체 치료 또는 고환절제 환자에서의 홍조 치료 - 1~3Ⓣ(50~150mg)/D - 필요시 2Ⓣ tid(300mg/D) 까지 증량	1) Progestogenic activity를 가진 antiandrogen 2) 세포내에서 dihydrotestosterone이 androgen receptor에 결합하는 것을 경쟁적으로 저해함. 3) Progestogenic activity를 가짐으로써, 뇌하수체에서 gonadotropin의 분비를 억제함. 4) 적응증 : 수술이 불가능한 전립선암 5) Tmax : 3~4hrs 대사 : 간 배설 : 신장, 대변(90%)	- 정자생성감소, 정액감소, 불임, 정자기형, 여성화유방, 유즙분비 - 진정, 우울 - 기타 : 모발변화, 피부반응, 체중변화, 빈혈, 골다공증, 간기능 수치이상, 간염, 황달, 간부전, 무호흡	〈금기〉 1) 간질환, 간종양 2) 두빈-존슨 증후군, 로터 증후군 3) 중증 만성 우울증 환자 4) 혈전색전증 기왕력자 5) 여성 6) 사춘기 이전 청소년: 성장과 내분비계 영향 미칠 수 있음 〈주의〉 1) 겸상적혈구성 빈혈 또는 혈관변이를 수반한 심한 당뇨병 환자 2) 피로감, 집중력 장애를 유발할 수 있으므로 운전이나 기계조작시 주의
Enzalutamide Xtandi soft cap 엑스탄디연질캡슐 …40mg/C	1) 성인: 4Ⓒ qd, 식사와 상관없이 매일 같은 시간에 통째로 복용 2) 이상반응 발생 시: 증상 개선 시까지 복용 중단, 개선이 확인될 경우 유지 또는 감량(3Ⓒ, 2Ⓒ qd)하여 복용 3) 강력한 CYP2C8저해제(gemfibrozil 등) 와 병용 투여는 피하도록 함. 부득이한 경우, 이 약 1일 용량을 2Ⓒ로 감량	1) 전립선암 치료제 2) Androgen receptor singnaling inhibitor (ARSI) 로서 3가지 기전으로 전립선 암세포의 성장을 감소시켜 암세포 사멸과 종양의 퇴행을 유도 - Androgen이 receptor에 결합하는 것을 경쟁적으로 저해 - 활성화된 androgen-receptor결합체의 암세포 핵내 이동 저해 - 암세포 핵내에서 DNA 합성 억제 3) 적응증 ① 무증상 또는 경미한 증상의 전이성 거세저항성 전립선암 환자의 치료	1) ≥10% - 말초 부종 - 피로, 두통 - 홍조 - 설사 - 호중구감소증 - 요통, 관절통, 근골격통증 - 상기도 감염 2) 1~10% - 고혈압 - 현기증, 불면, 불안,	〈금기〉 1) 임신부 : Category X 2) 수유부 〈주의〉 1) 소아 : 안전성 미확립 2) 남성 생식능력 장애 (동물시험에서 정자형성 저하증, 고환 및 부고환의 수축 나타남). 〈상호작용〉 1) 이 약은 CYP2C8, 3A4의 기질이며 강력한 CYP3A4 유도제, 중등도의 CYP2C9, CYP2C19유도제임, 2) 강력한 CYP2C8 저해제(gemfibrozil): 병용투여 권장하지 않음. 병용 시 이 약의 용량 감량

약품명 및 함량	용법	약리작용 및 효능	부작용	주의 및 금기
		② 이전에 도세탁셀로 치료받았던 전이성 거세저항성 전립선암 환자의 치료 4) Peak : 1hr (0.5~3hrs) $T\frac{1}{2}$: 5.8days (2.8~10.2days), 7.8~8.6days (active metabolite) 대사 : 간(CYP2C8, CYP3A4) 배설 : 신장(71%), 대변(14%	감각저하, 정신 장애, 환각 - 피부 건조 및 가려움증 - 빌리루빈 증가 - 근력저하, 감각 이상, 낙상, 골절 - 하기도 감염, 비출혈 - 감염 (패혈증 포함)	3) 강력한 CYP3A4저해제(itraconazole 등): 이 약의 약효 증가 4) 강력한 CYP2C8 유도제, 중등도 CYP2C8 유도제 (rifampicin 등), 강력한 CYP3A4 유도제 (carbamazepine, phenobarbital, phenytoin, rifabutin, rifampin 등), 중등도 CYP3A4 유도제 (bosentan, efavirenz, etravirine, modafinil, nafcillin 등): 이 약의 혈중 농도 감소
Flutamide Eulexin tab 유렉신정 …250mg/T	1) 1Ⓣ tid 2) 방사선 요법과 병용시에는 방사선 요법 시작 8주전부터 투여 시작	1) 비스테로이드성 antiandrogen제제 2) Testosterone의 암세포로의 흡수를 저해하고 dihydrotestosterone(DHT)의 androgen receptor와의 결합을 억제하여 전립선에 대한 testosterone의 작용을 억제함. 3) 적응증 ① 전이성 전립선암(D2)단계 치료에서 - LHRH 작용물질과 병용요법 - 고환절제술의 보조 요법 ② B2 및 C단계의 전립선암 치료에서 - 방사선치료 이전 및 치료동안 LHRH 효능약과 병용요법 4) Tmax : 2hrs $T\frac{1}{2}$: 6hrs 배설 : 신장(28%), 대변(4.2%)	1) >10% - 여성형 유방, 홍조, 유방 긴장감, 유루증(9~42%), 발기불능, 성욕감퇴 - 오심, 구토(11~12%) - AST, LDH증가 2) 1~10% - 고혈압, 부종 - 어지러움, 섬망, 우울, 신경과민, 두통, 어지러움, 불면 - 광과민증, 헤르페스 감염 - 식욕변화, 설사, 변비, 소화불량 - 빈혈, 백혈구 감소증, 혈소판 감소 - 허약감	〈금기〉 1) 간장애 환자 2) 여성 3) 유당 관련 유전적 문제가 있는 환자 〈주의〉 1) 장기 투여 환자: 간기능 검사, 정자수 측정 2) 심장질환 환자(체액저류 야기) 3) 심혈관계 질환 발생에 대한 모니터링 및 관리 필요 〈상호작용〉 1) 장기간 warfarin 투여 환자 : PT time 증가

약품명 및 함량	용법	약리작용 및 효능	부작용	주의 및 금기
Fulvestrant Faslodex inj 파슬로덱스주 …250mg/5ml/syr	1) 성인 여성(노인 환자 포함) ① 1개월마다 500mg(2 syringe) 각 둔부에 IM. ② 첫 투여 2주 후 500mg을 추가적으로 투여함. * 신기능에 따른 용량조절 참고 ① CrCl ≥ 30ml/min : 용량 조절 불필요 ② CrCl 〈 30ml/min : 안전성, 유효성 미확립	1) Estrogen receptor down regulator, pure anti-estrogen 2) Estrogen과 경쟁적으로 estrogen receptor에 결합하여 estrogen 효과를 억제하며, 기존의 항에스트로겐과 달리 estrogen agonist 활성이 없음. 3) 적응증 : estrogen 수용체 양성의 폐경기 이후 여성으로서 항에스트로겐 투여 후 질병이 재발된 국소 진행성 또는 전이성 유방암 4) Vd : 3~5L/kg $T\frac{1}{2}$: 40days 배설 : 대변(〉90%), 신장(〈1%)	1) 〉10% - 안면홍조 2) 1~10% - 오심, 구토, 설사, 식욕부진 - 간효소치 상승(대부분은 2x ULN미만) - 발진 - 비뇨기계 감염 - 혈관 혈전색전증 - 5ml 단회투여시 7%에서 일시적 통증 및 염증을 포함하는 주사부위 반응, 두통, 무력증 등의 통증 발생	〈금기〉 1) 임신부 : Category D 2) 수유부 : 동물실험시 모유 이행 3) 신생아, 미숙아 : 벤질 알코올 함유 4) 중증 간장애 환자 〈주의〉 1) 경증~중등도의 간장애 환자, 간손상 환자 : 안전성 미확립 2) 중증의 신장애 환자 3) 본제의 투여 경로로 인해, 출혈성 질병, 혈소판감소증, 항응고제 투여 환자 치료시에는 신중 투여 4) 본 약을 투여받는 동안 무력증이 보고되어 운전이나 기계 작동시 이러한 증상을 경험하는 환자는 주의 필요 〈취급상 주의〉 1) 냉장보관(2~8℃)
Tamoxifen Nolvadex tab 놀바덱스정 …10mg/T Nolvadex D tab 놀바덱스디정 …20mg/T	1) 10~20mg bid	1) Nonsteroidal antiestrogen 2) Target tissue의 estrogen 수용체에 estrogen과 경쟁적으로 결합하여 antitumor effect 나타냄. 3) 다른쪽 유방으로의 전이는 감소시키는 반면 자궁내막암 발생위험성이 큼(유방암 환자가 얻는 잇점에 비하면 낮은 편임). 4) 적응증 : 유방암 5) Tmax : 5hrs 대사 : 간 $T\frac{1}{2}$: 5~7days(모체) 14days(활성 대사체) 배설 : 대변(65%)	1) 〉10% - 고혈압(11%), 말초부종(11%) - 기분변화(12-18%), 우울(2-12%) - 발진(13%) - 안면홍조(3-80%), 체액저류(32%), 월경이상(13-25%), 무월경(16%) - 오심(5-26%), - 질분비물(13-55%), 질출혈(2-23%) 2) 1-10% - 정맥혈전색전증, 흉통	〈금기〉 1)임신부 : Category D 2) anastrozole 투여 환자 〈주의〉 1) 백혈구 감소증이나 혈소판 감소증이 있는 환자 2) 자궁내막 폴립, 자궁내막증, 자궁내막암 등이 보고됨 (정기적 검사 권고) 〈상호작용〉 1) 쿠마린계 항응고제 : 항응고작용 증가 2) 세포독성 약물과의 병용 : 혈전 증상 위험 증가 3) Rifampin : 이 약의 혈중 농도 저하

약품명 및 함량	용법	약리작용 및 효능	부작용	주의 및 금기
			- 불면, 어지러움, 두통 - 복통 - 혈소판감소증, 빈혈 - 요통 - 백내장	
Toremifene citrate Fareston tab 화레스톤정 …40mg/T	1) 폐경 후 유방암 : 40mg qd 2) 약물요법 및 방사선요법에 무효시 : 120mg qd	1) Antiestrogen 제제로 tamoxifen의 동족체 2) IGF-1(Insulin Growth Factor-1)에 의해 증식촉진된 Estrogen Receptor 및 유방암세포의 증식 저해 3) 폐경기 이후의 유방암 치료 4) Tmax : 3hrs 대사 : 간 $T_{\frac{1}{2}}$: 모체(5days) 대사체(4~6days) 배설 : 신장(10%), 대변(70%)	1) >10% - 홍조(35%), 질분비물(13%) - 오심, 구토 - 복시(20%) 2) 1~10% - 혈전색전증, 심부전, 심근경색, 협심증 - 어지러움 - 고칼슘혈증, 유루, 비타민 결핍증, 월경 불순 - Transaminase 상승 - 질출혈, 자궁내막증 - 시각장애	〈금기〉 1) 임신부 : Category D 2) 수유부 : 안전성 미확립 3) QT 연장, 저칼륨혈증, 부정맥 기왕력 서맥, 심부전 환자 〈주의〉 1) 골수기능 억제자 2) 고령자 3) 치료기간에는 호르몬제 이외의 방법으로 피임 4) 임신이 확인되면 투약 중단 5) 혈전색전증 환자 6) 골전이 환자에서 치료 첫 주에 고칼슘혈증, tumor flare 가 나타남. tumor flare는 치료 실패나 종양의 악화를 의미하지 않음 〈상호작용〉 1) Thiazide계 이뇨제 : 고칼슘혈증 유발 가능 2) Warfarin : 항응혈작용 증가

9장. 항종양제 ……………4. Endocrine therapy ……………(3) Aromatase inhibitors

약품명 및 함량	용법	약리작용 및 효능	부작용	주의 및 금기
Anastrozole Arimidex tab 아리미덱스정 …1mg/T	1) 성인 1mg qd * 신기능에 따른 용량 조절 참고 - 중증 신기능장애(CrCl≤30ml/min) : 이 약을 투여하지 않음	1) 비스테로이드성 선택성 aromatase inhibitor 2) 말초 조직에서 androgen과 testosterone을 각각 estrone과 estradiol로 변환시키는 aromatase를 경쟁적으로 억제함. 3) 적응증 ① 폐경기 이후 여성의 진행성 유방암의 치료	1) >10% - 혈관확장(35%) - 통증(15%), 두통(13%), 우울증(11%) - 발적(35%), 무력감(17%), 관절염(14%),	〈금기〉 1) 폐경 전 여성 2) 심한 신기능 이상 환자 3) 중증도 이상 간질환 환자 4) 임신부 : Category X 〈주의〉

약품명 및 함량	용법	약리작용 및 효능	부작용	주의 및 금기
		② 호르몬 수용체 양성인 폐경기 이후 여성의 조기 유방암의 보조 치료(2-3년간 tamoxifen을 투여 받아온 환자) 4) Onset : 24hrs 지속시간 : 6days $T\frac{1}{2}$: 50hrs 단백결합 : 40% 대사 : 간(85%), 신장(11%) 배설 : 신장(60%) 〈부작용 계속〉 - AST, ALT 상승 - 골다공증, 근육통 - 백내장 - 축농증, 기관지염,비염 - 림프부종, 감염, flu-syndrome	관절통(13%), 인후염(12%), 기침증가(11%), 뼈의 통증 2) 1~10% - 말초부종, 고혈압, 흉통 - 졸음 - 고콜레스테롤혈증 - 구토, 변비, 구강건조, 소화불량 - 요로감염, 질염, 질내출혈, 질내분비물, 질내건조증 - 발진, 소양증 - 열, 목의 통증 - 혈전성 정맥염 〈약리작용 및 효능〉란에 계속	1) 고지혈증 환자 2) 혈전성 뇌졸중, 폐색전, 혈전색전성 장애 질환의 경력 환자 3) 부종, 체중증가 환자 4) 이 약 사용시 무력감이 있을 수 있으므로 운전, 기계 조작시 주의 5) 수유부 및 18세 이하 소아 : 안전성 미확립 〈상호작용〉 1) Estrogen : 이 약의 효과감소 2) Tamoxifen : 이 약의 혈중 농도 감소, 동시 사용을 피함.
Exemestane Aromasin tab 아로마신정 …25mg/T	1) 성인 및 고령자 : 25mg qd 식후복용 2) 신장애, 간장애 환자 : 용량조절 불필요하나 신중히 투여 3) 투여기간 ① 진행성 유방암 : 종양의 진행이 분명히 나타날 때 까지 투여 ② 조기유방암 보조요법 : 암 재발시 또는 반대쪽 유방에 암이 발생할 때까지 투여, 총 투여 기간은 tamoxifen 투여기간을 포함하여 5년	1) Steroidal aromatase inhibitors 2) 여성에서 androgen을 estrogen으로 전환시키는 효소인 aromatase를 선택적, 비가역적으로 억제하여 estrogen을 고갈시킴.(estrogen 주원천 : 폐경전 여성은 난소, 폐경 후 여성은 aromatase에 의한 androgen의 estrogen으로의 전환임.) 3) 적응증 ① 항에스트로겐 치료에도 질병이 진전된 폐경 여성의 진행성 유방암 ② Estrogen 수용체 양성인 폐경 후 여성의 조기 유방암의 보조 치료(총 5년간의 보조 호르몬 치료기간 중, 2~3년간의 tamoxifen 선행 투여 이후 나머지 기간 동안의 보조 치료) 4) BA : 42% (고지방 식이에 의해 혈장농도 40%까지 증가) 단백결합률 : 90%	1) 〉10% - 혈압상승, 피로, 불면, 통증, 두통, 우울, 다한증, 탈모, 일과성 열감 - 오심, 복통, ALP상승, 관절통 2) 1~10% - 부종, 허혈성 심질환, 흉통 - 어지러움, 불안, 발열, 혼돈, 감각저하 - 피부염 - 체중증가 - 설사, 구토, 식욕 부진, 변비	〈금기〉 1) 이 약의 성분에 과민한 환자(파라옥시안식향산메칠 함유) 2) 과당불내성, glucose-galactose 흡수장애, sucrase isomaltase 부족 환자 3) 폐경전 여성 4) 임신부 : Caterogy X 5) 수유부 〈주의〉 1) 간기능, 신기능장애 환자 2) 골다공증 환자(골밀도 감소 가능) 3) 소아 : 안전성, 유효성 미확립 〈상호작용〉 1) CYP3A4 저해제 : 이 약의 혈중농도 증가 2) CYP3A4 유도제 : 이 약의 혈중농도 감소 3) Estrogen 함유 약물 : 이 약의 효과를 감소시킴,

약품명 및 함량	용법	약리작용 및 효능	부작용	주의 및 금기
		$T\frac{1}{2}$: ~24hrs 대사 : 간 배설 : 신장(42%), 대변(42%)	- 빌리루빈 상승 - 저배통, 관절염, 무기력, 골다공증 - 시각이상 - 크레아티닌 상승 - 기관지염, 인두염 - 요로감염	함께 투여하지 않음.
Letrozole Bretra tab 브레트라정 …2.5mg/T	1) 성인 : 2.5mg qd 2) 투여기간 ① 전이성 질환: 종양의 진행이 확인될 때까지 ② 보조요법 및 tamoxifen 보조요법 이후의 연장보조요법: 5년, 투여중 암이 재발하면 중지 * 신기능에 따른 용량 조절 참고 ① CrCl(ml/min)≥10 : 용량조절 불필요 ② CrCl(ml/min)〈10 : 투여경험 적으므로 신중히 투여(용량 조절 정보 없음)	1) Nonsteroidal, selective aromatase 저해제로 adrenal androgen(androstenedione, testosterone)의 estrone, estradiol로의 변환을 억제하여 순환 estrogens의 혈중 농도를 저하시킴 2) 폐경 후 여성에서 estrogen류는 주로 aromatase에 의해 생성되므로, 말초 조직에서 estrogen의 생합성 억제는 암세포의 선택적 성장 지연 효과를 가져올 수 있음 3) Adrenal corticoid, aldosterone, thyroid Hr.의 합성에 영향을 주지 않으므로 glucocorticoid, mineralocorticoid 보조요법이 필요 없음 4) 적응증 ① estrogen 또는 progesteron 수용체 양성이거나 수용체 상태가 알려지지 않은 폐경 후 여성 - 국소 진전 또는 전이성 유방암의 1차치료 - 침습성 조기 유방암에서 5년 동안의 tamoxifen 보조요법 이후 연장 보조요법 ② 항에스트로겐 요법 후 재발된, 자연적 또는 인공적으로 폐경이 된 여성의 진전된 유방암 ③ 호르몬 수용체 양성인 폐경 후 여성의 침습성 조기 유방암의 보조요법 5) $T\frac{1}{2}$: 2days 배설 : 신장	1) 〉10% - 홍조 - 두통, 피로감 - 오심 - 근육통, 골격통, 저배통, 관절통 - 호흡곤란, 기침 2) 2~10% - 흉통, 말초 부종, 고혈압 - 통증, 불면, 현기증, 졸음, 우울, - 발진, 탈모, 소양증 - 유방통, 고콜레스테롤혈증 - 구토, 변비, 설사, 식욕감퇴, 체중변화	〈금기〉 1) 폐경 전 여성 2) 임신부 : Category D 3) 수유부 : 안전성 미확립 〈주의〉 1) 폐경이 확실하지 않은 환자 2) 중증 간부전 환자 3) CrCl〈10ml/min인 신부전 환자 4) 골다공증 병력환자 5) 이 약 사용시 피로, 현기증상이 있을 수 있으므로 기계, 운전 조작시 주의(∵피로, 현기증 유발 가능) 6) 17세 이하 소아 : 안전성 미확립

약품명 및 함량	용법	약리작용 및 효능	부작용	주의 및 금기
Estramustine sodium phosphate Estracyt cap 에스트라시트캅셀 ···140mg/C	1) 2~3Ⓒ bid 식전 1시간 이상 또는 식후 2시간 이상 경과 후 복용(우유, 칼슘제, 제산제는 위와 같은 시간 간격을 두고 복용) 2) 3~4주 이내에 효과 없으면 중단, 효과 있으면 1일 560mg(4Ⓒ) 유지	1) Estradiol의 nitrogen mustard 유도체 2) ① 호르몬작용 : 대사산물인 estrogen이 testosterone의 혈중치를 감소시켜 testosterone sensitive 종양의 성장을 억제 ② 세포독성작용 : 대사체인 estramustine과 estromustine은 세포분열을 억제함으로써 종양세포의 성장을 억제 3) 적응증 : 진행성 전립선암 4) BA : 75% Tmax : 2~3hrs $T_{\frac{1}{2}}$: 20~24hrs 대사 : 위장관, 간 배설 : 대변(2.9~4.8%, 미변화체)	1) >10% – 부종 – 나트륨저류, 성욕감퇴, 유방확대, 유방통증 – 설사, 구역 – 혈소판감소증 – 호흡곤란 2) 1~10% – 심근경색 – 불면, 기면 – 식욕부진, 위고창, 구토 – 백혈구감소증 – 혈전정맥염 – 다리 근육경련 – 폐 색전증	〈금기〉 1) estrogen 또는 nitrogen mustard에 과민한 환자 2) 혈전성 정맥염, 폐색전 환자 3) 소화성 궤양 환자 4) 임신부 : Category D(호주) 5) 소아, 수유부 : 안전성 미확립 〈주의〉 1) 심질환(특히 estrogen 치료를 받은 적이 있거나 염분 배설 기능이 저하되는 질환 또는 조건) 2) 중등도–중증 골수기능억제 환자 3) 뇌혈관, 관상동맥질환자 4) 당뇨병, 고혈압, 간질환, 신질환, 고칼슘혈증 관련 질환 환자 〈상호작용〉 1) 우유, 유제품, 제산제, 칼슘제제 동시 복용 : 이 약의 흡수 억제 2) ACE 억제제 병용시 혈관신경부종 위험성 증가

약품명 및 함량	용법	약리작용 및 효능	부작용	주의 및 금기
Goserelin acetate Zoladex depot inj 졸라덱스데포주사 ···3.78mg/syr (Goserelin으로 3.6mg)	1) 3.6mg 1데포를 28일 간격으로 전방복벽에 SC(필요시 국소마취 가능, 신부전 환자 또는 노인환자의 경우 용량조절 불필요)	1) GnRH(LHRH) analogue 2) Pituitary gonadotropin과 gonadal steroid 생성을 지속적으로 억제하여 지속 투여시 testosterone 농도를 감소시키며 난소 크기와 기능, 자궁과 유선의 크기를 감소시킴. 3) Depot형의 주사제로 소량의 약물이 1개월간 지속적으로 방출됨. 4) 적응증 – 호르몬 요법이 적합한 전립선암 – 호르몬 요법이 적합한 폐경기 전 및 주폐경기 여성의 진행성 유방암	1) >10% – 두통(11%) – 홍조(남 52~62%, 여 100%), 성기능장애(15~21%), 성욕감퇴, 발기부전(16~18%), 골통(여 23%, 남 1~10%), 질건조(10 ~14%) 2) 1~10% – 협심증성 통증,	〈금기〉 1) 임신부 : Category X (유산 또는 태아 이상의 위험) 2) 수유부, 소아 〈주의〉 1) 남성 ① 뇨관폐쇄나 척수압박 발현 가능성이 높은 환자 ② 항남성호르몬 초기사용으로 testosterone 상승에서 기인하는 부작용이 예방된다는 보고 있음, LHRH유사약물 요법을 시행하는 경우에는 초기에 항남성호르몬의 사용 고려할 것.

약품명 및 함량	용법	약리작용 및 효능	부작용	주의 및 금기
		- 조기유방암의 보조요법(estrogen 수용체 양성) - 자궁내막증 - 자궁내막조직의 퇴축 - 자궁근종 - 보조생식술: 배란촉진 과정 시 뇌하수체 억제 목적 5) Onset : 2회 데포 주사후 2주 이내 Tmax : 9~12days 지속시간 : 28days $T\frac{1}{2}$: 5hrs	고혈압, 부정맥, CHF, 심근경색, 부종 - 무력감(5~8%), 불안, 우울, 어지러움, 불면 - 두드러기, 구진성발진(10%) - 여성형 유방, 유방종창(3~5%), 골손실 - 복통, 미각장애, 설사, 오심, 구토(5%), 식욕부진	2) 여성 : 골밀도 감소, 대사성 골질환이 있는 환자 3) 보조생식술의 경우: 다낭포성 난소 환자
Leuprorelin Leuplin inj 루프린주 …3.75mg/V Leuplin DPS inj 루프린디피에스주 …11.25mg/syr	* 4주 1회 투여제형 1) 전립선암, 폐경전 유방암: 4주에 1회, 3.75mg SC 2) 자궁내막증 : 4주에 1회, 3.75mg SC(초회 투여는 월경주기 1~5일째) 3) 자궁근종 : 4주에 1회, 1.88mg SC 4) 중추성 사춘기 조발증 : 4주에 1회, 30mcg/kg SC(증상에 따라 90mcg/kg까지 증량) * 12주 1회 투여제형 1) 자궁 내막증, 진행성 전립선 암, 폐경전 유방암 : 12주 1회 11.25mg SC 2) 자궁근종 : 체중 과다 환자, 자궁종대가 고도인 환자에서 11.25mg SC 3) 자궁 내막증 및 자궁 근종에 투여시 초회 투여는 월경 주기 1~5일째 행함	1) GnRH(gonadotropin releasing hormone) analogue 2) 초기에는 성선 스테로이드를 일시적으로 상승시키나, 지속적으로 투여시 negative feedback에 의해 LH, FSH level이 감소하여 난소와 고환의 스테로이드 생성을 억제함. 3) 4주 1회 투여제형: 4주간 일정 속도로 약성분을 방출하여 뇌하수체 · 성선기능을 억제하여 testosterone, estrogen 농도를 지속적으로 저하시킴. 4) 12주 1회 투여제형 : 1회의 피하주사로 12주간 치료 용량의 약물이 일정한 속도로 방출되는 마이크로캡셀 형태의 서방성 제제 5) 적응증 - 자궁내막증 - 과다월경, 하복통, 요통 및 빈혈 등을 수반한 자궁근종에서 근종핵의 축소 및 증상의 개선(루프린디피에스주는 체중이 무거운 환자, 자궁종대가 고도인 환자에 한함) - 전립선암 (루프린주) 진행성 전립선암 (루프린디피에스주)	(여성) 1) >10% - 무월경 - 골전해질 밀도 변화 2) 1~10% - 성욕감퇴, 유방종창 - 목소리 변화 (남성) 1) 1~10% - 흉통 - 여성형 유방, 발기부전, 성욕감퇴 - 변비, 식욕부진 2) <1% - 아나필락시스, 천식, 우울, 기억력감퇴 (남녀 공통) 1) >10% - 홍조	〈금기〉 1) 임신부 : Category X 2) 수유부 및 소아 : 안전성 미확립 〈주의〉 1) 진단되지 않은 비정상적인 질출혈 2) CHF 또는 다른 Na제한이 필요한 상태 3) Thromboembolism 또는 심혈관계 질환 환자 4) 전이성 척추손상(Metastatic vertebral leision), 요도폐색증 수반 환자 5) 우울증, 당뇨, 고혈압 환자 〈취급상 주의〉 1) SC only (IV 투여시 혈전증 우려있음) 2) 루프린디피에스주는 23게이지 또는 더 두꺼운 바늘을 사용하여 SC 3) 사용시 조제하고 현탁 후에 즉시 사용할 것 4) 현탁 후 입자가 침강하는 경우에는 거품이 나지 않을 정도로 흔들어 재현탁 한 후 사용함.

약품명 및 함량	용법	약리작용 및 효능	부작용	주의 및 금기
		- 폐경전 유방암 - 중추성 사춘기 조발증 (루프린주)	2) 1~10% - 부정맥, 심계항진, 부종 - 체중증가, 오심, 구토 - 시야몽롱 - 주사부위 통증 - 어지러움, 두통, 불면, 마비	
Triptorelin acetate Decapeptyl-depot inj 데카펩틸데포주 …3.75mg/syr	1) 전립선암 : 28~30일 마다 3.75mg IM 2) 자궁내막증, 자궁근종 : 생리주기 5일 이내에 4주마다 3.75mg IM, SC 3) 배란촉진 : 생리주기 3일 무렵 4주마다 3.75mg IM, SC 4) 중추성 사춘기조발증 : 치료개시 2주, 4주에 3.75mg, 이후 4주마다 3.75mg IM, SC(효과가 충분하지 않으면 3주마다 투여) - 20kg 미만 : 1.875mg - 20~30kg : 2.5mg - 30kg 이상 : 3.75mg	1) GnRH agonist 2) 뇌하수체의 GnRH 수용체에 결합하여 negative feedback에 의한 FSH, LH 분비능력 상실로 가역성 medical hypophysectomy 상태유발함. 3) 자궁내막증식증에 pseudomenopausal state 유도목적 및 성호르몬 의존성 전립선암 치료에 사용함. 4) Danazol보다 부작용은 적고 효과는 유사함. 5) 적응증 - 혈청 중 성스테로이드치 저하를 필요로 하는 호르몬 의존성 전립선암 - 불임여성에서 체외수정시술 및 수정란 이식에서 성선호르몬과 병행하여 배란을 유도하기 위한 보조생식술 - 자궁내막증 - 자궁근종 등 - 소아: 9세 여아 및 10세 이하 남아의 중추성 사춘기 조발증 〈부작용 계속〉 - 빈혈(1%) - 주사부위 통증(4%) - 하지통증(2~5%), 배부통(3%), 관절통(2%), 하지경련(2%), 허약감(1%) - 기침(2%), 호흡곤란, 인후염(1%) - 결막염(1%), 안통(1%)	1) 〉10% - 두통(30~50%) - 홍조(95~100%), 혈당증가, Hb 및 RBC 감소 - 간효소 수치 상승 - 골통(12~13%) - BUN 상승 2) 1~10% - 하지부종(6%), 고혈압(4%), 흉통(2%), 말초부종(1%) - 어지러움(1~3%), 통증(2~3%), 감정장애(1%), 피로 및 불면(2%) - 발진(2%), 두드러기(1%) - 유방통(2%), 여성형 유방(2%), 성욕감퇴(2%) - 오심(3%), 식욕부진, 변비, 소화불량, 구토(2%), 복통, 설사(1%) - 핍뇨(5%), 발기부전(2~7%), 뇨저류, 요로감염(1%) 〈약리작용 및 효능〉란에 계속	〈금기〉 1) 호르몬 비의존성 전립선암 환자 2) 원인불명의 질출혈, 골다공증 환자 3) 진행성 뇌종양 소아 4) 임신부 : Category X 5) 수유부 : 안전성 미확립 〈주의〉 1) 다낭포성 난소환자, 고혈압 환자 2) 치료 중 성호르몬의 혈청 농도를 모니터링해야 함. 〈취급상 주의〉 1) 냉장보관 2) 조제방법 ① 미세캅셀이 충진된 주사기 뚜껑을 제거하고 연결관을 끼움. ② 현탁액이 충진된 주사기를 1)의 연결관 반대쪽에 연결함. ③ 현탁액을 미세캅셀이 들어 있는 주사기로 밀어넣고 다시 반대쪽으로 밀어넣는 과정을 10회 반복함. ④ 혼합 즉시 연결관과 빈 주사기를 제거하고 투여함.

약품명 및 함량	용법	약리작용 및 효능	부작용	주의 및 금기
Triptorelin acetate Diphereline PR inj 디페렐린피알주 …3.75mg/V …11.25mg/V	* 3.75mg/V 제형 1) 전립선암(두가지 방법으로 투여가능) ① Triptorelin acetate로서 0.1mg 1일 1회 7일간 SC 후 triptorelin으로서 3.75mg 1회 IM (4주마다 반복) ② 3.75mg을 매 4주마다 1회 IM 2) 자궁내막증 및 수술전 자궁근종 : 생리주기 제 5일 이내에 3.75mg을 IM, 4주마다 반복 투여함. (최대치료기간 : 자궁내막증 6개월, 자궁근종 3개월) 3) 인공수정을 위한 배란촉진 : 생리주기 제 2일에 IM * 11.25mg/V 제형 1) 전립선암 : 3개월마다 11.25mg을 IM 2) 자궁내막증 : 생리주기 제 5일째에 시작하여 3개월마다 11.25mg을 IM (치료기간 : 3~6개월) 3) 중추성 성 조숙증: 20kg를 초과한 소아에 3개월 마다 1회 IM	1) GnRH agonist 2) 뇌하수체의 GnRH 수용체에 결합하여 negative feedback에 의한 FSH, LH 분비능력 상실로 가역성 medical hypophysectomy 상태유발함. 3) 자궁내막증식증에 pseudomenopausal state 유도목적 및 성호르몬의존성 전립선암 치료에 사용함. 4) Danazol보다 부작용은 적고 효과는 유사함. 5) 적응증 ① 3.75mg/V 제형 - 혈청 중 성스테로이드치 저하를 필요로 하는 호르몬 의존성 전립선암 - 인공수정을 위한 배란촉진 - 자궁내막증 - 수술 전 자궁근종 등 ② 11.25mg/V 제형 - 호르몬의존성 국소진행성 또는 전이성 전립선암 - 생식기 및 외부 생식기의 자궁내막증(1-4단계) - 중추성 성 조숙증	1) > 10% - 홍조(59~73%), 혈당증가, Hb 및 RBC 감소 - 간효소 수치 상승 - 골통(12~13%) - BUN 상승 2) 1~10% - 하지부종(6%), 고혈압(4%), 흉통(2%), 말초부종(1%) - 두통(5~7%), 어지러움(1~3%), 통증(2~3%), 감정장애(1%), 피로 및 불면(2%) - 발진(2%), 두드러기(1%) - 유방통(2%), 여성형유방(2%), 성욕감퇴(2%) - 오심(3%), 식욕부진, 변비, 소화불량, 구토(2%), 복통, 설사(1%) 〈주의 및 금기〉란에 계속〉	〈금기〉 1) 호르몬 비의존성 전립선암환자 2) 골다공증, 뇌하수체 샘종환자 3) 임신부 : Category X 4) 수유부 : 안전성 미확립 〈주의〉 1) 치료중 성호르몬의 혈청농도를 모니터링해야 함. 2) 고혈압 환자 3) 남성환자에서 당뇨 진행 위험 증가 보고 〈취급상 주의〉 1) 실온보관 〈부작용 계속〉 - 핍뇨(5%), 발기부전(2~7%), 뇨저류, 요로감염(1%) - 빈혈(1%) - 주사부위 통증(4%) - 하지통증(2~5%), 저배통(3%), 근육통, 하지경련(2%), 허약감(1%) - 기침(2%), 호흡곤란, 인후염(1%)

9장. 항종양제 ………………4. Endocrine therapy …………………(6) Progestins

약품명 및 함량	용법	약리작용 및 효능	부작용	주의 및 금기
Medroxyprogesterone acetate Farlutal tab 파루탈정	1) 100~1000mg/D - 자궁내막암 : 저용량 - 진행된 전이성유방암 : 고용량을 #2~3 - 타 항암요법과 병용가능	1) Progesterone유도체로 pituitary gonadotropin 분비를 억제하여 난포의 성숙과 배란을 억제함. 2) 적응증: 호르몬의존성 암(유방암, 자궁내막암, 신장암, 전립선암)의 완화	1) 1~10% - 혈전증(뇌혈전증, 폐색전증, 망막혈전증, 혈전색전증 등) 2) 0.1~5%	〈금기〉 1) 수술 후 1주 이내 환자 2) 뇌경색, 심근경색, 혈전성정맥염, 혈전색전증, 동맥경화증, 심장판막증, 심방세동, 심내막염, 중증 심부전 등의 심질환 환자

약품명 및 함량	용법	약리작용 및 효능	부작용	주의 및 금기
…500mg/T		〈상호작용〉 1) Aminoglutethimide: 이 약의 혈청 농도 감소 2) 호르몬제(LH, FSH, ACTH 등): 혈전증 위험성 증가 3) Phenobarbital, phenytoin, carbamazepin, rifampicin 등 : 이 약의 대사 증가 4) NSAIDs, 혈관확장제: 체액 저류 주의	- 혈압상승, 심계항진, 울혈성 심부전 - 비정상적 자궁출혈, 월경이상, 무월경, 지연성 무배란 - 월상안(moon face) - AST, ALT 상승 - 구역, 구토, 복통 - 당뇨, 내당능이상	3) 중증 간기능장애 환자 4) 호르몬제(LH, FSH, ACTH 등) 투여 받는 환자, 고칼슘혈증 환자 5) 성기출혈, 요로출혈 환자 6) 임신부 : Category X 7) 수유부 : 모유 이행 〈주의〉 1) 고혈압, 당뇨병(내당능 악화 가능), 고지혈증, 비만 2) 간질, 편두통, 천식, 만성폐기능 장애, 우울증 환자 3) 신장애 또는 심장애 환자 4) 골밀도 감소, 5년 이상 사용 시 난소암 위험 증가 〈약리작용 및 효능〉란에 계속
Megestrol acetate Megace oral suspension 메게이스내복현탁액 …40mg/ml Megestrol acetate suspension 초산 메게스트롤현탁액 …400mg/10ml/P …800mg/20ml/P	1) 초기용량 : 20ml qd 또는 적절히 분할 투여 2) 유지용량 : 10~20ml/D 3) 현탁액제이므로 잘 흔들어 복용	1) 정확한 기전은 알려져 있지 않으나 용량 의존적으로 암환자에서 체중 및 식욕증가 효과 보임. 2) 식욕증진 목적으로 사용할 경우 호르몬 요법으로 사용하는 160mg/D 용량보다 800mg/D의 고용량 투여시 특별한 부작용 발현 없이 식욕증진 효과 보임. 3) 적응증: 암 또는 AIDS 환자의 식욕부진, 악액질 또는 원인불명의 현저한 체중감소의 치료	- 약시 - 오심, 구토 - 고혈압, 심근통 - 호흡곤란, 기침 - 빈혈 - 불면증 - 탈모증 - 고혈당, 두통	〈금기〉 1) 임신부 : Category X 〈주의〉 1) 장기 투여시 호흡기 감염 위험 증가 2) 당뇨병의 발병, 악화 및 Cushing's syndrome이 나타날 수 있음 3) 부신기능 부전 증상(저혈압, 오심, 구토, 현기증, 무기력 등)이 있는 경우 장기투여 금지(부신기능 억제 가능) 4) 수유부 : 모유이행 5) 소아 : 안전성 미확립
Megestrol acetate Megesia tab 메게시아정 …40mg/T	1) 유방암: 40mg qid 2) 자궁내막암: 1일 40~320mg 분할 투여, 적어도 2달간 투여권장 3) 암 또는 AIDS환자 식욕부진, 체중감소 : 400~800mg qd	1) 합성 progesterone제제로 정확한 기전은 미상임. 2) 진전된 유방암이나 자궁내막암 (재발, 수술불가능, 전이암)의 고식적 요법제로 쓰임. 3) Tmax: 1~3hrs $T_{1/2}$: 13~105hrs 대사: 간 배설: 신장(57~78%), 대변(8~30%)	- 부종, 고혈압(〈8%), 심계항진 - 불면, 우울증(〈6%), 발열(2~6%), 두통(〈10%) - 알러지성 발진(2~12%) - 월경불순, 유방팽만감, 부종(〈6%)	〈금기〉 1) 임신부: Category X (임신초 4개월간 금기) 2) 수유부: 모유이행 〈주의〉 1) 혈전색전질환 기왕력 환자 2) 당뇨병 환자 3) 수술이나 방사선요법 대신으로는 사용하지 말 것

약품명 및 함량	용법	약리작용 및 효능	부작용	주의 및 금기
			- 체중증가, 오심(<5%), 구토, 설사(8~15%), 고창(<10%) - 발기부전(4~14%), 성욕감퇴(<5%)	

약품명 및 함량	용법	약리작용 및 효능	부작용	주의 및 금기
Alemtuzumab Mabcampath inj 맵캠파스주 …30mg/1ml/V	1) 첫 주 동안 용량 증량 : (용량 증량에 대한 내약성이 좋은 경우) D1 3mg, D2 10mg, D3 30mg 이후 30mg씩 주 3회 최대 12주까지 투여 2) 용량 증량 중 중등도~중증의 급성 이상반응 발생시 증량 전에 해당 용량을 반복함.	1) 종양 lymphocyte의 CD52 항원에 대한 단일클론 항체로서, 표면 항원에 결합하여 세포사멸을 유도함. 2) 적응증 알킬화제 치료를 받은 경험이 있고, fludarabine 치료를 받은 후 6개월 미만의 짧은 관해만을 보였거나 완전(또는 부분)관해에 실패한 만성임파구성 백혈병(CLL) 환자의 치료 3) $T_{\frac{1}{2}}$: 12 days 〈부작용 계속〉 - 자색반증, 범혈구감소증, 골수형성 부전, Coomb's test 위양성, 자가면역성 혈소판감소증, 자가면역성 용혈성 빈혈 - 저배통, 진전, 기관지연축, 코피, 비염 - 모닐리아증	1) 〉10% - 혈압저하, 말초부종, 혈압상승, 빈맥 - 발열, 피로, 두통, 초조, 현기증 - 발진, 두드러기, 가려움, 단순포진 - 오심, 구토, 식욕 부진, 설사, 구내염/점막염, 복통 - 호중구감소증, 빈혈, 혈소판감소증 - 경직, 골격근 통증, 쇠약, 근육통 - 호흡곤란, 기침, 기관지염, 폐렴, 인두염 - 감염, 발한, 패혈증 2) 1~10% - 흉통, 불면, 호중구감소성 발열, 권태, 우울, 체감온도변화, 기면 - 소화불량, 변비 〈약리작용 및 효능〉란에 계속	〈금기〉 1) 이 약 성분 또는 뮤린 단백질에 과민한 환자 2) 활동성 전신 감염, 면역부전 환자 3) 임신부 : Category C(국내허가금기) 4) 수유부 : 치료 후 4주간 수유 중단 〈주의〉 1) 혈액독성 : 30mg/dose 또는 90mg/wk 초과하여 투여시 범혈구감소증 위험 증가되므로 초과투여 금지. 매주 전혈구 계산과 혈소판 수치 검사 시행 2) 이 약에 대한 항체가 생성된 예가 보고됨. 3) 주입반응 : 전처치, 점진적 용량 증가, 면밀한 관찰 실시 필요 4) Herpes 및 Pneumocystis carnii peumonia에 대한 예방요법 필요 5) 17세 이하 : 안전성 미확립 〈상호작용〉 1) 이 약 투여 중 생바이러스 백신 투여 금지 〈취급상 주의〉 1) 바이알 : 차광, 냉장보관 2) 희석액 : NS 또는 5DW 100ml 3) 희석 후 차광조건 하에서 실온 또는 냉장보관 가능하며, 8시간 이내 사용 (보존제 불포함)
Bevacizumab Avastin inj 아바스틴주 …100mg/4ml/V …400mg/16ml/V	1) 투여방법 : 첫 투약시 90분 동안 IV inf. (내약성이 좋으면 두번 째 투여시간을 60분으로 감소 가능, 이후 30분으로 감소 가능) 2) 직장암 - 2주마다 5mg/kg 또는 10mg/kg - 3주마다 7.5mg/kg 또는 15mg/kg 3) 전이성 유방암: 2주마다 10mg/kg	1) 유전자 재조합 기술로 생산한 VEGF(혈관내피성장인자)에 대한 단일클론항체 2) 종양내 혈관 신생과 관련된 VEGF가 VEGF receptor에 결합하는 것을 차단하여 종양내 혈관 신생을 억제시킴. 3) 적응증 ① 전이성 직장암 - fluoropyrimidine계 기본의 화학요법 병용	1) 〉 10% - 고혈압, 저혈압, 색전 - 동통, 두통, 어지러움 - 탈모, 피부건조, 탈락성 피부염, 피부색 변화 - 체중감소, 저칼륨혈증	〈금기〉 1) 이 약 성분 또는 chinese hamster ovary 세포 부산물 또는 재조합 사람 항체에 과민한 환자 2) 임신부 : Category C(국내허가금기) 〈주의〉 1) 65세 이상 환자, 심혈관계 질환, 동일 약제 투여후 동맥 혈전색전증 과거력이 있는 환자(동맥 혈전증 발생 위험률 증가)

약품명 및 함량	용법	약리작용 및 효능	부작용	주의 및 금기
	또는 3주마다 15mg/kg 4) 비소세포폐암: 3주 마다 7.5mg/kg 또는 15mg/kg 5) 신세포암, 교모세포종 : 2주마다 10mg/kg 6) 난소암, 원발성 복막암 ① 1차요법: 3주마다 15mg/kg ② 재발성 질환 - 백금계 약물에 감수성 있는: 3주마다 15mg/kg - 백금계 약물에 저항성: 2주마다 10mg/kg, topotecan 병용시 3주마다 15mg/kg 7) 자궁경부암: 3주마다 15mg/kg	- 1차에서 이 약 투여 후 진행한 환자에 2차 투여시: fluoropyrimidine/irinotecan 또는 fluoropyrimidine/oxaliplatin 과 병용 ② 전이성 유방암 - 1차요법: paclitaxel 병용 - taxane, anthracycline 계 적절치 않을때 capecitabine 병용 ③ 비소세포폐암: 진행성/전이성/재발성 비편평상피세포성 비소세포폐암 1차 치료(최대 6주기까지 백금계 기본의 화학요법과 병용 이후 단독요법) ④ 진행성/전이성 신세포암: 1차 요법으로 interferon α-2a와 병용 ⑤ 진행성 교모세포종 : 단독투여 ⑥ 상피성 난소암, 난관암, 원발성 복막암 - 1차요법: carboplatin/paclitaxel 병용, 2~6주기 병용 이후 단독요법으로 최대 15개월 까지 투여 - 백금계 약물에 감수성 있는 환자의 첫번째 재발: carboplatin/gemcitabine 병용, 6~10주기 이후 단독요법 - 백금계 약물에 저항성 있는 환자의 재발시: paclitaxel 또는 topotecan weekly 요법 또는 liposomal doxorubicin 과 병용 ⑦ 지속성/재발성/전이성 자궁경부암: paclitaxel/cisplatin, paclitaxel/topotecan 병용 4) $T_{\frac{1}{2}}$: 11~50days	- 복통, 설사, 구토, 식욕부진, 변비, 구내염, 소화불량, 고창, 위장관출혈, 미각이상 - 백혈구감소증, 비출혈, 호중구감소증 - 허약감, 근육통, 눈물분비 증가, 단백뇨, 상기도 감염, 호흡곤란 2) 1~10% - DVT, 동맥혈전증, 실신 - 혼동, 걸음걸이 이상 - 피부궤양, 손톱이상, 점적주입반응 - 구강건조, 대장염, 혈소판감소증, 빌리루빈혈증, 빈뇨, 목소리 변화	2) 위장관 천공, 고혈압, 면역원성, 신부전, 단백뇨, 신증후군 3) major surgery 후 28일 이내에 약제 투여 시작하지 않도록 함. 〈취급상 주의〉 1) 2~8℃ 차광, 냉장보관 2) 바이알 개봉 후 즉시 사용 하고, 남은약은 폐기함 (보존제 없음) 3) 희석 : NS only (포도당 용액 배합금기), 최종농도 1.4-16.5mg/ml 4) 희석후 냉장 24시간 안정
Brentuximab vedotin Adcetris inj 애드세트리스주 …50mg/V	1) 1.8mg/kg q 3wk, 30분간 IV inf. (Max. 180mg/D) - 체중 〉100kg 시, 100kg에 해당하는 용량을 사용. 2) 간장애, 중증신장애 환자: 1.2mg/kg의 용량으로 시작 권장 3) 용량조절 ① 호중구감소증 - 3등급, 4등급: 독성 회복(2등급이하)시	1) CD30-direct antibody-drug conjugate(ADC) 2) 암세포 표면에 발현된 CD30의 특정 항원에만 결합하는 항체를 통하여 tubulin억제제인 monomethyl auristatin E(MMAE)를 종양세포에 전달, 암세포의 cell cycle을 정지시킴. 3) 적응증 - 자가조혈모세포이식(Autologous Stem Cell Transplant, ASCT)을 실패하거나 자가조혈모세포이식 비대상 환자에서의 최소 두가지 이상의 이전	1) 〉10% - 말초 부종 - 피로, 열, 통증, 두통, 불면, 어지러움, 오한, 불안증 - 발진, 소양증, 탈모 - 오심, 설사, 복통, 구토, 변비, 식욕저하, 체중감소	〈금기〉 1) Bleomycin과 병용(폐독성 유발) 2) 임신부 : Category D 〈주의〉 1) 고혈당증 위험 증가 2) 신장애, 간장애 환자 3) 남성 생식능력 변화 가능성 있음. 4) 가임기 여성: 치료 중, 종료후 6개월까지 피임 5) 수유부: 안전성 미확립

약품명 및 함량	용법	약리작용 및 효능	부작용	주의 및 금기
	까지 투여를 보류하고, 후속 주기에 G-CSF 투여 고려 ② 말초신경병증 - 2등급, 3등급: 독성 회복(1등급 이하)시까지 투여를 보류하고 이후 1.2mg/kg q 3wk로 감량 - 4등급: 치료 중단	복합 화학요법에 실패한 호지킨림프종 환자의 치료 - 최소 한가지 이상의 이전 복합 화학요법에 실패한 전신역형성대세포림프종(systemic Anaplastic Large Cell Lymphoma, sALCL)환자의 치료 4) Tmax: 1~3days (MMAE) $T_{\frac{1}{2}}$: 4~6days (ADC) 대사: 간(CYP3A4/5) 배설: 신장(24%), 대변(72%, 미변화체) 〈부작용 계속〉 3) 〈1% - anaphylaxis, PML(progressive multifocal leukoencephalopathy), SJS(Stevens-Johnson syndrome), TLS(tumor lysis syndrome), 빈맥	- 호중구감소증(54~55%, grade 4: 6~9%), 빈혈(33~52%, grade 4: ≤2%), 혈소판감소증(16~28%, grade 4: 2~5%) - 말초신경통, 관절통, 근육통 2) 1~10% - 심실위 부정맥 - 피부 건조 - 요로감염 - 사지 통증, 근육 경련 - 신우신염 - 폐렴, 폐색전증, 기흉 - 패혈성 쇼크 〈약리작용 및 효능〉란에 계속	6) 18세 미만: 안전성, 유효성 미확립 〈상호작용〉 1) 강력한 CYP3A4 및 P-gp 억제제(ketoconazole 등): 호중구 감소증 발생 증가 〈취급상 주의〉 1) 차광, 냉장(2~8℃) 보관 2) 재구성: 1V당 주사용수 10.5ml 사용 (최종농도: 5mg/ml) 3) 희석: 0.9% NS, 5DW, 주사용 젖산첨가수액 150ml로 희석 (최종희석농도: 0.4~1.2mg/ml) 4) 희석 후 즉시 사용 (24시간이내 사용) 5) IV bolus금기
Cetuximab Erbitux inj 얼비툭스주 …100mg/20ml/V	1) 초기용량 : 400mg/m² q 1 wk IV inf. (120분간, ≤5mg/min) 2) 유지용량 : 250mg/m² q 1 wk IV inf. (60분간, ≤10mg/min) 3) 투여 한시간 전 antihistamine, corticosteroid 전처치 4) 병용화학요법제는 이 약 마지막 투여 1시간 이후에 투여	1) EGFR(Epidermal Growth Factor Receptor)을 표적으로 하는 단일클론항체 2) 암세포에서 발현되는 증식 신호 전달 체계인 tyrosine kinase와 종양세포의 EGFR의 결합을 억제하고 항원-항체 복합체를 형성하여, 면역세포가 종양세포의 EGFR을 제거하도록 작용함. 3) 적응증 ① EGFR(+), RAS정상형(wild type) 전이성 직결장암 - Irinotecan 기반 항암화학요법과 병용 - FOLFOX 병용 - Irinotecan 내약성 없으며 oxaliplatin, irinotecan 포함 요법에 실패한 환자의 단독요법 ② 두경부 편평세포암 환자 - 국소진행성 질환에서 방사선요법과의 병용요법 - 재발성/전이성 질환에서 백금계 약물을 기본으로 하는 항암화학요법과 병용 4) Initial response : 6주 이내	1) 〉10% - 권태감, 발열, 두통, 통증 - 여드름성발진(90%, 중증 ~8%), 손톱이상, 가려움 - 저마그네슘혈증 (50%, 중증 10~15%) - 오심, 변비, 설사, 복통, 구토, 식욕부진 - 쇠약 - 호흡곤란, 기침 증가 - 주사부위반응(21%, 중증 ~2%), 감염 2) 1~10% - 말초부종, 불면, 탈수,	〈금기〉 1) 이 약에 중등도(3, 4도) 과민반응 보인 환자 2) RAS 변이가 있거나 확인되지 않은 전이성 직결장암 〈주의〉 1) 방사선요법과의 병용 (심폐기능정지, 치명적 심독성, 급사 보고, 여드름성 발진 위험 증가) 2) 섬유성 폐질환 환자(irinotecan과 병용시 질환 악화 위험) 3) cisplatin과의 병용 (치명적인 심독성 보고됨) 4) 부정맥, 관상동맥질환 병력자(방사선요법과 병용시 심폐기능정지 위험 증가) 5) 햇빛 노출(이 약에 의한 피부 부작용을 악화) 6) 간, 신장애, 혈액학적 이상, 75세 이상 환자

약품명 및 함량	용법	약리작용 및 효능	부작용	주의 및 금기
		지속시간 : 4.2~5.7 개월 (직결장암) 28개월 (두경부암) $T\frac{1}{2}$: 3~7days	구내염, 저배통, 빈혈, 우울, 체중 감소, 결막염, 소화불량, Alk-P 및 transaminase상승, 탈모, 피부이상, 패혈증, 신부전, 폐색전	7) 임신부 : Category C 8) 수유부: 안전성 미확립(투여중, 종료후 최소 2개월간 수유 중지) 9) 소아: 안전성, 유효성 미확립 〈취급상 주의〉 1) 바이알 : 냉장보관 2) 바이알 개봉 후 빠른 사용 권장(보존제 없음) 3) 투여속도: Max. 10mg/min
Gemtuzumab ozogamicin Mylotarg inj 마일로타그주 …5mg/V	1) 투약 전 처치 ① 말초성 백혈구수 30,000/㎣ 미만으로 백혈구 감소 처치 ② 고요산혈증 예방 : 수분 공급, allopurinol ③ 전처치: 이 약 투여 1시간 전 항히스타민제와 acetaminophen(AAP는 2회 추가 투여, 필요 시 4시간마다 추가투여) 2) 용법 용량 : 9mg/m²를 2시간 동안 IV inf. (2주 간격으로 총 2회 투약) - 주입시 직렬의 low protein binding 필터 사용 3) 조제방법 ① 재구성 : 바이알을 5ml 멸균주사용수로 재구성 (농도 1mg/ml) ② 희석 : NS 100ml(DW 불가)	1) 종양세포의 CD33 항원에 직접 결합하는 단일클론항체로서, 항원에 결합 후 세포내로 이동하여 DNA에 결합하여 이중결합을 파괴하고 세포를 사멸시킴. 2) 적응증 다른 화학요법제로 치료가 적절하지 않은 60세 이상의 환자로서, 처음 재발한 CD33 양성 급성 골수성 백혈병(AML) 3) Onset : 2wks $T\frac{1}{2}$: 45~60hrs 〈부작용 계속〉 2) 1~10% - 홍분, 우울, 현기증, 뇌출혈, 두개내 출혈 - 가려움, 저칼슘혈증, 저인산혈증, 저마그네슘혈증 - 소화불량, 잇몸출혈, 질출혈, 혈뇨, 출혈, DIC, ALK-P 상승, PT/PTT 상승, 정맥폐쇄질환, 관절통, 근육통, 인두염, 비염, 저산소증, 감염	1) >10% - 말초부종, 혈압저하, 혈압상승, 빈맥 - 발열, 오한, 두통, 통증, 불면 - 점출혈, 피부대상포진, 발진, 멍 - 저칼륨혈증, 고혈당증 - 오심, 구토, 설사, 식욕부진, 복통, 변비, 구내염/점막염 - 호중구감소증, 림프구감소증, 혈소판감소증, 헤모글로빈 감소, 백혈구감소증, 빈혈 - 간수치 이상, LDH 상승, 고빌리루빈혈증 - 쇠약, 저배통, 국소반응 - 호흡곤란, 코피, 기침, 폐렴, 패혈증, 호중구감소성 발열 〈약리작용 및 효능〉란에 계속	〈금기〉 1) 임신부 : Category D 〈주의〉 1) 항응고제, 항혈소판제 복용중인 환자(출혈위험 증가) 2) 뮤린단백질이나 사람 항체에 알러지 경험이 있는 환자 3) 다른 화학요법제와 병용 투여시의 안전성, 유효성 입증되지 않음. 4) 중증 과민반응은 보통 주입중 또는 이 약 투여 후 24시간내에 나타날 수 있음. 과민반응 증상 발현 시 즉시 투여 중단, 응급처치 5) 간독성, 특히 간정맥폐색성질환(VOD) 주의깊게 모니터링 필요 6) 소아, 수유부 : 안전성 미확립 〈취급상 주의〉 1) 바이알 : 냉장, 차광보관 2) 재구성 후 실온 또는 냉장 2시간 안정 3) 희석 후 실온 16시간 안정(2시간동안 주입) 4) 2)~3)에 의해 총 20시간 안정 5) 보존제 불포함(남은 약제는 폐기) 6) 빛에 불안정 : 직사광선 및 형광등빛에도 불안정하므로 조제 시 후드의 형광등 끈 상태로 조제함. 단, 투여시에는 bag만 차광하면 됨(라인은 차광 불필요).

약품명 및 함량	용법	약리작용 및 효능	부작용	주의 및 금기
Ipilimumab Yervoy inj 여보이주 …50mg/10ml/V …200mg/40ml/V	1) 3mg/kg, 90분간 IV inf. 2) 3주 간격으로 총 4회 투여 3) 다음의 경우 영구 투여중단 - 16주 이내 4회 투여를 완료하지 못한 경우 - 지속적인 중등증의 이상반응이 나타나거나, 코르티코스테로이드 용량을 prednisolone 7.5mg/D 이하에 상응하는 양으로 감량할 수 없는 경우 - 다음을 포함한 중증 또는 생명을 위협하는 이상반응이 나타난 경우: 면역매개반응(신장염, 췌장염, 안과질환 등), 신경병증, 피부 부작용, AST/ALT 또는 총빌리루빈 상승, 대장염	1) CTLA-4 targeted immunoglubulin G1 monoclonal antibody *CTLA-4(Cytotoxic T-lymphocyte associated antigen 4): T-cell 활성의 negative regulator 2) T-cell의 CTLA-4를 차단하여 T-cell의 활성과 증식을 증가시켜 autoimmune response를 일으킴. 3) 적응증: 수술이 불가능하거나 전이성인 흑생종의 치료 4) $T\frac{1}{2}$: 15.4days 〈부작용 계속〉 - 대장염(8%; grade 3-5: 5%), 소장대장염(grade 2: 5%; grade 3-5: 7%), 장천공(1%) - 호산구증가증(1%) - 간독성(grade 2: 3%, grade 3-5: 1-2%), ALT증가(≤2%) - 항체형성(1%) - 신장염(≤1%)	1) >10% - 피로(41%), 두통(15%) - 가려움(24-31%), 피부발진(19-29%; grade 3-5: 2%), 피부염(grade 2: 12%, grade 3-5: 2-3%) - 구역(35%), 설사(32%; grades 3-5: 5%), 식욕감소(27%), 구토(24%), 변비(21%), 복통(15%) - 빈혈(12%) - 기침(16%), 호흡곤란(15%) - 발열(12%) 2) 1-10% - 두드러기(2%), 백반증(2%) - 뇌하수체 기능부전(4%; grade≥2: ≤2%), 뇌하수체염(2%), 부신기능부전(≤2%), 갑상선기능저하증(≤2%) 〈약리작용 및 효능〉란에 계속	〈주의〉 1) 중증 면역매개 이상반응 발현 시 투여를 영구적으로 중단하고, 고용량의 코르티코스테로이드를 투여함. 2) 임신부: Category C (동물실험에서 중증 독성발생) 3) 수유부 : 동물실험에서 유즙으로 이행 4) 소아: 안전성, 유효성 미확립 〈취급상 주의〉 1) 차광하여 냉장(2-8℃) 보관 2) 희석 전 실온에서 5분간 방치 3) 희석 방법: 1~2mg/ml 농도가 되도록 NS 또는 5DW로 희석하며, 부드럽게 뒤집어 섞음. 4) 희석 후 냉장(2-8℃) 또는 실온(20-25℃)에서 24시간 이내 사용 5) 멸균, 비발열성, 저단백결합 인-라인 필터(low-protein-binding in-line filter)를 사용하여 단독으로 투여 6) 이 약 투여 후 5DW 또는 NS를 IV 라인을 통해 흘려보냄.
Nivolumab Opdivo inj 옵디보주 …20mg/2ml/V …100mg/10ml/V	1) 3mg/kg, 60분에 걸쳐 IV inf. 2) 2주 간격으로 질환이 진행되거나 허용 불가능한 독성 발생 전까지 투여 3) 다음의 경우 투여를 보류함 - 2등급의 폐렴	1) Anti-PD-1(programmed cell death-1) immumoglobulin G4 monoclonal antibody 2) PD-1 receptor에 대한 negative signaling 작용을 통해 T cell활성을 증가시켜 antitumor immune response를 일으킴 3) 적응증	1) >10% - 부종(17%), 흉통(13%) - 피로(50%; grade3/4 7%) - 발진(16%), 가려움(11%)	〈주의〉 1) 자가면역질환 환자 2) 임신부, 가임기 여성(치료기간~치료 종료 후 5개월까지 피임) 3) 수유부, 소아: 안전성 미확립 4) 면역매개 이상반응: 중증도에 따라 이 약의 투여를

약품명 및 함량	용법	약리작용 및 효능	부작용	주의 및 금기
	- 2~3등급의 대장염 - AST, ALT가 정상상한치 3~5배인 경우 - 빌리루빈수치가 정상상한치 1.5~3배인 경우 - CrCl가 기저치 1.5배이거나 정상상한치 1.5~6배인 경우 - 기타 3등급 이상의 이상반응 발생	① 수술이 불가능하거나 전이성인 흑색종의 치료 - BRAF V600E 야생형인 수술이 불가능하거나 전이성인 흑색종의 치료 - ipilimimab 투여 후 진행이 확인된 수술이 불가능하거나 전이성 흑색종 (단, BRAF V600E 변이가 확인된 경우에는 BRAF억제제와 ipilimumab 투여 후 진행이 확인된 환자이어야 함) ② 이전 백금기반 화학요법에 실패한 국소 진행성 또는 전이성 비소세포폐암의 치료 4) $T_{\frac{1}{2}}$: 27days 〈부작용 계속〉 - 근육통(36%), 관절통(13%) - 크레아티닌 상승 - 호흡곤란(38%), 기침(32%), 폐렴(10%), 발열(17%)	- 저나트륨혈증(38%), 저칼륨혈증(20%), 저마그네슘혈증(20%), 저칼슘혈증(18%), 고칼슘혈증(20%), 고칼륨혈증(18%), 체중감소(13%) - 식욕부진(35%), 오심(29%), 변비(24%), 대장염(≤21%), 설사(18%), 구토(19%), 복통(16%) - 백혈구감소증(47%), 빈혈(28%), 혈소판감소증(14%) - AST, AST, alkaline phosphatase 상승(12~14%) 〈약리작용 및 효능〉란에 계속	보류하고 고용량 코르티코스테로이드를 투여함 〈상호작용〉 1) 생백신, 불활화백신: 백신에 대한 과도한 면역반응이 일어날 수 있음 〈취급상 주의〉 1) 차광, 냉장(2~8℃) 보관 2) 희석: 0.9% NS, 5% DW로 희석 (최종희석농도: 0.35~10mg/ml) 3) 희석 후 신속히 사용, 실온 4시간 냉장 24시간 안정 (조제부터 주입까지 24시간이내 사용) 4) IV bolus 금기 5) 투여 시 무균, 비발열성, 저단백결합 인라인 필터 (0.2~1.2 micrometer) 사용
Pertuzumab Perjeta inj 퍼제타주 …420mg/14ml/V	1) 초회용량: 840mg 60분간 IV inf. 2) 유지용량: 매 3주마다 420mg 30~60분간 IV inf. 3) Trastuzumab, docetaxel과 병용투여 - 투여순서: pertuzumab, trastuzumab 투여 후 docetaxel 투여 4) 다음의 경우 투여를 보류함 - 울혈성 심부전 증상 - LVEF 40% 미만으로 감소하거나, 이전 수치보다 10% 초과 감소하여 40~45% 미만인 경우 5) 연속 투약일 간격이 6주 이상인 경우 다시 초회용량(840mg)을 투여	1) Monoclonal antibody, HER2(human epidermal growth factor receptor 2) dimerization inhibitor (유방암 치료제) 2) Extracellular HER2 dimerization domain에 결합, dimerization을 저해하여 HER downstream signaling을 막아 암세포 성장 억제 및 사멸을 일으킴 (trastuzumab과 다른 HER2 epitope에 결합). 3) 적응증 - 항-HER2 치료 또는 화학요법 치료를 받은 적 없는 HER2 양성 전이성 또는 절제 불가능한 국소 재발성 유방암: docetaxel 및 trastuzumab과 병용 - 국소진행성, 염증성 또는 초기 단계인 HER2 양성 유방암 환자의 수술 전 보조요법: 5-FU, epirubicin, cyclophosphamide 또는 carboplatin을 포함하는	1) >10% - 피로, 두통, 좌심실박출률 감소, 불면, 어지러움 - 탈모, 발진(grade 3/4: 〈1%), 가려움, 수족증후군, 피부건조증 - 설사(grade 3/4: 5~8%), 오심, 구토, 식욕저하, 변비, 점막염, 구내염, 미각이상, 복통 - 호중구감소증(grade 3/4: 43~49%),	〈금기〉 1) 임신부: Category D 〈주의〉 1) 가임기 여성 및 남성: 치료기간 및 치료 종료 후 6개월 간 피임 필요 2) 수유부: 안전성 미확립 3) 18세 미만 소아: 안전성, 유효성 미확립 4) Anthracycline계 약물 투여 경험 있는 환자, 흉부방사선 요법 받은 환자, 좌심실박출률 50% 미만, 울혈성 심부전 및 심근경색 병력, 부정맥 환자, 이전에 trastuzumab 투여 시 좌심실박출률 50% 미만으로 감소한 환자, 조절되지 않는 고혈압 환자 (∵LVEF 감소 위험) 〈취급상 주의〉 1) 차광, 냉장보관(2~8℃, 동결 금지)

약품명 및 함량	용법	약리작용 및 효능	부작용	주의 및 금기
		치료 요법의 일환으로 docetaxel 및 trastuzumab과 병용 4) $T_{1/2}$: 18days 〈부작용 계속〉 - 말초 감각신경병증(grade 3/4: 1%), 말초신경병증 - 손톱 이상, 손발톱주위염 - 소화불량, 식욕부진 - 혈소판 감소증 - ALT 상승 - 눈물분비 증가 - 호흡곤란, 비인두염, 구강인두 통증, 기침	빈 혈 (grade 3/4: 3~4%), 백혈구감소증 grade 3/4: 5~12%), 열성 호중구 감소증 (grade 3/4: 9~13%) - 과민반응(grade 3/4: 2%) - 허약, 근육통, 관절통 - 상기도감염(grade 3/4: 〈1%), 코피 - 발열(grade 3/4: 1%), 주입관련 반응 (grade 3/4: 〈1%) 2) 1~10% - 좌심실 기능장애, 말초 부종 〈약리작용 및 효능〉란에 계속	2) 희석: NS 250ml (5DW 배합금기) 3) 희석 후 즉시 사용 (2~8℃, 24시간 안정) 4) PVC 또는 non-PVC polyolefin bag에 든 NS로 희석, 서서히 뒤집어 혼합 (거품 형성 방지) 5) IV bolus 금기
Rituximab Mabthera inj 맙테라주 …100mg/10ml/V …500mg/50ml/V	1) 여포형 림프종 ① 병용요법: 375mg/㎡, 8주기까지 투여 ② 유지요법 - 이전에 치료받은적 없는 여포형 림프종: 375mg/㎡, 2개월 마다 최대 2년간 투여 - 재발성/불응성 여포형 림프종: 375mg/㎡, 3개월 마다 최대 2년간 투여 ③ 단독요법(재발성/불응성 여포형 림프종) - 유도요법: 375mg/㎡, 주1회 4주간 투여 - 재투여: 유도요법에서 반응했던 환자가 재발한 경우 375mg/㎡,	1) 악성 B lymphocyte의 CD20 항원과 특이적으로 결합하고 체내 immune effector cell들과 상호작용(antibody-dependent cellular cytotoxicity, complement-dependent cytotoxicity, apoptosis)하여 B-cell lysis를 유도, 림프종 환자의 B-cell수를 감소시킴. 2) 적응증 ① 림프종 - 재발성 또는 화학요법제 내성인 여포형 림프종 치료 - 이전에 치료받은 적 없는 여포형 림프종(화학요법과 병용투여) - 여포형 림프종에서 유도요법 실시 후 유지요법 - CD20 양성의 미만형 대형 B세포 비호지킨 림프종 (CHOP과 병용) ② 이전 치료 경험 없거나 재발성/불응성인 만성 림프구성 백혈병(화학요법과 병용투여)	1) 〉10% - 말초부종 고혈압 - 열, 피로, 오한, 두통, 불면, 통증 - 발진, 소양, 혈관부종 - 오심, 설사, 복통 - 림프구감소증, 빈혈, 호중구감소증, 혈소판감소증, 호중구감소성 발열 - ALT 증가 - 신경병증, 근육경련, 관절통 - 기침, 비염, 코피 - 주입관련반응(림프종: 첫 투여시 77%,	〈금기〉 1) 이 약의 구성 성분 또는 설치동물 유래 단백질에 과민증이 있는 환자 2) 활동성, 중증 감염환자 3) 중증 면역장애 환자 4) 활성 B형 간염 환자 〈주의〉 1) 임신부 : Category C 2) 수유부, 소아 : 안전성 미확립 3) 부정맥 혹은 협심증 환자(약물 투여 후 심각한 부정맥을 유발시 투여중지) 4) 전격성 간염과 관련된 B형간염 재활성화 주의 〈취급상 주의〉 1) 직사광선을 피해 냉장(2~8℃) 보관함. 2) 희석 방법 : 1~4mg/ml 농도가 되게 NS 또는 5DW로 희석하며, 용액 혼화시 거품이 생기지 않게

약품명 및 함량	용법	약리작용 및 효능	부작용	주의 및 금기
	주1회 4주간 투여 2) 미만형 대형 B세포 비호지킨 림프종 - 375mg/㎡, CHOP 항암요법과 병용하여 주기의 제 1일에 투여 3) 만성 림프구성 백혈병 ① 첫번째 주기: 375mg/㎡, D0에 투여 ② 이후 주기(2-6주기): 500mg/㎡, D1에 투여 4) 류마티스 관절염 - 1000mg을 2주간격으로 2회 투여 5) 베게너육아종증 및 현미경적 다발 혈관염 - 375mg/㎡, 주1회 4주간 투여 <주의 및 금기>란에 계속	③ 류마티스 관절염 - 항-TNF 저해제에 반응이 불충분한 중등도-중증 활성형 류마티스 관절염(MTX와 병용) - MTX 와 병용하여, 관절손상 진행속도 감소 및 신체기능 개선 ④ 베게너육아종증 및 현미경적 다발 혈관염 3) $T\frac{1}{2}$: 50(1st dose)~174hrs(4th dose) 식세포 작용을 거쳐 reticuloendothelial system(RES)에서 분해됨.	이후 점점 감소, RA: 32%) 2) 1~10% - 저혈압, 어지러움, 두드러기, 고혈당, 구토, 요통, 근육통, 호흡곤란	조심하여 흔듦. 3) 희석액의 안정성 : 냉장보관시 24hr, 이후 실온보관시 12hr <용법 계속> 6) 투여 속도 ① 1차 주입 : 50mg/hr로 60분 투여 후 30분 간격으로 50mg/hr씩 속도를 높임. ② 이후 주입: 100mg/hr로 60분 투여 후 30분 간격으로 100mg/hr씩 속도를 높임. ③ 최대 속도 : 400mg/hr ④ 류마티스관절염: 이전 투여에서 주입관련반응 미발생시 4mg/ml로 250ml을 120분간 주입가능 - 처음 30분 250mg/hr, 이후 90분 600mg/hr
Trastuzumab Herceptin inj 허셉틴주 …150mg/V	1) 3주 요법 (유방암, 위암) ① 초기 부하용량 : 8mg/kg 90분간 IV inf. ② 유지용량 : 3주마다 6mg/kg IV inf. (내약성이 우수한 경우 30분간 IV inf) 2) 1주요법 (유방암) ① 초기 부하용량 : 4mg/kg 90분간 IV inf. ② 유지용량 : 1주마다 2mg/kg IV inf. (내약성이 우수한 경우 30분간 IV inf) 3) 투약일이 지났을 경우 ① 계획된 투약일로부터 1주 이하 지난 경우 : 유지용량으로 투여 후 그 시점부터 1주/3주 후 유지용량 투여 ② 계획된 투약일로부터 1주를 초과하여 지난 경우 : 초기 부하용량 투여 후 그 시점부터 1주/3주 후 유지용량 투여	1) HER2(human epidermal growth factor receptor 2 단백질)의 과발현이 있는 전이성 유방암 치료제 2) HER2의 세포외 domain에 결합하는 monoclonal antibody로서 HER2를 과잉 생산 하는 세포에대한 항체의존적(antibody-dependent) 세포 독성을 매개함. 3) 적응증 : HER2 양성 전이성유방암 및 조기 유방암, 위암(세부 투여기준은 허가 사항 참고) 4) $T\frac{1}{2}$: 5.8days Vd : 44ml/kg	1) >10% - LVEF감소(4-22%) - 통증, 오한, 두통, 불면, 어지러움 - 발진 - 오심, 구토, 설사, 복통 - 감염 - 요통 - 기침, 호흡곤란, 비염, 비인두염 - 주입관련반응(21-40%), 열 2) 1-10% - 부종, 관절통, 근육통, 빈혈, 독감유사증상	<금기> 1) 이 약 또는 설치류 유래 단백에 과민한 환자 2) 임신부 : Category D (치료기간 및 종료 후 7개월간 피임 필요) <주의> 1) Anthracycline계 약제를 투여 중인 환자 또는 이전에 치료받은 적이 있는 환자 (∵심부전 등의 심장장애) 2) 흉부로 방사선을 조사중인 환자(∵심부전 등의 심장장애) 3) 심부전 환자 4) 관상동맥 질환 환자 5) 고혈압 환자 6) 호흡곤란이 있는 환자 7) 수유부: 동물에서 모유로 분비(치료기간 중 ~ 종료 후 7개월 동안 수유 피해야 함) 8) 소아: 안전성 및 유효성 미확립 <취급상 주의> 1) 냉장보관 2) 재구성 : 멸균주사용수 7.2ml로 재구성 후 5분 방치

약품명 및 함량	용법	약리작용 및 효능	부작용	주의 및 금기
				(21mg/ml), 냉장 48시간 안정 3) 희석 : 생리식염수 250ml 함유 bag에 희석 후 냉장 24시간 안정(포도당 주사액에 희석 하지 않음.)
Trastuzumab Herceptin subcutaneous inj 허셉틴피하주사 …600mg/5ml/V	1) 매 3주마다 600mg(5ml)을 2~5분간 한 부위에 SC 2) 좌우 허벅지에 번갈아 투여 (주사부위 간 2.5cm 이상 간격)	1) HER2(human epidermal growth factor receptor 2 단백질)의 과발현이 있는 전이성 유방암 치료제 2) HER2 세포외 domain에 결합하는 monoclonal antibody로서 HER2를 과잉 생산하는 세포에 대한 항체 의존적(antibody-dependent) 세포 독성을 매개함 3) 적응증: HER2 양성 전이성 유방암 및 조기 유방암 (세부 투여기준은 허가 사항 참고) 4) Tmax: 3days $T_{\frac{1}{2}}$: 28~38days	* 정맥주사와 유사한 안전성 프로파일 1) >10% - LVEF감소(4-22%) - 통증, 오한, 두통, 불면, 어지러움 - 발진 - 오심, 구토, 설사, 복통 - 감염 - 요통 - 기침, 호흡곤란, 비염, 비인두염 - 주입관련반응, 열 2) 1-10% - 부종, 관절통, 근육통, 빈혈, 독감유사증상	〈금기〉 1) 이 약 또는 설치류 유래 단백, hyaluronidase에 과민한 환자 2) 임신부: Category D (치료기간 및 종료 후 7개월간 피임 필요) 〈주의〉 1) Anthracycline계 약제를 투여 중인 환자 또는 이전에 치료받은 적이 있는 환자(∵ 심부전 등 심장장애) 2) 흉부로 방사선을 조사 중인 환자 3) 심부전 환자 4) 관상동맥 질환 환자 5) 고혈압 환자 6) 호흡곤란이 있는 환자 7) 수유부: 동물에서 모유로 분비(치료기간 중 종료후 7개월 동안 수유 피해야 함) 8) 소아: 안전성 및 유효성 미확립 〈취급상의 주의〉 1) 차광, 냉장보관(2-8℃) 2) 실온 보관 시 6시간 내 투여 3) 주사기로 약을 옮긴 후 냉장 48시간, 이후 차광하지 않고 실온 6시간 안정
Trastuzumab emtansine Kadcyla inj 캐싸일라주 …100mg/V …160mg/V	1) 매 3주마다, 3.6mg/kg 30~90분간 IV inf. - 초기: 90분간 투여, 내약성이 우수한 경우 다음 투여 시 30분간 투여 가능 2) AST/ALT상승, 고빌리루빈혈증, 저혈소판증, 좌심실기능부전, 폐독성, 말초신경병증 발현 시 단계적 용량 감량 또는 투여중단	1) HER2 targeted antibody-drug conjugate (ADC), Monoclonal antibody인 trastuzumab과 저분자량 cytotoxin인 emtansine(DM1)이 공유 결합된 항제-약물 복합체 2) 구성성분 ① Trastuzumab: HER2를 과잉 생산하는 세포에 대한 항체의존적(antibody-dependent) 세포독성을 매개함. ② Emtansine(DM1): microtubule inhibitor 로서,	1) >10% - 피로(36%), 두통(28%), 말초신경병증(21%; grade 3/4: 2%), 불면(12%) - 발진(12%) - 혈중 칼륨 감소(33%;grade 3: 3%)	〈금기〉 1) 임신부: Category D - 임신 가능성 있는 여성 및 남성: 치료기간 및 마지막 투여 후 7개월간 피임 필요 〈주의〉 1) Trastuzumab 대체 또는 병용 금기 2) 간독성, 심장독성, 저혈소판혈증 3) 수유부: 안전성 확립(치료기간 중 종료후 7개월 동안 수유 피해야 함)

약품명 및 함량	용법	약리작용 및 효능	부작용	주의 및 금기
	3) 주사액의 조제 ① 재구성: 주사용수를 천천히 주입 (흔들지 말 것) - 농도: 20mg/ml - 100mg/V: 5ml 160mg/V: 8ml ② 희석: NS 250ml (5DW 불가) - PVC 또는 latex-free PVC-free polyolefin infusion bag에 희석 4) 투여 - 0.9% NS에 희석 후 투여시, 0.22micrometer 인-라인 polyethersulfone(PES) 필터 사용하여 투여 (0.45% NS시에는 필터 불필요)	세포내로 이행하여 세포주기를 방해하여 세포 사멸을 유도함. 3) 적응증: HER2 양성, 이전에 trastuzumab과 tanxane계 약물을 각각 또는 동시에 투여한 적이 있는 절제 불가능한 국소진행성 또는 전이성 유방암으로 다음 중 하나에 해당하는 경우 - 국소진행성 또는 전이성질환에 대한 이전 치료를 받은 적이 있는 환자 - 수술 후 보조요법을 받는 도중 또는 완료 후 6개월 이내 재발한 환자 4) Tmax: 30~60min $T_{1/2}$: 4days 대사: 간(CYP3A4/5) 〈부작용 계속〉 - 어지러움(10%), 오한(8%) - 두드러기(6%) - 저칼륨혈증(10%; grade 3/4: 3%) - 소화불량(9%), 미각이상(8%) - 요로감염(9%) - 호중구감소증(7%; grade 3/4: 2%) - ALP상승 - 과민반응(2%) - 항체생성(5%) - 흐려보임(5%), 결막염(4%), 안구건조증(4%), 눈물분비 증가(3%) - 폐렴(≤1%) - 주사부위 반응(1%)	- 구역(40%), 변비(27%), 설사(24%), 복통(19%), 구토(19%), 구강건조(17%), 구내염(14%) - 혈소판 감소(83% [nadir by day 8], grade 3: 14%, grade 4: 3%), Hg 감소(60%; grade 3: 4%, grade 4: 1%), 호중구감소(39%; grade 3: 3%, grade 4: 〈1%), 출혈(32%; grade 3/4: 2%), 빈혈(14%; grade 3/4: 4%) 2) 1~10% - 말초부종(7%), 고혈압(5%; grade 3/4: 1%), 좌심실기능부전(2%; grade 3/4: 〈1%) 〈약리작용 및 효능〉란에 계속	4) 18세 이하: 안전성, 유효성 미확립 〈상호작용〉 1) 강한 CYP3A4 억제제(itraconazole, clarithromycin 등): DM1 노출증가 〈취급상 주의〉 1) 냉장(2~8℃) 보관 2) 재구성 또는 희석 후 2~8℃에서 24시간 안정

약품명 및 함량	용법	약리작용 및 효능	부작용	주의 및 금기
Etoposide (VP-16) E.P.S inj 이피에스주 …100mg/5ml/V Lastet cap 라스텟트에스캅셀 …25mg/C	1) 경구 ① 소세포폐암 : 175~200mg/D, 5일간 투여 후 3주간 휴약 ② 자궁경부암 : 50mg/D 21일간 투여 후 1~2주간 휴약 ③ 악성림프종 : 상기 ① 또는 ②의 방법으로 투여 2) 주사 : 60~100mg/m²/D, 5일간 IV inf. 후 3주간 휴약 - 100mg당 250ml 이상의 생리식염주사액 등에 혼합하여 30분이상 IV inf. * 신기능에 따른 용량 조절 참고 - CrCl(ml/min) : 용량 ① 〉50 : 용량조절 불필요 ② 15~50 : 75%로 감량 ③ 〈15 : 자료없음	1) Podophyllotoxin의 반합성유도체로서 후기 S-또는 G2-phase에서 세포 분열을 저지시킴. 2) 주사제 : 소세포폐암, 악성 림프종, 고환종양, 급성백혈병, 방광암, 융모성 질환 3) 경구제 : 소세포폐암, 악성 림프종, 자궁경부암 4) Tmax : 1.33hrs(PO) $T\frac{1}{2}$: 2~5hrs 대사 : 간 배설 : 신장(42~67%), 담즙(6%), 대변(4~11%)	1) 〉10% - 가역적 탈모 - 설사, 오심, 구토, 심각한 점막염, 식욕부진 - 빈혈, 백혈구 감소증 (Onset : 10일, Nadir : 과립구 7~14일, 혈소판 9~16일, 회복 : 21~28일) 2) 1~10% - 저혈압(약물 투여속도와 관련됨) - 비정상적 피로감 - 위염, 설사, 복부통증, 간기능부전	〈금기〉 1) 심한 골수기능 억제 환자 2) 임신부 : Category D 〈주의〉 1) 간 또는 신장애 환자 2) 혈소판 수의 정기적인 검사 필요함 3) 감염증, 수두, 고령자 4) 수유부: 동물실험시 유즙이행 보고 5) 소아 : 이상발현에 주의 〈취급상 주의-주사제〉 1) IV시 가능한 천천히 주사하도록 함. 2) 투여직전에 5DW 혹은 NS액으로 0.4mg/ml 이하로 희석(그 이상에선 결정 생성됨) 3) 희석후 실온에서 안정성 0.2mg/ml - 96hrs 0.4mg/ml - 48hrs 0.6mg/ml - 8hrs 1mg/ml - 2hrs 2mg/ml - 1hr 20mg/ml(미희석) - 24hrs

약품명 및 함량	용법	약리작용 및 효능	부작용	주의 및 금기
Cabazitaxel Jevtana inj 제브타나주 …60mg/1.5ml/V (약액 1.5ml/V +용매 4.5ml/V로 구성)	1) 25mg/m²을 매 3주 마다 1시간 동안 IV (prednisolone 10mg/D 병용) 2) 독성이 나타날 경우 20mg/m²로 감량 3) 이 약의 과민반응 감소를 위해 투여 30분전에 전처치 시행 - Corticosteroid, H1 길항제, H2 길항제	1) 주목나무잎 추출물을 반합성한 taxane계 항암제 2) Tubulin에 결합하여 microtubule의 집합을 촉진하고 분해를 억제함. 3) 적응증: prednisolone과 병용하여, 이전에 docetaxel을 포함한 화학요법 치료를 받은 적이 있는 호르몬 불응성 전이성 전립선암의 치료 4) Tmax : 1시간 infusion 후 $T\frac{1}{2}$: 95hrs (terminal)	(prednisone과 병용시) 1) 〉10% - 피로(37%), 열(12%) - 설사(47%, grade 3/4 : 6%), 구역(34%), 구토(22%), 변비(20%), 복통(17%),	〈금기〉 1) 이 약의 성분, polysorbate 80에 과민한 환자 2) 호중구 ≤1,500 cell/mm³인 환자 3) 간장애 환자 (총 빌리루빈≥ULN, 또는 AST 및/또는 ALT≥1.5×ULN) 4) 임신부 : Category D 〈주의〉 1) 신장애 환자

약품명 및 함량	용법	약리작용 및 효능	부작용	주의 및 금기
	4) 주사액의 조제 ① Pre-mix 용액 조제 - 용매 전량을 본액 바이알에 주입→ cabazitaxel 10mg/ml 포함 - 즉시(30분 이내) 수액에 mix ② 수액 조제 - Pre-mix 용액을 NS, 5DW 250ml에 희석 - 최종 농도 : 0.1~0.26mg/ml	대사 : 간 95% (CYP3A4/5, 2C8) 배설 : 대변 (76%), 신장(3.7%) 〈부작용 계속〉 - 무력증(20%), 등통증(16%), 말초신경병증(13%;grades 3/4:〈1%), 관절통(11%) - 혈뇨(17%) - 무호흡(12%), 기침(11%)	식욕부진(16%), 미각변화(11%) - 빈혈(98%, grade 3/4:11%), 백혈구감소증(96%; grades 3/4:69%), 호중구감소증(94%; grades 3/4: 82%; nadir : 12days[range : 4~17days]), 혈소판감소증 (48% ; grades 3/4:4%)	2) 65세 이상 고령자 3) 수유부 및 소아 : 안전성 미확립 〈상호작용〉 1) CYP3A4억제제(ketoconazole, itraconazole, clarithromycin 등)에 의해 이 약의 농도 증가 2) CYP3A4 유도제(phenytoin, carbamazepine, rifampin, phenobarbital 등)에 의해 이 약의 농도 감소 〈취급상 주의〉 1) 15~30℃ 보관(냉장보관 금지) 2) 조제 및 투여 시 PVC, 폴리우레탄주입 세트 사용 금지, 0.22 micrometer 필터를 사용하여 투여 3) 희석액은 실온 8시간, 냉장 24시간 안정(투여시간 1시간 포함)
Docetaxel Taxotere 1 vial inj 탁소텔1-바이알주 …20mg/1ml/V …80mg/4ml/V	1) 유방암: 75-100mg/m²을 매 3주마다 1시간 동안 IV inf. 2) 비소세포폐암: 75mg/m²을 매 3주마다 1시간 동안 IV inf. (백금유도체 병용시 Max. 75mg/m²) 3) 전립선암, 난소암, 두경부암, 위암: 75mg/m²을 매 3주마다 1시간 동안 IV inf. 4) 식도암: 70mg/m²을 매 3-4주마다 1시간 이상 IV inf. 5) 과민반응 방지를 위해 이 약 투여 1일전부터 3일동안 경구용 코르티코스테로이드 투여 (dexamethasone 8mg bid)	1) 주목나무 추출물을 전구체로 반합성한 taxoid계 항암제 2) 세포분열에 필수적인 세포내의 microtubular network를 파괴하여 항암효과를 나타냄. 3) 적응증 ① 유방암(세부 투여기준은 허가 사항 참고) - 국소진행성 또는 전이성 유방암 - 수술 후 보조요법 ② 국소 진행성 또는 전이성 비소세포 폐암 ③ 안드로겐 비의존성(호르몬불응성) 전이성 전립선암(prednisolone과 병용) ④ 진행된 또는 전이된 상피성 난소암(1차 요법제로 arboplatin과 병용) ⑤ 두 · 경부암 : 국소진행성 두경부 편평세포암의 유도화학요법(cisplatin, fluorouracil과 병용) ⑥ 위암 - 진행성, 전이성 또는 국소재발성 위암(단독요법) - 전이성 또는 국소재발성 위암의 1차치료(cisplatin, fluorouracil과 병용)	1) 〉10% - 발진, 홍조, 발열, 저혈압 - 탈모(80%), 손톱변형, 조갑증, 색소침착 혹은 탈락(28%) - 수분저류, 말초부종, 흉막 삼출, 복수(17~70%) - 점막염(45%), 오심, 구토(40~80%), 설사(25%) - 골수억제, 호중구감소, 혈소판 감소, 빈혈 (Onset : 4~7일, Nadir : 5~9일, 회복 : 21일) - transaminase 수치 증가	〈금기〉 1) 이 약 및 폴리솔베이트 80에 과민한 환자 2) 호중구 〈1,500개/㎣인 환자 3) 임신부 : Category D 4) 수유부: 동물 실험시 유즙 이행 보고 〈주의〉 1) 신기능, 간기능 장애 환자 2) 간질성 폐렴 또는 폐섬유증이 있는 환자 3) 50vol%의 에탄올 포함(80mg/4ml의 경우 최대 1.58g(2ml)) 4) 소아 : 안전성 미확립 5) 가임기 여성: 이 약 투여기간, 투여 중지 후 최소 3개월간 피임 6) 남성: 이 약 투여기간, 투여 중지 후 최소 6개월간 피임 〈취급상 주의〉 - 바이알: 차광하여 2-25℃ 보관 - 조제 후 25℃ 이하에서 6시간 이내에 사용 - 조제시 21gage 바늘 사용 권장

약품명 및 함량	용법	약리작용 및 효능	부작용	주의 및 금기
		⑦ 진행성 또는 재발성 식도 편평세포암 4) Tmax : IV 후 1~2hrs 배설 : 신장(~6%) 대변(75~80%) $T_{1/2}$: 11.1hrs	- 말초신경염(13%) 2) 1~10% - 심근경색 - 발진, 피부종창 - 위장천공, 호중구감소성 장염 - 빌리루빈 상승(9%) - 마비감, 운동실조, 통증, 자극감	
Paclitaxel Paxel inj 팍셀주 …30mg/5ml/V …100mg/16.7ml/V …150mg/25ml/V	1) 난소암, 표준요법에 실패한 유방암, 진행성 비소세포폐암 : 3주마다 175mg/㎡ 3시간에 걸쳐 IV inf. 2) 위암 : 175~210mg/㎡ 3시간 IV inf. 투여 후 3주간 휴약 (1cycle) 3) 중증 과민반응을 최소화하기 위해 전처치함. ① 12, 6시간전 dexamethasone 20mg PO 또는 유사 약제 투여 ② 30~60분전 cimetidine 300mg 이나 ranitidine 50mg IV 또는 유사약제 투여 ③ 30~60분전 항히스타민제 IV	1) 주목나무(Taxus chinensis)에 함유된 항종양 활성성분인 paclitaxel을 주성분으로 하는 taxane계열 항종양제 2) 적응증 ① 난소암 - 1차요법(다른 화학요법제와 병용) - 표준 요법에 실패한 전이성 난소암의 2차치료 ② 유방암 - 표준 요법에 실패한 전이성 유방암의 2차치료 - 결절양성 유방암의 보조치료: doxorubicin 함유 병용 화학요법 후 - HER2 과발현, 화학요법 경험이 없는 전이성 유방암에 trastuzumab과 병용 ③ 진행성 비소세포폐암의 1차 치료 ④ 진행성 및 전이성, 국소재발성 위암 3) $T_{1/2}$: ~13-20hrs(성인, 3시간 inf.) ~16-53hrs(성인, 24시간 inf.) 대사 : 간(CYP2C8, 3A4) 배설 : 신장(~14%), 대변(~71%)	1) 〉10% - 알러지 반응 - 일과적 서맥(25%) - 골수억제, 백혈구감소증, 호중구감소증(6~21%), 혈소판감소증 (Onset : 8~11일, Nadir : 15~21일, 회복 : 21일) - 탈모, 혈관부종, 종창, 불쾌감, 정맥염 - 신경병증, 근육통증, 중추신경 장애 - 중증의 점막염, 위염(15% : 〉390mg/㎡) - 간효소 수치 상승 2) 1~10% - 심근경색 - 중등도 오심, 구토, 설사(5~6%) - 빈혈	〈금기〉 1) 이 약 또는 cremophor EL을 함유하는 약제에 과민반응을 보인 기왕력이 있는 환자 2) 호중구수 1,500/㎣ 미만인 자 3) 임신부 : Category D 〈주의〉 1) 본제 요법중 심각한 호중구감소증(〈500/㎣)이 있는 경우, 이후의 치료과정에서 20% 감량 투여 2) 과민반응에는 투여중단 후 대증요법 실시 3) 간, 신장애 환자, 고령자, 간질성 폐렴, 폐섬유증 환자 4) 알코올에 과민한 환자(용제로 무수에탄올 함유) 5) 수유부, 소아 : 안전성 및 유효성 미확립 〈취급상 주의〉 1) 희석액 조제시 유리, 폴리프로필렌, 폴리올레핀 용기 사용하고 폴리에틸렌 점적투여 세트를 사용함(PVC용기와 투여세트는 DEHP 성분이 용출되므로 사용하면 안됨). 2) 0.22 마이크론의 미소공막이 있는 라인내 필터를 통해 투여함. 3) 희석시 상온에서 27시간 안정함. (희석농도 : 0.3~1.2mg/ml)

약품명 및 함량	용법	약리작용 및 효능	부작용	주의 및 금기
Vinblastine Sulfate Velbastin inj 벨바스틴주 …10mg/V	1) 초회량 – 성인 : 3.7mg/m² – 소아 : 2.5mg/m² IV 2) 백혈구 수치가 4,000/mm³ 이상일 경우 1주일마다 증량 가능 3) 적정용량 : 성인 5.5 ~7.4mg/m² 4) 1주간격으로 1회 IV, 1분 이내 주사 (다량의 희석용 용액으로 희석하거나 오랜시간(30~60분)에 걸쳐 주사시 정맥 자극, 조직내 누출 위험) 5) 혈청 bilirubin 3mg/dl 이상일 경우 50% 감량함.	1) Vinca rosea에서 추출한 dimeric alkaloid로 cell cycle의 M-phase에 선택적으로 작용하여 tubulin과 결합하며 microtubules의 집합을 억제함으로써 유사분열을 방해함. 2) 적응증 – 다음 질환의 고식적 치료에 단독 혹은 병용요법으로 투여 : 3기 및 4기 호지킨씨병, 비호지킨 림프종, 진행성 고환암, 카포시 육종, X 조직구증, 진행된 균상식 육종 – 융모막암, 유방암의 2차 치료 3) 반드시 주단위로 투약 : 소량으로 매일 투여할 경우 투여 총량이 같더라도 부작용만 증가함. 4) $T_{\frac{1}{2}}$: 24.8hrs 배설 : 신장(13.6~23.3%), 대변(10%)	1) >10% – 탈모 – 피로감 – 오심, 구토, 변비, 위염, 위경련 – 백혈구감소 (Onset : 4~7일, Nadir : 4~10일, 회복 : 17일) 2) 1~10% – 고혈압 – 피로감, 허약감 – 발진, 광과민성, 피부염 – 고요산혈증 – 마비성 장증후군, – 주사부위 통증, vesicant chemo – 뼈통증, 턱통증 – 기관지 경련	〈금기〉 1) 백혈구 감소증 환자 2) 세균감염증 환자 3) 임신부 : Category D 4) 수유부: 안전성 미확립 5) Intrathecal 투여시 사망할 수 있으므로 금기 〈주의〉 1) 간 및 신장애 환자 2) 골수기능 억제환자 3) 감염증 환자 4) 신경질환, 근질환의 전력이 있는 환자 5) 수두환자 6) 소아 : 이상반응 발현 주의 〈상호작용〉 1) 병용금기 – 황열병 백신, 약독화 생백신 – phenytoin: phenytoin의 소화관 흡수 감소 – azole계 항진균제: 이 약의 대사 저해 〈취급상 주의〉 1) 차광, 냉장보관 2) 조제방법: 이 약 10mg을 NS 10ml로 희석(희석농도: 1mg/ml) 3) IV 투여 중 누출시 즉시 1시간 이상 온찜질, 1일 4회 3~5일간 실시 4) 용해액 pH=3.5~5.0
Vincristine Sulfate Vincristine sulfate inj 빈크리스틴황산염주 …1mg/1ml/V …2mg/2ml/V	1) 1주일 간격으로 ① 성인 : 1.4mg/m² IV ② 소아 : 2mg/m² ③ 10kg 이하 소아 초회량 : 0.05mg/kg 2) 용량초과는 치명적일 수 있으므로 주의 요함. (Max. 2mg/dose)	1) Vinca rosea 추출물에서 분리된 vinca alkaloid로 cell cycle의 M-phase에 선택적으로 작용하여 tubulin과 결합하며 microtubules의 집합을 억제함으로써 유사분열을 방해함. 2) 과량투여시 해독제 : Folinic acid 100mg IV, 3시간 간격으로 24시간 투여 후, 다음 48시간 동안	1) >10% – 탈모(20~70%) 2) 1~10% – 기립성 저혈압, 고혈압 – 운동신경 장애, 발작, 두통, 중추신경 억제,	〈금기〉 1) 진행성 신경병성 근위축증의 수초탈락형 환자 2) 임신부 : Category D 3) 수유부 : 안전성 미확립 4) Intrathecal 투여시 사망할 수 있으므로 금기 〈주의〉 1) 간 및 신장애 환자

약품명 및 함량	용법	약리작용 및 효능	부작용	주의 및 금기
	3) 간장애 환자: bilirubin 수치에 따라 - 25micromol/L 이하: 상용량 - 25~50micromol/L: 상용량의 50% - 50micromol/L 이상: 상용량의 25%	6시간 간격으로 투여 3) 적응증 : 급성 백혈병, 호지킨병, 림프육종, 신경모세포종, 세망세포육종, 횡문근육종, 윌름즈 종양 4) $T_{\frac{1}{2}}$: 14.4~25.5hrs 대사 : 간 배설 : 신장(10~20%), 대변(80%)	뇌신경 마비, 발열 - 발진 - 고요산혈증 - 변비, 구강 궤양, 복부 경련, 식욕부진, 금속성 맛, 복부팽만, 오심, 구토, 체중감소, 설사 - 방광 위축 - 정맥염, Vesicant chemo - 턱부위 통증, 다리 통증, 근육통, 근경련, 허약감, 마비감, 말초 신경염(용량제한 독성) - 눈부심	2) 골수기능 억제환자 3) 감염증 환자 4) 신경질환, 근질환의 전력이 있는 환자 5) 수두 환자 6) 심한 변비 증상을 유발할 수 있으므로 완하제 투여가 필요할 수 있음. 〈상호작용〉 1) 병용금기 - 황열병 백신, 약독화 생백신 - phenytoin: phenytoin의 소화관 흡수 감소 - azole계 항진균제: 이 약의 대사 저해 〈취급상 주의〉 1) 차광, 냉장보관 2) 투여전 NS 희석: 0.01~1mg/ml 3) IV 중 누출시 즉시 1시간 이상 온찜질. 1일 4회 3~5일간 실시 (냉찜질이나 스테로이드 투여 금지)
Vinorelbine Navelbine inj 나벨빈주 …10mg/1ml/V …50mg/5ml/V	1) 비소세포폐암과 진행성 유방암 ① 단독요법 : 25~30mg/㎡/wk ② 병용요법 : 각 regimen에 따름 2) 호르몬-저항성 전립선암 : 3주 주기, D1, D8에 30mg/㎡ IV 3) NS 적량(예; 20-50ml)에 희석하여 6-10분간 신속히 주입, 또는 125ml로 희석하여 20-30분 주입 4) 주입 후 정맥을 NS 250ml로 flushing	1) Semisynthetic vinca alkaloid로 vinblastine 유도체 2) 세포분열시 세포내 단백질인 microtubule의 polymerization을 억제함으로써 암세포의 유사분열을 저해하여 항암작용을 나타냄. 3) 적응증: 비소세포성 폐암, 진행성 유방암, 이전 화학요법 받지 않은 호르몬-저항성(제D3기) 전립선암(저용량 경구용 steroid와 병용) 4) Tmax : 주사 종료후 즉시 대사 : 간 $T_{\frac{1}{2}}$: 24~56hrs 배설 : 신장(11%), 담즙 (50%) 〈부작용 계속〉 2) 1~10% - 흉통(5%)	1) 〉10% - 피로(30%) - 탈모(12%) - 오심(44%), 변비(35%), 설사(17%), ※ 구토유발정도 : 중등도(30~60%) - 심각한 골수억제(용량제한독성), 심각한 과립구감소증(90%), 백혈구감소증(92%), 빈혈(83%) (Onset : 4~7일, Nadir : 7~10일, 회복 : 14~21일) - SGOT 상승(67%),	〈금기〉 1) 임신부 : Category D 2) 수유부 : 안전성 미확립 3) Intrathecal 투여시 사망할 수 있으므로 금기 〈주의〉 1) 간부전 환자는 감량 필요 2) 과립구 감소증(granulocyte〈2,000/㎣)이 있을 경우 투여 연기 3) IV로만 투여함 4) 간을 포함한 부위에 방사선 요법과 동시에 투여해선 안됨. 5) 가임기 여성, 남성: 이 약으로 치료 중, 치료 후 3개월 까지 피임 〈상호작용〉 1) 병용금기 - 황열병 백신, 약독화 생백신 - phenytoin: phenytoin의 소화관 흡수 감소

약품명 및 함량	용법	약리작용 및 효능	부작용	주의 및 금기
		– 마비성 장폐색(1%) – 혈소판감소(5%) – extravasation, 정맥염(7%), vesicant chemo – 말초마비감, 근육통, 운동반사 소실 – 호흡곤란(3~7%)	빌리루빈 수치 상승(13%) – 주사부위 통증(16%) – 허약감(36%), 말초신경염(20~25%) 〈약리작용 및 효능〉란에 계속	– azole계 항진균제: 이 약의 대사 저해 〈취급상 주의〉 1) 차광, 냉장보관 2) 미개봉상태로 실온 방치시 72시간 안정 3) 희석액 : NS, DS 4) 희석한 후 차광하여 실온에서 24시간 안정

9장. 항종양제 ··················6. Natural products ·························(4) Others

약품명 및 함량	용법	약리작용 및 효능	부작용	주의 및 금기
Viscum album extract (Mistletoe) 아종 Avietis Helixor A inj 헬릭소에이주 ···1mg/1ml/A ···5mg/1ml/A ···10mg/1ml/A ···20mg/1ml/A ···50mg/1ml/A ···100mg/2ml/A	1) 종양 : 1mg부터 시작하여 치료 용량에 도달할 때 까지 증량하며 SC (보통 3회/wk) – 종양이 존재하는 경우: 200~400 mg/dose – 명백한 전암증 병소: 70~150 mg/dose 2) 5주간 투여 후 2주 휴약	1) 유럽산 Mistletoe의 수용성 식물추출물 2) 체내 투여시 Cytokine 유리, NK cell 활성, 식작용 증가, cytotoxic Tcell 활성 증가 등 인체 면역기전 활성화로 항종양 효과를 나타냄. 3) 투약 후 반응 ① 미약한 체온 상승 : 38℃미만의 체온상승은 바람직한 반응임. ② 주사부위 국소반응: 발적, 부종 ③ 전신소양증, 두통, 사지통, 현훈등을 동반한 피로감 4) 적응증 : 종양의 치료, 종양수술 후 재발의 예방, 조혈기관의 악성질환, 골수기능의 자극	– 저혈압, 서맥, 동맥혈관 수축 – 두통, 오심, 오한, 발열(IV inf) – 오심, 구토, 설사 – 간독성 – 치아초점, 만성비염, 만성 요로감염, 정맥염의 경우 염증징후 발생가능 – 체온의 경미한 상승	〈금기〉 1) 임신부의 경우 꼭 필요한 경우 이외에는 투여금지 2) 종양으로 부어 오른 부위, 수술 예정부위, 방사선조사 예정부위, 수술상처부위, 염증부위, 이에 가까운 부위에 주사하지 않음. 〈주의〉 1) 과민반응 처치 ① 투약중지 후 증상이 소실 될때까지 2~3일 휴약(가급적 소염제나 해열제 복용 피함), 증상완화를 위한 냉습포 찜질 권장 ② 과민 반응 소실 후 용량 단위를 낮추어 재투약 실시 〈취급상 주의〉 – 차광, 실온보관
Viscum album extract (Mistletoe) 아종 fraxini Abnoba viscum F inj 압노바비스쿰에프주 ···20mg/1ml/A	1) 악성 흉막삼출: 100mg(5A)을 NS에 혼합하여 흉강 내 주입, 흉막유착이 일어날 때까지 시행(최대 5회) 2) 종양 ① 0.02mg부터 치료용량에 도달할 때까지 증량하여 SC(보통 주 3회 투여, 단계별(0.02mg, 0.2mg, 2mg, 20mg)로 8회씩 투여) ② 흉막 삼출: 100mg(5A)을 NS에 혼합하여 흉강 내 주입, 흉막유착이	1) Mistletoe의 식물 추출물 2) Cytokine 유리, NK cell 활성 증가, helper T-cell 활성증가 등의 면역기전 활성화와 세포독성효과로 항종양작용을 나타냄 3) 적응증 – 악성흉막삼출 – 종양의 치료, 종양 수술 후 재발의 예방, 전암증 병소, 조혈기관의 악성 질환, 골수기능의 자극 4) 투약 후 반응(면역반응, 이 약에 반응함을 나타내는 현상임)	(악성 흉막삼출) – 소화불량, 구토 – 발열, 오한, 피로, 토증 – 등통증, 근육통 – 현기증 – 호흡곤란, 흉막염, 흉막통	〈금기〉 1) 임신부 〈주의〉 1) 소아, 고령자(80세 이상): 안정성 및 유효성 미확립 2) 과도한 면역반응(몸살증상, 두통, 현기증 등이 하루 이상 지속될 경우, 38℃이상 체온상승, 주사부위가 5cm이상 부어오르는 증상) 발생 시 증상이 소실 될 때까지 투여 연기, 재투여 시 감량하여 투여 〈취급상 주의〉 – 냉암소 보관(1-15℃)

약품명 및 함량	용법	약리작용 및 효능	부작용	주의 및 금기
	일어날 때까지 시행(최대 10회)	- 경미한 체온 상승 - 주사부위 국소 염증반응 - 감기몸살같은 느낌, 현기증, 조홍		
Viscum album extract (Mistletoe) **아종 Mali** Helixor M inj 헬릭소엠주 …1mg/1ml/A …5mg/1ml/A …10mg/1ml/A …20mg/1ml/A …50mg/1ml/A …100mg/2ml/A	1) 종양: 1mg부터 시작하여 치료 용량에 도달할 때 까지 증량하며 SC (보통 3회/wk) - 종양이 존재하는 경우 200~400 mg/dose - 명백한 전암증 병소: 70~150 mg/dose 2) 5주간 투여 후 2주 휴약	1) 유럽산 Mistletoe의 수용성 식물 추출물 2) 체내 투여시 Cytokine 유리, NK cell 활성, 식작용 증가, cytotoxic T-cell 활성 증가 등 인체 면역기전 활성화로 항종양 효과를 나타냄. 3) 투약 후 반응 ① 미약한 체온 상승: 38℃미만의 체온상승은 바람직한 반응임. ② 주사부위 국소반응: 발적, 부종 ③ 전신소양증, 두통, 사지통, 현훈등을 동반한 피로감 4) 적응증: 종양의 치료, 종양수술 후 재발의 예방, 조혈기관의 악성질환, 골수기능의 자극	- 저혈압, 서맥, 동맥혈관 수축 - 두통, 오심, 오한, 발열(IV inf) - 오심, 구토, 설사 - 간독성 - 치아초점, 만성비염, 만성 요로감염, 정맥염의 경우 염증징후 발생가능 - 체온의 경미한 상승	〈금기〉 1) 임신부의 경우 꼭 필요한 경우 이외에는 투여금지 2) 종양으로 부어 오른 부위, 수술 예정부위, 방사선조사 예정부위, 수술상처부위, 염증 부위, 이에 가까운 부위에 주사하지 않음. 〈주의〉 1) 과민반응 처치 ① 투약중지 후 증상이 소실될때까지 2~3일 휴약(가급적 소염제나 해열제 복용 피함), 증상완화를 위한 냉습포 찜질 권장 ② 과민 반응 소실 후 용량 단위를 낮추어 재투약 실시 〈취급상 주의〉 - 차광, 실온보관

약품명 및 함량	용법	약리작용 및 효능	부작용	주의 및 금기
Carboplatin Neoplatin inj 네오플라틴주 …150mg/15ml/V …450mg/45ml/V	1) 정상 신기능 환자 : 1회 400mg/㎡을 4주 1회 15~60분 간 IV 2) 골수억제, 신장애 환자 : 상기용량의 20~25%를 감량함.	1) 백금의 malonato complex 치환체로 그 작용은 cisplatin과 유사함. 2) DNA strands에 cross link하여 약리작용을 나타냄. 3) Cisplatin보다 수용성이 높고 단백 결합율이 낮아 신독성이 적게 나타남. 4) 적응증 - 진행된 상피성 난소암의 1차요법 또는 다른 요법 실패 후 2차요법 - 소세포폐암 5) 단백결합율 : 6~8% $T_{\frac{1}{2}}$: 1~6hrs(모체), 6hrs(대사체) 배설 : 신장(60~80%)	1) >10% - 전해질 이상 - 위염, 오심, 구토(중등도, Onset : 2~6hrs, 지속 : 1~48hrs) - 호중구감소, 심각한 백혈구 및 혈소판 감소, 빈혈, 골수 억제(dose limiting 독성, Nadir : 21~24hrs, 회복 : 28~35일) - 간기능 검사 이상 - 주사부위 통증 - 허약감 - 청각장애 2) 1~10% - 탈모 - 설사, 식욕부진 - 출혈성 합병증 - 말초 신경병증 - 이독성	〈금기〉 1) 중증 신장애 환자 2) 중증 골수억제 환자 3) 백금 함유 약물, mannitol에 중증 과민반응 병력이 있는 환자 4) 청각기관 손상 환자 5) 임신부 : Category D 〈주의〉 1) 신, 간장애 환자, 감염증의 합병증이 있는 환자 2) 수두환자 3) 수유부 및 소아 : 안전성 미확립 〈취급상 주의〉 1) 황함유 아미노산 수액중에서 분해되므로 배합금기 2) Al : 침전물 형성하므로 Al함유 기구 사용 금기 3) 냉장 및 차광보존(냉장시 결정 석출-약효와 관계 없으므로 상온에 방치하여 용해 후 사용) 4) 5DW나 NS로 희석(0.5mg/ml)시 실온에서 8시간 안정 5) 생리식염액 등의 무기염류 (NaCl, KCl, CaCl) 함유 수액과 혼합시 8시간이내 투여 종료할 것 6) 보존제 미포함 약제이므로 조제 후 8시간 경과시 폐기함.
Cisplatin Cisplan inj 씨스푸란주 …10mg/20ml/V …50mg/100ml/V	1) 용량 및 투여방법 : 환자의 상태에 따라 다양하므로 문헌 참조 2) 신독성 예방조치 ① 성인 - 투약전 1~2L의 수액을 4시간 이상 주입 - 투약시 용량에 따라 0.5~1L의 NS에 희석하여 2시간 이상 점적주입(차광보관)	1) 수용성 백금 착화합물 2) 알킬화제와 유사하게 Cell cycle에 비특이적으로 DNA와 교차 결합하여 핵산 합성을 억제함 3) 1회 투여로도 간, 신장, 대장, 소장에 높은 농도로 분포되나 CNS에의 침투력은 약함. 4) 적응증: 난소암, 고환암, 방광암, 전립선암, 두경부암, 폐암, 식도암, 자궁경부암, 위암 5) 단백결합률 : 95~99% $T_{\frac{1}{2}}$: 53~73hrs	1) >10% - 고요산혈증 - 오심 및 구토(76~100%) ※ 구토 정도 〈75mg : 중등이상 >75g : 심함 (Onset : 1~4hrs, 지속 : 12~96hrs)	〈금기〉 1) 중증 신장애, 간장애 환자 2) 청각기관 장애 환자 3) 임신부 : Category D 4) 수유부 〈주의〉 1) 신장애, 간장애 환자 2) 골수기능 억제 환자 3) 수두 환자

약품명 및 함량	용법	약리작용 및 효능	부작용	주의 및 금기
	– 투약후 1~2L의 수액을 4시간 점적주입 ② 소아 – 투약 전 및 투약 중 300~900ml/m²의 수액을 2시간 이상 주입 – 투약후 600ml/m²의 수액을 3시간 점적주입 – 소아는 신중투여 3) Max. 1mg/ml *신기능에 따른 용량조절 참고 – Scr 〈1.5mg/dL이 거나 BUN 〈25mg/dL 일 때 까지 다음 용량을 투여 중단	배설 : 신장(13~45%)	– 골수억제 (Onset : 10일, Nadir : 14~23일, 회복 : 21~39일) – 말초신경병증, 이독성(10~30%) – 신독성, 급만성신부전 : 신세뇨관에 대한 직접 작용에 기인함 – 아나필락시스 반응 2) 1~10% – 식욕부진 – 주사부위 통증, irritant chemo	〈취급상 주의〉 1) 실온, 차광보관 2) 알루미늄이 함유된 의료용기 사용금기 3) 착화합물이므로 다른 항암제와 혼합하지 말 것 4) 배합금기 수액 : 5DW, 아미노산 수액, 젖산 나트륨 함유 수액(∵분해) 5) NS에 희석시 실온에서 24시간 안정 6) 희석액은 냉장금기(∵결정생성), 결정 생성 후 녹여서 재사용 못함.
Oxaliplatin Oxapla inj 옥사플라주(액상) …50mg/10ml/V …100mg/20ml/V	1) 전이성 직결장암 권장용량 : 85mg/m²을 매 2주 마다 투여 2) 원발 종양을 수술로 완전히 절제한 stageⅢ의 결장암 : 85mg/m²(상세내용 설명서 참조) 3) 수술이 불가능한 진행성 또는 전이성 위암 : 100mg/m²을 매 2주 마다 투여 4) 5DW 250~500ml에 희석하여 2~6시간 동안 점적 주사 5) 5-FU와 병용시 항상 5-FU보다 먼저 투여하도록 함.	1) 백금함유 항종양제 2) Cisplatin과 유사한 기전으로 DNA strand의 guanine 염기에 결합해 DNA 복제를 차단함. 3) 적응증 – 전이성 직·결장암의 1차 치료 (5-FU 및 leucovorin과 병용) – 원발종양을 수술로 완전히 절제한 stage III(Duke's C) 결장암의 보조요법(5-FU와 leucovorin병용) – 수술이 불가능한 진행성 또는 전이성 위암 – stage II, III 위암의 수술 후 보조요법 (capecitabine과 병용) 4) 치료반응율 : 50% 5) 단백결합율 : 85~88% 대사 : 혈장	– 빈혈, 백혈구 감소증, 혈소판 감소증 (3, 4등급) – 오심, 구토, 설사 – 말초신경병증 등 신경독성, 통증, 기능장애 – 기타 : 발열, 발진, 주사부위 통증, 탈모증, 청각 독성, 신독성, 간독성 등	〈금기〉 1) 이 약 또는 백금 함유 약제에 과민증 기왕력자 2) 신기능 손상 환자 (CrCl 〈30ml/min 이하) 3) 임신부 : Category D 4) 수유부 : 안전성 미확립 〈주의〉 1) 혈액학적 이상이나 신경학적 증상이 심하거나 지속될 경우 약제 사용을 중단 하도록 함. 〈상호작용〉 1) 5-FU와 병용시 약효는 상승하나 혈액학적, 소화기계 부작용 증가 〈취급상 주의〉 1) 알루미늄이 함유된 의료용기 사용금기 2) 배합금기 수액 : 생리식염수나 염소이온 함유 수액, 염기성약 또는 용액(특히 5-FU) 3) 희석액 : 냉장 24시간 안정

약품명 및 함량	용법	약리작용 및 효능	부작용	주의 및 금기
Afatinib dimaleate Giotrif tab 지오트립정 …20mg/T …30mg/T …40mg/T	1) 40mg qd, 식전 최소 1시간이나 식후 최소 3시간에 복용 2) 이상반응 발생에 따라 감량 및 중단 필요 (허가사항 참고) 3) 정제를 물과 함께 통째로 삼켜 복용해야 함. 삼킬 수 없는 경우, 비탄산 음용수 약 100ml에 넣고 15분간 가끔 저어 준 후 정제가 매우 작은 입자로 부숴진 다음 즉시 복용. 사용한 컵을 약 100ml의 물로 헹궈 음용. (위관 투여도 가능) * 신기능에 따른 용량조절 참고 – CrCl(ml/min)〈30 : 투여 권장안함.	1) 비가역적 pan-HER tyrosine kinase inhibitor 2) 종양세포에 과발현된 EGFR, HER2에 작용하여 세포의 증식, 성장을 억제함 3) 적응증: EGFR활성변이가 있는 국소진행성, 전이성 비소세포폐암의 1차 치료 4) BA : 92% (정제) Tmax : 2~5hrs $T_{\frac{1}{2}}$: 37hrs 배설 : 변(85%), 소변(4%) 주로 미변화체로 배설	1) 〉10% – 여드름양 발진, 조갑주위염, 피부건조증, 소양증, 구순염 – 체중감소, 저칼륨혈증 – 설사, 구내염, 식욕감소 – 방광염 – 혈청 아미노전이효소 증가 – 결막염, 비출혈, 비루 – 발열 2) 1~10% – 피로 – 손발 홍반성감각이상증후군 – 구토 – 신부전 – 간질성 폐렴	〈금기〉 1) 유당 불내성 환자 2) 임신부: Category D(투여중~투여후 최소 2주간 피임) 〈주의〉 1) 간질성 폐질환, 중증 간장애, 좌심실 기능부전: 투여 중단 2) 중증 설사 및 피부반응 발생 시 용량감량 또는 투여중단 고려 3) 간장애, 신장애 환자: 용량조절고려 4) 소아: 안전성 및 유효성 미확립 5) 여성, 저체중 및 신장애 기왕력 6) 각막염, 중증 안구건조증 환자 7) 수유부: 동물실험에서 모유로 이행 〈상호작용〉 1) P-glycoprotein 저해제: 이 약 투여 전 투여 시 이 약의 노출 증가 2) P-glycoprotein 유도제: 이 약의 노출 감소 3) 고지방식이: 혈중 농도 감소
Ceritinib Zykadia cap 자이카디아캡슐 …150mg/C	1) 750mg qd (Max. 750mg/D) – 공복에 복용: 이 약 복용 전후 2시간동안 음식물 섭취 금지 – 씹거나 부수지말고 통째로 삼킴. 2) 다음의 경우 안전성 및 내약성에 따라 용량을 150mg 단위로 감량 또는 영구 투여중단 (Min. 300mg/D) – 간기능 이상, 간질성폐렴, QT간격 연장, 서맥, 고혈당증, 중증의 위장관 독성	1) selective ALK(anaplastic lymphoma kinase) inhibitor, tyrosine kinase inhibitor 2) Oncogenic fusion proteins의 역형성 림프종 인산화효소(ALK)를 억제하여 암세포의 증식, 성장을 저해함. 3) 적응증: 이전에 crizotinib으로 치료를 받은 적이 있는 ALK양성 국소 진행성 또는 전이성 비소세포폐암 환자의 치료 4) Tmax: 4~6hrs $T_{\frac{1}{2}}$: 41hrs 대사: 간(CYP3A4, CYP2C9) 배설: 대변(92.3%, 미변화체 68%), 신장(1.3%)	1) 〉10% – 피로(52%), 신경병증(17%) – 피부발진(16%) – 혈당 상승(49%, grade 3/4: 13%), 혈중 인산 감소(36%) – 설사(86%; grade 3/4: 6%), 구역(80%; grade 3/4: 4%), 구토(60%; grade 3/4: 4%), 복통(54%),	〈금기〉 1) 선천성 QT연장 증후군 환자 2) 임신부: category D (치료기간~치료 종료 후 3개월까지 피임) 〈주의〉 1) 간수치 상승, QT간격 연장, 서맥, 고혈당증, 중증 또는 지속적인 위장관 독성: 모니터링 필요 2) 수유부, 소아: 안전성, 유효성 미확립 〈상호작용〉 1) 강력한 CYP3A/P-gp저해제(ritonavir, ketoconazole, itraconazole, voriconazole, posaconazole 등): 이 약의 노출 증가 (이 약 용량을 1/3 감량)

약품명 및 함량	용법	약리작용 및 효능	부작용	주의 및 금기
		<부작용 계속> 2) 1-10% - Q-T간격 연장(4%), 서맥(3%), 동서맥(1%) - 시력 장애(9%) - 간질성폐질환(4%; grade 3/4: 3%)	식욕감소(34%), 변비(29%), 혈중 lipase 증가(28%), 식도질환(16%) - Hgb감소(84%) - ALT 상승(80%, grade 3/4: 27%), AST 상승(75%; grade 3/4: 13%), 혈중 빌리루빈 상승(15%; grade 3/4: 1%) - 혈중 creatinine 증가(58%) <약리작용 및 효능>란에 계속	2) 강력한 CYP3A/P-gp유도제(rifampin, carbamazepine, phenobarbital, phenytoin, rifabutin, hypericum perforatum 등): 이 약의 노출 감소 3) Warfarin, phenytoin: 병용약의 노출 증가 4) 자몽(주스)의 섭취를 피함: 이 약의 노출 증가
Crizotinib Xalkori cap 잴코리캡슐 …200mg/C …250mg/C	1) 성인 250mg bid, 음식과 관계없이 투여 2) 내약성에 따라 감량 : 200mg bid → 250mg qd 3) 치료 시작 전 FISH법에 따른 ALK 변이 상태를 평가 * 신장애시 용량조절 참고 ① 경증~중등증 신장애시 : 용량조절 불필요 ② 중증 신장애시 : 용량조절 자료 불충분, 주의하여 투여	1) Selective ALK(anaplastic lymphoma kinase) tyrosine kinase inhibitor 2) 역형성 림프종 인산화효소(ALK), 간세포 성장인자 수용체(HGFR, c-Met), Recepteur d'Origine Nantais (RON)을 포함하는 tyrosine kinase receptor를 억제하여 항종양 활성 나타냄. 3) 적응증 : ALK 양성 국소 진행성 또는 전이성 비소세포폐암의 치료 4) $T_{\frac{1}{2}}$: 42hrs 대사 : 간(CYP3A4/5) 배설 : 신장(22%), 변(63%)	1) >10% - 부종(28%), 피로, 현기증 - 변비(27%), 설사(43%), 구역(53%), 구토(40%), 식욕감소 - 시각이상(62%, onset<2wks) - ALT/AST 상승 - 신경병증 2) 1~10% - 서맥, 흉통 - 두통, 불면 - 발진 - 복통, 구내염 - 호중구감소증 - 관절통	<금기> 1) 임신부 : Category D <주의> 1) 선천성 QT 연장증후군, 울혈성 심부전, 서맥성 부정맥, 전해질 이상, QT 간격 연장 약물 복용 중인 환자 2) 간장애 환자 3) 중증 신장애(CrCl <30ml/min) 또는 말기 신질환자 4) 수유부 및 소아 : 안전성 미확립 <상호작용> 1) CYP3A 대사 약물(이 약은 CYP3A 억제제임) 2) 자몽쥬스 : 약물 농도 증가 3) 제산제 : 이 약의 용해도 감소로 생체이용율 감소할 가능성 있음. <취급상 주의> 1) 분할, 분쇄 불가(캡슐제를 그대로 삼켜서 복용)
Dasatinib Sprycel tab	1) 권고초회량 - 만성기 CML: 100mg qd - 가속기, 또는 골수성이나 림프구성	1) Multi-targeted tyrosine kinase inhibitor로서 항종양제 2) Tyrosine kinase 중 BCR-ABL, SRC계(SRC,	1) ≥10% - 체액저류(37%), 피부부종(20%)	<금기> 1) 유당 불내성 환자 2) 임신부 : Category D

약품명 및 함량	용법	약리작용 및 효능	부작용	주의 및 금기
스프라이셀정 …20mg/T …50mg/T …70mg/T …100mg/T	모구성발증기의 CML, Ph+ ALL : 140mg qd 2) 용량증가 권고 : 초회량으로 효과 불충분시 최대 180mg까지 증량 (만성기 CML 경우 최대 140mg)	LCK, YES, FYN), c-KIT, EPHA2, and PDGFR-β를 저해하여 항종양 효과를 나타냄. 3) 적응증 - 새로 진단받은 필라델피아 염색체 양성(Ph+) CML - Imatinib이 포함된 선행요법에 저항성 또는 불내성을 보이는 만성기, 가속기, 골수성 또는 림프구성 모구성발증기(myeloid or lymphoid blast phase)의 만성골수성백혈병 - 선행요법에 저항성 또는 불내성을 보이는 Ph+ ALL 4) Tmax : 0.5~6hrs $T_{\frac{1}{2}}$: 1.3~5hrs 대사 : 간 배설 : 대변(85%), 신장(4%) <부작용 계속> - 관절통, 근염, 근육허약감, 근육통, 신경병증 - 시야이상, 안구건조증 - Scr 증가 - 폐부종, 폐고혈압, 기침	- 두통(24%), 피로(21%), 열(13%) - 발진(22%) - 저인산혈증, 저칼슘혈증 - 설사, 오심, 구토 - 골수억제, 호중구감소증, 혈소판감소증, 빈혈, 출혈 - 근골격계 통증 - 흉막삼출, 호흡곤란 2) 1~10% - 부종, 심낭삼출, CHF, 부정맥, 흉통 - 출혈, 오한, 우울증, 현기증, 불면증 - 여드름, 탈모, 피부염, 피부건조, 습진 - 복통, 복부팽만, 대장염, 변비 - 범혈구감소증 - ALT 증가, AST증가, 빌리루빈 증가 <약리작용 및 효능>란에 계속	(남성, 여성 모두 영향 있음.) <주의> 1) 수유부 : 안전성 미확립 2) 18세 미만 소아: 안전성, 유효성 미확립 3) 항혈소판, 항응고제 병용: 출혈 주의 4) 선천성 연장 QT 증후군, 항부정맥약 복용 환자 5) 폐동맥 고혈압: 발생위험 증가 <상호작용> 1) Dasatinib의 농도 증가 - CYP3A4 저해제 : ketoconazole, itraconazole, erythromycin, clarithromycin, ritonavir, atazanavir, nefazodone, nelfinavir, saquinavir, telithromycin 등 2) Dasatinib의 농도 감소 ① CYP3A4 유도제 : dexamethasone, phenytoin, carbamazepine, rifampicin, phenobarbital, St.John's wort ② 제산제 : 본제 투여 전후 2시간 간격두고 투여(pH 의존적) ③ H_2-receptor antagonist & PPI : 병용투여 권하지 않음. 3) Dasatinib에 의해 농도 변화 약물 - CYP3A4 기질 : alfentanyl, astemizole, terfenadine, cisapride, fentanyl, pimozide, quinidine, sirolimus, tacrolimus, 맥각 알칼로이드류 (ergotamine, dehydroergotamine) 등
Erlotinib Tarceva tab 타쎄바정 …100mg/C …150mg/C	1) 비세포폐암 : 150mg qd 2) 췌장암 : 100mg qd 3) 식전 최소 1시간 혹은 식후 최소 2시간에 복용 4) 이상반응 등으로 용량감소가 필요한 경우는 50mg씩 감량하도록 함.	1) 표피성장인자 수용체(HER1/EGFR)를 저해하여 암세포의 성장을 정지, 세포를 사멸시키는 항종양제 2) 적응증 ① 비소세포폐암 - 이전화학요법에 실패한 국소 진행성 또는 전이성 비소세포 폐암 - EGFR 활성 변이가 있는 국소진행성 또는 전이성 비소세포 폐암의 1차 치료	1) > 10% - 부종, 간수치 상승 - 피로, 발열, 불안, 두통, 우울, 현기증, 불면 - 여드름성 발진, 가려움, 피부건조, 홍반, 탈모	<금기> 1) 유당 불내성 환자 2) 임신부 : Category D <주의> 1) 항응고 치료중인 환자 (출혈 위험) 2) 간부전 환자 (용량조절이 필요할 수 있고, 이 약 투여로 인해 빌리루빈이 상승될 수 있음.)

약품명 및 함량	용법	약리작용 및 효능	부작용	주의 및 금기
		② Gemcitabine과 병용하여 국소진행성, 수술이 불가능 또는 전이성 췌장암의 1차 치료 3) 흡수: 음식과 함께 복용시 Cmax, AUC 증가 Tmax : 4hrs T½ : 36hrs 대사 : 간(CYP3A4>1A1, 1A2, 1C) 배설 : 대변(83%), 신장(8%)	- 설사, 식욕부진, 오심, 구토, 점막염, 혀통증, 구내염, 구강건조, 통증, 고창, 변비, 소화불량, 삼킴곤란, 체중감소, 미각이상, 복통 - 골통, 근육통, 관절통, 신경통, 경직 - 결막염, 건조각막결막염 - 호흡곤란, 기침, 감염 2) 1~10% - DVT, 부정맥, 뇌혈관사고, MI, 심근허혈, 실신 - 장폐색, 췌장염 - 용혈성 빈혈, 각막염, 신부전, 폐렴	3) Gefitinib과 같은 타 표피성장인자 수용체 저해제에 과민한 환자 4) 병용하는 또는 이전의 화학요법, 이전의 방사선요법 경험이 있는 환자 또는 폐 실질성 질환, 전이성 폐질환, 폐감염 환자 (간질성 폐질환 위험) 5) 호흡곤란, 기침, 발열 등 급성 폐증상이 발현된 경우는 간질성 폐질환이 아닌지 확인될 때까지 이 약 투여를 중단함. 6) 정제를 삼킬수 없는 경우 물 100ml에 녹여 복용하고 두 번 40ml의 물로 컵을 헹구어 전량 복용하도록 함. 7) 수유부, 소아 : 안전성 미확립 〈상호작용〉 1) Ketoconazole 등의 CYP3A4 저해제와 병용시 이 약의 혈중농도 상승 가능 2) Rifampin 등의 CYP3A4 유도제와 병용시 이 약의 혈중농도 감소 가능 3) Warfarin과 병용시 출혈 위험 증가 4) 자몽(주스)의 섭취를 피함: 이 약의 노출 증가
Everolimus Afinitor tab 아피니토정 …5mg/T …10mg/T	1) 유방암, 신경내분비종양, 신장세포암, 결절성 경화증과 관련된 신장 혈관 근육지방종: 10mg qd - 경증 간장애: 7.5mg qd - 중등도 간장애: 5mg qd - 중증 간장애: 투여 권장되지 않음 (Max. 2.5mg qd) 2) 결절성 경화증과 관련된 뇌실막밑 거대세포 성상세포종: 4.5mg/m^2 (Dubois 식을 이용한 체표면적) - 경증 간장애: 75% - 중등도 간장애: 50% - 중증 간장애: 투여 권장되지 않음	1) Rapamycin 유도체로서 체내에서 단백질 kinase인 mTOR (mammalian target of rapamycin)를 선택적으로 억제하여 항암 효과를 나타냄. 2) 적응증 - non-steroidal aromatase inhibitor에 불응성인 ER(+), HER2(-) 국소 진행성 또는 전이성 유방암인 폐경 후 여성에서 exemestane 병용 - 췌장에서 기원한 진행성 신경내분비종양 - VEGF 표적요법(sunitinib, sorafenib) 치료에 실패한 진행성 신장세포암 - 근치적 외과 절제술을 받을수 없는 결절성 경화증과 관련된 뇌실막밑 거대세포 성상세포종 - 즉각적 수술이 요구되지 않는 결절성 경화증과 관련된 신장 혈관근육지방종 3) 흡수 : 음식에 의해 AUC와 Cmax 감소	1) > 10% - 말초부종 - 피부건조, 소양증, 발진 - 저인산염혈증, 혈당 및 콜레스테롤 증가 - 설사, 오심, 구내염, 구토 - 빈혈, 림프구/혈소판감소증 - AST/ALT 증가, Scr 상승 - 무력증, 두통	〈금기〉 1) 이 약의 성분, 다른 rapamycin 유도체에 과민한 환자 2) 갈락토오스 불내성, Lapp 유당분해 효소 결핍증, 포도당-갈락토오스 흡수장애 환자 3) 임신부 : Category D 〈주의〉 1) 비감염성 폐렴 2) 면역억제의 의한 감염 3) 구강궤양 발생시 국소치료 권장 4) 신기능, 혈당, ANC 이상 관찰 5) 가임여성은 이 약을 투여 받는 동안과 투약 종료 후 8주간 피임법 필요

약품명 및 함량	용법	약리작용 및 효능	부작용	주의 및 금기
	3) 이 약은 매일 일정한 시간에 식사와 함께 또는 공복시에 복용 (high fat meal은 AUC, Cmax 감소시키나 일반식은 흡수에 영향 없음.) 4) 물 한 컵과 함께 통째 삼켜야하며, 씹거나 부수지 말아야 함. 삼킬수 없는 경우 물 30ml에 녹여 복용하고 다시 30ml의 물로 컵을 헹구어 전량 복용하도록 함.	단백결합률 : 74% $T_{\frac{1}{2}}$: 30hrs 대사 : 주로 간대사 배설 : 대변(80%), 신장(5%)	– 기침, 비감염성 폐렴 2) 1~10% – 흉통, 심부전 – 어지러움, 오한 – 손발증후군, 피부병변 – 당뇨, 쿠싱양증후군, 전해질 불균형 – 미각변화, 소화불량 – 빌리루빈 상승 – 감각이상 – 눈꺼풀부종, 결막염 – 인후두통증	6) 생백신 투여 및 생백신 투여자와의 접촉 피함 7) 소아 및 수유부 : 안전성 미확립 〈상호작용〉 1) 이 약의 농도 증가시키는 약물 : ketoconazole, itraconazole, voriconazole, ritonavir, clarithromycin, telithromycin, erythromycin, verapamil, cyclosporin, 자몽쥬스 2) 이 약의 농도 감소시키는 약물 : rifampicin, rifabutin, St. John's wort, corticosteroid, phenytoin, carbamazepine, phenobarbital, efavirenz, nevirapine 등 3) 이 약에 의해 농도 변화될 수 있는 약물 : atorvastatin, pravastatin 〈취급상 주의〉 1) 이 약의 가루나 부숴진 조각에 노출을 피함(노출에 대한 안전성 자료 없음.) 2) 차광보관(은박포장 벗기지 말 것)
Gefitinib Iressa tab 이레사정 …250mg/T	1) 성인: 250mg qd 2) 정제를 삼킬수 없는 경우 물(비탄산수) 반컵에 넣어 분산이 완료되면(최대 20분) 즉시 복용하도록 함.	1) 항암제로서 표피성장인자 수용체 (EGFR)를 억제하여 암세포의 성장을 멈추게 함. 2) 적응증 – EGFR활성 변이 있는 국소진행성 또는 전이성 비소세포폐암의 1차 치료 – 기존 화학 요법에 실패한 비소세포폐암(수술 불가능 또는 재발한 경우) 3) Tmax : 3~7hrs $T_{\frac{1}{2}}$: single dose : 30.1±4.6hrs multiple dose : 41.3±9.9hrs 배설 : 대변(86%), 신장(4%이하)	1) >10% – 발진, 소양증, 피부건조, 여드름 – 설사 및 오심 2) 1~10% – 무력감 – 손발톱이상 – 결막염 및 안검염 – 구토, 식욕부진, 위염 – 간기능 이상 (AST, ALT 상승) – 각막미란	〈금기〉 1) 임신부 : Category D 2) 소아 및 수유부: 안전성 미확립 〈주의〉 1) 급성폐장애, 간질성폐렴 등의 중대한 부작용이 발생할 수 있으므로 이 약 투여시 임상증상(호흡불능, 기침 및 발열등의 유무)을 충분히 관찰하고 정기적으로 흉부 X선 검사를 행함. 2) 간효소 수치가 증가될 수 있으므로 환자에 따라 정기적으로 간기능 검사를 필요로 함. 3) 설사, 피부 발진시 투약 중단함.(최대 14일) 〈상호작용〉 1) 간대사효소 CYP3A4의 활성에 영향을 미치는 약제와의 병용 투여시 주의 2) PPI 및 H2 차단제와 병용시 혈중 농도가 감소됨. 3) Warfarin과 병용시 INR 증가 및 출혈이 보고됨.

약품명 및 함량	용법	약리작용 및 효능	부작용	주의 및 금기
Imatinib Glivec tab 글리벡필름코팅정 …100mg/T Glinib tab 글리닙정 …200mg/T …400mg/T	1) 만성골수성백혈병(CML), PH+ ① 성인 - 만성기: 400mg qd(Max. 600mg/D) - 가속기 또는 급성기: 600mg qd (Max. 400mg bid) ② 소아: 340mg/m²/D #1-2 (Max. 600mg/D) 2) 위장관 기질종양(GIST) - 성인, Kit 양성, 절제 불가능 또는 전이성 GIST: 400mg/D - 성인, Kit 양성 GIST 수술 후 보조요법: 400mg/D 3) Imatinib에 감수성이 있는 tyrosine kinase와 관련된 질환 - MDS, 골수 증식 질환: 400mg qd - 과호산구성 증후군/만성호산구성 백혈병: 100mg qd(Max. 400mg/D) - 재발성 또는 전이성 융기성 피부섬유육종: 400mg bid 4) 식사와 함께 다량의 물로(250ml 이상) 복용 (∵위장장애) 5) 정제를 삼킬수 없는 경우 물 또는 사과쥬스에 현탁시켜 즉시 복용하도록 함 (1정당 약 50ml 액에 녹임).	1) Protein tyrosine kinase 저해제로 Bcr-Abl tyrosine kinase 억제 작용을 통해 philadelphia(Ph) chromosome(+)인 CML환자에서 암세포의 분화 및 증식을 억제 2) 적응증 : ① 필라델피아 염색체 양성인 만성기, 가속기, 급성기 CML ② 위장관기질종양(GIST) - 성인, Kit 양성, 절제 불가능 또는 전이성 GIST - 성인, Kit 양성 GIST 수술 후 보조요법 ③ 본 약제에 감수성 있는 tyrosine kinase와 관련된 질환 일부 - PDGFR 유전자 재배열이 확인된 MDS/골수증식 질환 - FIL1L1-PDGFRα 재배열이 확인된 과호산구성증후군/만성호산구성 백혈병 - 절제불가능한 재발성 또는 전이성 융기성 피부섬유육종 3) T½ : 18~40hrs 배설 : 주로 대변	1) >10% - 체액저류(흉막, 심장막 삼출액, 복수) - 두통, 피로감, 발열 - 발진 - 저칼륨혈증 - 오심, 설사, 구토, 소화불량, 복부통, 변비, 체중증가, 식욕부진 - 혈액독성 - 근육경련, 근골격통, 관절통 - 기침, 호흡곤란, 비출혈 - 야간 발한 2) 1~10% - 부종, CNS출혈, 소양증, 점상출혈, GI출혈, 간독성, 허약감, 폐렴, tumor lysis syndrome	〈금기〉 1) 임신부 : Category D 2) 수유부 : 안전성 미확립 〈주의〉 1) 간기능 저하 환자 2) 종종 심각한 체액저류를 유발 할 수 있으므로 정기적 체중 측정과 관련 증후 모니터링 필요 3) 정기적인 CBC 검사 필요하며 혈구 감소증이 발생할 경우 감량이나 복용 중단 필요함. 4) 2세 미만 소아 : 안전성 미확립 〈상호작용〉 1) CYP3A4 억제제(ketorconazole, clarithromycin 등): 이 약의 농도 증가 (자몽 쥬스와 병용금기) 2) CYP3A4 유도제(phenytoin, rifampin 등): 이 약의 농도 감소 3) CYP3A4 기질(simvastatin, cyclosporine 등): 병용약의 혈중농도 증가 가능 4) Warfarin: heparin 이나 저분자량 헤파린으로 사용 권장
Lapatinib ditosylate Tykerb tab 타이커브정 (Lapatinib으로) …250mg/T	1) capeciatabine 과의 병용: 1250mg qd (capecitabine 2000mg/m²/D #2 D1-14 q21days) 2) trastuzumab과의 병용: 1000mg qd 3) aromatase inhibitor와의 병용: 1500mg qd 4) 권장용량을 식전 또는 식후 1시간에 복용 5) 중증 간부전 환자 및 독성발현 환자는 용량조절 또는 중단 필요	1) Tyrosine kinase inhibitor로서 전이성 유방암 치료제 2) HER1(Human Epidermal growth factor Receptor 1 protein, ErbB1)과 HER2 수용체의 tyrosine kinase intraceullar domain의 4-anilinoquinazoline kinase inhibitor로서, HER2만 선택적으로 차단하는 trastuzumab과 달리 HER1과 HER2 모두를 저해하여 종양성장 억제 효과를 나타냄. 3) 적응증	(병용요법시 부작용) 1) >10% - 피로 - hand-and-foot syndrome, 발진 - 설사, 오심, 구토, 복통, 점막염, 구내염, 소화불량 - 빈혈, 호중구감소증, 혈소판감소증	〈금기〉 1) 임신부: Category D 〈주의〉 1) 중증 간장애 환자 (중증 간독성에 의한 사망사례 보고됨) 2) 이 약 투여시 좌심실 기능 부전이 일어날 수 있는 상태인 환자 3) 소아, 수유부 : 안전성 미확립 〈상호작용〉 1) 자몽쥬스, 강력한 CYP3A4 억제제 또는 유도제와

약품명 및 함량	용법	약리작용 및 효능	부작용	주의 및 금기
	〈약리작용 및 효능 계속〉 4) 약동학 자료 흡수: 다양한 음식과 함께 복용시 AUC 3~4배 상승(∴공복에 복용) Tmax : 3~6hrs 단백결합: 〉99% T½ : 24hrs (multiple dose) 대사: 간(CYP3A4, 3A5) 배설: 대변(27%), 신장(〈2%)	- HER2(ErbB2)과 발현되어 있는 이전에 anthracyclin, 탁산계, trastuzumab을 포함하는 치료를 받은 적이 있는 진행성 또는 전이성 유방암 환자의 치료에 capecitabine과 병용 (전이성유방암 환자는 trastuzumab의 치료 후 진행한 경우에 사용) - 호르몬 수용체 양성이고 HER2 과발현되어 있는 전이성 유방암인 폐경 후 여성환자로 화학요법 계획 없는 환자 치료에 aromatase 저해제와 병용투여 - 호르몬 수용체 음성, HER2 과발현된 전이성 유방암, 이전에 trastuzumab과 화학요법의 병용 투여를 받고 진행된 환자의 치료에 trastuzumab과 병용 〈용법〉란에 계속	- AST, ALT 상승, 빌리루빈 상승 - 사지통증, 저배통 - 호흡곤란 2) 1~10% - 좌심실 박출률 감소 - 불면 - 피부건조	복용시 본제의 혈중농도 변화 (병용 피하며, 병용이 부득이한 경우 용량조절)
Nilotinib Tasigna cap 타시그나캡슐 …150mg/C …200mg/C	1) 새로 진단된 만성기 Ph+CML : 300mg bid 2) Imatinib 치료 저항성, 불내성인 만성기, 가속기 Ph+ CML : 400mg bid 3) 식전 1시간 또는 식후 2시간에 복용 4) 캡슐을 씹거나 빨지 말고 물과 함께 그대로 삼켜야 하며 캡슐 개봉 금지 5) 캡슐 삼키기 어려운 경우 applesauce 한스푼에 풀어서 즉시 복용 6) 이상반응으로 인한 용량조절: 제품 설명서 참조	1) Highly selective BCR-ABL tyrosine kinase inhibitor (2세대 TKI) 2) BCR-ABL TK, PDGFR, KIT, CSF-1R, DDR, EPHA4 kinase inhibitor로 Philadelphia chromosome positive(Ph+)인 CML 환자에서 항암작용 3) 적응증 : 새로 진단된 만성기 또는 imatinib을 포함하는 선행요법에 저항성, 불내성을 보이는 만성기, 가속기의 Ph+CML 성인 환자의 치료 4) 흡수 : 경구(rapid), 음식물에 영향 (AUC 82% 상승) T½ : 17hrs 대사 : 간 (CYP3A4) 배설 : 대변(93%)	1) 〉10% - 가려움, 발진 - 복통, 변비(8~26%), 설사, 구역, 구토 - 관절통(5~16%), 등통, 근육통, 손발 통증 - 무력증(5~16%), 두통 - 기침, 비인두염 - 피로(6~32%), 발열 - 저인산혈증 - 혈청 리파아제 상승 (5~18%) - 빈혈, 호중구감소증, 혈소판감소증 2) 1~10% - QT 간격 연장 - 저칼슘 · 저칼륨 · 저나트륨 혈증 - 열성의 호중구 감소증 - ALT/AST 상승, 고빌리루빈혈증	〈금기〉 1) 갈락토오즈 불내성, Lapp 유당분해효소 결핍증, 포도당-갈락토오스 흡수장애인 환자(유당 함유) 2) 저칼륨혈증, 저마그네슘혈증, QT 연장증후군 환자 3) 임신부 : Category D 〈주의〉 1) QTc 연장 위험이 있는 심장질환자 2) 간장애 환자 3) 췌장염 병력 환자 4) 위전절제술 받은 환자 5) 수유부 및 18세 미만 소아 : 안정성 미확립 〈상호작용〉 1) CYP3A4 대사 약물 및 음식(자몽쥬스)에 의해 혈중농도 변화 2) 항부정맥약, QT간격 연장 가능 약물과 병용 피함. 3) 음식과 복용시 이 약의 흡수 증가 〈취급상 주의〉 1) 분할, 분쇄 불가

약품명 및 함량	용법	약리작용 및 효능	부작용	주의 및 금기
Pazopanib Votrient tab 보트리엔트정 …200mg …400mg	1) 800mg qd 공복에 복용 (최소 식전 1시간 또는 식후 2시간) 2) 개인의 내약성에 근거하여 200mg 씩 추가적인 증량 또는 감량(Max. 800mg) 3) 중등증 간장애 환자: 200mg qd	1) Multi-targeting tyrosine kinase inhibitor로 암세포의 증식과 혈관신생을 감소시켜 종양의 성장, 혈관신생, 전이를 억제 2) 적응증: 진행성 신세포암, 이전에 화학요법을 받은 진행성 연조직육종 3) Tmax: 2~4hrs 단백결합: ≥ 99% $T\frac{1}{2}$: 30.9hrs 대사: 간 (CYP3A4-major, CYP1A2 & CYP2C8) 배설: 변 (대부분) , 신장 (4%미만)	1) >10% - 고혈압(40%) - 설사(43%), 복통(11%), 오심(26%) - 백혈구감소증(37%), 호중구감소증(34%), 혈소판감소증(32%), 림프구감소증(31%) - 식욕감퇴(22%), 피로(19%) - 복통(11%), 오심(26%) - 모발 변색(38%) 2) 1~10% - 두통, 흉통, 얼굴부종 - 발진, 손-발바닥 홍반성감각이상증후군, 피부탈색 - 비출혈, 폐출혈, VTE - 소화불량, 체중감소 - 갑상선기능저하증	〈금기〉 1) 임신부 Category D 2) 소아: 안전성 미확립(생후 초기 발달 동안 기관 성장 및 성숙에 중대한 영향 미침, 2세 미만 소아 투여 금기) 〈주의〉 1) 간장애 환자 2) QT 간격 연장경험이 있거나 가능성이 있는 환자 3) 수유부 : 안전성 미확립 〈상호작용〉 1) CYP450 3A4 저해제 또는 유도제: Pazopanib의 혈장농도 변화유발 2) Simvastatin: ALT 상승 발생을 증가 3) 음식과 상호작용: 고지방 또는 저지방 식이와 투여 시 AUC 및 Cmax가 약 2배 증가 〈취급상 주의〉 1) 씹거나 부수지 말고, 그대로 삼켜 복용 (씹거나 부수어 복용하는 경우 흡수율 및 BA 증가, AUC & Cmax증가, Tmax 감소)
Radotinib Supect cap 슈펙트캡슐 …100mg/C …200mg/C	1) 400mg bid 2) 약 12시간 간격 두고 식전 2시간 또는 식후 2시간에 복용 3) 캡슐을 씹거나 빨지 말고 물과 함께 그대로 삼켜야 하며 캡슐 개봉 금지 4) 이상반응으로 인한 용량조절: 제품 설명서 참조	1) 2세대 tyrosine kinase inhibitor 2) Bcr-Abl fusion protein, PDGFR kinase inhibitor로 Philadelphia chromosome-positive(Ph+)인 CML 환자에서 항암작용 3) 적응증: imatinib을 포함한 선행요법에 저항성 또는 불내성을 보이는 만성기의 Ph+ CML 성인환자의 치료	1) >10% - 고빌리루빈혈증, ALT, AST상승, 혈소판감소증, 변비, 발열, 피로, 고혈당증, 근육통, 두통, 발진, 가려움	〈금기〉 1) 임신부: 안전성 미확립 〈주의〉 1) QTc 연장 위험이 있는 심장 질환자 2) 수유부, 18세 미만 소아: 안전성 미확립 〈상호작용〉 1) CYP3A4 대사 약물 및 저해제, 음식(자몽쥬스)에 의해 혈중농도 상승 2) 항부정맥약, QT 간격을 연장시킬 수 있는 의약품과 병용하면 QT 간격 연장

약품명 및 함량	용법	약리작용 및 효능	부작용	주의 및 금기
Regorafenib Stivarga tab 스티바가정 …40mg/T	1) 160mg(4Ⓣ)qd 3주 투약 후 1주 휴약 (투여주기 4주) 2) 이상 발생에 따라 감량 및 중단(허가사항 참고) 3) 가벼운 식사 후 복용	1) Tyrosine kinase inhibitor(TKI) 2) multi-kinase inhibitor로 antiangiogenic, anti-metastatic activity를 나타내 종양성장을 억제함 3) 적응증: - 이전에 fluoropyrimidne계 약물을 기본으로 하는 항암화학요법과 항VEGF치료제, 항EGFR치료제(KRAS 정상형 (wild type)의 경우)로 치료받은 적이 있는 전이성 직장결장암 - 이전에 imatinib, sunitinib으로 치료받은 적이 있는 전이성 또는 절제 불가한 국소진행성 위장관기질종양(GIST) 4) BA : 69% (정제) peak : 4hrs $T_{\frac{1}{2}}$: Regorafenib 28hrs (14-58hrs) M-2 metabolite 25hrs (14-32hrs) M-5 metabolite 51hrs (32-70hrs) 대사 : 간대사 (CYP3A4, UGT1A9) 배설 : 대변(71%; 모화합물 47%, 대사체 24%), 신장(19%)	1) > 10% - 고혈압 - 피로, 언어장애, 통증, 발열, 두통 - 손발바닥 홍반성 감각이상, 발진, 탈모 - 저칼슘혈증, 저인산혈증, 저나트륨혈증, 저칼륨혈증, 갑상선 기능 저하증 - 식욕감소, Lipase 상승, 설사, 점막염, 체중감소, Amylase 상승, 오심, 구토 - 빈혈, 림프구감소증, 혈소판감소증, INR 상승, 출혈, 백혈구감소증 - AST 및 ALT 상승, 고빌리루빈혈증 - 경직 - 단백뇨, 감염	〈금기〉 1) 임신부: Category D 〈주의〉 1) 간기능 장애 환자 2) 출혈 위험 높은 환자 3) 허혈성 심장 질환 병력 있는 환자 4) 혈압 조절 및 모니터링 권고: 동맥 고혈압 발생 증가 우려 5) 수유부(동물실험에서 모유로 이행) 6) 가임기 여성, 남성: 이 약 투여 및 투여 종료 후 8주까지 피임 〈상호작용〉 1) CYP34 저해제 및 유도제: 병용투여 권장 안함. 2) Irinotecan (UGT1A1 및 UGT1A9 기질): Irinotecan 약효 증가 3) BCRP 및 P-glycoprotein 기질(digoxin): 병용약의 약효 증가 4) Warfarin: 이 약의 독성 증가 〈취급상 주의〉 1) 용기 개봉 후 7주간 안정
Ruxolitinib phosphate Jakavi tab 자카비정 …5mg/T …15mg/T …20mg/T	1) 초회량: ① 혈소판수에 따름 -100,000~200,000/㎣: 15mg bid - > 200,000/㎣: 20mg bid ② 간장애 환자: 10mg bid 2) 초회 용량 4주까지 유지하고, 혈소판 수 · 호중구 수가 적절한 경우 2주 이상 간격으로 최대 5mg bid씩 증량가능(Max. 25mg bid/D) 3) 치료중단 - 혈소판 수 50,000/㎣ 미만	1) JAK1, JAK2 tyrosine kinase inhibitor, *JAK(Janus Associated Kinase): cytokine receptors의 STAT(signal transducers and activators of transcription)에 관여하여 gene expression을 조절함 2) 비장의 mutant JAK cells과 inflammatory cytokines을 감소시키고 비장비대를 막아줌. 3) 적응증: 중간위험군 또는 고위험군 골수섬유화증의 치료(일차성 골수섬유화증, 진성적혈구증가증 후 골수섬유화증, 본태성혈소판증가증 후 골수섬유화증)	1) >10% - 빈혈, 호중구 감소증, 혈소판 감소증 - 멍, 가려움 - 혈중 콜레스테롤 증가, 혈중 TG 증가, 체중증가 - 복통, 설사 - ALT/AST 상승 - 근경련 - 어지러움, 두통	〈금기〉 1) 유당과 관련된 유전적 문제가 있는 자 〈주의〉 1) 정기적인 CBC 검사 필요 2) 투여 6개월 이후에도 비장 크기감소 또는 증상개선 없는 경우 투여중단 3) 임신부: Category C 4) 가임기 여성은 피임 필요함. 5) 결핵, 대상포진, 진행성 다초점성 백질뇌병증, 피부암이 발생할 수 있으므로 주의 6) 수유부: 동물실험시 모유 이행 보고

약품명 및 함량	용법	약리작용 및 효능	부작용	주의 및 금기
	- 절대호중구수 500/㎣ 미만 * 신기능에 따른 용량조절 참고 ① CrCl<50ml/min: 초회 10mg bid ② 혈액투석시 - 혈소판수 100,000~200,000/㎣ : 15mg qd - 혈소판 수 > 200,000/㎣: 20mg qd - 투석날은 투석이후에 투여(1일 1회 초과금지)	4) BA: 95% (정제) Tmax: 1-2hrs $T_{\frac{1}{2}}$: 3hrs (간장애시 4.1-5hrs), 이 약 및 대사체로서 5.8hrs 대사: 간(CYP3A4, CYP2C9) 배설: 신장(74%), 대변(22%) 주로 변화체로 배설	- 호흡곤란 -피로 2) 1~10% - 부종, 고혈압 - 변비, 가스팽만, 오심 - 대상포진 - 관절통, 무력증 - 요로감염 - 기침, 코피, 비인두염	7) 소아: 안전성, 유효성 미확립 〈상호작용〉 1) 강력한 CYP3A4 저해제 : 이 약 투여량 50% 감소 2) 강력한 CYP3A4 유도제(Rifampin)와 병용 시 이 약의 AUC, $T_{\frac{1}{2}}$ 감소 (효과 감소시 증량 고려) 〈취급상주의〉 1) 정제를 삼킬 수 없는 경우 1정을 40ml 물로 10분간 저어 복용 (녹인 후 6시간 이내 복용)
Sorafenib Nexavar tab 넥사바정 …200mg/T	1) 400mg bid 2) 식전 1시간 또는 식후 2시간(공복)에 복용 * 신기능에 따른 용량 조절 참고 CrCl(ml/min) : 용량용법 ① 40~59 : 400mg bid ② 20~39 : 200mg bid ③ <20 : 용량 조절 정보 불충분 ④ 투석시: 200mg qd	1) Multi-kinase enzyme inhibitor로 암세포 증식을 억제함 2) 암세포의 혈관증식단계 (예 : VEGFR, PDGFR)와 암세포 형성 단계(예, KIT, FLT-3)에 관여하는 receptor tyrosine kinases를 억제하여 암세포의 증식을 막고, 암세포와 암세포 혈관 내부의 신호 전달경로(예: RAF/MEK/ERK)에 관여하는 serine/threonine kinase (Raf kinase)를 억제하여 혈관생성을 억제 3) 적응증 - 이전의 cytokine 치료에 실패했거나, 이러한 치료가 적절치 않은 진행성 신장세포암 - 간세포성암 - 방사성 요오드에 불응한, 국소 재발성 또는 전이성의 진행성 분화 갑상선 암 4) Tmax : 3hrs BA : 38~49%(고지방음식과 함께 복용시 BA 29% 감소) 단백결합 : 99.5% $T_{\frac{1}{2}}$: 25~48hrs 대사 : 간 배설 : 대변(77%, 미대사체로 51%) 신장(대사체로 19%)	1) >10% - 고혈압, 피로감 (33% grade3/4 : 6%), 감각성 신경병증 - 발진(40%), hand-foot syndrome (35%, grade 3/4 : 6%), 탈모(27%), 가려움(19%), 피부 건조, 홍반 - 저인산혈증(45%, grade3 : 13%) - 설사(43%, grade 3/4 : 2%), lipase 증가(41%), amylase 증가(30%), 오심(23%), 식욕부진, 구토, 변비, 복통 - 림프구감소(23%), 호중구감소(18%), 출혈, 혈소판감소(12%), 백혈구감소 - 뼈의 통증, 근육통, 위약감	〈금기〉 1) 이 약 성분이나 부형제에 과민한 환자 2) 임신부 : Category D 〈주의〉 1) 고혈압 환자 2) 불안정형 관상동맥질환 환자 또는 최근 심근경색이 발병한 환자 3) Warfarin 복용 환자 : PT/INR 증가 드물게 보고됨 4) 중대한 수술을 받는 환자 5) UGT1A1 대사경로를 통해 주로 대사/제거되는 약물 (ex. irinotecan) 복용하는 환자 6) 소아 및 수유부 : 안전성 미확립 〈상호작용〉 1) CYP3A4 유도제(rifampin, phenytoin, phenobarbital, dexamethasone) : 이 약의 혈중 농도 감소 2) Doxorubicin 농도 증가 3) Irinotecan 농도 증가

약품명 및 함량	용법	약리작용 및 효능	부작용	주의 및 금기
		〈부작용 계속〉 - 발기기능장애 - transaminase 증가 - 관절통, 근육통 - 목쉼 - influenza-like syndrome	- 호흡곤란, 기침 2) 1~10% - 홍조 - 두통, 우울증, 열감 - 여드름, 탈락피부염 - 체중감소, 구내염, 소화불량 〈약리작용 및 효능〉란에 계속	
Sunitinib malate Sutene cap 수텐캡슐 …12.5mg/C …25mg/C …50mg/C	1) 위장관 기저종양, 진행성 신세포암 ① 50mg qd, 4주간 투여 후 2주간 휴약 ② 6주를 1주기로 하여 반복 투여 2) 췌장내분비종양 : 37.5mg qd, 휴약기 없이 투여 3) 개인의 안전성과 내약성에 근거하여 12.5mg의 용량 단위로 37.5~87.5mg/D(위장관지저종양, 신세포암), 25~62.5mg/D(췌장 내분비종양)까지 감량 또는 증량 4) 음식물과 상호작용 없음	1) Multi-targeting tyrosine kinase inhibitor로 암세포의 증식과 혈관 신생을 감소시켜 종양의 성장, 혈관신생, 전이를 방지함. 2) 혈소판 유래성장인자 수용체 (PDGER-α, PDGER-β), 혈관내피세포성장인자 수용체(VEGFR1, VEGFR2, VEGFR3), 줄기세포인자수용체(KIT), Fms-like tyrosine kinase-3(FLT3), 집락자극인자수용체 type1(CSF-1R), 신경아교세포주-유래 신경친화인자수용체(RET)를 억제하여 효과 나타냄. 3) 적응증 - 저항성 및 불내약성으로 인해 Imatinib mesylate (IMAT) 요법에 실패한 위장관 기저종양(GIST) - 진행성 신세포암 - 절제불가능하고, 고도로 분화된 진행성 및 전이성 췌장내분비종양 4) Tmax : 6~12hrs $T_{\frac{1}{2}}$: 40~60hrs(Sunitinib), 80~110hrs(SU12662) 대사 : 간(CYP3A4에 의해 활성형인 SU12662로 대사됨) 배설 : 대변(61%), 신장(16%)	1) >10% - 고혈압, 좌심실박출률(LVEF)의 감소, 말초 부종 - 피로, 열, 두통, 오한, 불면 - 과다색소침착, 피부색 변화, 발진, hand-foot syndrome, 피부건조, hair color changes - 혈당 변화, 전해질 이상(Ca, Na, K, 요산), 저알부민혈증 - 설사, lipase증가, 오심, 식탐, 점막염/구내염, 식욕 부진, 변비, 복통, 소화불량, 구토, amylase 상승, 체중감소, 구강건조, 위/식도역류 - 혈구감소, 출혈 - AST/ALT 상승, alkaline phosphatase 상승, 고빌리루빈혈증	〈금기〉 1) 임신부 : Category D 〈주의〉 1) 항부정맥약 복용중인 환자, 심장 질환이 있는 환자 2) 서맥, QT interval 연장, torsades de pointes의 과거력이 있는 환자 3) 전해질 불균형 4) 고혈압 환자 5) 좌심실 기능 이상 환자 6) 강력한 CYP3A4 억제제 병용투여시 7) 출혈이나 심각한 위장관계 합병증 모니터링 8) 수유부 : 안전성 미확립 9) 소아 : 안전성 미확립 (동물실험시 성장판 형성장애, 치아우식증 등 관찰) 〈상호작용〉 1) CYP3A4 저해제(ketoconazole 등): 이 약의 혈중농도 증가 2) CYP3A4 유도제(rifampin 등): 이 약의 혈중농도 감소

약품명 및 함량	용법	약리작용 및 효능	부작용	주의 및 금기
			- Creatine kinase 상승, 허약, 요통,관절통, 사지통, 근육통 - Creatinine 상승 - 호흡곤란, 기침 〈주의 및 금기〉란에 계속	〈부작용 계속〉 2) 1~10% - 정맥 혈전, DVT, 심근경색 - 우울증, 현기 - 피부 수포, 탈모 - 탈수, 갑상선저하증 - 고창, 혀통증, 구강통, 식욕장애, 췌장염 - 말초성 신경병증 - 눈주위 부종, 누루증가 - 폐 색전증
Temsirolimus Torisel inj 토리셀주 …25mg/1ml/V	1) 주 1회 25mg IV inf.(30~60분) 2) 전처치 : 투여 30 분전 항히스타민제 IV 3) 신장애시 용량조절 불필요, 간장애시 감량 고려(중증인 경우 금기) 4) 주사액의 조제 ① 이 약 25mg/ml (실제 30mg/1.2ml/V) 1vial에 첨부용제 1.8ml를 주입 : 최종 농도 10mg/ml ② 첨부용제 혼합액에서 필요량(25mg의 경우 2.5ml)을 NS 250ml에 희석 ③ 희석시 거품이 나지 않도록 주의 ④ 이 약을 첨부용제 희석 없이 NS에 직접 희석 금지 (침전 발생)	1) mTOR(mammalian target of rapamycin) kinase inhibitor로서 성장 단계의 암세포를 저지하는 항종양제 2) 적응증 : 진행성 신세포암 3) Clear cell type, non-clear cell type에 대해 모두 치료효과 가짐. 4) $T_{\frac{1}{2}}$: temsirolimus ~17hrs sirolimus(활성대사체) ~55hrs Tmax : 주입 종료시점(0.5hr) sirolimus - 주입 종료 후 0.5~2hrs 대사 : 주로 간 배설 : 대변(78%), 신장(〈5%)	1) 〉10% - 부종, 말초부종, 흉통, 통증, 발열, 두통, 불면증 - 발진, 가려움, 손톱이상, 피부건조 - 고혈당증, 고콜레스테롤혈증, 고트리글리세라이드혈증, 고지혈증, 저칼륨혈증, 저인산혈증 - 구내염, 오심, 식욕부진, 설사, 복통, 변비, 점막염 - 요로감염, 감염 - 빈혈, 혈소판감소증, 호중구감소증, 림프구감소증, 백혈구감소증 - AST, ALT 상승 - 무력감, 요통, 관절염 - Scr 상승 - 호흡곤란, 기침, 코피	〈금기〉 1) 이 약 및 대사체(sirolimus 포함), polysorbate80에 과민한 환자 2) 빌리루빈이 정상 상한치의 1.5배를 초과하는 환자 3) 임신부 : Category D 〈주의〉 1) 중증 신장애 환자 2) 간장애 환자(AST, 빌리루빈 수치 모니터링 필요함) 3) 고혈당증, 당불내성, 당뇨, 고지질혈증 환자 4) 과민반응/주입반응 : 전처치에도 불구하고 과민반응 발생시 투여 중단, 투여 재개시에는 더 느린 속도로 IV(최대 60분) 5) 가임기 여성, 남성: 이 약 투여 중, 투여 종료 후 3개월 까지 피임 6) 소아, 수유부 : 안전성 미확립 〈상호작용〉 1) CYP3A 유도제 : 이 약의 효과 감소 2) CYP3A 억제제 : 이 약의 효과 증가 〈취급상 주의〉 1) 냉장, 차광 보관(박스내 보관) 2) 첨부용제 혼합액 : 20~25℃, 차광시 24시간 안정 3) NS 희석액 : 6시간 이내 투여, 과도한 실내광 및 햇빛으로부터 피하여 보관

약품명 및 함량	용법	약리작용 및 효능	부작용	주의 및 금기
			2) 1~10% - 고혈압, 정맥혈전 색전증, 혈전 정맥염 - 여드름, 오한, 우울감, 근육통, 고빌리루빈혈증, 결막염	4) 투여시 PVC백과 투여세트를 사용하지 않도록함 (∵ polysorbate 80 함유하여 PVC로 부터 DEHP를 추출시킴) 5) 투여시 5micron이하 in-line 필터 또는 end-필터 (0.2~5 micron)를 사용함(단, in-line필터와 end 필터 모두를 사용하지 않도록 함)
Vandetanib Caprelsa tab 카프렐사정 …100mg/T …300mg/T	1) 300mg qd, 음식과 상관 없이 복용 2) 식전 1시간 또는 식후 2시간(공복)에 복용 3) 정제를 물과 함께 통째로 삼켜 복용해야 함. 삼킬 수 없는 경우, 비탄산 음용수 약 100ml에 넣고 10분간 저어 준 후 즉시 복용. 사용한 컵을 약 100ml의 물로 헹궈 음용. 4) QT 간격 연장 시 200mg, 100mg 순으로 감량 * 신기능에 따른 용량 조절 참고 - CrCl 30~50ml/min : 200mg qd	1) Tyrosine kinase inhibitor 2) VEGFR, EGFR, RET(rearranged during transfection)경로를 저해하여 종양세포의 이동, 성장, 생존 및 혈관형성을 억제함. 3) 적응증: 증상이 있는, 절제불가능한 국소진행성 또는 전이성 갑상선수질암의 치료 4) Tmax: 6hrs $T_{\frac{1}{2}}$: 19days 배설: 대변(44%), 신장(25%)	1) 〉10% - 고혈압, QT간격연장 - 두통, 피로, 불면 - 발진, 여드름양발진, 피부건조증, 피부광과민증, 소양증 - 저칼슘혈증, 저혈당 - 위막성대장염, 오심, 복통, 식욕감소, 구통, 소화불량 - ALT 상승, 빌리루빈 상승 - 각막이상 - Creatinine 상승 - 상기도감염, 기침, 비인두염	〈금기〉 1) 선천성QT 연장증후군, QT간격이 480msec 초과하는 환자 2) 임신부: Category D 3) 수유부 〈주의〉 1) QT간격을 연장시킬수 있으므로 심전도모니터링이 필요함 2) 소아 : 안전성 미확립 〈상호작용〉 1) CYP3A4유도제: 이 약의 농도를 변화시킴, 병용을 피함 2) QT간격을 연장하는 약물

약품명 및 함량	용법	약리작용 및 효능	부작용	주의 및 금기
Vemurafenib Zelboraf tab 젤보라프정 …240mg/T	1) 960mg bid 2) 12시간 간격으로 아침, 저녁에 동일한 방법으로 복용(2회 모두 식사와 함께 또는 공복 시 복용) 3) 이상반응 및 QT 간격 연장 발생에 따라 감량 및 중단 필요 (480mg bid 이하로 감량하는 것은 권장되지 않음) 4) 투여를 놓친 경우 다음 투여 4시간 전까지 투여 가능함, 투여 후 구토 발생한 경우 추가투여 금지	1) BRAF kinase inhibitor, 흑색종 치료제 2) $BRAF^{V600E}$를 포함하는 mutated BRAF serine-threonine kinase inhibitor로, 변이가 있는 melanoma cells의 증식을 억제함 3) 적응증: $BRAF^{V600E}$변이가 확인된 수술이 불가능하거나 전이성인 흑색종 4) Tmax: 3hrs $T_{1/2}$: 57hrs 배설: 대변(94%), 신장(1%) 〈부작용 계속〉 2) 1~10% - 심방세동, 저혈압, QT간격 연장 - 어지러움, 말초신경병증 - 결절성 홍반, 모낭염, 스티븐스-존슨 증후군 - ALT/AST 증가, 빌리루빈 증가 - 과민반응 - 홍채염, 시야흐림, 포도막염 - 혈중 크레아티닌 증가	1) 〉10% - 부종(17%~23%) - 피로(38~54%), 두통(23~27%) - 발진(37~52%), 광과민성(33~49%), 탈모(36~45%), 가려움(23~30%), 과각화증(24~28%) - 오심(35~37%), 설사(28~29%), 구토(18~26%), 식욕감퇴(18~21%), 변비(12~16%), 미각장애(11~14%) - 피부유두종(21~30%), 피부 편평세포암(24%) - GGT 증가 (5~15%) - 관절통(53~67%), 근육통(13~24%), 사지통증(9~18%), 요통(8~11%) - 기침(8~12%), 발열(17~19%) 〈약리작용 및 효능〉란에 계속	〈금기〉 1) Wild type BRAF 악성흑색종 환자 2) 임신부: Category D 〈주의〉 1) 가임기 여성: 치료기간~치료 종료 후 6개월 이상 피임 2) 수유부, 18세 미만 소아: 안전성 미확립 3) 전해질 이상, QT 연장 증후군 및 QT 연장 약물 복용 환자 - 투여 전, 치료시작 후 1개월, 용량 조절 후 심전도(ECG) 및 전해질 수치 모니터링 실시 - QTc 〉500ms 이상인 경우 투여 권장되지 않음 4) 중등도-중증 간장애 환자 5) 중증 신장애 환자 〈상호작용〉 1) Ipilimumab과 병용 권장되지 않음 2) CYP1A2 기질 약물의 농도 증가 3) CYP3A4 기질 약물의 농도 감소 4) Warfarin의 농도 상승 5) 강한 CYP3A4 유도제 및 P-gp, glucuronidation 유도제: 이 약의 노출 증가

약품명 및 함량	용법	약리작용 및 효능	부작용	주의 및 금기
Ibritumomab tiuxetan Zevalin Kit inj 제바린키트주사 …3.2mg/2ml/V	1) 첫째날 : Rituximab 250mg/m²IV inf. 2) 7, 8 또는 9일째 : Rituximab 250mg/m² 짧은 시간 동안 IV inf. 후 [90Y]방사성 표지 시킨 본제를 10분간 IV inf. (최대용량 : 1,200MBq (=32.4mCi)) 단, 평균 방사화학적 순도가 95% 미만이면 사용하지 않도록 함. * 이 약에 [90Y]방사선 표지하는 방법 및 방사화학적 순도 측정법은 제품설명서의 〈적용상의 주의〉항 참조	1) 방사성 면역 치료요법제 2) 작용기전 ① Ibritumomab은 B lymphocyte의 CD20 항원에 직접 결합하는 단일클론 항체로서, B-cell의 세포 사멸을 유도 ② Tiuxetan은 chelator로서, 방사성동위원소인 이트리움[90Y]과 결합 후 이를 종양 세포에 전달하여 방사선에 의한 세포 사멸을 유도. 3) 적응증: Rituximab에 효과가 없거나 재발한 CD20(+) 여포형 B-cell Non-Hodgkin's lymphoma 4) 이 약에 결합시켜 투여하는 이트리움[90Y]은 환자 격리가 필요없는 방사성 물질로 약물 투약 후 타인과 접촉에 문제 없음.	1) >10% - 오한, 발열, 통증, 두통 - 오심, 복통, 구토 - 혈소판감소증, 호중구감소증, 빈혈, 골수억제(Nadir 7~9주, 회복 22~35일) - 쇠약, 호흡곤란, 감염 2) 1~10% - 말초부종, 혈압저하, 홍조, 혈관부종 - 현기증, 불면, 홍분 - 가려움, 발진, 두드러기, 점출혈 - 설사, 식욕부진, 복부팽창, 변비, 소화불량, 혈변, 위장관출혈 - 멍, 범혈구감소증, 2차적 악성종양 - 저배통, 관절통, 근육통 - 기침, 인후자극, 비염, 기관지연축, 코피, 무호흡 - 발한, 알러지반응	〈금기〉 1) 이 약 및 rituximab, yttriom에 과민한 환자 2) murine 단백질에 과민한 환자 3) 임신부 : Category D (또한 방사선을 사용하는 약이므로 임신부 금기) 〈주의〉 1) 방사성 의약품은 방사선핵종을 취급할 수 있는 자격자에 의해 사용되어야 함. 2) 이 약으로 치료 전 뮤린 유래 단백질을 투여받은 환자는 사람항-마우스 항체 테스트 필요 3) 과민반응시 아드레날린, 항히스타민제, 부신피질호르몬제 등으로 응급처치 실시 4) 다음의 경우에 아직 안전성, 유효성 미확립 - 골수의 25% 이상이 림프종 세포에 의해 침윤된 환자, 골수 예비력 부전 환자 - 활동성 골수의 25%를 초과하는 부분과 관련하여 이전에 방사선 치료를 받은 환자 - 혈소판 100,000/mm³ 미만 또는 호중구수 1,500/mm³ 미만 환자 - 골수이식 또는 줄기세포 지지요법을 받은 적이 있는 환자 - 18세 미만 소아, 수유부 : 안전성 미확립 〈취급상 주의〉 1) 키트 자체로 차광, 냉장보관 (방사성 표지 후에도 동일하게 보관함) 2) 방사능 물질에 대한 국내의 규정에 따라 저장함. 3) IV bolus 금기 4) 투여시 0.2-0.22micrometer 저단백결합 필터 사용하여 투여
Methyl aminolevulinate HCl Metvix cream 메트빅스크림	1) 약제 도포 후 약 3시간동안 밀봉 드레싱 후 병소를 식염수로 닦아내고 적외선(570-670nm) 조사 2) 광선각화증 : 광역학 1회 (필요시 3개월 후 추가)	1) 광역학 치료(photodynamic therapy)를 위한 국소용 광과민제(photosensitizing agent) 2) 5-Aminolevulinic acid(ALA)의 methyl ester 형태로 피부에 흡수된 후 내인성 photosensitizer인 protoporphyrin IX (PpIX)을 축적시킴. 이때 광선을	1) >10% - 통증, 작열감, 온감, 홍반, 자통, 피부 따끔거림, 가려움증, 부종	〈금기〉 1) 반상경피증형 기저세포암, 포르피린증, 두꺼운 이상각화증 2) 임신부 : 안전성 미확립 〈주의〉

약품명 및 함량	용법	약리작용 및 효능	부작용	주의 및 금기
…320mg/2g/EA	3) 기저세포암, 보웬병 : 1주 간격으로 광역학 2회	조사하면 활성산소가 생성되어 이형성 세포 사멸을 유도하여 광선각화증을 치료함. 3) 적응증 : ① 타 치료법이 부적절한 안면과 두피의 비과각화성, 비색소침착성 광선각화증 ② 다른 치료법에 의한 합병증과 불량한 미용적 예후 때문에 타 치료법이 부적절한 표피형 및 결절성 기저세포암 ③ 수술로 제거하는 것이 부적절하다고 판단되는 잠재 편평세포암 (Bowen's dz)	2) 1~10% – 가피형성, 궤양화, 화농, 감염 피부박리, 도포부위반응, 피부 출혈, 저/고색소침착	1) 병소 및 주변 부위가 치료 후 수일간 햇빛에 노출되지 않도록 함(약 2일). 2) 눈에 직접적인 노출을 피함. 3) 색소침착된 병소, 심하게 침윤된 병소, 성기부위 병소 4) 보웬병 환자 중 40mm 이상의 병소를 갖고 있거나, 면역억제 치료중인 이식 환자 5) 부형제로 인한 피부반응 (접촉성 피부염) 및 알러지 반응 유발 주의 6) 수유부 : 안전성 미확립(도포 후 48시간동안 수유 중단) 7) 18세 이하 : 안전성 미확립 〈취급상 주의〉 1) 냉장보관(2~8℃) 2) 개봉 후 1주 이내 사용
Porfimer sodium Photofrin inj 포토프린주 …75mg/V	1) 2mg/kg 3~5분간 천천히 IV (NS 또는 5DW에 2.5mg/ml 농도로 희석 사용) 2) 주사 후 40~50시간 후 레이저빛 조사, 괴사 조직 제거하고 96~120시간 후 두 번째 레이저 조사 가능 3) 1개월 이상 간격으로 총 3회 광역동 치료 가능 4) 조제법 : 1바이알(75mg)을 31.8ml에 희석 (희석 후 농도 2.5mg/ml)	1) 광민감제 2) 광역동요법(PDT, photodynamic therapy)시 체내 투여된 후 비열성 레이저광(630nm)과의 상호작용으로 암조직의 산소로 spin 전이가 일어나면서 활성산소 생성, 라디칼 연쇄반응에 의해 암조직의 괴사 및 세포 증식을 억제함. 3) Hematoporphyrin 유도체로서 구성성분 중 실제 치료 효과를 가진 oligomer의 함량은 86%임. 4) 적응증 ① 완전 폐쇄성 식도암 또는 Nd: YAG 레이저술로 충분히 치료할 수 없는 부분 폐쇄성 식도암 환자의 완화 ② 완전 또는 부분 폐쇄성 기관지내의 비소세포폐암 환자의 폐쇄 감소와 증상의 완화 5) 단백결합 : 90% $T\frac{1}{2}$: 410hrs(1st dose), 725hrs(2nd dose) 대사 : 조직 배설 : 담즙	(빈도 미확립) – 광과민 반응(적어도 30일 이상 직사광선과 실내의 밝은 빛 피함) – 국소 염증, 흉통, 호흡곤란, 복통, 연하곤란, 변비, 오심, 구토, 발열, 빈맥, 심방세동, 흉막삼출, 점막염, 빈혈	〈금기〉 1) 포르피린증 환자 2) 기관식도 누공 환자 또는 발생 위험이 있는 환자 3) 암세포가 주혈관까지 침식된 환자 〈주의〉 1) 광역학요법 후 적어도 30일 이상 직접적인 햇빛이나 밝은 실내불빛에 피부와 눈을 노출하지 않도록 주의하며, 일반 실내빛은 남은 약의 불활성화에 도움이 되므로 어두운 곳이 아닌 일반 실내빛에 있도록 함. 2) 식도정맥류, 기관 또는 기관지 종양, 기관지염 환자 3) 임신부 : Category C 〈상호작용〉 1) 광과민 작용이 있는 약물 (tetracyclines, sulfonamides, phenothiazines etc)과 병용시 광과민 반응 증가 2) 항응고제, 응고제, 혈관수축제는 PDT 효과 감소시킬 수 있음. 〈취급상 주의〉 1) 바이알 : 20~25℃ 보관 2) 용해 후 즉시 사용(밝은 빛을 차단하여 냉장 24시간까지 보관 가능하나 3시간 이내 사용 권장)

약품명 및 함량	용법	약리작용 및 효능	부작용	주의 및 금기
Belotecan Camtobell inj 캄토벨주 …2mg/V	1) 0.5mg/m² 30분에 걸쳐 IV inf (5일간) 2) 3주 간격 투여, 2차 투여시 환자상태 고려하여 증감 투여 3) 종양 진행이 없는경우 종양반응이 지연될 수 있으므로 최소 6주기 이상 투여 권장	1) 체내에서 활성 대사체로 전환되어 DNA 합성과정에 관여하는 효소인 Topoisomerase I을 저해함으로써 항암작용을 나타냄. 2) 적응증 - 표준화학요법에 실패한 저항성 또는 재발성 난소암 - 1차 화학요법에 실패한 저항성 또는 재발성 제한병기 소세포폐암 - 진행병기 소세포폐암 치료 3) $T\frac{1}{2}$: 7.63hrs	1) >10% - 호중구감소증(41.4%), 백혈구감소증, 혈소판감소증(40.5%), 빈혈(19.6%) - 오심 (76.8%), 식욕부진(32.9%), 구토(23.2%), 변비(14.6%), 설사(13.4%) - 피로(19.5%), 두통, 어지러움(12.2%) - ALT, AST 상승 - 탈모(19.6%)	〈금기〉 1) 임신부 및 수유부 2) 중증의 골수기능억제 환자 3) 뇌전이가 있는 환자 4) 발작성 질환이 있는 환자 〈주의〉 1) 용량제한 독성으로 골수기능 억제가 일어날 수 있으므로 모니터링 실시 2) 중증의 호중구감소증, 중증의 혈소판감소증, 중증의 빈혈이 나타날 수 있으며, 이와 관련되어 패혈증 및 열성 호중구감소증이 나타날 수 있음. 3) 수유부: 안전성 미확립 〈상호작용〉 1) Colony-stimulating factor와 동시투여 시 호중구감소증의 발병기간이 연장될 수 있으므로 이 약의 투여 종료 24시간 이후 투여할 것 〈취급상 주의〉 1) 5DW 4ml에 재구성 후 5DW 100ml에 희석 (NS는 불가) 2) 재구성후 즉시 사용 (방부제 없음), 희석 후 실온 24시간 안정 3) 차광 보관
Irinotecan HCl Campto inj 캄토프주 …100mg/5ml/V …40mg/2ml/V	1) fluorouracil 치료 후 재발성, 전이성 직장암 또는 결장암 ① A법 : 100mg/m² 1주간격으로 3~4회 반복 2주 휴약 ② B법 : 150mg/m² 2주 간격으로 2~3회 반복, 3주 휴약 2) 선행요법 경험 없는 진행성 직장암 또는 결장암 ① 2주 간격으로 180mg/m² IV, 5-FU 및 Leucovorin 병용하여 3회	1) Topoisomerase I inhibitor 2) 체내에서 활성 대사체로 전환되어 DNA 합성과정에 관여하는 효소인 Topoisomerase I를 저해함으로써 항암작용 나타냄. 3) 적응증 ① 5-FU 치료후 재발성, 진행성인 전이성 직장암 또는 결장암 ② 선행요법 경험이 없는 진행성인 전이성 직결장암 ③ 수술 불능 또는 재발한 위암 ④ 소세포폐암	1) >10% - 혈관 확장 - 불면, 현기, 발열(45.4%) - 탈모증(60%), 발진 - 설사(56.9% : early 50.7%, late 87.8%), 복통, 식욕부진, 변비, 구내염, 복부팽만, 소화불량, 구토	〈금기〉 1) 골수 기능 억제 환자 2) 감염증 동반 환자 3) 설사, 장관마비, 장폐색 환자 4) 간질성 폐렴, 폐섬유증 5) 다량의 복수, 흉수, 황달 6) 임신부 : Category D 7) 수유부 : 안전성 미확립 〈주의〉 1) 간, 신장애 환자

약품명 및 함량	용법	약리작용 및 효능	부작용	주의 및 금기
	투여를 1주기로 함 ② 매주 125mg/㎡ IV, 5-FU, Leucovorin 병용하여 4회 투여 후 2주 휴약 3) 진행성 비소세포폐암, 소세포폐암 - 100㎎/㎡ 1주 간격 3~4회 IV inf. - Cisplatin 병용시 60mg/㎡ 1주 간격 3회 IV inf, 1일에는 Irinotecan 주입 후 Cisplatin 60mg/㎡ 주입, 28일을 1주기로 하여 반복투여 4) 위암 - 100mg/㎡ 1주 간격으로 3~4회 IV 후 2주 중단 - 150mg/㎡ 2주 간격으로 2~3회 IV 후 3주 중단 〈약리작용 및 효능〉란에 계속	⑤ 진행성 비소세포 폐암 ⑥ 선행화학요법 경험이 없는 진행성 상태성 난소암에 cisplatin과 병용 4) BA : 14% 단백결합률 : 30~68% Tmax : 30~90mins $T\frac{1}{2}$: 5~14hrs 배설 : 담즙(25%), 신장(17~25%) 〈용법 계속〉 5) 진행성 상피성 난소암에 Cisplatin 병용요법 - 60mg/㎡ 1주 간격 3회 IV inf, 1일에는 Irinotecan 주입 후 Cisplatin 60mg/㎡ 주입, 28일을 1주기로 하여 반복투여 6) 투여시 500ml 이상 NS, 5DW 등에 혼합하여 90분이상에 걸쳐 IV	(중등도 이상: 86.2%) - 골수억제, 호중구감소(54%), 백혈구감소, 혈소판감소 (Onset : 10일, Nadir : 14~16일, 회복 : 21~28일) - 허약감(75.7%) - 호흡부전(22%), 기침, 비염 - 복시 2) 1~10% - 정맥혈전염, irritant chemo	2) 당뇨병 환자 3) 전신쇠약 및 고령자 4) 피부나 점막에 닿을 경우 즉시 비누와 물로 충분히 세척함 5) 소아 : 안전성 미확립 〈취급상 주의〉 1) 바이알 : 차광, 실온보관 2) 희석후 물리화학적 안정성 - 5DW : 실온 24hrs, 냉장 48hrs 안정 - NS : 실온 24hrs 안정, 냉장보관시 결정 생성 3) 5DW 및 NS에 희석시 실온보관 6hrs 이내, 5DW에 희석시 냉장보관 24hrs 이내에 사용 권장 4) 장시간에 걸쳐 투여할 경우 차광 요함(빛에 불안정)
Topotecan HCl Hycamtin inj 하이캄틴주 …4.49mg/V (Topotecan으로 4mg)	1) 난소암, 소세포폐암 : 1.5mg/㎡ D1-5, 30분 이상 IV inf. 3주 간격, 4주기 이상 투여 권장 2) 자궁경부암 : 0.75mg/㎡씩 D1-3, 30분 이상 IV inf. 3주 간격 (D1에 cisplatin 50mg/㎡ 병용) * 신기능에 따른 용량 조절 참고 - CrCl < 20~39ml/min: 0.75mg/㎡으로 용량조절 권장 - 자궁경부암에서 cisplatin와의 병용은 Scr 1.5mg/dl 이하시에만 시작함	1) Topoisomerase I inhibitor 2) DNA복제시 DNA 손상을 유발하여 항암 효과 나타냄. 3) 적응증 - 표준요법에 실패한 전이성 난소암 - 1차 화학요법에 실패한 재발성 소세포폐암, - 수술요법 또는 방사선 요법으로 치료되지 않는 IV-B기, 재발성 및 지속성 자궁경부암	1) >10% - 두통 - 탈모 - 오심, 구토(중등도 이하: 10~30%), 설사, 변비, 복통, 구내염, 식욕부진 - 골수억제, 백혈구감소, 혈소판감소, 빈혈, 호중구감소 (Nadir : 8~11일, 회복 : 14~21일) 2) 1~10% - 마비감 - 호흡곤란	〈금기〉 1) 임신부 : Category D 2) 수유부: 안전성 미확립 3) 심각한 골수기능 억제자 〈주의〉 1) 호중구가 1,500/㎣ 미만이거나 혈소판 100,000/㎣ 미만인 환자 2) 소아 : 안전성 미확립 〈상호작용〉 1) G-CSF : 호중구 감소증 기간 연장 우려(본제 투여 종료로부터 24시간 이후 투여함.) 〈취급상 주의〉 1) 차광보관 2) 재구성: 주사용수 4ml로 재구성 후 냉장 24시간 안정하나 가급적 즉시 사용(방부제 미함유) 3) 희석액 : 25-50mcg/ml이 되도록 희석(5DW, NS)하고, 실온 24시간 안정

약품명 및 함량	용법	약리작용 및 효능	부작용	주의 및 금기
				4) 피부에 접촉시 홍반 등이 나타나므로 즉시 물과 비누로 완전히 세척할 것
Topotecan HCl Hycamtin cap 하이캄틴경질캡슐 …0.25mg/C …1mg/C	1) 시작 용량 : D1~5까지 2.3mg/㎡/D 연속 복용 (1 cycle : 3주) 내약성 좋으면, 질병 진행시까지 치료 계속 2) 유지 용량 : 호중구수≥1,000/mm³, 혈소판수≥100,000/mm³, 헤모글로빈≥9g/dL인(필요한 경우 수혈 후) 경우 3) 호중구 감소증, 혈소판 수 및 기타 grade 3/4 독성에 따라 용량조절함(제품설명서 참조) * 신기능에 따른 용량조절 참고 - CrCl(ml/min) : 용량 ① 30~49 : 1.8mg/㎡/D ② 〈30 : 용량 조절 정보 불충분	1) Selective topoisomerase I inhibitor 2) 적응증 : 일차 요법으로의 재치료가 적합하지 않은 재발성 소세포폐암 성인 환자 단독 요법 3) BA : ~40% $T\frac{1}{2}$: 3~6hrs Tmax : 1~2hrs 1.5~4hrs(고지방 식이) 배설 : 신장(20%), 대변(33%)	1) 〉10% - 두통 - 탈모 - 오심, 구토, 설사, 식욕부진 - 골수억제, 백혈구감소, 혈소판감소, 빈혈, 호중구감소 - 감염 - 피로 2) 1~10% - 복통, 변비, 구내염, 소화불량 - 가려움증 - 패혈증 - 무력증, 발열, 권태감	〈금기〉 1) 첫 투여 전 중증 골수 억제 환자 (기저 호중구 수〈1,500/mm³이고/또는 혈소판수≤100,000/mm³) 2) 임신부 : Category D 3) 소아 및 수유부 〈주의〉 1) 패혈증 및 그로 인한 사망을 유발할 수 있는 중증 골수 억제 보고된 바 있음. 2) 혈액학적 독성이 용량과 관련되어 있으므로 혈소판을 포함한 전혈구수를 정기적 모니터링 3) 신장애시 본 약제 노출 증가 유발할 수 있으므로 CrCl 60mL/min 미만인 경우 주의 4) 심각한 간기능부전 환자 (혈청빌리루빈 ≥10mg/dL) 〈상호작용〉 1) ABCB1, ABCG2 저해제와 병용시 본제 노출 증가 2) Cyclosporin A(ABCB1, ABCC(MRP-1) 및 CYP3A4 저해제) 병용시 본제 혈중농도 증가 3) 백금 제제(cisplatin, carboplatin)와 병용시 본제 투여 1일째에 백금 제제를 투여하는 경우 5일째에 투여하는 경우에 비해 낮은 용량 투여해야 함(내약성 개선 위함) 〈취급상 주의〉 1) 냉장보관(2~8℃), 차광(은박 포장) 2) 부수거나 캡슐을 열지 말고 통째로 복용

약품명 및 함량	용법	약리작용 및 효능	부작용	주의 및 금기
Anagrelide HCl Agrylin cap 아그릴린캡슐 …0.5mg/C	1) 성인 초회량 : 2mg #2~4, 최소 1주 유지 2) 소아 초회량 : 0.5mg qd(Max. 2mg/D) 3) 증량 : 1주 단위로 0.5mg/D 이내로 증량, 혈소판수가 60만/㎣ 이하로 감소되고 정상 유지하도록 조절(Max. 2.5mg/dose, 10mg/D)	1) 혈소판의 전구세포인 거핵구의 과성숙 방지하여 혈소판의 생성을 감소시킴 2) 혈소판에만 선택적으로 작용하여 타 혈액 성분에는 영향없음 3) 적응증: 골수 증식성 질환(본태성 혈소판증가증, 진성 적혈구 증가증, 만성 골수성 백혈병 등)으로 인한 증가된 혈소판수치의 감소, 혈전증의 위험감소, 혈전-출혈경향 등의 관련 증상 개선 4) Tmax : 1hr $T\frac{1}{2}$: 76hrs Onset : 2.3~6.9wks 대사 : 간배설 : 신장(72~90%)	- 두통(43.5%), 현기증(15.4%), 감각이상 - 빈맥(7.5%), 동계(26.1%), 혈관확장, 심부전, 말초부종, 흉통, 체위성 고혈압 - 설사(25.7%), 오심, 구토, 고창, 위장관 출혈, 복통(16.4%) - 빈혈, 혈소판 감소증, 반상출혈 - 호흡곤란(11.9 %), 기침, 코피, 천식, 기관지 폐렴 - 소양증, 발진, 탈모 - 근무기력 (23.1%), 근육통, 관절통, 하지경련	〈금기〉 1) 중증 간장애 2) 유당과 관련된 유전적인 문제가 있는 환자 〈주의〉 1) 갑자기 투여 중단시 4일 이내에 혈소판수 증가 2) 수유부 : 안전성 미확립 3) 임신부 : Category C 4) 심장 질환자(∵cAMP PDE-III 억제 작용에 의한 positive inotropic효과) 5) 초기투여 2주 동안 혈구수(Hb, WBC), 간기능(SGOT, SGPT), 신기능(Scr, BUN) 관찰 〈상호작용〉 1) CYP1A2 억제제(fluvoxamine 등): 이 약의 클리어런스 감소 가능 2) cAMP PDE III 억제제로 심근수축력 강화제(milrinone등), cilostazole의 작용 증가 〈취급상 주의〉 1) 차광, 상온보관(15~25℃)
Arsenic trioxide Trisenox inj 트리세녹스주 …10mg/10ml/A	1) 0.15mg/kg를 5DW 또는 NS에 혼합하여 전량을 100~250ml로 한 후, 1~2시 간 동 안 IV inf.(급성 혈관수축이나 확장 증상 발현 시 4시간동안 투여) ① 관해유도요법 : 골수관해가 될 때까지 1일 1회 IV inf.(Total max. 60회) ② 공고요법 : 관해유도 종료 후 3~6주 후 개시. 5주간 사이에 1일 1회, 총 25회 IV inf.	1) 급성전골수구성백혈병(Acute Promyelocytic Leukemia; APL) 세포의 형태학적 변화와 DNA 균열을 통해 apoptosis를 일으키는 항종양제 2) PML(promyelocytic leukemia)/RAR-α(retinoic acid receptor alpha) 융합 단백질을 손상, 분해시키는 작용도 함. 3) 적응증: 성인 불응성 또는 재발성 APL 환자의 관해유도 및 공고요법 4) Peak response : 47days 대사 : 간(대부분), 조직 배설 : 신장(15%, 미변환체) $T\frac{1}{2}$: 10~14hrs(미변환체), ~72hrs(대사체) 〈부작용 계속〉	1) >10% - 빈맥, 부종, QT연장, 흉통, 혈압저하 - 피로, 발열, 두통, 불면, 흥분, 현기증, 우울, 통증 - 피부염, 가려움, 멍, 피부건조, 홍반 - 저칼륨혈증, 고혈당, 저마그네슘혈증, 고칼륨혈증 - 오심, 복통, 구토, 설사, 인후통, 변비, 식욕부진, 체중증가	〈금기〉 1) 비소에 대해 과민한 환자 2) 임신부 : Category D 〈주의〉 1) 투여 중 급성 혈관수축이나 확장에 수반하는 증상(저혈압, 현기증, 두부 비틀거림, 홍조, 두통 등) 발현시 4시간까지 투여시간 연장 가능 2) 치명적 APL 분화증후군(APL differentiation syndrome)발현 관찰하며, 발현시 휴약 및 즉시 부신피질호르몬제 펄스요법 시작 3) QT연장, 완전방실블럭 등 부정맥 발현 가능 (투여개시 전 QTc >500msec인 경우 정상화한 후 개시, 혈청 전해질(K, Ca, Mg) 및 Scr 검사하고 투여중 심전도 주 2회 이상 실시하여 QTc>500msec이면 원인

약품명 및 함량	용법	약리작용 및 효능	부작용	주의 및 금기
		- 주사부위 통증, 홍반 - 경축, 관절통, 감각이상, 근육통, 뼈통증, 저배통, 사지통증, 경부통, 진전 - 기침, 호흡곤란, 비출혈, 저산소증, 흉막삼출, 부비동염, 후비루, 상기도 감염, 천명 - 단순포진, 발한	- 질출혈 - 백혈구증가증, APL분화증후군, 빈혈, 혈소판감소증, 열성 호중구 감소증 - ALT/AST 증가 〈약리작용 및 효능〉란에 계속	재평가, 휴약 고려) 4) 중증 간장애, 신장애(CrCl〈30ml/min) 5) 수유부 : 비소는 유즙중 이행, 유아에 대한 심각한 이상반응 발생 가능 6) 소아: 안전성 미확립 〈취급상 주의〉 1) 앰플 : 실온보관 (보존제 불포함) 2) 희석 후 실온 24시간, 냉장 48시간 안정
Bortezomib(PS-341) Velcade inj 벨케이드주 …3.5mg/V	* 정맥 또는 피하로만 투여 1) 치료 경험이 없는 다발성골수종 : 1.3mg/m² ① mephalan, prednisolone 병용 요법 (6주=1cycle, 9주기) - 1~4주기 : 2주간 주 2회 + 1주 휴약 반복 - 5~9주기 : 2주간 주 1회 + 1주 휴약 반복 ② dexamethasone 병용 요법 (3주 =1cycle, 4주기) - 첫 2주간 주 2회 + 1주 휴약 ③ dexamethasone, thalidomide 병용 요법 (4주 1cycle, 4~6주기) - 첫 2주간 주 2회 + 2주 휴약 - 부분관해 이상의 반응 보이는 환자: 6주기까지 시행 2) 한가지 이상의 치료를 받은 다발골수종, 외투세포림프종 : 1.3mg/m² - 주 2회 투약 후, 10일간 휴약 (3주 =1cycle) - 8주기 이상 연장요법시, 표준 스케줄 또는 4주동안 주 1회 투여 후 13일간 휴약 3) 1 cycle내에서 투여간격은 적어도	1) 가역적 proteasome inhibitor 2) 세포내 단백질 분해과정에 참여하는 enzyme인 protease을 저해하여 세포 증식을 억제하고 apoptosis를 유도함. 3) 적응증 ① 다발성 골수종 - 조혈모세포이식이 적합하지 않고 이전 치료경험 없는 환자 : mephalan, prednisolone과 병용 - 조혈모세포이식이 적합하고, 이전 치료경험 없는 환자: dexamethasone 또는 dexamethasone, thalidomide와 병용 - 한가지 이상의 표준 치료를 받았던 환자 ② 한가지 이상의 표준 치료를 받았던 외투세포림프종 4) Onset : 1hr 지속시간 : 48~72hrs 단백결합율 : 83% $T_{\frac{1}{2}}$: 9~15hrs 배설 : 인체에 대한 정확한 결과는 없으나, 동물 실험에서 담즙 배설이 66%인 것으로 보고됨.	1) Major - 오심, 설사, 변비, 구토 - 무력, 말초신경 이상 - 저혈압 - 혈소판감소증 2) Common - 부종, 탈수 - 발열, 두통, 불면, 현훈, 불안 - 발진, 소양증 - 식욕저하, 복통, 입맛이상, 소화불량 - 빈혈, 호중구 감소증 - 관절통, 사지통, 마비감, 요통, 뼈의 통증, 근육경련, 근육통, 강직 - 시야흐림 - 호흡곤란, 상기도 감염, 기침 - 대상포진	〈금기〉 1) 이 약 성분(bortezomib, 붕소, 만니톨)에 과민한 환자 2) 임신부 : Category D 3) 급성 비미만성 침윤성폐질환, 심장막병 환자 〈주의〉 1) 간기능, 신기능 장애 환자 2) 손발 무감각, 통증, 타는 듯한 느낌 또는 말초신경증 증후가 있는 환자 3) 실신의 경험이 있는 환자 4) 저혈압 관련약물 투여 환자 5) 탈수 환자 6) 소아, 수유부 : 안전성 미확립 〈상호작용〉 1) CYP 3A4, 2D6, 2C19, 2C9, 1A2에 의해 대사되므로 이 효소의 저해 또는 유도제와 병용시 주의 2) 경구용 혈당강하제 : 저혈당 또는 고혈당 유발 가능 3) 말초신경병증 유발약물(amiodarone, isoniazid, HMG-CoA reductase inhibitor, 항바이러스제, nitrofurantoin) : 말초신경병증 위험 증가 4) 혈압강하제 : 저혈압 위험 증가 〈취급상 주의〉 1) 차광, 실온보관(15~30℃) 2) 조제한 용액(바이알, 주사기)은 정상 실내광 노출에서 8시간 안정 3) 조제 및 투여법

약품명 및 함량	용법	약리작용 및 효능	부작용	주의 및 금기
	72시간 이상 되도록 유지 4) Grade 3이상 비혈액학적 독성/Grade 4의 혈액학적 독성 나타나면 투여 보류. 독성 해결되면 25% 감량			① 조제방법 - IV : NS 3.5ml에 녹여서 최종 농도 1.0mg/ml - SC : NS 1.4ml에 녹여서 최종 농도 2.5mg/ml ② 주사방법 - IV : 3~5초간 bolus - SC : 허벅지 또는 복부에 여 부위를 바꾸어 주사 ③ SC 후 주사부위 국소반응이 일어나는 경우 낮은 농도(1.0mg/ml)로 희석하여 SC또는 IV bolus로 변경함
Eribulin mesylate Halaven inj 할라벤주 …1mg/2ml/V	1) 1.4mg/m²을 21일 주기로 1일째와 8일째 2~5분에 걸쳐 IV 투여 2) 호중구감소증(ANC<1,000/mm³), 혈소판 감소증(<75,000/mm³), grade 3이상 비혈액학적 독성이 나타난 경우 - 최대 1주일(day 15)까지 투약지연 - Day 15에 독성이 grade 2미만인 경우 ; 감량 투여(용량 제품설명서 참고), 적어도 2주 이후에 다음 cycle 시작, 재증량하지 말 것. - Day 15에 독성이 grade 2이상인 경우 ; 투여 생략 *신기능에 따른 용량조절 참고 - CrCl 30~50ml/min: 1.1mg/m² - CrCl < 30ml/min: 자료없음	1) Non-taxane microtubule inhibitor 2) 해면(sea sponge)에서 추출한 천연물질로 microtubule의 성장을 억제하고, tubulin을 변형시켜 세포독성을 나타냄 3) 적응증: 안트라사이클린계와 탁산계 약물을 포함한 최소 한 가지(HER2양성 환자는 유효성 미확립) 또는 두 가지의 화학요법 치료를 받은 적이 있는 국소 진행성 혹은 전이성 유방암 환자의 단일 치료요법. 4) $T\frac{1}{2}$: 40hrs 배설: 대변(82%), 신장(9%) 〈부작용 계속〉 2) 1~10% - 말초 부종 - 우울, 어지럼증, 불면증 - 발진 - 저칼륨혈증 - 점막염(9%), 복통, 소화불량, 미각이상, 구강건조증 - 요로감염(10%) - 호중구 감소성 발열(5%), 혈소판 감소증(grade3/4: 1%) - 근 경련 - 유루증 - 상기도 감염	1) >10% - 피로(54%), 열(21%), 두통(19%) - 탈모(45%) - 구역(35%), 구내염(5~18%), 변비(25%), 체중감소(21%), 식욕감퇴(20%), 설사(18%), 구토(18%) - 호중구감소증(82%; grade3: 28%; grade4: 29%; nadir: 13일; recovery: 8일) - ALT증가(18%) - 무력감(54%), 말초신경병증(35%; grade3/4≤8%), 관절통/근육통(22%), 요통(16%), 뼈통증(12%), 사지통(11%) - 호흡곤란(16%), 기침(14%)	〈금기〉 1) 수유부 : 안전성 미확립 2) 임신부 : Category D 〈주의〉 1) 선천성 긴 QT간격 증후군: 투여를 피함 2) 울혈성심부전, 서맥성부정맥 환자, 전해질 이상이 있는 자, QT간격을 연장시키는 약물 병용 시: ECG 모니터링 권장 3) 1회 용량 당 100mg 미만의 에탄올 함유 4) 18세 미만: 안전성, 유효성 미확립 〈상호작용〉 1) Cyclosporine, ritonavir, lopinavir, verapamil, clarithromycin, quinidine 등의 간수송단백질 저해제: 이 약의 혈장농도 증가 2) Rifampicin, carbamazepine, phenitoin, Saint Johne's Wort: 이 약의 혈장농도 감소, 병용투여 비권장 〈조제시 주의사항〉 1) NS 최대 100ml로 희석(희석농도: 0.02~0.2mg/ml)하여 투여 가능 (5DW 금기) 2) 희석 전 시린지 보관 시 25℃ 이하에서 4시간, 냉장보관(2-8℃)시 24시간 안정 3) 희석 후 냉장보관(2-8℃)시 24시간 안정

약품명 및 함량	용법	약리작용 및 효능	부작용	주의 및 금기
Hydroxyurea Hydrine cap 하이드린캡셀 …500mg/C	1) 고형종양 ① 간헐요법 : 3일간격 80mg/kg qd ② 지속요법 : 매일 20~30mg/kg qd ③ 방사선 치료 병용시 : 3일 간격 80mg/kg로 방사선 치료 최소 7일 전 시작 2) 내성이 있는 CML 간헐요법에 의한 투여방법 확립 전까지 지속요법 권장 * 신기능에 따른 용량조절 참고 1) Sickle cell anemia - CrCl(ml/min)〈60 : 초기용량 7.5mg/kg/D (상용량의 50%) 2) 문헌에 따라 GFR〈10ml/min에서 ~80%까지 감량 권장	1) RNA나 단백질의 합성을 저해하지 않으면서 DNA 합성을 직접적으로 억제함 2) S-phase에 선택적임. 3) Busulfan이나 mercaptopurine으로 치료 불가능한 만성 골수성 백혈병에 효과적임. 4) 적응증 - 흑색종, 재발성 · 전이성 · 수술불가능한 난소암 - 방사선치료 병용하여 입술제외한 두경부의 1차 편평세포암종(표피유사암종)에 대한 국소치료 - 내성이 있는 만성골수성 백혈병 5) Tmax : 1~4hrs 대사 : 간 $T\frac{1}{2}$: 2~4.5hrs 배설 : 신장(39~62%)	- 백혈구감소, 빈혈, 혈소판감소 (Onset : 24~48hr, Nadir : 10일, 회복 : 7일) - 구내염, 식욕상실, 오심, 구토, 설사 - 반점상구진, 소양증, 원형탈모증 - 두통, 현기증	〈금기〉 1) 골수기능 저하 환자 (WBC〈2,500/㎣, 혈소판〈100,000/㎣) 2) 중증 빈혈 환자 3) 임신부 : Category D 〈주의〉 1) 혈액검사를 매주 할 것. 2) 간 · 신기능검사를 주기적으로 할 것 3) 환자가 원하거나 캅셀째로 복용이 불가능 할 경우 캅셀 내용물을 물에 타서 복용 가능함. 4) 소아: 안전성 미확립
L-Asparaginase Leunase inj 로이나제주 …10,000 KU/V	1) 50~200KU/kg 연일 또는 격일 점적 정주 2) 50~250ml NS, DW에 희석한 후 즉시 점적 투여 3) 투여 전 skin test 필요 : 1~10KU 함유한 NS 0.1ml를 피내주사후 30분~수시간 동안 이상이 없는 것 확인 후 투약	1) 혈중 L-asparagine을 분해감소시키는 L-asparagine amidohydrolase 제제 2) 종양조직의 세포성장에 필수적인 asparagine을 aspartic acid와 ammonia로 분해하여 암세포의 증식 막음. 3) Cell cycle G1-phase에 작용 4) 적응증: 급 · 만성 백혈병 및 악성 림프종 5) $T\frac{1}{2}$: 8~49hrs 〈부작용 계속〉 - 급성 알레르기성반응(발열, 발진, 두드러기, 근육통, 저혈압, 기관경련, 아나필락시스(15~35%)) - 고질소혈증 3) 1~10% - 고뇨산혈증, 구내염	1) 급성 반응 : 발열, 오한, 오심, 구토 (50~60%) 2) 〉10% - 피로감, 기면, 우울, 짜증, 발작(10~60%), 섬망, 혼수(25%) - 고혈당증(10%) - 식욕부진, 복부경련 (70%), 급성췌장염 (15%) - 저피브리노겐혈증, 혈액응고인자 V, Ⅷ 결핍 - 일과적인 간효소 수치 상승 〈약리작용 및 효능〉란에 계속	〈주의〉 1) 간, 신장애 환자 2) 골수기능억제 환자 3) 감염증, 수두 환자 4) 임신부: Category C 5) 수유부: 안전성 미확립 〈취급상 주의〉 1) 바이알 : 냉소보관(실온 48시간 안정) 2) 재구성 및 희석 후 즉시 사용하며, 재구성액은 냉장보관시 8시간 안정. 재구성액이 혼탁되면 폐기함. 3) 재구성, 희석 후 단시간내에 부유물 생성될 수 있으므로 분할 사용하지 않음.

약품명 및 함량	용법	약리작용 및 효능	부작용	주의 및 금기
Lenalidomide hemihydrate Revlimid cap 레블리미드캡슐 … 5mg/C …10mg/C …15mg/C …25mg/C	1) 다발성 골수종 - 초회용량 : 25mg qd - 28일 주기로 1~21일 동안 25mg/D 복용, 이후 7일간 휴약 - 덱사메타손은 28일 주기를 기준으로, 처음 4주기 동안 매1~4, 9~12, 17~20일 에 40mg/D qd 투여, 4주기 이후에는 28일 주기마다 매 1~4일에만 40mg/D qd 투여 2) 혈소판 수 및 절대 호중구수(ANC), 기타 grade 3/4 독성에 따라 용량조절함(제품설명서 참조) * 신장애시 용량조절 ① CrCl 30 ~ 60ml/min: 10mg qd ② CrCl 〈 30ml/min (투석하지 않는 환자) : 15mg q 48hr ③ CrCl 〈 30ml/min (투석환자) : 5mg qd, 투석일에는 투석 후 투여	1) 탈리도마이드 유사체로서, 면역조절기능 및 혈관신생 억제, 항종양 효과를 나타냄. 2) 종양세포 생성에 영향을 주는 cytokine을 선택적으로 차단하며, 골수종 세포의 cell cycle에 직접적으로 관여하여 증식을 억제하고 세포사멸을 유도함. 3) 적응증: 다발성골수종, 이전에 한가지 이상의 치료를 받은 다발성골수종 환자의 치료에 덱사메타손과 병용요법 4) 이 약은 위해 관리 프로그램을 사용하여 관리하는 약제로서, 이에 동의한 환자에게만 투여가능 (해당 프로그램 등록 의사에 의해 처방, 등록 약사에 의해 조제되어야 함) 5) Tmax: 0.5~6hrs T½: 3~5hrs (중등도~중증 신부전시 3배 증가, 혈액투석중인 말기 신장질환자에서 4.5배 증가) 배설: 신장(90%), 대변(4%) 〈부작용 계속〉 - 근육 경련(18~30%), 쇠약감(15~23%), 관절통(10~22%), 요통(15~21%), 진전(20%), 마비(12%), 사지통증(11%) - 시야 흐림(15%) - 비인두염(23%), 기침(15~20%), 호흡곤란(7~20%), 인두염(16%), 코피(15%), 상기도감염(14~15%), 폐렴(11~12%) 2) 1~10% - 부종, 심부정맥혈전증, 고혈압, 흉통, 심계항진, 심방세동, 실신 - 감각저하, 우울 - 갑상선기능저하, 저마그네슘혈증, 저칼슘혈증	1) 〉10% - 말초부종 - 피로(31~38%), 불면 (10~32%), 열(21~23%), 어지러움(20~21%), 두통(20~21%) - 가려움증(42%), 발진(16~36%), 피부건조(14%) - 고혈당(15%), 저칼륨혈증(11%) - 설사(29~49%), 변비(24~39%), 오심(22~24%), 체중감소(18%), 소화불량, 식욕부진, 복통 - 요로감염 - 혈소판감소증(17~62%; grades 3/4: 10~50%, onset[MDS] : 28일(range 8~290일); recovery[MDS]: 22일(range 5~224일)), 호중구 감소증(28~59%; grades 3/4: 21~53%; onset[MDS] : 42일(range 14~411일); recovery[MDS]: 17일(range 2~170일), 빈혈(12~24%, grades 3/4 6~8%) 골수억제(용량의존적, 가역적) 〈약리작용 및 효능〉란에 계속	〈금기〉 1) 임신부 : Category X 2) 갈락토오스 불내성, Lapp 유당분해효소 결핍증, 포도당 갈락토오스 흡수장애 등의 유전적 문제 있는 환자 (∵유당 함유) 〈주의〉 1) 신장애 환자 2) 혈액학적 독성(호중구 감소증, 혈소판 감소증), 심부정맥혈전증 및 폐색전증의 위험 증가 3) 종양용해증후군, 이차원발성 악성종양, 간독성 위험 증가 4) 피로, 어지러움, 졸음, 혼시 보고되어 운전과 기계조작시 주의 5) 가임기 여성 - 이 약 투여 전 2번의 음성 임신진단 검사결과 얻어야 함. - 이약 치료 4주 전부터 종료 후 4주 후 까지 두가지의 피임법 사용 6) 남성: 정액으로 약제 이행됨. - 치료 중 및 치료 완료 후 4주 동안 피임해야 하며 정자 기증 금지 7) 수유부, 18세 이하: 안전성 미확립 〈취급상 주의〉 1) 차광, 실온보관 2) 캡슐 개봉 불가

약품명 및 함량	용법	약리작용 및 효능	부작용	주의 및 금기
Thalidomide Thalidomide cap 탈리도마이드캡슐 …50mg/C Thaloma cap 탈로마캡슐 …100mg/C	1) 새로 진단된 다발성 골수종 – 200mg qd hs (저녁식후 1시간 이상 지난 후 복용) – 덱사메타손은 매 28일동안 1~4일, 9~12일 , 17~20일 째 40mg/D 경구 복용 – 이상반응에 따라 일시적 중단이나 저용량 복용 가능 2) ENL (Erythema Nodosum Leprosum ; 나성결절홍반) – 초회량 : 100mg qd hs – 증상 개선 없으면 1주일마다 100mg씩 증량 가능 (Max. 400mg/D) * 가임여성의 경우는 초기부터 지속적으로 임신테스트 음성 결과를 확인해야 함	1) Glutethimide 계열의 항종양제 2) 골수종 세포에 산화적 손상을 일으키고, DNA 합성을 억제하며, 골수종 세포가 골수기질세포에 붙는것을 억제하고, 각종 cytokine의 분비에 영향을 주어 골수종 세포의 성장과 생존을 저해함. 3) 적응증 : 새로 진단된 다발성골수종, 중등도~중증 나성결절홍반(ENL)의 피부 병변의 급성 치료 4) 중등도~중증 신경염이 있는 ENL치료의 단일요법제로는 사용하지 않으며, ENL 재발시 피부병변의 예방 및 억제를 위한 유지요법제로 사용됨. 5) 위해 관리 프로그램을 사용하여 관리하는 약제로서, 이에 동의한 환자에게만 투여 가능 (해당 프로그램 등록 의사에 의해 처방, 등록 약국에서 조제하여야 함) 6) Tmax : 2~6hrs $T_{\frac{1}{2}}$: 5~7hrs Onset : 48hrs~2개월까지 다양 대사 : 간 배설 : 신장(〈1%)	1) 〉10% – 기면 – 말초신경병증(비가역적일 수 있음.) 2) 1~10% – 백혈구감소증, 호중구감소증 – 기분변화, 졸림, 어지럼증, 두통, 지각이상 – 변비, 오심, 구갈 – 발진, 두드러기 – 무력증, 허약, 말초부종, 피로	〈금기〉 1) 임신부(Category X): 대표적인 최기형성 약물로서, 임신중인 여성이나 두가지 효과적인 피임법을 사용하지 않는 임신 가능성이 있는 여성에게 절대 투여금지 (1회 용량만 복용해도 선천성 기형 유발 가능) 2) 적절한 피임을 할 수 없는 남성 – 남성이 복용시 정액으로 약제가 이행되므로 남성도 피임 필요함. 3) 중증 호중구감소증 환자 (ANC 750/mm³ 이하인 환자) 4) 12세 미만 소아 안전성 미확립 〈주의〉 1) 갑상선기능부전증이 보고되어 있으므로, 복용중 갑상선 기능 검사 2) 졸음, 진정을 일으킬 수 있으므로 운전, 위험한 기계 조작 금함. 3) 가임기 여성 – 이 약 투여 전 2번의 음성 임신진단 검사결과 얻어야 함. – 이약 치료 4주 전부터 종료 후 4주 후 까지 두가지의 피임법 사용 4) 남성: 정액으로 약제 이행됨. – 치료 중 및 치료 완료 후 4주 동안 피임해야 하며 정자 기증 금지 〈취급상 주의〉 1) 차광, 실온보관 2) 캡슐 개봉 불가
Tretinoin Vesanoid cap 베사노이드연질캡슐 …10mg/C	1) 1일 45mg/m² #2, 완전관해에 이를 때까지 30~90일 동안 치료 지속 2) 완전 관해 후 표준 강화 화학요법 실시	1) All-trans-retinoic acid로 retinol의 자연적 대사물 2) 전형된 조혈세포계에서 세포증식 억제 및 분화 유도 작용 3) 적응증: 급성 전골수세포 백혈병(APL)의 관해 유도 (anthracycline 불응, 금기환자, 재발환자에게도 적용)	1) 〉10% – 부정맥, 홍조, 혈압이상, 말초 부종, 흉부불쾌감, 출혈 – 어지러움, 짜증, 불면,	〈금기〉 1) 임신부 : Category D(치료개시 4주전, 치료도중, 치료 중지 후 1개월간 피임하도록 함.) 2) 수유부 : 약물 치료중 수유 중지 〈주의〉

약품명 및 함량	용법	약리작용 및 효능	부작용	주의 및 금기
	3) 신부전, 간부전 환자 : 25mg/㎡로 감량	4) 완전 관해 후 표준 강화 화학요법을 실시하며 치료 중 백혈구수의 증가가 현저하게 나타나면 화학요법을 병행하여 retinoic acid 증후군을 예방 5) Tmax : 1~2hrs 대사: 간 배설 : 신장 및 담즙 〈부작용 계속〉 2) 1~10% – 심부전, 심정지, 심근경색, 심낭염, 폐성 고혈압 – 뇌내압 상승, 짜증, 뇌부종 – 피부 박리, 발진 – 안구 건조감 – 천식, 신괴사	우울, 섬망, 피로감, 신부전, 감염, 오한, 안구 자극감 – 작열감, 입술주위 염증, 피부 건조, 소양증, 광과민성 – TG농도 상승, 콜레스테롤 수치 상승 (60%까지) – 위장관 출혈, 복부 통증, 설사, 변비, 체중증가, 식욕부진, 구강 건조 – 출혈 – 안구 자극감 – 신부전 – 감염, 오한 〈약리작용 및 효능란에 계속〉	〈주의〉 1) Retinoic acid 증후군 발현시 고용량의 스테로이드 투여 (dexamethasone 10mg bid 3일) 2) 투여개시 후 1개월 동안 혈전증 발생위험 있음. 3) 치료기간 중 고칼슘혈증 위험 있으므로 Ca^{2+} 모니터링 필요 〈상호작용〉 1) Tetracycline은 뇌내압 상승시키므로 병용해서는 안됨.
Vorinostat Zolinza cap 졸린자캡슐 …100mg/C	1) 권장 용량: 4Ⓒ qd (내약성 떨어질 경우 3Ⓒ qd로 감량가능) 2) 식사와 함께 복용하도록 하며, 캡슐을 열거나 부수어서는 안됨. 3) 충분한 수분공급, 최소 2L/day 권장 4) 치료 기간: 질환이 진행되지 않거나 심각한 독성 나타나지 않는 경우 투여 지속	1) Histone deacetylase(HDAC) inhibitor 2) 암세포의 HDAC를 저해하여 histone의 acetyl그룹 축적으로 암세포 괴사 또는 암세포 cell cycle 파괴 유도함. 3) 적응증: 두 가지의 전신요법을 사용중이거나 사용한 후, 진행성이거나 지속성 또는 재발성인 피부 T세포 림프종(Cutaneous T-Cell Lymphoma(CTCL)) 환자의 피부 병변의 치료 4) Tmax : 4hrs 대사 : 간 배설 : 소변(52%) $T_{\frac{1}{2}}$: ~2hrs	1) > 10% – 말초부종 – 피로, 오한, 현기증, 두통, 열 – 탈모, 소양증 – 고혈당, 탈수 – 설사, 오심, 구토, 미각 이상, 식욕부진, 체중 감소, 구강 건조, 변비 – 혈소판 감소증, 빈혈 – 근 수축 – 단백뇨, 크레아티닌 상승	〈금기〉 1) 중증의 간기능 장애 환자 2) 임신부: Category D 〈주의〉 1) 경증~중등도의 간기능 장애 환자 2) 혈전색전증 병력이 있는 환자 3) 이 약 투여 중 혈소판 및 헤모글로빈 수치 낮아지면 용량 감량 또는 투여 중지 4) 당뇨 환자: 혈당 모니터링 5) 저칼륨혈증 및 저마그네슘혈증 증상 발현 환자: 칼륨 및 마그네슘 모니터링 고려 6) 신기능 장애 환자: 안전성 미확립 7) 수유부, 소아: 안전성 미확립 〈상호작용〉 1) 쿠마린 유도체 항응고제: PT 및 INR 연장

약품명 및 함량	용법	약리작용 및 효능	부작용	주의 및 금기
			- 기침, 상기도 감염 2) 1~10% - QT 연장 - 편평세포암종 - 폐색전	2) 다른 HDAC 억제제(예: valproic acid): 중증의 혈소판 감소증 및 위장관 출혈 보고

10장. 면역 조절제(Immunomodulation agents)

1. Immumostimulants
   - (1) Interferons
   - (2) Interleukins
   - (3) Other immumostimulants

2. Immunosuppressants
   - (1) Calcineurin inhibitors
   - (2) Interleukin inhibitors
   - (3) Selective immunosuppressants
   - (4) Tumor necrosis factor-α(TNF-α) inhibitors
   - (5) Other immumosuppressants

약품명 및 함량	용법	약리작용 및 효능	부작용	주의 및 금기
Interferon α-2a Roferon-A prefilled inj 로페론에이프리필드주 …300만IU/0.5ml/syr	* 투여방법: SC 1) 모상세포백혈병 - 초기: 300만IU/D 16~24주간 - 유지: 300만IU 주 3회, 6개월 이상 2) 악성흑색종: 300만IU 주 3회, 수술 후 6주 이내~18개월간 3) AIDS 관련 카포시육종 - 초기: 300만IU/D로 시작, 1,800만~3,600만IU/D까지 점차 증량하여 10~12주간 - 유지: 최대량 주 3회 4) 신암: 첫 주는 300만IU, 2주차 900만IU, 이 후 1,800만IU 주 3회, 3~12개월 또는 질병 진행시까지 투여 5) 만성 B형 간염 - 성인: 250만~500만IU/m² - 소아: 1,000만IU/m2 - 주 3회, 4~6개월간 6) 수술로 절제된 stage Ⅱ 악성흑색종 - 성인 : 300만IU 주3회 - 수술후 6주이내 치료시작 - 18개월간 〈약리작용 및 효능〉란에 계속	1) 유전자 재조합에 의해 제조한 interferon 제제 2) antiviral, antineoplastic immunomodulating activity 가짐 3) 적응증: 모상세포백혈병, AIDS 관련 카포시육종, 신암, HBV-DNA 또는 HBeAg 양성 만성 활동성 B형 간염의 바이러스 혈증 개선, 피부 T-세포림프종, 만성골수성 백혈병, 만성 C형 간염, 신암, 악성흑색종 4) Tmax : IM 4hrs, SC 7hrs IV 종료후 즉시 BA : IM 80~83%, SC 90% $T_{\frac{1}{2}}$: 3.7~8.5hrs 대사 : 신장(extensive) 배설 : 신장 〈용법 계속〉 7) 피부 T-세포림프종 - (1-3일) 300만IU/D→(4-6일) 900만IU/D→(7-84일) 1,800만IU/D - 유지: 최대량 주 3회 - 최소 8주 (반응 시 12개월) 이상 투여 8) 만성골수성 백혈병 - (1-3일) 300만IU/D→(4-6일) 600만IU/D→(7-84일) 900만IU/D - 유지: 900만IU 매일 또는 주 3회 - 최소 8주 이상 (반응 있을 시 최대 18개월까지) 투여 9) 만성 C형 간염 - Ribavirin과 병용: 450만IU 주 3회 - 단독: Ribavirin 복용할 수 없는 경우에만 300만~600만IU 주 3회	1) >10% - 흉통, 부종, 저혈압 - 정신장애, 피로감, 기면, 불면, 어지러움, 섬망, 기억장애 등 - 발진, 원형탈모, 소양증, 피부건조 - 저칼슘혈증, 고혈당 - 식욕부진, 오심, 구토, 설사, 미각변화, 인후 건조, 복부경련 - 골수억제, 호중구/혈소판감소증, 빈혈 (Onset: 7~10일, Nadir: 14일, 회복: 21일) - 간효소 상승 - 주사부위 통증 - 허약감 - 단백뇨 - 기침, Flu-like증후군 2) 1~10% - 저혈압, 심계항진, 심근경색 - 섬망 - 홍반 - 고인산혈증 - 말초 마비 - 결막염 - 발기부전, 월경불순 - 호흡곤란, 코피, 비염 - interferon에 대한 항체 형성	〈금기〉 1) Interferon 제제(murine)에 과민한 환자 2) 심 · 신질환 환자 3) 백신 등 생물학적 제제에 과민한 환자 4) 간질 및 중추신경계 기능장애 환자 5) 중증 골수기능 장애 환자 6) 자가 면역성 간염 환자 7) 신생아, 3세 이하 소아, 미숙아 〈주의〉 1) 소아 및 수유부 : 안전성, 유효성 미확립 2) 임신부 : Category C 3) 간질성 폐렴이 나타날 수 있으므로 해소, 호흡곤란 등이 나타나면 투여 중지 4) 자살기도 가능성이 있으므로 주의 깊게 관찰 5) 피부반응검사 실시하는 것이 바람직함. 〈상호작용〉 1) Theophylline, aminophylline의 혈중농도 상승 2) 중추신경계 작용 약물과 병용시 신경계, 혈액, 심장 독성 증가 3) 소시호탕과 병용시 간질성 폐렴 보고 〈취급상 주의〉 1) 냉장보관 2) 보존제 불포함

약품명 및 함량	용법	약리작용 및 효능	부작용	주의 및 금기
Interferon α-2b Intron A multidose pen 인트론에이멀티도스펜 …18MU/1.2ml/Pen (3MU×6회/Pen) …30MU/1.2ml/Pen (5MU×6회/Pen)	1) 모상세포 백혈병: 주 3회 200만IU/㎡ SC 2) 다발성 골수종: 주 3회 200만~1,000만IU/㎡ SC, 1주 간격 증량 (Max. 500만~1,000만IU/㎡) 3) 악성흑색종(수술 후) - 유도요법: 2000만 IU/㎡ 주 5일, 4주간 IV inf. - 유지요법: 1000만 IU/㎡ 주 3회 48주간 SC 4) 만성 B형 간염: 1일 500만 또는 격일 1,000만IU를 16주 동안 SC 5) 만성 C형 간염: 주 3회 300만IU/㎡ SC 6) 만성골수성백혈병: 400만~500만 IU/㎡ qd SC 7) 여포성 림프종: 주 3회 500만IU SC 8) 카르시노이드 종양: 주 3회 500만 IU(300만~900만IU) SC	1) E.coli를 이용한 유전자 재조합 기술에 의해 제조한 lymphoblastoid interferon 2) 항바이러스 작용, 유전자 발현의 억제를 통한 세포증식 억제, 대식세포와 natural killer cell을 활성화시켜 면역조절 작용을 나타냄. 3) 적응증: 모상세포백혈병, 다발성골수종, 악성흑색종, 만성 활동성 B형 간염, 만성 C형 간염, 만성골수성 백혈병, 여포성 림프종, 카르시노이드종양 4) Tmax : IM 4hrs, SC 7hrs IV 종료후 즉시 BA : IM 80~83%, SC 90% $T\frac{1}{2}$: 3.7~8.5hrs 대사 : 신장(extensive) 배설 : 신장 * 펜 조작 및 용량조절법: 투여할 용량을 맞추기 위해 지정된 횟수만큼 펜뚜껑을 돌려야 하며, 한바퀴 회전하기 위해서는 5번 클릭함. 1) 1,800만단위 펜 - 150만단위(1.5MIU): 1회전/5회 클릭 - 300만단위(3.0MIU): 2회전/10회 클릭 - 450만단위(4.5MIU): 3회전/15회 클릭 - 600만단위(6.0MIU): 4회전/20회 클릭 2) 3,000만단위 펜 - 250만단위(2.5MIU): 1회전/5회 클릭 - 500만단위(5.0MIU): 2회전/10회 클릭 - 750만단위(7.5MIU): 3회전/15회 클릭 - 1,000만단위(10.0MIU) 4회전/20회 클릭	1) >10% - 흉통 - 골수억제, 호중구감소증, 혈소판감소증, 빈혈 (Onset : 7~10일, Nadir : 14일, 회복 : 21일) - 피로감, 두통, 발열, 우울, 기면, 짜증, 불면, 섬망, 오한 - 저칼슘혈증, 고혈당, 월경곤란 - 당뇨병, 저칼륨혈증, 저·고칼슘혈증, 고뇨산혈증 - 식욕부진, 오심, 구토, 설사, 식욕변화, 구강건조, 치육증식 - 간효소수치 상승 - 주사부위 통증 - 호흡곤란, 기침, 후두염 - 원형탈모, 발진, 소양증, 피부건조 - Flu-like 증후군 2) 5~10% - 고혈압 - 짜증, 신경과민 - 피부염 - 성욕감퇴 - 묽은 변, 연하곤란 - 비충혈	〈금기〉 1) Interferon 제제, 백신 등 생물학적 제제에 과민한 환자 2) 심·신질환 환자 3) 간질 및 중추신경계 기능 장애 환자 4) 중증 골수기능 장애 환자 5) 자기면역성 간염 환자 6) 수유부 : 안전성 미확립 〈주의〉 1) 간질성 폐렴이 나타날 수 있으므로 해소, 호흡곤란 등이 나타나면 투여 중지 2) 자살기도 가능성이 있으므로 주의 깊게 관찰 3) 피부반응검사 실시하는 것이 바람직함. 4) 임신부 : Category C 5) 18세 이하 소아: 안전성, 유효성 미확립 6) Ribavirin 병용시 빈혈 발생 우려(신장애 환자 및 50세 이상) 〈상호작용〉 1) Theophylline, aminophylline의 혈중농도 증가 2) 소시호탕 병용시 간질성 폐렴 3) Zidovudine과 병용시 호중구감소증(용량의존적) 〈취급상 주의〉 1) 냉장보관 2) 개봉 후 냉장보관하 1개월 이내 사용해야 함. 3) IV bolus 금기

약품명 및 함량	용법	약리작용 및 효능	부작용	주의 및 금기
Interferon β-1a Rebidose prefilled pen 레비도즈프리필드펜 Rebif prefilled inj 레비프프리필드주사 …22mcg/syr …44mcg/syr	1) 개시용량: 4주에 걸쳐 목표 용량에 도달하도록 아래 일정에 따라 용량 증가(주 3회 SC) - 1, 2주: 8.8mcg - 3, 4주: 22mcg - 5주: 44mcg 2) 유지용량 - 44mcg 주 3회 SC - 내약성 좋지 않은 경우: 22mcg 주 3회 SC 3) 투여 전후 24시간동안 해열진통제 사용 권장(∵ 감기-유사 증상 완화) 4) 치료기간에 대해서는 임상적으로 확립된 자료 없음	1) Recombinant human intereron, 천연 인터페론 베타와 구조가 동일하여, 다발성 경화증 환자의 재발의 빈도를 낮추는 작용을 함. 2) 적응증: 임상적 독립증후군(Clinically isolated syndrome, CIS, First clinical demyelinating event), 재발성 다발성 경화증(단, 임상시험에서 재발성을 지난 2년동안 2회 이상 증상의 급성악화로 정의) 3) 4년 이상의 재발에 대해 그 빈도와 정도를 경감시키고 불구의 진행을 늦춤.	- 독감증후군(빈도 가장 높음): 근육통, 발열, 관절통, 오한, 무력 - 두통, 불면, 어지러움, 불안 - 경미하고 가역적인 주사부위 괴사 - 혈관 확장, 심계항진 - 설사, 식욕부진, 구토 - 백혈구 감소증, 임파구감소증, 혈소판감소증, AST, ALT 상승	〈금기〉 1) 천연/재조합 interferon β, 혈청알부민 과민증 병력이 있는 환자 2) 심각한 우울증 또는 자살기도가 있었던 환자 3) 조절되지 않는 발작의 병력이 있는 간질환자 4) 임신부: 유산 위험 증가 (Category C) 5) 2세 미만 소아 및 수유부: 안전성 미확립 〈주의〉 1) 유사 독감증후군 발현가능 2) 우울증 환자 3) 발작의 기왕력이 있는 환자 4) 협심증, 울혈성심부전, 부정맥과 같은 심장질환자 5) 주사부위 괴사가 발생할 수 있어 매번 주사부위 변경토록 함. 6) 중증의 신장 또는 간 손상 환자 7) 인터페론 β-1a에 대한 중화 항체가 생성될 수 있으므로 주의 〈취급상 주의〉 1) 냉장, 차광보관
Interferon β-1b Betaferon inj 베타페론주사 …0.3mg(9.6MIU)/V	1) 다발성경화증 재발 방지 및 진행억제: 1ml(0.25mg=8MIU), 격일로 SC 2) 다발성경화증으로 예상되는 임상 증상 발생한 환자의 발병 억제: 초기에 0.25ml(2MIU) 격일로 SC 후 점차 증량하여 1ml(8MIU)를 격일로 SC 3) 주사를 잊은 경우 생각난 즉시 주사하고 그 다음 주사는 48시간 후 투여함 4) 조제법: 1V당 첨부용액 0.54% NaCl 1.2ml로 용해한 뒤 해당 용량만큼 취하여 투여(흔들지 말 것)	1) E.coli를 이용한 유전자 재조합에 의해 제조한 interferon 제제 2) 항바이러스, 항암효과 및 면역 기능 활성화 작용가 짐. 3) 적응증 - 다발성경화증의 재발 방지 및 진행 억제 - 다발성경화증 이외의 다른 질환으로 진단할 수 없고 다발성경화증으로 예상되는 한 번의 임상사건이 발생한 환자에서 다발성 경화증의 발병 억제 4) Tmax : 8~24hrs(SC) BA : 50%(SC) 배설 : 신장(minimal)	1) >10% - 두통, 발열, 통증, 오한, 어지러움, 피로감, 짜증 - 월경불순, 저혈당 - 설사, 복통, 변비, 오심 - 림프구 감소증, 백혈구감소증, 호중구감소증 - 간효소수치 증가 - 주사부위 통증 - 허약감, 근육통 - 결막염 - 부비동염	〈금기〉 1) Interferon, human albumin, 생물학적 제제에 과민한 환자 2) 임신부 : Category C 3) 12세 미만 소아: 안전성 미확립 4) 중증 우울증, 비대상성 간장애 환자, 조절되지 않는 간질 환자 5) 소시호탕 투여 중인 환자 6) 다발성경화증의 재발이 지난 2년간 2회 이하인 환자 〈주의〉 1) 수유부: 안전성 미확립 2) 정신신경장애, 간질 등의 경련성 질환 병력, 심질환, 중증 간 및 신장애, 고혈압, 당뇨병, 골수 기능 억제, 빈혈, 혈소판 감소증, 자가면역질환 환자 3) 알레르기 소인, 약물과민증 병력 있는 환자

약품명 및 함량	용법	약리작용 및 효능	부작용	주의 및 금기
			- Flu-like 증후군 2) 1~10% - 고혈압, 말초혈관장애, 출혈 - 탈모 - 기면, 발작, 섬망 - 단백뇨 - 호흡곤란, 인후염	4) 주사 부위 회복 및 감염 예방을 위해 주사 위치를 매번 변경 〈상호작용〉 1) 소시호탕과 병용시 간질성 폐렴 보고 2) 항전간제의 작용 증가 가능성 3) Wafarin과 병용시 작용 증가 4) Theophylline의 혈중농도 증가 〈취급상 주의〉 1) 25℃ 이하 보관 2) 용해액은 냉장보관하며 조제 후 3시간 이내에 사용
Peginterferon α-2a Pegasys prefilled syr 페가시스프리필드주 …135mcg/0.5ml/syr Pegasys inj.180mcg Proclick 페가시스주180mcg프로클릭 …180mcg/0.5ml/syr	1) 만성 B형 간염: 180mcg 주 1회 SC 48주간 2) 만성 C형 간염 ① 단독요법: 180mcg 주 1회 SC 48주간 ② Ribavirin 병용요법 - Genotype 1: 180mcg 주 1회 SC + ribavirin 1,000mg 또는 1,200mg/D (75kg 미만/75kg 이상), 48주간 투여 (12주 반응율에 따라 중단 고려) - Genotype 2/3: 180mcg 주 1회 SC + ribavirin 800mg/D, 24주간 투여 3) HCV/HIV 중복감염: 180mcg 주 1회 SC 단독 또는 + ribavirin 800mg/D, 48주간 4) 중등도~심각한 이상반응으로 용량조절시 135mcg으로 감량 (경우에 따라 45, 90mcg까지 감량 가능) * 신기능에 따른 용량 조절 참고 - ESRD(HD 필요): 135mcg/week	1) 항바이러스 및 항증식작용을 가진 interferon α-2a 제제 2) Interferon α-2a를 분자량 40KD의 PEG (polyethylene glycol) chain으로 pegylation시켜 반감기를 연장시킨 제제 3) 적응증 - 만성 B형 간염 B형 바이러스 복제의 혈액학적 표시(Transaminase 상승, HBsAg 또는 HBV DNA)가 양성인 HBeAg 양성 또는 음성의 만성 B형 간염성인환자(대상부전증 환자는 제외) - 만성 C형 간염 C형 바이러스 복제의 혈액학적 표시(HCV-RNA 또는 anti-HCV)가 양성인 만성 C형 간염 성인환자(대상부전증 환자는 제외) 4) BA : ≥60% Tmax : 45~80hrs $T_{\frac{1}{2}}$: 60~90hrs	1) > 10% - 두통(54%), 피로(50%), 발열(36%), 불면(19%), 우울(1~18%), 현기증(16%), 불안(13%), 동통(11%) - 탈모(23%), 소양증(12%), 피부염 - 오심(5~23%), 식욕부진(17%), 설사(16%), 복통(15%) - 호중구감소증(21%), 임파구감소증, 빈혈 - 주사부위 반응(22%) - 근육통(37%), 오한(32%), 관절통(28%) - 호흡곤란	〈금기〉 1) Interferon 및 생물학적 제제 과민증 환자, 자가면역성 간염 환자, 중증 정신이상 병력, 통제할 수 없는 발작, 중추신경계 이상, 약물로 조절되지 않는 갑상선 질환, 중증 간/심장/신/골수기능장애, 대상부전 간질, 간 이외의 이식 환자 2) 신생아 및 3세 이하 소아(벤질알콜 함유) 3) 임신부 : Category C 4) 18세 이하 : 안전성 미확립 〈주의〉 1) 수유부 : 안전성 미확립 2) 심·폐질환, 정신질환 병력, 신장, 간, 골수기능 장애, 알러지 소인, 당뇨병 병력, 가족력 있는 환자, 자가면역질환 소인, 고혈압 환자 3) 호중구수 1,500/㎣ 미만, 혈소판수 75,000/㎣ 미만, 적혈구수 10g/dl 미만 환자 4) 주기적으로 신경정신학적인 관찰, CBC, 혈당, 뇨당 검사 실시 5) 단백질 중화항체 생성 시 치료반응이 빨리 감소할 수 있음. 〈상호작용〉 1) Theophylline, Zidovudine의 혈중농도 증가 2) 신경, 혈액, 심장독성 있는 약제: 독성 증가 3) ACEI: neutropenia 위험 증가

약품명 및 함량	용법	약리작용 및 효능	부작용	주의 및 금기
				4) Warfarin: 항응고 효과 증가 5) 소시호탕: 간질성 폐렴 발생 〈취급상 주의〉 1) 차광보관, 냉장보관
Peginterferon α-2b PEG-intron clearclick inj 페그인트론 클리어클릭주사 …50mcg/0.5ml/syr …80mcg/0.5ml/syr …100mcg/0.5ml/syr …120mcg/0.5ml/syr …150mcg/0.5ml/syr	1) 단독요법 - 주 1회 0.5mcg/kg 또는 1mcg/kg SC - 12주째 반응 있는 경우 3개월 추가 치료(총 6개월) 후 1년까지 연장여부 결정 2) Ribavirin 병용요법 : 주 1회 1.5mcg/kg SC + Ribavirin 800~1,200mg/D #2 - Genotype 1/4 : 12주째 HCV-RNA 소실 있는 경우 9개월 추가 치료 (총 48주) - Genotype 2/3 : 24주간 치료 - HCV/HIV 동시감염 : 48주간 치료 3) 중증 간부전: 투여금기 * 신기능에 따른 용량 조절 참고 1) CrCl(ml/min): 용량 ① 30-50: 상용량의 75% ② 15-29, 혈액투석시: 상용량의 50% ③ 〈50: ribavirin 병용금기 ④ 치료 중 신기능 감소 시 치료 중단 권장	1) 항바이러스 및 항증식작용을 가진 interferon α-2b 제제 2) Interferon α-2b를 분자량 12KDa의 PEG (polyethylene glycol) chain으로 pegylation시켜 반감기를 연장시킨 제제로서, 주 1회 투여하며 체중에 따라 용량 설정하여 투여함. 3) 적응증 : C형 바이러스 복제의 혈액학적 표지(대상부전 없이 transaminase 상승, HCV-RNA 또는 anti-HCV)가 양성인 만성 C형 간염 성인 환자의 치료 4) Onset(peak response) : 24wks 이내 Tmax : 15~44hrs $T\frac{1}{2}$: 22~60hrs	1) 〉10% - 두통(56%), 피로(52%), 불안(28%), 불면(23%), 발열(22%), 우울(16~29%), 현기증(12%), 동통(12%) - 탈모(22%), 소양증(12%), 피부건조(11%) - 오심(26%), 식욕부진 (20%), 설사(18%), 복통(15%), 체중감소(11 %) - 호중구감소증(21%), 임파구감소증, 빈혈 - 주사부위반응(47%) - 근육통(56%), 관절통(28%), 근무력(38~42%), 강직(23~45%) - 비출혈(14%), 비인두염(11%) - 감기양 증후군(46%), 바이러스감염(11%)	〈금기〉 1) 인터페론 제제에 과민한 환자 2) 자가면역질환 및 자가면역성 간염기왕력자 3) 중증 정신질환자 4) 조절되지 않는 갑상선질환 5) 대상부전 간질환 및 간경화 6) 중증 신장애, 간질, 중추신경계 기능장애, 심각한 심질환 7) 임신부 : Category C 8) 수유부 〈주의〉 1) 신장애, 심질환, 자가면역질환, 폐질환기왕력자 2) 케톤산뇨증 있는 당뇨기왕력자 3) 응고장애, 중증골수억제, HIV 동시감염, interferon α와 ribavirin 병용후 재발 환자 4) 18세 미만 소아: 안전성 및 유효성 미확립 〈상호작용〉 1) ACEI, clozapine, erythropoietin: 골수억제 증가 가능 2) 5-FU, theophylline, zidovudine: 이 약의 혈중농도 증가 3) Warfarin: 항응고작용 증가 4) Melphalan의 혈중농도 감소 5) Prednisolone: 이 약의 혈중농도 감소 〈취급상 주의〉 1) 냉장보관 2) 투여 전 상온에 두어 용제가 25℃(상온)가 되도록 함.

약품명 및 함량	용법	약리작용 및 효능	부작용	주의 및 금기
Aldesleukin (Recombinant-interleukin-2) Proleukin inj 프로류킨주 ···18×10^{6}IU/V	1) 정맥투여 - 1 유도주기: 18×10^{6}IU/m²/D 5일간 Ⅳ inf. 후 2~6일간 휴약 + (추가) 5일간 Ⅳ inf. 후 3주 휴약 - 2 유도주기 추가 시행 - 반응이 있거나 질환이 안정된 환자: 18×10^{6}IU/m²/D, 5일간 IV inf. 4주 간격으로 4주기까지 투여 2) 피하투여 - 18×10^6 IU/D 5일간 SC 후 2일간 휴약 - 다음 3주간 각 주의 1, 2일은 18×10^{6}IU/D, 3, 4, 5일은 9×10^{6}IU/D SC 투여, 6, 7일 투약하지 않음. - 1주 휴약 후 위의 4주 투여주기 반복 3) 조제방법 : 주사용 증류수 1.2ml로 재구성(이 중 1ml를 취하면 이것이 1vial 전량임), 0.1% 알부민 함유한 5DW(필요시 500ml까지)에 희석시킴. 흔들지 말 것	1) E.coli를 이용한 유전자 재조합 기술에 의해 제조한 Interleukin-2 2) 체내 면역반응 조절작용 및 tumor necrosis factor, IL-1, IFNg등의 cytokines 매개 세포성 면역 반응에 관여함. 3) 적응증 : 성인(18세 이상)의 전이성 신장 세포암 4) T½ : 85mins 대사 : 신장(80%)	1) >10% - 혈압이상, 부정맥, 폐울혈, 빈맥, 혈전증, 흉통, 심근경색 - 혈청 요소 및 크레아티닌 상승, 핍뇨, 혈뇨 - 호흡곤란, 폐부종 - 간효소치 상승, 황달 - 오심, 구토, 설사, 식욕부진, 직장출혈, 소화불량, 위염 - 어지러움, 중추 또는 말초 운동신경 기능이상, 지각이상, 오한, 우울증, 마비, 언어장애, 경련 - 홍반, 발진, 소양증 - 빈혈, 혈소판감소증, 백혈구감소증, 응고이상 2) 1~10% - 부종, 복수, 흉막삼출	〈금기〉 1) 폐기능 이상 환자 2) 장기이식 환자 3) 이 약 1차 투여시 심혈관계 이상, 혼수, 간질, 장허혈/천공, 수술을 요하는 위장관 출혈을 보인 환자 4) 임신부 : Category C 5) 18세 미만 소아 : 안전성, 유효성 미확립 〈주의〉 1) 중증 심혈관계 질환자 2) 중증 주요장기 이상 환자 3) CNS 전이, 발작 환자 〈상호작용〉 1) 생백신제제 : 감염위험 증가 2) Corticosteroid : 이 약의 약효 감소 유발 가능 〈취급상 주의〉 1) 냉장보관 2) 용해후 24시간, 희석시 48시간(냉장보관) 3) 타 약제와 혼합투여 금지 4) 보존제 포함된 주사용 증류수 및 NS와 혼합금지

약품명 및 함량	용법	약리작용 및 효능	부작용	주의 및 금기
Activated T-lymphocyte Immunecell-LC inj 이뮨셀엘씨주 ···200ml/bag	1) 1회 200ml IV inf. (200ml에 1x10^9~2×10^{10} cells 포함) 2) 투여 전 3~4회 정도 흔든 후 1시간 이내 투여 (2시간을 넘지 않도록 함) 3) 투여 주기: 총 60주간 16회 투여	1) 항암면역세포치료제 2) 환자 말초혈액의 단핵구를 추출하여 제조, 주세포군은 cytotoxic T-lymphocyte와 cytokine induced killer cells로 암세포 괴사 혹은 세포 자살을 유도하는 방법으로 항암효과를 나타냄 3) 적응증: 간세포암 제거술(수술, 고주파절제술,	1) >1% - 복부팽만감, 복통, 결장용종, 변비, 설사, 소화불량, 위축성 위염, 위식도역류질환, 구역, 구토,	〈금기〉 1) 환자 본인 이외 사용 금함 〈주의〉 1) 심장병, 폐 기능/신기능 저하증, 저혈압, 고혈압, 감염증 의심 환자 2) 투여 전 skin test 실시

약품명 및 함량	용법	약리작용 및 효능	부작용	주의 및 금기
	- 1주 간격 4회 - 2주 간격 4회 - 4주 간격 4회 - 8주 간격 4회	경피적에탄올 주입술) 후 종양제거 확인된 환자에서 보조요법 4) 환자 본인의 혈액을 채취한 후 일정기간(14일) 배양	치주염 - 가슴 불편, 피로, 독감유사 증후군, 하지 부종, 발열 - AST/ALT 상승, 간부전, 간신증후군, 간성혼수, 복수, 황달 - 대상포진, 비인두염, 상기도감염 - 관절통, 등 통증, 옆구리 통증, 근육통 - 가려움, 발진, 탈모 - 체중증가, 저혈당 - 두통, 어지러움 - 헤모글로빈 감소 - 이명, 빈뇨, 기침, 고혈압	- 1ml 주사기(주사침 25~27G)로 이 약 0.1ml 미만을 진피층에 투여 (구진/발적 10mm 이상: 양성) 3) 임부, 수유부, 소아, 80세 초과 고령자: 안전성 미확립 〈상호작용〉 1) 면역억제제가 이 약의 유효성에 영향을 미칠 수 있음 〈취급상 주의〉 1) 실온보관(2~25℃) 2) 유효기간: 제조일시로부터 24시간 3) 적용 상 주의: 22G 이하 주사침 사용(21G, 20G, 18G 등)
BCG strain Tice Onco Tice 온코타이스주 …12.5mg/V ($2\sim8\times10^8$ CFU)	1) 유도요법: 6주간 매주 1Ⓥ을 카테터 사용하여 방광내 주입(IV, IM, SC 금기) 2) 유지요법: 유도요법 후 3,6,12개월 시점에 3주 연속 주 1회 투여 3) 방광의 잔뇨를 완전히 비운후 주입한 액은 방광내에 2시간 남아 있어야 하고, 방광점막표면에 충분히 접촉할 수 있도록 자세를 변경해주어야 하며, 2시간 후 주입된 현탁액을 앉은 자세에서 배설함. 4) 조제법 - NS 1ml를 가해 몇 분간 방치후 현탁액이 되도록 잘 흔듦. - 현탁액을 50ml 주사기로 옮긴후 바이알을 NS 1ml로 헹구어 50ml	1) 방광내 주입용 BCG 2) 방광내벽의 국소적, 만성적 염증을 야기시켜 표재성 암세포를 파괴함. 3) 잠재성 방광암, 방광의 표재성 요로 상피세포암의 요도절제술(TUR : trans-urethral resection) 후 보조치료제 4) 잠재성 방광암 환자의 재발을 감소시키고 재발 간격을 늦춤. 5) 적응증: 방광 요로상피내암(CIS) 및 Ta 또는 T1단계의 초기나 재발의 표재성 요로상피 세포암의 경요도절제술(TUR) 후 보조요법	- 빈뇨, 긴박뇨 - 방광염 - 불쾌감, 미열, 감기 증상 - 고열 - 전신감염 : 발열, 불쾌감, 폐렴, 간염, 혈구세포 감소증 - 육아종성 전립선염 - 관절염, 관절통, 피부발진, 요도폐쇄, 고환염, 방광수축	〈금기〉 1) 후천성 면역반응 손상 환자 2) 면역억제제 투여 환자 3) 임신부 : Category C 4) 수유부 및 소아 : 안전성 미확립 5) Mantoux 반응 양성자 중 활성 결핵 감염의 의학적 증거가 있는 경우 6) 요로 감염자 : 세균배양 결과 음성이고 항생제 치료가 끝날 때까지 투여 중지 〈주의〉 1) 현탁액 주입전 4시간 동안과 현탁액이 남아있는 2시간은 음료를 마시면 안됨. 2) 처음 사용시 PPD 피부 반응 검사 실시함.

약품명 및 함량	용법	약리작용 및 효능	부작용	주의 및 금기
	주사기에 합하고, 총 50ml가 되도록 NS로 희석함.(NS only)			〈취급상 주의〉 1) 차광 및 냉장보관 2) 조제된 용액은 냉장 · 차광 보관시 2시간 유효함.
Glatiramer acetate Copaxone prefilled syr 코팍손프리필드주 …40mg/1ml/syr	1) 40mg SC, 최소 48시간 이상 간격으로 주 3회 투여 2) 복부, 팔, 둔부, 허벅지를 포함하여 매일 다른 부위에 투여	1) Polymer of amino acids(alanine, glutamic acid, lysine, tyrosine) 2) Myelin basic protein과 유사하여 myelin antigen-specific T-lymphocyte suppressor cells을 유도 및 활성화시킴, 탈수초현상과 관련된 염증반응을 낮추어 다발성경화증 진행을 늦춤 3) 적응증: 재발성-이장성 다발성경화증의 재발빈도 감소	1) >10% - 혈관확장, 흉통 - 통증, 불안 - 피부발진, 발한 - 오심 - 과민반응(홍조, 흉통, 빈맥, 호흡곤란, 소양증) - IgG antibodies 생성 - 감염 - 주사부의 반응 - 호흡곤란, flu-like symptoms, 비인두염	〈금기〉 1) Mannitol에 과민한 환자 2) 12세 미만 소아: 안전성 미확립 3) IV, IM 금기 〈주의〉 1) 임신부: Category B 2) 수유부: 안전성 미확립 〈취급상 주의〉 1) 2-8℃ 냉장, 차광보관 2) 실온보관 시 1회, 1개월까지 보관 가능
Lyophilized bacterial lysates Broncho-Vaxom cap 브롱코박솜캅셀(성인용) …40mg/C	1) 성인: 1Ⓒ qd, 아침 공복시 소량의 물과 함께 복용 ① 단기치료: 최소한 1개월 복용 ② 장기치료: 3개월 연속 투여 - 급성감염: 30일간 복용 후 20일 휴약, 이후 월 10일씩 복용(20일 휴약기) - 무감염: 3개월간 월 10일씩 복용	1) 체내에서 감염증을 일으키는 8종 세균을 용해, 동결건조한 제제로 호흡기내의 면역 system을 활성화하는 능동면역 제제 2) 적응증: 상,하기도 재발성 감염, 만성 호흡기 질환(기관지염, 부비동염 등)	- 위장관 장애(설사, 복통, 구토) - Allergy성 피부질환 - 기침, 호흡곤란, 천식	〈금기〉 1) 급성 위장염 환자 2) 1세 이하 영아 3) 임신부: 임신 초기 3개월동안 투여금기 〈주의〉 1) 경구용 생백신 투여 전후 2주 동안은 복용하지 말 것 2) 면역억제요법이 이 약의 효과에 영향을 미칠 수 있음.
Lyophilized bacterial lysate Uro-vaxom cap 유로박솜캅셀 …60mg/C	1) 성인 : 1Ⓒ qd - 아침 공복시 소량의 물과 복용(투여기간: 3개월) 2) 급성 증상 발현시: 항생물질과 병용하여 적어도 10일 이상 투여	1) 하부요로감염의 대표적인 원인균인 E.coli 항원형을 추출해 제조공정한 균체용해물 2) 약리작용 ① E.coli에 대한 특이적 항체분비를 자극 ② 체액성 및 세포성 면역계를 활성화 ③ 점막면역계의 IgA를 증가시켜 숙주의 면역기능을 활성화 3) 재발성 또는 만성요로감염으로 인한 세균뇨 및 배뇨	- 위장장애(설사, 구역, 복통) - 드물게 알러지성 국소 피부질환(가려움증, 피부발진) 및 가벼운 발열	〈금기〉 1) 임신부 : 임신 초기 3개월 동안은 투여하지 않음 2) 4세 이하 소아 : 안전성 미확립 〈상호작용〉 1) 생백신 투여 전, 후 2주 동안은 투여하지 않음. 2) 면역억제제와 병용시 이 약의 효과에 영향 줄 수 있음.

약품명 및 함량	용법	약리작용 및 효능	부작용	주의 및 금기
		곤란 등의 증상을 경감시키고, 항생제 사용을 감소시켜 항생제 내성을 줄이며, 재발을 방지하기 위해 사용함.		
Picibanil(OK-432) Picibanil inj 피시바닐주 …5KE/V	1) 위암, 원발성 폐암 ① 초회량: 0.2~0.5KE 연일 또는 격일로 1회 투여 후 2~3주에 걸쳐 2~5KE 까지 증량 ② 유지량: 1회 2~5KE, 주 1~2회 SC, IM, ID(피내주사) 2) 소화기, 폐암 환자의 암성 흉·복수 감소: 1회 5~10KE, 주 1~2회 장막강내 투여 3) 두경부암, 갑상선암: 1회 5~10KE, 매일 또는 수일에 1회, 종양내나 종양주변에 주입 4) 림프관종: NS로 0.05~0.1KE/ml 농도의 현탁용해액을 조제하여 흡인 림프관종 액량과 동일한 현탁용해액을 국소에 주입 (1회 Max. 2KE) 5) 투여 전 Skin test 실시 - skin test 방법 ① 5KE + NS 2ml 중 0.1ml에 NS 1.247ml을 첨가하여 0.02ml를 ID ② 15~20분 후 음성이면 용량대로 투여	1) Streptococcus pyogenes로부터 동결 건조시켜 얻은 균체 제제로 항종양효과는 숙주 개재성의 작용에 의함. 2) 숙주기능의 부활과 함께 임파구의 PHA 아세포화율이 증가됨. 3) 적응증 - 위암(수술례) 및 원발성폐암 환자에 있어 화학요법과의 병용에 의한 생존기간 연장 - 소화기암 및 폐암 환자에 있어 암성 흉수, 복수의 감소 - 다른 약물에 효과가 없는 두경부암(상악암, 인-후두암, 설암) 및 갑상선암 - 림프관종	- 과민증: 발진, 쇼크 - 국소동통, 종창, 발열 - 두통, 전신권태 - 빈혈, 백혈구증가 - 간효소수치 증가 - 식욕부진, 오심, 구토	〈금기〉 1) Benzyl penicillin 과민성 환자 〈주의〉 1) 임신부 2) 소아: 필요 시 최소량만 투여 3) 고령자: 용량 주의 4) 신장·심장기능 이상 환자: 장기간 투여로 용연균 감염과 유사한 소견이 나타남 5) Rheumatis성 질환 환자에게 IV는 피함. 6) Benzyl Pc.이 함유되어 있으므로 Pc. 및 Cepha에 과민한 환자에서는 주의 7) 국소 또는 장막강내 대량투여로 지연된 쇼크(1~수 시간후)가 나타난다는 보고가 있음. 〈취급상 주의〉 1) 냉장보관 2) 용해 후 냉장 및 실온 보관시 48시간 안정
Polypeptide (Porc spleen hydrosylate powder) Polyerga tab 폴리엘가정 …100mg/T	1) 1Ⓣ tid, 식전 복용	1) 저분자 oligo 및 polypeptide로 구성된 면역 증강제로 IL-2, IL-3, γ-interferon의 방출 증가와 T-임파구의 종양 분쇄작용을 상승시켜 종양 세포 성장 정지 작용을 나타냄. 2) 면역 조절 및 환자의 대사 장애를 정상화시켜 항암치료의 유지 및 보조 요법제 3) 적응증: 악성 종양 질환의 화학요법 보조제	- 가벼운 가슴쓰림, 국소홍반, 일시적 쇠약함, 구역	〈금기〉 1) 12세 이하 소아, 수유부 2) 임신부: 태아 배발달 저하 〈주의〉 1) 정해진 용량대로 복용함. 2) 단백 분해 효소제: 이 약의 약효를 감소시킬 수 있으므로 병용 투여 피하도록 함.

약품명 및 함량	용법	약리작용 및 효능	부작용	주의 및 금기
Polysaccharide-K Copolang cap 코포랑캡슐 …500mg/C	1) 6Ⓒ #1~3	1) 가와라다께 균사체에서 얻은 단백 다당류로 암세포의 핵산합성 저해 및 직접 종양 증식 억제 작용 있음. 2) 면역 증강효과 및 발암예방 효과 있음. 3) 일반 항암제와 달리 골수억제, 간 및 신장 장애 없음. 4) 적응증 - 위암, 결장암, 직장암환자의 절제수술 후 화학요법 병용에 의한 생존기간의 연장 - 소세포 폐암의 화학요법 병용에 의한 효능발현 기간의 연장	- 오심, 구토, 설사, 식욕부진, 위부 불쾌감 - 피부발진	〈주의〉 1) 고령자: 신중투여
Thymomodulin Leucon syrup 로이콘시럽 …60mg/15ml/V	1) 성인: 1Ⓥ qd~bid 2) 소아: 체중, 연령에 따라 적절히 증감 ① 3~6세: 1Ⓥ qd ② 3세 이하: 1/2Ⓥ qd	1) 소흉선의 추출물로 비단백성 polypeptide 2) 골수에 직접 작용하여 조혈기능을 증진시키며 백혈구 수치를 정상화시킴. 3) T 림파구에 작용하여 직접적인 항원 사멸작용 및 B 림파구에 작용하여 항체 생성을 원활하게 함. 4) 적응증: 간염, 호흡기 질환 등 세균 및 바이러스성 감염질환의 보조치료, 면역결핍증의 보조치료	- 알러지 반응	〈금기〉 1) 중증 근무력증, 가슴샘종 포함 가슴샘 기능항진 환자 2) 임신부, 수유부: 안전성 미확립 〈주의〉 1) 안식향산 나트륨이 포함되어 있어 눈, 피부, 점막에 경미한 자극이 될 수 있음 2) 생약제제로 보관시 침전이 생성될 수 있으나 약효에 영향이 없으므로 흔들어 복용함. 〈상호작용〉 1) 단백 분해 효소제: 이 약의 약효감소 〈취급상 주의〉 1) 차광 및 냉소 보관

약품명 및 함량	용법	약리작용 및 효능	부작용	주의 및 금기
Cyclosporine Cipol-N soft cap 사이폴엔연질캡슐 …25mg/C …100mg/C Cipol-N oral soln 사이폴엔내복액 …100mg/ml, 50ml/BT Cipol inj 사이폴주 …250mg/5ml/A Sandimmun neoral cap 산디문뉴오랄연질캡슐 …25mg/C …100mg/C Sandimmun inj 산디문주사 …250mg/5ml/A	* 주사제 1) 3~5mg/kg/D, 2~6시간동안 IV inf. * 경구제(Microemulsion 제형) 1) 장기이식 - 초기 10~15mg/kg/D#2, 수술 12시간 이상 전부터 수술 후 1-2주간 - 혈중 농도에 따라 2~6mg/kg/D#2까지 감량 2) 골수이식 - 가급적 IV 투여권장 - 수술 1일전 12.5~15mg/kg/D#2 투여 후 12.5mg/kg/D#2 3~6개월간 3) 건선: 초기 2.5mg/kg/D#2, 4주 후 개선 없을 시 매월 0.5~1mg/kg씩 증량(Max. 5mg/kg/D) 4) 신증후군(관해유도) - 성인: 5mg/kg/D#2 - 소아: 6mg/kg/D#2 5) 류마티스 관절염: 2.5mg/kg/D #2 - 4~8주 후 충분한 효과 없고, 내약성 좋은 경우 8주 후 및 12주 후 0.5~0.75mg/kg/D 증량(Max. 4mg/kg/D) 6) 재생불량성 빈혈 - 5mg/kg/D #2 - Trough level ≥ 200ng/ml: 4mg/kg/D로 감량 7) 경구 : 주사제 대응량 = 3 : 1 * 시럽제(Microemulsion 제형) 1) 장기이식, 골수이식, 신증후군: 경구제(캡슐) 용법 참조	1) 면역억제제 2) 신장, 심장, 간장, 심장 및 폐 복합, 폐 및 췌장의 이인자형 장기이식에 단독 또는 저용량의 corticosteroid와 병용하여 조직이식 거부반응 예방의 목적으로 사용함. 3) 골수이식후에 따르는 조직 이식 거부반응과 graft-versus-host disease (GVHD)의 예방 및 치료에 사용함. 4) 적응증 - 장기이식 거부반응 치료, 골수이식 거부반응 예방 및 GVHD 예방 및 치료 - (경구제만 해당) 건선, 신증후군, 류마티스 관절염, 재생불량성 빈혈 5) 허가사항 범위 초과 급여인정 적응증은 상세심사지침 참고 6) Tmax : 1.5~2hrs (경구, microemulsion 제형) $T_{\frac{1}{2}}$: 8hrs(모체) 대사 : 간장(extensive) 배설 : 신장(6%), 담즙(extensive)	1) >10% - 신독성(25~38%), creatinine치 상승 - 고혈압(13~53%) - 두통(2~15%) - 진전(12~55%) - 다모증(21~45%) - 혈중 지질농도 상승 - 설사(12%), 치육 증식(4~16%), 복부불쾌감(15%), 식욕부진(12%) - 상기도 감염(8~11%) 2) 1~10% - 고혈압, 부종, 흉통, 부정맥, 심부전, 심근 경색 - 어지러움, 발작, 불면, 우울증 - 소양증, 여드름, 두드러기 - 생리불순, 당뇨병, 고칼륨혈증, 고요산혈증, 여성형 유방 - 오심, 구토, 고창, 치은염, 변비, 구강건조, 위염 - 뇨실금 - 빈혈, 백혈구감소증, 혈소판감소증 - 간독성	〈금기〉 1) 50% 이상의 신장애가 있는 신증, 18세 미만 류마티스 관절염, 중증 간질환, 요산증가, 고칼륨혈증 환자 2) 임신부: Category C 3) 수유부: 모유 이행(수유 중단) 〈주의〉 1) CsA의 농도 및 간 · 신기능검사를 정기적으로 실시할 것 2) 고령자, 영아 〈상호작용〉 1) Tacrolimus, melphalan 고용량 요법과 병용 투여 금기 2) 신장애 유발 가능 약물과 병용시 신기능 모니터링 : Acyclovir, AGs계 항균제, amphotericin, NSAIDs, colchicine 등 3) Furosemide, mannitol : 신독성 증가 가능하므로 주의 4) Nifedipine : 치육증식 작용 증가하므로 가능한 병용 금기 〈취급상 주의〉 * 주사제 1) NS 또는 5DW에 1mg당 0.4~2ml 비율로 희석 2) 5DW 또는 NS에 2mg/ml로 희석시 24시간 안정함. 3) PVC 주사기에서 역가가 감소되며, DHEP의 용출 우려가 있으므로 즉시 주사해야 함.

약품명 및 함량	용법	약리작용 및 효능	부작용	주의 및 금기
Cyclosporine Implanta cap 임프란타연질캅셀 …25mg/C …100mg/C	1) 장기이식 - 초기 14~17.5mg/kg qd, 수술 4~12시간 전부터 수술 후 1-2주간 - 혈중 농도에 따라 6~8mg/kg/D까지 감량 2) 골수이식 ① 거부반응 예방: 수술 1일전 12.5~15mg/kg/D 5일간 투여 후, 12.5mg/kg/D 3~6개월간 투여 ② GVHD 치료: 12.5~15mg/kg/D 50일간 투여 후, 1주 간격으로 5%씩 감량하여 2mg/kg/D 3) 내인성 포도막염 - 초기 5~7mg/kg/D #1~2, 염증 완화 및 시력 회복 시까지 투여 후 점차 감량 - 감량 후 혈중 농도: 200~600ng/ml (유효용량 Max. 5mg/kg/D) - 필요 시 부신피질 호르몬제와 병용 가능	1) 면역억제제 2) 적응증: 장기이식의 거부반응 예방 및 치료, 골수이식시 거부 반응 예방 및 GVHD 예방, 치료, 내인성 포도막염 3) 허가사항 범위 초과 급여인정 적응증은 상세심사지침 참고	1) 〉10% - 신독성(25~38%), creatinine치 상승 - 고혈압(13~53%) - 두통(2~15%) - 진전(12~55%) - 다모증(21~45%) - 혈중 지질농도 상승 - 설사(12%), 치육 증식(4~16%), 복부불쾌감(15%), 식욕부진(12%) - 상기도 감염(8~11%) 2) 1~10% - 고혈압, 부종, 흉통, 부정맥, 심부전, 심근 경색 - 어지러움, 발작, 불면, 우울증 - 소양증, 여드름, 두드러기 - 생리불순, 당뇨병, 고칼륨혈증, 고요산혈증, 여성형 유방 - 오심, 구토, 고창, 치은염, 변비, 구강건조, 위염 - 뇨실금 - 빈혈, 백혈구감소증, 혈소판감소증 - 간독성	〈금기〉 1) 50% 이상의 신장애가 있는 신증, 18세 미만 류마티스 관절염, 중증 간질환, 요산증가, 고칼륨혈증 환자 2) 임신부: Category C 3) 수유부: 모유 이행(수유 중단) 〈주의〉 1) CsA의 농도 및 간 · 신기능검사를 정기적으로 실시할 것 2) 고령자, 영아 〈상호작용〉 1) Tacrolimus, melphalan 고용량 요법과 병용 투여 금기 2) 신장애 유발 가능 약물과 병용시 신기능 모니터링 : Acyclovir, AGs계 항균제, amphotericin, NSAIDs, colchicine 등 3) Furosemide, mannitol : 신독성 증가 가능하므로 주의 4) Nifedipine : 치육증식 작용 증강하므로 가능한 병용 금기

약품명 및 함량	용법	약리작용 및 효능	부작용	주의 및 금기
Tacrolimus Prograf cap 프로그랍캅셀 …0.5mg/C …1mg/C Prograf inj 프로그랍주사액 …5mg/1ml/A Tacrobell cap 타크로벨캡슐 …0.25mg/C …0.5mg/C …1mg/C Tacrobell inj 타크로벨주 …5mg/1ml/A	* 경구제 1) 성인 ① 신이식: 초기 0.1~0.15mg/kg ② 간이식: 초기 0.05~0.1mg/kg bid ③ 골수이식: 이식 1일전부터 0.06mg/kg bid - GVHD 발현 후 0.15mg/kg bid ④ 만성류마티스관절염 - 3mg qd(저녁) - 고령자: 1.5mg qd (Max. 3mg/D) ⑤ 루푸스신염: 3mg qd(저녁) ⑥ 중증근무력증: 3mg qd(프로그랍캅셀) 2) 소아(신/간이식): 0.15mg/kg bid 투여 후 감량 3) 주사에서 경구제로 교체시 경구용량을 3~4배로 투여할 것(∵ BA 낮음) * 주사제 1) 신이식: 0.1mg/kg, 24hrs IV inf. 2) 간이식: 0.05mg/kg bid, 4~12hrs IV inf. 3) 골수이식: 이식 1일전부터 0.03mg/kg, 24hrs IV inf. - GVHD 발현 후 0.1mg/kg, 24hrs IV inf.	1) Streptomyces tsukubaensis로 부터 얻어진 macrolide계 면역억제제 2) T-cell내의 결합단백질인 FKBP (FK506 binding protein)과 결합하여 T-cell의 합성을 억제하여 면역억제 작용을 나타냄. 3) 적응증 - 신, 간이식에서의 거부반응 억제, 골수이식 후 거부반응과 GVHD 질환 - (경구제만 해당) DMARDs 투여로 효과 불충분한 만성류마티스관절염, 루푸스신염, 중증근무력증 4) Cyclosporine보다 다모증, 치육증식이 없고, 간이식시 거부율이나 생존률에서 우수하나 신이식에서는 차이점 없음. 5) 골수이식시에는 cyclosporine에 비해 더 낮은 생존률을 보이며, 간독성이 큼. 6) Tmax : 1~3hrs $T_{\frac{1}{2}}$: 8.7~11.3hrs(모체) 대사 : 간 배설 : 신장(minimal), 담즙(extensive)	1) >15% - 흉통, 고혈압 - 어지러움, 두통, 불면, 진전 - 소양증, 발진 - 당뇨, 고혈당, 전해질 이상 - 복통, 변비, 설사, 소화불량, 오심, 구토 - 요로감염, 신기능장애, BUN상승, 크레아틴 상승 - 빈혈, 혈소판감소증 - 복수 - 근육통, 저배통, 허약감, 마비 - 무기폐, 기관지염, 호흡곤란, 기침증가, 흉막 삼출 2) 3~15% - 심전도 이상, 협심증, 심폐부전, 심정맥 혈전염, 출혈, 저혈압, 기립성 저혈압, 혈전 - 짜증, 혼동, 우울, 기면 - 여드름, 탈모, 다모, 광과민성 - 쿠싱 증후군, 당뇨 - 혈액응고장애, 백혈구감소증 - 신경병증 - 천식	〈금기〉 1) Macrolide 화합물에 과민한 환자 2) CsA와 병용 피할 것(이 약 시작 1-2일 전에 CsA 투여중단) 3) 칼륨저류성 이뇨제 투여 환자 4) 유당 관련 대사장애 환자 5) 임신부: 동물실험에서 기형 발생, 태자독성 보고 (Category C) 6) 수유부: 모유 이행 (수유중단) 7) 12세 미만 소아(골수이식, 신이식): 안전성 미확립 〈주의〉 1) 알레르기를 일으키기 쉬운 체질의 환자 2) 신이식 환자의 20%에서 당뇨 발생 가능 3) 감염 위험 증가 〈상호작용〉 1) 칼슘길항제, 항진균제, 항균제, CYP450 저해제: 이 약의 혈중농도 증가 2) 간질 치료제, 항결핵제: 이 약의 혈중농도 감소 〈취급상 주의〉 * 주사제 1) NS나 5DW에 4~20mcg/ml로 mix 후 24시간 이내 사용 2) PVC 용기의 사용을 피할 것(∵약물의 안정성을 감소시키며 용기로부터 phthalate를 유리시킴) 3) 25℃ 이하, 차광 보관 4) 희석 후 냉장보관(24hrs)

약품명 및 함량	용법	약리작용 및 효능	부작용	주의 및 금기
Basiliximab Simulect inj 씨뮬렉트주사 …20mg/V	1) 성인: 이식 수술전 2시간 이내에 20mg 투여하고, 이식수술 후 4일째에 20mg 투여(총 40mg) 2) 소아 - 35kg 미만: 이식 수술전 2시간 이내에 10mg 투여하고, 이식수술 후 4일째에 10mg 투여(총 20mg) - 35kg 이상: 성인용량과 동일 3) 주사용수로 재구성 후 IV bolus 또는 NS 50ml 이상으로 희석하여 20~30분간 IV inf.	1) T-cell에 있는 interleukin-2 수용체의 α-chain에 선택적이고 특이적으로 결합하여 T-cell의 분화를 저해하는 immunosuppressant 2) 적응증 - 성인: 신장이식시 cyclosporine 및 corticosteroid 등의 면역억제제와 병용하거나, cyclosporine, corticosteroid 및 azathioprine 또는 mycophenolate mofetil 등의 3종 면역억제제와 병용하여 급성 장기 거부반응 예방 - 소아: 신장이식시 cyclosporine 및 corticosteroid 등의 면역억제제와 병용하여 급성 장기 거부반응 예방 3) 지속시간 : 36days $T_{\frac{1}{2}}$: 9.4days(소아), 7.2days(성인)	1) >10% - 변비, 구역 - 요로감염 - 통증 - 말초부종, 고혈압 - 빈혈, 두통, 고칼륨혈증 - 현기증, 발열, 불면증 - 여드름 - 고혈당증 - 설사, 체중증가, 소화불량 - 진전 - 기침, 호흡곤란, 감염 2) 3~10% - 부정맥, 심부전, 저혈압 - 우울증 - 발진, 피부궤양 - 신기능 이상 - 시각이상, 백내장	〈주의〉 1) 임신부 : Category B 2) 가임기 여성 : 치료 후 16주까지 피임해야 함. 3) 수유부 : 모유이행(두번째 용량 투여 후 8주간 수유 금지) 〈상호작용〉 1) Cyclosporin이나 corticosteroid 이외의 면역억제제와 병용시 과잉 면역억제의 잠재성이 증가될 수 있음. 〈취급상 주의〉 1) 냉장(2~8℃) 보관 2) 주사용수 5ml로 재구성된 주사액은 가능한 즉시 사용(냉장 24hrs, 실온 4hrs 안정) 3) 단독라인 투여
Tocilizumab Actemra inj 악템라주 …80mg/4ml/V …200mg/10ml/V …400mg/20ml/V	1) 성인: 4주마다 8mg/kg IV inf. (100kg 이상의 환자: Max. 800mg) 2) NS 주사액으로 총 100ml가 되도록 희석 후 1시간 이상 IV inf.	1) 생물학적 DMARDs(Disease Modifying Anti-Rheumatic Drugs) 제제 2) 류마티스관절염 환자의 혈청 및 활액에 증가된 만성염증을 유발하는 IL-6를 억제하는 재조합 인간 단일 클론 항체로 CRP를 신속하게 정상치로 회복시키는 효과 있음. 3) 적응증 - MTX를 포함한 한가지 이상의 DMARDs에 반응이 적절하지 않거나 불내약성인 성인의 중등도~중증 활동성 류마티스 관절염 치료	1) >10% - ALT/AST 상승 - 상기도 감염 2) 1~10% - 고혈압, 말초부종 - 두통, 어지러움 - 발진, 피부반응 - 복통, 설사 - 비인두염	〈금기〉 1) 중대한 감염증 있는 환자 2) 생백신(약독화 포함) 동시 투여 〈주의〉 1) 감염 병력 있는 환자 : 결핵 기감염자, 이감염성 상태, 간질성 폐렴 기왕력 2) 위장궤양, 장관게실 3) 백혈구 감소, 호중구 감소, 혈소판 감소 있는 환자 4) 활동성 간질환, 간장애 환자 5) 임신부 Category: C (안전성 미확립)

약품명 및 함량	용법	약리작용 및 효능	부작용	주의 및 금기
		- MTX와 병용시 관절손상 진행속도의 감소(X-선 측정결과)와 신체기능의 향상 4) $T\frac{1}{2}$: 11~13days (steady state), 6.3 days (single dose)		〈약물상호작용〉 1) Abciximab, pimecrolimus, roflumilast, tacrolimus(topical), trastuzumab: 이 약의 효과 및 독성 증가 2) BCG, CYP3A4 substrates의 약효 감소 3) Leflunomide의 효과 및 독성 증가 〈취급상 주의〉 1) 냉장(2~8℃) 보관, 박스내 보관 2) NS 희석 시 2~8℃에서 24시간 동안 안정 3) Polysorbate 함유 제제로 희석 후 격렬한 진동 시 거품이 잘 생김.
Ustekinumab Stelara inj 스텔라라프리필드주 …45mg/0.5ml/syr	1) 100kg 이하: 0주, 4주에 45mg, 이후 12주마다 45mg SC 2) 100kg 초과: 0주, 4주에 90mg, 이후 12주마다 90mg SC	1) Interleukin-12, 23에 선택적인 human monoclonal antibody 2) Proinflammatory cytokine인 IL-12, IL-23를 억제하여 비정상적인 IL-12 및 IL-23 조절이 매개하는 건선 등의 면역 질환 억제 3) 적응증 - 판상건선: 광선요법 또는 전신치료요법을 필요로 하는 중등도-중증의 판상 건선질환을 가지는 18세 이상 성인 - 건선성관절염: 이전 DMARDs 치료에 대한 반응이 적절하지 않은 성인의 활동성 건선성 관절염의 치료, TNF-α 저해제 투여 경험이 없는 건선성 관절염 환자의 관절의 구조적 손상 진행을 억제(단독 또는 MTX와 병용)	1) >10% - 감염 2) 1~10% - 어지러움, 두통, 피로, 우울증 - 소양감 - 요통, 인후통, 근육통 - 과민반응(발진, 두드러기) - 주사부위 홍반 - 설사	〈금기〉 1) 소아: 안전성 미확립 2) 수유부: 동물에서 유즙 분비 〈주의〉 1) 잠복성 결핵, 활동성 결핵이력이 있는 환자(∵잠복성 감염의 재활성화 가능성) 2) 임신부: Category B 3) 생백신과 동시 접종 금지 〈상호작용〉 1) In vitro 연구에서 CYP450 효소 활성을 변화시키지 않음. 〈취급상 주의〉 1) 냉장, 차광 보관(박스내 보관)

10장. 면역 조절제 ……………2. Immunosuppressants ……………………(3) Selective immunosuppressants

약품명 및 함량	용법	약리작용 및 효능	부작용	주의 및 금기
Abatacept Orencia inj 오렌시아주	1) 성인(체중에 따름) ① 〈60kg: 500mg ② 60~100kg: 750mg ③ >100kg: 1,000mg	1) Disease Modifying Antirheumatic Drugs (DMARDs) 2) 작용기전 : Selective co-stimulation modulator로 APC(antigen presenting cell)의 CD80/86에	1) >10% - 두통(≤18%) - 오심, 비인두염 (12%)	〈금기〉 1) 수유부 : 안전성 미확립(동물실험에서 모유 이행) 2) 6세 미만 소아 : 안전성 및 유효성 미확립 〈주의〉

약품명 및 함량	용법	약리작용 및 효능	부작용	주의 및 금기
…250mg/V	2) 소아(6~17세) ① 75kg 미만: 10mg/kg ② 75kg 이상: 성인 용량에 따름 3) 첫 투여 후 2주, 4주 후 투여, 이후 매 4주마다 투여 4) 투여방법: 30분간 IV infusion, 저단백질 필터(0.2~1.2㎛) 사용 5) 주사액의 조제 – 동봉된 주사침과 실리콘무함유 주사기 사용하여 조제함 – 재구성: 주사용 증류수 10ml – 희석: NS 100ml (10mg/ml 이하의 농도로 희석하여 투여 가능함)	결합, APC와 T cell 간의 CD28 매개 반응을 차단하여 T cell 활성화 억제 3) 적응증 ① 성인 RA: 중등증~중증의 활동성 RA을 가진 성인 ② 소아 특발성 관절염: 중등증~중증의 활동성 RA을 가진 6세 이상의 소아 4) Vd : 0.07L/kg $T_{\frac{1}{2}}$: 13.1days	– 상기도감염, 항체생성(2~41%) 2) 1~10% – 고혈압(7%) – 어지러움(9%), 발열 – 발진(4%) – 소화불량(6%), 복통, 설사 – 요로감염(6%) – 요통, 사지통증 – 기침(8%), 기관지염, 폐렴, 비염, 부비동염 – 감염관련 증상(2~9%), 독감, 단순포진	1) 감염 병력 환자 2) 예방접종: 약 투여 3개월 이내 권장되지 않음 3) COPD 환자 4) B형 간염 환자 5) 임신부 : Category C 〈상호작용〉 1) TNF 길항제 : 유효성 증가 없이 중증 감염 위험성 증가 2) 생백신의 면역효과 감소 3) Leflunomide의 효과 및 독성 증가 4) Pimecrolimus, Tacrolimus(Topical), Trastuzumab : Abatacept의 효과 및 독성 증가 5) Maltose 반응 혈당검사 : 혈당치 높게 측정됨(안정화제 말토즈와 반응)
Eculizumab Soliris inj 솔리리스주 …300mg/30ml/V	* 치료 시작 최소 2주전 수막구균 백신 투여 1) 성인(만 18세 이상) ① 발작성 야간 혈색소뇨증(PNH) – 초기: 600mg q 1wk, 4주간 – 유지: 900mg q 2wks ② 비정형 용혈성 요독 증후군(aHUS) – 초기: 900mg q 1wk, 4주간 – 유지: 1,200mg q 2wks 2) 18세 미만 소아(aHUS): 체중(Wt; kg)에 따른 해당용량(초기/유지) 투여 – 5≤Wt〈10: 첫주 300mg 1회 / 300mg q 3wks – 10≤Wt〈20: 첫주 600mg 1회 / 300mg q 2wks – 20≤Wt〈30: 600mg q 1wk, 2주간 / 600mg q 2wks	1) Monoclonal antibody로 보체단백질 C5에 높은 친화력으로 결합, C5a와 C5b의 분화를 억제, 말단 보체복합체인 C5b-9의 형성을 저해하여 말단 보체 매개 혈관 내 용혈 억제 2) 적응증: – 용혈을 감소시키기 위한 발작성 야간 혈색소뇨증(PNH; Paroxysmal nocturnal hemoglobinuira) 환자의 치료 – 비정형 용혈성 요독 증후군(aHUS; atypocal Hemolytic Uremic syndrome) 환자의 치료 (※ 사용제한: Shiga 독신 생성 대장균에 의한 용혈성 요독 증후군 환자 대상 적용 권장하지 않음) 3) $T_{\frac{1}{2}}$: 190~354hrs	1) 〉10% – 두통, 요통, – 코인두염, 기침 – 구역 – 피로 2) 1~10% – 단순포진감염, 부비동염, 기도감염, 인플루엔자 유사증상 – 근육통, 팔다리통증 – 변비	〈금기〉 1) 치료되지 않은 중대한 수막염균(Neisseria meningitidis) 감염 환자 2) 수막염균백신 미접종자 〈주의〉 1) 이 약 투여 시작 최소 2주 전 수막알균 백신 접종 필요, 최신 백신접종 지침에 따라 재접종 필요 2) 중대한 수막염균 이외의 전신감염 환자에게 신중투여 3) 중단 후 용혈 위험성 모니터링 필요 4) 임신부: Category C 5) 수유부: 안전성 미확립(치료 종료 후 5개월까지 수유 중단) 6) 만 18세 미만 소아(PNH만): 안전성 및 유효성 미확립 〈취급상 주의〉 1) 차광, 냉장보관(2~8℃) 2) 조제법

약품명 및 함량	용법	약리작용 및 효능	부작용	주의 및 금기
	- 30≤Wt<40: 600mg q 1wk, 2주간 / 900mg q 2wks - 40≤Wt: 900mg q1wk, 4주간 / 1,200mg q 2wks 3) 투여방법: 35분~2시간 이내 IV inf.			① 5mg/ml 농도로 희석 ② 희석가능 수액: 0.9%, 0.45% NS 또는 5DW, 링거액 3) 희석 후 실온 및 냉장(2~8℃)에서 24시간 안정
Everolimus Certican tab 써티칸정 …0.25mg/T …0.5mg/T …0.75mg/T	1) 18세 이상 성인 ① 신장 및 심장이식: 초기 용량 0.75mg bid, 이식 후 가능한 빨리 투여 시작 ② 간이식: 초기 용량 1mg bid, 이식 후 4주째 투여 2) 용량 조정: 4~5일 간격 3) CsA 및 corticosteroid와 병용투여 4) 혈중농도 모니터링(trough): 3~8ng/ml	1) 면역억제제(mTOR inhibitor) 2) 'IL-2 → mTOR(mammalian target of rapamycin) 자극 → G1에서 S로의 cell cycle 진전 → T-cell 분화'의 신호 전달 과정 중 mTOR을 억제하여 IL-2에 대한 T-cell의 반응을 억제 3) Early T-cell specific genes의 활성을 저해하는 CsA, Tacrolimus와 달리, cell cycle 중 더 늦은 단계에서 T-cell의 증식을 억제하여 두 약제와 다른 작용기전을 가짐. (∴ CsA와 병용시 상승작용) 4) Calcineurin inhibitor(CNI)와 비교 시 암발생을 낮춤 5) 적응증 ① 신장 및 심장이식: 경도 내지 중등도의 면역학적 위험을 가진 동종신장, 심장이식 후 거부반응 예방 (CsA 및 corticosteroid와 병용) ② 간이식: 간 이식 후 거부 반응의 예방 (Tacrolimus 및 corticosteroid와 병용) 6) Onset : 3months (신이식) 흡수 : 고지방식이에 의해 Tmax 지연, Cmax 감소되나, AUC는 유사함. Tmax : 1~3hrs $T_{\frac{1}{2}}$: 18~35hrs 대사 : 간 배설 : 신장(minimal), 담즙(extensive)	1) >10% - 백혈구 감소증 - 고콜레스테롤혈증, 고지혈증 2) 1~10% - 바이러스, 세균, 진균 감염, 패혈증 - 혈소판감소증, 빈혈, 응고병증, 혈전성 혈소판 감소증, 자반/용혈성 요독증 증후군 - 고트리글리세라이드혈증 - 고혈압, 림프류, 정맥혈전색전증 - 폐렴 - 복통, 설사, 구역, 구토 - 혈관신경부종, 여드름, 수술상처의 합병증 - 요로감염, 신기능 손상 - 부종, 통증	〈금기〉 1) Rapamycin 유도체(sirolimus)에 과민한 환자 2) 임신부 : Category D 3) 수유부 : 약물이 모유로 이행함. 4) 18세 미만 소아 : 안전성, 유효성 미확립 〈주의〉 1) Tacrolimus(구조적 유사)에 과민한 환자 2) 바이러스, 진균, 세균 감염 환자 3) 고지혈증 환자 4) 당뇨 5) 관상동맥성 질환, 심혈관계 질환 환자 6) 골수 억제 환자 7) 간장애 환자(용량 감량) 〈상호작용〉 1) CYP3A4/PgP저해제(cyclosporine): 이 약의 용량 조절 필요할 수 있음. 2) CYP3A4유도제(rifampicin): 병용 비권장 3) 자몽쥬스: 복용 금지 〈취급상 주의사항〉 1) 분할, 분쇄 불가

약품명 및 함량	용법	약리작용 및 효능	부작용	주의 및 금기
Leflunomide Arey tab 아레이정 …10mg/T …20mg/T	1) 부하용량: 100mg qd 3일간 투여 2) 유지용량 - 20mg qd - 환자의 임상적 내약성이 좋지 않은 경우 10mg/D까지 감량	1) 류마티스 관절염에 관련된 빠르게 증식하는 세포, 즉 활성 임파구의 denovo pathway에 의한 pyrimidine의 합성을 선택적으로 저해함. - 활성대사물 A77 1726은 pyrimidine, uridine 생산에 필요한 DHODH(dehydroorotate dehydrogenase)를 저해 - pyrimidine 생합성의 차단은 세포 주기의 G1/S 단계를 억제하여 T cell의 클론 증식을 저해 2) 적응증: 성인에서의 류마티스 관절염, 활동성 건선성 관절염 3) Tmax: 6~12hrs $T\frac{1}{2}$: A77 1726(활성대사체) 14~18days(평균 15.7days) 배설: 담즙(48%), 신장(43%)	1) >10% - 설사(17%) - 호흡기 감염(15%) 2) 1~10% - 고혈압(10%), 흉통(2%), 혈관염, 부종 - 두통(7%), 어지러움, 지각이상, 신경통, 신경염, 발열, 불면증 - 탈모증(10%), 발진(10%), 가려움증, 피부건조, 모발변색 - 저칼륨혈증, 당뇨병, 고지혈증, 갑상선 기능항진증 - 구역, 식욕부진, 위장염, 구내염, 구토, 담석증, 결장염, 식도염, 흑색변 - 단백뇨, 방광염, 배뇨곤란, 혈뇨 - 빈혈 - 건초염, 점액낭염, 관절증, 근경련, 근육통, 골괴사, 골통 - 백내장, 결막염 - 천식, 호흡곤란, 비출혈, 폐질환 - 드물게 알러지 반응	〈금기〉 1) 임신부: Category X 2) 수유부: 안전성 미확립 3) 심각한 간손상 혹은 간질환 병력이 있는 환자 4) 유당 관련 대사장애 환자 〈주의〉 1) 신기능 저하 환자에 대한 투여경험이 적으므로 투여 시 주의 2) 골수기능 손상 환자, 골수 기능억제 환자 등의 면역저하 환자의 경우 본제 투여전에 전혈구(CBC) 계산치 측정 3) 심각한 면역저하 환자(AIDS, 심각한 골수기능손상, 심각한 감염)에게는 투여하지 않음. 4) 아이를 갖기 원하는 남성의 경우 약물 제거 과정을 가짐. 5) 투여전과 투여시 주기적으로 혈압을 측정 6) 18세 미만 소아: 안전성, 유효성 미확립 〈경고〉 1) 심각한 부작용이 발생할 경우 cholestyramine 혹은 활성탄을 투여하여 약물을 신속히 제거함. 2) 간독성 - 심각한 간손상, 간질환 병력자는 투여 금기 - ALT가 정상치의 2~3배인 경우 용량을 감소하고 모니터링함. - ALT가 정상치의 3배 이상인 경우, 투약 중단하고 cholestyramine을 투여하면서 모니터링함

약품명 및 함량	용법	약리작용 및 효능	부작용	주의 및 금기
Mycophenolate mofetil Myrept cap 마이렙트캡슐 …250mg/C Myrept tab 마이렙트정 …500mg/T Myrept powder for suspension 마이렙트현탁용분말 …1g/5ml(34.98g/BT)	1) 성인 ① 신이식: 1g(현탁액으로 5ml) bid (Max. 1.5g bid) ② 심장 및 간이식: 1.5g bid 2) 소아(2~18세) ① 신이식 - 캡슐, 정제: (체표면적 1.25~1.5㎡) 750mg bid, (체표면적 1.5㎡ 이상) 1g bid - 현탁액: 600mg/㎡ bid(Max. 2g(10ml)/D) 3) 이식 후 72시간 내에 복용(공복 시, CsA 및 corticosteroid 병용) 4) 호중구 감소증: ANC<1.3x10³/㎣ 시 용량감소 또는 투여 중지 * 신기능에 따른 용량조절 참고 - 중증 만성 신부전(GFR<25ml/min/1.73㎡): 이식수술 직후 이외 1g bid 이상 사용 금지	1) 면역억제제 2) Mycophenoleic acid(MPA)와 2-morpholinoethyl eater로서 MPA는 강력한 선택적, 비상경적, 가역적 inosine monophosphate dehydrogenase (IMPDH) 저해제이며, DNA와 결합하지 않으면서 guanosine nucleotide 합성의 de novo pathway를 저해하여 세포 증식 억제 작용 3) 적응증: 동종 신장, 심장, 간장 이식환자에 대한 급성 장기 거부반응 방지(CsA과 corticosteroid 병용) 4) 허가사항 범위 초과 급여인정 적응증은 상세심사지침 참고 5) Tmax: 1hr 대사: 간 T½: 16~18hrs 배설: 신장(93%), 대변(6%)	1) >10% - 통증, 두통, 발열, 진전, 불안, 어지러움, 우울, 섬망, 오한 - 백혈구감소증, 빈혈, 혈소판감소증 - 요로감염, 혈뇨, BUN상승 - 고혈압, 말초부종, 저혈압, 심혈관 이상, 흉통, 빈맥, 부정맥 - 전해질 이상, 고혈당증, 산성혈증 - 간기능 검사 이상, 복수, 빌리루빈 혈증 - 호흡기 감염, 호흡곤란, 흉막삼출, 기침 증가, 폐기능이상, 부비동염 - 패혈증, 헤르페스 감염 2) 1~10% - 저혈당증 - 심한 호중구 감소증 - 청각 장애, 복막염, 심한 패혈증 3) <1% - 대장염, 심내막염, 간질성 폐렴, 폐섬유종	〈금기〉 1) 2세 미만 소아 및 수유부: 안전성 미확립 2) 임신부: Category D 3) 현탁액제: 페닐케톤뇨증(∵aspartame 함유), 유전성 과당 불내증 환자(∵sorbitol 함유) 〈주의〉 1) 중증 신부전 환자 2) 활동성 중증 소화기계 질환 환자 3) 신장이식 후 장기기능재개 지연 환자 〈상호작용〉 1) Acyclovir: 두 약물의 혈중농도 증가 2) Al, Mg 함유 제산제: 이 약의 혈중농도 감소 3) Cholestyramine: 이 약의 AUC 40% 감소 4) Probenecid: 이 약의 AUC 감소 5) 경구용 피임제 효과 감소시킬 수 있음 〈취급상의 주의〉 1) 캅셀제 내의 분말은 피부 및 점막을 통해 흡수될 수 있어, 개봉/분쇄 불가 2) 현탁용 분말 ① 실온보관(1~30℃), 조제된 현탁액은 실온보관 시 2개월간 안정 ② 조제방법 - 분말이 잘 풀어지도록 뚜껑을 닫은 상태에서 가볍게 몇 차례 두드림. - 1병(34.98g/110g)당 총 94ml의 물로 현탁시킴. 94ml 중 절반을 병에 넣고 1분간 잘 흔들어 섞은 뒤, 나머지 물을 넣고 1분간 잘 흔들어줌(용해 후 1병 = 174.75ml) - 조제 시 분말의 흡입 또는 피부, 점막과의 직접 접촉을 피함

약품명 및 함량	용법	약리작용 및 효능	부작용	주의 및 금기
Mycophenolate sodium Myfortic enteric coated tab 마이폴틱장용정 …180mg/T …360mg/T	1) 성인: 720mg bid, 식사와 관계없이 투여 가능하나 공복(식전 1시간 전) 또는 식후 2시간 선택하여 투여 2) 이식 후 가능한 빨리(24시간 이내) 투여 시작	1) 활성성분인 mycophenolic acid (MPA)의 면역억제 작용에 의한 신장이식 후 급성 거부 반응 억제 2) Mycophenolate mofetil 성분과는 염기가 다르며, 장용정으로 위장관 부작용의 심각도를 줄인 제형 3) 적응증: 동종 신장이식 환자에 대한 급성 장기 거부반응 방지(Microemulsion CsA 및 corticosteroid와 병용) 4) 허가사항 범위 초과 급여인정 적응증은 상세심사지침 참고	– 변비(38%), 오심(29.1%), 설사(23.5%), 구토(23.0%), 소화불량(22.5%) – 빈혈(21.6%), 백혈구감소증(19.2%) – 요로감염(29.1%), CMV 감염(20.2%) – 수술후 통증(23.9%), 불면(23.5%)	〈금기〉 1) HGPRT* 유전성 결핍증 환자 (*Hypoxanthine Guanine Phosphoribosyl-transferase) 2) 수유부: 동물실험에서 유즙 분비 (치료 후 6주간 수유 중단) 3) 임신부: Category D 4) 유당 관련 대사장애 환자 〈신중투여〉 1) 중증 신부전, 신이식 후 장기기능재개 지연 환자 2) 활동성 중증 소화기질환 환자 3) 18세 미만 소아: 안전성, 유효성 미확립 〈주의〉 1) 림프종 및 기타 악성 종양의 발생 위험이 증가하므로 피부암 위험을 최소화하기 위해 자외선 노출 및 햇빛을 피함. 2) 분쇄금지 (∵ 장용제피 제거시 동물에서 기형 발생) 3) 남성 및 가임기 여성: 마지막 복용 후 13주간 피임 권고 〈상호작용〉 1) Acyclovir와 병용시 두 약 모두 혈중농도 증가 2) Al, Mg 함유 제산제: 이 약의 혈장농도 감소 3) Cholestyramine: 이 약의 AUC 감소 4) 경구용 피임제의 효과 감소 5) 생백신 투여: 항체반응 감소
Rabbit anti human thymocyte Immunoglobulin (ATG) Thymoglobuline inj 치모글로부린주 …25mg/V	1) 신장이식 ① 거부반응 예방: 1~1.5mg/kg/D, 2~9일간(누적: 2~13.5mg/kg) ② 중증 급성거부 반응: 1.5mg/kg/D, 3~14일간(누적: 4.5~21mg/kg) 2) 심장이식 ① 거부반응 예방: 1~1.5mg/kg/D, 2~5일간(누적: 2~7.5mg/kg) ② 급성거부 반응: 1.5mg/kg/D, 3~14일간(누적: 4.5~21mg/kg)	1) Human thymocyte로 면역시킨 토끼의 혈청으로부터 얻은 면역글로불린 2) 적응증 : 신장, 심장 이식시 거부 반응 억제 및 재생불량성빈혈 3) 허가사항 범위 초과 급여인정 적응증은 상세심사지침 참고	1) >10% – 발열 – 림프구, 호중구, 혈소판 감소증, – 감염 2) 1~10% – 호흡곤란 – 설사, 구역 – 혈청병, 근육통 – 악성종양	〈금기〉 1) Rabbit 혈청에 과민한 환자 2) 추가적인 면역억제 처치가 금기인 급-만성 감염 〈주의〉 1) 투여 1시간 전에 항히스타민제를 예방적으로 투여할 것을 권장 2) 4~5시간 정도로 단시간내 급히 투여하는 것은 피할 것 3) 주입시 혈액 혹은 혈액 대용물의 주입은 삼가할 것 4) 동일한 튜브로 다른 제제나 특히 지방성분의 주입을 삼가할 것

약품명 및 함량	용법	약리작용 및 효능	부작용	주의 및 금기
	3) 재생불량성빈혈 : 2.5~3.5mg/kg/D, 5일간(누적: 12.5~17.5mg/kg) 4) 조제방법: 1V을 주사용수 5ml로 재구성한 후, 1V당 NS 또는 DW 50ml에 희석하여 6시간 이상 IV inf. 5) High-flow vein을 통해 inf.		- 피부발진 - 저혈압 3) 시판후 보고 - 아나필락시스, cytokine release syndrome, PTLD (이식후 림프세포 증식성 질환), 호중구감소증, 혈청병(delayed)	5) 임신부 : Category C 6) 수유부 : 안전성 미확립(수유 중단 권고) 〈취급상 주의〉 1) 냉장보관 2) 희석액 : 냉장 24시간 안정
Sirolimus Rapamune tab 라파뮨정 …1mg/T …2mg/T	1) 치료 초기 CsA 및 corticosteroid와 병용 투여 권장(CsA와 4시간 간격 두고 일정 시간 복용) 3) 경도~중등도 면역학적 위험 신이식 ① CsA 병용 - 부하용량: 6mg qd (Max. 40mg/D) - 유지용량: 2mg qd ② CsA 투여 철회 시 - 이식 후 2-4개월째, CsA 투여를 4-8주에 걸쳐 점차적 중단 - 목표 trough 혈중농도: 12~20ng/ml 3) 중증 면역학적 위험 신이식(CsA 병용) - 부하용량: 15mg qd - 유지용량: 5mg qd 4) 림프관평활근종증 - 초기 용량: 2mg qd - 목표 trough 혈중농도: 5~15 ng/ml 5) 13세 이상(<40kg) - 부하용량: 3mg/m²/D - 유지용량: 1mg/m²/D	1) 면역억제제 2) mTOR (mammalian target of rapamycin)을 억제하여 IL-2에 대한 T-cell의 반응을 억제함. 3) T-cell 및 혈관 평활근 증식 억제 작용 4) 적응증 - 13세 이상 신장이식 환자에서의 장기 거부반응 예방 - 림프관평활근종증 환자의 치료 5) Tmax : 1~3hrs T½ : 57~63hrs 대사 : 장관벽, 간 배설 : 대변(91%)	1) >20% - 말초부종, 고혈압, 부종, 흉통 - 열, 두통, 통증, 불면증 - 여드름, 발진 - 고트리글리세라이드혈증, 고콜레스테롤혈증, 저인산혈증, 저칼륨혈증 - 설사, 변비, 복통, 오심, 구토, 소화불량, 체중증가 - 요로감염 - 빈혈, 저혈소판증 - 허약, 관절통, 경련, 요통 - Scr 상승 - 호흡곤란, 상기도감염, 인두염	〈금기〉 1) 간이식, 폐이식 환자 : 안전성 미확립 2) 유당 관련 대사장애 환자 3) 수유부: 동물실험에서 유즙 분비 보고(안전성 미확립) 4) 소아: 안전성, 유효성 미확립 - (신이식) 13세 미만 - (림프관평활근종증) 만 18세 미만 〈주의〉 1) 임신부 : Category C 2) 고지혈증 환자 : 혈청 콜레스테롤 및 중성지방 증가 주의 〈상호작용〉 1) CYP3A4/P-gp inhibitor 및 inducer : 병용 권장하지 않음. - 이 약의 혈중농도 증가 : diltiazem, nicardipine, verapamil, clotrimazole, fluconazole, voriconazole, clarithromycin, erythromycin, telithromycin, metoclopramide, bromocriptine, cimetidine, CsA, danazol, HIV-PI, 자몽주스 - 이 약의 혈중농도 감소 : carbamazepine, phenobarbital, phenytoin, rifabutin, rifampin, St. John's wort

약품명 및 함량	용법	약리작용 및 효능	부작용	주의 및 금기
	6) 간장애: (경도-중등도) 1/3 감량, (중증) 1/2 감량			〈취급상 주의〉 1) 차광보관
Tofacitinib citrate Xeljanz tab 젤잔즈정 …5mg/T	1) 5mg bid 2) 다음의 경우 5mg qd - 중등증~중증 신부전 - 중등증 간장애 환자 3) 다음의 경우 투여 중단 - 림프구수 〈 500cells/mm^3 - 절대호중구수(ANC) 〈1,000 cells/mm^3 - 헤모글로빈 수치 2g/dL이상 감소 또는 8g/dL 미만인 환자	1) JAK(Janus associated kinase) inhibitor, 표적 합성 항류마티스(DMARDs) 제제 2) 류마티스 관절염 발병과 연관된 염증성 사이토카인의 신호전달체계인 JAK-STAT(signal transducers and activators of transcription) pathway를 억제하여 항류마티스 효과를 나타냄 3) 적응증: Methotrexate(MTX)에 반응하지 않거나 내약성이 없는 성인의 중등증~중증의 활동성 류마티스 관절염의 치료 - 단독투여 - MTX 혹은 다른 비생물학적 DMARDs와 병용 가능 - 생물학적 DMARDs, 강력한 면역억제제(azathioprine, cyclosporine)와 병용불가 4) Tmax: 0.5~1hr $T_{\frac{1}{2}}$: 3hrs 대사: 간(70%), CYP3A4, 2C19 배설: 신장(30%)	1) 〉10% - 감염 2) 1~10% - 고혈압 - 두통 - 설사 - 요로감염 - ALT 상승 - 심각한 감염 - 혈중크레아틴증가 - 상기도감염, 비인두염	〈금기〉 1) 중대한 감염, 활성 감염(국소감염 포함), 활동성 결핵이 있는 환자 2) 중증 간장애 환자 3) ANC 또는 림프구수 〈 500cells/mm^3, Hgb 〈 8g/dL인 경우 4) 유당 불내성 환자 5) 임산부: Category C 6) 수유부: 동물에서 유즙으로 분비 7) 소아: 안전성 및 유효성 미확립 〈주의〉 1) 간질성폐렴 기왕력 환자 2) 위장관 게실환자(∵위장관 천공위험 증가) 3) 결핵, 종양발생 위험 증가 4) 고령자 〈상호작용〉 1) 중등도 CYP3A4 및 강력한 CYP2C19 억제제(fluconazole) 또는 CYP3A4억제제(tacrolimus, cyclosporin 등): 이 약의 노출 증가 2) 강력한 CYP3A4 유도제(rifampin): 이 약의 노출 감소 3) 생백신과 동시 투여 금지, 생백신 접종받은 자와 접촉 피할 것

10장. 면역 조절제 ………………2. Immunosuppressants ……………………(4) Tumor necrosis factor-α(TNF-α) inhibitors

약품명 및 함량	용법	약리작용 및 효능	부작용	주의 및 금기
Adalimumab Humira inj 휴미라주	* 투여방법 : SC 1) 성인 (1) 류마티스관절염: 40mg 주 1회(단독) or 40mg 격주(+MTX)	1) 염증 및 면역반응에 관여하는 TNF-α에 선택적으로 결합하여 TNF 수용체 세포표면과의 상호 작용을 차단함으로써 TNF의 생리활성을 저해함. 2) 적응증	1) ≥10% - 주사부위 반응(통증, 부종, 발적 또는 가려움증 포함)	〈금기〉 1) 활동성 결핵, 패혈증, 기회감염과 같은 다른 중증 감염 환자 2) 중등도-중증 심부전(NYHA class Ⅲ/Ⅳ) 환자

약품명 및 함량	용법	약리작용 및 효능	부작용	주의 및 금기
…40mg/0.8ml/syr	(2) 건선성 관절염/강직성 척추염: 40mg 격주 (3) 크론병: 80mg(Max. 160mg) SC 2주 후 40mg(Max. 80mg), (유지) 40mg 격주 (4) 건선: 80mg 투여, 1주 후 40mg 격주 (5) 궤양성 대장염/베체트 장염/화농성 한선염: 160mg SC 2주 후 80mg, (유지) 40mg 격주 2) 소아 (1) 크론병(6–17세) – <40kg: 40mg(Max. 80mg) SC 2주 후 20mg(Max. 40mg), 이후 20mg 격주 – ≥40kg: 80mg(Max. 160mg) SC 2주 후 40mg(Max. 80mg), 이후 40mg 격주 〈약리작용 및 효능〉란에 계속	① 성인: 이전에 MTX로 치료 받지 않은 중증 활동성 및 진행성 류마티스관절염, 기존 치료에 불응성인 중등도–중증의 활동성 류마티스관절염, 활동성 및 진행성 건선성 관절염, 중증 강직성 척추염, 방사선학적으로 강직성 척추염이 확인되지 않는 중증 축성 척추관절염, 크론병, 중등도–중증 만성 판상 건선, 중등도–중증 활성 궤양성 대장염, 베체트 장염, 중등도–중증 화농성 한선염 ② 소아: 기존 치료에 불응성인 크론병(6–17세), 활성 다관절형 특발성 관절염, 활성 골부착부위염 관련 관절염, 중증 만성 판상 건선(4세 이상) 3) Onset : 24hrs~7days(IV) Peak Response : ~3months(RA, SC) Duration : ~12wks(IV, single dose) $T\frac{1}{2}$: 10~18days(IV) 〈용법 계속〉 (2) 특발성 관절염 ① 다관절형 소아 특발성 관절염 – 2–12세: 24mg/m^2(Max. 2–4세; 20mg, 4–12세; 40mg) 격주 – 13세: 40mg 격주 ② 골부착부위염 관련 관절염(6세 이상): 24mg/m^2 (Max. 40mg) 격주 (3) 판상 건선(4세 이상): 0.8mg/kg(Max. 40mg), 처음 2회 주 1회, 이후 격주	(8~20%), 발진(12%), 두통(12%), 상기도 감염(17%), 부비동염(11%) 2) 5~10% – 고혈압(5%), 고지혈증(7%), 고콜레스테롤혈증(6%), 오심(9%), 복통(7%), 요로감염(8%), Alk-P 상승(5%), 요통(6%), flu-like syndrome(7%), 혈뇨(5%)	〈주의〉 1) 심각한 감염 또는 패혈증 발생시 투여중지 2) 생백신 또는 anakinra와 병용 투여하지 말 것 3) 임신부: 태반 통과하여 태아 혈청으로 유입되므로(감염 위험 증가), 마지막 투여 후 5개월간 영아 생백신 투여 권장되지 않음 (Category B) 4) 수유부: 약 최종 투여 후 최소 5개월간 수유 금지 5) 18세 이하 소아: 안전성, 유효성 미확립 (소아 적응증 제외) 〈취급상 주의〉 1) 냉장보관(동결금지) 2) 1회에 한하여 25℃ 이하에서 빛을 피하여 14일간 보관 가능하며, 다시 냉장보관 불가 3) 자가주사시 주사부위 교대로 투여
Etanercept Enbrel inj 엔브렐주사 …25mg/V Enbrel pre-filled inj 엔브렐 프리필드주 …25mg/0.5ml/syr	1) 성인 ① 25mg 주 2회 또는 50mg 주 1회 SC ② 건선 – 25mg 주 2회 또는 50mg 주 1회 SC – 50mg 주 2회 12주간 투여 후, 필요 시 25mg 주 2회 또는 50mg 주 1회 SC	1) 염증 과정의 필수 요소인 TNF α/β가 세포 표면의 TNF receptor에 결합하는 것을 저해하여 TNF의 생리 활성을 저해함. 2) 적응증 ① 성인: 이전에 MTX로 치료 받지 않은 중증 활동성 및 진행성 류마티스관절염, 기존 치료에 불응성인 활동성 류마티스관절염, 활동성 및 진행성 건선성 관절염, 중증 강직성 척추염, 방사선학적으로 강직성 척추염이 확인되지 않는 중증 축성 척추관절염,	1) ≥ 10% – 비상기도 감염(38%), 주사부위반응(37%), 감염(35%), 상기도 감염(29%), 두통(17%), antidoublestranded DNA 항체(+)(15%), 비염(12%), ANA(+)(11%)	〈금기〉 1) 패혈증, 패혈증 위험 있는 환자 2) 결핵, 만성 또는 국소 감염을 포함한 활성 감염이 있는 환자 3) 수유부 : 모유로 이행 〈주의〉 1) 심한 과민반응이 나타날 시 투여 중지 2) 혈액 또는 감염을 나타내는 증상이 확진시에는 투여 중지

약품명 및 함량	용법	약리작용 및 효능	부작용	주의 및 금기
…50mg/ml/syr	2) 소아(2~17세): 0.4mg/kg(Max. 25mg) 주 2회(3-4일 간격) SC 3) 조제 방법(바이알): 용제인 주사용 증류수 1ml에 무균적으로 용해(흔들지 말 것) 4) 투여 방법 : 대퇴부, 복부, 상완부에 SC. 주사 부위는 교대로 바꾸며, 이전에 투여한 부위에서 3cm 떨어진 부위에 투여(출혈 시 솜으로 주사 부위를 문지르지 말고 10분 정도 누름)	중등도-중증 건선 ② 소아: 기존 치료에 불응성인 다수 및 확장성 소수 관절염(2세 이상), 건선성 관절염(12세 이상), 골부착부위염 관련 관절염(12세 이상) 3) Onset : 1~4wks Tmax : 72hrs $T\frac{1}{2}$: 115hrs	2) 1~10% - 현기증(7%), 발진(5%), 복통(5%), 소화불량(4%), 오심(9%), 구토(3%), 무력감(5%), 인두염(7%), 호흡기계 장애(5%), 부비동염(3%), 기침(6%)	3) 생백신과 병용 투여하지 말 것 4) 신/간장애 환자 5) 임신부 : 태반 통과하여 태아 혈청으로 유입되므로(감염 위험 증가), 마지막 투여 후 16주간 영아 생백신 투여 권장되지 않음 (Category B) 〈상호작용〉 1) Anakinra와 병용시 중대한 감염 위험 〈취급상 주의〉 1) 냉장보관(냉장보관시 24개월) 2) 얼리지 말 것 3) 재구성(주사용 증류수1ml)액은 냉장보관 6시간 안정 4) 변색, 불투명하거나 이물질이 있을 경우 사용 금함. 5) 다른 약물과 혼합 금함.
Infliximab Remicade inj 레미케이드주사 …100mg/V Remsima inj 램시마주사 …100mg/V	1) 성인 중등도-중증 활성크론병 및 누공성 크론병, 궤양성 대장염, 건선성 관절염, 건선 : 5mg/kg 2시간 이상에 걸쳐 IV inf. 최초 주입 시로부터 2주째, 6주째 및 그 이후 8주마다 동량 재투여 2) 소아(6~17세) 크론병 : 1)과 같으나 2시간에 걸쳐 IV inf. 3) 강직성 척추염 : 1)과 같으나 유지 치료시 6~8주마다 투여 4) 류머티스성 관절염 : 3mg/kg 2시간 이상에 걸쳐 IV inf. 최초 주입 시로부터 2주째, 6주째 및 그 이후 8주마다 동량 재투여하며, MTX와 병용	1) TNF 단일클론 항체 2) 체내 단백질의 일종으로 염증반응에 관여하는 TNF-α와 결합하여, TNF-α가 수용체와 결합하는 것을 차단함으로써 강력한 항염증작용을 나타냄. 3) 적응증 : 보편적인 치료에 불응성인 ① 성인 및 소아(6세 이상)의 중등도~중증 활성 크론병 및 누공성 크론병 ② 중증 강직성 척추염 ③ 성인 및 소아(6세 이상)의 중등도~중증의 궤양성 대장염 ④ 중증, 활성, 진행성 류머티스성 관절염 ⑤ 성인의 활성, 진행성 건선성 관절염 ⑥ 성인의 중등도~중증의 판상 건선 4) Onset: (크론병) 1-2wks, (RA) 3-7days Tmax: IV 종료 시 Duration: (크론병) 8-48wks (RA) 6-12wks $T\frac{1}{2}$: 7-12days	1) >10% - 두통(18%) - 오심(21%), 설사(12%), 복통(12%; 크론병 26%) - ALT 상승 - ANA 역가 상승(50%), 항체 생성(dsDNA 20%, anti-infliximab 10~15%) - 감염(36%), 농양(누공성 크론병 15%) - 상기도 감염(32%), 부비동염(14%), 기침(12%), 인후염(12%) - 주입 관련 반응(20%) 2) 5~10% - 고혈압(7%)	〈금기〉 1) 마우스 단백질에 과민한 환자 2) 결핵, 중증감염(패혈증, 농양 등), 기회감염 환자 3) 중등도-중증 심부전 환자(NYHA class III/IV) 〈주의〉 1) 임신부: 약물 투여 후 최소 6개월까지 피임 (Category B) 2) 수유부: 치료 후 최소 6개월 수유 중단 3) 17세 이하: 안전성 미확립으로 투여 권장되지 않음(크론병, 궤양성 대장염인 경우 6세 미만) 4) 경미한 울혈성 심부전 환자(NYHA class I/II) 〈상호작용〉 1) Anakinra, abatacept: 이 약과 병용 투여 권장하지 않음.(감염 위험성 증가) 2) 생백신, 치료적 감염성 물질과 병용 투여 권장하지 않음. 〈취급상 주의〉 1) 냉장보관(2~8℃) 2) 재구성: 주사용수 10ml 희석: NS (최종용량: 250ml)

약품명 및 함량	용법	약리작용 및 효능	부작용	주의 및 금기
			- 피로(9%), 통증(8%) - 발진(1~10%), 두드러기(7%) - 소화불량(10%) - 요로감염(8%) - 칸디다증(5%) - 관절통(1~8%), 등통증(8%) - 기관지염(10%), 비염(8%), 호흡장애(6%) - 발열(7%)	3) 재구성 시 21G 이상 needle 사용하여, 흔들지 않고 5분간 방치(거품 형성 방지) 4) 용해 및 희석 후 3시간 이내 주입 시작 권장(보존제 미포함) 5) 희석액: 냉장보관 24시간 안정 6) 멸균, 비발열성, 저단백결합 인라인 필터(1.2micrometer 이하)를 사용하여 단독으로 투여

약품명 및 함량	용법	약리작용 및 효능	부작용	주의 및 금기
Azathioprine Azaprine tab 아자프린정 …50mg/T	1) 신장이식 후 ① 초기: 3~5mg/kg/D ② 유지: 0.5~2mg/kg/D ③ CrCl ≤ 20ml/min: Max. 1.5mg/kg/D 2) 자가면역질환 : 2~2.5mg/kg/D 3) 만성활동성 RA : 1~1.5mg/kg/D * 신기능에 따른 용량조절 참고 - CrCl 10~50ml/min : 75%로 감량 - CrCl 〈10ml/min : 50%로 감량	1) Purine analogue 2) 정확한 기전은 알려져 있지 않으나 purine계 nucleotide 합성과정에 관여하여 DNA, RNA 생성 억제, T cell 억제에 의한 항염작용 3) 적응증 : 신장이식 후 거부반응 억제, 자가면역질환 4) $T_{\frac{1}{2}}$: 3hrs(모체) 대사 : 간	1) 〉10% - 발열, 오한 - 오심, 구토, 식욕부진, 설사 - 백혈구 및 혈소판감소, 빈혈 - 2차 감염 2) 1~10% - 발진 - 범혈구 감소증 - 간독성 3) 〈1% - 저혈압, 탈모, 폐렴성 망막증, 호흡곤란	〈금기〉 1) 임신부: Category D 2) 수유부: 유즙 분비 (수유부 투여 시 수유중단) 3) 소아: 안전성, 유효성 미확립 4) 6-mercaptopurine 과민증 환자 5) 알킬화제 복용력 있는 RA 환자 6) 중증 간, 신장, 골수질환, 전염성 질병, 췌장염 환자 7) 백혈구수 3,000/mm^3 이하의 환자 〈주의〉 1) 골수기능 억제, 출혈성 소인이 있는 환자 2) 간장애, 간염 병력, 신부전 3) 수두, 감염증 환자 4) Allopurinol 투여 중인 환자 〈상호작용〉 1) Allopurinol: 이 약의 대사 억제하므로 병용 시 25% 감량 2) Wafarin의 항응고 효과 감소 3) Cyclosporine, 약독화 생백신: 병용투여 시 주의

약품명 및 함량	용법	약리작용 및 효능	부작용	주의 및 금기
Mizoribine Bredinin tab 브레디닌정 …25mg/T …50mg/T	1) 신장이식 ① 초회량: 2~3mg/kg/D #1~3 ② 유지량: 1~3mg/kg/D #1~3 2) 루푸스신장염, 만성 RA: 50mg tid	1) 면역억제제로서 핵산의 Purine 합성계 중 de novo pathway만을 선택적으로 억제함. 2) 신장이식시 거부반응의 억제를 위하여 사용함. 3) 적응증 ① 신장 이식시 거부반응 방지 ② 루푸스신염(지속성 단백뇨, 신증후군 또는 신기능저하 인정되고 steroid만으로 치료곤란한 경우) ③ 만성 RA(NSAIDs와 항류마티스 제 병용요법 효과 불충분시) 4) 기존의 보조 면역억제제에 비해 골수독성, 간독성, 감염률이 낮음. 5) Tmax : 3~4hrs $T\frac{1}{2}$: 2~5hrs 배설 : 신장(85% 이상)	- 백혈구 감소, 혈소판 감소 - 식욕부진, 위장자극, 위장염, 출혈성 위염, 위장관 출혈 - 혈청 크레아티닌 수치 증가 - AST, ALT, γ- GTP 수치 상승 - 탈모 - 감염	〈금기〉 1) 백혈구수 3,000/mm^3 이하의 환자 2) 임신부 3) 수유부 : 안전성 미확립 〈주의〉 1) 골수 기능 억제 환자 2) 세균 · 바이러스 등의 감염증이 있는 환자 3) 출혈성 소인이 있는 환자 4) 신부전 환자에게 투여시 감량함(∵ 배설지연). 5) 생식가능 연령 환자: 성선에 대한 영향 고려 6) 소아: 안전성 미확립

11장. 감염증치료제(Anti-infective agents)

약품명 및 함량	용법	약리작용 및 효능	부작용	주의 및 금기
Albendazole Zentel tab 젠텔정 …400mg/T	1) 성인 및 2세 이상 소아 ① 회충, 요충, 십이지장충, 편충, 아메리카 구충 : 400mg qd ② 분선충, 편충의 중증혼합감염 : 400mg qd 3일간 ③ 2세 이상 소아의 요충증 : 200mg 1회 복용, 1주 후 반복 투여 2) 치료 3주 후 검사하여 치료되지 않은 경우 2차 복용 실시할 수 있음.	1) 광범위 경구 구충제 2) 기생충의 glucose 섭취를 차단하고 에너지 공급을 고갈시켜 운동성 저하와 함께 성충 및 충란, 유충에 대한 살충작용 3) 경구 투여후 전신 흡수는 거의 되지 않으며(5% 미만), 구충효과는 장내에서 이루어지는 것으로 보임. 4) 적응증 : 회충, 요충, 십이지장충, 편충, 아메리카 구충, 분선충의 감염 및 이들 혼합감염의 치료 5) Tmax : 2~2.4hrs $T\frac{1}{2}$: 8~12hrs(대사체) 대사 : 간(extensive) 배설 : 신장 및 담즙	1) 1~10% - 현기증, 두통, 안구진탕, 발열 - 가역적 원형 탈모 - 복부 통증, 오심, 구토 - 간효소수치상승, 황달 2) <1% - 급성 신부전, 호산구 증가, 과립구 결핍증, 뇌내압 상승, 백혈구 감소, 범혈구 증가증	〈금기〉 1) 임신부 : Category C(FDA)/D(호주) 2) 2세 미만의 유아 : 안전성 미확립 3) 유당 관련 대사장애 환자 〈주의〉 1) 수유부: 안전성 미확립, 수유중단 권고 2) 간, 신장애 환자 3) 황색5호 과민성 환자 〈상호작용〉 1) 이 약은 theophylline의 대사를 억제
Flubendazole Zelcom tab 젤콤정 …500mg/T	1) 성인 및 소아 : 500mg 단회 복용	1) Mebendazole의 유도체로 benzimidazole carbamate계 구충제 2) 유충과 충란에 대한 활성으로 기생충 장관내 cytoplasmic microtubule의 파괴 3) 기생충의 glucose uptake 방해, glycogen 저장 고갈시켜 수일내에 죽게함. 4) 적응증 : 회충, 요충, 편충, 십이지장충의 감염 및 이들 혼합감염의 치료	- 일과성 구역, 복통, 설사 - 과민반응, 피진, 발진, 담마진, 혈관부종	〈금기〉 1) 임신부 : 안전성 미확립 (mebendazole로서 임신부 Category C) 〈주의〉 1) 1세 미만 영아 : 기생충감염이 영양상태나 신체발육을 저해하는 경우에 한하여 투여 2) 가임부, 수유부 : 안전성 미확립 〈취급상 주의〉 1) 직사일광을 피하여 건냉한 곳에 실온보관
Praziquantel Distocid tab 디스토시드정 …600mg/T	1) 간디스토마 : 75mg/kg #3 1일간 2) 폐디스토마 : 75mg/kg #3 2일간 3) 아프리카 주혈흡충증 : 40mg/kg #1~2 1일간 4) 조충 ① 왜소조충 : 15mg/kg 단회투여 ② 무구조충, 유구조충 등 : 10mg/kg 단회투여	1) 기생충 세포막의 Ca^{2+}에 대한 투과성 증가로 근육조직의 마비, 수축, 공포 형성과 외피 와해, 빨판의 기력 상실 등이 복용 15분 후에 나타나기 시작함. 2) 적응증 - 간디스토마, 폐디스토마, 주혈흡충류감염의 치료 - 무구조충, 유구조충, 남아메리카어류조충, 왜소조충 등 각종 조충 감염의 치료 3) Tmax : 1~3hrs BA : 80%(고탄수화물 식이에 의해 흡수 증가) $T\frac{1}{2}$: 0.8~3hrs 대사 : 간 배설 : 신장(80%) 투석시 여과되지 않음.	1) 1~10% - 어지러움, 두통, 나른함 - 복통, 복부불쾌감, 식욕 감퇴, 오심, 구토 - 복시 2) <1% - 설사, 발열, 소양증, 발진	〈주의〉 1) 40mg/kg 이상 복용한 경우 부작용 발현율 높아짐. 2) 대량의 기생충을 가진 환자의 경우 부작용 발현율 증가 3) 임신부 : Category B (첫 3개월간은 복용을 피함) 4) 수유시 혈중농도의 25%가 유즙으로 분비되므로 치료 시 및 중단 후 72시간 수유 금함. 5) 신장애, 중등도 이상 간장애 환자 6) Digitalis 복용을 요하는 심부전 환자 및 부정맥 환자

Classification	Inhibition site	Action	Classification	Inhibition site	Action
β-lactam			Colistin(Polypeptide)	cell membrane	B. cidal
1. Penicillins	cell wall	B. cidal	Glycopeptide	cell wall	B. cidal
2. Cephalosporins	cell wall	B. cidal	Metronidazole	nucleic acid	B. cidal
3. Carbapenem	cell wall	B. cidal	Synthetic antibiotic		
Aminoglycosides	30S ribosome	B. cidal	1. Sulfonamides	folic acid	B. static
Tetracyclines	30S ribosome	B. static	2.Quinolones (Pyridoncarbonates)	DNA gyrase	B. cidal
Macrolides	50S ribosome	B. static			
Lincosamides	50S ribosome	B. static			

① Penicillins 및 Cephalosporins와 Synergism

② Nephrotoxicity 및 Ototoxicity가 큰 약제이므로 선택하여 사용하며, 7~10일 이상 투여시에는 반드시 신장 및 청력기능검사를 시행할 것

약품명 및 함량	용법	약리작용 및 효능	부작용	주의 및 금기
Amikacin sulfate Amikacin sulfate inj 아미카신황산염주사액 …250mg/2ml/V	1) 성인, 소아 : 15mg/kg/D #2~3 (Max. 1.5g/D) 2) 신생아 : 초회 10mg/kg 그 후 7.5mg/kg q 12hrs 3) 신기능 손상 환자는 감량 혹은 주사간격 넓힘.(문헌참조) 4) 상기 용량을 IM하거나 NS나 5DW에 500mg/100~200ml의 농도로 희석하여 30~60mins IV inf.(유아: 1~2hrs IV inf.) * 신기능에 따른 용량 조절 참고 1) GFR(ml/min) : 용량용법 - 50 이상 : 상용량의 60~90%, q 12hrs	1) 반합성 Aminoglycoside계 항균제로 kanamycin의 구조 유사체 2) G(+), G(-)에 대한 살균 작용을 갖는 광범위 항균제 3) 불활성화 효소에 안정하며 타항생제(gentamicin)에 대해 내성을 획득한 균에도 유효 4) Tmax : 1hr(IM), 30mins(IV) $T\frac{1}{2}$: 2hrs 대사 : 간 배설 : 신장(90~98%), 투석시 여과되어 배설	1) 1~10% - 신경독성 (Tobra Kana 〉 Amikacin 〉 Genta 〉 Tobra) - 귀독성(제8뇌신경장애) (Kana≒Strepto〉Amikacin≒Genta) ① 전정장애(Strepto, Genta, Tobramycin에서 더 흔함) : 현기증, 안구진탕, 운동실조 ② 청력장애 (Kanamycin,	〈금기〉 1) AGs 항균제, bacitracin에 과민한 환자 2) 근육장애 환자 3) 임신부 : Category D 4) 수유부 : 안전성 미확립 〈주의〉 1) 본인 또는 가족 중 AGs항균제에 의한 난청자가 있을 경우 2) 신기능, 청력검사를 투여전과 투여시 정기적 실시 3) 신장애, 간장애, 고령자, 내이 및 중이질환, 파킨슨병 환자 4) 경구 섭취 불량자(Vit. K결핍 유발 우려) 5) Polymixin, botulinum toxin을 비경구적으로 투여 받은 환자 〈상호작용〉

약품명 및 함량	용법	약리작용 및 효능	부작용	주의 및 금기
	- 10~50 : 상용량의 30~70%, q 12~18hrs - <10 : 상용량의 20~30%, q 24~48hrs		Amikacin에서 더 흔함) : 이명, 귀울림, 청력장애(심하면 영구적) - 신독성(Genta≒Amikacin 〉 Tobra 〉 Strepto)	1) Dextran, sod. arginic acid 등 신장애 유발약제 : 신장애를 증강시킬 수 있으므로 병용 피함. 2) Loop 이뇨제 : 신독성 및 청각 독성 발생 증가 〈취급상 주의〉 1) 공기중에 산화시 갈변할 수 있으나 약효에는 영향 없음. 2) 정맥주사시 부작용 발생 방지를 위해 반드시 30분 이상에 걸쳐 투여함 3) β-lactam계 항생제과 병용 투여 시 다른 line을 통해 투여(∵ 이 약의 활성 저하 가능)
Arbekacin sulfate Habekacin inj 하베카신주 …75mg/1.5ml/A …100mg/2ml/A	1) 성인 : 150~200mg/D #1~2 IM, IV inf. (30분~2시간) (Max. 100mg/dose, 200mg/D) 2) 소아 : 4~6mg/kg/D #1~2 IV inf. (30분간) 3) 희석시 수액 : NS, 5DW 모두 가능 * 신기능에 따른 용량 조절 참고 1) 투여간격 조절 - 초회량 75~ 100mg, 유지량 1/2 감량하여 아래 조절 참고 - CrCl(ml/min) : 투여간격 ① 20~50: q12-24hrs ② 20 이하: q24-48hrs 2) 용량조절: 제품설명서 계산식 참조	1) Aminoglycoside antibiotics 2) 세균의 리보솜에 특이적으로 결합하여 단백 합성을 저해함으로써 항균 및 살균작용을 나타냄. 3) 적응증 : MRSA 중 이 약에 감수성이 있는 균에 의한 패혈증 및 폐렴	- 과민반응 - 간 · 신기능 장애, 제8신경 장애 - 백혈구 및 혈소판 감소, 호산구 증가, 빈혈 - 설사, 복통, 하혈, 오심, 구토 - Vitamine K 결핍증 등	〈금기〉 1) AGs 항균제 및 bacitracin에 과민한 환자 2) 임신부 : 안전성 미확립 〈주의〉 1) AGs 항균제 및 그 외 원인에 의한 난청자, 관련 가족력 있는 경우 2) 신장애 환자 3) 간장애 환자 4) 고령자 5) 미숙아, 신생아 6) 경구 섭취 불량자(Vit. K결핍 유발 우려) 〈상호작용〉 1) 호흡억제 위험이 있으므로 마취제, 근이완제 투여 시 신중히 투여 2) Furosemide 병용시 신독성, 이독성 증가 위험
Gentamicin sulfate Gentamicin inj 겐타마이신주 …80mg/2ml/V	1) 성인 ① 3mg/kg/D #3 (q 8hrs) IV, IM ② 위독한 경우 5mg/kg/D #3~4 ③ 요로감염 환자 : 160mg qd 2) 소아 ① 6~7.5mg/kg/D #3 IV, IM ② 신생아 : 5mg/kg/D #2 IV	1) Micromonospora purpurea 균주를 발효시켜 생성한 aminoglycoside항균제 2) G(+) : Staphylococcus G(-) : Pseudomonas, Proteus에 유효함. 3) Enterobacter 및 Pseudomonas에 대한 내성이 잘 생김. 4) Pseudomonas에 대한 1차 선택약제	1) 〉10% - 신경독성 - 보행 불안 - 청력장애, 전정 기관장애 - 신독성, CrCl 감소 2) 1~10%	〈금기〉 1) 과민 반응 기왕력 환자(AGs 항균제 간에는 교차 과민 반응 있음) 2) 임신부 : Category D 3) 수유부 : 모유로 이행 〈주의〉 1) 본인 또는 가족이 AGs 항균제에 의한 난청이 있는 경우

약품명 및 함량	용법	약리작용 및 효능	부작용	주의 및 금기
	③ 유 · 소아의 경우 희석액 양을 적절히 감량 조절 3) 치료기간 : 7~10일(중증이거나 난치성일 경우 연장 가능) 4) 정맥주사의 경우 1회 용량을 50~200ml의 NS, 5DW에 희석하여 30분~2시간에 걸쳐 점적 정주 5) IV bolus 금지 * 신기능에 따른 용량 조절 참고 – CrCl에 따라 용량조절(제품설명서 참조)	5) Tmax : 0.5~1.5hrs(IM), 투여 종료후(IV) $T\frac{1}{2}$: 1.5~4hrs 배설 : 신장(70~100%), 투석시 여과되어 배설	– 부종 – 피부소양증, 발진	2) 신 · 간장애 환자 3) 경구 섭취 불량자(Vit. K결핍 유발 우려) 4) 아황산나트륨이 함유되어 있어 이에 의한 알레르기 반응 유발 가능 5) 근육장애 환자 〈상호작용〉 1) Dextran, sod. arginic acid등 신장애 유발 약제 : 신장애를 증강시킬 수 있으므로 병용 금기 2) 마취제, 근이완제 : 신경근차단에 의한 호흡억제 3) Loop 이뇨제 : 신독성 및 청각 독성이 증강될 수 있음. 4) Cephalosporin계 항균제 : 신독성 증가 가능
Isepamicin sulfate Isepamicin inj 이세파마이신주사 …200mg/2ml/A	1) 성인 : 400mg/D #1~2 IM, IV inf. (30분~1시간) 2) 소아(1~12세) : 15mg/kg/D #2 IM, IV inf. (30분) 3) 신장애 환자에 대한 용량조절 필요 * 신기능에 따른 용량조절 참고〈투여간격조절〉 ① 용량 : 8mg/kg ② CrCl(ml/min) : 투여간격 – 40~59 : q 24hrs – 20~39 : q 48hrs – 10~19 : q 72hrs – 6~9 : q 96hrs	1) 반합성 Aminoglycoside계 항균제로 AGs-inactivating enzyme에 대한 안정성 증가로 gentamicin 내성균에도 유효 2) Amikacin, gentamicin과 유사한 항균력 3) Enterobacteriae에는 amikacin 보다 강하며, Pseudomonas에는 유사 4) 혈중 농도 모니터링 : 최고혈중농도 35mcg/ml 이상, 최저혈중농도 10mcg/ml이상에서 독성 증가 5) Tmax : infusion 종료시(IV), 1~1.5hrs(IM) $T\frac{1}{2}$: 2~2.5hrs 배설 : 신장(100%)	– 무과립구증, 빈혈, 호산구 과다증 – 간기능 수치 상승 – 크레아티닌 상승, BUN 상승, 단백뇨 – 두통, 어지러움, 현훈 – 오심, 구토, 설사, 소화불량 – 귀독성(제8신경 장애) – 발진, 알레르기	〈금기〉 1) AGs 항균제 및 bacitracin에 과민한 환자 2) 임신부 : 신생아에 제8뇌신경장애 유발 가능 3) 수유부 : 모유로 이행 〈주의〉 1) 제8신경 장애(현기, 이명, 난청) 또는 신장애가 일어날 수 있음. 2) 신, 간장애 환자 3) 중증 근무력증 환자 4) 고령자 5) 경구 섭취 불량자(Vit. K결핍 유발 우려) 〈취급상 주의〉 1) NS, 5DW에 혼합하여 점적 정맥주사 가능 2) β-lactam계 항생제과 병용 투여 시 다른 line을 통해 투여(∵ 이 약의 활성 저하 가능)
Kanamycin sulfate Kanamycin inj 카나마이신황산염주 …1g/V	1) 성인 : 1~2g#1~2 IM 2) 소아 : 30~50mg/kg/D #1~2 IM 3) 결핵 : 1g bid 주 2회 IM 혹은 1g 주 3회 IM 4) 조제 및 투여법 : 주사용수로 재구성(농도: 150~400mg/ml)하여	1) Aminoglycoside계 항균제 2) G(–)특히 Klebsiella, Enterobacter, Proteus, E.coli에 의한 감염에 사용함. 3) Tuberculosis에 타 항결핵제와 병용. 4) 독성 때문에 일반 결핵제에 내성이 생긴 잠복적인 microorganism을 가진 환자에게만 susceptibility	– 제8뇌신경장애: 이명, 청각이상, 어지러움 – 신장애: 독성이 증가되므로 투약간격 연장하거나 감량하고	〈금기〉 1) AGs 항균제 및 bacitracin에 과민한 환자 2) 임신부 : Category D 3) 수유부 : 모유 이행 〈주의〉 1) 본인또는가족중 AGs항균제에 의한 난청자가 있을 경우

약품명 및 함량	용법	약리작용 및 효능	부작용	주의 및 금기
	둔근상부외측에 깊게 IM 5) 기타 ① 간성 혼수: 8~12g/D 경구 투여 ② 장세정: 첫 4시간 동안 1g/hr, 그 후 6시간마다 1g씩 총 36~72시간 동안 irrigation * 신기능에 따른 용량 조절 참고 – CrCl(ml/min) : 용량 ① 50~80 : 상용량의 60~90%, q 8~12hrs ② 10~50 : 상용량의 30~70%, q 12hrs ③ <10 : 상용량의 20~30%, q 24~48hrs	test를 한 후에 사용함. 5) BA: 0.6~0.7%(경구) Tmax: IM 1~2hrs $T_{\frac{1}{2}}$: 2.2~2.4hrs 대사: 간(minimal), 주로 미대사체로 배설 배설: 신장(81~94%), 대변 투석시 여과되어 배설	청각, 신장, 신경독성을 지닌 타약제와의 병용을 피함.	2) 신장애 환자 3) 신생아, 미숙아 : 안전성 미확립 4) 고령자에게 투여 시 주의 5) 경구 섭취 불량자(Vit. K결핍 유발 우려) 6) 중증 근무력증 환자 7) 고농도 투여시 신세뇨관을 자극할 수 있으므로 투약중 수분을 충분히 공급함 〈취급상 주의〉 1) 용해 후 실온에서 안정하나 가급적 즉시 사용함(0.25%가 실온에서 72hrs 안정하다는 실험자료 있음) 2) β-lactam계 항생제과 병용 투여 시 다른 line을 통해 투여(∵ 이 약의 활성 저하 가능)
Streptomycin sulfate Streptomycin inj 스트렙토마이신주 …1g/V	1) 결핵 : 원칙적으로 타 항결핵제와 병용 ① 성인 : 1g qd 주 2~3회 IM 또는 처음 1~3개월간은 매일 투여하고 그 후 주 2회 IM ② 고령자 : 1회 0.5~0.75g IM 2) 기타 질환 : 1~2g #1~2 IM 3) 조제법 : 1vial을 주사용수 또는 NS 3~5ml에 녹여 조제 * 신기능에 따른 용량 조절 참고 1) GFR(ml/min) : 투여간격 ① >50 : 24hrs ② 10~50 : 24~72hrs ③ <10 : 72~96hrs 2) CrCl(ml/min) : 투여간격 ① 10~50 : 24~72hrs ② <10 : 72~96hrs	1) Aminoglycoside계 항균제 2) 균세포의 ribosome에 직접 작용하여 단백합성을 저해, 살균작용을 나타내며 G(+), G(-) 및 결핵균에 유효함. 3) 내복시 흡수되지 않고 그대로 대변으로 배설됨(∴ 장내 병원균을 살균). 4) 적응증 : 결핵, 인플루엔자, 세균성 심내막염, 폐렴 등 5) Tmax : 1hr(IM) 배설 : 신장(65%), 대변(경구투여시에만)	– 이독성 : 전정장애(현기증, 안구 진탕, 운동실조), 이명, 귀울림, 청력장애 – 드물게 급성 신부전 – 쇽 – 간장애 – 용혈성 빈혈, 백혈구 감소, 혈소판 감소 등 – 피부발진, 스티븐존슨 증후군 등 – 비타민 K 결핍증	〈금기〉 1) AGs 항균제 및 bacitracin에 과민한 환자 2) 임신부 : Category D 3) 수유부 : 수유 또는 투여 중단 4) 중증 근무력증 환자 5) 2세 이하 영아 〈주의〉 1) 본인 또는 가족 중 AGs항균제에 의한 난청자가 있을 경우 2) 신, 간장애 환자 3) 고령자 4) 경구 섭취 불량자(Vit. K결핍 유발 우려) 5) 내이, 중이질환 환자 〈상호작용〉 1) Dextran, sod. arginic acid등 신장애 유발 약제 : 신장애를 증강시킬 수 있으므로 병용 금기 2) 마취제, 근이완제 : 신경근 차단에 의한 호흡억제 3) Loop 이뇨제 : 신독성 및 청각 독성이 증강될 수 있음.

약품명 및 함량	용법	약리작용 및 효능	부작용	주의 및 금기
Tobramycin Tobra inj 토브라 주 …100mg/V	1) 성인 ① 중증감염 : 3mg/kg/D #3 IM, IV inf. ② 생명이 위험한 감염 : 5mg/kg/D #3~4, 증상 호전 후 3mg/kg/D로 감량 2) 소아 : 5mg/kg/D #3~4 3) 신생아 : 4mg/kg/D #2 4) 조제법 ① IM : NS나 주사 용수 1.5ml에 용해 ② IV : NS나 5DW 50~100ml에 추가 희석하여 20~60분간 IV inf.(성인) * 신기능에 따른 용량 조절 참고 - 초회량 : 1mg/kg, 이후 감량하거나 투여간격 연장하여 투여(상세용량은 제품설명서 참조)	1) Streptomycin과 동일함. 2) 항균력은 gentamicin 보다 우수하며 gentamicin 내성균에도 유효함. 3) Klebsiella, Enterobacter에는 항균력이 약함.	1) 1~10% - 신경독성(신경근 차단) - 이독성(청력 및 전정 장애) - 신독성 2) <1% - 빈혈, 호흡곤란, 호산구증가증	〈금기〉 1) AGs 항균제 및 bacitracin에 과민한 환자 2) 내이, 중이 질환 환자 3) 중증 신부전 환자 4) 중증근무력증, 파킨슨질환 등 근육장애 환자 5) 기관지 천식 환자 6) 제8뇌신경장애 환자 7) 임신부 : Category D 8) 수유부: 모유로 이행 〈주의〉 1) 본인 또는 가족 중 AGs항균제에 의한 난청자가 있을 경우 2) 신기능, 청력검사를 투여전과 투여시 정기적 실시 3) 투여중 신독성, 이독성이 나타나면 감량 혹은 투여중지 4) 신, 간장애 환자 5) 고령자 : 용량 및 투여간격에 유의 6) 미숙아, 신생아: 투여간격 연장 등 신중투여(∵ 신장발달 미숙으로 반감기 연장 및 높은 혈중농도 지속 가능) 7) 경구 섭취 불량자(Vit. K결핍 유발 우려) 〈상호작용〉 1) Dextran, sod. arginic acid 등 신장애 유발 약제 : 신장애를 증강시킬 수 있으므로 병용 금기 2) 마취제, 근이완제 : 신경근 차단에 의한 호흡억제 3) Loop 이뇨제 : 신독성 및 청각 독성이 증강될 수 있음.

약품명 및 함량	용법	약리작용 및 효능	부작용	주의 및 금기
Doripenem monohydrate Finibax inj	1) 지역사회획득성폐렴, 만성기관지염, 기관지확장증(감염), 만성호흡기질환의 2차감염, 복잡성 방광염, 신우신염	1) Carbapenem계 항생물질 2) 유효균종 : 포도구균속, 연쇄구균속, 폐렴구균, 장구균속 (엔테로콕쿠스 · 파이키움 제외), 모락셀라(브란하멜라) · 카타랄리스, 대장균, 시트로박터속,	1) > 10% - 두통(4~16%) - 구역(4~12%), 설사(6~11%)	〈금기〉 1) Sod. valproate을 투여중인 환자(valproic acid의 혈중 농도 감소로 인한 간질발작 재발의 위험)

약품명 및 함량	용법	약리작용 및 효능	부작용	주의 및 금기
피니박스주사 …250mg/V	- 성인: 0.25g q 12 hrs, 30~60분 IV inf. (Max. 0.5g/회, 1g/D) 2) 복잡성복강내감염 - 성인: 0.5g q 8hrs, 60분 IV inf. 3) 원내감염 폐렴 - 성인: 0.5g q 8hrs, 60분 or 4시간 IV inf. * 신기능에 따른 용량조절 참고 - CrCl(ml/min) : 용량 ① 30~50: 1회 0.5g 미만 - 복잡성복강내감염, 원재감염 폐렴 : 250mg q 8hrs ② 10~29: Max. 0.25g q 12hrs ③ 혈액투석 환자 : 투여 권장되지 않음	클레브시엘라속, 엔테로박터속, 세라티아속, 프로테우스속, 모르가넬라 · 모르가니, 프로비덴시아속, 인플루엔자균, 녹농균, 아시네토박터속, 펩토연쇄구균속, 박테로이즈속, 프레보텔라속 3) 적응증 : 지역사회획득성폐렴, 만성기관지염, 기관지확장증(감염시), 만성호흡기질환의 2차 감염, 복잡성방광염, 신우신염, 복잡성 복강내감염, 원내감염폐렴	2) 1~10% - 발진(1~5%), 소양증(≤3%) - 구강 칸디다증(1%) - 빈혈(2~10%) - Transaminases상승(1~2%) - 정맥염(4~8%) - 신기능 장애/신부전(≤1%)(시판 후 조사), 아나필락시스, 간질성 폐렴, 백혈구감소, 호중구감소, 스티븐스-존슨증후군, 발작, 저혈소판증, 독성표피괴사용해	〈주의〉 1) Carbapenem계, penicillin계 또는 cephem계 항생 물질에 과민한 환자 2) 기관지천식, 발진, 두드러기 등 allergy 증상 일으키기 쉬운 환자 3) 중증의 간 · 신장애 4) 경구 섭취 불량자(Vit. K결핍 유발 우려) 5) 고령자 6) 간질, CNS장애가 있는 자 7) 임신부 : category B 8) 수유부 : 동물실험시 모유이행보고, 수유중단 9) 소아 : 안전성 및 유효성 미확립 〈취급상 주의〉 1) IV infusion으로만 투여 2) 재구성 : 1Ⓥ당 주사용 증류수 또는 NS 10ml (1시간이내 사용) 3) 희석 : 1Ⓥ을 NS 50~100ml에 희석, 희석액은 실온 8시간, 냉장 24시간 안정
Ertapenem sodium Invanz inj 인반즈주 …1g/V	1) 상용량을 IV inf.(30분간) or IM으로 투여 - 13세 이상 : 1g gd - 생후 3개월~12세 : 15mg/kg bid (Max. 1g/D) 2) 직장결장수술 후 수술부위 감염 예방(성인) : 1g, 수술 1시간 전 1회 IV 3) IV는 14일, IM은 7일까지 투여가능 4) 주사액의 조제 ① IV - 용해 : 1Ⓥ당 10ml 주사용수 또는 NS - 희석 : NS 50ml (최종농도 : 20mg/ml 이하) ② IM	1) Carbapenem계 항생제 2) 적응증(유효균종 제품설명서 참조) - 치료: 복잡성 복부내 감염, 복잡성 피부 및 피부조직 감염 (성인에서 골수염을 동반하지 않은 당뇨성 족부감염 포함), 지역사회 획득성 폐렴, 복잡성 요로감염, 급성 골반 감염 (분만후 자궁실질내막염, 패혈성 유산, 수술후 부인과 감염 등) - 예방(성인): 계획된 직장결장수술로 인한 수술부위 감염 예방 3) Pseudomonas aeruginosa, Acinetobacter species, MRSA, ampicillin-resistant Enterococci에는 무효함. 4) $T\frac{1}{2}$: 4hrs (13세이상), 2.5hrs (3개월~12세) 배설: 신장(80%), 대변(10%)	(빈도 미확립) - 흉통, 부종, 혈압상승, 혈압강하, 빈맥 - 복통, 위산역류, 식욕감소, 변비, 설사, 연하곤란, 구역, 구강 칸디다증 - 정신상태 변화, 불안, 어지러움, 피로, 발열, 두통, 저체온증 - 기침, 호흡곤란, 인두염 - 습진, 홍반 - 혈장 크레아틴 증가	〈금기〉 1) β-lactam계 약물에 과민한 환자 2) Lidocaine, amide계열 국소마취제에 과민한 환자 (IM만 해당) 〈주의〉 1) 간질의 병력, 중추신경장애 환자, 신부전 환자 2) 이 약은 1g당 6mEq(137mg)의 나트륨을 포함함. 3) 임신부 : Category B 4) 수유부 : 모유 이행 5) 생후 3개월 미만 : 안전성 미확립 〈상호작용〉 1) Probenecid : 이 약의 혈중농도 증가 2) Valproic acid의 혈중농도 감소 3) Tacrolimus의 혈중농도 증가 〈취급상 주의〉 1) 실온(25℃ 이하) 보관

약품명 및 함량	용법	약리작용 및 효능	부작용	주의 및 금기
	- 두터운 근육부위(둔부 및 대퇴부)에 주사 - 1Ⓥ당 1% lidocaine HCl 주사용수 (epinephrine 불포함) 3.2ml에 용해 〈약리작용 및 효능〉란에 계속	〈용법 계속〉 * 신기능에 따른 용량조절 참고 - CrCl≤30ml/min: 500mg/D - 혈액투석 환자: 투석 전 6시간 이내에 이 약 500mg을 투여한 경우, 투석 후 150mg 추가 투여	- 질염 - 혈관외 유출, 정맥주입관련 부작용, 정맥염/혈전성정맥염	2) NS(or주사용수) 재구성 및 희석 후: 실온 6시간, 냉장 24시간 이내 투여완료 (냉장고에서 꺼낸 후 4시간 이내 사용), 5DW 배합금기 3) 1% lidocaine HCl으로 재구성 : 1시간 이내 투여
Meropenem Meropen inj 메로펜주사 …500mg/V	1) 성인 ① 0.5~1g #2~3, 30분 이상 IV inf. ② 병원성폐렴, 복막염, 호중구감소증 환자에서 감염 의심시, 패혈증 : 1g q 8hrs ③ 낭포성섬유증, 수막염 : 2g q 8hrs 2) 소아(3개월 이상) ① 10~20mg/kg q 8hrs ② 세균성 수막염 : 40mg/kg q 8hrs, 30분 이상 IV inf. * 신기능에 따른 용량 조절 참고 - CrCl(ml/min) : 용량 ① ≥50 : 상용량, q 8hrs ② 26~50 : 상용량, q 12hrs ③ 10~25 : 상용량의 50~100%, q 12hrs ④ 〈10 : 상용량의 50~100%, q 24hrs	1) Carbapenem계 항생물질 2) 유효균종: Imipenem과 유사한 항균범위를 가짐 (Staphylococci, E. coli, Streptococci, Enterococci, Serratia, Citrobacter, Klebsiella, Enterobacter, Proteus, Pseudomonas, Influenzae, Bacteroids etc.) 3) 약물 투여 개시 후 3일을 기준으로 하여 계속 투여가 필요한지 판정하여 중지 또는 타제제로의 변경 여부 검토, 14일 이내 투여 원칙 4) $T_{\frac{1}{2}}$: (정상 신기능) 1~1.5hrs (신장애 환자) - CrCl 30~80ml/min: 1.9~3.3hrs - CrCl 2~30ml/min: 3.82~5.7hrs 배설 : 신장(불활화 대사체로서~25%)	1) 1~10% - 두통 - 발진, 소양증 - 설사, 오심, 구토, 변비, 구순염 - 주사부위 염증, 정맥염, 혈전성정맥염 - 무호흡 - 패혈증, 패혈증쇽	〈금기〉 1) Sod. valproate을 투여중인 환자(valproic acid의 혈중 농도 감소로 인한 간질발작 재발의 위험) 2) Carbapenem계 및 beta-lactam계 항생물질에 과민한 환자 〈주의〉 1) 기관지천식, 발진, 알레르기 등 allergy 증상 일으키기 쉬운 환자 2) 중증의 간 · 신장애 3) 간질, CNS장애가 있는 자 4) 고령자 5) 경구 섭취 불량자(Vit. K결핍 유발 우려) 6) 임신부 : category B 7) 수유부 : 동물실험에서 모유로 이행, 수유중단 8) 3개월 미만 영아 : 안전성 및 유효성 미확립 9) 투여 전 skin test 실시 〈취급상 주의〉 1) 주사용 용액의 조제 : 0.25~0.5g을 100ml 이상의 NS 또는 5DW에 용해(주사용 증류수는 등장이 아니므로 사용불가) 2) 용해후 실온 6hrs, 5℃에서 24hrs 안정
Imipenem+ Cilastatin **Prepenem inj** 프리페넴주 …500+500mg/V	1) 상용량(imipenem으로서) ① 성인 : 0.5~1g/D #2~3 ② 소아 : 30~80mg/kg/D #3~4 (Max. 2g/D) 2) 중증인 경우 ① 성인 : 4g/D	1) Imipenem은 carbapenem β-lactam계 항균제인 thienamycin 유도체로서, PBPS에 결합하여 세균의 세포벽 합성을 저해하며 β-lactamase에 안정 2) Cilastatin은 heptenoic acid 유도체로서, imipenem이 신장에서 dehydropeptidase에 의해 대사되는 것을 저해하여 높은 뇨중 농도를 유지하며	- Shock : 불쾌감, 구내이상감, 천명, 현훈, 이명, 발한 - 과민증 : 발진, 담마진, 조홍, 홍반, 소양, 발열	〈금기〉 1) Sod. valproate을 투여중인 환자(valproic acid의 혈중 농도 감소로 인한 간질발작 재발의 위험) 〈주의〉 1) Carbapenem계, penicillin계 또는 cephem계 항생 물질에 과민한 환자

약품명 및 함량	용법	약리작용 및 효능	부작용	주의 및 금기
	② 소아 : 100mg/kg/D까지 증량 3) 투여방법: 30분 이상 IV inf. (문헌 참고; ≤500mg: 20~30분, > 500mg: 40~60분) * 신기능에 따른 용량 조절 참고 - CrCl(ml/min) : 용량 ① 50~70 : 0.5~1g, q 12hrs ② 30~50 : 0.25~0.5g, q 12hrs or 0.5g, q 12~24hrs ③ 10~30 : 0.125~0.25g, q 12hrs ④ ≤10 : 신중투여(혈액투석에 의해 배설)	신독성을 감소시킴. 3) 대부분의 G(+), G(-) 호기성및 혐기성균 특 Enterobacteriaceae, Streptococci, Enterococci, Staphylococci, Listeria, Pseudomonas, Acinetobacter, B. fragilis등에 대해 매우 유효하며, 일부 MRSA에 무효함. 4) Tmax : 투여 종료 후 $T\frac{1}{2}$: 1hr 대사 : 신장(extensive) 배설 : 신장(50~70%), 담즙(<1%) 혈액투석에 의해 배설	- 과립구 감소, 호산구/호염기구/임파구 증가, 혈소판 감소 및 증가, 적혈구, Hb, Hct 감소 - AST, ALT, LDH, ALP, urobilinogen 상승 - 핍뇨, 혈뇨, 뇨단백, BUN, Scr 상승 - 위막성대장염, 복통, 설사 - 경련, 의식장애 - 구내염, 칸디다증 - Vit-K, B군 결핍증상, 두통, 권태감, 주사부위 동통 및 경결, 혈전성 정맥염	2) 기관지천식, 발진, 두드러기 등 allergy 증상 일으키기 쉬운 환자 3) 중증 신장애, 간장애 환자 4) 간질, CNS 장애가 있는 자 5) 고령자 등 경구 섭취 불량자(Vit. K결핍 유발 우려) 6) Skin test 실시할 것 7) 적갈색 뇨가 나타날 수 있음. 8) 당뇨검사, Coomb's test에서 위양성 나타낼 수 있음 9) 임신부 : Category C 10) 수유부 : 모유로 이행, 수유중단 11) 3개월 이하 영아 및 신기능부전 소아 : 안전성 미확립 〈취급상 주의〉 1) 조제방법 : 500mg당 100ml에 희석하여 IV inf. (IV로만 투여) - 재구성/희석액 : NS 2) NS로 조제된 용액은 25℃에서 3hrs, 4℃이하 냉장 보관시 24hrs 안정 3) 배합금기 : 젖산염 함유 용액, 다른 항생물질

① Aminoglycosides와 Synergism
② Penicillins과 교차과민반응을 나타낼 수 있으므로 문진 및 skin test를 할 것
③ 1세대 약물 : 주로 G(+)균
2세대 약물 : β-lactamase에 안정, G(+)균 특히 Indole(+) Proteus
3세대 약물 : β-lactamase에 안정, G(−)균 특히 Pseudomonas(ceftazidime, cefoperazone)
4세대 약물 : β-lactamase에 안정, G(+), G(−)
④ 균주의 세포벽 합성을 차단함으로써 살균작용을 나타냄.
⑤ AGs와 배합금기임(침전형성으로 약효가 감소됨.)

약품명 및 함량	용법	약리작용 및 효능	부작용	주의 및 금기
Cefazolin Cefamezin inj 세파메진주 …1g/V …2g/V	* 문헌상 용법 1) 상용량 : 1~1.5g q 8hrs IV, IM (Max. 12g/D) 2) 심내막염 : 2g q 8hrs IV 3) 수술전 예방 목적 : 1~2g 수술전 60분 이내 * KFDA 허가 용법 1) 성인 : 1g/D #2 IV, IM - 효과가 불충분할 경우, 1.5~3g/D #3 - 중증 : 5g/D #3 2) 소아 : 20~40mg/kg #2 IV, IM - 효과가 불충분할 경우, 50mg/kg/D #3 - 중증 : 100mg/kg/D #3 * 신기능에 따른 용량조절 참고 - CrCl(ml/min) : 용량 ① ≥55 : 상용량 ② 35~54 : 상용량, q 8hrs 이상 ③ 11~34 : 상용량의 50%, q 12hrs ④ ≤10 : 상용량의 50%, q 18~24hrs	1) 1세대 Cephalosporin계 항균제 2) G(+), G(-) 및 대장균에 대한 살균작용 3) Tmax : IM 1~2hrs, IV 5분이내 단백결합 : 85% 분포 : 다양한 조직에 분포 염증성 bone에 침투 용이 bile에 고농도로 분포 T½ : 1.5~2.5hrs 배설 : 신장(56~100%) 〈취급상 주의〉 1) 주사액의 조제 ① IV - 주사용수, 5DW, NS에 녹여 3~5분간 IV - 희석액 : 5DW, 10DW, NS ② IM : 0.5% lidocaine 2~3ml에 재구성 2) 용해 후 실온 차광보관시 48hrs 안정 3) 백탁 시 온탕으로 따뜻하게 하여 투명하게 용해 후 사용	1) 1~10% - 설사 - 주사부위 통증	〈금기〉 1) Cephalosporin계 항생물질에 과민한 환자 2) Lidocaine, anilide계열 국소마취제에 과민한 환자(IM만 해당) 〈주의〉 1) Penicillin계 또는 cephem계 항생물질에 과민한 환자 2) 기관지천식, 발진, 두드러기 등 allergy 증상 일으키기 쉬운 환자 3) 중증 신장애 환자 4) 고령자 등 경구 섭취 불량자(Vit. K결핍 유발 우려) 5) 위장관질환 병력(대장염 등) 6) IM : IV가 곤란한 경우에만 이용 7) 사전에 피부 반응 검사 실시 8) 당뇨검사, Coomb's test에서 위양성 나타낼 수 있음 9) 임신부 : Category B 10) 수유부 : 모유로 이행 11) 신생아 및 미숙아 : 안전성 미확립 〈상호작용〉 1) Probenecid : 이 약의 혈중 농도 상승 가능 〈약리작용 및 효능〉란에 계속
Ceftezole sodium Ceftezole sodium inj 세프테졸나트륨 …1g/V	1) 성인 : 0.5~4g #1~2 IV, IM 2) 소아 : 20~80mg/kg #1~2 IV, IM	1) 1세대 Cephalosporin antibiotics 2) 타 1세대 Cephalosporin과 항균스펙트럼 유사하여 주로 G(+)에 유효함. 3) 유효균종 : S. pyogenes, S. pneumoniae, Staphylococcus, E. coli, K. pneumoniae, Proteus mirabilis 4) 적응증 : 패혈증, 폐렴, 기관지염, 기관지 확장증(감염시), 만성 호흡기 질환의 2차 감염, 폐화농증(폐농양), 복막염, 신우신염, 방광염, 요도염	- 호산구증가증(1~9%) - 오심, 설사 - 혈중 creatinine상승 - 발진, 소양증	〈금기〉 1) Lidocaine 등의 anilide계 국소마취제에 과민한 환자(IM만 해당) 〈주의〉 1) Penicillin계 또는 cephem계 항생물질에 과민한 환자 2) 기관지천식, 발진, 두드러기 등 allergy 증상 일으키기 쉬운 환자 3) 중증 신장애 환자

약품명 및 함량	용법	약리작용 및 효능	부작용	주의 및 금기
		5) Tmax : 2hrs(IV, IM) T½ : 0.64~1.5hrs 배설 : 신장(81%)		4) 고령자 등 경구 섭취 불량자(Vit. K결핍 유발 우려) 5) 사전에 피부 반응 검사 실시 6) 당뇨검사, Coomb's test에서 위양성 나타낼 수 있음 7) 임신부 : Category B 〈취급상 주의〉 1) 주사액의 조제 ① IV - 재구성액 : 주사용수, 5DW, NS - 희석액 : 5DW, NS ② IM : 0.5% lidocaine에 용해
Cephradine Cephradine inj 세프라딘주 …1g/V	1) 성인 : 2~4g/D #4 IM, IV (Max. 8g/D) - 단순성 폐렴, 피부 및 피부 감염증 및 대부분 감염증: 500mg qid - 골감염증 : 1g qid - 중증(패혈증 등): 8g/D까지 증량 가능 2) 소아 : 50~100mg/kg/D #4 IM, IV (단, 성인량을 초과하지 말 것) * 신기능에 따른 용량 조절 참고 - 초회량 750mg, 유지량 500mg으로 CrCl에 따라 투여간격 조절 - CrCl(ml/min) : 투여간격 ① 〉20 : q 6~12hrs ② 15~20 : q 12~24hrs ③ 10~14 : q 24~40hrs ④ 5~9 : q 40~50hrs ⑤ 〈5 : q 50~70hrs	1) 1세대 반합성 Cephalosporin계 항균제 2) G(+), G(−), β-lactamase 생성 균주에 유효 3) Tmax : IM 49~128mins T½ : 40mins 배설 : 75~100%	1) 1~10% - 설사 2) 〈1% - BUN상승, creatinine 상승, 오심, 구토, 발진 등	〈금기〉 1) 심근경색 병력 있는 환자 〈주의〉 1) Penicillin계 또는 cephem계 항생물질에 과민한 환자 2) 기관지천식, 발진, 두드러기 등 allergy 증상 일으키기 쉬운 환자 3) 중증 신장애 환자 4) 고령자 등 경구 섭취 불량자(Vit. K결핍 유발 우려) 5) 사전에 피부 반응 검사 실시 6) 당뇨검사, Coomb's test에서 위양성 나타낼 수 있음 7) 임신부 : Category B 8) 수유부 : 모유로 이행 9) 신생아 및 미숙아 : 안전성 미확립 (9개월 이하 영아에게 투여 권장하지 않음) 〈취급상 주의〉 1) 주사액의 조제 ① IV - 500mg/5ml의 농도로 주사용수, 5DW, NS에 녹여 3~5분간 정주 - 희석가능액 : 5DW, 10DW, NS ② IM: 500mg을 2ml의 NS, 주사용수에 녹여 주사 2) 용해 후 안정성 : 실온 2hrs, 냉장 24hrs

약품명 및 함량	용법	약리작용 및 효능	부작용	주의 및 금기
Cephradine Cephradine cap 세프라딘캡슐 …500mg/C	1) 성인 - 피부 및 연조직, 호흡기 감염증 : 중증도에 따라 250~500mg qid 또는 500mg~1g bid - 요로감염증 : (단일) 500mg bid, (중증) 500mg qid 또는 1g bid 2) 9개월 이상 소아 : 25~50mg/kg/D #2~4 - 중이염 : 75~100mg/kg/D #2~4 (Max. 4g/D, 성인량을 초과하지 말 것) * 신기능에 따른 용량 조절 참고 - CrCl(ml/min) : 용량 ① 〉20 : 500mg q 6~12hrs ② 15~20 : 250mg q 12~24hrs ③ 10~14 : 250mg q 24~40hrs ④ 5~9 : 250mg q 40~50hrs ⑤ 〈5 : 250mg q 50~70hrs ⑥ 혈액투석 환자 : 투석 시작 시 초회량 250mg 투여, 6-12시간, 36-48시간 후 각각 250mg 투여→ 다음 투석 시 250mg 투여	1) 1세대 반합성 Cephalosporin계 항균제 2) G(+), G(-), β-lactamase 생성 균주에 유효 3) $T\frac{1}{2}$: 40mins 배설 : 신장 (75~100%)	1) 1~10% - 설사 2) 〈1% - BUN상승, 크레아티닌 상승, 오심, 구토, 발진 등	〈주의〉 1) Penicillin계 또는 cephem계 항생 물질에 과민한 환자 2) 기관지천식, 발진, 두드러기 등 allergy 증상 일으키기 쉬운 환자 3) 중증 신장애 환자 4) 고령자 등 경구 섭취 불량자(Vit. K결핍 유발 우려) 5) 사전에 피부 반응 검사 실시 6) 당뇨검사, Coomb's test에서 위양성 나타낼 수 있음 7) 임신부 : Category B (안전성 미확립) 8) 수유부 : 신중 투여 (모유로 이행) 9) 신생아 및 미숙아 : 안전성 미확립 (9개월 이하 영아에게 투여 권장하지 않음) 10) 황색5호 함유 : 과민한 환자 주의

약품명 및 함량	용법	약리작용 및 효능	부작용	주의 및 금기
Cefaclor monohydrate Cefaclor cap 세파클러캅셀 …250mg/C	1) 성인 : 250~500mg q 8hrs - 급성 임균성 요도염 : 3g 단회 투여 (probenecid 1g 병용) 2) 소아 : 20~40mg/kg/D #3 (Max. 1g/D)	1) 경구용 2세대 cephalosporin계 항균제 2) G(+), G(-)에 대한 광범위한 항균력, H. influenzae, S. pneumoniae에 대해 cephradine 보다 효과적임. 3) 1세대에 비해 G(-) bacilli에 활성큼. 4) Tmax : 0.5~2.5hrs	1) 1~10% - 설사 - 호산구 증가 - transaminase 상승 - 발진	〈금기〉 1) Cephalosporin계 항생물질에 과민한 환자 〈주의〉 1) Penicillin계 또는 cephem계 항생물질에 과민한 환자 2) 기관지천식, 발진, 두드러기 등 allergy 증상 일으키기 쉬운 환자

약품명 및 함량	용법	약리작용 및 효능	부작용	주의 및 금기
Cefaclor dry syr 세파클러건조시럽 …25mg/ml	* 신기능에 따른 용량 조절 참고 – 일반적으로 용량조절 불필요 – 용량조절 하는 경우 예시 ① CrCl 10~50ml/min : 상용량의 50~100% ② CrCl<10ml/min : 상용량의 50%	$T_{1/2}$: 30~60mins 배설 : 신장(50~80%), 담즙 혈액투석 시 배설		3) 중증 신장애 환자 4) 고령자 등 경구 섭취 불량자(Vit. K결핍 유발 우려) 5) 위장관질환 병력(대장염 등) 6) 당뇨검사, Coomb's test에서 위양성 나타낼 수 있음 7) 임신부 : Category B 8) 수유부 : 모유로 이행 9) 1개월 이하 신생아 : 안전성 및 유효성 미확립 〈상호작용〉 1) Probenecid : 이 약의 혈중 농도 상승 가능 〈취급상 주의〉 1) 시럽제 – 조제법 : 용기안에 90ml 증류수를 가하여 충분히 흔든 후 150ml를 만들어 사용 – 안정성 : 용해 후 냉장보관 시 14일 안정
689 **Cefotetan** Yamatetan inj 야마테탄주 …1g/20ml/V	1) 성인: 1~2g #2(중증: 4g #2~3) IV, IV inf, IM 2) 소아: 40~60mg/kg #2~3(중증: 100mg/kg #2~3) IV, IV inf * 신기능에 따른 용량 조절 참고 – CrCl(ml/min) : 용량 ① 10~30: 50% 감량 또는 투여간격 연장(q 24hrs) ② <10: 75% 감량 또는 투여간격 연장(q 48hrs)	1) Cephamycin계 항생제로 항균범위가 2세대 cephalosporin에 해당 2) 항균범위 및 효과는 cefoxitin과 유사하며, 반감기가 길어 1일 2회 투여 가능 3) β-lactamase에 안정, G(+), G(–), Bacteroides 포함한 혐기성균에 활성 4) E. coli, Citrobacter, Klebsiella, Enterobacter, Serratia, Proteus, Influenza, Bacteroid에 항균효과를 지니나 Pseudomonas aeruginosa에는 저항성을 나타냄 5) 적응증: 패혈증, 화상, 수술창 등의 표재성 2차감염, 기관지염, 편도염, 호흡기 질환의 2차감염, 폐렴, 폐농양, 신우신염, 방광염, 담낭염, 담관염, 복막염, 자궁내감염 등 6) Tmax : 1~2hrs (IM) 단백결합률 : 76~90% $T_{1/2}$: 3~5hrs (CrCl<10mL/min: 10hrs) 배설 : 신장, 대변(20%)	1) 1~10% – 설사(1%) – 과민성 반응(1%) – Transaminase 상승(1%) 2) <1% – 아나필락시스, 발진 – 오심, 구토 – 용혈성 빈혈 – PT 연장 – BUN상승, 혈중크레아티닌 상승	〈금기〉 1) Cephalosporin계 항생물질에 의한 과민반응, 용혈성 빈혈을 보이는 환자 2) Lidocaine 등의 anilide계 국소마취제에 과민한 환자(IM만 해당) 〈주의〉 1) Penicillin계 또는 cephem계 항생물질에 과민한 환자 2) 기관지천식, 발진, 두드러기 등 allergy 증상 일으키기 쉬운 환자 3) 중증 신장애 환자 4) 고령자 등 경구 섭취 불량자(Vit. K결핍 유발 우려) 5) 위장관질환 병력(대장염 등) 6) 사전에 피부 반응 검사 실시 7) 당뇨검사, Coomb's test에서 위양성 나타낼 수 있음 8) 임신부 : Category B 9) 수유부 : 모유로 이행 10) 소아 : 안전성 미확립(IM만)

약품명 및 함량	용법	약리작용 및 효능	부작용	주의 및 금기
				〈상호작용〉 1) Aminoglycoside, furosemide : 신독성 증가 가능 2) 경구용 항응고제 : 항응고 작용을 증가시켜 출혈 위험성 증가 〈취급상 주의〉 1) 주사액의 조제 ① IV – 재구성액 : 주사용수, NS, 5DW – 희석가능액 : 5DW, NS 등 ② IM : 0.5g당 0.5% lidocaine 2ml에 녹여 주사 2) 안정성: 재구성 후 냉장 7일, 실온 24시간 안정
Cefoxitin sodium Pacetin inj 파세틴주 …1g/V	1) 성인 : 1~2g q 6~8hrs IV, IM 2) 3개월 이상 소아 : 80~160mg/kg/D #4~6 IV, IM (Max. 12g/D) * 신기능에 따른 용량 조절 참고 – CrCl(ml/min) : 용량 ① 30~50 : 1~2g q 8~12hrs ② 10~29 : 1~2g q 12~24hrs ③ 5~9 : 0.5~1g q 12~24hrs ④ <5 : 0.5~1g q 24~48hrs	1) Streptomyces에서 추출된 cephamycin계 항생제로 구조적으로 cephalosporin과 유사하며, 항균범위가 2세대에 해당함 2) β-lactamase에 안정 3) G(+), G(−), B. fragilis 포함한 혐기균, NTM (Non-Tuberculosis Mycobacteria)에 대한 항균력 있음. 4) 적응증 : 하기도 감염증, 신우신염, 방광염, 임질, 복막염, 복부내감염증, 자궁내막염, 골반연조직염 등 부인과 감염증, 패혈증, 골 및 관절감염증, 피부 및 연조직 감염증 5) Tmax : 30mins(IM), 5mins(IV) 단백결합률 : 41~75% $T\frac{1}{2}$: 0.8~1hr 배설 : 신장(85~90%)	1) 1~10% – 설사 2) 빈도 미확립 – 쇽, 과민반응 – 구역, 구토, 식욕 부진 – 발열, 기침, 호흡 곤란, 흉부 X선 이상, 간질성폐렴, 호산구성 폐침윤 – 과립구감소증, 백혈구 감소, 적혈구 감소, 호산구 증가, 호중구 감소, 혈소판 감소, 용혈성 빈혈 – AST, ALT, ALP, 혈청 LDH 상승, 황달 – 신장애, BUN 상승, Scr 상승, 핍뇨, 혈뇨, 단백뇨 – 저혈압	〈금기〉 1) Cephalosporin계 항생물질에 과민한 환자 〈주의〉 1) Penicillin계 항생물질에 과민한 환자 2) 기관지천식, 발진, 두드러기 등 allergy 증상을 일으키기 쉬운 환자 3) 중증 신장애 환자(용량 감량) 4) 위장관질환 병력(대장염 등) 5) 고령자 등 경구 섭취 불량자(Vit. K결핍 유발 우려) 6) 사전에 피부 반응 검사 실시 7) 당뇨검사, Coomb's test에서 위양성 나타낼 수 있음 8) 임신부 : Category B 9) 수유부 : 모유로 이행 10) 3개월 이하 영아 : 유효성 및 안전성 미확립 〈취급상 주의〉 1) 주사액의 조제 ① IV – 간헐적 IV 시 주사용수 10ml로 재구성하여 3~5분간 투여 – IV inf. 시 희석액 : 5DW, NS, 5DS 등 ② IM : 1g을 주사용수 2ml로 재구성하여 투여 2) 용해 후 안정성: 실온 24hrs, 냉장 5일 안정

약품명 및 함량	용법	약리작용 및 효능	부작용	주의 및 금기
Cefprozil hydrate Procezil tab 프로세질정 …250mg/T	1) 13세 이상 소아 및 성인 – 250~500mg q 12hrs – 인두염, 편도염, 단순성 피부 및 연조직감염, 요로감염 : 500mg q 24hrs 2) 소아(6개월~12세) – 일반감염증 : 7.5~15mg/kg q 12hrs – 단순성 피부 및 연조직감염 : 20mg/kg q 24hrs * 신기능에 따른 용량 조절 참고 – CrCl <30ml/min : 50% 감량 투여 – 혈액투석 환자 : 투석 종료 후 투여 (∵ 혈액투석에 의해 배설)	1) 2세대 cephalosporin계 항생제 2) S. pneumoniae, S. aureus, H. influenzae, M. catarrhalis에 cefaclor보다 효과적 3) Tmax : 1~2hrs $T\frac{1}{2}$: 1~2hrs 배설 : 신장(60~70%) 혈액투석 시 배설	1) 1~10% – 현기증(1%) – 기저귀 발진(1.5%) – 설사(2.9%), 오심(3%), 구토, 복통(1%) – 질염, 소양증(1.6%) – Transaminase 상승(2%) – 균교대감염	〈금기〉 1) Cephalosporin계 항생물질에 과민한 환자 〈주의〉 1) Penicillin계 항생물질에 과민한 환자 2) 중증 환자 3) 신장애 환자(감량 투여) 4) 위장관질환 병력(특히 결장염) 5) 당뇨검사, Coomb's test에서 위양성 나타낼 수 있음 6) 임신부 : Category B 7) 수유부 : 모유로 이행 8) 6개월 미만 소아 : 안전성 및 유효성 미확립
Cefuroxime sodium Alporin inj 알포린주 …750mg/V …1.5g/V	1) 성인 – 750mg tid IV, IM – 중증 : 1.5g tid IV – 필요 시 qid로 증량(총 투여량: 3~6g/D) 2) 소아 : 30~100mg/kg/D #3~4 IV, IM(보통 60mg/kg/D) 3) 신생아 : 50~100mg/kg/D #2~3 IV, IM(문헌참고) 4) 임질 : 1.5g 단회, IM (750mg씩 분할, 둔부 양쪽에 투여 가능) 5) 수술 후 감염 예방 : 마취유도시 1.5g IV, 수술 후 적량 추가 투여 6) 수막염 ① 성인 : 3g tid IV ② 소아 : 200~240mg/kg/D #3~4 IV 증상개선후 (100mg/kg/D로 감량 가능) * 신기능에 따른 용량 조절 참고 – CrCl(ml/min) : 용량	1) 2세대 Cephalosporin계 항균제 2) G(+), G(–), β-lactamase 생성균주에 유효 3) Tmax : IM 1~2hrs, IV 0.5~1hr 단백결합률 : 50% $T\frac{1}{2}$: 1.1~1.9hrs 배설 : 신장(89~95%) 투석 시 배설	1) 1~10% – 호산구 증가(7%), Hgb, Hct 감소(10%) – Transaminase 상승(4%) – 정맥염(17%)	〈금기〉 1) Cephalosporin계 항생물질에 과민한 환자 〈주의〉 1) Penicillin계 또는 cephem계 항생물질에 과민한 환자 2) 기관지천식, 발진, 두드러기 등 allergy 증상 일으키기 쉬운 환자 3) 중증 신장애, 전해질 이상 환자 4) 고령자 등 경구 섭취 불량자(Vit. K결핍 유발 우려) 5) 사전에 피부 반응 검사 실시 6) 당뇨검사, Coomb's test에서 위양성 나타낼 수 있음 7) 임신부 : Category B 8) 수유부 : 모유로 이행 9) 미숙아 및 신생아 : 안전성 및 유효성 미확립 〈상호작용〉 1) 이뇨제 : 신독성 증가 〈취급상 주의〉 1) 주사액의 조제 ① IV

약품명 및 함량	용법	약리작용 및 효능	부작용	주의 및 금기
	① 10~20 : 750mg bid ② <10 : 750mg qd ③ 혈액투석 환자: 투석 종료 시 750mg씩 추가 투여			- IV bolus : 750mg/1.5g을 주사용수 6ml/15ml 이상으로 녹여 천천히 IV - IV infusion : 1.5g을 주사용수 50ml에 녹여 30분 이상 투여(희석가능액 : 5DW, NS, 하트만액) ② IM : 250mg당 주사용수 1ml 2) 안정성 - 재구성 : 실온 5hrs, 냉장 48hrs - 희석(주사용수) : 실온 12hrs, 냉장 72hrs 3) 중탄산나트륨 주사와 배합금기
Flomoxef sodium Flumarin inj 후루마린 …0.5g/V	1) 성인 - 1~2g/D #2 IV, IV inf. - 중증 : 4g/D #3~4 2) 소아 - 60~80mg/kg/D #3~4 IV, IV inf. - 신생아 : 20mg/kg, 생후 3일까지는 bid~tid, 4일 이후 tid~qid - 중증 : 150mg/kg/D #3~4	1) 광범위 oxacephem계 항균제 (항균 스펙트럼: 3세대 cephalosporin계와 유사) 2) G(+)에서는 포도구균, 폐렴구균, 장구균을 제외한 연쇄구균에 항균력 있으며, MRSA에 대해서는 기존 cephem 보다 강력 3) G(-)의 경우 대장균, Klebsiella, Proteus, 인플루엔자균, 임균 등에 유효, Pseudomonads에는 유효하지 않음. 4) 대사 : 대사되지 않음. 배설 : 신장(50~90%)	- 쇽 - 과민증 : 발진, 두드러기, 소양, 발적 - 급성 신장애 - RBC, 과립구, Hb, Hct감소, 호산구증다, 혈소판수 변화 - AST, ALT, ALP 상승 - 위막성대장염, 설사, 연변, 구역, 구토, 복부팽만감 - 발열, 기침, 호흡 곤란, 호산구증가 - 균교대증 - Vit K 결핍증 - 두중감, 전신권태, 요도 이화감	〈주의〉 1) Penicillin계 또는 cephem계 항생물질에 과민한 환자 2) 기관지천식, 발진, 두드러기 등 allergy 증상 일으키기 쉬운 환자 3) 중증 신장애 환자 4) 고령자 등 경구 섭취 불량자(Vit. K결핍 유발 우려) 5) 사전에 피부 반응 검사 실시 6) 당뇨검사, Coomb's test에서 위양성 나타낼 수 있음 7) 임신부, 미숙아 : 안전성 미확립 〈상호작용〉 1) 이뇨제 : 신독성 증가 우려 〈취급상 주의〉 1) 주사액의 조제 - IV bolus : 0.5g당 4ml에 녹여 3~5분간 투여 - IV infusion : 1g당 100ml에 녹여 50~60분 이상에 걸쳐 투여 - 희석가능액 : 5DW, NS 2) 조제 후 안정성: 실온 6hrs, 냉장 24hrs

약품명 및 함량	용법	약리작용 및 효능	부작용	주의 및 금기
Cefcapene pivoxil HCl Flomox tab 후로목스정 ···75mg/T ···100mg/T	1) 상용량 : 100mg tid 2) 난치성 감염 또는 효과가 불충분한 경우 : 150mg tid	1) 3세대 경구용 cephalosporin계 항생제 2) 일본에서 개발된 약제로 ceftibuten의 3번, 7번기를 아미노기, 에탄기로 치환하여 G(+) 및 내성 폐렴구균에 항균력을 강화함. 3) 적응증 : 피부, 호흡기, 소화기, 비뇨기, 산부인과, 안과, 이비인후과, 치과, 외과적 염증질환 4) 유효균종 - G(+) : MSSA, S. pneumoniae, S. pyogenases 등 - G(-) : Citrobacter속, Serratia속, Klebsiella속, Moraxella속, H.influenzae 등	1) 0.1~3% - 발진 - 과립구감소, 호산구증가증 - AST 및 ALT상승, ALP상승, LDH상승 - BUN 상승 - 설사, 위불쾌감, 오심, 구토, 위통 - CPK 상승 2) 빈도미확립 - 발열, 혈소판감소증, 황달, 부종, 구내염, 칸디다증, 비타민 K 및 B 결핍, 사지마비감, 급성신부전, 위막성대장염, 출혈성대장염, 스티븐스존슨증후군, 간질성폐렴, 횡문근융해증	〈금기〉 1) 페닐케톤뇨증 환자(∵ 아스파탐 함유) 〈주의〉 1) Penicillin계 또는 cephem계 항생물질에 과민한 환자 2) 기관지천식, 발진, 두드러기 등 allergy 증상 일으키기 쉬운 환자 3) 중증 신장애 환자 4) 고령자 등 경구 섭취 불량자(Vit. K결핍 유발 우려) 5) 임신부, 수유부 : 안전성 미확립 6) 저체중 출산아, 신생아 : 안전성 미확립 7) Pivoxil기가 포함된 항생물질 투여에 의한 저카르니틴혈증 주의 〈취급상 주의〉 1) 차광, 실온보관 2) 이 약은 쓴맛이 있으므로 가능한 한 분쇄하거나 녹여서 복용하지 않음.
Cefdinir Omnicef cap 옴니세프캅셀 ···100mg/C Omnicef fine granule 옴니세프세립소아용 ···100mg/g	1) 성인 : 100mg tid 2) 소아(산제) : 9~18mg/kg/D #3 * 신기능에 따른 용량 조절 참고 - 혈액투석 환자 : 100mg qd	1) β-lactamase에 안정한 3세대 경구용 cephalosporin계 항생제 2) G(-), G(+)에 광범위 항균 spectrum을 보이며, G(+)균인 streptococcus, staphylococcus에 항균력이 강함. 3) $T\frac{1}{2}$: 1.6~1.8hrs	1) 1~10% - 표피성 모닐리아증 - 설사, 발진, 구토	〈금기〉 1) Cephem계 항생물질에 과민한 환자 〈주의〉 1) Penicillin계 항생물질에 과민한 환자 2) 기관지천식, 발진, 두드러기 등 allergy 증상 일으키기 쉬운 환자 3) 중증 신장애 환자 4) 고령자 등 경구 섭취 불량자(Vit. K결핍 유발 우려) 5) 위장관질환 병력(대장염 등) 6) 당뇨검사, Coomb's test에서 위양성 나타낼 수 있음 7) 소변이나 변이 적색으로 변색될 수 있음.

약품명 및 함량	용법	약리작용 및 효능	부작용	주의 및 금기
				8) 임신부 : Category B 9) 미숙아, 신생아 : 안전성 미확립 〈상호작용〉 1) 철분 : 이 약의 흡수 저해(3시간 이상 간격 투여) 2) Warfarin : 이 약의 Vit.K 생산 억제로 출혈 경향 증가 3) 제산제 : 이 약의 효과 감소(2시간 이상 간격 투여) 〈취급상 주의〉 1) 현탁액 : 차광보관, 용해 후 실온 보관 10일간 안정
Cefditoren pivoxil Meiact tab 메이액트정 …100mg/T Meiact fine granule 메이액트세립 …100mg/g	1) 성인 - 100mg tid - 중증 및 효과가 불충분한 경우: 200mg tid 2) 소아(산제) - Cefditoren pivoxil로서 3mg/kg tid - 증상에 따라 증감 (Max. 600mg/D)	1) 3세대 경구용 broad spectrum cephalosporin계 항생제로 G(+) 및 G(-) 에 유효하며, β-lactamase에 안정함. 2) 피부연조직 감염, 호흡기 감염, 비뇨기계 감염, 치과 감염, 안과 감염, 산부인과 감염 등에 사용 3) Tmax : 1~3hrs(성인), 1~2hrs(소아) $T_{\frac{1}{2}}$: 1.3~2hrs 대사 : 장관, 간 배설 : 신장(16~22%), 담즙	1) >10% - 설사(11~14%) 2) 1~10% - 두통(2%), 혈당 증가(1%), 구토(1%), 오심(4~6%), 복통(2%), 식욕감퇴(1~2%) - 질감염(3~6%) - Hct 감소(2%) - 혈뇨(3%), 뇨중 백혈구 증가(2%)	〈금기〉 1) 카르니틴 결핍증을 초래할 수 있는 선천성 대사장애 환자 〈주의〉 1) Penicillin계 또는 cephem계 항생물질에 과민한 환자 2) 기관지천식, 발진, 두드러기 등 allergy 증상 일으키기 쉬운 환자 3) 중증 신장애 환자 4) 고령자 등 경구 섭취 불량자(Vit. K결핍 유발 우려) 5) 임신부 : Category B 6) 수유부 : 동물실험에서 유즙분비 7) 미숙아, 신생아 : 안전성 미확립 8) 소아에게 2주 이상 사용은 추천하지 않음(혈중 카르니틴 저하) 〈상호작용〉 1) 제산제 : 이 약의 흡수 저하 2) H_2-receptor blockers : 이 약의 혈중농도 감소 3) Probenecid : 이 약의 혈중농도 증가 〈취급상 주의〉 1) 세립제 : 습기와 빛을 피해 보관 2) 정제 : 방습포장

약품명 및 함량	용법	약리작용 및 효능	부작용	주의 및 금기
Cefixime Suprax cap 슈프락스캡슐 …100mg/C Suprax granule 슈프락스산 …50mg/g	* 캡슐제 1) 성인 및 30kg 이상 소아 - 50~100mg bid - 중증 및 효과가 불충분한 경우 : 200mg bid * 산제 1) 소아 - 1.5~3mg/kg bid - 중증 및 효과가 불충분한 경우 : 6mg/kg bid	1) 경구용 3세대 cephem계 약물 2) β-lactamase에 안정, G(-), 대부분의 Streptococci에 대해 유효 3) 다른 3세대 cephem계 보다 Enterobacteriaceae, Staphylococci에 대한 작용이 약하며 Pseudomonas, Acinetobacter, 대부분의 혐기성균에 대해 무효함. 4) 적응증 : 기관지염, 폐렴, 만성호흡기질환 2차감염, 신우신염, 방광염, 임균성요도염, 담낭염, 담관염, 성홍열, 중이염, 부비동염 5) Tmax : 2~6hrs T$\frac{1}{2}$: 3~4hrs 배설 : 신장(50%), 담즙(5%)	1) 〉10% - 설사(16%) 2) 1~10% - 복통, 식욕부진, 오심, 구토, 고창 3) 〈1% - BUN 상승, 칸디다증, 크레아틴 상승, 호산구 증가	〈금기〉 1) Cephalosporin계 항생물질에 과민한 환자 〈주의〉 1) Penicillin계 또는 cephem계 항생물질에 과민한 환자 2) 기관지천식, 발진, 두드러기 등 allergy 증상 일으키기 쉬운 환자 3) 중증 신장애 환자 4) 고령자 등 경구 섭취 불량자(Vit. K결핍 유발 우려) 5) 당뇨검사, Coomb's test에서 위양성 나타낼 수 있음 6) 황색5호함유 : 과민한 환자주의 7) 임신부 : Category B 8) 수유부 : 수유중단 9) 신생아, 미숙아, 6개월 미만 영아 : 안전성 미확립 〈상호작용〉 1) Warfarin : 이 약의 Vit.K 생산 억제로 출혈 경향 증가 2) 이 약은 carbamazepine의 혈중농도를 상승시킬 수 있음 〈취급상 주의〉 1) 산제 : 우유, 쥬스 등에 현탁상태로 방치 금기
Cefotaxime sodium Cefotaxime inj 세포탁심나트륨주 …500mg/V …1g/V …2g/V **Cefotaxime Sodium, Normal saline** Cefotaxime inj - Type II(Mapset kit) 세포탁심나트륨주사(Type2)	1) 성인 및 13세 이상 소아 ① 감수성 높은 단일 감염 : 1g q 12hrs IV, IM ② 중등도~중증감염 : 1~2g q 8hrs IV, IM ③ 패혈증 등 : 2g q 6~8hrs IV ④ 생명 위험한 감염 : 2g q 4hrs IV ⑤ 임질 : 1g 단회 IM 2) 12세 이하 소아 : 50~100mg/kg/D #2~4 IV(Max. 150~200mg/kg/D) 3) 미숙아 : Max. 50mg/kg/D 4) 성인 2g/D, 유소아 100mg/kg/D 초과시 IV 투여 권장	1) 3세대 cephalosporin계 항생제 2) H. influenzae, Pneumococci, Gonococci, Enterobacter, Acinetobacter sp.에 강력한 항균 효과를 가짐. 3) Proteus, Pseudo., B. fragilis가 생산하는 β-lactamase로 분해되므로 복부나 골반감염증에는 비효과적임. 4) CSF로도 분포됨. 5) Tmax : 30mins(IM), 5mins(IV) T$\frac{1}{2}$: 0.8~1.4hrs 대사 : 간 배설 : 신장(50~85%) 혈액투석으로 배설	1) 1~10% - 발진, 두드러기 - 오심, 구토, 설사, 장염 - 주사부위 통증 2) 〈1% - 아나필락시스, BUN, creatinine 증가, 부정맥, 칸디다증	〈금기〉 1) Cephalosporin계 항생물질에 과민한 환자 2) Lidocaine 등의 anilide계 국소마취제에 과민한 환자(IM만 해당) 〈주의〉 1) Penicillin계 또는 cephem계 항생물질에 과민한 환자 2) 기관지천식, 발진, 두드러기 등 allergy 증상 일으키기 쉬운 환자 3) 중증 신장애 환자 4) 고령자 등 경구 섭취 불량자(Vit. K결핍 유발 우려) 5) 위장관질환 병력(대장염 등) 6) 사전에 피부 반응 검사 실시 7) 당뇨검사, Coomb's test에서 위양성 나타낼 수 있음 8) 임신부 : Category B 9) 수유부 : 모유로 소량 이행

약품명 및 함량	용법	약리작용 및 효능	부작용	주의 및 금기
…1g/100ml/kit …2g/100ml/kit				〈상호작용〉 1) 이뇨제 : 신독성 증가 〈취급상 주의〉 1) 주사액의 조제 ① IV - IV bolus : 0.5g~1g을 10ml에 녹여 3~5분간 투여 - IV infusion : 2g당 100ml에 녹여 50~60분 이상 투여 또는 40ml에 용해하여 20분간 투여(Mapset kit: NS 100ml에 녹여 IV inf.만 가능) - 희석가능액 : 5DW, NS, 하트만액 ② IM : 500mg당 주사용수 또는 1% lidocaine(통증 경감) 2ml에 용해 후 투여 2) 용해 후 안정성 : 실온 24hrs
Cefpodoxime proxetil Banan tab 바난정 …100mg/T Banan dry syr 바난건조시럽 …10mg/ml	* 정제 1) 성인 - 100mg bid - 중증 및 효과가 불충분한 경우 : 200mg bid * 시럽제 1) 소아 - 3mg/kg bid~tid - 중증 및 효과가 불충분한 경우: 4.5mg/kg tid * 신기능에 따른 용량 조절 참고 - CrCl〈30ml/min: 투여간격 연장(q 24hrs)	1) 경구용 3세대 cephalosporin계 항균제 2) E. coli, K. pneumoniae, P. mirabilis, β-lactamase 생산 M. catarrhalis, H. influenzae에 항균력좋으며, S. aureus, S. pyogenes, Viridans streptococci에도 활성 있으나, Enterococcus, MRSA 등에는 무효함. 3) 장관벽의 esterase에 의해 가수분해 되어 활성체 cefpodoxime으로 변화되어 작용함. 4) BA : 41~50% (정제) 음식과 복용시 52~64% (시럽제) 음식과 복용시 Tmax 느려지나 총 혈중농도 변화 없음. Tmax : 2~3hrs 단백결합률 : 21~29% $T_{\frac{1}{2}}$: 2~3hrs 배설 : 신장(29~33%) 혈액투석 시 배설	1) 〉10% - 기저귀발진(12%) - 소아 설사(15%) 2) 1~10% - 두통(1%) - 설사(7%), 오심(4%), 복통(2%), 구토(1~2%) - 질감염(3%) - 발진(1%)	〈주의〉 1) Penicillin계 또는 cephem계 항생물질에 과민한 환자 2) 기관지천식, 발진, 두드러기 등 allergy 증상 일으키기 쉬운 환자 3) 중증 신장애 환자 4) 고령자 등 경구 섭취 불량자(Vit. K결핍 유발 우려) 5) 당뇨검사, Coomb's test에서 위양성 나타낼 수 있음 6) 임신부 : Category B 7) 수유부 : 모유로 이행, 수유중단 8) 신생아, 미숙아, 2개월 미만 영아 : 안전성 미확립 〈취급상 주의〉 1) 시럽제 : 현탁조제 후 냉장보관 14일간 안정
Ceftazidime Tazime inj	1) 성인 : 0.5~2g q 8~12hrs(대부분 1g q 8hrs or 2g q 12hrs) IV, IM 2) 2개월 이상 소아 : 30~100mg/kg/D	1) 3세대 cephalosporin계 항균제 2) 구조상 cefotaxime, ceftizoxime, ceftriaxone과 유사한 약물로 이들과 달리 7위치에 carboxy	1) 1~10% - 설사(1.3%) - 주사부위 통증(1.4%)	〈금기〉 1) Cephalosporin계 항생물질에 과민한 환자 〈주의〉

약품명 및 함량	용법	약리작용 및 효능	부작용	주의 및 금기
타짐주 …1g/V **Ceftazidime, Normal saline** Tazim inj-type II (Mapset kit) 타짐주(Type 2) …2g/100ml/kit	#2~3 IV, IM(Max. 150mg/kg/D, 6g/D) 3) 신생아 및 2개월 미만 영아 : 25~60mg/kg/D #2 IV, IM 4) 80세 이상 고령자 : Max. 3g/D * 신기능에 따른 용량 조절 참고 - CrCl(ml/min) : 용량 ① 31~50 : 1g q 12hrs ② 16~30 : 1g q 24hrs ③ 6~15 : 0.5g q 24hrs ④ <5 : 0.5g q 48hrs (중증감염 환자: 50% 증량하거나 투여빈도 증가함)	propyl oxyimino group을 가지므로 β-lactamase에 대한 안정성 및 Pseudomonas에 대한 항균력이 증가되고 G(+)균에 대한 항균력은 감소되었음. 3) G(+), G(-)균에 대해 광범위한 항균력 특히 gentamicin 내성균주 및 녹농균에 높은 활성을 가짐. 4) Tmax : 1hr(IM), 5~15mins(IV) $T\frac{1}{2}$: 1.6~2hrs 대사 : 대사되지 않음 배설 : 신장(90~96%) 혈액투석 시 배설	2) <1% - BUN, creatinine상승 - 발열, 기침, 호흡 곤란 - 과립구 감소, 호중구 증가, 용혈성 빈혈 - 두통, 어지러움 - ALT, AST, ALP상승 - 구내염, 칸디다증	1) Penicillin계 또는 cephem계 항생물질에 과민한 환자 2) 기관지천식, 발진, 두드러기 등 allergy 증상 일으키기 쉬운 환자 3) 중증 신장애 환자 4) 고령자 등 경구 섭취 불량자(Vit. K결핍 유발 우려) 5) 사전에 피부 반응 검사 실시 6) 당뇨검사, Coomb's test에서 위양성 나타낼 수 있음 7) 임신부 : Category B 8) 수유부 : 모유로 이행 9) 미숙아, 신생아 : 안전성 미확립 〈상호작용〉 1) 이뇨제 : 신독성 증가 〈취급상 주의〉 1) 용해 후 안정성 : 실온 6hrs, 냉장 72hrs 2) 배합금기 - 중탄산나트륨, aminoglycoside와 혼합하지 않음. - Vancomycin과 혼합시 침전 형성
Ceftizoxime sodium Epocelin inj 에포세린주 …1g/V	1) 성인 - 0.5~2g #2~4 IV, IM - 중증 : 4g/D IV 2) 소아 - 40~80mg/kg/D #2~4 IV - 중증 : 120mg/kg/D IV * 신기능에 따른 용량 조절 참고 - CrCl(ml/min) : 용량(경증/중증 감염) ① 50~79 : 0.5g q 8hrs/0.75~1.5g q 8hrs ② 5~49 : 0.25~0.5g q 12hrs/ 0.5~1g q 12hrs ③ 0~4 : 0.5g q 48hrs 또는 0.25g q 24hrs/0.5~1g q 48hrs 또는 0.5g q 24hrs	1) 3세대 cephalosporin계 항생제 2) Serratia spp.에 가장 효과적이며 Enterobacter, P.aeruginosa, Acinetobacter spp.등에 효과적임. 3) B. fragilis에 대한 항균력은 cefotaxime보다 적음. 4) Tmax : 1hr(IM) $T\frac{1}{2}$: 1.2~2.3hrs 배설 : 신장(90%), 담즙(0.2~7.8%) 혈액 및 복막투석 시 배설	1) 1~10% - 발열 - 발진, 두드러기 - 호산구 증가, 혈소판 증가 - transaminse 상승 - 정맥염, 주사부위 통증 등의 국소 반응	〈금기〉 1) Lidocaine 등의 anilide계 국소마취제에 과민한 환자(IM만 해당) 〈주의〉 1) Penicillin계 또는 cephem계 항생물질에 과민한 환자 2) 기관지천식, 발진, 두드러기 등 allergy 증상 일으키기 쉬운 환자 3) 중증 신장애 환자 4) 고령자 등 경구 섭취 불량자(Vit. K결핍 유발 우려) 5) 위장관질환 병력(대장염 등) 6) IM : IV가 곤란한 경우에만 이용 7) 사전에 피부 반응 검사 실시 8) 당뇨검사, Coomb's test에서 위양성 나타낼 수 있음 9) 임신부 : Category B 10) 수유부 : 모유로 이행

약품명 및 함량	용법	약리작용 및 효능	부작용	주의 및 금기
		〈취급상 주의〉 1) 주사액의 조제 ① IV – IV bolus: 주사용수, NS, 5DW로 재구성하여 천천히 IV – IV infusion: 5DW, NS, 아미노산 수액에 희석 후 30분~2시간 투여 ② IM: 250mg, 500mg을 0.5% lidocaine 또는 주사용수 2ml, 1g은 3ml에 녹여 주사 2) 용해 후 안정성: 실온 12hrs, 냉장 48hrs 안정(시간이 경과할수록 침전 형성 가능)		11) 6개월 미만 소아 : 안전성 미확립 〈상호작용〉 1) 이뇨제 : 신독성 증가 〈약리작용 및 효능〉란에 계속
Ceftriaxone sodium Ceftriaxone inj 세프트리악손주 …1g/V …2g/V Triaxone inj 트리악손주 …500mg/V **Ceftriaxone sodium, Normal saline** Triaxone inj –type II (Mapset kit) 트리악손주(Type 2) …1g/100ml/kit …2g/100ml/kit	1) 성인 및 12세 이상 소아 – 1~2g qd IV, IM – 중증 : 4g/D로 증량 – 임질 : 250mg 단회 IM 2) 소아 – 신생아(~생후 14일) : 20~50mg/kg qd(Max. 50mg/kg) – 생후 15일~12세 : 20~80mg/kg qd (50mg/kg 이상 IV시는 최소 30분 이상 투여) – 세균성 수막염 : 초기용량 100mg/kg qd, 이후 감량 가능(Max. 4g/D) 3) 수술 전 · 후 감염 예방 : 수술 30~90분전 1~2g 단회 투여 * 신기능에 따른 용량 조절 참고 – CrCl(ml/min) : 용량 ① ≤10 : Max. 2g/D ② 투석 환자 : 추가투여 필요없으나, 용량조절 여부 결정하기 위해 혈중 농도 측정	1) 3세대 반합성 광범위 cephalosporin계 항균제 2) β–lactamase에 매우 안정함. 3) 상용량 투여시 살균농도가 24시간 지속 4) Tmax : 30mins(IV), 1~3hrs(IM) $T_{1/2}$: 5.6~8.7hrs 대사 : 장벽 배설 : 신장(33~67%), 담즙(35~45%) 〈취급상 주의〉 1) 주사액의 조제 ① IV – IV bolus : 주사용수로 재구성(농도: 100mg/ml)하여 2~4분간 투여 – IV infusion : 2g을 5DW, 10DW, NS 등 희석가능액 40ml에 희석하여 30분 이상 투여 ② IM : 500mg을 1% lidocaine 2ml, 1g은 3.5ml에 녹인 후 투여 2) 용해 후 안정성 : 실온 6hrs, 5℃에서 24hrs 3) 배합금기 : 칼슘함유수액	1) 1~10% – 발진(2%) – 설사(3%) – 호산구증가(6%), 혈소판증가(5%), 백혈구감소(2%) – Transaminase 증가(3.1~3.3%) – 주사부위 통증, 근주 부위 종창, 발열 – BUN, creatinine 증가(1%) 2) 〈1% – 무과립구증, 아나필락시스, 빈혈, 기관지 경축, 칸디다증, 오한	〈금기〉 1) Cephalosporin계, penicillin계 항생물질에 과민한 환자 2) Lidocaine 등의 anilide계 국소마취제에 과민한 환자(IM만 해당) 3) 빌리루빈 결합 장애(황달, 산증 등)가 있는 신생아, 미숙아 4) 칼슘, 칼슘 함유 제품과 혼합하거나 48hrs 이내 투여 금지(∵ Ceftriaxone–Ca 침전 발생 위험) 〈주의〉 1) Cephem계 항생물질에 과민한 환자 2) 기관지천식, 발진, 두드러기 등 allergy 증상 일으키기 쉬운 환자 3) 중증 신장애 환자 4) 고령자 등 경구 섭취 불량자(Vit. K결핍 유발 우려) 5) 담즙폐쇄 유발 췌장염 보고 6) 사전에 피부 반응 검사 실시 7) 당뇨검사, Coomb's test에서 위양성 나타낼 수 있음 8) 임신부 : Category B 9) 수유부 : 모유로 이행 〈상호작용〉 1) 이뇨제 : 신독성 증가 〈약리작용 및 효능〉란에 계속

약품명 및 함량	용법	약리작용 및 효능	부작용	주의 및 금기
Cefoperazone sodium + Sulbactam sodium **Cepobactam inj** 세포박탐주 …0.5+0.5g/V	1) 성인 - 2~4g #2 IV - 중증 : 8g #2 IV 2) 소아 - 40~80mg/kg/D #2~4 IV - 중증 : 160mg/kg/D #2~4 IV	1) 3세대 cepha계인 cefoperazone과 β-lactamase 억제제인 sulbactam의 상승작용으로, cefoperazone의 내성균에도 항균력 있음. 2) Cefoperazone은 cefotaxime과 유사한 항균력과 스펙트럼을 가짐. P.aeruginosa에 대한 항균력은 cefotaxime 보다 큼. 3) $T\frac{1}{2}$: 2hrs 배설 : (Cefoperazone) 대부분 담즙(70~80%) (Sulbactam) 신장	1) 1~10% - 발진(2%) - 설사(3%) - 호중구 감소(2%), Hb, Hct 감소(5%), 호중구 증가(10%) - Transaminase 상승(5~10%)	〈금기〉 1) Cephalosporin계 항생물질에 과민한 환자 〈주의〉 1) Penicillin계 또는 cephem계 항생물질에 대해 과민한 환자 2) 기관지천식, 발진, 두드러기 등 allergy 증상 일으키기 쉬운 환자 3) 중증 간, 신장애 환자 4) 고령자 등 경구 섭취 불량자(Vit. K결핍 유발 우려) 5) Clostridium difficile에 의한 설사(CDAD) 발생 주의 6) 사전에 피부 반응 검사 실시 7) 당뇨검사, Coomb's test에서 위양성 나타낼 수 있음 8) 임신부 : 안전성 미확립 - Cefoperazone : Category B - Sulbactam : 안전성 미확립 9) 수유부 : 모유로 이행 10) 미숙아, 신생아 : 안전성 미확립 〈상호작용〉 1) 이뇨제 : 신독성 증가 〈취급상 주의〉 1) 실온보관 2) 용해 후 안정성 : 실온 6hrs, 냉장 48hrs

약품명 및 함량	용법	약리작용 및 효능	부작용	주의 및 금기
Cefepime HCl hydrate Maxipime inj 맥스핌주 …1g/V	1) 성인 및 12세 이상 소아 : 1~2g/D #2 IV, IM - 중증 : 4g/D #2 - 호중구감소증, 발열: 6g/D #3 2) 2개월~12세 미만 소아(40kg 이하) : 50mg/kg q 8hrs (Max. 2g q 8hrs) 3) 복강내 수술 감염 예방 : 수술 1시간 전 2g 30분간 IV inf. * 신기능에 따른 용량 조절 참고 - CrCl(ml/min) : 용량 1) 12세 이상(일반/중증/호중구감소증) - 30~60 : 0.5~1g q 24hrs/2g q 24hrs/2g q 12hrs - 11~29 : 0.5g q 24hrs/1g q 24hrs/2g q 24hrs - ≤10 : 0.25g q 24hrs/0.5g q 24hrs/1g q 24hrs 2) 2개월~12세 미만 - 30~60 : 50mg/kg q 12hrs - 11~29 : 50mg/kg q 24hrs - ≤10 : 25mg/kg q 24hrs	1) 4세대 cepha계 항균제 2) 3세대 cepha계에 비해 G(+)에 대한 항균력과 β-lactamase에 대한 안정성이 증가되고, 양성이온으로서 세균외막의 침투력이 증가됨. 3) 패혈증, 하기도 감염증, 중증폐렴, 요도감염증에 사용함. 4) $T\frac{1}{2}$: 2hrs 대사 : 간(일부) 배설 : 신장(70~99%) 혈액투석 시 배설	1) 〉10% - Coomb's test 위양성 2) 1~10% - 발진, 두드러기 - 설사, 오심, 구토 - 발열, 두통 3) 〈1% - 무과립구증, 아나필락시스, 백혈구 감소, 혈소판 감소	〈금기〉 1) L-arginine, cephalosporin계, penicillin, β-lactam계 항생물질에 과민한 환자 〈주의〉 1) 기관지천식, 발진, 두드러기 등 allergy 증상 일으키기 쉬운 환자 2) 중증 간, 신장애 환자 3) 고령자 등 경구 섭취 불량자(Vit. K결핍 유발 우려) 4) 위장관질환 병력(대장염 등) 5) 사전에 피부 반응 검사 실시 6) 당뇨검사, Coomb's test에서 위양성 나타낼 수 있음 7) 임신부 : Category B 8) 수유부 : 모유로 이행 9) 2개월 미만 영아 : 안전성 및 유효성 미확립 〈상호작용〉 1) 이뇨제 : 신독성 증가 2) 고용량 AGs : 신, 이독성 증가 3) Aspirin, DL-lysine : 마비성 장폐색, 전신발진, 범혈구 감소 유발 〈취급상 주의〉 1) 주사액의 조제 ① IV - IV bolus : 0.5g당 5ml에 녹여 3~5분간 천천히 투여 - IV infusion : 5/10DW, NS, 링거액으로 희석, 30분~1시간 투여 ② IM : 500mg당 주사용수, NS, 0.5% 또는 1% lidocaine 1.5ml에 녹여 주사

약품명 및 함량	용법	약리작용 및 효능	부작용	주의 및 금기
Teicoplanin	1) 성인 ① 중등도감염	1) Glycopeptide계 항균제로 peptidoglycan polymerization을 저해하여 세포벽 합성을 저해함.	- 발적, 국소통증, 혈전정맥염	〈주의〉 1) Glycopeptides, aminoglycosides, vancomycin에

약품명 및 함량	용법	약리작용 및 효능	부작용	주의 및 금기
Teicocin inj 테이코신주 …200mg/V …400mg/V	- 초기 : 400mg 1회 IV - 유지 : 200mg qd IV, IM ② 중증감염 - 초기 : 400mg q 12hrs 3회 IV - 유지 : 400mg qd IV, IM ③ 기타 - ≥85kg: (중등도) 3mg/kg/D, (중증) 6mg/kg/D - 중증 화상 시 감염, 황색포도구균성 심내막염 등 : 12mg/kg/D 2) 소아 - 신생아: 16mg/kg 1회 투여 후 8mg/kg qd IV inf. - 14세 미만 : 6mg/kg q 12hrs 3회 투여 후 3mg/kg qd(중증: 6mg/kg/D) 3) IM, IV, IV inf. 가능 * 신기능에 따른 용량 조절 참고 (투여 5일째부터 용량조절 고려) - CrCl(ml/min) : 용량 1) 40~60: 상용량 EOD or 50%로 감량 2) ≤40: 상용량 q 3days or 1/3로 감량	2) Vancomycin과 작용 및 spectrum이 유사하나 반감기가 길고($T\frac{1}{2}$:20~77hrs) IM 투여가 가능함. 3) G(+) 즉, Staphylococci, Streptococci, Enterococci, anaerobic에 유효 4) 적응증 ① Penicillin이나 cephalosporin 등의 항생물질로 치료될 수 없는 감염증을 비롯한 잠재적으로 중증의 그람양성 감염증 ② Penicillin이나 cephalosporin을 투여할 수 없거나 반응하지 않는 환자, 또는 다른 항생물질에 내성인 포도구균에 의한 감염증을 가진 환자에서의 중증의 포도구균 감염증 ③ 피부 및 연조직 감염증, 요로감염증, 하부 호흡기 감염증, 골 · 관절감염증, 패혈증, 심내막염 및 지속성 외래복막 투석에 의한 복막염 5) Tmax : IM 2~4hrs IV 투여 종료시 $T\frac{1}{2}$: 90~157hrs 배설 : 신장(42~58%) 투석으로 제거 안됨.	- 발진, 가려움증, 발열, 기관지경축, 아나필락시스 반응 - 오심, 구토, 설사 - 호산구증가, 백혈구 및 호중구 감소, 혈소판감소 및 증가 - 혈청 transaminase, ALP 증가 - 혈청 creatinine의 일과성 상승 - 현훈, 두통 - 가벼운 청력소실, 전정 장애, 이명	의한 과민증, 난청 병력 환자 2) 신, 간장애 환자 3) 고령자 4) 신기능, 청력 정기적 모니터링 5) 임신부 : Category B3(호주) 6) 수유부 : 안전성 미확립 〈취급상 주의〉 1) 용해 후 안정성 : 냉장(4℃) 24hrs 2) 증류수를 vial에 천천히 가한 후 거품이 생기지 않도록 주의하면서 분말이 완전히 용해될 때까지 vial을 부드럽게 굴려줌. 용해시 거품 생기면 거품이 가라 앉도록 약 15분간 방치 (주사액 조제법은 제품설명서 참조)
Vancomycin HCl Vancozin cap 반코진캡셀 …250mg/C Vancomycin HCl inj 반코마이신염산염주 …500mg/V …1g/V	(경구제/주사제 적응증 상이함) * 경구제(Max. 2g/D) 1) 성인 : 0.5g~2g/D #3~4, 7~10일간 2) 소아 : 40mg/kg/D #3~4, 7~10일간 * 주사제 1) 성인 : 500mg q 6hrs or 1g q 12hrs 2) 소아 - 신생아 : (~1주일) 10mg/kg q 12hrs, (1주일~1개월) q 8hrs - 유아 : 10~15mg/kg q 12hrs	1) Streptomyces orientalis에서 유도된 glycopeptide계 항균제 2) 세균의 세포벽, 세포막 및 RNA 합성을 저해하여 살균작용을 나타냄. 3) G(+)균 특히 methicillin resistant S. aureus & Epidermidis와 Enterococci, S.pneumonia에 유효함. 4) 중증 Staphylococci(methicillin 내성균 포함) 감염에 PC계나 Cepha계 약물 치료에 실패한 경우에 한하여 사용함.	* 경구제 1) 〉10% - 쓴맛, 오심, 구토, 구내염 2) 1~10% - 오한, 발열, 호산구증가증 * 주사제 1) 〉10% - 저혈압	〈주의〉 1) Peptides, aminoglycosides계 항생물질에 의한 과민증, 난청 병력 2) 간장애, 전정기관 및 와우각 손상 환자 3) 신장애, 고령자: 신기능 모니터링 4) 미숙아, 신생아: 신장발달 단계이므로 $T\frac{1}{2}$ 연장에 의한 고혈중농도 주의

약품명 및 함량	용법	약리작용 및 효능	부작용	주의 및 금기
	– 소아 : 10mg/kg q 6hrs 3) 투여방법 ① 간헐주입 : 최소 60분 이상 IV inf. ② 지속주입 : 24hrs 이상 IV inf. ③ 농도≤5mg/ml, 속도 ≤10mg/min 투여 ④ 최대농도 : 10mg/ml(고농도 투여시 주입관련 이상반응 증가) * 신기능에 따른 용량 조절 참고 – 제품설명서 참조	5) 적응증 – 경구제 : 포도구균에 의한 소장결막염 및 C. difficile에 의해 야기된 항생제 관련 위막성 대장염(투약시 상병명 확인) – 주사제 : 약제 감수성 결과지 및 투여소견서 첨부 ① 감염예방 목적 사용시 급여 불인정 (경험적 치료시 예외적 인정사항 : 신경외과 수술 후 중추신경계 감염, 대체삽입물 관련 골수염 또는 관절염, 인공호흡기 관련 폐렴, 안구내염, CAPD로 인한 복막염, 급성 세균성 뇌수막염, 심한 면역저하 환자의 중증 감염) ② MRSA, ORSA, coagulase negative Staphylococci에 의한 의미있는 감염, β-lactam계 내성 또는 과민반응을 보이는 G(+)균에 사용시 급여 인정 6) 약동학 자문 대상 약물임(주사제) 7) Tmax : IV 투여 종료시 $T\frac{1}{2}$: 4~6hrs 배설 : 신장(40~100%)	– Red neck or red man syndrome (얼굴, 목, 가슴 등에 홍반, 반점 상구진, 저혈압, 심정지, 경련) 2) 1~10% – 오한, 발열, 호산구 증가증	5) 청력 모니터링, 이명 나타나면 투여중단 6) 독성 : 고혈중농도 및 장기간 사용 시 증강 7) 장기투여 시 비감수성균의 과잉증식 가능 8) 임신부 : Category C 9) 수유부 : 모유로 이행, 수유중단 〈상호작용〉 1) 마취제, 신경/신독성 약제 : 부작용 증가 2) 항응고제 : 항응고 활성 증가 〈취급상 주의〉 1) 주사제 – 용해 후 냉장 96hrs 안정 – 일혈 및 혈전성 정맥염 주의 – Skin test 하지 않음(분자량이 매우 커 그 자체가 이물질로 반응, 거의 모두 양성반응 나타냄)

11장. 감염증치료제 ....2. Antibacterials ....(5) Macrolides & Lincosamides

약품명 및 함량	용법	약리작용 및 효능	부작용	주의 및 금기
Azithromycin Zithromax tab 지스로맥스정 …250mg/T	1) 45kg 이상 소아 및 성인 – Chlamydia에 의한 성병 : 1g 1회 투여 – 기타 적응증 ① 3일 요법 : 500mg qd 3일간 ② 5일 요법 : 첫날 500mg qd, 둘째날부터 250mg qd 4일간 2) 식사와 관계없이 복용 가능	1) Macrolide의 subclass인 azalide 계열 항균제 2) 50s ribosomal subunit과 결합하여 펩티드의 전위를 방해하여 세균의 단백질 합성을 억제 3) 적응증 : 하부 호흡기 감염(기관지염, 폐렴), 상부 호흡기 감염(부비강염, 인두염, 편도선염), 피부및 연조직 감염증, 중이염, Chlamydia trachomatis에 의한 단순 생식기 감염증	1) 1~10% – 설사, 오심, 복통, 복부경련, 구토 2) 기타 – 청력소실, 난청, 이명, 현기증 – 간기능 이상 – 혈관부종 – 식욕부진 – 심계항진, 심실성 빈맥	〈금기〉 1) Macrolide계, ketolide계 항생제에 과민한 환자 2) Ergot 유도체 투여 환자 : ergot 중독증 발현 가능 〈주의〉 1) 중증 신, 간장애 환자 2) 혈관부종, 아나필락시스 등의 allergy 반응 발현 가능 3) 임신부 : Category B 4) 수유부 : 모유로 이행 〈상호작용〉 1) 제산제 : 이 약의 혈중농도 감소

약품명 및 함량	용법	약리작용 및 효능	부작용	주의 및 금기
			- 관절통 - 과민반응	2) Digoxin의 혈중농도 상승 3) CsA의 혈중농도 상승 4) Warfarin : 출혈 경향 증가
Clarithromycin Clari tab 클래리정 …250mg/T Klaricid tab 클래리시드필름코팅정 …500mg/T Klaricid dry syr 클래리시드건조시럽 …25mg/ml Klaricid inj 클래리시드 정주 …500mg/V	* 경구제 1) 성인 : 250mg bid - 중증 : 500mg bid 7~14일간 - Mycobacteria 감염 : 500mg bid - H.pylori 박멸 : 500mg tid 14일간 2) 12세 미만 소아(시럽제) : 7.5mg/kg q 12hrs, 5~10일간 - Mycobacteria 감염 : 7.5~15mg/kg q 12hrs * 주사제 1) 성인 : 500mg bid IV inf. (60분 이상) - Mycobacteria 감염 : 1~2g bid IV inf. 2) 소아 - Mycobacteria 감염 : 7.5~15mg/kg bid IV inf. 3) 2~5일 투여 후 경구제로 대체 권장 * 신기능에 따른 용량 조절 참고 - CrCl≤30ml/min : 50% 감량 또는 투여간격 2배 연장	1) Macrolide계 항균제로 erythromycin의 유도체 2) Streptococcus, H. influenzae에 강한 항균력을 보임. 3) 폐렴에 roxithromycin과 효과 유사함. 4) BA : 50%(경구제) $T_{\frac{1}{2}}$: 3~7hrs(경구제) 대사 : 간(via CYP3A4) 배설 : 신장(20~40%)	- 구역, 소화불량(2%), 복통, 설사(3%) - 두통(2%), 피부발적 - 간효소치 증가 : 치료중단시 가역적 소실	〈금기〉 1) Macrolide계 항생제에 과민한 환자 2) Ergot 유도체 투여 환자 : ergot 중독증 발현 가능 3) 중증 간장애 환자 4) CNS 감염 환자 5) Mizolastine, bepridil 투여 환자 6) 임신부 : Category C(국내허가금기) 7) 수유부 : 모유로 이행, 수유중단 〈주의〉 1) 간기능장애, 중등도-중증 신부전, 심장질환 환자 2) 고령자 3) 타 항생물질, bromocryptine, cabergoline, pergolide, ebastine, tacrolimus, tolterodine, halofantrine 투여 환자 〈상호작용〉 1) Theophylline, carbamazepine, colchicine, CYP450 기질, HMG-CoA reductase의 혈중농도 증가 2) CYP450 대사 유도제 : 이 약의 혈중농도 감소 〈취급상 주의〉 1) 시럽제 : 흔들어서 복용 - 용해 후 15~30℃ 보관(냉장보관 금지), 14일 이내 사용 2) 주사제 : 차광보관 - 재구성 : 주사용증류수 10ml(보존제, 무기염함유 NS, 5DW 금기) - 희석 : 5DW, NS, 링거액 등 용액 250ml에 희석(약 2mg/ml) - 안정성 : (재구성액) 상온 24hrs, (희석액) 실온 6hrs, 냉장 24hrs

약품명 및 함량	용법	약리작용 및 효능	부작용	주의 및 금기
Clindamycin HCl Fullgram cap 훌그램캅셀 …150mg/C **Clindamycin Phosphate** Fullgram inj 훌그램주사 …300mg/A …600mg/A	* 경구제 1) 성인 - 150mg q 6hrs - 중증 : 300~450mg q 6hrs 2) 소아 - 8~16mg/kg #3~4 - 중증 : 16~20mg/kg #3~4 3) 구강 및 식도자극을 피하기 위해 (구내염, 식도 손상 유발) 충분한 양의 물과 복용 * 주사제 1) 성인 - 600~1,200mg #2~4 - 중증 : 1200~2700mg #2~4 2) 소아 ① 1개월 이하(신생아) - 15~20mg/kg #3~4 ② 1개월 이상 - 15~25mg/kg #3~4 - 중증 : 25~40mg/kg #3~4 3) 투여 : IM, IV inf.	1) Lincosamide계로 erythromycin과 유사한 항균작용을 가짐. 2) 많은 혐기성균 특히 B. fragilis에 대한 항균력은 erythromycin보다 큼. 3) Lung abscess엔 PC계 약물보다 효과적임. 4) Pelvic abscess, peritonitis에는 clindamycin+AGs가 PC/Ceph+AGs보다 효과적임.	- 위장관계 : 오심, 구토, 설사, 복통, 위막성 장염 - 과민반응 : 피진, 발진, 담마진, 발열 - 주사부위 통증, 혈전성정맥염 - AST, ALT, bilirubin상승, 혈구 감소, 신독성(핍뇨, 단백뇨)	〈금기〉 1) Lincomycin에 과민한 환자 〈주의〉 1) 고령자, 쇠약자 2) 대장염 병력 3) 간, 신장애 환자 및 병력 4) 아토피성 체질, 천식, 약물 등 기타 allergy 항원에 과민반응 병력이 있는 환자 5) 식도통과 장애 환자(경구제) 6) 중증 근무력증 환자 7) 임신부 : Category B 8) 수유부 : 모유로 이행, 수유중단 9) 비박테리아성 상기도 감염증, 경미한 세균감염증, 수막염에 투여하지 않음 〈취급상 주의〉 1) 주사제 - 급속한 IV 투여로 저혈압, 심정지를 유발할 수 있어 10~60분간 천천히 IV infusion(bolus금지) - NS, 5DW 등으로 18mg/ml 이하로 희석, 30mg/min 이하의 속도로 투여 - 희석 후 안정성 : 실온 48hrs
Erythromycin estolate Ilosone syr 아이로손시럽 …25mg/ml	1) 상용량 - 성인 : 250mg qid (Max. 4g/D) - 소아 : 20~50mg/kg/D 2) 연쇄구균감염증 : 20~50mg/kg/D 3) 류마티스성 심질환 병력 환자의 연쇄구균 감염 예방 : 250mg bid 4) 알파 용혈성연쇄구균에 의한 심내혈막염 예방 - 성인 : 수술 1시간 전 1g 6시간 후 500mg - 소아 : 수술 1시간 전 20mg/kg 6시간 후 10mg/kg	1) Macrolide계 약물로 저용량에서는 정균, 고용량에서는 살균작용을 가짐. 2) G(+) : Staphylococcus., Diphtheria, Legionnaires' Dz., Mycobacterium fortuitum, Campylobacter jejuni에 특히 유효함. 3) $T_{\frac{1}{2}}$: 1~3hrs 대사 : 간(demethylation) 배설 : 신장(2~5%), 담즙(major)	1) >10% - 복통, 복부경련, 오심, 구토 2) 1~10% - 구강간디다, 담즙정체성 황달, 주사부위 정맥염, 과민반응	〈금기〉 1) Terfenadine, astemizole, mizolastine, cisapride, pimozide, ergotamine derivatives, chloramphenicol, clindamycin, lincomycin, HMG-CoA reductase inhibitor 병용 금기 〈주의〉 1) 간, 신부전 환자 2) 위막성 장염 발생 가능 3) 임신부 : Category B 4) 수유부 : 모유로 이행 〈상호작용〉 1) Carbamazepine, CsA, prednisolone, theophylline,

약품명 및 함량	용법	약리작용 및 효능	부작용	주의 및 금기
	5) 백일해 : 40~50mg/kg/D, 5~14 days 6) 임질 : 500mg qid, 7일간 7) 매독 : 20g을 10일 이상 분할 투여 8) 아메바성 이질 : 10~14일간 투여 – 성인: 250mg qid – 소아: 30~50mg/kg/D			tacrolimus의 혈중농도 상승 2) Chloramphenicol, clindamycin과 길항작용 3) Azathioprine의 제거율 변화
Roxithromycin Rulid tab 루리드정 …150mg/T Rulid D tab 소아용루리드현탁정 …50mg/T	1) 성인 및 체중 40kg 초과 소아 – 150mg bid – 폐렴 : 300mg qd 2) 소아 : 5~8mg/kg/D #2 또는 다음 용량을 물에 타서 복용 ① 6~11kg : 25mg bid ② 12~23kg : 50mg bid ③ 24~40kg : 100mg bid 3) 간기능 이상시 용량 조절 고려 *신기능에 따른 용량 조절 참고 – CrCl <15ml/min : 투여간격 2배로 늘림	1) 반합성 macrolide로 erythromycin과 유사함. 2) S. pyogenes, Chlamydia, Mycoplasma, H. influenza에 유효함. 3) Erythromycin 보다 반감기가 길며 부작용이 적음. 4) $T\frac{1}{2}$: 12hrs	– 오심, 구토, 위통, 설사 – 알레르기성 피부 반응 – ALT, AST 상승 – 호산구 증가, 혈소판 감소증, 발열, 기침, 호흡곤란	〈금기〉 1) Macrolide계 항생제에 과민한 환자 2) Ergot 유도체, mizolastine 투여 환자 3) Terfenadine, astemizole cisapride, pimozide 투여환자 〈주의〉 1) 심한 간장애, 간경변, 고령자에서 반감기가 길어짐. 2) 임신부 : Category B1(호주) 3) 수유부 : 모유로 이행, 수유중단 〈상호작용〉 1) Theophylline의 혈중농도 상승 〈취급상 주의〉 1) 현탁정 : 스푼에 물을 담고 약이 붕해되도록 30~40초간 기다린 후, 1분 이내에 복용 (∵시간이 지날수록 감미제가 녹아서 쓴 맛)
Telithromycin Ketek tab 케텍정 …400mg/T	1) 성인(18세 이상) : 800mg qd, 식사와 관계없이 복용 – 지역사회 획득성 폐렴 : 7~10일간 * 신기능에 따른 용량 조절 참고 – CrCl(ml/min)<30 : 50%로 감량 – 혈액투석 환자 : 투석 당일은 투석 종료 후 투여	1) Ketolide계열 항균제 2) 작용기전과 항균스펙트럼은 Macrolides와 유사하나, Macrolides에 비해 리보솜에 대한 친화력이 증가되고, multiresistant S.pneumoniae*, MSSA, Erythromycin-susceptible S.aureus, H.influenzae, Moraxella catarrhalis, Chlamydia pneumoniae, Mycoplasma pneumonia에 대한 항균력이 증가됨. (* multiresistant S.pneumoniae: penicillin에 내성을 보이며, penicillins, 2세대 cephalosporins, macrolides, tetracyclines, S-BTR 중 2가지 이상에 내성을 보이는 S. pneumoniae) 3) 적응증 : 경증 또는 중등증의 지역사회 획득성 폐렴 4) BA : 57%	1) ≥2% – 두통(2~6%), 현기증(3~4%) – 설사(10%), 오심(7~8%), 구토(2~3%), 묽은 변(2%) 2) 0.2~2% – 현기증, 피로, 졸음, 불면 – 발진 – 복부팽만, 복통, 식욕부진, 변비, 소화불량, 고창, 위염,	〈금기〉 1) Macrolide계 항생제에 과민한 환자 2) QT 간격 연장 위험 환자 3) 유당 관련 대사장애 환자 4) Ergot 유도체, pimozide, astemizole, cisapride, terfenadine, simvastatin, atorvastatin 병용금기 5) 중증 간,신장애 환자에서 강력한 CYP3A4 저해제 병용 금기(중증 간, 신기능장애) 6) 중증 근무력증 환자 〈주의〉 1) QT 간격관상동맥질환, 심실성 부정맥의 기왕력자, 치료되지 않은 저칼륨혈증 및 저마그네슘혈증, 서맥 환자(∵ QT 간격 연장) 2) 간기능장애

약품명 및 함량	용법	약리작용 및 효능	부작용	주의 및 금기
		Tmax : 1~2.5hrs Protein binding : 60~70% 대사 : 간(37%) 배설 : 대변(75%), 신장(12~14%)	위장염, GI upset, 설염, 구내염, 수성변, 구강건조 – 질 칸디다증 – 혈소판 증가증 – ALT/AST 상승, 간염 – 시야흔미, 조절 지연, 복시 – 칸디다증, 발한증가, 중증근무력증 악화	3) 임신부 : Category C (동물실험에서 생식독성) 4) 수유부 : 동물실험에서 유즙 분비 5) 소아 : 안전성, 유효성 미확립 〈상호작용〉 1) CYP3A4기질의 혈중농도 증가 2) CYP3A4저해제 : 이 약의 혈중농도 증가 3) CYP3A4유도제 : 이 약의 혈중농도 감소 4) Warfarin : 출혈 경향 증가 5) Theophylline : GI 부작용 증가 6) QT 간격 연장시킬 수 있는 약물 병용 시 심장 독성 증가 7) Statins : 근병증 발생 위험

약품명 및 함량	용법	약리작용 및 효능	부작용	주의 및 금기
Linezolid Zyvox tab 자이복스정 …600mg/T Zyvox inj 자이복스주 …600mg/300ml/bag	1) 만12세 이상 소아 및 성인 ① HAP, CAP, 피부/연조직 감염(합병증 동반) : 600mg q 12hrs IV inf., PO(10-14일) ② 피부/연조직 감염(합병증 X) : 성인 400㎎(만12~17세 600mg) q 12hrs PO(10-14일) ③ VREF 감염 : 600mg q 12hrs IV inf., PO (14-28일) ④ MRSA : 600㎎ q 12hrs IV inf., PO 2) 신생아~만 11세(투여일: 성인과 동일) ① HAP, CAP, 피부/연조직 감염(합병증 동반), VREF 감염: 10mg/kg q 8hrs IV inf., PO ② 피부/연조직 감염(합병증 X): 10mg/kg을 다음 투여간격에 따라 PO 투여	1) Oxazolidinone 계열의 항생제 2) 박테리아 단백합성의 첫번째 단계인 initiation complex의 형성을 억제하여, Staphylococci, Streptococci, Enterococci 등의 G(+)균 특히, 다제내성균주에 강한 활성을 가짐. 3) 적응증 : 원내감염 폐렴(HAP), 지역감염 폐렴(CAP), 합병증을 동반하거나 동반하지 않은 피부 및 연조직 감염, VREF (Vancomycin-resistant E. facium) 감염 ※ (허가사항 범위 초과) 광범위내성 결핵 및 다제내성결핵 중 항결핵 치료제 1~4군 약제로는 효과가 부족하거나 치료제를 구성하기 어려운 경우, 전액 본인부담 4) Onset : 경구 투여시 36~60hrs BA : 경구 투여시 100% $T_{\frac{1}{2}}$: 5hrs 대사 : 간(50~70%)	1) 1~10% – 오심(3~10%), 설사(3~11%), 구토(1~4%), 변비(2%), 미각변화(1~2%), 혀의 변색(0.2~1%), 구강칸디다증(0.4~ 1%), 췌장염 – 고혈압(1~3%) – 두통(0.5~11%), 불면(3%), 발열(2%), 현기증(0.4~2%) – 발진(2%) – 질칸디다증(1~2%) – 혈소판감소증(0.3~10%), 빈혈, 백혈구	〈금기〉 1) MAO 억제제 복용중 or 2주 이내 복용한 환자 2) 혈압의 잠재적 상승에 대해 모니터링 하지 않는 환자 3) Adrenergic or Serotonergic agent 투여 환자 〈주의〉 1) 골수억제, 타 항생제 투여력 있는 만성 감염 환자 2) Tyramine 다량 함유된 음식 피하도록 함.(∵혈압 상승 위험) 3) 중증 신장애 환자 4) 체중 40kg 미만 환자 5) 임신부 : Category C 6) 수유부 : 동물실험에서 유즙 분비, 수유중단 〈상호작용〉 1) 교감신경흥분제(dopamine, epinephrine, pseudoephedrine, phenylpropanolamine) : 혈압

약품명 및 함량	용법	약리작용 및 효능	부작용	주의 및 금기
	- 〈만5세: q 8hrs - 만5~11세: q 12hrs 3) 30분~2시간동안 IV inf. 4) IV에서 PO로 전환 시 용량조절 불필요	배설 : 신장(10~40%, 대사체)	감소증, 호중구감소증 (2주이상 투여 환자에서 골수억제 부작용 많이 발생함) - 간효소수치 이상 (0.4~1%) - 진균감염(0.1~2%)	상승 반응(pressor response) 증가 2) 세로토닌제(SSRIs 등) : 드물게 serotonin syndrome(혈압상승, 고열, 정신상태변화) 발생 보고 〈취급상 주의〉 1) 주사제 - 수액에 희석된 상태로 희석 불필요하나 다음 수액과 배합 가능함(5DW, NS, lactated 링거액) - 시간 경과에 따라 약액의 노란색이 진해질 수 있으나 약효와 무관

약품명 및 함량	용법	약리작용 및 효능	부작용	주의 및 금기
Benzathine Penicillin G Moldamin inj 몰다민주 …1.2MU/V	1) 연쇄구균 상기도염 ① 성인 : 1.2MU qd IM ② 소아 : 0.9MU qd IM ③ 유아 및 ≤27kg 소아 : 0.3~0.6 MU qd IM 2) 매독 ① 1, 2기 잠복기 매독 : 2.4MU IM, 단회투여 ② 3기(신경) 매독 : 2.4MU IM, 1주 간격으로 3회 투여 ③ 선천성매독 - 〈2세 : 5만U/kg IM - 2~12세 : 성인 용량에 따라 조절 3) 류마티스열 및 사구체 신염 방지 : 1.2MU, 1개월 간격 IM 또는 0.6MU, 2주 간격 IM 4) 투여방법 : 1Vial당 NS 5ml에 녹여 IM * 신기능에 따른 용량 조절 참고	1) 작용기전 및 항균 스펙트럼은 penicillin G와 동일함 2) Penicillin G 제제 중 가장 지속형임 3) Tmax : 12~24hrs 지속시간 : 1~4wks	- 발작, 착란, 졸음, 간대성근경련, 발열 - 발진 - 전해질 불균형 - Coomb' 양성 반응 - 국소통증, 혈전성 정맥염 - 급성 간질성 신염 - 아나필락시스, 과민반응, Jarisch-Herxheimer 반응	〈금기〉 1) Penicillin계 항생물질에 과민한 환자 〈주의〉 1) 다른 β-lactam계 항생물질에 과민한 환자 2) 기관지천식, 발진, 두드러기 등 allergy 증상 일으키기 쉬운 환자 3) 신장애 환자 (감량, 투여간격 연장) 4) 사전에 피부 반응 검사 실시 5) 장기 투여 시(특히 고용량) 혈액, 신기능 검사를 정기적으로 할 것 6) 임신부 : Category B 7) 수유부 : 모유로 이행 〈상호작용〉 1) Probenecid : 이 약의 배설 지연 2) 경구 피임약의 효과 감소 〈취급상 주의〉 1) IV, SC 금기

약품명 및 함량	용법	약리작용 및 효능	부작용	주의 및 금기
	- GFR(ml/min) : 용량 ① 50~10 : 상용량의 75% ② <10 : 상용량의 20 ~50%			
Penicillin G potassium Penicillin G K inj 주사용페니실린지칼륨 …5MU/V (potassium 8.5mEq/V 함유)	* KFDA 허가사항 1) 성인 : 0.3~0.6MU bid~qid IM, IV - 수막염, 패혈증, 세균성 심내막염: 상용량보다 증량(5~10MU) - 투여 : (≥10MU) IV, (≥20MU) IV inf. only * 문헌상 용법 1) 성인 : 2~30MU/D #4~6 2) 소아 ① 신생아 : 0.025~0.05MU/kg, 다음 투여간격에 따라 - ≤1주 : (<2kg) q 12hrs, (≥2kg) q 8hrs - ≥1주 : q 6~8hrs ② ≥1개월 소아 : 0.1~0.25MU/kg/D (중증 : 0.25~0.4MU/kg/D) #4~6(Max. 24MU/D) * 신기능에 따른 용량 조절 참고 - GFR(ml/min) : 용량 ① 50~10 : 75%로 감량 ② <10 : 20~50%로 감량 - CrCl(ml/min) : 용량 ① >10 : 50% 감량, q 4~5hrs ② <10 : 50% 감량, q 8~10hrs	1) 세포벽 mucopeptide 합성을 억제함으로써 살균작용을 나타냄. 2) G(+) 구균 : 포도상구균(β-lactamase 생성균 제외), 연쇄상구균, 폐렴구균 등에 효과적임. 3) 수용성이므로 속효성과 높은 농도가 요구되는 중증 감염증에 사용함. 4) β-lactamase에 불안정함. 5) 정상상태에서는 BBB 통과율 낮으나 수막염과 같은 염증상태에서는 통과율 증가함. 6) 단백결합률 : 65% Tmax : ~30mins(IM), ~1hr(IV) $T_{\frac{1}{2}}$: 신생아(6일이내) 3.2~3.4hrs (7~13일) 1.2~2.2hrs (14일이상) 0.9~1.9hrs 성인 및 소아 : 20~50mins ESRD : 3.3~5.1hrs 배설 : 신장	- 발작, 착란, 졸음, 간대성근경련, 발열 - 발진 - 전해질 불균형 - Coomb' 양성 반응 - 국소통증, 혈전성 정맥염 - 급성 간질성 신염 - 아나필락시스, 과민반응, Jarisch-Herxheimer 반응	〈금기〉 1) Penicillin계 항생물질에 과민한 환자 〈주의〉 1) 다른 β-lactam계 항생물질에 과민한 환자 2) 기관지천식, 발진, 두드러기 등 allergy 증상 일으키기 쉬운 환자 3) 신장애 환자(감량, 투여간격 연장) 4) 사전에 피부 반응 검사 실시 5) 장기 투여 시(특히 고용량) 혈액, 신기능 검사 정기 시행 6) 임신부 : Category B 7) 수유부 : 모유로 이행 〈상호작용〉 1) Probenecid : 이 약의 배설 지연 2) 경구피임약의 효과감소 〈취급상 주의〉 1) 조제법 : 1vial 당 8.2ml의 주사용수, NS 등으로 재구성(총 10ml), 필요시 NS, 5DW로 희석 2) IM : 0.1MU/ml이하 농도 투여 3) IV : 고용량 투여시 적합(희석농도: 0.05~1MU/ml) - 10MU 이상 투여 : electrolyte imbalance 고려하여 천천히 IV - 20MU 이상 투여 : contunuous IV inf. (하루 필요 수액량(ex.1~2L)에 희석하여 투여) - Intermittent IV : 0.05~0.1MU/ml 농도로 15~30분간 투여

약품명 및 함량	용법	약리작용 및 효능	부작용	주의 및 금기
Nafcillin sodium Nafcillin sodium inj 나프실린나트륨주 …1g/V	1) 성인 - 500mg q 4~6hrs IM 또는 q 4hrs IV - 중증 : 1g q 4hrs IM 또는 IV 2) 소아(≤체중 40kg) : 25mg/kg bid IM 3) 신생아 : 10mg/kg bid IM	1) Penicillinase-resistant penicillin 2) 박테리아의 세포벽 합성을 억제하여 살균작용을 나타내며, 포도상구균(Staphylococcus aureus)에서 생성되는 penicillinase에 의해 분해되지 않음. 3) Tmax : 1hr(IM), 5mins(IV) $T_{\frac{1}{2}}$: 신생아(〈 3주) 2.2~5.5hrs (〈 4~9주) 1.2~2.3hrs 소아(3~14세) 0.75~1.9hrs 성인(정상 간 · 신기능) 0.5~1.5hrs 대사 : 간(60~70%) 배설 : 대변, 신장(31~38%)	(빈도 미확립) - 통증, 열 - 오심, 설사 - 무과립구증, 골수억제, 호중구감소증 - 주사부위 반응(통증, 부종, 염증, 정맥염, 딱지형성, 혈전성정맥염) - 급성 간질성 신염 - 발진, 과민반응	〈금기〉 1) Penicillin계 및 Cephalosporin계 항생물질에 과민한 환자 〈주의〉 1) 중증 신, 간장애 환자 (용량 조절 필요) 2) 신생아에 있어 배설 속도 느림. 3) 장기간 사용시 혈액, 간 · 신장 검사를 정기적으로 할 것 4) 고령자 : IV 시 혈전성정맥염 유발 가능, 단기간 치료(24~48시간)에 사용 5) 임신부 : Category B 6) 수유부 : 모유로 이행 〈상호작용〉 1) 이 약은 CYP3A4 유도제로서, CsA, nifedipine 등의 약효를 감소시킴. 2) Warfarin : 항혈전 효과감소 〈취급상 주의〉 1) 실온보관 2) 조제법 ① IM : 1g 당 주사용수나 NS 3.4ml로 재구성(전량 4ml, 최종농도 250mg/ml) - 안정성: 실온 3일, 냉장 7일 ② IV : 필요량을 15~30ml의 주사용수나 NS에 희석 후 5~10분간 주사 - 안정성 : 실온 8hrs, 냉장 48hrs

약품명 및 함량	용법	약리작용 및 효능	부작용	주의 및 금기
Amoxicillin Amoxapen cap 아목사펜캡셀	1) 성인 및 20kg 이상 소아 : 250~500mg tid 2) 20kg 미만 소아 : 20~40mg/kg/D #3	1) 반합성 PC제제로 ampicillin과 유사한 항균 스펙트럼을 가짐. 2) Ampicillin보다 흡수가 잘되어 식사와 무관하게 복용 가능함.	- 과행동, 강박, 불안, 불면, 착란, 발작, 행동이상, 현기증 - 반점구진성 홍반성	〈금기〉 1) Penicillin계 및 cephalosporin계 항생물질에 과민한 환자 2) 전염단핵구증 환자

약품명 및 함량	용법	약리작용 및 효능	부작용	주의 및 금기
…250mg/C …500mg/C	* 신기능에 따른 용량 조절 참고 – CrCl 10~30ml/min : 250~500 mg q 12hrs – CrCl <10ml/min : 250~500mg q 24hrs	3) Penicillin G 내성균에도 유효하며, ampicillin보다 Salmonella typhi에 강함. 4) BA : 75~90%(ampicillin보다 설사가 덜함), 신속, 용이 $T_{\frac{1}{2}}$: (신생아) 3.7hrs (유 · 소아) 1~2hrs (성인) 0.7~1.4hrs (CrCl<10ml/min) 7~21hrs 배설 : 신장(60%, 미변환체)	발진, 다형홍반, 스티븐스존슨증후군, 박탈성피부염, 독성표피괴사증, 과민성 혈관염, 두드러기 – 오심, 구토, 설사, 출혈성대장염, 위막성대장염 – 빈혈, 용혈성빈혈, 혈소판감소, 혈소판감소성자반증, 호산구증가, 백혈구감소, 무과립구증 – AST/ALT 상승, 담즙정체성 황달, 담즙 정 체 , acute cytolytic hepatitis	〈주의〉 1) Cephem계 항생물질에 과민한 환자 2) 기관지천식, 발진, 두드러기 등 allergy 증상 일으키기 쉬운 환자 3) 중증 신장애 환자 4) 고령자 등 경구 섭취 불량자(Vit. K결핍 유발 우려) 5) 장기투여시 혈액 · 간 · 신장검사를 정기적으로 할 것 6) 당뇨검사에서 위양성 나타낼 수 있음 7) 임신부 : Category B 8) 수유부 : 모유로 이행 9) 저체중출생아, 신생아 : 안전성 미확립 〈상호작용〉 1) Probenecid : 배설 지연으로 혈중농도 지속 2) Allopurinol : 피진의 부작용이 증가됨(15~22%). 3) Sulfasalazine의 AUC 감소
Ampicillin sodium Penbrex inj 펜브렉스주 …500mg/V	1) 성인 – 250mg~1g bid~qid IM – 중증 : 1~2g #1~2 IV, IV inf. 2) 소아 : 25~400mg/kg/D #3~4 * 신기능에 따른 용량 조절 참고 – CrCl(ml/min) : 투여간격 ① >50 : q 6hrs ② 10~50 : q 6~12hrs ③ <10 : q 12~24hrs	1) 반합성 penicillin 제제 2) G(+) 및 G(−)균 일부(E. coli, H. influenza 등)에 살균작용을 나타냄. 3) β-lactamase에 불안정함. 4) Tmax : 1~2hrs(PO) $T_{\frac{1}{2}}$: 신생아(2~7일) 4hrs (8~14일) 2.8hrs (15~30일) 1.7hrs 성인 및 소아 : 1~1.9hrs ESRD : 7~20hrs 배설 : 신장(90%, 미변환체)	1) >10% – 주사부위의 통증 2) 1~10% – 발진(과민반응과 구별) – 설사, 구토, 구강 칸디다증, 복부경련 – 과민반응 : 혈청병, 두드러기, 혈관부종, 기관지경축, 저혈압 등	〈금기〉 1) Penicillin계 및 cephalosporin계 항생물질에 과민한 환자 2) 전염단핵구증 환자 〈주의〉 1) 기관지천식, 발진, 두드러기 등 allergy 증상 일으키기 쉬운 환자 2) 중증 신장애 환자 3) 고령자 등 경구 섭취 불량자(Vit. K결핍 유발 우려) 4) 장기투여시 혈액, 간, 신장검사를 정기적으로 할 것 5) 주사전 문진 및 skin test를 할 것 6) 당뇨검사에서 위양성 나타낼 수 있음 7) 임신부 : Category B 8) 수유부 : 모유로 이행, 수유중단 〈상호작용〉 1) 경구용 피임제의 효과 감소

약품명 및 함량	용법	약리작용 및 효능	부작용	주의 및 금기
				2) Allopurinol : 피부 부작용 증가 3) Tetracycline, erythromycin, chloramphenicol : ampicillin의 작용을 길항 4) Probenecid : 혈중농도 지속
Amoxicillin+ Potassium clavulanate **Moxicle tab** 목시클정 …250+125(375)mg/T 500+125(625)mg/T **Moxicle syr** 목시클시럽 …25+6.25mg/ml **Moxicle inj** 목시클주 …500+100mg(0.6g)/V	* 정제 및 시럽제 (amoxicillin 용량) 1) 성인 및 12세 이상 or 40kg 이상 소아 : 250~500mg q 8hrs 2) 소아 : 20~40mg/kg/D #3 * 주사제(혼합물 함량) 1) 성인 및 12세 이상 소아: 1.2g q 8hrs, 중증시 q 6hrs IV 2) 3개월~11세 : 30mg/kg q 8hrs, 중증시 q 6hrs IV 3) ≤2개월 : 30mg/kg q 12hrs, 주산기이후 q 8hrs으로 증가 * 신기능에 따른 용량 조절 참고 – CrCl(ml/min) : 용량 1) 경구제 ① 10~30 : 투여간격 연장(q 12hrs) ② 〈10 : 125~250mg q 12hrs 2) 주사제 ① 10~30 : 초회 1.2g, 이후 600mg q 12hrs ② 〈10 : 초회 1.2g, 이후 600mg q 24hrs (투석중/후 600mg)	1) β–lactamase 억제제인 clavulanic acid로 인해 amoxicillin의 치료효과가 증대됨. 2) 정제는 film coating정으로 방습포장하여 건냉소에 보관함(산제로 조제불가) 3) 시럽은 위장관에서 흡수가 잘되며 위산에 대하여 안정함. 〈취급상 주의〉 1) 시럽제 : 조제 후 냉장 5일 안정(허가사항 7일) 2) 주사제 조제 – 재구성 : 주사용 증류수 – 희석 : NS (1vial 당 50ml) (1vial 당 10ml 주사용수로 용해 후 천천히 IV 또는 600mg당 NS 50ml에 희석하여 30~40분간 IV) – 안정성 : 재구성 후 20분 내 사용, 수액에 혼합 시 4시간 내 사용	1) 〉10% – 설사 2) 1~10% – 기저귀발진, 피부발진, 두드러기 – 묽은 변, 오심, 구토 – 질염 – 모닐리아증	〈금기〉 1) Penicillin계 및 cephalosporin계 항생물질에 과민한 환자 2) 전염단핵구증, 림프성백혈병 환자 〈주의〉 1) 중증 신, 간장애 환자 2) 기관지천식, 발진, 두드러기 등 allergy 증상을 일으키기 쉬운 환자 3) 고령자 등 경구 섭취 불량자(Vit. K결핍 유발 우려) 4) 구토/설사 동반 위장관 질환(PO) 5) 칼륨, 나트륨 제한환자(주사제) 6) 장기투여시 혈액 · 간 · 신기능검사를 정기적으로 할 것 7) 사전에 피부 반응 검사 실시 8) 당뇨검사에서 위양성 나타낼 수 있음 9) 임신부 : Category B 10) 수유부 : 모유로 이행 〈상호작용〉 1) 경구용 피임제의 효과 감소 2) Allopurinol : 피부 부작용 증가 3) Disulfiram 병용투여 금지 〈약리작용 및 효능〉란에 계속
Ampicillin sodium+ Sulbactam sodium **Sulbacillin inj**	(혼합물 함량 기준) 1) 성인 : 0.5~3g tid~qid IV, IM (Max. 12g/D) 2) 소아 : 60~150mg/kg/D #3~4 IV,	1) Ampicillin과 sulbactam의 복합제제 2) Sulbactam의 β–lactamase 억제 효과로 ampicillin 파괴를 저지하여 상승 효과를 나타냄으로써 ampicillin보다 항균효과가 강력함.	1) 〉10% – 주사부위의 통증 (IM) 2) 1~10%	〈금기〉 1) Penicillin계 항생물질에 과민한 환자 2) 전염단핵구증, 림프성백혈병 환자 〈주의〉

약품명 및 함량	용법	약리작용 및 효능	부작용	주의 및 금기
설바실린주 …500+250mg/V …1,000+500mg/V	IM(조산아 : 생후 1주간 q 12hrs 투여) 3) 투여방법 - IM : 750mg당 주사용수 1.6ml에 용해하여 3분 이상 천천히 주사 - IV : 50~100ml 이상의 희석액으로 15~30분 이상 투여 (5DW 희석 시 NS보다 역가가 더 빨리 감소)	3) G(+), G(-) 및 B. fragilis 등에 광범위한 항균작용을 가짐.	- 발진 - 설사 - 주사부위의 통증(IV) - 과민반응(혈청병, 두드러기, 기관지경축, 저혈압 등)	1) Cephalosporin계 항생물질에 과민한 환자 2) 기관지천식, 발진, 두드러기 등 allergy 증상을 일으키기 쉬운 환자 3) 중증 신장애 환자 4) 고령자 등 경구 섭취 불량자(Vit. K결핍 유발 우려) 5) 장기투여시 혈액, 간 · 신기능검사를 정기적으로 할 것 6) 사전에 피부 반응 검사 실시 7) 당뇨검사, Coomb's test에서 위양성 나타낼 수 있음 8) 임신부 : Category B (태반 통과) 9) 수유부 : 모유로 이행, 수유중단 10) 1세 미만 영아 : 안전성 미확립 〈상호작용〉 1) Probenecid : 이 약의 배설 지연 2) Allopurinol : 발진 비율 증가 〈취급상 주의〉 1) IM 용액은 1시간 이내 사용 2) 혈액제제, 아미노산수액제, AGs와 배합금기

약품명 및 함량	용법	약리작용 및 효능	부작용	주의 및 금기
Piperacillin+ Tazobactam **Tazoperan inj** 타조페란주 …2+0.25g/V …4+0.5g/V	(혼합물 함량 기준) 1) 12세 이상 소아 및 성인 : 4.5g q 8hrs IV (Max. 18g/D) 2) 12세 이하 소아 - 호중구 감소증(≤50kg): 90mg/kg q 6hrs - 합병증 동반된 충수염(2~12세, ≤40kg) : 112.5mg/kg q 8hrs 3) 투여방법 : 30분에 걸쳐 IV inf. * 신기능에 따른 용량 조절 참고 - CrCl(ml/min) : 용량	1) Piperacillin은 각종 G(+), G(-)균에 항균작용이 있는 광범위 항균제 2) Tazobactam은 β-lactamase 저해제로 piperacillin이 β-lactamase 생성균에 의해 불활성화되는 것을 방지하여 항균력을 강화시킴. 3) 하기도염, 전립선염을 제외한 비뇨기감염, 복강내감염 및 피부감염증, 호중구 감소증 환자의 발열 및 감염증, 세균성 패혈증에 사용함 4) 소아적응증 : 호중구감소증 환자의 발열 및 감염증, 합병증(복막염, 농양 등)이 동반된 충수염	1) >10% - 설사 2) 1~10% - 고혈압 - 불면, 두통, 발열, 현기증 - 발진, 소양증 - 변비, 오심, 구토, 소화불량 - 비염 - 호흡곤란	〈금기〉 1) Penicillin계 및 cephalosporin계 항생물질, β-lactamase 저해제에 과민한 환자 2) 장관의 연동 억제제와 병용금기(∵위막성 대장염) 〈주의〉 1) 신부전 환자(출혈 현상 발현시 투여중지) 2) 단핵세포 증가증 및 헤르페스 바이러스 감염시 피부반응 위험 증가 3) 염분 섭취 제한자(∵piperacillin 1g당 Na 2.79mEq (64mg) 함유) 4) 사전에 피부 반응 검사 실시 5) 당뇨검사에서 위양성 나타낼 수 있음

약품명 및 함량	용법	약리작용 및 효능	부작용	주의 및 금기
	(성인) ① 20~40 : 4.5g tid ② <20 및 혈액투석 환자 : 4.5g bid (투석 후 2.25g 보충) (12세 이하 소아) ① 40~80 : 90mg/kg q 6hrs ② 20~40 : 90mg/kg q 8hrs ③ <20 : 120mg/kg q 8hrs			6) 임신부 : Category B(태반통과) 7) 수유부 : 모유로 이행, 수유중단 〈상호작용〉 1) Probenecid : 반감기 및 혈장농도 30% 증가 2) 고용량 heparin, 경구용 항응고제 : 혈액응고 장애 유발 가능 3) 비탈분극성 근이완제 : 신경근 차단 연장 〈취급상 주의〉 1) 조제방법 – 재구성 : 2.25g 당 NS, 주사용수, 5DW 10ml로 용해 – 희석 : NS, 주사용수, 5DW로 희석시켜 50~100ml로 한 후 IV inf. 2) 조제용액 : 냉장 24hrs 안정
Piperacillin sodium Acopex inj 아코펙스주 …2g/V	1) 성인 : 4g q 6~8hrs IV or 2g q 6~8hrs IM(Max. 24g/D) ① 패혈증, 폐렴, 복강내감염, 부인과 감염, 피부 및 연조직감염 : 3g q 4~6hrs IV ② 요로감염 – 단일 : 3g q 8~12hrs IV or IM – 혼합 : 3g q 6~8hrs IV ③ 임균단일감염 : 2g 단회 IM(+투여 1시간 반 전 probenecid 1g) 2) 소아 : 50~125mg/kg/D #3~4 IV (Max. 200mg/kg/D) 3) 투여방법 – IM : Max. 주사부위 당 2g – IV : 3~5분간 천천히 IV 또는 30분에 걸쳐 IV inf. * 신기능에 따른 용량조절 참고 – CrCl(ml/min) : 투여간격 ① 50~10 : q 6~8hrs ② <10 : q 8hrs	1) 반합성 PC제제로 Pseudomonas, Klebsiella를 포함한 Enterobacter, B.fragilis에 효과적임. 2) PC 제제 중 Pseudomonas에 가장 강한 살균력을 지님. 3) β-lactamase에 ampicillin보다 안정함 4) 흡수 : 77% (IM) $T_{\frac{1}{2}}$: 신생아 – 1~5일: 3.6hrs – 6일 이상: 2.1~2.7hrs 소아 – 1~6개월 : 0.79hrs – 6개월~12세 : 0.39~0.5hrs 성인 : 26~80mins 배설 : 신장(60~80%, 미변환체), 담즙(25%)	– 착란, 발작, 졸음, 발열, Jarisch-Herxheimer 반응 – 발진 – 전해질 불균형 – 혈소판응집 이상, PT 연장(고용량시), 용혈성 빈혈, Coombs' 양성반응 – 혈전성정맥염 – 간대성 근경련 – 급성 간질성 신염 – 아나필락시스, 과민반응	〈금기〉 1) Penicillin계 및 cephalosporin계 항생물질에 과민한 환자 2) 전염단핵구증 환자 3) Lidocaine 등 anilide계 국소마취제에 과민한 환자 (IM만 해당) 〈주의〉 1) 기관지천식, 발진, 두드러기 등 allergy 증상 일으키기 쉬운 환자 2) 간/심/신장애, 출혈 위험 환자 3) Cephem계 항생물질에 대해 과민한 환자 4) 고령자 등 경구 섭취 불량자(Vit. K결핍 유발 우려) 5) 임신부 : Category B 6) 수유부 : 모유로 이행 7) 12세 이하 소아 : 안전성 미확립 8) 사전에 피부 반응 검사 실시 9) 장기투여시 간, 신기능검사 및 혈액검사 실시 10) 이뇨제, 항암제 투여 환자, 식염제한 필요 환자는 전해질 검사 실시(1g당 Na^+ 42.6mg 함유) 〈취급상 주의〉 1) 조제법

약품명 및 함량	용법	약리작용 및 효능	부작용	주의 및 금기
				① IV – 재구성 : 1g당 주사용수 5ml – 희석 : 5DW, NS 등으로 총 용량 50ml 이상으로 희석 ② IM : 1g당 주사용수 2ml 또는 0.5% lidocaine으로 용해 2) 용해액은 24hrs 이내 사용

약품명 및 함량	용법	약리작용 및 효능	부작용	주의 및 금기
Ciprofloxacin Cycin tab 싸이신정 …250mg/T …500mg/T Ciplus inj 씨프러스주 …200mg/100ml/bag …400mg/200ml/bag	* 경구제 1) 성인: 250~500mg bid – 중증 복합감염 : 750mg bid – 급성감염 : 보통 5–10일간 투여, 증세 소실 후 최소 3일 추가 투여 * 주사제 1) 성인 : 100~400mg bid ① 요로감염 – 경증~중등도 : 200mg bid – 중증~복합 : 400mg bid ② 하기도, 피부, 피부조직, 뼈, 관절 감염 – 경증~중등도 : 400mg bid – 중증 : 400mg tid 2) 투여방법 : 60분 이상 IV inf. 3) 투여기간 – 평균 7–14일 – 뼈/관절감염 : 4–6주 또는 그 이상 – 증상 소실 후 2일 추가 투여 * 신기능에 따른 용량 조절 참고 – CrCl(ml/min) : 용량 1) 경구제	1) 합성 Quinolone항균제로 ofloxacin과 같은 fluoroquinolone 제제이며, 다른 nonfluoroquinolone 제제(cinoxacin, nalidixic acid, oxolinic acid)보다 항균 스펙트럼(antipseudomonal activity)과 항균력이 증가되었음. 2) Enterobacteriaceae와 P.aeruginosa를 포함하는 G(–)호기성균에 살균작용을 나타내며, penicillinase 생성 또는 비생성균과 MRSA를 포함하는 G(+) 호기성균에도 유효하나 G(–)균 보다 G(+)균에 대한 작용이 약함. 3) 성인 요로 및 전신감염증에 사용함. 4) 혐기성균에는 무효하므로 호기성, 혐기성 혼합균에 의한 감염증에 타약제와 병용해야 함. 5) 반드시 투약 전과 투약 도중 균감수성 검사 정기 실시(∵ P.aeruginosa나 MRSA 내성균이 치료 도중 생성됨) 6) Tmax : 경구 0.5~2hrs $T_{\frac{1}{2}}$: (소아) 2.5hrs, (성인) 3~5hrs 배설 : 신장(30~50%, 미변환체), 대변(20~40%)	1) 1~10% – 두통, 불안 – 발진, 오심, 설사, 구토, 복통 – ALT/AST 증가 – 혈중 크레아티닌 증가	〈금기〉 1) Quinolone계 항생물질과 관련된 과민증, 건염, 건파열 병력자 2) 간질 환자 3) Tizanidine 투여 환자(∵ 저혈압 발생) 4) Ketoprofen 투여 환자(경련의 위험 있음) 5) 임신부 : Category C(국내허가금기) 6) 수유부: 모유로 이행, 수유중단 7) 성장기 유소아(∵arthropathy 및 weight bearing joint에 비가역성 cartilage erosion 유발 가능) 〈주의〉 1) 중증 신장애 환자 2) 경련성 질환병력자 3) 뇌혈류장애, 정맥계 손상 환자 4) 중증 근무력증 악화 가능 5) 고령자 6) Glucose–6–phosphate dehydrogenase 결핍 환자(∵ 용혈반응 발생 가능) 〈상호작용〉 1) Xanthine 유도체의 혈중농도 증가시킴(theophylline의 신장 제거율이 18~112% 감소, 혈중농도는 17~254% 증가됨)

약품명 및 함량	용법	약리작용 및 효능	부작용	주의 및 금기
	① 30~50 : 250~500mg bid ② 5~29 : 250~500mg q 18hrs ③ 혈액투석, 복막투석 : 250~500mg qd(투석 후 투여) 2) 주사제 ① 5~29: 200~400mg q 18~24hrs			2) Al, Mg 함유 제산제, 철분 및 칼슘함유제 : 이 약의 흡수 저하 3) CsA : CsA 혈중농도 증가 및 혈중 크레아티닌 상승 4) NSAIDs(phenylacetate, propionate계) : 경련 유발 가능
Gemifloxacin Factive tab 팩티브정 …320mg/T	1) 성인 : 1Ⓣ qd, 식사와 관계없이 복용 2) 투여기간 ① 만성기관지염 : 5일 ② 지역사회감염폐렴 : 7~14일 ③ 부비동염 : 5일 ④ 중이염 : 7일 * 신기능에 따른 용량 조절 참고 – CrCl<40ml/min or 혈액/복막투석 환자 : 160mg qd (혈액투석 후 투여)	1) Fluoroquinolone계 항균제로 DNA gylase와 topoisomerase Ⅳ를 저해하여 항균작용을 나타냄. 2) Methicillin resistant S. epidermidis, MRSA, penicilline resistant S. pneumoniae를 포함한 G(+) 균에 대한 항균력이 강화됨. 3) 적응증 : 만성 호흡기 질환의 급성 악화(만성기관지염), 지역사회감염 폐렴, 부비동염, 중이염 4) Tmax : 0.5~2hrs Vd : 4.18 L/kg $T_{\frac{1}{2}}$: 7hrs 대사 : 10%이하 배설 : 신장(36%), 대변(61%)	– 진균의 과잉 성장, 현기증, 불면증 – 설사, 복통, 오심, 구토 – 간효소의 일시적 상승 – 발진, 담마진, 소양증	〈금기〉 1) Quinolone계 항생물질에 의한 과민증, 건염, 건파열 병력자 2) 임신부 : Category C(국내허가금기) 3) 수유부 : 동물실험에서 유즙 분비, 수유중단 4) 소아 및 18세 이하 청소년 : 안전성 미확립 〈주의〉 1) 중증 신장애 2) QT 간격 연장 위험요인이 있는 환자 3) 경련, CNS 질환이 있거나 예상되는 환자 4) Glucose-6-phosphate dehydrogenase 결핍 환자(∵ 용혈반응 발생 가능) 5) 복용 중 강한 햇빛이나 자외선을 피함(∵ 광과민성) 6) 노인 혹은 corticosteroid 병용 투여시 건염, 건파열 발생 위험 7) 설사(∵위막성 대장염) 8) 중증 근무력증 악화 가능 〈상호작용〉 1) 제산제, 철분제제, sucralfate 복용시 2시간 간격 필요(∵병용투여시 흡수 저하) 2) Warfarin과 병용시 출혈 증가
Levofloxacin Levofexin tab 레보펙신정 …100mg/T	* 경구제 (100mg) 1) 100mg bid~tid(200mg tid 증량가능) (250mg 또는 500mg) 1) 원내감염 폐렴, 복합 피부/연조직 감염 : 750mg qd 7~14일 2) 요로감염 : 250mg qd 3-10일간	1) Fluoroquinolone계 항균제 2) 구조상 ofloxacin의 광학활성체로, ofloxacin의 2배의 항균력을 나타냄. 3) 세균의 DNA gyrase를 특이적으로 억제하여 DNA합성 억제 4) G(+/−), Legionella, Mycoplasma, Chlamydia	1) 1~10% – 현기증, 발열, 두통, 불면 – 오심, 구토, 설사, 변비 – 인두염	〈금기〉 1) Quinolone계 항생물질에 의한 과민증, 건염, 건파열 병력자 2) 간질 환자(발작의 위험 있음) 3) 임신부 : Category C(국내허가금기) 4) 수유부 : 수유중단

약품명 및 함량	용법	약리작용 및 효능	부작용	주의 및 금기
Cravit tab 크라비트정 …250mg/T …500mg/T Cravit inj 크라비트주 …250mg/50ml/V …500mg/100ml/V …750mg/150ml/V	3) 기타 : 500mg qd – 지역사회폐렴, 기관지염 : 7일 – 부비동염 : 10-14일 – 비복합성 피부/연조직 감염 : 7-10일 – 만성 세균성 전립선염 : 28일 * 주사제 1) 폐렴 : 500mg qd~bid 2) 피부/연조직 감염 : 500mg bid 3) 복합 요로감염(신우신염 포함) : 250mg qd 4) 급성부비동염, 만성기관지염의 급성 악화 : 500mg qd 5) 투여방법 : 60분 이상 IV inf. * 신기능에 따른 용량 조절 참고 : 용량 감량 및 투여간격 연장(제품설명서 참조)	등에 유효 5) Tmax : IV infusion 직후 $T\frac{1}{2}$: 6~8hrs 대사 : 간(소량) 배설 : 신장(61~87%, 미변환체)	– 간수치 증가 – 호산구증가증, 백혈구감소증 – 주입부 홍변 및 통증, 정맥염 2) 〈1% – 심부전, 고혈압, 서맥, 빈맥, 경련, 위막성대장염, 황달, 급성신부전, 부정맥, 쉰목소리, 용혈성 빈혈, QT 간격 연장	5) 소아 및 18세 이하 성장 중인 청소년 : 안전성 미확립 〈주의〉 1) 경련, CNS 질환 병력 환자 2) Glucose-6-phosphate dehydrogenase 결핍 환자(∵ 용혈반응 발생 가능) 3) 중증 신장애 환자 4) 인슐린, 경구용 혈당강하제 투여 환자 5) 광과민반응은 매우 드물게 나타나지만 불필요한 강한 햇빛이나 인공적인 자외선에 노출을 피함. 6) 집중력을 요하는 자동차 운전 또는 기계조작시 주의 7) 중증 근무력증 악화 가능 8) 이 약 주입시 혈압강하 나타나면 즉시 투여 중지(주사제) 〈상호작용〉 1) Al, Mg 함유 제산제 혹은 Fe 제제와의 병용시 흡수저하와 효과 감소(경구제) 2) NSAIDs : 대뇌발작역치를 13% 낮춤. 3) Probenecid, cimetidine : 이 약의 clearance 34%, 24%씩 감소 4) CsA의 반감기가 33% 증가함.
Moxifloxacin Avelox tab 아벨록스정 …400mg/T Avelox inj 아벨록스주 …400mg/250ml/BT	* 경구제 1) 성인 : 400mg qd (식사와 관계없이 투여) * 주사제 1) 성인 : 400mg q 24hrs IV inf. (60분 이상 투여)	1) Fluoroquinolone계 항균제 2) 세균의 topoisomerase를 억제함으로써 살균 작용 3) G(+), G(−)에 대해 광범위하게 작용, 특히 S.pneumoniae(메치실린 감수성 균주 포함) S.pyogenes 등의 G(+)균 및 B.distasonis, B.eggerthii 등의 혐기성 균에 대해 유효하며 penicillin, macrolide 내성 균주에도 효과 4) 적응증 : 호흡기계 감염증, 만성 기관지염의 급성 악화, 폐렴, 급성 부비동염, 피부 및 연조직 감염, 합병성 복강내 감염, 단순 골반감염(경구제) 5) $T\frac{1}{2}$: 12.7hrs(경구), 14.8hrs(주사) 대사: 간 배설: 신장(20%, 미변화체), 대변(25%, 미변화체)	1) 3~10% – 현기, 오심 – 설사 2) 〈3% – 과민반응, 아나필락시스 반응, 쇽, 불안, 착란, 발작, EKG 변화, 환각, 고혈당, 저혈당, 고혈압, 저혈압, 주사부위 반응, 말초부종, PT 연장 또는 감소, QT 연장, 빈맥, 근질환, 혀의 변색,	〈금기〉 1) Quinolone계 항생물질에 의한 과민증, 건염, 건파열 병력자 2) 임신부 : Category C(국내허가금기) 3) 수유부 : 모유로 이행 4) 18세 미만 소아 또는 성장기 청소년 : 안전성 미확립 5) 중증 간장애 6) QT 간격 연장 : QT 연장질환 환자 또는 QT 간격 연장시키는 약물(Ia군 또는 III군 부정맥약)과 병용 7) 전해질 이상, 서맥, 부정맥 증상 병력, 좌심실 박출계수 감소에 따른 심부전 환자 〈주의〉 1) 경련, CNS 질환이 있거나 예상되는 환자 2) 중증 근무력증 악화 가능

약품명 및 함량	용법	약리작용 및 효능	부작용	주의 및 금기
			진전, 현훈, 시야이상	3) Glucose-6-phosphate dehydrogenase 결핍 환자(∵ 용혈반응 발생 가능) 4) 금속 양이온 포함 제산제, 미네랄복합제 : 이 약의 흡수 감소, 이들 약물 투여 4시간 전이나 투여 8시간후에 투여 〈취급상 주의〉 1) 주사제 – 별도의 희석은 불필요하며, 필요시 DW, NS, Ringer's soln과 함께 투여 가능(실온 24hrs 안정) – 냉장보관 금함(∵ 냉장시 침전 생성, 침전은 실온보관시 다시 녹음)
Tosufloxacin tosylate Ozex tab 오젝스정 …150mg/T	1) 성인 : 300~450mg/D #2~3 (Max. 600mg/D)	1) Fluoroquinolone계 항균제 2) Anaerobes, G(+)균에 강력한 항균활성 가짐. 3) 호흡기질환, 요도 감염, 비임균 감염 등에 사용함. 4) Tmax : 1~4hrs $T\frac{1}{2}$: 3~4hrs 배설 : 신장(20~60%)	– 쇽: 호흡곤란, 혈압저하, 부종, 홍조(발생시 투여중단) – 과민증: 광선과민증, 발진, 가려움증 – BUN, creatinine 상승 – 간기능 수치 상승 – 스티븐스존슨 증후군 – 위부불쾌감, 구역, 구토, 복통, 식욕부진, 변비 등 – 백혈구감소, 호산구증가, 혈소판감소 – 두통, 현기증, 불면, 발작, 수면장애 – 근육통, 탈력감, CPK 상승, 횡문근융해증 – 간질성 폐렴	〈금기〉 1) Quinolone계 항생물질에 의한 과민증, 건염, 건파열 병력자 2) 임신부, 소아 : 안전성 미확립 3) 수유부 : 모유로 이행, 수유중단 〈주의〉 1) 중증 신장애 환자 2) 간질 등 경련성 질환 병력자 3) 고령자 4) 통증, 염증 등 건파열 의심 증상 발생 시 투여 중단하고 의사에게 알림 5) 시각장애 발생 시 즉시 의사에게 알림(망막박리 발생 위험) 〈상호작용〉 1) Theophylline의 혈중농도를 상승시킴. 2) Al, Mg 함유 제산제, 철분함유제, 칼슘함유제와 병용에 의해 이 약의 흡수 저하 3) NSAIDs(phenylacetate, propionate계)와 병용시 경련 유발 가능

약품명 및 함량	용법	약리작용 및 효능	부작용	주의 및 금기
Trimethoprim+ Sulfamethoxazole **Septrin tab** 셉트린정 …80+400mg/T **Cotrim inj** 코트림주사액 …80+400mg/5ml/A	* 경구제 1) 성인 및 12세 이상 소아 : 2Ⓣ bid - 14일 이상 장기 투여 : 1Ⓣ bid - 중증 : Max. 3Ⓣ/회 2) 소아(<12세) : trimethoprim 기준 6mg/kg #2 - 6~11세 : 1Ⓣ bid - 3~5세 : 0.5Ⓣ bid * 주사제 1) 성인 및 12세 이상 소아 : 2Ⓐ q 12hrs (중증 : 3Ⓐ q 12hrs) 2) 소아(<12세) : trimethorprim 기준 6mg/kg #2 - 6~11세 : 1Ⓐ bid - 6개월~5세 : 0.25Ⓐ bid 3) Pneumocystis carinii 폐렴 (trimethoprim 기준) : 20mg/kg/D #4, 14일 4) 투여방법 : 60~90분에 걸쳐 IV inf. (IV bolus, IM 금지) * 신기능에 따른 용량 조절 참고 - CrCl(ml/min) : 용량 ① 15~30 : 50% 감량 ② ≤15 : 투여 권장되지 않음	1) Sulfonamide 제제로 DNA 합성단계를 연속적으로 저지하는 성분들로 구성되어 살균작용을 나타냄. 2) Gonococci 및 β-lactamase를 생성하는 G(+)구균, E.coli, ampicillin 내성 H.influenza, chloramphenicol 내성 S.typhi, P.pseudonallei 등의 G(-)균에 효과적임. 3) 성인 및 소아의 폐렴, 이질, 요로감염증의 치료 등에 사용 4) $T_{\frac{1}{2}}$: (T) 8~14hrs; (S) 9~12hrs Tmax : (T, S) 1~4hrs 배설 : (T) 신장(60~80%, 미변환체) (S) 신장(20%) * (T) : trimethoprim (S) : sulfamethoxazole	* 주된 부작용은 GI upset 및 피부반응이며, 드물게 중증 피부반응 및 간독성으로 치명적인 부작용 발생 - 심근염 - 착란, 우울, 환각, 발작, 무균성 뇌수막염, 말초신경염, 발열, 운동실조 - 발진, 소양, 두드러기, 광과민 - 고칼륨혈증, 고혈당 - 오심, 구토, 식욕감퇴, 구내염, 설사, 위막성 대장염, 췌장염 - 혈소판감소, 거대적아구성 빈혈, 과립구감소, 호산구증가, 범혈구감소, 재생불량성 빈혈, 메트헤모글로빈혈증, 용혈, 무과립구증 - 간기능수치 상승, 간독성, 고빌리루빈혈증 - 관절통, 근육통, 횡문근융해증 - 간질성 신염, 뇨중 결정석출, 신부전, 신독성 - 기침, 호흡곤란, 폐침윤 - 혈청병, 혈관부종, SLE	〈금기〉 1) 임신부 : Category D 2) 수유부 : 모유로 이행 3) 2개월 미만 영아, 저체중 출생아 4) Glucose-6-phosphate dehydrogenase 결핍 환자(∵ 용혈반응 발생 가능) 5) 간세포조직 손상 환자 6) 중증 신부전, 혈액질환 환자 7) 포르피린증 환자 〈주의〉 1) 혈액질환 기왕력이 있는 환자 2) 기관지천식, 발진, 두드러기 등 allergy 증상 일으키기 쉬운 환자 3) 간 · 신장애 환자 4) 고령자 5) 갑상선기능부전 환자 6) 엽산결핍, 대사이상 환자 〈상호작용〉 1) Warfarin : PT 연장 2) Methotrexate, sulfonylurea계 약물의 작용을 증강시킴. 3) Phenytoin의 간대사 억제 4) Thiazide계 이뇨제 : 혈소판 감소 〈취급상 주의〉 1) 주사제 ① 조제법 및 안정성 - 1Ⓐ당 5DW 75/100/125ml 희석 시 각각 2/4/6hrs 안정 - 희석액: 냉장보관 금지 ② 혼탁, 결정 생기면 폐기

약품명 및 함량	용법	약리작용 및 효능	부작용	주의 및 금기
Sulfadiazine Sulfadiazine tab 설파디아진정 …500mg/T	1) 성인 - 초회량 : 2~4g - 유지량 : 2~4g #4~6 2) 2개월 이상 소아 - 초회량 : 75mg/kg/D - 유지량 : 150mg/kg/D #4~6(Max. 6g/D) - 류마티스성 열 예방 ① <30kg : 500mg/D ② ≥30kg : 1g/D	1) 엽산 전구체인 dihydropteroate 합성을 방해하여 엽산 합성을 저해하는 sulfonamide 계열 항균제 2) 적응증 - 연성하감, 트라코마, 봉입체결막염, 노카르디아증, 요도염(원발성 신우신장염, 신우염, 방광염) 폐쇄성 요로병증 또는 이물질과 무관하며 감수성 있는 균종에 의한 감염(E.coli, Klebsiella, Enterobacter, S.aureus, Proteus mirabilis, P.vulgaris) (더 잘 녹는 설폰아미드계 약물로 치료 실패시에만 요도염에 사용) - 면역결핍신드롬과 관련되거나 관련없는 톡소포자충증 뇌염 (Pyrimethamine 병용) - 클로로퀸 내성의 Plasmodium falciparum 말라리아 (보조요법) - 수막구균성 수막염 예방, 치료 - H. influenza에 의한 급성 중이염 (penicillin과 병용) - 류마티스성 열의 재발 예방 (streptomycin 주사와 병용) 3) 톡소플라즈마 감염증(pyrimethamine과 병용)에 사용시 보험인정 4) 한국희귀의약품센터 공급 약품 5) Tmax: 3~6hrs $T\frac{1}{2}$: 10hrs 배설 : 신장(미변화 43~60%, 대사체 15~40%)	- 열, 현기증, 두통 - Lyell's syndrome, 스티븐스존슨증후군, 소양증, 발진, 광과민 - 갑상선기능장애 - 식욕부진, 오심, 구토, 설사 - 결정뇨 - 과립백혈구감소증, 백혈구감소증, 혈소판감소증, 재생불량성빈혈, 용혈성 빈혈 - 간염, 황달 - 혈뇨, 급성 신증, 간질성 신염 - 혈청병 유사반응	〈금기〉 1) Sulfonamide에 과민한 환자 2) 2개월 미만 영아 (선천적 톡소포자충증에서 pyrimethamine과 병용해서 보조요법 사용 시 제외) 3) 임신부 : Category C(태반 통과) 4) 수유부 : 유즙분비, 핵황달 유발 〈취급상 주의〉 1) 차광보관

약품명 및 함량	용법	약리작용 및 효능	부작용	주의 및 금기
Doxycycline hyclate Dentistar cap 덴티스타캅셀 …20mg/C	* 캡슐제(20mg) - 치주질환 치료 1) 성인 : 20mg bid * 정제(100mg) - 감염증 치료	1) Tetracycline계 약물로 tetracycline과 유사한 정균작용과 항균범위를 가짐. 2) 대변으로 배설되므로 신장기능저하 환자에게도 투여 가능함. 3) 저용량 사용시 치주조직을 파괴하는 collagenase의 활성을 저해함으로써 치주염 치료에 사용됨. 항균	- 뇌내압항진, 심막염 - 혈관신경성 수종, 박탈성피부염, 광과민, 발진, 두드러기 - 갑상선 흑변, 갈변 (기능이상보고 없음)	〈금기〉 1) TC계 항생제에 과민한 환자 2) 임신부 : Category D 3) 수유부 : 모유 이행 4) 12세 미만 소아 : 영구적 치아 착색 초래 5) 신부전, 중증 간장애, 중증 근무력증, retinoid 제제

약품명 및 함량	용법	약리작용 및 효능	부작용	주의 및 금기
Monocin tab 모노신정 …100mg/T	1) 성인 ① 초기 : 100mg bid ② 유지 : 100mg qd~bid 2) 소아(≤체중 45kg) ① 초기 : 4mg/kg #2 ② 유지 : 2mg/kg #1~2	작용은 발현되지 않음. 4) Tmax : 1.5~3.7hrs $T\frac{1}{2}$: 12-15hrs(다회투여 : 22-24hrs) 대사 : 위장관에서 착화합물 형성하여 불활화 배설 : 대변(30%), 신장(40%)	- 식욕감퇴, 설사, 소화불량, 대장염, 식도염, 식도궤양, 구순염, 회음부의 염증 - 치아변색(소아) - 호산구증가, 용혈성빈혈, 호중구감소, 혈소판감소 - BUN 상승 - 아나필락시스성 자반증, 아나필락시스	투여 환자 〈주의〉 1) 식도 자극을 피하기 위해 분쇄하지 말고, 충분한 양의 물과 함께 서거나 앉은 자세로 복용 2) 신 · 간장애, 식도통과 장애 환자 3) 광과민증이 나타날 수 있음. 4) 고령자 등 경구 섭취 불량자(Vit. K결핍 유발 우려) 5) 천식, 건초열, 두드러기 등 allergy 증상 일으키기 쉬운 환자 6) 당뇨검사에서 위양성 나타낼 수 있음 〈상호작용〉 1) Mg, Ca, Al을 함유한 제산제: 이 약의 흡수 저해 (적어도 1~2시간의 간격 두고 복용) 2) Fe제제 : 이 약의 흡수 저해 (2~3시간의 간격을 두고 복용) 3) 혈장 prothrombin 활성 저하 4) AGs, PC계 항생제에 길항 5) Phenobarbital, phenytoin, carbamazepine: 이 약의 대사율 증가, 반감기를 단축시킴. 6) Sulfonylurea계 혈당강하제 : 혈당강하작용 증가
Tetracycline HCl Teracyline cap 테라싸이클린캅셀 …250mg/C	1) 성인 : 250mg qid 2) 12세 이상 소아: 25~50mg/kg/D #4 (성인용량 초과하지 않음) 3) 반드시 식전 1시간 혹은 식후 2시간에 복용하며, 우유와 함께 복용하지 말 것(∵ 음식이나 우유에 의해 흡수가 감소 * 신기능에 따른 용량조절 참고 - CrCl(ml/min) : 투여간격 ① 50~80 : q 8~12hrs ② 10~50 : q 12~24hrs ③ 〈10 : q 24hrs	1) 단백질 합성을 저해함으로써 정균작용을 나타냄. 2) G(+),G(-)균 및 Chlamydia, Mycoplasma, Pneumoniae, Rickettsiae등의 혐기성균에 유효함. 3) Pc계가 금기인 환자에게 효과적임. 4) 흡수 : 75% Tmax : 2~4hrs $T\frac{1}{2}$: 8~11hrs (ESRD : 57~100hrs 이상) 배설 : 신장(60%, 미변환체)	1) 〉10% - 치아변색, 법랑질 저형성(enamel hypoplasia) 2) 1~10% - 광과민 - 오심, 설사	〈금기〉 1) TC계 항생제에 과민한 환자 2) 임신부 : Category D 3) 수유부 : 모유로 이행 4) 12세 미만 소아 : 치아발육기(임신후반기, 영 · 유아기, 12세미만)에 복용시 치아의 영구착색, 법랑질 형성이상 보고 〈주의〉 1) 식도 자극을 피하기 위해 깨지 말고, 충분한 양의 물과 함께 똑바로 서거나 앉은 자세로 복용 2) 신장애 환자 : 상용량에서도 간독성을 일으킬 수 있으므로 감량하며, 장기투여시 모니터링 3) 광과민증이 나타날 수 있음

약품명 및 함량	용법	약리작용 및 효능	부작용	주의 및 금기
				〈상호작용〉 1) Mg, Ca, Al을 함유한 제산제: 이 약의 흡수 저해 (적어도 1~2시간의 간격 두고 복용) 2) Fe제제 : 이 약의 흡수 저해 (2~3시간의 간격을 두고 복용) 3) 혈장 prothrombin 활성 저하 4) AGs, PC에 길항 〈취급상 주의〉 1) 차광보관
Tigecycline Tygacil inj 타이가실주 …50mg/V	1) 성인 : 초기용량 100mg IV inf. 후, 50mg q 12hrs (5~14일) 2) 투여방법 : 30~60분 동안 IV inf.	1) Tetracycline 계열 새로운 항생제 (glycylcycline) 2) 리보솜의 30S에 결합하여 세균의 단백질 합성을 저해함. 3) 유효균종 : G(+)균, G(-)균, 혐기성균, MRSA, VSEF 등 4) 적응증 : 성인(18세 이상)에서의 - 복잡성 피부 및 피부조직 감염 - 복잡성 복부 내 감염 - 지역사회 획득 세균성 폐렴 (원인균 분리 및 감수성 여부 확인 필요) 5) Vd : 7~9L/kg 지속시간 : 12hrs $T_{\frac{1}{2}}$: 27hrs(single dose), 42hrs(multiple dose) 대사 : 간 배설 : 신장(33%), 대변(59%)	1) >10% - 구역(25~30%), 구토(20%), 설사(13%) 2) 2~10% - 고혈압, 말초부종, 저혈압, 정맥염 - 발열, 두통, 어지러움, 통증, 불면 - 가려움, 발진 - 저단백혈증, 고혈당증, 저칼륨혈증 - 복통, 변비, 소화불량 - 저혈소판증, 빈혈, 백혈구 증가 - ALT, AST, BUN 상승 - 무기력증 - 기침, 호흡곤란	〈금기〉 1) 유당 관련 대사장애 환자 2) 임신부 : Category D (동물실험 시 태반 통과) 〈주의〉 1) Tetracycline계 항생제에 과민한 환자 2) 중증 간장애 환자 3) 수유부 : 안전성 미확립 (동물실험 시 유즙분비) 4) 18세 이하 소아 : 안전성, 유효성 미확립 5) 치아발달기의 환자(임신 후반기, 영아 및 8세 이하의 소아)에게 사용 시 영구적인 치아변색 유발 〈상호작용〉 1) Warfarin의 농도 증가시킴 2) 경구용 피임제와 병용 시 피임제 효과 감소 〈취급상 주의〉 1) 바이알 : 2~25℃ 보관 2) 조제법(상세내용 설명서 참조) ① 재구성 및 희석액 : NS, 5DW, 링거 주사액 ② 희석 후 농도 : 1mg/ml 이하 3) 재구성 및 희석액 안정성: 실온 24hrs 보관(재구성액은 6hrs까지 보관가능하며, 남은 시간동안 점적주사용 백에 가한 후 보관) 4) 재구성 즉시 희석할 경우 희석액은 냉장(2~8℃) 48hrs 안정

약품명 및 함량	용법	약리작용 및 효능	부작용	주의 및 금기
Colistimethate sodium Colistimethate inj 후콜리스티메테이트주 …150mg/V (Colistin base로서 150mg)	1) 성인 및 소아 : 2.5~5mg/kg/D #2~4 IM, IV (Max. 5mg/kg/D) 2) 투여방법(IV) - IV bolus : 1일 용량의 1/2을 12시간마다, 3~5분간 투여 - Continuous IV inf. ① 1일 용량의 1/2을 3~5분간 투여 ② 1~2시간 후 나머지 1/2을 NS나 5DW 등에 희석하여 22~23시간에 걸쳐(속도: 5~6mg/hr) 주입 * 신기능에 따른 용량 조절 참고 - Scr(mg/100ml) : 용량 ① 0.7~1.2(정상) : 300mg/D #2~4 ② 1.3~1.5 : 150~230mg/D #2 (2.5~3.8mg/kg/D) ③ 1.6~2.5 : 133~150mg/D #1~2 (2.5mg/kg/D) ④ 2.6~4.0 : 100mg q 36hrs (1.5mg/kg/D)	1) Polypeptide계 항균제로서, 가수분해에 의해 colistin으로 전환되어 세균의 세포막을 파괴함. 2) 유효균종 : 주로 G(-) bacteria (Enterobacter aerogenes, E. coli, K.pneumoniae, P. aeruginosa 등) 3) 1차 약제 투여로 증상이 호전되지 않는 방광염, 신우신염, 기존 모든 항생제에 내성을 보이는 Acinetobacter baumanii 또는 Pseudomonas aeruginosa에 사용 4) Colistin base 1mg = 30,000IU	1) 1~10% - 현기증, 말 얼버무림 - 두드러기 - GI upset - 호흡억제 - 신독성	〈주의〉 1) 신장애 환자 2) 중증 근무력증, 수술이나 다른 원인에 의해 신경전달이 저하된 환자 3) 운전 및 위험한 기계 사용 금함(∵ 일시적 신경장애 발생) 4) IM - 호흡정지 보고, 신기능 손상 환자는 그 위험성이 증가하므로 신기능에 따른 용량 조절 필요 - 주사부위 동통, 발작, 경결 발생 5) 임신부 : Category C 6) 수유부 : 안전성 미확립 〈상호작용〉 1) 신독성 있는 약제 및 신경근차단제 : 이 약의 독성 증가 위험 〈취급상 주의〉 1) 조제법 - 재구성 : 1vial 당 주사용수 2ml - 희석 : NS, 5DW 등 적량 2) 안정성 - 재구성액 : 서늘한 곳(20~25℃ 또는 2~8℃)에서 7일간 안정 - 희석액 : 실온 24hrs
Pentamidine isethionate Pentamidine isethionate inj 펜타미딘 이세티온산염주 …300mg/V	1) Pneumocystis carinii 폐렴 : 4mg/kg qd, 14일간 2) Leishmaniasis ① 중증 : 4mg/kg qd, 7~10일간 투여 후 4mg/kg EOD, 14회 이상 투여 ② 경증~중등도 : 4mg/kg EOD, 14회 이상 투여 ③ 장기 : 3~4mg/kg EOD, 최대 10회 투여	1) 산화성 phosphorylation 억제, nucleotide와 nucleic acid의 RNA, DNA내로의 삽입을 억제하여 RNA, DNA, 인지질, 단백질 합성을 방해함. 2) 적응증 ① 후천성면역결핍증(AIDS) 환자에서 Pneumocystis carinii 폐렴(PCP) 1차 치료 ② 후천성 면역결핍증 환자 이외의 Pneumocystis carinii 폐렴(PCP) 2차 치료 ③ Leishmaniasis의 2차 치료(Leishmania ethiopica	1) >10% - 저혈압, 발적, 오심, 구토, 식욕부진, 설사, 고/저혈당, 백혈구·혈소판 감소증, 간·신독성 2) 1~10% - 빈혈, 심 부정맥, 췌장염, 금속성맛,	〈금기〉 1) 임신부 : Category C(국내허가금기) 2) 수유부 : 안전성 미확립 3) Zalcitabine, foscarnet 투여 환자 〈주의〉 1) 환자가 누운 자세로 투여함(∵ 저혈압 방지) 2) 영양 장애, 고/저혈당증, 간·신부전, 고/저혈압, 빈혈, 백혈구·혈소판 감소증, 저칼슘혈증 3) 투여중과 투여전·후에 다음의 검사를 시행할 것 :

약품명 및 함량	용법	약리작용 및 효능	부작용	주의 및 금기
	④ 피부 : 3~4mg/kg, 주 1~2회 (증상 회복시까지 투여) 3) Trypanosomiasis (헤모림피트 단계): 4mg/kg qd 또는 EOD, 총 7~10회 투여 4) 누운 자세에서 최소 60분 이상 IV inf. (bolus 금기)	에는 1차 치료제로 사용 가능) ④ Trypanosomiasis의 2차 치료 (Trypanosoma rhodesiense 제외) 3) $T_{\frac{1}{2}}$: 6.4~9.4hrs 배설 : 신장(33~66%, 미변환체)	주사 부위 국소 반응	BUN, Scr, CBC, FBS, 간기능 검사, 혈청 Ca, 혈청 전해질, 심전도 4) 첫 용량 투여 후 안정될 때까지 매시간 혈압 측정 5) 소아 : 안전성 미확립 〈상호작용〉 1) Sparfloxacin, moxifloxacin과 병용시 QT 간격 연장 작용 증대 2) Ethanol : CNS 억제 작용 증대, 저혈압 악화 3) Didanosine 병용 투여시 췌장염 위험성 증가 〈취급상 주의〉 1) 주사액의 조제: 3~5ml의 주사용수로 용해 50~250ml의 5DW나 NS에 mix함. 2) 안정성 – 재구성액: 실온 48 hrs – 희석액: 실온 24hrs 3) 냉장보관 금지(∵결정 형성 위험)
Rifaximin Normix tab 노르믹스정 …200mg/T	1) 12세 이상 소아 및 성인 – 설사 : 200mg q 6hrs – 위장관 수술 시 감염 예방 : 400mg q 12hrs – 고암모니아혈증 : 400mg q 8hrs 2) 12세 미만 소아(설사) – 2~6세 : 100mg q 6hrs – 6~12세 : 100~200mg q 6hrs	1) Rifamycin의 반합성 유도체 2) 비흡수성 항생제로 장관내에서 높은 농도로 존재하여 G(+), G(–), 호기성, 혐기성균에 작용함. 3) 적응증 – G(+), (–)균에 의한 급성 장염에 의한 설사증후군 – 장내세균 이상에 의한 설사 (여름철 설사, 여행자 설사, 소장 결장염) – 위장관 수술 전후 감염의 예방 – 고암모니아혈증 치료의 보조 요법 4) BA : 〈0.4% Tmax : 1.2~1.9hrs $T_{\frac{1}{2}}$: 1.8~4.8hrs 배설 : 신장(0.32%), 대변(97%)	1) 2~10% – 두통 2) 〈2% – 비정상적 꿈, 알레르기성 피부염, 혈관신경부종, 피로, 과민 반응, 불면, 멀미, 소양증, 발진, 일광 화상, 이명, 두드러기	〈금기〉 1) Rifamycin에 과민한 환자 2) 장폐색증, 중증 궤양성 장질환자 〈주의〉 1) 중증 간장애 환자 2) 발열이나 혈변이 있는 설사 3) E. coli 외의 다른 균종(Campylobacter jejuni, Shigella spp., Salmonella spp.)에 의한 설사 4) 24~48시간 이상 지속되는 설사 5) 적색뇨가 나타날 수 있음 6) 임신부 : Category C 7) 수유부, 12세 미만 소아 : 안전성 미확립
Sodium fusidate Fusidin tab 후시딘정	1) 성인 : 1~1.5g/D #2~3 2) 6세 이상 소아 : 20~40mg/kg/D #3 3) 중증 감염일 경우, 2배 증량 가능	1) 세균의 단백합성을 억제하여 살균작용 나타냄. 2) 대부분의 G(+)에 대하여 항균력이 강하고 MRSA에도 감수성이 있음. (골수염의 주원인균인 포도상구균을 비롯하여 연쇄상구균에도 살균효과)	– 구역, 구토, 설사, 식욕부진, 위통, 복통, 소화불량 – 과립구감소증,	〈금기〉 1) 비뇨기계 포도구균 감염 환자(신장질환으로 야기된 감염 제외) 〈주의〉

약품명 및 함량	용법	약리작용 및 효능	부작용	주의 및 금기
…250mg/T		3) 화학구조가 타항생제와 전혀 다르므로 교차내성이 없으며, steroid 핵을 가지고 있어 병소에 고농도로 침투 4) 적응증 : 골수염, 패혈증, 심내막염, 낭포성섬유증, 기관지폐렴, 창상감염, 부스럼, 옹종 등 피부감염증 5) BA : 91% 단백결합 : 97~99.8% Tmax : 1.9~3hrs $T\frac{1}{2}$: 5~6hrs 대사 : 간 배설 : 담즙	혈소판감소증, 골수억제 - 장기간 대량투여시 드물게 황달 발생(용량 감소시 회복됨) - 과민반응 : 드물게 피부발진과 같은 알러지 증상	1) 간기능 장애 환자 2) 임신부 : 태반 통과 3) 수유부 : 모유로 이행, 수유중단 4) 미숙아, 신생아 : 안전성 미확립 <상호작용> 1) 유사한 담즙배설 경로를 가진 항생물질(lincomycin, rifampin 등) 병용 시 신중투여 2) 경구용 항응고제(warfarin 등) : 항응고제 혈중농도 증가 3) CYP3A4 동종효소에 의해 대사되는 약물과 상호저해 4) HMG-CoA reductase inhibitor의 혈중농도 증가시켜 횡문근 융해증, 근무력증, 동통 유발가능 5) Ritonavir, saquinavir와 같은 HIV protease inhibitor와 병용 시 상호 농도 증가하여 간독성 야기 6) Cyclosporine의 혈중농도 증가

약품명 및 함량	용법	약리작용 및 효능	부작용	주의 및 금기
Terbinafine HCl Curasil tab 큐라실정 …125mg/T	1) 성인 : 125mg bid 또는 250mg qd - 투여기간 ① 족부백선 : 2~6주 ② 체부 및 고부백선(완선) : 2~4주 ③ 조갑진균증: 6주~3개월 2) 소아(≥2세) ① 두부 백선 : 4주 - <20kg : 62.5mg qd - 20~40kg : 125mg qd - >40kg : 250mg qd * 신기능에 따른 용량 조절 참고 - CrCl<50ml/min : 상용량의 50%로 감량	1) Allylamine 계열의 항진균제 2) 진균세포막에서 squalene epoxidase를 저해하여 ergosterol 합성 억제하고 squalene을 축적시켜 살진균효과 나타냄 3) CYP450 억제하지 않아 간독성이 거의 없으므로 장기복용 가능 4) 조갑진균증, 족부 · 고부 · 체부 백선, 소아의 두부 백선(정제에 한함)에 사용함. 5) Onset : 1month(초회효과), 6wks(최대효과) Tmax : 1~2hrs $T_{\frac{1}{2}}$: 22~26hrs(모체), 22~23hrs(대사체) 대사 : 간(extensive) 배설 : 신장(70%), 대변(20%)	1) >10% - 발진, 가려움 - 근육통, 관절통 - 위장관계 증상(소화불량, 구역, 설사) 2) 1~10% - 미각장애 - 두통 - 간효소수치 상승 - 알레르기 반응	〈금기〉 1) 중증 간, 신부전 환자 2) 혈액질환 환자 3) 수유부 : 모유로 이행 4) 2세 미만 영아 : 안전성 미확립 〈주의〉 1) 신기능 손상 환자 2) 고령자 3) 체중 20kg 미만 소아 4) 임신부 : Category B 〈상호작용〉 1) Rifampin : 이 약의 대사 촉진 2) Cimetidine과 같은 CYP450을 억제하는 약물과 병용시 이 약의 대사 감소

약품명 및 함량	용법	약리작용 및 효능	부작용	주의 및 금기
Fluconazole Plunazole cap 푸루나졸캡슐 …50mg/C Plunazole tab 푸루나졸정 …150mg/T Diflucan dry syr 디푸루칸건조시럽 …10mg/ml	* 경구제만 해당 1) 성인 - 질칸디다증: 150mg 단회 - 손, 발톱진균증: 주 1회 150mg - 피부 진균감염증: 50mg qd 혹은 주 1회 150mg 2~4주 * 경구제/주사제 공통 1) 성인 - 점막칸디다증: 50mg qd - 칸디다혈증, 파종성 칸디다증: 첫날 400mg, 이후 200mg qd - 크립토콕쿠스증	1) Triazole계 항진균제로 진균세포의 CYP450, 14-α-desmethylase를 저해하여 진균세포의 활성성분인 ergosterol의 합성을 억제함. 2) Imidazole계 항진균제보다 항진균력이 강하고 spectrum이 넓음. 3) 급성 또는 재발성 질칸디다증, 점막, 전신성 및 기타 진균감염증의 치료, 암치료, 방사선요법으로 인한 진균의 감염 예방에 사용함. 4) 면역기능 저하 환자의 크립토콕쿠스증의 치료 및 AIDS 환자의 크립토콕쿠스 재발 방지 5) BA : 90% 이상 Tmax : 0.5~6hrs(PO) 1~2hrs(IV) $T_{\frac{1}{2}}$: 30hrs	- 위장계(1.5~8.5%) : 오심, 구토, 복통, 설사 - 피부반응(5%) : 발진, 담마진 - 간독성(5~7%) : 간효소치 증가 - 신경계(2%) : 현기증, 두통, 기면, 드물게 혼몽, 섬광 - 호산구증다증, 혈구감소 - 발열, 부종, 핍뇨,	〈금기〉 1) Azole계 약물에 과민한 환자 2) Terfenadine, QT간격 연장 약물, CYP3A4 기질, Ergot 유도체 병용금기 3) 유당 관련 대사장애 환자(경구제) 4) 임신부 : Category D 5) 수유부 : 모유로 이행 〈주의〉 1) 간기능 검사시 이상 발생 시 투여 지속 여부 신중 결정 2) 신장애 환자에서는 감량 3) 부정맥 가능성 있는 환자 4) CYP2C9, CYP2C19, CYP3A4를 통해 대사되는 약제

약품명 및 함량	용법	약리작용 및 효능	부작용	주의 및 금기
Diflucan inj 디푸루칸정맥주사 …100mg/50ml/V	① 첫날 400mg, 이후 200~400mg qd ② AIDS 환자 재발 방지 : 100mg qd 무기한 - 진균감염 예방(면역부전) : 50~400 mg/D 2) 소아 - 점막칸디다증 : 첫날 6mg/kg 투여, 이후 3mg/kg qd - 칸디다혈증, 파종성 칸디다증: 6~12mg/kg qd - 크립토콕쿠스증 ① 첫날 12mg/kg, 이후 6mg/kg qd 10~12주간 ② AIDS 환자 재발 방지: 6mg/kg qd 〈약리작용 및 효능〉란에 계속	배설 : 신장(61~88%), 투석 시 배설 〈용법 계속〉 3) 투여방법 - 시럽제 : 가글 가능 - 주사제 : 5~10ml/min속도로 투여(보통 1~2시간 동안 IV inf.; Max. 200mg/hr) * 신기능에 따른 용량 조절 참고 - 첫날 상용량, 이후 CrCl(ml/min)에 따라 조절 ① 〈50 : 50% 감량 ② 투석 환자 : 투석 후에 상용량 투여	관절통	투여 환자 5) 6개월 미만 영아 : 안전성, 유효성 미확립 6) 주사제 : Na, Cl을 각 7.5mEq/V 함유 〈상호작용〉 1) Warfarin의 대사를 지연시켜 PT 연장 2) CsA, phenytoin, sulfonylurea의 효력 증강시킴. 〈취급상 주의〉 1) 주사제 : 희석이 필수적이지 않으나 필요에 따라 NS, 5DW, 링거액에 mix하여 투여 가능 2) 시럽제 : 현탁한 용액은 실온 14일간 안정
Itraconazole Sporanox cap 스포라녹스캅셀 …100mg/C Sporaone tab 스포라원정 …200mg/T Sporanox soln 스포라녹스액 …10mg/ml Sporanox inj 스포라녹스주사제 …250mg/25ml/A	* 캡슐제, 정제(식후 즉시) 1) 칸디다성 질염 : 200mg bid 1일간, 또는 200mg qd 3일간 2) 어루러기 : 200mg qd 7일간 3) 체부, 고부, 지간형 수부/족부백선 : 100mg qd 15일간 4) 수부(손바닥), 족부(발바닥)백선 : 100mg qd 30일간 또는 200mg bid 7일간 5) 구강칸디다증 : 100mg qd 15일간 6) 진균성 각막염 : 200mg qd 21일간 7) 손, 발톱진균증 - 주기요법(1주기 : 200mg bid 1주 복용+3주 휴약) : (손톱/발톱) 2/3 주기 복용 - 연속요법 : 200mg qd 3개월 8) 전신진균감염 : 100~200mg qd~bid	1) Triazole계 항진균제로 진균 세포의 CYP450을 저해하여 진균세포막 구성성분인 ergosterol 합성 저지 2) Ketoconazole보다 항균력이 크며, 부작용(특히 간독성)이 적음 3) 적응증 - 캡슐제 : 칸디다성 질염, 어루러기, 피부사상균에 의한 체부/고부/수부/족부백선, 구강칸디다증, 진균성각막염, 손발톱진균증, 전신진균감염증(아스페르길루스증, 칸디다증, 크립토콕쿠스증, 파라콕시디오이드미시스증) - 시럽제 : HIV 양성, 기타 면역억제 환자의 구강 및 식도 칸디다증, 호중구감소증(500cells/microL 미만)이 예상되는 혈액종양환자 또는 표준요법이 적합치 않은 골수이식 진행 환자의 itraconazole에 감수성인 심재성 진균 감염증 예방 - 주사제 : 전신 아스페르길루스증, 전신진균증 의심 호중구감소증 환자의 발열	1) 〉10% - 오심(11%) 2) 1~10% - 부종(4%), 고혈압(3%) - 두통 (4%), 피로 (2~3%), 허약감 (1%), 발열(3%), 어지러움(2%) - 발진(9%), 두드러기 (3%) - 성욕감퇴(1%), 고중성지방혈증, 저칼륨혈증(2%) - 복통(2%), 식욕부진(1%), 구토(5%), 설사(3%) - 간수치 증가(3%), 간염	〈금기〉 1) 울혈성 심부전, 심실기능 저하 환자에서 조갑진균증 치료목적 2) CYP3A4 기질과 병용금기(상세 내용 제품설명서 참조) 3) 임신부 : Category C(국내허가금기) 4) 수유부 : 소량 모유로 이행 〈주의〉 1) 간장애 환자(간수치 모니터링) 2) 울혈성 심부전, 심실기능 저하 환자 3) 신장애 환자(용량 조절 고려) 4) 이 약에 의한 신경병증 발생 환자 5) 호중구감소증, AIDS, 장기이식 등 면역기능억제 환자(경구생체 이용률 감소될 수 있음) 6) 생명을 위협하는 전신진균감염 환자에서 초기 치료 목적 투여 7) 다른 azole계 약물에 과민 병력이 있는 환자 8) 카라멜에 과민한 환자(시럽제)

약품명 및 함량	용법	약리작용 및 효능	부작용	주의 및 금기
	* 시럽제 1) 20ml/D #1~2, 1주(fluconazole 내성 구강, 식도 칸디다증은 증량 가능) 2) 복용법 : 20초간 입안에 고루 머금은 후 삼킴, 공복에 복용(흡수율 증가) * 주사제 1) 초회량 : 200㎎ bid 2일간 2) 유지량 : 200㎎ qd 12일간 3) 1시간 이상 IV inf. (IV bolus 금기)	4) BA : 55% Tmax : (PO) 2~5hrs, (IV) inf. 후 1hr Duration : (PO-다회 투여) ~6months $T\frac{1}{2}$: 35-64hrs/27-56hrs(모/대사체) 대사 : 간(extensive) 배설 : 신장(negligible), 담즙(55%)	- 알부민 뇨증	9) 소아 : 안전성 미확립 〈취급상 주의〉 1) 주사제 - 조제법 : 1Ⓐ을 첨부용제(NS 50ml bag)에 희석 - 희석 후 직사광선을 피해 보관하며, 냉장 24hrs 안정 - 키트에 포함된 연결관 사용 - 다른 약물과 혼합 또는 동시에 같은 라인으로 투여 금함. (∵침전 생성)
Micronized posaconazole Noxafil suspension 녹사필 현탁액 …40mg/ml, 105ml/BT	1) 침습성 진균 감염증 - 400mg(10ml) bid - 식사나 영양보충제 복용 불가능 환자 : 200mg(5ml) qid 2) 구강인두칸디다증 - 첫째날 : 200mg(5ml) qd - 2~14일 : 100mg(2.5ml) qd 3) 침습성 진균감염증 예방 - 200mg(5ml) tid - 호중구 수치에 따라 투여기간 결정 4) 흡수촉진 및 적정 노출 보장을 위해 식사와 함께 투여(식사 중 또는 식후 20분 이내)	1) Triazole계 항진균제 2) 진균의 ergosterol 합성에 관여하는 효소인 lanosterol을 선택적으로 억제하여 항진균 작용 나타냄 3) 적응증 ① 진균감염증 치료 - Amphotericin B 또는 itraconazole 불응성 또는 불내성인 침습성 아스페르질루스증 - 구강인두칸디다증 ② 침습성 진균감염증 예방 - AML, MDS로 관해유도 화학요법을 받고 있는 환자 - GVHD로 고용량 면역억제요법을 받고 있는 조혈모세포 이식 수여자 4) 흡수 : 음식, 경구용 영양보급제와 함께 투여시 흡수 증가, 공복에 복용시 흡수 감소 및 적정 혈장농도 보장 안됨. 단백결합 : 〉98% Tmax : ~3-5hrs $T\frac{1}{2}$: 35hrs (20~66hrs) 대사 : 간 배설 : 대변(71~77%), 신장(13~14%)	1) 〉10% - 고혈압, 부종, 저혈압, 빈맥 - 현기증, 두통, 피로, 불면 - 저칼륨혈증, 저마그네슘혈증, 고혈당증 - 설사, 오심, 구토, 복통, 변비, 식욕 부진, 점막염 - 혈소판감소증, 빈혈, 호중구 감소 - ALT 상승(6~17%) - 경직, 근골격계통증, 관절통 - 기침, 비출혈, 인두염 2) 1~10% - 불안, 저칼슘혈증, 소화불량, 질출혈, 고빌리루빈 혈증, AST 상승, 요통, 폐렴, 상기도감염, 발한 3) 〈1% - 급성신부전, 심방 세동, 담즙정체, 황달,	〈금기〉 1) 아래 약제의 혈중농도를 증가시킬 수 있으므로 병용금기 - Ergotamine 유도체 - CYP3A4 기질 : terfenadine, astemizole, pimozide, quinidine, halofantrine (∵QTc 연장, Torsades depointes 위험 증가) - HMG-CoA reductase inhibitor : simvastatin, lovastatin, atorvastatin (∵횡문근융해증 위험 증가) 〈주의〉 1) 중증 간장애 환자 2) QTc 연장 등 심혈관계질환(특히 심부전) 유발 위험 약물 투여 환자 3) CYP3A4 대사 약물과의 병용 4) 중증 위장관계 기능 부전 5) 포도당-갈락토오스 흡수장애증후군 환자(이 약에 포도당 함유) 6) 임신부 : Category C 7) 수유부, 18세 미만 소아 : 안전성 미확립 〈상호작용〉 1) Rifamycin계 항균제, 항경련제(phenytoin, carbamazepine, phenobarbital, primidone), cimetidine : 이 약의 농도 감소 2) 병용시 다음 약제의 농도 증가

약품명 및 함량	용법	약리작용 및 효능	부작용	주의 및 금기
			간부전, 간비대, QTc 연장, Torsades de pointes	- CYP3A4 기질 : 금기약제 참조, 항레트로바이러스제 - CYP3A4에 의해 대사되는 약제 〈취급상 주의〉 1) 개봉 후 4주간 안정 2) 현탁액으로 투여전 잘 흔들어서 사용
Voriconazole Vfend tab 브이펜드정 …200mg/T Vfend inj 브이펜드주사 …200mg/V	1) 성인 및 소아(50kg 이상인 12~15세, 모든 체중의 15~18세) (1) 식도 칸디다증(정제만 해당) - 유지용량 : (〈40kg) 100mg, (≥40kg) 200mg bid - 14일 이상 투여, 증상 소실 후 최소 7일간 (2) 그 외 적응증 ① 주사제 - 부하용량(최초 24시간) : 6mg/kg q 12hrs - 유지용량 : 4mg/kg(칸디다혈증; 3mg/kg) q 12hrs ② 정제(유지): (〈40kg) 100mg, (≥40kg) 200mg bid 2) 소아(2~12세 미만, 50kg 미만인 12~15세) ① 주사제 - 부하용량(최초 24시간) : 9mg/kg q 12hrs - 유지용량 : 8mg/kg q 12hrs 3) 경증~중등도 간장애 환자 : 부하용량은 표준 용량과 동일, 유지용량은 1/2로 감량 〈약리작용 및 효능〉란에 계속	1) Triazol계 광범위 항진균제 2) 적응증 - 침습성 Aspergillus 감염 - 호중구감소증 없는 환자의 칸디다혈증 및 칸디다감염 - 식도 칸디다증(정제만 해당) - Scedosporium apiospermum (Pseudallescheria boydii의 무성생식형)과 Fusarium 속에 의한 중증 진균감염 중 타 치료법에 내약성이 나쁘거나 불응성인 환자 - 급성백혈병, 림프종 치료실패 또는 만성골수성백혈병으로 인한 조혈모세포이식환자에서 침습성 진균감염증의 예방 3) 작용발현 : 4주 이내(침습성 Aspergillus) 7일 이내(구강칸디다) BA : (PO) 96% $T_{\frac{1}{2}}$: 6hrs (용량의존적) 배설 : 신장 〈용법 계속〉 4) 투여 - 경구제 : 식전 1시간 또는 식후 1시간에 복용 - 주사제 : 1~2시간에 걸쳐 IV inf.(최대투여속도 : 3mg/kg/hr) * 신기능에 따른 용량 조절 참고 1) 주사제 - CrCl〈50ml/min : 경구제 투여 권장(∵용해보조제 Sulphobutyl Ether β-Cyclodextrin 축적)	1) 〉10% - 시각이상(광과민성, 색상변화, 시야 흐림, 시력의 증가 또는 감소)(~30%) 2) 1~10% - 빈맥(3%), 고-저혈압(2%), 말초 부종(1%) - 발열(6%), 오한(4%), 두통(3%), 환각(3%), 현기증(1%) - 발진(6%), 소양증(1%), 급성신부전(1%), 저칼륨혈증(2%), 저마그네슘혈증(1%) - 오심(6%), 구토(5%), 상복부통증(2%), 설사(1%), 구강건조증(1%)	〈금기〉 1) CYP3A4에 의해 대사되는 약제(terfenadine, astemizole, cisapride, pimozide, quinidine)와 병용금기(∵QT 간격 증가) 2) Rifampin, carbamazepine, 장시간형 barbiturates, ritonavir, efavirenz, rifabutin과 병용금기 (∵이 약의 혈중농도 감소) 3) Sirolimus, efavirenz, ergot alkaloids와 병용금기(∵병용약제의 혈중농도 증가) 4) 유당 관련 대사장애 환자(정제) 5) 임신부 : Category D 〈주의〉 1) Azole제 항진균제에 과민한 환자 2) 중증 간경변 환자 3) 광과민증 : 투여 중 직사광선 피하도록 함. 4) 전해질 장애(저칼륨혈증, 저마그네슘혈증 등)는 voriconazole 투여 전에 먼저 교정해야 함. 5) 수유부 : 안전성 미확립, 수유중단 권고 6) 2세 미만 소아 : 안전성, 유효성 미확립 〈취급상 주의〉 1) 주사액의 조제 - 재구성 : 1vial당 주사용수 19ml - 희석 : NS, 5DW 등 수액에 희석 (최종농도 0.5~5mg/ml) 2) 조제용액은 냉장 24시간 안정 3) 보존제를 포함하지 않으므로 즉시 사용 권장

약품명 및 함량	용법	약리작용 및 효능	부작용	주의 및 금기
Caspofungin acetate Cancidas inj 칸시다스주 …50mg/V …70mg/V	1) 성인(18세 이상) ① 진균감염 의심되는 발열성 호중구 감소증 경험적 치료, Aspergillus 2차 치료, 칸디다혈증, 기타 칸디다 감염 - 초회량 : 70mg 단회 투여 - 유지량 : 50mg qd ② 식도칸디다증 : 50mg qd 2) 소아(3개월~17세) - 초회량 : $70mg/m^2$ 단회 투여 - 유지량 : $50mg/m^2$ qd - Max. 70mg/D 3) 용량 조절 - 중등도 간장애 : 35mg qd - 약물대사유도제(rifampicin, efavirenz, nevirapine, phenytoin, carbamazepine, dexamethasone) 투여 환자 : 70mg qd 4) 투여방법 : 1시간에 걸쳐 서서히 IV inf.	1) Noncompetitive β-(1,3)-D-glucan synthase inhibitor로 포유류에는 존재하지 않는 진균의 세포벽 구성 성분의 합성을 저해하여 항진균 효과를 나타냄. 2) 적응증 ① 진균감염이 의심되는 발열성 호중구 감소증의 경험적 치료 ② 칸디다혈증 및 다음의 칸디다 감염증의 치료 : 복부내 농양, 복막염 및 흉막내 감염 ③ 식도칸디다증 ④ 침입성 아스페르질루스증의 치료 : 다른 치료요법에 의해 치료되지 않거나 이상반응으로 인해 다른 치료요법을 계속할 수 없는 경우 3) 단백결합 : 97% $T_{\frac{1}{2}}$: 9~11hrs 배설 : 신장(41%), 대변(35%)	1) >10% - 두통, 발열 - ALP 증가, transaminase증가 - Infusion reaction 2) 1~10% - 홍조, 얼굴 부종 - 현훈, 오한, 통증, 감각 이상 - 발진, 소양증, 홍반 - K^+ 수치 감소 - 오심, 구토, 복통, 설사 - 호산구증가, Hgb감소, 호중구 감소, WBC 증가, 빈혈 - 단백뇨, 혈뇨, Scr 증가, 뇨중 WBC증가 - Flu-like syndrome	〈주의〉 1) 임신부 : Category C 2) 수유부 : 동물실험에서 유즙 분비 3) 3개월 미만 소아 : 안전성, 유효성 미확립 〈상호작용〉 1) CsA : 이 약의 농도 증가 2) Rifampin, carbamazepine, dexamethasone, efavirenz, nelfinavir, phenytoin : 이 약의 농도 감소 3) Tacrolimus의 농도 감소 〈취급상 주의〉 1) 냉장보관 2) 주사액의 조제 - 재구성: NS, 주사용수 10.5ml - 희석 : 용해액 10ml을 NS 250ml에 희석 3) 안정성 - 재구성액 : 25℃ 이하 24hrs - 희석액 : 25℃ 이하 24hrs, 냉장 48hrs 4) 5DW와 배합 불가 5) 다른 약과 동시 주입하지 않음.
Micafungin sodium Mycamine inj 마이카민주사 …50mg/V	1) 칸디다혈증 및 기타 칸디다 감염 - 성인 : 100mg/D - 소아(≥4개월) : 2mg/kg (Max. 100mg/D) 2) 식도칸디다 - 성인 : 150mg/D - 소아(≥4개월) : (≤30kg) 3mg/kg, (>30kg) 2.5mg/kg (Max. 150mg/D) 3) 조혈모세포 이식 환자에서 칸디다 감염 예방 - 성인 : 50mg/D	1) Echinocandin계열 항진균제로, 진균 세포벽 구성 성분인 β-(1,3)-D-glucan의 합성을 저해함. 2) 항진균 범위는 caspofungin과 유사함. 3) 효능, 효과 ① 칸디다혈증 및 기타 칸디다속에 의한 진균감염의 치료 ② 식도칸디다증의 치료 ③ 조혈모세포 이식 환자에서 칸디다속에 의한 진균 감염의 예방 4) $T_{\frac{1}{2}}$: 11~21hrs 대사 : 간 배설 : 대변(71%), 신장(15%)	1) >10% - 발열, 두통 - 저칼륨혈증, 저마그네슘혈증 - 설사, 오심, 구토, 점막염, 변비 2) 1~10% - 저혈압, 빈맥, 고혈압, 말초부종, 정맥염 - 불면증, 불안, 피로 - 발진, 가려움	〈금기〉 1) Echinocandin계 약물에 과민한 환자 2) 유당 관련 대사장애 환자 〈주의〉 1) 중증 간장애 환자 2) 임신부 : Category C 3) 수유부 : 동물실험에서 유즙 분비 보고 4) 4개월 미만 소아 : 안전성 및 유효성 미확립 〈상호작용〉 1) Sirolimus, nifedipine, itraconazole의 혈중농도 증가 〈취급상 주의〉

약품명 및 함량	용법	약리작용 및 효능	부작용	주의 및 금기
	- 소아(≥4개월) : 1mg/kg (Max. 50mg/D) 4) 투여방법 : 1시간 이상에 걸쳐 IV inf. 5) 조제방법: 1 vial당 NS, 5DW 5ml로 재구성한 후, 약 용량에 관계없이 NS, 5DW 100ml에 최종 희석 (최종농도 0.5~4mg/ml)		- 저칼슘혈증, 고혈당 - 복통, 식욕감퇴, 소화불량 - 빈혈, 호중구감소증 - AST, ALT, ALP상승 - 경직, 요통 - 기침, 호흡곤란, 코피 - 세균혈증, 패혈증	1) 차광(바이알 포장된 투명 비닐은 차광효과 있으므로 보관시 비닐 제거하지 않음), 실온보관 2) 재구성 및 희석 후 차광, 상온 24시간 안정 3) 조제시 주사용수 사용불가 4) 조제된 수액 즉시 사용시 차광 불필요 5) 다른 약과 혼합하지 말 것

약품명 및 함량	용법	약리작용 및 효능	부작용	주의 및 금기
Nystatin PMS Nystatin syr 피엠에스 니스타틴 시럽 …100,000Unit/ml	1) 시럽, 가글 ① 성인 및 소아 : 40~60만U(4~6ml) tid~qid ② 유아 : 20만U(2ml) qd~qid ③ 연령, 증상에 따라 적절히 증감	1) 진균 세포막의 sterol에 결합하여 세포막 투과성을 변화시키며 세포내 함유물의 누출을 초래함으로써 정균 및 살균작용을 나타냄. 2) 구강 및 소화관 칸디다증에 사용함. 3) 구강 칸디다증에 시럽제를 사용할 경우 가능한 입에 오래 물고 있다가 삼킬 것(∵ GI tract에서 잘 흡수되지 않음). 4) Onset : 칸디다증 24~72hrs Tmax : 경구 흡수 거의 안됨. 배설 : 대변(미변화체로 배설)	1) 1~10% - 오심, 구토, 설사, 위장 불쾌감 2) 〈1% - 과민반응 3) 빈도 불명 - 접촉성 피부염, 스티븐 존슨 증후군	〈주의〉 1) 시럽제 : 안식향산나트륨 함유(피부, 눈, 점막에 경미한 자극감) 2) 임신부 : Category C(FDA)/A(호주) 3) 수유부 : 안전성 미확립 〈취급상 주의〉 1) 사용전 충분히 흔들어 균일한 현탁액이 되도록 하고, 경구로만 사용
Amphotericin B Ambisome inj 암비솜주사 …50mg/V	1) 전신성 진균 감염 : 1~5mg/kg/D 2) 호중구 감소 환자의 불명열 : 1~3mg/kg/D 3) 내장리슈마니아증 : 1~1.5mg/kg/D, 21일간 or 3mg/kg/D, 10일간 4) 투여방법 : 적정농도(0.2~2.0mg/ml)로 30~60분간 IV inf. 5) 초회 투여시 test dose 투여 - 1mg을 10분에 걸쳐 서서히 투여 후 30분간 환자 상태 관찰 후 사용	1) Amphotericin B를 liposomal lipid bilayer에 intercalation시켜 부작용을 최소화하고 주입시간을 단축(30~60분)시킨 제제 2) Histoplasma capsulatum, Coccidiodes immitis, Candida spp., Aspergillus fumigatus 등의 진균에 살균작용을 나타냄. 3) 적응증 - 크립토콕쿠스증, 북아메리카 분아균증, 산발성 칸디다증, 콕시디오이데스진균증, 아스페르길루스증, 모균증 및 아메리카 점막피부 리슈마니아증과 같은 전신성 진균감염	1) 〉10% - 발열 - 냉감, 오한 - 저칼륨혈증 - 구역, 구토 2) 1~10% - 고혈압, 홍조 - 망상 - 뇨저류 - 백혈구 증가 - 크레아티닌 상승,	〈금기〉 1) 질소저류 환자 〈주의〉 1) 1vial 당 900mg의 백당을 함유하고 있으므로 당뇨 환자 주의 2) 간, 신기능 및 혈액검사 정기 실시 : 이상 발생 시 투여중지 3) 부작용과 위험성을 고려하여 치명적인 감염증에만 사용 4) 임신부 : Category B 5) 수유부 : 안전성 미확립

약품명 및 함량	용법	약리작용 및 효능	부작용	주의 및 금기
		- 호중구 감소 환자의 불명열 - 면역기능이 있는 성인 및 소아의 내장 리슈마니아증의 1차 치료 - 면역결핍환자(HIV 양성 환자 등)에서 내장 리슈마니아증의 1차 치료	BUN 상승 - 저마그네슘혈증, 저칼슘혈증, 고혈당증, 저나트륨혈증 - ALP 증가 - 빌리루빈혈증 - 설사, 복통 - 호흡곤란 - 두통, 요통 - 빈맥, 발진	6) 생후 1개월 미만 소아 : 안전성, 유효성 미확립 〈상호작용〉 1) 신독성이 있는 항생제 및 항종양제 : 신독성 증가 2) 부신피질호르몬, 강심배당체 : 저칼륨혈증 증가 〈취급상 주의〉 1) 실온(1~25℃) 2) 주사액의 조제 - 재구성: 1vial에 주사용수 12ml를 가하여 4mg/ml 농도로 만듦 - 희석 : 0.2~2mg/ml의 농도로 희석(제공된 필터를 사용하여 재구성액을 5DW에 주입) 3) 안정성 - 재구성액 : 냉장 24hrs - 희석액(5DW) : 냉장 4~7일 4) 배합금기 : NS, 벤질알콜 함유 주사제 5) 잔액 폐기(보존제 미포함)
Amphotericin B Fungizone inj 훈기존주사 …50mg/V (940Unit/mg)	1) 성인 : 초기 0.25mg/kg/D, 내약성에 따라 점차 증량하여 1mg/kg/D or 1.5mg/kg EOD (Max. 1.5mg/kg/D) 2) 초회 투여시 test dose 권장 - 1mg을 5DW 20ml로 용해하여 20~30분간 투여 후 2~4시간동안 vital sign 관찰 3) 천천히 6시간에 걸쳐 IV inf. (직사광선 피하여, 농도 0.1mg/ml 이하)	1) Streptomyces nodosus에서 얻어진 polyene macrolide계 살균성 항진균제 2) Histoplasma capsulatum, Coccidiodes immitis, Candida spp., Aspergillus fumigatus 등의 진균에 살균작용을 나타냄. 3) 진행성, 치명적 진균감염증에 사용 4) 단백결합률 : 90~95% $T_{\frac{1}{2}}$: 15days 배설 : 신장(40%)	1) >10% - 저혈압, 호흡 증가 - 발열, 오한, 두통, 피로감 - 식욕부진, 오심, 구토, 설사, 흉부 작열감 - 근육 및 관절통 - 주사 부위의 정맥염, 혈전성 정맥염 - 저칼륨혈증, 저마그네슘혈증 - 신기능부전 2) 1~10% - 고혈압, 홍조 - 망상 - 뇨저류 - 백혈구증가	〈금기〉 1) 중증 간, 신기능 장애 환자 〈주의〉 1) 항암제, 신독성 및 혈액독성 물질 투여 환자 2) 치료기간 중 주 1회 신기능검사 실시(BUN 40mg/100ml을 초과하는 경우 신기능 개선될때까지 투여 중지 or 감량) 3) 간기능검사 결과 이상이 있으면 투여중지 4) 부작용과 위험성을 고려하여 치명적인 감염증에만 사용 5) 임신부 : Category B 6) 수유부, 소아 : 안전성 미확립 〈상호작용〉 1) 신독성이 있는 항생제 및 항종양제 : 신독성 증가 2) 부신피질호르몬, 강심배당체 : 저칼륨혈증 증가 〈취급상 주의〉 1) 10℃ 이하 냉장보관, 차광보관

약품명 및 함량	용법	약리작용 및 효능	부작용	주의 및 금기
				2) 주사액의 조제 – 재구성 : 주사용수 10ml (차광, 냉장 7일 안정) – 희석 : pH 4.2 이상의 5DW 500ml (1:50 희석, 즉시 사용) 3) NS와 혼합 금함

약품명 및 함량	용법	약리작용 및 효능	부작용	주의 및 금기
Dapsone Dapsone tab 답손정 …25mg/T	1) 성인 ① 한센병 - 25mg/D, 내성에 따라 2~3주 마다 25mg씩 증량 - 유지량 : 100mg/D ② 포진상 피부염 : 50mg tid~qid 2) 소아(한센병) : 1.4mg/kg/D	1) 포진상 피부염에 대한 기전은 확립되어 있지 않으나 M. leprae에 대해서는 정균작용 및 살균작용이 있음. 2) 포진상 피부염, DDS에 저항성이 있는 경우를 제외한 모든 형태의 한센병에 선택약제임.	1) >10% - 용혈성 빈혈, 청색증을 동반한 메트헤모글로빈혈증 - 피부발진 2) 1~10% - 용량의존적 용혈 - CNS : Reactional state 3) <1% - 무과립구증, 담즙정체성황달, 백혈구감소, 말초신경병증	〈주의〉 1) Inactive 상태로 된 후 2~10년간 더 투약해야 함 2) 간장애, 혈액장애 환자, 허약자 3) 치료기간 중 정기적인 혈액검사 실시, 복용기간 중 혈액질환으로 인한 인후통, 발열, 황달 같은 임상적 징후 발현 관찰 4) 임신부 : Category C 5) 수유부 : 수유가능 〈상호작용〉 1) 엽산길항제 : 혈액학적 반응증가 2) Rifampin : 이 약의 농도 감소 3) Trimethoprim : 각각의 혈중농도 1.5배 증가

약품명 및 함량	용법	약리작용 및 효능	부작용	주의 및 금기
p-Aminosalicylate calcium PAS granule 파스과립 …0.8g/g, 2.64g/3.3g/pk	1) 성인 : 10~15g/D #2~3 2) 소아 : 0.2~0.3g/kg/D #2~3 * 신기능에 따른 용량 조절 참고 - CrCl 10~50ml/min : 50~75%로 감량 - CrCl <10ml/min : 50%로 감량	1) Bacteriostatic action을 가짐. 2) 감수성 균에서 aminobenzoic acid에서 dihydrofolic acid로의 전환을 상경적으로 차단함으로써 folic acid의 생합성을 억제함. 3) Mycobacterium tuberculosis에 유효함. 4) 적응증 : 폐결핵 및 기타결핵증	1) 1~10% - 오심, 구토, 설사, 복통 2) <1% - 무과립구증, 발열, 용혈성 빈혈, 간염성 황달, 백혈구감소, 혈소판감소, 혈관염	〈금기〉 1) 고칼슘혈증 환자 2) Salicylate에 과민한 환자 3) 중증 신질환, 심부전, 고혈압, 부종 환자 4) Glucose-6-phosphate dehydrogenase 결핍 환자 〈주의〉 1) 간,신, 혈액장애 환자 2) 위장관 질환 환자 3) 약물 과민반응 병력 4) 임신부 : Category C 5) 수유부 : 모유로 이행, 수유중단 〈상호작용〉 1) 다른 항결핵제 : 중증 간장애 발생 주의(간기능 검사 시행)

약품명 및 함량	용법	약리작용 및 효능	부작용	주의 및 금기
				2) 항응고제, phenytoin, isoniazid의 작용 증가 3) Vitamin B12 흡수 저하 4) Digoxin 제제의 혈중농도 감소 5) Salicylate, phenylbutazone : 이 약의 혈중농도 증가 6) Diphenhydramine : 이 약의 혈중농도 감소
Bedaquiline fumarate Sirturo tab 서튜러정 …100mg/T	1) 총 치료기간: 24주 ① 1-2주 : 400mg qd ② 3-24주 : 주 3회, 1회 200mg qd (한 주당 총 600mg), 투여 간격은 최소 48시간 이상 2) 감수성이 있는 약물 3가지 이상과 병용, 감수성 결과가 없는 경우 다른 약제 4가지 이상과 병용	1) Diarylquinoline계 항결핵제 2) 결핵균의 ATP 합성을 저해하여 항결핵작용함. 3) 적응증 : 18세 이상 성인의 다제내성 폐결핵에 대한 병용 요법 4) Tmax : 5hrs $T_{\frac{1}{2}}$: 5.5months 대사 : 간(CYP3A4) 배설 : 대변, 신장(≤0.001%)	1) 〉10% - 가슴통증(11%) - 두통(28%) - 오심(38%) - 혈중 아미노전이효소 상승(9~11%) - 관절통(33%) - 객혈(18%) 2) 1~10% - 피부 발진(8%) - 식욕부진(9%), 혈중 amylase 상승 3) 〈1% - 간독성, QT 간격 연장	〈금기〉 1) 유당 관련 대사장애 환자 〈주의〉 1) 중증 간장애 환자 2) 치료 전, 치료기간 동안 매 달 간 기능검사 모니터링 실시 및 알코올 섭취를 피함. 3) 치료 전 및 치료후 적어도 2, 12, 24주째 심전도 모니터링 실시(∵ QT간격을 연장 시킬 수 있음) 4) 임신부 : Category B 5) 수유부 : 동물시험에서 유즙 분비 6) 소아 : 안전성 미확립 〈상호작용〉 1) CYP3A4 유도제(Rifampin) : 이 약의 노출 감소 2) CYP3A4 억제제 : 이 약의 노출 증가 3) QT 간격 연장 약물과 이 약 병용 시 QT연장 상가효과 〈취급상 주의〉 1) 차광, 실온보관(1~30℃)
Cycloserine Closerin cap 크로세린캅셀 …250mg/C	1) 성인: 250mg bid (Max. 1g/D) * 신기능에 따른 용량 조절 참고 - CrCl(ml/min) : 용량 ① 〉50 : 250mg q 12hrs ② 10~50 : 250mg q 12~24hrs ③ 〈10 : 250mg q 24hrs ④ 〈50인 투석 미시행 환자 : 투여금기	1) 결핵균과 감수성 있는 G(+), G(-)의 세포벽 합성을 억제함. 2) 결핵 2차 치료제 : 1차 치료제 사용실패 후 사용하되 단독요법을 피하고 반드시 병용요법을 실시할 것 3) BA : 70~90% $T_{\frac{1}{2}}$: 10hrs 배설 : 신장(50~70%, 미변환체)	- 부정맥 - 졸음, 두통, 현기증, 현훈, 발작, 착란, 신경증, 혼수 - 발진 - Vit.B12, 엽산 결핍 - 간효소 수치 상승 - 진전	〈금기〉 1) 정신병, 간질, 우울증, 중증 불안 환자 2) 중증 신부전 환자 3) 알코올 과량 섭취 환자 〈주의〉 1) 신장애 2) 알코올 중독자 3) 정신병, 간질 병력 및 가족력이 있는 환자 4) 알레르기성 피부염, 중추신경계 독성 증상 나타내는 환자

약품명 및 함량	용법	약리작용 및 효능	부작용	주의 및 금기
				5) 임신부 : Category C 6) 수유부 : 모유로 이행 7) 소아 : 안전성 및 유효성 미확립 <상호작용> 1) Isoniazid : CNS 독성 증가 2) Ethionamide : 신독성 상승 및 신경계 이상반응 발생 위험 증가 3) 알코올 : 간질성 발작 위험 증가
Ethambutol HCl Myambutol tab 마이암부톨제피정 …400mg/T	1) 초기치료 : 15mg/kg qd 2) 재치료 : 25mg/kg qd, 60일 투여 후 15mg/kg/D로 감량 3) 월 1회 안과검사 시행 필요 * 신기능에 따른 용량 조절 참고 - CrCl 10~50ml/min : q 24~36hrs로 투여 - CrCl <10ml/min : q 48hrs로 투여	1) Tubercle bacilli 같은 Mycobacteria의 RNA 합성을 억제함. 2) 반드시 병용요법(Isoniazid, Isoniazid+ Streptomycin 등)을 실시하도록 하고, 재감염시는 이미 사용했던 약제에 대한 내성을 고려하여 2차약과 병용할 것 3) Isoniazid의 내성을 감소시킴. 4) 타 항결핵제와 교차내성은 없음. 5) 적응증 : 폐결핵 및 기타 결핵증	- 두통, 착란, 지남력 상실, 권태, 발열 - 발진, 소양증 - 급성통풍, 고뇨산혈증 - 복통, 식욕감퇴, 오심, 구토 - LFT 이상 - 말초신경염 - 시신경염(약 중단 후 회복되나 비가역적 시력장애 보고됨) - 아나필락시스	<금기> 1) 시신경염 환자 <주의> 1) 당뇨병 및 알코올 중독 환자 2) 신장애, 고요산혈증, 통풍 환자 3) 투여 중 시력장애 징후 발견시 투약을 중지 4) 황색5호 성분에 과민한 환자 5) 임신부 : Category C 6) 수유부 : 모유로 이행 7) 12세 미만 소아 : 안전성 미확립(시력장애 조기발견 어려움) <상호작용> 1) Rifampicin 병용투여시 시력장애 증강
Isoniazid Yuhan-Zid tab 유한짓정 …100mg/T	1) 성인 - 예방 : 300mg qd - 치료 : 200~400mg(4~8mg/kg) qd 또는 600~800mg 주2회 2) 소아 - 예방 : 10mg/kg qd - 치료 : 10~15mg/kg qd - Max. 300mg/D 3) 공복에 복용 * 신기능에 따른 용량 조절 참고 - CrCl(ml/min) <10 : 50% 감량 고려	1) 결핵 치료시 타 항결핵제와 병용, 잠복기 결핵 치료에 단일 또는 병용요법으로 사용 2) Isoniazid가 pyridoxine 배설을 촉진하여 말초 신경염을 유발하므로, pyridoxine을 투여하여 이를 방지할 수 있음. 3) 적응증 : 폐결핵 및 기타 결핵증의 치료 및 예방	1) >10% - 오심, 구토, 위통 - 간효소수치 증가 - 허약감 - 말초 신경병증 2) 1~10% - 현기증, 언어장애, 기면, 과다반사	<금기> 1) 중증 간장애 환자 <주의> 1) 간장애, 신장애, 정신장애, 알코올 중독, 경련성 질환, 혈액장애, 약물 과민반응 환자 2) 임신부 : Category C (호주 Category A), 동물실험에서 태자발육장애 보고, 투여 권장하지 않음 3) 수유부 : 모유로 이행, 수유중단 4) Carbamazepine, disulfiram 투여 환자 <상호작용> 1) Carbamazepine이나 phenytoin의 간대사를 억제하여 항경련제의 혈중농도가 상승, 부작용 증가

약품명 및 함량	용법	약리작용 및 효능	부작용	주의 및 금기
				2) Warfarin의 작용 증가 3) Cyclosporine, itraconazole, ketoconazole, levodopa의 효과 감소
Prothionamide Prothionamide tab 프로티온아미드정 …125mg/T	1) 성인 : 0.5~1g/D #1~3 2) 소아 : 10mg/kg/D #1~3 3) 0.3g/D로 시작하여 점차 증량	1) 항균력은 isoniazid 보다 약하고 내성은 빠름. 2) Streptomycin, p-aminosalicylate, isoniazid의 3가지 병용요법을 할 수 없는 환자, 여러가지 항결핵제로 치료효과가 없는 환자에 단독 사용은 하지 않고 타 항결핵제와 병용하여 사용함. 3) 적응증: 폐결핵, 기타 결핵증	- 식욕부진, 오심, 구토, 위통, 수족저림, 발진	〈금기〉 1) 중증 간장애 환자 〈주의〉 1) 간, 신장애 환자 2) 황색 4호 성분에 과민한 환자 3) 임신부 : 기형아 출생 보고 4) 수유부 : 안전성 미확립
Pyrazinamide Pyrazinamide tab 피라진아미드정 …500mg/T	1) 성인 : 1.5~2g/D #1~3(Max. 3g/D) 2) 소아 : 용량 미확립(15~30mg/kg qd로 투여 가능, Max. 2g/D) * 신기능에 따른 용량 조절 참고 - CrCl(ml/min) : 용량 ① 〈30 또는 혈액투석시 : 25~35 mg/kg, 주 3회 ② 〈10 : 상용량의 50~100%	1) Short-therapy에 사용함. 2) Intracellular tubercle bacilli에 대해 가장 유효함. 3) Isoniazid와 병용시 더 효과적임. 4) 적응증 : 폐결핵 및 기타결핵증	1) 1~10% - 권태감, 오심, 구토, 식욕부진, 관절통, 근육통	〈금기〉 1) 간, 신장애 환자 2) 고요산혈증 환자 3) 포르피린증 환자 4) 임신부 : Category C(국내허가금기) 5) 수유부 : 모유로 이행, 수유중단 〈주의〉 1) 통풍발작 병력 있는 환자 2) 고령자 3) 당뇨 환자 4) Prothionamide, isoniazid, nicotinic acid 등 구조적 유사체에 과민한 환자 5) 소아 : 안전성 미확립 〈상호작용〉 1) 타 항결핵제: 중증 간장애 발생 2) Cyclosporine의 혈중농도 감소 3) Allopurinol, colchicine, probenecid, sulfinpyrazone의 작용 약화
Rifabutin Mycobutin cap 마이코부틴캅셀 …150mg/C	1) 성인 - 면역 저하 환자의 MAC 감염 예방 : 300mg qd(위장장애 시 150mg bid, 음식과 함께 복용) - 병용 요법	1) DNA 합성 저해 작용으로 G(+), G(-)균, Mycobacterium tuberculosis, rifampicin resistant M. tuberculosis, 비정형 Mycobacteria 등에 의한 감염증에 사용 2) 적응증 : CD4 ≤ 200cells/microL인 면역기능 저하	1) 〉10% - 발진 - 오심, 구토 - 대변, 소변, 땀, 누액 등의 착색	〈금기〉 1) Rifamycin류 등에 과민한 환자 2) 임신부 : Category B(국내허가금기) 3) 수유부 및 소아 : 안전성 미확립 〈주의〉

약품명 및 함량	용법	약리작용 및 효능	부작용	주의 및 금기
	① 비결핵성 Mycobacteria에 의한 국소 및 전신 감염증 : 450~600 mg/D, 음성판정 후 6개월까지 지속 ② 폐결핵 : 150~450mg/D, 6개월 이상 지속 투여 * 신기능에 다른 용량 조절 참고 – CrCl<30ml/min : 1/2로 감량	환자의 M. avium intracellulare complex(MAC) 감염증, 비결핵성 Mycobacteria에 의한 국소 및 전신 감염증, 폐결핵 3) Tmax : 2~4hrs BA : 20% $T\frac{1}{2}$: 16~69hrs (평균 45hrs) 배설 : 신장(미변화체 5%, 대사체 53%) 대변(미변화체 5%, 대사체 30%)	2) 1~10% – 두통 – 복통, 설사, 식욕부진, 고장, 트림 – 빈혈, 혈소판감소증	1) 중증 간부전, 신부전 환자 2) 정기적으로 혈액 검사 실시(호중구/혈소판 감소증 발생) 3) 소프트 콘택트렌즈, 뇨, 변, 타액, 객담, 발한, 눈물, 피부 등이 붉은색으로 착색 될 수 있음. 〈상호작용〉 1) 이 약의 혈중 농도를 증가 : CYP450 저해제 (fluconazole, indinavir, lopinavir /ritonavir) 2) Verapamil, digoxin, CsA, itraconazole, corticosteroid, 경구용 항응고제, theophylline, clarithromycin, ketoconazole, barbiturate, 경구용피임제, NNRTI(efavirenz), protease inhibitor (indinavir, nelfinavir, ritonavir)의 혈중농도를 감소시킴.
Rifampicin Rifodex cap 리포덱스캅셀 …150mg/C Rifodex tab 리포덱스정 …450mg/T …600mg/T	1) 결핵 ① 성인 : 450~600mg qd ② 소아(>5세) : 10~20mg/kg qd (Max, 600mg/D) 2) 수막염균 보균자 ① 성인 : 600mg bid 2일 ② 소아 – 영아(3~12개월) : 5mg/kg bid 2일 – 1~12세 : 10mg/kg bid 2일 3) 한센병 : 600mg/D (문헌 참고) 4) 식전 1시간 또는 식후 2시간에 충분한 물과 함께 복용 권장 * 신기능에 따른 용량 조절 참고 – CrCl(ml/min) : 용량 ① 10~50 : 상용량의 50~100% ② <10 : 50%로 감량	1) 세균의 DNA-dependent RNA polymerase activity를 억제하므로 폐결핵에 유효하며 타결핵제와 병용함. (예 : isoniazid+rifampin, ethambutol+rifampin, isoniazid+ethambutol+rifampin) 2) Neisseria meningitidis의 무증후의 보균자에게도 사용(meningococcal infection에는 사용하지 않음) 3) M. leprae에도 살균작용을 나타내므로 나병에 단일 및 병용요법제로 사용함 4) 적응증 : 결핵, 무증후성 수막염균 보균자 5) 최대효과 : 2~4hrs $T\frac{1}{2}$: 3hrs	1) 1~10% – 발진 – 상복부불쾌감, 식욕감퇴, 오심, 구토, 설사, 경련, 위막성 대장염, 췌장염 – 간기능검사 이상 (~14%) 2) 빈도 미확립 – 홍조, 부종 – 두통, 졸음, 현기증, 착란, 마비감, 행동이상, 운동실조 – 소양증, 두드러기 – 용혈, 용혈성 빈혈, 혈소판감소(고용량 시)	〈금기〉 1) 담도폐색, 간장애, 황달 환자 2) Indinavir, saquinavir, nelfinavir, amprenavir 투여 환자 3) 미숙아, 신생아 〈주의〉 1) 간헐 투여 및 재투여 환자 2) 부신피질 부전 환자 3) 간장애 및 병력이 있는 환자 4) 치료 도중 약을 거르지 말 것 5) 항혈액응고제와 병용시 항혈액응고제의 증량 필요 6) 소프트 콘택트렌즈, 대 · 소변땀, 누액 등이 착색될 수 있음 7) 임신부 : Category C 8) 수유부 : 모유로 이행 〈상호작용〉 1) Ethambutol : 시력장애 증가 2) 다른 항결핵제 : 중증 간장애 발생 주의(간기능 검사 시행)

약품명 및 함량	용법	약리작용 및 효능	부작용	주의 및 금기
				3) 경구 피임제, 항혈액응고제, 경구 당뇨병용제, digitalis 제제, corticosteroids, cyclosporine, theophylline, CCB, dapsone, phenytoin, beta-blocker, enalapril, doxycycline, benzodiazepine계 약물, 삼환계항우울제, tamoxifen, azole계 항진균제, carbamazepine, tacrolimus, zolpidem, morphine, barbital계 약물, protease inhibitors 등의 약효 감소(제품설명서 참고) 4) Probenecid, co-trimoxazole : 이 약의 혈중농도 증가
Ethambutol HCl+ Isoniazid+ Pyrazinamide+ Rifampicin **Tubes tab** 튜비스정 …275+75+400+150mg/T	1) 1일 1회 식전 1시간 복용 2) 체중 당 1회 용량: - 30~37kg : 2Ⓣ/회 - 38~54kg : 3Ⓣ/회 - 55~70kg : 4Ⓣ/회 - ≥71kg : 5Ⓣ/회 3) ≤30kg : 투여 비권장 4) ≥70kg : rifampicin, isoniazid의 1일 최대용량 초과되므로 주의	1) 다음 성분의 4제 복합 결핵치료제 ① Rifampin : 세균의 DNA-dependent RNA polymerase activity를 억제 ② Isoniazid : 세포벽의 mycolic acid 합성 억제 ③ Pyrazinamide : Intracellular tubercle bacilli에 유효 ④ Ethambutol : Mycobacteria의 RNA 합성을 억제함. 2) 적응증 : 성인 및 8세 이상 소아의 결핵 치료	* 각 단일제 부작용 참조	〈금기〉 1) 중증 간장애 환자 2) Voriconazole, protease inhibitor, halothane과의 병용 3) 지속성 안질환, 시신경 손상환자 4) 중증 신장애 (CrCl〈30ml/min) 5) 포르피린증, 고요산혈증, 급성 통풍 환자 6) 8세 이하 소아, 체중 30kg 미만 7) 임신부 : Category C(국내허가금기) 〈주의〉 1) 간 질환자, 간장애 유발약제 복용 환자 2) 고령자 3) 만성 및 과다 알코올 섭취 환자 4) 영양실조, 당뇨, 신장애 환자 5) 흑인, 남미 여성 6) 수유부 : 모유로 이행 〈상호작용〉 1) 각 단일제의 상호작용 참고

약품명 및 함량	용법	약리작용 및 효능	부작용	주의 및 금기
Metronidazole Flasinyl tab 후라시닐정 ···250mg/T Flagyl inj 후라질주 ···500mg/100ml/BT	* 경구제 1) 트리코모나스증: 250mg bid, 10일 2) 혐기성균 – 치료 : 500mg tid~qid, 7~10일 (Max. 4g/D) – 예방 : 초회량 1~2g, 이후 250mg tid, 7일 3) 아메바증 : 750mg tid, 5~10일 * 주사제 1) 성인 및 12세 이상 : 500mg q 8hrs IV 2) 12세미만 : 7.5mg/kg q 8hrs IV 3) 투여방법 : 25mg(5ml)/min 속도로 천천히 IV * 신기능에 따른 용량 조절 참고 – CrCl ≤10ml/min : 50% 감량 또는 12시간마다 투여 – (문헌상) 단기 치료시 용량조절 불필요	1) Nitroimidazole 유도체로 항원충 및 항박테리아 작용이 있음. 2) 주사제는 주로 혐기성세균(B.fragilis균, Clostridium속, Peptococcus속)에 의한 감염증(복막염, 간농양, 피부 감염, 자궁 내막증, 자궁부속기염, 세균성 패혈증 등)에 사용함. (B. fragilis에 대한 항균력 : Ornidazole 〉 Metronidazole) 3) 경구제는 원충에 의한 감염증(트리코모나스 질염, 아메바성 이질, 람블편모증 등)및 항균제의 장기 사용에 따른 설사에 주로 사용함. 4) Clindamycin, Chloramphenicol 등의 내성균에도 유효함. 5) Candida증에는 무효함. 6) Tmax : 1~2hrs(PO), 종료 후 즉시(IV) $T_{\frac{1}{2}}$: 6~8hrs 대사 : 간(extensive) 배설 : 신장(60~80%), 대변(6~15%)	1) 〉10% – 어지러움, 두통 2) 1~10% – 설사, 오심, 구토, 식욕부진 3) 〈1% – 암적색 뇨, disulfiram반응, 과민 반응, 백혈구 감소증, 금속성 맛, 신경병증, 췌장염, 간질발작	〈금기〉 1) Imidazole 유도체에 과민한 환자 2) 혈액, 신경계 질환이 있는 환자 3) Mizolastine 투여 환자 〈주의〉 1) 경련성 발작, 말초성 신경병 등의 이상이 나타나면 투약 중지 2) 간장애 환자에서 축적작용이 나타날 수 있으므로 감량하여 투여 3) Corticosteroid 사용 환자 및 부종 환자(Na저류) 4) AST, ALT, LDH 등의 수치가 낮게 나타날수 있음. 5) 이 약의 대사체로 인해 암적색 뇨가 나타날 수 있음. 6) 임신부 : Category B(임신 1기에는 금기) 7) 수유부 : 모유로 이행, 수유중단 〈상호작용〉 1) 항응고제의 작용 촉진 2) Alcohol : disulfiram like 반응(이약 투여중, 종료 후 3일간은 섭취를 피함) 3) Phenytoin, phenobarbital : 이 약의 대사 증가 4) Cimetidine : 이 약의 대사 감소
Ornidazole Tomizole inj 토미졸주 ···500mg/3ml/A	1) 트리코모나스증 ① 성인 : 1.5g 단회 or 500mg bid 5일 ② 소아 : 25mg/kg 단회 2) 혐기성균 감염증 ① 성인 : 초회 500~1,000mg IV inf. 후 5~10일간 1g #1~2 IV inf. 상태 호전 시 경구로 전환 ② 소아 : 10mg/kg bid, 5~10일 ③ 예방 : 수술 30분 전까지 1,000mg	1) Metronidazole과 같은 nitroimidazole 유도체 2) Metronidazole과 작용 및 용도가 유사하며, 트리코모나스, 아메바, 람블 편모충 및 혐기성균에 의한 감염증 치료제 3) Tmax : 2hrs(PO) $T_{\frac{1}{2}}$: 11~14hrs 대사 : 간(extensive) 배설 : 신장(63%), 대변(~22%)	1) 〉10% – 어지러움, 두통 2) 1~10% – 설사, 오심, 구토, 식욕부진 3) 〈1% – 암적색 뇨, 과민 반응, 백혈구 감소증, 금속성 맛, 신경병증, 췌장염, 간질발작	〈금기〉 1) 기질성 신경 장애 환자 2) 혈액질환 병력 환자 〈주의〉 1) 타 nitroimidazole계 약물과 달리 alcohol과 병용시 주의 없음. 2) 임신부, 수유부 : 안전성 미확립 〈취급상 주의〉 1) 주사제 : 반드시 수액제와 희석(500mg은 최소 100ml이상)하여 5mg/ml 이하로 점적 주입

약품명 및 함량	용법	약리작용 및 효능	부작용	주의 및 금기
	단회 또는 수술 6-12시간전 500mg, 수술 후 500mg bid 3일 3) 아메바증 ① 아메바성 이질(3일 요법) – 성인 및 >35kg 소아 : 1.5g qd – ≤35kg 소아 : 40mg/kg qd ② 기타(5-10일 요법) – 성인 및 >35kg 소아 : 500mg bid – ≤35kg 소아 : 25mg/kg qd 〈약리작용 및 효능〉란에 계속	〈용법 계속〉 ③ 중증 – 성인 : 초회 500~1,000mg 투여 후, 500mg bid – 소아 : 20~30mg/kg/D 4) 람블 편모충증(1~2일 요법) ① 성인 및 >35kg 소아 : 1.5g qd ② ≤35kg 소아 : 40mg/kg qd 5) 주사제: 경구투여 불가 시 투여, 경구제와의 대응 용량은 1:1		2) 희석가능 수액 : 5DW, 10DW, NS, 링겔액, 하트만액, 2.5% 포도당가 0.45% 염화나트륨 주사액

약품명 및 함량	용법	약리작용 및 효능	부작용	주의 및 금기
Hydroxychloroquine sulfate Haloxin tab 할록신정 …100mg/T …200mg/T	1) RA, 유년성 RA, 원판성 및 전신성 홍반루푸스, 광과민성질환 – 성인 : 초기 200-400mg/D(400mg 투여 시 분할), 효과 있을 시 200 mg/D로 감량 – 소아 : 평균 200-400mg/D – Max. 6.5mg/kg/D 2) 말라리아 – 치료 ① 성인 : 초회 800mg 투여 후 400mg q 6~8hrs, 3회 투여(2일간 총 2g) or 800mg 단회 투여(P. falciparum, P. vivax) ② 소아 : 10mg/kg 투여 후 5mg/kg q 6~8hrs, 3회 투여(2일간 총 25mg/kg, Max. 성인 용량) – 예방 : 노출 2주전부터 6mg/kg, 주 1회 (Max. 40kg 미만 소아 200mg/wk)	1) 4-Aminoquinoline 유도체 2) 항말라리아작용 기전은 분명치 않으나 핵단백과 결합하여 단백 합성을 억제함. 3) 소염작용이 있어 RA의 치료에 금 제제나 D-penicillamine 대신 또는 NSAIDs 등과 병용함 4) 홍반성 낭창에 부신피질호르몬제 등의 보조 요법제로 사용함. 5) Chloroquine 저항성 P.falciparum에 유효하지 않으며 P.vivax, P.ovale, P.malaria의 적혈구외형(exoerythrocyteform)에도 효과가 없으므로 이러한 균주의 예방목적으로 사용하지 않음. 6) Onset : 4~6wks(RA) $T\frac{1}{2}$: 32~50days 배설 : 신장	– 심근병증 – 자극, 초조, 감정변화, 악몽, 신경증, 두통, 현기증, 현훈, 발작, 운동실조, 쇠약 – 모발탈색, 탈모, 피부 및 점막의 색소침착, 발진, 스티븐스존슨증후군 – 체중감소 – 식욕감퇴, 오심, 구토, 설사, 복부경련 – 재생불량성빈혈, 무과립구증, 백혈구감소, 혈소판감소, 용혈 – 간기능이상, 간부전	〈금기〉 1) 4-Aminoquinoline 화합물에 과민성이거나 시각장애가 우려되는 환자 2) 눈의 황반변증이 있는 환자 3) 소아(장기간 투여시) 4) 임신부 : Category C (호주 Category D) 5) 수유부 : 모유로 이행, 수유중단 〈주의〉 1) 투여 시작 전 slit-lamp, funduscopic, visual field test 등 안과적 검사를 실시하고 투여 중 매 3개월마다 검사를 실시할 것 2) 간에 축적될 수 있으므로 간질환, 알콜중독자 등에 투여 주의 3) 정기적으로 CBC 검사를 실시해야함, G-6-PD 결핍자에게는 특히 주의할 것 4) 투여 중 muscular weakness, ankle reflex를 정기적으로 점검하고, 이상 발견 즉시 투여 중단 〈상호작용〉

약품명 및 함량	용법	약리작용 및 효능	부작용	주의 및 금기
	3) 음식 또는 우유와 함께 복용 * 신기능에 따른 용량 조절 참고 – CrCl<30ml/min : 투여금기		– 근병증, 마비, 근위축 – 조절장애, 각막병증 – 이명, 난청	1) Digoxin의 혈중농도 상승됨. 2) 제산제의 생체이용률 감소됨 (4시간의 간격 두고 투여). 3) 간독성, 과민증 또는 피부염유발 약물과의 병용을 피함.
Mefloquine HCl Lariam tab 라리암정 …250mg/T	1) 치료요법 – 총 권장용량 : 비면역 환자 20~25 mg/kg, 부분면역환자 15mg/kg #1~3 (Max. 총 6Ⓣ) 2) 예방요법 : 출발 1주전부터 귀국 후 4주까지 해당 용량을 주 1회 복용 ① 45kg 이상 : 1Ⓣ ② 45kg 미만(1주 단위 용량을 체중에 비례하여 감소) – 30~45kg : 0.75Ⓣ – 20~30kg : 0.5Ⓣ – 20kg 미만 : 0.25Ⓣ 3) 대기치료: 초회 약 15mg/kg 투여, 6~8시간 후 나머지 용량#1~2(총 권장용량: 치료요법과 동일) ① 45~60kg : 3Ⓣ 복용, 6~8시간 후 2Ⓣ ② 60kg 이상 : ①에 추가하여 6~8시간 후 1Ⓣ 추가 복용 4) 식후에 1컵 이상의 물과 복용(위장장애 우려되므로 공복시 복용하지 않음)	1) Quinine계 말라리아 치료 및 예방제 2) Chloroquine, proguanil, pyrimethamine, pyrimethamine/sulfonamide 복합제에 내성을 나타내는 Plasmodium falciparum 말라리아 원충에 효과 3) 무성, 적혈구내 사람 말라리아 원충에 유효 4) 적응증: 말라리아(P.vivax, 복합말라리아, 다른 약물 내성의 P. falciparum)의 치료, 예방 및 대기치료 5) $T_{\frac{1}{2}}$: 21~22days 단백결합률 : 98% 배설 : 신장(미변환체, 1.5~9%)	1) 1~10% – 집중력장애, 두통, 불면증, 현훈 – 구토, 설사, 위통, 오심 – 시야이상 – 이명	〈금기〉 1) 정신질환, 경련 병력자, 신부전 환자에게 예방요법으로 투여하지 말 것 2) Halofantrine 투여 환자 3) 유당 관련 대사장애 환자 4) 중증 간기능 장애 환자 5) 흑수열 병력이 있는 환자 〈주의〉 1) 경련위험 증가 2) 중추, 말초신경계 이상시 위험한 조작을 주의 3) 예방요법시 급성불안, 우울, 불안, 착란이 나타나면 투여 중지 4) 신기능 저하 환자, 심장전도 질환 환자 5) 임신부 : Category C 6) 가임기 여성: 복용 후 3개월까지 피임 권장 7) 수유부 : 소량이 모유로 이행, 부작용 발생 가능성 낮음 8) 생후 3개월 미만 또는 5kg 미만 유아 : 안전성 미확립 〈상호작용〉 1) Quinidine, chloroquine: 심전도상의 이상 및 경련 위험 증가 〈취급상 주의〉 1) 수분에 약하므로 복용시 개봉
Primaquine Vivaquine tab 비바퀸정	1) 성인 : 15mg qd, 14일간 복용 2) 소아 : 0.3mg/kg qd, 14일간 복용	1) 말라리아(Vivax malaria)의 치료 및 재발의 방지 2) 기생충의 mitochondria를 파괴시키고 DNA에 결합하여 DNA의 구조를 변화시켜 대사과정을 방해함.	– 부정맥 – 두통 – 가려움 – 복통, 오심, 구토	〈금기〉 1) 류마티스 관절염, 홍반루푸스 같은 과립구 감소 증상 발생 가능한 전신질환자 2) 다른 용혈제나 골수억제제 투여 환자

약품명 및 함량	용법	약리작용 및 효능	부작용	주의 및 금기
…15mg/T		3) 말라리아의 gametocyte와 exoerythrocyte를 억제 4) 조직(exoerythrocyte)감염을 제거함으로써 P.vivax 말라리아의 재발에 중요한 혈액(erythrocytic) 형태로의 발육을 예방 5) BA : 96% Tmax : 1~2hrs $T\frac{1}{2}$: 3.7~9.6hrs 대사 : 간 배설 : 신장(1%)	– 무과립구증, 용혈성 빈혈(G6PD 결핍환자), 백혈구 감소증, 백혈구 증가증, methemoglobinemia(NADH – methemoglobin reductase 결핍환자) – 시야장애	〈주의〉 1) Glucose-6-phosphate dehydrogenase, NADH-methemoglobin reductase 결핍 환자 2) 임신부 : Category D(호주) 3) 수유부 : 안전성 미확립 4) 용혈성 빈혈(뇨색이 어두워지거나 헤모글로빈 농도와 백혈구 수가 현저히 감소) 증상이 나타나면 즉시 투여 중지 5) 치료기간동안 정기적인 혈액검사 권장
Pyrimethamine Daraprim tab 다라프림정 …25mg/T	1) 성인 ① 톡소플라즈마증 : 50~75mg/D, 1~3주 동안 투여 후 반으로 감량하여 4~5주간 투여 ② 급성 말라리아 치료 – 25mg/D, 2일간 – 단독투여 시 50mg/D, 2일간 ③ 말라리아 예방: 25mg, 주 1회 2) 소아 ① 톡소플라즈마증 : 1mg/kg/D #2, 2~4일동안 투여 후 반으로 감량하여 1달간 투여 ② 급성 말라리아 치료(4~10세) : 단독투여 시 25mg/D, 2일간 ③ 말라리아 예방 : 다음 용량을 주 1회 복용 – ≤4세 : 6.25mg – 4~10세 : 12.5mg – ≥10세 : 25mg	1) Dihydrofolate reductase에 비가역적으로 결합하여 parasite 내의 엽산 합성을 저해하는 엽산 길항제 2) Pyrimethamine에 의한 백혈구 감소를 보충하기 위해 folinic acid(leucovorin)와 병용 권장 3) 적응증 – 톡소플라즈마증 치료(sulfonamide 병용) – 급성 말라리아 치료(단독투여 권장되지 않음; sulfonamide 병용) – 말라리아 예방(단, 이 약에 대한 내성이 전세계적으로 퍼져 있어 모든 지역의 여행자에게 예방 약제로 적절한 것은 아님) 4) 한국희귀의약품센터 공급 약품	(빈도 미확립) – 심장리듬장애(고용량 투여시) – 피부색소침착, 발진, 스티븐스존슨증후군, 다형홍반, 독성표피괴사용해 – 고페닐알라닌혈증, 카르니틴결핍증, 고암모니아혈증 – 식욕부진, 구토 – 거대적아구성 빈혈, 백혈구감소증, 혈소판감소증, 아나필락시스반응, 폐호산구증가증	〈금기〉 1) 엽산 결핍에 의한 거대적아구성 빈혈 환자 〈주의〉 1) 말라리아 급성 치료에 단독 사용은 권장하지 않음. 2) 엽산 결핍 환자 3) 임신부 : Category C 4) 수유부 : 수유가능
Atovaquone+ Proguanil HCl **Malalone tab**	1) 예방 : 출발 1~2일전부터 귀국 후 7일까지 복용 ① 성인 : 1Ⓣ qd ② 소아	1) Plasmodium falciparum 말라리아의 예방 및 치료제 2) 말라리아 원충이 적혈구 내로 투과하여 증식하는 것을 억제함.	1) > 10% – 복통(17%), 오심(12%), 구토(12%) – ALT증가(27%),	〈금기〉 1) 중증 신장애 환자 〈주의〉 1) 간질, 정신과 질환 병력 환자

약품명 및 함량	용법	약리작용 및 효능	부작용	주의 및 금기
말라론정 …250+100mg/T	- 11~20kg : 0.25Ⓣ qd - 21~30kg : 0.5Ⓣ qd - 31~40kg : 0.75Ⓣ qd - >40kg : 1Ⓣ qd 2) 치료 : 3일간 연속 투여 ① 성인 : 4Ⓣ qd ② 소아 - 11~20kg : 1Ⓣ qd - 21~30kg : 2Ⓣ qd - 31~40kg : 3Ⓣ qd - >40kg : 4Ⓣ qd 3) 음식 또는 우유와 함께 복용 * 신기능에 따른 용량 조절 참고 - CrCl<30ml/min : 투여금기	① Atovaquone : 원충의 미토콘드리아 전자전달계를 억제하여 pyrimidine 합성 저해 ② Proguanil : plasmodial dihydrofolate reductase inhibitor로 nucleic acid 합성 저해 3) 적응증 - P. falciparum 말라리아의 예방 - 급성, 비복합성 P. falciparum 말라리아의 치료 4) Onset : 24~48hrs(initial) Tmax : 2~8hrs 흡수 : 고지방식이에 의해 atovaquone의 흡수 증가 $T\frac{1}{2}$: 32~84hrs(atovaquone), 12~21hrs(proguanil) 대사 : 간(proguanil) 배설 : 대변(atovaquone 94%, proguanil 10%), 신장(proguanil 40~60%)	AST증가(17%) 2) 1~10% - 두통(10%), 어지럼증(5%) - 가려움증(6%) - 설사(8%), 식욕부진(5%) - 무력증(8%)	2) 음식물을 섭취할 수 없는 환자(atovaquone 흡수 현저히 감소) 3) 설사나 구토가 있는 환자 4) 투약 후 1시간 이내 구토를 했을 경우 다시 복용 5) P. falciparum 또는 화학예방요법 실패로 인한 감염 재발의 경우 다른 종류의 항원충약으로 치료 6) 임신부 : Category C 7) 11kg 미만 소아 : 안전성 미확립, 유효성 미확립 8) 수유부: 안전성 미확립, 수유중단 권고 〈상호작용〉 1) Rifampicin, rifabutin, tetracycline, metoclopramide, ritonavir : 이 약의 혈중농도감소 2) Indinavir의 Cmin 감소 3) Warfarin의 효과를 증가시킴

약품명 및 함량	용법	약리작용 및 효능	부작용	주의 및 금기
Raltegravir Isentress tab 이센트레스정 …400mg/T	1) 성인 및 6세 이상 소아(체중 25kg 이상) : 400mg bid, 식사와 관계없이 복용 2) Rifampin(강력한 glucuronidation enzyme, UGT1A1 유도제)과 병용 시 800mg bid로 증량 고려	1) 최초의 HIV integrase strand transfer inhibitor(INSTI) 2) HIV integrase는 viral replication에 중요한 enzyme으로 raltegravir는 enzyme의 active site를 blocking하여 integration의 strand-transfer step을 억제함. 3) 적응증 : HIV-1 감염 체중 25kg 이상의 6세 이상 소아 및 성인 환자의 치료를 위한 다른 항레트로바이러스제와 병용요법 4) BA : ≥32% 흡수 : 일반적으로 식사와 무관 (고지방식이에 의해 AUC/Cmax 상승) 단백결합 : 83% Tmax : 3hrs $T_{\frac{1}{2}}$: 9~12hrs 대사 : 간 (UDP-glucuronosyltransferase에 의해 글루쿠론산 포합) 배설 : 대변(51%), 신장(32%) 투석시 82% 제거됨.	1) >10% - 총콜레스테롤 상승 (6~16%) 2) 2~10% - 혈압상승, 피로, 어지러움, 불면 - 발진, 가려움, 모낭염 - 혈당증가, LDL 증가, 중성지방 증가, 위장염, lipase 증가, 식욕부진, 변비 - 빌리루빈 증가, AST, ALT, ALP 증가 - 관절통, 사지통증, CK 상승 - Scr 상승 - 비인두염, 기침, 독감, 부비동염 - 대상포진, 림프절병증, 성기 사마귀	〈금기〉 1) 유당 관련 대사장애 환자 〈주의〉 1) 간기능 저하, 간염 환자(특히 만성 C형 및 B형 간염) 2) 근육 관련 질환 있거나, 가능성 높은 경우 3) 면역재구성증후군(초기투여시) 4) 임신부 : Category C 5) 수유부 : 안전성 미확립, 수유중단 6) 6세 미만 소아 : 안전성 및 유효성 미확립 〈상호작용〉 1) Etravirine, tipranavir/ritonavir, rifampin : 이 약의 혈중 농도 감소 2) Atazanavir/ritonavir : 이 약의 혈중농도 증가 3) Omeprazole : 이 약의 흡수 증가 〈취급상 주의〉 1) 분할, 분쇄 권장하지 않음(쓴맛 매우 강함)

11장. 감염증치료제 ……………6. Antivirals ……………………(1) Antiretrovirals ……………………2) Non-nucleoside reverse transcriptase inhibitors; NNRTIs

약품명 및 함량	용법	약리작용 및 효능	부작용	주의 및 금기
Efavirenz Stocrin tab 스토크린정 …600mg/T	1) 성인 및 체중 40kg 이상 소아 : 600mg qd 2) 투여시간 - 공복에 복용 권장 (고지방식이는 이 약의 흡수를 증가시켜 부작용 증가)	1) NNRTI(Non-nucleoside, reverse transcriptase inhibitor) 2) 적응증 : HIV-1 감염치료를 위해 다른 항레트로바이러스제와 병용 3) 흡수 : 지방과 함께 복용시 50% 증가 단백결합률 : >99%	1) >10% - 현기증, 우울, 불면증, 불안, 통증 - 발진 - 콜레스테롤 증가, HDL 증가	〈금기〉 1) 중증 간부전 환자 2) 3개월 미만 소아 3) 유당 관련 대사장애 환자 〈주의〉 1) 신 · 간기능 장애 환자

약품명 및 함량	용법	약리작용 및 효능	부작용	주의 및 금기
	- 초기 2~4주간 hs로 복용(∵신경계 부작용에 대한 내약성 개선), 이후 신경계 부작용 지속되면 계속 hs로 복용	$T_{\frac{1}{2}}$: 52~76hrs(단회투여), 40~55hrs(다회투여) 배설 : 신장(14~34%, 대사체), 대변(16~61%, 미변환체)	- 설사, 오심 2) 1~10% - 두통, 졸음, 피로감, 비정상적인 꿈, 환각 - 소양증 - 구토, 소화불량, 복통, 식욕부진	2) 정신 질환 및 약물남용경력 환자 3) 알코올, 정신신경용제와 병용하는 경우 4) Hepatitis B, C 또는 간독성 약제 복용 경험 있는 환자 5) 임신부 : Category D 6) 수유부 : 모유로 이행, 수유중단 〈상호작용〉 1) 이 약은 CYP3A4저해제로서, terfenadine, astemizole, midazolam, triazolam, 맥각 유도체 등과 병용시 심각한 부작용(예. 심부정맥, 지속적인 진정작용 또는 호흡기 억제)을 초래할 우려 있으므로 병용 금기
Etravirine Intelence tab 인텔렌스정 …100mg/T	1) 성인 : 200mg bid, 식후 복용 2) 삼키기 어려운 환자는 정제를 물에 현탁시켜 복용 가능 (잘 저은 후 바로 복용하고 여러번 헹구어 마셔 전량 복용)	1) NNRTI 계열의 HIV-1 감염 치료제 2) 직접적으로 역전사효소에 결합해 효소촉매 부위를 저해하여 RNA 및 DNA 의존적인 DNA polymerase 활성을 차단함. 3) 적응증 : 항레트로바이러스제 치료 경험이 있는, 비뉴클레오사이드 역전사효소 저해제(NNRTI) 및 다른 항레트로바이러스제 사용에 실패한 HIV-1 감염 성인 환자의 치료를 위한 다른 항레트로바이러스제와 병용 요법 4) Tmax : 2.5~4hrs 흡수 : 공복 시 식후보다 50% 감소 단백결합률 : 99.9% $T_{\frac{1}{2}}$: 41hrs (±20hrs) 대사 : 간 배설 : 대변(94%), 신장(1%)	1) 〉10% - 콜레스테롤증가(8~20%), 고혈당(4~15%), LDL증가(7~13%) - 오심 2) 2~10% - 발진(10%) - TG 증가(4~9%), lipase 증가(1~4%) - ALT 증가(1~6%), AST 증가(1~6%) - 말초신경병증(4%) - Scr 증가(2~6%)	〈금기〉 1) 다음 항레트로바이러스제와 병용금기 - Atazanavir/ritonavir, tipranavir/ritonavir, fosamprenavir/ritonavir - Ritonavir 병용 없이 투여하는 PIs - NNRTIs 2) CYP3A4, 2C9, 2C19의 저해제 및 유도제, 기질에 의해 영향받음. 다음의 약제에 의해 이 약의 혈중농도 저하되어 효과 감소하므로 병용 피함. - 항경련제 : carbamazepine, phenytoin, pheno-barbital - 항마이코박테리아제 : rifampin, rifabutin, rifapentine - St. John's wort 3) 유당 관련 대사장애 환자 〈주의〉 1) 간장애 환자 2) 임신부 : Category B 3) 소아 및 수유부 : 안전성 미확립

약품명 및 함량	용법	약리작용 및 효능	부작용	주의 및 금기
Abacavir sulfate Ziagen tab 지아겐정 …300mg/T	1) 성인 및 체중 25kg 이상 소아 : 300mg bid 또는 600mg qd 2) 체중 25kg 미만 소아 ① ≥20kg, 〈25kg : 아침 150mg–저녁 300mg 또는 450mg qd ② ≥14kg, 〈20kg : 150mg bid 또는 300mg qd 3) 식사와 관계없이 복용 가능	1) Carbocyclic nucleoside reverse transcriptase inhibitor(NRTIs)로 HIV가 체세포 내에서 증식할 때 필요한 역전사 효소를 차단함. 2) HIV 감염 치료제로 다른 antiretroviral 제제와 병용이 권장됨. 3) BA : 83% Tmax : 0.7~1.7hrs 단백결합율 : 50% 분포 : 0.86L/kg $T_{\frac{1}{2}}$: 1.5hrs 대사 : 간 배설 : 신장(1.2%, 미변환체), 대변(16%)	(성인기준) 1) 〉10% – 고중성지방혈증, 고혈당증 – 오심, 구토, 설사, 식욕부진 2) 1~10% – 저혈압, 청색증 – 두통, 졸음 – 발진, 소양증	〈금기〉 1) 중등도~중증 간장애 환자 2) 말기 신장애 환자 〈주의〉 1) 간비대, 간염 또는 간 질환자 2) 임신부 : Category C 3) 수유부 : 안전성 미확립 4) 3개월 미만 영아 : 안전성 미확립 〈상호작용〉 1) Rifampin, phenobarbital, phenytoin : 이 약의 혈중 농도 감소
Didanosine Videx EC SR cap 바이덱스EC서방형캡셀 …250mg/C …400mg/C	1) 성인 ① ≥60kg : 400mg qd ② 〈60kg : 250mg qd 2) 공복에 복용 * 신기능에 따른 용량 조절 참고 ① ≥60ml/min – ≥60kg : 400mg qd – 〈60kg : 250mg qd ② 30~59ml/min – ≥60kg : 200mg qd – 〈60kg : 125mg qd ③ 10~29ml/min – ≥60kg : 125mg qd – 〈60kg : 125mg qd ④ 〈10ml/min 및 CAPD/HD 환자 – ≥60kg : 125mg qd – 〈60kg : 투여 권장되지 않음.	1) NRTI(Nucleoside reverse transcriptase inhibitor)계열의 HIV 감염 치료제 2) 세포내에서 활성 항바이러스 대사물인 ddATP로 전환하여 바이러스 복제를 저해함. 3) 위산에 의해 분해되므로 음식과 함께 복용시 Cmax 46% 감소됨 (식전 30분 또는 음식과 적어도 2시간 이상 간격 두고 복용) 4) 1일 1회 복용하는 장용성 capsule 제형임. 5) 적응증 : 다른 항레트로바이러스제와 병용하여, 디다노신이나 디다노신 대체 제제의 1일 1회 투여를 필요로 하는 성인의 HIV-1 감염 치료 6) BA : 21~43% 단백결합율 : 〈5% Tmax : 2hrs $T_{\frac{1}{2}}$: 1.3~1.5hrs 배설 : 신장(~55%)	1) 〉10% – 복통, 설사, 말초 신경병증 2) 1~10% – 발진, 소양증, 요산증가, 췌장염, 간효소치 상승	〈금기〉 1) Ribavirin, allopurinol 병용금기 〈주의〉 1) 간부전, 신부전 환자 2) 고뇨산혈증 3) 췌장염, 유산증/지방증을 동반한 중증 간비대증, 망막변성 및 시신경염 발생 관련 모니터링 필요 4) 임신부 : Category B 5) 수유부 : 동물실험에서 유즙 분비, 수유중단 6) 소아 : 안전성 및 유효성 미확립 〈상호작용〉 1) 위의 산도에 의해 흡수가 변화하는 약물(itraconazole 등) : 이 약 투여 2시간 전에 투여 해야 함. 2) Tetracycline, quinolone계 항균제의 흡수를 저하시키므로 2시간 이상 간격을 두고 투여 3) Ribavirin, allopurinol : 이 약의 농도 증가하여 독성 증가

약품명 및 함량	용법	약리작용 및 효능	부작용	주의 및 금기
Lamivudine 3-TC tab 쓰리티씨정 …150mg/T	1) 성인 : 150mg bid 또는 300mg qd 2) 3개월 이상 소아 ① ≥25kg : 150mg bid 또는 300mg qd ② ≥20kg, 〈25kg : 아침 75mg-저녁 150mg 또는 225mg qd ③ ≥14kg, 〈20kg : 75mg bid 또는 150mg qd * 신기능에 따른 용량 조절 참고 - CrCl(ml/min) : 용량 ① ≥50 : 초회 150 or 300mg, 유지 150mg bid or 300mg qd ② 30≤CrCl〈50 : 150mg qd ③ 15≤CrCl〈30 : 초회 150mg, 유지 100mg qd ④ 5≤CrCl〈15 : 초회 150mg, 유지 50mg qd ⑤ 〈5 : 초회 50mg, 유지 25mg qd	1) Cytosine 계열의 nucleoside analogue로서, 바이러스의 reverse transcriptase를 저해하고, chain terminator로서 작용함. 2) HIV 감염환자에서 다른 항레트로바이러스 제제와 병용 투여 3) 흡수 : 신속 단백결합률 : 〈36% BA : 66%(소아), 82~87%(성인) 음식에 의해 Cmax 감소, AUC 불변 $T_{\frac{1}{2}}$: 2hrs(소아), 2~3hrs(성인) 배설 : 신장(미변환체, 70%)	1) 〉10% - 두통, 피로 - 오심, 설사, 구토, 췌장염 - 말초 신경증, 감각이상, 근골격통 2) 1~10% - 현기증, 우울, 발열, 오한, 불면증 - 발진 - 식욕부진, 복통, 흉부 작열감 - 간효소치 증가 - 호중구감소 - 근육통, 관절통 - 기침	〈주의〉 1) 중등도~중증 신장애 환자 2) HIV, HBV 동시 감염 환자 3) 만성 C형간염으로 interferon과 ribavirin 치료 중인 환자 4) 췌장염 증상이 있을 경우 투여중지 5) 간비대, 간염, 간질환 위험 환자 6) HIV 치료를 위한 단독 요법은 권장되지 않음. 7) 임신부 : Category C 8) 수유부 : 안전성 미확립, 수유중단
Tenofovir disoproxil fumarate Viread tab 비리어드정 …300mg/T	1) 성인 및 12세 이상 소아(체중 35kg 이상) : 300mg qd, 식사와 관계없이 복용 * 신기능에 따른 용량 조절 참고 - CrCl(ml/min) : 투여간격 ① 30~49 : q 48hrs ② 10~29 : q 72~96hrs ③ 〈10 : 투여지침 없음 ④ 혈액투석 환자 : 7일마다 또는 투석 12시간 후(주 3회 혈액투석 기준, 7일에 한번)	1) Nucleotide 유사체인 antiviral agent (NRTI)로 HIV-1 reverse transcriptase와 HBV polymerase의 작용을 억제함 2) 적응증 : 성인 및 12세 이상 소아의 HIV-1 감염 및 만성 B형간염의 치료 3) BA : 25%(고지방식이; 40%까지 증가) Tmax : 1hr $T_{\frac{1}{2}}$: 17hrs 배설 : 신장(32%)	1) 〉10% - 불면, 통증, 우울증 - 설사, 구역 - 발진 - 무력감 - TG 증가 2) 1~10% - 가슴통증 - 피로, 두통, 불면증, 발열, 현기증 - 고혈당증 - 복통, 구토, 식욕 부진	〈금기〉 1) 유당 관련 대사장애 환자 2) Tenofovir disoproxil fumarate 포함 복합제, adefovir 병용 금기 〈주의〉 1) 간질환의 위험요소가 있는 환자 2) 신장애 환자 3) 골절의 병력자, 골감소증 위험 환자(골밀도 모니터링 실시) 4) 임신부 : Category B 5) 수유부 : 모유로 이행, 수유중단 6) 12세 미만 소아 : 안전성, 유효성 미확립 〈상호작용〉 1) Adefovir : 이 약의 혈중농도 증가 2) Didanosine : didanosine의 Cmax, AUC 증가

약품명 및 함량	용법	약리작용 및 효능	부작용	주의 및 금기
				3) Acyclovir, lopinavir/ritonavir, valacyclovir, atazanavir, ganciclovir, valganciclovir : 이 약의 혈중농도 증가
Zidovudine Azidomine cap 아지도민캡셀 …100mg/C	1) 성인 : 500~600mg/D #2~6 (다른 항레트로바이러스제제와 병용) 2) 간장애 : 투여간격 적절히 연장(정확한 지침 미확립) * 신기능에 따른 용량 조절 참고 – CrCl<15ml/min, 혈액/복막투석 환자 : 100mg q 6~8hrs 또는 300mg qd – CRRT : 용량조절 불필요	1) Thymidine analogue로 reverse transcriptase를 억제하여 virus의 복제를 억제함. 2) AIDS 및 관련 증후군이 진행되는 HIV 감염 환자, CD4 림프구 수가 500/mm³ 미만인 초기증상 또는 200 이하 또는 500~200으로 빠르게 저하되면서 진행의 위험이 있는 무증후성 HIV 감염 환자에 사용 3) BA : 52~75% Tmax : 0.5~1.5hrs T½ : 0.5~3hrs 대사 : 간 배설 : 신장(18%)	1) >10% – 심한 두통, 열 – 발진 – 오심, 구토, 설사, 복통, 식욕감퇴 – 빈혈, 백혈구 감소증, 과립구 감소증 – 근육약화 2) 1~10% – 불쾌감, 졸음, 불면, 현기증 – 손톱착색(갈색) – 소화불량 – 혈소판수 변화 – 감각이상 3) <1% – 골수억제 – 담즙 울체성 황달 – 정신착란 – 과립구 감소증, 혈소판 감소증 – 여성형 유방 – 간독성 – 조증 – 근육약화, 신경독성 – 구강색소 변화 – 발작 – 범혈구 감소증	〈금기〉 1) 호중구수 750/mm³미만 또는 Hb 7.5g/dL 미만의 환자 2) 고빌리루빈혈증, AST/ALT가 정상의 5배 이상 증가한 신생아 3) Ibuprofen 투여 환자 : 출혈 경향 증가 〈주의〉 1) 호중구수 1000/mm³ 미만 또는 Hb 9.5g/dL 미만의 환자 2) 신장애(CrCl<15ml/min), 간기능 장애 환자 3) 비타민 B12 결핍 환자 4) 고령자 5) 임신부 : Category C 6) 수유부 : 모유로 이행, 수유중단 7) 소아 : 안전성 및 유효성 미확립 〈상호작용〉 1) Fluconazole : 이 약의 혈중농도 상승 2) Rifampin : 이 약의 소실을 증가시켜 혈중농도 감소 3) Acetaminophen : 호중구 감소증, 간독성을 유발할 수 있음.

약품명 및 함량	용법	약리작용 및 효능	부작용	주의 및 금기
Lamivudine+ Zidovudine **Combivir tab** 컴비비어정 …150+300mg/T	1) 성인 및 12세 이상 소아 : 1Ⓣ bid, 식사에 관계없이 복용 2) 12세 미만 소아 ① ≥14kg, <21kg : 0.5Ⓣ bid ② ≥21kg, <30kg : 아침 0.5Ⓣ, 저녁 1Ⓣ * 신기능에 따른 용량 조절 참고 – CrCl≤50ml/min : 용량 조절 필요, 단일제 투여 권장	1) NRTI계열의 성분인 lamivudine과 zidovudine의 복합제 2) 작용기전 ① Lamivudine : cytosine 계열의 nucleotide 제제로서 virus의 역전사 효소 활성을 저해 ② Zidovudine : thymidine 계열의 nucleotide 제제로서 virus의 역전사 효소 활성을 저해 3) 적응증 : 단독 혹은 다른 항레트로바이러스제와 병용으로 HIV 감염증 치료	* 각 단일제 부작용 참조	〈금기〉 1) 호중구수 750/mm³미만 또는 Hb 7.5g/dL 미만의 환자 2) Ibuprofen 투여 환자 : 혈우병 환자에서 출혈 경향 증가 〈주의〉 1) 중등도 이상의 신장애 환자 2) 간기능 이상자 3) 드물게 치명적인 유산산증 및 지방증을 동반한 중증 간비대 보고 4) 임신부 : Category C 5) 수유부 : 모유로 이행, 수유중단 6) 체중 14kg 미만 소아 : 안전성 미확립 〈상호작용〉 1) 각 성분의 상호작용 참조
Abacavir sulfate+ Lamivudine **Kivexa tab** 키벡사정 …600+300mg/T	1) 성인 및 체중 25kg 이상 소아 : 1Ⓣ qd, 식사와 관계없이 복용 2) 용량조절 : 고정용량정제이므로, 용량조절이 필요한 환자는 단일제로 변경 3) 중등도 이상 간장애 : 투여 권장되지 않음 * 신기능에 따른 용량 조절 참고 – CrCl<50ml/min: 투여 권장되지 않음	1) Nucleoside reverse transcriptase inhibitor (NRTI) 복합제 2) 작용기전 ① Lamivudine : cytosine analogue로 virus의 역전사 효소 활성을 저해 ② Abacavir : guanosine analogue로 virus의 역전사 효소 활성을 저해 3) 적응증 : 성인 및 12세 이상 HIV 감염 환자에서 다른 항레트로바이러스 제제와 병용하여 HIV 감염 치료	* 각 단일제 부작용 참조	〈금기〉 1) 중등도~중증 간장애 환자 2) 말기 신장애 환자 〈주의〉 1) 유산 산증/지방증을 동반한 중증 간비대 환자 2) 간비대, 간염 및 간질환 위험인자(비만여성 등)를 가진 환자 3) 황색5호(Sunset yellow FCF)에 과민한 환자 4) 임신부 : Category C 5) 수유부 : 모유로 이행(lamivudine), 수유중단 6) 12세 미만 소아 : 용량조절 불가약제이므로 투여 권장되지 않음 〈상호작용〉 1) 각 성분의 상호작용 참조 〈취급상 주의〉 1) 분할 분가(고정용량제이므로 용량조절 필요한 경우 단일제를 사용하도록 함) 2) 분쇄는 가능

약품명 및 함량	용법	약리작용 및 효능	부작용	주의 및 금기
Emtricitabine+ Tenofovir disoproxil fumarate **Truvada tab** 트루바다정 …200+300mg/T	1) 성인 : 1Ⓣ qd, 식사와 관계없이 복용 * 신기능에 따른 용량 조절 참고 - CrCl(ml/min) : 투여간격 ① 30~49 : q 48hrs ② <30 : 투여금기	1) Nucleoside reverse transcriptase inhibitor(NRTI) 복합제 2) 성인에서 HIV-1 감염의 치료를 위해 다른 항레트로바이러스 제제와 병용투여 3) BA : Emtricitabine(E) 92%, Tenofovir(T) 25% $T_{\frac{1}{2}}$: (E) 10hrs, (T) 17hrs 대사 : 간 (E) 13%, (T) minimal 배설 : 신장 (E) 86%, (T) 70~80%	(다른 항레트로 바이러스제와 병용시) 1) ≥5% - 피부 발진 - 복통, 설사, 두통, 오심, 구토, 혈청 amylase 증가 - 요통, 근육통, 골감소증 - 무력, 쇠약, 어지러움, 두통, 말초신경병증, 불안, 우울 - 기침, 폐렴 2) <5% - 알레르기 반응(혈관부종) - 급성 췌장염 - 저인산혈증, 유산증, 저칼륨혈증 - 판코니 증후군 - 신부전, 신장애 - 간비대, 간독성, 간의 지방증, B형 간염 - 호흡곤란 - 감각이상	〈금기〉 1) 유당 관련 대사장애 환자 2) Lamivudine, adefovir 병용금기 〈주의〉 1) 간질환 환자(유산증 및 지방증을 동반한 간비대증 보고) 2) 신장애 환자(신기능 모니터링 필요), 신독성 약물 병용하지 않음 3) 골밀도 감소, 지방 재분포, 면역재구성 증후군 나타날 수 있음. 4) HIV, HBV에 동시 감염된 환자 5) 임신부 : Category B 6) 수유부 : 동물실험에서 유즙 분비 보고, 수유중단 권장 7) 18세 미만 소아 : 안전성 미확립 〈상호작용〉 1) Didanosine의 효과 증가 우려 2) Atazanavir, ropinavir/ritonavir : tenofovir 농도 상승 3) 신독성 약물 : 이 약의 농도 상승 가능

약품명 및 함량	용법	약리작용 및 효능	부작용	주의 및 금기
Lopinavir+ Ritonavir **Kaletra tab**	1) 성인 : 2Ⓣ bid - 치료경험이 없는 경우, 4Ⓣ qd 복용 가능 2) 만 2세 이상 소아	1) Protease inhibitor 2종의 복합제로서 polyprotein의 절단을 막아 미숙한 미감염의 viral particle의 생성을 억제하여 HIV 감염 치료 2) Ritonavir는 lopinavir의 대사를 억제하여 lopinavir의	- 복통, 무력증, 두통, 동통 - 비정상적 배변, 소화불량, 방귀, 구역,	〈금기〉 1) CYP3A clearance 의존성 높은 약물 병용금기(제품설명서 참조)

약품명 및 함량	용법	약리작용 및 효능	부작용	주의 및 금기
칼레트라정 …200+50mg/T	- BSA(m2) : 용량 ① ≥0.5, 〈0.9 : 1Ⓣ bid ② ≥0.9, 〈1.4 : 아침 1.5Ⓣ bid ③ ≥1.4 : 2Ⓣ bid 3) 타 약제와 병용요법 : 제품설명서 참조	혈중농도를 증가시킴. 3) Tmax : 4hrs(L), 2~4hrs(R) 단백결합율 : 98~99% T½ : 5hrs(L), 3~5hrs(R) 대사 : 간 배설 : 신장, 대변	구토 - 근육통 - 불면	〈주의〉 1) 간기능 손상 환자 2) 혈우병 환자(출혈) 3) 췌장염 환자 4) 임신부 : Category C 5) 수유부 : 안전성 미확립 6) 만 2세 미만 소아 : 안전성 및 유효성 미확립 〈상호작용〉 1) CYP3A clearance 의존성이 높은 약물의 혈중농도 상승시킴 2) Quetiapine의 혈중농도 상승시켜 독성 증가 〈취급상 주의〉 1) 분쇄하여 복용시 혈중농도 감소
Atazanavir sulfate Reyataz cap 레야타즈캅셀 …150mg/C …200mg/C	1) 성인 - 치료 경험 없는 환자 : 300mg + ritonavir 100mg qd(ritonavir에 내약성 좋지 않은 경우: 400mg qd) - 치료 경험 있는 환자 : 300mg+ ritonavir 100mg qd - 병용요법 ① Ritonavir, efavirenz와 병용(boosted regimen) : 400mg + ritonavir 100mg + efavirenz 600mg qd (치료 경험 있는 환자: efavirenz 병용금기) ② Didanosine 병용 : didanosine 투여 2시간 전 또는 투여 1시간후에 식사와 함께 복용 ③ 그 외 약제 병용시 용량 조절 필요 2) 만 13세 이상 소아 : 이 약과 ritonavir 100mg qd 병용 - 15~〈20kg : 150mg	1) Azapeptide protease inhibitor로서, viral precursor proteins의 분할을 저해하여 HIV-1의 성숙과 복제를 억제함. 2) 다른 protease inhibitors에 비해 체내 lipid profile에 미치는 영향이 적고, 빌리루빈 상승 발현율은 높은 것으로 보고 3) 적응증 : 다른 항레트로바이러스제와 병용하여 HIV-1 감염 치료 4) Onset : within 2wks Tmax : 2hrs 음식에 의한 영향 : 흡수 증가 T½ : 7hrs 대사 : 간 (CYP3A4 저해제) 배설 : 신장(13%), 대변(79%)	1) 〉10% - 빌리루빈 상승(35~47%), amylase 상승(14%) - 발진(21%) - 오심(6~14%) 2) 3~10% - 우울(4~8%), 피로(2~5%), 발열(4~5%), 두통(1~6%), 불면(1~3%), 통증(1~3%), 말초신경증(1~4%), 현기증(1~2%) - 황달 (7~8 %), trans-aminase 상승(2~9%) - 지방 재분포(1~8%) - 설사(1~11%), 복통(4%), 구토(3~4%)	〈금기〉 1) 유당관련 대사장애환자 〈주의〉 1) 이 약에 의한 고빌리루빈 혈증은 가역적이나, 정상 상한선의 5배 이상으로 지속적으로 증가하는 경우 다른 약제로 교체 고려 2) 심전도 이상 환자 또는 AV 전도를 지연시키는 약물 복용 환자에서 PR 간격 증가 위험 3) 간부전 환자 4) 타 protease inhibitor와 교차내성 가능 5) 임신부 : Category B 6) 수유부 : 동물실험에서 유즙분비, 수유중단 권고 7) 3개월 이하 소아 : 핵황달 위험 때문에 투여하지 않음 〈상호작용〉 1) Midazolam, triazolam, perphenazine의 혈중농도를 상승시켜 독성 초래 가능(병용금기) 2) Ergot 유도체 : 치명적 맥각독성 위험 3) HMG-CoA reductase inhibitors : 중증 근육질환(횡문근융해증) 발현 가능 4) Protease inhibitor 중 indinavir : 고빌리루빈혈증 유발 가능하므로 병용 권장하지 않음.

약품명 및 함량	용법	약리작용 및 효능	부작용	주의 및 금기
	- 20~<40kg : 200mg - ≥40kg : 300mg 3) 식사와 함께 복용 4) 간장애 환자 - 중등도 : 300mg qd - 중증 : 투여금기		- 근육통(4%), 기침증가(3~5%)	5) PPIs : 이 약의 혈중농도 감소 6) Warfarin : 출혈 경향 증가
Darunavir ethanolate Prezista tab 프레지스타정 …600mg/T	1) 성인 : 600mg bid + ritonavir 100mg bid 병용 투여 2) 식사와 함께 복용	1) Protease inhibitor 계열의 HIV 치료제 2) HIV-1 protease를 차단하여 HIV 복제를 억제함. 3) 적응증 : 항레트로바이러스제 치료경험이 있고, 다른 protease inhibitor 저해제의 사용에 실패한 HIV 감염 성인 환자의 치료를 위한 다른 항레트로바이러스제와 병용요법 4) Tmax : 2.5~4hrs BA : 단독 37%, ritonavir 병용 시 82% 흡수 : 음식과 복용 시 30% 증가 (음식의 종류 무관) 분포 : 단백결합 95% $T_{\frac{1}{2}}$: 15hrs 대사 : 간 배설 : 대변(80%), 신장(14%)	1) >10% - 고지혈증, LDL 증가 - 구토, 설사 2) 2~10% - 두통, 피로 - 발진 - 고혈당, TG 증가, 당뇨 - 복통, 오심, amylase 증가, lipase 증가, 복부팽만, 식욕부진, 소화불량 - ALT/AST/ALP 증가 - 전신쇠약	〈금기〉 1) 중증 간장애 환자 2) 이 약은 CYP3A4, 2D6의 저해제로서 다음 약제의 혈중농도를 증가시켜 생명을 위협할 수 있으므로 병용금기 : alfuzosin, cisapride, ergot 유도체, lovastatin, simvastatin, midazolam, pimozide, triazolam 등 3) Lopinavir/ritonavir, St.John's wort, rifampicin은 darunavir의 혈중농도를 감소시켜 치료효과 감소되므로 병용금기 4) 3세 미만 소아 〈주의〉 1) 간장애 환자 2) 황색 5호에 과민한 환자 3) 임신부 : Category C 4) 수유부 : 동물실험에서 유즙 분비, 수유중단 권고 5) 소아 : 안전성, 유효성 미확립
Ritonavir Norvir tab 노비르정 …100mg/T	1) 단독 요법 : 600mg bid, 식사와 함께 복용(위장관계 부작용은 300mg bid로 시작하여 2~3일 간격으로 용량 증량 시 호전) 2) 병용 요법 - 이 약을 2주간 단독투여 후, necleoside 약물을 병용하면 위장관내성 개선 - 다른 protease inhibitor와 병용 시	1) Antiretroviral agent (protease inhibitor) 2) HIV-1 protease를 차단하여 HIV 복제를 억제함. 3) 적응증 : 임상학적 또는 면역학적으로 질환의 진행이 확인되어 치료가 필요한 HIV감염환자 치료를 위한 단독요법 또는 뉴클레오시드 유도체와의 병용 요법 4) Onset : 1~2wks Tmax : 2~4hrs 지속시간 : 6months (multiple dose) 흡수 : 음식과 함께 복용 시 13%증가	1) > 10% - 고콜레스테롤혈증, TG증가 - 오심, 설사, 구토, 미각이상 - GGT상승 - 피로, CPK상승 2) 2~10% - 실신, 혈관확장 - 발열, 현기증, 불면증,	〈금기〉 1) Ergot 유도체 투여 환자 2) CYP450에 의해 대사되는 약물의 병용(병용약물의 혈중농도 상승 3) 간염, 알코올 중독, 간질, 두뇌손상 환자 4) 임신부 : Category B(국내허가금기) 5) 수유부 및 소아 : 안전성 미확립 〈주의〉 1) 간장애 환자 2) 혈우병 환자

약품명 및 함량	용법	약리작용 및 효능	부작용	주의 및 금기
	이 약의 용량 감량	$T\frac{1}{2}$: 3~5hrs 대사 : 간 배설 : 신장(11.8%), 대변(86.4%)	기면, 불안 - 발진 - 뇨산 증가 - 복통, 식욕저하, 소화불량, 국소적 목부위 자극감 - Transaminases증가 - 감각이상, 관절통, 근육통 - 인두염 - 발한	3) 지방 재분포, 지질 장애 4) 면역 재구성 증후군 5) PR 간격 연장 주의 〈상호작용〉 1) 다음 약물들의 혈중농도를 상승시켜 부정맥, 혈액장애, 발작이나 다른 심각한 이상반응 유발 가능(병용금기): alfuzosin, amiodarone, astemizole, bupropion, clozapine, encainide, ergotamine, flecainide, pethidine, pimozide, piroxicam, propafenone, quinidine, rifabutin, terfenadine, simvastatin, lovastatin 2) 다음의 진정제/수면제와 병용 시 과도한 진정작용 및 호흡장애 유발 가능(병용금기): alprazolam, clorazepate, diazepam, estazolam, flurazepam, midazolam, triazolam, zolpidem 3) CYP3A4 유도제 : ritonavir의 배설을 증가시켜 혈중 농도 감소

약품명 및 함량	용법	약리작용 및 효능	부작용	주의 및 금기
Tenofovir disoproxil fumarate + Emtricitabine + Elvitegravir + Cobicistat silicon dioxide **Stribild tab** 스트리빌드정 …300+200+150+150mg	1) 성인 : 1Ⓣ qd, 음식과 함께 복용 2) 치료 시작 전에 B형 간염 검사, eCrCl, 요당 및 요단백 수치 검사 실시 3) 치료 중 CrCl(ml/min)이 50 미만으로 감소 시 투여 중단 4) 중증 간장애 : 투여 권장되지 않음 * 신기능에 따른 용량 조절 참고 - CrCl(ml/min): 용량 ① <70 : 투여 시작이 권장되지 않음 ② <50 : 투여중단	1) 3종의 항레트로바이러스제(NRTI 2종+INSTI 1종)와 1종의 PK enhancer가 포함된 HIV-1 감염 치료 복합제 2) 작용기전 ① Tenofovir, emtricitabine : nucleoside reverse transcriptase inhibitor(NRTI)로 virus의 역전사 효소 활성 저해 ② Elvitegravir : integrase strand transfer inhibitor(INSTI)로 integration의 strand-transfer step 억제 ③ Cobicistat : CYP3A inhibitor로 CYP3A에 대사되는 eltegravir의 전신 노출 증가 3) 적응증	1) >10% - 오심(16%), 설사(12%) - 단백뇨(52%) - 혈중크레아티닌 상승(7~12%) 2) 1~10% - 비정상적 꿈(9%), 두통(7%), 피로(4%), 어지러움(3%), 불면(3%), 졸음(1%) - 발진(4%)	〈금기〉 1) 유당 관련 대사장애 환자 2) Alfuzosin, rifabutin, rifampin, rifapentin, 맥각유도체, St. john's wort, simvastatin, lovastatin, pimozide, 폐동맥고혈압 치료 목적의 sildenafil, tadalafil, 경구용 midazolam, triazolam : 병용금기 〈주의〉 1) 임신부 : Category B 2) 수유부 : 수유금기(∵유즙 분비) 3) 18세 미만 소아 : 안전성, 유효성 미확립 4) 간질환 환자(유산증 및 지방증을 동반한 간비대증 보고)

약품명 및 함량	용법	약리작용 및 효능	부작용	주의 및 금기
		- 항레트로바이러스 치료 경험이 없는 성인 HIV-1 감염 치료 - 기존 항레트로바이러스 치료 실패 없이 최소 6개월 이상 바이러스 수치 억제 효과를 보이며(HIV-1 RNA〈50 copies/ml), 이 약의 개별 성분에 대한 내성관련 치환이 없는 성인 HIV-1 감염 치료 4) Tmax : 3hrs $T_{1/2}$: (T) 17hrs; (ET) 10hrs; (EV) 13hrs; (C) 4hrs 대사 : (EV), (C) CYP3A major 배설 : 신장 (T) 70~80%; (ET) 86%; (EV) 7%; (C) 8% 대변 (ET) 14%; (EV) 95%; (C) 86% * Tenofovir(T); Emtricitabine(ET); Elvitegravir(EV); Cobicistat(C)	- Amylase 상승(3%), 혈중 콜레스테롤 상승(grade 3/4: ≤ 1%), 혈중TG 상승(grade 3/4: ≤1%) - 고창(2%) - 혈뇨(4%) - AST/ALT 상승(3%/2%) - CPK 상승(8%), 골절(4%)	5) 신장애 환자(신기능 모니터링) 6) HIV, HBV 동시 감염 환자 7) 다른 항레트로바이러스제와 병용 투여하지 않음 8) 골밀도 감소, 지방 재분포, 면역재구성 증후군 나타날 수 있음 〈상호작용〉 1) CYP3A, CYP2D6, P-gp, BCRP, OATP1B1/1B3 기질 약물의 농도 상승 2) CYP2C9 기질 약물 농도 감소 3) CYP3A 유도제 : Elvitegravir, cobicistat의 농도 감소 4) 신독성 약물 : 이 약의 농도 상승, 병용하지 않음 5) 제산제 : 최소 2시간 간격 두고 복용(∵elvitegravir 농도 감소) 6) Warfarin 농도에 영향

약품명 및 함량	용법	약리작용 및 효능	부작용	주의 및 금기
Asunaprevir Sunvepra cap 순베프라캡슐 …100mg/C	1) 성인(18세 이상) : 100mg bid, 식사와 관계없이 복용 2) 치료기간 : Daclatasvir와 병용하여 총 24주 3) 치료중단 : 다음과 같은 바이러스 돌파현상이 확인된 경우 - HCV-RNA가 최저점에 비해 1 log10 IU/ml 초과 상승 - 치료 중 HCV-RNA가 검출되지 않은 것 (〈LLOQ)으로 확인된 이후에 ≥LLOQ으로 확인된 경우	1) 만성 C형 간염 치료제, 항바이러스제 2) Hepatitis C virus의 NS3/4A protease inhibitor로 polyprotein에 HCV의 encoding을 억제하여 바이러스 증식을 억제함 3) 적응증 : 대사성 간질환(간경변 포함)을 가진 성인 환자에서 daclatasvir와 병용하여 유전자형 1b형 만성 C형 간염의 치료 4) Tmax : 2~4hrs $T_{1/2}$: 15~20hrs 대사 : 간(CYP3A) 배설 : 대변(84%)	1) 〉10% - 두통(15%), 피로(12%) 2) 1~10% - 설사(9%), 오심(8%) - ALT 상승(7%)	〈금기〉 1) 중등도-중증 간장애 및 비대상성 간질환 환자 2) 임신부, 가임기 여성 : 안전성 미확립 3) 다음 약물들과 병용 금기 : 좁은 치료역의 CYP2D6 기질 약물, 중증도-강한 CYP3A 유도제, 중증도-강한 CYP3A 억제제, OATP 1B1/2B1 억제제 〈주의〉 1) 18세 미만의 소아 : 안전성, 유효성 미확립 2) 수유부 : 동물실험에서 유즙 분비 3) 투여 전 NS5A 유전다형성 검사 실시 4) 단일 요법(∵내성 증가) 5) 간수치 모니터링 : 치료 초기 12주 동안 최소 2주, 이후 매 4주마다 실시 〈상호작용〉

약품명 및 함량	용법	약리작용 및 효능	부작용	주의 및 금기
				1) CYP3A4 유도제 : 이 약의 혈중농도 감소 2) CYP3A4 억제제 : 이 약의 혈중농도 상승 3) OATP 1B1/2B1 억제제 : 이 약의 치료효과 감소 4) CYP2D6 및 OATP 1B1/1B3/2B1, P-gp 기질 약물의 농도 상승시킴 5) CYP3A 기질 약물의 농도를 감소시킴 6) 경구 피임약의 농도를 감소시킴 : 피임 필요 시, 고용량의 피임약 복용 권장
Boceprevir Victrelis cap 빅트렐리스캡슐 …200mg/C	1) 성인(만 18세 이상) - 첫 4주간(치료 1~4주) : peginterferon-α 및 ribavirin만 투여 - 5주차~: peginterferon-α 및 ribavirin에 이 약 4Ⓒ tid, 음식과 함께 복용 2) 치료기간 : HCV-RNA검사 결과에 따라 28주, 36주, 48주까지 투여 (반응에 따른 치료 가이드라인-제품설명서 참조) 3) 치료 중단 - 치료 8주차 HCV-RNA 1000 IU/ml 이상 - 치료 12주차 HCV-RNA 100 IU/ml 이상 - 치료 24주차 HCV-RNA 검출 확증	1) 만성 C형 간염 치료제, 항바이러스제 2) Hepatitis C virus의 NS3/4A protease inhibitor로 polyprotein에 HCV의 encoding을 억제하여 바이러스 증식을 억제함. 3) 적응증 : 치료를 받은 적이 없거나 기존 치료에 실패한, 대상성 간질환을 동반한 유전형 1형 만성 C형 간염 성인환자에 peginterferon-α 및 ribavirin과 병용 4) Tmax : 2hrs $T_{\frac{1}{2}}$: 3.4hrs 대사 : 간(CYP3A4/5) 배설 : 대변(79%), 신장(9%) 〈상호작용 계속〉 3) Cyclosporine, tacrolimus, sirolimus의 혈중농도 증가(용량 또는 투여간격 조정 필요) 4) Atorvastatin, pravastatin의 노출 증가 (atorvastatin Max. 20mg/D) 5) Escitalopram의 노출 감소 〈취급상 주의〉 1) 냉장보관(2-8℃) 2) 실온(30℃이하)에서 3개월까지 보관 가능	1) ⟩10% - 피로, 오한, 불면, 과민, 어지러움, 두통 - 탈모, 피부건조, 발진 - 구역, 미각 이상, 식욕감소, 설사, 구토, 구강건조 - 빈혈, 호중구감소증 - 관절통, 무력감 - 호흡곤란 2) 1~10% - 혈소판감소증	〈금기〉 1) 자가면역 간염, 비대상성 간경변환자(Child-Pugh score⟩6 (class B와 C)) 2) 유당 관련 대사장애 환자 3) 임신부: category B (peginterferon-α 및 ribavirin과 병용시 category X) - 가임기 여성 및 남성: 치료기간 및 치료 후 6개월간 피임 필요 〈주의〉 1) 빈혈, 호중구/범혈구감소증 2) 간장애 (혈소판수⟨100,000/㎣, 혈청 알부민⟨35g/L인 대상성 간경변환자) 3) HCV-RNA, CBC 모니터링 필요 4) HIV/HBV와 동시 감염자, 장기이식 환자 : 안전성, 유효성 미확립 5) 단독 투여 (∵내성 증가) 6) 수유부: 모유 이행 7) 소아(만 19세 미만): 안전성, 유효성 미확립 〈상호작용〉 1) Amiodarone, propafenone, simvastatin, alfuzosin, doxazosin, tamsulosin, silodosin, methylergonovine : 병용금기 2) HIV protease inhibitor : 병용 권장안함(∵병용약의 노출 감소) 〈약리작용 및 효능〉란에 계속

약품명 및 함량	용법	약리작용 및 효능	부작용	주의 및 금기
Daclatasvir Daklinza tab 다클린자정 …60mg/T	1) 성인 : 60mg qd, 식사와 관계없이 복용 2) 치료기간 ① 유전자형 1b형 – 간경변 없거나 대상성 간경변 환자 : 총 24주(asunaprevir 병용) ② 유전자형 1형 – 간경변 없거나 대상성 간경변 환자 : 총 12주(sofosbuvir 병용) – 비대상성 간경변, 간이식 후 환자 : 총 12주(sofosbuvir+ribavirin 병용) ③ 유전자형 3형 – 간경변 없는 환자 : 총 12주 (sofosbuvir 병용) – 대상성/비대상성 간경변, 간이식 후 환자 : 총 12주 (sofosbuvir+ribavirin 병용) 〈약리작용 및 효능〉란에 계속	1) 만성 C형 간염 치료제, 항바이러스제 2) Hepatitis C virus의 NS5A inhibitor로 RNA 복제와 virion 조립을 억제하여 바이러스 증식을 억제함 3) 적응증 : 성인 환자에서 다른 약제와 병용하여 만성 C형 간염의 치료 4) Tmax : 2hrs $T_{\frac{1}{2}}$: 12~15hrs 대사 : 간(CYP3A) 배설 : 대변(88%), 신장(6.6%) 〈용법 계속〉 3) 치료중단: 다음과 같은 바이러스 돌파현상이 확인된 경우 – HCV-RNA가 최저점에 비해 1 log10 IU/ml 초과 상승 – 치료 중 HCV-RNA가 검출되지 않은 것 (〈LLOQ)으로 확인된 이후에 ≥LLOQ으로 확인된 경우	1) 〉10% – 피로(14%), 두통(14%) 2) 1~10% – 오심(8%), 설사(5%), 혈중 Lipase 증가(2%)	〈금기〉 1) 임신부 : 안전성 미확립 2) 가임기 여성 : 치료기간~치료 종료 후 5주간 피임 3) 강한 CYP3A4 유도제와 병용 금기 4) 유당 관련 대사장애 환자 〈주의〉 1) 18세 미만의 소아 : 안전성, 유효성 미확립 2) 수유부 : 동물실험에서 유즙 분비 3) 투여 전 NS5A 유전다형성 검사 실시 4) 단일 요법(∵내성 증가) 5) 간수치 모니터링 : 치료 초기 12주 동안 최소 2주, 이후 매 4주마다 실시 6) 중등도 CYP3A4 유도제, 중등도–강한 CYP3A4 억제제와 병용 비권장 〈상호작용〉 1) CYP3A4 유도제 : 이 약의 혈중농도 감소 2) CYP3A4억제제 : 이 약의 혈중농도 상승 3) Telaprevir : 이 약의 혈중농도 증가 4) P-gp 기질 약물(digoxin 등), OATP 1B1/1B3, BCRP 기질 약물(rosuvastatin 등)의 노출량을 증가시킴.

약품명 및 함량	용법	약리작용 및 효능	부작용	주의 및 금기
Oseltamivir phosphate Tamiflu cap 타미플루캅셀 …30mg/C …45mg/C …75mg/C	1) 치료 : 증상 발현 48시간 이내, 5일간 – 성인(13세 이상) : 75mg bid – 소아(1~12세) ① ≤15kg : 30mg bid ② 16-23kg : 45mg bid ③ 24-40kg : 60mg bid ④ 〉40kg : 75mg bid	1) Influenza virus의 neuraminidase selective inhibitor로서 바이러스 감염세포로부터 새로 생성되는 바이러스의 방출을 막고 확산을 억제함. 2) 적응증 ① 1세 이상의 influenza A or B 바이러스 감염증의 치료(인플루엔자 감염의 초기증상 발현 48시간 이내 투여 시작) ② 1세 이상의 influenza A or B 바이러스 감염증의	1) 〉10% – 구토(2~15%) 2) 1~10% – 오심(3~10%), 복부통증(2~5%) 3) 〈1% – 알러지반응, 아나필락시스성 반응,	〈주의〉 1) 중증의 신부전 환자(Clcr 10~30ml/min: 용량조절 필요) 2) 천식, 만성 기관지염, 면역억제 등 고위험군 환자 3) 소아(1세 미만) : 안전성 미확립 4) 10세 이상의 미성년자 : 이상행동 발현 위험 있으므로 투여 후 적어도 2일간 관찰 필요 5) 독감예방주사의 대체약이 아니므로, 독감예방접종은

약품명 및 함량	용법	약리작용 및 효능	부작용	주의 및 금기
	2) 예방 : 노출 2일 이내, 10일간 - 성인(13세 이상) : 75mg qd - 소아(1~12세) ① ≤15kg : 30mg qd ② 16-23kg : 45mg qd ③ 24-40kg : 60mg qd ④ 〉40kg : 75mg qd * 신기능에 따른 용량 조절 참고 - CrCl(ml/min): 용량 1) 치료 : 5일간 투여 - 30~60 : 30mg bid - 10~30 : 30mg qd - HD : 30mg(투석 후) - PD : 30mg (투석 후 단회) 〈약리작용 및 효능〉란에 계속	예방(influenza virus 감염증에 대한 예방의 일차 요법은 백신요법이므로 백신에 당해 유행주가 포함되어 있지 않은 경우 or 백신의 효과를 기대할 수 없거나 백신 접종을 하지 못하는 경우에 한하여 사용, 예방접종을 대체할 수 없음) 3) Onset(Initial response) : 24hrs 단백결합 : 3~42% Tmax : 1~4hrs BA : 75% $T_{\frac{1}{2}}$: 6~10hrs(active form) 대사 : 간(90%) 배설 : 신장(〉90%), 대변 〈용법 계속〉 2) 예방 - 30~60 : 30mg qd - 10~30 : 30mg EOD - HD : 30mg(매 2회투석후) - PD : 30mg(주1회 투석 후)	부정맥, 혼동, 피부염, 당뇨병 악화, 습진, 다형성 홍반, 간염, 간기능 수치 비정상, 신경 정신과적 반응(자해, 혼동, 섬망), 발진, 경련, 스티븐스존슨 증후군, 얼굴 및 혀부종, 독성표피 괴사용해증, 가려움증	별도록 매년 실시해야 함. 6) 임신부: Category C 7) 수유부: 모유로 이행, 수유중단
Peramivir hydrate Perami flu inj 페라미플루주 …150mg/15ml/V	1) 성인 : 300mg, 15분 이상 IV inf.(단회투여) 2) 조제방법 : NS로 총 60~100ml가 되도록 희석 * 신기능에 따른 용량 조절 참고 - CrCl(ml/min) : 1회 용량 ① 30~49 : 100mg ② 10~29 : 50mg	1) Neuraminidase inhibitor 2) Influenza A와 B virus 표면에 있는 neuraminidase를 선택적으로 억제하여 감염된 세포로부터 viral particle의 방출을 막고 확산을 저해함 3) 적응증 : 성인 A형 또는 B형 인플루엔자 바이러스 감염증의 치료(인플루엔자 감염의 초기증상 발현 48시간 이내 투여 시작해야 함) 4) 효과 : 이 약 1회 투여 ≒타미플루(oseltamivir) bid×5일 5) 예방목적으로는 사용 불가 6) $T_{\frac{1}{2}}$: 20hrs 배설 : 신장(미변환체, 90%)	1) 1~10% - 설사, 오심 - 호중구 감소, 백혈구 감소 - 단백뇨 - ALT/AST 상승 - 혈중 포도당 증가 2) 〈1% - 발진 - 구토, 복통, 식욕부진 - BUN 상승 - CK 상승	〈주의〉 1) 예방적 투여 : 안전성 유효성 미확립 2) 증상발현 48시간 후 투여 시 유효성 입증 안 됨. 3) 경구제, 흡입제 등 다른 항인플루엔자 바이러스제 사용을 우선 고려 4) 조절되지 않는 당뇨, 만성호흡기질환자, 면역억제제 복용자, 반복투여 : 안전성 및 유효성 미확립 5) 신기능, 심장, 순환기능 장애 6) 고령자 7) 임신부 : Category C 8) 수유부 : 동물실험에서 유즙 분비, 수유중단 9) 소아 : 안전성 및 유효성 미확립 〈상호작용〉 1) 신기능 감소, 능동적 세뇨관 분비를 경쟁하는 약물, 신장배설약물 : 이 약의 혈장농도 증가 〈취급상 주의〉

약품명 및 함량	용법	약리작용 및 효능	부작용	주의 및 금기
				1) 실온보관 (1~30℃) 2) 희석 후 즉시 투여 3) 단독라인으로 투여
Zanamivir Relenza rotadisc 리렌자로타디스크 …5mg/dose, 20dose/EA	1) 치료 : 2puff bid (2×5mg, 20mg/D), 5일간 흡입 투여 2) 예방 : 2puff qd (2×5mg, 10mg/D), 10일간 흡입 투여 3) 흡입형 기관지 확장제 사용 중인 만성 호흡기 질환 환자의 경우 기관지 확장제 먼저 사용 후 이 약을 투여 4) 투여방법 : 경구용 디스크 흡입 기구 이용 (제품설명서 참조)	1) Influenza A, B형 virus의 neuraminidase를 억제하여 바이러스가 감염된 세포로부터 방출되는 과정을 차단하여 항바이러스 효과 나타냄. 2) 적응증 ① 7세 이상의 influenza A or B 바이러스 감염증의 치료(인플루엔자 감염의 초기증상 발현 48시간 이내에 투여 시작) ② 7세 이상의 influenza A or B 바이러스 감염증의 예방(influenza virus 감염증에 대한 예방의 일차요법은 백신요법이므로 백신에 당해 유행주가 포함되어 있지 않은 경우 or 백신의 효과를 기대할 수 없거나 백신 접종을 하지 못하는 경우에 한하여 사용, 예방접종 대체할 수 없음.) 3) Oseltamivir 내성 환자에도 사용가능하며, 호흡기 이외의 다른 장기에서는 생체이용률 떨어짐. 4) Onset(peak response) : 72hrs Tmax : 0.75~2hrs T½ : 2.5~5.1hrs 흡수 : 4~17% 대사 및 배설 : 대사과정 없이 모체 그대로 신장 배설	1) >10% - 두통 - 목, 편도의 불편 및 통증 - 코 관련 징후 및 증상, 기침 - 바이러스 감염 2) 1~10% - 열, 오한, 피로, 권태감, 현기증 - 가려움증 - 식욕감소 또는 증가, 오심, 설사, 구토, 복통 - 감염, 부비동염, 기관지염, 코염증	〈주의〉 1) 임신부 : Category C 2) 수유부 : 랫트에서 유즙으로의 이행이 보고된 바 있으며 사람에서의 유즙 분비 여부는 알려진 바 없음. 3) 호흡기 기저 질환을 앓고 있는 환자 4) 기관지 경련, 호흡기능 저하 드물게 발현 가능하며, 증상 발현시 약물 투여 중단

약품명 및 함량	용법	약리작용 및 효능	부작용	주의 및 금기
Acyclovir Vacrax tab 바크락스정 …200mg/T	* 경구제 1) 성인 - 단순포진 ① 치료 : 200mg(2.5ml), q 4hrs 5일간(중증 면역기능저하, 흡수장애: 1회 400mg까지 증량)	1) 합성 acyclic purine nucleoside동족체로 Herpes simplex Ⅰ& Ⅱ, Varicella-zoster에 억제작용 나타냄. 2) 피부나 점막의 단순포진, 대상포진 및 생식기 포진 바이러스 감염의 초기에 사용함.	* 경구제 1) 1~10% - 어지러움, 두통 - 오심, 구토, 복통	〈금기〉 1) Valaciclovir에 과민한 환자 〈주의〉 1) 신장애, 간장애 환자 2) 고령자

약품명 및 함량	용법	약리작용 및 효능	부작용	주의 및 금기
Jinacid dry syr 지나시드건조시럽 …80mg/ml Zoylex inj 조이렉스주 …250mg/10ml/V	② 예방 : 200mg(2.5ml), q 6hrs or 400mg(5ml) q 12hrs – 대상포진 치료 : 800mg(10ml), q 4hrs 7일간 2) 소아 – 단순포진 치료/예방 ① ≥2세 : 성인에 준함 ② 〈2세 : 성인의 1/2 – 수두 치료(2세 이상) : 20mg/kg, 1일 4회 5일간(Max. 1회 800mg) * 주사제 1) 성인 – 단순포진 : 5mg/kg q 8hrs – 수두대상포진 ① 5mg/kg q 8hrs ② 면역기능 저하 : 10mg/kg q 8hrs – 단순포진성 뇌염 : 10mg/kg q 8hrs 〈약리작용 및 효능〉란에 계속	3) 흡수 : 15~30%(경구) $T_{\frac{1}{2}}$: 신생아 4hrs 소아(1~12세) 2~3hrs 성인 3hrs Tmax : 1.5~2hrs(경구), ~1hr(주사) 배설 : 신장(61%, 미변화체) 〈용법 계속〉 2) 소아(3개월~12세) – 단순포진, 수두대상포진 : 250mg/m² q 8hrs – 수두대상포진(면역기능 저하), 단순포진성 뇌염: 500mg/m² q 8hrs 3) 투여기간 : 5일(단순포진성 뇌염: 10일) * 신기능에 따른 용량 조절 참고 – CrCl(ml/min): 용법 1) 경구제 – 〈10 : (단순포진) 200mg bid, (대상포진) 800mg tid~qid 2) 주사제 ① 25~50 : q 12hrs ② 10~25 : q 24hrs ③ 0(무뇨증)~10 : 50% 감량, q 24hrs(투석 후 투여)	* 주사제 1) 〉10% – 어지러움 – 오심, 구토, 식욕부진 2) 1~10% – ARF	3) 급성신장병 예방을 위해 투여시 적당량의 수분공급 4) IV시 혈관밖으로 새지 않도록 할 것(심한 국소염증→괴사) 5) Herpes lesion 존재시에는 성관계를 갖지 말 것 6) Renal tubule에의 침착, 손상방지를 위해 투여방법을 지킬 것 7) 임신부 : Category B 8) 수유부 : 모유로 이행, 수유중단 9) 신생아, 미숙아 : 안전성 미확립 〈상호작용〉 1) Probenecid : 이 약(주사제)의 배설 감소, 반감기 연장 2) Cimetidine : 이 약의 뇨배출 감소 3) Mycophenolate mofetil : 두 약 모두의 AUC 증가 4) Theophylline의 중독 증상 나타날 수 있음 〈취급상 주의〉 1) 시럽제 : 조제된 현탁액은 실온에서 15일간 안정 2) 주사제 – 250mg당 50ml 이상의 NS, 5DW 등의 수액에 희석하여 1시간 이상에 걸쳐 천천히 infusion(∵신장독성은 renal tubule에서 결정화되어 발생) – 희석액은 상온에서 12hrs 안정
Famciclovir Famvix tab 팜빅스정 …250mg/T …750mg/T	* 250mg/T 1) 성인 ① 대상포진 : 250mg tid, 7일간 ② 초발성 생식기포진 : 250mg tid, 5일간 ③ 급성 재발성 생식기포진 : 125mg bid, 5일간 ④ 재발성 생식기포진 억제 : 250mg bid * 750mg/T 1) 성인: 750mg qd, 7일간	1) Guanosine nucleoside analogue로서 DNA polymerase를 저해하는 항바이러스제 2) 적응증 – 250mg/T : 대상포진 치료, 생식기 포진 치료 및 재발 억제 – 750mg/T : 대상포진 치료 3) Tmax : 0.9hrs BA : 77% $T_{\frac{1}{2}}$: 2.2hrs 배설 : 신장(73%), 대변(27%)	1) 1~10% – 피로감, 발열, 현기증, 졸음, 두통 – 소양증 – 설사, 구토, 변비, 식욕부진, 복통, 두통, 오심 – 감각이상 – 부비강염, 인두염	〈금기〉 1) 유당 관련 대사장애 환자 〈주의〉 1) 임신부 : Category B 2) 수유부 : 동물실험에서 유즙 분비 3) 18세 미만 소아 : 안전성, 유효성 미확립 4) 신장애 환자 5) 생식기포진 증상이 있는 경우 성접촉을 피하도록 환자 교육

약품명 및 함량	용법	약리작용 및 효능	부작용	주의 및 금기
	* 신기능에 따른 용량 조절 참고 - CrCl(ml/min) : 용량 1) 대상포진, 초발성 생식기포진 ① 30~59 : 250mg bid ② 10~29 : 250mg qd ③ 혈액투석 환자 : (대상포진) 250mg, (생식기포진) 125mg q 48hrs 2) 급성재발성 생식기 포진 ① 30~59 : 125mg bid ② 10~29 : 125mg qd 3) 재발성 생식기포진 억제 ① 30~59 : 250mg bid ② 10~29 : 125mg bid			
Ganciclovir Cymevene inj 싸이메빈정주 …500mg/V	1) CMV 질환 치료 - 초기치료(유도)요법 : 5mg/kg q 12hrs, 14~21일간 - 장기치료(유지)요법 : 6mg/kg/D, 매주 5일간 or 5mg/kg/D 매주 7일간(CMV 망막염 등의 재발 위험성 있는 면역장애에 사용) 2) CMV 질환 예방 - 유도요법 : 5mg/kg q 12hrs, 7~14일간 - 유지요법 : 6mg/kg/D, 매주 5일간 or 5mg/kg/D 매주 7일간 4) 1시간동안 IV inf. * 신기능에 따른 용량 조절 참고 ① CrCl(ml/min) : 유도요법 용량 - 50~69 : 2.5mg/kg q 12hrs - 25~49 : 2.5mg/kg q 24hrs - 10~24 : 1.25mg/kg q 24hrs - <10: 1.25mg/kg 주 3회(투석 후 투여)	1) Guanine의 합성 purine nucleoside 유도체로 항바이러스 작용을 가짐. 2) Human cytomegalo virus(CMV)의 deoxyguanosine triphosphate를 상경적으로 저해하여 DNA 합성을 억제함. 3) 적응증 - AIDS를 포함한 면역장애환자의 CMV 감염질환치료 - 장기이식환자의 CMV 질환예방 4) Tmax : 1hr 지속시간 : 12hrs $T_{\frac{1}{2}}$: 2.9hrs	1) >10% - 발열 - 발진 - 복부통, 설사, 오심, 식욕부진, 구토 - 빈혈, 백혈구감소 2) 1~10% - 착란, 신경증, 두통 - 소양증 - 혈소판/호중구 감소 - 감각이상, 허약 - 망막박리 - 패혈증	〈금기〉 1) Acyclovir에 과민한 환자 2) 호중구수 500/mm^3 미만 환자 3) 임신부 : Category C (국내허가금기, 동물시험에서 최기형성 발현) 4) 수유부 : 안전성 미확립 〈주의〉 1) CMV 감염 확인 후 사용 2) 동물실험에서 정자생성 억제 3) 치료중 피임실시, 남성은 치료 후 90일까지 피임 4) 12세 이하 소아 : 안전성 미확립 5) 선천적/신생아 CMV 질환, 비면역장애 환자에서 사용 권장하지 않음(유효성 미확립) 6) IM, SC시 정맥염, 통증유발 (∵ pH 9~11의 높은 pH) 7) 급속 IV시 독성 증가 8) 이 약이 피부, 점막에 접촉시 즉시 비눗물로 세척 〈상호작용〉 1) 세포독성 약물 : 상가작용 2) Imipenem : seizure 가능성 3) 신독성 약물 : Scr 증가

약품명 및 함량	용법	약리작용 및 효능	부작용	주의 및 금기
	② 유지요법은 유도요법 용량의 50% 투여			4) Probenecid : 이 약의 배설감소, 반감기연장 5) Zidovudine : 과립구 감소 〈취급상 주의〉 1) 주사제 조제법: 1vial당 주사용수 10ml로 재구성, 최소 50ml 이상의 NS, 5DW 수액에 희석(∵신독성은 renal tubule에서 결정화되어 발생) (Max. 10mg/ml 농도) 2) 안정성 - 재구성 : 실온 12hrs(냉장금기) - 희석액 : 냉장 24hrs
Ribavirin Viramid cap 바이라미드캅셀 …100mg/C …200mg/C	1) 성인 ① 체중에 따른 용량조절 - 〈65kg : 400mg bid - 65~85kg : 500mg bid(or 400mg ~600mg) - 〉85kg : 600mg bid ② 혈색소 수치에 따른 용량조절 - 〈10g/dL : 600mg/D - 〈8.5g/dL : 투여중단 * 신기능에 따른 용량 조절 참고 - CrCl〈50ml/min : 투여금기	1) IMP 또는 GMP와 동족체로 작용하여 IMP dehydrogenase의 작용을 저지함으로써 viral replication을 억제함. 2) RNA 및 DNA 바이러스에 효과적임. 3) 적응증 : 만성 C형 간염에서 Interferon α-2b 또는 peginterferon α-2a,-2b와 병용	- 과량 또는 장기간 투여로 인한 빈혈(즉시 투약 중지) - AST, ALT 상승 (투약중지) - 두통, 졸음, 경련	〈금기〉 1) 자가면역간염, 중증 간기능 부전, 대상부전 간경변 환자 2) 중증 심장질환 병력 환자 3) 혈색소병증(겸상적혈구빈혈증 등) 환자 4) 중증 신장애 환자 5) 심각한 정신병적 문제(자살시도 등)가 있는 소아 및 청소년 6) 임신부 : Category X 7) 가임기 여성의 배우자 8) 수유부 : 동물실험에서 유즙 분비 〈주의〉 1) 빈혈, 백혈구감소증 및 혈소판감소증 환자 2) 정신질환 환자 3) 자가면역질환, 통풍, 당뇨병, 내당능 장애 환자 4) 고령자 5) 18세 이하 소아: 안전성, 유효성 미확립 〈상호작용〉 1) Didanosine: 치명적인 간부전, 말초신경병증, 췌장염, 유산산증 등이 보고되어 병용 권장되지 않음 2) Lamivudine, stavudine, zidovidine의 항바이러스 활성을 길항할 수 있으므로 병용 주의 3) Mg, Al, simethicone 함유 제산제 : 동시 복용 시 활성 감소

약품명 및 함량	용법	약리작용 및 효능	부작용	주의 및 금기
Valacyclovir HCl Valtrex tab 발트렉스정 …500mg/T	1) 성인 - 대상포진 : 1g tid, 7일 - 성기포진 감염증 ① 초발성 : 500mg bid 10일까지 ② 재발성 : 500mg bid, 5일 - 성기포진 감염의 재발 억제 : 500mg qd 또는 250mg bid - CMV 감염 예방 : 2g qid - 구순포진 : 2g bid, 1일 2) 소아 - CMV 감염 예방(12세 이상) : 2g qid - 구순포진(12세 이상) : 2g bid, 1일 - 면역기능이 정상인 2세 이상 소아의 수두 : 20mg/kg tid 5일간 (Max. 1g tid) * 신기능에 따른 용량 조절 참고 : CrCl(ml/min)에 따라 용량 조절(제품설명서 참조)	1) Antiviral agent인 acyclovir의 prodrug으로 herpes simplex virus와 herpes zoster에 대한 항바이러스 작용 있음. 2) 간대사를 통해 활성대사물인 acyclovir로 전환됨. 3) 적응증 - 대상포진 - 초발 및 재발성 성기포진 감염증 - 성기포진 감염증의 재발 억제 - 안전한 성생활을 병행하는 경우 억제요법으로서 성기포진의 전염 감소 - 신장이식 후 거대세포바이러스 감염 예방 - 구순포진 - 면역기능이 정상인 2세~18세 미만 소아의 수두 4) 단백결합률 : 13.5~17.9% $T_{\frac{1}{2}}$: 2.5~3.3hrs(acyclovir) 30mins(valacyclovir) 14~20hrs(ESRD; acyclovir) 배설 : 신장(valacyclovir 46%) 대변(valacyclovir 47%)	1) >10% - 두통 - 오심 2) 1~10% - 현기증, 우울 - 월경곤란 - 복통, 구토 - 백혈구감소증, 혈소판감소증 - AST 증가 - 관절통	〈금기〉 1) Acyclovir에 과민한 환자 〈주의〉 1) 탈수증 위험 환자(고령자 등) 2) 중증 신기능장애 환자 : 용량 조절 필요 3) 간기능장애 및 간이식 환자 4) 성기포진 환자 : 이 약의 예방적 사용이 성기포진 전염의 위험을 완전히 제거하지는 못함. 5) 진행성 HIV 환자, 동종 이인자형 골수 및 신장 이식 환자에서 심각한 혈전성, 혈소판 감소성 자반증/용혈성 요독증 발생 우려 있음. 6) 임신부 : Category B 7) 수유부 : 모유로 이행 8) 소아 : 안전성, 유효성 미확립 - 신생아 HSV 감염 후 억제요법 - (2세 미만) 수두 - (12세 미만) 구순포진, 거대세포바이러스감염 - (18세 미만) 대상포진, 성기포진
Valganciclovir HCl Valcyte tab 발싸이트정 …450mg/T	1) 성인 - AIDS 환자의 CMV 망막염 치료 ① 유도요법 : 900mg bid, 21일간 ② 유지요법 : 900mg qd - 장기이식 환자 CMV 예방: 900mg qd 2) 소아(4개월 이상) - 장기이식 환자 CMV 예방 ① 권장용량 : 7 × BSA × CrCl (Schwartz식) ② 이식 후 10일 이내 투여 시작, (신이식) ~200일, (기타 이식) ~100일까지 권장용량 qd 복용 3) 식사와 함께 복용(∵ 흡수 증가)	1) 경구용 Ganciclovir에 비해 생체이용률을 10배 증가시킨 prodrug으로서, 경구 투여시 혈중에서 빠르게 ganciclovir로 가수분해되어 작용함. 2) 적응증 - AIDS 환자의 CMV 망막염 치료 - CMV 질환 감염 위험이 있는 고형 장기 이식환자(CMV 양성인 자로부터 장기를 이식받는 CMV 음성 환자)에서 CMV 질환의 예방 3) Tmax : 1~3hrs 생체이용률 : 60% $T_{\frac{1}{2}}$: 0.4~0.6hrs 대사 : 혈중(빠르게 ganciclovir로 전환되어 약효 나타냄) 배설 : 신장	1) >10% - 열, 두통, 불면 - 설사, 오심, 구토, 복통 - 과립구감소증, 빈혈 - 망막박리 2) 1~10% - 말초신경병증, 감각이상, 경련, 정신병, 환각, 혼란, 초조 - 혈소판감소증, 전혈구감소증, 골수억제, 재생불량성 빈혈, 출혈 - 신기능부전	〈금기〉 1) Acyclovir, valacyclovir에 과민한 환자 2) ANC 500cells/mcL이하, platelet 25,000/mcL이하, Hgb 8g/dL이하인 환자 3) 임신부 : Category C(FDA), Category D(호주) 4) 수유부 : 안전성 미확립 〈주의〉 1) 혈구감소증 환자 또는 타 약물에 혈구감소증을 일으킨 병력자 2) 기지의 골수독성 약물, 화학물질, 방사선 등에 노출된 병력자 3) 면역억제제 투여중인 환자 4) 혈소판 감소(100,000/㎣ 미만) 5) 신기능장애 환자 6) 정신병, 사고이상 기왕력자

약품명 및 함량	용법	약리작용 및 효능	부작용	주의 및 금기
	* 신기능에 따른 용량 조절 참고 – CrCl(ml/min): 유도/유지, 예방용량 ① 40~59 : 450mg bid / 450mg qd ② 25~39 : 450mg qd / 450mg EOD ③ 10~24 : 450mg EOD / 450mg 주 2회 ④ 투석환자(CrCl<10) : 투여금기, IV ganciclovir사용 권장		– 감염, 패혈증, 알러지반응	7) 고령자 8) 4개월 미만 소아 : 안전성, 유효성 미확립 9) 치료중 피임실시, 남성은 치료후 90일까지 피임 〈상호작용〉 * Ganciclovir로서 1) Imipenem : 경련 유발 가능 2) Probenecid, mycophenolate : ganciclovir 혈중농도 증가 3) Zidovudine : ganciclovir 혈중농도 감소 및 호중구감소증, 빈혈 유발 4) Didanosine의 혈중농도 증가 〈취급상 주의〉 1) 분할, 분쇄 금함(∵조제자에 발암성 있음)

약품명 및 함량	용법	약리작용 및 효능	부작용	주의 및 금기
Adefovir dipivoxil Hepsera tab 헵세라정 …10mg/T	1) 성인 : 10mg qd * 신기능에 따른 용량 조절 참고 – CrCl(ml/min) : 용량 ① 20≤CrCl<50 : 10mg q 48hrs ② 10≤CrCl<20 : 10mg q 72hrs ③ 혈액투석 환자 : 투석 후 7일마다 10mg 복용	1) Nucleotide 유사체인 antiviral agent 2) Adenosine monophosphate(AMP)의 nucleotide 유사체로서 활성성분인 adenosine diphosphate (ADP)로 전환되어 HBV DNA polymerase를 경쟁적으로 억제함. 3) 적응증 : ALT 또는 AST의 지속적 상승 또는 조직학적 활동성 질환을 나타내는 만성 활동성 B형 간염 바이러스 감염증(대상성 간기능을 나타내는 HBeAg+/–의 만성 B형간염 및 대상성/비대상성의 lamivudine 내성 B형 간염) 4) BA : 59% $T_{\frac{1}{2}}$: 7.5hrs Tmax : 1.75hrs 배설 : 신장(49%)	1) >10% – ALT 상승(20%), 무력(13%), 혈뇨(3+)(11%) 2) 1~10% – 열, 두통 – 발진, 가려움증 – 소화불량(3%), 오심, 구토, 고창, 설사, 복통 – AST 상승(8%), 간기능 이상, 간부전 – Scr 상승, 신부전, 신기능 저하 – 기침 증가, 인두염, 부비동염	〈주의〉 1) 치료 중단(12주) 후 간염이 악화될 수 있으므로 주의깊게 모니터링 필요 2) 장기 투여시 신독성 발생 가능 3) 치료 시작 전 HIV 항체 테스트를 실시해야 함. (∵HIV에 활성을 나타낼 수 있음) 4) 유산 산증, 지방증을 동반한 중증 간비대(투여 중지) 5) 임신부 : Category C 6) 수유부 : 안전성 미확립, 수유중단 권고 7) 18세 미만 소아 : 안전성, 유효성 미확립 〈상호작용〉 1) 신기능을 감소시키는 약물과 병용시 신독성을 증가시킬 가능성 있음.(AGs, CsA, NSAIDs, tacrolimus, vancomycin) 2) Ibuprofen : 이 약의 BA 증가

약품명 및 함량	용법	약리작용 및 효능	부작용	주의 및 금기
Clevudine Levovir cap 레보비르캡슐 …30mg/C	1) 성인 : 30mg qd	1) Pyrimidine nucleoside analogue 2) 적응증: 활동성 바이러스의 복제가 확인되고, 혈청 아미노전이효소(ALT 또는 AST)의 상승이 확인된 만성 B형간염 바이러스감염증 환자 (HBeAg 양성 및 HBeAg 음성)의 바이러스 증식 억제 3) $T\frac{1}{2}$: 44~60hrs	1) >10% - 상기도감염, 무력감 2) 1~10% - 복통, 소화불량, 두통	〈금기〉 1) 만 18세 미만의 환자 2) 신장애 환자(CrCl 〈60ml/min) 〈주의〉 1) 신배설 약물, 신기능에 영향을 미치는 약물과 병용 시 주의 2) 임신부 : 안전성 미확립 3) 수유부 : 안전성 미확립, 수유중단
Entecavir Baraclude tab 바라크루드정 …0.5mg/T …1mg/T	1) 성인 및 16세 이상: 0.5mg qd - Lamivudine 저항성 환자 : 1mg qd 2) 소아(2세 이상) : - 30kg 이하 : 시럽제 사용(체중별 상세 용량 제품설명서 참조) - 30kg 초과 : 0.5mg qd 3) 공복에 복용(식사 2시간 전 또는 후) : 음식과 함께 복용시 이 약의 흡수가 지연되며, 최고혈중농도 44~46% 감소됨. * 신기능에 따른 용량 조절 참고 - CrCl(ml/min) : 용량 ① 30≤CrCl〈50 : 50% 감량 또는 투여간격 2배(q 48hrs) ② 10≤CrCl〈30 : 70% 감량 또는 투여간격 3배(q 72hrs) ③ CrCl 〈10, 투석환자 : 90% 감량 또는 투여 간격 7배(7일마다)	1) 만성 B형 간염 바이러스 억제제 2) Cyclopentyl guanosine analogue로서, 강력한 HBV DNA polymerase 억제제로서, lamivudine에 내성인 HBV에 유효하나, wild-type HBV에는 유효성이 적음. 3) 적응증 : 활동성 바이러스의 복제가 확인되고, ALT 또는 AST의 지속적 상승 또는 조직학적으로 활동성 질환이 확인된 16세 이상 성인과 2세이상 소아의 만성 B형 간염 치료 4) Tmax : 0.5~1.5hrs 단백결합 : 13% $T\frac{1}{2}$: 5~6days(terminal) 대사 : 간(minor) 배설 : 신장(62~73%)	1) >10% - ALT 상승(2~12%) 2) 1~10% - 두통(2~4%), 피로(1~3%) - 고혈당(2%) - Lipase 상승(7~8%), amylase 상승(2~3%), 설사(≤1%), 소화불량(≤1%) - AST 상승(5%), bilirubin 상승(2~3%) - 혈뇨(9%), 뇨당(4%), Scr 상승(1~2%)	〈주의〉 1) 신기능장애 환자(용량조절 필요) 및 신기능을 저하시키는 약제를 투여중인 환자 2) CsA나 tacrolimus를 투여중인 간이식 수여자에서 이 약을 개시하기 전 및 치료 중 신기능 평가 필요 3) Lamivudine과 교차저항성 나타낼 수 있음. 4) 치명적인 경우를 포함하여 유산증 및 지방증이 있는 중증 간종대가 보고됨. 5) 항B형 간염 요법을 중단한 환자에서 B형간염의 중증 급성 악화가 보고된 바 있으므로 주의 6) 임신부 : Category C 7) 수유부 : 안전성 미확립 8) 2세 미만 소아 : 안전성 및 유효성 미확립
Lamivudine Zeffix tab 제픽스정 …100mg/T	1) 성인(18세 이상) : 100mg qd 2) 소아(2~17세) : 3mg/kg qd (Max. 100mg/D) * 신기능에 따른 용량 조절 참고 - CrCl(ml/min) : 용량	1) Cytosine 계열의 nucleoside analogue로서, transcriptase inhibitor 및 DNA chain terminator로 작용함. 2) 만성 활동성 B형 간염 환자(혈중 HBV-DNA 양성 환자에 한함). 단, 이 약에 대한 내성 발현율이 높으므로, 치료를 처음 시작하는 경우 내성 발현이 적은	1) >10% - 두통, 피로 - 오심, 설사, 구토, 췌장염 - 말초 신경증, 감각이상, 근골격통	〈주의〉 1) 신장애 환자 2) 췌장염 증상이 있을 경우 투약중지 3) 만성 B형 간염으로 인한 진행성 간경변 환자에게 투약하다가 중단하면 간염 재발 위험 있음. 4) 임신부 : Catagory C (초기 3개월 동안 투여 권장 되지

약품명 및 함량	용법	약리작용 및 효능	부작용	주의 및 금기
	① 30~49 : 초회 100mg, 유지 50mg qd ② 15~29 : 초회 100mg, 유지 25mg qd ③ 5~14 : 초회 35mg, 유지 15mg qd ④ <5 : 초회 35mg, 유지 10mg qd	타 항바이러스제를 사용할 수 없거나 적절하지 않을 때에만 투여 고려 3) 흡수 : 신속 단백결합률 : <36% BA : 음식에 의해 Cmax 감소, AUC 불변 66%(소아), 80~88%(성인) $T_{\frac{1}{2}}$: 2hrs(소아), 5~7hrs(성인) 배설 : 신장(미변환체, 70%)	2) 1~10% - 현기증, 우울, 발열, 오한, 불면증 - 발진 - 식욕부진, 복통, 흉부 작열감 - 간효소치 증가 - 호중구감소 - 근육통, 관절통 - 기침	않음) 5) 수유부 : 모유로 이행, 수유중단 6) 2세 미만의 소아 : 안전성 및 유효성 미확립 〈상호작용〉 1) 이 약은 zalcitabine, emtricitabine의 세포내 인산화를 방해, 병용 권장되지 않음
Telbivudine Sebivo tab 세비보정 …600mg/T	1) 16세 이상 소아 및 성인 : 600mg qd (식사와 관계없이 복용) * 신기능에 따른 용량 조절 참고 - CrCl(ml/min) : 용량 ① ≥50 : 600mg qd ② 30~49 : 600mg q 48hrs ③ <30(투석 미시행) : 600mg q 72hrs ④ ESRD : 600mg q 96hrs (혈액투석 후 투여)	1) Thymidine nucleoside Analogue 2) Deoxythymidine-5'-triphosphate와의 경쟁적 저해를 통해 B형 간염 바이러스의 DNA polymerase (reverse transcriptase)를 억제함. 3) 적응증 : 바이러스의 복제와 활성 간염의 징후가 있는 만성 B형 간염 환자의 치료 4) 흡수 : 음식 영향 없음 Tmax : 2hrs 단백결합 : 3.3% $T_{\frac{1}{2}}$: 40~49hrs 대사 : 대사체 없음 배설 : 신장(42%, 미변환체)	1) >10% - 혈중CK 상승(11~13%) - 두통(10%) - 기침(6~16%) - 독감(18~21%), 피로(13~18%) 2) 1~10% - 복통(9%), 설사(6%), 오심(5%) - ALT, AST 상승(5~7%) - 관절통(4%), 저배통(4%), 근육통(3%) - 현기증(4%) - 발열(4%), 발진(4%)	〈금기〉 1) 16세 미만 소아 : 안전성 미확립 2) Interferon-α 투여 환자 : 병용시 안전성 및 유효성 미확립 〈주의〉 1) 신장애, 65세 이상 고령자 2) 간이식, 비대상성 간경화 환자 3) 유산증과 지방증을 동반한 중증 간비대 발생 주의 4) 중단 시 B형 간염의 심각한 급성악화 보고 5) 간기능 검사 실시(치료 중단 후에도 실시) 6) 근육병증, 근육염, 횡문근 융해, 말초신경병증 환자 7) 임신부 : Category B 8) 수유부 : 안전성 미확립

11장. 감염증치료제 ……………6. Antivirals ……………………(6) Phosphonic acid derivatives

약품명 및 함량	용법	약리작용 및 효능	부작용	주의 및 금기
Foscarnet trisodium hexahydrate	1) 유도요법 : 60mg/kg q 12hrs, 1시간 이상 IV inf. (1~2주간) 2) 유지요법 : 90mg/kg q 24hrs,	1) Pyrophosphate analogue, 항바이러스제 2) HIV reverse transcriptase를 포함한 바이러스의 RNA, DNA polymerase에 비경쟁적 저해제로 작용	1) >10% - 발열, 두통 - 저칼륨혈증,	〈금기〉 1) Pentamidine isetionate 투여 중인 환자 〈주의〉

약품명 및 함량	용법	약리작용 및 효능	부작용	주의 및 금기
Foscavir inj 포스카비어주 …6g/250ml/V	2시간 이상 IV inf. - 재발이 확인된 경우 유도요법에 따라 투여 3) 투여 시 hydration(0.5~1L) 실시 (신장 손상 감소) * 신기능에 따른 용량 조절 참고 - CrCl(ml/min/kg): 용량 ① 유도요법 - 1.4~1 : 45mg/kg q 12hrs - 1~0.8 : 35mg/kg q 12hrs - 0.8~0.6 : 25mg/kg q 12hrs - 0.6~0.5 : 20mg/kg q 12hrs - 0.5~0.4 : 15mg/kg q 12hrs ② 유지요법 - 1.4~1 : 70mg/kg q 24hrs - 1~0.8 : 50mg/kg q 24hrs - 0.8~0.6 : 80mg/kg q 48hrs - 0.6~0.5 : 60mg/kg q 48hrs - 0.5~0.4 : 50mg/kg q 48hrs	하여 바이러스의 증식을 억제함 3) 적응증: 조혈모세포이식 환자의 거대세포바이러스 혈증(CMV Viraemia)의 치료(거대세포바이러스 비감염자에게 감염 예방 목적으로 사용할 수 없음) 4) $T_{1/2}$: 3~4hrs(혈장), 88hrs(소변) 배설: 신장	저칼슘혈증, 저마그네슘혈증, 저인산혈증 - 오심, 구토, 설사 - 빈혈, 과립구백혈구감소증 - 신기능 이상 2) 1~10% - 가슴통증, 부종, 홍조, 부정맥 - 경련, 지각이상, 불면, 피로 - 발진, 홍반, 소양증 - 전해질이상 - 복통, 식욕부진, 변비 - 신독성, 요저류, 요로감염 - 골수억제 - ALT/AST 상승 - 패혈증, 세균감염, 진균감염	1) 신장애 환자 2) 전해질 이상이 있는 환자(∵2가 금속이온 킬레이트 작용으로 혈청 Ca, Mg, K 농도 감소) 3) 심장 기능에 이상이 있는 환자 4) 임신부 : Category C 5) 수유부: 동물실험에서 유즙 분비, 수유중단 6) 소아, 신생아: 안전성 미확립 〈상호작용〉 1) Pentamidine isetionate: 병용금기(∵ 신장애, 저칼슘혈증 유발) 2) Loop계 이뇨제 : 저칼슘혈증 유발 3) Aminoglycoside계 항생제, vacomycin, amphotericin B, cyclosporine, tacrolimus, methotrexate, cisplatin등의 신독성 약물 병용 시 신장 손상 악화 〈취급상 주의〉 1) 실온, 차광보관 2) 중심정맥카테터 사용 시 희석하지 않고 주입 가능 3) 말초정맥카테터 사용 시 5DW, NS로 2배 희석(12mg/ml) 주입 4) 개봉 및 희석 후 24hrs 이내 사용

12장. 피부과용제(Dermatologics)

1. Antiacne preparations
2. Antibacterial & Combinations
3. Antifungals
4. Antipsoriatics
5. Antiseptics
   (1) Disinfectants
   (2) Disinfectants (Used on objects)
6. Antivirals
7. Corticosteroids, topical
8. Scabicides & pediculicides
9. Wound healing agents
10. Others

약품명 및 함량	용법	약리작용 및 효능	부작용	주의 및 금기
Adapalene Differin gel 디페린겔 …1mg/g(0.1%), 15g/EA 30g/EA	1) 환부를 깨끗이 씻고 건조시킨 후 저녁 또는 취침전 1회 눈과 입술을 피하여 여드름 부위에 얇게 도포함. 2) 3개월 투여 후 증상개선 보이지 않으면 중지	1) Naphthoic acid 유도체로 tretinoin과 유사한 작용을 가지는 topical retinoid-like compound 2) Retinoid와 유사하게 피부 세포 분화, 케라틴화, 염증 반응의 조절을 통한 모낭 표피세포의 분열을 정상화시켜 항염증작용이 있음. 3) 적응증 : 12세 이상의 면포, 구진, 농포가 나타나는 여드름의 국소치료 (0.025% Tretinoin cream과 효과 유사) 4) Clindamycin, benzoylperoxide 등의 기타 여드름 치료제와 병용 가능하나 12시간 정도 간격을 두고 사용 (자극성 우려로 본제는 저녁에, 다른 약제는 오전 사용을 권장함) 5) 치료효과 발현 : 8~12wks	(도포 후 2~4주에 발현되며, 지속 사용시 점차 소실) 1) >10% - 홍반, 피부박리, 건조감, 소양증, 작열감	〈금기〉 1) 임신부 : Category C (국내 허가 금기) 2) 손상된피부, 일광화상, 습진피부, 지루피부염, 중증의 여드름, 이차 여드름 〈주의〉 1) 햇빛 또는 자외선에 노출시 자극 유발이 가능하므로 빛에의 과도한 노출을 피함(과도한 노출시 노출일을 중심으로 3일간은 사용 중지) 2) 눈, 입술, 점막부위에 바르지 않음. 3) 사용량을 늘려도 효과가 상승되거나 작용이 빨리 나타나지 않고, 발적, 피부박리, 불쾌감이 나타남. 4) 수유부 및 12세 미만 소아 : 안전성 미확립 〈상호작용〉 1) Sulfur, resorcinol, salicylic acid를 함유한 제품과 병용시 피부 부작용의 증가 가능
Isotretinoin Accunetan soft cap 아큐네탄연질캡슐 …10mg/C (β-cis-retinoic acid)	1) 치료기간 : 16~24주 - 초기용량 : 0.5mg/kg/D #2, 4주간 - 유지용량 : 0.5~1mg/kg/D #2 (Max. 2mg/kg/D) 2) 재발시 : 1차 투약 후 8주가 지난후에 재투약할 것 3) 음식물에 의해 흡수 증가되므로 식사와 함께 복용 *신기능에 따른 용량조절 참고 - 신부전환자 : 초회용량 10mg qd로 시작하여 용량 조절	1) Vit-A의 동족체로서 작용기전은 아직 자세히 밝혀지지 않았으나 피지선 활성 억제 및 피지선 크기를 축소시킴. 2) 적응증 : 다른 치료법에 불응성인 중증의 결절성, 낭포성, 응괴성 여드름, 특히 체간 병변이 관련된 낭포성 및 응괴성 여드름 3) $T_{\frac{1}{2}}$: 10~20hrs 배설 : 신장 및 대변으로 동일하게 배설	- 구순염(90%). - 피부건조, 소양감, 비출혈, 구강 및 비점막건조 - 결막염 - 골격근증상, 관절염 악화 - 흉부압박감, 발진 - 뇨도관 감염 - 두통, 불면 - 시력장애 - Inflammatory bowel syndrome	〈금기〉 1) 임신부, 임신가능한 부인 : 최기성-투약 시작전 1개월, 투약 중 및 투약완료 1개월 후까지 피임할 것 (Cetegory X) 2) 수유부 : 안전성 미확립 3) 신장 및 간기능 장애자 4) Vitamine A 과다증 환자 〈주의〉 1) 본 약제 투여 중 우울증 등의 증상이 보고된 바 있으므로, 우울증의 병력이 있었던 경우 주의 2) 정기적인 간기능 검사, 당뇨 검사가 요구됨. 3) 이 약 복용중지 후 1개월이내 헌혈하지 않도록 함. 〈상호작용〉 1) Tetracycline은 뇌내압 상승을 유발함. 2) Vit. A: Vit A 과다증 유발

약품명 및 함량	용법	약리작용 및 효능	부작용	주의 및 금기
Nadifloxacin Nadixa cream 나딕사크림 …10mg/g, 10g/EA	1) 1일 2회 도포 2) 세안 후 마른 상태에서 병변 부위에 얇게 눈과 입을 피하여 도포	1) 광범위 quinolone계 항생제 2) P.acne, S.epidermidis의 단백합성을 저해하여 여드름을 치료함. 3) 적응증 ① 경증~중등도의 구진과 농포가 있는 심상성 좌창(여드름)의 국소적 치료 ② 유효균종: Propionibacterium acne, Staphylococcus epidermidis 4) Onset - Acne vulgaris: 2~4wks - Skin infection: 7~14days	- 가려움증, 홍반, 부종	〈금기〉 1) 12세 미만의 소아 2) 임신부: 안전성 미확립 3) 수유부: 모유이행 〈주의〉 1) 내성균 발현 방지 위해 감수성 확인하고 최소한의 기간동안 적용함. 2) 과도한 햇빛이나 UV 조사에 대한 노출 피함(광과민 반응). 3) 눈 및 점막(비구강 점막 포함), 상처부위에 적용금지 4) 과민반응 발현 시 투약횟수 줄이고 일시적 중단 또는 완전히 중단함. 5) Peeling agents, 피부수렴제, 자극성물질(아로마틱, 알콜성 물질) 동시사용 피함(국소적인 자극성, 부작용 증가)
Tretinoin(Retinoic acid) Stieva-A cream 스티바에이크림 …0.25mg/g(0.025%) …0.1mg/g(0.01%) …0.5mg/g(0.05%) …1mg/g(0.1%) 25g/EA Stieva-A soln 스티바에이액 …0.25mg/ml(0.025%), 50ml/BT	1) 1일 1회(취침시)~2회 도포 2) 민감한 피부는 1일 1회 또는 이틀에 한번씩 사용	1) 모공을 막는 각질화된 표피는 탈락시키고 정상세포의 분열을 촉진하여, 딱딱해진 피부층을 부드럽게 함. 2) 적응증 - 크림제: 심상성 여드름(보통 여드름) 및 광노화(미세주름, 광색소 침착, 거친피부) 완화 - 액제: 심상성 여드름(보통 여드름) 3) 심한 여드름에는 tetracycline, erythromycin 같은 항균제를 병용함.	1) 1~10% - 부종, 발적, 가피증, 과다 또는 과소 색소침착, 자통, 수포	〈금기〉 1) 피부상피종이 있거나 가족력이 있는 환자 2) 습진, 절상, 찰과상, 급성피부염, 주사 3) 햇빛에 탄 환자 4) 임신부: 안전성 미확립(시간적 연관성 있는 선천성 기형 보고) 5) 수유부: 안전성 미확립 〈주의〉 1) 사용 1주 후에 일시적인 여드름의 악화현상이 나타남. 2) 사용중 햇빛에의 노출을 피할 것(동물실험에서 태양광선으로 인한 피부종양의 발생을 가속화시킴). 3) 햇빛에 탄 환자는 완전히 회복된 후 사용 4) 피부의 주름진 곳에 약이 축적되지 않도록 함. 5) 눈, 코, 입 및 다른 점막과의 접촉 피하고 염증성, 습진성 피부, 노출된상처가 난 피부에 도포하지 않음 6) 12세 미만 소아: 안전성, 유효성 미확립

약품명 및 함량	용법	약리작용 및 효능	부작용	주의 및 금기
1g 중 Adapalene 1mg, Benzoyl peroxide 25mg **Epiduo gel** 에피듀오겔0.1%/2.5% …15g/EA	1) 환부를 깨끗이 씻고 건조시킨 후 1일 1회 저녁에 적용 2) 피부 자극 발생 시 비자극적 보습제를 사용하거나 도포횟수를 줄이거나 치료 중단	1) 국소 레티노이드인 adapalene과 항균 작용이 있는 benzoyl peroxide(BPO)가 복합된 여드름 치료제 2) 작용기전 ① Adapalene: Topical retinoid로서, retinoic acid nuclear receptor에 특이적으로 결합하여 모낭 표피 세포의 분화를 정상화, 항염증 작용 ② BPO: P.acnes에 대한 항균작용, 면포 및 과다한 피지 제거 3) 적응증 : 9세 이상의 면포, 구진, 농포가 나타나는 여드름의 국소치료 4) 치료효과 발현: 1~4wks	1) 1~10% - 피부건조, 접촉성 피부염, 작열감(화끈함), 피부 자극감 2) 가려움, 일광화상	〈금기〉 1) 손상된 피부, 일광화상 또는 습진성 피부, 광범위한 부위 침범한 중증의 여드름 부위에 도포 금함. 〈주의〉 1) Propylene glycol에 과민한 환자, 햇빛에 과다 노출되거나 선천적으로 민감한 환자 신중투여 2) 용량 늘려도 효과 상승하지 않으며 자극감과 발적 발생할 수 있음. 3) 과민증상 발현시 사용 중지 4) 머리카락이나 염색된 옷 접촉시 탈색될 수 있음. 5) 박피성 제품, 자극적이거나 건조작용 있는 화장품과 병용시 자극감 악화 가능 6) 눈, 코, 입, 점막부위에 도포 금함. 7) 임신부 : Category C(치료 중단 권고) 8) 수유부 및 9세이하 소아 : 안전성 미확립
1g 중 Benzoyl peroxide 50mg, Clindamycin 10mg **Duac gel** 듀악겔5% …10g/EA …25g/EA	1) 1일 1회 저녁에 도포 2) 먼저 따뜻한 물로 깨끗이 씻고 가볍게 두드려 말린 후 도포하도록 함.	1) 항균제와 각질용해제 복합 성분의 여드름 치료제 2) Benzoyl peroxide : P. acnes에 대한 항균작용, 완화한 면포(여드름집) 제거 작용, 과다한 피지 제거 및 건조 작용 3) Clindamycin : P .acnes의 단백 합성 저해로 항균작용 4) 적응증 : 경증~중등도의 여드름	- 과민증 - 피부건조감, 가려움증, 홍반, 박리, 작열감, 피부염, 발진, 모발 및 유색섬유 탈색 - 일광에 대한 감수성 증가 - 일시적인 안면부종	〈금기〉 1) Lincomycin에 과민한 환자 2) 항생물질 관련 대장염 기왕력자 3) 임신부: Category B (Clindamycin)/ Category C (Benzoyl peroxide) (국내 허가 금기) 4) 12세 이하 소아 및 수유부: 안전성 미확립 〈주의〉 1) 눈, 입, 점막, 벗겨진 피부나 습진 부위와의 접촉 피하며, 과민성 피부에 적용시 주의 2) 머리카락이 표백되거나 옷감이 얼룩질 수 있으니 닿지 않도록 함. 3) 충분한 치료효과를 위해서 4~6주의 치료기간이 필요한 경우도 있음. 〈취급상 주의〉 1) 약국: 냉장보관(2~8℃) 2) 환자: 여름에는 냉장보관, 다른 계절에는 25℃ 이하 실온보관하며, 개봉 후 2개월 이내에 모두 사용해야 함. 3) 얼리지 않도록 함.

약품명 및 함량	용법	약리작용 및 효능	부작용	주의 및 금기
Metronidazole Merogel 메로겔 …7.5mg/g(0.75%), 10g/EA Rozex gel 로섹스겔 …7.5mg/g(0.75%), 30g/EA	1) 세정 후 1일 2회 환부에 얇은 막이 형성되도록 도포 2) 치료효과는 3주 이내에 나타남. 3) 질주입용법(Merogel만 해당) : 1일 세균질염 시 1~2회 5일간 5g정도를 주입기에 넣어 질내에 적용. 1일 1회 사용할 경우 취침전 사용.	1) Nitroimidazole계 항균제로 혐기성 세균과 원충류에 대한 항균작용 2) 적응증 - 주사(rosacea) - (Merogel만 해당) 세균질염(헤모필루스균, 가드네렐라균, 비특이적균, 코리네박테륨 또는 혐기성균에 의한 질염) 3) Onset : 3주(주사비) Tmax : 6-10hrs(gel 제형) 〈부작용 계속〉 *질내 적용 1) 〉10% - 질분비물(12%) 2) 1~10% - 두통(5%), 어지러움(2%) - 위장관 불쾌감(7%), 구역/구토(4%), 미각이상(2%), 식욕감퇴, 복부경련, 설사(1%) - 칸디다성 자궁경부염(10%), 외음/질 자극(9%), 골반불쾌감(3%)	*국소 적용 (빈도 미확립) - 고혈압, 두통, - 여드름, 열감, 접촉성 피부염, 건조증, 홍반, 자극, 소양감, 발진 - 구역, 미각이상, 구강건조 - 알러지 반응 - 말초신경병증, 말단저림,무감각 - 안자극 - 독감유사 증후군 (flu-like syndrome) 〈약리작용 및 효능〉란에 계속	〈금기〉 1) Nitroimidazole 유도체에 과민성 환자 2) 수유부 : 모유로 이행 3) 소아 : 안전성 미확립 4) Disulfiram을 투여한지 2주 이내의 환자 〈주의〉 1) 혈액조성이상 또는 혈액응고장애 환자(PT연장) 2) 중증의 간질환자(대사물 축적위험) 3) 중추신경계 질환 환자(CNS부작용 위험 증가) 4) 임신부 : Category B (metronidazole은 태반벽을 통과하여 태반장애를 일으킴. 임신 3개월까지 사용하지 않음) 〈취급상 주의〉 1) 눈과 접촉금지(작열감, 자극 일으킬 수 있음), 눈에 닿은 경우 충분히 헹굴것 2) 치료부위 태양광선 및 인공자외선에 노출 금지 3) 투여기간 중 성교를 하지 않도록 함
Mupirocin Esroban oint 에스로반연고 …20mg/g, 10g/EA	1) 1일 2~3회, 10일까지 도포함. 필요시 도포부위를 드레싱하거나 밀폐함.	1) Pseudomonas fluorescens의 발효에 의해 생성되며, isoleucyl transfer RNA synthetase에 결합하여 세균의 단백질 합성을 저해함. 2) 기존의 항생제와 구조적 관련 및 교차 내성이 없는 항균제 3) Staphylococci, Streptococci, 일부 G(-)세균에 유효하며 bacteriostatic이나 고농도에서는 bactericidal임. 4) 적응증 - 농가진, 모낭염, 종기증, 감염성 습진과 같은 세균성 피부감염증 - 외상 및 화상에서의 세균성 피부감염증	- 작열감, 자통, 소양증, 발진, 홍반	〈금기〉 1) PEG에 과민한 환자 2) 중증 신장 질환자(∵PEG가 상처로 흡수되어 신배설됨.) 3) 임신부: Category B (국내 허가 금기) 4) 수유부: 안전성 미확립 〈주의〉 1) 개열된 상처 및 손상된 피부에 장기간 사용하지 말 것(∵ 면역기능 저하에 관해서는 안전성 미확립)

약품명 및 함량	용법	약리작용 및 효능	부작용	주의 및 금기
		5) 약산성상태에서 가장 활성 높음. 6) 체내 흡수후 불활성화, 신장을 통해 배설		
Nitrofurazone Nitrofurazone oint 니트로푸라존연고 …2mg/g(2%), 450mg/EA	1) 1일 1~3회 환부에 도포함.	1) 광범위 antibacterial spectrum을 가진 synthetic nitrofuran 2) 화상 또는 외상시 2차 세균 감염 예방 및 치료 3) 창상, 화상, 농가진, 화농성 피부염에 사용함.	– 알러지성 접촉성 피부염(1%), 발진, 부종, 수포 – 신장애 : BUN 상승	〈주의〉 1) 신장애 환자 2) 중복감염시 사용 중단 3) 임신부 및 수유부: 안전성 미확립
Sodium Fusidate Fucimed oint 후시메드연고 …20mg/g, 10g/EA	1) 1일 1~2회 환부에 직접 도포 또는 무균거즈에 펴발라 붙임 2) 두꺼운 층에 적용 피하며 보통 1주 정도로 투여기간 제한함.	1) Bacteria의 단백합성을 억제하여 살균작용을 나타내며, steroid와 유사구조를 가지므로 병소에 고농도로 침투됨. 2) 유효균종 : 포도구균, 연쇄구균, 코리네박티륨속, 클로스트리듐속 3) 적응증: 농피증, 화상 · 외상 · 봉합창 · 식피장에 의한 2차 감염에 사용	– 경도의 피부염, 동통자극	〈금기〉 1) 비감수성균(특히 녹농균) 감염 환자 〈주의〉 1) 안과용으로 사용하지 않음 2) 내성균주 발현 방지를 위해 필요한 기간만 투여 3) 흡수성이 높으므로 장기간 광범위하게 사용하지 않도록 함. 4) 임신부,수유부, 미숙아 및 신생아 : 안전성 미확립
1g 중 Betamethasone valerate 0.61mg, Gentamicin sulfate 1mg **Celestone-G cream** 쎄레스톤지크림 …15g/EA	1) 1일 적당량을 1~3회 환부에 바름.	1) Steroid인 betamethasone의 국소 항염작용과 gentamicin의 세균감염 예방 및 치료작용 2) 적응증 – 2차 감염된 알레르기성 또는 염증성 피부질환 : 습진, 접촉피부염, 지루피부염, 아토피피부염, 광피부염, 만성단순태선, 간찰진(피부스침증), 박탈피부염, 가려움, 건선 – 1도 화상	– 스테로이드성 여드름, 스테로이드성 피부 – 피부자극감, 발진 – 안압항진, 녹내장(안검 피부 사용시) – 균교대현상 – 신장애, 난청	〈금기〉 1) 피부궤양 2) Aminoglycoside계 항생물질 또는 bacitracin에 과민증 기왕력 환자 3) 고막 천공이 있는 습진성 외이도염 4) 임신부 : Category D (Gentamicin)/ Category C (Betamethasone) 〈주의〉 1) 안과용으로 사용하지 않음 2) 유, 소아: 장기, 대량사용 또는 밀봉법에 의해 발육장애 보고 3) 수유부 : 안전성 미확립(수유중단 권고)

약품명 및 함량	용법	약리작용 및 효능	부작용	주의 및 금기
Amorolfine HCl Loceryl cream 로세릴크림 …0.25%, 20g/EA Loceryl nail lacquer 로세릴네일라카 …5%, 3ml/Kit	* Cream 1) 1일 1회(저녁) 환부에 적당량 바름. 2) 2~3주 적용하고, 완치 이후 3~5일간 지속 3) 족부백선: 6주 지속 사용 * Nail lacquer 1) 주 1~2회 감염된 조갑에 도포 2) 도포방법 ① 초회도포: 첨부된 줄로 감염된 조갑 표면을 가능한 한 갈아낸 후 첨부된 이소프로판올 패드로 닦고, 기름기를 제거한 후 도포 ② 매주 1회 정도는 남아있는 라카막을 이소프로판올 패드로 제거하고, 줄로 갈아낸 후 도포함 3) 통상 손톱의 경우 6개월, 발톱의 경우 9~12개월 소요	1) Morpholine계 항진균제로 ergosterol의 생합성에 관여하는 2종의 효소를 저해하여 약리 작용을 나타냄 2) 적응증 ① Cream : 족부 백선(무좀, 한포상백선), 고부백선(완선), 서혜부백선, 체부백선(도장부스럼, 소수포성 반상백선), 수부백선 ② Nail lacquer : 피부 사상균, 효모균, 사상균에 의한 조갑 진균증(감염 부위가 조갑표면의 80% 이하인 경우) 3) (Cream) 배설 : 신장(3.3~7.4%), 대변(0.6~2.8%) (Nail lacquer) 조갑 부위로의 흡수율: 20~100 ng/㎠/hr Peak absorption: 5~25hrs	1) 〉1% - 작열감, 소양감, 발적, 수포, 통증, 조갑주위의 자통	〈금기〉 1) 임신부 : Category B3(호주)(국내허가금기) 2) 소아, 수유부: 안전성 미확립 〈주의〉 1) 조갑 주위에 염증성 변화가 보이는 환자 2) 감염된 조갑에 사용한 줄을 건강한 사람의 조갑에 사용해서는 안됨.
Ciclopirox olamine Nobiprox soln 노비프록스액 …15mg/g(1.5%), 100g/EA	1) 머리를 물로 적신 후 거품이 날 정도의 충분한 양을 적용하여 마사지한 후 3~5분 후 모발을 물로 헹굼. 2) 주 2~3회 또는 두피 질환 치료시 필요할 때마다 적용	1) Non-imidazole계인 pyridone 항진균제로 fungal cell의 DNA, RNA, protein의 합성을 억제 2) 항진균, 항균, 항염효과 있으며, 샴푸 제형으로서 컨디셔너 성분이 포함되어 있음. 3) 항진균범위: dermatophytes(T. rubrum, T. mentagrophytes, E. floccosum, M. canis), yeasts(C. albicans), M. furfur 4) 적응증 : 지루성 피부염	- 피부자극, 미란, 작열감, 발진, 홍반 등	〈주의〉 1) 다른 약, 화장품에 알레르기 증상 경험 또는 알레르기 질환자 2) 환부가 안면이거나 광범위한 환자 3) 환부가 화농성인 환자 4) 임신부: Category B 5) 수유부 6) 12세 미만 소아 〈취급상 주의〉 1) 다음 부위에 투여 금지 - 눈 또는 눈주위, 점막(구강, 비강, 질), 음부, 외음부 - 습진 - 습윤, 미란(진무름), 균열 또는 외상이 심한 환부 2) 2주 적용 후에도 증상개선 없을 시 투여 중지

약품명 및 함량	용법	약리작용 및 효능	부작용	주의 및 금기
Clotrimazole Canesten cream 카네스텐크림 …10mg/g, 100g/EA	1) 1일 1~3회 환부에 도포함. 2) 치료기간 - 피부진균증: 3~4주 - 어루러기: 1~3주 - 홍색음선 : 2~4주 - 칸디다성 외음염 및 귀두염 : 1~2주 3) 진균학적으로 완치되지 않은 경우 모든 증상이 사라진 뒤에도 약 2주간 치료 지속함.	1) Imidazole계 광범위 항진균제 2) Fungi 세포막의 phospholipid에 결합 sterol 합성을 억제하여 세포막의 투과성을 증가함으로써 세포막이 selective barrier로서의 역할을 못해 세포 내 필요 조성물질을 잃게 됨. 3) 항균 spectrum; fungi, yeast, 피부사상균, 일부 G(+)균 4) Trichophyton rubrum, T.mentogrophytes, Epidermophyton floccosum, Microsporum conis, Malassezia furfur, Aspergillus fumigatus, Candida albicans 등의 감염증에 주로 사용함. 5) 적응증 - 피부사상균, 효모곰팡이, 기타 피부진균증: 백선, 어루러기, 피부칸디다증, 칸디다성 외음염 및 칸디다성 귀두염 - 상기 진균에 중복감염된 피부질환 - 코리네박테리움에 의한 홍색음선	- 피부자극, 홍반, 피부박리, 부종, 소양증, 두드러기	〈금기〉 1) Imidazole 유도체에 과민한 환자 2) Cetostearyl alcohol에 과민증 병력이 있는 환자 〈주의〉 1) 환부에 접촉되는 수건, 옷, 양말 등을 매일 갈아주도록 함. 2) 본제의 사용전에는 환부를 세척한 후 수분이 남지 않도록 완전히 건조시킴. 3) 임신부 : Category B 4) 수유부 및 2세 이하의 영아 : 안전성 미확립
Fluconazole Fuconal cream 후코날크림 …5mg/g(0.5%), 15g/EA	1) 1일 1회 환부에 도포	1) 국소용 triazole계 항진균제 2) 진균의 CYP450 의존성 효소(14α-demethylase)를 선택적으로 억제하여 lanosterol이 ergosterol로 변환되는 것을 억제하여 진균의 세포막 합성을 방해 3) 적응증 : 피부사상균에 의한 표재성 피부진균 감염증의 국소적 치료(족부백선, 체부백선, 고부백선, 어루러기)	- 0.5% 크림에 대해서는 보고된 이상반응 없음.	〈금기〉 1) Triazole계 항진균제에 과민한 환자 2) 임신부: Category C(국내허가금기) 3) 수유부 〈주의〉 1) 10세 미만 소아: 안전성, 유효성 미확립 2) 눈 주위나 안과용으로 사용 금함.
Flutrimazole Naitral soln 나이트랄액 …10mg/ml, 30ml/EA	1) 성인 및 10세 이상의 소아: 1일 1회 도포 2) 치료기간 - 무좀 : 4주 - 체부백선 : 2~3주 - 어루러기 : 1~2주	1) Imidazole계 항진균제 2) 진균세포막의 ergosterol 생합성 저해 및 sterol, peroxide 농도 증가로 항진균 효과 3) 적응증 : 표재성 피부 진균증의 국소적 치료 - 피부사상균에 의한 피부 진균 감염증 (족부백선(무좀), 고부백선(완선), 체부백선, 안부백선, 간찰진) - 어루러기	- 가벼운 발적, 가려움, 작열감 또는 자극감	〈금기〉 1) Imidazole 진균제에 과민한 환자 〈주의〉 1) 임신부, 수유부: 신중투여 2) 10세 미만 소아: 안전성 미확립

약품명 및 함량	용법	약리작용 및 효능	부작용	주의 및 금기
Isoconazole nitrate Travogen cream 트라보겐크림 …10mg/g, 20g/EA	1) 1일 2회 환부에 도포 (통상 2~3주간, 중증 감염은 4주간 사용) 2) 감염부위 깨끗이 건조시킨 후 사용하며 재발방지 위해 치료 후 2주 가량 추가치료	1) Imidazole계 광범위 항진균제 2) Candida spp., 피부 사상균, 일부 세균 감염증에 사용함. 3) 적응증 : 백선, 피부칸디다증, 어루러기 등 피부 진균 감염증 및 홍색 음선	- 피부자극, 발진	〈금기〉 1) Imidazole 유도체에 과민한 환자 〈주의〉 1) 산성에서는 칸디다균 증식이 잘 되므로 산성비누 사용 피함. 2) 외용으로만 사용하며, 눈에 닿지 않도록 함. 3) 임신부, 수유부: 안전성 미확립
Ketoconazole Antanazol cream 안타나졸크림 …20mg/g, 15g/EA Nazol soln 나졸액 …20mg/ml, 90ml/BT	1) 크림제 ① 1일 1~2회 적량을 환부에 도포 ② 증상 소실후에도 수일간은 계속 적용할 것. 2) 액제(2%) : 감염부위에 3~5분간 적용한 후 헹구어 냄. ① 비듬, 지루성 피부염 - 치료: 주 2회, 2~4주간 적용 - 재발방지 : 1~2주 마다 1회 적용 ② 어루러기 - 치료 : qd 5일간 투여 - 재발방지 : qd 3일간 투여	1) Imidazole계 항진균제로 fungistatic action (고농도에서는 fungicidal) 2) 연고는 1%의 clotrimazole과 같은 효과를 나타냄. 3) 적응증 ① 크림제: 백선(체부백선, 완선, 족부백선), 피부칸디다증, 어루러기, 지루피부염 ② 액제(2%): 효모균에 의한 비듬, 지루피부염, 어루러기	- 국소 작열감, 가려움, 자극감 - 탈모 - 접촉성 피부염, 발적, 홍반, 미란, 균열, 수포 등	〈주의〉 1) 국소용 부신피질 호르몬제를 장기간 사용한 환자의 경우에는 부신피질 호르몬제를 단계적으로 감량하여 중단하도록 함. 2) 손상된 피부에서는 전신 흡수될 수 있으므로 주의 3) 안과용으로는 사용하지 않도록 함. 4) 임신부: Category C 5) 수유부: 안전성 미확립
Lanoconazole Astart Cream 아스타트크림 …10mg/g, 15g/EA	1) 1일 1회 환부에 도포	1) Imidazole계 항진균제 2) 진균세포막의 구성 성분인 ergosterol의 합성을 저해하여 진균성 피부감염증에 대한 우수한 치료효과 있음. 3) 기존의 imidazole계 항균제와 달리 육아조직 형성과 표피 재생 촉진 작용을 수반한 창상 치유 촉진 효과 있음. 4) 적응증 : 백선(무좀, 체부백선, 완선), 피부칸디다증(간찰진, 지간미란증, 손/발톱주위염), 어루러기	- 접촉성 피부염, 발적, 구열, 건조, 소수포, 종창, 미란, 자극감	〈금기〉 1) 각막 또는 결막부위 2) 현저한 미란(짓무름)면 〈주의〉 1) 임신부 및 수유부 : 안전성 미확립 2) 균열, 미란(짓무름)면 3) 안과용으로 결막부위에 사용 금지

약품명 및 함량	용법	약리작용 및 효능	부작용	주의 및 금기
Sertaconazole nitrate Dermofix gel 더모픽스겔 …20mg/g(2%), 100g/EA	1) 두피와 머리카락에 균일하게 바르고, 일반 샴푸처럼 3-5분간 적용한 후에 헹굼. 2) 매주 2회씩, 2~4주간 사용	1) Imidazole계 항진균제 2) Ergosterol 생합성 억제(정진균), 진균 원형질막내로 침투하여 세포막 파괴, 세포질과 전해질 우출(살진균)로 항진균 효과 3) 적응증 : 효모균에 의한 비듬	- 발적, 작열감, 소양증, 박피 같은 피부자극	〈금기〉 1) Imidazole 유도체에 과민한 환자 〈주의〉 1) 임신부 : Category C 2) 눈, 코, 입 등 점막에 사용하지 말 것 3) 치료 첫날 약한 일과성의 발진이 나타날 수 있으나, 치료를 중단할 필요는 없으며, 발적, 작열감, 소양증, 박피와 같은 피부자극이 나타난 경우는 사용 중지 4) 상처 또는 염증이 있는 두피 및 심한 미란(짓무름) 부위에는 사용하지 않음. 5) 수유부 : 신중투여 6) 소아 : 안전성 및 유효성 미확립
Terbinafine Lamisil cream 라미실크림 …10mg/g(1%), 15g/EA Mujonal external soln 무조날외용액 …10mg/g(1%), 30ml/EA	* 액제 1) 족부, 고부, 체부백선: 1일 1회 1주 2) 어루러기: 1일 2회, 1주 * 크림제 1) 1일 1~2회 도포 ① 족부백선: 1~4주 ② 지간형 족부백선: 1일 2회 1주 ③ 체부백선, 고부백선(완선), 피부칸디다: 1~2주 ④ 어루러기: 2주	1) Allylamine 계열의 항진균제 2) 진균 세포막에서 squalene epoxidase를 저해하여 ergosterol 합성을 억제하고 squalene을 축적시켜 항진균 효과를 나타냄. 3) 적응증 - Trichophyton과 같은 피부사상균에 의한 피부진균감염증: 족부백선, 고부백선, 체부백선 - Pityrosporum orbiculare에 의한 어루러기 - 피부칸디다증(크림제)	1) 1~10% - 소양증, 접촉성 피부염, 자극감, 건조감, 작열감, 피부박리, 발적, 홍반, 자통	〈금기〉 1) 임신부: Category B(국내 허가 금기) 2) 수유부: 모유로 분비 3) 소아: 안전성, 유효성 미확립 〈주의〉 1) 외용으로만 사용하며 눈에 닿지 않도록 함. 2) 안과용 사용 금지 3) 손톱, 두피, 입주위, 질주위에 사용하지 않음.

약품명 및 함량	용법	약리작용 및 효능	부작용	주의 및 금기
Acitretin Neotigasone cap 네오티가손캡슐 …10mg/C	1) 성인 - 초기용량 : 25-30mg/D 2~4주간 - 유지용량 : 25-50mg/D 6~8주 2) 소아: 0.5mg/kg/D (Max. 35mg/D) 3) 되도록 식사나 우유와 함께 복용할 것을 권장	1) Retinoic acid의 합성 방향족 동족체로서 표피 세포의 증식, 분화 및 각화를 정상화 시킴. 2) 적응증: 국소 또는 전신화된 농포성 건선, 심상성 건선 치료 3) Tmax : 1-4hrs $T_{\frac{1}{2}}$: 50hrs 대사 : 간 배설 : 신장 (93%)	- 구순염, 구각균열 - 점막 및 이행 상피 건조, 구강건조 - 다형성 홍반, 피부 독성, 괴사 - 조갑주위염, 조갑 성장장애, 육아종 발육, 근육통 - 두개내압 상승, 두통, 시력장애 - 일시적, 가역적 transaminase 상승 - 과골증, 골격의 석회침착, 골의 박화, 골조송증, 골단 봉합	〈금기〉 1) 임신부: category X(치료 전 4주, 치료 후 3년간 임신시 태아에 대한 위험성에 주의) 2) 신 · 간장애 환자 3) Vit. A 과다증 환자 4) 혈중 지질치가 과도하게 높은 환자 〈주의〉 1) 알콜과 병용시 etretinate 가 생성될 수 있으므로 가임기 여성은 알콜과 병용하지 않도록 함. 2) 간기능, 혈중지질, 혈당검사 병행 3) 치료기간 및 치료 후 3년간 헌혈 금지(∵혈중에서 etretinate 성분 검출) 4) 수유부 : 안전성 미확립 〈상호작용〉 1) Vit. A 병용시 과다증 유발 2) Phenytoin의 단백결합 감소 3) Tetracycline계 항생물질 : 두개내압 상승 가능 4) Methotrexate 병용시 간염발생 위험 증가
Calcipotriol(=calcipotriene) Daivonex cream 다이보넥스크림 Daivonex oint 다이보넥스연고 …50mcg/g, 30g/EA Daivonex soln 다이보넥스액 …50mcg/ml, 30ml/EA	* 크림, 연고 - 1일 1~2회 환부에 도포(Max.100g/wk ; 15g 이상/D) * 액제 - 1일 2회 두피에 적용 (Max. 60ml/wk)	1) 합성 Vit.D3 유도체 2) 피부 각질 세포의 keratocyte의 과도한 증식을 억제하는 동시에 비정상적인 keratinocyte의 정상적 세포분화를 촉진하여 건선 치료 효과 있음. 3) 단독 및 UVB나 PUVA와 병용 투여시 치료효과에 대한 상승작용 있음. 4) 적응증 - 크림, 연고: 건선(경증 또는 중등도) - 액제: 두피의 건선		〈금기〉 1) 고칼슘혈증 등 칼슘대사 장애 환자 2) 비타민 D 독성을 나타내는 환자 3) 급성 건성선 발진 환자(액제) 〈주의〉 1) PEG에 과민 하거나 알러지 병력 있는 환자 2) 안면에 대한 피부 자극을 일으킬 수 있으므로 안면에 사용하지 않도록 함. 3) 사용 후 손을 깨끗이 세척하도록 함. 4) 1주 100g 이상(혹은 100ml이상) 과량 사용시 혈장 Ca^{2+} 농도가 상승할 수 있음(사용 중지시 신속히 정상화). 5) 임신부 : Category C 6) 수유부 및 소아 : 안전성 미확립

약품명 및 함량	용법	약리작용 및 효능	부작용	주의 및 금기
Calcitriol Silkis oint 실키스연고 …3mcg/g, 30g/EA	1) 1일 2회 환부에 도포 (Max. 30g/D, 체표면적의 35%까지)	1) Vit. D_3최종 활성체 2) 피부 각질 세포의 keratocyte의 과도한 증식을 억제하는 동시에 비정상적인 keratinocyte의 정상적 세포분화를 촉진하여 건선 치료 효과 있음. 3) 적응증: 중등도 진행성 건선의 국소치료 4) 얼굴부위 및 민감성부위(서혜부, 겨드랑이, 귓가 등)에 사용 가능하나 자극감이 나타날 수 있으므로 주의하여 사용	- 발적, 가려움, 피부자극	〈금기〉 1) 칼슘 항상성 이상으로 전신 치료를 받고 있는 환자 2) 고칼슘혈증, 칼슘 대사 이상 환자 3) 간부전, 신부전 환자 〈주의〉 1) 임신부 : Category C 2) 수유부, 소아 : 안전성 미확립 3) 혈중 칼슘 농도 증가 가능하므로 칼슘의 대사와 관련한 약과의 병용 투여시 주의 4) 박피제, 수렴제 등과 병용시 피부 자극이 증가할 수 있음.
1g 중 Betamethasone dipropionate 643mcg, Calcipotriol hydrate 52.2mcg **Daivobet oint** 다이보베트연고 …30g/EA …60g/EA	1) 1일 1회 환부 도포 (Max. 15g/D, 100g/wk) 2) 치료기간 : 4주 이내 권장	1) Vit. D_3 유도체인 calcipotriol과 corticostercid인 betamethasone의 복합 연고 제제 2) 작용기전 ① Betamethasone : 항염, 항소양, 면역 억제 작용 (Group Ⅱ steroid제제) ② Calcipotriol : 피부 각질 세포 keratocyte의 과도한 증식을 억제하고 비정상적인 keratinocyte의 정상적 세포분화 촉진 3) 적응증 : 건선의 국소 치료	- 가려움, 작열감, 발진, 모낭염 - 장기 사용시 스테로이드성 좌창 - 피부의 진균 및 세균성 감염 - 뇌하수체, 부신피질계 기능 억제	〈금기〉 1) 칼슘대사장애 환자 2) 물방울양 건선, 홍피성 건선, 박탈성 건선, 농포성 건선 환자 3) 중증의 신부전, 간부전 환자 4) 유, 소아 5) 안면, 눈가, 상처, 점막부위 6) 세균, 진균, 바이러스, 동물성 피부감염증 7) 궤양(베체트병 제외), 제2도 심재성 이상의 화상, 동상 환자 8) 입주위 피부염, 보통여드름, 홍반성 여드름, 주사(rosacea) 환자 〈주의〉 1) 임신부 : Category C 2) 수유부 : 안전성 미확립 3) 고령자 4) 간기능장애, 당뇨 환자 〈상호작용〉 1) 살리실산: calcipotriol의 효과 저하 〈취급상 주의〉 1) 개봉 후 12개월 이내 사용

약품명 및 함량	용법	약리작용 및 효능	부작용	주의 및 금기
1g 중 Betamethasone dipropionate 643mcg(Betamethasone로서 500mcg), Calcipotriol monohydrate 52.2mcg(Calcipotriol로서 50mcg) **Xamiol gel** 자미올겔 …60g/EA	1) 성인 : 1일 1회 환부에 도포 (Max. 15g/D, 100g/wk, 체표면적의 30%) 2) 두피에 사용시 1-4g/D 3) 도포 후 하루 동안 방치하고 사용 후 손을 씻도록 함 4) 치료기간 - 두피: 4주 - 두피 이외: 8주	1) Vit. D_3 유도체인 calcipotriol과 corticosteroid인 betamethasone의 복합 겔 제제 2) 작용기전 ① Betamethasone : 국소 항염, 항소양, 면역억제 작용(class Ⅱ corticosteroid; high-potency) ② Calcipotriol : 피부 각질세포인 keratocyte의 과도한 증식을 억제하고 비정상적인 keratinocyte의 정상적 세포분화를 촉진 3) 적응증 : 성인의 중증도-중증의 두부 건선 및 두피 외 심상성 건선의 국소치료	1) Calcipotriol (soln) ① >10% - 작열감(23%) - 가려움(10~15%) - 발진(11%) ② 1~10% - 피부염(1~10%) - 건조한 피부(1~5%) - 판상건선(1~5%) - 피부자극(1~5%) 2) Betamethasone (빈도 미확립) - 여드름모양 발진, 알레르기성 피부염, 작열감, 건조한 피부, 홍반, 모낭염, 다모증, 자극, 땀띠, 가려움, 피부위축, 줄, 물집	〈금기〉 1) 칼슘대사 장애 환자 (calcipotriol 함유에 기인) 2) 피부에 바이러스 병변, 진균 또는 세균 감염, 기생충 감염, 결핵 또는 매독과 관련된 피부 소견, 입주위 피부염, 위축성 피부, 위축선, 취약한 피부정맥, 어린선, 보통 여드름, 주사성 여드름, 궤양, 상처 (corticosteroid 함유에 기인) 3) 물방울양 건선, 홍피성 건선, 박탈성 건선, 농포성 건선 4) 중증의 신기능부전 및 중증의 간질환 환자 5) 유 · 소아 〈주의〉 1) 임신부 : Category C 2) 수유부 : 안전성 미확립 3) 간기능 장애, 당뇨환자 4) 얼굴, 겨드랑이, 사타구니에 사용하지 않음 〈상호작용〉 1) 타 corticosteroid 제제와 병용투여하지 않도록 함. 2) Salicylate : calcipotriol의 효과 저하 3) 타 건선치료제, 광선요법 : 병용 투여 경험 없음. 〈취급상 주의〉 1) 안정성 : 개봉 후 3개월 2) 차광, 실온보관(냉장하지 않음)

약품명 및 함량	용법	약리작용 및 효능	부작용	주의 및 금기
Benzalkonium chloride Benzalkonium chloride soln 염화벤잘코늄액 …10%, 100mg/ml	1) 0.01~1% 용액으로 적절히 희석하여 사용 2) 손, 피부 소독 : 0.05~0.1% 3) 수술부위 소독 : 0.1% 4) 피부, 점막의 창상 부위 : 0.01~0.025% 5) 결막고름 : 0.01~0.05% 6) 의료용구의 소독 : 0.1%	1) 양(+) ion 계면활성제 2) 유기물질, 비누 등 음(-)ion 물질에 의해 불활성화 됨. 3) G(+), G(-), 진균에 항균성인 살균 소독제임. 4) 본제의 살균력은 phenol류의 30배, cresol 비누액의 10배, alcohol의 600배에 해당함. 5) 적응증 : 손 및 피부 소독, 수술부위 소독, 피부/점막의 창상부위 소독, 결막고름의 소독 및 세척, 의료용구의 소독	- 홍반 등의 과민증	〈주의〉 1) 밀봉 붕대요법은 항문 또는 질에 사용하지 말 것. 2) 비눗물은 살균력을 감소시키므로 충분히 세척 후 사용함. 〈취급상 주의〉 1) 깊은 창상 부위 또는 눈에 사용 시 희석액은 주사용수, 멸균증류수 사용(수돗물이나 정제수를 사용하지 않음)
Chlorhexidine gluconate Hexidex soln 0.5% 헥시덱스액0.5% …0.5%, 500ml/BT	1) 손, 피부 소독: 0.1-0.5% 수용액 2) 수술 부위 피부 소독, 의료 용구의 소독: 0.1-0.5% 수용액 3) 가구, 기구 등의 소독, 피부의 창상 부위 소독: 0.05% 수용액	1) G(+), G(-) 등에 광범위하게 작용하는 Bisbiguanide계 살균제인 chlorhexidine을 함유한 소독제 2) 효능 · 효과: 손 및 피부의 소독, 수술 부위의 피부 소독, 의료 용구의 소독, 가구 · 기구 등의 소독, 피부의 창상 부위 소독	(빈도 미확립) - 쇽, 과민증, 광감작	〈금기〉 1) 눈, 귀, 방광, 질 등의 점막면에 사용하지 말 것. 〈주의〉 1) 임신부: Category C 2) 수유부: 안전성 미확립 3) 천식 등의 allergy 환자 〈취급상 주의〉 1) 적정 pH5~7 (pH8 이상 결정 형성) 2) 식염수 등에 들어 있는 음이온에 의해 난용성염 생성하므로 희석 시 증류수 사용 3) 비누류: 이 약의 살균작용 약화
Chlorhexidine gluconate Chlorhexidine cream 클로르헥시딘크림 …1%, 120g/EA	1) 1일 수회 환부에 적당량 바름.	1) 살균소독제 2) 적응증 : 좁은 범위 피부의 창상부위 소독	- 쇽: 드물게 구역, 불쾌감, 식은땀, 어지러움, 답답함, 호흡곤란, 발적 등 - 과민증: 때때로 발진, 두드러기 및 고농도시 자극감 - 광감작	〈금기〉 1) 질, 방광, 구강 등의 점막면, 눈에 적용하지 말 것 2) 산부인과용(질, 외음부의 소독 등), 비뇨기과용(외성기, 점막면의 소독 등) 〈주의〉 1) 다른 약물에 과민하거나 천식 등 알레르기 질환자 신중투여 2) 외용으로만 사용 3) 혈청, 농 등의 유기물질, 비누류는 이 약의 살균작용 약화시키므로 충분히 씻어 제거 후 사용

약품명 및 함량	용법	약리작용 및 효능	부작용	주의 및 금기
				4) 섬유, 헝겊(면, 거즈, 울, 레이온 등)에 흡착되므로 용액에 적셔서 사용시 유효농도 이상이 아닐 경우 새로운 용액을 공급 5) 광범위한 창상, 화상에 사용하지 말것(조산아, 신생아의 경우 전신 부작용 위험 증가 가능성) 6) 임신부, 수유부: 안전성 미확립
Chlorhexidine gluconate Microchield 4 soln 마이크로실드4액 …4%, 500ml/BT	1) 수술시 수술자의 손소독 : 이 약 5ml을 손과 팔꿈치까지 적용하고 약 3분간 솔 또는 스폰지를 사용하여 문지름.(손톱, 손가락 사이 주의). 이후 따뜻한 물로 씻어내고 다시 이 약 5ml로 3분간 씻고 물로 세척한 후 완전히 말림 2) 보건위생 종사자의 손소독 : 이 약 5ml을 손과 팔꿈치 까지 적용하고 1분간 씻고 물로 세척한 후 완전히 말림.	1) Bisbiguanide계 살균제 2) Bacteria, fungi, virus에 유효 3) 수세직후 수분 이내에 소독효과를 발현하며, 2시간 이상 효과가 지속됨. 4) 적응증 : 수술시 수술자 및 보건위생종사자의 손소독 5) pH : 5.2~6.2	- 과민증상 : 발진, 두드러기 - 불쾌감, 졸음, 현기, 혈압저하, 호흡곤란, 천식	〈주의〉 1) 임신부: Category C 2) 수유부: 안전성 미확립 3) 천식 등의 allergy 환자 〈취급상 주의〉 1) 적정 pH5~7 (pH8 이상 결정형성) 2) 식염수 등에 들어 있는 음이온에 의해 난용성염 생성하므로 희석 시 증류수 사용 3) 비누류: 이 약의 살균작용 약화
Chlorhexidine gluconate Hexidex 5% soln 헥시덱스5%액 …5%, 500ml/BT	1) 손, 피부 소독: 0.1-0.5% 수용액 2) 수술 부위 피부소독, 의료용구의 소독: 0.1~0.5% 수용액 또는 0.5% 에탄올 용액 3) 가구, 기구 등의 소독, 피부의 창상부위 소독: 0.05% 수용액	1) G(+), G(-)에 광범위한 살균력 2) 유기물(고름, 피) 존재하에도 지속적 살균력을 가짐. 3) 적응증 - 손 및 피부의 소독 - 수술부위의 피부소독 - 의료용구의 소독 - 가구, 기구의 소독 - 피부의 창상부위 소독	- 과민증상 - 쇼크(불쾌감, 졸음, 현기, 혈압저하, 호흡곤란 등)	〈금기〉 1) 눈, 귀, 방광, 질 등의 점막면에 사용하지 말 것. 〈주의〉 1) 임신부: Category C 2) 수유부: 안전성 미확립 3) 천식 등의 allergy 환자 〈취급상 주의〉 1) 적정 pH5~7 (pH8 이상 결정형성) 2) 식염수 등에 들어 있는 음이온에 의해 난용성염 생성하므로 희석 시 증류수 사용 3) 비누류: 이 약의 살균작용 약화
Ethyl alcohol Ethanol 소독용에탄올 …83%, 1L/BT	1) 피부소독 : 주사부위 등 2) 의료기구 소독 : 내시경 기구 등	1) 세균의 원형질을 용해하여 살균, 소독작용을 나타냄. 2) G(+), G(-), 결핵균, 일부 virus에 유효하고 아포에는 무효함. 3) 70%에서 살균력이 가장 강하고 50%는 마사지용으로 사용함.	- 과민증상(발진 등) - 자극증상	〈금기〉 1) 구낭내, 점막 및 손상된 피부 〈주의〉 1) 눈에 들어가지 않도록 주의 2) 광범위하게 장기간 사용시 증기를 흡입하지 않도록 함

약품명 및 함량	용법	약리작용 및 효능	부작용	주의 및 금기
		4) 주로 피부 소독에 사용하며 주사침, 주사관 세정, 소독에도 사용함. 5) 적응증 : 손 및 피부의 소독, 수술부위 피부의 소독, 의료용구의 소독		3) 혈청, 농 등의 유기물질은 이 약의 살균 적용 약화시키므로 의료용구 등은 충분히 씻어낸 후 사용 4) 인화성, 폭발성이 있으므로 화기에 주의 〈취급상 주의〉 1) 밀폐, 차광용기에 넣어 화기를 피하여 보존
Hydrogen peroxide Hydrogen peroxide soln 과산화수소 …3w/v% …3%, 30mg/ml	1) 탈지면 등에 적셔 환부를 1일 수회 살균, 소독함.	1) 조직, 세균, 혈액 등의 catalase에 의해 분해되어 발생기 산소를 생성하여 살균작용을 나타냄. 2) 창상면 소독, 조직 청정화에 사용함. 3) 질트리코모나스증에 외용으로도 효과있음. 4) 적응증 - 환부의 청소, 상처면의 소독 - 질세척, 탈취, 구강세척	- 피부자극감	〈주의〉 1) 차광, 실온보관 2) 사용 후에는 마개를 꼭 막고 냉암소 보관 3) 금속, 금속염, 광선, 열에 의해 분해됨.
Povidone iodine Betadine soln 베타딘액 …100mg/ml(10%), 1,000ml/BT	1) 열상, 창상의 살균, 소독 및 감염피부면의 살균소독 : 1일 수회 적당량을 환부에 바름. 2) 수술기구, 수술부위 살균소독 : 직접 바름.	1) 요오드를 유리하여 살균소독력을 나타냄. 2) G(+), G(−), fungi, virus, protozoa, yeast에 유효 3) 유기물에 의해 분해됨. 4) 적응증 - 찢긴 상처, 화상, 창상의 살균소독 - 궤양, 농양의 살균소독 - 감염피부면의 소독 - 수술부위의 살균소독 - 주사 및 카테터 부위의 균소독	1) 1~10% - 발진, 소양증, 부종	〈금기〉 1) 갑상선기능이상 환자 2) 신부전 환자 3) 방사성 요오드 치료 전 후 4) 포진상 피부염 환자 5) 신생아 및 6개월 미만의 영아 〈주의〉 1) 임신부 : Category C 2) 중증의 환자(화상 등) 3) 갑상선 질환, 신부전 병력 4) 안과용 및 내복용으로 사용하지 않음 〈상호작용〉 1) Lithium치료: 병용시 갑상선 항진 효과 2) Chlorhexidine, silver sulfadiazine, alkali, 수은 함유제제: 병용시 살균 효과 감소
Povidone iodine Betadine scrub soln 베타딘세정액 …75mg/ml(7.5%)	1) 수술자의 손,팔 소독 : 5ml를 손에 취해 5분간 문질러 닦은 후 멸균수로 씻어냄. 2) 수술부위 소독 : 직접 바르거나 적당량을 사용하여 문질러 거품을	1) 요오드를 유리하여 살균소독력을 나타냄. 2) G(+), G(−), fungi, virus, protozoa, yeast에 유효 3) 유기물에 의해 분해됨. 4) 수술자의 손, 수술부위의 살균소독, 수술실, 진료실, 의료기구 세척소독, 화상환자 수욕법	1) 1~10% - 발진, 소양증, 부종	〈금기〉 1) 갑상선기능이상 환자 2) 신부전 환자 3) 방사성 요오드 치료 전 후 4) 포진상 피부염 환자

약품명 및 함량	용법	약리작용 및 효능	부작용	주의 및 금기
	일으킨 후 멸균거즈로 닦아냄.	5) 적응증 - 수술자의 손 및 팔의 살균소독 - 수술부위의 살균소독		5) 신생아 및 6개월 미만의 영아 〈주의〉 1) 임신부 : Category C 2) 중증의 환자(화상 등) 3) 갑상선 질환, 신부전 병력 4) 안과용 및 내복용으로 사용하지 않음 〈상호작용〉 1) Lithium치료: 병용시 갑상선 항진 효과 2) Chlorhexidine, silver sulfadiazine, alkali, 수은 함유제제: 병용시 살균 효과 감소
Silver sulfadiazine Ilvadon cream 1% 일바돈크림 …10mg/g(1%), 450g/EA	1) 1일 1회 2~3mm 두께로 환부에 직접 바르거나 거즈 등에 발라 붙이고 붕대를 감음. 2) 2일째 이후에는 전날 바른 크림을 깨끗한 거즈로 닦거나 씻어냄.	1) 인체의 체액에 의해 서서히 은이온과 sulfadiazine을 유리시켜 Pseudomonas, Enterobacteria, Candida, Proteus, Streptococcus 속에 강력한 살균작용을 가짐. 2) G(+), G(-), 곰팡이까지 광범위한 항균력을 나타냄. 3) 적응증 : 2~3도 화상, 각종 피부궤양으로 인한 다음 병원균의 감염 (녹농균, 엔테로박터속, 클레브시엘라속, 포도구균속, 용혈성연쇄구균, 칸디다속)	- 과민증, 발진, 광선과민증, 균교대증, 백혈구 감소	〈금기〉 1) 신생아, 미숙아(핵황달 유발) 2) 임신말기, 수유부 3) 경증 화상 〈주의〉 1) 감작증후(소양, 발적, 종창)가 나타나면 사용중지 2) 간 · 신장애, SLE 환자, G-6-PD 결손증, 약물 및 광과민증 병력환자 3) 임신부: Category B 4) 소아 : 안전성, 유효성 미확립
Taurolidine Taurolin inj 2% 타우로린주사 …5g/250ml/BT	1) 복막염 ① 수술시 봉합전 : 100~200ml 복강내 주입 ② 수술후 분비물에서 균이 검출되지 않을 때까지 배농관을 통하여 1일 100~200ml 관주, 1~2시간 방치 후 유출 2) 뼈와 연조직 손상: 수술 부위를 37℃로 데운 0.5%액으로 간헐적으로 세척 3) 흉막강 농양: 수술 후 배농관을 통하여 2%액을 100ml씩 1일 2회 관주, 1~2시간 방치 후 유출	1) Aminosulfonic acid와 taurin에서 유도된 광범위 화학요법 및 항독성분을 함유함. 2) 박테리아의 세포벽, 내독소, 외독소와 반응하여 불활성화시키는 살균작용과 독소 중화작용 3) 세균의 대사과정에 참여하지 않고 살균 작용 나타냄. 4) 반복 주입시 통증 감소시키기 위해 lidocaine을 0.1% 농도로 혼합사용함. 5) 적응증 - 화농성, 숙변성, 세균성 또는 기타 원인에 의한 국소적 또는 광범위 복부(복막염) 수술의 감염예방목적의 보조치료 - 뼈와 연조직 손상 - 흉막강 농양	- 복강내 투여시 일시적 자극, 경미한 과민반응, 작열감	〈금기〉 1) 말기 신부전 환자 2) 6세 미만 유아 〈주의〉 1) 산화제(H_2O_2, 포비돈 요오드)와 함께 복강내 투여하지 말 것 〈취급상 주의〉 1) 반드시 상온(15~25℃) 보관 2) 저온에서 백탁된 경우, 30℃정도로 가온 용해 후 사용

약품명 및 함량	용법	약리작용 및 효능	부작용	주의 및 금기
Proteolytic enzyme Cidezyme enzymatic detergent 싸이데자임 중성 효소 세정제 …5L/BT	1) 8~16cc를 1L의 수도물 또는 증류수에 희석 2) 이 희석액에 1분 동안 담가두거나 거즈에 묻혀 닦음 3) 매 사용후 용액을 바꿔주는 것이 권장되며 최소한 1일 1회 교환 필요	1) Proteolytic enzyme을 함유하는 기구 세척제 2) 내시경 등 의료기구에 묻은 각종 오물(혈액, 정액) 제거 3) 기구에 막을 형성하지 않으며, 희석시 온수가 필요하지 않음	- 과민반응, 피부 건조, 홍반	〈주의〉 1) 다른 표백제나 화학물질 첨가 금함 2) 피부에 장기간 접촉시 피부 건조, 피부염 발현 가능 3) 눈에 접촉시 가벼운 결막염(홍반), 작열감, 눈물 흐름 가능 4) 삼킴 금함
Sodium carbonate anhydrous CleanCart A 크린카트-에이 …13g/EA	1) 인공신장기의 홀더에 부착시켜 투석액 통로를 세척 2) 자동적으로 물이 흘러 카트리지 안의 분말이 용해 · 희석됨 3) 희석비율은 인공신장기에서 자동적으로 결정	1) 인공신장기 관류용제 2) 인공신장기의 투석액 통로에서 유기침전물, 지방, 단백질 제거		〈취급상 주의〉 1) 일회용 제품 2) 흡입, 피부 · 눈 접촉하지 않도록 함 3) 복용시 코 · 목의 화상, 구토, 위통, 설사를 유발할 수 있으며 물로 구강을 씻어내고 물 또는 우유 2잔을 마시도록 함. 구토 유도하지 말것
Citric acid anhydrous CleanCart C 크린카트-씨 …32g/EA	1) 인공신장기의 홀더에 부착시켜 투석액 통로를 세척 2) 자동적으로 물이 흘러 카트리지 안의 분말이 용해 · 희석됨 3) 희석비율은 인공신장기에서 자동적으로 결정	1) 인공신장기 관류용제 2) 인공신장기의 투석액 통로로부터 칼슘 및 마그네슘 침전물을 제거		〈취급상 주의〉 1) 일회용 제품 2) 흡입, 피부 · 눈 접촉하지 않도록 함 3) 복용시 코 · 목의 화상, 구토, 위통, 설사를 유발할 수 있으며 물로 구강을 씻어내고 물 또는 우유 2잔을 마시도록 함. 구토 유도하지 말것
1제 : Peroxyacetic acid 0.13%(유효성분), Hydrogen peroxide 3%, Isopropanol 1.8% 2제 : 부식억제제 **Scotelin soln** 스코테린액 …4L(1제)+90mL(2제)/EA	1) 1제 4L와 2제(부식억제제) 90ml를 혼합하여 사용함 2) 5분이상, 포자의 사멸을 목적으로 할 경우 10분 이상 담가둘 것 3) 충분히 적신 후 흐르는 멸균정제수로 15초 이상 헹굼 4) 소독된 기구 사용 전 이 약의 잔류성을 확인하여 과산화수소수로서 0.5ppm 미만임을 확인 함	1) Peracetic acid와 peracetyl ion이 세균과 바이러스의 단백질과 효소를 산화시켜 세포벽 합성에 영향을 주어 살균작용을 나타냄 2) 적응증 : 의료기구의 살균 · 소독(자바라관, 실리콘 튜브, 비닐 튜브, 실리콘캡, 실리콘 마개, 메스 손잡이, 내시경류)		〈취급상 주의〉 1) 인체에 사용하지 말 것 2) 반복 사용에 의해 생고무가 변성될 수 있음 3) 과초산 농도 확인 후 사용 (0.05% 이상) 4) 폐기방법 : 다량의 물과 함께 흘려보냄, 알카리와 혼합하여 중화시키거나 치오 황산나트륨 등의 환원제를 첨가하여 중화시킨 후 폐기

약품명 및 함량	용법	약리작용 및 효능	부작용	주의 및 금기
Acyclovir Vacrax oint 바크락스연고 …50mg/g, 5g/EA	1) 1일 4시간 간격으로 2~5회 1주일간 도포 2) 1주간 사용하여 효과가 없거나 증상이 악화된 경우에는 다른 치료 방법으로 대체	1) Purine nucleoside계 항바이러스제 2) Herpes 바이러스 특유의 효소인 thymidine kinase에 의해 선택적으로 감염세포에만 작용하며, 정상세포에는 영향이 없음. 3) 기존의 Idoxuridine, trifluorothymidine, vidarabine 보다 10~16배 효과 우수 4) 적응증: 단순포진 바이러스 감염증(초기 및 재발성 생식기 포진과 구순포진 포함)	- 도포부위 작열감, 자극감, 홍반, 가려움	〈금기〉 1) 수유부, 소아 〈주의〉 1) AIDS, 골수이식 환자 등 면역결핍 환자 2) 안과용으로 각막, 점막에는 사용하지 않음. 3) 도포시 다른 부위로의 감염이나 타인에게 감염을 방지하기 위해 골무나 고무장갑을 착용하는 것이 바람직함. 4) 임신부: Category B

약품명 및 함량	용법	약리작용 및 효능	부작용	주의 및 금기
Clobetasol propionate Clobex soln 클로벡스액 …0.5mg/g(0.05%), 125ml/EA	1) 1일 1회 병소 부위에 도포하고 15분 후에 물을 적셔 거품 낸 다음 씻어 냄.(Max. 50ml/wk) 2) 연속 4주 이상 투여 금함. 3) 의사 지시 없이 밀봉요법으로 사용 금함.	1) High potency topical corticosteroid (Group I) 2) 적응증 : 중등도-중증의 두부 건선	(빈도 미확립) - 피부의 세균성, 진균성, 바이러스성 감염증 - 모낭염, 부스럼, 피부자극, 자통, 발열, 작열감, 발진, 발적, 홍조, 홍반, 가려움, 두드러기, 피부건조, 농포성피부염, 알레르기성 접촉 피부염 - 장기 연용으로 인한 스테로이드성 여드름, 피부위축, 모세혈관확장, 자반, 입주위 피부염, 어린선양 피부변화, 다모 - 안압 상승, 녹내장	〈금기〉 1) 세균, 진균, 바이러스, 동물성 피부감염증, 고막 천공이 있는 습진성 외이도염, 궤양, 제2도 심재성 이상의 화상 및 동상, 두피 감염, 입주위 피부염, 보통 여드름, 주사(딸기코), 항문생식기 가려움 환자 2) 1세 이하의 영아 〈주의〉 1) 고령자 2) 간기능 장애 또는 당뇨병 환자 3) 안과용으로 사용하지 않음(눈에 들어갔을 때 녹내장 유발 가능) 4) 임신부: Category C 5) 수유부 및 12세 이하 소아 : 안전성 미확립
Clobetasol propionate Dermovate oint 더모베이트연고 …0.5mg/g(0.05%), 10g/EA Dermovate soln 더모베이트액 …0.5mg/ml(0.05%), 25ml/EA	1) 1일 1~2회 적량을 환부에 바름. 2) 2주 이상 연속적인 치료 또는 1주에 50g(50ml)이상 사용 금함.	1) Group I steroid 제제 2) 항염, 항알러지, 혈관수축작용이 있어 타제제로 낫지 않는 난치성 피부염증에 효과적임. 3) 적응증 - 연고제: 습진 · 피부염군, 양진군, 손 · 발바닥 농포증, 건선 - 액제: 두부의 피부질환(습진 · 피부염군, 건선)	- 가려움, 작열감, 발진, 모낭염 - 장기 사용시 스테로이드성 좌창 - 피부의 진균 및 세균성 감염 - 뇌하수체, 부신피질계 기능 억제 - 안검피부에 사용시 녹내장 유발	〈금기〉 1) 세균, 진균, 바이러스, 동물성 피부감염증 환자 2) 고막천공이 있는 습진성 외이도염 환자 3) 궤양(베체트병 제외), 제2도 심재성 이상의 화상, 동상 환자 4) 두피감염, 입주위 피부염, 보통여드름, 주사(rosacea) 5) 항문, 생식기 가려움, 비염증성 가려움 환자 6) 1세 미만의 영아 〈주의〉 1) 건선 환자에서 이들 제제를 사용하는 도중 혹은 사용 중지 후 농포성 건선으로 악화될 수 있음. 2) 안과용으로 사용하지 않음(눈에 들어갔을 때 녹내장, 백내장 유발 가능)

약품명 및 함량	용법	약리작용 및 효능	부작용	주의 및 금기
				3) 치료면적이 체표면적의 20%를 초과하지 않음. 4) 임신부: Category C 5) 수유부 및 12세 이하 소아 : 안전성 미확립
Desonide Desowen lotion 0.05% 데스오웬로션 …0.5mg/g(0.05%), 120ml/BT	1) 환부의 상태에 따라 1일 2~3회 얇게 도포 2) 사용전 잘 흔들어서 사용하도록 함.	1) Group Ⅲ로 flucinolone acetonide와 유사한 potency를 가지는 약한 nonflurinated corticosteroid 외용제 2) 적응증 : Corticosteroid제에 반응하는 피부질환의 가려움 및 염증의 경감	- 작열감(3%) - 자극감, 접촉성 피부염, 상태 악화, 피부박리, 가려움증, 일시적인 홍반과 건조감, 인설(2%) - 모낭염, 다모증, 여드름 유사 발진, 저색소증, 입주위 피부염, 2차 감염, 피부위축, 선조증 등	〈금기〉 1) 피부의 결핵 등의 세균, 진균, 바이러스 및 기생충 감염부위, 궤양화된 병소, 여드름, 주사(rosacea) 2) 안과용으로는 사용금지(녹내장 위험) 3) 1세 이하의 영아 〈주의〉 1) 전신 흡수시 시상하부-뇌하수체-부신(HPA)축 기능을 억제할 수 있음. 2) 소아 환자의 경우 성인에 비해 체표면적이 넓으므로 성인보다 전신중독의 위험성이 크므로 신중투여 3) 피부감염이 나타날 경우 적절한 항균제 치료를 실시하고 증상이 호전되지 않을 경우 이 약의 사용을 중단함. 4) 밀봉 붕대요법으로 사용하지 않도록 함. 5) 임신부: Category C 6) 수유부 및 소아 : 신중 투여
Desoximethasone Dethasone oint 데타손연고 …2.5mg/g(0.25%), 20g/EA	1) 1일 1~3회 환부에 얇게 도포	1) Potency Group II steroid 제제 2) 항염, 진양 작용 및 항알러지 작용 3) 흡수가 용이하여 발현 속도가 빠르므로 접촉성 피부염, 습진, 건선, 소양증 등 피부질환에 광범위하게 작용함. 4) 적응증 : 접촉피부염, 화폐상피부염, 만성단순태선(신경피부염), 원형홍반성루프스, 아토피 피부염, 건선, 벌레 물린 데, 한포진, 양진, 간찰진	- 가려움, 작열감, 발진, 모낭염 - 장기 사용시 스테로이드성 좌창 - 피부의 진균 및 세균성 감염 - 뇌하수체, 부신피질계 기능 억제 - 안검피부에 사용시 녹내장 유발	〈금기〉 1) 세균, 진균, 바이러스, 동물성 피부감염증 환자 2) 고막천공이 있는 습진성 외이도염 환자 3) 궤양(베체트병 제외), 제2도 심재성 이상의 화상, 동상 환자 4) 입주위 피부염, 보통여드름, 주사(rosacea) 5) 기저귀발진, 항문, 생식기 가려움 환자 〈주의〉 1) 4주 이상 또는 체표면적의 10% 이상 사용 금지 2) 안과용으로 사용 금지 3) 증상이 개선되면 가능한 빠른 시일 내에 사용 중지 4) 임신부: Category C 5) 수유부 및 6세 이하 소아

약품명 및 함량	용법	약리작용 및 효능	부작용	주의 및 금기
Desoximethasone Esperson lotion 0.25% 에스파손로션 …2.5mg/g(0.25%) 20ml/EA Esperson gel 0.05% 에스파손겔 …0.5mg/g(0.05%), 15g/EA	1) 1일 1~3회 적량을 환부에 도포함. 2) 증상이 완화되면 감량함.	1) 불소를 함유한 국소용 부신피질호르몬제 (potency : group Ⅱ) 2) 겔타입의 경우 도포전에는 반투명의 겔상이나 도포 후 문지르면 액화된 후 유효성분은 흡수, 기제성분은 휘발되어 사라짐. 3) 겔타입은 제제의 특수성 때문에 피부로의 흡수도가 높아 0.05%가 로션타입 0.25%와 동일한 효과를 나타냄. 4) 넓은 부위 및 털이 많은 부위에 적용이 용이함. 5) 적응증 : 접촉피부염, 화폐상피부염, 만성단순태선(신경피부염), 원형홍반성루프스, 아토피 피부염, 건선, 벌레 물린 데, 한포진, 양진, 간찰진	– 가려움, 작열감, 발진, 모낭염 – 장기 사용시 스테로이드성 좌창 – 피부의 진균 및 세균성 감염 – 뇌하수체, 부신피질계 기능 억제 – 안검피부에 사용시 녹내장 유발	〈금기〉 1) 세균, 진균, 바이러스, 동물성 피부감염증 환자 2) 고막천공이 있는 습진성 외이도염 환자 3) 궤양(베체트병 제외), 제2도 심재성 이상의 화상, 동상 환자 4) 입주위 피부염, 보통여드름, 주사(rosacea) 5) 기저귀발진, 항문, 생식기 가려움 환자 〈주의〉 1) 4주 이상 또는 체표면적의 10% 이상 사용 금지 2) 안과용으로 사용 금지 3) 증상이 개선되면 가능한 빠른 시일 내에 사용 중지 4) 임신부: Category C 5) 수유부 및 6세 이하 소아
Diflucortolone valerate Difuco oint 0.3% 디푸코연고 0.3% …3mg/g(0.3%), 10g/EA	1) 1일 2~3회 도포함. 2) 증상이 호전되면 1일 1회 도포	1) Corticosteroid로 염증성 피부질환과 알레르기성 피부질환에 유효함(Group I) 2) 흡수되어 전신 효과를 나타냄. 3) 적응증: 심상성 건선, 신경 피부염, 혐기성 편평 태선, 원판상 홍반성 루프스, 중증 만성 습진	– 가려움, 작열감, 발진, 모낭염 – 장기 사용시 스테로이드성 좌창 – 피부의 진균 및 세균성 감염 – 뇌하수체, 부신피질계 기능 억제 – 안검피부에 사용시 녹내장 유발	〈금기〉 1) 세균, 진균, 바이러스, 동물성 피부감염증 환자 2) 고막천공이 있는 습진성 외이도염 환자 3) 궤양(베체트병 제외), 제2도 심재성 이상의 화상, 동상 환자 4) 입주위 피부염, 보통여드름, 주사(rosacea) 5) 기저귀발진, 항문, 생식기 가려움 환자 6) 4세 이하의 유아 〈주의〉 1) 피부 감염을 수반하는 습진이나 피부염에는 사용하지 않는 것을 원칙으로 함. 2) 증상이 개선되면 빠른 시일내에 사용을 중단함. 3) 안과용으로 사용하지 않음 4) 임신부 및 수유부, 소아
Fluticasone propionate Cutivate cream 큐티베이트크림 …0.5mg/g(0.05%) 15g/EA	1) 1일 1~2회 적량을 환부에 얇게 바르고 부드럽게 문지름.	1) Class Ⅱ (low potency) 국소용 Fluorinated corticosteroid 제제 2) 적응증 : 코르티코이드 반응성 피부질환의 염증 및 가려움 – 습진(아토피습진, 유아습진, 원판상습진 포함), 결절성양진, 건선(광범위한 반흔성건선 제외), 만성단순태선(신경피부염), 편평태선, 지루피부염, 접촉성	(빈도 미확립) – 피부의 세균성 및 진균성 감염 – 일반적 피부증상(모낭염, 부스럼, 피부자극, 자통, 발열, 작열감, 발진, 발적,	〈금기〉 1) 세균, 진균, 바이러스, 동물성 피부 감염증 환자 2) 고막 천공이 있는 습진성 외이도염 환자 3) 궤양, 제2도 심재성 이상의 화상 · 동상 환자 4) 입주위 피부염, 여드름, 주사(rosacea) 환자 5) 기저귀발진, 항문 · 생식기가려움 환자 6) 3개월 미만의 영아

약품명 및 함량	용법	약리작용 및 효능	부작용	주의 및 금기
		알레르기반응, 원판상홍반성루푸스 3) 3개월 이상 유소아 아토피 피부염 환자에 사용 가능 (2주 이내 개선이 없으면 사용 지속여부 재평가)	홍조, 가려움, 피부 건조 등) – 장기 사용 시 스테로이드성 여드름 및 피부 등 – 뇌하수체, 부신피질계 기능 억제(대량, 장기간 사용, 밀봉붕대법 적용 시) – 안검피부에 사용 시 안압상승, 녹내장 유발	〈주의〉 1) 안과용으로 사용금지 2) 7~14일 이내 증상이 개선되지 않으면 재진단 필요 3) 증상 개선 시 가능한 빠른 시일 내에 사용 중지(매일, 4주 이상 지속투여는 권장되지 않음) 4) 임신부: Category C (안전성 미확립) 5) 수유부, 고령자
Hydrocortisone Lacticare HC lotion 1% 락티케어HC로션 …10mg/g(1%), 118ml/EA	1) 사용전 잘 흔든 후 1일 1~3회 적량을 환부에 도포함.	1) Lotion type의 국소용 부신피질호르몬제 (potency : group Ⅳ) 2) Lactic acid, NaPCA 등 정상피부에 존재하는 천연보습인자로 보습효과 나타냄. 3) 적응증: 습진, 피부염군, 피부가려움, 벌레물린데	– 가려움, 작열감, 발진, 모낭염 – 장기 사용시 스테로이드성 좌창 – 피부의 진균 및 세균성 감염 – 뇌하수체, 부신피질계 기능 억제 – 안검피부에 사용시 녹내장 유발	〈금기〉 1) 세균, 진균, 바이러스, 동물성 피부 감염증 환자 2) 고막 천공이 있는 습진성 외이도염 환자 3) 궤양, 제2도 심재성 이상의 화상 · 동상 환자 4) 입주위 피부염, 여드름, 주사(rosacea), 비염증성 가려움 환자 〈주의〉 1) 권장 치료기간은 7일 이내 2) 안과용으로 사용 금지 3) 증상이 개선되면 가능한 빠른 시일 내에 사용 중지 4) 임신부: Category C 5) 수유부, 소아(특히 2세 미만), 고령자
Hydrocortisone acetate Lacticort cream 락티코트크림 …10mg/g(1%), 30g/EA	1) 1일 1~4회 적당량 환부에 도포	1) Group IV(low potency) corticosteroid인 hydrocortisone acetate를 주성분으로 하고 lactic acid를 기제로 첨가하여 피부보호 작용을 추가한 크림 타입의 외용제 2) 적응증: 습진 · 피부염군, 피부가려움, 벌레물린데	1)› 10% – 피부건조, 입술부위 염증, 광과민성, 피부 붉어짐 2) 1~10% – 발진, 피부 박피	〈금기〉 1) 세균, 진균, 바이러스, 동물성 피부 감염증 환자 2) 고막 천공이 있는 습진성 외이도염 환자 3) 궤양, 제2도 심재성 이상의 화상 · 동상 환자 4) 입주위 피부염, 여드름, 주사(rosacea) 환자 5) 기저귀발진 6) 2세 미만 유아 〈주의〉 1) 증상이 악화 또는 7일 이상 지속되거나 재발할 경우 사용 중지

약품명 및 함량	용법	약리작용 및 효능	부작용	주의 및 금기
				2) Propyleneglycol에 과민한 환자 3) 안과용으로 사용금지 4) 임신부: Category C 5) 수유부, 소아, 고령자
Methylprednisolone aceponate Advantan cream 아드반탄크림 …1mg/g(0.1%), 15g/EA Advantan oint 아드반탄연고 …1mg/g(0.1%), 10g/EA	1) 1일 1회 환부에 얇게 도포. 2) 성인은 12주, 소아는 4주 이상 연용금지	1) Group Ⅱ의 비할로겐성 부신피질 호르몬제 2) 크림제의 사용으로 피부가 건조해질 경우 유성을 더 많이 함유한 제형으로 바꾸어 사용하도록 함. 3) 적응증 : 습진(아토피성 피부염, 심상성 습진)	- 가려움, 작열감, 발진, 모낭염 - 장기 사용시 스테로이드성 좌창 - 피부의 진균 및 세균성 감염 - 뇌하수체, 부신피질계 기능 억제 - 안검피부에 사용시 녹내장 유발	〈금기〉 1) 세균, 진균, 바이러스, 동물성 피부 감염증 환자 2) 고막 천공이 있는 습진성 외이도염 환자 3) 궤양, 제2도 심재성 이상의 화상 · 동상 환자 4) 입주위 피부염, 여드름, 주사(rosacea) 환자 5) 2세 미만 유아 〈주의〉 1) 안과용으로 사용 금지 2) 증상이 개선되면 가능한 빠른 시일 내에 사용 중지 3) 임신부, 수유부, 소아, 고령자
Prednicarbate Dermatop oint 더마톱연고 …2.5mg/g(0.25%), 10g/EA Dermatop soln 더마톱액 …2.5mg/g(0.25%), 20ml/EA	1) 1일 1~2회 환부에 얇게 바르고 가볍게 문질러줌. 2) 4주 이상(소아는 3주 이상) 계속 투여하지 않음.	1) 불소를 포함하지 않는 Group Ⅲ steroid로 desoxymethasone과 비슷한 정도의 효과를 나타내며, 전신작용 등 부작용이 적음. 2) 유소아, 넓은 부위, 장기간 투여에 효과적임. 3) 습진, 신경성 피부염, 건선, 1도 화상 등에 사용 4) 민감한 피부, 연약한 피부에 사용 가능 5) 액상제제는 연고에 비해 두피나 서혜부 등 모발 부위에 사용하기 용이함. 6) 적응증 - Corticoid 반응성 피부 질환 : 습진 · 피부염군(아토피피부염, 지루피부염, 접촉성알레르기 피부염, 유사건선, 편평태선, 가려움발진 포함), 건선	- 가려움, 작열감, 발진, 모낭염 - 장기 사용시 스테로이드성 좌창 - 피부의 진균 및 세균성 감염 - 뇌하수체, 부신피질계 기능 억제 - 안검피부에 사용시 녹내장 유발	〈금기〉 1) 세균, 진균, 바이러스, 동물성 피부 감염증 환자 2) 고막 천공이 있는 습진성 외이도염 환자 3) 궤양, 제2도 심재성 이상의 화상 · 동상 환자 4) 입주위 피부염, 여드름, 주사(rosacea) 환자 5) 1세 이하 영아 〈주의〉 1) 안과용으로 사용 금지 2) 증상이 개선되면 가능한 빠른 시일 내에 사용 중지 3) 임신부: Category C (임신 첫 3개월 동안은 사용금지) 4) 수유부, 소아, 고령자
Prednicarbate Lacticarezemagis lotion 0.25% 락티케어제마지스로션 …2.5mg/g(0.25%), 20g/EA	1) 1일 1~2회 환부에 도포. 2) 4주 이상(소아는 3주 이상) 계속 투여하지 않음.	1) Group Ⅲ의 non-halogenated glucocorticoid와 천연 보습인자인 lactic acid, NaPCA의 복합제. 2) Lactic acid: 염증 상태의 삼출물을 흡수하고 염기성의 피부를 정상적인 약산성으로 환원시킴. NaPCA: 정상 피부내 각질층에 존재하는 수용성 친수성 물질로 만성 피부염증상태의 건조증을 치료함.	- 가려움, 작열감, 발진, 모낭염 - 장기 사용시 스테로이드성 좌창 - 피부의 진균 및 세균성 감염	〈금기〉 1) 세균, 진균, 바이러스, 동물성 피부 감염증 환자 2) 고막 천공이 있는 습진성 외이도염 환자 3) 궤양, 제2도 심재성 이상의 화상 · 동상 환자 4) 입주위 피부염, 여드름, 주사(rosacea) 환자 5) 1세 이하 영아

약품명 및 함량	용법	약리작용 및 효능	부작용	주의 및 금기
		3) 로션제형으로 급성 염증상태에서 삼출물 흡수시 연고나 크림처럼 밀폐되지 않아 경피 흡수가 적음. 4) 적응증 - Corticoid 반응성 피부 질환 : 습진 · 피부염군(아토피피부염, 지루피부염, 접촉성알레르기 피부염, 유사건선, 편평태선, 가려움발진 포함), 건선	- 뇌하수체, 부신피질계 기능 억제 - 안검피부에 사용시 안압 상승, 녹내장 유발	〈주의〉 1) 증상이 개선되면 가능한 빠른 시일 내에 사용 중지. 2) 안면, 겨드랑이 밑, 생식기 주위에 사용 금함. 3) 안과용으로 사용 금지 4) 임신부: Category C 5) 수유부, 소아, 고령자

약품명 및 함량	용법	약리작용 및 효능	부작용	주의 및 금기
Benzene hexachloride (Lindane) Lindane lotion 린단로션 …10mg/g, 120g/EA	1) 건조한 피부 전신에 충분량을 문질러 얇게 바름. 2) 8~12시간 후에 물로 완전히 씻어냄 (비누 또는 합성 세제를 사용하지 말 것) 3) 보통 1회 적용으로 치유됨. 4) 약 사용전 1시간 이내에 씻으면 안됨.	1) Ectoparasiticide(pediculicide, scabicide)로서 기생충과 그 알에 직접 흡수되어 경련을 유발함으로써 살충 효과를 나타냄. 2) 적응증: 옴 치료 3) 경피 적용으로 5.6~13%가 전신 흡수됨.	- 피부로 흡수되어 중추신경계, 혈액, 간 독성 유발 가능(소아에서 독성 더 강함) - 피부의 자극으로 습진성 발진 - 국소적 과민반응	〈금기〉 1) 3세 미만 영아, 미숙아 2) 발작 질환자 3) 임신부: Category C(국내 허가 금기) 4) 수유부 〈주의〉 1) 다른 치료법에 효과가 없는 경우 사용함. 2) 얼굴, 눈, 코 및 기타 점막 부위에의 접촉 피함. 3) 노출된 상처 부위에는 도포 피함. 4) 과량투여시 피부흡수로 인한 CNS 독성으로 흥분, 경련 유발 가능: 해독에는 diazepam 또는 phenobarbital을 IV함 〈상호작용〉 1) 유제는 본제의 피부 흡수를 촉진시킬 수 있으므로 본제 적용 직전이나 직후에 유성 피부용제 사용 피함.
Benzene hexachloride (Lindane) Lindane soln 린단액 …10mg/g, 120g/EA	1) 건조 모발에 충분히 바른 후 4분간 방치함. 2) 소량의 물로 거품이 잘 나도록 함. 3) 잘 헹구어준 후 건조시킴. 4) 통상 1회 적용으로 치료	1) Ectoparasiticide로 DDT보다 살충력이 강하나 지속시간이 짧고 독성(간, 신장)이 강함. 2) 샴푸 타입제제로 도포 후 원충의 chitinous exoskeleton에 흡수되어 살균작용을 나타냄. 3) 적응증: 머리이, 사면발이	- 피부로 흡수되어 중추신경계, 혈액, 간 독성 유발 가능(소아에서 독성 더 강함) - 피부의 자극으로 습진성 발진 - 국소적 과민반응	〈금기〉 1) 3세 미만 영아, 미숙아 2) 발작 질환자 3) 임신부: Category C(국내 허가 금기) 4) 수유부 〈주의〉 1) 다른 치료법에 효과가 없는 경우 사용함. 2) 얼굴, 눈, 코 및 기타 점막 부위에의 접촉 피함. 3) 노출된 상처 부위에는 도포 피함. 4) 과량투여시 피부흡수로 인한 CNS 독성으로 흥분, 경련 유발 가능: 해독에는 diazepam 또는 phenobarbital을 IV함 〈상호작용〉 1) 유제는 본제의 피부 흡수를 촉진시킬 수 있으므로 본제 적용 직전이나 직후에 유성 피부용제 사용 피함.

약품명 및 함량	용법	약리작용 및 효능	부작용	주의 및 금기
Crotamiton Uracin oint 유락신연고 …100mg/g, 50g/EA	1) 가볍게 목욕한 후 1일 1회 얼굴과 두피를 제외하고 건조된 피부 전체에 도포함. 2) 필요시 24시간 후에 반복하여 도포	1) Scabicidal agent 2) 정확한 기전은 알려져 있지 않으나 옴에 대한 살충작용 및 소양증에 효과 있음. 3) Lindane과 달리 CNS 독성이 거의 없어 소아에게 적용가능 4) 이충증, 모낭충증, 소양증 5) 적응증 : 피부가려움	- 자극성 피부염, 도포후 일시적인 열감	〈금기〉 1) 급성 루푸스성 피부염 환자 〈주의〉 1) 화농성 피부염, 습진, 미란은 이를 치료한 후 사용 2) 안식향산 나트륨을 포함하고 있어 피부, 눈, 점막에 자극을 줄 수 있음. 3) 임신부 : Category C 4) 수유부 5) 금속에 접촉시 변질 우려가 있으므로 금속성 용기 사용 피함. 6) 플라스틱 용기에 소분할 경우 변색할 수 있으므로 가능한 신속히 사용함.

약품명 및 함량	용법	약리작용 및 효능	부작용	주의 및 금기
Cadexomer Iodine Iodosorb oint 아이오도좁연고 …500mg/g, 10g/EA 20g/EA	1) 식염수로 상처 세척 후 상처 표면에 3mm 두께로 도포하고 건조한 드레싱으로 덮음. 2) 교환 시기는 연고의 색 변화(갈색 → 흰색 ; 갈색의 iodine이 삼출물에 의해 cadexomer 밖으로 빠져나가면 흰색으로 됨)로 알 수 있으며, 주로 일주일에 2~3회 교환하나 삼출물이 많은 경우는 매일 교환 3) Max. 1회 50g, 1주 150g	1) 삼출성 및 감염성 상처 치료제 2) 작용기전 ① Iodine : Antibacterial ② Cadexomer : modified starch matrix로 iodine carrier와 삼출물 흡수 역할을 하며, 삼출물이 cadexomer 안으로 들어가면, 팽창하면서 천천히 낮은 농도(0.9%)로 free iodine을 유출시켜 72시간 이상 항균작용을 나타냄. 3) 적응증 : 하지 궤양의 짓무른 상처, 외과수술과 피부의 외상 및 피부의 2차 감염에 의한 짓무른 상처	〈빈도 미확립〉 - 과민증 : 아나필락시양 증상, 요오드진(iododerma) - 피부 동통, 가려움, 자극감, 발진, 발적, 피부염, 작열감, 피부궤양, 피부변색, 상처 치유 저해(장기간 사용시) - 대량 또는 장기간 사용시 전해질 대사이상, 신부전, 요오드 분비량 증가, 혈청 TSH 상승, T4 및 T3 감소, 일시적 혈청 요오드 결합 단백 증가, 요오드 전신흡수에 따른 부작용 등	〈금기〉 1) 갑상선기능이상 환자(특히 결절성 갑상선종, 지방병성 갑상선종, 하시모토갑상선염 등) 2) 신부전 환자 3) 신생아 및 6개월 미만의 영아 4) 포진상 피부염 환자 5) 방사성 요오드 치료 전 후 〈주의〉 1) 중증 환자(화상 환자 등) 2) 갑상선 질환의 병력이 있는 환자 3) 신부전의 병력이 있는 환자 4) 수유부: 흡수된 요오드는 모유 이행 5) 임신부: 장기간 또는 광범위하게 사용하지 않음. 6) 중증 창상에 사용시 희석액으로 주사용 증류수 또는 멸균 정제수 사용
Recombinant human Epidermal Growth Factor (rhEGF) Easyef topical soln 대웅이지에프외용액 …5mg/10ml/EA	1) 1일 2회 환부에 적량 도포	1) 재조합 인간 상피세포 성장인자 (rhEGF) 2) 재상피화, 육아조직증식, 혈관생성작용을 통한 당뇨병성 족부궤양 치료 3) 적응증 : 혈당관리가 양호하지 아니한 환자(공복혈당≥140mg/dl 또는 HbA1C>8%)의 당뇨병성 족부궤양	- 사용부위의 발적 또는 과증식	〈금기〉 1) 투여 부위에 악성 종양이 있는 환자 2) 전신적 또는 국소적 감염이 있는 환자 〈주의〉 1) 사용 후 발적 또는 과증식 현상 나타날 수 있음. 2) 임신부, 수유부, 소아 : 안전성 미확립 〈취급상 주의〉 1) 냉장보관(냉동시 약효 손실 우려) 2) 사용법은 제품설명서 참조
Trafermin Fiblast spray 피블라스트스프레이	1) 궤양 최대경 6cm 이하 : 1일 1회 5번(trafermin으로서 30mcg) 2) 궤양 최대경 6cm 초과 : 약제가 동일 궤양면에 5번 분무되도록 같은	1) bFGF(basic fibroblast growth factor) 제제로 궤양 부위의 표피 형성, 섬유아세포 증식, 새로운 혈관 생성 작용 촉진 2) 적응증 : 욕창, 화상으로 인한 궤양, 하지궤양	- 투여부위 자극감, 동통, 발적, 소양감, 접촉성 피부염, 종창, 침출액 증가	〈금기〉 1) 투여부위에 악성종양이 있거나 기왕력이 있는 환자 〈주의〉 1) 투여부위 이외의 악성종양 환자

약품명 및 함량	용법	약리작용 및 효능	부작용	주의 및 금기
…500mcg/EA	방법으로 1일 1회 (Max. 1,000mcg/D) 3) 조제 및 분무방법 : 첨부용해액 1ml 당 100mcg을 사용시에 용해 후 전용 분무기로 약 5cm 간격 두고 분무함. 4) 1회 분사시 분무량 : 6mcg		- ALT, AST 상승 - 과다한 육아조직 생성	2) 4주간 투여시에도 궤양의 크기, 증상 개선 없을 경우 외과적 요법 등 고려 필요 3) 궤양면의 부위에 따라 투여거리를 가감하지 않음. <취급상 주의> 1) 냉소 보관(15℃ 이하) 2) 용해 후 10℃ 이하의 냉암소에 보관하고 2주 이내에 사용
사람유래 각질세포 (Keratinocyte) Kaloderm 56㎠ 칼로덤 56㎠ …1~2×10^7/56㎠/EA Kaloderm 9㎠ 칼로덤 9㎠ …3×10^6/9㎠/EA	1) 상처부위를 식염수를 사용하여 깨끗이 정리한 후 사용 2) 사용 5~10분 전에 냉동고에서 꺼내어 상온에서 해동한 후 상처부위에 표피 기저층을 접촉함. 3) 드레싱만으로 고정시키거나 스테이플 또는 봉합사로 고정 시킨 후 드레싱 할 수 있음(습윤, 건조 드레싱 모두 가능), 필요시 상처부위에 변연절제술 및 항생제 치료 시행할 수 있음.	1) 동종유래 피부각질세포를 배양, 분화시켜 제조한 상처치료용 드레싱 2) 피부각질세포에 함유된 여러 cytokine과 세포외 기질의 작용으로 상처치유와 피부재생을 도움. 3) 적응증 ① 심부이도화상의 재상피화 촉진 ② 혈액공급이 원활하고 감염증 소견이 없는 당뇨성 족부궤양의 상처치유 촉진	- 적용부위 감염, 피부염, 삼출물 생성, 외면의 약한 부종, 과민증, 통증	<금기> 1) Gentamicin에 과민증이 있는 환자 2) 소 유래 물질에 예민 반응을 보이는 환자 3) 화농성 감염이 있는 환자 <주의> 1) 출혈성질환, 혈액응고성 질환 2) 면역억제제, corticosteroid, 세포독성제제, 항응고제를 투여받고 있는 환자나 투여를 필요로 하는 질환을 가진 환자 3) 활동성 감염이 있는 환자 4) 임신부 및 수유부 : 안전성 미확립 <취급상 주의> 1) 재사용, 재동결, 멸균하지 않음. 2) 사용 준비 전까지 제조소에서는 영하 60℃ 이하, 운반시는 드라이아이스, 병원에서는 영하 15℃ 이하에 보관 3) 영하 15℃ 이하에서 3개월간 보관 가능
1g 중 Allantoin 10mg, Ext. Cepae 100mg, Heparin 50IU **Contractubex gel** 콘투락투벡스겔 …20g/EA …50g/EA	1) 환부에 1일 3~4회 적당량을 바르도록 함 2) 갓 생긴 상처의 경우 극도의 추위, 자외선, 강한 마사지 등 신체적 자극 피함.	1) Allantoin : 각질용해, 약물투과항진, 상피형성 등 Ext. Cepae : 항염작용, 섬유아세포 과다증식 억제작용, 항알러지 작용, 살균, 수렴 작용 Heparin : 교원섬유의 구조를 느슨하게 하고 반흔조직을 수화시켜 항염, 항알러지, 섬유세포 과다증식 억제 2) 적응증 : 수술, 절단, 화상, 사고 후의 비대성 · 켈로이드성, 운동제한성 또는 미용적 피부손상시의 상처 및 흉터, 외상성 경축, 상흔성 협착	- 드물게 국소 피부자극	<금기> 1) Methyl p-hydroxybenzoate에 과민한 환자 2) 임신부: 안전성 미확립 3) 절개되거나 아물지 않은 상처, 진물이 나는 상처부위 <주의> 1) 눈에 들어가지 않게 할 것 2) 수유부: 주의 3) 소아 : 보호자의 지도, 감독하에 사용

약품명 및 함량	용법	약리작용 및 효능	부작용	주의 및 금기
Alfatradiol Ell-Cranell alpha soln 엘-크라넬알파액 …0.25mg/ml(0.025%) 100ml/EA	1) 1일 1회(저녁 추천) 3ml를 두피에 도포 후 1분간 마사지 2) 증상완화 시 2~3일에 1회로 사용횟수 줄임. 3) 사용방법 ① 한 손으로 병을 거꾸로 하여 두피에 대고, 다른 손으로 어플리케이터를 ON으로 돌림. ② 1초간 누르면 2개의 구멍으로부터 약 1ml의 약액 방출됨. 총 3회 두피에 도포 ③ 1분간 두피를 마사지함. ④ 사용 후 반드시 OFF로 돌려서 보관 (알코올이 증발될 경우 약액이 나오지 않을 수 있음.)	1) 5α-reductase inhibitor 2) Testosterone의 dihydrotestosteron으로의 전환억제, 모발 성장기 증가 효과로 탈모 속도를 지연시킴. 3) 적응증 : 경증 여성형 및 남성형 탈모증(안드로겐 탈모증)의 치료	(빈도 미확립) - 화끈감, 홍반, 가려움 - 두피의 지성화	〈금기〉 1) 18세 미만 소아, 임신부, 수유부 : 안전성 미확립 미확립 〈주의〉 1) 눈, 점막에는 사용하지 않음. 2) 1년 이상 사용에 대한 안전성 및 유효성 미확립 3) 경구 복용 시, isopropanol 중독 증상과 유사한 증상 나타남.
Alitretinoin Alitoc soft cap 알리톡연질캡슐 …10mg/C …30mg/C	1) 초기: 30mg qd (이상반응에 따라 10mg으로 감량 가능) 2) 식사와 함께 또는 식후 즉시, 씹지 않고 물과 함께 복용 3) 당뇨, 비만, 심혈관계 위험요소 있거나 이상지질혈증 환자: 초기 10mg qd (필요 시 30mg으로 증량) 4) 아래의 경우 투여 중단 ① 치료 목표(손이 깨끗해지거나 거의 깨끗해지는 정도) 도달 시 ② 초기 12주 치료 후에도 중증일 경우 ③ 치료 24주까지 치료 목표 도달하지 못할 시	1) 내인성 retinoid(9-cis-retinoic acid)로 세포내 retinoid receptor subtype (RAR-α, -β, -γ, RXR-α, -β, -γ)에 결합하는 pan-agonist 2) Cytokine-stimulated 각질세포와 피부내피세포에서 retinoid 수용체에 작용하여 세포 분화 및 증식을 조절하여, 피부염증과 관련된 면역조절과 항염증 작용을 나타냄. 3) 적응증: 최소 4주간의 강력한 국소 스테로이드 치료에도 반응하지 않는 성인의 재발성 만성 중증 손습진 (PGA(Physician's global assessment)따라 평가) 4) BA : 음식에 의해 노출 증가 Tmax : 3~4hrs $T_{\frac{1}{2}}$: 2~10hrs 대사 : 간 (CYP3A4) 배설 : 신장(63%), 대변(30%)	1) > 10% - 두통 - LDL 증가 2) 1~10% - 홍조, 고혈압 - 우울감, 어지러움 - 부종, 구순구각염, 피부건조증, 구순염, 탈모 - HDL감소, 고콜레스테롤혈증, 중성지방증가, 혈청철 감소, 총 철결합능 상승, 일과성 열감 - 오심, 구토, 구강건조, 소화불량, 상복부	〈금기〉 1) 임신부, 가임기 여성(치료전 1개월 ~치료 종료 후 1개월간 반드시 피임) 2) 수유부: 모유 이행 3) 간장애, 중증의 신장애 환자 4) 갑상선기능저하증 환자 5) 비타민A 과다증 환자 6) Tetracyclins 복용 중인 환자 7) 고콜레스테롤혈증, 고중성지방혈증 〈주의〉 1) 정신질환 병력 있는 환자 2) 혈중 지방(콜레스테롤, 중성지방) 농도가 높은 경우 3) 갑상선 질환 병력 있는 환자 4) 시력 이상, 혈액을 동반한 설사 발생시 투여 중단, 즉시 의료진에 알림.

약품명 및 함량	용법	약리작용 및 효능	부작용	주의 및 금기
		〈상호작용〉 1) Vitamin A: 비타민A 과다증 악화 2) Tetracyclins: 병용 금기, 양성 두개내압 상승(가성 뇌종양) 보고됨 3) 호르몬피임제: 피임제 유효성 감소 4) CYP3A4 저해제(Ketoconazole 등): 이 약의 약효 증가 5) Simvastatin: simvastatin의 약효 감소	통증 - 망상적혈구감소증 - 인플루엔자 - CPK 상승, 관절통, 요통 - 안구건조증, 결막염, 안구이상감각 - 비인두염, 인후염	5) 일광 노출 최소화, 자외선 차단제 사용 권장 (∵햇빛에 민감) 6) 격렬한 운동 피함.(∵다른 전신성 retinoid 복용시 골변화 보고됨) 7) 투여중과 종료 후 1개월간 헌혈 하지 않음 8) 만 18세 미만 복용 제한 〈약리작용 및 효능〉란에 계속
Ammonium lactate Taro ammonium lactate lotion 12% 타로암모늄락테이트로션 …200mg/g (Lactic acid로서 120mg/g), 225g/EA	1) 1일 2회, 잘 흔들어서 환부에 바르고 잘 스며들도록 가볍게 문지름.	1) Lactic acid는 피부에서 생성되는 보습 성분의 하나로, ammonium lactate는 lactic acid를 NH_4OH 로 중화시켜 형성됨. 2) 진피의 기초 물질인 glycosaminoglycan과 표피층을 증가시켜 피부의 수분 유지 기능을 회복시키며, 각질층의 구조를 복구하여 피부의 보호 기능을 정상화시키고 박리 작용을 촉진함. 3) 적응증: 건조하고 거친 피부, 심상성 어린선 및 이로 인한 가려움의 일시적 완화	-일시적 자통, 작열감, 홍반, 피부박리, 발적, 습진, 점상 출혈, 건조감, 과도 색소 침착	〈주의〉 1) 약제 적용 후 증상이 악화될 경우 치료 중단 2) 자연 또는 인공 광선에 노출되는 피부(얼굴 포함)에의 적용을 피하거나 최소화 함(∵ 작열감, 따가운 자극감 유발) 3) 눈, 입술 및 점막에 사용하지 말 것 4) 임신부 Category B 5) 수유부: 안전성 미확립 6) 동물의 장기간에 걸친 광발암성 실험에서 자외선 유발 피부암 발생율 증가 보고
Hydroquinone Eldoquin Forte 4% cream 엘도킨폴테 4%크림 …40mg/g(4%), 14g/EA	1) 사용전에 과민성을 시험한 다음 1일 1~2회(아침, 취침전) 환부에 도포함. 2) 시험법 : 상처없는 피부에 4%연고를 직경 25mm 넓이로 바른후 24시간 후 관찰(소양증, 소포진, 염증이 나타나면 사용금지)	1) 피부 탈색제 2) Melanocyte의 대사과정을 억제하여 피부 색소 침착을 억제하며 tyrosine에서 DOPA(3,4-dihydroxy phenylalanine)의 대사적 산화 과정을 억제함. 3) 적응증: 과도한 색소 침착 피부의 점차적 표백(간반, 흑피증(기미), 주금깨 노인성 검은반점, 기타 불필요한 부위의 과도한 멜라닌 색소 침착)	- 과민반응, 접촉성 피부염 - 장기간 사용으로 조직갈색증	〈금기〉 1) 12세 이하 소아 : 안전성, 유효성 미확립 2) 신장애 환자 3) 임신부: Category C(국내 허가 금기) 〈주의〉 1) 일광 노출을 피함(∵퇴색 피부 보호와 탈색효과 감소 방지) 2) 사용 2개월 후에도 증상개선 없으면 사용중지 3) 적용부위가 전체 피부의 10%를 초과하지 않도록 함. 4) 수유부 : 안전성 미확립

약품명 및 함량	용법	약리작용 및 효능	부작용	주의 및 금기
Imiquimod Aldara cream 알다라크림 …50mg/g 0.25g/PK	1) 성인의 외부 생식기, 항문주위의 사마귀/첨형 콘딜로마 - 주 3회, 취침전 외부 생식기 또는 항문주위에 얇게 바른 후 약이 보이지 않을 때까지 문지름. - 약을 바른 후 6~10시간 후 (아침)에 비누와 물로 세척 - 완치될 때까지 최대 16주간 사용 - 1포에 20㎠에 바를 충분한 양이 포함되어 있으므로, 1포장분은 1회만 사용하며 과량 사용하지 않도록 함. 2) 일광성 각화증(25㎠이하 면적) - 취침전 적용하여 약 8시간 동안 피부에 머무르게 함 - 주기적 요법 : 주 3회 4주동안 적용 후 4주 휴약기, 다시 반복함. - 지속적 요법 : 주 3회 16주동안 적용 3) 표재성 기저세포암(직경 2cm 이하) - 연속 5일/주, 6주동안 - 취침전 적용하여 약 8시간 동안 피부에 머무르게 함	1) Imidazoquinoline amine계 immune response modifier 2) 기전은 명확하게 밝혀지지 않았으나, cytokine 생성을 유도하며 세포 매개성 cytolytic antiviral activity가 있음. 3) 적응증 - 성인의 외부 생식기, 항문주위의 사마귀/첨형 콘딜로마의 치료 - 성인 얼굴 또는 두피의 일광성 각화증의 치료 - 수술이 적절하지 않다고 판단되는 성인의 표재성 기저 세포암의 일차 치료	1) >10% - 홍반(54~61%), 가려움, 진무름, 작열감, 피부 박탈, 부종, 가피 2) 1~10% - 통증, 두통, 경화, 수포, 궤양, 미란, 근육통, 진균감염, 인플루엔자양 반응	〈금기〉 1) 요도, 질내, 경부, 직장, 항문내 사마귀 : 유효성 미확립, 전신흡수 가능성 〈주의〉 1) 65세 이상의 고령자, 18세 이하 소아, 수유부 2) 임신부: Category C 3) 포경 수술을 받지 않은 환자(∵ 협착이 생길 수 있으므로 포피를 청결히 할 것) 4) 장기이식 환자, 자가면역질환 병력 있는 환자 5) 16주 이상 사용에 대한 안전성 미확립 6) 약물 도포 후 occlusive dressing 또는 wrapping 하지 않음 7) 콘돔, 다이아프램의 효과를 약화시킬 수 있음(∵ 기구 손상). 8) 약이 피부에 있는 동안 성행위 금지 9) 약이 눈에 닿지 않게 함.
Ingenol mebutate Picato gel 피카토겔 …0.015%, 0.47g/EA(3EA/box) …0.05%, 0.47g/EA(2EA/box)	1) 0.47g(1EA)을 약 25㎠(5cm×5cm)의 면적에 도포 가능함 2) 얼굴 및 두피: 0.015%를 1일 1회, 3일 동안 연속적으로 환부에 도포 3) 몸 및 팔 · 다리: 0.05%를 1일 1회, 2일 동안 연속적으로 환부에 도포 4) 환부에 도포한 후 15분 동안 말린 후 약 6시간 동안 치료부위를 씻거나 접촉하는 것을 피함 5) 샤워 후 즉시 또는 취침 2시간 전에는 사용하지 않도록 함	1) 광선각화증(Actinic keratosis)의 국소 치료 외용제 2) 세포 괴사작용 및 neutrophil-mediated antibody dependent cellular cytotoxicity로 병변세포의 사멸을 일으킴 3) 적응증: 성인의 광선각화증 국소 치료 - 0.015%: 얼굴, 두피에 적용 - 0.05%: 몸, 팔 · 다리에 적용 4) 1box(0.015%: 3EA, 0.05%: 2EA) = 1주기 치료분	1) > 10% - 적용부위의 홍반, 피부탈락, 딱지, 부종, 농포/수포, 짓무름/궤양, 적용부위 통증 2) 1~10% - 두통 - 적용부위 소양감, 적용부위 자극, 적용부위 감염	〈주의〉 1) 임신부: Category C 2) 수유부: 치료 후 6시간 동안 치료 부위에 영아의 신체적 접촉 피해야 함. 3) 소아: 안전성 미확립 4) 눈에 직접 접촉 금지 (눈에 접촉된 경우 다량의 물로 직접 씻어내고 가능한 빨리 치료를 받도록 함) 5) 홍반, 피부탈락, 딱지 등의 일시적인 국소 피부반응이 나타날 수 있음. (얼굴, 두피는 치료 개시 2주 이내, 몸과 팔다리는 4주 이내 소실) 6) 손상 피부에 적용하지 않도록 함.

약품명 및 함량	용법	약리작용 및 효능	부작용	주의 및 금기
			- 안와골막 부종 - 비인두염	7) 질병 특성 상 햇빛의 과도한 노출은 피해야 함 <취급상 주의> 1) 1회 사용 후 남은 약은 버림(안정성 자료 없음)
Minoxidil Minoxyl soln 3% 마이녹실액 3% …30mg/ml, 60ml/EA Minoxyl soln 5% 마이녹실액 5% …50mg/ml, 60ml/EA	1) 모발과 두피를 완전히 건조시킨 후 1일 2회 (아침, 저녁) 적어도 4개월 이상 지속적으로 환부에 도포함. 2) 남성(3%, 5%): 0.5~1ml(Max. 2ml/D) 3) 여성(3%): 0.5ml(Max. 1.3ml/D) 4) 사용 중단 후 탈모재발가능 5) 약의 건조를 위해 취침 2~4시간 전에 사용	1) 항고혈압제의 부작용을 역이용한 제제임. 2) 기존 모낭주위의 말초혈관과 모낭상피에 직접 작용하여 모발 성장을 촉진함. 3) 적응증 - 3%: 남성형 및 여성형 탈모증(안드로젠탈모증) - 5%: 남성형 탈모증(안드로젠탈모증) 4) Onset : 1~2.5months	(빈도 미확립) - 소양감, 낙설, 홍반, 피부염, 건조피부, 투약부위외의 다모증, 작열감, 국소자극, 알레르기 반응 - 현기증, 두통, 신경염 - 외이염, 시력장애, 성기능 부전	<금기> 1) 18세 미만 2) 여성 환자(5% 제제만 해당) 3) 임신부: Category C(허가 사항 금기) 4) 수유부 5) 심혈관계 질환 환자 <주의> 1) 눈, 벗겨진 피부, 점막 등에 닿으면 다량의 찬물로 씻어낼 것(눈 부위에 화상 및 자극감 초래) 2) 전신작용이 나타나지 않는지 자주 관찰해야 함. 3) 이 약 사용 후 손을 깨끗이 씻음. 4) 건조 촉진 위해 헤어드라이기 사용금지(효과 감소) <상호작용> 1) Retinoid제, corticosteroid 제제에 의해 피부흡수 증가 2) Guanetidine제제 복용환자의 기립성 저혈압 증가
Pimecrolimus Elidel cream 엘리델크림 …10mg/g (1%), 10g/EA 30g/EA	1) 성인 및 2세 이상의 소아 : 1일 2회 환부에 도포	1) 면역 조절기전을 통한 아토피성 피부염 치료, T-cell 및 mast cell의 활성화와 염증성 cytokine 유리를 선택적으로 억제함. 세포내의 macrophilin-12(FKBP12)에 결합하여 phosphatase calcineurin을 억제 2) 친수성 기제(FAPG 기제; fatty alcohol을 propylene glycol에 현탁한 기제)를 사용한 크림제형. 수세 가능하므로 주로 습윤한 병소에 적용함. 3) 적응증 : 다음 환자의 경~중등도 아토피성 피부염의 단기 치료 또는 간헐적인 장기 치료(2차 치료제) - 면역기능이 정상인 2세 이상의 소아 및 성인 환자 - 대체요법이나 기존 치료법에 효과가 없거나 내약성이 있는 환자	- 두통(7~25.4%), 발열(1.2~12.5%), 작열(1.5~25.9%), 소양증(0.6~5.5%), 홍반(2%), 기침(2.4~15.8%)	<금기> 1) 2세 미만 소아 : 안전성, 유효성 미확립 2) 면역기능 저하된 환자 3) 1년 이상의 간헐적 사용 : 안전성 미확립 4) Macrolactam계 약물에 과민한 환자 5) Netherton 증후군, 홍색피부증 환자 6) 활동성 피부 바이러스 감염 부위 <주의> 1) 밀봉 요법은 피함 2) 눈과 점막에는 사용하지 않도록 함 3) 햇빛에 과다 노출 금함. 4) 임신부 : Category C 5) 수유부, 65세 이상 고령자 <상호작용> 1) 백신 접종시 전후 14일 간격을 두고 투여

약품명 및 함량	용법	약리작용 및 효능	부작용	주의 및 금기
				2) 광범위성 및 홍피증 환자에게 CYP3A4 저해제 병용 투여시 주의 요함. (erythromycin, itraconazole, cimetidine, CCBs, fluconazole, ketoconazole) 〈취급상 주의〉 1) 동결금지 2) 개봉 후 1년 이내에 사용해야 함.
Policresulen Albothyl conc soln 알보칠콘센트레이트액 …360mg/g, 5ml/EA	1) 증상에 따라 그대로 또는 희석하여 사용 2) 구내염, 혓바늘, 아구창 – 성인: 원액 또는 1:5 이상 희석하여 1일 2–3회 환부에 사용 – 소아: 1:10 이상 희석하여 1일 2–3회 사용 3) 질세척 또는 질관주용 및 이비인후과 : 물과 1:5 비율로 희석하여 사용 4) 외과 및 피부과(화상, 국소지혈) : 그대로 탈지면 또는 거즈를 사용하여 바르고 해당부위를 1–2분간 누름 5) 질 및 자궁경부 도포 및 국소지혈: 희석하지 않고 사용하며 출혈 부위를 1–2분간 누름.	1) 수렴작용, 강력한 모세혈관 수축작용 및 근섬유 수축작용으로 지혈효과, 각종 분비물 억제, 조직재생 촉진작용 2) 적응증 – 산부인과 : 자궁경부의 염증 및 손상의 국소적 치료, 자궁이소증의 국소적 치료, 자궁 외부 미란(짓무름)과 종양, 조직 검사 및 자궁질 용종 제거 후의 지혈, 전기응고요법 후의 치료 촉진 – 이비인후과 : 아구창, 구내염, 치육염, 편도선 수술 후 및 비출혈의 지혈 – 외과 및 피부과: 작은 부위의 화상, 정맥류성 다리 궤양, 욕창, 만성염증에 의한 괴사조직 박리 및 소독, 모세혈관 지혈	– 국소 자극, 알레르기반응 – 치아 법랑질 손상	〈주의〉 1) 의류 및 가죽류와의 접촉을 피하도록 하며 오염시에는 물로 세척함. 2) 월경 중에는 사용하지 말 것 3) 치료기간 중 성교를 하거나 자극적인 비누로 세척하지 말 것 4) 구강 점막이나 잇몸에 적용 후 입안을 헹굼 5) 임신부 및 수유부
Tacrolimus Protopic oint 0.03% 프로토픽연고0.03% …0.3mg/g, 10g/EA Protopic oint 0.1% 프로토픽연고0.1% …1mg/g, 10g/EA 30g/EA	1) 1일 2회 환부에 도포 – 0.03% : 2세 이상 소아 및 성인 – 0.1% : 성인	1) 국소 면역 조절 기전(Topical Immunomodulator: TIM)으로 아토피성 피부염 치료 2) T세포에서 생성되는 사이토카인 생성 억제 3) 비만세포에서의 histamine 유리 및 cytokine 생성 억제 4) 호산구의 침윤, 활성화 억제 5) 랑게르한스세포의 항원 제시능 억제 6) 0.1% 연고는 0.03% 연고와 비교시 아토피성 피부염이 심각하고 발생 부위가 넓은 성인 환자에서 효과적임. 7) 적응증: 면역기능이 정상이고 대체요법이나 기존 치료법에 효과가 없거나 내약성이 있는 환자의 중등도–중증 아토피성 피부염의 2차 치료제 – 0.03%: 2세 이상의 소아 및 성인 – 0.1%: 성인	1) >10% – 피부자극감, 가려움, 피부홍반 – 발열, 두통 – 기침 (소아18%) – 알러지 반응 – 감기양 증상	〈금기〉 1) 미란 및 궤양면이 있는 환자 2) 고도의 신장애, 고칼륨혈증 3) PUVA요법 등의 자외선 요법을 실시중인 환자 4) 임신부: Category C 5) 수유부 : 모유로 이행 6) 2세 미만 소아: 유효성, 안전성 미확립 〈주의〉 1) 밀봉 요법은 피함. 2) 보호자가 도포할 경우 도포 후 손을 씻도록 함. 3) 햇빛으로부터 피부를 보호해야 함.

약품명 및 함량	용법	약리작용 및 효능	부작용	주의 및 금기
Thioglycolic acid Niclean cream 니크린크림 …44.8mg/g, 30g/EA	1) 제모할 부위에 충분히 도포 후 5-10분간 그대로 두었다가 젖은 수건으로 닦거나 물로 세척 2) 짧고 거친털 제모에는 한번 이상(수일 간격) 사용	1) 제모제 2) 털의 단백성분 중 cystine 분자내의 S-S결합을 절단하여 2분자 cystine이 된 후 4단계를 거쳐 제모됨(털의 삼투압증가 → 부풀림 → 장력약화 → 녹음) 3) 의약외품	- 부종, 홍반, 가려움증, 피부발진 등의 증상이 나타나면 사용 중지	〈금기〉 1) 얼굴, 상처, 부스럼, 습진, 짓무름, 기타의 연증, 반점 또는 자극이 있는 피부 〈주의〉 1) 눈이나 점막에 들어가지 않도록 하며, 눈에 닿았을 때 미지근한 물로 씻어내고 붕산수로 헹구어 냄. 2) 10분 이상 피부에 방치하거나 건조시키지 말 것 3) 사용 전후에 비누류 사용 시 자극감 유발 가능
Urea Urea Cream 유리아크림 …200mg/g, 50g/EA	1) 1일 1~수회 충분히 문질러 바름.	1) Urea 성분의 피부 연화제 2) 적응증: 진행성 지각 각피증(주부습진의 건조형), 손발바닥 각피증, 어린선, 노인성 건피증, 모공성 태선, 아토피 피부 치료 3) 손상된 손 · 발톱의 박리 또는 용해 치료	- 자극증상 - 과민증 - 습진화, 피부 균열, 구진, 작열감 등	〈금기〉 1) 급성 습진 또는 염증성 피부질환 환자 2) 신부전 환자에게 광범위하게 적용 3) 안점막 등 점막 〈주의〉 1) 궤양, 짓무름, 상처부위에는 직접 적용하지 않음 2) 염증, 균열을 수반하거나, 피부자극에 대한 감수성이 높아진 환자의 경우에는 신중 투여 3) 작열감, 과민증상이 있으면 사용을 중지함.
Zinc pyrithione Dangard susp 단가드현탁액 …20mg/ml(2%), 150ml/EA	1) 액 적당량을 취해 젖은 두피 위에 바르고 거품이 나도록 마사지한 후 물로 충분히 헹굼. 2) 처음 2주간은 최소한 일주일에 2번 사용하고, 그후에는 정기적으로 의사지시에 따라 사용	1) Cytostatic action: 표피 각질세포의 turnover를 감소시켜 표피가 과다하게 인설화되는 것을 억제 2) Antifungal action: 두피 지루 피부염 부위에 과다 증식된 P.ovale의 수를 정상화시킴. 3) Antibacterial action 4) 샴푸기능 함유 5) 적응증: 비듬 및 지루성 피부염 치료	- 장기 사용시 말초신경염, 감각 이상, 근육 쇠약	〈주의〉 1) 눈에 들어가지 않게 주의하며 눈에 들어갔을 경우 즉시 맑은 물로 씻어냄.
γ-linolenic acid Evoprim soft cap 에보프림연질캅셀 …40mg/C (Evening primrose oil 450mg/C)	γ-linolenic acid로서 1) 아토피성 습진 - 1~12세 : 80~160mg bid - 13세 이상 및 성인 : 160~240mg bid 2) 당뇨병성 신경병증 - 성인: 160~240mg bid	1) 세포막의 필수 구성 성분인 필수 지방산의 대사 과정 중 delta-6-desaturase(D6D)의 결핍으로 생긴 대사물의 불균형을 정상화시켜 아토피성 피부염의 제증상, 특히 가려움증을 경감시킴. 2) 손상된 신경 세포를 재생시키고 최종 대사물인 PGE에 의한 말초 순환을 개선함으로써 당뇨병성 신경병증에 대한 완화 효과 3) 적응증: 아토피습진으로 인한 가려움 완화, 당뇨신경병증	- 구토, 소화불량, 복통 - 두통 - 발진	〈금기〉 1) 1세 미만 영아 〈주의〉 1) 측두엽 간질발작을 현상화, 정신분열증 환자 또는 phenothiazines 약물 복용 환자 2) 과량 투여시 묽은변이 나타날 수 있음. 3) 임신부

약품명 및 함량	용법	약리작용 및 효능	부작용	주의 및 금기
γ-linolenic acid Evoprim soft cap for children 소아용에보프림연질캡슐 …80mg/C (Evening Primrose oil 900mg/C)	1) 1~12세 : γ-linolenic acid로서 80~160mg bid	1) 세포막의 필수 구성 성분인 필수지방산의 대사 과정 중 delta-6-desaturase(D6D)의 결핍으로 생긴 대사물의 불균형을 정상화시켜 아토피성 피부염의 제증상, 특히 가려움증을 경감시킴. 2) 적응증: 아토피습진으로 인한 가려움 완화	- 구토, 소화불량, 복통 - 두통 - 발진	〈금기〉 1) 1세 미만 영아 〈주의〉 1) 측두엽 간질발작을 현상화, 정신분열증 환자 또는 phenothiazines 약물 복용 환자 2) 과량 투여시 묽은변이 나타날 수 있음. 3) 임신부
1ml 중 Calamine 80mg, Zinc Oxide 80mg **Calamin lotion** 칼라민로오션 …100ml/EA	1) 1일 1~수회 환부에 적당량 바름.	1) 완화한 수렴작용 및 피부의 산성 분비물을 중화하여 보호하는 효과 2) 적응증: 땀띠, 짓무름의 완화 및 개선 3) 벌레물린데, 풀독의 제독 작용	- 발진, 발적, 소양감	〈금기〉 1) 습윤, 미란, 화상이 심한 경우 〈주의〉 1) 소아(경련 유발 가능성 있음) 2) 잘 흔들어서 사용함. 3) 눈에 들어가지 않도록 함.
1g 중 Fluocinolone acetonide 0.1mg, Hydroquinone 40mg, Tretinoin 0.5mg **Tri lustra cream** 트리루스트라크림 …15g/EA	1) 1일 1회 저녁(적어도 취침 30분 이전) 착색된 부위에 도포 2) 도포 후 햇빛 노출 차단하도록 함	1) 기미 및 피부 색소 질환 치료제 2) 약리작용 ① Hydroquinone: tyrosinase의 활성을 억제하여 멜라닌 색소의 과다 생성 을 막아 기미, 주근깨, 갈색 반점, 검버섯 생성 방지 ② Tretinoin: 멜라닌 색소를 박리시키고 피부 주름을 제거 ③ Fluocinolone: 국소용 스테로이드로서 자극으로 인한 염증을 완화시키고 피부 재생을 촉진 3) 적응증: 중증도 내지 중증의 안면 흑피증의 단기 치료 (자외선 차단제 등 햇빛 노출을 차단할 수 있는 방법을 병용할 것)	1) Hydroquinone (빈도 미확립) - 작열감, 접촉성 피부염, 홍반 2) Tretinoin(Topical) ① >10% - 피부 과다건조증, 홍반, 피부각화, 가려움 ② 1~10% - 과다색소침착, 색소침착저하, 광과민성, 초기 여드름 발적 - 부종, 수포, 자통 3) Fluocinolone(Topical) (빈도 미확립) - 건조한 피부, 가려움, 작열감	〈주의〉 1) 아황산염에 감수성이 있는 이들에게 아나필락시스 증후군과 같은 알레르기 작용과 중증의 천식 발작을 유발할 수 있음 2) Hydroquinone은 외인성 조직갈변증을 유발 할 수 있으며, 이러한 경우 즉시 치료를 중지하여야 함 3) 임신부 - Hydroquinone: Category C - Tretinoin: Category C (외용제) - Fluoconolone: Category C 4) 소아 및 수유부 : 안전성 미확립 〈상호작용〉 1) 광과민성을 일으키는 약물과 병용시 주의

약품명 및 함량	용법	약리작용 및 효능	부작용	주의 및 금기
1g 중 Hydrocortisone 10mg, Hydroquinone 50mg, Tretinoin 0.03mg **Melanon cream** 멜라논크림 …23g/EA	1) 1일 1회 취침전 착색된 피부 부위에 도포 2) 평균 치료 기간: 7주 3) 2개월 정도 사용 후에도 증상 개선 없으면 사용중지 4) 사용중에는 햇빛에 대한 노출을 차단 시키는 것이 중요함.	1) 멜라닌 색소 표백 작용을 하는 세 가지 복합 성분의 기미, 주근깨, 갈색 반점 치료제 2) 작용기전 ① Hydroquinone: 멜라닌 색소의 과다 생성 억제로 기미, 주근깨, 갈색반점, 검버섯 생성 방지 ② Tretinoin: 멜라닌 색소를 박리시키고 피부 주름을 제거 ③ Hydrocortisone: 자극으로 인한 염증을 완화시키고 피부 재생을 촉진 3) 적응증: 피부의 멜라닌 과다침착(갈색반점), 흑피증(기미, 주근깨), 간성반점, 염증 후 피부의 갈색반점	- 접촉성 피부염 - 안면부위 홍반, 가려움 - 장기간 사용시 피부의 희박화, 혈관확장	〈금기〉 1) 백색 피부병, 흑색종, 혹은 의심되는 환자 2) 세균, 진균, 바이러스, 동물성 피부감염증 환자 3) 고막천공이 있는 습진성 외이도염 환자 4) 궤양(베체트병 제외), 제2도 심재성 이상의 화상, 동상 환자 5) 입주위 피부염, 보통여드름, 주사(rosacea) 6) 신기능장애 환자 7) 임신부 -Tretinoin: Category D -Hydroquinone: Category C -Hydrocortisone: Category A(호주) 8) 12세 이하: 안전성 미확립 〈주의〉 1) 사용전 소량으로 피부과민반응 테스트 (24시간 관찰): 경미한 발적에는 사용 가능하나, 가려움, 수포, 염증, 습진, 피부염 발생시에는 사용 금함. 2) 외용으로만 사용하며 눈, 코, 구강 점막에 사용하지 않도록 함. 3) 사용 부위에 백색 반점이 나타나면 사용 중지 4) 강한 자외선과 햇빛으로부터 보호하도록 함. 5) 검은 피부반점 탈색되면 빈도를 줄임. 6) 적용 부위가 전체 피부의 10%를 넘지 않도록 함 〈취급상 주의〉 1) 직사광선 및 동결 피하여 15℃이하 냉소 보관
1g 중 Polidocanol 470 30mg, Urea 50mg **Optiderm cream** 옵티덤크림 …50g/EA	1) 1일 2회 환부에 고르게 도포 2) 보통 3주간 투여	1) Urea : 보습작용, 각질용해 작용 Polidocanol : 국소마취, 항소양 작용 2) 요소와 polidocanol이 복합되어 피부의 수분-지질 균형을 유지시키며 통증과 소양증을 동시에 완화시킴. 3) 적응증: 소양성 및 건성 피부질환에 대한 지속적 치료 및 증상 완화 후의 유지요법제 또는 보습 조절제	- 작열감, 발적, 가려움, 농포형성	〈금기〉 1) 급성 염증성, 삼출성 및 감염성 피부질환 또는 급성 홍피증이 있는 환자 〈취급상 주의〉 1) 실온 보관(개봉 후 6개월 사용가능)

13장. 외용제(External preparations)

약품명 및 함량	용법	약리작용 및 효능	부작용	주의 및 금기
Ofloxacin Tarivid otic soln 타리비드이용액 …15mg/5ml/EA	1) 성인 : 1일 2회 1회 6~10방울 귀에 점적 이후 10분간 가만히 둠. 2) 소아 : 방울수를 적절히 감량 사용함.	1) Quinolone계 항균제 2) 중이염과 외이염의 주요 원인균인 구균속 및 녹농균을 포함한 G(+), G(-)에 대해 항균력을 가짐.	– 적용부위 반응(3%), 이통(1%), 이명, 이루	〈주의〉 1) 4주간 투여를 표준으로 하고, 그 이상 투여시에는 신중히 투여 2) 경구제의 경우 18세 이하에서는 arthropathy 및 비가역적인 cartilage erosion 유발로 안전성 미확립이므로 점이제 사용시 주의를 요함. 3) 약액의 온도가 낮으면 현기증을 일으킬 수 있으므로 체온에 가깝게 한 후에 사용함. 4) 임신부, 수유부, 1세 미만의 영아 : 안전성 미확립
1ml 중 Ciprofloxacin 3mg, Fluocinolone acetonide 0.25mg **Cetraxal plus otic soln** 세트락살플러스점이액 …10ml/EA	1) 7세 이상의 소아 및 성인 : 4~6방울 8시간마다 감염된 귀에 점적 2) 치료기간 : 7~8일 3) 약액의 온도가 낮으면 어지러움을 일으킬 수 있으므로 용기를 손으로 잡아 따뜻하게 한 후 투여 4) 귀가 위쪽으로 향하게 하여 점적 후 30초간 유지	1) Fluoroquinolone계 항생제와 corticosteroid의 복합 점이제 2) 적응증 : S. aureus, P. mirabilis, P. aeruginosa에 의한 급성 외이염의 치료	* Ciprofloxacin (otic) – 적용부위 통증(2~3%) – 진균증(2~3%) – 가려움(2~3%) * Fluocinolone (topical) (빈도 미확립) – 건조한피부, 가려움, 작열감	〈금기〉 1) 고막에 천공이 있는 환자 2) 급성 또는 만성 중이염 환자 3) 외이도의 바이러스성 감염 환자 〈주의〉 1) 임신부 : Category C 2) 수유부 : 모유이행 가능성 3) 만 7세 미만의 소아 : 안전성, 유효성 미확립 〈취급상 주의〉 1) 유효기간 : 개봉 후 30일

약품명 및 함량	용법	약리작용 및 효능	부작용	주의 및 금기
Benzethonium Cl Care gargle 케어가글액 …10mg/100ml/BT	1) 적당량(15ml)을 사용하여 입안을 헹굼 2) 1일 2~3회 사용	1) 방부 활성 및 양이온 계면 활성이 있는 4급 암모늄 화합물로 세균 내 유기 물질과 단백질을 흡착하여 살균 효과를 나타냄 2) 적응증 : 구강내 소독, 발치 수술 또는 구강수술 후의 소독 · 살균 및 충치의 예방	1) ~5% – 피부 자극감	〈금기〉 1) 30개월 이하의 소아 〈주의〉 1) 소아 : 경련 유발 가능 2) 구내 미란이 심한 환자 3) 구강 세척용으로만 사용
Benzydamine HCl Tantum gargle 탄툼액 …150mg/100ml/BT	1) 1일 2~3회 원액 15ml 그대로 혹은 소량의 물에 희석하여 구강 세척	1) 염증부위의 prostaglandin 합성억제를 통한 항염작용과 국소마취 효과 2) 염증 원인 물질 반응 억제, 부종 억제, 조직괴사 방지로 소염작용 3) 구강 점막에 대한 침투성이 높고 염증조직내에 고농도로 분포됨. 4) 치과, 이비인후과 영역에서의 구강, 인후염증 치료에 사용함.	– 구강점막의 따끔거림 – 트림, 구역, 구토 – 과민반응	〈주의〉 1) 의사지시 없이 7일 이상 연속투여 금지 2) 본제에는 황색 4호(tartrazine)가 포함되어 있으므로 이 성분에 과민한 환자 주의
Benzydamine HCl Tantum verde nebulizer 탄툼베르데네뷸라이저 …45mg/30ml/EA	1) 1일 2~6회, 각 회마다 연령에 따라 다음과 같이 분무함. – 성인 : 각 횟수마다 4~8번 – 6~12세 : 각 횟수마다 4번 – 6세 미만 : 각 횟수마다 4kg 당 1번 (최대 4번) 2) 1회 분무량 : 0.17ml 3) 1EA = 약 150회 사용 분량	1) NSAIDs(Nonsteroidal Antiinflammatory drugs)로서 염증부위의 prostaglandin 합성 억제를 통한 항염작용과 국소마취 효과 2) 기존의 가글제(탄툼)와 달리 분무관을 통해 약액을 분사하는 네뷸라이져 제형으로 소아에게 사용 가능함. 3) 적응증 : 인후, 구강, 잇몸, 발치 전후의 염증 치료 및 진통	– 구강 점막의 마비감, 찌르는 듯한 느낌, 작열감 – 과민반응 – 트림, 구역, 구토	〈주의〉 1) 매일 세잔 이상 정기적으로 음주하는 환자의 경우 이약을 삼키거나 다른 해열 진통제를 복용할 경우 위장출혈이 나타날 수 있음. 2) 장기간 사용시 과민증 유발할 수 있음.
Chlorhexidine digluconate Hexamedin soln 0.1% 헥사메딘액 …100mg/100ml/BT	1) 15ml bid 1분간 양치질 2) 의치로 인한 구내염 : 1일 2회 15분간 담가 세척	1) 광범위 항균, 항진균 효과가 있는 방향성 함소제 2) 구강, 인후, 치주 질환, 충치의 예방 및 염증 완화 3) 의치에 의한 염증, 아구창 등의 구강내 칸디다 감염증, 치은염, 인두염, 아프다성 구내염, 치근막 수술 후 살균 소독에 사용	– 구강 : 치아나 구강 표면 착색 증가, 치석형성 증가, 미감각의 변화 – 속 : 구역, 불쾌감, 식은땀, 어지러움, 답답함, 호흡곤란, 발작 – 과민증 : 발진, 두드러기 – 일시적 이하선염	〈금기〉 1) 내복용으로 사용 금기 〈주의〉 1) 구강내 정상 세균총의 불균형을 유발할 수 있으므로 10일 이상 투여하지 말 것 2) 천식 등 알레르기 질환 있거나 병력 또는 가족력 있는 환자에 신중투여 3) 임신부, 수유부, 18세 미만 소아 : 안전성, 유효성 미확립

약품명 및 함량	용법	약리작용 및 효능	부작용	주의 및 금기
Ketoprofen lysinate Aukifen soln 1.6% 오키펜액 …2.4g/150ml/BT	1) 10ml씩 1일 2회 가글 2) 1회량을 100ml의 물에 희석하여 입안을 헹구어 내거나 가글 한 후 뱉음.(원액 또는 소량의 물로 희석하여 사용 가능)	1) NSAIDs 가글용제 2) 불용성 약물인 ketoprofen에 아미노산인 lysine을 결합, 염화시켜 진통, 소염, 해열효과를 유지시키면서 약물의 용해도를 증가시킴. 3) 적응증 : 치은염, 구내염, 인두염, 발치 전후의 염증 완화	- 국소지각감퇴, 국소지각착오, 구강 작열감, 구갈, 인두염 등	〈금기〉 1) NSAIDs에 알레르기 반응(천식, 두드러기, 비염 등) 및 그 병력이 있는 환자 2) 6세 미만 소아 〈주의〉 1) 기관지 천식 환자(천식발작 유발) 2) 고령자 3) 임신부 : Category C 4) 삼키지 말 것 5) 다른 소염진통제와의 병용은 피함. 6) 1주일 정도 사용 후 증상의 개선이 보이지 않을 경우 사용 중지함. 7) 수유부, 소아 : 안전성 미확립

약품명 및 함량	용법	약리작용 및 효능	부작용	주의 및 금기
Azelastine HCl Azeptine nasal soln 아젭틴비액 …10mg/10ml/EA	1) 알레르기성 비염 : (성인) 1회 각 비공마다 1 puff씩 1일 2회 분무 2) 혈관 운동성 비염 : (12세 이상) 각 비공마다 2 puff씩 1일 2회 3) 1 puff=0.14mg	1) Phthalazinone계 항히스타민제로, histamine 유리억제, leukotriene 생산 및 유리억제와 길항작용 나타냄. 2) 다년성 및 계절성 알레르기성 비염(고초열), 혈관 운동성 비염에 사용	- 비점막 과민증, 비출혈, 쓴맛, 구역	〈금기〉 1) 6세 이하의 소아 2) 임신부 : Category C(국내허가사항금기) 3) 수유부 : 안전성 미확립 〈주의〉 1) 8℃ 이하의 냉소 및 냉장 보관하지 않음. 2) 개봉 후 6개월 이상 사용하지 않음. 3) 졸음을 유발 할 수 있어 위험한 기계조작 하지 않도록 함.
Budesonide Pulmicort nasal soln 풀미코트비액 …10.176mg/15.9ml/EA	다음 용량을 각 비공에 분무함. 1) 비염 : (성인 및 6세 이상 소아) 4 puff qd or 2puff bid 2) 비용종 증상 치료 : (성인) 4 puff qd or 2 puff bid 3) 1EA=240 puff, 1 puff=32mcg/50μL	1) Corticosteroid로 염증반응 과정 억제, 모세혈관 증식, 콜라겐침착 감소. 2) 분사제 및 부형제가 포함되지 않아 비강에 대한 자극 없음. 3) 알러지성, 혈관운동성 비염 치료에 사용함. 4) 비용종(Nasal polyps) 증상 치료 및 절개술 후 재발방지	- 재채기, 비출혈 - 구갈, 소화불량 - 안압상승, 녹내장	〈금기〉 1) 최근에 비수술이나 비중격 궤양이 있었던 환자 〈주의〉 1) 3주 지나도 증상의 개선이 없는 경우 주치의와 상의하도록 함. 2) 장기투여 할 경우 6개월마다 비점막 검사시행 3) 임신부 : Category C 4) 수유부 및 6세 미만 소아 : 안전성 미확립 〈보관상 주의〉 1) 사용 후 용기(nasal application)를 온수에 씻어서 건조시킨 후 보관
Ciclesonide Omnaris nasal spray 옴나리스나잘스프레이 …6mg/EA	1) 각 비강에 2 puff씩 qd (Max. 각 비강에 2 puff/D) 2) 부드럽게 흔들어준 후 사용하며, 최초 사용시에는 8회 시험분사 후 사용 3) 1EA=120회, 1회 분무량=50mcg	1) 국소에 작용하는 corticosteroid (비강분무액) 2) 기도 및 폐의 esterase에 의해 가수분해되어 활성형 des-ciclesonide로 전환되어 항염증 작용을 나타냄. 3) 적응증 - 계절성 알레르기 비염(6세 이상) - 통년성 알레르기 비염(12세 이상) 4) Prodrug 형태인 ciclesonide 자체는 glucocorticoid 수용체 친화력이 낮아 전신작용이 거의 없음.	1) 10%~11% - 두통, 비인두염 2) 1~10% - 상기도감염(≤9%), 코피(≤8%), 비출혈(≤6%), 부비동염(≤6%), 인후두통(≤5%), 쉰소리(≥3%), 폐렴(≥3%), 역행성 기관지 수축	〈주의〉 1) 코와 인두의 칸디다감염, 상처치유 장애 등을 초래할 수 있으므로 주의 2) 녹내장, 백내장 위험 있으므로 주의 3) 소아에 투여시 성장속도 감소될 수 있으므로 성장을 주기적으로 확인 4) 비강 내 corticosteroid는 즉각적인 증상개선 효과는

약품명 및 함량	용법	약리작용 및 효능	부작용	주의 및 금기
		5) Onset : 1hrs BA : <1%(0.1%) T½ : 6~7hrs	(2%) - 발성장애(1%) - 인플루엔자(≥3%)	없으므로 환자 임의로 증량하지 않도록 주의 5) 65세 이상 고령자 6) 임신부, 수유부 : 안전성 미확립 7) 소아 : (계절성) 6세 미만 (통년성) 12세 미만 〈상호작용〉 1) CYP3A4 저해제 (특히, ketoconazole)과 병용시 desciclesonide 농도 증가 〈취급상 주의〉 1) 개봉 후 4개월 이내 사용
Fluticasone furoate Avamys nasal spray 아바미스나잘스프레이 …3.3mg/EA	1) 성인 및 12세 이상 청소년 - 초기 : 각 비강에 2 puff씩 qd - 유지 : 각 비강에 1 puff qd로 감량 가능 2) 2~11세 소아 - 초기, 유지 : 각 비강에 1 puff qd (Max. 각 비강에 2 puff qd) 3) 매번 흔들어 사용하며, 최초 사용시에는 6회 시험분무 후 사용 4) 사용 후 계절성 알레르기 비염은 24hrs 이내, 통년성 알레르기 비염은 4일 이내 증상 개선 5) 1EA=120회, 1회 분무량=27.5mcg	1) 국소에 작용하는 corticosteroid (비강분무액) 2) Nuclear factor-kB를 매개로 한 alkaline phosphate release를 억제하여 항염 효과를 나타내고 elastase에 대한 표피세포 손상을 방지하여 항염 및 세포보호 효과를 나타냄. 3) 적응증 : 계절성 또는 통년성 알레르기 비염 증상의 치료(2세 이상) 4) 후릭소나제나 나조넥스보다 glucocorticoid 수용체에 더 빨리 작용하고 더 오래 머무르며, 상대적 수용체 친화성이 향상(Respiratory Research 2007;8:54) 〈상대적 수용체 친화성 비교〉 (dexamethasone 100 기준) - F.furoate : 2,989 - F.propionate : 1,775 - Mometasone furoate : 2,244	1) >10% - 두통(7~16%) 2) 1~10% - 발열(1~5%), 현기증(1~3%) - 오심/구토(3~5%), 복통(1~3%), 설사(1~3%) - 저배통(1%) - 인두염(6~8%), 코피(4~7%), 천식 증상(3~7%), 기침(3~4%), 인후통(2~4%), 비점막 출혈(1~3%), 기관지염(1~3%), 코감기(1~3%), 비궤양(1%) - 통증(1~3%), flulike syndrome(1~3%)	〈주의〉 1) 중증 간부전 환자 2) 코의 칸디다감염, 상처치유장애 등을 초래할 수 있으므로 주의 3) 녹내장, 백내장 위험있으므로 주의 4) 소아 환자에 투여시 성장속도 감소시킬 수 있으므로 성장을 주기적으로 확인 5) 비강내 corticosteroid는 즉각적인 증상 개선 효과는 없으므로 환자 임의로 증량하지 않도록 주의 6) 임신부, 수유부, 2세 미만 소아 : 안전성 미확립 〈상호작용〉 1) CYP3A4 저해제 (특히, ritonavir)와 병용시 이 약의 독성 증가

약품명 및 함량	용법	약리작용 및 효능	부작용	주의 및 금기
Ipratropium bromide Rhinovent nasal spray 리노벤트비액 …4.5mg/15ml/EA	1) 12세 이상 : 1 puff bid~tid 2) 7~12세 : 1 puff bid 3) 각 비공에 한 번씩 분무 4) 1EA=170회, 1회 분무당량 : 42mcg	1) Antimuscarinic agent로 코, 인두의 분비를 저해함. 2) 알레르기성 및 비알레르기성 비염의 증상(콧물) 완화	1) 1~10% - 피로 - 소화불량 - 기침	〈금기〉 1) Atropine 과민증인 환자 2) 녹내장, 전립선 비대증 환자 3) 감염성 비염환자 〈주의〉 1) 눈을 향해 분사하지 않도록함.(∵산동 작용) 2) 임신부 : Catagory B 3) 수유부, 6세 이하 소아 : 안전성 미확립 4) 과도한 비강건조 발생시 의사와 상의
Mometasone furoate Nasonex nasal spray 나조넥스나잘스프레이 …7mg/EA	1) 알러지성 비염 ① 성인 및 12세 이상 소아 : 각 비공에 2 puff qd - 증상 경감시: 각 비공에 1 puff qd - 증상이 경감 안될 경우 : 각 비공마다 최대 4 puff(증상 개선시 감량) ② 2~11세 소아 : 각 비공에 1 puff씩 qd 2) 비용종 : 2 puff qd (Max. 2 puff bid, 5~6주간) 3) 급성 비부비동염 : 2puff bid 4) 1EA=140회, 1회 분무량=50mcg	1) 비강용 corticosteroid 제제 2) 계절성 알러지성 비염의 예방 및 치료 효과 있음. 3) 예방 요법의 경우 알레르기원 노출 2~4주전 약물 사용을 시작할 수 있음. 4) 18세 이상의 비용종 치료 5) 12세 이상 : 중증의 세균감염이 없는 급성비부비동염의 치료	- 두통(8%) - 비출혈(8%), 비강 작열감(2%), 비자극(2%), 비궤양(1%)	〈금기〉 1) 비강점막에 치료되지 않은 국소 감염이 있는 환자 2) 최근에 비강 수술을 받은 환자 3) 2세 미만 소아 〈주의〉 1) 전신 corticosteroid 투여에서 이 약으로 전환할 경우 금단 증상이 나타날 수 있으나, 이 약을 지속 사용할 것을 권장함. 2) 임신부 : Category C 3) 수유부 : 안전성 미확립 〈취급상 주의〉 1) 약액이 균일하게 분사될 수 있도록 사용 전 충분히 흔들어 주도록 함. 2) 14일 이상 사용하지 않은 경우 2회 시험분사 함. 3) 개봉 후 2개월 이내 사용 4) 사용 후에는 흰 펌프를 분리하여 뚜껑과 펌프 및 분사구를 수돗물로 세척하여 건조한 후 보관함.
Phenylephrine HCl Phenephrine nasal drops 페닐에프린액 …5mg/ml	1) 성인 및 12세 이상 소아 : 1회 2~3 적씩 필요에 따라 4시간마다 비강내에 점적	1) α-agonist로 코혈관 수축작용이 있어 비점막 출혈 제거 2) 속효성 제제로 분무 후 2~3분 경과시 약효 발현 3) 세균, 바이러스감염, 대기중의 먼지로 인한 코점막 allergy 등 여러 원인에 의한 비충혈을 해소시킴. 4) 감기, 고초열, 부비강염, 상기도 알레르기에 의한 비충혈의 일시적 완화에 사용	- 비강점막의 만성 종창, 작열감, 과민증상 - 진전, 불면증	〈금기〉 1) MAOI 투여 환자 〈주의〉 1) 과도한 사용은 오히려 코막힘을 유발할 수 있음. 2) 3일 투여로도 증상이 개선되지 않을 경우 일단 투여 중지 후 주치의와 상의함. 3) 눈이나 귀에 사용금지 4) 변색된 제품은 사용하지 않음. 5) 임신부 : 안전성 미확립

약품명 및 함량	용법	약리작용 및 효능	부작용	주의 및 금기
Sodium chloride Nasalin plus spray 나자린플러스분무액 …7.04mg/ml, 75ml/EA	1) 필요시 2~3시간마다 각 비강 내에 분무 - 1개월 이내 영아 : 1회 - 1개월~12개월 : 1~2회 - 1세~2세 : 1~3회 - 2세~5세 : 1~4회 - 5세~8세 : 1~5회 - 8세~12세 : 1~6회 - 성인 : 1~8회	1) 비강 세척 및 비점막 습윤제 2) 비강 스프레이 제형으로서, 생리 식염수를 충진하여 재사용 가능 3) 효능, 효과 ① 코점막 분비물 또는 화농성으로 인한 코막힘에 비강세척 ② 비점막 건조증상의 완화		〈금기〉 1) 염화벤잘코늄(보존제) 과민환자 〈주의〉 1) 지금까지 점비약에 대하여 알레르기 증상(발진, 발적, 종창, 자극감 등)을 일으킨 적이 있는 사람, 최근에 코 수술을 했거나, 병변이 있는 사람은 주치의와 상의 후 사용 2) 액이 후두나 인두로 흘러 들어가지 않도록 옆으로 비스듬히 눕거나 일어선 상태로 머리를 기울여서 사용함 (후두로 들어갈 경우 후두 경련 가능).

약품명 및 함량	용법	약리작용 및 효능	부작용	주의 및 금기
Carbomer Liposic ophthalmic gel 리포직점안겔 …20mg/10g/EA	1) 1일 2~5회 1적씩 점안 2) 취침 시에는 약 30분 전에 점안	1) 살균작용과 계면활성작용이 있는 4급 암모늄 겔(gel) 타입의 점안제로, 천연의 눈물막을 지속시키고 보완하여 건조한 눈 보호 및 윤활 작용을 함. 2) 적응증 : 눈의 건조증상의 완화	- 과민반응	〈금기〉 1) 염화벤잘코늄(보존제) 과민 환자 〈주의〉 1) 콘택트렌즈는 이 약 점적 30분 이후에 재착용할 것. 2) 다른 점안제와 병용 시 최소 15분의 간격을 두고 투여하며 본 약제를 가장 나중에 사용할 것. 3) 점안으로 인해 일시적으로 시야가 흐려진 경우, 운전이나 위험한 기계 조작 금함. 4) 소아 : 안전성 미확립 〈취급상 주의〉 1) 실온보관(25℃ 이하 보관) 2) 개봉 후 28일 이내 사용
Carboxymethylcellul-ose sodium Refresh plus eye drop 리프레쉬플러스점안액 0.5% …2mg/0.4ml/EA	1) 용기의 끝부분을 앞뒤로 완전히 구부린 다음 당겨서 개봉함. 2) 필요시 증상이 있는 눈에 1~2방울씩 점안함.	1) Carboxymethyl cellulose는 생체 유착력이 높은 고분자 물질로서 눈물막 안정화 작용과 윤활 작용을 가짐. 2) 안구건조증, 바람 · 태양에 노출되어서 생기는 화끈거리는 증상, 자극감, 불쾌감의 일시적 완화 및 안구 자극감 예방	- 통증, 시야변화, 충혈, 자극감	〈주의〉 1) 1회 사용 후 재사용하지 말고 남은 액과 용기 폐기 2) 오염을 피하기 위해 용기의 팁이 외부에 닿지 않도록 함. 3) 약의 색이 변했거나 혼탁된 것은 사용하지 않음.
Cyclosporine Restasis ophthalmic soln 레스타시스점안액 0.05% …0.2mg/0.4ml/EA	1) 1일 2회 12시간마다 각 눈에 1적씩 점안 2) 사용전 균일한 유탁액이 되도록 상하로 뒤집어 섞어 사용	1) 눈물공급 촉진제(안구건조증 치료제) 2) T-cell 면역반응과 연계된 염증반응을 억제하여 누선의 파괴를 막고 눈물의 분비를 증가시킴. 3) 적응증 : 건조각막결막염과 관련된 안염증으로 인해 눈물 생성이 억제된 환자에 있어 눈물 생성의 증가	1) ＞10% - 눈의 작열감(17%) 2) 1~10% - 결막충혈, 분비물, 눈물, 눈의 동통, 이물감, 가려움, 자통, 시야혼탁 (각 1~5%)	〈금기〉 1) 활동성 안감염 환자 〈주의〉 1) 1회용 포장으로서 보존제를 함유하지 않으므로, 개봉 후 즉시 사용하고 남은 액은 폐기함. 2) 이 약과 인공누액을 동시에 사용할 경우 15분의 시간 차이를 두고 투여하도록 함. 3) 콘택트렌즈는 이 약 투여후 15분이 지난 뒤 착용 가능 4) 임신부 : Category C 5) 16세 미만 소아 : 안전성 및 유효성 미확립 6) 수유부 : 안전성 미확립 〈취급상 주의〉 1) 상온(15~25℃) 보관

약품명 및 함량	용법	약리작용 및 효능	부작용	주의 및 금기
Diquafosol sodium Diquas eye drop 디쿠아스점안액 3% …0.15g/5ml/EA	1) 1일 6회 1적씩 점안	1) P2Y2 receptor agonist 2) 결막의 P2Y2 수용체에 작용하여 뮤신, 수분 공급을 촉진함. *참고: P2Y2 수용체는 눈 표면조직(안검, 안구, 결막 상피, 마이봄샘 등)에만 존재하며, 이 수용체의 효능제인 UTP(or ATP)등이 작용 시 결막에서 뮤신 및 수분 공급을 촉진함. 3) 적응증: 안구건조증과 관련한 증상(각결막 상피장애)의 개선	1) 5~10% - 눈 자극감 2) 0.1~5% - 안지(눈곱), 결막충혈, 눈 통증, 가려움, 이물감, 불쾌감, 결막하 출혈, 눈의 이상감(건조감, 위화감, 끈적이는 느낌), 시야흐림, 눈부심, 유루(눈물흘림) - 두통 - 안검염(눈꺼풀염) - 호산구 증가, ALT (GPT) 상승	〈주의〉 1) 소프트 콘택트렌즈 착용 중 사용 금지(∵보존제로 벤잘코늄염화물 함유) 2) 다른 점안제와 병용 시, 최소 5분 이상의 간격을 두고 투여 3) 임신부, 수유부, 소아: 안전성 미확립 〈취급상 주의〉 1) 직사광선 피해 서늘한 곳, 실온보관(1~30℃) 2) 개봉 후 31일 이내 사용
Povidone Optagent eye drop 옵타젠트점안액 …0.2g/10ml/EA	1) 1일 4~5회 1~2적씩 점안	1) 인공누액 2) 점성과 항균력이 있는 povidone의 수용액으로 눈물 막의 안정화 및 ocular surface에 얇은 막을 형성하여 건조안 또는 하드 렌즈 착용시 눈물 생성 결함으로 인한 눈의 자극을 제거시켜 줌. 3) 하드 콘택트렌즈 착용 가능	- 드물게 과민반응	〈금기〉 1) 소프트렌즈 착용 〈주의〉 1) 감염을 예방하기 위하여 점안시 용기의 끝이 눈에 닿지 않도록 할 것
Sodium hyaluronate Hyabak eye drop 히아박점안액 0.15% …15mg/10ml/EA	1) 1일 5~6회 1적씩 점안, 증상에 따라 증감	1) Mucopolysaccharide 제제 (인공눈물) 2) 눈의 건조 방지 및 상피 세포의 치유 촉진 3) 적응증: 다음 질환에 의한 각결막 상피장해 - 쇼그렌증후군, 피부점막안증후군(스티븐스-존슨증후군), 건성안증후군 등의 내인성 질환 - 수술 후, 약제성, 외상, 콘택트렌즈 착용 등에 의한 외인성질환 4) 무보존제 점안액이나 개봉 후 8주까지 사용 가능 (ABAK system)	(빈도 미확립) - 안검 소양감, 눈자극감, 결막염, 충혈, 결막충혈, 미만성 표층각막염 등의 각막장애, 이물감, 안지, 안구 통증 - 안검염, 안검피부염	〈금기〉 1) 단백질계 약물에 과민한 환자 〈주의〉 1) 다른 점안제와 함께 사용할 경우: 약 30분 후에 이 약을 점안

약품명 및 함량	용법	약리작용 및 효능	부작용	주의 및 금기
Sodium hyaluronate Hyalein mini eye drop 히아레인미니점안액 0.3% …1.2mg/0.4ml/EA	1) 1일 5~6회 1적씩 점안 2) 증상에 따라 적의 증감 3) 1회용 제품	1) 높은 점도의 mucopolysaccharide 제제 2) 눈의 건조 방지 및 상피 세포의 치유 촉진 3) 안구건조, 각결막상피장애(Sjogren, Steven-Johnson syn.)개선, 수술 후 감염, 외상, 콘택트렌즈 착용 등에 의한 외인성 질환에 사용함. 4) 0.3%(고농도 제품) 허가사항: 중증질환 등에서 0.1%제제의 효과가 불충분한 경우 투여	- 소양감, 자극감, 충혈 - 안내압 상승 - 과민성	〈금기〉 1) 단백질계 약물에 과민한 환자 〈주의〉 1) 최초 사용시 1~2적은 점안하지 않고 버림(개봉시의 용기 파편 제거) 2) 개봉한 후에는 1회만 사용 (보존제 없음) 3) 다른 점안제 병용시, 약 30분후에 점안
Sodium hyaluronate Lacure eye drop 라큐아점안액 0.1% …5mg/5ml/EA	1) 1일 5~6회 1적씩 점안, 증상에 따라 증감	1) 높은 점도의 mucopolysaccharide 제제 2) 눈의 건조 방지 및 상피 세포의 치유 촉진 3) 적응증 : 쇼그렌증후군, 피부점막안증후군(스티븐스-존슨증후군), 건성안증후군 등의 내인성 질환, 수술후 약제성, 외상, 콘택트렌즈 착용 등에 의한 외인성질환에 수반되는 각결막상피장해 치료 보조제	- 소양감, 자극감, 충혈 - 안내압 상승 - 과민성 - 결정침착, 각막부종	〈금기〉 1) 단백질계 약물에 과민한 환자 〈주의〉 1) 콘택트렌즈 착용상태에서 사용 금지(보존제로 벤잘코늄염화물 포함) 2) 다른 점안제 병용시, 약 30분후에 점안
Sodium hyaluronate Tearin-free ophthalmic soln 티어린프리점안액 0.1% …0.8mg/0.8ml/EA	1) 1일 5~6회 1적씩 점안 2) 증상에 따라 적의 증감 3) 1회용제품	1) 높은 점도의 mucopolysaccharide 제제 2) 눈의 건조 방지 및 상피 세포의 치유 촉진 3) 적응증 : 쇼그렌증후군, 피부점막안증후군(스티븐스-존슨증후군), 건성안증후군 등의 내인성 질환, 수술후 약제성, 외상, 콘택트렌즈 착용 등에 의한 외인성질환에 수반되는 각결막상피장해 치료 보조제	- 소양감, 자극감, 충혈, 눈꼽 - 과민증	〈금기〉 1) 단백질계 약물에 과민한 환자 〈주의〉 1) 혼탁된 것 사용 금지 2) 점안시 용기 파편 제거 위해 처음 1~2방울 버림. 3) 다른 점안제 병용시, 약 30분후에 점안 〈취급상 주의〉 1) 개봉한 후에는 1회만 사용 (보존제 없음)

13장. 외용제 ……………………4. Opthalmics ……………………………(2) Antiallergic agents

약품명 및 함량	용법	약리작용 및 효능	부작용	주의 및 금기
N-Acetylaspartyl glutamic acid Naabak eye drop 나박점안액 …0.245g/5ml/EA	1) 1일 2~6회 1적씩 점안	1) 비만세포를 안정화하여 염증매개물의 유리 저해 2) 보체 활성화를 저해하여 염증 확대 차단 3) 비만세포내 염증 유발물질인 leukotrienes의 생성 저해 4) 적응증 : 알러지성 결막염, 안검결막염에 사용함.	- 점적시 열감	〈주의〉 1) 심한 알레르기성 결막염에 부신피질호르몬제 투여를 필요로 하는 경우에는 이 약과 부신피질호르몬제를 교대로 투여함. 2) 증상이 완화된 후에도 알레르기 유발위험이 있는 기간에는 계속 투여함. 3) 개봉 후 8주 이내에 사용해야 함. 4) 임신부 및 수유부, 4세 이하 유아 : 안전성 미확립

약품명 및 함량	용법	약리작용 및 효능	부작용	주의 및 금기
Acitazanolast hydrate Allercool ophthalmic soln 알러쿨점안액 0.1% …5mg/5ml/EA	1) 1일 4회 1~2적씩 점안	1) 비만세포를 안정화하여 염증 매개물질 유리 억제 2) 적응증 : 알레르기성 결막염	1) 〈 3% – 안자극, 안통, 유량증가, 결막부종, 안검부종, 안충혈	〈주의〉 1) 눈의 통증이 심한 환자 2) Propylene glycol에 과민하거나 알레르기 병력이 있는 환자 3) 안약에 의한 알레르기 증상(눈의 충혈, 가려움, 부종, 발진, 발적) 등을 일으킨 일이 있는 환자 4) 점안시 액이 눈꺼풀 피부 등에 닿았을 경우 즉시 닦아냄. 5) 임신부, 수유부, 소아 : 안전성 미확립
Azelastine HCl Azelan ophthalmic soln 아제란점안액 …3mg/6ml/EA	1) 4세 이상 소아 및 성인 : 1회 1적씩 1일 2회 점안 (증상이 심할 경우 1일 3~4회까지 사용)	1) 위장관, 혈관, 호흡기계에 위치한 H1 수용체에 histamine과 경쟁적으로 길항 2) Leukotriene의 생성 및 유리를 억제하고 이를 길항 3) 적응증 : 알러지성 결막염	1) 〉10% – 두통(15%), 일시적 작열감(30%) 2) 1~10% – 피로 – 쓴맛(10%) – 결막염, 안통, 일시적 시야흐림 – 천식, 호흡곤란, 인플루엔자양 증상, 인두염, 비염 – 소양증	〈주의〉 1) 콘택트렌즈에 의한 자극을 치료하는 목적으로 사용 금함. 2) 염화벤잘코늄(보존제)을 함유하므로 콘택트렌즈는 점안 후 15분 이상 지난후에 착용 3) 점안 후 시야흐림이 있는 경우 운전이나 기계조작 금함. 4) 임신부 : Category C 5) 수유부, 3세 이하 소아 : 안전성 미확립
Olopatadine HCl Pataday eye drop 파타데이점안액 0.2% …6mg/3ml/EA	1) 1일 1회 1적씩 점안	1) 선택적 H1-receptor antagonist 작용과 mast cell 안정화 작용을 가져, 알러지성 결막염에 사용함. 2) pH : 7.0 로 자극감이 적음. 3) 적응증 : 알러지성 결막염으로 인한 증상 치료	1) 〉5% – 감기 및 인두염 유사증상(~10%) – 두통(~7%) 2) ≤5% – 시야흐림, 작용감, 자통, 결막염, 안구건조증, 이물감, 충혈, 과민증, 각막염, 안검부종, 안통, 가려움	〈주의〉 1) 본제 점적 후 적어도 10~15분 후에 콘택트렌즈 착용 가능(보존제 침착) 2) 본제 적용 후 눈 충혈시 콘택트렌즈 착용하지 않도록 함. 3) 보존제 : 염화벤잘코늄 4) 임신부 : Category C 5) 수유부, 3세 이하 소아 : 안전성 미확립

약품명 및 함량	용법	약리작용 및 효능	부작용	주의 및 금기
			– 무력감, 요통, 구역, 미각이상, 기침, 비염, 부비동염	
Pemirolast potassium Alegysal ophthalmic soln 알레기살점안액 …5mg/5ml/EA	1) 1일 2회 1적씩 점안	1) 비만세포를 안정화하여 염증 매개물질의 유리 억제 2) 적응증 : 알러지성 결막염, 봄철 각·결막염·결막염	– 과민증 – 안검염, 안검 피부염, 간혹 결막충혈, 자극감	〈주의〉 1) 점적 후 적어도 10~15분 후에 콘택트렌즈 착용 가능(보존제(벤잘코늄염화물) 침착) 2) 임신부 : Category C 3) 수유부, 미숙아, 신생아, 유아 : 안전성 미확립

약품명 및 함량	용법	약리작용 및 효능	부작용	주의 및 금기
Gatifloxacin Gatiflo ophthalmic soln 가티플로점안액 0.3% …15mg/5ml/EA	1) 세균성 결막염, 검판선염, 각막염, 각막궤양 : 1일 3회 1적씩 (적절히 증감) 2) 안과수술시 무균화 요법 : (수술전) 1일 5회 1적씩, (수술후) 1일 3회 1적씩	1) 4세대 fluoroquinolone계 항균 점안제로 topoisomerase II, IV를 동시에 억제하여 살균작용을 나타냄. 2) 적응증 : 다음 균종에 의한 세균성 결막염, 검판선염, 각막염(각막궤양 포함)의 치료, 안과수술시 무균화 요법 G(+) : Staphylococcus spp. Streptococcus spp. Enterococcus spp. Corynebacterium spp. 아크네균 G(–) : M. catarrhalis, Citrobacter freumdii, K.pneumoniae, Serratia spp., M. morganii, H. influenzae, Pseudomonas spp., Sphingomonas paucimobilis, Stenotrophomonas maltophilia, Acinetobacter spp.	1) 5~10% – 결막 자극감, 각막염, 눈물 증가, 유두결막염 2) 1~4% – 두통 – 미각 장애 – 결막 부종, 결막 출혈, 삼출, 안구 건조, 부종, 자극, 통증, 시력 감소	〈금기〉 1) Quinolone계 약물에 과민한 환자 〈주의〉 1) 장기 사용시 비감수성균의 과잉 성장 초래 가능 2) 수유부, 1세 미만 영아 : 안전성 미확립 3) 임신부 : Category C 〈취급상 주의〉 1) 실온보관
Levofloxacin Oculevo ophthalmic soln 오큐레보점안액 0.5% …25mg/5ml/EA	1) 1일 3회 1적씩 점안	1) Quinolone계 광범위 항균 점안제 2) 포도상구균속, 연쇄상구균속, 폐렴구균, 소구균속, 장구균속, Corynebacterium spp., Moraxella (Branhamella) catarrhalis, Serratia spp., Proteus spp., Acinetobacter spp., 녹농균 등에 항균작용	1) 1~10% – 일시적 시력감퇴, 작열감, 이물감, 눈부심, 안통 2) 〈1% – 알러지반응,	〈금기〉 1) Quinolone계 항생 물질에 과민한 환자 〈주의〉 1) 점안용으로만 사용함. 2) 장기 사용시 비감수성균의 성장을 초래할 수 있으므로 치료상 필요한 최소 기간만 투여함.

약품명 및 함량	용법	약리작용 및 효능	부작용	주의 및 금기
		3) 안검염, 맥립종, 누낭염, 결막염, 검판선염, 각막염, 각막궤양, 수술 후의 감염증에 사용함.	눈꺼풀 부종, 안구건조, 소양감	3) 임신부 : Category C 4) 수유부, 1세 미만 영아 : 안전성 미확립
Moxifloxacin Vigamox eye drop 비가목스점안액 0.5% …25mg/5ml/EA	1) 세균성결막염, 검판선염, 각막염 : 1일 3회 1적씩 점안 2) 안과수술 전후 무균화 요법 : (수술 전) 1일 5회 1적씩, (수술후) 1일 3회 1적씩 3) 다른 점안제와 병용 투여시 적어도 5분 간격 두고 투여	1) Fluoroquinolone계 항균 점안제 2) Topoisomerase II, IV를 억제하여 항균작용을 나타냄. 3) 적응증 : 감수성 균종(제품설명서 참조)에 의한 세균성 결막염, 검판선염, 각막염(각막궤양 포함)의 치료, 안과수술 전후의 무균화요법	– 결막염, 시력감소, 안구건조, 각막염, 안구불편감, 안구충혈, 안구통증, 가려움증, 결막하 출혈, 눈물 (1~6%) – 발열, 기침, 감염, 중이염, 인두염, 발적, 비염 (1~4%)	〈금기〉 1) Quinolone계 약물에 과민한 환자 2) 1세 미만 영아 〈주의〉 1) 결막하 주사 및 안구 전방에 직접 주입 금함. 2) 장기적으로 사용시 비감수성균의 과도한 성장 초래 가능 3) 세균성 결막염 증상이 있는 경우 콘택트렌즈 착용 금함. 4) 임신부 : Category C 5) 수유부 : 안전성 미확립 6) 임균성 결막염의 예방이나 실험적치료에 사용되어서는 안됨.
Ofloxacin Ocuflox eye oint 오큐프록스안연고 …15mg/5g/EA	1) 1일 3회 도포(점안) 3) 수술후 감염증 – 수술전 2일간 : 1일 5회 점안 – 수술 당일 : 수술시각, 종류에 따라 적의 점안, 수술직후 1회 점안 – 이후 : 포대 교환시마다 점안	1) Quinolone계 광범위 항균제 2) 포도구균속, 연쇄구균속, Micrococcus속, 폐렴구균속, Corynebacterium속, Pseudomonas속, Haemophilus속, Serratia속, Klebsiella속, Proteus속, 혐기성균 등에 항균작용 3) 안검염, 맥립종, 누낭염, 결막염, 각막염, 각막궤양 및 수술후 감염에 사용함.	1) >10% – 안구 작열감, 결정 생성 2) 1~10% – 점안후 불쾌한 맛 – 결막충혈, 가려움, 안구 및 안면부종, 발적, 광선 공포증	〈금기〉 1) Quinolone계에 과민한 환자 〈주의〉 1) 점안용으로만 사용함. 2) 장기사용시 비감수성균의 성장을 초래할 수 있으므로 치료상 필요한 최소기간만 투여(트라코마의 경우 8주 – 안연고에 한함) 3) 임신부 : Category C 4) 1세 미만 영아, 수유부
Tobramycin Tobra eye drop 토브라점안액 …15mg/5ml/EA	1) 보통 q 4hrs 1~2적씩 점안 2) 중증 감염증 초기에 q 1hr 2적씩 점안 후 점차 감량, 중단함.	1) 세균의 단백합성을 저해함. 2) Staphylococcus, Streptococcus, Pseudomonas, E.coli 등에 감수성 있으며 gentamicin 내성의 일부 병원균에도 감수성 있음. 3) 소아에 사용 가능함. 4) 적응증 : 안검염, 누낭염, 다래끼, 결막염, 각막염, 각막궤양	– 자극감, 자극통 – 안검 소양증, 안검 종창, 결막 홍반 – 과량 투여시 점상 각막염, 홍반, 눈물 증가	〈금기〉 1) Aminoglycoside계 항균제나 bacitracin에 과민한 환자 〈주의〉 1) 내성균 발현의 우려가 있으므로 가능한 단기간 사용함. 2) 쇽 등의 반응을 예측하기 위해 사용 전 문진을 실시하고 피부반응 시험을 실시하는 것이 바람직함. 3) 임신부, 수유부 : 안전성 미확립

약품명 및 함량	용법	약리작용 및 효능	부작용	주의 및 금기
Tosufloxacin tosylate Ozex eye drop 오젝스점안액 0.3% …15mg/5ml/EA	1) 성인 및 소아 - 1일 3회 1적씩, 14일간 점안 2) 안과수술시 무균화요법 - 수술 전 2일간 : 1일 5회 - 수술 후 14일간 : 1일 3~6회 점안	1) Fluoroquinolone계 항균 점안제로 DNA gyrase 및 Topoisomerase Ⅳ에 작용, DNA 복제를 저해하여 살균작용을 나타냄. 2) 적응증 : 세균성 결막염, 각막염(각막궤양을 포함), 검판선염, 안과수술시 무균화 요법 3) 유효균종: Staphylococcus spp., Streptococcus spp., S. pneumoniae, H.influenzae, P.aeruginosa, C.trachomatis 등 4) 신생아 및 영아에 투여 가능함	- 쇼크, 아나필락시양 증상 - 안자극, 점상각막염 등 의 각 막 장 애 (0.5~1%) - 안구통증, 안검피부염, 시야흐림, 안구충혈, 가려움증, 산립종(0.5% 미만)	〈금기〉 1) Quinolone계 약물에 과민한 환자 〈주의〉 1) 장기 사용시 비감수성균의 과잉 성장 초래 가능 2) 임신부 및 수유부 : 안전성 미확립 〈상호작용〉 1) 주요 점안액과의 배합변화: 이 약과 다음의 배합약제를 믹서로 10분간 혼합한 직후 또는 실온에서 1시간 방치 후 백탁발생(diclofenac sodium, erythromycin lactobionate, colistin Na methanesulfonate, latanoprost, timolol maleate, dorzolamide HCl 등): 동시 투여 금기 (이 약과 최소 5분 이상 간격을 두고 점안)
1g 중 Colistin sodium 5mg, Erythromycin 5mg **Ecolicin ophthalmic oint** 에코리신안연고 …3.5g/EA	1) 안연고 : 1일 수회 점안	1) Erythromycin의 세균 단백질합성 저해, colistin의 세균 세포막 파괴작용에 의한 광범위 항균제 2) 이 약 감수성 균에 의한 각막궤양 및 급·만성 결막염, 맥립종, 누낭염, 안검염에 유효함.	- 과민반응	〈주의〉 1) 사용중에 감작의 우려가 있으므로 충분히 관찰하고, 감작된 증후가 보일 경우 사용 중지 2) 임신부 : Category C(colistin)/ Category B (erythromycin)
1g 중 Oxytetracycline HCl 5mg, Polymyxin B Sulfate 10,000U **Terramycin ophthalmic oint** 테라마이신안연고 …3.5g/EA	1) 약 1.3cm를 1일 2~4회 적량을 눈에 주입함.	1) 정균제인 oxytetracycline 및 살균제인 polymyxin B의 복합제제 2) 두 유효성분에 감수성 있는 균의 감염으로 인한 결막과 각막을 포함한 표재성 안감염	- 안검염, 결막염, 눈물 증가, 일시적인 작열감 - 피부염, 광독성반응	〈주의〉 1) 점안용으로만 사용함. 2) 내성균발현의 우려가 있으므로 단기간 사용 권장. 3) 국소투여로 일시적인 시력 저하가 나타날 수 있음. 4) 임신 후기, 8세 이하 유소아 5) 수유부 : 수유 중단

약품명 및 함량	용법	약리작용 및 효능	부작용	주의 및 금기
Azapentacene polysulfonate sodium Quinax eye drop 퀴낙스점안액 ···0.75mg/5ml/EA	1) 1일 3~5회 1~2적씩 점안 (초기에 시력이 개선되어도 지속적 투여가 필요)	1) 수정체에 있는 가용성 단백질의 -SH기에 강한 친화력이 있어 가용성 단백질의 산화, 퇴화를 억제함. 2) 안구 전방의 방수에 존재하는 단백 분해 효소의 작용을 활성화시켜 백내장의 진행을 방지하며 이미 생성된 불투명 단백질을 흡수 제거함. 3) 노인성 백내장, 외상성 백내장, 선천성 백내장	- 자극감, 결막출혈, 가려움	〈금기〉 1) 트라코마 및 화농성 안질환 환자 〈주의〉 1) 점안용으로만 사용 2) 개봉 후 1개월 이내 사용
Pirenoxine(=Catalin) Catalin eye drop 카다린점안액 ···0.75mg/T, 15ml/EA	1) 1Ⓣ를 용해액 15ml 중에 넣어 용해시킨 후 이 액 1~2적을 1일 3~5회 (4~5시간마다) 점안	1) 유핵 아미노산(tryptophan, tyrosine)의 대사이상으로 생기는 quinoid 물질에 의해 수정체의 수용성 단백이 변성되어 불용화되는 작용을 상경적으로 저해하여 수정체의 투명성을 유지함. 2) 초기 노인성 백내장에 사용함.	- 미만성 표층 각막염, 결막충혈, 자극감, 가려움 - 과민증	〈금기〉 1) 눈에 염증이나 상처가 있는 환자 〈주의〉 1) 점안용으로만 사용 2) 외용에 한하며 염증 및 상처가 있을 때 사용하지 않음. 〈보관상 주의〉 1) 정제 용해 후 3주 이내 사용 2) 용해 후 직사광선 피해 보관
Pirenoxine(=Catalin) Karyuni ophthalmic suspension 가리유니점안액 0.005% ···0.25mg/5ml/EA	1) 흔들어 섞은 후 1~2적씩 1일 3~5회 점안(흔들면 오렌지색으로 현탁됨)	1) 초기 백내장 치료제로, 아미노산의 이상 대사산물인 quinone체가 수정체의 수용성 단백질과 결합하는 것을 저해하여 수정체 단백의 변성을 방지함. 2) 사용시마다 흔들어 섞으면 과립형태의 약이 용제에 고르게 분산되는 현탁제 3) 적응증 : 초기 노인성 백내장 4) pH : 5.5~6.5	(빈도 미확립) - 미만성 표층각막염, 결막 충혈, 자극감, 가려움 - 안검염, 접촉피부염 ※ 상기 부작용 발생시 투여중지	〈금기〉 1) 눈에 염증이나 상처가 있는 환자 〈취급상 주의〉 1) 실온보관 2) 개봉 후 3주 이내에 사용 3) 금속 이온 혼입시 색상이 변화되므로 주의 4) 보존제 : 염화벤잘코늄
1ml 중 Potassium iodide(KI) 3mg, Sodium iodide(NaI) 3mg **Cuaren ophthalmic soln** 큐아렌점안액 ···10ml/EA	1) 1일 1~3회 1적씩 점안 2) 전신작용 최소화하기 위해 투여 후 1~2분간 누낭을 가볍게 누름.	1) 혈행개선과 신진대사 촉진 작용이 있는 I_2를 유리하여 수정체 및 초자체의 혼탁을 파괴, 제거하여 망막 순환장애를 개선함. 2) 백내장 진행방지 및 시력회복 촉진 3) 노인성 백내장의 초기증상으로서의 렌즈 혼탁 및 노화, 근시, 고혈압, 당뇨병, 정맥 주위염으로 인한 출혈에 사용	- 일시적인 안구 작열감	〈금기〉 1) 임신부, 수유부, 소아 2) 갑상선 기능 이상 환자 3) 소프트 콘택트렌즈 착용시 점안 금지 〈취급상 주의〉 1) 개봉 후 1개월 경과시 사용금지

약품명 및 함량	용법	약리작용 및 효능	부작용	주의 및 금기
Brimonidine tartrate Alphagan P eye drop 알파간피점안액 0.15% …7.5mg/5ml/EA	1) 1일 3회 1적씩 점안 2) 타 안약과 병용시 5~15분 간격을 두고 점안	1) α_2-adrenergic receptor agonist로 방수 생성 저해와 방수 유출 증가에 의한 안압저하 효과 있음. 2) α_2-receptor에 대한 선택성이 높아 폐질환 환자에도 적용 가능함. 3) 적응증 : 개방각 녹내장 또는 고안압증 환자의 안압저하 4) 보존제로서 함유된 purite(oxychloro complex)는 빛에 노출시 물과 NaCl로 분해되어 안구에 축적되지 않음.	1) 10~20% - 알러지성결막염, 결막충혈, 가려움 2) 5~9% - 작열감, 결막소포증, 고혈압, 구강건조, 시각장애 3) 1~4% - 알러지반응, 무력증, 눈꺼풀염, 기관지염, 결막부종, 결막출혈, 결막염, 기침, 현기증, 소화불량, 호흡곤란, 눈물, 눈꼽, 안구건조, 자극감, 통증, 안검부종, 안검홍반, 독감증후군, 소포결막염, 이물감, 두통, 인후염, 눈부심, 발진, 비염, 부비동염, 자통, 표재성 점상각막병증, 시야결손, 유리체부유물, 시력악화	〈금기〉 1) MAO 억제제 투여 환자 2) Noradrenalin 전달에 영향을 주는 항우울제 복용 환자 3) 신생아 및 2세 미만의 영아 〈주의〉 1) 간 · 신기능 장애 환자 2) 중증의 심혈관계 환자 3) 지연형 안구과민반응 환자 4) 임신부, 수유부, 소아 : 안전성 미확립 〈상호 작용〉 1) 중추신경 억제제(알코올, barbital, 아편류, 마취제, 안정제) : 이 약의 효과 증가 2) α-agonist, β-blocker, 항고혈압제, 강심 배당체 : 맥박과 혈압을 낮출 수 있음. 3) TCA 계열 약제 : 순환 아민의 대사와 흡수에 영향을 미칠 수 있음.

약품명 및 함량	용법	약리작용 및 효능	부작용	주의 및 금기
Betaxolol HCl Betoptic-S eye drop	1) 1일 2회 1적씩 점안	1) β_1-selective adrenergic blocking agent로 bronchospasm을 덜 일으킴. 2) Aqueous outflow, 동공, 모양체근에 대한 영향이	1) >10% - 충혈 2) 1~10%	〈금기〉 1) 조절이 완전하지 못한 심부전, 동성 서맥, 방실 불록(2, 3도), 심인성 쇼크 환자

약품명 및 함량	용법	약리작용 및 효능	부작용	주의 및 금기
베톱틱에스점안액 …14mg/5ml/EA		없으며, 기관지에 대한 부작용이 적어 폐질환, 천식 환자에도 사용가능함. 3) 만성 개방각 녹내장, 안내압 상승, 호흡기질환에 수반되는 녹내장 또는 안압 상승 등에 사용함. 4) Onset : 30mins Tmax : 2hrs Duration : 12hrs	- 동공부동, 각막염, 각막감수성 저하, 안구통, 시야몽롱	〈주의〉 1) 당뇨병 환자, 갑상선 중독증 환자 2) 폐기능이 과도하게 저하된 환자 3) Angle-closure glaucoma의 경우, 축동제 병용 4) 임신부 : Category C 5) 수유부, 소아 : 안전성 미확립 〈상호작용〉 1) Epinephrine과의 병용으로 동공산대 증상이 나타남. 2) Catecholamine 고갈약을 병용하면 저혈압, 서맥이 나타날 수 있음. 〈취급상주의〉 1) 현탁액으로 사용전 잘 흔들어 사용해야 함. 2) 개봉 후 1개월 이내 사용
Timolol maleate Rysmon TG ophthalmic soln 리스몬티지점안액 0.5% …12.5mg/2.5ml/EA	1) 1일 1회 1적씩 점안	1) Non-selective β blocker로 방수생성억제에 의한 안내압 감소 2) Reversible thermosetting gel 제제로 sol형태(10℃ 이하로 보관)의 약제를 점안하면 결막낭 내(32~34℃)에서 겔을 형성하여 약물을 지속적으로 방출함. 3) 적응증 : 만성 개방각 녹내장 환자, 무수정체성 녹내장 환자, 속발성 녹내장 환자, 안압상승 환자의 안압 하강	1) 1~10% - 탈모 - 안구의 작열감, 찌르는 듯한 통증	〈금기〉 1) 기관지 천식 환자, 중증 만성 폐쇄성 폐질환 환자, 동성서맥, 방실블록(2,3도), 명백한 심부전, 심인성 쇽환자, 레이노증후군 및 말초혈관 순환장애, 치료되지 않은 크롬친화세포종 환자 2) 수유부 : 모유 이행 〈주의〉 1) 뇌혈관 부전증 환자 2) 말초혈관질환 3) 당뇨 환자의 저혈당 증세 은폐 4) 갑상선기능항진증 증상(예 : 빈맥) 은폐 5) 임신부 : Category C 6) 소아 : 안전성, 유효성 미확립 〈취급상 주의〉 1) 차광, 냉장보관 2) 염화벤잘코늄은 콘택트렌즈 침전 가능하므로 점안 후 적어도 15분 이후에 렌즈 착용 3) 타 안약과 병용 점안시 10분 이상 간격 두고 마지막에 점안

약품명 및 함량	용법	약리작용 및 효능	부작용	주의 및 금기
				4) 점안액이 열에 의해 겔화 되므로 끈적거림이 있음을 환자에게 알림.

약품명 및 함량	용법	약리작용 및 효능	부작용	주의 및 금기
Brinzolamide Azopt ophthalmic soln 아좁트점안액 1% …50mg/5ml/EA	1) 1일 2회 1적씩 점안(일부 환자는 1일 3회 투여시 효과 상승 가능) 2) 현탁액이므로 흔들어 사용 * 신기능에 따른 용량 조절 참고 CrCl 〈 30ml/min : 금기	1) Sulfonamide 계열의 점안용 carbonic anhydrase inhibitor로서, carbonic anhydrase Ⅱ를 억제하여 방수 생성을 감소시킴. 2) 정상 눈의 pH와 유사한 pH 7.5의 약제이므로, dorzolamide(pH 5.6)에 비해 찌르는듯한 통증 및 작열감이 적게 보고됨. 3) 적응증 : 고안압증 또는 개방각 녹내장 환자의 상승된 안압 치료	1) 1~10% - 두통(5~10%) - 불쾌한 맛 (5~10%) - 시야혼미(5~10%) - 안검염, 안구건조증, 이물감, 충혈, 눈물, 눈 불편감, 각막염, 안구통, 눈소양감(1~5%) - 피부염(1~5%)	〈금기〉 1) 중증 신장애 환자 〈주의〉 1) 간장애 환자 2) 타 sulfonamide 약제에 과민한 환자 3) 급성 폐쇄각 녹내장 환자 4) 일시적 시야 흐림이 있을 수 있으므로, 기계조작 및 운전시 주의 5) 이 약 투여 후 15분 이상 지난 다음 콘택트렌즈 착용 가능(벤잘코늄 함유제제) 6) 임신부 : Category C 7) 소아, 수유부 : 안전성 미확립
Dorzolamide HCl Trusopt ophthalmic soln 트루솝 점안액 2% …100mg/5ml/EA	1) 단독투여 : 1적 tid 2) β-blocker와 병용 : 1적 bid * 신기능에 따른 용량 조절 참고 CrCl 〈 30ml/min : 금기	1) 점안용 Carbonic anhydraseinhibitor 2) Carbonic anhydrase Ⅱ에 선택성을 지닌 비교적 강한 안압저하제 3) Open-angle glaucoma 또는 안압항진증에 사용 4) 점안 후 2~3시간 이내 IOP 감소가 최대에 이르며 8시간 동안 지속됨. 5) 적응증 : 개방각 녹내장 또는 고안압 환자의 안압 상승	- 안구작열감, 자극감(33%), 결막염 등 알러지(10~15%), 흐린시야(1~5%) - 발진, 혈관부종, 소양증, 두드러기 - 쓴맛(25%) - 두통, N/V, 피로, 졸림, 마비감	〈금기〉 1) 중증 신장애 환자 2) 과염소성 산증 환자 〈주의〉 1) 간장애 환자 2) 급성 폐쇄각 녹내장 환자 3) 보존제(염화벤잘코늄)를 함유하므로 이 약 투여 후 15분 이상 지난 다음 콘택트렌즈 착용 가능 4) 임신부 : Category C 5) 소아, 수유부 : 안전성 미확립 〈취급상 주의〉 1) 개봉 후 4주 이내 사용함.

약품명 및 함량	용법	약리작용 및 효능	부작용	주의 및 금기
1ml 중 Brimonidine tartrate 2mg, Timolol maleate 5mg **Combigan ophthalmic soln** 콤비간점안액 …5ml/EA	1) 1적 bid 2) 점안 후 전신 흡수 줄이기 위해 1분 동안 누점 폐색 권장 3) 한 가지 이상 점안제 사용시 적어도 10분 정도 간격 두고 투여	1) 녹내장, 고안압증의 치료제로 brimonidine과 timolol의 복합제제 ① Brimonidine : α_2- adrenergic receptor agonist로 방수 생성 저해와 방수 유출 증가에 의한 안압 감소 ② Timolol : β-blocker로 방수 생성 억제로 안압 감소 효과 2) 효능, 효과 : 국소 β-blocker에 불충분하게 반응하는 만성 개방각 녹내장, 고안압증 치료제 3) Onset : 1~2hrs Tmax : 1~4hrs(brimonidine), 1~3hrs(timolol) $T_{\frac{1}{2}}$: 3hrs(brimonidine), 7hrs(timolol) 대사 : 간 배설 : 신장(74%, brimonidine)	- 서맥, 심부전, 고혈압(1~5%) - 구강건조(1~5%) - 무력증(1~5%) - 두통(1~5%), 기면(1~5%) - 알러지성 결막염(5~15%), 눈꺼풀 결막염(0.1~0.2%), 눈 작열감(5~15%), 결막충혈(5~15%), 각막미란(1~5%), 소포결막염(5~15%), 안구 가려움(5~15%), 각막염(0.1~0.2%), 안구통증(5~15%), 유리체 박리(0.1~0.2%) - 우울증(1~5%) - 기관지 수축, 호흡부전	〈금기〉 1) 기관지 천식 환자 또는 그 병력이 있는 환자 2) 중증의 만성 폐쇄성 폐질환 환자 3) 동성서맥, 방실블록(2, 3도), 심부전, 심인성 쇼크 환자 4) MAO 억제제를 복용 중인 환자 5) Noradrenalin 전달에 영향을 주는 항우울제를 복용 중인 환자 (ex. 삼환계 항우울제, mianserine) 6) 치료되지 않은 크롬친화세포종 환자 7) 신생아, 2세 미만의 영아, 수유부 〈주의〉 1) 중증의 심혈관계 질환자 2) 우울증, 뇌부전이나 관상동맥부전, 레이노현상, 기립성저혈압, 폐색성혈전맥관염 환자 3) 간장애환자, 신장애환자 4) 임신부 : Category C 〈취급상 주의〉 1) 소프트렌즈 제거 후 사용(흡수됨), 점안 후 적어도 15분 후 렌즈착용 2) 개봉 후 1개월간 이내 사용
1ml 중 Brinzolamide 10mg, Timolol maleate 5mg **Elazop eye drop** 엘라좁점안현탁액 …6ml/EA	1) 성인 : 1일 2회, 1적씩 점안 * 신기능에 따른 용량 조절 참고 - CrCl 〈 30ml/min : 금기	1) Carbonic anhydrase inhibitor와 β-blocker 복합제의 녹내장 치료제 2) 적응증 : 단독요법으로 안압감소가 불충분한 경우, 고안압증 또는 개방각 녹내장 환자의 상승된 안내압 감소	* Brinzolamide (Ophthalmic) - 시야흐림 (5~10%) * Timolol (Ophthalmic) - 작열감, 따가움 (〉10%)	〈금기〉 1) 기관지천식, COPD 환자 2) 동성서맥, 2~3도 방실차단, 심부전, 심인성 쇼크 환자 3) 과염소성산증 환자 4) 신장애 환자 (CrCl 〈30ml/min) 〈주의〉 1) 간장애 환자 2) 당뇨환자(저혈당 증상 은폐) 3) 임신부 : Category C 4) 수유부 : Timolol 모유이행

약품명 및 함량	용법	약리작용 및 효능	부작용	주의 및 금기
				5) 18세 이하 소아 : 안전성 미확립 〈취급상 주의〉 1) 흔들어서 사용 2) 염화벤잘코늄 함유로 투여 15분 후 렌즈착용 가능
1ml 중 Dorzolamide HCl 20mg, Timolol maleate 5mg **Cosopt eye drop** 코솝점안액 …5ml/EA **Cosopt-S eye drop** 코솝에스점안액 …0.2ml/EA	1) 1일 2회 1적씩 점안 2) 타 점안제 병용시 최소 10분 간격 두고 투여 * 신기능에 따른 용량 조절 참고 - CrCl < 30ml/min : 금기	1) 녹내장 치료제 (β-blocker + carbonic anhydrase inhibitor) 2) 국소용 carbonic anhydrase inhibitor인 dorzolamide와 비선택적 β-blocker인 timolol 복합제로 방수 생성을 감소시켜 안압하강효과를 나타냄 3) 적응증: 개방각 녹내장 또는 베타차단제에 불충분하게 반응하는 고안압 환자의 증가된 안압 감소 4) 코솝-S 점안액: 보존제(염화벤잘코늄)가 없는 1회용 점안제 5) Onset: 2~4wks $T_{\frac{1}{2}}$: 2~4hrs (timolol) 배설: 신장	1) >5% - 미각이상(~30%) - 안구작열감(~30%), 시야흐림, 결막충혈, 안구소양감, 각막염(5~15%) 2) 1~5% - 고혈압 - 어지러움, 두통 - 복통, 소화불량, 오심 - 요로감염 - 안검염, 결막분비물, 결막부종, 결막염, 각막상피미란, 각막 염색, 렌즈혼탁, 이물감 등 - 기관지염, 기침, 인후염, 부비동염, 상기도감염 - 독감	〈금기〉 1) 천식, 기관지 연축, 중증 만성 폐쇄성 폐질환 포함 반응성 기도질환 환자 2) Sinus bradycardia, sick sinus syndrome, sinoatrial block, 2~3도 심방심실차단, 명백한 심부전, 심원성 쇼크 환자 3) 중증 신장애(CrCl < 30ml/min), 과염소성 산증 환자 〈주의〉 1) 임신부: Category C 2) 수유부, 소아: 안전성 미확립 3) 간장애 환자 4) 중증 말초 순환 장애 5) 만성 각막손상, 안내 수술 병력자 6) 폐동맥 고혈압에 의한 우심부전 7) 당뇨병 케톤 산증, 대사성 산증 8) 신결석 병력자 9) 각막질환 〈취급상 주의〉 1) 콘택트렌즈 착용 중 투여하지 않으며, 이 약 투여 후 15분 이상 경과 후 콘택트렌즈 착용 가능 2) 기밀용기, 실온보관(15~25℃) 3) 직사광선 피해 외부 포장에 넣어 보관(차광보관) 4) 코솝: 개봉 후 28일 이내 사용 5) 코솝-S(일회용) - 외부포장 개봉 후 15일 이내 사용 - 사용 후 남은 양 폐기(∵보존제 미함유)

약품명 및 함량	용법	약리작용 및 효능	부작용	주의 및 금기
1ml 중 Travoprost 0.04mg, Timolol maleate 5mg **Duotrav eye drop** 듀오트라브점안액 …2.5ml/EA	1) 성인 : 1일 1회 1적씩 점안 2) 다른 녹내장 점안제에서 이 약으로 바꿀 경우 중단한 다음날 투여	1) 녹내장, 고안압증의 치료제로서, travoprost와 timolol의 복합제제 ① Travoprost : prostaglandin F_2-α analogue로서, 안방수 배출 유도 ② Timolol : β-blocker로서 방수 생성 억제 2) 적응증 : 개방각 녹내장 환자 및 국소 β-blocker 혹은 prostaglandin 유도체에 불충분하게 반응하는 고안압증 환자의 안압 감소	* Travoprost (Ophthalmic) - 안구충혈 (30~50%) * Timolol (Ophthalmic) - 작열감, 따가움 (>10%)	〈금기〉 1) 기관지 천식 환자 또는 병력자, 중증 COPD 환자 2) 동서맥, 2~3도 방실차단, 현성 심부전 혹은 심인성 쇼크 환자 3) 중증 알러지성 비염 및 기관지 과민반응, 각막 이영양 혹은 β-blocker에 과민한 환자 〈주의〉 1) 무수정체증, 가성 수정체증 환자, 낭포 황반 부종위험 환자, 홍채염이나 포도막염 소인있는 환자 2) 일시적으로 시야 흐려질 수 있으니 운전, 기계조작 금함. 3) 임신부 : Category C 4) 소아 및 청소년 : 안전성, 유효성 미확립 5) 수유부 : 안전성 미확립 (travoprost) 〈취급상 주의〉 1) 개봉 후 4주 이내 사용 2) 점안 후 15분 이상 지난 후 소프트콘택트렌즈 착용 가능(보존제로서 염화벤잘코늄 함유)

약품명 및 함량	용법	약리작용 및 효능	부작용	주의 및 금기
Pilocarpine HCl Ocucarpine eye drop 오큐카르핀점안액1% …100mg/10ml/EA Isoptocarpine eye drop 이솝토카핀점안액 2% …300mg/15ml/EA Ocucarpine eye drop 오큐카르핀점안액4%	1) 1일 3~5회 1~2적씩 점안	1) 부교감신경 흥분제로 축동작용 및 방수 유출에 의한 안내압 하강작용이 있음. 2) Open-angle glaucoma에 주로 사용함. 3) 급성 closed-angle glaucoma의 수술 전에도 사용함. 4) 산동제의 길항제로서 수술 도중에도 사용함. 5) β-blocker, sympathomimetic의 보조 요법으로 사용함. 6) 적응증: 녹내장, 진단 또는 치료를 목적으로 하는 축동 7) Onset : 10~30mins Tmax : 75mins 지속시간 : 4~8hrs	- 눈자극 증상, 시야 몽롱, 두통 - 전신 증상이 나타날 경우 atropine 투여 등 적절한 조치를 취해야 함.	〈금기〉 1) 홍채염 환자 2) 각막 훼손 환자 3) 악성녹내장, 수전체성 속발성 녹내장, 동공협착 녹내장 환자 〈주의〉 1) 기관지천식, 망막박리 위험, 심부전증, 갑상선 기능항진증, 소화관 협착, 십이지장 궤양, 요로장애로 인한 요로폐색, 변비로 인한 배변장애, 파킨슨병, 근시 환자 2) 임신부 : 자궁수축을 유발할 수 있음. 3) 수유부, 소아 : 안전성 미확립 〈상호작용〉

약품명 및 함량	용법	약리작용 및 효능	부작용	주의 및 금기
…400mg/10ml/EA				1) Systemic cholinesterase inhibitor와는 상승작용 〈취급상 주의〉 1) 개봉한 것은 1개월 이상 사용하지 않음. 2) 적어도 투여 30분 이후에 렌즈 착용

약품명 및 함량	용법	약리작용 및 효능	부작용	주의 및 금기
Bimatoprost Lumigan ophthalmic soln 루미간점안액 0.01% …0.3mg/3ml/EA	1) 1일 1회 1적을 저녁에 점적 (1회 초과 점안시 효과 감소 가능)	1) Prostamides계열 prostaglandin analogue로 포도막 공막 유출을 증가시켜 안내압을 감소시킴. 2) 다른 prostaglandin analogue와 달리 prodrug 형태가 아니므로 대사체 없이 직접적으로 작용 3) 적응증 : 개방각 녹내장, 고안압증 환자의 안압하강	1) >10% – 결막충혈(29%) 2) 1~10% – 점상 각막염, 눈의 자극감, 눈 가려움증, 속눈썹 성장 – 안검홍반, 안검 가려움증, 피부 과다 색소 침착, 다모증 – 점적 부위 자극감	〈금기〉 1) 염화벤잘코늄(보존제) 과민 환자 〈주의〉 1) 염증, 혈관 신생 또는 폐쇄각, 선천성, 협우각 녹내장 환자 2) 활동성 안내염 환자 3) 황반 부종 환자 4) 호흡기능 저하, 서맥, 저혈압, 신장애, 간장애 환자 5) 임신부 : Category C 6) 수유부,소아 : 안전성 미확립 7) 색소침착: 홍채, 안검, 속분썹의 색소침착 증가 될 수 있음 〈취급상 주의〉 1) 약 투여 15분 후 소프트 콘텍트렌즈 착용 가능 2) 실온보관, 개봉 후 4주 이내 사용
Latanoprost Xalatan eye drop 잘라탄점안액 0.005% …125mcg/2.5ml/EA	1) 1일 1회 1적을 저녁에 점적 (1회 이상 점안시 효과 감소)	1) Phenyl substituted $PGF_2-\alpha$ analogue의 prodrug으로 점안 후 활성형으로 전환 2) 방수 흐름과 관계없이 포도막 공막 유출을 증가시켜 안압을 하강시킴. 3) β-blocker와 병용시 상가작용 4) 적응증: 다음 질환의 안압하강 ① 성인: 개방각 녹내장, 만성폐쇄각녹내장, 고안압 ② 소아: 소아녹내장, 고안압 5) Initial response : 3~4hrs Tmax : 8~12hrs	– 홍채 색소증(6개월 이상 사용시 7%), 결막충혈 (50%), 눈의 자극감(통증, 시야몽롱, 발적, 가려움증, 따끔거림 (8~40%) – 호흡기 : 상기도 감염(4%) – 기타(1~2%) : 흉통,	〈금기〉 1) 염화벤잘코늄(보존제)에 과민한 환자 〈주의〉 1) 신중투여 : 염증, 혈관신생, 폐쇄각 또는 선천성 녹내장, 천식 환자, 신장애, 간장애 환자 2) 임신부 : Category C 3) 수유부, 1세 미만 소아 : 안전성 미확립 〈상호작용〉 1) Thimerosal이 포함된 점안제와 병용시 침전생성 (5분 이상 간격 두고 점안)

약품명 및 함량	용법	약리작용 및 효능	부작용	주의 및 금기
		Duration : 24hrs $T_{\frac{1}{2}}$: 17mins	피부발진, 근육통, 두통	
Tafluprost Taflotan eye drop 타플로탄점안액 0.0015% …37.5mcg/2.5ml/EA	1) 1일 1회 1적을 저녁에 점적 (1일 1회 초과시 효과 감소)	1) Prostaglandin(PG) 골격의 15위에 hydroxyl기(-OH)대신 di-fluorine을 도입한 PG 유도체 2) 정확한 작용기전은 밝혀지지 않았으나, 포도막 공막 유출을 증가시켜 안압을 하강시키는 것으로 알려짐. 3) 적응증 : 개방각 녹내장, 고안압증의 안압 강하 4) Onset : 2~4hrs Tmax : 12hrs	1) >10% - 결막충혈 2) 1~10% - 눈자극감, 눈소양감, 결막염, 백내장, 안구건조, 안통, 속눈썹 변색, 속눈썹 성장, 시야흐림 - 두통 - 요로 감염 - 감기, 기침 3) 기타 - 홍채 착색 증가, 황반부종, 눈주위 및 눈꺼풀 변화	〈금기〉 1) 염화벤잘코늄(보존제)에 과민한 환자 〈주의〉 1) 홍채, 눈꺼풀 피부, 속눈썹 등에 갈색 색소침착 증가 또는 변화 유발 2) 안구 염증, 무수정체증, 인공수정체 환자, 수정체 후낭파열, 황반 부종의 위험 환자 3) 임신부 : Category C 4) 소아, 수유부 : 안전성 미확립 〈취급상 주의〉 1) 점안시 약액이 눈꺼풀 피부에 묻은 경우 즉시 닦아냄(눈꺼풀의 색깔변화 및 눈주위 다모증 유발 가능) 2) 점안 후 15분 경과 후 콘택트렌즈 착용(보존제 벤잘코늄염화물 함유) 3) 개봉 후 4주 이내 사용
Travoprost Travatan ophthalmic soln 트라바탄점안액 0.004% …100mcg/2.5ml/EA	1) 1일 1회 1적씩 점적(1회 초과 점안시 효과 감소 가능)	1) Prostaglandin F_2-α analogue로서 포도막 공막 유출을 증가시켜, 안내압을 감소시킴. 2) 적응증 : 개방각 녹내장, 고안압증의 안압감소 3) Onset : (Initial) 2hrs, (Peak) 12hrs 대사 : 각막에서 esterase에 의해 활성 free acid로 가수분해되며, 간에서 free acid가 불활성 대사물로 대사됨.	1) >10% - 충혈 2) 5~10% - 시야의 정확도 감소, 눈의 불편감, 이물감, 통증, 소양증 3) 1~5% - 협심증, 서맥, 저혈압, 고혈압 - 우울증, 불안, 두통 - 고콜레스테롤 혈증 - 소화불량 - 전립선 질환, 요실금 - 관절염, 요통, 흉통 - 눈(1~4%) : 시야장애,	〈금기〉 1) 임신부 : Category C(국내허가금기) 〈주의〉 1) 폐쇄각 또는 선천성 녹내장 2) 안염(홍채염, 포도막염 등)이 있는 환자 3) 무수정체증 환자, 안내에 렌즈를 삽입한 가성 무수정체증 환자 4) 반상부종(macular edema)의 위험이 있는 환자 5) 간 · 신장애 환자 6) 수유부 : 안전성 미확립 7) 18세 미만의 소아 : 안전성, 유효성 미확립 〈취급상 주의〉 1) 개봉 후 4주 이내 사용

약품명 및 함량	용법	약리작용 및 효능	부작용	주의 및 금기
			안검염, 결막염, 안구 건조감, 홍채 변색, 각막염, 광공포증, 결막하 출혈, 백내장, 안와주위 피부 변색, 속눈썹의 성장 및 갈색 색소 침착	
Unoprostone isopropyl Rescula eye drop 레스큘라점안액 …6mg/5ml/EA	1) 성인 및 12세 이상 소아 : 1적 bid	1) Prostaglandin F_2-α (dinoprost) 유도체, 녹내장 및 고안압증 치료제 2) 기존의 β-blocker가 방수생성 억제에 의한 안압하강작용을 나타낸 것과 달리 이 제제는 방수유출을 촉진시키고 안조직 혈류 증가 효과가 있음. 3) 같은 계열 약제인 latanoprost보다 안검부위 색소 침착이나 전신 부작용 발현률 낮음. 4) 안압하강 효과 지속시간 Unoprostone isopropyl < latanoprost	1) >10% - 작열감, 안구건조, 소양증 2) 1~10% - 시야이상, 결막염, 안구통, 각막염	〈금기〉 1) 임신부 : Category C(국내허가사항금기) 2) 수유부 : 안전성 미확립 〈주의〉 1) 소아 : 안전성 미확립 〈취급상 주의〉 1) 개봉 후 1개월 이상 사용하지 말 것 2) 점안용으로만 사용 3) 콘택트렌즈 사용 환자는 이 제제 투여 후 15분 이내 삽입 금지 4) 다른 안과용제 병용시 최소한 5분 이상 간격을 둘 것

약품명 및 함량	용법	약리작용 및 효능	부작용	주의 및 금기
Acyclovir Herpecid eye oint 헤르페시드안연고 …105mg/3.5g/EA	1) 1일 5회(q 4hrs), 1회 1cm정도를 하부 결막낭에 짜넣음. 2) 완치 후 적어도 3일간 더 투여하고 증상에 따라 적절히 증감함.	1) Virus의 DNA 합성을 억제 2) Herpes simplex virus에 의한 각막염에 사용함. 3) 수지상 각막염에 idoxuridine이나 vidarabine보다 효과적임.	- 투여직후 일시적 작열감, 표재성, 반점상의 각막질환 - 과민증	〈주의〉 1) 임신부 : Category B 2) 수유부, 소아 : 안전성 미확립 3) 7일간 투여 후에도 증상 개선이 없을 경우 다른 방법으로 전환 〈취급상주의〉 1) 안과용으로만 사용 2) 개봉 후 1개월 이내 사용 3) 치료 중 콘택트렌즈 착용을 피함.
Ganciclovir Virgan ophthalmic gel	1) 1일 5회 1적 점적 (감염 안구의 결막 내부에 각막 표피가 완전히 재생이 될 때까지)	1) Antiviral agents, 바이러스의 DNA polymerase에 결합하여 DNA 합성을 억제함. 2) 투명한 겔상 제제로 각막 부착력이 우수하고, 연고제에	- 일시적인 작열감이나 안자극감 - 표재성 점상 각막염	〈금기〉 1) Acyclovir 과민 환자 〈주의〉

약품명 및 함량	용법	약리작용 및 효능	부작용	주의 및 금기
버간점안겔 0.15% …7.5mg/5g/EA	2) 치료 후 1적 tid, 7일간 더 투여함. 3) 총 투여일수: Max. 21일	비해 시야 흐림이나 끈적거림이 적음. 3) 급성 표재성 헤르페스성 각막염 치료		1) 임신부 : Category C 2) 수유부, 18세 미만 소아 : 안전성 미확립(투여 권장되지 않음) 〈취급상 주의〉 1) 개봉 후 4주 이내에 사용함.

약품명 및 함량	용법	약리작용 및 효능	부작용	주의 및 금기
Atropine sulfate Isopto atropine eye drop 이솝토아트로핀점안제 1% …150mg/15ml/EA	1) 1회 1~2적 1일 3회 점안하며 증상에 따라 적절히 증감함. 2) 옆으로 누운 상태에서 눈꺼풀을 들어 결막낭 내에 점안하고 1~5분간 누낭부를 압박한 후 눈을 뜸.	1) 지속적 산동, 모양근 마비작용이 있는 부교감신경 차단제임. 2) 수술 전후의 산동, 전포도막염 및 2차적인 녹내장, 5~6세의 어린이에서 굴절마비, 사시인 어린이에서 모양근의 마비에 사용함. 3) 산동제로서 포도막염, 각막염 등에도 사용함. 4) 적응증: 진단 및 치료 목적의 산동 및 조절마비 5) Onset : 30mins(산동효과발현) Tmax : 1~3hrs 지속시간 : 3~7days	- 장기 사용시 국소 자극 현상 - 진행성 호흡억제를 수반한 저혈압 - 과민증 - 속발성 녹내장, 안압상승 - 혈압상승, 심계항진 - 구갈, 변비	〈금기〉 1) 녹내장 환자 2) 12세 미만 유아 〈주의〉 1) 산동 또는 조절마비를 유발할 수 있으므로 이 약을 투여중인 환자는 운전, 위험한 기계조작시 주의 2) 전신 흡수를 줄이기 위해 투약 후 누낭을 누르는 것이 바람직함. 3) 임신부 및 수유부 : 안전성 미확립 4) 다운증후군, 뇌손상, 연축성 마비, 전립선 비대, 소변분비 장애, 결장비대증, 급성 폐부종 환자
Cyclopentolate HCl Ocucyclo eye drop 오큐시클로점안액 1% …50mg/5ml/EA	1) 1일 1회 1적 점안하며 필요시 5~10분 간격으로 추가 점안 2) 증상에 따라 적절히 증감	1) Atropine과 유사하며 산동작용과 모양근 마비 작용발현이 빠르고 지속시간이 짧음. 2) 진단용, 수술 전후 산동, 모양근 마비를 요할 때 사용함. 3) Phenylephrine과 병용시 산동효과가 강화됨. 4) 적응증: 진단 및 치료 목적의 산동 및 조절마비 5) Tmax : 30~60mins(산동), 25~75mins(조절마비) 지속시간 : 6~24hrs	- 과민증 - 안압상승, 작열감, 일시적인 결막 충혈, 눈부심 - 구역, 구토, 변비, 구갈 - 안면홍조, 분비 감소, 뇨정체, 이상 고열 등	〈금기〉 1) 협우각성 녹내장 2) 미숙아 및 1세 미만 영아 3) 뇌의 병력을 가진 소아 〈주의〉 1) 소아에게서 중증의 CNS 작용(운동실조, 환각, 대발작)이 보고 되었음. 2) 신생아는 투여시 음식 섭취 과민증이 발현될 수 있으므로 투여 후 4시간 동안 음식 섭취 금지 3) 어린 유아는 0.5% 이상 농도 투여 피함. 4) 전신 흡수를 피하기 위해서 투여 후 누낭부를 압박함. 5) 임신부, 수유부 : 안전성 미확립 〈취급상주의〉 1) 치료 중 콘택트렌즈 착용 피함.

약품명 및 함량	용법	약리작용 및 효능	부작용	주의 및 금기
Homatropine HBr Homapine eye drop 호마핀점안액 2% …100mg/5ml/EA	1) 1일 1회 1~2적씩 점안하며 증상에 따라 증감함	1) 항 muscarine성 부교감신경 차단제 2) Atropine보다 그 효력은 약하나 모양근 마비 및 산동작용이 빨리 나타나고 지속시간도 짧음 3) 전방 포도막염에도 사용함 4) 적응증: 진단 및 치료 목적의 산동 및 조절마비 5) Tmax : 40~60mins(산동), 30~60mins(조절마비) 지속시간 : 1~3days	- 눈의 일시적 작열감, 자통, 결막 충혈, 빛에 대한 감수성 증가 - 환각, 어지러움 - 구역, 구토, 구갈 - 혈압상승, 심계항진 - 안면홍조, 부종, 삼출, 습진성 피부염	〈금기〉 1) Atropine에 과민한 환자 2) 녹내장 및 안압상승의 소인이 있는 환자 3) 중증근무력증 환자 4) 갑상선기능항진증 환자 5) 심부전으로 인한 이차성 빈맥 환자 〈주의〉 1) 과도한 전신흡수 방지를 위해 점안 후 2-3분간 누낭부를 손끝으로 누르고 있을 것 2) 동공이 확대되어 있는 동안 위험한 작업은 피함 3) 임신부 및 수유부, 소아 : 안전성 미확립 4) 유소아 〈취급상 주의〉 1) 소프트 콘텍트렌즈 착용 금지 : 약 투여 15분 후 착용 2) 개봉 후 4주 이내 사용
1ml 중 Tropicamide 5mg, Phenylephrine 5mg **Mydrin-P ophthalmic soln** 미드린피점안액 …10ml/EA	1) 산동 : 1회 1~2적씩 또는 2회 (3~5분 간격) 1적씩 점안 2) 조절마비 : 2~3회 (3~5분 간격) 1적씩 점안	1) 부교감신경 억제제인 tropicamide와 교감신경 흥분제인 phenylephrine의 복합제제로서 산동 목적의 점안제 2) 적응증 : 진단 및 치료 목적의 산동, 조절마비 3) 지속시간 : ~6hrs	- 쇽 - 과민증 : 안검발적, 종창, 가려움 - 각막 상피 장애, 안압 상승 - 구갈, 안면 홍조, 빈맥, 혈압상승	〈금기〉 1) 녹내장 또는 협우각과 전방이 좁은 경우 등의 안압상승의 소인이 있는 환자 (∵ 급성 폐색 우각 녹내장의 발작 야기 가능) 〈주의〉 1) 소아 : 전신 부작용이 발생할 수 있으므로 필요시 희석하여 사용 2) 고혈압 및 동맥경화증, 심질환 환자 3) 당뇨병 또는 갑상선 기능 항진증 환자 4) 임신부 : Category C 〈상호작용〉 1) MAOI 투여중 또는 투여 후 3주가 경과되지 않은 환자 및 tricyclic antidepressants 투여 중인 환자에서 급격한 혈압 상승을 일으킬 수 있음.

약품명 및 함량	용법	약리작용 및 효능	부작용	주의 및 금기
Bromfenac sodium	1) 1일 2회 1적씩 점안	1) NSAID 점안제 2) 적응증: 외안부 및 전안부의 염증성 질환의 대증치료	1) 2~7% - 두통	〈금기〉 1) Aspirin, COX inhibitor 투여 후 천식, 가려움,

약품명 및 함량	용법	약리작용 및 효능	부작용	주의 및 금기
Bronuck ophthalmic soln 브로낙점안액 …5mg/5ml/EA		(안검염, 결막염, 공막염, 상공막염, 수술 후 염증)		급성비염 기왕력자 2) 임신부(임신 6개월 이후) 〈주의〉 1) Aspirin, phenylacetic acid 유도체(aceclofenac), 다른 NSAIDs와 교차과민성 2) 눈의 감염증을 은폐할 수 있으므로 주의 3) 혈소판응집을 저해하여 출혈시간 연장 가능하므로, 항응고제 투여중이거나 출혈 소인이 있는 환자 4) 수유부, 소아 : 안전성 미확립 〈취급상주의〉 1) 콘택트렌즈는 본 제제 투여 15분 후 재착용 가능
Diclofenac sodium Optanac eye drop 옵타낙점안액 …5mg/5ml/EA	1) 백내장 수술시 – 수술 전 3시간동안 5회 1적씩 – 수술 직후 : 1일 3회 1적씩 – 유지요법 : 1일 3~5회 1적씩 2) 전안부의 염증치료 – 1일 4~5회 1적씩	1) Phenylacetic acid계 NSAIDs 점안제로 prostaglandin 합성 억제와 항염증, 축동방지, 통증 억제작용 2) 적응증 ① 백내장 수술시 다음 증상의 방지(수술 후 염증, 수술 중 축동, 수정체 축출과 인공수정체 삽입술과 관련된 낭포황반부종) ② 전안부의 염증치료(만성 결막염 등 비감염성 염증, 외상 후 염증)	1) > 10% – 유루(30%), 각막염(28%), 안압상승(15%), 일시적 작열감(15%) 2) 1~10% – 시야혼미, 결막염, 각막침착, 각막부종, 각막혼탁, 각막손상, 분비물, 안검부종, 충혈, 홍채염, 자극, 소양감, 유루장애, 알러지 – 상처치유 지연, 구역, 구토 – 과민반응(천식, 가려움, 급성비염)	〈금기〉 1) Aspirin, COX inhibitor 투여 후 천식, 가려움, 급성비염 기왕력자 2) 임신부(3기) : Category D 〈주의〉 1) Aspirin, phenylacetic acid 유도체(aceclofenac), 다른 NSAIDs와 교차과민성 2) 콘택트렌즈는 본 제제 투여 15분 후 재착용 가능 3) 다른 안약 또는 안연고와 병용시 최소 5분의 간격을 두고 투여 4) 점안으로 인해 일시적으로 시야가 흐려진 경우, 운전이나 위험한 기계조작 금함. 5) 눈의 감염증을 은폐할 수 있으므로 주의 6) 혈소판응집을 저해하여 출혈시간 연장 가능 7) 수유부, 소아 : 안전성 미확립 〈상호작용〉 1) Tropicamide와 배합: 침전이 생길 수 있으므로 병용투여하지 않음. 2) Steroid제와 국소적으로 함께 사용: 각막합병증 발생위험 증가 3) 항생제 및 β-blocker제와 함께 안구에 병용투여 가능 〈취급상 주의〉 1) 냉장보관(10℃ 이하) 2) 개봉 후 1개월 이내 사용

약품명 및 함량	용법	약리작용 및 효능	부작용	주의 및 금기
Aflibercept Eylea inj 아일리아주사 …11.12mg/0.278ml/V	1) 1회 2mg(0.05ml) 유리체내 투여 2) 신생혈관성 (습성) 연령 관련 황반변성: 첫 3개월간은 월 1회, 이후 2개월마다 1회 투여 3) 중심망막정맥폐쇄성 황반부종: - 월 1회 투여(투여간격 : 최소 1개월) - 1개월 간격으로 시력 및 해부학적 검사를 3회 평가하여 안정될 때까지 투여되어야 함. - 처음 3회 연속 주사 후 개선되지 않는 경우 투약 중지 4) 당뇨병성 황반부종: 첫 5개월간은 월 1회, 이후 2개월마다 1회 투여	1) VEGF inhibitor 2) 망막내 황반변성의 발병과 매우 밀접한 관련이 있는 신생혈관형성 촉진 물질인 VEGF-A, PIGF에 결합하여 활성을 억제함으로서, 신생혈관의 형성을 억제하고 혈관투과도를 감소시킴. 3) 적응증 ① 신생혈관성 (습성)연령관련 황반변성의 치료 ② 중심망막정맥폐쇄성 황반부종의 치료 ③ 당뇨병성 황반부종에 의한 시력손상 치료 4) T$\frac{1}{2}$: 5~6 days	1) 〉10% - 결막출혈(25%) 2) 1~10% - 주사부위 통증 또는 출혈 - 눈 통증, 백내장, 유리체 박리, 유리체 부유물, 안내압 상승, 결막 충혈, 각막 미란, 이물감, 눈물 분비 증가, 망막색소상피박리, 시야 흐림, 망막색소상피 열상, 눈꺼풀 부종, 각막부종 3) 〈1% - 안구내염, 과민반응, 혈전색전성 질환, 외상백내장	〈금기〉 1) 안구 또는 안구 주변 감염 환자 2) 활동성 중증의 안내 염증이 있는 환자 〈주의〉 1) 안구내염 환자 2) 안압 상승(주사 후 60분 이내 안압상승 보고됨) 3) 동맥혈전색전성 사건의 위험 4) 임산부: category C (치료 후 3개월동안 피임) 5) 수유부: 안전성 미확립 6) 소아: 안전성, 유효성 미확립 〈취급상 주의〉 1) 차광을 위해 박스 내 보관 2) 2~8℃에서 냉장 보관 3) 미개봉시, 실온에서 24시간까지 보관가능 4) 1회 투여용으로만 사용 5) 유리체내 주사에는 30G × $\frac{1}{2}$인치 주사바늘을 사용
Dexamethasone Ozurdex implant 오저덱스이식제 …0.7mg/EA	1) 이식제 1개를 한쪽 안구의 유리체내 주사로 투여(양쪽 눈 동시 투여 경험은 없음) 2) 투여 전 및 투여 당일 적절한 마취제 및 광범위 항균제 사용 권장	1) VEGF 및 염증매개 물질 생성을 억제하여 부종, 섬유소 침적, 모세관 누출 및 염증세포 이동억제 2) 고폴리머(PLGA: poly lactic glycolic acid) 약물 투여시스템에 dexamethasone을 포함한 이식제가 어플리케이터에 일회용으로 장착되어 있는 제제, PLGA는 인체내 분해됨. 3) 적응증 ① 망막 분지정맥 폐쇄(branch retinal vein occlusion, BRVO) 또는 망막 중심정맥 폐쇄(central retinal vein occlusion, CRVO) 후 나타나는 황반 부종의 치료 ② 후안부 염증을 동반한 비감염성 포도막염의 치료 ③ 당뇨병성 황반부종의 치료	1) 〉10% - 안압상승, 결막출혈 2) 1~10% - 고안압, 유리체 박리, 백내장, 시각장애 - 주사관련: 유리체 출혈, 유리체혼탁, 안통, 광시증, 결막부종, 전방세포, 결막충혈 3) 〈1% - 두통, 망막열공, 전방발적	〈금기〉 1) 안구감염 또는 안구주위 감염환자 2) 진행성 녹내장 환자 3) 앞방인공수정체와 수정체후낭 파열이 있는 환자 〈주의〉 1) 안구 단순포진 병력이 있는 환자 2) 항응고제 또는 항혈소판제 복용 환자는 결막출혈 등 출혈 이상반응 주의 3) 90일 이내 백내장 수술 등 내안부 수술 또는 레이저 치료를 받은 환자 4) 정기적인 안압 모니터링 필요(안압 상승) 5) 임신부: Category C 6) 수유부, 소아 : 안전성 미확립

약품명 및 함량	용법	약리작용 및 효능	부작용	주의 및 금기
		4) Duration: 최대 6개월(6개월 미만 재투여 간격에 대한 정보는 제한적임)		〈취급상 주의〉 1) 실온보관
Ranibizumab Lucentis inj 루센티스주 …3mg/0.3ml/V	1) 1회 0.5mg(0.05ml) 유리체내 투여 2) 신생혈관성(습성) 연령관련 황반변성의 치료: 월 1회 3개월간 투여, 시력저하가 있을 경우 재투여 3) 당뇨병성 및 망막정맥폐쇄성 황반부종 : 월 1회 투여, 매달 시력을 측정하였을 때 3회 연속으로 시력이 안정될 때까지 투여함. 4) 병적근시로 인한 맥락막 신생혈관 형성에 따른 시력 손상: 1회 투여 후 모니터링하여 질병활성이 있는 경우 재투여 권장함.	1) 유전자 재조합 단일클론항체로 VEGF(vascular endothelial growth factor) inhibitor 2) 내피세포의 표면에서 VEGF-A와 그 수용체(VEGFR1, VEGFR2)간의 상호작용을 저해하여, 내피세포의 증식, 혈관 누출, 새로운 혈관 생성을 감소시킴. 3) 적응증 ① 신생혈관성(습성) 연령관련 황반변성의 치료 ② 당뇨병성 황반부종에 의한 시력 손상의 치료 ③ 망막정맥폐쇄성 황반부종에 의한 시력 손상 치료 ④ 병적근시로 인한 맥락막 신생혈관 형성에 따른 시력 손상 치료 4) $T\frac{1}{2}$: 9days	1) >10% - 결막출혈, 안구동통, 유리체부유물, 안압증가, 유리체박리, 안구염증, 안구자극, 시야장애, 눈꺼풀염, 망막장애 - 두통 - 관절통 - 코인두염, 상기도염 2) 1~10% - 안구충혈, 후낭혼탁, 주사부위출혈, 유리체출혈 - 동맥혈전색전증, 심방세동 - 고콜레스테롤혈증, 당뇨 - 오심, 바이러스성 위장염 - 빈혈 - 기관지염, 기침, 부비동염, COPD, 호흡곤란 - 인플루엔자, 항체생성, 대상포진	〈금기〉 1) 안구 또는 안구 주변 감염이 있거나 의심되는 환자 2) 중증의 안내 염증이 있는 환자 〈주의〉 1) 임신부 : Category C 2) 수유부 : 안전성 미확립 3) 18세 미만 소아 : 안전성, 유효성 미확립 4) 반드시 유리체 주사로만 투여 5) 다른 항-VEGF 제제와 동시 투여 금지 〈취급상 주의〉 1) 냉장(2~8℃), 차광보관
Triamcinolone acetonide Maqaid inj	1) NS 또는 안관류액으로 재구성하여 유리체 내로만 투여함. 2) 유리체 절제술 시 유리체 가시화 - 10mg/ml로 재구성하여 1회 0.5~	1) 중시간형 corticosteroid 제제 2) VEGF 및 염증매개물질 생성을 억제하여 혈액-망막 장벽의 기능을 안정화시킴으로써 시력 개선 및 망막두께 감소 작용	1) >10% - 백내장 진행(20%~60%), 안압상승(20%~60%)	〈금기〉 1) 당뇨병성 황반부종에 투여 시: 눈 또는 눈 주위감염 환자, 조절되지 않는 녹내장 환자, 무수정체 환자 2) 임신부: Category D

약품명 및 함량	용법	약리작용 및 효능	부작용	주의 및 금기
마카이드주 …40mg/V	4mg(0.05~0.4ml) 유리체 내 주입 – 최대 희석농도: 40mg/ml 3) 당뇨병성 황반부종 – 40mg/ml로 재구성하여 1회 4mg(0.1ml) 유리체 내 주입 – 1회 초과 사용의 안전성 · 유효성 미확립 (재투여 필요시 최소 3개월 이상 간격 두고 투여)	3) 적응증 ① 유리체 절제술 시의 유리체 가시화 ② 당뇨병성 황반부종 4) $T\frac{1}{2}$: 18.6days (당뇨병성 황반부종에 사용시)	2) 1~10% – 빛 번짐, 결막출혈, 일시적인 안구 불편감, 내안구염, 녹내장, 전방 축농, 감염, 시신경유두관 이상증상, 망막 박리, 비문증, 시력 감소	〈주의〉 1) 녹내장 및 고안압증, 백내장 환자 2) 유리체 절제술 시 유리체 가시화에 사용 시: 눈(주위) 감염환자에 사용 주의, 유리체 절제 후 관류 흡인에 의해 본 제제를 제거함. 3) 당뇨병성 황반부종에 투여 시: 90일 이내 백내장 수술 포함 내안부 수술, 레이저 치료시 주의 4) 소아, 수유부: 안전성 미확립 〈취급상 주의〉 1) 밀봉용기, 실온보관(1~30℃) 2) 재구성: NS 또는 안관류액 1~4ml를 가하여 10초간 흔들어 균일하게 현탁함. 3) 재구성 후 즉시 사용(∵보존제 미함유) 4) 1회 사용 후 남은 약 폐기(여러 환자에 분할 사용하지 않음)
Verteporfin Visudyne inj 비쥬다인주 …15mg/V	1) 주사용수 7ml로 재구성하여 15mg/7.5ml 용액으로 만들어 6mg/㎡(체표면적)의 용량을 취함 2) 해당 용량을 30ml 주사액(5DW)에 희석하여 10분간 정맥주사한 후 레이저 조사	1) Benzoporphyrin 유도체인 photosensitizing agent로 정맥주입 후 15분 후에 조사되는 레이저 빛에 의해 활성화되어, 신생혈관의 내벽을 파괴하고 혈액을 응고하여 신생혈관을 막음으로써 심각한 시력손상의 진행을 억제함. 2) 적응증 : 다음 환자의 광역학요법(Photodynamic Therapy) ① 연령 관련 황반 변성에 의한 주로 전형적이거나 또는 잠재적 타입의 황반하 맥락막신생 혈관을 가진 환자 ② 병적근시 또는 안히스토플라스마증에 의한 황반하 맥락막 신생혈관을 가진 환자 3) Onset : 5mins $T\frac{1}{2}$: 5~6hrs	– 눈 : 시야장애, 시력저하, 시야 반점, 망막하 출혈, 누액분비 장애 등 – 광과민 반응 – 주사부위 통증, 부종, 출혈, 염증, 과민증 등 – 구역, 무력, 콜레스테롤 지수상승, 두통 등	〈금기〉 1) 포르피린증 환자 2) 중증의 간기능 장애가 있는 환자 3) 유당 관련 대사장애 환자 〈주의〉 1) 투여 후 5일간 빛의 노출을 피함.(광과민성) 2) 간장애 환자(대사 후 담즙 배설) 3) 심혈관계 질환이 있는 환자(심근경색의 위험성 보고) 4) 혈관 외 누출시, 즉시 주사를 중지한 후 주사부위에 냉압요법 실시 5) 임신부 : Category C 6) 수유부 : 투여 후 48시간까지 수유 중단 7) 소아 : 안전성, 유효성 미확립 〈상호작용〉 1) 타 광과민성 약물 동시 투여시 광과민 반응 증가 〈취급상 주의〉 1) 차광, 상온보관하며 용해한 액은 4시간 이내 사용할 것

약품명 및 함량	용법	약리작용 및 효능	부작용	주의 및 금기
Dexamethasone Maxidex eye drop 맥시덱스점안액 …5mg/5ml/EA	1) 1일 3~4회 1~2적씩 점적 2) 중증 염증이 소실될 때까지 1시간마다 1~2적씩 점적 후, 증상 개선되면 감량	1) 국소 steroid 점안제 2) 수 · 지용성의 특성이 있어 각막 부위에 침투, 염증부위에서 지속적인 항염효과를 나타냄. 3) Allergy성 결막염, 각막염, 포도막염 등에 사용함. 4) 적응증: 결막염, 표재성 점상 · 대상포진성 각막염, 홍채염, 모양채염, 포도막염, 방사능열 및 화상 또는 이물 침입에 의한 각막손상	1) 눈 - 연용에 의하여 안내압 항진, 녹내장 - 각막 헤르페스, 각막 진균증, 녹농균 감염증 - 각막 헤르페스, 각막궤양, 외상에 사용할 경우 천공 유발 - 장기사용시 드물게 백내장 2) 창상치유 지연 3) 장기 사용시 뇌하수체, 부신피질계 기능 억제 4) 과민증	〈금기〉 1) 표재성 단순포진 각막염, 바이러스성 각막 · 결막질환, 진균성 안질환, 결핵성 안질환, 화농성 감염, 각막상피박리 및 궤양, 녹내장 환자 〈주의〉 1) 수일내에 증상이 호전되지 않으면 사용중지 2) 신중투여 : 각막궤양 환자, 바이러스성 결막 · 각막질환, 결핵성 · 진균성 안질환 환자 3) 10일 이상 장기 투여시 안압검사 실시 4) 임신부 : Category C 5) 2세 미만의 소아, 수유부 : 안전성 미확립 〈취급상주의〉 1) 잘 흔들어 혼합한 후 사용할 것 2) 콘택트렌즈 착용자는 투여 30분 이후에 재착용함.
Fluorometholone Fumelon eye drop 후메론점안액 0.1% …0.6mg/0.6ml/EA	1) 사용시 잘 흔들어 1일 2~4회 1~2적씩 점안	1) F(불소)함유 국소 steroid 점안액 2) 보존제(염화 벤잘코늄)가 없는 1회용 점안액 3) 적응증 : 외안부 및 전안부의 염증성 질환(안검염, 결막염, 각막염, 공막염, 상공막염, 홍채염, 홍채모양체염, 포도막염, 수술 후 염증 등)	1) 눈 - 장기연용시 녹내장, 안압상승 - 각막포진, 각막진균증, 녹농균 감염증 등 - 각막포진, 각막궤양, 외상에 적용시 천공 유발 가능성 - 장기사용시 드물게 백내장 2) 창상치유 지연 3) 장기 사용시 뇌하수체, 부신피질계 기능 억제 4) 과민증	〈금기〉 1) 표재성 단순포진 각막염 (수지상 각막염), 우두, 수두를 포함한 바이러스성, 진균성 안질환자, 눈의 미코박테리아 감염, 만성 안검염 환자 〈주의〉 1) 각막 상피 박리, 각막 궤양 환자, 결핵성 안질환, 화농성 안질환 환자, 녹내장 환자, 2세 미만의 영아 신중투여 2) 10일 이상 장기 투여시 정기적 안압검사 실시 3) 염증이나 통증 48시간 이상 호전되지 않으면 투여중지 4) 임신부, 수유부 : 안전성 미확립 〈취급상 주의〉 1) 잘 흔들어 사용 2) 개봉 후 즉시 사용(∵보존제 불포함) 3) 최초 사용시 1~2적은 버림.(∵개봉시 용기 파편 제거)

약품명 및 함량	용법	약리작용 및 효능	부작용	주의 및 금기
Fluorometholone Ocumetholone eye drop 오큐메토론점안액 0.1% …5mg/5ml/EA	1) 사용시 잘 흔들어 1일 2~4회 1~2적씩 점안	1) F(불소)함유 국소 steroid 제제로 기존의 부신피질호르몬제에 비해 안압에 대한 영향이 적음. 2) 항알러지 및 항염증작용 3) 약효 0.1% Fluorometholone≒2.5% Hydrocortisone 4) 적응증: 외안부 및 전안부의 염증성 질환(안건염, 결막염, 각막염, 공막염, 상공막염, 홍채염 홍채모양체염, 포도막염, 수술 후 염증 등)	1) 눈 – 연용에 의하여 안내압 항진, 녹내장 – 각막 헤르페스, 각막 진균증, 녹농균 감염증 – 각막 외상에 사용할 경우 천공 유발 – 장기사용시 드물게 백내장 2) 창상치유 지연 3) 장기사용시 뇌하수체, 부신피질계 기능의 억제 4) 과민증	〈금기〉 1) 표재성 단순포진 각막염 (수지상 각막염), 우두, 수두를 포함한 바이러스성, 진균성 안질환자, 눈의 미코박테리아 감염, 만성 안검염 환자 〈주의〉 1) 각막 상피 박리, 각막 궤양 환자, 결핵성 안질환, 화농성 안질환 환자, 녹내장 환자, 2세 미만의 영아 신중투여 2) 10일 이상 장기 투여시 정기적 안압검사 실시 3) 염증이나 통증 48시간 이상 호전되지 않으면 투여중지 4) 임신부, 수유부, 소아 : 안전성 미확립 〈취급상 주의〉 1) 잘 흔들어 사용
Loteprednol etabonate Lotemax ophthalmic suspension 로테맥스 점안현탁액 0.5% …25mg/5ml/EA	1) Steroid 반응성 염증 치료: 1일 4회 1~2적씩 점안 (2일 후 증상 개선 없으면 환자 재평가필요) 2) 수술 후 염증 : 수술 후 24시간부터 1일 4회 1~2적씩 점안 (최대 2주간 투여) 3) 흔들어서 점안	1) 국소 steroid 점안액 2) 구조적으로(ester 구조) 빠르게 대사되어비활성화 됨으로써 안압 상승 위험이 감소됨. 3) 적응증 – 계절성 알러지성 결막염, 거대 유두 결막염의 스테로이드 반응성 염증 치료 – 안과 수술 후 염증의 치료 4) $T_{\frac{1}{2}}$: 2.8hrs	1) 5~15% – 시야 흐림, 안구 건조, 분비물, 점안시 작열감, 결막 부종, 눈물 흘림, 이물감, 가려움, 충혈, 눈부심 – 두통 – 비염, 인두염 2) 〈5% – 결막염, 각막이상, 눈의 자극, 통증, 불편, 포도막염 – 안압상승	〈금기〉 1) 각막 또는 결막의 바이러스성 질환(상피 단순포진성 각막염, 우두 및 수두 포함) 2) 눈의 마이코박테리아 감염, 안구 조직의 진균성 질환자 〈주의〉 1) 사용 2일 이내 증상이 개선되지 않으면 환자 재평가 필요 2) 10일 이상 투여 시 안압모니터링 3) 지속적 사용 시 2차 감염(진균감염 포함)위험 증가, 급성 화농성 안구감염 은폐 및 악화 위험 4) 임신부: Category C 5) 수유부, 소아: 안전성 미확립 〈취급상 주의〉 1) 사용 전 충분히 흔들어 점안 2) 상온(15~25℃) 보관 3) 개봉 후 28일 이내 사용 4) 이 약 사용기간 동안 콘택트렌즈 착용 금지

약품명 및 함량	용법	약리작용 및 효능	부작용	주의 및 금기
Prednisolone acetate Optilon eye drop 옵티론점안액 0.12% …12mg/10ml/EA	1) 1일 2~4회 1~2적씩 점안 2) 중증 초기 치료시 1~2일간은 필요시 매시간마다 점안	1) 부신피질 호르몬 점안제 2) 안검, 결막, 각막 그리고 공막의 염증질환, 특히 표재성 염증질환(알러지성 결막염)에 유효함. 3) 적응증: 안검염, 결막염, 각막염, 공막염, 포도막염, 수술 후 염증	1) 눈 – 연용에 의하여 안내압 항진, 녹내장 – 각막포진, 각막 진균증, 녹농균 감염증 유발 가능 – 각막 외상에 사용할 경우 천공 유발 – 장기사용시 드물게 백내장 2) 창상치유 지연 3) 장기사용시 : 하수체, 부신피질계 기능의 억제 4) 과민증	〈금기〉 1) 각막 또는 결막의 바이러스성 질환(상피 단순포진성 각막염, 우두 및 수두 포함), 진균성 안질환, 결핵성 안질환, 화농성감염, 각막신피박리 및 궤양 환자 〈주의〉 1) 장기간 투약시 ① 각막이 얇아져서 천공될 위험 ② 안압상승되어 시신경 손상, 백내장의 유발 위험 ③ 흡수되어 전신적인 부작용 초래 가능 ④ 중단시 서서히 투약 간격 연장할 것. 2) Stromal herpes simplex에 사용시 항virus제제와 반드시 병용해야 함. 3) 10일 이상 장기 사용시 안압측정 필요함. 4) 2세 미만 영아 5) 임신부 : Category C 6) 수유부 : 안전성 미확립
Prednisolone acetate Predforte eye drop 프레드포르테점안액 1% …100mg/10ml/EA	1) 1일 2~4회, 1~2적씩 흔들어 점안 2) 처음 1~2일 간은 필요시 매시간 사용할 수 있음.	1) 국소형 부신피질 호르몬 점안제 2) Hydrocortisone보다 약효가 강하며, 항체생성 억제와 항히스타민 효과도 가지고 있어 항알러지 작용 있음. 3) 적응증 : 안검염, 결막염, 각막염, 공막염, 포도막염, 수술 후 염증	1) 눈 – 연용에 의하여 안내압 항진, 녹내장 – 각막 헤르페스, 각막 진균증, 녹농균 감염증 – 각막 헤르페스, 각막궤양, 외상에 사용할 경우 천공 유발 – 장기사용시 드물게 백내장 2) 창상치유 지연 3) 장기사용시 뇌하수체, 부신피질계 기능의 억제 4) 과민증	〈금기〉 1) 각막 또는 결막의 바이러스성 질환(상피 단순포진성 각막염, 우두 및 수두 포함), 진균성 안질환, 결핵성 안질환, 화농성감염, 각막신피박리 및 궤양 환자 〈주의〉 1) 10일 이상 장기 투여시 안압검사 실시 2) 임신부 : Category C 3) 수유부 : 안전성 미확립 4) 2세 미만의 영아 : 신중 투여 5) 염증이나 통증이 48시간 이상 지속되면 투여 중단하고 의사와 상의

약품명 및 함량	용법	약리작용 및 효능	부작용	주의 및 금기
Rimexolone Vexol ophthalmic soln 벡솔점안액 1% …50mg/5ml/EA	1) 수술 후 염증 : 수술 후 첫날부터 1일 4회 1~2적씩 (2주간 투여) 2) 스테로이드 감수성 염증 : 1일 4회 1~2적씩 3) 포도막염 – 첫주 : 깨어있는 동안 매시간 1~2적 – 둘째주 : 깨어있는 동안 2시간 마다 1적 – 셋째주 : 1일 4회 1적씩 – 넷째주 : 처음 4일은 1일 2회, 이후 3일은 1일 1회 1적씩	1) Corticosteroid 성분 점안액 2) 다형핵 백혈구의 이동을 억제하고 염증을 감소시키고 증가된 모세혈관 투과성을 감소시켜 염증반응을 감소시킴. 3) 화학구조 중 17번 위치의 수산화기를 메칠기로 치환하여 안압상승 부작용을 감소시킨 제제 4) 적응증 : 안과 수술 후 염증, 안검 및 안구의 결막, 각막 및 전안부의 스테로이드 감수성 염증, 포도막염	1) ~10% – 일시적인 시야 흐림 2) 1~5% – 분비물, 불편함, 안통, 안내압 상승, 이물감, 충혈, 소양증 – 두통, 비염, 인두염, 미각변화(〈2%)	〈금기〉 1) 상피성 단순 포진 각막염, 우두, 수두, 각막 및 결막 바이러스 질환 2) 안결핵, 진균성 안질환 3) 급성 화농성 난치성 감염, 아메바성 감염 4) 천연두 백신 직후의 환자 〈주의〉 1) 임신부 : Category C 2) 수유부, 소아 : 안전성 미확립 3) 장기 사용은 녹내장, 시신경 손상, 시력 및 시야 감퇴, 백내장과 숙주균 억제로 인한 2차 감염을 일으킬 수 있음. 4) 콘택트렌즈 착용 금지
1g 중 Dexamethasone 1mg, Neomycin sulfate 3.5mg(3,500IU), Polymixin B sulfate 6,000IU **Maxitrol ophthalmic oint** 맥시트롤안연고 …3.5g/EA	1) 1일 3~4회 결막낭내 소량 도포하거나 취침시 점안제와 같이 사용	1) AGs계 항균제인 Neomycin과 Polypeptide 항균제인 Polymixin B 및 장시간형 corticosteroid의 혼합 제제 2) 황산폴리믹신 B 및 황산네오마이신 감수성균 (Neomycin의 항균력 : G(−) bacilli, E.coli, Klebsiella, Enterobacter균/ Polymicin B의 항균력 : Pseudomonas)에 의한 결막염, 안검염, 각막염 치료	– 연고 성분에 의한 알레르기 반응, 각막이나 공막의 천공 유발 가능성 – 장기사용시 시신경 손상 및 시력 손상으로 녹내장 또는 백내장 유발 가능 – 상처치유 지연 – 스테로이드 성분에 의한 감염 은폐현상 유발 가능	〈금기〉 1) 각막 또는 결막의 바이러스성 질환(상피 단순포진성 각막염, 우두 및 수두 포함) 2) 눈의 마이코박테리아, 사상균, 결핵균 감염, 진균성 안질환 3) 각막 손상 및 궤양 환자 4) 녹내장의 병력이 있는 환자 6) 신생아 〈주의〉 1) 연고 사용시 콘택트렌즈 제거 2) 10일 이상 장기 투여시 지속적인 안압 검사 실시 3) 치료기간은 14일을 넘지 않도록 할 것 4) 장기사용 시 스테로이드 성분에 의한 진균감염에 주의 5) 임신부 및 수유부 : 안전성 미확립
1ml 중 Dexamethasone 1mg, Tobramycin 3mg **Toravindex**	1) 초기 24~48시간 동안 2시간 간격으로 1~2적씩 투여하고, 증상이 개선되면 점차 감량 2) 4~6시간 간격으로 1~2적씩 점안 3) 현탁액이므로 흔들어 사용	1) Aminoglycoside계 항균제인 tobramycin과 장시간형 corticosteroid인 dexamethasone의 복합 성분 점안제 2) ① Tobramycin : G(+), (−) 균주의 단백 합성 저해 ② Dexamethasone : 항염증 작용 3) 적응증	– 자극감, 동통, 안검 소양증, 안검부종, 결막 홍반(〈4%) – 과량 투여시 점상각막염, 홍반, 눈물 증가	〈금기〉 1) 상피의 단순 헤르페스 각막염(수지각막염), 우두, 수두 및 각막과 결막의 바이러스성 질환, 안결핵, 눈의 진균성 질환 환자 2) 소아, 수유부 : 안전성 미확립 3) 임신부 : 안전성 미확립

약품명 및 함량	용법	약리작용 및 효능	부작용	주의 및 금기
ophthalmic suspension 토라빈덱스점안액 …5ml/EA		- Tobramycin 감수성균 감염증 - Steroid 반응성 눈의 염증 및 안과 질환 : 표재성 세균감염, 안검 및 안구 결막, 각막, 안구 전방부의 염증, 만성 전포도막염, 화학물질, 방사선, 열성 외상 또는 이물침에 의한 각막상해	- 장기간 사용시 안내압 상승	Category D(tobramycin), Category C(dexamethasone) 〈주의〉 1) 장기 연용시 균교대현상 가능 2) 타 AGs항균제와 교차감염 가능
1g 중 Fluorometholon 1mg, Gentamicin sulfate 3mg **Infectoflam eye oint** 인펙토후람안연고 …4g/EA	1) 세균성 감염 : 1회 5mm길이로 1일 3~4회 도포 2) 눈 수술 후 치료시 점안액의 보조요법으로 취침전 5mm 도포	1) 부신피질 호르몬과 AGs 항균제의 복합제제 2) Gentamicin에 감수성이 있는 Staphylococcus, Streptococcus, Pseudomonas, Klebsiella, Proteus에 의한 전안부 감염증 치료 3) Fluorometholone은 충혈, 혈관부종, 혈관신생, 조직삼출, 모세혈관 증식 등을 억제함. 4) 적응증: gentamicin에 감수성이 있는 균에 의한 전안부 감염, 세균 감염의 위험성이 있는 전안부 염증 치료	- 작열감 - 과민반응, 가려움, 발적, 광과민증 - 안압상승 - 드물게 전신흡수로 인한 hypercorticoism	〈금기〉 1) 각막손상, 궤양이 있는 환자 2) 바이러스성 감염, 진균감염증 환자 3) 안결핵, 녹내장 환자 4) 임신부 : Category D(gentamicin) 5) 수유부 : 안전성미확립 〈주의〉 1) 2주 이상 적용하지 말 것(2차적 진균 감염이나 비감수성 세균 감염 유발 가능) 2) 연용할 경우 정기적인 안압 검사 필요 3) 장기 연용으로 각막, 공막 천공이 나타날 수 있음. 4) 타 안약과 함께 사용할 경우 5분 간격을 두고 적용할 것 5) 투여 전후 5분간 콘택트렌즈 착용을 피할 것. 6) 개봉 후 1개월 간 안정 7) 임신부 : 안전성 미확립(Getamicin : Category D) 8) 수유부 : 안전성 미확립

13장. 외용제 ……………………4. Opthalmics ……………………(11) Surgical aids

약품명 및 함량	용법	약리작용 및 효능	부작용	주의 및 금기
Hydroxypropylmethylcellulose Hycell soln 하이셀멸균액 2% …200mg/10g/EA	1) 콘택트렌즈의 오목한 부위에 1~2방울 점적, 증상에 따라 적절히 증감	1) 고분자의 등장성, 멸균 점탄성액 2) 우각경 검사, 우각경 절개, 세극 등을 이용한 안저 검사시 사용하는 콘택트렌즈에 점적하여, 각막손상을 방지하고 검사를 용이하게 함.	- 일시적인 충혈, 각막부종, 드물게 염증	〈취급상 주의〉 1) 눈안에 직접 투여하지 않도록 함 2) 실온보관

약품명 및 함량	용법	약리작용 및 효능	부작용	주의 및 금기
Sodium hyaluronate Hyal 2000 inj 히알2000주 …8.5mg/0.85ml/syr	1) 백내장 수술 및 안내 렌즈 이식술 : 필요량을 수정체 제거 전·후에 안구 전방에 주입하며 수술기구 및 안내렌즈의 코팅에 사용함. 2) 각막 이식술 : 각막 이식편을 제거하고 각막 표면과 수위가 맞을 때까지 전방을 채움. 3) 녹내장 여과술 : 섬유주 절제술 동안 전방 용량을 보충하고 유지하기 위해 주입함.	1) Highly viscous, nonantigenic polysaccharide 2) 안과수술 보조제로 안과 수술 중 anterior chamber의 붕괴를 방지하는 목적으로 사용함. 3) 적응증 : 백내장 수술(수정체 이식), 각막이식수술, 녹내장 수술 등 각종 안과수술 보조제	– 안압 상승 – 동통, 각막부종, 각막혼탁, 결막혼탁, 결막유착부전, 염증반응	〈금기〉 1) 단백질계 약물에 과민한 환자 2) 혈관내 주입하지 않음. 〈주의〉 1) 수술 후 안압 상승이 일어나면 적절한 처치를 함. 2) 수술 후 세정, 흡인 등에 의해 이 약을 제거함. 3) 투여시 홍채 아래 공기가 들어가지 않게 함. 〈상호작용〉 1) 염화벤잘코늄 등과 같은 4급 암모늄을 함유하는 용액으로 수술 용구를 세척하지 않음(∵4급 암모늄 및 chlorhexidine에 의해 침전 생성). 2) Hyaluronidase와 병용하지 않음. 〈취급상 주의〉 1) 냉장보관하며 사용 전 실온에서 30분간 방치한 후 사용함. 2) 개봉 후의 사용은 1회로 하고 잔액은 용기와 함께 폐기함.
Sodium hyaluronate Hyalu inj 히알루주사 1.5% …12.75mg/0.85ml/syr	1) 백내장 수술 및 안내 렌즈 이식술 : 필요량을 수정체 제거 전·후에 안구 전방에 주입하며 수술기구 및 안내렌즈의 코팅에 사용함. 2) 각막 이식술 : 각막 이식편을 제거하고 각막 표면과 수위가 맞을 때까지 전방을 채움. 3) 녹내장 여과술 : 섬유주 절제술 동안 전방 용량을 보충하고 유지하기 위해 주입함.	1) Highly viscous, nonantigenic polysaccharide 2) 안과수술 보조제로 안과 수술 중 anterior chamber의 붕괴를 방지하는 목적으로 사용함. 3) 적응증 : 백내장 수술(수정체 이식), 각막이식 수술, 녹내장 수술 등 각종 안과수술 보조제	1) 1~10% – 수술 후 염증 반응, 각막 부종, 일시적인 안압 상승, 각막 대상부전 (decompensation) 2) 안내 렌즈 표면의 혼탁	〈금기〉 1) 단백질계 약물에 과민한 환자 2) 혈관내 주입하지 않음. 〈주의〉 1) 수술 후 안압 상승이 일어나면 적절한 처치를 함. 2) 수술 후 세정, 흡인 등에 의해 이 약을 제거함. 3) 투여시 홍채 아래 공기가 들어가지 않게 함. 〈상호작용〉 1) 염화벤잘코늄 등과 같은 4급 암모늄을 함유하는 용액으로 수술 용구를 세척하지 않음(∵4급 암모늄 및 chlorhexidine에 의해 침전 생성). 2) Hyaluronidase와 병용하지 않음. 〈취급상 주의〉 1) 냉장보관하며 사용 전 실온에서 30분간 방치한 후 사용함. 2) 개봉 후의 사용은 1회로 하고 잔액은 용기와 함께 폐기함.

약품명 및 함량	용법	약리작용 및 효능	부작용	주의 및 금기
1ml 중 Sodium hyaluronate 16.5mg, Sodium chondroitin sulfate 40mg **Discovisk inj** 디스코비스크주 …1ml/syr	1) 무균적으로 조심스럽게 안구의 전방부 또는 수정체 적출 전후 안방에 주입 2) 수술 후 멸균관류액으로 철저히 세척 후 흡입하여 안내에서 완벽하게 제거하는 것이 권장됨.	1) 안과수술시 사용하는 점탄성제 2) Viscous dispersive : 응집형(cohesive)과 분산형(dispersive)의 두가지 특성이 모두 있어 수술시 공간 확보와 각막내피세포 보호의 효과를 동시에 가짐. 3) 적응증 : 백내장 적출 및 인공 수정체 이식을 포함한 각종 전방부 안과 수술의 보조제	- 안내압의 상승, 염증, 각막부종, 각막혼림	〈주의〉 1) 캐뉼라에 부착된 용법을 따르도록 하며, 다른 대체 캐뉼라를 사용하거나 재사용하지 말 것 2) 물질이 투명할 때에만 사용할 것 3) 공기방울이 있거나 용기가 파손된 경우 사용 금지 〈취급상 주의〉 1) 냉장보관
1ml 중 Sodium hyaluronate 29.2mg, Sodium chondroitin sulfate 37mg **Viscort eye soln** 비스코트점안액 …0.75ml/syr	1) 무균적으로 조심스럽게 안구의 전방부 또는 수정체 적출 전후 안방에 주입 2) 수술 후 멸균관류액으로 철저히 세척 후 흡입하여 안내에서 완벽하게 제거하는 것이 권장됨.	1) Highly viscous, nonantigenic polysaccharide 2) 안과수술 보조제로 안과 수술 중 anterior chamber의 붕괴를 방지하는 목적으로 사용함. 3) 적응증 : 백내장 적출 및 인공 수정체 이식을 포함한 각종 전방부 안과 수술의 보조제	- 안압 상승 - 동통, 각막부종, 각막혼탁, 결막혼탁, 결막유착부전, 염증반응	〈주의〉 1) 수술 후 세정 등에 의해 제거
100ml 중 Sodium chloride 640mg, Potassium chloride 75mg, Calcium chloride 48mg, Magnesium chloride 30mg, Sodium acetate 390mg, Sodium citrate 170mg (총 Na^+ 367.3mg, Cl^- 457.5mg) **BSS soln** 비에스에스액 …15ml/EA …500ml/BT	* 수술의 종류에 따라 정해진 용법대로 사용 1) 알루미늄 포장에서 플라스틱 캡을 제거함. 2) 스파이크를 무균적으로 고무마개 가운데 부분을 통해 용기에 삽입 3) 관류전에 공기를 제거하고 사용	1) 적응증 : 최대 60분 이내의 안과영역 수술시 관류액(Balanced salt soln)으로 눈, 귀, 코, 목 등의 외과 수술시 관주(세정)액으로 사용함.	- 각막 내피 장해시 관주 또는 외상으로 인해 수포성 각막 질환의 우려있음	〈주의〉 1) 정맥 내 투여 금기 2) 방부제가 첨부되어 있지 않으므로 재사용 불가 3) 약액이 혼탁되었거나 진공상태가 유지되지 않은 경우 사용 불가

약품명 및 함량	용법	약리작용 및 효능	부작용	주의 및 금기
* 1액(480ml) 중 Sodium chloride 3571.2mg, Potassium chloride 189.6mg, Sodium hydrogen phosphate 207.84mg, Sodium bicarbonate 1051.2mg * 2액(20ml) 중 Calcium chloride 77mg, Magnesium chloride 100mg, Dextrose 460mg, Glutathion sufate 92mg **BSS Plus soln** 비에스에스플러스액 …500ml/BT	1) 2액(20ml)을 1액(480ml)으로 옮겨 잘 혼합되도록 서서히 흔듬. 2) Irrigating solution으로 수술시 눈, 귀, 코 또는 인후 등에 계속해서 주입	1) 안과 영역수술시 관류액 2) 정상적인 electrical activity를 유지할 수 있는 적합한 pH와 ion조성을 가짐. 3) pH : 7.4 삼투압 : 305mOsm/kg	- 각막병증, 각막부종, 각막대상부전 등	〈취급상 주의〉 1) 정맥내에 직접 주입하지 말 것 2) 2액 이외의 첨가제는 사용하지 말 것 3) 방부제가 첨부되어 있지 않으므로 재사용 불가 4) 약액이 혼탁되었거나 진공상태가 유지되지 않은 경우 사용 불가 5) 혼합 후 6시간이 경과한 것은 폐기할 것
20ml 중 Gentamicin 2mg, Streptomycin 4mg **Optisol-GS soln** 옵티졸지에스액 …20ml/V	1) 각막 보존 ① 무균 조건하에서 각막을 병에 옮겨 완전히 약액에 잠기도록 함. ② 용기의 마개를 닫아 열로 봉함한 후 2~8℃에서 냉장보관 2) 수술 시 ① 각막을 배지에 이동 한 후 마개를 제거함.	1) 각막 이식용으로 추출된 각막을 수혜자에게 이식할 때까지 보존하기 위한 각막 보존 배지임. 2) 각막 보존 시간의 연장을 위해 주성분으로 덱스트란 이외에 황산 콘드로이친을 혼합하였으며, 항균력 보강을 위해 gentamicin, streptomycin을 포함시킴. (*삼투압 조정제: 황산콘드로이친 Na, 덱스트란 40) 3) 각막의 보존 : 4℃에서 14일간 보존	-	〈취급상 주의〉 1) 무균 조작법으로 본 약제를 사용하여야 하며, 사용 전 육안으로 배지의 상태를 검사하여야 함. 2) 배지색상에 의한 판정 ① 밝은 황적색 : 사용가능 ② 황색 : 미생물 오염에 의해 약액의 pH가 변화된 상태 ③ 적색 : pH변화로 사용 불가임.

약품명 및 함량	용법	약리작용 및 효능	부작용	주의 및 금기
Anhydrous liquid lanolin Ocutears eye oint 오큐티얼즈 안연고 … 105mg/3.5g/EA	1) 소량(0.5cm)을 결막낭내에 투여	1) 눈을 보호 · 윤활하게 하는 보조치료제 2) 표재성 각막염, 각막감수성의 저하, 안검부착을 감소시키는 재발성 각막속발진, 건성 각막염에 사용 3) 수술 시 눈의 보호, 수술 후 윤활제로 사용함.	- 눈곱, 눈충혈, 눈물 등의 과민반응	〈주의〉 1) 점안시 일시적인 시야 장애가 생길 수 있으므로 운전이나 기계 조작 피함. 2) 임신부 및 수유부 〈취급상 주의〉 1) 개봉 후 30일 이내 사용 2) 이 약 투여 후 적어도 30분 경과 후 콘택트렌즈 착용
Carbachol Miostat inj 마이오스타트주사 …0.15mg/1.5ml/V	1) 수술시 봉합전후에 1.5ml를 안방에 서서히 관주함. 2) 투약 후 2~5분 내에 최대의 동공 축소 효과가 나타남.	1) Direct acting cholinergic agent 2) Cholinergic receptors를 자극하여 muscarinic, nicotinic 효과를 발현함. 3) Cholinesterase에 의한 가수분해에 내성이 있어 작용시간이 acetylcholine보다 김. 4) 적응증 : 수술시 동공 축소, 백내장 수술 후 24시간 동안의 안내압 상승 억제 5) Tmax : 2~5mins(최대축동) 지속시간 : 15hrs	1) 1~10% - 시야혼탁, 안통	〈주의〉 1) 급성 심부전, 기관지 천식, 위장관 연축, 위궤양, 갑상선 기능항진, 요로폐색, 파킨슨병 환자 2) 과량 투여시 atropine 투여 3) 임신부, 수유부, 소아 : 안전성 미확립 〈취급상 주의〉 1) 점안용으로만 사용 2) 사용 후 남은 약 폐기(1회용)
Fluorescein Fluorescite inj 후루오레사이트주사 10% …500mg/5ml/V	1) Angiography : 성인 500mg(5ml)를 상완정맥에 IV. 2) 혈관 순환계 판별 : 15~20mg/kg 5분에 걸쳐 투여함. 3) 안과의 corneal epithelial defects 검사 : 2% soln으로 1~2적 점안	1) 정상누액에서 황녹색, 알카리성 누액에서 밝은 녹색을 나타내는 혈관조영, 혈관 검사 등의 진단용 2) 형광에 의하여 눈물막층을 볼 수 있으므로 형광의 색 및 눈물막층의 이상여부로 점안제는 hard contact lense 착용시 이상 여부, 각막상피 세포의 이상여부, 백내장 수술후 wound leak 부위 발견 등에 사용함. 3) 팔정맥에 주사하여 central retinal artery에 나타나는 형광으로 diabetic retinopathy 검사 등의 retinal photography, iris angiography에 사용함. 4) Arm-to-retina 순환시간 측정으로 경동맥 폐색의 진단에도 사용	- IV시 때때로 오심, 구토, 소양증, 담마진, 이상감각	〈금기〉 1) 중증 중추신경계 장애, 감염증, 순환기계 질환 환자 2) 전신 쇠약자 3) 임신부 : Category C(국내허가금기) 〈주의〉 1) IV시 anaphylaxis와 acute pulmonary edema가 나타날수도 있음. 2) Anaphylaxis 가능성 의심시 IV 전 0.05ml 피내주사후 30~60분간 관찰함. 3) 응급처치 목적으로 Epinephrine, 항히스타민제 및 O_2를 준비해야 함.

약품명 및 함량	용법	약리작용 및 효능	부작용	주의 및 금기
Natamycin Natacin ophthalmic suspension 나타신점안현탁액 5% …750mg/15ml/EA	1) 진균성 각막염 -초기용량 : 1-2시간마다 1회 1적 -치료 3-4일 후 1일 6-8회로 감량 2) 진균성 안검염과 결막염 : 초기용량으로 1일 4-6회 3) 사용전 잘 흔들어서 사용	1) 진균세포막의 투과성을 변화시켜 진균 세포막의 필수성분을 파괴하는 항진균 점안액 2) 진균성 안검염, 결막염, 각막염에 사용	- 결막 부종 및 충혈, 자극감, 안검염 - 각막미란, 가려움	〈금기〉 1) Corticosteroid와 국소병용 투여환자 〈주의〉 1) 내성균의 발현 방지를 위해 감수성을 확인하고 치료상 필요한 최소기간만 투여함 2) 이 약 투여 후 7-10일 이후에 각막염 개선이 없으면 비감수성균에 의한 감염으로 간주함 3) 임신부 : Category C 4) 수유부 : 안전성 미확립 5) 소아 : 안전성 및 유효성 미확립 〈취급상 주의〉 1) 차광, 실온보관 (박스 내 보관)
Proparacaine HCl Alcaine eye drop 알카인점안액 0.5% …75mg/15ml/EA	1) 안압측정이나 이물 또는 봉합제거 등의 간단한 처치 : 수술 전 1~2적 2) 심도의 안과마취 : 매 5~10분마다 1적씩 5~7회	1) Ester type 국소 마취제 점안제 2) 뉴론막을 안정화시키며, 신경충동의 발생과 전달을 억제하여 국소 마취작용을 나타내는 안과용 국소 마취제 3) 단시간 각막마취 및 간단한 각막, 결막마취에 사용 4) Onset : 30secs 지속시간 : 〉15mins	1) 1~10% - 자극감, 작열감, 결막홍조 2) 일시적인 심한 급성 상피성 사상 각막염, 괴사성 상피세포의 허물탈락, 간질부종, 홍채염	〈금기〉 1) 미숙아, ester형 국소마취제 대사 효소가 미숙한 환자 〈주의〉 1) 지속적 사용 금함. 2) 국소마취는 상피의 치유를 지연시킴. 3) 속발성 각막염 위험 있음. 4) 마취효과가 사라지기 전에 눈을 만지거나 비비지 말 것 5) 임신부, 수유부 및 소아 : 안전성 미확립 〈취급상 주의〉 1) 차광 및 냉장보관(2~8℃)
Sodium chloride Muro 128 eye drop 뮤로128점안액 5% …750mg/15ml/EA	1) 증상이 있는 눈에 매 3~4시간마다 1~2적씩 점안	1) Electrolyte solution eye drop 2) 전해질 균형, 수분분포, 삼투압 유지 기능, 혈장의 등장성 유지에 필요한 염분 공급 작용 3) 적응증 : 각막부종의 일시적 완화	- 일시적인 화끈거림과 자극감 - 눈의 통증, 시력변화, 지속적인 충혈	〈주의〉 1) 점안용으로만 사용 2) Propylene glycol 성분에 과민한 환자 3) 임신부 : Category C
Solcoseryl 120 extract Solcorin eye drop 솔코린점안액 …70.05mg/ml, 0.6ml/EA	1) 점안겔 : 1일 3~4회 1회 1적씩 점적 2) 점안액 : 1일 4~5회 1회 1적씩 점적	1) 단백을 제거한 송아지혈액 추출물 2) 상처부위의 산소이용 개선, 필수 대사물질의 흡수를 촉진하여 고에너지를 필요로 하는 조직 재생 작용을 나타냄. 3) 적응증 : 각막궤양, 각막손상, 산 또는 알칼리에 의한 각막부식, 각막 및 결막의 퇴행성 병변, 대수포성 각막염	- 일시적 작열감 - 과민증	〈금기〉 1) 소의 혈액을 원료로 하는 제제에 대하여 과민증의 병력이 있는 환자 〈주의〉 1) 안약에 의한 알레르기 증상 경험있는 환자 2) 임신부, 수유부 : 안전성 미확립

약품명 및 함량	용법	약리작용 및 효능	부작용	주의 및 금기
Solcorin eye gel 솔코린점안겔 ……70.05mg/g, 5g/EA				〈취급상 주의〉 1) 실온보관 2) 개봉 후 1개월내 사용 3) 치료 중 콘택트렌즈의 착용을 피함.

약품명 및 함량	용법	약리작용 및 효능	부작용	주의 및 금기
Nitroglycerin diluted Rectogesic oint 렉토제식연고 …30g/EA (40mg/g, nitroglycerin으로 2mg/g)	1) 성인 : 1일 3회 2) 손가락에 1~1.5cm(1cm=2.5g)로 짜서 항문 내 1cm 이상의 깊이로 주입	1) 환부에 직접 적용하여 NO를 공급함으로서 내부 항문 괄약근 이완 및 항문직장 제해반사 조절 2) MRAP(maximum resting anal pressure)저하, 항문근 혈관 압박 감소로 혈류량 증가 3) 적응증: 의사에 의해 진단된 항문열창의 치료 및 완화, 치질 수술 후의 상처치유 보조 및 통증 완화	(빈도 미확립) - 두통, 무력감, 현기증	〈금기〉 1) 심한 빈혈증, 녹내장, 저혈압, 높은 뇌압 환자 2) PDE5 저해제(Sildenafil citrate 등) 사용 환자 3) 임신부, 수유부 및 소아 4) 다른 질산염 제제와의 병용 (빠른 내성 유발 가능) 5) 알코올 섭취, 운전 및 기계 조작 〈주의〉 1) 심장통증, 심장질환의 치료약 복용중인 환자
Pramoxine HCl Hemorex cream 헤모렉스크림 1% …350mg/35g/EA	1) 성인: 1일 5회까지 환부에 도포	1) 치질 크림 2) 작용기전: 국소마취작용 3) 적응증: 치질로 인한 불쾌감, 작열감, 가려움증상의 일시적 완화	(빈도 미확립) - 발적, 부종, 자극감 등	〈주의〉 1) 임신부: Category C 2) 7일 정도 사용 후 증상 개선이 없는 경우 알림 3) 출혈 있는 경우 즉시 알림 4) 소아: 보호자 지도, 감독하에 사용 〈취급상 주의〉 1) 직사광선 피해 서늘한 곳, 실온보관(1-30℃)
2g 중 Lidocaine 60mg, Prednisolone acetate 1mg, Tocopherol acetate 50mg, Allantoin 20mg **Levan H oint** 레반에이치주입연고 …2g/EA	1) 주입 용법 : 1일 1~2회 1제씩 항문 내에 노즐 부분을 삽입하고 전량을 천천히 주입 2) 도포 용법 : 1일 1~3회 환부에 도포 (한번 도포한 제품은 주입 불가), 도포 부위에 거즈 등 적용 3) 1회용 주입식 튜브로 항문내 주입 또는 도포 가능	1) 치질 연고 2) 약리 작용 ① Lidocaine : 국소마취 ② Prednisolone acetate : 부신피질 호르몬제(염증과 부종 치료, 지혈) ③ Tocopherol acetate : 말초 혈류개선과 혈관강화 작용 ④ Allantoin: 수렴작용 3) 적응증 : 치열 및 치핵의 통증, 가려움, 부종, 출혈 증상 완화	- 발진, 발적, 가려움, 부종, 자극감, 화농 - 아나필락시양 증상 (사용 후 바로 두드러기, 부종, 가슴통증, 창백, 수족냉증, 숨이 찬 경우 등)	〈금기〉 1) 환부가 화농되어 있는 환자 2) 15세 미만 소아 〈주의〉 1) 임신부 또는 임신 가능성 있는 환자 2) 부신피질호르몬제 함유하므로 장기간 사용 주의 3) 7일 정도 사용 후 증상의 개선이 없는 경우 사용 중지에 관해 의사와 상의 4) 출혈 있는 경우 즉시 알림 〈취급상 주의〉 1) 직사광선 피해 습기 적고 서늘한 곳, 실온(1~30℃) 보관 2) 개봉 후 신속히 사용

약품명 및 함량	용법	약리작용 및 효능	부작용	주의 및 금기
Ascorbic acid Vagi-C vaginal tab 바지씨질정 …250mg/EA	1) 1일 1회 1EA씩 6일간 질내 삽입 2) 중증 또는 임신시에 1주일이상 사용 가능	1) Vitamin C 성분의 질정 2) 질내 산도를 정상 산도인 pH 4.5 이하로 유지시켜 질내 정상균총을 정상화시킴으로써 병원성 미생물의 생육 억제, 염증반응 억제, 악취제거 효과를 나타냄(살균작용은 아님) 3) 적응증 : 경~중등도의 만성 또는 재발성 질염(세균성, 비특이성); 손상된 질내 세균총의 정상화	- 과민증 - 증후성 진균감염	〈금기〉 1) 생식기 내의 진균감염 (∵산성 환경에서 진균에 빠르게 증식하므로 오히려 증상 악화) 〈주의〉 1) 임신, 수유기에도 투약 가능 〈상호작용〉 1) salicylate염은 본제의 효과를 저하시킴. 2) Estrogen은 vitamin C의 생체이용율을 향상시킴. 3) 항응고제 효과 저하됨. 〈취급상 주의〉 1) 서늘하고 건조한 곳에 실온보관
Clotrimazole Canesten 1 vaginal tab 카네스텐원질정 …500mg/EA	1) 성인 : 500mg hs 단회 투여	1) Broad-spectrum antifungal agent 2) Candida albicans, 트리코모나스에 대해 살균작용을 나타냄. 3) 적응증 : 칸디다류의 진균류와 트리코모나스질염 4) 500mg/EA 함량은 대량 투여 요법으로 사용이 간편함.	1) 1~10% - 질 작열감	〈주의〉 1) 임신 3개월 이전의 임신부 2) 생리기간 중 사용하지 않음. 3) 만 12세 이상의 어린이 및 성인만 사용 4) 수유부 : 모유로 이행(수유 중단)
Estriol Ovestin vaginal supp 오베스틴질좌제 …0.5mg/EA	1) 0.5mg qd(hs) 평균 3주간 사용하고, 이후 주 2회 1EA씩 사용	1) Natural estrogen(estriol) 제제로 질 상피세포를 정상화시키고, 질내의 pH를 약산성으로 회복시킴. 2) 적응증 : 갱년기와 폐경이후 또는 난소적출술 후 estrogen 결핍으로 인한 외음부 질환 및 증상(위축성 질염, 외음부가려움, 성교불쾌감)	- 국소자극, 소양감 - 유방통(일시적) - 두통, 배탈, 칸디다증, 혈전성 정맥염, 고혈압, 체중변화, 체액저류, 무월경, 기분변화	〈금기〉 1) 임신부 : Category X 2) 혈전성 정맥염 3) 원인불명 질출혈 4) 유방암, 생식기암 5) 급·만성 간질환 6) 뇌혈관 또는 심혈관 환자 7) Rotor Syn.이나 Dubin-Johson Syn.환자 8) 수유부 : 모유로 이행 〈주의〉 1) 혈전증의 위험 증가 〈상호작용〉 1) Corticosteroid의 약효증가 2) 활성탄, barbiturate, phenytoin, rifampin : 이 약의 효과 감소 3) β-blocker의 효력 증가

약품명 및 함량	용법	약리작용 및 효능	부작용	주의 및 금기
Estropipate Esgen vaginal cream 에스젠질크림 0.15% …22.5mg/15g/EA	1) 증상의 정도에 따라 1일 2~4g을 질내 국소 적용 2) 3~6개월 간격으로 사용을 중지하거나 감량을 시도 3) 투여량을 주입기에 넣고, 질내로 깊숙이 삽입한 후 투여	1) 식물(Mexican Yam)에서 추출한 natural estrogen 제제 2) 질에 국소 적용하여 estrogen 농도를 증가시켜 질과 요도의 점막을 정상화시키고 질의 pH를 5이하로 떨어뜨려 정상 세균총을 집락화함. 3) 적응증: 외음부 및 질 위축증	- 과민반응, 국소자극, 유방압통, 소퇴성 출혈, 질출혈 변화, 질칸디다증, 두통, 구역, 구토, 각막 만곡의 심화 등	〈금기〉 1) Estrogen 의존성 종양 또는 의심 환자 2) 임신부 또는 가임여성(Category X) 3) 비정상적인 생식기 출혈 환자 4) 활동성 혈전성 정맥염 또는 혈전색전증 환자(혈전 형성 증가 가능) 〈주의〉 1) 천식, 간질, 편두통, 심장/신장질환 환자 2) 간기능장애 환자 3) 대사성 골질환 및 신부전 환자 4) 골격 성장중인 사춘기 이전의 소아 5) 수유부(유즙분비를 저해할 수 있음.) 6) 당뇨병 환자(내당력 악화 가능) 7) 고지단백혈증의 가족력이 있는 환자 〈취급상 주의〉 1) 주입기는 사용 후 피스톤을 분리하여 연성세제와 미지근한 물로 세척 후 사용
Policresulen Albothyl vaginal supp 알보칠좌제 …90mg/EA	1) 90mg hs EOD로 질내 삽입하며 1~2주간 투여함.	1) Metacresol sulfate와 methanol과의 축합물 2) 수렴작용, 강력한 모세혈관 수축작용 및 근섬유 수축작용으로 지혈효과, 각종 분비물 억제, 조직재생 촉진작용 3) 질대하증, 비특이성 질염, 질염 및 자궁경부염, 박테리아, 트리코모나스 감염증에 사용함.	- 국소의 작열감, 자극감, 통증, 구진, 하복부경련, 부종	〈금기〉 1) 월경 중 사용 금기 2) 치료기간 중 성교 및 자극적인 비누 세척금지
Povidone iodine Gyno-betadine vaginal supp 지노베타딘질좌제 …200mg/EA (유효 요오드로로 20mg)	1) 1일 1회 200mg 질내 깊숙히 삽입(hs)	1) 적응증 : 칸디다성 질염, 트리코모나스질염, 비특이성 및 혼합 감염에 의한 질염, 산부인과 수술전 처치	1) 1~10% - 발진, 소양증, 국소부종	〈금기〉 1) 갑상선 이상 환자, 방사성 요오드 치료 전후 2) 신부전 환자 3) 포진상 피부염 환자 4) 신생아, 6개월 미만 영아 〈주의〉 1) 살정작용이 있으므로 임신하고자 할 때는 사용중지 2) 임신부, 수유부 : 안전성 미확립

약품명 및 함량	용법	약리작용 및 효능	부작용	주의 및 금기
Sertaconazole nitrate Dermofix vaginal tab 더모픽스질정 …500mg/EA	1) 취침전 500mg을 질내에 깊숙히 삽입 (1회 투여) 2) 1회 투여 후 증상이 지속되는 환자는 1~2주 후 500mg 추가 투여	1) Imidazole계 항진균제로서, Aspergillus속, Alternaria속, Scopulariopsis속, Candida속 등에 광범위한 효과를 나타냄. 2) 적응증 : 칸디다성 질염 3) 지속시간 : 3days	- 요도의 작열감, 질소양증, 요실금, 방광염 - 홍반, 발진, 접촉성 피부염	〈금기〉 1) Azole계 화합물에 과민한 환자 〈주의〉 1) 생리기간 중 투여 가능 2) 임신부 : Category C 3) 수유부 : 안전성 미확립 4) 약물이 질 밖으로 흘러나 올 수 있으므로 주의 〈취급상 주의〉 1) 실온보관
Lactobacillus acidophilus + Estradiol **Gynoflor vaginal tab** 지노프로질정 …10,000KIU+0.03mg/EA	1) 1~2EA hs 6~12일간 치료, 월경중에는 중지하고 끝난 후 재개	1) Lactobacillus와 estradiol의 복합 제제 2) 작용 기전 - Lactobacillus acidophilus : 장내 정상 균주로 젖산 생성을 통한 pH 산성 유지로 병원균 증식을 억제함. - Estradiol : 여성호르몬으로 세균성 질염과 폐경기, 노년기 질염을 예방함. 3) 적응증 : 소독제나 항생제로 국소 또는 전신 치료 후 Doderlin 균총의 정상화, 폐경기 후의 질세균총의 정상화, Gardnerella균 또는 Candida albicans에 의한 질염	- 국소자극, 소양감 - 유방통(일시적) - 두통, 배탈, 칸디다증, 혈전성 정맥염, 고혈압, 체중변화, 체액저류, 무월경, 기분변화	〈금기〉 1) 임신부 : Category X 2) 혈전성 정맥염 3) 원인불명 질출혈, 염증성·화농성의 침윤된 질염 환자 4) 유방암, 생식기암 5) 성적으로 미성숙한 소녀 7) Rotor Syn.이나 Dubin-Johnson Syn.환자 〈주의〉 1) 혈전증의 위험 증가
Neomycin sulfate + Polymyxin B sulfate + Nystatin **ONG vaginal soft cap** 오엔지질연질캅셀 …50.2mg+35KIU+100KIU/EA	1) 1일 1EA를 6일간 저녁에 질내에 깊숙이 삽입 2) 중증 또는 만성 감염의 경우 1일 1~2EA을 6~12일간 아침, 저녁에 질내에 삽입	1) G(+), G(-) 균을 포함하여 칸디다 및 진균류에 대한 항균작용을 가짐. 2) 질점막 전체로의 확산작용이 있어 질점막의 보호효과 뿐만 아니라 넓은 염증부위에도 소염효과를 나타냄. 3) 적응증 : 질칸디다증, 비특이성 세균성질염, 외음부염 및 위 질환에 기인하는 화농성 대하에 사용함.	- 장기간 사용시 접촉성 알러지성 습진	〈주의〉 1) 신장 및 청각 등에 대한 전신 독성의 위험이 있으므로 단기 투여함. 2) 신부전 환자 또는 2차 전신독성이 나타날 경우에는 신중투여 3) 생리기간 중 투여 가능 〈상호작용〉 1) 콘돔, 질내 피임용격막과 같은 라텍스 또는 고무제품을 약화시킬 수 있으므로 주의

약품명 및 함량	용법	약리작용 및 효능	부작용	주의 및 금기
Flurbiprofen Bifen cataplasma 비펜 카타플라스마 ···40mg/P	1) 1일 2회 1매씩 환부에 부착	1) Propionic acid계 NSAIDs 외용제 2) 습포제(cataplasma) 형태로 50% 이상의 수분을 함유하고 있어 보온, 보냉 작용 및 피부보수율을 증대시킴. 3) 적응증 : 퇴행성관절염(골관절염), 어깨관절주위염, 건초염, 상완골상과염, 근육통, 외상후의 종창, 동통의 진통, 소염 4) Tmax : 13.8hrs $T_{\frac{1}{2}}$: 10.4hrs	– 발적, 발진, 소양감, 접촉성 피부염 – 천식 발작	〈금기〉 1) Aspirin 또는 NSAIDs에 의한 천식발작 병력이 있는 환자 〈주의〉 1) 기관지천식 환자 2) 피부의 감염증을 불현성화할 우려가 있으므로 감염수반 염증에 사용시 항균제, 항진균제 병용함. 3) 임신부 : Category B 4) 수유부 : 모유 이행 5) 소아 : 안전성 미확립
Indomethacin Vigel cream 바이겔크림 ···250mg/25g/EA	1) 증상에 따라 적량을 1일 수회 환부에 넓게 도포하고 마사지	1) Prostaglandin 합성저해에 의한 항염증작용 : hydrocortisone의 2.5배, aspirin의 30배 2) 환부에 도포한 후 흡수되어 약효를 나타내는 경피형 제형으로 경구제의 부작용을 해소시킴. 3) 혈중농도 유지와 관계없이 국소 부위에 적용하여 약효을 나타냄. 4) 근육통, 외상후의 종창, 동통, 변형성 관절증, 견관절주위염, 건초염, 건주위염, 상완골 상과염 등의 소염, 진통에 사용함 5) Onset : 1~3mins	– 가려움증, 발적, 발진, 열감, 종창, 광과민증, 건조감, 저린감	〈금기〉 1) Aspirin 천식 또는 그 병력자 2) 14세 미만 : 안전성 미확립 〈주의〉 1) 기관지천식 환자에게 신중 투여 2) 임신부 : Category C 3) 수유부 : 모유로 이행 4) 이 약은 안식향산 나트륨을 포함하고 있으며, 안식향산은 피부 및 점막에 자극이 될 수 있음. 〈취급상 주의〉 1) 눈 및 점막에 사용하지 않음. 2) 표피가 결손된 부위에 사용할 경우 자극이 될 수 있으므로 주의하여 사용 3) 밀봉 포대법으로 사용하지 않음.
Ketoprofen Kenofen gel 케노펜겔 3% ···1.5g/50g/EA ···6g/200g/EA	1) Plaster(케토톱-엘: 환부에 1일 1회 부착 2) 겔타입: 1일 1~4회 환부에 도포	1) DDS 형태의 transdermal NSAIDs로 target site에서 고농도로 약물 존재 2) 케토톱-엘은 2종의 흡수증진제를 사용하여 약물의 피부 흡수 지속시간을 연장시켜 1일 1회 적용하는 제제임. 3) 변형성 관절염, 건근염, 근육통, 외상 후 종창 등에 진통 · 소염 목적으로 사용	– 발적, 발진, 소양감, 피부건조, 자극감, 종창. – 광과민증(사용 중지)	〈금기〉 1) Aspirin 천식 또는 그 병력이 있는 환자 2) 임신기간 6개월 이상인 임신부 3) 15세 미만의 소아 〈주의〉 1) 피부 감염증을 불현성화할 우려가 있기 때문에 감염

약품명 및 함량	용법	약리작용 및 효능	부작용	주의 및 금기
Ketotop-EL plaster 케토톱엘플라스타 …30mg/P		4) Onset : 1~2hrs Tmax : 12hrs Duration : 24hrs(케토톱-엘)		수반 염증에 사용시 항균제, 항진균제를 병용함. 2) 만성질환시 약물요법이외의 요법도 고려해야 함. 3) 기관지 천식 환자 4) 눈, 점막에 사용하지 말 것 5) 표피결손시 피부자극감 6) 임신부, 수유부 : 안전성 미확립(대량, 광범위, 장기간 사용 피함)
Piroxicam Trast Patch 트라스트패취 …48mg/P	1) 환부에 2일마다 1매 부착 2) 목욕이나 샤워 후 또는 땀이 날 경우 1일 1매 부착 가능	1) NSAIDs 제제로서 골관절염, 건초염, 근육통, 골관절통, 외상후 동통 및 골절 치유 후의 동통 치료에 사용 2) Duration : 48hrs	-국소적 소양감, 발적, 발진, 박리, 피부염	〈금기〉 1) Aspirin 천식 또는 그 병력이 있는 환자 2) Aspirin 또는 기타의 NSAIDs에 두드러기, 비염 및 맥관부종이 있는 환자 3) 14세 이하 소아 〈주의〉 1) 기관지천식 환자 2) 감염 동반 염증에 사용시 적절한 항균 요법 병용 3) 손상이 있는 피부에 적용할 경우 자극감이 있음. 4) 임신부: Category C 5) 수유부: 안전성 미확립 6) 소염진통제에 의한 치료는 원인요법이 아닌 대증요법임을 유의

약품명 및 함량	용법	약리작용 및 효능	부작용	주의 및 금기
Capsaicin Dipental cream 다이펜탈크림 0.025% …5mg/20g/EA Diaxen cream 다이악센크림 0.075% …15mg/20g/EA	1) 성인 : 1일 3~4회 동통부위에 적당량 바름. 2) 일시적 피부작열감 발생하나 며칠내 소실됨	1) 국소 도포용 alkaloid성 진통제 2) Capsicum속의 식물 열매(고추)의 자극성 향과 맛 성분 3) 동통 전달물질인 substance P를 신경 말단으로부터 방출, 고갈시켜 진통작용 나타냄. 4) 당뇨병성 신경증, 대상포진에 의한 신경통, 류마티스 관절염, 골관절염의 통증에 사용함. 5) Onset : 1~2wks(관절염), 2~4wks(신경통)	- 발적, 작열감 - 가려움, 두드러기	〈금기〉 1) 일시적 발적, 작열감이 나타날 수 있으므로 눈, 상처부위, 타박상 부위, 자극을 받는 부위에 사용하지 말 것 〈주의〉 1) 대상포진의 경우 상처 치료된 후 피부에 도포 2) 적용 7일 후에도 증상의 개선이 없고 상태가 악화되면 사용 중단하고 의사와 상의 3) 붕대로 감지 말 것. 4) 임신부 및 수유부 : 안전성 미확립

약품명 및 함량	용법	약리작용 및 효능	부작용	주의 및 금기
Lidocaine Lidotop cataplasma 리도탑카타플라스마 …700mg/P	1) 1~3매를 상처가 없고, 통증이 가장 심한 부위에 1일 최대 12시간까지만 부착함 (1일 1회). 2) 적절한 크기로 절단 가능	1) Topical analgesic patch 2) 신경 자극 발생과 전도를 저하시켜 통증 전달 차단 3) 적응증 : 대상 포진 후 신경통(PHN) 완화	– 적용 부위에 수포, 멍, 작열감, 탈색소, 피부염, 변색, 부종, 홍반, 비늘, 자극, 구진, 점출혈, 가려움, 소포, 이상 감각 – 알레르기 반응	〈금기〉 1) Amide계 국소 마취제에 과민한 환자 〈주의〉 1) 임신부 : Category B 2) 수유부 : 모유로 이행 3) 소아 : 안전성, 유효성 미확립

약품명 및 함량	용법	약리작용 및 효능	부작용	주의 및 금기
Hydrogen peroxide soln 35%(H_2O_2) Trinity white gel 트리니티화이트겔 …440mg/g (과산화수소로서 150mg/g)	1) 1 Kit = 1인용 2) 총 4 cycle × 15~20min (1~2회 방문) 3) 적용방법 ① 30초 정도 양치질 후 잇몸 보호제 적용 ② 광조사 위치 알려주는 섬유를 물고 입술보호제 바름 ③ 치아에 2mm 두께로 이 약을 도포 ④ 광조사기(400~505nm)로 20분간 조사 ⑤ 치아시림 증상 등이 나타나지 않는 경우 이 약을 다시 도포하고 광조사 ⑥ 이 약과 잇몸보호제 제거 후 입안 헹굼	1) 치아미백제 2) 작용기전 : 두 개의 화이트닝겔을 합쳐 peroxide를 생성하면서 화학적으로 활성화되고, pH도 상승하여 peroxide의 분포률을 상승시키며, 이에 lamp를 조사하여 반응을 더욱 가속시킴. 3) 구성 ① 15% hydrogen peroxide gel syringe : 주성분 ② Protective lip cream : 입술 보호 크림 ③ Relief ACP : 치아의 과민반응 감소, 법랑질 재형성과 광택 촉진, 치아우식증 예방, 재변색 지연 ④ Liquidam : 치은 격리 ⑤ Light guide : 램프가 작동하도록 센서가 부착되어 있음. ⑥ Retractor cover : 얼굴 보호 커버 ⑦ Vitamin E oil : 과산화수소 효과 중화(시술 후 치은에 도포)	- 치아 또는 잇몸의 시림, 통증이나 과민반응	〈금기〉 1) 구강내 감염 또는 상처가 있는 환자 2) 임신부 및 수유부 3) 18세 미만 4) 치열교정 중이거나 교정기 제거한지 1개월 이내 환자 5) 즉각적 치료 필요한 충치, 중증의 치주질환, 치아 변색, 치아 손실, 중증의 법랑질 침식, 중등도~중증의 치은 퇴축 등이 있는 환자 6) Tetracycline류 복용중인 환자 〈주의〉 1) 이 약 적용 시 보호안경 착용하고, 피부에 닿지 않도록 주의 2) 치은 등의 주변조직에 이 약이 접촉되지 않도록 하며 접촉 시 다량의 물로 즉시 헹굴 것 〈취급상 주의〉 1) 냉장보관
Minocycline HCl Minoclin oral strip 미노클린첨부제 …1.4mg/EA	1) 주 1회 1매를 치주낭에 깊숙이 삽입	1) 반합성 tetracycline계 항균제로서, 치과용으로 사용하는 첨부제 2) 치아면의 칼슘에 흡착되어 지속적인 항균 작용을 나타내며, 치주낭 형성에 관여하는 collagenase의 활성을 저해함 3) 적응증 : minocycline에 감수성균에 의한 치주염(만성 변연성 치주염)의 제증상 개선 (감수성균 : Bacteroides gingivalis, Bacteroides intermedius, Bacteroides melaninogenicus, Eikenella corrodens, Fusobacterium nucleatum, capnocytophaga spp., Haemophilus actinomycetemcomitans)	1) >10% - 치아변색(소아) 2) 1~10% - 현기증, 현훈 - 광과민 - 오심, 구토	〈금기〉 1) Tetracycline계 항생제에 과민한 환자 2) 임신부 : Category D 〈주의〉 1) 구진, 소수포 등 과민반응이 나타난 경우 사용 중지 2) 투여시 일시적인 통감/자극 발생가능성 있음. 3) 소아, 수유부 : 안전성 미확립 〈취급상 주의〉 1) 직사광선에 의해 변색될 우려 있으므로(약효와 무관) 제공된 포장을 벗기지 말고 보관하도록 함. 2) 실온보관

약품명 및 함량	용법	약리작용 및 효능	부작용	주의 및 금기
1g 중 Carbamide peroxide 150mg, Sodium fluoride 2.5mg **Thezon opalescence F** 더존오팔레센스에프 15% …1g/kit	1) 환자의 치아를 본뜬 모형(플라스틱 트레이)에 본 약제를 1/2 정도 채운 뒤, 치아에 장착하고 양치질을 함 2) 매일 1회 약 4시간 정도 장착, 약 10일간 사용.	1) 적응증: 치아의 미백	(빈도 미확립) - 잇몸, 치아 자극 - 위장관 자극 (심한 경우, 염증 유발 가능성)	〈금기〉 1) 구강 내 감염 및 상처 있는 환자 2) 임신부 및 수유부 : 안전성 미확립 3) 18세 미만 소아 : 안전성 미확립 〈주의〉 1) 치과의사의 지시에 따라 사용 2) 복용하지 말 것. (실수로 삼켰을 경우엔 즉시 토해내야 함) 3) 직접 잇몸에 닿지 않도록 하며, 접촉 시에는 즉시 물로 세척 4) 치료 중 부작용 발생 시 즉시 치료 중지 후 구강 내를 물로 씻어낸 후 불소겔로 처치한 다음 지속 사용 여부를 의료진과 상의토록 함. 5) 눈에 들어가지 않도록 주의 6) 치료 중 담배, 커피 및 쥬스 복용 중단 권장 〈취급상 주의〉 1) 사용 중 남은 재료는 냉장 보관
1g 중 Chamomilla fluid extract 100mg, Myrrh tincture 10mg **Ad-muc oint** 에드먹연고 …10g/EA	1) 1일 2회 양치 후 구강 내 환부에 마른 손가락 또는 면봉으로 부드럽게 도포 2) 증상 소실 후에도 얼마간 1일 1회 적용 권고	1) 구강 염증 치료제(연고제) 2) 작용기전 - Chamomile fluid ext.: 항균, 항진균 작용, 항염증 작용 - Myrrh tincture: 살균 작용, 구강점막 진정, 궤양 및 상처 치유 3) 적응증: 치은염, 구내염, 구강의 염증(욕창성 궤양)의 잇몸, 구강점막의 치료	-	〈금기〉 1) Alky 4-hydroxybenzoates(parabendes) 과민성 환자 〈취급상 주의〉 1) 기밀용기, 실온보관 (1~30℃)
1ml 중 Sodium carboxymethylcellul-ose 10mg, Calcium chloride 0.15mg, Dipotassium	1) 구강 및 인후: 1~2초 동안 직접 분무	1) 인공 타액제 2) 성분별 작용 - D-sorbitol : 보습작용, 감미제 - CMC(carboxymethylcellulose) : 윤활작용, 점도(잔존감) 증대 - 무기질 : 타액 대체 효과 - Xylitol : 감미제	-	〈주의〉 1) 눈에 분무하지 말 것 2) 소아의 손이 닿지 않는 곳에 보관

약품명 및 함량	용법	약리작용 및 효능	부작용	주의 및 금기
phosphate 0.34mg, D-sorbitol 30mg, Magnesium chloride 0.05mg, Potassium chloride 1.2mg, Sodium chloride 0.84mg **Xerova soln** 제로바액 …40ml/EA		3) 적응증: 다음 원인으로 인한 타액분비 감소 – 약물치료, 구강 또는 인후 부근의 방사선 치료, 구강 또는 인후 감염, 치아 또는 구강 수술, 발열, 정서적 요인		
100g 중 Sodium chloride 85mg, Potassium chloride 120mg, Calcium chloride 20mg, Magnesium chloride 5mg **Dry Mund gel** 드라이문트겔 …50g/EA	1) 1회 적당량을 매일 수회 도포	1) 무기질 성분으로서 타액 대체효과 및 점막 보습효과를 가지는 인공타액으로 인후 및 구강건조증 치료에 쓰임. 2) 적응증 : 인후와 구강의 건조증 3) 성분별 작용 - 주성분($NaCl$, KCl, $CaCl_2$, $MgCl_2$) : 타액대체 효과 - 부형제(lactoperoxidase, glucose oxidase, lactoferrin 농축물, 염화 lysozyme) 등 : 항균작용 - Xylitol : 감미제	- 드물게 쇽, 안면창백, 사지냉감, 혈압강하, 청색증, 의식불명 - 발진, 발적 - 설사, 때때로 식욕부진, 위부불쾌감, 구역, 구토, 드물게 구내염 - 스티븐-존슨 증후군(피부점막안증후군), 리엘 증후군(중독성표피 괴사증), 발열 ,홍반, 가려움, 안충혈, 구내염, 발진, 발적, 화상양의 수종	〈금기〉 1) 계란 흰자 알레르기 환자(∵부형제인 염화 lysozyme을 계란 흰자에서 추출) 〈주의〉 1) Propylene glycol 성분에 과민한 환자 2) 아토피피부염, 기관지천식, 약물 알레르기, 식물 알레르기 등의 알레르기성 소인이 있는 환자 3) 약이나 달걀에 의해 알레르기 증상(발열, 발진, 관절통, 천식, 가려움 등)의 병력이 있는 환자 4) 소아 : 안전성 및 유효성 미확립 5) 눈에 사용하지 말 것

14장. 마약 및 길항제(Narcotics & Narcotic antagonists)

약품명 및 함량	용법	약리작용 및 효능	부작용	주의 및 금기
Codeine phosphate Codeine phosphate tab 인산코데인정 …20mg/T	1) 19세 이상 성인: 20mg tid, 최소 q 6hrs 4회까지 가능 (Max. 240mg/D) 2) 13~18세 소아 - 30~60mg/D(0.5~1mg/kg), q 6hrs(Max. 240mg/D) - 치료기간은 3일까지로 제한, 통증이 완화되지 않을 시 전문의와 상의	1) 작용은 morphine과 유사하나 진정, 진통작용은 morphine보다 약하며 진해 작용은 강하고 부작용도 적음(연수에 직접 작용하여 기침을 억제) 2) 진통효과는 대사를 통해 morphine으로 전환되어 나타나며, 진해 작용은 특정 수용체에 결합을 통해 나타나는 것으로 보임. 3) 적응증 - 기관지염, 폐렴, 인두염, 후두염, 기관지천식, 기타 호흡기 질환에 동반되는 기침의 진정 - 통증의 완화 (19세 이상 성인) - 아세트아미노펜이나 이부프로펜과 같은 다른 진통제로 경감되지 않은 염증에 의한 급성 중등도 통증의 치료(13-18세 소아) 4) 진통효과 : codeine 65mg ≒ aspirin 650mg ≒ acetaminophen 650mg 5) Onset: 진통 30~60mins, 진해 1~2hrs 최대효과: 진통 2~4hrs Tmax: 1~2hrs $T\frac{1}{2}$: 2.5~3.5hrs 배설: 신장(90%), 대변(5%)	1) >10% - 어지러움 - 변비 2) 1~10% - 빈맥, 서맥, 저혈압 - 발진, 두드러기 - 현기증, 다행감, 피로감, 두통, 초조감, 중추 흥분, 섬망 - 구강건조, 식욕부진, 오심, 구토 - Transaminase 상승 - 시야 몽롱 - 호흡곤란 - 신체적 정신적 의존성, 히스타민 유리	〈금기〉 1) 중증 호흡억제 환자 2) 기관지 천식 발작중인 환자 3) 중증 간장애 환자 4) 만성 폐질환에 속발하는 심부전이 있는 환자 5) 경련상태가 있는 환자 6) 급성 알코올 중독 환자 7) 아편 알칼로이드에 대한 과민증 환자 8) 출혈성 대장염 환자 9) 12세 미만의 소아 10) 수유부 : 모유이행 11) 편도 또는 아데노이드절제술 받은 18세 미만 환자 (∵ 호흡억제 증가 가능성) 12) CYP2D6 초고속 대사자 : morphine 농도 증가 〈주의〉 1) 장기간 사용으로 내성과 신체적 의존성 생성 2) 기계, 운전조작에 주의 3) 임신부 : Category C 〈상호작용〉 1) 중추신경억제제(알코올 포함) : 호흡억제, 저혈압, 깊은 진정효과 유발 2) 쿠마린계 항응고제 작용 증강 3) 항콜린제 : 심한 변비, 소변축적 유발
Fentanyl citrate Fentanyl citrate inj 펜타닐주사액 …0.1mg/2ml/P …0.5mg/10ml/P …1mg/20ml/P	1) 12세 이상 소아 및 성인 ① 마취전 : 50~100mcg 수술 30~60분전 IM ② 전신마취 진통보조 : 수술 종류/시간에 따라 용량을 달리하여 투여 - 저용량 : 2mcg/kg IV - 중등용량 : 2~20mcg/kg IV, 필요시 25~100mcg/kg IV or IM	1) Phenylpiperidine 유도체인 합성 마약성 진통제 2) Morphine이나 pethidine보다 ① 최면작용이 약하고 히스타민을 적게 유리시킴. ② 속효성이며 단시간형임, IV시 수분후 발현, 30~60분 지속, IM시 7~15분 후 발현, 1~2시간 지속 ③ Fentanyl 0.1mg의 진통효과 ≒ Morphine 10mg	1) > 10% - 서맥, 저혈압, 말초혈관확장 - 졸음, 진정, 뇌내압 상승 - 오심, 구토 - 항이뇨호르몬 분비 - 흉벽 강직	〈금기〉 1) 신경근육차단제의 사용이 금기인 환자 2) 두개내압 상승과 관련되 두부의 기질적 장애나 손상이 있는 환자 3) 경련질환의 기왕력 환자 4) 외래 환자 5) 2세 미만의 영아 6) 천식 환자

약품명 및 함량	용법	약리작용 및 효능	부작용	주의 및 금기
	- 고용량 : 20~50mcg/kg IV, 필요 시 25mcg 또는 초회량의 1/2을 IV ③ 국소마취 진통보조 : 50~100mcg 1~2분에 걸쳐 IV or IM ④ 수술 후 회복 : 50~100mcg IM, 필요 시 1~2시간 후 반복 ⑤ 전신마취제 : 50~100mcg/kg (150mcg/kg까지 증량 가능) 2) 2~12세 소아 ① 마취유도 및 유지 : 2~3mcg/kg IV * 신기능에 따른 용량 조절 참고 - GFR 10~50ml/min : 상용량의 75% 투여 - GFR〈10ml/min : 상용량의 50% 투여	≒ Pethidine 75mg 3) Droperidol, nitrous oxide 등과 병용하여 neuroleptanalgesia를 유지함. 4) 오심, 구토 등 부작용은 타 마약성 진통제보다 적지만 기관지경축, 무호흡 후두경축 등의 호흡기계 부작용이 큼. 5) 적응증 - 마취시, 마취전 투약, 마취유도, 마취유지 및 수술 직후(회복실)의 단시간 진통제 - 전신 또는 국소 마취시 마약성 진통 보조제 - 드로페리돌과 같은 신경 이완제와 병용할 경우 마취유도, 마취유지를 위한 마취전 투약제 - 개심술, 복잡한 신경계 및 정형외과 수술에서 산소와 병행하여 마취	2) 1~10% - 부정맥, 기립성 저혈압 - 착란, CNS 억제 - 변비 - 시야몽롱 - 무호흡, 수술후 호흡억제	7) 중증 호흡억제 환자 8) MAO 억제제를 투여중이거나 중단 후 2주 이내인 환자 〈주의〉 1) 간, 신장애, 부정맥 환자, 고령자, 중증근무력증환자에게 신중투여 2) 임신부 : Category C(신생아 호흡억제 위험으로 출산, 분만중에는 투여하지 않음) 3) 수유부 : 모유로 이행 〈상호작용〉 1) 중추신경억제제(알코올 포함) : 호흡억제, 저혈압, 깊은 진정효과 유발 2) MAO 억제제 : 고혈압 또는 저혈압 위기가 동반되는 중추신경 흥분 또는 억제 유발 〈취급상 주의〉 1) 차광보관(플라스틱 제형은 차광된 겉포장을 사용직전 개봉할 것)
Fentanyl citrate Actiq tab 액틱구강정 …400mcg/T …600mcg/T	1) 뺨과 아랫잇몸의 사이에 놓고, 씹지 말고 빨아서 15분에 걸쳐 복용. (씹어서 삼키면 Cmax, BA가 낮아지며, 빨아서 복용하는 경우에도 너무 빨리 복용하면, 많은 양을 삼키게 되어 효과 감소함) 2) 초기용량: 200mcg - 재투여: 직전 1정 투여가 완료된 시점부터 15분 이후에 시작함. 3) 통증 1회당, 1정 초과 투여 시, 1단계의 증량 고려 - 적정 용량이 확인되면(예: 각각 통증 1회당 1정으로 치료되는 경우), 1일 투여량을 4정 이하로 제한하고 초과시 지속형 아편양제제의 투여량 재조정	1) 마약성 진통제 2) Oral transmucosal system(OTS, 구강점막흡수제)으로 플라스틱 지지대에 부착된 원통형 정제가 구강 점막을 통해 전신 혈액으로 흡수됨 3) 적응증: (성인) 현재 지속성 통증에 대한 아편양제제 약물 치료를 받고 있으며, 이에 대한 내약성을 가진 암 환자의 돌발성 통증 4) BA: 47 ± 10.5% Onset: 5~15min Tmax: 90.8 (35-240)min 지속시간: 1~2hr	1) >10% - 서맥, 부종 - CNS 억제, 착란, 어지러움, 졸음, 피로, 두통, 진정 - 탈수 - 변비, 오심, 구토, 구강건조증 - 근육 강직, 약화 - 축동 - 호흡 곤란, 호흡 저하 - 발한	〈금기〉 1) 아편양제제에 내약성이 없는 환자 2) 아편양제제를 만성적으로 복용하는 환자가 아닌 경우의 급성 통증 또는 수술 후 통증에 대한 투여(심각한 호흡부전 초래) 〈주의〉 1) 호흡억제 환자, 만성 폐질환 환자, 두부손상 및 뇌압상승 환자, 심장·간장·신장 질환 환자, MAO 저해제 투여 후 14일이 경과하지 않은 환자, 고령자 신중투여 2) 임신부: Category C (고용량, 지속적 사용 금기) 3) 수유부 : 모유로 이행 4) 소아: 안전성 미확립 〈상호작용〉 1) CYP3A4억제제(azole계 항진균제, protease inhibitor, macrolides): 병용약제 복용시작 및 중

약품명 및 함량	용법	약리작용 및 효능	부작용	주의 및 금기
	4) 1정 투약완료 이전에 효과가 과도하게 나타나는 경우: 즉시 약물 제거, 이후 투여량을 감량.			지시 이 약의 효과 관찰 필요 〈취급상 주의〉 1) 결빙과 습기로부터 보호, 15~30℃(가능한 한 20~25℃) 보관
Fentanyl Durogesic D-Trans patch 듀로제식디트랜스패취 12mcg/h …2.1mg/P 듀로제식디트랜스패취 25mcg/h …4.2mg/P 듀로제식디트랜스패취 50mcg/h …8.4mg/P 듀로제식디트랜스패취 100mcg/h …16.8mg/P	1) 마약 사용의 경험이 없는 환자의 초기용량 : 25mcg/hr을 초과하지 말아야 하며, 환자 반응에 따라 3일마다 12~25mcg/hr씩 증량 (먼저 저용량 속효성 마약성 진통제로 용량을 조절하여 사용 후 그 용량이 이 약 25mcg/hr에 해당할 경우 전환) 2) 기존 사용 마약을 이 약으로 바꿀 경우 : 기존 약제의 24시간 소요량을 동일한 진통효과를 나타내는 경구 몰핀양으로 환산후 이에 상응하는 이 약의 용량을 결정 3) 가슴 상부, 팔의 평편한 부위 중 자극이나 햇빛을 받지 않는 부위에 부착 4) 밀봉 포장지에서 꺼낸 뒤 바로 부착함. 5) 1개를 3일동안 사용하며 한번 부착했던 부위에는 3일 이상 지난 후 재부착 가능 * 신기능에 따른 용량 조절 참고 – 경증–중등도 신장애 : 초기용량 50% 감량 – 중증 신장애 : 투여 권장하지 않음	1) 매트릭스형 패취제 2) 마약수용체중 μ–수용체에 작용함. 3) 다른 마약으로 바꾸기 위해서는 해당 마약을 소량에서 시작, 서서히 증가 4) 동등 진통효과 환산표 약물명 / 동등 진통용량(mg) IM / PO Morphine 10 / 30(반복투여시), 60(1회/간헐투여시) Oxycodone 15 / 30 Pethidine 75 / – Codeine 130 / 200 5) 1일 경구 morphine(MP) 용량에 따른 Durogesic 환산표 경구 MP(mg/일) / Durogesic(mcg/h) <135 / 25 135–224 / 50 225–314 / 75 315–404 / 100 405–494 / 125 495–584 / 150 6) 적응증: 장시간 지속적인 마약성 진통제 투여를 필요로 하는 만성 통증 완화	1) >10% – 서맥, 저혈압, 말초혈관 확장 – 어지러움, 진정, 뇌내압 상승 – 오심, 구토 – 항이뇨 호르몬 분비 – 축동 – 흉벽 강직 2) 1~10% – 부정맥, 기립성 저혈압 – 섬망, CNS 억제 – 변비 – 시야 몽롱 – 호흡곤란, 수술 후 호흡 억제	〈금기〉 1) 급성 통증, 수술후 통증(용량 조절시간 부족, 심각한 호흡부전 초래) 2) 두개내압 상승, 의식장애, 혼수등 두부의 기질적 장애, 손상 환자 3) 마비성 장폐색 환자 4) MAO 억제제를 투여중이거나 중단 후 2주 이내인 환자 5) 18세 미만 소아 : 안전성 미확립 〈주의〉 1) 임신부 : Category C 2) 수유부 : 모유 이행 3) 고령자 : 기존에 경구용 morphine 1일 135mg 사용하던 경우가 아니면 이 약 25mcg/h 이상의 용량을 사용하지 말것 4) 호흡기능부전, 만성 폐질환, 서맥성 부정맥, 간·신장 질환 환자, 40℃ 이상의 고열 환자, 약물의존·알콜 중독자 신중투여 5) 반감기(17hrs) 고려하여, 이 약 제거 후 적어도 24시간 정도 호흡억제 등의 부작용 모니터링 실시 6) 부착 부위를 직접적인 외부의 열에 노출시키지 않도록 주의(∵약물 용출이 온도 의존적) 〈상호작용〉 1) 중추신경억제제(알코올 포함) : 호흡억제, 저혈압, 깊은 진정효과 유발 2) MAO 억제제 : 고혈압 또는 저혈압 위기가 동반되는 중추신경 흥분 또는 억제 유발 〈취급상 주의〉 1) 밀봉상태 파손시 사용하지 않음 2) 변형(분할, 절단, 손상 등) 하여 사용하지 않음

약품명 및 함량	용법	약리작용 및 효능	부작용	주의 및 금기
		7) Onset : 6~8hrs Tmax : 12~24hrs 작용지속 : 72hrs(3일) $T\frac{1}{2}$: 17hrs		3) 접착면에 손을 대지 않으며 붙이거나 떼어낸 후 손을 씻음
Hydromorphone HCl Dilid tab 딜리드정 …2mg/T Dilid inj 딜리드주 …1mg/ml/A …2mg/ml/A	1) 경구제 : 2mg q 4~6hrs(더 심한 통증에는 4mg 또는 그 이상의 용량을 4~6시간마다 투여) 2) 주사제 – 초기용량은 1~2mg q 4~6hrs IM, SC, IV(IV 시 적어도 2~3분 이상에 걸쳐 천천히 주입) – 통증의 정도, 기저질환, 나이 등에 따라 투여량 조절 3) 내성이 나타나거나 통증이 더욱 심해지면 점진적인 증량	1) 반합성 마약성 진통제로서, μ– receptor에 결합하여 통증 역치를 높임으로써 진통작용을 나타냄. 2) Morphine의 7~8배의 potency를 가지며, 일반 필름코팅정으로서 작용시간은 Morphine 나정과 거의 같거나 약간 짧음. 3) 적응증: 수술, 암, 외상(연조직, 뼈), 담석산통, 심근경색, 화상, 신산통에서의 심한 통증 완화 4) 진통목적 투여시 대응용량 〈주사제〉 Hydromorphone 1.3mg = morphine 10mg = pethidine 80mg 〈경구제〉 Hydromorphone 7.5mg = morphine 30~60mg = oxycodone 15~30mg = codeine 180mg 5) Onset : 30mins(PO), 15mins(IM) 지속시간 : 4~6hrs(PO), 4~5hrs(IM) $T\frac{1}{2}$: 2.6hrs(IV)	(빈도 미확립) – 심계항진, 저혈압, 말초혈관이완, 빈맥, 서맥, 안면홍조 – CNS 억제, 뇌내압 상승, 피로, 두통, 신경과민, 불안, 어지러움, 졸음, 환각, 우울, 경련 – 소양감, 발진, 두드러기 – 오심, 구토, 변비, 위경련, 구강건조, 식욕부진, 담관경련, 무력장폐쇄증 – 배뇨 감소, 요관 경련 – AST, ALT 상승 – 진전, 무력감, 간대성 근경련 – 축동, 호흡저하, 호흡곤란 – ADH 및 histamine 분비, 신체적, 정신적 의존성	〈금기〉 1) 두개내압 상승과 관련된 두부의 기질적 장애나 손상 환자 2) 중증 호흡억제 환자 3) 급성 복부질환 환자, 마비성 장폐색 4) MAO 억제제 투여중이나 중단 후 2주 이내인 환자 5) 산과적 진통제로의 사용금지 6) 임신부 : Category C (국내 허가 금기) 〈주의〉 1) 고령자 2) 신장애, 간장애 환자 3) 갑상선 기능저하, 애디슨병, 담도질환, 경련 병력, 전립선 비대, 정신질환자, 요도협착, 위장관 수술, 약물의존 또는 알코올 중독 환자 4) 기침반사 억제작용이 있으므로 수술 후, 폐성 질환 환자 주의 5) 위험한 기계 조작 주의 6) 수유부 : 안전성 미확립 7) 소아 : 안전성 미확립 〈상호작용〉 1) 중추신경억제제(알코올 포함) : 호흡억제, 저혈압, 깊은 진정효과 유발 2) MAO 억제제 : 고혈압 또는 저혈압 위기가 동반되는 중추신경 흥분 또는 억제 유발 〈취급상 주의 – 주사제〉 1) 차광, 실온보관(1~30℃)
Hydromorphone HCl Jurnista prolonged-release tab	1) 1일 1회 (아침 투여 권장) 2) 매일 같은 시간에 한 컵의 물과 함께 정제 통째로 삼켜서 복용	1) 반합성 morphine 유도체로 중추신경계와 평활근에 약물학적 효과를 나타내며, 주로 μ 아편양 수용체에 작용하여 진통효과를 나타내고, κ 아편양 수용체에는 약한 친화력을 보임.	(빈도 미확립) – 심계항진, 저혈압, 말초혈관이완, 빈맥, 서맥, 안면홍조	〈금기〉 1) 두개내압 상승과 관련된 두부의 기질적 장애나 손상 환자 2) 중증 호흡억제 환자

약품명 및 함량	용법	약리작용 및 효능	부작용	주의 및 금기
저니스타서방정 …4mg/T …8mg/T …16mg/T …32mg/T		2) Potency가 morphine의 5~7배 3) OROS 제형: 일정속도로 약물을 방출하는 서방형 제제로 지속시간이 길어 1일 1회 복용 4) 적응증: 마약성 진통제 사용이 필요한 심한 통증의 완화 5) 기존에 마약제제를 정기적으로 투여 받은 성인의 시작용량 : morphine으로 환산한 1일 총 용량을 계산하여, 아래 표를 사용해 저니스타의 1일 총 용량을 계산. (기존 마약제제 1일 용량(mg) × 계수 = 저니스타 1일 용량(mg)) 기존의 마약제제 / 경구용 (계수) / 비경구용 (계수) Morphine / 0.2 / 0.6 Hydromorphone / 1 / 4 24시간 동안 약효 지속되는 타 마약성 진통제는 이 약의 투여 시작시 중단해야 함. 6) 보조 진통제(속효성 hydromorphone)로 갑작스런 통증 조절시 보조제의 용량은 24시간 용량의 10-25%를 넘지 않도록 함. 7) 약동학 (OROS 제형) Onset : 6~8hrs 이내 Tmax : 12~16hrs 지속시간 : 24hrs $T_{\frac{1}{2}}$: 10.6~11hrs	- CNS 억제, 뇌내압 상승, 피로, 두통, 신경과민, 불안, 어지러움, 졸음, 환각, 우울, 경련 - 소양감, 발진, 두드러기 - 오심, 구토, 변비, 위경련, 구강건조, 식욕부진, 담관경련, 무력장폐쇄증 - 배뇨 감소, 요관 경련 - AST, ALT 상승 - 진전, 무력감, 간대성 근경련 - 축동, 호흡저하, 호흡곤란 - ADH 및 histamine 분비, 신체적, 정신적 의존성	3) 급성 복부질환 환자, 마비성 장폐색 4) MAO 억제제 투여중이나 중단 후 2주 이내인 환자 5) 산과적 진통제로의 사용금지 6) 수술 후 24시간 이내 환자 7) 18세 미만 소아 〈주의〉 1) 고령자 2) 신장애, 간장애 환자 3) 갑상선 기능저하, 애디슨병, 담도질환, 경련 병력, 전립선 비대, 정신질환자, 요도협착, 위장관 수술, 약물의존 또는 알코올 중독 환자 4) 기침반사 억제작용이 있으므로 수술 후, 폐성 질환 환자 주의 5) 위험한 기계 조작 주의 6) 임신부 : Category C 7) 수유부 : 안전성 미확립 〈상호작용〉 1) 중추신경억제제(알코올 포함) : 호흡억제, 저혈압, 깊은 진정효과 유발 2) MAO 억제제 : 고혈압 또는 저혈압 위기가 동반되는 중추신경 흥분 또는 억제 유발
Morphine HCl Morphine HCl inj 모르핀염산염수화물주사 …10mg/1ml/A	Morphine HCl inj ① 성인 - 2.5~20mg q 2~6hrs IM, SC, IV - Continous inf. : 0.8~10mg/hr ② 소아 : 1회 0.1~0.2mg/kg q 4hrs IM, SC (Max. 15mg/회)	1) 마약으로 대뇌피질의 통각중추에 작용, 동통에 대한 역치를 상승시킴. 2) 호흡중추를 억제함으로써 호흡억제 작용 및 CTZ에 작용하여 최토작용을 일으킴. 3) 적응증 : 심한 통증의 완화, 심한 기침 발작의 진정, 전신마취의 보조	1) >10% - 심계항진, 저혈압, 서맥 - 졸음, 현기증, 착란, 소양증 - 오심, 구토, 변비,	〈금기〉 1) 중증 호흡억제 환자 2) 천식발작 지속상태 환자 3) 중증 간장애 환자 4) 경련상태, 급성 알코올 중독, 출혈성 대장염 환자 〈주의〉

약품명 및 함량	용법	약리작용 및 효능	부작용	주의 및 금기
	* 신기능에 따른 용량 조절 참고 - CrCl(ml/min) : 용량 ① 50~10 : 25% 감량 ② <10 : 50% 감량 ③ 간헐적 혈액투석 : (성인) 감량 불필요, (소아) 50% 감량 ④ 복막투석 : 50% 감량 ⑤ CRRT : 25% 감량	4) 주사제에서 경구제로 바꿀 때는 1 : 3의 비율로 몰핀의 mg수를 증량하되, 1일 2~3회로 나누어 투약하며 가능한 소량이 되도록 용량을 조절함. 5) 진통효과 : morphine 10mg ≒ pethidine 75mg 6) Onset: 30mins(속효성, PO), 5~10mins(IV), 15~30mins(SC) 대사: 간 $T\frac{1}{2}$: 1.5~4.5hrs 배설: 신장(90%)	구강건조증 - 주사부위 통증, 허약 2) 1~10% - 두통 - 식욕부진 - 진전 - 시야 이상 - 호흡억제 및 곤란	1) 심장애, 호흡억제, 뇌의 기질적 장애, 경련 병력 환자 2) 간, 신장애 환자 3) 약물 의존, 알코올 중독 병력 환자 4) 마비성 장폐색, 최근 소화관 수술 받은 환자, 염증성 장질환 환자 5) 운전 및 기계조작 주의 6) 임신부 : Category C 7) 수유부 : 모유이행 8) 소아 : 안전성 미확립 9) 신생아, 영아 : 호흡억제 주의 〈상호작용〉 1) 중추신경억제제(알코올 포함) : 호흡억제, 저혈압, 깊은 진정효과 유발 2) MAO inhibitor와 병용시 심한 저혈압, CNS 및 호흡 억제 가능하므로 14일 이상 간격 두고 투여 3) 아편양 수용체 부분효능제 병용시 진통효과 감소, 금단증상 촉진
Morphine sulfate Morphine sulfate tab 황몰핀정 …15mg/T Morphine sulfate inj 모르핀황산염수화물 주사 …5mg/5ml/A …15mg/1ml/A	(경구제) 1) 15~30mg q 4hrs (주사제) 1) 경막외 또는 수막강내로 투여하지 않음. 2) 성인 - SC, IM : 10mg(5~20mg) 필요에 따라 q 4hrs - IV : 4~10mg을 4~5분에 걸쳐서 투여, 필요에 따라 q 4hrs (2.5~15mg을 4~5ml 증류수에 희석하여 사용가능) 3) 소아 : 0.1~0.2mg/kg 필요시 SC (Max. 15mg/회) 4) 분만시 통증완화 : 10mg SC, IM 5) 심근경색으로 인한 통증 완화 : 8~15mg	1) 마약으로 대뇌피질의 통각중추에 작용, 동통에 대한 역치를 상승시킴. 2) 호흡중추를 억제함으로써 호흡억제 작용 및 CTZ에 작용하여 최토작용을 일으킴. 3) morphine sulfate 주사제는 보존제를 포함하지 않는 제제임 4) 적응증 - 비교적 심한 급성 또는 만성 통증의 완화 - 수술 전 진정을 위한 마취보조제 - 분만 시 통증 완화 - 급성 폐부종 환자에 대한 심혈관계 효과 및 불안 완화 - 심근경색으로 인한 통증 완화 5) 주사제에서 경구제로 바꿀 때는 1 : 3의 비율로 몰핀의 mg수를 증량하되, 1일 2~3회로 나누어 투약하며 가능한 소량이 되도록 용량을 조절함.	1) >10% - 심계항진, 저혈압, 서맥 - 졸음, 현기증, 착란, 소양증 - 오심, 구토, 변비, 구강건조증 - 주사부위 통증, 허약 2) 1~10% - 두통 - 식욕부진 - 진전 - 시야 이상 - 호흡억제 및 곤란	〈금기〉 1) 중증 호흡억제 환자 2) 천식발작 지속상태 환자 3) 경련상태, 급성 알코올 중독, 부정맥, 뇌종양 환자 4) 미숙아 5) 미숙아 출산시 〈주의〉 1) 저혈압, 호흡억제, 천식 환자 2) 약물의존, 알코올 중독 병력 환자 3) 급성 복부질환 환자, 최근 위장관 또는 요로수술 받은 환자, 궤양성 대장염 환자 4) 운전 및 기계조작 주의 5) 임신부 : Category C 6) 수유부 : 모유이행 7) 소아 : 안전성 미확립 8) 신생아, 영아 : 호흡억제 주의

약품명 및 함량	용법	약리작용 및 효능	부작용	주의 및 금기
		6) 진통효과 : morphine 10mg ≒ pethidine 75mg 7) Onset - 경구 : 30mins(morphine(속효성)) - IV : 5~10mins - SC : 15~30mins 대사 : 간 $T\frac{1}{2}$: 1.5~4.5hrs 배설 : 신장(90%)		〈상호작용〉 1) 중추신경억제제(알코올 포함) : 호흡억제, 저혈압, 깊은 진정효과 유발 2) MAO inhibitor와 병용시 심한 저혈압, CNS 및 호흡 억제 가능하므로 14일 이상 간격 두고 투여 3) 아편양 수용체 부분효능제 병용시 진통효과 감소, 금단증상 촉진
Morphine sulfate Morphine sulfate inj 모르핀황산염수화물 주사 …1mg/1ml/A	1) IV : 초기용량 2~10mg/70kg 2) 경막외 투여 : 혈관내 또는 수막강 내에 투여되지 않도록 주의 - 성인용량 : 요추부위에 초기용량 5mg, 1시간 이내에 적절한 통증 완화가 나타나지 않으면 적절한 간격으로 1~2mg 추가 (Max. 10mg/24hrs) - 지속적 주입: 초기용량 2~4mg/24hrs, 적절한 통증 완화가 나타나지 않으면 1~2mg 추가 3) 수막강내 투여 : 경막외 투여량의 1/10 - 성인용량 : 1회 0.2~1mg 주사시 최고 24시간동안 통증완화 효과 지속 - 0.05% 제제로서 2ml, 0.1% 제제로서 1ml 이상을 수막강 내 주사하지 않음.	1) 마약으로 대뇌피질의 통각중추에 작용, 동통에 대한 역치를 상승시킴. 2) 호흡중추를 억제함으로써 호흡억제 작용 및 CTZ에 작용하여 최토작용을 일으킴. 3) morphine sulfate 주사제는 보존제를 포함하지 않는 제제임 4) 적응증 - 정맥내, 경막외, 수막강내로 투여하는 마약성 진통제로서 비마약성 진통제에 반응하지 않는 통증의 완화에 사용 (경막외, 수막강내로 투여시 운동신경, 감각신경, 및 교감신경기능의 소실 없이 장기간 통증 경감)	1) >10% - 심계항진, 저혈압, 서맥 - 졸음, 현기증, 착란, 소양증 - 오심, 구토, 변비, 구강건조증 - 주사부위 통증, 허약 2) 1~10% - 두통 - 식욕부진 - 진전 - 시야 이상 - 호흡억제 및 곤란	〈금기-정맥투여〉 1) 천식발작 지속상태 환자 2) 중증 호흡억제 환자 〈금기-경막외 수막강내〉 1) 주사부위 감염환자 2) 항응고제 투여, 출혈경향이 있는 환자 3) 2주이내에 비경구적 부신피질호르몬제 투여환자 〈주의〉 1) 두개내압 상승과 관련되 두부의 기질적 장애나 손상이 있는 환자 2) 경련질환의 기왕력 환자 3) 간, 신장애 환자 4) 전립선 비대에 의한 배뇨장애, 요도협착, 요관수술 후의 환자 5) 약물의존 또는 알코올중독 기왕력자 6) 경막외, 수막강내 투여시 요추부위 권장 7) 중증 호흡억제 발현 대비하여 24시간 환자 모니터링 8) 임신부 : Category C 9) 수유부: 모유이행 10) 소아: 안전성 미확립 〈상호작용〉 1) 중추신경억제제(알코올 포함) : 호흡억제, 저혈압, 깊은 진정효과 유발 2) 아편양 수용체 부분효능제 병용시 진통효과 감소, 금단증상 촉진

약품명 및 함량	용법	약리작용 및 효능	부작용	주의 및 금기
Morphine sulfate Highmol inj 하이몰주사 …20mg/2ml/A	1) 반드시 연속적인 미세 주입기구를 이용하여 수막강내 또는 경막외 주입 2) 희석이 필요한 경우 NS 사용 3) 수막강내 투여 – 마약류에 내성이 없는 환자 : 0.2~1mg/D – 마약류에 내성이 있는 환자 : 1~10mg/D – 20mg/D 이상 투여는 중증 이상반응 가능성 높으므로 주의 4) 경막외 투여 – 마약류에 내성이 없는 환자 : 3.5~7.5mg/D – 마약류에 내성이 있는 환자 : 4.5~10mg/D로 시작하여 20~30 mg/D까지 증량 가능	1) 체내 이식형 약물 주입시스템 장치를 사용하여 주입하는 고농도의 보존제 없는 morphine 제제로서, 수막강내나 경막외로 지속적으로 약물을 방출하여 진통 효과를 나타냄. 2) 반드시 미세 주입기구를 사용해야 하며, IV, IM, SC 할 수 없음. 3) 적응증 : 난치성 만성 통증의 완화 4) 약효지속 : 3개월 (3개월마다 약 새로 주입 필요)	1) >10% – 심계항진, 저혈압, 서맥 – 졸음, 현기증, 착란, 소양증 – 오심, 구토, 변비, 구강건조증 – 주사부위 통증, 허약 2) 1~10% – 두통 – 식욕부진 – 진전 – 시야 이상 – 호흡억제 및 곤란	〈금기〉 1) 주사부위 감염환자 2) 항응고제 투여, 출혈경향이 있는 환자 3) 중증 호흡억제 환자 4) 천식발작 지속상태 환자 〈주의〉 1) 두개내압 상승과 관련된 두부의 기질적 장애나 손상이 있는 환자 2) 간, 신장애 환자 3) 순환혈액량 감소, 심근기능이상, 교감신경억제제 투여환자 4) 전립선 비대에 의한 배뇨장애, 요도협착, 요관수술 후의 환자 5) 약물의존 또는 알코올 중독 기왕력자 6) 임신부 : Category C 7) 수유부: 모유이행 8) 소아: 안전성 미확립 〈상호작용〉 1) 중추신경억제제(알코올 포함) : 호흡억제, 저혈압, 깊은 진정효과 유발 2) 아편양 수용체 부분효능제 병용시 진통효과 감소, 금단증상 촉진
Oxycodone HCl IR codon tab 아이알코돈정 …5mg/T	1) 이전에 마약성 진통제 복용 경험 없는 환자 : 5mg q 4~6hrs 2) 마약성 진통제를 복용하고 있던 환자 : 대응 용량으로 환산하여 1일 용량을 q 4~6hrs로 나누어 투여 * 대응용량 및 신기능에 따른 용량조절 : Oxycontin CR tab 참조	1) Morphine과 유사한 반합성 phenanthrene계 마약성 진통제 2) 중추의 opioid 수용체에 작용하여 진통효과 나타냄 3) Medulla의 기침 중추에 대한 직접적인 기침 반사 억제 작용 4) 나정으로 작용발현이 신속하여 치료의 초기 용량 설정 및 돌발성 통증(breakthrough pain) 조절에 사용 가능함. 5) 적응증: 마약성 진통제 사용이 필요한 중등도 및 심한 통증의 완화 6) Onset : 10~40mins	1) >10% – 저혈압 – 피로감, 졸음, 현기증 – 오심, 구토 – 허약 2) 1~10% – 두통, 초조감, 권태감 – 위경련, 구강건조, 변비 – 섬망	〈금기〉 1) 중증 호흡억제 환자 2) 천식발작 지속상태 환자 3) 중증 간장애, 신장애 환자 4) 경련상태, 급성 알코올 중독, 출혈성 대장염 환자 5) MAO 억제제를 투여중이거나 중단 후 2주 이내인 환자 6) 임신부 : Category B(국내 허가 금기) 7) 수유부 : 모유 이행 8) 18세 미만 소아 〈주의〉 1) 약물 의존 또는 알코올 중독 기왕력자

약품명 및 함량	용법	약리작용 및 효능	부작용	주의 및 금기
		Tmax : 30~60mins 지속시간 : 3~6hrs $T_{\frac{1}{2}}$: 3.2hrs		2) 심장애가 있는 저혈압 환자 3) 전립선 비대에 의한 배뇨장애, 요도협착, 요관수술 후의 환자 4) 담낭질환, 복부수술 후 환자 〈상호작용〉 1) 중추신경억제제(알코올 포함) : 호흡억제, 저혈압, 깊은 진정효과 유발 2) 아편양 수용체 부분효능제 병용시 진통효과 감소, 금단증상 촉진 3) MAO 억제제 : 고혈압 또는 저혈압 위기가 동반되는 중추신경 흥분 또는 억제 유발
Oxycodone HCl Oxycontin CR tab 옥시콘틴서방정 …10mg/T …20mg/T …40mg/T …80mg/T	1) 이전에 마약성 진통제 복용 경험이 없는 환자 : 10mg q 12hrs 2) 마약성 진통제를 복용하고 있던 환자 : 대응 용량으로 환산하여 1일 용량을 q 12시간 분할 투여 ① Morphine 투여 환자 - 1일 Morphine 경구 투여량 × 0.5 = 1일 oxycodone 경구투여량 - 1일 Morphine 주사량 × 3 = 1일 oxycodone 경구투여량(고용량의 주사제 사용시에는 주사량 × 1.5) ② Fentanyl patch - Patch 제거 18시간 후 oxycodone 사용 가능 - Fentanyl patch 25mcg/hr ≒ oxycodone CR 10mg bid * 신기능에 따른 용량조절 참고 CrCl 〈60ml/min : 환자상태에 따라 적절히 감량	1) Morphine과 유사한 반합성 phenanthrene계 마약성 진통제 2) 중추의 opioid 수용체에 작용하여 진통효과 나타냄 3) Medulla의 기침 중추에 대한 직접적인 기침 반사 억제 작용 4) 적응증 : 마약성 진통제의 사용을 필요로하는 중등도 및 중증 통증의 조절 5) Onset : 1hr 이내 최대효과 : 1hr Tmax : 2.6hrs 지속시간 : 12hrs 대사 : 간 배설 : 신장(19%)	1) 〉10% - 저혈압 - 피로감, 졸음, 현기증 - 오심, 구토 - 허약 2) 1~10% - 두통, 초조감, 권태감 - 위경련, 구강건조, 변비 - 섬망	〈금기〉 1) 호흡 저하 환자 2) 급성 또는 중증의 천식 또는 탄산 과잉증 환자 3) 마비성 장폐색으로 확진 또는 의심되는 환자 〈주의〉 1) 두부손상 환자 2) 저혈압 3) 급성 알코올 중독, 애디슨병, 췌장 및 담관 질환자 등의 경우 잠재적 위험성을 증가시킬 우려 있음. 4) CNS 저해제와 병용시 진정, 수면 작용 등을 증가시킬 우려 있음. 5) 임신부 : Category B 6) 수유부 : 모유로 분비 7) 18세 미만 소아 : 안전성 미확립 8) 깨거나 부수지 말고 그대로 복용 〈상호작용〉 1) 중추신경억제제(알코올 포함) : 호흡억제, 저혈압, 깊은 진정효과 유발 2) 아편양 수용체 부분효능제 병용시 진통효과 감소, 금단증상 촉진

약품명 및 함량	용법	약리작용 및 효능	부작용	주의 및 금기
Oxycodone HCl Oxynorm inj 옥시넘주사 …10mg/1ml/A …20mg/2ml/A	1) 만 18세 이상 성인: - 2mg IV bolus 투여 후, 필요시 1mg을 PCA등을 이용하여 IV. - PCA로 투여시 최소 5분간의 휴지기(lock-out time) 필요. - 0.9% NS, 1mg/ml 농도로 희석하여 사용 * 신기능에 따른 용량조절 참고 - CrCl≥10ml/min : 용량조절 필요치 않으나 주의하여 투여 - CrCl〈10ml/min : 투여금기	1) 주사용 마약성 진통제 2) 중추의 opioid 수용체(주로 μ-receptor)에 작용하여 진통효과 나타냄. 3) 적응증: 마약성 진통제의 사용을 필요로 하는 중등도 및 중증의 통증 조절 4) 진통목적 투여 시 대응용량 - oxycodone ; PO 2mg = IV 1mg - morphine IV : oxycodone IV = 1 : 1 5) 적응증 : 마약성 진통제의 사용을 필요로하는 중등도 및 중증 통증의 조절 6) Onset: 2-3mins Duration: 4hrs (cancer환자에서) $T_{\frac{1}{2}}$: 3.5hrs 배설: 신장, 대변	1) 〉1% - 식욕부진 - 불안, 혼동, 불면, 신경질, 생각교란, 비정상적인 꿈 - 두통, 어지러움, 진정, 졸림 - 기관지 수축, 호흡곤란, 기침 감소 - 변비, 오심, 구토, 구강 건조, 소화불량, 복통, 설사 - 다한증, 가려움증, 발진 - 무기력, 오한	〈금기〉 1) 중증 호흡억제 환자 2) 천식발작 지속상태 환자 3) 중증 간장애, 신장애 환자 4) 경련상태, 급성 알코올 중독, 출혈성 대장염 환자 5) MAO 억제제를 투여중이거나 중단 후 2주 이내인 환자 6) 임신부 : Category B(국내 허가 금기) 7) 수유부 : 모유 이행 8) 18세 미만 소아 〈주의〉 1) 두부손상 환자 2) 저혈압 3) 급성 알코올 중독, 애디슨병, 췌장 및 담관 질환자 등의 경우 잠재적 위험성을 증가시킬 우려 있음. 4) CNS 저해제와 병용시 진정, 수면 작용 등을 증가시킬 우려 있음. 〈상호작용〉 1) 중추신경억제제(알코올 포함) : 호흡억제, 저혈압, 깊은 진정효과 유발 2) MAO 억제제 : 고혈압 또는 저혈압 위기가 동반되는 중추신경 흥분 또는 억제 유발 〈취급상 주의〉 1) 희석 후 실온에서 24시간이내 사용, PCA로 투여시 28일간 사용 가능
Pethidine(Meperidine) HCl Pethidine HCl inj 페티딘염산염주사액 …25mg/0.5ml/A 염산페치딘주사 …50mg/1ml/A	1) 성인 - 진통, 진정, 진경 : 35~50mg/회 SC, IM, 서서히 IV, 필요시 3~4시간마다 추가 - 마취 전 투약 : 마취 30~90분 전 50~100mg SC, IM - 전신마취 보조 : 5DW 또는 NS로 희석(10mg/ml) 하여 10~15mg 씩 간헐적으로 IV (Max. 50mg)	1) Morphine과 유사한 작용을 나타내는 합성 마약임. 2) CNS의 평활근으로 구성된 기관에 가장 강력히 작용함. 3) 주요 치료 효과는 진통, 진정작용에 기인함. 4) 적응증 - 격렬한 통증의 완화, 진정, 진경 - 마취전 투약 - 마취시의 보조 - 무통분만	- 호흡억제, 호흡정지 - shock - 순환억제, 심박동정지 - 어지러움, 진정 - 오심, 구토 - 발한, 악몽, 경련, 실신	〈금기〉 1) 중증 호흡억제 환자 2) 중증 간장애, 신장애 환자 3) 두개내압 상승과 관련된 두부의 기질적 장애나 손상 환자 4) 경련상태, 급성 알코올 중독, 출혈성 대장염 환자 5) MAO 억제제를 투여중이거나 중단 후 2주 이내인 환자 〈주의〉

약품명 및 함량	용법	약리작용 및 효능	부작용	주의 및 금기
	– 무통분만 : 50~100mg SC, IM, 필요시 3~4 시간마다 35~70mg 씩 1~2회 추가주사 2) 소아 – 진통 : 1.1~1.8mg/kg SC, IM – 마취전 : 마취 30~90분 전 1.1~2.2mg/kg SC, IM * 신기능에 따른 용량조절 참고 – GFR 10~50ml/min : 상용량의 75% – GFR<10ml/min : 상용량의 50%	5) 작용발현 : IM, SC 10mins 최대효과(IM) : 0.5~1hr 지속시간 : IM, SC 2~4hrs $T_{\frac{1}{2}}$(IM) : 3~4hrs		1) 천식발작 지속상태 환자 2) 전립선 비대에 의한 배뇨장애 요도협착, 요관수술 후 환자 3) 급성 복부질환 환자, 중증 염증성 장질환 환자, 최근 소화관 수술 받은 환자 4) 약물의존 또는 알코올 중독 기왕력자 5) 임신부 : Category C 6) 수유부 : 모유이행 7) 신생아, 영아에 호흡억제 주의하여 투여 〈상호작용〉 1) 중추신경억제제(알코올 포함) : 호흡억제, 저혈압, 깊은 진정효과 유발 2) MAO inhibitor와 병용시 심한 저혈압, CNS 및 호흡 억제 가능하므로 14일 이상 간격 두고 투여
Remifentanil HCl Ultian inj 울티안주 …1mg/V …2mg/V …5mg/V	1) 일반적 마취를 위한 권장 희석농도 : 성인 50mcg/ml, 소아 20~25mcg/ml 2) 마취 유도시 수면제와 병용 투여, 병용 약물에 따른 각 마취 유지용량은 약품 설명서 참조 3) 일반마취 – 마취유도 : 수면제와 병용하여 0.5~1mcg/kg/min의 속도로 IV inf. (bolus 투여가 필요한 경우 1mcg/kg를 30초 이상에 걸쳐 투여) 4) 소아 : 권장 용량 약품 설명서 참조 5) 심장수술 – 마취유도 : 1mcg/kg/min 6) 중환자(기계적 환기중인 중환자의 진통 및 진정) – 초기투여속도 : 0.1~0.15mcg/kg/min (원하는 만큼의 효과에 도달할 때까지 최소 5분간격으로 0.025 mcg/kg/min 의 증가속도로 조절) – 유지속도 : 0.006~0.74mcg/kg/min	1) 비특이적 esterase에 의해 대사되는 μ-opioid receptor agonist로 마취 유도 및 마취 유지시 진통 목적으로 사용 2) 작용 소실이 빨라 회복기 연장 위험이 적으며 기존 제제(간대사)와 달리 조직과 혈액을 통해 전신으로 대사되어 신장으로 배설되므로, 간, 신기능 저하 환자에게 용량 조절 불필요 3) 병용하는 마취제(Thiopental, Propofol, Isoflurane, Temazepam)의 용량을 최대 75%까지 감소시킬 수 있음. 4) 적응증 – 마취유도 및 마취유지의 진통 – 기계적 환기를 실시중인 중환자실 환자의 진통 및 진정(18세 이상) 5) Onset : 1~3mins 지속시간 : 투여종료 후 3~10mins $T_{\frac{1}{2}}$: 투여종료 후 3~10mins	1) >10% – 오심, 구토 2) 1~10% – 저혈압/서맥(용량의존적), 빈맥, 고혈압 – 현기증, 두통, 불안, 발열 – 소양증 – 근육 강직(용량의존적) – 시야혼란 – 호흡억제, 무호흡, 저산소증 – 전율, 수술후 통증	〈금기〉 1) Fentanyl 유도체에 과민한 환자 2) 경막외(epidural), 경막내(intrathecal) 투여 금함.(이 약에 함유된 글리신에 의해 신경독성 유발 위험) 3) 마취 유도의 목적으로 단독투여 하지 않음. 〈주의〉 1) 서맥성 부정맥, 두부 손상, 비만, 호흡부전 환자 2) 근강직의 발현은 투여량 및 투여속도와 관련이 있으므로, IV bolus 투여시 30초 이상에 걸쳐 투여하도록 함. 3) 호흡억제 발현시 투여속도 50% 감소 또는 일시 중단 필요 4) 임신부 : Category C 5) 수유부 : 안전성 미확립 6) 65세이상 고령자 〈취급상 주의〉 1) 용해 : 주사용 증류수, 5DW, NS, 5DS 2) 희석가능수액 : 5DW, NS, 5DS 3) 희석 후 실온 24시간 안정

약품명 및 함량	용법	약리작용 및 효능	부작용	주의 및 금기
Sufentanil citrate Sufental inj 수펜탈주사 …250mcg/5ml/A	1) 성인 및 12세 이상의 청소년 ① 전신마취시 진통용량 - 1~2hrs 마취시 : 1~2mcg/kg - 2~8hrs 마취시 : 2~8mcg/kg ② 마취용량 : 8~30mcg/kg 2) 12세 미만의 소아 심혈관 수술에서 마취의 유도 및 유지용량으로서 100% 산소와 병용하여 10~20 mcg/kg을 투여함. 3) 비만환자(표준체중의 20% 이상) : 제지방체중(lean body wight) 기초로 용량계산	1) Opiate agonist로서 CNS의 μ- opiate receptor에 강한 친화력을 가지고 선택적으로 결합하여 pain의 역치를 증가시킴. 2) 적응증 - 전신 마취시 진통제 - 100% 산소와 병행하여 심혈관이나 신경외과 등의 대수술을 받고 있는 환자의 마취유도 및 유지 3) Onset : 1.2~3mins $T_{\frac{1}{2}}$: 140~158mins 지속시간 : 40mins 배설 : 신장 및 대변(80%)	1) >10% - 호흡억제 - 골격근 강직 2) 1~10% - 저혈압, 고혈압 - 흉벽강직 - 서맥, 빈맥, 부정맥 - 구역, 구토 - 무호흡, 수술후 호흡억제, 기관지 경축 - 홍반, 소양감 - 오한	〈금기〉 1) MAO 억제제를 투여중이거나 중단 후 2주 이내인 환자 2) 중증 호흡억제 환자 〈주의〉 1) 간 · 신기능 장애 환자 2) 두개내압 상승과 관련된 두부의 기질적 장애나 손상이 있는 환자 3) 급성 알코올 중독 환자 4) 임신부 : Category C 5) 수유부 : 안전성 미확립 〈상호작용〉 1) 중추신경억제제(알코올 포함) : 호흡억제, 저혈압, 깊은 진정효과 유발 2) Benzodiazepine 병용으로 평균 동맥압 및 전신혈관 저항이 감소됨. 3) CCB, β-blocker 장기복용 환자에 투여시 서맥, 저혈압 증가됨.
Oxycodone HCl+ Naloxone HCl **Targin CR tab** 타진서방정 …5+2.5mg …10+5mg …20+10mg …40+20mg	1) 진통제 - 이전에 마약성 진통제 복용 경험이 없는 환자 : 10+5mg q 12hrs - 최대 일일용량 : 160(oxycodone)+ 80mg(naloxone)/D - 5+2.5mg 용량은 마약성 진통제를 시작하거나 개인용량 조절용으로 사용 2) 하지불안증후군 - 성인 : 초기용량 5+2.5mg q 12hrs, 주단위로 증량 3) 씹거나 부수지 말고 그대로 복용	1) 진통효과를 나타내는 pure opioid agonist인 oxycodone과 pure opioid antagonist인 naloxone의 2:1 복합제제 2) Oxycodone : 중추의 opioid 수용체에 작용하여 진통효과 나타냄. Naloxone : 장의 μ-receptor를 길항하여 opioid의 말초 부작용인 변비를 경감시킴. (흡수 후 초회통과 효과에 의해 빠르게 비활성화되어 CNS opioid 수용체에 길항작용을 거의 나타내지 않음.) 3) 적응증 - 마약성 진통제의 사용을 필요로 하는 중등증 및 중증의 통증 - 도파민 작용제 투여 후 증상 조절이 되지 않는 중증 및 고도 중증의 특발성 하지 불안 증후군의 2차 치료제	1) 1~10% - 식욕감소 - 안절부절증 - 어지럼증, 두통 - 현기증 - 혈압 강하 - 복통, 변비, 설사, 구갈, 소화불량, 구토, 구역, 고창 - 간 효소 증가 - 가려움증, 피부반응, 다한증 - 약물 금단 증후군, 열감증 및 냉감증, 오한, 무력 상태	〈금기〉 1) 저산소증 및 과탄산혈증을 가진 중증 호흡저하 환자 2) COPD, 중증 기관지 천식 환자 3) 비마약성 진통제에 의한 마비성 장폐색증 환자 4) 중등도~중증의 간장애 환자 5) 임신부 : Category B(oxycodone), Category C(naloxone) (국내허가 금기) 6) 수유부 : oxycodone 모유이행 〈주의〉 1) 두부손상 환자 2) 저혈압 3) 급성 알코올 중독, 애디슨병, 췌장 및 담관 질환자 등의 경우 잠재적 위험성을 증가시킬 우려 있음. 4) CNS 저해제와 병용시 진정, 수면 작용 등을 증가시킬 우려 있음.

약품명 및 함량	용법	약리작용 및 효능	부작용	주의 및 금기
				5) 18세 이하 소아 : 안전성 미확립 〈상호작용〉 1) 이 약을 알코올, 다른 마약성 약물, 또는 중추신경계 억제효과를 나타내는 약물과 병용 시 증강작용 2) 아편효능/길항성 진통제 투여 시 oxycodone의 진통효과를 감소시키거나 금단증상 촉진시킬 수 있음. 〈취급상 주의〉 1) 분할, 분쇄 불가 (∵서방정) 2) 차광

약품명 및 함량	용법	약리작용 및 효능	부작용	주의 및 금기
Naloxone HCl Naloxone inj 나록손주사 …0.4mg/1ml/A …2mg/2ml/A	1) 성인 - 마약 과량투여시 : 초회량 0.4~2 mg, 필요하면 2~3분 간격으로 반복하여 IM, IV, SC - 수술후 마약성 억제시 : 2~3분 간격으로 0.1~0.2mg씩 증량하여 IV, IM 2) 소아 - 마약 과량투여시 : 초회량 0.01 mg/kg, 필요시 0.1mg/kg 재주사(IV 곤란시 분할하여 IM, SC) - 수술후 마약성 억제시 : 2~3분 간격으로 0.005~0.01mg 증량하여 IV 3) 신생아 - 마약 유도 억제시 : 초회량 0.01 mg/kg IV, IM, SC 4) 뇌졸중, 뇌출혈로 인한 허혈성 뇌신경 장애, 뇌척수좌상, 안면신경 및 사지마비의 급성기 : 초회량 0.4~4 mg IV 후 4~8mg을 1000ml의 5DW, NS에 혼합하여 IV Inf.	1) 순수한 마약길항제 2) Pentazocine과 같은 agonist-antagonist에 의한 정신흥분 및 불쾌감을 제거함. 3) 급성 마약 과량 투여시 진단 4) 마취제(N_2O)및 diazepam의 과량 투여로 인한 호흡억제 개선, CO중독성 쇼크 개선, 허혈성 뇌신경 장애에 사용함. 5) 쇼크시의 저혈압 증상을 개선함. 6) 적응증 - 천연, 합성마약 프로폭시펜, 메타돈 및 마약길항진통제 등의 아편류에 의한 호흡 억제를 포함하는 마약 억제 작용의 전체적, 부분적 역전 - 급성 마약 과량투여시 진단 - 뇌졸중, 뇌출혈로 인한 허혈성 뇌신경 장애 - 뇌척수 좌상, 안면신경 및 사지마비의 급성기의 개선 7) Onset(IV) : 2mins 지속시간 : 20~60mins $T_{1/2}$: 성인 30~81mins 신생아 2.5~3.5hrs	- 오심, 구토, 발한 - 빈맥, 혈압상승, 심실성 빈맥, 세동, 폐부종 - 수술후 과량 투여로 진통효과의 감소 및 흥분이 초래될 수 있음.	〈금기〉 1) barbital계 약물 등의 비마약성 중추신경억제제 또는 병적 원인에 의한 호흡억제가 있는 환자 〈주의〉 1) 고혈압, 심장질환 환자 2) 신부전, 간질환 환자 3) 수술후 투약시 특히 저혈압, 고혈압, 심실성 빈맥, 세동, 폐부종을 주의할 것 4) 마약의 작용시간이 이 약에 의해 연장될 수 있어 호흡억제 재발 가능, 환자 모니터링 하고 필요시 반복투여 5) Opioid에 의존성이 있을 때 급성 금단증상 발생가능하므로 신중히 투여 6) 임신부 : Category C 7) 수유부 : 안전성 미확립 〈취급상 주의〉 1) Bisulfite, metabisulfite 등 고분자량의 음이온 및 알카리용액과 배합금기임. 2) NS나 5DW로 혼합한 희석액은 24시간 이내에 사용할 것
Naltrexone HCl Revia tab 레비아정 …50mg/T	1) 알코올의존 치료 : 50mg qd 2) 외인성 아편류 효과 차단 - 치료전 7~10일내에 아편류를 사용하지 않았다고 판단한 경우에만 투여시작. 아편류 의존성이 의심되면 Naloxone Challenge Test 실시 - 초회용량 25mg, 1시간 후 금단증상 나타나지 않으면 나머지 25mg 투여 - 50mg/D	1) 경구용 반합성 opiates antagonist 2) Antagonistic potency는 nalorphine의 17배, naloxone의 2배에 해당함. 3) 적응증 : 적정 관리 프로그램과 병행하여 알코올 의존성 치료 및 외인성 아편류의 효과 차단 4) Tmax : 1hr 이내 단백결합 : 21% 작용지속 : 50mg : 24hrs 100mg : 48hrs 150mg : 72hrs 배설 : 신장(60%), 대변(2~3%)	1) >10% - 불면, 두통, 우울, 신경과민, 복부경련, 오심, 구토, 관절통 2) 1~10% - 불안, 졸음, 기면, 발진, 다갈증, 설사, 변비, 발기부전	〈금기〉 1) 아편류 진통제 투여 환자 2) 현재 아편류 의존성 환자 3) 급성 아편 금단증상을 보이는 환자 4) Naloxone Challenge Test에서 양성 또는 소변검사에서 아편류 양성반응 보이는 경우 5) 이 약에 감작되었던 환자 6) 급성 간염, 간손상, 신장애 7) 임신부 : Category C(국내 허가 금기) 8) 수유부, 18세 미만 소아 : 안전성 미확립 〈주의〉 1) 활동성 간질환 환자 2) 과량투여시 간세포 손상 가능

15장. 해독제(Antidotes)

약품명 및 함량	용법	약리작용 및 효능	부작용	주의 및 금기
Dexrazoxane Cardioxane inj 카디옥산주 …500mg/V	1) Doxorubicin의 10배 (문헌에 따라 20배로 제시되기도 함) 또는 epirubicin의 10배 용량을 해당 약물 투여 30분전에 15분간 IV inf. 2) Doxorubicin 처음 투여시부터 시작하여 투여시마다 반복 투여(본제 총량이 1,000mg/㎡을 넘지않게 투여) * 신기능에 따른 용량조절 참고 - CrCl<40ml/min : 50% 감량	1) Piperazine EDTA(ethylene diamine tetraacetic acid)유도체로 intracellular chelating agent 2) Fe^{3+}-doxorubicin complex가 산화환원 반응에 의해 반응성 radical을 형성하는 것을 방지하여 Cardioprotective 효과를 가짐 3) 적응증 : doxorubicin 또는 epirubicin의 이전 누적 투여량이 각각 300mg/㎡, 540mg/㎡인 성인 진행성 유방암 환자에서 추가적인 anthracyclin 치료가 필요한 경우 심장독성 방지	- 골수억제 : 백혈구 감소증, 혈소판 감소증 (투약을 중단할 경우 사라짐) - 간 : serum transaminase의 상승 - 주사부위의 통증 및 국소자극	〈금기〉 1) 임신부: Category C(국내 허가 금기) 2) 18세 미만의 소아: 유효성, 안전성 미확립 3) 수유부: 안전성 미확립 〈주의〉 1) 화학 요법 혹은 방사선 요법에 의한 독성을 증가시킬 수 있으므로 처음의 두 주기동안 혈액학적 parameter에 대한 관찰주의 2) 유방암 수술후 보조요법, 완치를 목적으로 하는 항암요법과의 병용 비권장: 진행성 유방암에서 doxorubicin과 병용시 종양 반응률 감소 보고 3) 12개월 이내의 심근경색, 기존의 심부전, 조절되지 않는 협심증 환자 〈취급상 주의〉 1) 차광, 실온 보관 2) 25ml의 주사용수로 용해한 후(pH 1.6), 투여 직전 Ringer lactate액 혹은 0.16M Sod. lactate 용액 혹은 인산염 완충액으로 200~250ml 용량까지 희석 3) 희석액은 차광하여 2~8℃에 보존하며 4시간이내 사용
Folinic Acid (=Leucovorin calcium) DBL leucovorin inj 디비엘류코보린주사액 …15mg/2ml/A …50mg/5ml/V …100mg/10ml/V …300mg/30ml/V Nyrin tab 나이린정	〈주사제〉 1) methetrexate(MTX) 통상요법 - 1회 6-12mg IM, q 6hrs (1일 4회) - MTX 과량 투여시 투여한 MTX와 동량 투여 2) MTX-leucovorin 구원요법 - MTX 투여 종료 후 3시간 후 부터 1회 15mg IV, 3시간 마다 9회 투여, 이후 6시간 마다 8회 IV 또는 IM - 중증의 이상반응시 용량 증가, 투여기간 연장 3) 진행성대장암에서 5-fluorouracil	1) Folic acid의 활성 대사체 2) Methotrexate의 Dihydrofolate reductase(DHFR) 저해 작용에 의한 엽산 결핍 부작용 해독 작용 3) 5-FU와 병용 투여시 항암 효과 상승 작용 4) 적응증 - 엽산대사길항제의 독성 경감(주사제, 경구제) - 진행성 대장암에서의 5-FU와의 병용(주사제) 5) Onset : IM - 10~20mins PO - 20~30mins Tmax : IM - 52mins IV - 10mins PO - 73mins	〈주사제〉 - 아나필락시양 반응, 두드러기 - 혈관통(IV), 일과성 동통(IM) - 발열 - 중추신경장애 〈경구제〉 - 두드러기	〈금기〉 1) 악성빈혈 혹은 Vit.B12 부족에 의한 거대적아세포성 빈혈 〈주의〉 1) Creatinine과 MTX의 농도를 24시간 마다 측정하여 다음과 같은 경우에는 고용량 투여 ① 24hr후 creatinine 50% 증가 ② 24hr후 MTX 5×10^{-6}M/L 이상 2) 임신부 : Category C (5-FU 병용시 금기) 3) 수유부 (5-FU 병용시 금기) 〈상호작용〉 1) 본 약제를 과량 투여할 경우 phenobarbital,

약품명 및 함량	용법	약리작용 및 효능	부작용	주의 및 금기
…15mg/T	(5-FU)과의 병용 - 200mg/m^2을 최소 3분 이상 천천히 IV후 5-FU 370mg/m^2투여 - 20mg/m^2을 IV후 5-FU 425 mg/m^2 투여 - 위의 치료를 5일동안 계속하고 4주 간격으로 반복 〈경구제〉 1) 엽산길항제(MTX 등) 과량 투여시 - 가능한 빨리(과량 투여 후 1시간 이내) 10mg/m^2을 6시간 마다 복용 - 혈청 MTX 농도가 10^{-8}M/L 이하가 되도록 함 - 위장관독성, 오심, 구토, 25mg 이상은 비경구투여	$T_{\frac{1}{2}}$: 6.2hrs(모체) 32~35mins(활성 대사체) 배설 : 신장(80~90%) 대변(5~8%)		phenytoin, primidone 등의 항간질약과 상호작용을 일으켜 소아의 발작 빈도를 증가시킬 수 있음. 2) MTX 등의 엽산저해제와 동시투여시 병용약제의 효력 감소 〈취급상 주의〉 1) 냉장, 차광보관 2) 5-FU와 leucovorin은 침전이 형성 될 수 있으므로 동시투여 하지 않음
Mesna (Sod. 2-Mercaptoethane Sulfonate) Uromitexan inj 유로미텍산주 …400mg/4ml/A	1) Oxazaphosphorin 항암제 정맥주사시 ① 성인: 해당 항암제 투여량의 20%(w/w)를 해당 항암제 정맥주사시, 4시간 후, 8시간 후 각각 15-30분간 IV (총 투여량은 해당 항암제의 60%(w/w)) ② 소아, 고용량의 항암제 투여시, 과거 항암투여나 방사선치료로 인한 요로상피 손상환자, 표준량의 mesna로 불충분한 환자 - 해당 항암제 투여량의 20%(w/w)를 해당 항암제 정맥주사시(0), 1, 3, 6, 9, 12시간 후에 IV 또는 30%(w/w)로 증량 가능 (총 투여량은 해당 항암제의 120%(w/w)) 2) Oxazaphosphorin 24시간 infusion 시 - 해당 항암제 총투여량의 20%(w/w)을	1) Oxazaphosphorin계 항암제(cyclophosphamide, ifosfamide)의 대사산물 중 요로 상피에 대한 irritant로 작용하여 독성을 나타내는 acrolein과 결합하여 불활성화시킴으로서 요로 및 방광점막의 손상을 방지함. 2) 해독효과는 신장 및 요로에 국한되어 있음. 3) 혈중에서 불활성 형태인 mesna disulfide로 산화되고 신장에서 mesna로 변환 4) 적응증: Oxazaphosphorin계 항암제 (cyclophosphamide, ifosfamide)에 의한 요로독성 방지 5) 대사 : 혈중 $T_{\frac{1}{2}}$: 0.36~2hrs(모체) 1.17hrs(대사체) 배설 : 신장(41.5%)	1) >10% - 경구 투여시 미각 불쾌감(100%), 오심 2) <1% - 아나필락시스, 과민반응, 주사부위 통증, 근육통	〈금기〉 1) 본제 또는 기타 thiol계 화합물에 과민한 환자 〈주의〉 1) 임신부 : Category B 2) 본제의 효과는 ifosfamide 등에 의한 신장독성 예방에만 국한되며 다른 부작용을 완화 또는 예방할 수 없음. 3) 본제는 모든 환자의 출혈성 방광염을 예방하지 않으므로 사용중 혈뇨여부를 정기적으로 검사해야 함 4) 가성의 케톤뇨 반응이 나타날 수 있음(진성반응과의 감별 : 빙초산 가하면 탈색) 〈취급상 주의〉 1) 5DW, NS에 희석(농도 : 20mg/ml) 2) 희석 후 24hr 이내 사용 3) 산소에 노출시 산화되므로 앰플에 남은 주사액은 폐기함 4) Cispaltin의 활성 저하 초래: 병용시 다른경로로 투여

약품명 및 함량	용법	약리작용 및 효능	부작용	주의 및 금기
	IV하고, 24시간 동안 100%(w/w), 이후 12시간 동안 50%(w/w) 투여 (총 투여량은 170%(w/w))			
Rasburicase Fasturtec inj 패스터텍주 …1.5mg/V	1) 화학요법 투여 직전과 투여 초기에 투여 2) 0.2mg/kg/D 1일 1회 IV inf. (NS 50ml에 희석하여 30분간 투여) 3) 투여기간은 5~7일로 다양	1) Saccharomyces Cerevisiae로부터 재조합된 요산 산화효소(urate oxidase) 2) Uric acid를 allantoin (uric acid의 inactive, soluble metabolite)으로 전환시켜 uric acid 농도를 감소시킴. 3) 적응증 : 화학요법중인 악성종양 환자에서의 고뇨산혈증 4) Onset : initial 4hrs(IV) Tmax : 96hrs(IV) $T\frac{1}{2}$: 16~21hrs	1) >10% - 발열(5~46%), 두통(26%) - 발진(13%) - 구토(50%), 오심(27%), 복통(20%), 변비(20%), 점막염(2~15%), 설사(≤1~20%) 2) 1~10% - 호중구감소증(발열 동반 4%, 그 외 2%) - 호흡곤란(3%) - 패혈증(3%)	〈금기〉 1) G6PD 결핍증과 다른 세포성 대사 질환자(용혈성 빈혈 발현 가능) 2) IV bolus로 투여 금함. 〈주의〉 1) 아토피성 알러지를 경험한 환자 2) 임신부 : Category C 3) 수유부 : 안전성 미확립 〈취급상 주의〉 1) 냉장보관(원래의 포장 벗기지 말 것), 냉동금지 2) 재구성 : 첨부 용매 전량으로 재구성(1.5mg/ml) 3) 희석 : NS (DW는 혼합 금함) 4) 재구성 및 희석 후 각각 냉장 24시간 안정 5) 사용 후 남은 약은 폐기 (보존제 불포함) 6) 다른 약물과 혼합금기 : 항암제와 따로 투여 7) 여과기를 사용 금함.
Sodium thiosulfate Ametox inj 아메톡스주25% …12.5g/50ml/V	1) Cyanide중독 ① 성인 : 12.5g을 0.625-1.25g/min 속도로 최소 10분 이상 IV inf. ② 소아 : 412.5mg/kg 또는 7g/㎡ (Max. 12.5g) 을 0.625-1.25g/min 속도로 IV inf. ③ 중독이 심한경우 - 아질산나트륨을 성인 300mg, 소아 180-240mg/㎡ 또는 6mg/kg (Max. 300mg)를 75-150mg/min 속도로 주입후 즉시 이 약 투여 - 투여 2시간 후에도 중독증상 나타나는 경우 아질산나트륨과 이 약을 절반용량으로 반복투여 가능	1) 분자구조내의 sulfur기가 cyanide 해독과정에 관여하는 효소인 rhodanese(thiosulfate cyanide sulfur transferase)에 의해 시안과 작용하여 해독작용을 증가시킴. 2) 약효 성분이 뇨 중에 고농도로 분포함으로써 일반 체세포 및 암세포에 무독성인 thiosulfate-cisplatin complex를 형성하여 cisplatin에 의한 신독성에 예방 효과 있음. 3) 상기작용에 의해 cyanide, bromate, cisplatin, nitroprusside중독에 대한 해독 작용 있음. 4) Cisplatin과 병용시 Cisplatin의 투여량을 2배 이상 증량할 수 있음. 5) 적응증 - 시안 및 시안화합물에 의한 중독	- 저혈압 - 과량의 thiocyanate 생성에 의한 반응 : 섬망, 환각, 오심, 구토, 근경축, 근육통, 시각 장애, 난청 - 전해질 불균형 - 배뇨작용 - 두통	〈주의〉 1) 나트륨 저류 부종 상태(간경변, 울혈심부전, 신장기능장애, 임신중독증) 2) 고혈압환자 3) 임신부 : Category C 4) 수유부 : 안전성 미확립 5) 천천히 주입할 것(저혈압 유발) 6) 연용시 효과 점차 저하될 수 있어 7~10회 사용 후 휴약 권장 〈상호작용〉 1) 중금속염, 산화제 및 산성 약물과 병용 금지 2) CO_2나 O_2가 포함된 수용액을 느리게 분해시킴.

약품명 및 함량	용법	약리작용 및 효능	부작용	주의 및 금기
	2) Cisplatin 투여시 신독성 예방(확립된 regimen 없음) – 초회량 : Cisplatin 투여 직전 4g/m² 주사 – 유지량 : Cisplatin 투여 시작시 12g/m²을 6시간 동안 투여 3) Sodium nitroprusside 유발성 cyanide 중독 : Sodium nitroprusside 주입속도의 5~10배로 병용투여	– 시스플라틴 유발 신독성 예방 6) $T_{\frac{1}{2}}$: 0.65hr 배설 : 신장		

15장. 해독제 ....2. Heparin Antagonist

약품명 및 함량	용법	약리작용 및 효능	부작용	주의 및 금기
Protamine sulfate Protamine sulfate inj 프로타민 황산염주 …50mg/5ml/A	1) 투여량 : Heparin(이하 HPR)의 전처치 시간과 투여량에 비례하여 용량을 결정함. – HPR IV 수분 후 : 1~1.5mg/HPR 100IU – HPR IV 30~60분 후 : 0.5~0.75mg/ HPR 100IU – HPR IV 2시간 이상 후 : 0.25~0.375mg/HPR 100IU 2) 투여방법 : NS나 5DW 용액 100~200ml에 희석하여 10분이상 IV(Max. 50mg/1회)	1) 어류에서 발견된 저분자량의 단백질로서 arginine, alanine등 아미노산을 함유 2) 강염기성으로 강산인 HPR과 결합하여 항응고효과가 없는 안정한 복합체를 형성 3) 트롬보플라스틴 발생을 방해하는 항응고 성질이 있으나 임상적으로는 이 목적으로 잘 쓰이지 않음. 4) 적응증 – HPR 과량투여시 중화 – 혈액투석, 인공심폐, 선택적 뇌관류 냉각법 등의 혈액체외순환 후 HPR작용의 중화에 사용 5) HPR 길항효과는 즉시 나타나며, 약 2시간 지속됨. 6) HPR의 지속시간이 길어서 대출혈이 나타나면 추가 투여함.	– 급성저혈압, 서맥, 호흡곤란, 일과성홍조, 발열감 – 오심,구토 – 쇽	〈주의〉 1) 정관절제술을 받았거나 불임인 환자 2) 물고기에 알레르기가 있는 환자 3) Protamin insulin으로 치료 받았던 당뇨 환자 4) 약간의 항응고 작용이 있으므로 중화량을 초과하지 않음 5) 임신부 : Category C 6) 수유부, 소아: 안전성 미확립 〈취급상 주의〉 1) Penicillin이나 Cepha계와 같은 항균제와의 배합금기(불안정) 2) 급속투여시 부작용 발생 증가

약품명 및 함량	용법	약리작용 및 효능	부작용	주의 및 금기
D-Penicillamine Artamin cap 알타민 캡슐 …250mg/C	1) 공복(식전 1시간 혹은 식후 2시간) 복용 2) 납 또는 수은 중독 - 성인 : 250mg tid~qid - 소아 : 20~30mg/kg/D 3) 윌슨병 - 성인 : 250mg qid - 소아 : 20mg/kg/D(점차 증량) 4) 시스틴뇨증, 시스틴결석증 - 성인 : 250mg~1g qid (250mg/D부터 점차 증량) - 소아 : 30mg/kg/D #3~4 5) 류마티스관절염, 만성진행성간염, 피부경화증 - 1~4주 : 150mg qd(Max. 250mg/D) - 5~8주 : 250mg qd(Max. 450mg/D) - 9~12주 : 150mg bid(Max. 600mg/D) - 13주 이후: 300~450mg/D, 4-12주 간격으로 50~150mg/D 씩 증량 (Max. 1g/D) 6) 소아 류마티스성 관절염 - 5~10mg/D로 시작하여 15~20 mg/D까지 증량 - 유지량: 10~15mg/kg/D * 신기능에 따른 용량조절 참고 1) CrCl(ml/min)<50 : 사용 권장되지 않음 2) 류마티스관절염 치료에서 혈액투석시 : 250mg/D → 250mg씩 주 3회로 감량	1) Penicillin을 가수분해시켜 얻은 chelating agent로 Cu, Hg, Pb, Zn, Fe 및 As와 soluble complex을 형성하여 중금속을 뇨로 배설 시켜 해독시킴. 2) Wilson's Dz. 치료에 Cu제거제로 선택약제임(1g은 Cu 약 2mg 배설). 3) 적응증 - 윌슨병 - 시스틴뇨증, 시스틴결석증 - 류마티스관절염 - 납 또는 수은 중독 - 만성 간염 - 피부경화증	1) >10% - 발진, 두드러기, 소양감 - 미각감퇴 - 근육통 2) 1~10% - 안면, 사지 부종 - 발열, 오한감 - 체중증가, 인후 통증 - 뇨혼탁 - 재생불량성 및 용혈성 빈혈, 백혈구 감소증(2%), 혈소판감소증(4%) - 입술 및 구강에 흰색 반점 3) <1% - 알러지 반응, 식욕부진, 담즙울체성 황달, 간염, 림프선증후군 등	〈금기〉 1) 금제제를 투여중인 환자 (윌슨병, 납 · 수은중독환자만 해당) 2) 혈액장애 또는 그 병력이 있는 환자 3) 신장애 또는 그 병력이 있는 환자 4) 전신홍반성루푸스 환자 5) 성장기 소아로 결합조직의 대사장애 환자 6) 항말라리아제, 항암제, phenylbutazone과의 병용 7) 임신부 : Category D 〈주의〉 1) 간장애 환자 2) 페니실린계 약물에 과민증 병력이 있는 환자 3) 면역억제제를 투여중인 환자 (환자를 가까이서 관찰하도록 하고 부작용 증상이 나타나면 곧 보고해야함.) 4) Cystine 결석에 사용시 뇨량을 충분히(2L/일 이상) 유지시켜 주어야 함. 5) 반드시 공복(식전 1시간 혹은 식후 2시간)에 복용하며, 다른 약물이나 음식과는 적어도 1시간의 간격을 두고 복용토록 할 것(∵흡수감소) 6) 수유부, 소아: 안전성 미확립 〈상호작용〉 1) 금제제(금사과산나트륨): 심각한 혈액장애 발생위험 2) 면역억제제: 이상반응 증강 3) 경구철제제, 마그네슘 · 알루미늄 제산제: 이 약의 흡수저하 4) 아연 함유 경구제: 이 약의 효과 감소 (동시 투여 피함)

약품명 및 함량	용법	약리작용 및 효능	부작용	주의 및 금기
Deferasirox Exjade dispersable tab 엑스자이드확산정 …125mg/T …250mg/T …500mg/T	1) 개시용량 – 20mg/kg qd – 수혈량에 따라 10~30mg/kg/D – deferoxamine 에 잘 반응하는 환자: deferoxamine의 절반용량으로 투여 시작고려 2) 유지용량 – 혈청 ferritin 변동에 따라 3-6개월마다 조정 – Max. 40mg/kg/D 4) 복용법 – 1일 1회 식전 30분에 복용 – 씹거나 정제를 통째로 삼키지 않고 물, 사과쥬스 또는 오렌지쥬스 100~200ml에 확산시켜 복용 후 남은 약도 헹구어 모두 복용 * 신기능에 따른 용량 조절 참고 – CrCl 40~60ml/min: 50%로 감량 – CrCl<40ml/min 또는 Scr>ULN의 2배: 금기	1) 선택적 철분 킬레이트제 2) 철분(Fe^{3+})과 2:1로 결합하여 주로 대변으로, 일부는 신장으로 배설시킴. 3) 적응증 : 수혈 의존성 헤모시데린 침착증 (Hemosiderosis) 4) Tmax : 1.5~4hrs 지속시간 : 24hrs $T\frac{1}{2}$: 8~16hrs 배설 : 대변(84%), 신장(8%)	1) >10% – 복통, 설사, 구토 – Scr 상승, 단백뇨 – ALT 상승 2) 1~10% – 발진, 가려움증 – 두통	<금기> 1) CrCl 40ml/min 미만이거나 Scr 수치가 정상범위 상한치의 2배를 초과하는 환자 2) 고위험의 골수형성이상증후군 또는 진행성 악성종양 환자 3) 혈소판 수치가 $50x10^9$/L미만인 골수형성이상증후군 환자 4) 2세 미만의 소아 5) 갈락토오스 불내성 환자 <주의> 1) 신장 및 간장애 환자, 65세 이상 고령자 2) 선천성 glucuronidation 장애 환자 3) 과민반응 : 대부분 투여 첫달 이내 발병 4) 청각, 시력장애: 이약 투여개시 전과 이후 정기적 검진 권장 5) 임신부 : Category B 6) 수유부 : 안전성 미확립 <상호작용> 1) 알루미늄 함유 제산제와 병용투여 시 흡수율이 감소 2) Cholestyramine 병용시 이 약의 효능 저하 3) 음식물과 함께 복용시 AUC가 변동이 많게 증가하므로 공복에 복용함.
Deferoxamine mesylate (Desferrioxamine) Desferal inj 데스훼랄주사 …500mg/V	1) 만성 철분축적 – 500mg/D로 시작하여 증량 – 20~40mg/kg/D (Max. 80mg/kg/D) – 휴대용 주입펌프를 이용하여 8-12시간 천천히 SC (IM 가능) – 철분 축적 정도에 따라 3-7회/주 2) 급성 철중독 – 정상혈압시 성인 2g, 소아 1g을 1회 IM 또는 IV, 저혈압시에는 IV (Max. 80mg/kg/D) – 최대 투여 속도: 15mg/kg/hr	1) Fe^{3+} 및 Al^{3+} 이온과 chelate 형성(2가 이온과의 친화력은 낮으며, Fe 85mg, Al 41mg과 1 : 1 mol비로 결합) 2) 유리상태의 철이나 ferritin, hemosiderin과 결합한 철과는 ferrioxamin을 형성하며, 조직에 결합된 Al과는 aluminoxamine의 복합체를 형성하여 배설시킴. 3) 적응증 – 만성 철분 축적 – 급성 철분 중독 – 지속적인 혈액투석을 받는 말기 신부전증 환자의 만성 알루미늄 축적	– 알러지성 피부 반응 : 발진, 담마진 – 주사부위의 동통 – 시각, 청각 장애 – 위장관 장애 – 심혈관계 : 저혈압, 빈맥, 심부정맥 – 신경장애 : 현기증, 경련, 하지경련 – 신 · 간기능 손상 – 배뇨장애, 발열, 혈소판 감소증, 기회감염	<금기> 1) 탈감작이 불가능하고 주성분에 과민한 환자 2) 무뇨 또는 중증신장애 환자(투석중인 환자 제외) 3) 진행상태의 세균감염 환자 <주의> 1) 신기능 장애 환자(투석중인 환자 포함) 2) 혈청 ferritin 치가 낮은 환자 3) 중증의 간장애 환자 4) 당뇨병 환자 5) 이 약 투여 전과 투여 후 3개월 마다 시 · 청각 검사 실시 6) 알루미늄과 관련된 뇌질환환자: 유리 Al의 증가로 발작 악화 (clonazepam 전처치로 감소)

약품명 및 함량	용법	약리작용 및 효능	부작용	주의 및 금기
	3) 말기 신부전증 환자의 Al 축적 - 1주 1회 5mg/kg IV - CAPD나 CCPD 환자에서 복강내 투여 권고됨. * 신기능에 따른 용량 조절 참고 - CrCl 10~50ml/min, CRRT : 상용량의 25~50%로 감량 - CrCl <10ml/min, HD : 금기	- 철분이나 알루미늄 축적여부에 대한 진단		7) 적갈색 뇨변색(철복합체 배설) 8) 임신부: Category C 9) 수유부: 안전성 미확립 10) 소아: 3세 미만 소아 안전성 미확립, 소아에 장기간 투여시 3개월 마다 성장 검사 〈상호작용〉 1) 고용량의 Vit. C와 병용시 심기능 손상초래 〈취급상 주의〉 1) Heparin과 배합 금기 2) 재구성: 주사용 증류수 5ml (95mg/ml) 3) 희석: NS, 5DW(1~8mg/ml)로 희석하여 점적정맥 주입 가능 4) 안정성: 조제 후 실온(23℃ 이하) 24시간

약품명 및 함량	용법	약리작용 및 효능	부작용	주의 및 금기
1L 중 $CaCl_2$ 9g, KCl 6.5g, $MgCl_2$ 5.3g, NaCl 202.5g, Sodium acetate 28.6g **Hemotrate B1** 헤모트레이트비1호 …5.5L/BT **H.D.Sol-BC(A액)** 에취디졸-비씨 (A액) …10L/BT	1) 인공신장기 종류에 따라 적절한 인공신장투석용 염기성 용액, 정제수와 희석하여 사용 2) 투석액 희석비율: A액 : B액 : 정제수 = 1 : 1.26 : 32.74	1) 적응증: 만성신부전환자에서 사용되는 인공신장투석의 관류액	- 저혈당 (증상 발현시 dextrose 투여, 당분 보급) - 칼슘대사이상 : 골다공증, 골연화증, 섬유성골염증(발현시 Vitamin D 투여) - 투석 불균형 증후군 : 오심, 구토, 두통, 경련, 의식 혼탁 (발현시 투석 효율을 감소시키는 등의 조치 필요) - 저혈압, shock, 혈압상승	〈주의〉 1) 간장애, 당뇨병등으로 인해 초산대사에 이상이 있는 환자 2) Digitalis배당체 제제를 투여중인 환자 3) 혈청 칼슘, 인이 높은 환자 4) 불충분한 칼로리보급, 당뇨병으로 식사제한을 받거나 혈당강하제를 사용중인 환자 5) 임신부, 소아: 안전성 미확립 〈취급상 주의〉 1) 인공신장투석용 전해질 용액과 탄산수소나트륨 용액을 단독으로 사용하지 않음 2) 양액의 농후액의 직접 혼합 금지 3) 주사 또는 복막 투석액으로 사용 금함. 4) 희석용수는 정제수 수준의 처리된 용수 사용 5) 사용 전 pH 7.2~7.4의 범위내에 있는지 확인 6) 체온정도의 온도로 사용 7) 용해, 희석 조제 후 즉시 사용(혼합 후 38℃에 2시간 초과시 불용성 이물 발생)
1L 중 $CaCl_2$ 7.72g, Dexrose 35g, KCl 5.22g, $MgCl_2$ 3.56g, NaCl 212.7g, Sodium acetate 28.53g **Hemo B Dex 0.1% 1호** 헤모비덱스0.1% 1호액 …5.5L/BT **H.D.sol-BC G(A액)** 에취디졸-비씨지액 …10L/BT	1) 인공신장기 종류에 따라 적절한 인공신장투석용 염기성 용액, 정제수와 희석하여 사용 2) 투석액 희석비율: A액 : B액 : 정제수 = 1 : 1.26 : 32.74	1) 포도당을 함유한 혈액투석용 산성용액 2) 적응증: 만성 신부전 환자의 인공신장 투석용 산성용액으로 다음과 같은 경우에 사용함. - 당이 포함되어 있지 않는 투석액으로는 혈당치 관리가 곤란한 경우 - 다른 탄산수소형 투석액으로는 고칼륨혈증, 고마그네슘혈증의 개선이 불충분한 경우 또는 고칼슘혈증을 일으킬 수 있는 경우	- 고혈당, 저혈당 (증상 발현시 dextrose 투여, 당분 보급) - 칼슘대사이상 : 골다공증, 골연화증, 섬유성골염증(발현시 Vitamin D 투여) - 투석 불균형 증후군 : 오심, 구토, 두통, 경련, 의식 혼탁 (발현시 투석 효율을 감소시키는 등의 조치 필요) - 저혈압, shock, 혈압상승	〈주의〉 1) 간장애, 당뇨병 등으로 인해 초산대사에 이상이 있는 환자 2) Digitalis배당체 제제를 투여중인 환자 3) 임신부, 소아: 안전성 미확립 〈취급상 주의〉 1) 인공신장투석용 전해질 용액과 탄산수소나트륨 용액을 단독으로 사용하지 않음 2) 양액의 농후액의 직접 혼합 금지 3) 주사 또는 복막 투석액으로 사용 금함. 4) 희석용수는 정제수 수준의 처리된 용수 사용 5) 사용 전 pH 7.2~7.4의 범위내에 있는지 확인 6) 체온정도의 온도로 사용 7) 용해, 희석 조제 후 즉시 사용(혼합 후 38℃에 2시간 초과시 불용성 이물 발생)

약품명 및 함량	용법	약리작용 및 효능	부작용	주의 및 금기
1L 중 Acetic acid 6.31g, $CaCl_2$ 6.43g, Dextrose anhydrous 35g, KCl 5.22g, $MgCl_2$ 3.56g, NaCl 210.7g, **K-Bicart 761** 케이바이카트761 …10L/BT	1) 사용할 때 이 약을 염기성 탄산수소투석액과 정제수에 희석하여 사용 2) 투석액 희석 비율 : K-바이카트 761 (액) : 바이카트(분말) : 정제수 = 1 : 1.1 : 32.9 비율로 희석	1) 저농도의 칼슘을 함유한 혈액투석용 산성용액 2) 적응증: 급 · 만성 신부전, 급성 약물 중독 환자에 사용되는 인공신장투석의 관류액	– 고혈당, 저혈당 (증상 발현시 dextrose 투여, 당분 보급) – 칼슘대사이상 : 골다공증, 골연화증, 섬유성골염증(발현시 Vitamin D 투여) – 투석 불균형 증후군 : 오심, 구토, 두통, 경련, 의식 혼탁 (발현시 투석 효율을 감소시키는 등의 조치 필요) – 저혈압, shock, 혈압상승	〈금기〉 1) 혈압저하와 빈맥이 현저한 환자 2) 폐부종, 심전도에 현저한 변화가 있는 환자 3) 고칼륨혈증, 응고 이상 환자 〈주의〉 1) 중증 간장애, 당뇨로 인한 초산대사 장애환자 2) 디기탈리스 배당체 제제 투여환자 3) 임신부, 소아: 안전성 미확립 〈취급상 주의〉 1) 투석막 파손의 유무, 항응고제 추가 투여로 인한 수술 후 출혈 경향 주의 2) 주사나 복막관류에 사용 금함. 3) 희석용수는 정제수 수준의 처리된 용수 사용 4) 체온정도의 온도로 사용 5) 용해, 희석 조제 후 즉시 사용(혼합 후 38℃에 2시간 초과시 불용성 이물 발생)
Sodium Bicarbonate Bibag powder 비백산 …650g/EA	1) 정해진 초산함유 투석액(A액) 사용시 32mEq/L의 HCO^{3-} 를 함유한 탄산수소형 혈액투석용 투석액을 만들 수 있음. 2) 탄산수소형 투석액 공급장치를 이용하여 혈액투석시 희석 비율 – 초산함유 투석액(A액) : (이 약+정제수)= 1 : 34 3) 환자당 1회 (6시간 기준)용 투석액 조제시 혼합비율 – 초산함유 투석액(A액) : (탄산수소나트륨+정제수)=5L : (650g+170L)	1) 적응증: 급만성 신부전 환자의 탄산수소염형 혈액투석시 투석액 조제 및 유독물 해독을 위한 혈액투석시 투석액 조제 2) 투석액의 pH가 7.2~7.4인지 확인 후 사용함. 3) 일반적으로 전해질의 농도를 다음과 같이 되도록 조정하여 시행 Na^+: 140mEq/L, HCO^{3-} : 34mEq/L	– 저혈당 (증상 발현시 dextrose 투여, 당분 보급) – 칼슘대사이상 : 골다공증, 골연화증, 섬유성골염증(발현시 Vitamin D 투여) – 투석 불균형 증후군 : 오심, 구토, 두통, 경련, 의식 혼탁 (발현시 투석 효율을 감소시키는 등의 조치 필요) – 저혈압, shock, 혈압상승	〈금기〉 1) 혈압저하와 빈맥이 현저한 환자 2) 폐부종, 심전도에 현저한 변화가 있는 환자 3) 고칼륨혈증, 응고 이상 환자 〈주의〉 1) 중증 간장애, 당뇨로 인한 초산대사 장애환자 2) 디기탈리스 배당체 제제 투여환자 3) 투석 전 혈청 칼슘과 인이 높은 환자 4) 칼로리 보급이 불충분한 환자, 당뇨로 식사를 제한하거나 혈당저하제를 사용중인 환자 5) 임신부: Category C 6) 소아: 안전성 미확립 〈취급상 주의〉 1) 투석막 파손의 유무, 항응고제 추가 투여로 인한 수술 후 출혈 경향 주의 2) 주사나 복막관류에 사용 금함. 3) 희석용수는 정제수 수준의 처리된 용수 사용 4) 체온정도의 온도로 사용

약품명 및 함량	용법	약리작용 및 효능	부작용	주의 및 금기
				5) 용해, 희석 조제 후 즉시 사용(혼합 후 38℃에 2시간 초과시 불용성 이물 발생)
Sodium Bicarbonate Bicart powder 바이카트산 …650g/BT	1) 정해진 초산함유 투석액(A액) 사용 시 38mEq/L의 HCO^{3-} 를 함유한 약 180L의 탄산수소염형 혈액투석용 투석액을 만들 수 있음. 2) 탄산수소형 투석액 공급장치를 이용하여 혈액투석시 희석 비율 – 초산함유 투석액(A액) : (이 약+정제수)= 1 : 34 3) 환자당 1회 (6시간 기준)용 투석액 조제시 혼합비율 – 초산함유 투석액(A액) : (탄산수소나트륨+정제수)=5L : (650g+170L)	1) 적응증: 급만성 신부전 환자의 탄산수소염형 혈액 투석 시 투석액 조제 2) 유독물 해독을 위한 혈액투석시의 투석액 조제 3) 일반적인 탄산수소염형 혈액 투석 시 투석액 공급 장치를 이용하여 Na^{+}140mEq/L, HCO3-34mEq/L로 조정하여 시행	– 저혈당 (증상 발현 시 dextrose 투여, 당분 보급) – 칼슘대사이상 : 골다공증, 골연화증, 섬유성골염증(발현 시 Vitamin D 투여) – 투석 불균형 증후군 : 오심, 구토, 두통, 경련, 의식 혼탁 (발현시 투석 효율을 감소시키는 등의 조치 필요) – 저혈압, shock, 혈압상승	〈금기〉 1) 혈압저하와 빈맥이 현저한 환자 2) 폐부종, 심전도에 현저한 변화가 있는 환자 3) 고칼륨혈증, 응고 이상 환자 〈주의〉 1) 중증 간장애, 당뇨로 인한 초산대사 장애환자 2) 디기탈리스 배당체 제제 투여환자 3) 투석 전 혈청 칼슘과 인이 높은 환자 4) 칼로리 보급이 불충분한 환자, 당뇨로 식사를 제한하거나 혈당저하제를 사용중인 환자 5) 임신부: Category C 6) 소아: 안전성 미확립 〈취급상 주의〉 1) 투석막 파손의 유무, 항응고제 추가 투여로 인한 수술 후 출혈 경향 주의 2) 주사나 복막관류에 사용 금함. 3) 희석용수는 정제수 수준의 처리된 용수 사용 4) 체온정도의 온도로 사용 5) 용해, 희석 조제 후 즉시 사용(혼합 후 38℃에 2시간 초과시 불용성 이물 발생)
1L 중 $CaCl_2 \cdot 2H_2O$ 257mg, $MgCl_2 \cdot 6H_2O$ 103mg, NaCl 6.14g, Sodium Bicarbonate 2.69g, Sodium Lactate 336mg **Hemosol B 0**	1) 환자의 체액평형상태, 목적하는 체액평형상태 및 환자의 혈액중 여과되는 양에 따라 투여량 결정 2) 유속 ① 혈액여과 및 혈액 투석 여과시 체액 대용액 – 성인 : 500~1,500ml/hr – 소아 : 15~20ml/kg/hr ② 연속 혈액투석시 투석액 – 성인 : 500~2,000ml/hr – 소아 : 15~20ml/kg/hr	1) 완충제인 lactate의 함량이 낮으며, sod. bicarbonate가 완충제로 사용됨. 2) 적응증 – 급성 신부전 환자의 연속 혈액여과 및 혈액투석여과 시 체액대용액 – 급성 신부전 환자의 연속 혈액투석 시 투석액 (이 액은 특히 고칼륨혈증 환자에게 적용)	– 투석치료과 관련한 오심, 구토, 근경련, 저혈압 – 전해질 불균형 – 저칼륨혈증	〈금기〉 1) 중증 대사성 산증이나 젖산 대사능이 저하된 환자 〈주의〉 1) 중증 간기능 장애, 패혈증, 심부전 환자 2) 환자의 혈액동력학적, 전해질 및 산–염기 평형은 치료기간 내내 주의깊게 관찰해야 함. 〈취급상 주의〉 1) 4℃ 이하에서 보관하지 않음 2) 혼합액은 즉시 사용권장, 혼합 후 상온에서 24시간 이상 보관하지 않음 3) 체온정도의 온도로 사용

약품명 및 함량	용법	약리작용 및 효능	부작용	주의 및 금기
헤모졸비제로액 …5L/bag	3) 체액대용액으로 사용시, 여과기 통과전 또는 후에 혈액 회로에 투여 4) 사용법 – PVC bag: 겉포장 개봉 후 두 분획 사이의 핀을 부러뜨려 완충액(탄산수소나트륨용액)과 전해질 용액이 완전히 섞이도록 흔들어 혼합 – PVC bag: 겉포장 개봉 후 작은 분획을 쥐고 두 분획 사이의 봉합선을 열고 큰 분획을 눌러 봉합선이 완전히 열리게 하여 혼합			

약품명 및 함량	용법	약리작용 및 효능	부작용	주의 및 금기
(A액 1L 중) Glucose monohydrate, $CaCl_2$ 514.5mg, $MgCl_2$ 203.3mg, NaCl 11.279g (B액 1L 중) Sodium bicarbonate 0.42g, Sodium lactate 50% 15.69g * Glucose 함량 - 2액(1.5%) : 33g/L - 3액(4.25%) : 93.5g/L - 4액(2.3%) : 50g/L **CAPD balance 2** 씨에이피디2밸런스복강투석액 **CAPD balance 3** 씨에이피디3밸런스복강투석액 **CAPD balance 4** 씨에이피디4밸런스복강투석액 …2L/Bag (2bag) …2.5L/Bag (2bag) …3L/Bag	1) 성인 : 1일 3-5회, 1회 1.5~2.5L를 복강내 주입 후 4-8시간 저류 후 배액 2) 환자의 증세에 따라 치료방식, 처치횟수, 교환용량, 투석시간 및 기간 조절 3) 포도당 농도는 초여과 필요정도에 따라 선택하며 가능한 낮게 유지	1) 말기 신부전증 환자에 사용하는 복강 관류액 2) 산성 분획(A액)과 염기성 분획(B액)으로 이루어진 2 bag system이며 사용직전 중간의 접합부를 터뜨린 후 혼합하여 주입 3) 혼합 후 주입되는 투석액이 중성(pH 7.0~7.2)이므로 생체 적합성이 뛰어나고, 통증이 감소됨(타투석액의 pH 5.8~6.8) 4) 2개의 bag으로 나누어져 복막 변형 및 기능 손실의 원인이 되는 GDP 및 aldehyde들의 생성이 감소 5) Glucose 농도에 따라 2액 : 1.5% 3액 : 4.25% 4액 : 2.3% 6) 적응증: 급 · 만성 신부전 환자의 복막투석액	- 구역, 복통, 설사, 변비, 구토, 복부팽만감, 장폐쇄증 - 저칼륨혈증, 저나트륨혈증, 고칼슘혈증, 저인산혈증, 고젖산혈증, 저마그네슘혈증 - 고콜레스테롤혈증, 대사성 산증, 고단백질 혈증, 고혈당 - 호흡곤란 - 부종, 아미노산이나 수용성 비타민 손실, 어깨통증, 발열, 근경련, 헤르니아, 피로, 두통, 탈수로 인한 어지러움, 빈맥, 고혈압, 저혈압 - 복부통증, 출혈, 복막염, 카테터주위염증	〈금기〉 1) 횡격막 결손, 복부 화상, 중증 복막 유착 환자 2) 최근 복부 수술 또는 복부손상, 복부천공, 복부 표피의 심한 염증 환자 3) 염증성 장질환 환자 4) 복부 누공 환자, 복강내 종양 환자 5) 배꼽, 서혜부, 기타 복부헤르니아 환자 6) 장폐쇄증 환자 7) 중증 폐질환 환자 8) 젖산 대사장애, 중증 저칼륨혈증, 중증 고칼슘혈증 환자 9) 패혈증 환자 10) 악액질 및 심한 체중저하, 중증 지질이상 환자 〈주의〉 1) 정확한 체액평형을 유지해야함. 2) 체중, 영양상태, 전해질농도, 산염기평형, 혈청 크레아티닌 등을 주기적으로 모니터링 3) 당뇨병 환자의 경우 포도당 투여량에 따라 인슐린 공급량 조정 4) 임신부, 수유부: 안전성 미확립 〈상호작용〉 1) 칼슘 또는 비타민D 함유 약물 병용시 고칼슘 혈증 유발 〈취급상 주의〉 1) 주사액으로 사용하지 않음 2) 체온정도로 따뜻하게 하여 사용 3) 혼합한 투석액은 즉시사용 권장, 최대 24시간 이내에 사용
1L 중 Glucose monohydrate, $CaCl_2$ 257mg,	1) 성인 : 1일 3-5회, 1회 1.5~2.5L를 복강내 주입 후 4-8시간 저류 후 배액	1) 적응증: 급만성 신부전증 환자의 복막 투석액 2) 뇨독증, 기타 신장장애에 의한 체내 유독물 축적시의 해독	- 구역, 복통, 설사, 변비, 구토, 복부팽만감, 장폐쇄증	〈금기〉 1) 횡격막 결손, 복부 화상, 중증 복막 유착 환자 2) 최근 복부 수술 또는 복부손상, 복부천공, 복부 표피의

약품명 및 함량	용법	약리작용 및 효능	부작용	주의 및 금기
$MgCl_2$ 50.8mg, NaCl 5.38g, Sodium lactate 4.48g * Glucose 함량 - 1.5%: 15g/L - 2.5%: 25g/L - 4.25%: 42.5g/L **Dianeal PD-2 1.5%** 다이아닐피디투액 1.5% **Dianeal PD-2 2.5%** 다이아닐피디투액 2.5% **Dianeal PD-2 4.25%** 다이아닐피디투액 4.25% …2L/Bag (2bag) …2.5L/Bag (2bag) …5L/Bag	2) 환자의 증세에 따라 치료방식, 처치횟수, 교환용량, 투석시간 및 기간 조절 3) 포도당 농도는 초여과 필요정도에 따라 선택하며 가능한 낮게 유지	3) 상태에 따라 1.5%, 2.5%, 4.25%을 사용함.	- 저칼륨혈증, 저나트륨혈증, 고칼슘혈증, 저인산혈증, 고젖산혈증, 저마그네슘혈증 - 고콜레스테롤혈증, 대사성 산증, 고단백질 혈증, 고혈당 - 호흡곤란 - 부종, 아미노산이나 수용성 비타민 손실, 어깨통증, 발열, 근경련, 헤르니아, 피로, 두통, 탈수로 인한 어지러움, 빈맥, 고혈압, 저혈압 - 복부통증, 출혈, 복막염, 카테터주위염증	심한 염증 환자 3) 염증성 장질환 환자 4) 복부 누공 환자, 복강내 종양 환자 5) 배꼽, 서혜부, 기타 복부헤르니아 환자 6) 장폐쇄증 환자 7) 중증 폐질환 환자 8) 젖산 대사장애, 중증 저칼륨혈증, 중증 고칼슘혈증 환자 9) 패혈증 환자 10) 악액질 및 심한 체중저하, 중증 지질이상 환자 〈주의〉 1) 정확한 체액평형을 유지해야함. 2) 체중, 영양상태, 전해질농도., 산염기평형, 혈청 크레아티닌 등을 주기적으로 모니터링 3) 당뇨병 환자의 경우 포도당 투여량에 따라 인슐린 공급량 조정 4) 임신부, 수유부: 안전성 미확립 〈상호작용〉 1) 칼슘 또는 비타민D 함유 약물 병용시 고칼슘 혈증 유발 〈취급상 주의〉 1) 주사액으로 사용하지 않음 2) 체온정도로 따뜻하게 하여 사용
1L 중 $CaCl_2$ 257mg, Icodextrin 75g, $MgCl_2$ 50.8mg, NaCl 5.4g, Sodium Lactate 4.48g **Extraneal** 엑스트라닐액 …2L/bag(Single bag) …2L/bag(Twin bag)	1) 가장 긴 저류 시간에 사용하는 것이 권장 ① 외래 CAPD : 밤 시간에 사용 ② APD(automated peritoneal dialysis) : 낮 시간에 사용 2) 용법 : 24시간 복막 투석으로 단회 교환에 한함. 3) 주입 용량 : 1일 2L를 초과하지 않도록 하며 이 용량이 복부 긴장을 초래할 경우 1.5L 사용 4) 환자의 증세에 따라 치료방식,	1) 삼투제로 icodextrin을 7.5% 함유하는 멸균 복막투석액으로 장시간 저류가 필요한 경우 사용 권장함. 2) 기존의 투석액에 삼투제로 사용되는 glucose에 비해 투석시 체내 탄수화물 흡수가 감소하여 대사문제나 복막손상이 감소될 수 있음. 3) 권장 저류시간 : CAPD시 6~12hrs, APD시 14~16hrs 4) 적응증: 만성신부전 특히 glucose 액에 초여과가 안되는 환자의 지속성 외래 복막투석(CAPD) 혹은 자동복막투석(APD) 치료 (CAPD 치료기간 연장으로 하루에 1회 단회 glucose 교환 대체 권고)	- 탈수, 체액량 감소 - 어지러움, 두통 - 이명 - 고혈압, 저혈압 - 복부통증 - 박탈성 피부염, 발진, 소양증 - 말초부종, 무력증	〈금기〉 1) 전분 고분자 물질, icodextrain에 알레르기가 있는 환자 2) Maltose 또는 isomaltose에 과민증 환자 3) 복부 손상 환자 4) 글리코겐 저류질환 환자 5) 젖산 대사 질환자 〈주의〉 1) 정확한 체액평형을 유지해야함. 2) 체액, 혈청 전해질 농도 등 모니터링 필요 3) 당뇨환자의 경우 혈당 모니터링 필요

약품명 및 함량	용법	약리작용 및 효능	부작용	주의 및 금기
	처치횟수, 교환용량, 투석시간 및 기간 조절			4) 임부, 수유부, 18세 미만 소아: 안전성 미확립 〈상호작용〉 1) 강심배당체: 혈장 칼슘, 칼륨치 모니터링 필요 〈취급상 주의〉 1) 주사액으로 사용하지 않음 2) 체온정도로 따뜻하게 하여 사용
1L 중 $CaCl_2$ 184mg, Glycine 510mg, L–alanine 951mg, L–arginine 1071mg, L–histidine 714mg, L–isoleucine 850mg, L–leucine 1020mg, L–lysine HCl 955mg, L–methionine 850mg, L–phenylalanine 570mg, L–proline 595mg, L–serine 510mg, L–threonine 646mg, L–tryptophan 270mg, L–tyrosine 300mg, L–valine 1393mg, $MgCl_2$ 51mg, NaCl 5.38g, Sodium lactate 4.48g **Nutrineal PD 4** 뉴트리닐피디4액 …2L/Bag	1) 환자의 임상상태에 따라 용량, 스케줄, 처치빈도 저류시간 조절	1) 1.1% 필수/비필수 아미노산이 함유되어 있는 복강내 투석액으로 1일 0.3g/kg의 아미노산 공급과 투석을 동시에 실시 가능함(투석 환자의 권장식이 단백 섭취량 성인 : 1.2~1.3g/kg). 2) 인이 함유되어 있지 않아 인축적으로 인한 합병증 예방 가능함. 3) 포도당이 포함되어 있지 않아 고혈당증, 고지혈증 예방 가능함. 4) 적응증 : 복막투석으로 유지되고 있는 영양 실조 상태의 신부전 환자(Alb〈3.5g/dl)에 대한 영양학적 보충요법 5) 1L 중 총 Na : 132mM/L, 총 Mg : 0.25mM/L, 총 K : 1.25mM/L, 총 염화물 : 105mM/L, 총 젖산 : 40mM/L pH 6.7	– 복강 감염 – 전해질 및 체액의 불균형 – 대사성 산성 혈증 – 과질소 혈증 – 호흡곤란 – 고혈압, 저혈압 – 설사, 변비	〈금기〉 1) 혈청 요소치 38mmol/L(2.4g/L) 이상 환자 2) 요독증, 저칼륨혈증 환자 3) 최근 복부수술 환자, 위장장애 환자 〈주의〉 1) 산성혈증, 중증의 간장애, 고암모니아 혈증, 아미노산에 과민한 환자 2) 체액, 전해질 균형, 산염기, 질소 균형의 변화 모니터링 3) 당뇨환자의 경우 혈당 모니터링 필요 4) 임부, 수유부, 소아 : 안전성 미확립 〈상호작용〉 1) 디기탈리스: 혈장 칼륨치 모니터링 필요 〈취급상 주의〉 1) 주사액으로 사용하지 않음 2) 체온정도로 따뜻하게 하여 사용
(A액 1L 중) Glucose monohydrate $CaCl_2$ 507mg,	1) 성인 : 1일 3–5회, 1회 1.5~2.5L를 복강내 주입 후 4–8시간 저류 후 배액	1) 완충제로서 Sod. bicarbonate와 Sod. lactate를 사용하여 만들어진 복막투석액으로, A액과 B액을 혼합시 pH 7.4의 중성액이 됨. (투석액 주입시	– 구역, 복통, 설사, 변비, 구토, 복부팽만감, 장폐쇄증	〈금기〉 1) 횡격막 결손, 복부 화상, 중증 복막 유착 환자 2) 최근 복부 수술 또는 복부손상, 복부천공, 복부 표피의

약품명 및 함량	용법	약리작용 및 효능	부작용	주의 및 금기
$MgCl_2$ 140mg (B액 1L 중) NaCl 8.43g Sodium bicarbonate 3.29g Sodium lactate(50%) 5.26g * Glucose 함량 - 1.5%: 41.25g/L - 2.5%: 68.85g/L - 4.25%: 117.14g/L **Periplus 1.5%** 페리플러스 1.5% **Periplus 2.5%** 페리플러스 2.5% **Periplus 4.25%** 페리플러스 4.25% …2L/bag(2Bag)	2) 환자의 증세에 따라 치료방식, 처치횟수, 교환용량, 투석시간 및 기간 조절 3) 포도당 농도는 초여과 필요정도에 따라 선택하며 가능한 낮게 유지 4) 준비방법 - 부피가 큰 쪽의 bag을 위에서 강하게 눌러 두 bag 사이의 접합부를 터뜨리고 A, B액이 완전하게 혼합되도록 함	나타나는 통증 감소.) 2) Two-chamber 방식의 분리된 제형으로 투석액 살균시 나타나는 GDP 생성을 감소시켜 복막 손상에 영향을 덜 미침. 3) 포장이 Non-PVC 재질이며, 연결 부위 노출횟수가 1회로 감소시킨 제형임. 4) 피지오닐액과 동일 성분 함량 제품임. 5) 적응증 - 급·만성 신부전 환자의 복막투석액 - 다른 처치에 효과가 없는 투석물질에 대한 약물 중독시 해독 - 젖산만으로 이루어진 투석액의 주입시 낮은 pH로 인해 불편감이 있는 환자	- 저칼륨혈증, 저나트륨혈증, 고칼슘혈증, 저인산혈증, 고젖산혈증, 저마그네슘혈증 - 고콜레스테롤혈증, 대사성 산증, 고단백질 혈증, 고혈당 - 호흡곤란 - 부종, 아미노산이나 수용성 비타민 손실, 어깨통증, 발열, 근경련, 헤르니아, 피로, 두통, 탈수로 인한 어지러움, 빈맥, 고혈압, 저혈압 - 복부통증, 출혈, 복막염, 카테터주위 염증	심한 염증 환자 3) 염증성 장질환 환자 4) 복부 누공 환자, 복강내 종양 환자 5) 배꼽, 서혜부, 기타 복부헤르니아 환자 6) 장폐쇄증 환자 7) 중증 폐질환 환자 8) 젖산 대사장애, 중증 저칼륨혈증, 중증 고칼슘혈증 환자 9) 패혈증 환자 10) 악액질 및 심한 체중저하, 중증 지질이상 환자 〈주의〉 1) 정확한 체액평형을 유지해야함. 2) 체중, 영양상태, 전해질농도, 산염기평형, 혈청 크레아티닌 등을 주기적으로 모니터링 3) 당뇨병 환자의 경우 포도당 투여량에 따라 인슐린 공급량 조정 4) 임신부, 수유부: 안전성 미확립 〈상호작용〉 1) 칼슘 또는 비타민D 함유 약물 병용시 고칼슘 혈증 유발 〈취급상 주의〉 1) 주사액으로 사용하지 않음 2) 체온정도로 따뜻하게 하여 사용 3) 혼합 후 24시간 이내 사용
(A액 1L 중) Glucose monohydrate, $CaCl_2$ 507mg, $MgCl_2$ 140mg (B액 1L 중) NaCl 8.43g, Sodium bicarbonate 3.29g, Sodium lactate 2.63g	1) 성인 : 1일 3-5회, 1회 1.5~2.5L를 복강내 주입 후 4-8시간 저류 후 배액 2) 환자의 증세에 따라 치료방식, 처치횟수, 교환용량, 투석시간 및 기간 조절 3) 포도당 농도는 초여과 필요정도에 따라 선택하며 가능한 낮게 유지 4) 준비방법	1) 급만성 신부전증 환자에게 사용하는 복막 투석액 2) 완충제로서 Sod. bicarbonate와 Sod. lactate를 사용하여 만들어진 복막투석액으로, A액과 B액을 혼합시 pH 7.4의 중성액이 됨. (투석액 주입시 나타나는 통증 감소) 3) Two-chamber 방식의 분리된 제형으로 투석액 살균시 나타나는 GDP 생성을 감소시켜 복막 손상에 영향을 덜 미침. 4) 적응증	- 구역, 복통, 설사, 변비, 구토, 복부팽만감, 장폐쇄증 - 저칼륨혈증, 저나트륨혈증, 고칼슘혈증, 저인산혈증, 고젖산혈증, 저마그네슘혈증 - 고콜레스테롤혈증,	〈금기〉 1) 횡격막 결손, 복부 화상, 중증 복막 유착 환자 2) 최근 복부 수술 또는 복부손상, 복부천공, 복부 표피의 심한 염증 환자 3) 염증성 장질환 환자 4) 복부 누공 환자, 복강내 종양 환자 5) 배꼽, 서혜부, 기타 복부헤르니아 환자 6) 장폐쇄증 환자 7) 중증 폐질환 환자

약품명 및 함량	용법	약리작용 및 효능	부작용	주의 및 금기
* Glucose 함량 1.5%: 41.25g/L 2.5%: 68.85g/L 4.25%: 117.14g/L **Physioneal 1.5%** 피지오닐액 1.5% **Physioneal 2.5%** 피지오닐액 2.5% **Physioneal 4.25%** 피지오닐액 4.25% …2L/bag(2Bag) …5L/bag	- 두 챔버 사이의 핀을 부러뜨려 위쪽 챔버 액이 아래쪽 챔버로 완전히 비워질 때까지 기다리고 아래쪽 챔버 액을 양손으로 가볍게 눌러 혼합되도록 함	- 급·만성 신부전 환자의 복막투석액 - 다른 처치에 효과가 없는 투석물질에 대한 약물 중독시 해독 - 젖산만으로 이루어진 투석액의 주입시 낮은 pH로 인해 불편감이 있는 환자	대사성 산증, 고단백질 혈증, 고혈당 - 호흡곤란 - 부종, 아미노산이나 수용성 비타민 손실, 어깨통증, 발열, 근경련, 헤르니아, 피로, 두통, 탈수로 인한 어지러움, 빈맥, 고혈압, 저혈압 - 복부통증, 출혈, 복막염, 카테터주위 염증	8) 젖산 대사장애, 중증 저칼륨혈증, 중증 고칼슘혈증 환자 9) 패혈증 환자 10) 악액질 및 심한 체중저하, 중증 지질이상 환자 〈주의〉 1) 정확한 체액평형을 유지해야함. 2) 체중, 영양상태, 전해질농도, 산염기평형, 혈청 크레아티닌 등을 주기적으로 모니터링 3) 당뇨병 환자의 경우 포도당 투여량에 따라 인슐린 공급량 조정 4) 임신부, 수유부: 안전성 미확립 〈상호작용〉 1) 칼슘 또는 비타민D 함유 약물 병용시 고칼슘 혈증 유발 〈취급상 주의〉 1) 주사액으로 사용하지 않음 2) 체온정도로 따뜻하게 하여 사용 3) 혼합 후 24시간 이내 사용

약품명 및 함량	용법	약리작용 및 효능	부작용	주의 및 금기
Activated charcoal Charcoal 흑산 …50g/BT	1) 2~20g/D 수회에 나누어 분복 (섭취된 중독물질의 양이 알려진 경우, 약용탄 권장용량은 섭취된 중독물질의 5-10배임) 2) 중독물질 섭취 후 30분이내 투여가 권장됨	1) 흡착 해독제로서 약물 및 화학약품 중독시 이들 물질이 위장관에서 흡수되는 것을 감소시킴. 2) 시안화물은 흡착하지 않으며, alcohol, 지방성 탄화수소, 리튬염, 부식성 염화나트륨, 중금속 흡착은 상대적으로 효과적이지 못함. 3) 적응증 – 설사, 소화기관내의 이상 발효에 의한 생성가스의 흡착 – 약물 및 화학약품에 의한 중독시 응급해독에 사용	– 구토, 설사, 변비, 흑변, 장폐쇄	〈주의〉 1) 임신부, 수유부 : 안전성 미확립 2) 최토제(이페칵(토근)시럽)와 병용시 최토유도를 먼저할 것(∵최토작용 감소) 3) 위흡출이나 위세척이 완료된 후에 투여 4) 변이 검게 착색될 수 있음 5) 부식성 물질을 섭취하였을 때에는 사용하지 않음: 식도미란의 영상 저하
Flumazenil Flunil inj 플루닐주사 …0.5mg/5ml/A …0.3mg/3ml/A	1) 마취시 ① 초회량 : 0.2mg 15초 이내 IV ② 60초내 적절하게 의식이 회복되지 않으면 : 0.1mg IV, 필요시 0.1mg q 60secs 반복 IV (총투여량 Max. 1mg) 2) 중환자 치료시 ① 초회량 : 0.3mg IV ② 60초내 적절한 의식회복 안되면 환자가 각성될 때까지 또는 총투여량이 2mg이 될 때까지 반복투여 ③ 혼미상태 재발시 : 0.1~0.4mg/hr 점적 주입	1) Imidazobenzodiazepine 유도체로 benzodiazepine antagonist 2) GABA/benzodiazepine receptor complex의 benzodiazepine 부위를 상경적으로 억제 3) 적응증: 벤조디아제핀계 약물의 중추진정작용 역전 ① 마취시 – 입원환자에서 벤조디아제핀계 약물로 유도 또는 유지되는 전신마취의 종료 – 입원 및 외래환자의 단시간 진단 및 치료시의 벤조디아제핀계 약물에 의한 진정작용의 역전 ② 중환자 치료시 – 벤조디아제핀계 약물중독의 확진 및 해독 – 원인불명으로 의식불명시 벤조디아제핀계 약물, 다른 약물 또는 뇌손상에 의한 것인지의 감별을 위한 진단수단 – 약물과량 투여시 벤조디아제핀계 약물의 중추작용에 대한 특정 역전 3) 작용발현 : 1~2mins $T\frac{1}{2}$: 54mins 작용지속 : 2~3hrs	1) 〉10% – 오심, 구토 2) 1~10% – 심계항진, 초조, 불안, 진전, 불면, 경련, 시각 청각 장애, 졸음, 편집증 – 주사부위 동통, 감각이상, 구강건조, 발한 – 무호흡, 과다호흡	〈금기〉 1) 삼(사)환계 항우울제의 중증 중독증상을 보이는 환자 2) 생명을 위협할 정도의 중증질환(두개내압 상승등)의 조절목적으로 benzodiazepine을 사용하는 환자 3) 수술 후 아편의 지속적인 호흡억제효과가 있는 경우 및 이미 의식이 명료한 환자 〈주의〉 1) 고령자, 간기능장애, 심근경색증, 부정맥 환자 2) 수술후 마취환자에 투여시 말초근육이완제 약효가 소실된 후 투여함. 3) 금단 증상(과흥분증상)이 나타날 경우 diazepam 또는 midazolam을 5mg IV 4) 임신부 : Category C 5) 수유부, 소아 : 안전성 미확립

약품명 및 함량	용법	약리작용 및 효능	부작용	주의 및 금기
Kremezin Kremezin fine granule 크레메진세립 …2g/P	1) 1포 tid 2) 식후 1~2시간 후 복용(흡착제이므로 다른 약과 30분~1시간의 간격을 두고 복용)	1) 탄화수소에서 유래한 구형 흡착탄 2) 경구 투여 후 소화관내에서 흡수되지 않고 요독소 및 그 전구물질을 흡착, 배설시킴으로써 요독증을 개선시킴. 3) 적응증 : 만성신부전에 대한 요독증의 개선 및 투석도입의 지연	- 변비, 식욕부진, 구역, 구토, 복부 팽만감 - 소양감, 피진	〈금기〉 1) 소화관 통과 장애가 있는 환자 (∵배설에 지장을 초래할 염려) 〈주의〉 1) 소화관궤양, 식도성 정맥류(∵환부 자극 우려) 2) 변비를 일으키기 쉬운 환자 3) 임신부, 수유부, 소아: 안전성 미확립
Pralidoxime chloride PAM-A inj 파무에이주 …500mg/20ml/A	1) 성인 : 1회 1~2g을 NS 100ml에 희석하여 15~30분 이상 IV, 필요시 1시간 후 1~2g 반복주사 2) 소아 : 20~40mg/kg NS로 5% 용액을 만들어 30분 이상 IV, 필요시 10mg/kg/hr 유지	1) Cholinesterase 재활성화 2) Cholinesterase를 불활성시키는 유기 인제제(파라치온, 메칠 파라치온 등의 농약)중독의 해독제로 atropine의 보조약으로 사용함. 3) 적응증: 유기인제제의 중독 〈상호작용〉 1) Varbiturates: 경련 치료시 신중하게 사용 2) 유기인 중독 환자에 morphine, theophylline, aminophylline, succinylcholine, reserpine, phenothiazines는 피해야 함.	1) >10% - 주사부위 통증 2) 1~10% - 빈맥, 고혈압, 현기, 두통, 졸음, 발진, 오심, 허약, 시야몽롱, 과호흡, 후두연축	〈금기〉 1) 40kg 미만의 어린이 〈주의〉 1) 근무력증 환자, 신장애 환자 2) 중증시 아트로핀 투여 후 이약 투여 3) 중독시점으로부터 36시간 이후에 투여는 효과 거의 없음 4) 임신부 : Category C 5) 수유부, 소아: 안전성 미확립 〈취급상 주의〉 1) 천천히 정맥 투여(Max. 200mg/min): 빠른 투여시 빈맥, 성대문연축, 근경축 유발
1ml 중 Sodium benzoate 100mg, Sodium phenylacetate 100mg **Ammonul inj** 암모눌주 …50ml/BT	1) 초기용량을 90-120분에 걸쳐 IV inf 한 후 24시간에 걸쳐 유지용량 투여 2) CPS, OTC 결핍환자: 2.5ml/kg 3) ASS 결핍환자: 55ml/m^2 4) 10% 염산아르기닌주사 병용 - 0~20kg: 2ml/kg - >20kg: 6ml/kg	1) 적응증: 다음의 효소결핍을 수반하는 요소회로이상증 환자에서의 급성 고암모니아혈증 및 고암모니아성 뇌증의 치료를 위한 부가요법(Carbamyl phosphate synthetase(CPS), Ornitine transcarbamylase(OTC), Arginosuccinic acid synthetase(ASS)) 2) 대체경로을 제공하여 ammonia를 제거함. Sodium Phenylacetate은 글루타민과 결합하여 페닐아세트산글루타민으로 배출됨(1몰의 Sodium Phenylacetate은 2몰의 nitrogen 제거), Sodium Benzoate은 글라이신과 결합하여 히푸르산으로 배출됨(1몰의 Sodium Benzoat 1몰의 nitrogen 제거)	1) >10% - 감염 2) 3-10% - 저혈압 - 경련, 뇌부종, 발열, 불안, 정신이상 - 고혈당, 저칼륨혈증, 고암모니아혈증, 대사성산증, 저칼슘혈증 - 구토, 설사, 오심 - 요로감염 - 빈혈, DIC - 주사부위 반응 - 호흡부전	〈금기〉 1) 페닐아세트산나트륨, 안식향산나트륨에 과민한 환자 〈주의〉 1) 이 약 1ml당 30.5mg 나트륨 함유 2) 고암모니아혈증 치료 시 혈액투석, 영양관리가 병용되어야 함 3) 임신부 : Category C 4) 수유부 : 안전성 미확립 〈취급상 주의〉 1) 동봉된 필터를 사용하여 10% DW(25ml/kg이상)에 희석하여 중심정맥으로 투여함 (말초정맥 주입시 화상 유발) 2) 희석 후 상온에서 24시간까지 안정

약품명 및 함량	용법	약리작용 및 효능	부작용	주의 및 금기
1 kit 중 Amyl nitrite 0.3ml, Sodium nitrite 300mg/10ml, Sodium thiosulfate 12.5g/50ml **Cyanide antidote package** 시아나이드안티도트패키지 …1kit	1) Amyl nitrite 앰플을 1회에 1개씩 손수건에 싸서 깨어 환자의 입 앞에 15초간 대었다가 15초간 떼는 것을 반복함. 2) 1)의 투여를 중단하고 Sodium nitrite 300mg/10ml를 2.5~5 ml/min의 속도로 IV (소아용량은 6~8ml/m²(0.2ml/kg), Max. 10ml) 3) 즉시 Sodium thiosulfate 12.5g/50ml IV (소아용량은 7g/m², Max. 12.5g) 4) 위세척은 위의 치료와 동시에 진행 가능 5) 24~48시간동안 환자를 살펴보면서 중독 증상이 다시 나타나면 각각 초기 용량의 절반을 투여	1) 청산(cyanide) 중독 치료제 2) 작용기전 ① Amyl nitrite : 속효성 단시간형 기관지 확장제로서, 호흡 및 심장기능 유지 ② Sodium nitrite : 혈중에서 methemoglobin을 생성하여 cyanide ion과 결합, cyanmethemoglobin을 형성함으로써 cyanide 로부터 cytochrome oxidase를 보호함 ③ Sodium thiosulfate : cyanide와 결합하여 무독성인 thiocyanate ion을 형성함으로써 해독 작용 3) 한국희귀의약품센터 공급 약품	1) 1~10% - 저혈압 - 혼수, thiocyanate 중독에 따른 중추억제, 정신병, 혼돈 - 접촉성 피부염, 국소자극 - 쇠약 - 이명	〈금기〉 1) 질산, 아질산, 치오황산나트륨에 과민한 환자 2) 급성 심근경색, 녹내장 환자 3) 두부 외상, 뇌출혈 환자(두개골의 내압 상승 위험) 4) 심한 빈혈 환자 (뇌빈혈, 현기증) 〈주의〉 1) 저혈압, 음주자 2) Sodium thiosulfate - 계속 사용시 효과가 저하되므로 7~10회 주사 후에는 쉬었다가 사용 - 주사 속도는 가능한 천천히 투여 3) 임신부: 안전성 미확립 〈취급상 주의〉 1) 직사광선을 피하여 실온보관(15~25℃)

16장. 진단시약(Diagnostic agents)

약품명 및 함량	용법	약리작용 및 효능	부작용	주의 및 금기
^{13}C-Urea Helifinder 헬리파인더캡슐 …38mg/C	1) 동봉된 흰색라벨의 튜브에 4초간 평상 시의 호흡으로 날숨을 불어넣고 즉시 마개를 닫음. 2) 캅셀을 물 약 50ml와 함께 복용함. 3) 정확히 20분 후 청색라벨의 튜브에 1)과 같은 방법으로 날숨을 채취함. 4) 채취한 검체를 질량분석기로 측정	1) 안전성 동위원소 ^{13}C-Urea를 이용한 H.pylori 체내 진단용 시약 2) H.pylori가 생성하는 urease 효소에 의해 urea가 NH_3와 CO_2로 가수분해되는 원리를 이용하여 진단함. ^{13}C-Urea → $^{13}CO_2$+NH3(H.pylori 있을 경우 ^{13}CO2 생성됨) 3) 적응증: 헬리코박터 파이로리의 감염 진단(요소호흡감서(Urea Breath Test; UBT)) 4) 검사 시간 : 20분 〈적용상 주의〉 1) 동봉된 빨대는 날숨 채취용으로만 사용 2) 날숨 채취시 평상시 호흡하듯이 숨을 내쉼. 3) 검사 진행동안 안정을 취함. 4) 환자는 호흡검사 시행전 최소 4시간 이상 공복상태 유지	- ALT, 빌리루빈 상승 - 복부팽만감, 설사	〈금기〉 1) 임신부 〈주의〉 1) 2주 요소호기검사를 받은 적이 있는 자 2) 페닐케톤뇨증 환자 3) 천식, 폐렴 또는 다른 폐질환이 있는 환자 4) Omeprazole, lansoprazole, amoxicillin, tetracycline 및 항 urease 활성이 있는 약 복용 중에는 위음성으로 나타날 가능성이 있으므로 치료약제 중지 4주 이후에 실시하는 것이 바람직함. 5) 무산증, 다른 위장관계 선충류 감염이 있는 경우 위양성 가능성 있음. 6) Urea는 동물실험에서 염색체이상 양성을 보였으므로 진단상 유익성이 위험성을 상회할 경우에만 투여하도록 함. 7) 위절제 수술을 받은 환자에서는 본 약물의 위내체류시간이 단축되어 위음성으로 판정될 가능성이 있음. 8) 위내의 H.pylori의 균체수와 ^{13}C치의 상관관계는 확립되지 않음. 〈약리작용 및 효능〉란에 계속
Glucose Diasol S soln 디아솔에스액 …50g/100ml/BT …75g/150ml/BT …100g/200ml/BT	1) 성인(임부제외) : 75g 경구투여 2) 임신부 : 50, 100g 경구투여 3) 소아 : 1.75g/kg (포도당으로 75g 이상 초과하지 말 것)	1) 포도당 내성 측정용 glucose 용액 2) 당뇨진단시 ① 검사 12시간 전부터 공복 유지하며 75g(소아 1.75g/kg) 부하 후 검사 가. 당뇨 : FBS≥126mg/dl, 2시간 후200mg/dl 나. 내당능 장애 : 2시간 후 140~199mg/dl ② 임신성 당뇨 식사와 상관없이 50g 부하 후 1시간 후 채혈하여 140mg/dl 이상 시 100g으로 재검사(금식 후 복용전 채혈, 복용 1, 2, 3시간 후 채혈) 3) Onset : 10~20mins 이내 Tmax : 40mins	- 구역, 구토 - 두통 - 피부, 눈점막 자극(안식향산 나트륨 함유)	〈금기〉 1) 포도당-갈락토오즈 흡수 장애 환자 〈주의〉 1) 요붕증 환자 : 신중 투여 2) 카라멜 함유 : 과민하거나 알러지 기왕력자는 신중 투여 〈상호작용〉 1) 하제 사용시 이 약제의 장내 흡수 저해 가능

약품명 및 함량	용법	약리작용 및 효능	부작용	주의 및 금기
HIV type 1/2 antigen OraQuick advance rapid HIV-1/2 antibody test 오라퀵어드밴스래피드 HIV-1/2항체시험	1) 용법 ① 검체 채취 루프를 사용하여 손가락 천자 전혈, 정맥 천자 전혈, 혈장 중 하나를 채취함 ② 혈액을 채취한 루프를 전개용액바이알에 삽입하여 저어줌 (전개용액이 분홍색을 띠게 됨) ③ flat pad로 바깥쪽 잇몸을 가볍게 도말하여 구강액을 채취함 ④ 구강액을 채취한 flat pad를 혈액 검체가 포함된 전개용액 바이알에 삽입하고 20~40분 사이에 결과를 판정함	1) 신속 HIV 항체 검출 체외 진단 시약 2) 적응증: 구강액과 손가락 천자 전혈, 정맥 천자 전혈 및 혈장 검체 내 사람면역결핍바이러스 Type 1(HIV-1) 및 Type2(HIV-2) 항체검출을 위한 정성검사(point of care test) 3) 결과판정 - 대조선만 보이는 경우: HIV-1과 HIV-2 항체에 대해 음성 - 대조선과 검사선이 모두 나타난 경우: HIV-1 또는 HIV-2항체에 대해 예비 양성	-	〈취급상 주의〉 1) 2~27℃ 보관, 사용 전 15~37℃개봉 후 즉시 사용 2) 혈액검체 및 사용한 물품들은 감염성 물질로 취급하여 처리함
Indigocarmine (Indigotin disulfonate sodium) Carmine inj 카르민주 0.8% …40mg/5ml/A	1) 1회 20~40mg IV 후 방광경으로 처음 배설되는 시간 측정, 색소 배설량은 시간차이를 두어 비색정량함(정상 신장에서 혈장 반감기는 4.5분)	1) 신장기능 검사 특히 비뇨기과적 검사시에 한쪽 신장의 병변을 아는데 사용함. 2) 정상 신장에서는 매우 잘 배설되나, 신장기능 장애시에는 배설이 지연됨. 3) 정상인의 처음 색소 배설시간은 3~5분이며, 최대 10분 이내이면 기능이상은 아님. 4) 색소가 뇨중 배설 최고농도에 도달하는 시간(정상 5~7분), 배설 지속시간(정상 90분)을 측정하기도 함.	- 오심, 구토 - 서맥 - 발적, 소양증, 기관수축	〈주의〉 1) 알레르기 증상이 있는 환자, 고령자, 고혈압 환자는 신중히 투여 2) 색소의 색깔 때문에 뇨의 비색정량을 방해함. 3) 임신부 및 수유부 : 안전성 미확립
Indocyanine green Indocyanine green inj 인도시아닌그린주 …25mg/V	1) 간기능 검사 ① 혈장소실률 측정 : 25mg을 주사용 증류수 5ml에 녹이고 0.5mg/kg를 정주(주정맥), 반대측 주정맥에서 5, 10, 15분 후 채혈정량(간질환이 심하면 혈장 소실율 점차 감소) ② 혈중 정체율 측정법 : ①과 같이 투여 후 15분후 1회 채혈정량 ③ 간혈류량 측정법 : 25mg을 주사용 증류수에 용해후 NS 가해 2.5~5 mg/ml로 희석. 초회에 3mg IV후 0.27~0.49mg/min 50분간 IV. 점적정주 개시 20분 후부터 5분마다	1) IV시 신속하게, 선택적으로 간에 들어가 유리형으로 담즙 중으로 배설되는 색소 2) ICG test ① 간기능 검사 : 간질환의 진단, 예후 치유의 판정 ② 순환기능 검사 : 심박출량, 평균 순환시간, 이상혈류량 측정	- 쇽 : 주입시 입의마비, 구기, 흉부 불쾌감이 있으면 투여중지 - 요오드 과민증 : 구토, 담마진, 오심, 발열	〈금기〉 1) 본제 및 요오드 과민증 환자 〈주의〉 1) 쇽의 예방위해 충분한 문진할 것 2) 첨부된 용제에 완전히 용해할 것 3) 본제 사용시 구급처치 준비할 것 4) 주입에서 검사종료까지 피검자는 양와위를 취하여 안정할 것 5) 검사는 가능한 아침 공복시에 행하는 것이 바람직함.(수분 섭취는 가능) 6) 방사성 요오드 섭취율 검사에 영향을 미치는 수가 있으므로 필요한 경우에는 1주일 이상의 간격을 둠.

약품명 및 함량	용법	약리작용 및 효능	부작용	주의 및 금기
	6회 채혈 측정 2) 순환기능 검사 : 25mg을 주사용 증류수 5ml에 용해, 5~10mg을 전완정맥에 주입. 805nm 파장에서 광량변화 기록			
Gonadorelin acetate Relefact LH-RH inj 렐레팍트LH-RH주 …0.1mg/ml/A	1) 용량 - 성인 : 0.1mg IV (경우에 따라 SC도 가능) - 소아: 0.025mg IV 2) 테스트방법 ① 비교샘플 : 5~10ml의 정맥혈을 채취 ② 본 약제 0.1mg을 정맥 내로 빠르게 주사, 25분 후에 blood sample을 채혈 ③ 두 샘플의 LH, FSH를 radio-immunological assay로 측정	1) 합성 황체형성호르몬(LH) 분비 Hr.에 해당하는 합성호르몬(Luteinizing Hormone Releasing Hormone) 2) 천연 Hr.과 마찬가지로 뇌하수체로부터 LH와 FSH의 생성과 분비를 촉진함. 3) 적응증 ① 불임증의 감별진단 - 사춘기 지연 - 원발성 또는 속발성 성기능 부전 - 원발성 무월경증 - 신경성 식욕부진에서와 같은 속발성 무월경증 ② 시상하부와 뇌하수체 질환의 위치 및 정도 진단에 사용함.	1) 1~10% - 주사부위 통증 2) 기타 - 복통, 오심, 두통 - 월경량 증가, 배란 유발	〈금기〉 1) 뇌하수체 선종증 〈주의〉 1) Anaphylactic shock이 일어날 수 있음. 2) 난포성숙기에 자주 검사할경우 배란이 유발될 수 있음. 3) 간 · 신장애 환자에서는 효력 증강됨. 4) 임신부 : Category B
Mannitol (d-mannitol) Aridol capsule combipack for inhalation 아리돌흡입용캡슐콤비팩 …19Ⓒ /SET (SET : 0, 5, 10, 20mg 각 1Ⓒ, 40mg 15Ⓒ	1) 유발검사 1회 실시에 필요한 캡슐, 흡입 용기 포함 2) 0, 5, 10, 20, 40, 80, 160, 160, 160mg 차례로 사용하여 양성반응 나타내거나, 축적용량 635mg 될 때까지 흡입(유발검사절차 설명서 참조) 3) 양성 : 기저 FEV1(0mg)대비 FEV1이 15% 이상 감소하면 양성	1) 기관지 과민성 검사를 위한 간접 유발시험의 자극원 2) 기도 표면에 mannitol을 가함으로써 삼투압 증가시켜 상피세포 탈수, 수축시킴. 자극으로 인해 Ca^{2+}농도 증가, histamine, prostagladins, leukotrienes 분비하여 기관지 평활근 수축을 유발함. 3) 적응증 : 천식 진단을 보조하기 위한 기관지 과민성 검사용	- 가슴조임, 기침, 호흡곤란, 천명 - 인후두 통증, 점막 작열감 - 구역 - 두통	〈금기〉 1) 만니톨 또는 이 약에 과민한 환자 2) 과거 6개월 이내 뇌혈관 사고, 심근경색, 조절되지 않는 고혈압, 대동맥류 또는 뇌동맥류 있었던 환자 〈주의〉 1) 폐활량측정 유발 천식 : 0mg 캡슐 투여시 10% 이상의 FEV1 감소 나타난 경우 기관지 확장제 투여하고 아리돌 유발검사 중지 〈상호작용〉 1) 흡입코르티코스테로이드 흡입에 의해 이 약에 대한 기도 민감도 감소 2) 아리돌유발검사 실시 전 검사에 영향을 줄 수 있는 약물 복용 중지. 3) 카페인 함유 음식에 의해 기관지 반응 감소할 수 있으므로 검사 당일 금함. 4) 검사전 최소 6시간 동안은 흡연 금지.

약품명 및 함량	용법	약리작용 및 효능	부작용	주의 및 금기
Methacholine chloride Provocoline powder 프로보콜린산 …100mg/V	1) 희석액 농도를 저농도에서 고농도로 단계별로 증량시켜 네뷸라이저를 사용하여 흡입 2) 양성 : 기저 FEV1대비 FEV1이 20% 이상 감소하면 양성 3) 정상 반응 판정기준: PC20값이 8mg/ml이상 또는 PD20값이 4micromole 이상일 경우 ※ PC20/PD20: 폐기능이 기저치의 20%가 저하되는 메타콜린 농도(PC20) 및 누적용량(PD20)	1) 기관지 과민성 검사를 위한 직접 유발시험의 자극원 2) 합성 Acetylcholine 유사체(부교감 신경 흥분제)로 직접 기관지 평활근에 작용하여 기도 수축 유발 3) 흡입 시 네뷸라이저(연무기)를 사용함 4) 적응증: 천식의 진단(임상적으로 천식이 의심되는 환자에서의 기도과민성 진단)	(빈도 미확립) - 두통, 몽롱함 - 가려움 - 인후자극	〈금기〉 1) 부교감 신경 흥분제에 과민한 환자 2) β-adrenaline 차단제, 항choline제, theophyline을 투여 받는 환자 3) 동일한 날에 반복 진단을 위한 추가 투여 금지 〈주의〉 1) 간질, 서맥 동반 심혈관 질환 환자 2) 미주신경긴장항진증 환자 3) 소화성궤양 환자 4) 갑상선 질환 환자 5) 요로폐색 등 콜린성 약물에 영향 받을 수 있는 환자 6) 임신부: Category C 7) 수유부: 안전성 미확립 8) 소아(5세 미만): 안전성 미확립 9) 응급장비 및 응급약 준비한 상태로 숙련된 의사에 의해 투여 10) 과량투여 시 처치: 의식 소실, 실신 등 중증 반응 나타날 경우, atropine 0.5~1mg IV, IM 〈취급상 주의〉 1) 실온(15~30℃) 보관 2) 조제방법: 농도별로 필요한 양만큼 희석액(NS)을 첨가한 뒤 잘 흔들어서 용해시킴 3) 희석 후 냉장 2주간 안정 4) 사용 전 희석액을 실온에서 약 30분간 방치 후 사용(∵용액 온도가 연무기 출력에 영향을 줌)
Nitrazine yellow Al-sense kit 알센스양수누수진단키트 …0.24mg/EA, 3kit/Box	1) 연노란색의 반응스트립이 질의 위치에 오도록 속옷에 부착 2) 축축한 느낌이 들면 팬티라이너를 제거 3) 팬티라이너에서 반응지시스트립을 분리하여 동봉된 플라스틱 박스 내부의 하얀 천 위에 놓고 뚜껑을 닫은 후 10분간 건조 후 결과 판정	1) 체외 양수 누수 진단 2) pH indicator dye로 pH 4.5~5.5인 정상적인 질 분비물에서는 노란색을 띄고, pH 7 이상인 양수에서는 파란 색이나 녹색으로 변함. 3) 중증의 전염성 질 질환이 있는 경우에도 반응지시스트립이 파란색 또는 노란색으로 변할 수 있음. 4) 결과 판정 ① 음성1: 반응지시스트립이 노란색이었고 건조 후에도 노란색인 경우		〈금기〉 1) 성교 후 12시간이 지나지 않은 환자 2) 질 세척 후 12시간이 지나지 않은 환자 〈주의〉 1) 체외 진단용으로만 사용 2) 수분에 민감하므로 사용직전 개봉 3) 양수 누수에 의한 변색은 2시간동안 유지됨. 4) 출혈이 있을 경우 전문의와 상담 〈취급상 주의〉

약품명 및 함량	용법	약리작용 및 효능	부작용	주의 및 금기
		② 음성2: 반응지시스트립이 파란색 또는 녹색이었고 건조 후 다시 노란색으로 돌아오는 경우 ③ 양성: 반응지시스트립이 파란색 또는 녹색이었고 건조 후에도 파란색 또는 녹색인 경우		1) 1회 시험용임. 2) 실온의 건조한 곳에서 보관
Protirelin tartrate Preline inj 프레린주 …0.73mg/1ml/A (Protirelin으로 0.5mg/1ml/A)	1) 뇌하수체 TSH 검사 : 1Ⓐ IV 또는 SC, IV시 NS 또는 주사용 증류수 5~10ml에 희석하여 서서히 주사 2) 지속적 의식장애 - 두부외상 : 1~4Ⓐ - 지주막하출혈(발증 후 3주 이내) : 4Ⓐ을 IV 또는 IV inf. 10일간 투여 3) 척수소뇌변성증 : 1~4Ⓐ을 IM 또는 IV로 2~3주간 매일 주사한 후 2~3주간의 휴약기간을 두고 반복하거나 주 2~3회 간헐주사 4) IV 시 NS, 주사용 증류수 또는 DW 5~10ml에 희석하여 서서히 주사	1) 합성 갑상선 자극 호르몬으로 시상하부에서 분비되는 천연 Hr.과 같이 뇌하수체의 thyroid-stimulating Hr.(TSH)의 생성과 분비를 촉진하며, prolactin 합성과 분비도 촉진함. 2) 뇌하수체 갑상선 자극 호르몬(TSH) 분비기능검사, 두부외상, 지주막하출혈(증상발현 후 3주이내)에 의한 지속적인 의식장애(혼수, 반혼수 제외), 척수소뇌변성증에 의한 운동실조의 개선에 사용 3) (갑상선기능검사 IV시) Peak response : 20~30mins 지속시간 : 〈 3hrs (single dose) $T_{\frac{1}{2}}$: 5mins	- 혈압, 맥박수의 변동, 열감, 안면홍조, 심계항진, 흉부압박감 - 구역, 심와부불쾌감, 구토, 식욕부진, 복통, 구갈, 미각이상 - AST, ALT, ALP 상승 - 빈혈, 백혈구 감소 - 홍분, 다변증, 두통, 두중, 어지러움, 마비감 - 과민증 : 발진, 가려움 - 뇨의, 발열, 발한, 오한, 권태감, 무력감, 인후 위화감, 부종	〈금기〉 1) 급성 심근경색 환자 2) 불안정형 협심증 환자 3) 중증의 폐쇄성 기관지질환 환자 〈주의〉 1) 부정맥, 관동맥심질환, 간질, 기관지천식, 중증의 뇌하수체 기능저하증, 뇌하수체선종 환자 2) 임신부 : Category C 3) 수유부, 소아 : 안전성 미확립 〈적용상의 주의〉 1) 급속히 정맥주사할 경우 일시적인 뇨의, 구역, 열감 등이 나타날 수 있으므로 가능한 한 천천히 주사하도록 함.
Somatorelin acetate GHRH-ferring 지에이치알에이치페링 …66.7mcg/A (Somatorelin으로 50mcg/A)	1) 성인: 1Ⓐ 투여 (비만환자 및 소아는 1mcg/kg 투여) 2) 검사방법 ① 투여 15-30분전에 정맥 canula를 삽입 ② 약물 투여 직전 정맥혈 2ml을 채취하여 Growth Hr. level을 측정 ③ 첨부된 용제(NS 1ml)에 용해하여 30초 이내에 IV ④ 30분 후 정맥혈을 채취하여 Growth Hr. level 측정하여 증가된 정도를 확인 ⑤ 15, 45, 60, 90분 후에 혈액을 채취하여 측정하면 더 정확한 결과 얻을 수 있음	1) 시상하부에서 정상적으로 분비되는 Growth hormone- releasing hormone (GHRH) 2) 뇌하수체 전엽에서 성장호르몬의 분비를 직접 자극하여 뇌하수체 기능장애를 진단 3) 적응증: 뇌하수체 기능검사	- 목, 두부, 상체에 가벼운 온감 - 열성 조홍 증후군 - 후각 및 미각의 자극 - 맥박 변화	〈주의〉 1) 임부 및 수유부: 안전성 미확립 〈상호작용〉 1) Atropine, levodopa, dopamine, clonidine, arginine, glucagon, insulin, propranolol과 병용시 이 약의 효과 감소 2) 성장 호르몬과 병용시 뇌하수체의 somatotropic function을 억제할 수 있으므로 성장호르몬은 본 검사 최소 1주일 전에 중지 필요

약품명 및 함량	용법	약리작용 및 효능	부작용	주의 및 금기
Tetracosactrin (Cosyntropin) Synacthen inj 시낙텐주 …250mcg/1ml/A (25units ACTH)	1) 성인 : 1회 250mcg 2) 소아 ① 5~7세 소아 :125mcg ② 그외의 소아 :250mcg/1.73㎡ 3) IV 또는 IM, 30분 후 혈중 cortisol 농도 측정	1) Natural corticotropin(ACTH)의 39개 amino acid 중 N-말단부위의 처음 24개의 amino acid로 구성된 synthetic tetracosapeptide 2) 부신피질을 자극하여 glucocorticoid 분비를 촉진함으로써 부신피질 기능진단에 사용함. 3) 진단방법: 주사 후 정확히 30분 경과 후 cortisol의 혈장농도 측정시 200nmol/L(70mcg/L) 이상이면 부신 피질 기능 정상 4) ACTH보다 알러지반응 적음	1)1~10% - 홍조 - 발열 - 두드러기 - 만성 췌장염 2) <1% - 과민반응	〈금기〉 1) 치료목적의 반복투여 〈주의〉 1) 이 약은 아나필락시스 쇼크를 일으킬 수 있으므로 처치용 의약품을 구비할 것을 권장함. - 응급처치방법 : 부신피질호르몬 IV 후 adrenaline 0.1% 용액을 0.4~1ml IM 또는 10ml IV 2) 임신부 : Category C 〈취급상 주의〉 1) 냉장보관
Tuberculin, Purified Tuberculin PPD RT 23 SSI test 튜베르쿨린피피디알티23에스에스아이 …0.6mcg/1.5ml/V * 1TU ≒ 0.02mcg tuberculin PPD RT 23	1) CDC 및 FDA 추천 용법 : 5 TU/0.1ml, 전완부위 피내주사 2) 보건소 공급 제품 설명서상 용법 : 2 TU/0.1ml, 전완부위 피내주사	1) 적응증: 결핵감염진단 2) BCG 접종 대상자 선택의 초회반응 접종에 1TU사용함 3) 접종 72시간 후 전박의 경결을 촉진하여 최대직경을 mm단위로 측정함(수포와 괴사의 유무는 이상 판정에 영향을 미치지 않음) - 0~5mm : (-) 음성 - 6~14mm : (+) 양성 - ≥15mm : 강한 양성	- 주사부위에 수포 궤양, 괴사 - 발열, 임파선종, 오심, 천식음 - 아나필락시스 반응 - Optic neuritis	〈주의〉 1) 임신부 : Category C 2) 활동성 결핵환자의 경우 반응이 6mm이하를 나타낼 수 있음. 3) 과거에 비결핵성 마이코박테리움에 감염된 적이 있는 경우 결핵 감염여부와 상관 없이 양성을 나타낼 수 있음. 4) 바이러스 감염, 영양이 부족한 사람에서 투베르쿨린 반응이 약하게 나타날 수 있음. 〈상호작용〉 1) 최근 5~6주 이내 생바이러스 백신(MMR 등)을 접종하였거나, steroid, 면역억제제를 투여 받은 경우 투베르쿨린 반응이 약하게 나타날 수 있음. 〈취급상 주의〉 1) 차광, 냉장보관 2) 투여후 잔여량은 냉장보관하에 24시간이내 사용
1EA 중 단일클론 anti-α hCG -Gold conjugate 0.14mcg, 단일클론 마우스 anti-β hCG Ab	1) 검체 적하구에 뇨를 2-3방울 가함. 2) 적하 후 5분 이내에 결과 판독 3) 결과 판독 ① 음성 : 대조선(C)에만 색띠 발색 ② 양성 : 대조선(C), 검체선(T)에 모두 색띠 발색	1) 사람 뇨 중의 hCG 정성 검사 2) 양성은 검체가 측정가능 농도 이상의 hCG를 함유하는 것을, 음성은 hCG농도가 검출될 정도로 함유되지 않음을 나타냄.		〈취급상 주의〉 1) 실온(2~30℃) 보관 2) 사용직전에 개봉(디바이스가 습기에 노출되면 항체역가와 골드복합체 안정성 저하됨) 3) hCG농도가 낮은 경우 음성으로 나타날 수 있으므로, 48시간 후에 아침 첫 소변으로 재검사를 할 것.

약품명 및 함량	용법	약리작용 및 효능	부작용	주의 및 금기
0.34mcg, Anti-mouse IgG 0.47mcg **Preg-Q early pregnancy test card** 프레그-큐임신진단카드	③ 재검사: 대조선(C)이 나타나지 않을 경우에는 재검사를 요함.	4) 적응증: 임신진단		4) 검체(뇨)를 채취 후 냉장보관 후 사용할 때에는 실온에서 약 30분간 방치시킨 후 사용 할 것.
1EA 중 단일클론 anti-LH-Gold conjugate 10mcg, 산양 anti-hLH Ab 6mcg, 산양 anti-mouse IgG Ab 4mcg **Easy test LH** 이지테스트 LH	1) 검체와 반응판을 실온에 꺼내둔 후, 검사할 뇨5방울을 적하창 가함. 2) 뇨검체가 반응판의 끝부분까지 확산될 때까지(약 3~5분간) 기다림. 3) 결과판정 ① 검체선의 띠가 없거나 대조선보다 흐릴 경우 : 음성 ② 검체선의 띠가 대조선보다 진하거나 같을 경우 : 양성(배란예정) ③ 검체선과 대조선 모두 발색하지 않거나 검체선만 발생하는 경우 : 재검사	1) 배란 약 30시간 전에 뇨중에 나타나는 hLH surge를 측정함으로써 배란시기를 예측하는 시약 2) 뇨의 채취시간은 어느 때라도 무관하나 일단 검사를 시작하면 검사 첫날과 유사한 시간에 검사하도록 함. 3) 대조선 부위는 약 20mIU/ml hLH가 함유되어 있을 때의 발색정도를 나타냄. Surge level의 시작점인 60mIU/ml hLH 이상일 때부터 대조선과 비교하여 양성 판정함.		〈취급상 주의〉 1) 검체는 채취 후 냉장보관하는 경우에도 1~2일 이내 검사하도록 하며, 사용하기 전 실온에 방치시킴.

17장. 조영제 및 보조제(Contrast Media)

1. Contrast media
   (1) Magnetic resonance imaging contrast media
   (2) Ultrasound contrast media
   (3) X-ray contrast media
      1) Iodinated
         (ㄱ) Watersoluble, Ionic
         (ㄴ) Watersoluble, Nonionic
         (ㄷ) Non-watersoluble
      2) Non-iodinated
2. 조영 보조제

약품명 및 함량	용법	약리작용 및 효능	부작용	주의 및 금기
Ferumoxide Feridex inj 페리덱스주사 …5ml/V (Fe로서 11.2mg)	1) 0.05ml/kg를 5% DW 100ml에 희석하여 2~4ml/min의 속도로 30분 이상에 걸쳐 IV inf. 2) 약 투여 후 3.5시간까지 영상촬영 가능함.	1) 간병변부위 진단을 위한 자기공명단층촬영 조영제로서, 정맥투여 목적으로 Dextran과 결합된 초상자기성 산화철 수성콜로이드 용액임. 2) pH : 5~9 삼투압 : 340mOsm/kg	- 동통, 혈관확장, 저혈압, 아나필락시스, 구역	〈금기〉 1) 극도의 전신 쇠약 환자 2) 철 과잉증 환자 3) MRI 촬영 금기 환자 4) 임신부 : Category C 5) 수유부 : 안전성 미확립 6) 18세 미만의 소아 및 청소년 〈주의〉 1) 기관지천식, 발진, 두드러기 등 allergy 증상 일으키기 쉬운 환자 2) 약물 과민반응 병력 환자 3) 철분제제 투여 중인 환자 4) 발작야간혈색뇨증 환자 5) 중증 간장애 환자 6) 자가면역질환 환자 〈취급상 주의〉 1) 희석 후 8시간이내에 투여
Gadobutrol Gadovist inj prefilled syr 가도비스트주사프리필드시린지 …0.60472g/ml, 7.5ml/syr 10ml/syr	1) 성인 ① CNS: 0.1mmol/kg(0.1ml/kg) - 필요 시 첫 주사 30분 이내에 0.2mmol/kg(0.2ml/kg)까지 추가 투여 가능 ② 간, 신장: 0.1mmol/kg(0.1ml/kg) ③ 자기공명 혈관 조영 1분야(1FOV) - 75kg 미만: 7.5ml - 75kg 이상: 10ml (0.1~0.15mmol/kg) ④ 자기공명혈관조영 〉 1분야(1FOV) - 75kg 미만: 15ml - 75kg 이상: 20ml (0.2~0.3mmol/kg) 2) 2세 이상 소아: 0.1mmol/kg (0.1ml/kg)	1) MRI 조영제 (비이온성) 2) Macrocyclic gadolinium 킬레이트 수용액으로, 강한 상자성(자기장 형성 능력)으로 인해 수소이온의 이완시간을 감소시키고, T_1-weighted scan에서 신호강도를 증가시키며, T_2-weighted scan에서 신호강도를 감소시킴 3) 적응증 : 두뇌 및 척추 자기공명 촬영 시 조영증강, 자기공명 혈관조영에 조영증강, 간 및 신장의 자기공명 촬영시 조영증강 4) $T\frac{1}{2}$: 2hrs 대사 : 대사 거치지 않음 배설 : 신장(97.6%)	- 과민반응 : 드물게 쇽에 이르는 anaphylaxis - 구역, 구토, 현기증, 호흡곤란, 두통, 혈관확장, 저혈압, 피부반응 - 주사부위의 일시적인 냉/온기, 통증 - 빠른 bolus투여로 일시적으로 이 약의 맛과 냄새를 느낄 수 있음.	〈금기〉 1) 저칼륨혈증 환자 2) 심전도로 확인되지 않는 선천성 QT 증상 있는 환자 〈주의〉 1) QT 간격 연장 위험 환자 2) 심혈관질환 환자 3) 중증 신장애 환자 (조영제 배설 지연됨, 투여 5일 이내에 3회 투석 실시) 4) 조영제에 과민한 환자 5) 경련성 질환(간질 등) 환자 6) 임신부 : Category C 7) 수유부 : 동물실험에서 소량 유즙 분비, 투여 후 적어도 24시간동안 수유중단 권고 8) 미숙아 : 안전성, 유효성 미확립

약품명 및 함량	용법	약리작용 및 효능	부작용	주의 및 금기
Gadoteridol Prohance inj prefilled syr 프로핸스주프리필드시린지 …0.2793g/ml, 10ml/syr 15ml/syr 17ml/syr	1) 성인 – 중추신경계: 0.1mmol/kg(0.2ml/kg), 뇌성전이가 의심되는 경우 0.3mmol/kg(0.6ml/kg) – 체부: 0.1mmol/kg(0.2ml/kg) 2) 소아 – 중추신경계: 0.1mmol/kg(0.2ml/kg) – 체부: 안전성, 유효성 미확립 3) >60ml/min으로 IV 또는 10~60 ml/min으로 IV inf.	1) 뇌신경계 및 척추의 자기공명영상(MRI) 조영제 2) 체부(MR 혈관조영 포함)의 MRI 조영제	– 구역, 구토, 미각이상, 설사 – 과민증 – 주사부의 반응 – 가려움증, 발진, 두드러기	〈금기〉 1) 가돌리늄계 조영제에 과민한 환자 2) 인공심박동기, 자성 임플란트, 강자성 혈관클립 등 착용 환자 3) 임신부: Category C 4) 6개월 미만 소아 〈주의〉 1) 과민증 병력 환자 2) 심혈관질환 환자 3) QT 간격 연장 등 순환기계 관련 위험 요인이 있는 환자 4) 간, 신장애 환자 5) 발작 이력 6) 빈혈증, 이상혈색소증 환자 7) 천식, 알러지성 호흡기질환 환자 8) 빈혈증, 이상혈색소증 환자 9) 수유부
Gadoxetic acid disodium Primovist inj 프리모비스트주사 …181.43mg/ml, 10ml/syr	1) 성인: 0.1ml/kg을 2ml/sec의 속도로 IV bolus 투여 후, NS 추가 주입 * 신기능에 따른 용량 조절 참고 – 중증 신장애 : 신중 투여	1) 간 특이적 자기공명영상(MRI)조영제(병소확인 및 특성 파악) 2) IV 주입 후 세포외액으로 분포된 후에 절반정도 간세포에 유입되어 간 특이적인 영상을 제공함. 3) Onset : 20mins 지속시간 : 2hrs $T_{\frac{1}{2}}$: 1hr 배설 : 신장, 간	– 두통, 혼미, 감각 이상, 미각장애, 어지러움, 정좌불능증, 진전, 이상 후각 – 구토, 오심, 구강건조 – 각차단, 심계항진 – 혈관확장, 고혈압 – 호흡곤란 – 발진, 가려움, 반구진성 발진, 발한 증가 – 경직(오한), 등통증, 통증, 무력증, 주사부위반응, 주사부위통증, 주사부위부종 – 쇼크, 유사 아나필락시스 반응	〈금기〉 1) 인공심박보조조정기, 강자성 이식물 착용 환자 2) 회복되지 않는 저칼륨혈증 환자 〈주의〉 1) 중증 신장애, 심혈관질환 환자 2) 임신부 : 안전성 미확립 3) 수유부 : 동물실험에서 유즙 분비, 투여 후 적어도 24시간동안 수유중단 권고 4) 18세 이하 소아: 안전성 미확립 〈취급상 주의〉 1) 1회용(사용 후 남은 약은 폐기) 2) 개봉 후 즉시 사용

약품명 및 함량	용법	약리작용 및 효능	부작용	주의 및 금기
Meglumine gadoterate Dotarem inj 도타렘주 …0.3769g/ml, 10ml/syr, V 15ml/syr 20ml/syr	1) 성인 및 소아 : 0.1mmol/kg (0.2ml/kg) IV 2) 추가 투여(성인만) – 연수막 종양 진단 및 단독 전이병소 확인 : 0.2mmol/kg(0.4ml/kg) – 혈관조영시 : 0.1mmol/kg (0.2ml/kg)	1) 뇌신경계 및 척추의 자기공명영상(MRI) 조영제 2) 체부(MR 혈관조영 포함)의 MRI 조영제	– 구역, 구토, 피부 반응 – 정맥 밖으로 누출시 국소통증	〈금기〉 1) 가돌리늄계 조영제에 과민한 환자 2) 인공심박동기, 자성 임플란트, 강자성 혈관클립 등 착용 환자 〈주의〉 1) 전신 쇠약 2) 기관지 천식 환자 3) 중증 간, 신장애 환자 4) 기관지천식, 발진, 두드러기 등 allergy 증상 일으키기 쉬운 환자 5) 약물 과민반응 병력 6) 경련성 질환 병력 7) 심혈관계 질환 환자 8) 고령자 9) 혈관 외 유출시 국소내성 반응을 관찰 10) 임신부 : Category C 11) 수유부 : 극소량(1% 미만) 모유로 이행, 투여 후 수일간 수유중단 12) 소아: 안전성, 유효성 미확립 〈상호작용〉 1) 베타차단제 투여 시 과민 반응 악화

약품명 및 함량	용법	약리작용 및 효능	부작용	주의 및 금기
Perfluorobutane Sonazoid inj 소나조이드주 …16microL/V	1) 성인: 0.015ml(=0.12microL)/kg/회 IV, 1일 1회 투여 가능(반복 투여 경험 없음) 2) 첨부용제 2ml를 바이알에 주입하고 1분간 흔들어 섞은 후 사용(이 과정에서 동봉된 의약품주입 여과기를 사용) ※ 동봉된 의약품주입여과기는 본제품의 microbubbles외의 기포를 제거하여 조영 증강 효과를 최적화하기 위함이므로 반드시 사용	1) 미세기포 형태의 초음파 조영제 2) Perfluorobutane(PFB)이 계면활성제로 안정화되어 microbubbles을 형성함 - 기존 조영제에 비해 microbubbles의 지속시간이 약 40배 길어짐. - 쿠퍼(kupffer)세포에 섭취되어, 건강한 조직과 간암 조직 사이의 대조가 명확히 나타나 정확한 병변의 위치와 크기 파악에 용이함 3) 적응증: 성인 환자의 간 부위 종양성 병변 초음파 검사시 조영 증강 4) Onset: 15~30secs 지속시간: 2~3hrs $T_{\frac{1}{2}}$: 30mins 대사 및 배설: 체내에서 대사되지 않고 호기로 배설	1) 0.1~5% - 발진, 가려움증, 홍조 - 두통 - 설사, 구갈, 구토 - 단백뇨, 호중구감소증, LDH 증가, 당뇨, 혈압 상승, 림프구감소증, 혈소판감소증 - 주사부위 불편감, 열, 하지의 냉감	〈금기〉 1) 좌우단락, 중증 폐성 고혈압, 호흡곤란 환자 2) 복강경술, 기포제를 사용하는 바륨 조영 또는 다른 소화관시험을 한 날을 피해야 함 3) 동맥투여 금기 〈주의〉 1) 달걀 또는 달걀 유래 제품에 알러지 병력 있는 자 2) 우-좌 동정맥 측루술, 폐 단락술 시행 환자, 중증 심장, 폐질환 환자 3) 임신부, 수유부, 소아, 80세 이상 고령자: 안전성 미확립 〈취급상 주의사항〉 1) 현탁 후 실온에서 2시간 이내 사용 2) 방치 시 현탁액 분리가 나타나므로, 투여 직전에 현탁액을 흔들어 섞음. 3) 동봉된 첨부용제만 사용(이외 용제 사용시 집합체를 형성할 수 있음)
Perflutren lipid microsphere Definity inj 데피니티주 …9.78mg/1.5ml/V	1) Vialmix™장치로 45초간 활성화시킨 후 IV 또는 IV inf. ① IV : 10microL/kg IV(30~60초) 투여 후 NS 10ml 투여 - 필요 시 30분 후 동량 추가 투여 ② IV inf. : 1.3ml를 NS(보존제 불포함) 50ml에 가한 후 IV inf. - 주입속도: 초기 4.0ml/min (Max. 10ml/min) 2) 초음파기기의 mechanical index는 0.8 이하로 조정, 약 투여 즉시 초음파 영상을 관찰함.	1) Perflutren은 혈액보다 소리저항이 작아 혈액의 내인성 후방산란을 증가시켜 혈액 pool을 밝게 심근을 어둡게 보이게 하여 심초음파 동안 대조 영상을 제공 2) 적응증 : 영상이 충분하지 않은 성인 환자의 심장 초음파 조영 증강 (Nonionic) 3) Onset : immediate 지속시간 : IV bolus 3.4mins IV inf. 7.1mins $T_{\frac{1}{2}}$: 1.3mins(건강한 환자) 1.9mins(COPD 환자)	1) 〉10% - QT 간격 연장 2) 1~10% - 부정맥, 두통, 오심, 요통, 신장통 3) 〈1% - 과민반응(두드러기, 가려움), 어지러움, 가슴통증 - 중증 심폐 이상반응(심정지, 호흡 정지 보고됨)	〈금기〉 1) 심장단락 환자, 24시간 이내 체외충격파쇄석술 예정자, 임상적으로 불안정한 울혈성심부전, 급성 심근경색, 급성관상동맥증후군, 중증 심실성 부정맥 또는 QT간격 연장으로 부정맥 고위험군, 호흡부전, 폐동맥고혈압 유발 가능 환자 2) 직접 동맥내 주사 금기 〈주의〉 1) 울혈성 심부전, 부정맥 2) 폐혈관질환, 중증 및 만성 폐질환자 3) 선천성 심질환 또는 최근 심폐기능이 악화된 환자 4) 임신부 : Category B 5) 수유부 : 안전성 미확립 6) 소아 : 안전성, 유효성미확립 〈취급상 주의〉

약품명 및 함량	용법	약리작용 및 효능	부작용	주의 및 금기
				1) 냉장보관 2) 사용전 실온에 방치하며, 활성화된 현탁액은 즉시 사용 3) 1회용(보존제 미함유)
Sulfur hexafluoride SonoVue inj 소노뷰주 …225mcg/V	1) 프리필드시린지의 NS 5ml에 녹인 현탁액을 말초정맥으로 주사 2) 권장 투여량 - 심장 심실의 B-mode 영상 : 2ml - 혈관 도플러 영상 : 2.4ml (1회 검사시 필요시 2번 투여 가능)	1) 낮은 수용성 용해도로 인해 주위 혈액으로 확산이 적은 기체 미세기포 조영제로서, 초음파 이미지검사시 혈류의 신호를 증강시켜 정확한 병변 진단을 도와주는 조영제 2) 적응증 : 심장초음파, 거대(대뇌동맥, 두개외 경동맥, 말초동맥) 및 미세혈관계(간, 유방혈관) 도플러 검사시 도플러 신호강도가 충분치 않은 환자 혈류의 신호증강(신호/잡음비의 향상)	1) 1~10% - 두통, 오심, 주사부위통증, 주사부위반응(타박상, 열상, 자각이상 등) 2) 〈1% - 아나필락시 쇼크 - 자각이상, 현기증, 미각 도착증, 시야 흐려짐 - 복통, 등통증, 흉통 - 소양감, 발진, 무력감	〈금기〉 1) 좌우단락, 중증 폐성 고혈압, 조절되지 않는 전신성 고혈압, 성인 호흡곤란증후군 환자 2) 임신부, 수유부 및 18세 미만의 소아 : 안전성 미확립 〈주의〉 1) 약리학적 부하가 관찰된 환자 2) 중증 심부전(NYHA class IV), 중증 만성 폐색성 폐질환 환자 3) 중증 부정맥, 심근경색증, 진행성 및 불안정한 협심증, 급성 심내막염, 인공판막 환자 4) 급성 전신성 염증, 패혈증 환자 5) 과다한 혈액응고 상태 및 혈전색전증 환자 6) 말기 신장 또는 간질환 환자 7) 산소공급, 불안정한 신경계 질환 환자

17장. 조영제 및 보조제 ··················1. Contrast media ·····················(3) X-ray contrast media ·····················1) Iodinated

Iodinated contrast agents는 신기능 저하를 일으켜 metformin의 lactic acidosis 부작용을 증가시키므로 검사 48시간 전에 metformin 투여를 중단하고 검사 후 신기능의 정상여부 확인 후 재투여 시작함.

17장. 조영제 및 보조제 ··················1. Contrast media ·····················(3) X-ray contrast media ·····················1) Iodinated ··························(ㄱ) Watersoluble, Ionic

약품명 및 함량	용법	약리작용 및 효능	부작용	주의 및 금기
1ml 중 Ioxitalamic acid 506.8mg, Meglumine 153.5mg (I : 300mg/ml)	1) 위장관 검사 - 성인 : 60~80ml - 소아 : 20ml 2) 자궁난관조영 : 자궁의 크기에 따라 10~20ml를 투여	1) 위장관 검사 및 자궁난관조영에 사용 2) 점도 : 5.2(37℃)	- Anaphylactic shock - 구역, 구토, 설사 - 열감, 두통 - 폐로 흡인시 폐의 염증, 폐부종 - 갑상샘 과다증	〈금기〉 1) 요오드계 약물에 과민한 환자 2) 중증 갑상샘 질환자 3) 임신 중이거나 골반내 염증질환자의 자궁난관조영 〈주의〉 1) 기관지천식, 발진, 두드러기 등 allergy 증상을

약품명 및 함량	용법	약리작용 및 효능	부작용	주의 및 금기
Telebrix 30 meglumin inj 텔레브릭스30메글루민주 …100ml/BT			- 골반의 통증, 불편감	일으키기 쉬운 환자 2) 탈수 증상 환자 3) 갑상샘 질환 환자 4) 삼킴곤란이 있거나, 약물흡인의 위험이 있는 환자의 소화관조영(반드시 희석하여 투여) 5) 수유부 : 모유로 이행(24시간동안 수유 중단) 〈상호작용〉 1) Interleukin: 이상반응 위험 증가 2) 베타차단제 : 과민반응 악화 〈취급상 주의〉 1) 차광, 실온보관 2) IV 투여금지

약품명 및 함량	용법	약리작용 및 효능	부작용	주의 및 금기
1ml 중 Amidotrizoic acid 597.3mg, Meglumine 159.24mg Sodium Hydroxide 6.29mg (Meglumine Amidotrizoate로서 6.6mg, Sodium Amidotrizoic Acid로서 1mg) (I : 370mg/ml) **Gastrografin** 가스트로그라핀 …100ml/BT	1) 단독투여 (1) 경구투여 ① 위장조영 - 성인 및 10세 이상 소아 : 60ml - 10세 미만 : 15~30ml(2~3배 물로 희석하여 사용) ② 식도, 위장관 천공 및 봉합 결손 조기진단 : 100ml (2) 직장 투여 : 다음의 비율로 물에 희석하여 투여 ① 성인 : 3~4배 ② 소아 - 5세 이상 : 4~5배 - 5세 미만 : 5배 2) 병용(황산바륨) ① 성인 : 30ml ② 소아	1) 황산바륨 사용이 적합하지 않은 경우 또는 그 효과가 불충분한 경우의 소화관 조영에 사용함. - 부분적 또는 완전 협착이 의심되는 경우 - 급성 출혈 - 위급한 천공(위궤양, 장 게실) - 기타 외과적인 수술을 요하는 급성 상태 - 위 및 장의 절제 후(천공 위험이나 봉합 불충분시) - 거대결장증 - 내시경 검사 실시전의 이물 및 종양의 조영 - 위장관 누공의 조영 2) 황산바륨과 병용투여로 진단을 향상시킬 수 있으나 장염 진단에는 병용투여가 바람직하지 않음. 3) 삼투압 : 2,150mOsm/kg	- 오심, 구토 - 홍조, 열감 - 혈압이상, 맥박 이상, 흉부압박감, 통증, 쇽, 관상 순환부전, 부정맥 - 핍뇨, 무뇨, 단백뇨 - 호흡곤란, 기침, 천식 발작 - 혼돈, 두통, 현기증, 입술, 혀, 사지의 타진통 - IV시 혈전성 정맥염, 주사부위의 무감각 - 기타 : 비염, 부종,	〈금기〉 1) 요오드계 약물에 과민한 환자 2) 현성 갑상샘과다증 환자 〈주의〉 1) 기관지천식, 발진, 두드러기 등 allergy 증상 일으키기 쉬운 환자 2) 장염, 결장염, 장폐색 환자 3) 탈수증 환자 4) 기관지 흡인 및 기관식도누출관이 의심되는 환자 5) 무증상 갑상샘과다증, 양성 결정갑상샘종 환자 6) 쇽 등의 중대한 부작용에 대비하여 문진, 구급처치를 준비할 것 7) 탈수환자나 유아, 소아는 검사전 전해질 및 수분대사를 정상으로 처치할 것 8) 임신부, 소아 : 안전성 미확립 9) 수유부: 모유로 이행(24시간동안 수유 중단) 〈취급상 주의〉

약품명 및 함량	용법	약리작용 및 효능	부작용	주의 및 금기
	- 5~10세 : 10ml - 5세 미만 : 2~5ml		담마진, 발한, 오한, 금속성 맛, 발열	1) Meglumine의 점도가 크므로 체온정도로 따뜻하게 하여 투여 2) 개봉 후 24시간 이내 사용
Iodixanol Visipaque 270 비지파크주270 …550mg/ml, (I : 270mg) 50ml/BT 100ml/BT 200ml/BT Visipaque 320 비지파크주320 …652mg/ml, (I : 320mg) 50ml/BT 100ml/BT	* 공통 1) 동맥 ① 뇌(선택): 5-10ml ② 대동맥: 40-60ml ③ 말초동맥: 30-60ml ④ 심혈관(소아): Max.10ml/kg 2) 정맥 ① 요로 - 성인: 40-80ml - 소아: (〉7kg) 2-3ml (〈7kg) 2-4ml ② CT(두부/체부) - 성인: 50-150ml/75-150ml - 소아: 2-3ml/kg(~50ml까지) 3) 척수강 투여: (270) 10-12ml, (320) 10ml * (270mg/ml)만 해당 1) 동맥 ① 장기DSA(선택): 10-40ml 2) 정맥 ① 정맥: 50-150ml 3) 체강 ① 관절강: 1-15ml ② 자궁난관: 5-10ml ③ 위장(소아) - 경구: 5ml/kg - 직장: 30-400ml 〈약리작용 및 효능〉란에 계속	1) 비이온성 dimer 요오드 조영제 2) 적응증: 다음 조영술의 X선 조영제 ① 성인: 심혈관조영, 뇌혈관조영, 말초동맥조영, 복부혈관조영, 정맥요로조영, 정맥조영, CT 조영증강, 척수조영, 관절조영, 자궁난관조영, 내시경역행췌담관조영, 소화관조영 ② 소아: 심혈관조영, 정맥요로조영, CT 조영증강, 소화관조영 3) 삼투압(37℃): 290mOsm/kg 점도(37℃): (270) 5.8mPa · s (320) 11.4mPa · s * (320mg/ml)만 해당 1) 동맥 ① 심혈관(성인): 좌심실/대동맥근 30-60ml, 관상동맥(선택) 4-8ml 4) 체강(위장) ① 성인(경구): follow through 80-200ml, 식도 10-200ml, 위장 20-200ml (자세한 조영부위별 농도 및 용량은 제품설명서 참조)	- 온감, 불쾌감, 냉감, 말단 통증 - 구역, 구토, 복부 불쾌감, 복통 - 호흡곤란, 피진, 홍반, 담마진, 소양증, 혈관부종, 저혈압, 부종 - 아나필락시양 반응	〈금기〉 1) 요오드계 약물에 과민한 환자 2) 중증 갑상샘 질환 환자 3) 중증 국소감염, 전신감염(균혈증) 〈주의〉 1) 임신부: Category B 2) 수유부: 동물실험에서 유즙 분비 3) 소아, 고령자: 안전성 미확립 4) 약물과민반응 병력자 5) 고혈압, 폐동맥고혈압, 동맥경화증 6) 당뇨병, 갑상샘 질환 환자 7) 간, 신기능 장애 8) 중추신경계 질환, 경련 병력자 9) 알콜중독자, 약물중독자 10) 중증 근무력증 환자 〈상호작용〉 1) Biguanide계 혈당강하제(metformin): 유산증 발생 가능 2) Interleukin-2: 이상반응 위험 증가 3) 경구담낭조영제: 신독성 위험 증가(최소 48시간 간격 두고 투여) 〈취급상 주의〉 1) 차광, 실온보관(1~30℃) - (실온) 최대 3년 보관 가능 - (37℃) 최대 1개월 보관 가능 2) 투여 전 체온 정도로 가온 3) 개봉 후 즉시 사용

약품명 및 함량	용법	약리작용 및 효능	부작용	주의 및 금기
Iohexol Iobrix 300 inj 아이오브릭스300주 …647mg/ml, (I : 300mg/ml) 10ml/EA 40ml/EA 100ml/EA 150ml/EA 500ml/EA Iobrix 350 inj 아이오브릭스350주 …755mg/ml, (I : 350mg/ml) 100ml/EA 500ml/EA	* 공통 1) 정맥 ① 정맥요로(성인): 40-80ml ② DSA: 20-60ml ③ CT(성인): (300) 100-200ml / (350) 100-150ml 2) 동맥 ① 대/분기동맥: 30-60ml(Max. 250ml) ② 심혈관(소아): 4-6ml/kg 3) 체강 ① 관절: (300) 5-15ml / (350) 1-10ml ② 소화관(소아) - 경구: 2-4ml/kg - 직장내: 100~150mg/ml로 희석 후 5~10ml/kg * (300mg/ml)만 해당 1) 정맥 ① 정맥요로(소아) - ≥7kg: 1.5ml/kg - 〈7kg: 1.5-2ml/kg ② 사지: 20-100ml ③ CT(소아): 1-3ml/kgml 〈약리작용 및 효능〉란에 계속	1) 수용성 비이온성 monomer 요오드 조영제 2) 적응증: 척수조영, 혈관조영, 정맥요로조영, CT 조영증강, 체강조영(관절, 자궁난관, 침샘, 소화관) 〈용법 계속〉 2) 동맥 ① 선택적 뇌동맥: 5-10ml ② 대퇴동맥: 30-80ml ③ DSA: 1~15ml 3) 척수 ① 경추 - 요추주입: 7-10ml - 경추주입: 6-8ml 4) 체강 ① 자궁난관: 15-25ml ② 침샘: 0.5-2ml * (350mg/ml)만 해당 1) 동맥 ① 심혈관(성인) - 좌심실/대동맥근: 30~60ml - 선택적 관상동맥: 1.5~8ml(Max. 250ml) 2) 체강 ① 소화관(성인): 경구투여 (Max. 50ml) (자세한 조영부위별 농도 및 용량은 설명서 참조)	- 두통 - 오심, 구토 - 일과성 열감각, 경련, 흉통, 홍조, 소양증 - 천식발작, 폐수종, 호흡곤란	〈금기〉 1) 요오드계 약물에 과민한 환자 2) 중증 갑상샘 질환 환자 3) 중증 국소감염, 전신감염(균혈증) 〈주의〉 1) 임신부: Category B 2) 수유부: 동물실험에서 유즙 분비, 수유중단 3) 소아, 고령자: 안전성 미확립 4) 약물과민반응 병력자 5) 고혈압, 폐동맥고혈압, 동맥경화증 6) 당뇨병, 갑상샘 질환 환자 7) 간, 신기능 장애 8) 중추신경계 질환, 경련 병력자 9) 알콜중독자, 약물중독자 10) 중증 근무력증 환자 〈상호작용〉 1) Biguanide계 혈당강하제(metformin): 유산증 발생 가능, 검사 48시간전 투여 금지 2) 신경마비제, 항우울제, 진통제, 항구토제, phenothiazine 유도체, 중추신경자극제, 정신활성제 : 발작 역치를 감소시킬 수 있으므로 검사 48시간 전부터 검사 후 24시간까지 투여 중단 3) Interleukin-2: 이상반응 위험 증가 4) 베타차단제 : 과민반응 악화 〈취급상 주의〉 1) 350mg/ml 제형은 척수조영에 사용하지 않음. 2) 실온, 차광보관
Iomeprol Iomeron 350 inj 이오메론350주사액 …714mg/ml, (I : 350mg/ml) 50ml/BT		1) 비이온성 monomer 요오드 조영제 2) 적응증 - (350mg/ml) : 혈관조영(사지정맥, 사지동맥, 복부혈관, 흉부혈관, 뇌혈관), 정맥요로조영(IVP), CT 조영증강(두부, 체부), 관절조영 - (400mg/ml) : 혈관조영(사지동맥, 복부혈관, 흉부혈관, 심장혈관), 정맥요로조영(IVP), CT 조영증강(체부)	1) 중증 부작용 - 쇽, 아나필락시스, 경추발작, 심실세동, 관상동맥연축 및 마비, 혈소판 감소, 피부 장애 2) 기타	〈금기〉 1) 요오드계 약물에 과민한 환자 2) 중증 갑상샘 질환 환자 3) 중증 염증성 질환 환자 〈주의〉 1) 임신부: 안전성 미확립 2) 수유부: 동물실험에서 유즙 분비, 수유중단

약품명 및 함량	용법	약리작용 및 효능	부작용	주의 및 금기
100ml/BT 150ml/BT 500ml/BT Iomeron 400 inj 이오메론400주사액 …816mg/ml, (I : 400mg/ml) 50ml/BT 100ml/BT	* (350mg/ml) 1) 혈관(Max. 250ml) ① 사지정맥: 10-100ml ② 사지동맥: 10-80ml ③ 복부: 5-60ml ④ 흉부(하행성 대동맥, 폐동맥): 5-50ml (폐동맥 Max.170ml) ⑤ 뇌: 5-15ml (Max. 100ml) 2) 동맥DSA(Max.250ml) ① 사지동맥: 5-10ml ② 복부: 3-40ml ③ 흉부: 3-40ml ④ 뇌혈관 - 일반: 30-60ml - 선택적: 5-10ml 3) 정맥DSA: 10-50ml (총 100-250 ml) 4) 정맥요로: 40-100ml 5) CT (Max.250ml) ① 두부: 50-100ml ② 체부: 40-200ml 6) 관절: 10ml 이하 〈약리작용 및 효능〉란에 계속	3) 삼투압(37℃) : (350) 620mOsm/kg (400) 730mOsm/kg 점도(37℃) : (350) 7.5mPa · s (400) 12.6mPa · s $T\frac{1}{2}$: 1.83hrs 배설 : 신장(100%) 〈용법 계속〉 * (400mg/ml) 1) 혈관(Max. 250ml) ① 사지동맥: 10-80ml ② 복부: 5-60ml ③ 흉부(폐동맥) 5-50ml (Max. 170ml) ④ 정맥DSA: 10-50ml(총 100-250ml) 2) 정맥요로: 50ml 3) CT(체부): 40~150ml(Max. 250ml)	- 주사부위 통증(≤6%), 열감(8~45%), 맛감각이상(3~27%), 유사알러지 반응(≤20%) - 두통, 착란, 일시적인 시력 장애 - 구역, 구토 - 혈압강하, 혈압상승, 빈맥, 서맥 - 급성 신부전, 신증후군 악화	3) 소아, 고령자: 안전성 미확립 4) 기관지 천식, 급성 췌장염, 이상 단백혈증, 다발성 골수종, 근강직, 갈색세포종, 당뇨, 고혈압, 갑상선 기능장애, 탈수 환자 5) 중증의 심, 간, 신장애 환자 6) 두개내압 상승하거나 두개내 종양, 농양 또는 혈종 의심 환자 〈상호작용〉 1) Biguanide계 혈당강하제(metformin): 유산증 발생 가능, 검사 48시간전 투여 금지 2) 신경마비제, 항우울제, 진통제, 항구토제, phenothiazine 유도체, 중추신경자극제, 정신활성제 : 발작 역치를 감소시킬 수 있으므로 검사 48시간 전부터 검사 후 24시간까지 투여 중단 〈취급상 주의〉 1) 뇌척수강내 투여 금지(뇌수조, 척수조영에는 사용하지 않음) 2) 개봉 후 즉시 사용
Iopromide Ultravist 300 inj 울트라비스트300 …623.4mg/ml (I : 300mg/ml) 50ml/BT 100ml/BT 150ml/BT 1,000ml/BT	* (300mg/ml) 1) 정맥요로 ① 성인: 1ml/kg ② 소아: 소아의 신장은 성인에 비해 nephron이 성숙되어 있지 않아, 농축기능이 약하므로 더 많은 양의 조영제 필요 - 신생아: 4ml/kg - 영아: 3ml/kg	1) 비이온성 monomer 요오드 조영제 2) 정맥요로조영, 혈관조영, CT 조영 증강(두부, 체부), 디지털감산혈관조영(DSA) 3) Ioxaglate보다 idiosyncratic side effect는 덜하나 pain, heat 등은 더 심함. 4) 삼투압(37℃) : (300) 610mOsm/kg (370)770mOsm/kg 점도(37℃) : (300) 4.6mPa · s (370) 9.5mPa · s	- 작열감, 피부발적, 구역, 구토(투여종료 후 사라짐) - IV시 조직반응 - 재채기, 심한 하품, 기침발작 등은 shock 등의 심각한 반응에 대한 전조증상일 수 있음.	〈금기〉 1) 요오드계 약물에 과민한 환자 2) 중증 갑상샘 질환 환자 3) 호모시스틴뇨증 환자(혈전 및 색전증 위험) 〈주의〉 1) 임신부: Category B 2) 수유부: 동물실험에서 유즙 분비, 투여 후 48시간 동안 수유중단 3) 소아, 고령자: 안전성 미확립

약품명 및 함량	용법	약리작용 및 효능	부작용	주의 및 금기
Ultravist 370 inj 울트라비스트370 …768.86mg/ml (I : 370mg/ml) 30ml/A 50ml/BT 100ml/BT	- 유소아: 1.5ml/kg 2) CT ① 두부: 1-2ml/kg ② 체부: (적량) 3) 혈관 ① 뇌혈관 - 대동맥궁: 50-80ml - 경동맥: 30-40ml - 선택적: 6-15ml ② 흉부대동맥: 50-80ml ③ 복부대동맥: 40-60ml ④ 사지혈관 - 상지동맥: 8-12ml - 상지정맥: 15-30ml - 하지동맥: 20-30ml - 하지정맥: 30-60ml 4) DSA: 약 30-60ml 〈약리작용 및 효능〉란에 계속	* (370mg/ml) 1) 정맥요로 ① 성인: 0.8ml/kg ② 소아 - 신생아: 3.2ml/kg - 영아: 2.7ml/kg - 유소아: 1.4ml/kg 2) CT ① 두부: 1-1.5ml/kg ② 체부: (적량) 3) 혈관 ① 심장심실: 40-50ml ② 관상동맥: 5-8ml 4) DSA: 약 30-60ml	- 혈전색전증	4) 전신 쇠약, 기관지 천식, 중증 심, 신, 간장애, 급성 췌장염, 마크로글로불린혈증, 다발성 골수종 등 형질세포질환, 강직증, 갈색세포종, 과민반응 병력, 탈수, 고혈압, 당뇨, 갑상샘질환, 폐기종, 중추신경계 질환, 경련 병력, 수분 및 전해질 불균형, 중증 근무력증 환자 〈상호작용〉 1) Biguanide계 혈당강하제(metformin): 유산증 발생 가능, 검사 48시간전 투여 금지 2) Interleukin-2: 이상반응 위험 증가 3) 베타차단제: 과민반응 악화 4) 갑상샘에 대한 방사성 동위원소를 이용한 진단 및 치료가 2-6주간 방해받을 수 있음 5) 경구담낭조영제: 신독성 위험 증가(최소 48시간 간격 두고 투여) 〈취급상 주의〉 1) 뇌수조, 척수조영에는 사용하지 않음
Iotrolan Isovist 240 inj 이소비스트240주 …512.6mg/ml, (I : 240mg/ml) 10ml/A Isovist 300 inj 이소비스트300주 …640.7mg/ml, (I : 300mg/ml) 10ml/A	1) 검사부위, 조영 정도에 따라 농도 및 용량 조절(제품 설명서 참조)	1) 비이온성 dimer, iso-osmolar 요오드 조영제 2) Extracellular fluid에만 분포되며, 대사되지 않고 배설됨 3) 적응증 - (240mg/ml) : 척수조영, CT 촬영에 의한 뇌실, 뇌수조, 척수조영 - (300mg/ml) : 뇌실, 뇌수조, 척수조영(천수신경근조영, 요추조영, 흉추조영, 전척수조영, 경추조영, 뇌실조영, CT 촬영에 의한 뇌수조조영 및 뇌척수액 순환의 평가), 기타 체강조영	- 쇽 - 과민증 : 발진, 발적, 소양감, 때로 흉부 답답함. - 구역, 구토 - 경련, 발작	〈금기〉 1) 요오드계 약물에 과민한 환자 2) 중증 갑상샘 질환자 3) 임신 중이거나 골반내 염증질환자의 자궁난관조영 4) 경련, 발작의 병력이 있는 환자에 대한 뇌실, 뇌수조, 척수조영 5) 중증 국소 및 전신감염 환자에 대한 척수조영 〈주의〉 1) 임신부: 안전성 미확립 2) 수유부: 동물실험에서 유즙 분비, 수유중단 3) 소아, 고령자: 안전성 미확립 4) 전신 쇠약, 기관지 천식, 중증 심, 신, 간장애, 급성 췌장염, 마크로글로불린혈증, 다발성 골수종 등 형질세포질환, 강직증, 갈색세포종, 과민반응 병력, 탈수, 고혈압, 당뇨, 갑상샘질환, 만성 호흡기 질환,

약품명 및 함량	용법	약리작용 및 효능	부작용	주의 및 금기
				급만성 알코올중독 환자 〈상호작용〉 1) Biguanide계 혈당강하제(metformin): 유산증 발생 가능, 검사 48시간전 투여 금지 2) Interleukin-2, vasopressin, 이뇨제 : 이상반응 위험 증가 3) 베타차단제 : 과민반응 악화 4) 신경이완제, 항우울제: 발작 역치를 감소시킬 수 있으므로 검사 48시간 전에 투여 중단
Ioversol Optiray 320 옵티레이320주 …678mg/ml, (I : 320mg/ml) 30ml/V 100ml/BT 150ml/BT 500ml/BT	1) 성인 (1) 뇌동맥 (Max. 200ml) ① 경동맥, 척추: 2-12ml ② 대동맥궁: 20-50ml (2) 말초동맥 (Max. 250ml) ① 대동맥-장골동맥 폐색: 60ml ② 총장골, 대퇴: 40ml ③ 쇄골하, 상완: 20ml (3) 내장/신장/대동맥 (Max. 250ml) ① 대동맥: 45(10-80)ml ② 복강: 45(12-60)ml ③ 상 장간막: 45(15-60)ml ④ 신장, 하 장간막: 9(6-15)ml (4) 관상동맥/좌심실 (Max. 250ml) ① 좌관상동맥: 8(2-10)ml ② 우관상동맥: 6(1-10)ml ③ 좌심실: 40(30-50)ml 〈약리작용 및 효능〉란에 계속	1) 비이온성 monomer 요오드 조영제 2) 적응증 - 성인 : 뇌동맥조영, 말초동맥조영, 내장 및 신장동맥, 대동맥조영, 관상동맥조영 및 좌심실조영, CT 조영증강(두부, 체부), 정맥요로조영 - 소아(1세 이상) : 심혈관조영술, CT 조영증강(두부, 체부), 정맥요로조영 3) 삼투압(37℃) : 702mOsm/kg 점도(37℃) : 5.8mPa · s (5) CT (Max. 150ml) ① 두부: 50-150ml ② 체부 - Bolus: 25-75ml - 빠른 inf. : 50-150ml (6) 정맥요로: 50-75ml 2) 소아 (1) 심혈관: 1.25(1-1.5)ml/kg (Max. 5mg/kg, 250ml) (2) CT ① 두부: 1-3ml/kg ② 체부: 2(1-3)ml/kg (3) 정맥요로: 1-1.5ml/kg (Max. 3ml/kg)	- 협심증, 저혈압, 혈관수축, 고혈압, 일시적 부정맥 - 오심, 구토 - 뇌경색, 두통, 현훈, 지각이상 - 비울혈, 재채기, 기침 - 담마진, 안면 부종, 홍조, 소양감 - 기타 : 일혈, 오한, 통증, 쓴맛	〈금기〉 1) 요오드계 약물에 과민한 환자 2) 중증 간, 신장애 환자 3) 중증 갑상샘 질환 환자 4) 호모시스틴뇨증 환자(혈전 및 색전증 위험) 〈주의〉 1) 임신부: 안전성 미확립 2) 수유부: 동물실험에서 유즙 분비, 수유중단 3) 신생아, 고령자: 안전성 미확립 4) 기관지 천식, 중증 심장애, 급성 췌장염, 마크로글로불린혈증, 다발성 골수종 등 형질세포질환, 강직증, 갈색세포종, 과민반응 병력, 탈수, 고혈압, 당뇨, 갑상샘질환, 간 및 신장애 환자 〈상호작용〉 1) 경구담낭조영제: 신독성 위험 증가(최소 48시간 간격 두고 투여) 2) Biguanide계 혈당강하제(metformin): 유산증 발생 가능, 검사 48시간전 투여 금지 3) 신경마비제, 항우울제, 진통제, 항구토제, phenothiazine 유도체, 중추신경자극제, 정신활성제 : 발작 역치를 감소시킬 수 있으므로 검사 48시간 전부터 검사 후 24시간까지 투여 중단 4) Interleukin-2, vasopressin, 이뇨제 : 이상반응 위험 증가 〈취급상 주의〉 1) 뇌척수강내 투여 금지

약품명 및 함량	용법	약리작용 및 효능	부작용	주의 및 금기
Iodised oil Lipiodol Ultra-Fluid 리피오돌울트라액 ···12.8g/10ml/A (I : 4.8g)	1) 림프조영, 침샘조영: 용량은 환자의 상태, 검사범위 등에 따라 결정 - 림프조영 시 1회 기준량 ① 한쪽 팔 : 2~4ml ② 양쪽 팔 : 5~6ml ③ 한쪽 다리 : 5~7ml ④ 양쪽 다리: 10~12ml 2) 투여속도: 0.1~0.2ml/min 정도로 천천히 투여	1) Fatty acid의 ethylester에 iodine이 첨가된 유성 조영제 2) 종양부위에 대한 선택적 장기집적 특성으로 정확한 진단을 가능하게 함. 3) 약 성분 자체가 간동맥의 말초혈관 부위 특히 암조직에 영양을 공급하는 혈관을 막아 암조직을 괴사시키는 embolizing agent로 작용함. 4) 적응증 - 림프조영, 침샘조영 - 간암의 경동맥화학색전술(TACE: transarterial chemoembolization) 시행 시 사용	- 과민반응 (수용성 iodine 조영제에 비해 발현율 큼) - 요오드 중독증 - 뇌, 폐색전증	〈금기〉 1) 요오드계 약물에 과민한 환자 2) 갑상샘 기능 항진증, 중증 갑상샘 질환 환자 3) 발열 동반 활동성 결핵 환자 4) 마크로글로불린혈증 환자 5) 다발성골수종 등의 형질세포질환 환자 6) 심근병증 및 중증 심혈관계 질환 환자 7) 조영제 주사 부위에 출혈 또는 외상으로 인한 상처 있는 환자 〈주의〉 1) 전신 쇠약, 중증 심, 간, 신장애, 급성귀밑샘염, 갑상샘 질환 환자 2) 호흡기능 저하 및 림프관 폐색, 염증 있는 환자에 대한 림프조영 3) 기관지천식, 발진, 두드러기 등 allergy 증상 일으키기 쉬운 환자(사용전 과민반응 test 추천) 4) 임신부, 수유부, 소아 : 안전성 미확립 〈취급상 주의〉 1) 혈관폐색의 위험이 있으므로 혈관투여하지 않음 2) 반드시 유리주사기로 투여해야 함

약품명 및 함량	용법	약리작용 및 효능	부작용	주의 및 금기
Barium sulfate Easymark susp 0.1 이지마크현탁액 0.1 ···1mg/ml, 450ml/BT	1) 검사 30분 전 총 900~1,350ml을 복용(Max. 1,800ml) 2) 총 투여량 중 200ml는 검사 직전 복용	1) 소화관 조영제 2) 0.1% 저농도(neutral) 황산바륨제제로 CT, MT enterography 등에 소장확장목적으로 희석하지 않고 사용가능 3) 적응증 : CT 검사의 소화관 조영 4) 배설: 대변(100%)	(빈도 미확립) - 아나필락시양 반응 - 배변곤란, 변비, 설사, 복통, 항문부위 통증/출혈, 구역, 구토, 위경련 - 발진, 가려움, 두드러기, 홍반	〈금기〉 1) 소화관 천공, 소화관 급성 출혈, 소화관 폐색 환자 2) 극도의 전신 쇠약 환자 〈주의〉 1) 소화관 천공 생길 수 있는 장질환, 소화관 누공, 협착이 있거나 의심되는 환자, 장관게실 환자 2) 알레르기 질환 및 조영제 알레르기 병력 3) 중증 고혈압, 심장질환 환자

약품명 및 함량	용법	약리작용 및 효능	부작용	주의 및 금기
				4) 잘 삼키지 못하는 환자(경구) 5) 임신부, 수유부, 소아: 안전성 미확립 <취급상 주의> 1) 사용 전 잘 흔들어 복용
Barium sulfate EASY-CT susp 1.5 이지시티액 1.5 …15mg/ml, 450ml/BT	1) 소화관 조영 : 검사 30분 전 300ml 경구 투여 후, 검사 5분 전 적정량을 추가 투여 2) 대장 조영 : 300ml를 직장내 주입	1) CT 검사의 소화관 조영 2) 1.5%(w/v)의 저농도로 CT 촬영시 미세부분 조영에 사용	- 변비(검사 후 필요시 수분섭취, 하제투여 가능), 장폐색, 장중첩증, 설사, 궤양형성, 장천공, 과량 흡입시 폐렴, 결절 육아종	<금기> 1) 소화관 천공, 소화관 급성 출혈, 소화관 폐색 환자 2) 극도의 전신 쇠약 환자 <주의> 1) 소화관 천공 생길 수 있는 장질환, 소화관 누공, 협착이 있거나 의심되는 환자, 장관게실 환자 2) 알레르기 질환 및 조영제 알레르기 병력 3) 중증 고혈압, 심장질환 환자 4) 잘 삼키지 못하는 환자(경구) 5) 임신부, 수유부, 소아: 안전성 미확립 <취급상 주의> 1) 사용 전 잘 흔들어 복용
Barium sulfate Easy CT susp 4.6 이지시티액 4.6 …46mg/ml, 200ml/BT	1) 농축액(4.6% w/v)이므로 필요한 농도로 희석하여 사용 2) 소화관 조영 : 희석액 300~900ml를 경구 투여 3) 대장 조영 : 희석액 300ml를 직장내 주입	1) 소화관 CT 조영제 2) 대장 가상내시경 검사시 대장에 남아있는 대변이 X-선을 강하게 흡수하게끔 하여 실제 병변과 구별하여 보여주기 때문에, 가벼운 장세정만으로도 검사 가능	- 변비(검사 후 필요시 수분섭취, 하제투여 가능), 장폐색, 장중첩증, 설사, 궤양형성, 장천공, 과량 흡입시 폐렴, 결절 육아종	<금기> 1) 소화관 천공, 소화관 급성 출혈, 소화관 폐색 환자 2) 극도의 전신 쇠약 환자 <주의> 1) 소화관 천공 생길 수 있는 장질환, 소화관 누공, 협착이 있거나 의심되는 환자, 장관게실 환자 2) 알레르기 질환 및 조영제 알레르기 병력 3) 중증 고혈압, 심장질환 환자 4) 잘 삼키지 못하는 환자(경구) 5) 임신부, 수유부, 소아: 안전성 미확립 <취급상 주의> 1) 사용 전 잘 흔들어 복용
Barium Sulfate Solotop HD 솔로탑에취디 …960mg/g,	1) 검사부위 및 방법에 따라 적량의 물을 가하여 필요한 농도로 만든 후, 경구 투여 또는 직장 내 주입 2) 검사부위 별 용량 - 식도 : 40~60ml	1) 소화관 조영에 사용함. 2) 체내로 흡수되지 않아 전신적인 반응을 나타내지 않음. 3) 솔로탑HD : Powder 제형으로 최대농도 240%(w/v)까지 조제 가능, 고농도, 고밀도, 저점성으로 이중조영술 검사에 적합 (조기위암 진단)	- 변비(검사 후 필요시 수분섭취, 하제투여 가능), 장폐색, 장중첩증, 설사, 궤양형성, 장천공, 과량	<금기> 1) 소화관 천공, 소화관 급성 출혈, 소화관 폐색 환자 2) 극도의 전신 쇠약 환자 <주의> 1) 소화관 천공 생길 수 있는 장질환, 소화관 누공, 협착이

약품명 및 함량	용법	약리작용 및 효능	부작용	주의 및 금기
375g/EA	- 위, 십이지장 : 100~150ml - 소장 : 150~200ml - 대장 : 250~500ml(500~1,000ml 물로 희석)		흡입시 폐렴, 결절 육아종	있거나 의심되는 환자, 장관게실 환자 2) 알레르기 질환 및 조영제 알레르기 병력 3) 중증 고혈압, 심장질환 환자 4) 잘 삼키지 못하는 환자(경구) 5) 임신부, 수유부, 소아: 안전성 미확립 〈취급상 주의〉 1) 사용 전 잘 흔들어 복용
Barium sulfate Easy-SB susp 이지에스비현탁액 …0.3g/ml, 450ml/BT Solotop susp 70 솔로탑액70 …0.7g/ml, 500ml/BT Raydix soln 140g 레딕스액 …1.4g/ml, 300ml/BT	1) 검사부위 및 방법에 따라 그대로 또는 적량의 물을 가하여 투여 2) 표준 용량 ① 경구 복용 - 식도: 50~150% w/v, 10~150ml - 위-십이지장: 30~200% w/v, 10~300ml - 소장: 30~150% w/v, 100~300ml (통상 250ml) ② 직장내 투여 - 대장: 20~130% w/v, 200~2,000ml	1) 소화관 조영제 2) 체내로 흡수되지 않아 전신적인 반응을 나타내지 않음 3) 이지에스비현탁액: 소장 전용 조영제로 소장조영에 적합한 농도(30% w/v)이므로 사용시 희석이 불필요함 4) 솔로탑액70: 대장조영에 적합한 농도의 제제 (70%(w/v))	- 변비(검사 후 필요시 수분섭취, 하제 투여 가능), 장폐색, 장중첩증, 설사, 궤양형성, 장천공, 과량 흡입시 폐렴, 결절 육아종	〈금기〉 1) 소화관 천공, 소화관 급성 출혈, 소화관 폐색 환자 2) 극도의 전신 쇠약 환자 〈주의〉 1) 소화관 천공 생길 수 있는 장질환, 소화관 누공, 협착이 있거나 의심되는 환자, 장관게실 환자 2) 알레르기 질환 및 조영제 알레르기 병력 3) 중증 고혈압, 심장질환 환자 4) 잘 삼키지 못하는 환자(경구) 5) 임신부, 수유부, 소아: 안전성 미확립 〈취급상 주의〉 1) 사용 전 잘 흔들어 복용

약품명 및 함량	용법	약리작용 및 효능	부작용	주의 및 금기
1ml 중 $MgCO_3$ 43mg, Anhydrous citrate 78mg **Magcorol soln** 마크롤액 …250ml/BT	1) 1회 250ml를 검사 10~15시간 전에 복용	1) Mg염은 사하작용, citric acid는 기포 발생작용 2) 적응증: 대장검사(X선, 내시경), 직장경검사, 정맥요로조영, 복부외과 수술시의 전처치용 하제	- 복통, 구역, 구토, 복부팽만감, 복명 - 열감, 조홍, 마비, 안면창백, 혈압저하 - 현기증, 휘청거림, 탈력감, 불쾌감	〈금기〉 1) 신장애 환자 2) 장폐색 의심 및 중증의 단단한 뭉친 변이 있는 환자 3) 격심한 복통, 오심, 구토가 있는 환자 4) 중독성 거대결장 환자 5) 소아 〈주의〉 1) 연용을 피함(∵소장의 소화흡수 방해로 전신 영양 상태에 영향). 2) 탈수증상이 일어날 경우 수분을 충분히 섭취함 3) 순환기계 증상, 장출혈, 심장애, 고마그네슘혈증, 위절제 기왕력, 복부수술 병력, 중증 변비, 장관게실이 있는 환자 4) 고령자 5) 임신부 : 자궁수축유발로 조기분만의 위험성 있으므로 투여 권장하지 않음
1g 중 Sodium bicarbonate 0.48g, Tartaric acid 0.4g **Top Effervescent G Granule** 탑발포지과립 …4g/PK	1) 성인 : 연령, 위내 용적의 개인차, 조영의 체위에 따라 1회 1.2~4g을 소량의 물 또는 조영제와 함께 경구 투여	1) Sodium bicarbonate는 위산의 HCl과 반응 CO_2를 발생시켜(negative contrast), 다른 조영제(positive contrast)와 병용하여 double contrast에 사용됨. 2) Tartaric acid는 완화한 하제로 $BaSO_4$ 투여로 인한 변비를 해소함. 3) 적응증: 위 · 십이지장의 투시 촬영의 조영 보조제	- 위경련, 고창, 자극	〈금기〉 1) 소화관 천공, 급성 출혈환자 2) 나트륨 제한 식이 환자 〈주의〉 1) 소화관 누공, 협착, 폐색이 있거나 의심 환자, 소화관 천공 생길 위험이 있는 환자 2) 극도의 전신 쇠약 환자 3) 투시기간이 연장되는 경우는 적당량을 추가 투여함 4) 임신부, 소아: 안전성 미확립 〈취급상 주의〉 1) 강한 흡습성을 갖고 있으므로 습기를 피하여 보관

약품명 및 함량	용법	약리작용 및 효능	부작용	주의 및 금기
2L/1box 당 (A제: 4포+ B제: 4포) 1) A제(1포 중) Polyethylene glycol 3350 50g, Sodium sulfate anhydrous 3.75g, NaCl 1.3455g, KCl 0.5075g 2) B제(1포 중) Ascorbic acid 2.35g, Sodium ascorbate 2.95g **Coolprep powder** 쿨프렙산 …2L/BT	1) 조제법 ① 용기(500ml)에 A제와 B제 각 1포를 넣고 물을 가해 500ml로 만듬 (A제: 레몬향, B제: 무향, 신맛) ② 조제 용액은 500ml씩 총 4회 조제 2) 복용법 15분마다 250ml 1컵씩 복용 ① 분할 복용법 - 검사 전일 저녁 1L 복용 후 물 0.5L 추가섭취 - 검사 당일 아침 1L 복용 후 물 0.5L 추가섭취 (검사 시작 최소 1시간 전까지 완료) ② 비분할 복용법: 검사 전일 저녁 6시경 1L, 1.5시간 뒤 1L 복용 후 저녁 동안 물 1L 추가 섭취	1) 대장내시경, 대장X선 검사 시 전처치용 대장하제(장세척) 2) 작용기전 - Polyethylene glycol 3350(PEG): 위장관내 흡수되지 않고 삼투작용 - Ascorbic acid: 과량 복용 시 전부 흡수되지 않고 장내에 남아 삼투효과를 나타내어 PEG와 시너지 작용 나타냄.	(빈도 미확립) - 배고픔, 저인산혈증, 저칼륨혈증 - 수면장애, 어지럼증, 두통 - 상복부통, 복통, 구역, 복부팽만, 항문 불쾌감, 구토, 소화불량, 삼킴곤란 - 권태, 갈증, 흔하게 떨림, 불쾌감 - 혈중 중탄산염 감소, 혈중 칼슘 감소, 고칼슘혈증, 혈중 염화물 감소 또는 증가, 혈중 인산 증가, 간기능이상	〈금기〉 1) 소화관 폐색, 소화관 천공, 탈수증이나 중증 심부전, 활성기 암환자 또는 뚜렷한 점막손상을 가져올 수 있는 결장질환, 위배출장애, 장폐색증 환자 2) Glucose-6-phosphate dehydrogenase 결핍 환자 3) 의식불명 환자 4) 18세 미만 소아 : 안전성 미확립 〈주의〉 1) 장관 협착, 고도의 변비 환자 2) 고령자, 쇠약자 3) 구토반사가 저하된 환자, 의식불명, 반혼수상태의 환자 또는 역류나 흡인하기 쉬운 환자의 경우 특히 위장관 튜브로 투여시 주의 깊게 관찰 할 것 4) 심한 복부팽만감, 복통 호소 환자 5) 중증 궤양성대장염 환자 6) 임신부: Categoy C 〈상호작용〉 1) 다른 약물, 음식과 1시간 이상 간격 두고 복용 〈취급상 주의〉 1) 투여전에 다른 성분을 첨가해서는 안되며 용해시킨 후 냉장보관, 24시간 내에 사용할 것
4L 중 Polyethylene Glycol 3350 236g, Sodium sulfate anhydrous 22.74g, $NaHCO_3$ 6.74g, NaCl 5.86g, KCl 2.97g, (Na+ 11.51g, Cl− 4.97g 함유) **Colyte powder 4L**	1) 분말에 물을 가하여 용해시킨 후 추가로 물을 가하여 500ml 표선까지 채운 후 250ml씩 10분 간격으로 복용하여 전량(제품에 따라 4L 또는 2L)을 경구투여함. 2) 경구투여가 곤란할 경우 위장관 튜브로 투입 3) 투약 시 준비표(용법지시)를 첨부함	1) 대장경 검사, 직장경검사(탈장, 치질), 대장 X선, 정맥요로조영(IVP), 복부외과수술시의 전처치용 하제 2) 성인 위장관 검사 전처치용 : 4L 수용액 캡슐내시경, 전처치 미비로 추가 투여가 필요한 경우 : 2L 수용액	- 구역, 구토, 복부팽만감, 복부경련, 항문 자극이 나타날 수 있으나 증상은 대부분 일시적임.	〈금기〉 1) 소화관 폐색, 소화관 천공, 탈수증이나 중증 심부전, 활성기 암환자 또는 뚜렷한 점막손상을 가져올 수 있는 결장질환, 위축적이 있는 환자 2) 소아 : 안전성, 유효성 미확립 〈주의〉 1) 장관 협착, 고도의 변비 환자 2) 고령자, 쇠약자 3) 구토반사가 저하된 환자, 의식불명, 반혼수상태의 환자 또는 역류나 흡인하기 쉬운 환자의 경우 특히 위장관 튜브로 투여시 주의 깊게 관찰 할 것 4) 심한 복부팽만감, 복통 호소 환자

약품명 및 함량	용법	약리작용 및 효능	부작용	주의 및 금기
코리트산4L …4L/BT 2L중 Polyethylene glycol 3350 120g, sodium sulfate anhydrous 11.36g, $NaHco_3$ 3.36g, NaCl 2.92g, KCL 1.49g **Colonlyte powder 2L** 콜론라이트산2L …2L/BT				5) 중증 궤양성대장염 환자 6) 임신부 : Category C 〈상호작용〉 1) 이 약 투여 전 1시간 이내 복용한 경구제는 이 약으로 인해 위장관 흡수 저해 〈취급상 주의〉 1) 투여전에 용액에 다른 성분을 첨가해서는 안됨 2) 용해시킨 후 48시간 이내에 사용할 것

18장. 수액류(Fluids)

약품명 및 함량	용법	약리작용 및 효능	부작용	주의 및 금기
1L 중 $CaCl_2$ 176mg, KCl 1.193g, $MgCl_2$ 3.253g, NaCl 6.43mg **Cardioplegic soln 1** 심정지액1호 …1L/Bag …500ml/BT	1) 이 약 1L 당 8.4% 탄산수소나트륨 10ml를 가한 후 사용함. 2) 용액을 4℃로 냉각시켜 심혈관계에 주입(대동맥 차단 즉시 대동맥 기시부에 관류) 3) 초회관류량, 재관류량, 재관류 횟수, 체외 순환시간, 대동맥 차단시간, 주입 시 압력 등은 환자상태, 수술 진행상황에 따라 결정함.	1) 관상동맥내로 냉각하여 관류시 박동하고 있는 심장을 급속히 정지시키며 세포내액의 전해질 손실 및 acidosis를 시정함. 2) Ca^{2+} : Ca^{2+}불균형 시정, 세포막기능 유지 Mg^{2+} : ATP보존, myosine phosphate를 억제하여 심근세포막을 안정 K^{+} : 심근수축작용의 즉각적인 정지 효과 Na^{+} : 심근조직내 전체 이온의 조절 Cl^{-} : 용액의 electroneutrality 유지 3) 적응증 : 개심술시 심정지 및 심근 보호목적으로 사용되는 관류용액	– 심전도이상, 부정맥, 심실세동 – 과량 투여에 의해 조직의 부종	〈주의〉 1) 저체온 유지(심장 온도 모니터링) 2) 수술중 계속적인 심전도검사 3) 관류액을 우심방 또는 우심실의 절개창으로 흡입제거하지 않고 심폐기로 환원시 혈장 마그네슘 및 칼륨치 상승 〈취급상 주의〉 1) 정맥투여 금지 2) 탄산수소나트륨 혼합후 24 시간이내 사용
1L 중 $CaCl_2$ 2.2mg, Histidine 27.9289g, Histidine HCl 3.7733g, KCl 671mg, Ketoglutaric acid monopotassium salt 184.2mg, Mannitol 5.4651g, $MgCl_2$ 813.2mg NaCl 876.6mg, Tryptophan 408.5mg **Custodiol soln** 쿠스토디올액 …1L/Bag …5L/Bag	1) 심장 – 성인의 경우 5~8℃로 냉각시켜 정수압(심장으로부터 140cm 위)으로 투여 또는 관상동맥 내로 일정량씩 주입되는 펌프로 투여. – 심정지 후 수액병을 심장에서 50~70cm 높이로 낮추어 40~50mmHg가 되도록 함. – 총 주입 시간 : 균질 평형 상태에 도달을 위해 6~8분 소요 2) 신장 : 최대압 120mmHg로 하여 실시 3) 간 : 300ml/kg 4) 혈관 이식편 : 5~8℃로 냉각시킨 약물 50~100ml 중에 옮겨 보관	1) 세포내액 타입의 장기 보존액/심정지액으로 신경세포, 근육세포, 간, 신장, 내분비 기관과 혈관계의 모든 세포 조직의 활성화 과정을 억제 2) Histidine, tryptophan : buffer 작용 3) α-ketoglutarate: 심장의 허혈 상태 및 심장이 재작동시 호기성 대사의 기질로 작용 4) Mannitol : 삼투압 조절로 세포부종 억제, 활성 산소 매개물을 제거 또는 억제하여 세포 손상을 예방 5) 적응증 – 개심술시 심정지 – 심장, 간, 신장을 장기제공자에게서 수혜자로 운반시, 심장, 간 신장의 in situ 수술시 장기보호 및 표면냉각 – 혈관이식편 보호 목적	– 문헌상, 시판 후 조사 결과 확인된 부작용 없음.	〈금기〉 1) 전신 관류용 사용금지 〈주의〉 1) 전신순환 유입시 전해질 농도변화 유발가능(저칼슘, 저나트륨, 고칼륨, 고마그네슘) 2) 임신부, 수유부: 안전성 미확립 〈취급상 주의〉 1) 8~15℃, 차광보관

18장. 수액류 ……………………2. Irrigation solutions

〈부록(일반 수액제 일람표) 참고〉

18장. 수액류 ……………………3. IV solutions

〈부록(일반 수액제 일람표) 참고〉

1. 일반 수액제 일람표

약품명			성분 규격	Dextrose	D-mannitol	Penta-starch	Dextran	Glycerin	Fructose	NaCl	KCl	$CaCl_2$	$MgCl_2$	Sod. Lactate	Sod. Acetate	malate	Sod. Gluconate	(mEq) Na^+	K^+	Ca^{2+}	Mg^{2+}	Cl^-	lactate	acetate	malate
당질류	5% Dextrose water	포도당주사액5%	0.05L	2.5g																					
			0.1L	5g																					
			0.2L	10g																					
			0.5L	25g																					
			1L	50g																					
	10% Dextrose water	포도당주사액10%	0.5L	50g																					
			1L	100g																					
	50% Dextrose water	50%포도당주	0.1L	50g																					
			0.5L	250g																					
	Mannitol	디-만니톨주사액20%	0.1L		20g																				
			0.25L		50g																				
	Glyfurol	글리푸롤주	0.2L					20g	10g	1.8g								31				31			
			0.5L					50g	25g	4.5g								77				77			
혈액대용제	Dextran 40-dex	덱스트란40덱스주	0.5L	25g			50g																		
	2.5% Dextrose Half saline	하푸솔주사	1L	25g						4.5g								77				77			
	5% Dextrose saline	5%포도당가생리식염액	0.5L	25g						4.5g								77				77			
			1L	50g						9g								154				154			
	10% Dextrose saline	10%포도당가생리식염액	1L	100g						9g								154				154			
	Hartmann dex	하트만덱스주사액	0.5L	25g						3g	0.15g	0.1g		1.55g				65	2	1.35		55	14		
			1L	50g						6g	0.3g	0.2g		3.1g				130	4	2.7		110	28		
	Hartmann's Soluton	하트만액	0.5L							3g	0.15g	0.1g		1.55g				65	2	1.35		54.5	14		
			1L							6g	0.3g	0.2g		3.1g				130	4	2.7		109	28		
	Plasma solution A	플라스마솔루션에이주	1L							5.26g	0.37g		0.3g		3.68g		5.02g	140	5		3	98		27	
	6% Volulyte	볼루라이트주6%	0.5L			30g				3.01g	0.15g		0.15g		2.315g			68.5	2		1.5	55		17	
	6% Tetraspan	테트라스판주6%	0.5L			30g				3.125g	0.15g	0.185g	0.1g		1.635g	0.335g		70	2	2.5	1	59		12	5
	10% Pentaspan	펜타스판주10%	0.5L			50g				4.5g								77				77			
전해질류	1:2 Soln	염화나트륨포도당주(1-2)	0.5L	16.65g						1.5g								25.9				25.9			
	1:4 Soln	염화나트륨포도당주(1-4)	0.5L	20g						0.9g								15.4				15.4			
	5% Dextrose Na,K	5%포도당가엔에이케이주1	1L	50g						4.5g	2.2g (30mEq)							77	30			107			
		5%포도당가엔에이케이주2	1L	50g						4.5g	1.5g (20mEq)							77	20			97			
	0.9% NaCl Na.K	0.9%엔에이시엘.케이40주	1L							9g	3g (40mEq)							154	40			194			
	0.9% NaCl	생리식염주사액	0.02L							0.18g								3.1				3.1			
			0.03L							0.27g								4.6				4.6			
		멸균생리식염수	0.05L							0.45g								7.7				7.7			
			0.1L							0.9g								15.4				15.4			
			0.15L							1.35g								23.1				23.1			
			0.2L							1.8g								31				31			
			0.25L							2.25g								38.5				38.5			
			0.5L							4.5g								77				77			
			1L							9g								154				154			
	3% NaCl	3%염화나트륨액	0.5L							15g								257				257			
	0.45% NaCl	염화나트륨주0.45%	1L							4.5g								77				77			
	Irrigation Saline	멸균생리식염수	0.1L							0.9g								15.4				15.4			
			1L							9g								154				154			
		관류용멸균생리식염수	1L							9g								154				154			
		멸균생리식염수	3L							27g								462				462			
	Distilled water	멸균증류수	0.005L																						
			0.01L																						
			0.02L																						
			0.1L																						
			1L																						
		관류용멸균증류수	1L																						

1장 2장 3장 4장 5장 6장 7장 8장 9장 10장 11장 12장 13장 14장 15장 16장 17장 18장 부록 index

2. 아미노산 수액제 일람표

약품명				FreAmine 8.5%	Topanusol 10%	Nephrisol	Hepatamine	Glamin	Dipeptiven	Trophamine 6%	Primene 10%
				후리아민8.5%주	토파뉴솔10%주	네프리솔주	헤파타민주	글라민주	디펩티벤주	트로파민6%주	프라이멘10%주사
규 격				500ml	500ml	250ml	500ml	500ml	100ml	100ml(200ml)	100ml
함량	Amino Acids (mg)	Essential (EAA)	L-Lysine	3,100	4,390	1,595	3,050	4,500		490(980)	1,100
			L-Leucine*	3,850	6,250	2,200	5,500	3,950		840(1,680)	1,000
			L-Isoleucine*	2,950	2,800	1,400	4,500	2,800		490(980)	670
			L-Methionine	2,250	1,750	2,200	500	2,800		200(400)	240
			L-Phenylalanine	2,400	4,675	2,200	500	2,925		290(580)	420
			L-Threonine	1,700	3,250	1,000	2,250	2,800		250(500)	370
			L-Tryptophan	650	650	500	330	950		120(240)	200
			L-Valine*	2,800	2,250	1,600	4,200	3,650		470(940)	760
		Nonessential (NEAA)	L-Arginine	4,050	3,950		3,000	5,650		730(1,460)	840
			L-Histidine	1,200	3,000	625	1,200	3,400		290(580)	380
			L-Proline	4,750	1,650		4,000	3,400		410(820)	300
			L-Alanine	3,000	3,100		3,850	8,000		320(640)	800
			L-Glutamic acid		3,250			2,800		300(600)	1,000
			Glycine (Aminoacetic acid)	5,950	5,350		4,500			220(440)	400
			L-Cysteine HCl	100	500	50	100			20(40)	189
			L-Tyrosine		175					44(88)	45
			L-Aspartic acid		1,900			1,700		190(380)	600
			L-Serine	2,500	1,100		2,500	2,250		230(460)	400
			L-Acety-L-Tyrosine							120(240)	
			L-Acetyl-L-Cysteine								
			Glycyl-L-Glutamine					15,135			
			Glycyl-L-Tyrosine					1,725			
			Taurine							15	60
			L-Ornithine HCl								318
			L-Alanyl-L-Glutamine						20,000		
			총 아미노산 (농도)	41,250mg 8.5%	49,990mg 10%	13,370mg 5.4%	39,980mg 8%	68,435mg 13.4%	20,000mg 20%	6,039(12,078)mg 6%	10,092mg 10%
	Electrolytes (mg)		Magnesium acetate								
			Potassium Chloride								
			Sodium Hydroxide								
			Sodium Acetate								
			Sodium Bisulfite	500	100	125	500			50(100)	
	Electrolytes (mEq/L)		Mg^{2+}								
			Acetate	72		44	62	63		56	
			K^{+}								
			Na^{+}	10	2.5	5	10			5	
			Cl^{-}	3		3	3			3	
			Maleate								
			$Phosphate^{3-}$ (mmol/L)	10			10				
			Citrate					1,265			
Total calorie (kcal) (ml당 calorie)				약 170 0.34	약 200 0.4	약 54 0.22	160 0.32	약 274 0.55	약 80 0.8	약 24(48) 0.24	약 40 0.4

* Branched chain amino acid (BCAA)

약 품 명	FreAmine 8.5% 후리아민8.5%주	Topanusol 10% 토파뉴솔10%주	Nephrisol 네프리솔주	Hepatamine 헤파타민주	Glamin 글라민주	Dipeptiven 디펩티벤주	Trophamine 6% 트로파민6%주	Primene 10% 프라이멘10%주사
용도	1) 소화흡수(특히 단백질) 장애가 장기간 있을 때 2) 단백질의 전신투여가 필요할 때 정맥투여(체내 nitrogen balance와 Calorie 공급목적)							
적응증	저단백혈증, 저영양상태, 수술전후의 아미노산 보급	저단백혈증, 저영양상태, 수술전후의 아미노산 보급	급, 만성 신부전 환자의 아미노산 보급	급, 만성 간장애에 의한 뇌증의 개선, 간장애 환자의 아미노산 보급	(정맥영양요법) 중등도~중증 이화상태 환자의 아미노산 보급	(정맥영양요법) 아미노산 함유 수액에 보충하여 글루타민 보급	유소아에서 저단백혈증, 저영양상태, 수술전후의 아미노산 보급	(정맥영양요법) 유소아, 신생아, 조산아의 비경구 영양 보급
특징	일반	고농도 아미노산 수액제 (TPN용)	신장애 환자용	간장애 환자용 (BCAA 함량 높임)	Glutamine 보급 (중환자용)	Glutamine 보급 단일제 (중환자용)	소아용 아미노산 수액제	고농도 소아용 아미노산 수액제 (TPN용)
금기	1) 간성혼수 또는 간성혼수 우려자 2) 중증 신장애 환자(핍뇨 또는 무뇨증, 저장성 탈수증) 3) 고질소혈증 또는 질소이동을 저해하는 대사장애 환자 4) 소모성 심부전증 5) 폐부종 6) 젖산 Acidosis 및 산증 환자 7) 중증 근무력증 8) 고나트륨혈증, 알칼리증 환자, 염소혈증, 빈뇨나 무뇨증 등 신부전 환자 9) 심근경색 및 병력 있는 환자							
주의	1) 고도의 Acidosis 2) Na^+ 투여로 문제가 되는 경우(CHF, 중증신부전) 3) K^+ 투여로 문제가 되는 경우 4) 간장애, 신장애(BUN 상승)							
부작용	1) 과민증 2) 오심, 구토 3) 심계항진, 빈맥, 혈압강하 4) Acidosis 5) 혈전성 정맥염 6) 급속투여시 intolerance, 오한, 구역, 구토, 홍조, 발한 7) 대사성 합병증 (대사성 산증, 저인산혈증, 알칼리증, 고혈당, 당뇨병, 고암모니아혈증, 간효소 상승 등) 8) 일시적인 간효소 상승으로 인한 설사, 두통, 마비, 체온상승, 가려움, 열감 등의 증상							

3. 완제품 TPN 일람표

❖ 중심정맥용 완제품 TPN

상품명			Olimel N9E (for central vein) 올리멜 N9E주		Smofkabiven (for central vein) 스모프카비벤주			Combiflex (for central vein) 콤비플렉스주
Total Volume (ml)			1000	1500	986	1477	1970	1000
층구성	1층 (포도당)	Vol. (ml)	400	600	298	446	595	500
		Wt. (g)	110	165	125	187	250	250
		% of total	11%		12.67%	12.66%	12.69%	25%
	2층 (아미노산)	Vol. (ml)	400	600	500	750	1000	500
		Wt. (g)	56.9	85.4	50	75	100	50
		% of total	5.69%		5.07%	5.07%	5.08%	5%
	3층 (지질)	Vol. (ml)	200	300	188	281	375	
		Wt. (g)	40	60	38	56	75	
		% of total	4%		3.85%	3.79%	3.81%	
Electrolytes	Na^{+}(mEq)		35	52.5	40	60	80	53.4
	K^{+}(mEq)		30	45	30	45	60	40
	Mg^{2+}(mEq)		8	12	10	15	20	6.3
	Ca^{2+}(mEq)		7	10.5	5	7.6	10	5.6
	Cl^{-}(mEq)		45	68	35	52	70	43.8
	SO_4^{2-}(mEq)				10	15	20	
	Acetate(mEq)		54	80	104	157	209	45
	Phosphate(mmol)		15	22.5	12	19	25	15
	Zn^{2+}(mmol)				0.04	0.06	0.08	
N (Nitrogen) (g)			9	13.5	8.0	12.0	16.0	8.0
NPC (Non Protein Calorie) (kcal)			840	1260	878	1313	1754	1000
NPC/N			93		110	109	110	125
Total Calorie (kcal)			1070	1600	1078	1613	2154	1200
kcal/ml			1.07		1.09			1.2
삼투압 (mOsmol/L)			1310		1500			1995
pH			6.4		5.6			5.4
혼합 후 안정성			냉장 24시간		냉장 24시간			실온 24시간

❖ 말초정맥용 완제품 TPN

상품명		Combi-flex peri 콤비플렉스 페리주	Nutriflex lipid peri 뉴트리플렉스 리피드 페리주		Periolimel N4E 페리올리멜 N4E주			Smofkabiven peri 스모프카비벤 페리페랄주		
Total Volume (ml)		1100	1250	1875	1000	1500	2000	1206	1448	1904
층 구성 1층 (포도당)	Vol. (ml)	500	500	750	400	600	800	656	788	1036
	Wt. (g)	120	80	120	75	112.5	150	85	103	135
	% of total	10.91%	6.4%		7.5%			7.04%	7.11%	7.09%
층 구성 2층 (아미노산)	Vol. (ml)	600	500	750	400	600	800	380	456	600
	Wt. (g)	20.7	40	60	25.3	37.95	50.6	38	46	60
	% of total	1.88%	3.2%		2.5%			3.15%	3.18%	3.15%
층 구성 3층 (지질)	Vol. (ml)		250	375	200	300	400	170	204	268
	Wt. (g)		50	75	30	45	60	34	41	54
	% of total		4%		3%			2.82%	2.83%	2.84%
Electrolytes	Na^+(mEq)	37.5	50	75	21	32	42	30	36	48
	K^+(mEq)	25	30	45	16	24	32	23	28	36
	Mg^{2+}(mEq)	5	6	9	4.4	6.6	8.8	7.6	9.2	12.2
	Ca^{2+}(mEq)	4.5	6	9	4	6	8	3.8	4.6	6.0
	Cl^-(mEq)	43.5	48	72	24	37	49	27	32	42
	SO_4^{2-}(mEq)							7.6	9.2	12.2
	Acetate(mEq)	47	40	60	27	41	55	79	96	125
	Phosphate(mmol)	7.5	7.5	11.3	8.5	13	17	9.9	11.9	15.6
	Zn^{2+}(mmol)		0.03	0.045				0.03	0.03	0.05
N (Nitrogen) (g)		3.3	5.7	8.6	4	6	8	6.2	7.4	9.8
NPC (Non Protein Calorie) (kcal)		462	795	1195	600	900	1200	681	822	1078
NPC/N		140	139.5	139.8	150			110	111	110
Total Calorie (kcal)		547	955	1432.5	700	1050	1400	833	1006	1318
kcal/ml		0.5	0.76		0.7			0.69		
삼투압 (mOsmol/L)		878	840		760			850		
pH			5.5		6.4			5.6		
혼합 후 안정성		실온 24시간	-		냉장 24시간			냉장 24시간		

4. 전해질 주사제 일람표

상품명	염화칼륨-20 주사	염화나트륨-40 주사	3% 염화나트륨액	포스텐주	염카루주3%	글루콘산칼슘주사	황산마그네슘주사	탄산수소나트륨주사
성분 함량	Potassium chloride 1.5g/20ml/P	Sodium chloride 2.34g/20ml/P (11.7%)	Sodium chloride 15g/500ml/BT (3%)	Potassium phosphate monobasic 2.7g/20ml/P	Calcium chloride 600mg/20ml/P (3%)	Calcium gluconate 2g/20ml/P (10%)	Magnesium sulfate 2g/20ml/P (10%)	Sodium bicarbonate 1.68g/20ml/A
	K^+ 780mg (20mEq)	Na^+ 920mg (40mEq)	Na^+ 5900mg (257mEq)	K^+ 780mg (20mEq) P 620mg (20mmol)	Ca^{2+} 162mg (8.16mEq)	Ca^{2+} 186mg (9.3mEq)	Mg^{2+} 16.24mEq	HCO_3^- 20mEq
삼투압	2mOsm/ml	4mOsm/ml	513mOsm/500ml	2mOsm/ml	0.612mOsm/ml	0.68mOsm/ml	0.812mOsm/ml	2mOsm/ml
투여경로	IV infusion	IV infusion	IV infusion	IV infusion	IV bolus (매우 천천히) Intermittent or continuous IV infusion over 1hr, central line preferred		IM, IV infusion IV bolus (매우 천천히)	IV infusion
희석수액	반드시 희석 (5DW, NS, Ringer)	반드시 희석 (5DW, NS, Ringer)	희석 불필요	반드시 희석 (5DW, NS)	그대로 또는 희석(보통 희석하여 사용) (5DW, NS, Ringer)			희석 (5DW, NS)
희석농도	- 말초정맥용 40mEq/L (Max. 100mEq/L) - 중심정맥용 60mEq/L (Max. 200mEq/L) (중환자 Max. 400mEq/L)	적량에 희석		K^+ 투여량에 따라 결정	Max. 20mg/ml	적량에 희석	적량에 희석	적량에 희석
용법 용량	1) 성인 ① serum K〈2mEq/L - Max. 400mEq/D - 투여속도 40mEq/hr 이하 (중심정맥으로 투여) ② serum K≥2mEq/L - Max. 200mEq/D - 투여속도 10mEq/hr 이하 2) 소아 - 0.5~1mEq/kg/회 (Max. 40mEq/회) - 투여속도 1mEq/kg/hr 또는 40mEq/hr 이하	1) 성인 ① 저나트륨혈증 체액 및 전해질, 연령, 체중, 증상에 따라 환자별로 투여량을 결정함 * Sodium deficiency(mEq/kg) = [% dehydration(L/kg)/100 × 70(mEq/L)] + [0.6(L/kg) × (140−serum Sodium)(mEq/L)] ② 급성, 중증 저나트륨혈증 * Sodium(mEq) = [desired sodium(mEq/L) − actual sodium(mEq/L)]× [0.6 × wt(kg)] - 신속 교정시 desired sodium을 125mEq/L로 함 - Serum sodium 증가량은 신속 교정시 5mEq/L/dose, 무증상 환자의 점진 교정시 10mEq/L/D가 되도록 함 2) 소아 - 3~4mEq/kg/D (Max. 100−150mEq/D)		1) 성인 ① 무증상성 저인산혈증 (serum P 〈1mg/dL) : 0.08mmol/kg over 6hrs ② TPN 투여중인 trauma 중환자 - (serum P 2.3~3mg/dL) : 0.32mmol/kg over 4~6hrs - (serum P 1.6~2.2mg/dL) : 0.64mmol/kg over 4~6hrs - (serum P 〈1.5mg/dL) : 1mmol/kg over 8~12hrs 2) 소아 - 1.5~2mmol/kg/D	저칼슘혈증 1) 성인 - 0.4~1g/D IV (매우 천천히) 2) 소아 - 권장: 2.7~5mg/kg IV - 10~20mg/kg, IV (5~10분에 걸쳐) or IV inf. (Max. 200mg/kg/D) - IV: 천천히 투여 (Max. 100mg/min이하) - IV inf.: 45~90mg/kg/hr (0.6~1.2mEq/kg/hr) - 2.5mEq/min보다 빠르게 투여 시 ECG 모니터링	저칼슘혈증 1) 성인 - 0.4~2g IV (매우 천천히) - 2~15g/D, IV inf. 2) 소아 - 60~500mg/kg/D, IV inf. or #2~4로 IV - IV: 1.5ml/min 이하 (Max. 2~3g/dose)	저마그네슘혈증 1) 성인 - 1~5g/D, IM or IV 2) 소아 - 25~50mg/kg, 3~4회/D (Max. 2g/D) - IV: 150mg/min 이하 - IV inf.: 2g/hr (응급 상황 시 ~4g/hr)	대사성 산증 1) 성인 * 필요량 HCO_3^-(mEq) = Base deficit(mEq/L) × 0.2 × 체중(kg) 2) 소아 * 필요량 HCO_3^-(mEq) = Base deficit(mEq/L) × 0.3 × 체중(kg) 비응급성 대사성산증 - 2~5mEq/kg, 4~8시간에 걸쳐 IV inf. - 신생아: 2% 이하로 희석하여 1mEq/min 이하 IV inf
주의사항	- 희석농도≥40mEq/L 이상: infusion pump나 속도조절 장치를 사용하여 투여 - 소아〉0.5mEq/kg/hr, 성인〉10mEq/hr로 투여할 경우 지속적으로 심전도 모니터링	- 3% 염화나트륨액: 100ml/hr 이하로 속도로 투여 (중심정맥으로 투여하도록 권장)		- 투여속도: K^+으로 20mEq/hr 이하로 투여	- 혈청칼슘농도는 12mg/dl를 넘지 말아야 함 - 결정 석출 제품은 사용하지 말 것			- 한랭시 결정이 석출될 수 있으나 따뜻하게 하여 결정을 용해시킨 후 사용함

5. 항암제 안정성 정보

성분명 (상품명)	함량/규격 (보관온도)	문헌상 기준 (보관온도)	재구성				희석		차광 여부	희석후 보관온도
			용매량 (주사용 증류수)	농도	안정성		안정성			
					실온	냉장	실온	냉장		
Aldesleukin (Proleukin inj) 프로류킨주	18,000 KIU/V (차광, 냉장)	차광, 냉장 (2~8℃)	18,000 KIU+1.2 ml	18,000 KIU/ml	24hr	24hr	48hr (5DW only)	48hr (5DW only)	O	냉장
Arsenic trioxide (Trisenox inj) 트리세녹스주	10 mg/10 ml/A (실온)	실온 (15~30℃)		1 mg/ml			24hr (5DW,NS)	48hr (5DW,NS)	X	실온
L-asparaginase (Leunase inj) 로이나제주	10,000 K.U./V (냉장) (실온, 48hr)	냉장 (2~8℃)	10,000 K.U.+2 ml (NS only)	5,000 K.U./ml		8hr	8hr (NS) 3hr (5DW)	8hr (NS)	X	냉장
Azacitidine (Vidaza inj) 비다자현탁주사용분말	100 mg/V (실온)	실온 (15~30℃)	100 mg+4 ml	25 mg/ml	1hr	8hr			X	냉장
Belotecan (Camtobell inj) 캄토벨주	2 mg/V (차광, 실온)	차광, 실온 (1-30℃)	2 mg+4 ml (5DW only)	0.5 mg/ml	6hr		6hr (5DW Only)		O	실온
Bendamustine HCl (Symbenda inj) 심벤다주	25 mg/V 100 mg/V (실온)	차광, 실온 (25℃ 이하)	25 mg+10 ml 100 mg+40 ml	2.5 mg/ml	3.5hr		3.5hr (NS Only)	48hr (NS Only)	X	냉장
Bevacizumab (Avastin inj) 아바스틴주	100 mg/4 ml/V 400 mg/16 ml/V (냉장)	냉장 (2~8℃)		25 mg/ml			24hr (NS Only)	24hr (NS Only)	O	냉장
Bortezomib(IV용) (Velcade inj) 벨케이드주	15 mg/V (실온)	실온 (1~30℃)		15 mg+7.5 ml (W, 5DW, NS) (단, 5DW안정성 불안정)	2 mg/ml	24hr	24hr (5DW,NS)	24hr (5DW,NS)	X	실온

성분명 (상품명)	함량/규격 (보관온도)	문헌상 기준 (보관온도)	재구성				희석		차광 여부	희석후 보관온도
			용매량 (주사용 증류수)	농도	안정성		안정성			
					실온	냉장	실온	냉장		
Bortezomib(SC용) (Velcade inj) 벨케이드주	3.5 mg/V (차광, 실온)	차광, 실온 (15~30℃)	3.5 mg+1.4 ml (NS Only)	2.5 mg/ml	8hr				X	실온
Brentuximab vedotin (Adcetris inj) 애드세트리스주	50 mg/V (냉장)	냉장 (2~8℃)	50 mg+10.5 ml	5 mg/ml		24hr		24hr (5DW,NS)	X	냉장
Busulfan (Busulfex inj) 부설펙스주	60 mg/10 ml/V (냉장)	냉장 (2~8℃)		6 mg/ml			8hr (5DW,NS)	12hr (NS)	X	냉장
Cabazitaxel (Jevtana inj) 제브타나주	60 mg/1.5 ml/V (실온)	실온 (15~30℃)	60 mg/1.5 ml +4.5 ml (첨부용제)	10mg/ml	0.5hr		8hr (5DW,NS)	24hr (5DW,NS)	X	냉장
Carboplatin (Neoplatin inj) 네오플라틴주	450 mg/45 ml/V (차광, 실온)	차광, 실온 (25℃이하)		10 mg/ml			8hr (5DW,NS)	8hr (5DW,NS)	O	실온
Cetuximab (Erbitux inj) 얼비툭스주	100 mg/20 ml/V (냉장)	냉장 (2~8℃)		5 mg/ml			48hr (NS Only)	48hr (NS Only)	X	실온
Cisplatin (Cisplan inj) 씨스푸란주	10 mg/20 ml/V 50 mg/100 ml/V (차광, 실온)	차광, 실온 (1~30℃)		0.5 mg/ml			24hr (NS, 2.5DS) 72hr (with Mannitol)		O	실온
Cladribine (Leustatin inj) 류스타틴주사액	10 mg/10 ml/V (차광, 냉장)	차광, 냉장 (2~8℃)		1 mg/ml			24hr (NS Only)	8hr (NS Only)	X	실온

성분명 (상품명)	함량/규격 (보관온도)	문헌상 기준 (보관온도)	재구성				희석		차광 여부	희석후 보관온도
			용매량 (주사용 증류수)	농도	안정성		안정성			
					실온	냉장	실온	냉장		
Clofarabine (Evoltra inj) 에볼트라주	20 mg/20 ml/V (실온)	실온 (15~30℃)		1 mg/ml			24hr (5DW,NS)	24hr (5DW,NS)	X	냉장
Cyclophosphamide (Endoxan inj) 엔독산주	500 mg/V (실온)	실온 (1~25℃)	500 mg+25 ml	20 mg/ml		24hr	6hr (5DW, NS)	24hr (5DW, NS)	X	냉장
Cytosine arabinoside (Cytosar-U) 싸이토사유주 (Cytarabine inj) 시타라빈주	100 mg/V (실온) 1 g/10 ml/V 2 g/20 ml/V (실온)	싸이토사유주 :실온(20~25℃) 시타라빈주 :차광, 실온(15~30℃)	싸이토사유주 :100 mg+5 ml	20 mg/mll	48hr		48hr (5DW,NS)		X	실온
Dacarbazine (DTI inj) 디티아이주	100 mg/V 200 mg/V (차광, 냉장)	차광, 냉장	100 mg+9.9 ml 200 mg+19.7 ml	10 mg/ml	8hr	72hr	24hr (5DW,NS)	24hr (5DW,NS)	O	냉장
Daunorubicin (Daunocin inj) 다우노신주	20 mg/V (실온)	실온 (1~30℃)	20 mg+4 ml	5 mg/ml	24hr	48hr	24hr (5DW,NS)	24hr (5DW,NS)	O	실온
Decitabine (Dacogen inj) 다코젠주	50 mg/V (실온)	실온 (25℃ 이하)	50 mg+10 ml	5 mg/ml			15분 (5DW,NS)	4hr (5DW,NS)	X	냉장
Docetaxel (Taxotere-1 vial inj) 탁소텔1-바이알주	20 mg/1 ml/V 80 mg/4 ml/V (차광, 2~25℃)	차광, 냉장 or 실온 (2~25℃)		20 mg/ml			6hr (5DW,NS)		X	실온
Doxorubicin (Adriamycin RDF inj) 아드리아마이신RDF	10 mg/V 50 mg/V (냉암소, 15℃이하)	냉암소 (실온에서 30일 안정)	10 mg+5 ml 50 mg+25 ml	2 mg/ml	7일 (차광)	15일 (차광)	48hr (5DW,NS)	48hr (5DW,NS)	O	냉장

성분명 (상품명)	함량/규격 (보관온도)	문헌상 기준 (보관온도)	재구성				희석		차광 여부	희석후 보관온도
			용매량 (주사용 증류수)	농도	안정성		안정성			
					실온	냉장	실온	냉장		
Doxorubicin (Adriamycin PFS inj) 아드리아마이신PFS	10 mg/5 ml/V 50 mg/25 ml/V (차광, 냉장)	차광, 냉장 (2~8℃)		2 mg/ml			48hr (5DW,NS)	48hr (5DW,NS)	O	냉장
Epirubicin (Epirubicin HCl inj) 에피루비신염산염주	10 mg/5 ml/V 50 mg/25 ml/V (냉장)	냉장 (4~8℃)		2 mg/ml			24hr (5DW,NS)	48hr (5DW,NS)	O	냉장
Etoposide (E.P.S inj) 이피에스주	100 mg/5 ml/V (실온)	실온 (1~30℃)		20 mg/ml			24hr (5DW,NS) (농도에 따라 안정성 시간 다름)		X	실온
Eribulin mesylate (Halaven inj) 할라벤주	1 mg/2 ml/V (실온)	실온 (25℃이하)		0.5 mg/ml			4hr (syringe)	24hr (NS Only)	X	냉장
Fludarabine (Fludara inj) 플루다라주	50 mg/V (실온)	실온 (30℃ 이하)	50 mg+2 ml	25 mg/ml	8hr	8hr	8hr (5DW,NS)	24hr (5DW,NS)	X	실온
5-Fluorouracil (5-FU inj) 5-에프유주	500 mg/10 ml/V 1 g/20 ml/V (차광, 실온)	차광, 실온 (1~30℃)		50 mg/ml			43hr(bag) 7hr(glass) 24hr(syringe) (5DW,NS)		O	실온
Gemcitabine (Gemtan inj) 젬탄액산주	200 mg/5.26 ml/V 1 g/26.3ml/V (냉장)	냉장 (2~8℃)		38 mg/ml			24hr (NS Only)		X	실온
Idarubicin (Zavel inj) 자벨주사	5 mg/V (실온)	실온 (1~30℃)	5 mg+5 ml	1 mg/ml	72hr	7일	24hr (5DW,NS)	24hr (5DW,NS)	O	실온

성분명 (상품명)	함량/규격 (보관온도)	문헌상 기준 (보관온도)	재구성				희석		차광 여부	희석후 보관온도
			용매량 (주사용 증류수)	농도	안정성		안정성			
					실온	냉장	실온	냉장		
Ifosfamide (Holoxan inj) 홀록산주	1 g/V (실온)	실온 (25℃ 이하)	1 g+25 ml	40 mg/ml	7일	6주	48hr (5DW,NS)	48hr (5DW,NS)	X	실온
Ipilimumab (Yervoy inj) 여보이주	50 mg/10 ml/V 200 mg/40 ml/V (차광, 냉장)	차광, 냉장 (2~8℃)		5 mg/ml			24hr (5DW,NS)	24hr (5DW,NS)	X	실온
Irinotecan (Calmtop inj) 캄토프주	40 mg/2 ml/V 100 mg/5 ml/V (차광, 실온)	차광, 실온 (1~30℃)		20 mg/ml			6hr (5DW,NS)	24hr (5DW only)	O	냉장
Liposomal cytarabine (Depocyte inj) 데포사이트주사	50 mg/5 ml/V (냉장)	냉장 (2~8℃)		10 mg/ml			4hr (syringe)		X	실온
Liposomal doxorubicin (Caelyx inj) 케릭스주사	20 mg/10 ml/V (냉장)	냉장 (2~8℃)		2 mg/ml			24hr (5DW Only)	24hr (5DW Only)	O	냉장
Melphalan (Alkeran inj) 알케란주	50 mg/V (차광, 실온)	차광, 실온 (1~30℃)	50 mg+10 ml (첨부용제)	5 mg/ml	1hr		1hr (NS Only)		O	실온
Methotrexate (Methotrexate inj) 메토트렉세이트주	50 mg/2 ml/V 500 mg/20 ml/V 5 g/50 ml/V (차광, 실온)	차광, 실온 (25℃ 이하)		25 mg/ml 25 mg/ml 100 mg/ml			48hr (5DW,NS)		O	실온
Mitomycin (Mitomycin-C kyowa inj) 미토마이신씨교와주	10 mg/V (실온)	실온 (1~30℃)	10 mg+20 ml	0.5mg/ml	7일	14일	12hr (NS Only)		O	실온

성분명 (상품명)	함량/규격 (보관온도)	문헌상 기준 (보관온도)	재구성				희석		차광 여부	희석후 보관온도
			용매량 (주사용 증류수)	농도	안정성		안정성			
					실온	냉장	실온	냉장		
Mitoxantrone (Mitrone inj) 미트론주	20 mg/10 ml/V (실온)	실온 (15~30℃)		2 mg/ml			24hr (5DW,NS)		O	실온
Nivolumab (Opdivo inj) 옵디보주	20 mg/2 ml/V 100 mg/10 ml/V (차광, 냉장)	차광, 냉장 (2~8℃)		10 mg/ml			4hr (5DW,NS)	24hr (5DW,NS)	O	냉장
Oxaliplatin (Oxapla inj) 옥사플라주	100 mg/20 ml/V (실온)	실온 (1~30℃)		5 mg/ml			6hr (5DW Only)	24hr (5DW Only)	X	냉장
Paclitaxel (Paxel inj) 파셀주	30 mg/5 ml/V 100 mg/16.7 ml/V 150 mg/25 ml/V (차광, 실온)	차광, 실온 (15~30℃)		6 mg/ml			27hr (5DW,NS)		X	실온
Pemetrexed (Alimta inj) 알림타주	100 mg/V 500 mg/V (실온)	실온 (1~30℃)	100 mg+4.2 ml 500 mg+20 ml (NS Only)	25 mg/ml	24hr	24hr	24hr (NS Only)	24hr (NS Only)	X	냉장
Pertuzumab (Perjeta inj) 퍼제타주	420 mg/14 ml/V (냉장)	냉장 (2~8℃)		30 mg/ml			24hr (NS Only)	24hr (NS Only)	X	냉장
Pralatrexate (Folotyn inj) 폴로틴주사	20 mg/1 ml/V (차광, 냉장)	차광, 냉장 (2~8℃)		20 mg/ml			24hr (syringe)		O	실온
Rituximab (Mabthera inj) 맙테라주	100 mg/10 ml/V 500 mg/50 ml/V (차광, 냉장)	차광, 냉장 (2~8℃)		10 mg/ml			12hr (5DW,NS)	24hr (5DW,NS)	O	냉장

성분명 (상품명)	함량/규격 (보관온도)	문헌상 기준 (보관온도)	재구성				희석		차광 여부	희석후 보관온도
			용매량 (주사용 증류수)	농도	안정성		안정성			
					실온	냉장	실온	냉장		
Temsirolimus (Torisel inj) 토리셀주	30 mg/1.2 ml/V (차광, 냉장)	차광, 냉장 (2~8℃)	30 mg/1.2 ml +1.8 ml (첨부용제)	10 mg/ml	24hr		6hr (NS only)		O	실온
Thiotepa (Tepadina inj) 테파디나주	15 mg/V 100 mg/V (차광, 냉장)	차광, 냉장 (2~8℃)	15 mg+1.5 ml 100 mg+10 ml	10 mg/ml		8hr	4hr (NS only)	24hr (NS only)	O	냉장
Topotecan (Hicamtin inj) 하이캄틴주	4 mg/V (차광, 실온)	차광, 실온 (1~30℃)	4 mg+4 ml	1 mg/ml		24hr	24hr (5DW,NS)	24hr (5DW,NS)	O	실온
Trastuzumab (Herceptin inj) 허셉틴주	150 mg/V (냉장)	냉장 (2~8℃)	150 mg+7.2 ml	21 mg/ml	즉시	48hr	24hr (NS 250ml bag only)	24hr (NS 250ml bag only)	X	냉장
Trastuzumab (Herceptin SC inj) 허셉틴피하주사	600 mg/5 ml/V (차광, 냉장)	차광, 냉장 (2~8℃)		120 mg/ml			6hr (syringe)	48hr (syringe)	X	냉장
Vinblastine (Velbastin inj) 벨바스틴주	10 mg/V (차광, 냉장)	차광, 냉장 (2~8℃)	10 mg+10 ml (첨부용제)	1 mg/ml		28일	24hr (5DW,NS)	24hr (5DW,NS)	O	냉장
Vincristine (Vincristine sulfate inj) 빈크리스틴황산염주	1 mg/1 ml/V 2 mg/2 ml/V (차광, 냉장)	차광, 냉장 (2~8℃) (실온에서 1개월)		1 mg/ml			24hr (NS only)	24hr (NS only)	O	냉장
Vinorelbine (Navelbine inj) 나벨빈주	10 mg/1 ml/V 50 mg/5 ml/V (차광, 냉장)	차광, 냉장 (2~8℃) (25℃실온에서 72시간 안정)		10 mg/ml			24hr (5DW,NS)		X	실온

Ref. 1. 제품설명서 2. Handbook on injectable Drugs(15th Ed.) 3. Drug Information Handbook(18th Ed.) 4. Drugdex(2016) 5. Drug Information Handbook for Oncology(13th Ed.)

6. 항암제 사용시 취급상의 주의점

약품명	성분 및 함량	취급상 주의점
Proleukin inj	Aldesleukin(rhIL-2) …18,000 KIU	1) DW에 희석하여 점적 IV 투여, SC 투여 2) 방부제를 함유한 주사용 정제수 및 NS는 응집 유발하므로 사용 금지 3) In-line filter 사용시 역가가 떨어지므로 사용하지 않음.
Trisenox inj	Arsenic trioxide …10 mg/10 ml/A	1) NS, DW에 희석하여 점적 IV투여 2) 혈관에 자극감 유발 가능
Leunase inj	L-Asparaginase …10,000 KU/V	1) NS, DW에 희석하여 점적 IV투여, IM 투여 2) Skin test : 5 IU/0.1 ml 피내주사(intradermal) 하여 30분~수시간 동안 이상이 없는 것 확인 후 투약 3) 희석 후 냉장 8시간 안정
Vidaza inj	Azacitidine …100 mg/V	1) 균등한 현탁액이 될 때까지 30초 정도 주사기를 돌린 후 SC 투여 2) 재구성된 약액은 실온 1시간, 냉장에서 8시간 보관가능 3) 여러 주사기에 분할하여 피하주사 시 예전 주사부위와 2.54 cm 이상 떨어진 곳에 주입
Onco Tice	BCG strain Tice …12.5 mg/V (2~8×108CFU)	1) 조제된 용액은 냉장-차광 보관 시 2시간 유효함. 2) NS 1 ml를 가해 현탁액이 되도록 잘 흔들어, 현탁액 1 ml를 50 ml 주사기로 옮긴 후 바이알을 NS 1 ml로 헹구어 50 ml 주사기에 합하고, 총 50 ml가 되도록 NS로 희석함. 3) IV, IM, SC 금기. 저장액 또는 고장액과 배합금기 (NS only) 4) 현탁액 주입 전 4시간 동안과 현탁액이 남아있는 2시간은 음료를 마시면 안됨. 5) 처음 사용시 PPD 피부 반응검사 실시
Camtobell inj	Belotecan …2 mg/V	1) 5DW 4 ml에 재구성, 5DW 100ml에 희석하여 점적 IV 투여 (NS 불가) 2) 희석 후 실온 6시간 안정
Symbenda inj	Bendamustine …25 mg/V …100 mg/V	1) NS 에 희석하여 점적 IV투여 (DW 불가) 2) 희석 후 실온 3.5시간 안정, 냉장 48시간 안정
Avastin inj	Bevacizumab …100 mg/4 ml/V …400 mg/16 ml/V	1) 처음에는 90분 동안 점적 IV투여 (내약성이 좋으면 두번째 투여시간을 60분으로 감소 가능. 이후 30분으로 감소 가능) 2) 희석액 : NS only (DW 배합금기) 3) IV bolus or push 금기

약품명	성분 및 함량	취급상 주의점
Bleocin inj	Bleomycin …15 mg/V	1) NS, DW에 희석하여 점적 IV투여 (10분 이상 천천히 주입) 2) Test 시행 후 투여 : 총 투여량 중 1-2 mg을 IV투여 후 적어도 1시간 이상 이상반응 관찰 후 나머지 용량 투여 3) 정맥 주사 시 혈관통을 일으킬 수 있으므로 서서히 투여함. 4) IM 또는 SC : 주사용 증류수 혹은 NS 희석하여 사용함. 5) 근육 주사에 의해 투여 부위의 경결을 일으킬 수 있음.
Velcade inj	Bortezomib …3.5 mg/V	1) IV용 : NS 3.5 ml에 녹여서 최종농도 1.0 mg/ml 2) SC용 : NS 1.4 ml에 녹여서 최종농도 2.5 mg/ml 3) 실온 8시간 안정 4) 조제된 용액은 투명한 상태여야 하며, 이물이나 변색 관찰시 사용금지
Adcetris inj.	Brentuximab vedotin …50 mg/V	1) NS, DW에 희석하여 점적 IV투여 2) 정맥 내 급속 또는 일시 투여 금기
Busulfex inj	Busulfan …60 mg/10 ml/V	1) NS 또는 5DW로 원액의 10배가 되도록 희석 (최종농도 : 약 0.5 mg/ml 유지) 2) 5DW, NS에 희석한 용액은 실온에서 8시간 안정, NS 희석 시 냉장보관 12시간 안정 3) 피부나 점막에 접촉 시 즉시 물로 세척 4) 투약 전 확인 시 미립자 물질이 발견되거나 변색되어 있으면 사용금지
Jevtana inj	Cabazitaxel …60 mg/V	1) NS, 5DW에 희석하여 1시간동안 점적 IV투여 2) 실온 8시간 안정, 냉장 24시간 안정 3) 최종 희석액은 non-PVC 0.22 ㎛ 필터를 사용하여 주입
Neoplatin inj	Carboplatin …450 mg/45 ml/V	1) NS, 5DW에 희석하여 점적 IV 투여 (희석 후 최종농도 0.5~2 mg/ml) 2) 희석 후 실온에서 8시간 안정 3) 황 함유 아미노산 수액 중에서 분해되므로 배합금기 4) IV시 약액이 혈관 외로 새면 주사부위의 경결, 괴사가 일어날 수 있으므로 신중히 투여할 것.
Erbitux inj	Cetuximab …100 mg/20 ml/V	1) NS에 희석하여 점적 IV 투여. IV push, bolus 금지 2) 초기 120분 투여 권장되며 이후 60분 투여 가능함. 3) 최대투여속도 : 10 mg/min 4) 다른 항암제 병용 시 cetuximab 투여 종료 1시간 이후 투여

약품명	성분 및 함량	취급상 주의점
Cisplan inj	Cisplatin …10 mg/20 ml/V …50 mg/100 ml/V	1) NS 또는 DS 0.5~1 L에 희석하여 2시간 이상 점적 IV 투여 2) 투약 전, 후에 1~2 L의 수액을 4시간 이상 점적 주입 3) 희석액은 냉장 금기(결정 생성). 결정 생성 후 녹여서 재사용 못함. 4) 5DW, 아미노산 제제, $NaHCO_3$등의 알카리액과는 배합금기 5) 최종 희석액의 Cl^- 0.2%미만이거나 alkaline 용액에서 25℃ 이상일 때 분해됨. 6) 약액의 혈관 외 유출시 주사부위 괴사 가능성 있으므로 주의. 누출 시 cool bag 적용
Leustatin inj	Cladribine …10 mg/10 ml/V	1) 희석액 NS only (5DW 사용 시 약성분 분해 우려 있음) 2) 희석액에 침전 발생시 흔들어서 녹임(열을 가하지 않음).
Evoltra inj	Clofarabine …20 mg/20 ml/V	1) NS, DW에 희석하여 점적 IV투여 2) 최종 희석액은 0.22 ㎛ in-line필터를 사용하여 주입
Endoxan inj	Cyclophosphamide …500 mg/V	1) NS, DW 또는 lactated ringer' s soln에 희석 후 점적 IV 투여 2) NS 에 희석하여 IM, IP, IV bolus 투여 가능 3) 조제액은 8℃ 이하에서 6시간 안정
Cytarabine inj Cytosar U inj	Cytarabine …1 g/10 ml/V …2 g/20 ml/V …100 mg/V	1) NS, DW에 희석하여 점적 IV투여 2) SC, IM 투여시 주사부위 경화를 유발할 수 있음. 3) Cytosar U inj: 척수강내 투약 시 보존제 미함유된 NS 5 ml에 재구성하여 사용
D.T.I inj	Dacarbazine …100 mg/V …200 mg/V	1) NS, DW에 희석하여 점적 IV투여 (IM, SC 금기) 2) 약액이 혈관 외 유출 시 주사부위 괴사 가능성 있으므로 주의. 누출 시 cool bag 적용 3) 차광을 요하며 약액이 분홍색으로 변하면 폐기
Daunocin inj	Daunorubicin …20 mg/V	1) IV투여 only (IM, SC 금기) 2) 약액이 혈관 외 유출 시 주사부위 괴사 가능성 있으므로 주의. 누출 시 cool bag 적용 3) 소변이 붉게 착색될 수 있음.

약품명	성분 및 함량	취급상 주의점
Dacogen inj	Decitabine …50 mg/V	1) NS, 5DW에 희석 후 점적 IV 투여 (희석 후 최종농도 0.1~1.0 mg/ml) 2) 조제 후 15분 이내로 사용 3) 냉장희석액 사용시 희석 후 냉장에서 4hr 안정
Taxotere inj	Docetaxel …20 mg/1 ml/V …80 mg/4 ml/V	1) NS, DW에 희석하여 점적 IV투여 (IM, SC 금기) 2) 희석 후 실온 6시간 안정 3) 약액이 혈관 외 유출 시 주사부위 괴사 가능성 있으므로 주의. 누출 시 cool bag 적용 4) 희석 후 최종농도 : 0.3~0.74 mg/ml
Adriamycin RDF inj Adriamycin PFS inj	Doxorubicin …10 mg/V …50 mg/V …10 mg/5 ml/V …50 mg/25 ml/V	1) IV투여 only (IM, SC 금기) 2) 투여 후 NS 주입하여 약액이 완전히 주입되도록 함. 3) 분말형태의 약제(RDF)는 NS나 주사용 증류수로 2 mg/ml 되게 용해시키되 취급 시 장갑을 끼어 피부에 닿지 않도록 할 것 4) 약액이 혈관 외 유출 시 주사부위 괴사 가능성 있으므로 주의. 누출 시 cool bag 적용 5) 투약 1~2일 후에는 소변이 붉게 착색될 수 있음 6) 총투여량이 550 mg/m^2초과시 심독성 증가 주의
Epirubicin inj	Epirubicin …10 mg/5 ml/V …50 mg/25 ml/V	1) NS, DW에 희석하여 점적 IV투여 (IM, SC 금기) 2) 약액이 혈관 외 유출시 주사부위 괴사 가능성 있으므로 주의. 누출 시 cool bag 적용 3) 총 투여용량이 900 mg/m^2 이상이 될 경우 울혈성 심부전의 위험이 있으므로 주의 4) 심독성이 있는 약물로 전치료력이 있는 경우 : 총투여량 650 mg/m^2이 초과될 경우 심기능 검사 필요 5) 투약 1~2일 후에는 소변이 붉게 착색될 수 있음
E.P.S inj	Etoposide …100 mg/5 ml/V	1) NS, DW에 희석 후 저혈압 유발 방지 위해 30분 이상 점적 IV투여 (IM, SC 금기) 2) 결정 석출 방지하기 위해 최종농도 0.2~0.4 mg/ml로 희석 3) 혼합 후 흔들지 말 것 4) 약액 혈관 밖으로 새면 주사부위에 경화, 괴사 일으킬 수 있음. 누출 시 hot bag 적용
Halaven inj	Eribulin mesylate …1 mg/2 ml/V	1) NS에 희석하여 2~5분에 걸쳐 점적 IV투여 (DW 불가) 2) 0.9% 주사용 염화나트륨 용액으로 이 약을 최대 100ml까지 희석 가능 3) 최종 희석농도 : 0.02~0.2mg/ml
Fludara inj	Fludarabine …50 mg/V	1) NS, DW에 희석하여 30분 점적 IV투여 2) 실온 8시간 안정

약품명	성분 및 함량	취급상 주의점
5-FU inj	Fluorouracil …500 mg/10 ml/V …1000 mg/20 ml/V	1) NS, DW 희석 후 점적 IV투여, IV bolus 투여 2) 5DW에 혼합시 유리병에서 7시간, bag에서 43시간 안정함. syringe에서 24시간 안정함. (냉장금기) 3) 혈관통, 정맥염 등을 일으킬 수 있으므로 서서히 투여해야 함 4) 저온 보관 시 결정 발생 가능성 있으며, 결정 발생시 60℃ 정도로 가온하여 녹인 후 체온 정도로 식혀서 주사해야 함.
Gemtan inj	Gemcitabine …200 mg/5.26 ml/V …1 g/26.3 ml/V	1) NS에 희석하여 30분 점적 IV투여 2) 결정 형성의 우려가 있으므로 희석액은 냉장보관 하지 말 것 3) 최종 희석농도 : 0.1 mg/ml 이상
Zevalin kit inj	Ibritumomab tiuxetan … 3.2 mg/2 ml/1kit	1) 첫째날: Rituximab mg/m^2 IV 투여 2) 7, 8 또는 9일째: Rituximab 250 mg/m^2 짧은 시간동안 IV inf. 후 90Y]방사성 표지시킨 본제를 10분간 IV 투여 (최대용량 : 1,200 MBq(=32.4 mCi)) 단, 평균 방사화학적 순도가 95% 미만이면 사용하지 않도록 함.
Zavel inj	Idarubicin …5 mg/V	1) NS, DW에 희석하여 10-15분간 IV투여 only (IM, SC 금기) 2) 약액이 혈관 외 유출 시 주사부위 괴사 가능성 있으므로 주의. 누출 시 cool bag 적용 3) 주사부위가 쑤시거나 화끈거리면 약액의 유출을 의미하므로 투여를 중지하고 다른 정맥에 투여 4) 알카리 용액와 지속적 투여 시 효과를 약효를 약화시킬 수 있음. 5) 투약 1~2일 후에는 소변이 붉게 착색될 수 있음.
Holoxan inj	Ifosfamide …1 g/V	1) NS, DW 또는 lactated ringers soln에 희석후 30분 이상 점적 IV 투여 2) 주사용액 중 이 약의 농도가 4%를 초과하지 않도록 할 것 3) 방광 독성 예방을 위하여 MESNA 병용 투여 권고
Yervoy inj	Ipilimumab …50 mg/10 ml/V …200 mg/40 ml/V	1) NS, DW에 희석하여 90분 이상 점적 IV 투여 2) 투여시 멸균, 비발열성, 저단백결합 인-라인 필터 사용 3) 최종 희석농도 : 1~2 mg/ml
Calmtop inj	Irinotecan …40 mg/2 ml/V …100 mg/5 ml/V	1) DW에 희석하여 90분 이상 점적 IV투여 only (IM, SC 금기) 2) 5DW에 희석 후 실온 보관 시 6시간 이내, 냉장보관 시 24시간 내에 사용할 것을 권장함. 3) NS에 희석 후 냉장 시 미세한 입자 형성이 가능하므로 냉장보관은 추천되지 않으며, 오염의 우려로 희석 후 6시간 이내에 사용하도록 함 (pH 때문에 NS보다 DW에 더 안정함.) 4) 약액이 혈관 외 유출 시 주사부위 괴사 가능성 있으므로 주의. 누출 시 cool bag 적용

약품명	성분 및 함량	취급상 주의점
Depocyte inj.	Liposomal cytarabine …50 mg/5 ml/V	1) 심실 내로 혹은 요추낭에 주입하여 뇌척수액(CSF)으로 직접 주입(주입 시 1-5분에 걸쳐 서서히 주입) 2) 투여시 in-line filter 사용 금기 3) 보존제 함유하고 있지 않으므로 조제 후 4시간 이내 사용
Caelyx inj	Liposomal doxorubicin …20 mg/10 ml/V	1) DW에 희석하여 점적 IV투여 only (IM, SC 금기) 2) 투여시 in-line filter 사용 금기 3) 약액이 혈관 외 유출 시 주사부위 괴사 가능성 있으므로 주의, 누출 시 cool bag 적용 4) 투여용량이 90mg 이하 시 5DW 250ml, 90mg 초과 시 5DW 500ml에 희석함. 5) 투약 1~2일 후에는 소변이 붉게 착색될 수 있음.
Alkeran inj	Melphalan …50 mg/V	1) 첨부된 용제로 재구성 후 NS에 희석 후 점적 IV 투여 (DW 불가) 2) 25℃에서 조제시부터 주입시 까지 90분을 넘어서는 안됨. (온도 상승 시 분해속도 급격 증가) 3) 약액이 혈관 외 유출시 주사부위 괴사 가능성 있으므로 말초 혈관으로 투여하지 않고 중심정맥으로 투여할 것.
Methotrexate inj	Methotrexate …50 mg/2 ml/V …500 mg/20 ml/V …5 g/50 ml/V	1) NS, 5DS, 5DW에 희석하여 점적 IV 투여, IV bolus 투여 2) 소량 투여인 경우 IM 투여 3) IT(Intrathecal) 투여일 경우 100 mg/ml 고함량 단위는 고장액이므로 금기. 보존제 미함유로 가능한 빨리 사용 권고.
Mitomycin-C Kyowa inj	Mitomycin …10 mg/V	1) NS에 희석하여 IV 투여 또는 방광내 투여 2) DW에 mix시 변색 3) 혈관 외 유출 시 주사부위 괴사 가능성 있으므로 주의. 누출 시 cool bag 적용
Mitrone inj	Mitoxantrone …20 mg/10 ml/V	1) NS, DW 최소 50 ml 이상에 희석하여 3분 이상 IV투여 only (IM, SC, IT 금기) 2) 약액이 혈관 외 유출 시 주사부위 괴사 가능성 있음. 혈관 외 유출 발생시 투여를 중지하고 다른 정맥을 통하여 투여하며 cool bag 적용함. 3) 축적용량 140 mg/m^2을 투여 시 심독성 증가 주의 4) 냉장 시 침전 생성 5) 투약 1~2일 후에는 소변이 푸르게 착색될 수 있음.
Opdivo inj	Nivolumab …20 mg/2 ml/V …100 mg/10 ml/V	1) NS, DW에 희석하여 60분에 걸쳐 점적 IV 투여 (IM, SC 금기) 2) 투여 시 in-line filter(0.2 또는 0.22㎛) 사용 3) 최종 희석농도 : 1~10 mg/ml

약품명	성분 및 함량	취급상 주의점
Oxapla inj	Oxaliplatin …100 mg/20 ml/V	1) DW 200~500 ml에 희석하여 점적 IV 투여 (NS 또는 Cl 함유 용액 및 염기성 용액과 배합금기) 2) 희석액은 실온 6시간 안정 3) 알루미늄을 함유한 의료용기 사용금기 (접촉시 분해) 4) 5-FU, 염기성 용액 등은 동일 line으로 투여 금지 5) 약액이 혈관 외 유출 시 주사부위 괴사 가능성 있음. 누출 시 cool bag 적용함.
Paxel inj.	Paclitaxel …30 mg/5 ml/V …100 mg/16.7 ml/V …150 mg/25 ml/V	1) NS, 5DW로 희석 후 점적 IV 투여 (IM, SC 금기) 2) 점적 용액 조제 시 농축액이 PVC기구 또는 장치와 접촉되지 않도록 할 것 3) 폴리에칠렌 라인의 0.22 ㎛ 이하의 미소공막이 있는 라인 내 필터를 통해 투여 4) 최종 희석농도 : 0.3~1.2 mg/ml
Alimta inj	Pemetrexed …100 mg/V …500 mg/V	1) 반드시 NS로만 재구성하고 희석하며 10분동안 IV 주입 2) Lactated Ringer’s solution과 Ringer’s solution을 포함하여 칼슘을 함유한 희석제와 배합금기
Perjeta inj	Pertuzumab …420 mg/14 ml/V	1) NS로 희석 후30-60분간 점적 IV 투여 (5DW 금기) 2) 폴리염화비닐백 또는 non-PVC 폴리올레핀백에 든 NS 250 ml에 희석
Folotyn inj	Pralatrexate …20 mg/1 ml/V	1) 희석하지 않은 채로 3-5분에 걸쳐 정맥 투여
Mabthera inj	Rituximab …100 mg/10 ml/V …500 mg/50 ml/V	1) NS 또는 5DW로 희석하여 점적 IV 투여 (IV bolus, IV push 투여금지) 2) 용액 혼화 시 조심스레 뒤집어 거품 생성 방지 3) 희석액 실온 보관 시 12시간 안정 4) 1차 주입: 50 mg/hr에서 30분마다 50 mg/hr 씩 속도 높여 최대 400 mg/hr로 투여가능 이후 주입 시 100 mg/hr에서 투여 시작 가능 5) 최종희석농도 1~4 mg/ml
Torisel inj	Temsirolimus …25 mg/V	1) 첨부용제로 재구성 후 NS 250 ml에 희석하여 30-60분간 점적 IV 투여 2) 희석액 실온 6시간 안정 3) non-DEHP, non-PVC의 5㎛ 이하의 in-line 필터를 사용하여 투여

약품명	성분 및 함량	취급상 주의점
Tepadina inj	Thiotepa …15 mg/V …100 mg/V	1) NS로 희석하여 점적 IV 투여 2) 실온 4시간 안정 3) 투여 전 침전 및 이물질 검사 후 0.2 μm의 in-line filter 사용하여 투여 4) 최종희석농도 : 0.5~1 mg/ml
Hycamtin inj	Topotecan …4 mg/V	1) NS, 5DW로 희석하여 30분 이상 점적 IV 투여
Herceptin inj	Trastuzumab …150 mg/V	1) NS 250 ml bag에 희석하여 초기 90분동안 점적 IV 투여 2) 내약성 좋을 때 유지 투여 시 30분간 투여 가능 3) 발열, 오한 등 증상 나타났을 때 투여 중단하고 증상 사라지면 주입 재개 4) 희석 후 냉장 24시간 안정하지만 미생물학적 측면을 고려하여 즉시 사용 권장
Herceptin SC inj	Trastuzumab …600 mg/5 ml/V	1) 이 약 600mg 용량을 2-5분간 SC 투여 2) 좌우 허벅지에 번갈아 가며 주사 3) 주사기로 옮긴 후 실온에서 6시간 동안 안정
Velbastin inj	Vinblastine sulfate …10 mg/V	1) 첨부된 용제로 재구성 후 NS, DW에 희석 후 IV 투여 only (IT투여 금기) 2) 다량(100~250 ml)의 용액으로 희석하거나 오랜 시간(30~60분 이상)에 걸쳐 정맥 투여할 경우 정맥자극과 조직 내 누출의 우려가 있음. 3) IV시 조직 내로 누출 시 hot bag 적용
Vincristine sulfate inj	Vincristine …1 mg/1 ml/V …2 mg/2 ml/V	1) NS에 희석하여 IV 투여 only (IT 투여 금기) 2) 혈관 외 유출시 즉시 vein을 바꾸고 흡수가 잘 되도록 hyaluronidase를 국소에 주사하거나 warm bag 적용하여 cellulitis를 방지할 것 3) 온찜질은 혈관 밖으로 유출 후 즉시 1시간 이상, 1일 4회 2일간 실시
Navelbine inj	Vinorelbine …10 mg/1 ml/V …50 mg/5 ml/V	1) NS에 희석하여 5~10분간 IV 투여 only (IT 투여 금기) 2) 알칼리 용액과 혼합 금지(침전 형성) 3) 주사 직후 정맥을 NS로 세척할 것. 4) IV시 조직 내로 누출 시 hot bag 적용

7. 항균제 투여법 및 안정성 정보

1) O : 가능, X : 불가능, - : 자료없음
2) WfI : water for injection , NS : 0.9% sodium chloride , 5DW : 5% 포도당
3) WfI(water for injection: 주사용 증류수): 용해(재구성) 시에만 사용가능하고 희석(infusion)할 때는 등장액이 아니므로 사용불가능
4) 용해 ml: 1vial 당 용해에 필요한 용매 ml수

성분명(상품명)	함량	용해, 희석			가능한 투여법			안정성
		WfI	NS	5DW	IM (용해ml[4])	IV bolus 서서히 (용해ml[4])	IV infusion (희석액 주입시간)	
Amikacin 아미카신	250mg/2ml/A	X	O	O	O	X	O (30~60분)	〈희석〉 실온 24hrs, 냉장 2months
Amoxicillin+clavulanate 목시클	600mg/V(5:1)	O	O	X	X	O (10)	O (30~40분)	〈재구성〉 20분 이내 사용 〈희석〉 실온 4hrs
Amphotericin B 훈기존	50mg/V	(아래 참조)			X	X	O (4~6시간) (문헌에 따라 2~6시간)	〈재구성〉 실온 24hrs, 냉장 7days (차광보관) 〈희석〉 실온 24hrs, 냉장 48hrs (차광보관) *투여 시 형광등 하에 차광은 불필요
* 훈기존주사: 용해 시 반드시 주사용 증류수 10ml 사용, 희석 시 수액으로는 5DW 사용 * skin test는 하지 않지만 IV시 test dose로 1mg을 5DW 20ml에 용해하여 10~30분간 infusion하고, 2~4시간 동안 30분마다 vital sign check하도록 함.								
Ampicillin 펜브렉스	500mg/V	O	O	O	O (2~4)	O (5)	O	〈재구성〉 실온 1hr 〈희석〉 5DW 실온 2hrs NS 실온 8hrs, 냉장 24hrs
Ampicillin+sulbactam 설바실린	750mg/V(2:1)	O	O	O	O (1.6)	O (1.6)	O (15~30분)	〈재구성〉 실온 1hr 〈희석〉 5DW 실온 2hrs NS 실온 8hrs, 냉장 48hrs
Arbekacin 하베카신	75mg/1.5ml/A 100mg/2ml/A	X	O	O	O	X	O (30~120분)	희석 후 즉시 사용
Benzathine Penicillin G 몰다민	120만 U/V	O	O	X	O (4)	X	X	〈재구성〉 실온 24hrs, 냉장 72hrs
Caspofungin 칸시다스	50mg/V 70mg/V	O	O	X	X	X	O (1시간)	〈재구성〉 실온 1hr 〈희석〉 실온 24hrs, 냉장 48hrs
Cefazolin 세파메진	1g/V 2g/V	O	O	O	O (2~3)	O (5)	O (30~60분)	〈재구성〉 실온 24hrs (차광보관) 〈희석〉 실온 48hrs (차광보관)
Cefepime 맥스핌	1g/V	O	O	O	O (3)	O (10)	O (30~60분)	〈재구성 및 희석〉 실온 24hrs, 냉장 7days
Cefoperazone+Sulbactam 세포박탐	1g/V(1:1)	O	O	O	X	O (5)	O	〈재구성 및 희석〉 실온 6hrs, 냉장 48hrs
Cefotaxime 세포탁심	1g/V 2g/V	O	O	O	O (4)	O (10)	O (20~60분)	〈재구성 및 희석〉 실온 24hrs

성분명(상품명)	함량	용해, 희석			가능한 투여법			안정성
		WfI	NS	5DW	IM (용해ml[4])	IV bolus 서서히 (용해ml[4])	IV infusion (희석액 주입시간)	
Cefotetan 야마테탄	1g/V	O	O	O	O (2)	O (10)	O (30분)	〈재구성〉 실온 24hrs, 냉장 7days 〈희석〉 실온 24hrs, 냉장 4days
Cefoxitin 파세틴	1g/V	O	O	O	O (2)	O (10)	O (10 ~ 60분)	〈재구성〉 실온 24 hrs, 냉장 5days 〈희석〉 실온 24 hrs, 냉장 48hrs
Ceftazidime 타짐	1g/V	O	O	O	O (3)	O (10)	O (15~30분)	〈재구성 및 희석〉 실온 6hrs, 냉장 72hrs
Ceftizoxime 에포세린	1g/V	O	O	O	O (3)	O (5)	O (30~120분)	〈재구성 및 희석〉 실온 12hrs, 냉장 48hrs
Ceftriaxone 세프트리악손	1g/V 2g/V	O	O	O	O (3.5)	O (1g당 10)	O (30분 이상)	〈재구성 및 희석〉 실온 6hrs, 냉장 24hrs
Cefuroxime 알포린	750mg/V 1.5g/V	O	O	O	O (250mg당 1)	O (250mg당 2)	O (15~30분)	〈재구성〉 증류수 실온 5hrs, 냉장 48hrs NS, 5DW 실온 24hrs, 냉장 48hrs 〈희석〉 실온 24hrs
Ciprofloxacin 씨프러스	200mg/100ml/P 400mg/200ml/P	O	O	O	X	X	O (60분 이상)	개봉 후 즉시 사용 (추가희석 불필요) 겉포장은 사용직전 개봉 (?빛에 민감)
Clarithromycin 클래리시드	500mg/V	X	O	O	X	X	O (60분 이상)	〈재구성〉 실온 24hrs 〈희석〉 실온 6hrs, 냉장 24hrs
* 클래리시드주: 용해 시 반드시 주사용 증류수(10ml) 사용(∵NS, 5DW 사용 시 침전 잘 생김), 희석 시 NS, 5DW 사용								
Clindamycin 훌그램	300mg/2ml/A 600mg/4ml/A	X	O	O	O(600mg 초과시 권장 하지 않음)	X	O (10 ~60분) (30mg/min 이하 속도)	〈희석〉 실온 24hrs
Colistimethate 후콜리스티메테이트	150mg/V	(아래 참조)			O (2)	O	O	〈재구성〉 실온 7days 〈희석〉 실온 24hrs
* 후콜리스티메테이트주 : 재구성 시 주사용 증류수 사용, 희석 시 수액으로는 5DW, NS 사용 * IV bolus 투여 시 3~5분에 걸쳐 투여, IV infusion 투여 시 하루 용량의 절반을 3~5분간 투여 후, 1~2시간 간격 두고 나머지 용량을 22~23시간 동안 투여함.								
Doripenem 피니박스	250mg/V	O	O	X	X	X	O (60분)	〈재구성〉 실온 1hrs 〈희석〉 실온 8hrs, 냉장 24hrs
Ertapenem 인반즈	1g/V	O	O	X	O (3.2)	X	O (30분)	〈재구성〉 IM 조제용액 실온 1hrs IV조제용액 실온 6hrs, 냉장 24hrs
Erythromycin 에리스로신	500mg/V	(아래참조)			X	X	O (20~60분)	〈재구성〉 실온 24hrs, 냉장 2weeks 〈희석〉 실온 8hrs, 냉장 24hrs
* 에리스로신주 : 재구성 시 반드시 주사용 증류수 사용, 희석 시 수액으로는 NS혹은 Ringer액 사용(5DW는 중화시킨 후 사용가능)								
Gentamicin 겐타마이신	80mg/2ml/V	X	O	O	O	X	O (30~120분)	〈희석〉 실온 24hrs

성분명(상품명)	함량	용해, 희석			가능한 투여법			안정성
		WfI	NS	5DW	IM (용해ml[4])	IV bolus 서서히 (용해ml[4])	IV infusion (희석액 주입시간)	
Fluconazole 디푸루칸	100mg/50ml/V	X	O	O	X	X	O (5~10ml/min)	추가희석 불필요
Flumoxef 후루마린	500mg/V	O	O	O	X	O (4이상)	O	〈재구성 및 희석〉 실온 6hrs, 냉장 24hrs
Imipenem+cilastatin 프리페넴	Imipenem으로 500mg/V	X	O	X	X	X	O (30분 이상)	〈재구성 및 희석〉 실온 3hrs, 냉장 24hrs
Isepamicin 이세파마이신	200mg/2ml/A	X	O	O	O	X	O (30~60분)	〈희석〉 5DW 실온 24hrs, NS 실온 72hrs
Itraconazole 스포라녹스	250mg/25ml/A	첨부용제 only (아래참조)			X	X	O (60분 이상)	〈희석〉 냉장 24hrs
* 스포라녹스주: 첨부된 NS 50ml에 희석하여 투여함. 200mg 투여하려면, 최종 희석한 용액 75ml 중 15ml는 버리고 60ml만 투여하도록 함.								
Levofloxacin 크라비트	250mg/50ml/V 500mg/100ml/V 750mg/150ml/V	X	O	O	X	X	O (60~90분)	추가희석 불필요 개봉 후 3시간 이내 사용
Linezolid 자이복스	600mg/300ml/P	X	O	O	X	X	O (30~120분)	추가희석 불필요 겉포장은 사용직전 개봉, 개봉 후 6시간 이내 사용
Liposomal amphotericin B 암비솜	50mg/V	(아래참조)			X	X	O (30~60분) (문헌에 따라 2hrs 권장)	〈재구성〉 냉장 24hrs 〈희석〉 실온 24hrs, 냉장 7days
* 암비솜주 : 용해 시 반드시 주사용 증류수 12ml 사용, 희석 시 수액으로는 5DW 사용 * skin test는 하지 않지만 IV시 test dose로 1mg 10분에 걸쳐 infusion하고, 30분간 주의 깊게 환자 상태 관찰								
Meropenem 메로펜	500mg/V	O	O	O	X	X	O (30분 이상)	〈재구성〉 실온 6hrs, 냉장 24hrs 〈희석〉 5DW 실온 1hr, 냉장 4hrs NS 실온 4hrs, 냉장 24hrs
Micafungin sod. 마이카민	50mg/V	X	O	O	X	X	O (60분 이상)	〈재구성 및 희석〉 실온 24hrs (차광보관) (바이알은 자외선 차광 비닐로 포장되어 있으므로 사용 직전 비닐 제거)
Moxifloxacin 아벨록스	400mg/250ml/V	-	O	O	X	X	O (60분 이상)	추가 희석 불필요. 희석한 경우 실온 24hrs (냉장보관 시 침전 생성 가능)
Nafcillin sod. 나프실린	1g/V	(아래참조)			O (3.4)	O (15~30)	O (30~60분)	〈재구성〉 IM조제용액: 실온 3days, 냉장 7days IV조제용액: 실온 8hrs, 냉장 48hrs 〈희석〉 실온 24hrs, 냉장 96hrs
* 나프실린나트륨주 : (IM, IV bolus(5~10분간)를 위한 재구성 용액) WfI, NS, (IV infusion을 위한 희석 용액) NS, 5DW								

성분명(상품명)	함량	용해, 희석			가능한 투여법			안정성
		WfI	NS	5DW	IM (용해ml[4)])	IV bolus 서서히 (용해ml[4)])	IV infusion (희석액 주입시간)	
Penicillin G Potassium 주사용페니실린지칼륨	500만 unit/V	(아래참조)			O	X	O	〈재구성〉 냉장 7days 〈희석〉 실온 NS 4hrs, 5DW 3hrs
					(아래참조)			
* 페니실린지칼륨 : 보통 WfI, NS 8.2ml에 용해하여 1vial이 10ml가 되도록 조제 후 필요 시 NS, 5DW에 희석 * IM : 10만unit/ml 이하 농도로 투여 가능, 고용량 투여시 IV * IV : 1,000만unit 이상 투여 시 electrolyte imbalance(K+ 1.7mEq/million unit, 즉 8.5mEq/vial) 고려하여 천천히 IV, 2,000만 단위 이상 투여 시 IV infusion only.								
Pentamidine isethionate 펜타미딘 이세티온산염	300mg/V	(아래참조)			O (3)	X	O (60분 이상)	〈재구성〉 실온 48hrs 〈희석〉 실온 24hrs (냉장보관 금지: 결정 생성 가능)
* 펜타미딘 이세티온산염주: 용해 시 주사용증류수 사용, 희석 수액으로 5DW, NS 사용 가능								
Piperacillin 아코펙스	1g/V 2g/V	O	O	O	O (2)	O (1g 당 5)	O (20~40분)	〈재구성 및 희석〉 실온 24hrs
Piperacillin + Tazobactam 타조페란	2.25g/V(8:1) 4.5g/V(8:1)	O	O	O	X	X	O (30분 이상)	〈재구성〉 실온 24hrs, 냉장 48hrs 〈희석〉 실온 24hrs
Streptomycin 황산스트렙토마이신	1g/V	O	O	O	O (3~5)	X	O (30분 이상)	〈재구성〉 실온 7days
Sulfamethoxazole + Trimethoprim 코트림주사액	400+80mg/5ml/A	X	X	O	X	X	O (60~90분)	〈희석〉 1ⓐ/5DW 125ml : 실온 6hrs 1ⓐ/5DW 100ml : 실온 4hrs 1ⓐ/5DW 75ml : 실온 2hrs 희석 후 냉장보관 금지
		(아래참조)						
* 코트림주사액 : 제품의 종류와 참고문헌에 따라 NS와 혼합시의 안정성 결과가 상이하므로, NS에 희석하지 않도록 함.								
Teicoplanin 테이코신	200mg/V 400mg/V	(아래참조)			O (3)	O (3)	O (30분)	〈재구성 및 희석〉 냉장 24hrs
* 테이코신주 : 용해 시 주사용증류수 사용, 희석 수액으로는 5DW, NS 사용 가능								
Tigecycline 타이가실	50mg/V	X	O	O	X	X	O (30~60분)	〈재구성〉 실온 6hrs 〈희석〉 실온 24hrs, 냉장 48hrs
Vancomycin 염산반코마이신	500mg/V 1g/V	(아래참조)			X	X	O (60분 이상)	〈재구성〉 냉장 14days 〈희석〉 실온 7days, 냉장 14days
* 염산반코마이신주 : 용해시 주사용증류수 사용, 희석 수액으로는 5DW, NS 사용 가능								
Voriconazole 브이펜드	200mg/V	(아래참조)			X	X	O (60~120분)	〈재구성 및 희석〉 냉장 24hrs
* 브이펜드주 : 용해 시 주사용증류수 사용, 희석 시 수액으로는 5DW, NS 사용 가능								

8. 스테로이드 외용제 일람표

(1) 작용기전

1) Vasoconstriction (삼출물 감소)
2) Lysosomal membrane-stablizing effect (통증과 소양증 일으키는 세포 독성물 방출 감소)
3) Mitotic activity 억제
4) 면역반응 억제
5) Phopholipase A를 억제 (감염 매개 물질인 arachidonic acid 활성 억제)

(2) 적용범위

1) Seborrheic dermatitis 2) Atopic dermatitis 3) Neurodermatitis 4) Anogenital prurtius 5) Psoriasis 6) Xerosis 7) Allergic contact dermatitis 8) Irritant dermatitis 9) Descoid lupus erythematosus 10) Alopecia 11) Granulomatous disorder 12) Mycosis fungoides

(3) 원내 사용 스테로이드 외용제 일람표

Relative Potency	강도	성분명	농도	제형	상품명
Class I	Very High Potency	Clobetasol propionate	0.05%	연고	더모베이트연고
				용액	더모베이트액
				샴푸	클로벡스액0.05%
		Diflucortolone valerate	0.3%	연고	네리소나0.3%연고
Class II	High potency	Desoximetasone	0.25%	연고	데타손연고0.25%
				로션	에스파손로오숀0.25%
			0.05%	겔	에스파손겔0.05%
		Fluticasone propionate	0.05%	크림	큐티베이트크림
		Methylprednisolone aceponate	0.1%	크림	아드반탄크림
Class III	Medium potency	Prednicarbate	0.25%	연고	더마톱연고0.25%
				용액	더마톱액0.25%
				로션	락티케어제마지스로오숀0.25%
		Desonide	0.05%	로션	데스오웬로오션0.05%
Class IV	Low potency	Hydrocortisone	1%	로션	락티케어에취씨로션1%

○ 분류: 스테로이드 외용제는 Relative potency에 따라 4단계로 분류 가능. Relative Potency는 대체적으로 임상적 효능과 일치하기 때문에, 약제 선택 시 기준으로 이용함.
○ 외용 스테로이드제의 흡수율에 대한 영향 인자: 성분 특성, 농도, 제제에 이용된 담체의 종류, 약제에 노출된 시간, 도포된 피부 상태(체온 높고, 수분 많고, 염증 부위/노출된 피부; 흡수율 높음)
○ 제형별 Potency: 연고 > 크림 > 겔 > 로션 > 용액

Ref. 1) Dennis J. C., et al. Drug Facts and Comparisons, 2010:2686-2698 2) Sweetman, et al. Martindale: The Complete Drug Reference 37th edition, 2011

9. 임신 시 약물복용의 안전성

(1) 임신 시 약물사용원칙

1) 가임기 여성은 임신여부를 확인한 후, 임신을 원하는 경우 임신부로 간주하고 치료.
2) 질환이 있는 임신부에 대한 치료는 여러 가지 치료법 중 약물치료의 우월성 및 유익성이 인정될 때 시작하되 가능한 단기요법을 실시.
3) 태아의 안전성을 도모하기 위해 약물치료의 필요성을 재검토.
4) 임신 중 약제사용의 위험성을 환자에게 설명하여 이해를 얻음.
5) 약제의 최기성을 검토하여 위험도가 낮은 약제 선택.
6) 임신주수에 따른 위험도를 참고하되 동일약제라도 복용시기에 따라 위험도가 다름을 고려하여 보다 안전한 약제를 선택.
7) 최근 개발된 약제보다는 과거부터 임신 시 흔히 사용되어온 약제 사용.
8) 약제의 최기성 뿐 아니라 출생 후 나타날 수 있는 부작용도 고려하여 태반통과성이 적은 약제 선택.
9) 외용제는 각 구성성분에 대한 '약제 위험도' 와 '임신주수 위험도' 를 확인한 후 약제를 선택하며, 사용할 때는 가능한 흡수율(용액 〉 로션 〉 크림 〉 연고)이 적고 저농도인 제제를 소량씩, 좁은 부위, 단기간, 개방적으로 사용함.

(2) 약물의 복용시기와 최기성

수정은 월경주기의 제 14일경에 이루어져 착상까지 6~7일 걸리며 마지막 월경 제1일을 임신 0주 0일로 하여 계산하게 된다.

1) 무영향기(임신 0주 0일~4주) –수정란 착상 이전 시기로 기형 유발 불가능.
2) 주요 기관 형성기(임신 4주~10주) –중추신경계, 심장, 소화기, 사지 기형유발.
3) 상대과민기(임신 10주~17주 말) –주요 기관 형성 완료, 구개, 외음부생식기 완성 단계로 최기성 약물의 신중 투여.
4) 비교과민기(임신 18주~28주 말) –최기성은 거의 없음, 작은 기형 유발가능성과 발육억제, 자궁내 사망 등 태아 기능발육에 영향을 줄 수 있음.
5) 잠재과민기(임신 29주~분만) –태아의 대사기능 미숙으로 약물이 태아 체내에 장기간 머물며 작용을 나타냄.

(3) 위험도 분류 (미국 FDA 분류)*

등급	위 험 도
A	태아에서 독성 발현이 없으며 그 가능성도 희박한 약물
B	동물실험에서 최기성을 보이진 않았으나 사람에 대해서 확인되지 않은 약물, 동물실험결과 부작용이 발현되었으나 임신부에게서 확실히 증명되지 않은 약물
C	동물실험에서 최기성이나 태아사망 또는 기타 부작용이 발현되었으나 사람에 대해서 확인되지 않은 약물 또는 임신부와 동물에 대해 보고된 자료가 없는 약물
D	태아에 기형 또는 비가역적인 장해의 발현빈도를 높히는 약물. 그러나 약물 투여시의 유익성이 위험성보다 큰 경우 사용 가능함.
X	태아에 대해 영속적인 장해를 일으킬 위험성이 높아 임신부나 임신가능성이 있는 여성에게 금기

* 미국 FDA 분류는 1979년 임신부의 치료지침을 제공하기 위해 개발되었으나 동물실험자료, 증례발표 등 사람에 대한 근거자료가 제한적이며, 등급으로 그 의미가 오인될 수 있어 이를 개선하기 위하여 이러한 분류방식을 폐기하고 약물 각각 임신 중, 수유 중 안전성 및 위험성에 대하여 서술적 형태로 기술하는 것으로 대체한 'Pregnancy and Lactation Labeling Rule(PLLR)'를 2015년부터 적용함.

10. 소독제

분류	품명	성분 및 함량	특 성	대 상	비 고
산화제	Hydrogen peroxide (H_2O_2)	H_2O_2(3%)	1) 조직, 세균, 혈액 등의 catalase에 의해 분해되어 산소 발생 2) 산소 거품은 세정효과를 나타내어 오염된 외상에 유효, 분해되지 않은 H_2O_2는 속효성은 아니나 넓은 항균 spectrum을 가짐. 3) 침투성과 지속성이 부족	인체 (외상, 창상, 구강)	1) 차광, 냉소 보관 2) 금속, 금속염, 광선, 열에 의해 분해됨
	Scoterin	Peroxyacetic acid 0.13%, hydrogen peroxide 3%, isopropanol 1.8%	1) 의료기구의 살균 · 소독: 자바라관, 실리콘 튜브, 비닐 튜브, 실리콘캡, 실리콘 마개, 메스 손잡이, 내시경류 2) Peracetic acid와 peracetyl ion이 세균과 바이러스의 단백질과 효소를 산화시켜 세포벽 합성에 영향을 주어 살균작용을 나타냄	기구	〈취급상 주의〉 1) 인체에 사용하지 말 것 2) 반복 사용에 의해 생고무가 변성될 수 있음 3) 과초산 농도 확인 후 사용
	Hemoclean	Peroxyacetic acid (H_2O_2, Acetic acid)	1) 혈액투석장치의 소독에 사용 2) 투석장치, 정수장치와 각 부품 등에 존재하는 유기물질 및 bicarbonate 투석액 사용으로 발생되는 $CaCO_3$ 스케일 제거	기구	1) 사용량과 희석비는 사용기기와 환경에 따라 다름
알콜류	Ethanol	C_2H_5OH (83%, 95%)	1) 일반적인 pathogenic bacterium에 유효함 2) 세균의 원형질을 용해함 3) G(+), G(−), 결핵균, 일부 virus에 유효 4) 다른 소독약과 혼합하면 효과 상승 5) 상처에 자극성 있음.	주사부위의 피부 소독, 봉합제거 부위, 기구(내시경, 기구의 긴급소독)	1) 닦아내거나 10분~2시간 침적
	Clean N fresh	Ethanol, Aloe vera gel, Phenoxyethanol	1) 62% 에탄올 – 살균력 2) 알로에 베라 – 피부보습 3) 비타민 E – 피부영양공급 4) 물, 비누, 타올 없이 세정가능	손 세정제	
알데하이드류	Cidex OPA	Ortho-phthalaldehyde 0.55%	1) 단백질 분해작용 2) 세균, 진균, 바이러스에 살균작용 3) 생체조직에 접촉하면 강한 자극성 있으므로 피부소독에 부적합	기구	1) 5분 이상 침적 2) 피부와 눈에 닿지 않도록 함.

분류	품명	성분 및 함량	특 성	대 상	비 고
은화합물	$AgNO_3$	$AgNO_3$ (0.5~50%)	1) 농후한 용액은 강한 표재성의 부식작용, 희석된 용액은 수렴작용 있음	인체	1) 인습성 2) 광선에 의해 변색되므로 차광보관
요오드화합물	Iodine tincture	I_2 20g KI 13.3g 70% Alc add 1L(2%)	1) 표피결손이 없는 피부의 살균 소독 2) 국소 자극성이 강하나, 작용은 빨리 발현되어 지속성을 나타냄. 3) G(+), G(−), TB균, Virus에 유효 4) 고농도 용액은 박리 작용	인체(외용 살균 소독)	
	Betadine Betascrub	Povidone Iodine 10% Povidone Iodine 7.5%	1) 요오드를 유리하여 살균 소독 2) 항균 spectrum이 넓음. 단 bacillus속의 아포에는 무효하고 결핵균에는 2~3시간이 필요함. 3) 유기물에서 불활성화 되기 쉽고, 착색시키는 특성 때문에 기구, 환경보다는 인체에 사용함.	인체 (수술부위, 창상, 수지) 7.5%는 손소독용	1) I_2는 그 색의 퇴색정도에 따라 효력이 저하됨
계면활성제	Benzalkonium Cl	Benzalkonium Cl (10w/v%)	1) 양(+) ion 계면활성제로 유기물질, 비누 등 음(−) ion 물질에 의해 불활성화됨. 2) 항균력과 세정효과 있음	인체, 기구, 환경	1) 농도가 저하됨에 따라 세균 오염 주의
기타	Cydezyme	Proteolytic enzyme	1) Proteolytic enzyme을 함유하는 기구 세척제 2) 내시경 등 의료기구에 묻은 각종 오물(혈액, 정액) 제거 3) 기구에 막을 형성하지 않으며, 희석시 온수가 필요하지 않음	기구	1) 다른 표백제나 다른 화학물질 첨가 금함 2) 피부에 장기간 접촉시 피부건조, 피부염 발현 가능 3) 눈에 접촉시 가벼운 결막염(홍반), 작열감, 눈물 흐름 가능
	Cleancart A Cleancart C	Sodium Carbonate Anhydrous Citric Acid Anhydrous	1) 인공신장 관류용제 2) Cleancart A: 인공신장기의 투석액 통로에서 유기침전물, 지방, 단백질 제거 Cleancart C: 인공신장기의 투석액 통로로부터 칼슘 및 마그네슘 침전물을 제거	기구	1) 일회용 제품 2) 흡입, 피부 · 눈 접촉하지 않도록 함

분류	품명	성분 및 함량	특 성	대 상	비 고
기타	Hycro-S soln	HOCl (Hypochlorous acid)	1) 일반세균, 결핵균, MRSA, Salmonella, Virus균과 아포세균인 Bacillus 및 Candidas같은 진균도 30초 이내 살균	수술전후 손살균, 내시경 및 인공투석기 살균, 마취기구, 수술장비살균	1) 65 도 이하에서 사용 2) 살균조는 플라스틱 재질 사용 3) 제조일로부터 6개월이내, 개봉후 15일간 사용
	Hexidex 5%, 0.5%	Chlorhexidine gluconate	1) 용도에 따라 0.5%~0.05%의 수용액 또는 알콜용액 등으로 희석하여 사용 2) 손 및 피부의 소독: 0.1~0.5% 수용액 3) 수술 부위의 피부 소독, 의료 용구의 피부 소독: 0.1~0.5% 수용액 4) 가구, 기구 등의 소독, 피부의 창상 부위 소독: 0.05% 수용액	인체, 기구	1) 유기물질이나 비누에 의하여 살균작용이 안되므로 비누를 사용한 경우에는 사전에 충분히 씻어낸 후 사용 2) 면봉, 거즈 등에 흡착되므로 유의 3) 식염수(음이온)에 의하여 난용성염을 생성하므로 희석시 깨끗한 증류수 사용
	Microshield 4 soln (4%)	Chlorhexidine gluconate	1) 감수성 있는 세균의 30S와 50S ribosome subunit에 결합하여 단백질 합성을 억제함. 2) 세포막의 변화를 유발 3) 보통 정균효과를 나타내지만, 살균효과를 나타내기도 함. 4) 수술시 및 보건위생종사자 손 소독에 사용	인체	
	Avagard Hexidinol	Chlorhexidine gluconate 1%+Ethanol 60% Chlorhexidine gluconate 0.5%+Ethanol 75%	1) G(+), G(-), yeast 등에 광범위하게 작용 2) 수술시 및 보건위생종사자 손 소독에 사용 3) Avagard: 손 보호성분(스쿠알란, PEG900, Glycerin 등) 함유	인체	1) 먼저 물과 비누로 손 세척 후, 본제를 손과 팔에 발라 문질러 건조시킴

* 소독제의 항균 Spectrum

소독제 \ 세균	효모양 진균세균	사상 진균	Virus	결핵균	HB Virus	Spore
Glutaral	+	+	+	+	+	+
NaClO	+	+	+	+	+	+
Povidone, Alc.	+	+	+	+	–	–
Cresol	+	+	–	+	–	–
Benzalkonium Cl	+	–	–	–	–	–

* 기구, 환경에 대한 소독제 및 농도

적용 대상	소독제	농도
내시경, 수술기구	Glutaral	2%
욕조, 조리장, 투약용기, 포(혈액오염), 일반환경, HB virus 오염환경	NaClO	0.02% 0.1% 1%
결핵균 오염, 변기, 일반 병실	Cresol	1% 0.2~0.5%
일반병실, 기구, 변기, 욕조	Lamicine	0.2~0.5%
기구 (금속, plastic, 고무)	Benzalkonium Cl	0.05~0.1%
금속기구, 체온계, 이발기구	Alcohol	75%

* 인체에 대한 소독제 및 농도

인체 사용부위		소독제	농도
수술 부위	점막	Povidone Iodine	10%
	피부	Povidone Iodine	7.5%, 10%
점막	질	Benzalkonium Cl Povidone Iodine	1% 0.2~0.5%
	구강	H_2O_2 Povidone Iodine	0.2~0.5%
	결막낭	Povidone Iodine	0.05~0.1%
	귀	Povidone Iodine	0.5%
창 상		H_2O_2 Povidone Iodine	1~3% 0.5~10%
수술상처		Povidone Iodine	1%

* 인체에 사용하는 소독제의 희석용액으로는 증류수를 사용함.

INDEX (성분명)

1장 2장 3장 4장 5장 6장 7장 8장 9장 10장 11장 12장 13장 14장 15장 16장 17장 18장 부록 Index (성분명)

B

D

E

F

G

H

I

J

K

L

M

N

Q

R

S

T

U

V

W

Z

INDEX (영문 상품명)

B

C

D

E

F

G

H

I

J

K

L

M

N

O

P

Q

R

S

T

U

V

INDEX (한글 상품명)

ㄷ

ㄹ

ㅁ

ㅂ

ㅅ

ㅈ

ㅊ

ㅋ

ㅌ

ㅍ

ㅎ

기타